TEOLOGIA SISTEMÁTICA
Lewis Sperry Chafer
volumes 1 & 2

Lewis Sperry Chafer
D.D., Litt.D., Th.D.
Ex-presidente e professor de Teologia Sistemática no
Seminário Teológico em Dallas

Copyright © 1948, 1976 por
Dallas Theological Seminary
Originalmente publicado por Kregel
Publications.
Título original: *Systematic Theology*

Tradução
Heber Carlos de Campos

Revisão
Edna Batista Guimarães

Diagramação
Atis Produção Editorial

Capa
Douglas Lucas

Editora
Marilene Terrengui

1ª edição - março de 2003
2ª edição - fevereiro de 2008
3ª edição - junho de 2013
Reimpressão - agosto de 2020

Coordenador de produção
Mauro W. Terrengui

Editoração, impressão e acabamento
Imprensa da Fé

Todos os direitos reservados para:
Editora Hagnos Ltda
Av. Jacinto Júlio, 27
04815-160 - São Paulo - SP - Tel (11)5668-5668
hagnos@hagnos.com.br - www.hagnos.com.br

Dados Internacionais de Catalogação na Publicação (CIP)
(Câmara Brasileira do Livro, SP, Brasil)

Charles, Lewis Sperry
Teologia Sistemática / Lewis Sperry Chafer; (tradução : Heber Carlos Campos) -- São Paulo, SP: Hagnos, 2003.

1. Teologia dogmática I. Título

03-0105   CDD-230

Índices para catálogo sistemático:
1. Teologia sistemática: Cristianismo   230

ISBN 85-89320-06-5

Conteúdo do volume 1:
1: Prologómenos, Bibliologia, Teoltologia
2: Angelologia, Antropologia
3: Soteriologia, Eclesiologia
4: Escatologia

Editora associada à:

Dedicatória

Esta obra de Teologia Sistemática é dedicada com profunda afeição ao corpo discente de todas as épocas do Seminário Teológico em Dallas.

Prefácio

(Todo aluno deve ler com cuidado)

A TEOLOGIA SISTEMÁTICA, a maior de todas as ciências, tem passado por maus dias. Entre a rejeição e ridicularização pelos chamados progressistas e sua negligência e condensação pelos ortodoxos, ela, como uma influência poderosa, está próxima da extinção. É fato significativo que da ascendência de dois pontos no reconhecimento e das obras notáveis sobre Teologia Sistemática que têm sido produzidas neste e em outros países, uma extraordinária pequena porção está agora para ser impressa e a demanda dessas obras é insignificante. A ênfase inalterável das Escrituras sobre a doutrina, cujo assunto é referido no Novo Testamento mais de 40 vezes e é aquele para o qual um cristão deve "ter cuidado" (1 Tm 1.3; 4.6, 16; 2 Tm 3.10,16; 4.2,3), pois ele permanece como uma repreensão silenciosa, seja ouvida ou não, a todas as noções modernas que depreciam a importância da Teologia Dogmática, e também ela permanece como um corretivo para os que negligenciam qualquer parte dela.

Não é inconveniente dizer que a maioria dos ministros não lê Teologia Sistemática, nem tais escritos serão encontrados num lugar proeminente na biblioteca deles. Na verdade, essa situação deveria ser chocante para os ministros de duas gerações atrás – homens cuja posição era respeitada em seu tempo por causa do profundo conhecimento que eles tinham de porções doutrinárias da Bíblia e cujos ministérios da pregação e da escrita foram grandes na edificação da Igreja.

A situação presente não é passageira. Como bem poderia um médico descartar os seus livros de anatomia e terapêutica assim também o pregador pode rejeitar os seus livros sobre Teologia Sistemática; e visto que a doutrina é a estrutura óssea da verdade revelada, a sua negligência deve resultar numa mensagem caracterizada por incerteza, imprecisão e imaturidade. Quando é o campo específico de aprendizado que distingue o trabalho ministerial, se não o conhecimento da Bíblia e de suas doutrinas? Para o pregador, ela é uma responsabilidade de importância insuperável. As pessoas de outras profissões são incansáveis em suas tentativas de descobrir as verdades e de aperfeiçoarem-se a si mesmas no uso das forças que pertencem aos seus vários campos vocacionais, embora estes estejam no campo restrito das coisas materiais. O pregador é chamado para tratar das coisas de Deus, sobrenaturais e eternas. O seu serviço é diferente de todos os outros – diferente com respeito aos alvos, às forças disponíveis e, necessariamente, a uma preparação adequada. Poucas bibliotecas de pastores incluem uma só obra de teologia, mas um médico certamente possui uma obra digna sobre anatomia. Uma forma de pensamento moderno tende a tratar todos os assuntos doutrinários com desprezo.

PREFÁCIO

Nenhum substitutivo jamais será encontrado para o conhecimento da Palavra de Deus. Somente essa Palavra trata de coisas eternas e infinitas, e ela somente tem poder para converter a alma e desenvolver uma vida espiritual que venha honrar a Deus. Há um conteúdo espiritual ilimitado; todavia escondido, dentro da Bíblia que contribui muito para o seu caráter sobrenatural. Este conteúdo espiritual nunca é discernido pelo homem natural (ψυχικὸς), ou o homem que não foi regenerado (1 Co 2.14), ainda que ele tenha atingido o mais alto grau de aprendizado ou autoridade eclesiástica. As capacidades naturais da mente humana não funcionam na esfera das coisas espirituais. A mensagem divina é apresentada "não em palavras ensinadas pela sabedoria humana, mas ensinadas pelo Espírito, conferindo cousas espirituais com espirituais" (1 Co 2.13), e o Espírito foi dado aos regenerados para que eles pudessem "conhecer o que por Deus nos foi dado gratuitamente". Com base na erudição, quando é permitido aos homens que não foram regenerados determinar para a Igreja o que ela deve crer, ela desce de seu caráter sobrenatural ao nível de uma instituição humana, e é seguro concluir que os homens que não são regenerados é que negam a única base sobre a qual uma alma pode ser salva.

Quando se adquire um conhecimento do conteúdo espiritual da Bíblia, torna-se uma tarefa que dura a vida inteira. Os grandes pregadores que moveram os corações dos homens com o poder divino eram impregnados das verdades da Escritura conseguidas por meio de um estudo imediato e diário de seu texto. Os fatos gerais do conhecimento humano podem ser adquiridos por meios comuns, mas as verdades espirituais são apreendidas somente pelo ensino do Espírito Santo no coração dos indivíduos.

Nenhum estudante das Escrituras deveria ficar satisfeito em lidar somente com os resultados do estudo de outros homens. O campo é inexaurível e os seus tesouros são sempre novos. Nenhum astrônomo capaz limita sua atenção aos achados de outros homens, mas ele mesmo vasculha o céu tanto para verificar como para descobrir; e nenhum teólogo digno ficará satisfeito somente com o resultado da pesquisa de outros teólogos, mas ele próprio sempre pesquisará as Escrituras. Contudo, é preciso uma introdução bem profunda e um método de estudo deve ser estabelecido se o astrônomo ou teólogo espera continuar com uma eficiência sempre crescente. No caso do teólogo, esta responsabilidade de adquirir uma preparação para o estudo da Bíblia e o seu verdadeiro método de estudo, sem dúvida, estão a cargo do seminário teológico.

Com muita freqüência, o seminário tem tomado a atitude de que o estudo da Bíblia no mundo em seu conteúdo espiritual não tem lugar no currículo teológico, ao presumir que estudos exegéticos limitados em porções de textos gregos e hebraicos sejam suficientes. A exegese pertence ao departamento de línguas originais e a sua importância não pode ser superestimada, nem o seu prosseguimento cessar após a graduação do estudante. É do domínio da pesquisa exegética ajudar no estudo dos aspectos doutrinário, devocional, histórico, profético e prático da revelação divina; mas a exegese pode, e isso freqüentemente acontece, degenerar em mero estudo gramatical e filológico do texto com pouca atenção dada ao conteúdo espiritual das Escrituras.

Os institutos bíblicos podem ensinar aos leigos a Bíblia, mas é prerrogativa do seminário teológico produzir expositores da Escritura com autoridade e exatidão. Sem levar em conta os ideais sustentados por muitos seminários modernos, o pregador é chamado para "pregar a Palavra", tornar-se "apto para ensinar", ser o que evita as "tradições dos homens", e tornar-se o que maneja bem a Palavra da verdade. Visto que a obtenção do conhecimento da Palavra de Deus é uma tarefa que dura a vida inteira, nenhum seminário, não importa quão verdadeira possa ser a sua intenção, pode fazer mais do que dar ao aluno uma introdução à totalidade do texto da Bíblia, um método e um hábito de estudar com ideais verdadeiros, e de comunicar uma capacidade para uma pesquisa ininterrupta do texto sagrado em si mesmo. Toda disciplina do currículo deveria concorrer para isso.

Os estudos em teologia, línguas originais e história deveriam contribuir para o único ideal, a saber, *o conhecimento das Escrituras*. Há problemas sociais e pastorais preocupantes em que o pregador deveria ser instruído; mas estes são secundários comparados à sua chamada para ser ministro da verdade de Deus. Há um valor muito maior no conhecimento da história da opinião teológica e da familiaridade com as afirmações e conclusões de grandes homens de gerações anteriores, que é essencial, mas em matéria de importância vital, o conhecimento e a familiaridade com essas afirmações não são comparáveis com o entendimento da Palavra de Deus e sua verdadeira aplicação aos homens hoje. Semelhantemente, o estudo das evidências é uma disciplina importante para o estudante de teologia, mas as evidências não abarcam a verdade em si mesma.

O químico que em seu laboratório durante o dia provou os valores de várias comidas, sem dúvida se agradará de participar da refeição quando o trabalho do dia estiver concluído. Assim também, um pregador deveria estar consciente do objetivo e da tendência da filosofia do seu tempo, mas ele deveria entender também que o único método vitorioso de combate ao erro é a declaração positiva da verdade de Deus. Um pregador cheio do Espírito e da verdade terá pouco tempo ou disposição para descer a uma mera controvérsia; mas anunciará sobrenaturalmente a mensagem eficaz de Deus, contra a qual nenhum erro pode prevalecer.

Conquanto seja verdade que a Bíblia é a fonte do material que compõe a Teologia Sistemática, é igualmente verdadeiro que a função da Teologia Sistemática é esclarecer a Bíblia. Em seu estado natural, o ouro é freqüentemente despercebido pelos que não têm olhos para discernir. Igualmente, os tesouros da verdade divina são observados somente pelos que são treinados para reconhecê-los. Em seus anos de aprendizado nas salas de aula, o estudante de teologia deve assimilar todo o campo de doutrina, para que possa ser preparado, a fim de continuar a sua pesquisa em cada porção da Bíblia por todo o seu ministério, para que se torne apto a proceder inteligentemente em cada fase da revelação divina.

PREFÁCIO

À parte dessa introdução completa à doutrina, nenhum pregador será capaz de sustentar a verdade em suas proporções corretas, nem poderá ser assegurado de que ele e seus ouvintes não venham a se desviar para erros cúlticos não-escriturísticos, ou para as descrenças contemporâneas. Após dominar totalmente o campo de sua profissão, o médico ou o advogado podem servir ao público como um especialista em algum aspecto particular dessa profissão; mas o teólogo não deveria se especializar em algum departamento da verdade. Os que pregam novidades têm sido a causa de inúmeros danos na Igreja, e o único modo de evitar esse perigo, ou para que os pregadores despreocupados não sejam "levados ao redor por todo vento de doutrina", é proporcionar uma exigência de estudo na Teologia Sistemática que leve em conta uma consideração completa da teologia sob um professor competente dos pontos principais de cada doutrina com o devido reconhecimento da relação que cada doutrina tem uma com a outra.

O Racionalismo tem sempre tentado entrar na Igreja, mas ele é pouco bem-vindo, quando os seminários teológicos, mesmo condensadamente, dão o devido lugar a uma boa Teologia Sistemática. É um passo muito curto entre a ignorância da doutrina e a sua rejeição e ridicularização, e pode ser afirmado com segurança que não há rejeição da sã doutrina que não esteja baseada na ignorância.

Conquanto as necessidades dos estudantes de seminário sejam a de concentração em Teologia Sistemática como nunca, a tendência, infelizmente, é substituir a teologia por filosofia, psicologia e sociologia. Isto pode ser um pouco explicado pelo fato de que a doutrina bíblica é uma revelação e as ciências substitutas estão dentro do alcance de pensamento do homem natural.

Nesta época, como em nenhuma outra, há uma mensagem específica para ser pregada a toda criatura e, conquanto haja liderança de homens dotados por Deus para a Igreja, a obrigação de testemunhar cai sobre cada cristão do mesmo modo. Deve ser dado reconhecimento às multidões incontáveis de testemunhas fiéis que desempenham suas funções como professores de Escola Dominical, obreiros em missões, ganhadores de almas no evangelismo pessoal, e como expoentes vivos da graça divina. Este é o modo apontado por Deus para a evangelização no Novo Testamento. As forças evangelizadoras latentes de uma congregação de crentes estão além do cálculo humano; mas eles precisam ser treinados para a sua tarefa, e Deus prescreveu definitivamente que eles deveriam ser treinados.

Como poderão eles ser habilidosos e exatos mesmo em sua esfera limitada de serviço? Que eles devem ser preparados está claro em Efésios 4.11,12. Ali se afirma que homens dotados – apóstolos, profetas, evangelistas, pastores e mestres, especialmente os pastores e mestres – são designados para a tarefa do "aperfeiçoamento dos santos para o desempenho do seu serviço"; a saber, o ministério que é entregue aos santos. A revelação aqui não é somente sobre o fato de que os cristãos têm um serviço de testemunho para realizar, mas também o fato de que eles devem ser equipados para este serviço por homens dotados, a quem Deus colocou sobre eles como seus líderes.

Prefácio

A palavra καταρτισμὸν, aqui traduzida como aperfeiçoamento, é um substantivo que é usado apenas uma vez no Novo Testamento e significa equipamento; refere-se à preparação que todos os santos deveriam ter para que eles possam testemunhar eficazmente a respeito de Cristo. A forma verbal desta palavra é encontrada em outro lugar no Novo Testamento, e com significado importante. Conforme esta passagem (Ef 4.11,12), o pastor e o mestre são responsáveis pelo equipamento dos que estão sob o seu cuidado. Embora este equipamento envolva métodos de trabalho, ele inclui muito mais, a saber, um conhecimento acurado da verdade.

Mas o pastor e o mestre devem ser treinados para a tarefa de liderança. Debaixo das condições existentes, essa preparação é entregue aos professores de um seminário teológico. A responsabilidade deles é maior do que a de outros homens, visto que as coisas celestiais transcendem as terrestres. Observe essa corrente que flui de sua fonte: qualquer que seja a verdade e as idéias, o professor comunica aos estudantes em treinamento que eles, por sua vez, irão mais tarde comunicar a grupos maiores dos quais eles vão ter de cuidar espiritualmente. Se uma congregação não está engajada ativamente na obra missionária e na atividade de ganhar almas, é usualmente por causa do fato de que eles foram privados de uma liderança pretendida por Deus para aquele fim.

Se o pastor não tem paixão por ganhar almas, não tem visão missionária, é limitado em sua proficiência, e impreciso como um expositor da Palavra de Deus; a sua carência dessas coisas pode ser devida ao fato de que ele foi privado do treinamento espiritual e vital pretendido por Deus, que deveria ter sido dado no seminário. Entretanto, pode ser reafirmado que a responsabilidade do professor de seminário não é menos que sobre-humana. Se isto é verdade, homem algum é adequado para exercer serviço de docência num seminário que não seja ele mesmo despertado para este mister.

Além disso, para o treino avançado e a exatidão na verdade que a sua posição exige, o professor deve ser um exemplo digno de zelo missionário, de paixão evangelística e de um esforço incansável em ganhar almas. Quais fogo de reavivamento ardente e forças espirituais liberadas deveria a Igreja exigir a purificação e a perfeição de suas fontes de ensino doutrinário assim como a ilustração digna de vitalidade espiritual e de paixão por ganhar almas na vida e ministério daqueles que moldam o caráter dos líderes designados por Deus!

Este não é um apelo para a diminuição da erudição conceituada. A noção prevalecente de que a erudição e a paixão espiritual não podem co-existir em uma pessoa foi de uma vez por todas contestada no começo da era cristã, no caso do apóstolo Paulo, para não falar dos milhares de grandes pregadores do passado que obtiveram uma erudição invejável sem restringir suas vidas espirituais ou paixão pelas almas.

A questão sobre se os efeitos ruins de uma teologia resumida pode ser considerada com um reconhecimento pleno do fato de que uma teologia condensada no seminário deixa o pastor desqualificado, e a sua limitação será

PREFÁCIO

refletida no retardamento do conhecimento não somente de sua própria vida espiritual, mas na de todos que esperam em seu ministério.

A crítica incorporada neste prefácio não pertence de modo algum ao material que está incluso nas obras existentes sobre a Teologia Sistemática. A Igreja tem um débito imensurável para com os grandes teólogos pela obra que eles realizaram. Eu chamo a atenção somente para certos temas principais que estranhamente, às vezes, não aparecem nas obras de Teologia Sistemática. Se é alegado que eles são omitidos porque são temas que não pertencem à Teologia Sistemática, pode ser respondido que esses homens não são designados para determinar o material que deve entrar nessa ciência. Visto que é geralmente reconhecido pelos teólogos, a Teologia Sistemática é a coleção de todos os fatos cientificamente dispostos, comparados, exibidos e defendidos, de toda fonte concernente a Deus e suas obras.

É óbvio que não pode haver uma razão válida apresentada para a omissão de qualquer doutrina vital dessa ciência. Os teólogos não têm permissão de Deus para restringir o campo da teologia ao material encontrado nos padrões de fé de suas respectivas denominações ou mais ou menos aos ensinos restritos de líderes não-inspirados que formularam aqueles padrões. A revelação divina em sua totalidade, e não meramente em porções dela que se harmonizam com o que se aceita, deve desafiar o estudante da doutrina.

Embora o interesse pela Teologia Sistemática tenha declinado nos últimos anos, há uma necessidade crescente de uma obra de teologia completa com ênfase prémilenista e dispensacionalista. Por longo tempo esta obra tem sido uma aspiração. Ela se propõe a dar um passo em direção à satisfação dessa necessidade.

Por que uma obra completa? Simplesmente porque uma parte de qualquer coisa nunca é equivalente à sua totalidade. Uma investigação de longa data em obras de Teologia Sistemática tem resultado na descoberta de que, no campo de doutrina, ao menos sete temas mais importantes são constantemente negligenciados. Poucos leitores, na verdade, estão na posição de detectar o que é deixado de lado numa obra de teologia. As omissões são: (1) O programa divino das dispensações; (2) a Igreja, o corpo de Cristo; (3) a conduta humana e a vida espiritual; (4) angelologia; (5) tipologia; (6) profecia; e (7) a presente condição de Cristo no céu. Para que a perda do alcance total de doutrina sustentada por essas omissões possa ser assinalada, é necessário indicar alguns dos aspectos importantes de cada doutrina.

I. O Programa Divino para as Dispensações

Conquanto algumas fases do programa divino das épocas pertencem propriamente à escatologia, e estas serão observadas mais tarde dentro desse assunto, a matéria excede os limites da escatologia, e, assim tão vasta, deve ser reconhecida como fundamental para o entendimento correto das obras de Deus em relação a este mundo.

O estudo dispensacionalista da Bíblia consiste na identificação de certos períodos de tempo bem definidos que são divinamente indicados com o propósito revelado por Deus relativo a cada período. Um reconhecimento das distinções divinamente indicadas quanto aos períodos de tempo e as mensagens pertencentes a cada período é o verdadeiro fundamento de uma ciência como a Teologia Sistemática, que se propõe a descobrir e a exibir a verdade concernente às obras de Deus. Não há maneira possível de se avaliar o grau de erro que é prevalecente por causa da leitura desatenta de uma dispensação ou época de que uma pertence a outra.

Que Deus tem um programa estabelecido das dispensações é mostrado em muitas passagens (cf. Dt 30.1-10; Dn 2.31-45; 7.1-28; 9.24-27; Os 3.4,5; Mt 23.37–25.46; At 15.13-18; Rm 11.13-29; 2 Ts 2.1-12; Ap 2.1–22.21). Igualmente, há períodos bem definidos de tempo relacionados ao propósito divino. O apóstolo Paulo escreve a respeito do período entre Adão e Moisés (Rm 5.14); João fala da lei como dada por Moisés, mas da graça e verdade como vindas de Cristo (Jo 1.17). Cristo também fala do "tempo dos gentios" (Lc 21.24), que deve ser evidentemente distinto dos "tempos e estações" dos judeus (At 1.7; 1 Ts 5.1). Igualmente, Ele falou de um período até aqui não anunciado entre os dois adventos e indicou os seus aspectos distintivos (Mt 13.1-51), e predisse um tempo ainda futuro de "grande tribulação" e definiu o seu caráter (Mt 24.9-31). Há os "últimos dias" para Israel (Is 2.1-5), assim como "os últimos dias" para a Igreja (2 Tm 3.1-5).

O apóstolo João prevê um período de mil anos e relaciona isto ao reino de Cristo, tempo em que a Igreja, sua Noiva, reinará com Ele (Ap 20.1-6). Que Cristo se sentará sobre o trono de Davi e reinará sobre a casa de Jacó para sempre está declarado pelo anjo Gabriel (Lc 1.31-33), e que haverá um novo céu e uma nova terra permanentes está claramente revelado (Is 65.17; 66.22; 2 Pe 3.13; Ap 21.1). Em Hebreus 1.1,2, um agudo contraste é feito entre o "tempo passado", quando Deus falou aos pais pelos profetas e "nestes últimos dias" quando Ele se manifesta a nós através de seu Filho. Também está claramente revelado que há uma era passada (Ef 3.5; Cl 1.26), uma era presente (Rm 12.2; Gl 1.4), e uma era ou eras futuras (Ef 2.7; Hb 6.5; observe Ef 1.10, onde a era futura é chamada de dispensação – οἰκονομία – da plenitude – πλήρωμα – dos tempos – καιρός.

O uso de αἰῶνας em Hebreus 1.2 e 11.3 com a sua referência quase universal a tempo, seja obrigatório ou não, é de significação especial como indicação do arranjo divino com relação aos períodos de tempo. O primeiro com ἐποίησεη τοὺς αἰῶνας e o último com κατηρτίσθαι τοὺς αἰῶνας tem sido muito contestado. Dean Alford afirma: "São duas as principais classes de intérpretes: (1) os que vêem na palavra o seu significado comum de 'uma época de tempo'; (2) os que não reconhecem tal significado, mas supõem que ele ficou absorvido no de 'o mundo' ou 'os mundos'. Ao primeiro pertencem os pais gregos e alguns outros. Por outro lado, os últimos têm a sua idéia na maioria dos comentadores".[1] Em diversas passagens, inclusive nas duas em questão, Vincent declara que αἰῶνας refere-se ao "universo, o agregado das eras ou períodos, e seus conteúdos que estão inclusos na duração do mundo". A palavra, ele afirma, "significa um período de tempo. De outra forma, seria impossível justificar o plural, ou tais expressões qualificadoras como esta época, a era vindoura".

Quando consideramos o significado aceito de αἰῶνας, a interpretação natural da passagem em questão é que Deus fez por Cristo um arranjo de períodos sucessivos, muito além do καιρός dentro do χρόνος, e estende-se na verdade às coisas eternas ou de eternidade a eternidade. Esta interpretação, segundo Alford, sustentada pelos pais gregos, embora não esteja livre de dificuldades, tem mais do que uma importância passageira para os que discernem o fato, a força e a fruição dos períodos de tempo de Deus.

O estudante das Escrituras, que é dedicado à sua tarefa, descobrirá que os grandes períodos de tempo de Deus, caracterizados como são por propósitos divinos específicos, encaixam-se numa ordem bem definida, e avançam com a certeza infinita para a consumação gloriosa que Deus decretou. Há uma ordem dos dias da criação. A dispensação dos patriarcas é seguida pela dos juízes, e esta, por sua vez, é seguida pela dos reis. Os 'tempos dos gentios', que terminam com a dispensação dos reis, continuam até o dia de Jeová, cujo período extenso é seguido pelo dia de Deus, caracterizado como é pelos novos céus e nova terra, que deverão ser não somente santos em grau infinito, mas também permanecerão para sempre.

O programa de Deus é tão importante para o teólogo como o projeto é para o construtor ou a carta para o marinheiro. Sem o conhecimento dele, o pregador ficará à deriva na doutrina e falhará em grande medida nas suas tentativas de harmonizar e utilizar as Escrituras. Sem dúvida, uma pessoa espiritualmente inclinada, que não conhece o programa divino, pode discernir verdades espirituais isoladas, exatamente como alguém pode desfrutar um ponto de cor rara numa pintura sem observar o quadro propriamente dito ou a contribuição específica que a cor traz ao todo.

A despeito de sua importância como um dos aspectos qualificativos da doutrina, a Teologia Sistemática, conforme demonstrada geralmente no livro-texto, é sem qualquer reconhecimento do programa divino das dispensações.

II. A Igreja, o Corpo de Cristo

A eclesiologia, ou a doutrina da Igreja, incorpora três divisões principais: (a) a verdadeira Igreja, o Corpo de Cristo; (b) a Igreja visível ou organizada; (c) a vida e o serviço dos que são salvos nesta dispensação. Apesar de muito importantes, a primeira e a terceira destas divisões, na prática, nunca são tratadas nas obras de Teologia Sistemática, enquanto que a segunda, se mencionada, é usualmente restrita a aspectos peculiares de alguma seita ou ramo da Igreja visível com referência específica à organização e ordenanças.

Atos dos Apóstolos e as Epístolas apresentam o fato de uma nova classificação da humanidade chamada Igreja, grupo esse que é designado como uma parte da nova criação, visto que cada indivíduo dentro do grupo experimentou o poder regenerador do Espírito Santo (2 Co 5.17; Gl 6.15).

As obras de Teologia Sistemática geralmente reconhecem o povo remido dessa dispensação, mas como uma seqüência suposta ou continuação no progresso do propósito divino em Israel. Elas se referem à "Igreja do Antigo Testamento" e à "Igreja do Novo Testamento" como juntas, as quais constituem partes componentes de um projeto divino, e falham, assim, em reconhecer as distinções entre Israel e a Igreja que, apesar de ser tão radical em seu caráter, serve para indicar as diferenças mais amplas possíveis entre os dois grupos – diferenças quanto à origem, ao caráter e à responsabilidade, e quanto ao destino. Há pelo menos 24 diferenças muito grandes a serem observadas ainda entre Israel e a Igreja, enquanto que há cerca de 12 aspectos principais comuns a ambos; mas as similaridades óbvias não eliminam as diferenças.

O fato de que a revelação concernente tanto a Israel como a Igreja inclui a verdade a respeito de Deus, santidade, pecado, e redenção pelo sangue, não elimina um conjunto ainda maior de verdades na qual é revelado que os israelitas se tornam tais pelo nascimento natural enquanto que os cristãos se tornam tais pelo nascimento espiritual; que os israelitas foram designados para viver e servir debaixo de um sistema legal e meritório, enquanto que os cristãos vivem e servem debaixo de um sistema gracioso; que os israelitas, como nação, têm a sua cidadania agora e o seu destino futuro centrado somente na terra, fato que se estende para a nova terra que ainda está por vir, enquanto os cristãos têm a sua cidadania e destino futuro centrados somente no céu, e estendem-se até o novo céu que está ainda por vir (para ambos, bênçãos terrestres e celestiais; veja Isaías 65.17; 66.22; Hebreus 1.10-12; 2 Pedro 3.10-13; Apocalipse 21.1–22.7).

Com respeito à raça humana, o tempo de Adão até agora é geralmente reconhecido pelos que aceitam o testemunho da Escritura como de seis milênios, período este dividido em três estágios de tempo de aproximadamente dois milênios cada. No período de Adão a Abraão houve uma linhagem ou espécie de humanidade sobre a terra – os gentios; e no período de Abraão a Cristo houve duas – judeus e gentios; e no período do Pentecostes até o momento há três – judeus, gentios e Igreja. No milênio próximo e último haverá, de acordo com muitas predições, apenas duas linhagens ou espécies de povos sobre a terra – os judeus e os gentios –, e, como tem sido observado, estes são maravilhosamente transformados, continuam como habitantes da nova terra onde habita a justiça.

Assim está visto que a presente dispensação é caracterizada somente pela presença na terra de um terceiro grupo da humanidade – a Igreja. Não somente Cristo previu este corpo de pessoas (Mt 16.18), mas ele aparece com Israel (1) como co-participante no propósito de sua encarnação; (2) como os temas de seu ministério; (3) como os objetos de sua morte e ressurreição; (4) como os beneficiários de sua segunda vinda; e (5) como ligados a Ele em seu Reino. Destes aspectos da verdade, pode ser observado:

PREFÁCIO

(1) Há dois propósitos independentes e amplamente diferentes na encarnação:

a) Do lado messiânico e em relação ao seu ofício como Rei de Israel, Cristo nasceu de uma virgem e veio para o seu relacionamento humano com direitos reais indiscutíveis, a fim de que pudesse cumprir o pacto davídico (2 Sm 7.8-18; Sl 89.20-37; Jr 33.21,22,25,26). O anjo disse para a virgem Maria: "Eis que conceberás e darás à luz um filho a quem chamarás pelo nome de JESUS. Este será grande e será chamado Filho do Altíssimo; Deus, o Senhor, lhe dará o trono de Davi, seu pai; ele reinará para sempre sobre a casa de Jacó, e o seu reinado não terá fim" (Lc 1.31-33); e como herdeiro através da linhagem humana, Ele será o ocupante eterno do trono terreno de Davi, e reinará sobre a casa de Jacó para sempre (Is 9.6, 7; Lc 1.33).

b) Com respeito ao seu aspecto mediatorial e redentor e para cumprir o pacto abraâmico, é igualmente verdadeiro que pela encarnação o Mediador entre Deus e o homem é capacitado com todas as bênçãos inexauríveis que o Mediador teantrópico lhe assegura; e através do nascimento virginal o Redentor-Parente é percebido que, como tipificado por Boaz, foi qualificado para redimir o estado de perdição e reivindicar a sua Noiva celestial – a Igreja.

Conquanto estes dois objetivos amplamente diferentes se alcancem na encarnação, os fatos gerais a respeito da encarnação são comuns a ambos. Quando se contempla tanto o propósito celestial na Igreja como o propósito terrestre em Israel, deveria ser observado que: (a) não outra senão a Segunda Pessoa da Trindade que veio para esse relacionamento humano; (b) para fazer isto, Ele esvaziou-se, tornou-se obediente à vontade de seu Pai; (c) tomou um corpo, alma e espírito humanos; e (d) a união assim formada entre as naturezas divina e humana resultou na Pessoa teantrópica incomparável.

(2) Cristo revelou duas linhas distintas de verdade. Na primeira, Ele apresentou-se como o Messias de Israel e convocou aquela nação para o seu longo arrependimento nacional, no qual também declarou o caráter do seu reino terrestre e a si mesmo como o Realizador dos propósitos messiânicos. Naquele tempo, Ele disse de si próprio: "Não fui enviado senão às ovelhas perdidas da casa de Israel" (Mt 15.24). Ao enviar os seus discípulos, Ele ordenou-lhes: "Não tomeis rumo aos gentios, nem entreis em cidade de samaritanos; mas, de preferência, procurai as ovelhas perdidas da casa de Israel" (Mt 10.5,6). Na segunda, quando a sua rejeição por Israel tornou-se evidente, Jesus começou a falar de sua partida e do segundo advento, e de uma época até então não anunciada, que se interporia e na qual o Evangelho seria pregado em todo mundo a judeus e gentios igualmente, e seus discípulos, cujas mensagens antes foram restritas a Israel somente, foram então comissionados para declarar as boas-novas a toda criatura.

Uma ligeira comparação de sua despedida de Israel – "e sereis odiados de todas as nações" (Mt 23.37–25.46) – com a sua palavra de despedida dos que creram nele para a salvação de suas almas (Jo 13.1–17.26), revelará as distinções mais evidentes entre Israel e a Igreja. Tais contrastes podem ser retirados dos evangelhos quase que indefinidamente, e sem essas distinções em mente somente perplexidade pode caracterizar aquele que lê com atenção.

(3) Em sua morte e ressurreição os mesmos dois objetivos diferentes podem ser discernidos. Para Israel, a sua morte foi uma pedra de tropeço (1 Co 1.23), e sua morte não era parte do seu ofício como Rei sobre Israel – "viva o rei para sempre!"; todavia, em sua morte, Israel teve também a sua parte no grau em que Ele tratou finalmente com os pecados cometidos outrora, cujos pecados foram somente cobertos de acordo com as provisões da expiação do Antigo Testamento (Rm 3.25). Por sua morte o caminho foi preparado para qualquer judeu ser salvo através da fé nele; e por sua morte foi assegurada uma base suficiente sobre a qual Deus ainda irá "retirar" os pecados daquela nação no tempo quando "todo Israel for salvo" (Rm 11.27).

Contudo, a nação de Israel não mantém relação com a ressurreição de Cristo além do que Davi previu, a saber, que se Cristo morreu, Ele deve ressurgir novamente dos mortos, a fim de que possa sentar no trono de Davi (Sl 16.10; At 2.25-31). Em oposição a isso está revelado que Cristo amou a Igreja e deu-se a si mesmo por ela (Ef 5.25-27), e que sua ressurreição é o começo da nova criação de Deus, que inclui os muitos filhos que Ele conduz à glória (Hb 2.10). Nesse relacionamento da nova criação, o crente está no Cristo ressuscitado e vice-versa. Esta dupla unidade estabelece uma identidade de relacionamento que sobrepõe todo entendimento humano.

Esta união que existe até foi comparada por Cristo com a unidade que há entre as pessoas da Trindade (Jo 17.21-23). Pelo batismo do Espírito operado em todo o que crê (1 Co 12.13), o salvo é unido ao Senhor (1 Co 6.17; Gl 3.27), e por essa união com o Cristo ressuscitado, ele se torna um participante de sua vida ressuscitada (Cl 1.27), é transferido do poder das trevas para o reino do Filho do seu amor (Cl 1.13), é crucificado, morto, e sepultado com Cristo, e é ressuscitado para andar em novidade de vida (Rm 6.2-4; Cl 3.1), está agora assentado com Cristo nos lugares celestiais (Ef 2.6), é um cidadão do céu (Fp 3.20), é perdoado de todas as suas transgressões (Cl 2.13), é justificado (Rm 5.1), e abençoado com toda sorte de bênçãos espirituais (Ef 1.3).

Esta enorme quantidade de verdades, que é indicada ligeiramente aqui, não é encontrada no Antigo Testamento, nem os santos do Antigo Pacto jamais disseram estar relacionados assim a este Cristo ressuscitado. É impossível estas grandes revelações serem colocadas num sistema teológico que não distingue o caráter celestial da Igreja em contraste com o caráter terrestre de Israel. Esta falha da parte desses sistemas de teologia em discernir o caráter da verdadeira Igreja, relacionado integralmente, como é, ao Cristo ressuscitado, explicar a omissão comum destes escritos teológicos de qualquer tratamento extenso da doutrina da ressurreição de Cristo e de outras doutrinas relacionadas.

(4) Os grandes eventos preditos para o término da presente dispensação incluem o dia de Cristo, quando a Igreja será arrebatada e estará para sempre com o Senhor – alguns pela ressurreição e outros por trasladação (1 Co 15.35-53; 1 Ts 4.13-17) –, e o dia do Senhor quando Israel será reintegrado, julgado, e terá

PREFÁCIO

o privilégio de experimentar a realização de todos os seus pactos terrestres na terra que lhe foi dada pelo juramento de Jeová, promessa essa que não pode ser quebrada (Dt 30.3-5; 2 Sm 7.16; Sl 89.34-37; Jr 23.5,6; 31.35-37; 33.25,26).

(5) No reino futuro do Messias, a distinção entre Israel e a Igreja se torna ainda mais óbvia. Israel, como nação, é vista, através da visão profética, como vassala do reino no governo de glória da Noiva do Cordeiro, pois ela reinará com Cristo (Ap 20.6). Como sua Noiva e Esposa, é correto colocar a Igreja como participante de seu reino.

Duas revelações foram dadas ao apóstolo Paulo:

(1) A da salvação para uma perfeição infinita igualmente aos judeus e gentios como indivíduos, através da fé em Cristo e com base em sua morte e ressurreição (Gl 1.11,12). Que esta salvação é um exercício da graça que sobrepõe qualquer coisa e que jamais foi experimentada no Antigo Testamento, está claramente revelada em 1 Pedro 1.10, onde é dito "desta salvação que os profetas indagaram e inquiriram, os quais profetizaram acerca da graça a vós outros destinada".

(2) A do novo propósito divino no chamamento da Igreja (Ef 3.6). Esse novo propósito não é meramente que os gentios devem ser abençoados. A profecia do Antigo Testamento havia predito, desde há muito, as bênçãos aos gentios. O propósito consiste no fato de que um novo corpo da humanidade deveria ser formado tanto de judeus como de gentios, um relacionamento no qual nem a posição de judeu nem a de gentio é retida, mas onde Cristo é tudo e em todos (Gl 3.28; Cl 3.11). O apóstolo igualmente registra o estado anterior dos gentios e judeus e apresenta o estado dos que agora são salvos, seja de um grupo ou de outro. Lemos com respeito aos gentios, "naquele tempo, estáveis sem Cristo, separados da comunidade de Israel e estranhos às alianças da promessa, não tendo esperança, e sem Deus no mundo" (Ef 2.12).

Dos judeus lemos: "São israelitas. Pertence-lhes a adoção, e também a glória, as alianças, a legislação, o culto e as promessas; deles são os patriarcas e também deles descende o Cristo, segundo a carne, o qual é sobre todos, Deus bendito para todo o sempre. Amém" (Rm 9.4,5). Mas da Igreja lemos: "Bendito o Deus e Pai de nosso Senhor Jesus Cristo, que nos tem abençoado com toda sorte de bênção espiritual nas regiões celestiais em Cristo, assim como nos escolheu nele antes da fundação do mundo, para sermos santos e irrepreensíveis perante ele; e em amor nos predestinou para ele, para a adoção de filhos, por meio de Jesus Cristo, segundo o beneplácito de sua vontade, para louvor da glória de sua graça, que ele nos concedeu gratuitamente no Amado" (Ef 1.3-6).

Com a mesma distinção fundamental em vista, o apóstolo faz citações separadas dos judeus, gentios e Igreja (1 Co 10.32); e novamente em Efésios 2.11 ele se refere aos gentios como a incircuncisão, e aos judeus como a circuncisão feita com mãos; mas em Colossenses 2.11 ele se refere à circuncisão feita sem mãos. A última designação indica a posição sobrenatural e o caráter dos que compõem o Corpo de Cristo.

Embora no tempo estabelecido e imposto por Jeová, o judaísmo não se incorporou ao cristianismo, nem agora ele proporciona a mais ligeira vantagem para o judeu que se torna cristão. Com referência ao cristianismo, os judeus e gentios estão agora, igualmente, "debaixo do pecado". Eles precisam identicamente da mesma graça de Deus (Rm 3.9), e essa graça lhes é oferecida precisamente nos mesmos termos (Rm 10.12). Nicodemos, que aparentemente era o seguidor mais perfeito do judaísmo, ouviu de Cristo que ele devia nascer de novo, e o apóstolo Paulo orou para que os israelitas tivessem "zelo por Deus", para que pudessem ser salvos. Eles estavam em falta porque, depois dos novos e ilimitados privilégios da graça que haviam visto através de Cristo (Jo 1.17), ainda se agarravam aos antigos aspectos meritórios do judaísmo, "procurando estabelecer a sua própria [justiça]" e não se submetiam à justiça imputada de Deus (Rm 10.1-3).

Aquele que não pode reconhecer que a Igreja é um propósito novo e celestial de Deus, absolutamente dissociada tanto de judeus como de gentios (Gl 3.28; Cl 3.11), mas a vê somente como um grupo sempre crescente de pessoas redimidas reunidas de todas as épocas da história humana, faria bem em ponderar sobre as seguintes perguntas: Por que o véu se rasgou? Por que o Pentecostes? Por que a mensagem distintiva das Epístolas? Por que as coisas "superiores" do livro de Hebreus? Por que os ramos judeus foram cortados? Por que o presente senhorio e ministério de Cristo no céu? Por que a presente visitação dos gentios e não antes? Por que a presente habitação do Espírito em todos os que crêem? Por que o batismo com o Espírito Santo – singular no Novo Testamento? Por que dois grupos de redimidos na nova Jerusalém?

Por que somente promessas terrestres a Israel e só promessas celestiais à Igreja? Por que as regras de vida divinamente dadas deveriam ser mudadas de lei para graça? Por que Israel é comparado à repudiada e, ainda, virá a ser restaurado como esposa de Jeová, e a Igreja comparada à noiva esposada do Cordeiro? Por que os dois objetivos na encarnação e ressurreição? Por que o novo dia – o dia de Cristo – com o seu arrebatamento e ressurreição dos crentes e com sua recompensa pelo serviço e sofrimento – um dia jamais mencionado no Antigo Testamento? Por que os "mistérios" do Novo testamento, inclusive o Corpo de Cristo? Por que a nova criação, a qual consiste de todos os que, pelo Espírito, são unidos ao Senhor e ficam para sempre em Cristo? Como poderia haver uma Igreja, edificada como é, até a morte, ressurreição e ascensão de Cristo, e o dia de Pentecostes? Como poderia a Igreja, em que não há judeu nem gentio, fazer parte de Israel nesta ou em outra dispensação?

Como a doutrina da ressurreição de Cristo, a doutrina da verdadeira igreja, com sua posição sobrenatural e exaltada e seu destino celestial, é amplamente omitida de escritos teológicos simplesmente porque estes aspectos da verdade não podem ser ajustados num sistema judaizante ao qual a Teologia Sistemática não tem sido freqüentemente comprometida. A grande perda espiritual de tal omissão é somente ligeiramente refletida na falha da parte dos crentes em entender a sua vocação celestial com o incentivo correspondente designado por Deus de se ter uma vida santa.

III. A Conduta Humana e a Vida Espiritual

É possível que a ênfase moderna sobre a conduta humana expressa na frase "importa pouco o que você crê, o que conta é a vida", que quando pronunciada pela primeira vez, foi um protesto contra a omissão do tema da conduta humana nas obras de Teologia Sistemática. Verdadeiro quanto às suas limitações, o mundo dos homens práticos está mais interessado na justificação pelas obras do que na justificação pela fé. Muita coisa da Bíblia é exortativa, e a contemplação da doutrina da conduta humana pertence propriamente à ciência que se propõe a descobrir, classificar e mostrar as grandes doutrinas bíblicas.

Este tema particular inclui: (1) a conduta humana em geral e em todas as épocas – passada, presente e futura; (2) o andar peculiar e exaltado da vida diária do cristão: (a) sua motivação; (b) seus altos padrões; (c) seu método em sua guerra contra o mundo, a carne e o diabo; (d) seus pecados; (e) seus relacionamentos; (f) seu testemunho; (g) seus sofrimentos e sacrifícios, sua vida de fé e oração; (h) seu empenho por recompensas.

1. A CONDUTA HUMANA EM GERAL E EM TODAS AS DISPENSAÇÕES. Desde o começo, Deus, em fidelidade, revelou ao homem a maneira precisa de vida que Ele requer de cada um. O que pode ser denominado lei inerente incorpora tudo o que o Criador espera e requer de sua criatura. Ela é bem expressa pela frase: "Sede santos, porque Eu Sou santo". Esta lei tem sido obrigatória para aquela porção da humanidade em todas as épocas a quem nenhuma outra lei fora dada. Contudo, Deus revelou a sua vontade específica a grupos de pessoas em várias dispensações. Não é difícil a identificação dessa responsabilidade específica que Deus impôs sobre o homem em cada dispensação. Durante muito tempo da história, o ser humano sustentou uma relação meritória ou legal em relação a Deus; a saber, a declaração de Deus ao homem a respeito da sua conduta era, em suma: se você fizer o bem, eu o abençoarei (cf. Dt 28.1.14), e se você fizer o mal, eu o amaldiçoarei (cf. Dt 28.15-68).

Todos os negócios governamentais, sociais e familiares procediam necessariamente do princípio do reconhecimento do mérito humano. Não é difícil, portanto, para os homens entenderem de uma forma geral o aspecto legal do governo divino, mas é aparentemente difícil para eles entender o aspecto gracioso do governo divino.[2] O fato e que Deus, agora, concede ou assegura, em sua graça soberana, todos os seus benefícios salvadores antes de permitir que o indivíduo faça qualquer coisa que para ele possa parecer talvez boa demais para ser verdadeira; mas é verdade, e, até este fato ser reconhecido, que o cristão não será capaz de andar inteligentemente com Deus a partir de verdadeira motivação graciosa.

Embora a Bíblia apresente as exigências divinas para a conduta humana em cada dispensação, há três sistemas extensivos do governo divino que sucessivamente cobrem o período da história humana desde o tempo quando as primeiras Escrituras registradas foram dadas até o fim do reino mediatorial de Cristo, a saber:

(a) a lei mosaica, que incorpora a maneira de vida prescrita na dispensação da lei, que existiu desde Moisés até Cristo; (b) a regra graciosa de vida, que inclui a maneira de vida prescrita para a presente dispensação, que vai desde o primeiro até o segundo advento de Cristo; (c) a regra de vida do reino, que adiciona a maneira de vida prescrita para a dispensação do reino ainda por vir, que começa a partir do segundo advento. Embora muito freqüentemente confundido, o governo divino é diferente em cada estágio dessas dispensações, e é adaptado perfeitamente à relação que o povo em suas respectivas dispensações tem com Deus.

Cada um desses sistemas do governo humano é totalmente completo em si mesmo. A lei mosaica continha os mandamentos, os estatutos e as ordenanças, e era uma expressão da vontade de Deus para Israel a quem somente ela foi dirigida. Nos ensinos da graça dirigidos somente à Igreja, Deus revelou a maneira plena de vida que diz respeito aos que já são aperfeiçoados em Cristo. A regra de conduta do reino incorpora aquela responsabilidade exata que será exigida quando Cristo estiver reinando sobre a terra, quando Satanás estiver preso no abismo, e quando o conhecimento de Deus encher toda a terra como as águas cobrem o mar. É mais razoável que deva haver preceitos amplamente diferentes indicados para os vários grupos de pessoas tão diversas em seus relacionamentos.

As obrigações humanas para com Deus poderiam não ser as mesmas após a morte, ressurreição e ascensão de Cristo, e o dia de Pentecostes, como foi antes daqueles eventos. Semelhantemente, a obrigação humana para com Deus não pode ser a mesma após a remoção da Igreja para o céu, o retorno de Cristo para reinar, e o estabelecimento do reino do céu sobre toda a terra, como era antes.

Com respeito ao caráter essencial daqueles três sistemas de conduta humana, pode ser observado que dois são legais e um é gracioso. Dois simples testes estão disponíveis para determinar os preceitos que são legais em distinção dos que são graciosos:

a) O que é legal é demonstrado como tal por causa dos méritos que acompanham essas condições e que determinam as bênçãos divinas (cf. Êx 20.12; Sl 103.17,18; Mt 5.3-12; 6.14,15); o que é gracioso é um apelo baseado nas bênçãos divinas já concedidas (cf. Rm 12.1,2; Ef 4.1-3,32; Cl 3.1). Há muita coisa em comum entre estes três sistemas governativos. Cada um dos Dez Mandamentos, exceto o quarto, é reafirmado no sistema gracioso. Somente o primeiro mandamento reaparece naquele sistema numa forma ou outra mais de cinqüenta vezes, mas quando aparece, como em outros aspectos legais, é sempre reafirmado, a fim de que possa se conformar precisamente ao caráter essencial da graça.

b) Além disso, o que é legal é demonstrado como tal pelo fato de que apela somente a capacidade humana; enquanto que aquilo que é gracioso é evidenciado por dois fatos, que a capacitação divina é proporcionada e o seu exercício é esperado.

Em geral, o sistema legal é demonstrado no Antigo Testamento (cf. Êx 20.1 a 31.18); os ensinos da graça são revelados em porções dos Evangelhos, do Livro de Atos, e nas Epístolas do Novo Testamento; enquanto o sistema do reino é demonstrado nas predições do Antigo Testamento a respeito do período messiânico, e naquelas porções dos evangelhos sinóticos que registram os ensinos do reino transmitidos por João Batista e Cristo. A presente importância destas distinções, especialmente das que são relacionadas à Igreja, é óbvia.

2. O ANDAR PECULIAR E A VIDA DIÁRIA DO CRISTÃO. De conformidade com as divisões gerais desta matéria, como foi mostrado acima, pode ser observado o que se segue:

A motivação que impulsiona a conduta e o serviço daquele que está perfeitamente salvo em Cristo é, de necessidade, radicalmente diferente de qualquer e todo incentivo legal. Para o salvo, aperfeiçoado para sempre em Cristo, aceito no Amado, e agora um recipiente de toda bênção espiritual, nenhum apelo ao mérito é apropriado; e a única motivação para uma conduta correta restante para ele é o andar digno da vocação em que foi chamado. Viver com a idéia de assegurar o favor de Deus, e viver no favor de Deus já assegurado em Cristo, são duas motivações consideravelmente diferentes. Um é legal, o outro é gracioso, e a maneira graciosa de vida é governada pelas súplicas divinas que são adaptadas aos que estão debaixo da graça (Rm 12.1,2; Ef 4.1-3).

Com respeito às suas demandas, os padrões de vida para o cristão debaixo da graça excedem em muito os requeridos das pessoas sob outras dispensações. Isto não implica que um seja mais santo do que o outro, mas antes, significa declarar que um requer muito mais realização do que o outro. A lei disse: "Amarás o teu próximo como a ti mesmo", mas Cristo disse: "Um novo mandamento vos dou, que vos ameis uns aos outros, assim como eu vos amei (Jo 13.34). A maneira de vida que se adapta a um filho de Deus é vista como sobre-humana em quase todos os detalhes. Na verdade, Deus não tem dois padrões, um para a terra e outro para o céu. Ser um cidadão do céu, o crente, embora ainda na terra, é designado para viver de acordo com os altos e santos ideais de seu país nativo (cf. 2 Co 10.5; Gl 5.16; Ef 4.1,30; 5.2; 1 Ts 5.19; 1 Pe 2.9; 1 Jo 1.7).

O ideal divino é duplo: primeiro, a vitória sobre toda a forma de mal; e, segundo, o cumprimento de toda a vontade de Deus em caráter e serviço produzidos pelo Espírito. A espiritualidade inclui estas duas realizações. Ser divinamente liberto de toda forma de mal é negativo e, quando realizado, não alivia a necessidade de um resultado espiritual e positivo na vida do cristão para a glória de Deus. A vida espiritual é o maior tema do Novo Testamento com o da salvação pela graça. Cada fase desta vida sobrenatural é demonstrada nas porções doutrinárias das Epístolas do Novo Testamento. O pregador deve conhecer estas verdades, se ele vai experimentar qualquer porção do poder divino, seja em sua própria vida ou no seu ministério. Semelhantemente, ele deve conhecer este corpo de verdades, se ele vai guiar outros pelo caminho da vida santa e de serviço inteligente.

Geralmente os seminários não oferecem instrução alguma neste campo importante de doutrina; mas, em contraste, convenções para estudo específico e aprofundamento da vida espiritual têm acontecido em vários lugares. Estas, em algum grau, ao que parece, são um protesto contra o trágico fracasso das instituições teológicas em transformar pastores em mestres para um dos maiores ministérios que Deus lhes entregou.

O método do cristão em sua batalha contra o mundo, a carne e o diabo, é também uma revelação específica. No momento da salvação, o crente entra em um conflito tríplice que é sobre-humano em suas forças e de longo alcance em suas possibilidades tanto como um fracasso trágico como numa vitória gloriosa. O objetivo e o caráter total do sistema mundial dirigido por seu deus, Satanás, que oferece suas atrações e fascinações, são fiel e extensivamente retratados no Novo Testamento. Assim também a doutrina da carne (σάρξ), com a sua inimizade sempre presente contra o Espírito e todas as coisas espirituais, é fielmente mostrada, a fim de que o salvo possa não somente entender o seu novo ser complexo, mas conhecer também o caminho pelo qual a vida, a despeito da carne, pode se tornar espiritual (πνευματικός) para a glória de Deus; e, igualmente, o crente enfrenta o arquiinimigo de Deus que é um inimigo implacável e cruel, e que com força e estratégia sobre-humanas está "como leão que ruge procurando alguém para devorar".

A única provisão para a vitória neste conflito tríplice é uma simples confiança no poder de Um Outro. Este plano não deveria parecer estranho para alguém que já descobriu os resultados maravilhosos que são assegurados quando a confiança para a salvação do seu estado de perdido é posta no Senhor. É a fé que vence o mundo (1 Jo 5.4); é a confiança no Espírito de Deus que vence a carne (Gl 5.16, 17); e é a fé que vence o maligno (Ef 6.10-16; 1 Jo 4.4; cf. Jd 9).

Não basta prescrever para que os cristãos sejam bons. À luz do modo de vida sobre-humano pertencente à sua vocação, as suas próprias limitações, e o tríplice conflito que eles travam, seus problemas são relacionados ao "querer fazer o bem" (Rm 7.18), e até que o apóstolo aprendeu os aspectos precisos que governam a vida de fé, ele só conheceu derrota (Rm 7.15-24). O conjunto de verdades que governam a vida de vitória pelo Espírito é tão vasto e seus princípios tão divinamente arranjados como são os mesmos aspectos na doutrina da salvação. Neste conjunto de verdades, uma pessoa é confrontada com o aspecto específico da morte de Cristo que é para o julgamento da natureza pecaminosa. Este aspecto de sua morte é o fundamento para toda a obra de santificação feita por Deus. Isto não é meramente uma questão de decidir entre o que é certo e o que é errado; é distintamente um problema de reivindicar o poder divino no modo prescrito por Deus para viver de acordo com os verdadeiros padrões do céu.

Não podemos supor que alguém saiba que estes aspectos da verdade possam ser conhecidos intuitivamente. Ao contrário, eles exigem a mais cuidadosa instrução em sala de aula, além da oração sincera e dos ajustamentos de longo alcance em sua vida, se o próprio pastor quer ser um homem de Deus e que é inteligente na condução de vidas espirituais.

O caráter e cura do pecado do cristão é uma das doutrinas mais vastas na Palavra de Deus, e inclui, como sempre, primeiro, o preventivo tríplice de Deus para o pecado do cristão – a Palavra de Deus, a habitação do Espírito de Deus, e a obra intercessora de Cristo no céu; segundo, o efeito peculiar do pecado do cristão sobre si próprio na perda da comunhão com Deus, na perda da paz de Deus, na perda do poder de Deus, e na perda da alegria do Senhor; e, terceiro, no efeito do pecado do cristão sobre o próprio Deus, e o alívio da condenação que Cristo assegura como Advogado no céu. Finalmente, o Novo Testamento apresenta tanto a base da cura através de uma propiciação específica para o pecado do cristão (1 Jo 2.2), e pelo preceito e exemplo, o modo pelo qual um santo-pecador pode retornar à plena comunhão com Deus – uma doutrina que incorpora as orientações harmoniosas explícitas com o estado de salvo do cristão, o que é, de fato, tão importante quanto à vida e o serviço dos santos na terra.

O cristão mantém vários relacionamentos que estão demonstrados nas Epístolas do Novo Testamento com instruções específicas. Ele mantém um relacionamento com Deus o Pai, com Deus o Filho, com Deus Espírito Santo, com Satanás, com o sistema do mundo, consigo mesmo, com os governos humanos, com o corpo de Cristo, com os não-regenerados, com as autoridades eclesiásticas, maridos com esposas e vice-versa, pais com os filhos e vice-versa, mestres com servos e vice-versa, forte com o fraco e vice-versa.

O cristão é um cidadão do céu e após ser salvo é retido aqui neste mundo com a capacidade de ser uma testemunha. Ele é um peregrino e um estrangeiro, um embaixador da corte celestial. Em sua oração sacerdotal, Cristo não somente disse que os salvos não são deste mundo, como Ele próprio não era deste mundo, mas que Ele os havia enviado ao mundo como o Pai o mandara ao mundo. Eles estão comprometidos com a palavra da reconciliação e eles são aqueles a quem a Grande Comissão foi confiada. Após morrer pelos perdidos, não poderia haver outro desejo ou propósito maior no coração de Cristo do que o de ver o seu Evangelho proclamado para aqueles por quem Ele morreu. O pastor é um líder divinamente designado e um mestre na promoção deste empreendimento.

O esforço missionário deveria ser a atividade principal de cada igreja, o mais amplo aspecto de seus investimentos financeiros e de oração, e o chamamento incessante dos melhores moços e moças da congregação para serem arautos do Evangelho até os confins da terra. Naturalmente, o estudante de teologia que vai para o campo missionário procurará instrução para ser um embaixador de Cristo, mas o que serve como pastor em seu próprio país precisa desta instrução ainda mais; pois sobre ele repousa a liderança que assegura novas vidas para o serviço missionário, e a oração e o suporte financeiro para os que vão fazer missões.

O cristão é chamado para sofrer e para o sacrifício com a experiência da grande paz e alegria celestiais. O sofrimento será suportado e o sacrifício será feito com alegria na medida em que a verdade de Deus alcance o seu coração, e a verdade normalmente atingirá o seu coração somente quando ela lhe é trazida por um fiel pastor e profundamente instruído na Palavra que Deus concedeu.

Semelhantemente, a fé eficaz e a oração prevalecente, que deveriam ser a experiência permanente tanto do pastor como das pessoas, vêm somente através do conhecimento das Escrituras e da obediência às mesmas.

A doutrina dos galardões a serem concedidos no tempo do julgamento feito por Cristo pela fidelidade na vida e no serviço é uma contraparte da doutrina da graça divina, e nenhum pregador ou leigo será inteligente em seu esforço nem possuirá um dos maiores incentivos divinos que não é acionado por essas provisões e revelações.

Os principais aspectos da doutrina da conduta humana e da vida espiritual estão, portanto, afirmados sucintamente. É tudo intensamente prático e naturalmente ocupará um grande espaço na mensagem do pregador fiel. Este tema incorpora mais do que um mero sistema de ética. O campo todo da conduta humana está envolvido com os principais sistemas que caracterizam as dispensações do governo divino, e além disto há os aspectos mais específicos da responsabilidade do cristão. Embora pertencente à revelação de Deus e em importância insuperável, não há praticamente reconhecimento dos aspectos da conduta humana ou da vida espiritual demonstrados nas obras de Teologia Sistemática em geral e, em conseqüência disso, inúmeros pregadores saem dos seminários sem uma preparação adequada nas Escrituras para uma das maiores tarefas que os espera.

IV. Angelologia

De acordo com a revelação divina, a obra criadora de Deus se resume naturalmente a três principais incumbências, e na seguinte ordem: (a) as hostes angelicais, (b) as coisas materiais, e (c) a vida sobre a terra com o homem como a obra-prima. Que esses anjos são seres criados é afirmado na Bíblia (Cl 1.16; Sl 148.2-5), e embora haja um vasto exército de anjos (Sl 68.17; Mt 26.53; Hb 12.22; Ap 5.11), eles todos foram criados de uma vez e ao mesmo tempo, e todos permanecem numericamente imutáveis para sempre, visto que eles não se propagam nem morrem. Como há três principais obras na criação, há igualmente três resultados distintos: (a) os anjos, ou o que é totalmente imaterial, (b) a matéria, ou o que é totalmente material, e (c) a vida física sobre a terra, ou o que combina tanto o imaterial como o material. Semelhantemente, como há uma ordem de vida abaixo do homem, assim há uma ordem de vida acima dele.

Somente as Escrituras revelam informações confiáveis sobre os anjos. Eles são mencionados cerca de 108 vezes no Antigo Testamento e 165 vezes no Novo Testamento, e cada passagem, como será observado, constitui-se numa contribuição distinta para esta revelação vasta e importante. Embora Deus não tenha dado ao homem reciprocidade de conversa com os anjos, eles estão evidentemente cônscios da vida e das atividades humanas (Hb 1.14), e o fato da existência deles é nada menos que certa. A Bíblia revela também que os anjos estão sujeitos à classificação. Há anjos notáveis e ministérios que são registrados – Gabriel, Miguel, o Querubim, o Serafim, os principados e as potestades, anjos eleitos, e os santos anjos, que sempre devem ser distinguidos dos anjos caídos de cujo grupo alguns estão livres, e alguns estão presos em cadeias, no aguardo do iminente juízo.

Prefácio

Os anjos estiveram e estão presentes em certos eventos na história. Eles estiveram presentes na criação (Jó 38.6,7), na concessão da lei (At 7.53; Gl 3.19; Hb 2.2), no nascimento de Cristo (Lc 2.13), em sua ressurreição (Mt 28.2), em sua ascensão (At 1.10), e estarão presentes em sua segunda vinda (Mt 13.39; 24.31; 25.31; 2 Ts 1.7). Além disso, com respeito às suas atividades, eles são limitados em seu conhecimento (Mt 24.36), estão disponíveis para a defesa (Mt 26.53), separam os justos dos ímpios (Mt 13.41,49), contemplam o regozijo divino (Lc 15.10), ouvem a confissão que Cristo faz dos fiéis (Lc 12.8), transportam a alma da terra para o paraíso (Lc 16.22), são espíritos ministradores (Hb 1.14), serão julgados pelos crentes (1 Co 6.3), não devem ser adorados (Cl 2.18), as mulheres devem manter suas cabeças cobertas por causa dos anjos (1 Co 11.10).

Além disso, há uma extensa lista de atividades de anjos em várias ocasiões e lugares registrados em mais de uma centena de passagens nas Escrituras.

Esta divisão da Teologia Sistemática é na verdade vasta, e inclui, como se verá, tanto a satanologia como a demonologia. Esta divisão refere-se à primeira criação de Deus e revela um grupo de criaturas superiores aos homens em sua esfera de existência (Hb 2.7). A doutrina do pecado, especialmente o estudo da origem e fim do mal e o presente conflito espiritual, é determinável somente na esfera da verdade pertencente à satanologia. Mais de uma dúzia de obras sobre Teologia Sistemática foi examinada, e em sua maioria ignora os anjos completamente, enquanto outras dão um pequeno espaço para certos aspectos do assunto. Como uma ciência que se propõe a descobrir e a demonstrar as obras de Deus pode ser tão restrita como a Teologia Sistemática com relação a angelologia é, de fato, difícil de entender.

Visto que Satanás é o enganador do mundo inteiro, a verdade a respeito dele, no que diz respeito ao seu poder que pode ser exercido, será dissimulada, distorcida, e negligenciada; mas, ao possuírem a revelação divina explícita pela qual são guiados, os teólogos, por aparente indiferença, não têm autorização para estimular estas formas de engano que envolvem tragédia espiritual de conseqüência infinita e eterna.

O programa divino das dispensações incorpora o fato estupendo do mal e explica o seu término como faz com o seu começo ou a sua existência através do tempo. Quando a doutrina do mal, e o seu futuro, é examinada com atenção e sem preconceito, a verdade será descoberta e servirá para abolir o conceito romanista de uma Igreja que conquista o mundo, ou o ideal protestante de um mundo transformado pelo Evangelho.

Pela falta de uma apresentação piedosa e erudita da verdade contida na satanalogia e na demonologia, demonstrada por pregadores e mestres cuidadosamente treinados, mesmo os crentes na tarefa de zombaria e leviandade a respeito da revelação solene sobre Satanás e os demônios. O que poderia ser mais impressionante, penetrante ou mais convincente que as palavras de Cristo: "Não temais os que matam o corpo e não podem matar a alma; temei antes aquele que pode fazer perecer no inferno tanto a alma como o corpo" (Mt 10.28). Mesmo os que são mentalizados para ser sérios freqüentemente se deixam levar por crenças grotescas e não-escriturísticas com seus males resultantes. Há textos abundantes das Escrituras que demonstram os fatos essenciais relativos a Satanás – sua origem, seu primeiro estado, sua queda, seu estado presente, poder e autoridade, seus métodos, seus motivos, seus relacionamentos, suas atividades passadas, presentes e futuras, seus julgamentos nos mais variados aspectos, e o seu destino final.

Igualmente, há abundante prova nas Escrituras sobre os demônios – a origem deles, o seu número, o seu domicílio, seus empreendimentos, e a sua condenação final.

O imenso e vital conjunto de verdades contido na satanologia não pode ser esboçado aqui. Umas poucas perguntas podem servir para indicar algo da extensão do tema: Quem é Satanás? De onde ele vem? Qual era o seu estado original? Para qual propósito específico ele foi criado? Que passagem extensa descreve o estado original e suas funções? Que verdades de longo alcance são descobertas por uma exegese completa dessa passagem? Onde as Escrituras registram detalhes do pecado de Satanás? O que está envolvido em cada um dos cinco dos "desejos" de Satanás? Qual deles revela a sua motivação de vida? Qual foi o pecado de Satanás de acordo com uma tradução literal de 1 Timóteo 3.6? Quais são os resultados de alcance mundial do poder de Satanás? Qual foi a base da reivindicação de Satanás de ter autoridade sobre a humanidade no período entre Adão e Cristo? O que Cristo cumpriu por sua morte de acordo com Colossenses 2.14,15?

Foi verdadeira a reivindicação de Satanás como está revelado em Lucas 4.6,7? Qual é a sua autoridade agora? Com que direito ele age agora? Sobre quais esferas Satanás reina agora? Quais são os dois aspectos do mundo representados pela palavra κόσμος? Como pode Deus amar um mundo (Jo 3.16) e não amar o outro (1 Jo 2.15-17; Tg 4.4)? Qual é exatamente o mundo que o crente não deve amar? Quem é o deus deste κόσμος? O que constitui a mundanidade num cristão? É o sistema do mundo mal em sua totalidade à vista de Deus? O que 1 João 2.16 acrescenta a esta doutrina? A guerra pertence ao sistema do mundo? Qual é a vitória que vence o sistema do mundo? Por qual poder é a vitória ganha? Quanta verdade pode Satanás incorporar num sistema falso sem oferecer esperança para o perdido? Quais são os julgamentos futuros sobre Satanás? Onde ele vai passar a eternidade? Qual é a relação de Satanás com Deus? Qual é a relação dele com o Universo? Qual é a sua relação com os crentes? Quem são os demônios? De onde eles vêm? O que está revelado a respeito do número deles? Que passagens importantes afirmam os aspectos gerais da demonologia? Os demônios estão ativos hoje? Se é assim, o que eles estão fazendo? Qual é o julgamento futuro deles? Onde eles vão passar a eternidade?

"O homem de Deus que é designado para pregar a Palavra dificilmente poderá fugir da responsabilidade de declarar estes aspectos da verdade. Se o pregador deve ser desculpado com base no fato de ele não ter aprendido essas coisas no seminário, então ele é confrontado novamente com o prejuízo imensurável que é operado por uma Teologia Sistemática resumida. Assim como um oficial do exército pode ser enviado para comandar uma batalha em que não conhece o tipo, o local, o equipamento, ou a força do inimigo, o mesmo acontece com um pregador ao dar um passo a partir do seminário quando ele não conhece a revelação explícita de Deus com respeito a Satanás e os demônios."

V. Tipologia

O Dr. Patrick Fairbairn começa o seu valioso tratado sobre os tipos com a seguinte afirmação: "A tipologia das Escrituras tem sido um dos departamentos da ciência teológica mais negligenciado". Esta declaração é significativa não somente pelo reconhecimento de uma perda inestimável para a Igreja, mas também pelo fato de que a tipologia recebe deste digno teólogo o devido lugar na ciência da Teologia Sistemática. O Dr. Fairbairn não assevera que não se dê atenção alguma à tipologia nos tempos passados. Ao contrário, ele continua a mostrar que dos dias de Orígenes até o tempo presente houve os que enfatizaram este tema, e que alguns o enfatizaram além da razão. A argumentação é que a teologia, como ciência, negligenciou este grande campo da revelação.

A tipologia, assim como a profecia, freqüentemente tem sofrido mais da parte dos seus amigos do que da parte dos seus inimigos. O fato de que extremistas têm falhado em distinguir entre o que é tipológico e o que é meramente alegórico, analógico, paralelo, uma boa ilustração, uma semelhança, pode ter desviado os teólogos conservadores deste campo. Quando a verdade é torturada pelos inovadores e extremistas, cai sobre a erudição conservadora a obrigação aumentada de declará-la em suas proporções corretas. É óbvio que negligenciar a verdade é um erro maior do que enfatizá-la demasiadamente ou afirmá-la erroneamente; e a tipologia, embora usada indevidamente por alguns, não obstante está evidente por sua ausência nas obras de Teologia Sistemática. Que a tipologia é negligenciada está evidente do fato de que das mais de vinte obras de Teologia Sistemática que foram examinadas apenas uma coloca este assunto no seu índice e este autor fez apenas uma ligeira referência a ele em nota de rodapé.

Um tipo é uma antevisão divinamente proposta que ilustra o seu antítipo. Estas duas partes de um tema estão relacionadas uma à outra pelo fato de que a mesma verdade ou princípio está incorporado em cada uma delas. Não é prerrogativa do tipo estabelecer a verdade de uma doutrina; antes, ele intensifica a força da verdade demonstrada no antítipo. Por outro lado, o antítipo serve para elevar o tipo e retirá-lo do seu lugar comum para o que é inexaurível e investi-lo com riquezas e tesouros até aqui não revelados. O tipo do cordeiro pascal inunda a graça redentora de Cristo com riqueza e significado, enquanto que a redenção em si mesma investe o tipo do cordeiro pascal com toda a sua importância maravilhosa. Conquanto seja verdade que o tipo não é a realidade, como o é o antítipo, os elementos encontrados no tipo devem, no essencial, ser observados no antítipo.

Assim o tipo pode, como freqüentemente acontece, especificamente guiar no entendimento e na estrutura correta do antítipo. O tipo é tanto obra de Deus como o antítipo. Através do reconhecimento da relação entre o tipo e o antítipo, igual a profecia em seu cumprimento, a continuidade sobrenatural e a inspiração plenária de toda Bíblia é estabelecida. O campo tanto da tipologia como da profecia é vasto, e possui mais de uma centena de tipos legítimos, metade dos quais diz respeito somente a Jesus Cristo, e há inclusive um campo maior, que é o da profecia, onde existe um acréscimo de trezentas predições detalhadas a respeito de Cristo que foram cumpridas no seu primeiro advento. Há três fatores principais que servem para mostrar a unidade entre os dois testamentos: tipo e antítipo, profecia e seu cumprimento, e continuidade no progresso da narrativa e da doutrina.

Estes fatores, como fios tecidos que passam de um Testamento para outro, e amarram-nos numa só peça, mas servem para traçar um desenho que, por seu caráter maravilhoso, glorifica Aquele que o desenha.

As duas palavras gregas τύπος e ὑπόδειγμα servem no Novo Testamento para expressar o pensamento do que é típico. Τύπος significa uma estampa que pode servir como um molde ou padrão, e que é típica no Antigo Testamento como um molde ou padrão do que é antitípico no Novo Testamento. A raiz τύπος é traduzida por cinco palavras em nossas versões portuguesas ('exemplos' em 1 Co 10.11; Fp 3.17; 1 Ts 1.7; 2 Ts 3.9; 1 Pe 5.3; 'padrão' em 1 Tm 4.12; Tt 2.7; 'figura' em Hb 8.5; At 7.43; Rm 5.14; e 'sinal dos cravos' em João 20.25). Δεῖγμα significa "espécime" ou "exemplo"; quando combinado com ὑπό indica o que é mostrado claramente diante dos olhos dos homens. Ὑπόδειγμα é traduzido por três palavras em nossa língua ('exemplo' em Jo 13.15; Hb 4.11; 8.5; 'modelo' em Hb 8.11; Tg 5.10; e 'figuras' em Hb 9.23).

Os tipos são geralmente usados a respeito de pessoas (Rm 5.14; cf. Adão, Melquisedeque, Abraão, Sara, Ismael, Isaque, Moisés, Josué, Davi, Salomão etc.); dos eventos (1 Co 10.11; cf. a preservação de Noé e seus filhos na arca, redenção do Egito, o memorial da Páscoa, o êxodo, a passagem pelo mar Vermelho, a doação do maná, a água retirada da rocha, a serpente erguida, e todos os sacrifícios); de uma coisa (Hb 10.20; cf. o tabernáculo, os vasos, o cordeiro, o Jordão, uma cidade, uma nação); de uma instituição (Hb 9.11; cf. o sábado, o sacrifício, o sacerdócio, o reino); de um cerimonial (1 Co 5.7; cf. todas as indicações do Antigo Testamento para o culto). É impossível neste espaço listar todos os tipos reconhecidos que são encontrados no Antigo Testamento.

Um tipo verdadeiro é uma profecia de seu antítipo e, assim designado por Deus, não deve ser qualificado com muita especulação humana, mas como uma parte vital da inspiração em si mesma. Naturalmente, Cristo é o tipo mais eminente visto que o objeto supremo de ambos os testamentos é "o testemunho de Jesus".

Em resposta à pergunta sobre como um tipo pode ser distinto da alegoria ou da analogia, algumas regras foram adiantadas. Entre estas está declarado que nada deve ser julgado típico que não possa ser sustentado como tal no Novo Testamento. Esta afirmação é sujeita a duas críticas: (a) à luz de 1 Coríntios 10.11, não há definição para os limites das palavras "estas coisas"; todavia, qualquer coisa que esteja incluída é dito ser típica. (b) Há muitos tipos facilmente reconhecidos que não são diretamente sancionados como tal por qualquer passagem específica do Novo Testamento. Como o problema de aplicação primária e secundária da verdade, o reconhecimento de um tipo deve ser deixado, em qualquer caso, para o discernimento do julgamento orientado pelo Espírito Santo.

É prerrogativa da ciência da Teologia Sistemática descobrir, classificar, mostrar e defender as doutrinas das Escrituras, e os aspectos precisos da tipologia que estão ainda incertos basicamente por causa do fato que os teólogos têm dirigido sua atenção à outras coisas. Mas quem se atreverá a avaliar a restrição imposta à própria vida e bênção do estudante de teologia e, através dele, e sobretudo a quem ele ministra, quando os tipos, que são grandes descrições que Deus dá da verdade, são apagados de cada curso de estudo designado para prepará-lo para um ministério frutífero e digno da Palavra de Deus? Não é suficiente dar a esses temas um reconhecimento passageiro no estudo das evidências; o estudante deveria ficar impregnado dessas maravilhas da mensagem de Deus para que todo o seu ser seja iluminado com esplendor espiritual que nunca possa ser obscurecido.

VI. Profecia

A importância comparativa da profecia preditiva quando relacionada a outros aspectos da verdade bíblica é indicada pelo fato de que ao menos um quinto da Bíblia era, no tempo em que foi escrita, uma previsão do futuro. Desse extenso material muita coisa já foi cumprida, e muitos fatos ainda se cumprirão. A cada passo do progresso humano aprouve a Deus declarar de antemão, precisamente, o que Ele estava para fazer. Poderíamos supor que tal demonstração de poder sobrenatural seria para impressionar os homens; mas eles sempre permaneceram indiferentes a este fenômeno. O anúncio divino com respeito ao futuro costumeiramente foi revelado como uma mensagem para os que estavam em relação mais íntima com Deus.

Sua palavra: "Ocultarei a Abraão o que estou para fazer?" (Gn 18.17), sem dúvida revela um dos motivos impulsionadores de Deus em sua revelação profética. Que Ele ainda revela suas intenções, como estão registradas nas Escrituras para os que estão em comunhão íntima com Ele, é deixado claro em João 16.12,13. Este contexto registra as palavras de Cristo a seus discípulos no final dos memoráveis três anos, nos quais eles foram privilegiados em sentar-se aos seus pés e aprender dele. Após ter completado esses anos de instrução, Ele disse: "Tenho ainda muito que vos dizer, mas vós não o podeis suportar agora; quando vier, porém, o Espírito da verdade, ele vos guiará a toda a verdade... e vos anunciará as cousas que hão de vir". Assim, os ensinos de Cristo são divididos por Ele em duas divisões gerais, a saber (a) aquelas coisas que os discípulos não poderiam apreender antes de serem iluminados pelo Espírito de Deus, e (b) as que eles poderiam apreender depois de terem sido iluminados.

Como uma ilustração desta divisão, ficou evidenciado que eles não poderiam, àquela altura, receber qualquer verdade relacionada à morte de Cristo, visto que eles não criam, então, que Ele estava para morrer (Mt 16.21,22); mas imediatamente após a vinda do Espírito, Pedro declarou: "...mas Deus assim cumpriu o que dantes anunciara por boca de todos os profetas que o seu Cristo havia de padecer" (At 3.18). O contexto de João 16.12,13 continua a especificar aqueles aspectos da verdade que os discípulos não poderiam receber àquela altura, mas que eles poderiam posteriormente captá-las através do ministério de ensino do Espírito Santo. Entre estes, e o primeiro e único tema a ser mencionado especificamente, era que Ele "vos anunciará as cousas que hão de vir".

Está evidente nos evangelhos sinóticos que Ele falara muito na presença deles sobre as coisas futuras, mas eles não apreenderam as suas palavras proféticas, como não entenderam devidamente as palavras proféticas a respeito de sua morte. Antes do Pentecostes Pedro juntou-se, sem dúvida, a outros discípulos na pergunta: "Senhor, será este o tempo em que restaures o reino a Israel?" (At 1.6); mas num período de poucos dias após o Pentecostes Pedro foi capaz de dizer: "...e que ele envie o Cristo, que já vos foi designado, Jesus, ao qual é necessário que o céu receba até os tempos da restauração de todas as coisas, de que Deus falou por boca dos seus santos profetas desde a antiguidade" (At 3.20,21). Portanto, deve ser concluído que a capacidade de entender "as coisas que haveriam de vir" como restrita àqueles somente que estão numa relação com o Espírito, que haveria de ensiná-los.

É importante observar, também, que embora a profecia preditiva tenha sido clara para a Igreja primitiva, que o grande corpo de verdade com outras grandes doutrinas vitais foi perdida de vista durante a Idade das Trevas [Idade Média] e, embora não enfatizada pelos reformadores, tornou-se cada vez mais clara nestas duas últimas gerações, especialmente com homens respeitosos e eruditos, que estudam as passagens proféticas.

O tema da profecia preditiva é, de fato, muito grande. É razoável supor que há tanto para registrar a respeito do futuro como há para adicionar a respeito do passado, e que o teólogo que ignora as profecias que ainda estão por se cumprir, elimina, portanto, uma grande porção de material que entra no programa total revelado por Deus. Mesmo os eventos passados serão interpretados com incerteza por aquele que não apreende o programa revelado por Deus para os eventos futuros; pois os empreendimentos de Deus são um propósito inquebrável e indivisível que incluem tudo o que está no passado e no futuro, e é tão perigoso interpretar o passado à parte do futuro como é interpretar o futuro à parte do passado. Como um ponto divisor no tempo, o momento presente é meramente incidental. Houve um tempo em que algumas mensagens proféticas, agora realizadas, não tiveram o seu cumprimento, e haverá um momento em que as profecias ainda não cumpridas, serão concretizadas.

O programa divino dos eventos tão fielmente demonstrado nas Escrituras e tão claramente revelado para o coração atento pelo Espírito Santo está pouco preocupado com um sempre mutante e transitório agora.

A escatologia, como tratada pelos autores das obras de Teologia Sistemática, tem mencionado um pouco mais que uma referência breve à ressurreição do corpo, ao estado intermediário, a um julgamento futuro, tem dado um tratamento restrito ao segundo advento de Cristo, e uma referência igualmente restrita ao céu e inferno. Em contraposição, insiste-se que visto nenhum momento específico do tempo é um ponto final de divisão entre as coisas passadas e futuras, a escatologia, o arranjo ordenado das "coisas por vir", deveria incluir tudo o que na Bíblia é preditivo no tempo e foi enunciado. Quando a escatologia é assim expandida, a ciência da Teologia Sistemática cumpre o seu propósito digno, ao menos nesta sua divisão. Nenhum homem jamais recebeu tal liberdade de eliminar em tempo algum do campo da ciência da Teologia Sistemática, qualquer obra futura de Deus.

O que se segue é um breve panorama dos aspectos principais da profecia cumprida: o futuro dos filhos de Noé, a escravidão dos hebreus no Egito, o futuro dos filhos de Jacó, Israel em sua terra, a escravidão de Israel, os julgamentos sobre as nações vizinhas, uma restauração parcial de Israel, a vinda e ministério de João Batista, o nascimento de Cristo, os ofícios de Cristo, os ministérios de Cristo, a morte de Cristo, o sepultamento de Cristo, a ressurreição de Cristo, a ascensão de Cristo, a era presente, o dia de Pentecostes, a formação da Igreja, a destruição de Jerusalém, o desenvolvimento e o caráter desta dispensação.

Semelhantemente, um breve panorama de muitos aspectos da profecia não-cumprida é dado aqui: os últimos dias da Igreja, a primeira ressurreição, o arrebatamento, a Igreja no céu, sua recompensa, o casamento do Cordeiro, a Grande Tribulação na terra, o homem do pecado, os últimos sofrimentos de Israel, o começo do dia do Senhor, a segunda vinda de Cristo, a batalha do Armagedom, a destruição da Babilônia eclesiástica, a destruição da Babilônia política, a prisão de Satanás, a reunião e juízo do Israel arrependido, o julgamento das nações, o assentar de Cristo no seu trono, a ressurreição dos "santos da tribulação", o reino milenar, a soltura de Satanás e a última revolta, a condenação de Satanás, o grande trono branco, o destino dos ímpios, o destino dos salvos, o novo céu e a nova terra.

Em acréscimo à distinção acima entre a profecia cumprida e a não-cumprida, o estudante que se prepara para ser pregador da Palavra de Deus, deveria também receber uma iniciação às profecias relacionadas aos dois testamentos, o grande período de tempo dos judeus, dos gentios, e da Igreja, os grandes caminhos da profecia, e a consumação final de todas as coisas para as quais cada momento divino se inclina. Diversos detalhes incontáveis da verdade estão incluídos neste vasto corpo das Escrituras; cada pregador não precisa saber mais do que cumprir a sua alta e santa tarefa de um expositor da Palavra de Deus. Quando a profecia preditiva é menosprezada, uma porção considerável da Bíblia, com seu poder santificador, é sacrificada; muita coisa do material que Deus designou para provar a sua fidelidade imutável fica perdido; e o conhecimento do seu plano e propósito, que sozinho subjaz uma cooperação inteligente com Deus no serviço, torna-se impossível.

VII. A Posição Presente de Cristo no Céu

A posição presente de Cristo no céu, o último dos temas principais de doutrina a ser considerado, é mencionado mais geralmente nas obras de Teologia Sistemática do que os temas já apresentados; mas quando o tema é registrado, ele é freqüentemente muito restrito ao espaço de uns poucos parágrafos e o material incorporado se alonga não mais do que um ligeiro reconhecimento do fato da presente intercessão de Cristo e da relação que o Espírito Santo mantém como Advogado sobre a terra e com a defesa que Cristo faz de nós no céu. A verdade vital com respeito ao imenso valor para o crente da presente posição de Cristo no céu e o ministério de longo alcance que isto significa para a Igreja, não está incluída em suas breves discussões.

Ao ignorar quase que a totalidade do ministério de Cristo nos últimos quarenta dias do pós-ressurreição, com a sua demonstração do fato que a ressurreição corporal de Cristo é adaptada à vida sobre a terra, da mesma forma em que Ele viverá aqui durante o milênio de paz sobre a terra, e com a mais breve referência à ascensão sem o reconhecimento das duas entradas de Cristo no céu, e as riquezas da verdade assim reveladas em sua obra antitípica como o Realizador do tipo da redenção em que o sumo sacerdote apresenta o sangue no lugar santíssimo, e em que a oferta movida representativa é apresentada perante Jeová como profética das primícias na ressurreição, esses autores passam diretamente para um ligeiro reconhecimento do fato de que Cristo está agora assentado no trono de seu Pai no céu. A grande distinção entre o próprio trono de Cristo – o trono de Davi que é o cetro de sua glória, cujo trono Ele ocupará aqui na terra – e o trono de seu Pai, sobre o qual ele está agora assentado, não é geralmente observado por esses autores.

Nenhuma discussão que não inclua certas revelações importantes da presente posição de Cristo, será adequada:

No nível mais amplo de seu ministério mediatorial, Cristo está assentado no céu "esperando". A palavra grega ἐκδέχομαι traz consigo a idéia de alguém esperando a recepção de alguma coisa de uma outra pessoa. O fato de que Cristo está agora numa atitude de quem está esperando é revelada em Hebreus 10.12,13. Embora o cumprimento de tudo o que Ele espera seja antecipada no Salmo 2.1-12; Daniel 2.44, 45; 2 Tessalonicenses 1.7-10 e Apocalipse 12.10 (em cuja passagem afirma-se que a humanidade toda lhe será dada e que Ele a governará em justiça inflexível), deveria ser observado que os reinos deste mundo não se tornam o governo de Cristo em virtude do serviço e ministério humanos, mas pelo poder forte e repentino de Deus e no meio da rebelião da humanidade contra Deus na terra.

Na ascensão de Cristo, foi-lhe concedido tornar-se o "cabeça sobre todas as coisas..." (Ef 1.19-23). Através de sua morte e ressurreição, Ele recebeu exaltação e um nome glorificado (Fp 2.9, 10), uma alegria que lhe estava proposta (Hb 12.2), uma experiência através do sofrimento (Hb 2.10). Por esta parte, como em todas as outras das Escrituras, está indicado que a Igreja teve o seu começo com a morte, ressurreição e ascensão de Cristo, e a descida do Espírito. Este senhorio não é uma mera autoridade ou ministério; é antes, o fato de uma união orgânica entre a Cabeça – Cristo, e o Corpo – a Igreja.

Ao começar com a sua ascensão, Cristo empreendeu um ministério sacerdotal tríplice no céu:

Como o doador dos dons (Ef 4.7-16), e diretor do exercício desses dons (1 Co 12.4-11), e o que é tipificado pelo sacerdote do Antigo Testamento, que consagra os filhos de Levi (Êx 29.1-9), Cristo está ativo incessantemente no céu. Nesta conexão o campo todo do serviço cristão é corretamente introduzido e a distinção deve ser observada entre a atividade universal tríplice do crente como sacerdote, e o seu exercício de um dom.

Como Intercessor, Cristo continua o seu ministério no céu que ele começou aqui na terra (Jo 17.1-26). Esta empreitada estende-se ao seu cuidado pastoral dos que Ele salvou. Ele sempre vive para fazer intercessão por nós, e por essa razão Ele é capaz de salvar eternamente quem vem a Deus por Ele (Hb 7.25). Ele não ora pelo mundo, mas por aqueles que o Pai lhe entregou (Jo 17.9). A intercessão de Cristo tem a ver com a fraqueza, imaturidade e limitação daquele por quem Ele ora. É dito que a sua intercessão assegura proteção para sempre.

Como Advogado e Aquele que agora nos representa no céu (Hb 9.24), Cristo tem a ver com o pecado atual do cristão. No evento da transgressão em sua vida, o cristão tem um advogado junto ao Pai. Um advogado é aquele que defende a causa de outra pessoa nas cortes públicas, e há razão suficiente para Cristo advogar em favor do que constantemente peca e cujo pecado, de outra forma, deveria condená-lo eternamente. Como Advogado, Cristo apela para a eficácia de seu próprio sangue em favor do filho de Deus pecador, e o que Ele realiza é tão perfeito que, ao passo em que advoga pelo cristão pecador, Cristo ganha o título de "Jesus Cristo, o Justo".

Esta doutrina do pecado do cristão não somente está centrada no presente ministério celestial de Cristo, mas a intercessão de Cristo com sua defesa forma a base da verdade da segurança eterna de todos os que são salvos. Um entendimento pleno das Escrituras tem ligação com o tema extenso do pecado do cristão, assim como seu efeito sobre si próprio e Deus é de importância fundamental para o ministro em sua própria vida interior e os que ele tenta guiar numa vida cristã inteligente.

À luz de textos como 1 Coríntios 11.31,32 e 1 João 1.4-9; 2.1,2, não se pode duvidar que haja uma atenção divina dada às provisões e que elas foram feitas para os pecados específicos que são cometidos pelos filhos de Deus. A importância de tal verdade é reconhecida quando ela é vista em seu vasto conteúdo, em sua conduta prática sobre o poder e piedade espirituais, e no fato de que ela é tão adaptada às necessidades do pecador redimido quanto a salvação é adaptada àqueles que estão perdidos. Todavia, o reconhecimento do caráter peculiar do pecado do cristão com ambas, a sua prevenção e sua cura, divinamente proporcionados, com o campo total da verdade a respeito do presente ministério de Cristo no céu, infelizmente está ausente nos cursos de treinamento para o ministério.

Nesta obra sobre teologia, em contraste total com as obras teológicas em geral, todo o material histórico é omitido da discussão imediata. O estudante não busca o estudo da história da doutrina à medida que ela se desenvolve. Há uma declaração construtiva de teologia em sua forma sistemática que é melhor não ser interrompida constantemente com mera citação de crenças passadas. No plano seguido no seminário teológico de Dallas, o estudante conclui a sua pesquisa teológica com um curso prolongado na história da doutrina com o alvo de cobrir todos os aspectos históricos dessa grande ciência; e, assim, numa época quando todos os dados de qualquer aspecto da verdade que está em vista, ele pode esperar vê-lo em sua verdadeira luz histórica.

Portanto, é afirmado que um tratamento completo da teologia é necessário. Para cobrir o terreno completamente, um sumário doutrinário foi acrescido a esta obra, no qual mais de cem doutrinas não encontradas no tratamento sistemático da teologia são aqui analisadas.

Por que uma teologia pré-milenista? Tanto quanto o autor sabe, a presente obra é a única que aborda a teologia a partir de uma interpretação pré-milenista ordenada e lógica das Escrituras. O valor supremo desta interpretação será observado, como cremos, à medida que esta obra for adotada.

Por que uma teologia dispensacionalista? À parte de um reconhecimento sadio dos grandes propósitos e períodos de tempo de Deus, nenhum entendimento verdadeiro da Bíblia se pode receber.

Quando a Teologia Sistemática inclui as interpretações pré-milenista e dispensacionalista da Bíblia, muito material adicional é descoberto e a obra é grandemente estendida.

Estas páginas representam o que tem sido, e é, ensinado nas salas de aula do Seminário Teológico de Dallas. Um volume destes oito deveria ser estudado em cada um dos seis semestres. Os últimos dois semestres são necessários para o estudo do volume VII.

"O autor está devidamente consciente da estupenda tarefa que lhe coube de forjar pela primeira vez, ao menos no que lhe parece, um sistema lógico e completo de teologia que se conforma à interpretação da Bíblia sob a perspectiva pré-milenista e dispensacionalista. Com a tarefa completada, esses oito volumes são entregues com muita gratidão a Deus pela medida de sucesso obtido. Talvez o caminho esteja aberto para uma obra mais digna deste personagem a ser produzida. Possa Deus se agradar em usar este esforço para a Sua própria glória."

Agradecimentos

Um agradecimento deve ser feito ao Dr. Miner B. Stearns e ao Dr. John F. Walvoord pela leitura crítica do manuscrito; assim também ao Dr. John H. Bennetch e ao Sr. A. H. Dewey Duncan pela obra crítica inestimável com respeito ao texto em sua forma final; também à falecida senhorita Loraine Case Chafer e à Sra. Casey Smith que generosamente superintenderam os manuscritos, e a uma gama de amigos que, cônscios desta tarefa sobre-humana que estava sobre mim, sustentaram-me com as suas orações.

Agradecimento especial deve ser dado aos amigos que, através de doações voluntárias, tornaram possível o suporte financeiro para a produção dos livros. Ao Sr. Richard D. Williams agradeço pelo desejo demonstrado ao frontispício.

Lewis Sperry Chafer

Índice

Volume 1

Prolegômenos — 47

Capítulo I - Prolegômenos — 47
I. A Palavra *Teologia* — 47
II. Usos Gerais da Palavra — 48
III. Várias Definições — 49
IV. Estudantes de Teologia — 50
V. Exigências Essenciais — 50
VI. Atitudes Existentes para com as Escrituras — 55
VII. Principais Divisões da Teologia Sistemática — 58
Conclusão — 58

Bibliologia — 63

Capítulo II - Introdução à Bibliologia — 63
I. A Origem Sobrenatural da Bíblia — 64
II. Divisões Gerais da Bíblia16 — 77

Capítulo III - Revelação — 87
I. Três Doutrinas Distintas Importantes — 87
II. Natureza da Revelação — 90

Capítulo IV - Inspiração — 99
I. O Fato e a Importância da Inspiração — 101
II. Teorias da Inspiração — 105
III. Autoria Dual — 109
IV. A Palavra de Deus a Respeito da Palavra de Deus — 113
V. Objeções Gerais à Inspiração Verbal e Plenária — 120
Conclusão — 122

Capítulo V - Canonicidade e Autoridade — 124
I. As Escrituras São Autoritativas, Porque São Inspiradas por Deus — 128
II. As Escrituras São Autoritativas, Escritas por Homens Escolhidos por Deus, "Guiados" pelo Espírito Santo — 129
III. As Escrituras São Autoritativas, Reconhecidas por Aqueles Que as Receberam Primeiro — 129
IV. As Escrituras São Autoritativas, Atestadas pelo Senhor Jesus Cristo, a Segunda Pessoa da Trindade — 130

ÍNDICE

V.	As Escrituras São Autoritativas, Recebidas, Entregues e Atestadas pelos Profetas	131
VI.'	As Escrituras São Autoritativas, Porque São a Palavra Empregada pelo Espírito Santo	134
VII.	A Autoridade da Bíblia É Vista no Fato de Que sem o Menor Desvio, Ela Vindica e Satisfaz cada Alegação Sua	135
	Conclusão	136

CAPÍTULO VI - ILUMINAÇÃO — 138
- I. Formas Específicas de Trevas Espirituais — 138
- II. A Obra Iluminadora do Espírito — 141

CAPÍTULO VII - INTERPRETAÇÃO — 146
- I. O Propósito da Bíblia como um Todo — 147
- II. O Caráter Distintivo e a Mensagem de Cada Livro da Bíblia — 147
- III. A Quem Determinada Passagem Foi Dirigida? — 148
- IV. Consideração do Contexto — 149
- V. Consideração de Toda Escritura Sobre um Tema Específico — 149
- VI. Descoberta do Sentido Exato de Determinadas Palavras da Escritura — 150
- VII. Necessidade de se Evitar Preconceitos Pessoais — 150

CAPÍTULO VIII - VIVIFICAÇÃO — 152
- I. O Poder da Palavra de Deus Sobre os Não-Salvos — 153
- II. O Poder da Palavra de Deus Sobre os Salvos — 154

CAPÍTULO IX - PRESERVAÇÃO — **155**

TEONTOLOGIA — 159

CAPÍTULO X - INTRODUÇÃO À TEONTOLOGIA — 159
- I. Intuição — 160
- II. Tradição — 162
- III. Razão — 163
- IV. Revelação — 165

TEÍSMO — 166

CAPÍTULO XI - ARGUMENTOS TEÍSTAS NATURALISTAS — 166
- I. Argumento Cosmológico — 171
- II. Argumento Teleológico — 177
- III. Argumento Antropológico — 183
- IV. Argumento Ontológico — 186
- Conclusão — 188

ÍNDICE

Capítulo XII - Teorias Antiteístas		190
I.	Ateísmo	191
II.	Agnosticismo	193
III.	Evolucionismo	194
IV.	Materialismo	198
V.	Politeísmo	199
VI.	Idealismo e Realismo	200
VII.	Panteísmo	201
VIII.	Deísmo	203
IX.	Positivismo	204
X.	Monismo	204
XI.	Dualismo	204
XII.	Pluralismo	205
Conclusão		205

Capítulo XIII - A Personalidade de Deus		206
I.	A Personalidade de Deus	207

Capítulo XIV - Os Atributos de Deus		213
I.	Personalidade	217
II.	Atributos Constitucionais	236
Conclusão		246

Capítulo XV - Os Decretos Divinos		248
O Decreto de Deus		250
Conclusão		277

Capítulo XVI - Os Nomes da Divindade		280
I.	Os Nomes Principais da Divindade no Antigo Testamento	282
II.	Compostos	288
III.	Epítetos do Antigo Testamento	289
IV.	Nomes da Divindade no Novo Testamento	289
Conclusão		289

TRINITARIANISMO		291

Capítulo XVII - Introdução ao Trinitarianismo		291
I.	Considerações Preliminares	294
II.	Três Desonras	296
III.	Definição Geral	301
IV.	As Ênfases Verdadeiras	305

Capítulo XVIII - Prova da Doutrina Trinitária		307
I.	Razão	307
II.	Revelação	314

CAPÍTULO XIX - Deus o Pai 326
I.	Paternidade Sobre a Criação	327
II.	Paternidade por Relacionamento Íntimo	328
III.	O Pai de Nosso Senhor Jesus Cristo	328
IV.	Paternidade Sobre Todos os Que Crêem	331

CAPÍTULO XX - Deus o Filho: Sua Preexistência 333
I.	Principais Passagens Sobre a Preexistência	336
II.	O Anjo de Jeová	342

CAPÍTULO XXI - Deus o Filho: Seus Nomes 346
I.	Jeová, Senhor	346
II.	Elohim, Deus	348
III.	Filho de Deus, Filho do Homem	349
IV.	Senhor Jesus Cristo	351

CAPÍTULO XXII - Deus o Filho: Sua Divindade 352
I.	Atributos Divinos Que Pertencem a Cristo	353
II.	Prerrogativas da Divindade Que São Atribuídas a Cristo	355
Objeções		358

CAPÍTULO XXIII - Deus o Filho: Sua Encarnação 360
I.	Quem se Encarnou?	361
II.	Como o Filho se Encarnou?	365
III.	Com Que Propósito Ele se Encarnou?	366
Conclusão		373

CAPÍTULO XXIV - Deus o Filho: Sua Humanidade 374
I.	A Humanidade de Cristo Prevista Antes da Fundação do Mundo	376
II.	A Expectativa do Antigo Testamento Era a de um Messias Humano	376
III.	Uma Profecia Específica do Novo Testamento	377
IV.	A Vida de Cristo na Terra	377
V.	A Morte e a Ressurreição de Cristo	379
VI.	A Humanidade de Cristo é Vista em sua Ascensão e Majestade	379
VII.	A Humanidade de Cristo Está Evidente no seu Segundo Advento e Reino	379
Conclusão		379

CAPÍTULO XXV - Deus o Filho: A Kenosis 382
I.	"A Forma de Deus"	384
II.	A Condescendência	386
III.	"A Forma de um Servo... à Semelhança de Homem"	386
Conclusão		389

ÍNDICE

CAPÍTULO XXVI - DEUS O FILHO: A UNIÃO HIPOSTÁTICA		390
I.	A Estrutura da Doutrina	391
II.	Os Relacionamentos	397
Conclusão		402
CAPÍTULO XXVII - DEUS O ESPÍRITO SANTO		404
I.	A Personalidade do Espírito Santo	404
II.	A Divindade do Espírito Santo	406
III.	O Testemunho do Antigo Testamento	409
IV.	O Testemunho do Novo Testamento	416
V.	Seus Títulos	417
VI.	Seus Relacionamentos	417
VII.	Seu Caráter Adorável	419
Conclusão		419

VOLUME 2

ANGELOLOGIA		425
CAPÍTULO I - INTRODUÇÃO À ANGELOLOGIA		425
CAPÍTULO II - FATOS GERAIS A RESPEITO DOS ANJOS		428
I.	Esferas Angelicais	428
II.	A Realidade dos Anjos	430
III.	A Relativa Importância de Anjos e Homens	431
IV.	A Personalidade dos Anjos	432
V.	A Criação e o Modo de Existência dos Anjos	432
VI.	A Morada dos Anjos	435
VII.	O Número dos Anjos	436
VIII.	O Poder dos Anjos	437
IX.	A Classificação dos Anjos	438
X.	O Ministério dos Anjos	442
XI.	A Disciplina Progressiva dos Anjos	446
XII.	Os Anjos Como Espectadores	447
Conclusão		448
CAPÍTULO III - PARTICIPAÇÃO ANGELICAL NO PROBLEMA MORAL		449
CAPÍTULO IV - SATANOLOGIA: INTRODUÇÃO		454
CAPÍTULO V - SATANOLOGIA: A CARREIRA DE SATANÁS		459
I.	A Criação, o Estado Original e a Queda de Satanás	459
II.	O Pecado de Satanás	464
III.	Satanás Conforme o Antigo Testamento	468
IV.	Satanás Conforme o Novo Testamento	469

ÍNDICE

V.   Satanás Julgado na Cruz   471
VI.   A Execução dos Juízos de Satanás   475

Capítulo VI - Satanologia: O Caráter Maligno de Satanás 479
I.   Impiedade Dupla   480
II.   A Pecaminosidade de Satanás   488

Capítulo VII - Satanologia: O Cosmos Satânico 492
I.   A Autoridade de Satanás Sobre o Cosmos   495
II.   O Cosmos é Totalmente Mau   499
III.   Os Empreendimentos de Satanás no Cosmos   501
IV.   As Coisas do Cosmos   501
V.   Embora Vivendo Aqui, os Cristãos não São Deste Mundo 502
VI.   A Impotência do Cosmos   503
VII.   O Fim do Cosmos   503

Capítulo VIII - Satanologia: O Motivo de Satanás 505

Capítulo IX - Satanologia: O Método de Satanás 512
Conclusão   523

Capítulo X - Demonologia 524

ANTROPOLOGIA 535

Capítulo XI - Introdução à Antropologia 535

Capítulo XII - A Origem do Homem 540
I.   A Teoria Evolucionista   540
II.   A Revelação   545
III.   O Tempo da Origem do Homem   548

Capítulo XIII - A Parte Material do Homem na Criação 553
I.   O Caráter Estrutural do Corpo Humano   554
II.   O Futuro do Corpo Humano   558
III.   Vários Usos da Palavra Corpo   565
IV.   O Corpo de Cristo   566
Conclusão   566

Capítulo XIV - A Parte Imaterial do Homem na Criação 567
I.   A Origem da Parte Imaterial do Primeiro Homem   567
II.   A Imagem de Deus   568
III.   A Derivação e a Perpetuação da Parte Imaterial do Homem 580
IV.   Elementos Que Compreendem a Parte Imaterial do Homem 587
V.   As Capacidades e Faculdades da Parte Imaterial do Homem 599

Capítulo XV - O Estado de Inocência 606
I.   O Ambiente do Primeiro Homem   606
II.   A Responsabilidade do Primeiro Homem   607

III.	As Qualidades Morais do Primeiro Homem	608
IV.	O Tentador do Primeiro Homem	609
V.	A Tentação do Primeiro Homem	615

Capítulo XVI - A Queda — 620
I.	Morte Espiritual e Depravação	622
II.	Morte Física	627
Conclusão		627

Capítulo XVII - Introdução à Hamartiologia — 628
I.	A Natureza Essencial do Pecado	631
II.	A Derivação do Pecado	632
III.	A Permissão Divina do Pecado	633
Observações Preliminares		636

Capítulo XVIII - O Pecado Pessoal — 638
I.	A Origem do Pecado	638
II.	A Natureza Pecaminosa do Pecado	653
III.	Três Provas Principais da Grande Malignidade do Pecado Pessoal	654
IV.	Definições Gerais	656
V.	Termos e Classificações Gerais	668
VI.	O Remédio Divino para o Pecado Pessoal	670
VII.	O Pecado Original	678
VIII.	A Culpa do Pecado	678
IX.	A Universalidade do Pecado	680

Capítulo XIX - A Natureza Pecaminosa Transmitida — 682
I.	O Fato da Natureza Pecaminosa	684
II.	O Remédio para a Natureza Pecaminosa	691

Capítulo XX - A Imputação do Pecado — 694
I.	O Escopo da Doutrina da Imputação	695
II.	As Teorias da Imputação	707
III.	O Remédio Divino para a Imputação do Pecado	710
Conclusão		712

Capítulo XXI - O Estado do Homem "Debaixo do Pecado" e a sua Relação com Satanás — 714
I.	O Fato	714
II.	O Remédio	717
III.	A Relação dos Não-salvos com Satanás	720

Capítulo XXII - O Pecado do Cristão e o seu Remédio — 722
I.	O Mundo	726
II.	A Carne	727
III.	O Diabo	728
IV.	Uma Provisão Tríplice	729

ÍNDICE

V.	O Efeito Duplo do Pecado do Cristão	730
VI.	A Natureza Pecaminosa do Cristão	740
VII.	A Relação do Cristão com a Imputação do Pecado	752
VIII.	A Relação do Cristão com o Estado do Homem Debaixo do Pecado	753

CAPÍTULO XXIII - PUNIÇÃO — 754

I.	Castigo	754
II.	Açoite	755
III.	Retribuição	755

CAPÍTULO XXIV - O TRIUNFO FINAL SOBRE TODO PECADO — 760

NOTAS — 768

Teologia Sistemática
Lewis Sperry Chafer

Volume 1

Prolegômenos - Bibliologia
Teontologia

Lewis Sperry Chafer
D.D., Litt.D., Th.D.
Ex-presidente e professor de Teologia Sistemática no
Seminário Teológico em Dallas

PROLEGÔMENOS

PROLEGOMENOS

PROLEGÔMENOS

Capítulo I

Prolegômenos

I. A Palavra *Teologia*

O TERMO TEOLOGIA, segundo os seus aspectos etimológicos, é um vocábulo composto de duas palavras gregas – Θεός (theos, 'Deus'), e λόγος (logos, 'discurso' ou 'expressão'). Tanto Cristo, a Palavra Viva, quanto a Bíblia, a Palavra Escrita, são Logos de Deus. Eles são para Deus o que a expressão é para o pensamento e o que o discurso é para a razão. A teologia é, portanto, a Θεο-λογία (Theo-logia) ou discurso sobre um assunto específico, a saber, Deus. Entretanto, visto que nenhuma consideração sobre Deus será completa que não contemple suas obras e os modos no Universo que Ele criou, assim como sua Pessoa, a teologia pode ser ampliada devidamente para incluir todas as realidades materiais e imateriais que existem e os fatos a respeito delas e contidos nelas.

Embora não seja prático dificultar a ciência da teologia com amplos discursos que cubram todas as "logias" do Universo, permanece verdadeiro, não obstante, que o fato básico, o qual subjaz todas as ciências, é sua relação com o Criador de todas as coisas e o seu propósito na criação.

Embora não comumente incluída na ciência da teologia, as outras ciências que se ocupam dos pensamentos dos homens seriam tanto santificadas quanto exaltadas, se fossem abordadas, como deveriam ser, com a reverência que reconhece nelas a presença, o poder e propósito do Criador. Grande prejuízo acontece, como é óbvio, da parte da tendência moderna de divorciar todos os assuntos que margeiam o natural de todo relacionamento divino quando, na realidade, não há base sobre a qual essas "logias" possam descansar, a não ser a do propósito original do Criador.

Embora não encontrada nas Sagradas Escrituras, a palavra teologia, o composto de duas palavras bíblicas familiares, é escriturística no seu caráter. Em Romanos 3.2 aparecem as palavras τὰ λόγια τοῦ Θεοῦ (ta logia tou Theou, 'os oráculos de Deus'); em 1 Pedro 4.11 surgem as palavras λόγια Θεοῦ (logia Theou, 'oráculos de Deus'); e em Lucas 8.21 encontramos a frase τὸν λόγον τοῦ Θεοῦ (ton logon tou Theou), 'a palavra de Deus').

II. Usos Gerais da Palavra

DENTRO DA enciclopédia que o retrata, o termo teologia é usado com vários significados restritos. Quando se deseja o reconhecimento do primeiro expoente de um sistema teológico, o nome do indivíduo é combinado com o termo, como Teologia Agostiniana, Teologia Calvinista, Teologia Luterana, Teologia Arminiana. Quando a fonte do seu material está em foco, termos específicos são empregados, como Teologia revelada, Teologia natural, Teologia católica, Teologia evangélica. Assim, igualmente, a teologia pode ser classificada pelo lugar de sua origem, como, Teologia de Genebra, Teologia de Mercersburgo, Teologia de Oxford, Teologia da Nova Inglaterra, Teologia de Oberlin.

Quando um conteúdo particular de determinada teologia está em foco, ela pode ser nomeada de acordo, como Teologia Bíblica, Teologia Fundamental, Teologia Histórica, Teologia Homilética, Teologia Ética, Teologia Prática ou Teologia Pastoral. De maneira semelhante, várias teologias podem ser classificadas pelo método que elas empregam, como Teologia Dogmática, Teologia Exegética, Teologia Apologética, Teologia Racional, Teologia Sistemática.

Entre essas classificações gerais, há diversas formas de teologia que exigem uma definição especial.

1. TEOLOGIA NATURAL. A teologia natural designa uma ciência que é baseada somente naqueles fatos concernentes a Deus e seu Universo que estão revelados na natureza.

2. TEOLOGIA REVELADA. Este termo designa uma ciência que está baseada somente naqueles fatos concernentes a Deus e seu Universo que estão revelados nas Escrituras da verdade.

3. TEOLOGIA BÍBLICA. A Teologia Bíblica designa uma ciência que tem como alvo investigar a verdade a respeito de Deus e seu Universo com seu desenvolvimento divinamente ordenado e o ambiente histórico, como está demonstrado nos vários livros da Bíblia. A Teologia Bíblica é a exposição do conteúdo doutrinário e ético da Bíblia. Ela não é um substituto para a Teologia Doutrinária ou Ética, mas é a sua contraparte histórica. Ela é a consideração histórica da verdade bíblica como foi originalmente dada em sua proclamação profética.[3]

4. TEOLOGIA PROPRIAMENTE DITA (Teontologia). Este termo designa uma ciência limitada que contempla somente a pessoa de Deus – Pai, Filho e Espírito Santo, e sem referência às obras de cada uma delas.

5. TEOLOGIA HISTÓRICA. Uma ciência que traça o desenvolvimento histórico da doutrina e está preocupada, também, com as variações sectárias distintas e com os desvios heréticos da verdade bíblica que têm aparecido durante a era cristã.

6. TEOLOGIA DOGMÁTICA. Verdade teológica sustentada com certeza.

7. TEOLOGIA ESPECULATIVA. Verdade teológica sustentada no abstrato e à parte de sua importância prática.

8. TEOLOGIA DO ANTIGO TESTAMENTO. Assim designada porque ela é restrita à porção da Escritura indicada.

9. TEOLOGIA DO NOVO TESTAMENTO. Assim designada porque ela é restrita à porção da Escritura indicada.

10. TEOLOGIAS PAULINA, PETRINA, JOANINA. Elas são designadas assim porque são restritas aos escritos das pessoas indicadas.

11. TEOLOGIA PRÁTICA. Diz respeito à aplicação da verdade aos corações dos homens.

12. TEOLOGIA SISTEMÁTICA. Uma ciência que segue um esquema humanamente legado ou uma ordem de desenvolvimento doutrinário e que se propõe a incorporar em seu sistema toda a verdade a respeito de Deus e seu Universo de toda fonte. A Teologia Sistemática pode ser distinta da Teologia Natural no sentido em que esta última retira o seu material somente da natureza; é distinta da Teologia Bíblica no sentido que esta última retira o seu material somente da Bíblia; é distinta da Teontologia no sentido em que esta última é restrita à consideração da Pessoa de Deus, e exclui as suas obras.

Ao definir a Teologia Sistemática, certos termos enganosos e desautorizados têm sido empregados. Tem sido declarado ser "a ciência da religião"; mas o termo religião em senso algum é sinônimo da Pessoa de Deus e todas as suas obras. Igualmente, tem sido declarado ser "o tratamento científico daquelas verdades que são encontradas na Bíblia"; mas esta ciência, conquanto retire a porção principal de seu material das Escrituras, não obstante ela retira seu material de toda fonte possível. A Teologia Sistemática tem sido definida como o arranjo ordenado da doutrina cristã; mas como o cristianismo representa somente uma mera fração do campo total da verdade relativa à Pessoa de Deus e seu Universo, esta definição é inadequada.

III. Várias Definições

DR. W. LINDSAY Alexander define a Teologia Sistemática como "a ciência de Deus... um sumário da verdade religiosa organizada cientificamente, ou como um digesto filosófico de todo conhecimento religioso".[4]

Dr. A. H. Strong define a Teologia Sistemática como "a ciência de Deus e das relações entre Deus e o Universo".[5]

Dr. Charles Hodge declara que a Teologia Sistemática tem como seu objeto "sistematizar os fatos da Bíblia, e averiguar os princípios ou verdades gerais que esses fatos envolvem"[6]

O Dr. W. H. Griffith Thomas afirma: "Ciência é a expressão técnica das leis da natureza; teologia é a expressão técnica da revelação de Deus. É a área da teologia que examina todos os fatos espirituais da revelação, que estima o valor deles, e que os dispõe num corpo de ensino. A doutrina, dessa forma, corresponde às generalizações da ciência."[7]

Dr. W. G. T. Shedd define a Teologia Sistemática como "uma ciência que está preocupada tanto com o infinito quanto com o finito, tanto com Deus quanto com o Universo. O material, portanto, que ela inclui é mais vasto do que o de qualquer outra ciência. Ela é também a mais necessária de todas as ciências".[8]

Agostinho denota a teologia como "uma discussão racional a respeito da divindade".[9]

A definição a seguir vem do próprio autor: A Teologia Sistemática pode ser definida como a coleta, cientificamente organizada, comparada e defendida de todos os fatos e de toda e qualquer fonte a respeito de Deus e de suas obras. Ela é também chamada dogmática porque segue uma forma de tese humanamente legada e apresenta e verifica a verdade como verdade.

IV. Estudantes de Teologia

O INDIVÍDUO QUE se compromete ao estudo da ciência da Teologia Sistemática é propriamente um Θεολόγος (theologos) ou "teólogo". O termo grego Θυεολόγος deveria ser usado de maneira ativa como a sua ênfase indica, e denotaria aquele que fala por Deus, mas, se usado passivamente, ele se referiria àquele a quem Deus fala. Esses dois conceitos mostram que o uso aceito do termo teólogo é óbvio. Contudo, certas exigências necessárias são postas sobre o teólogo e certas qualificações devem ser encontradas nele se ele quer fazer qualquer coisa nesta tarefa a que se comprometeu.

V. Exigências Essenciais

1. A INSPIRAÇÃO E A AUTORIDADE DAS ESCRITURAS SÃO PRESSUPOSTAS. O teólogo pode ser chamado de apologeta, quando a ocasião exigir, para defender verdades específicas que pertencem ao domínio de sua ciência distintiva; e embora entre as doutrinas que ele defenda esteja a da autoridade e confiabilidade das Sagradas Escrituras, ele não está primariamente comprometido com a tarefa crítica de provar a inspiração e o caráter divino das Escrituras, mas, antes, comprometido com a formulação e apresentação da verdade positiva que as Escrituras demonstram. Por ser a Bíblia a principal fonte de todo o material que faz parte de sua ciência, o teólogo é obrigado a organizar o material dado por Deus em sua ordem lógica e científica.

Ele é um biblicista, a saber, o que não somente considera a Bíblia como a única regra de fé e prática, mas como a única fonte confiável de informação nas esferas das quais a revelação divina fala. Como um químico não consegue fazer qualquer avanço em sua ciência se ele duvida ou rejeita o caráter essencial dos elementos que ele combina, assim um teólogo que não aceita a confiabilidade da Palavra de Deus também vai falhar. É tarefa do crítico reverente descobrir e defender o caráter essencial da revelação divina; mas o teólogo deve estar comprometido com a tarefa de sistematizar e declarar a revelação divina como ela lhe foi apresentada.

Por causa do fato de que a ciência da Teologia Sistemática deve proceder da certeza de que as Escrituras são os oráculos de Deus, o modernismo e o racionalismo, com suas dúvidas quanto à inspiração verbal, revelação e autoridade bíblica, não estão preocupados com este conhecimento científico e até se apartam dele com desprezo. Ao considerar o fato da revelação divina, a ciência da Teologia Sistemática é tanto possível quanto exigida, e imediatamente se descobre que ela excede todas as outras ciências como o Criador excede sua criação.

2. As Leis da Metodologia São tão Essenciais na Ciência da Teologia Sistemática como em qualquer outra Ciência. O teólogo não cria seus materiais assim como o botânico não inventa as flores ou o astrônomo não ordena as estrelas. Como os outros cientistas, o teólogo deve reconhecer o caráter de seu material e dar a ele uma formulação ordenada. Ele nunca deveria deturpar ou alterar a verdade que lhe foi confiada, nem mesmo lhe dar uma ênfase desproporcionada. Se existe o cunho científico, necessariamente ele repele a inverdade, a verdade parcial, e toda forma de preconceito infundado ou noção preconcebida. A importância de se asseverar e de sustentar a verdade em sua pureza absoluta e proporções certas não pode ser superestimada. Este fim pode ser assegurado somente pelo método sistemático, por uma atitude de cunho científico e de labor continuado.

Ao considerar que o significado das verdades da Escrituras é melhor expresso nas línguas originais, é essencial que o teólogo seja um exegeta nessas línguas e, assim, informado tanto melhor quanto possível a respeito do caráter exato da mensagem de Deus com a qual ele vai lidar. É irracional para qualquer cientista desconsiderar ou subestimar o valor essencial de qualquer parte do material com o qual a ciência está interessada. Igualmente, a ciência da Teologia Sistemática será incompleta e distorcida ao grau em que ela desconsidera e distorce qualquer parte da revelação divina. O estudante respeitável de Teologia Sistemática, se não fosse qualificado para o título mais elevado e inclusivo de teólogo, poderia ser chamado de supercientista, o que realmente ele é.

Dos dois métodos de lidar com a verdade da Palavra de Deus – o dedutivo, pelo qual um tema é expandido em seus detalhes de expressão, um método que pertence amplamente ao campo da homilética; o indutivo, pelo qual as várias declarações sobre um assunto são reduzidas a uma afirmação harmoniosa e todo-abrangente – o indutivo é distintamente o método teológico. As induções podem ser imperfeitas ou perfeitas. As induções imperfeitas acontecem quando alguns ensinos, mas não todos, da Escritura tornam-se a base de uma afirmação doutrinária. Uma indução perfeita acontece quando todos os ensinos da Escritura, de acordo com o significado exato deles, tornam-se a base de uma afirmação doutrinária. Está evidente que para as mentes finitas, a indução perfeita é mais ou menos ideal, e o fato de que existem induções variadas e imperfeitas mostra, em alguma medida, a ampla divergência nas crenças doutrinárias entre homens de igual sinceridade.

3. As Limitações Finitas Devem Ser Reconhecidas. Se não fosse o fato de que Deus concedeu uma revelação apropriada de si mesmo aos homens e de que Ele espera que eles dêem atenção a ela, poderia parecer ser uma presunção injustificada para a mente finita procurar compreender o que é infinito. O teólogo nunca deveria perder de vista o fato de que ele, como nenhum outro cientista, é obrigado a tratar das coisas sobrenaturais, que transcendem os limites do tempo e do espaço onde nenhuma ajuda do pensamento humano pode penetrar, e a tratar dos seres invisíveis, inclusive as três pessoas da Trindade e dos anjos.

Confrontado com assuntos como esses, ele deveria permanecer em atitude de santa reverência, como Moisés quando esteve diante da sarça ardente, e ficou impressionado com a futilidade da dependência da mera opinião humana, assim como das conseqüências desastrosas a que tal dependência pode levar. Em termos mais simples, Deus falou de si mesmo, e das coisas infinitas e eternas. A Bíblia é essa mensagem, conquanto o homem não possa originar qualquer verdade similar, ele, embora finito, é privilegiado pela iluminação graciosa do Espírito ao receber, com algum grau de entendimento, a revelação a respeito de coisas que são infinitas.

4. Uma Iluminação Espiritual é Necessária e Proporcionada. Como já afirmamos, embora a Bíblia seja expressa em termos muito simples, a sua mensagem, em muitos aspectos, transcende o alcance do entendimento humano; mas uma provisão divina é dada pela qual essas limitações humanas são vencidas. O Espírito de Deus é dado para cada pessoa salva como o Paracleto que habita dentro dela, e proporciona assim um recurso ilimitado tanto para o entendimento quanto para a capacidade de aprender. Cristo, dessa forma, trabalhou nos corações dos dois discípulos que andavam com Ele no caminho de Emaús. O texto declara que Ele não somente abriu as Escrituras diante deles, mas que abriu-lhes o entendimento para que pudessem compreender as Escrituras (Lc 24.27-32, 45). Igualmente, o segundo Paracleto haveria de ministrar em favor de todos em quem Ele habita.

Uma condição vital, entretanto, é imposta e envolve a questão da piedade pessoal e a rendição à vontade e mente de Deus. É somente naqueles que "não andam na carne, mas segundo o Espírito" que a vontade toda de Deus é realizada (Rm 8.4), e é o cristão espiritual quem discerne todas as coisas (1 Co 2.15). Assim, há a introdução de uma lei pedagógica na ciência da Teologia Sistemática, que é estranha às outras leis de pesquisa, a saber, que a iluminação divina, pela qual unicamente a revelação pode ser compreendida, e que depende da situação do coração que não somente está entregue a Deus, mas que está sempre pronto a ser conformado com a Palavra que Deus falou. Embora as porções históricas e exortativas da Bíblia sejam compreensíveis ao homem não-regenerado e ao cristão não-espiritual, as doutrinas são, em grande medida, seladas para eles; e como a Teologia Sistemática tem muito a ver com doutrina, esta vasta ciência é vedada às multidões que, mesmo possuidoras de boa educação e cultura, têm carência de ajustamento pessoal e interior com Deus, que assegura o entendimento espiritual.

A Igreja está sempre em perigo – e nunca mais que agora – em perigo de desastre que deve permanecer quando ela permite que homens distintos na esfera das realizações humanas, que não são regenerados ou espirituais, ditem quais são as crenças que ela deve aceitar. Portanto, segue-se naturalmente que além do pré-requisito da disciplina de mente, todo estudante de Teologia Sistemática deveria, antes de entrar neste campo de pesquisa sobrenatural e ilimitado, mostrar evidência incontestável de que ele nasceu de Deus, e através desse nascimento, foi habitado pelo Espírito, o divino Mestre, e que ele se rendeu à mente e vontade de Deus, não somente como à verdade em si mesma mas como mostra de piedade pessoal. À parte de tal preparo, o estudo nesta ciência será de pouco ou de nenhum propósito. Contudo, é possível que um estudante não tenha esta preparação essencial e lhe seja permitido graduar-se e sair com a autoridade de pregar pela imposição das mãos, e os resultados virem a ser uma calamidade infinita e ele próprio estará em perigo de se colocar sob o anátema irrevogável de Deus (Gl 1.7-9).

5. Um Estudo Paciente e Incansável Deve Ser Exigido. Assim como alguém pode se aventurar a ir cada vez mais longe sem nenhuma esperança de alcançar os seus limites distantes, assim o teólogo sempre é confrontado com um material ilimitado na esfera das doutrinas da Escritura. Tem sido costumeiro para o teólogo passar pelo menos três anos nas salas de aula no estudo da introdução da ciência da Teologia Sistemática e sob a instrução daqueles que, por meio de estudo paciente e experiência, são capazes de guiá-lo nessa pesquisa introdutória. Contudo, o estudo da doutrina bíblica é tarefa para a vida inteira e exige seu tempo e forças. Na verdade, feliz é o estudante que possui uma introdução completa desta vasta ciência da Teologia Sistemática, mas triplicemente abençoado é aquele que, com propósito contínuo, estuda até o fim de seus dias na terra. Nada precisa ser dito aqui da tragédia que vem sobre um estudante de Teologia Sistemática que, por uma razão ou outra, não foi iniciado no campo desta ciência, e que, portanto, continua a pregar somente num plano inferior da conduta humana e, por falta do requisito entendimento, nunca explica a doutrina da Escritura que transforma a alma.

Muitas gerações se passaram desde que o púlpito sustentou ideais inferiores de pregação doutrinária do que os que sustenta hoje. Não obstante, o coração humano não está mudado e o remédio de Deus para as almas doentes é o mesmo, e o servo de Deus que vai ministrar a essas necessidades com verdadeira eficiência descobrirá a importância do estudo contínuo que provará que ele é diante de Deus aquele obreiro que não precisa se envergonhar, mas que maneja bem a Palavra da verdade (2 Tm 2.15).

6. A Fé. Como já foi afirmado, o estudante de Teologia Sistemática é chamado para trabalhar no campo das coisas sobrenaturais. Sua pesquisa é quase toda restrita ao Livro, o qual é inspirado por Deus, e através do poder para compreender a mensagem que esse texto apresenta; ele avança somente na medida em que é capacitado e ensinado pelo Espírito de Deus. Não somente essas coisas são verdadeiras; mas o seu sublime e santo serviço como expositor deste Livro, seja pela palavra oral ou pela incorporação das verdades da mensagem bíblica em sua vida diária, será vantajoso e eficaz somente quando ele ministra essa Palavra no poder de Deus. A Bíblia não é entendida nem recebida pelo homem não-regenerado (1 Co 2.14), nem podem as suas revelações mais profundas ser captadas pelos cristãos carnais (1 Co 3.1-3).

Nenhuma afirmação mais decisiva poderia ser feita sobre essa verdade qualificadora do que a que se encontra em Hebreus 11.3 – "Pela fé entendemos...". Importância devida deveria ser dada ao valor dos poderes mentais nativos e à virtude do esforço incessante, mas estas coisas somente ajudam pouco numa ciência que é sobrenatural em todas as suas partes. Não está escrito na porta de entrada de outra ciência o que está na porta de entrada da Teologia Sistemática: "Somente os homens que possuem a fé que lhes assegurou a regeneração e que os conduziu a uma auto-dedicação completa a Deus podem entrar aqui". Nenhuma lei pedagógica é mais inflexível do que esta demonstrada nestas palavras: "Se alguém quiser fazer a vontade dele, conhecerá a respeito de sua doutrina" (Jo 7.17), e "o homem espiritual julga todas as coisas" (1 Co 2.15). E ainda: "A sua unção vos ensina a respeito de todas as cousas" (1 Jo 2.27).

7. A TEOLOGIA SISTEMÁTICA DEVERIA SER COMPLETA. Como toda verdadeira ciência, a Teologia Sistemática é interdependente e inter-relacionada em todas as suas partes. O astrônomo ou químico não tentaria organizar os seus materiais ou chegar a conclusões confiáveis com um terço dos seus elementos ou fatos pertencentes à sua ciência inexplicados. Nem deveria o teólogo esperar alcançar qualquer verdadeira avaliação de suas várias doutrinas quando vastos campos da revelação divina são eliminados de sua consideração. Os teólogos, mais do que quaisquer outros cientistas, ficam inclinados a ser presos pela tradição ou pelo mero preconceito sectário. O campo de investigação não é menos do que a Bíblia toda, cujo campo se estende para além dos limites dos credos e do conjunto limitado de verdades que foram redescobertas na Reforma.

Os sistemas de teologia publicados freqüentemente omitem o programa de Deus sobre as dispensações; a revelação paulina a respeito da Igreja que é o corpo de Cristo; todo o campo da verdade com respeito à vida; angelologia com satanologia e demonologia; profecia, que sozinha ocupa mais de um quinto do texto da Escritura; tipologia; e o presente ministério de Cristo no céu. Ao considerar o caráter interdependente e inter-relacionado da doutrina teológica, o teólogo, após eliminar todas as partes ou qualquer uma delas deste grande campo de revelação, não pode sustentar a verdade em sua perspectiva correta ou dar a ela a sua ênfase correta. O alvo de todo teólogo deveria ser o de sustentar a revelação divina total num verdadeiro equilíbrio de todas as suas partes e livre de coisas passageiras e de imprecisões.

VI. Atitudes Existentes para com as Escrituras

Embora haja muitas atitudes da parte dos homens para com a Bíblia, estas podem ser apresentadas em quatro classificações gerais.

1. RACIONALISMO. A atitude racionalista para com a Escritura é sujeita a uma divisão dupla:

A. EXTREMO.

O racionalismo extremo nega qualquer revelação divina e representa as crenças ou descrenças dos infiéis, ateus e agnósticos. Embora os racionalistas extremados fossem numerosos nas gerações passadas, o número deles aumenta muito mais no tempo presente e está destinado a avolumar-se até o final desta dispensação (Lc 18.8; 2 Tm 3.13).

B. MODERADO.

O racionalismo moderado admite uma revelação, mas aceita somente partes da Bíblia que a razão pessoal aprova. As razões pelas quais o racionalista moderado rejeita partes do texto da Escritura podem ser baseadas nos supostos achados da alta crítica ou nos meros preconceitos pessoais. Para estes homens, a Bíblia torna-se não mais do que um livro de erros dos quais cada pessoa é livre para eliminar qualquer porção que escolha rejeitar, ou honrar como divinamente normativa qualquer porção que resolva escolher. A atitude racionalista moderada para com as Escrituras é aquela sustentada pelos chamados modernistas e inclui todas as classes desde os liberais que meramente negam a inspiração verbal e plenária até aqueles que rejeitam o texto todo das Escrituras como uma revelação divina.

2. MISTICISMO. O misticismo está sujeito a uma classificação dupla:

A. MISTICISMO FALSO.

A teoria de que a revelação divina não é limitada à Palavra escrita de Deus, mas que Deus concede uma verdade acrescida às almas que são suficientemente despertadas pelo Espírito de Deus para recebê-la. Os místicos desta classe afirmam que, pela auto-anulação e devoção a Deus, os indivíduos podem alcançar a percepção imediata, direta e consciente da pessoa e da presença de Deus e, assim, alcançar toda a verdade nele. O misticismo falso inclui todos aqueles sistemas que ensinam a identidade entre Deus e a vida humana – Panteísmo, Teosofia e a filosofia grega. Nele estão incluídas praticamente todos os movimentos de Santidade ("Holiness") desta época; também, o Espiritismo, Adventismo do Sétimo Dia, Novo Pensamento, Ciência Cristã, Swedenborgianismo, Mormonismo e Dawnismo Milenário.

Os fundadores e promotores de muitos desses cultos apelam para uma revelação especial de Deus sobre a qual o sistema deles está construído. Com muito menor complicação de erro e inverdade, um tipo de falso misticismo pode ser discernível nas crenças e práticas dos Quakers. Na apresentação de suas doutrinas da "luz interior", eles diziam que o Espírito morava dentro deles e o cristão individual está em contato com Aquele que inspirou e deu as Escrituras, e que o Espírito não somente é capaz de comunicar qualquer verdade adicional além das já registradas nas Escrituras, mas que Ele é apontado por Cristo para fazer exatamente como está escrito em João 16.12,13: "Tenho ainda muito que vos dizer; mas vós não o podeis suportar agora; quando vier, porém, o Espírito da verdade, ele vos guiará a toda a verdade".

A Igreja em geral acredita que esta promessa é cumprida de dois modos: (a) pela capacidade dada aos homens a quem Cristo falou através do que eles foram capazes de escrever as Escrituras do Novo Testamento; e (b) pelo ministério do Espírito que ensinou aos apóstolos e a todas as pessoas em todas as épocas que se renderam a Ele, a verdade agora contida na Escritura.

Nenhuma voz poderia falar com mais autoridade pelos Quakers do que Robert Barclay cuja *Apology* foi publicada em 1867. Ele afirma: "Além disso, essas revelações interiores divinas, que cremos ser absolutamente necessárias para a edificação da verdadeira fé, nunca contradisseram nem podem contradizer o testemunho exterior das Escrituras, ou a razão sadia e correta. Todavia, disto não se segue, que estas revelações divinas devam ser sujeitas ao exame, seja do testemunho externo das Escrituras, ou da razão natural do homem, como a regra ou pedra-de-toque mais nobre ou certa; pois esta revelação divina e iluminação interior é aquela que está evidente e clara por si mesma".[10]

Em tempos mais antigos esta forma de misticismo foi apresentada nos ensinos de Francisco de Sales, Thomas à Kempis, Madame Guyon, arcebispo Fénelon, e Upham. Montano promoveu esses conceitos por volta do segundo século. Eles foram posteriormente sustentados por Tertuliano e tornaram-se em uma questão vital entre os reformadores. O misticismo espiritual extremo é conhecido como Quietismo, que propõe a morte ao eu, desconsidera os atrativos do céu ou as dores do inferno, e acaba com as petições na oração ou ação de graças para que o eu não seja encorajado. Igualmente, aquelas formas de ensinos sobre a vida espiritual incluídas que impõem sobre o cristão o dever de auto-crucificação em lugar do reconhecimento do fato de que o eu foi crucificado com Cristo, e que os valores de Sua morte devem agora ser recebidos pela fé naquilo que foi cumprido na cruz ao invés de ser cumprido pelas realizações humanas.

A Palavra de Deus ensina que a vida espiritual é produzida pelo Espírito no coração do crente comprometido, e que o Espírito tem a liberdade de anular as obras da carne com base no fato de que Cristo morreu para a natureza pecaminosa, e não com base na realização humana no caminho da auto-anulação ou autocrucificação.

B. MISTICISMO VERDADEIRO.

O misticismo verdadeiro afirma que todos os crentes são habitados pelo Espírito e, assim, estão na posição de serem iluminados diretamente por Ele, mas que há uma revelação completa que é concedida, e que a obra iluminadora do Espírito será confinada à revelação das Escrituras para a mente e o coração. O misticismo falso ignora a afirmação encontrada em Judas 3 de que uma fé ou sistema de crença que "uma vez por todas foi entregue aos santos", e que quando o Espírito é prometido para "guiar a toda verdade" (Jo 16.13), que é a verdade contida nas Escrituras (cf. 1 Co 2.9,10). Há um conhecimento singular dos mistérios ou segredos sagrados de Deus concedido àqueles que são ensinados pelo Espírito de Deus, mas esses segredos sagrados já estão contidos no texto da Bíblia.

3. ROMANISMO. Um dos maiores erros da Igreja de Roma é o que torna a Igreja, e não a Bíblia, a autoridade imediata e final em todos os assuntos da revelação divina. A alegação dela é que a autoridade da Igreja é restrita a matérias de fé e de conduta moral, e que ela não é encontrada nos campos da ciência, arte e história. Ela argumenta que há muitas coisas que Cristo e os apóstolos ensinaram que não foram registradas na Bíblia (Jo 20.30,31; 21.25), mas estas, é asseverado, foram preservadas pela Igreja e são tão obrigatórias como as que foram escritas. É também suposto pela Igreja de Roma que a voz do papa é a voz de Deus, e que deve ser dada obediência às suas declarações como se deve às do próprio Deus. Essas comunicações por intermédio do suposto vigário de Cristo se tornam, dessa maneira, para os romanistas, tão normativas quanto são as palavras de Cristo e dos apóstolos que não foram registradas.

Para a Igreja de Roma, essas palavras não registradas são preservadas pela Igreja, ou, essas palavras são tão normativas quanto os textos das Escrituras. Que a Igreja de Roma considera as decisões e regras da Igreja como infalíveis e normativas acima da Palavra de Deus escrita é provado por muitas de suas decisões e juízos.

Em resposta a essas alegações infundadas, pode ser observado que a Igreja nada preservou de valor espiritual, nem tem suas tradições acrescidas de qualquer elemento vital que agora foi guardado por Deus nas Escrituras. A verdade teve o seu poder salvador e santificador na Igreja primitiva antes de qualquer palavra ter sido registrada, mas a verdade salvadora e santificadora foi incorporada na Bíblia e, além dela, as tradições de Roma nada realizaram além dos erros multiplicados e das contradições enganosas.

O teólogo é aqui confrontado com o fato e escopo da tradição. Ele deveria examinar as Escrituras neste ponto com muito cuidado (Gl 1.14; 2 Ts 2.15; 3.6), e lembrar-se de que Cristo veio ao mundo numa época quando a Palavra de Deus estava incrustada de "tradições de homens" a ponto de a autoridade de Deus ter sido, em grande medida, anulada. Cristo desconsiderou as tradições dos homens e por esta razão foi condenado pelos líderes religiosos de seu tempo.

4. A FÉ DA ORTODOXIA PROTESTANTE. Certos artigos bem definidos de fé a respeito das Escrituras foram e ainda são sustentados pelos protestantes ortodoxos:

a. A Bíblia é a Palavra infalível de Deus.

b. A Bíblia é a única regra de fé e prática.

c. A razão e o conhecimento humanos deveriam estar totalmente sujeitos às Escrituras.

d. Não há luz interior ou revelação acrescida às que já foram dadas e que estão contidas na Escritura. O caráter perigoso e ingovernável da doutrina da revelação

PROLEGÔMENOS

divina individual, por ser sem padrões, pelo qual se testa as várias alegações, é óbvio; e a sua susceptibilidade ao erro é demonstrada pelas alegações daqueles que sustentam essas idéias. O Espírito de fato guia os indivíduos em assuntos de conduta e serviço, mas não na formulação de doutrina que possa ser sobreposta à Palavra de Deus.

e. Nenhuma autoridade relativa à formação da verdade jamais foi entregue à Igreja ou a homens além da que foi dada aos escritores do Novo Testamento.

VII. Principais Divisões da Teologia Sistemática

1. BIBLIOLOGIA. Uma consideração dos fatos essenciais a respeito da Bíblia.

2. TEONTOLOGIA. Uma consideração dos fatos a respeito de Deus – Pai, Filho e Espírito, à parte das obras deles.

3. ANGELOLOGIA. Uma consideração dos fatos a respeito dos anjos, eleitos e caídos.

4. ANTROPOLOGIA. Uma consideração dos fatos a respeito do ser humano.

5. SOTERIOLOGIA. Uma consideração dos fatos a respeito da salvação.

6. ECLESIOLOGIA. Uma consideração de todos os fatos a respeito da Igreja.

7. ESCATOLOGIA. Uma consideração de tudo na Escritura que foi preditivo no tempo em que foi escrito.

8. CRISTOLOGIA. Uma consideração de tudo que a Escritura diz a respeito do Senhor Jesus Cristo.

9. PNEUMATOLOGIA. Uma consideração das Escrituras a respeito do Espírito Santo.

10. SUMÁRIO DOUTRINÁRIO. Uma análise de cada doutrina importante em seu caráter individual, inclusive os vários aspectos importantes que, por causa do caráter independente deles, não aparecem nem mesmo num tratamento completo de Teologia Sistemática.

Conclusão

O estudo da Teologia Sistemática tem suas limitações por causa das incapacidades da mente finita; todavia, o estudo dela é tanto proveitoso quanto necessário para todos os que querem ser cheios do conhecimento de Deus e de sua vontade, e daqueles que, por causa desse conhecimento, querem andar dignos da vocação a que foram chamados. O pensamento humano não tem objetivo comparável à pessoa de Deus. Como John Dick disse: "Conhecer este Ser poderoso, tanto quanto Ele pode ser conhecido, é o alvo mais nobre do entendimento humano; amá-lo, o exercício mais digno de nossas afeições; e servi-lo, o propósito mais honroso e prazeroso ao qual podemos dedicar o nosso tempo e talentos".[11]

Em seu discurso a estudantes de teologia, Dr. Dick afirma:

A teologia não é um daqueles assuntos escondidos, que é reservado para os curiosos investigarem, e na contemplação do que homens especulativos e reflexivos podem passar em suas horas de lazer e de solidão. Sua alegação de atenção universal é manifesta por sua narrativa sucinta que agora foi dada de sua natureza. Suas instruções são dirigidas a pessoas de qualquer descrição, para os eruditos, e para os não-eruditos, para o estudante aposentado, e para aquele que está comprometido com as cenas apressadas da vida. Ela é interessante para todos, para proporcionar o conhecimento de Deus, e de seu Filho, que é a fonte da vida eterna. Mas no caso de vocês, há uma razão particular, além de considerar o seu bem-estar pessoal, por que ela deveria ser não somente uma parcela dos seus pensamentos, mas o objeto principal de suas pesquisas. A teologia é a profissão de vocês, como a medicina é a do médico, e a lei de um advogado. Deveria ser a ambição de vocês a de sobressaírem-se, não, entretanto, pelos mesmos motivos que estimulam o esforço dos homens de outras profissões, os desejos de fama, ou de perspectiva de lucro, mas tendo em vista desincumbir-se fiel e honradamente dos deveres do ofício com o qual um dia vocês esperam ser incumbidos. Estes homens são os servos do Deus Altíssimo, que nos mostraram o caminho da salvação.[12]

A responsabilidade que recai sobre o estudante de Teologia Sistemática de conhecer o que pode ser conhecido do vasto campo da revelação divina é tríplice: (a) É o desejo de Deus que todos possam vir ao conhecimento de Si mesmo. (b) Este conhecimento é essencial se a maneira de vida que vai adornar a doutrina que nós professamos deve ser crida. (c) Este conhecimento é essencial, sendo, como é, a mensagem distintiva entregue àqueles que vão "pregar a palavra".

BIBLIOLOGIA

BIBLIOLOGIA

BIBLIOLOGIA

Capítulo II

Introdução à Bibliologia

Visto que a Teologia Sistemática é a coleção cientificamente organizada, comparada, apresentada e defendida de todos os fatos de todas as fontes concernentes a Deus e suas obras, e visto que a Bíblia em seus escritos originais é, por sua própria alegação digna e por todos os testes que as mentes devotas possam aplicar a ela, a palavra inerrante de Deus, segue-se que, para que haja qualquer progresso nesta ciência, o teólogo deve ser um *biblicista* – aquele que não somente é um erudito na Bíblia mas também um crente no caráter divino de cada porção do texto da Bíblia. Primeiramente, o teólogo é designado para sistematizar a verdade contida na Bíblia e vê-la como a Palavra divinamente inspirada que Deus deu ao homem. Portanto, as investigações que os homens fazem podem conduzir ao campo de prova ou de refutação de que a Bíblia é a mensagem inerrante de Deus ao homem, e que estas coisas são, na sua maior parte, extrateológicas e classificadas como pertencentes à crítica bíblica, em vez de pertencerem à Teologia Sistemática.

O estudante que, a despeito das alegações que a Bíblia faz de ser a Palavra de Deus, ainda anda às apalpadelas, à procura de luz neste aspecto da verdade, não pode nem mesmo começar o estudo da Teologia Sistemática. A chamada ciência cristã com uma pretensa base lógica racional e totalmente à parte e reverso de qualquer coisa que seja distintamente cristã, não poderia promover uma ciência nem poderia usufruir algo do que a verdadeira ciência alcançou. Como poderia a cirurgia ser desenvolvida por um sistema que afirmasse uma noção fantástica que negasse até a existência do corpo humano? A Teologia Sistemática tenciona construir uma ciência a partir da revelação bíblica e com base naquilo que é ὁ λόγος τοῦ Θεοῦ ("a Palavra de Deus"), e, como a cirurgia deve proceder com base na crença da existência do corpo mortal, assim, semelhantemente, a Teologia Sistemática deve proceder com base na crença de que a Bíblia é, em todas as suas partes, a própria Palavra de Deus ao homem.

Embora a palavra *bíblia* signifique "livros", a Bíblia distingue o Livro supremo e incomparável. Ela sobrepuja todos os outros livros em autoridade, antiguidade, literatura e popularidade; todavia, a sua supremacia peculiar é vista no fato de ela revelar a verdade a respeito do Deus infinito, de sua infinita

BIBLIOLOGIA

santidade, do infinito pecado do homem e de sua redenção infinita. É, portanto, razoável concluir que a Bíblia em si mesma é infinita, e como tal prova sê-lo, pois nenhuma mente humana compreendeu plenamente a sua mensagem ou mediu os seus valores. A expressão grega Πᾶσα γραφὴ Θεότπνευστος ("toda Escritura é inspirada por Deus" – 2 Tm 3.16) é a alegação que a Bíblia faz de si mesma e este oráculo ou máxima não é mais sujeito a dúvida que πνεῦμα ὁ Θεός ("Deus é espírito" – Jo 4.24), ὁ Θεὸς ἀγάπη ἐστίν ("Deus é amor" – 1 Jo 4.8), ou ὁ Θεὸς φῶς ἐστίν ("Deus é luz" – 1 Jo 1.5).

É afirmado aqui que a Bíblia alega para si mesmo que nos pergaminhos originais cada sentença, palavra, linha, marca, ponto, ou título foi colocado ali em harmonia completa com o propósito e vontade divinos. Assim, o Deus onipotente e onisciente fez com que a mensagem fosse formada como a reprodução exata de sua Palavra. O texto original não era somente divino com relação à sua origem, mas infinitamente perfeito com relação à sua forma. É tão necessário quanto razoável que o Livro de Deus – o Livro do qual Ele é o Autor e traz a revelação e disciplina do céu à terra – seja, em sua forma original, inerrante em todas as suas partes. Ele é chamado *Escrituras Sagradas* por causa de sua eminência (Jo 5.39; 7.42; 2 Tm 3.15).

A Teologia Sistemática não é um fim em si mesma; o seu propósito é classificar e clarear a verdade demonstrada nas Escrituras. Ela deve se tornar uma grande contribuição para o entendimento que o teólogo deve ter da Bíblia em si mesma.

Vamos considerar nesta introdução (1) a origem sobrenatural das Escrituras e (2) a sua estrutura geral:

I. A Origem Sobrenatural da Bíblia

A Bíblia é fenômeno explicável apenas de um modo – ela é a Palavra de Deus. Ela não é um livro que um homem escreveria se *pudesse*, ou que poderia escrever se *quisesse*. Outros sistemas religiosos também têm seus desvios excêntricos do curso usual do procedimento humano, desvios esses que não são muitos, e são de pequena importância; e estes, de fato, devem ser esperados visto que o homem sempre está determinado a crer num deus, ou deuses, seja sua crença baseada em fatos ou não. O bispo Hampden, ao escrever sobre as coisas boas que podem ser reconhecidas nas religiões falsas, registrou: "Assim, encontramos mesmo nas superstições que são mais revoltantes ao senso comum, algumas verdades compensatórias que têm suavizado e recomendado a massa associada de erros, que, de outra forma, seriam totalmente repulsivas para o coração do homem poder jamais admiti-los".[13] Mas esses repentes da natureza humana e suas frágeis aspirações são incomparáveis ao vasto conjunto de características sobrenaturais que a Bíblia apresenta.

O estudante da verdade será obrigado a reconhecer as alegações contrárias que são tanto extrabíblicas como intrabíblicas. Aquilo que é *extrabíblico* abrange o campo todo das religiões humanamente imaginadas e das especulações filosóficas. O que é *intrabíblico* abrange todos os cultos e afirmações parciais da verdade divina que, embora professem edificar seus sistemas nas Escrituras, não obstante, através de ênfase falsa ou negligência da verdade, chegam a uma confusão de doutrina que é semelhante ao erro genuíno e talvez mais enganoso do que ele.

O efeito geral do caráter sobre-humano da Bíblia apresenta um conjunto quase inexaurível de considerações que, se observadas com honestidade, podem levar alguém a concluir que este Livro pode não ser um produto humano.

Embora não seja possível uma lista exaustiva, algumas poucas dessas muitas características sobre-humanas da Bíblia são enumeradas aqui.

1. O Livro de Deus. Com este título pretende-se chamar a atenção para a alegação presente em todo lugar na Bíblia, que é a mensagem de Deus ao homem e não a mensagem do homem aos seus pares, muito menos a mensagem do homem a Deus. Declarar a Bíblia como *teocêntrica*, que é o que ela faz por si mesma, é declará-la como *antropoexcêntrica*. Neste livro, Deus é demonstrado como Criador e Senhor de tudo. Ela é a revelação dEle próprio, o registo do que Ele fez e fará, e, ao mesmo tempo, a revelação do fato que cada ser criado é sujeito a Ele e descobre a sua elevada vantagem e destino somente quando se conforma à sua vontade. Toda palavra da Bíblia é a produção de declarações sublimes como: "Não há Deus como tu, em cima nos céus nem embaixo na terra" (1 Rs 8.23), e ainda: "Tua, Senhor, é a grandeza, o poder, a honra, a vitória e a majestade; porque teu é tudo quanto há nos céus e na terra; teu, Senhor, é o reino, e tu te exaltaste por chefe sobre todos" (1 Cr 29.11). "Senhor, Senhor, Deus compassivo, clemente e longânimo, e grande em misericórdia e fidelidade" (Êx 34.6). "Suas ternas misericórdias permeiam todas as suas obras" (Sl 145.9).

Assim, Deus é mostrado como Aquele que exerce autoridade impregnadora e absoluta sobre as esferas física, moral e espiritual e como Aquele que dirige as coisas para um fim de modo que elas possam redundar para a sua glória. Este propósito divino é produzido por agentes humanos e as atividades deles constituem a historia humana; mas, quando a obra deles for completada, a história do mundo será a história do plano original de Deus. Contrária à natureza do homem, a Bíblia tende inteiramente para a glória de Deus e almeja nada mais que a sua honra. De acordo com a Palavra de Deus e com a experiência humana, o homem, à parte da iluminação divina, é totalmente incapaz de receber ou entender a verdade a respeito de Deus.

Quem dentre a humanidade cega é o autor de ficção capaz de criar concepções do Deus triúno desde toda a eternidade, que estão difundidas nas páginas das Escrituras? Quem dentre os homens desenhou o equilíbrio perfeito e peculiar das partes que cada pessoa da Trindade assume na redenção, ou o caráter divino na exibição consistente e inalterável de sua infinita santidade e amor infinito – os juízos divinos, a avaliação divina de todas as coisas, inclusive as hostes angelicais e os espíritos malignos? Quem dentre os homens tem sido capaz de conceber a criação de noções independentes, mas tem sido capaz de fazê-las expressar perfeitamente numa história contínua que, por ser fortuita, é, afinal de contas, somente engano – uma apresentação hipócrita, insincera e dissimulada da verdade?

Quão absurda é a suposição de que o homem sozinho poderia escrever a Bíblia se ele resolvesse fazê-lo! Mas se o homem não deu origem à Bíblia, Deus deu, e por causa desse fato a autoridade dela deve ser reconhecida.

2. A Bíblia e o Monoteísmo. Esta matéria é bem ligada à que tratamos anteriormente. O fato de que Deus é supremo implica que não há outro que se compare a Ele; todavia, quase universalmente a humanidade tem praticado, com uma contumácia que está longe de ser acidente, as abominações da idolatria. O povo judeu, de quem vem o lado humano das Escrituras, não sustenta qualquer imunidade quanto a essa tendência. Os israelitas sempre reverteram a idolatria a despeito da abundante revelação que tiveram e dos castigos que receberam. A história da Igreja é manchada pela adoração de imagens esculpidas assimiladas do paganismo. Quão seriamente o Novo Testamento adverte os crentes a evitar a idolatria e a adoração de anjos!

À luz destes fatos, como se poderia supor que os homens – mesmo em Israel – à parte da direção divina puderam criar um tratado que, com apenas uma simples olhada na glória de Deus, marcam a idolatria como um dos primeiros e mais ofensivos crimes e insultos contra Deus? A Bíblia não é um livro que qualquer homem escreveria, se pudesse.

3. A Doutrina da Trindade. Embora sustente o monoteísmo sem modificação, a Bíblia não apresenta o fato de que Deus subsiste em três pessoas ou modos de existência. Esta distinção repousa entre dois extremos: de um lado, a de que três pessoas separadas e distintas estão meramente associadas da mesma forma que estão o propósito e a realização; ou, de outro lado, a de que uma pessoa meramente opera em três campos de atividade caracteristicamente diferentes. A doutrina bíblica da Trindade diz que Deus é um em essência, todavia três pessoas são identificadas. Sem dúvida, este é um dos maiores mistérios. A doutrina vai muito além do alcance do entendimento humano, embora ela seja fundamental na revelação divina.

Quando consideradas separadamente, as pessoas individuais da divindade apresentam a mesma evidência inquestionável com respeito à origem sobrenatural da Bíblia.

A. Deus o Pai:

O campo da Escritura que demonstra as atividades e responsabilidades distintivas que são predicados da primeira pessoa é vasto. Ele é o Pai de toda criação, o Pai do Filho eterno – a segunda pessoa –, e o Pai de todos os que crêem para a salvação de suas almas. Esta revelação se estende a todos os detalhes do relacionamento de Paternidade e inclui o envio do Filho para que a graça de Deus pudesse ser revelada. Nenhuma mente humana poderia dar origem à concepção de Deus o Pai da forma como Ele é revelado na Bíblia.

B. DEUS O FILHO:

O registro a respeito da segunda pessoa, quem, de acordo com a Palavra de Deus, é o Verbo desde toda eternidade, que é sempre a manifestação do Pai, e que, embora agora sujeito ao Pai (dentro do plano da salvação), é o Criador das coisas materiais, o Redentor e Juiz final de toda raça humana, oferece a evidência mais extensa e imensurável da origem divina das Escrituras. A Pessoa e obra do Filho de Deus com a sua humilhação e glória são o tema dominante da Bíblia; todavia o Filho, por sua vez, dedica-se a si mesmo para a glória do Pai. As perfeições do Filho nunca podem ser comparadas aos mais sábios dos homens, nem mesmo compreendidas por eles. Afinal de contas, se esta revelação ilimitada com respeito ao Filho é somente ficção, não é um desafio razoável (– mesmo para a mente do homem não-regenerado – que este suposto autor deva ser descoberto, e, com base no clichê de que a coisa criada não pode ser maior do que aquela que a criou) ser adorado e reverenciado acima de tudo que é chamado Deus?

C. DEUS O ESPÍRITO:

O Espírito Santo que é apresentado na revelação como igual em todos os sentidos ao Pai e ao Filho, não obstante, e para o amparo dos presentes empreendimentos divinos, seja retratado como sujeito (no plano da salvação) tanto ao Pai quanto ao Filho. De maneira semelhante, o seu serviço é visto como o complemento e administração da obra do Pai e do Filho.

Assim, o Deus triúno revelou-se à humanidade em termos que o homem, mesmo quando ajudado pelo Espírito, pode apenas compreender debilmente; e quão pueril é a sugestão de que estas revelações são o produto dos homens que, sem exceção desde os dias de Adão, são depravados, degenerados, e incapazes mesmo de receber ou conhecer as coisas de Deus à parte da iluminação divina! Tal conceito propõe nada menos que a suposição de que o homem dá origem à idéia de Deus, e que o Criador é um produto da criatura.

4. CRIAÇÃO. Sem nenhuma capacidade para receber as coisas de Deus ou para conhecê-las, o homem é incapaz de anuir de maneira inteligente à máxima de que todas as coisas existentes foram criadas do nada por Deus (Hb 11.3). Reconhecedor, contudo, que todas as coisas existentes devem ter tido um começo, ele começa a construir a sua própria solução do problema das origens. O melhor que ele fez foi apresentado pelas teorias da evolução, propostas estas que, por suas inconsistências e hipóteses sem prova, são pior do que solução alguma. Esse homem que falha em descobrir qualquer solução razoável para este problema deve, ao mesmo tempo, ter o crédito da autoria da narrativa da criação do Gênesis, histórico este que é a base sobre a qual toda a revelação subseqüente procede?

5. PECADO. Dentre os muitos assuntos sobre os quais o homem não pode ter uma informação sem preconceito, o fato do pecado e de seu caráter mal obviamente ocupa o primeiro lugar. Todavia, se houver uma afirmação de que a Bíblia – a única fonte confiável de informação sobre este tema – não é de origem divina, não há alternativa senão a suposição de que o homem, como supôs o autor das Escrituras, estabeleceu julgamento sobre si mesmo e é capaz de entender o que em todo lugar ele demonstra ser incapaz de compreender, ou seja, a pecaminosidade do pecado. E o problema não envolve apenas um autor humano, mas ao menos quarenta escritores que partilharam o registro da Palavra de Deus. Todos eles abordam diretamente este vasto tema sobre o qual nenhum homem poderia conhecer à parte da revelação.

6. A CURA DO MAL DE ACORDO COM A BÍBLIA. Se o homem caído naturalmente não conhece a sua pecaminosidade, muito menos tem ele capacidade nativa pela qual pode conhecer o remédio divino que não é somente revelado ao homem na Palavra de Deus, mas tem demonstrado a sua eficácia em cada exemplo em que a humanidade satisfez as condições e reivindicou os seus valores. Esta redenção não somente proporciona uma salvação perfeita para o crente, mas também se estende ao novo céu e nova terra com o pecado eliminado para sempre. É concebível que o homem possa sonhar com a utopia, mas qual ser humano poderia imaginar o plano de salvação e torná-lo vitorioso em cada instância sem exceção? Como poderia o homem imaginar um plano que tira o mérito humano, que assegura o poder salvador de Deus, e que tende sempre para a glória de Deus e a desilusão da vaidade humana? Por que deveria o homem em sua utopia fictícia estar preocupado em que seja feito somente da maneira que preserve a infinita santidade dAquele que redime?

É somente após o homem ser redimido que ele pode, mesmo que fracamente, apreender as operações poderosas da graça divina na salvação do perdido. Todavia, se alguém vacilar em receber a Bíblia como Palavra de Deus, não lhe sobra outra escolha além de crer que o homem é o autor da redenção e que ela não tem mais valor salvador que o homem caído possa comunicar-lhe.

7. O CONTEÚDO DA REVELAÇÃO BÍBLICA. Igual a um telescópio, a Bíblia alcança além das estrelas e penetra as alturas do céu e as profundezas do inferno. Igual a um microscópio, ela revela os minúsculos detalhes do plano e do propósito de Deus assim como os segredos do coração humano. Igual a um estereoscópio, ela tem a capacidade de colocar as coisas numa relação correta uma com a outra, de manifestar a verdadeira perspectiva do intento divino no Universo. À medida que o conhecimento humano caminha, a Bíblia trata tão livremente com as coisas desconhecidas como cuida com as conhecidas. Ela fala com extrema liberdade e segurança das coisas que se encontram fora do alcance da vida e da experiência humana – das coisas eternas como das temporais. Há um limite além do qual a mente humana, ao basear suas conclusões na experiência, não pode ir; todavia, os autores humanos da Bíblia não hesitam quando eles alcançam esse limite, mas se dirigem majestosamente para a esfera do desconhecido com intrepidez.

Através de quais outros meios além da Bíblia pode alguém olhar firmemente para a eternidade passada ou futura? Todavia, a teoria de que a Bíblia não se origina em Deus somente, impõe a necessidade de se crer que criaturas restritas e temporais da terra fizeram surgir de si mesmas as concepções sublimes da eternidade e do céu assim como do eterno Ser de Deus, e são capazes de julgar o destino eterno de todas as coisas. O homem não poderia escrever tal livro, mesmo se ele quisesse.

8. A Ética da Bíblia. As religiões dos pagãos dizem respeito a eles próprios, mas falam pouca coisa a respeito da moral. Os sacerdotes delas não falam de uma vida que é pura e verdadeira. Ao contrário, essas religiões são freqüentemente promotoras dos pecados mais vis. É certo que elas nada sabem da ética que são o resultado da doutrina e que a ética está subordinada a ela. A Bíblia apresentou alguma coisa que é estranha a todos os esquemas e sistemas morais que o mundo tem produzido. Seja a lei mosaica, a exortação cristã, ou os padrões de retidão do Reino, cada um deles se torna em uma obrigação que recai sobre aqueles a quem ela é dirigida por causa do estado em que cada grupo de pessoas é colocado na bondade soberana de Deus. Na Bíblia, a ética está baseada na doutrina e se torna o seu fruto legítimo. Em nenhum lugar este princípio é tão operativo como no caso do cristão que, por causa de sua posição *em Cristo*, é chamado para andar de modo digno de sua vocação. A ética da Bíblia é tão sobrenatural em sua origem e em seu santo caráter quanto é o estado em que o eleito de Deus é colocado.

A Bíblia apresenta uma exposição da falha ética do homem assim como dos juízos que recaem sobre ele. A natureza depravada do ser humano e de seu desvio inevitável daquilo que é certo evita fortemente a teoria de que ele é o originador de tão alta moralidade, da forma em que é encontrada na Palavra de Deus; e visto que o lado humano da Bíblia é produto de autores judaicos, é pertinente observar que os homens daquela nação, mesmo em face de todos os privilégios deles, foram um pouco melhor na retidão moral deles em relação aos homens de outras nações. Além disso está o fato de que o padrão bíblico da vida santa é o testemunho de muitos autores humanos de diversos níveis de vida e durante muitos séculos. Pode ser perguntado: Como poderia a natureza humana ter dado espontaneamente tal descrição depressiva e desesperada de si mesma da forma como está contida nas afirmações dogmáticas da Bíblia sobre este assunto?

Ali cada alma humana e acusada de falha completa. A Palavra de Deus declara: "O Senhor olhou do céu para os filhos dos homens, para ver se havia algum que tivesse entendimento, que buscasse a Deus. Desviaram-se todos e juntamente se fizeram imundos; não há quem faça o bem, não há sequer um" (Sl 14.2,3). Eles são "por natureza filhos da ira, como também os demais" (Ef 2.3). Como poderiam a intolerância e a depravação encarnadas se tornar os autores e os campeões daqueles princípios de santidade residentes somente no céu?

BIBLIOLOGIA

Outro aspecto ainda deste assunto geral, que, contudo, está só remotamente relacionado ao problema da moral, leva à pergunta: Como os judeus, que eram exagerados em seu judaísmo, poderiam ter dado origem a um livro como o Novo Testamento? Dificilmente há um aspecto do cristianismo que o judeu naturalmente não resista. O que poderia ser mais repulsivo a um judeu do que o sentimento de "não haver diferença entre judeu e grego: porque o mesmo Senhor o é de todos, rico para com todos os que o invocam" (Rm 10.12)? Não veio o judaísmo de Deus e não foi ele praticado por quinze séculos debaixo do favor divino? Por causa destes fatos discutíveis, o judeu apertou os elementos do judaísmo junto ao seu coração, e ainda faz assim. Abruptamente o Evangelho rompeu esse monopólio religioso e com o seu conseqüente isolamento.

Não somente os escritores judaicos do Antigo Testamento registraram todas as infâmias de sua própria nação e reconheceram os castigos divinos justos que vieram sobre eles, como também escritores tão dignos, como qualquer dos escritores do Antigo Testamento, são vistos distanciados do judaísmo, a fim de esposar um sistema que contradiz e suplanta o judaísmo em quase todos os pontos vitais. Estes são problemas que não deveriam ser levianamente deixados de lado por aqueles que questionam a origem divina das Escrituras e que são inclinados, portanto, a justificar estes oráculos como um produto humano.

9. A CONTINUIDADE DA BÍBLIA. A continuidade da mensagem da Bíblia é absoluta em sua totalidade. Ela se mantém ligada por seqüência histórica, tipo e antítipo, profecia e seu cumprimento, e por expectativa, apresentação, realização e exaltação da pessoa mais perfeita que jamais andou por esta terra e cujas glórias são a refulgência do céu. Todavia, a perfeição desta continuidade é mantida contra aquilo que seria um impedimento insuperável para o homem; porque a Bíblia é uma coleção de 66 livros que foram escritos por cerca de quarenta autores – reis, camponeses, filósofos, pescadores, médicos, estadistas, eruditos, poetas e lavradores – que viveram em vários países e não tiveram uma conferência para entrar em acordo um com o outro, e num período não menor que dezesseis séculos da história humana.

Por causa destes obstáculos à continuidade, a Bíblia seria naturalmente a coleção de opiniões humanas mais heterogênea, incomensurável, inconsonante e contraditória que o mundo jamais viu; mas, ao contrário, ela é exatamente o que foi designada para ser, a saber, uma narrativa homogênea, ininterrupta, harmoniosa e ordena a totalidade da história do tratamento de Deus com o homem.

Não deveríamos deixar de observar que outros livros sagrados são o produto de um homem e que, portanto, não envolvem um problema de continuidade tal como desenvolvido quando os escritos dos quarenta homens desassociados são colocados juntos num todo perfeito. Cada uma das três grandes religiões monoteístas tem os seus oráculos escritos. Contudo, o judaísmo e o cristianismo compartilham o fato de seus oráculos serem uma compilação de escritos de vários autores humanos. O livro que contém os princípios do islamismo é o texto do fundador do islamismo. Esse livro proclama ser as palavras de Deus; contudo, não foi escrito pela mão do profeta, mas ditado por sua boca e é chamado de revelação. Ele começa e termina na pessoa de seu primeiro mestre. Desses registros nenhum de seus seguidores se atreve a retirar ou a acrescentar nada.

O homem, quando muito, é efêmero. Sua vida é circunscrita ao tempo de sua própria geração e suas idéias são comumente correspondentes ao ambiente em que vive. Mas exatamente tais homens, igualmente limitados em si mesmos, Deus usou para montar uma biblioteca de um volume que tem uma continuidade incomparável. Este Livro, que contém muitos livros, não recebeu a impressão idiossincrática de muitas mentes. A sua harmonia não é como a dos trompetes em uníssono, mas a de uma orquestra onde, embora absolutamente afinada, percebe-se claramente os vários e distintos instrumentos. Em que base esta continuidade total pode ser explicada se é afirmado que a Bíblia é alguma coisa menos que a Palavra de Deus?

10. Profecia e o Seu Cumprimento. Sempre aprouve a Deus preanunciar alguma coisa que Ele está para fazer e a história registra o cumprimento da predição. Um grande número de profecias foi feito pelos escritores do Antigo Testamento a respeito da vinda do Messias, e estas mensagens foram enunciadas centenas, e em alguns casos milhares, de anos antes de Cristo vir. Aquelas predições, que no propósito divino deveriam ser cumpridas no primeiro advento de Cristo, foram literalmente cumpridas naquele tempo. Muita coisa ainda vai acontecer quando da sua segunda vinda, e é razoável crer que elas serão cumpridas com a mesma precisão. Apenas dois vaticínios enunciados e cumpridos, como o do nascimento virginal de Cristo e que ocorreria em Belém da Judéia, bastariam para provar o caráter sobrenatural das Escrituras pela história que registra o cumprimento deles; mas quando essas predições chegam a milhares que dizem respeito às pessoas da Trindade, aos anjos, nações, famílias, indivíduos, e destinos, e cada uma delas é executada exatamente em seu tempo e lugar prescritos, a evidência é incontestável quanto ao caráter divino das Escrituras.

Um escritor de ficção poderia apresentar uma situação imaginária a respeito de um tempo e um lugar supostos e nesse tempo e lugar fazer um personagem fictício enunciar uma predição enganosa. Isso, por sua vez, poderia ser seguido por um capítulo que desse a entender um tempo posterior e registrasse um pretenso cumprimento da predição fictícia. Isso de fato haveria de exaurir os poderes preditivos do homem. As profecias da Bíblia são cumpridas em cada exemplo da história real. A própria Bíblia indica que o teste decisivo de toda profecia é o seu cumprimento literal. O tempo interveniente não é de pouca importância. Baseado em condições óbvias, um homem poderia dar um "chute" acertado em termos de vaticínio com respeito aos acontecimentos do dia seguinte; mas a profecia bíblica desconsidera o elemento tempo.

O fato de que o Salmo 22 é uma previsão da morte de Cristo não pode ser refutado, e ninguém pode pôr em dúvida o registro que a Bíblia faz de que um pleno milênio fica entre a profecia e o seu cumprimento. Quem estaria preparado para crer que centenas de predições que são cumpridas nas páginas da história e se estendem por milhares de anos do tempo interveniente são obra de homens sem a ajuda de ninguém? Todavia, não outra alternativa para aquele que questiona a origem divina das Escrituras.

11. Os Tipos e os seus Antítipos. Um tipo é uma descrição estruturada que retrata o seu antítipo. Ele é a própria ilustração que Deus dá de sua verdade desenhada por sua própria mão. O tipo e o antítipo estão relacionados um ao outro pelo fato que a verdade ou princípio conectador se acha incorporado em cada um deles. Não é prerrogativa do tipo estabelecer a verdade de uma doutrina; ao contrário, ele aumenta a força da verdade demonstrada no antítipo. Por outro lado, o antítipo pode elevar o tipo do seu lugar comum para o que é transcendental, e para investi-lo com riquezas e tesouros até então não revelados. O tipo do cordeiro pascal inunda a graça redentora de Cristo de riqueza de significado, enquanto que a própria redenção investe o cordeiro pascal com toda a sua significação maravilhosa.

A continuidade das Escrituras, profecia e o seu cumprimento, e os tipos com os seus antítipos, são os três fatores mais importantes que não somente servem para mostrar a unidade dos dois Testamentos e, como fios tecidos que passam de um Testamento para outro, os prende numa só peça de tecido, mas servem para traçar o desenho que, por seu caráter maravilhoso, glorifica o desenhista. Um tipo verdadeiro é o correlato de seu antítipo e, por ser especificamente delineado por Deus, é uma parte vital da revelação e inspiração. Mesmo que a mente humana pudesse conceber as maravilhas do antítipo (o que nunca poderia acontecer), ele não poderia desenhar o padrão encontrado no tipo nem inventar os múltiplos detalhes – freqüentemente incorpora muitas circunstâncias particulares e expansivas que são uma parte da história antiga.

Assim, a tipologia, quando incorporada nas Escrituras, demonstra que a Bíblia é aquele livro que o homem nunca poderia escrever, mesmo se quisesse. Ela é divina em sua origem como é sobre-humana em seu caráter.

12. A Bíblia como Literatura. Como um meio de transmissão do pensamento, a redução de uma língua à escrita é uma realização de importância insuperável. É aceitável e deve ser esperado que Deus, em sua comunicação com o homem, ponha a sua mensagem em forma escrita. Como essa mensagem poderia ser refletida ou preservada? Deveria ser igualmente esperado que a literatura assim criada, sem levar em conta as agências ou as causas secundárias, fosse digna do autor divino. Este aspecto da prioridade da Bíblia até o não-regenerado pode ser considerado com proveito. Como deveria ser esperado, as observações de toda a erudição do mundo em geral, de simpatizantes ou não, concordaram sobre a conclusão que, como literatura, a Bíblia é suprema. É evidente, contudo – e isto não é considerado suficientemente –, que esta supremacia da literatura da Bíblia não pode ser atribuída aos seus autores humanos.

Com poucas exceções, eles foram homens comuns de seu tempo que não receberam qualquer estudo preparatório para a tarefa que assumiram. Nesta conexão deve ser observado que o primeiro pronome pessoal introduzido (com exceções notáveis que são exigidas para a clareza da verdade – cf. Rm 7.15-25) está ausente desses escritos. As opiniões pessoais dos autores humanos sobre o material que apresentam são de pouca importância. Se o valor literário excepcional de seus escritos fosse devido à própria capacidade deles, é inconcebível que todos esses quarenta ou mais autores não tivessem deixado algumas outras mensagens duradouras além das que estão incorporadas na Bíblia. Na verdade, a nação judaica, da qual quase todos esses autores humanos das Escrituras procedem, não tem outra literatura antiga de importância além deste Livro Sagrado.

As qualificações morais e intelectuais do judeu dos dias antigos, com respeito à autoria, podem ser medidas pelo Talmud e pelos escritos talmúdicos. Com o mesmo propósito, os escritos mais recentes dos judeus podem ser também avaliados numa comparação dos evangelhos canônicos com os apócrifos; os últimos tendem a impedir ao invés de ajudar no conhecimento de Cristo. Um contraste semelhante pode ser visto nos escritos dos Pais da Igreja primitiva ou daqueles homens de santos propósitos como os reformadores ou os puritanos, em contraste com as epístolas do Novo Testamento. Nenhuma outra mensagem além da Bíblia jamais foi escrita por qualquer homem das gerações passadas que tenha assegurado qualquer reconhecimento razoável como mais do que simplesmente humano, ou que pudesse fazer qualquer alegação de ter um lugar na biblioteca divina.

Cada era testemunhou a dispensa de grande porção de sua literatura que caiu no esquecimento, mas a Bíblia permanece lembrada. É literalmente verdade que os livros podem ir e vir, mas a Bíblia continua para sempre. Fora dos limites da literatura judaica e cristã, o Alcorão provavelmente deveria receber a primeira consideração: todavia, "sentimos a justiça", diz Castenove, "da máxima de Möhler, 'de que sem Moisés, e os profetas, e Cristo, Maomé é simplesmente inconcebível – pois o significado essencial do Alcorão é derivado do Antigo e Novo Testamentos."[14]

O indivíduo devoto é, em algum grau, incapaz de julgar a Bíblia no campo limitado de suas reivindicações literárias. Para ele, as palavras são investidas de realidades espirituais de significado que imediatamente elevam o efeito da mensagem sobre o coração muito acima do alcance da mera reação para um estilo literário incomum. Qual indivíduo dotado de um entendimento espiritual não sentiu, com um bom grau de justificativa, que aquelas palavras comuns, quando usadas na Bíblia, freqüentemente se tornaram incomparavelmente vitais? Entre as pessoas cultas quão limitada é a apreciação do texto sagrado! Qual escritor público ou orador, desde o demagogo até o sacro, não aprendeu a depender das misteriosas e infalíveis impressões de uma breve citação da Palavra de Deus?

Nenhum escritor humano por si mesmo jamais foi capaz de imitar a simplicidade da linguagem bíblica. As maiores verdades que Deus falou ao homem são expressas na linguagem de crianças. Para ilustrar: sete monossílabos, nenhum dos quais tem mais de três letras, servem para firmar os dois relacionamentos mais vitais que o salvo mantém com o Cristo ressuscitado. Eles são: "vós em mim, e eu em vós" (Jo 14.20). Semelhantemente, nenhuma habilidade humana, em resumo, poderia jamais ser comparada com as declarações encontradas nas Escrituras. Nenhum escritor de contos jamais produziu uma narrativa tão emocionante comparável à que é encontrada em Lucas 15.11-32. Os quatro evangelhos, como todos os outros livros do Novo Testamento, são inexauríveis na revelação sempre verdadeira que eles comunicam; todavia, o texto em si mesmo é restrito a ponto de possuir uma brevidade inimitável. Por outro lado, a mensagem bíblica nunca é apressada, restrita e ilegível. Na verdade, a narrativa às vezes parece desnecessariamente explícita (cf. Mt 25.34-45).

Diferentemente dos escritos comuns dos homens, a Bíblia emprega uma forma puramente dramática. Ela afirma certos fatos ou incidentes sem comentário nocivo. Os autores humanos parecem desesperadamente incapazes de deixar fatos simples falarem por si mesmos, nem eles querem creditar ao leitor com a exigência da sagacidade em tirar as suas próprias conclusões. Qual novelista foi capaz de frear-se de fazer aquelas extensas introduções aos seus personagens que analisam cada motivação e que, em certo grau, predeterminam as deduções do leitor? Quando uma biografia é escrita de forma que o leitor reteve qualquer liberdade de ação, qualquer que seja, na avaliação do personagem baseado no personagem em ação? É a opinião do biógrafo, não a vida do biografado que é mais freqüentemente mostrada.

Na Bíblia, contudo, os esforços de analisar e de moralizar do autor são excluídos e o campo complicado da aplicação da verdade pelo Espírito de Deus não é prejudicado. Não poucos leitores ficam indignados pelos títulos feitos pelos homens dentro do texto sagrado, somente por causa do desejo razoável que lhes foi permitido de tirarem as suas próprias conclusões diretamente da Escritura através do poder iluminador do seu autor – o Espírito Santo.

Sem apresentar as barreiras comuns encontradas nas produções literárias dos homens, a Bíblia fascina a criança e arrebata o sábio. Ela, como nenhum outro livro jamais fez ou poderia ter feito, faz um apelo a todas as raças e povos sem levar em conta os preconceitos de nações; esse apelo é demonstrado pelo fato de a Bíblia, na sua totalidade ou porções dela, ter satisfeito a necessidade urgente, por ter sido traduzida em cerca de mil línguas e dialetos, e a distribuição dessas porções tem alcançado muitos milhões de cópias por ano. Esta é uma reversão extraordinária da previsão de Voltaire, feita muitos anos atrás, de que dentro de cem anos do tempo em que ele falou a Bíblia estaria obsoleta. O impulso de traduzir a Bíblia para outras línguas é explicável por si mesma.

Este impulso tem servido para aumentar o conhecimento da Palavra de Deus e tem ido tão longe até mesmo a ponto de inspirar os fracos incentivos da parte de homens de traduzir outros escritos antigos. Na verdade, o que pode ser dito dos prodigiosos volumes e do caráter exaltado da literatura, música e arte que a Bíblia tem provocado? A Bíblia não representa em si mesma, em sua magnitude, nem uma parte muito pequena da literatura grega e romana; todavia, ela tem atraído e concentrado em si mesma o pensamento dos homens que produziram mais obras explicativas, ilustrativas apologéticas – sobre o seu texto, sua exegese, sua doutrina, sua história, sua geografia, sua etnologia, sua cronologia e suas evidências – do que toda a literatura grega e romana combinadas. Igualmente, o que pode ser dito das citações da Bíblia por quase todas as classes de autores do mundo? Qual outro livro tem servido para desenvolver, fixar, e preservar as línguas nas quais ela é traduzida, ou para retardar as mudanças e corrupção da linguagem, como a Bíblia já fez?

De nenhum ângulo de abordagem de suas propriedades literárias a Bíblia é vista como um livro que os homens poderiam ter escrito, se quisessem. Ela é, portanto, a Palavra de Deus.

13. A Bíblia e a Ciência. Não existe um problema pequeno quando é feita uma tentativa de afirmar cientificamente uma verdade de acordo com o entendimento de uma era de tal modo que ela venha ser ao mesmo tempo aceitável nas eras subseqüentes. A ciência sempre muda e sempre está sujeita às suas próprias revisões, e até mesmo submissa a completas revoluções. Ela reflete com um bom grau de exatidão o progresso de geração em geração do conhecimento humano. No campo da ciência, nenhum autor humano foi capaz de evitar o destino da obsolescência em períodos posteriores; todavia, os registros divinos têm sido estruturados de forma que não há conflito com a verdadeira ciência nesta ou em qualquer outra época da história humana. É impossível para os autores humanos escreverem como a Bíblia é escrita em assuntos de ciência. Não é argumento contra a Bíblia o fato de ela empregar termos usados comumente como "os confins da terra", "os quatro cantos da terra", ou "o sol se pondo".

Não seria mais inteligível dizer que "a terra está levantando" do que dizer que "o sol está se pondo". Esta última frase é a coisa que, para a visão humana, sempre ocorre. Na verdade, qual termo poderia ser usado além daquele que descreve o que o homem vê com os seus olhos? A Bíblia está justificada no uso dos termos geralmente usados, especialmente visto que nenhum outro termo foi proposto, nem podiam outros melhores ser descobertos. Deus somente poderia executar a tarefa sobre-humana de escrever um livro que, embora dispensasse os fatos relativos à natureza, desde a sua criação até as suas glórias finais, não obstante evita um conflito com a ignorância e a intransigência que existem em variedade infinita desde o começo da história humana.

14. A Bíblia e o Poder Temporal. O sistema judaico de governo era a teocracia. Deus era o monarca sobre tudo. Não era uma aliança de forças e interesses espirituais com o Estado; era uma incorporação completa dos dois num único propósito divino. Embora no Novo Testamento os crentes são ordenados a se sujeitarem às autoridades civis que estão sobre eles, e a orar por elas, o governo é, como foi divinamente ordenado no presente período, conhecido como "os tempos dos gentios", nas mãos dos homens; e não há uma unidade inerente possível entre a Igreja que é de Deus e o Estado que está nas mãos dos homens. As instruções são claras para que os cristãos não aspirem ao poder temporal nem que dependam da autoridade civil para o apoio nos fins espirituais. A Igreja primitiva era fiel ao Novo Testamento e o seu progresso fenomenal aconteceu pela persuasão e pelo amor.

É natural e normal para o homem lançar mão do poder coercitivo quando disponível, para alcançar os seus fins. E a história não registra outro movimento além do cristianismo que assegurou os seus desígnios pelo apelo ao coração e à mente. De fato, é um dos desvios da Igreja de Roma o fato de ela se apartar desse ideal espiritual. A intenção de estar acima da oposição humana e de derrotar as forças do mal pela confiança no poder divino, jamais poderia ter se originado no coração humano. Assim, deve ser observado que a Bíblia é sobrenatural em seu caráter e não poderia ser o produto de homens.

15. A Atualidade Perene da Bíblia. Como nenhuma outra literatura no mundo, a Bíblia convida e sustenta uma leitura repetidas vezes. Suas páginas sempre apontam para novos tesouros da verdade para aqueles que têm familiaridade com ela, e os seus apelos morais edificantes, quais gestos de ternura, nunca falham em trazer emoções à alma sensível. De nenhum outro livro além da Bíblia, pode ser dito verdadeiramente que a sua mensagem é perenemente atual e eficaz, e isto, por sua vez, demonstra o caráter divino e a origem da Bíblia.

Grandes homens de todas as gerações, tanto os devotos quanto os demais, têm lutado para expressar as suas convicções a respeito da singularidade da Bíblia. Quando ela é contemplada dessa forma, uma eloqüência insuperável tem sido estimulada pela eminência do tema. Entre essas afirmações eloqüentes, a que se segue é de Theodore Parker:

Esta coleção de livros tem se sustentado firme no mundo como nenhuma outra. A literatura da Grécia, que sobe como um incenso da terra dos templos e dos feitos heróicos, não tem metade da influência deste livro provindo de uma nação desprezada tanto no tempo antigo quanto nos tempos modernos... Ela chega igualmente ao casebre do homem comum e ao palácio do rei. E está entrelaçada na literatura do erudito, e colore a conversa das ruas. Ela entra nos aposentos particulares dos homens, mistura-se com todo o sofrimento e alegria da vida. A Bíblia atende aos homens na doença, quando a febre do mundo está sobre eles... Ela é a melhor parte dos nossos sermões; ela eleva o homem para cima de si próprio. A melhor parte das nossas orações pronunciadas é como um discurso enfeitado, por meio das quais os nossos pais e patriarcas oraram. Um homem tímido, que está para acordar dos seus sonhos da vida, olha através dos óculos da Escritura, e o seu olho passa a brilhar; ele não teme ficar só, não teme trilhar o desconhecido e o distante, a tomar o anjo da morte pela mão, e a despedir-se da esposa, dos filhos e de casa... Alguns milhares de famosos escritores surgiram neste século para serem esquecidos no século seguinte. Mas o cordão de prata da Bíblia não é afrouxado, nem a sua taça de ouro quebrada, enquanto o tempo registra que as suas dezenas de séculos se passaram.[15]

A origem divina da Bíblia em todas as suas partes é atestada pelos fatos e aspectos inumeráveis, mas embora o que é suficiente foi apresentado aqui para refutar cada alegação de que o fenômeno que a Bíblia apresenta pode, com qualquer vislumbre de razão, ser atribuído ao homem. A conclusão é que, seja em qualquer lugar onde se descobre que é uma mensagem verdadeira, ela é o que reivindica ser, a Palavra de Deus.

II. Divisões Gerais da Bíblia[16]

1. A ESTRUTURA DA BÍBLIA. A mensagem da Bíblia é completa. Ela incorpora os seus capítulos e versículos em uma unidade perfeita, e todas as suas partes são interdependentes. O domínio de qualquer parte precisa do domínio do todo. Se uma ênfase desproporcional é tolerada e há concessão aos modismos em doutrina, apenas um progresso pequeno pode ser feito do entendimento acurado dela. Os 66 livros, que a organização divina fez em um todo incomparável, são divididos em duas partes principais – Antigo e Novo Testamentos –, e estes pactos prestam-se para a revelação de dois propósitos supremos – o que é terrestre e o que é celestial. Os livros do Antigo Testamento são classificados como *históricos*: Gênesis a Ester; *poéticos*: Jó a Cantares de Salomão; e *proféticos*: Isaías a Malaquias. Os livros do Novo Testamento são classificados como *históricos*: Mateus a Atos; *epistolares*: Romanos a Judas; e *profético*: Apocalipse.

No que se refere à Pessoa de Cristo – que é o tema central de todas as – Escrituras, o Antigo Testamento é classificado como *preparação*; os quatro evangelhos como *manifestação*; os Atos como *propagação*; as epístolas como *explicação*; e o Apocalipse como *consumação*. A análise essencial de cada livro, cada capítulo, e cada versículo, pertence a outras disciplinas da preparação do estudante do que é a Teologia Sistemática.

2. OS SERES CRIADOS E SEUS RELACIONAMENTOS. A Bíblia é o único livro de Deus. Ela contém toda a sua revelação ao homem através de todas as épocas da história humana. Ela mostra a origem, o estado presente e o destino das quatro classes de seres no Universo, a saber, anjos, gentios, judeus e cristãos. É próprio à verdadeira interpretação observar o fato de que esses seres racionais continuam o que eles são através de toda a sua história.

A. Os Anjos.

Os anjos são seres criados (Sl 148.2-5; Cl 1.16), e a morada deles é o céu (Mt 24.36), a sua atividade é tanto na terra quanto no céu (Sl 103.20; Lc 15.10; Hb 1.14), e o destino deles está na cidade celestial (Hb 12.22; Ap 21.12). Eles permanecem anjos por toda a sua existência, nunca se propagam ou morrem. Não há razão para confundir os anjos com outras criaturas do Universo. Ainda que caiam, como o caso de Satanás e dos demônios, sempre serão classificados como anjos (Mt 25.41).

B. Os Gentios.

Com respeito à origem deles, os gentios têm a sua linhagem em Adão e a sua liderança natural está nele. Eles são participantes na Queda, e embora sejam objetos da profecia que declara que eles ainda compartilham, como um povo subordinado, com Israel em seu reino de glória que está por vir (Is 2.4; 60.3,5,12; 62.2; At 15.17), eles, com respeito ao seu estado no período de Adão a Cristo, estão debaixo de múltiplas acusações formais "sem Cristo, separados da comunidade de Israel, e estranhos aos pactos da promessa, não tendo esperança, e sem Deus no mundo" (Ef 2.12). Com a morte, ressurreição e ascensão de Cristo, e com a descida do Espírito Santo, a porta do privilégio do Evangelho foi aberta aos gentios (At 10.48; 11.17, 18; 13.47, 48), e deles Deus agora chama um grupo de eleitos (At 15.14).

No período do tempo relativo ao cativeiro dos judeus na Babilônia, de um lado, e a ainda futura restauração da Palestina e de Jerusalém para os judeus, de outro, uma dispensação do governo do mundo está entregue aos gentios, o que caracteriza este período como os "tempos dos gentios" (Lc 21.24). Estes, igualmente designados como "as nações", prosseguem em sua história e são vistos tanto na descrição profética do milênio (Is 60.3,5,12; 62.2; At 15.17) quanto na da nova terra e como possuidores do direito de entrada na cidade que está para vir (Ap 21.24,26).

C. Os Judeus.

Com a vocação de Abraão e com tudo o que Jeová fez com ele, uma nova raça ou linhagem foi iniciada debaixo de pactos e promessas divinas inalteráveis, que continua para sempre. Esta raça é tão diferente e de características tão distintas que todos os outros povos são antípodas a eles, i.e., eles são classificados como "os gentios" e "as nações" em distinção da nação judaica. Tal preferência divina por Israel não pode ser entendida à parte dos registros contidos na Bíblia com referência aos propósitos eternos de Deus para eles. A importância à vista de Deus desse povo terreno e de tudo o que está relacionado com ele é indicada pelo fato de que cerca de cinco sextos da Bíblia se referem direta ou indiretamente aos judeus.

A despeito de todos os seus pecados e falhas, o propósito de Deus para eles não pode ser alterado (cf. Jr 31.31-37). O seu destino é visto no milênio e na nova terra que se segue. Contudo, na atual dispensação, limitado como está entre os dois adventos de Cristo, todo progresso do programa nacional e terrestre para Israel está em inatividade temporária e os judeus recebem individualmente o mesmo privilégio que é dado aos gentios com relação à fé em Cristo como Salvador e, como conseqüência, de todos os remidos, tanto de judeus como de gentios, o povo celestial está em plena formação. Está claramente indicado por toda a Escritura profética que quando o propósito presente estiver terminado, Deus, em sua fidelidade, restituirá as promessas terrenas feitas a Israel, plena e completamente (At 15.14-18; Rm 11.24-27).

D. Os Cristãos.

Uma grande parte da Escritura declara direta ou indiretamente que a presente dispensação não foi prevista ou inserida em seu caráter, e nela uma nova humanidade aparece sobre a terra com um novo e incomparável senhorio do Cristo ressurreto, grupo esse formado pelo poder regenerador do Espírito Santo. É igualmente revelado que não há agora "qualquer diferença" entre judeus e gentios com respeito à necessidade da salvação deles (Rm 3.9) ou com respeito à mensagem específica a ser pregada a eles (Rm 10.12). Viu-se também que neste novo corpo no qual judeus e gentios são unidos por uma salvação comum, o muro de separação – uma inimizade de longo tempo entre judeus e gentios – foi quebrado, e foi desfeito por Cristo na cruz, que trouxe a reconciliação (Ef 2.14-18).

Na verdade, todas as distinções anteriores desapareceram, e os salvos são colocados agora numa nova base onde não há judeu nem gentio, mas onde Cristo é tudo em todos (Gl 3.28; Cl 3.11). O Novo Testamento também registra que o cristão individualmente é habitado por Cristo, possui agora a vida eterna e a sua esperança da glória (Cl 1.27), e, em Cristo, obtém a posição perfeita, visto que tudo o que Cristo é – mesmo a justiça de Deus – lhe é imputado. Assim, o cristão torna-se um cidadão do céu (Fp 3.20) e, por ter ressuscitado com Cristo (Cl 3.1-3), e assentado com Cristo (Ef 2.6), pertence a outro reino – de modo tão definitivo, de fato, que Cristo pode dizer deles: "Eles não são do mundo, como eu não sou do mundo" (Jo 17.14,16; 15.18,19).

Deve igualmente ser observado que visto que este nascimento e a posição celestial em Cristo são sobrenaturais, eles são necessariamente operados por Deus somente, e que a cooperação humana está excluída; a única responsabilidade imposta ao lado humano é a da fé que confia no único que é capaz de salvar. A esse povo celestial, que é a nova criação de Deus (2 Co 5.17; Gl 6.15), foi confiada, não em qualquer sentido corporativo, mas somente como indivíduos, uma responsabilidade dupla, a saber: (a) através de uma vida verdadeiramente cristã, adornar a doutrina que eles representam pela verdadeira natureza da salvação deles; e (b) ser testemunha de Cristo para as partes mais longínquas da terra. Semelhantemente, crer-se que as Escrituras, que se dirigem aos cristãos em sua vida e serviço santos são adaptadas ao fato de que ele agora não luta para garantir uma posição com Deus, mas que já está "aceito no Amado" (Ef 1.6), e que já alcançou todas as bênçãos espirituais (Ef 1.3; Cl 2.10).

É evidente que nenhum recurso humano poderia capacitar qualquer pessoa a chegar ao cumprimento destas responsabilidades celestiais e que Deus, quando previu a incapacidade do crente de andar digno da vocação a que foi chamado, livremente lhe concedeu o seu Espírito capacitador para morar em

BIBLIOLOGIA

cada um que é salvo. Deste grupo celestial é dito que eles, quando o número dos eleitos estiver completo, serão removidos desta terra. Os corpos daqueles que morreram serão ressuscitados e os vivos serão trasladados (1 Co 15.20-57; 1 Ts 4.13-18). Na glória, os indivíduos que compuserem esse grupo, serão julgados com relação às recompensas pelo serviço (1 Co 3.9-15; 9.18-27; 2 Co 5.10-11), a Igreja como corpo se casará com Cristo (Ap 19.7-9), e então retornará com Ele para partilhar como sua esposa em seu Reino (Lc 12.35-36; Jd 14, 15; Ap 19.11-16).

Este povo da nova criação, semelhantemente aos anjos, Israel e os gentios, pode ser encontrado na eternidade futura (Hb 12.22-24; Ap 21.1-22.5). Mas, deve ser lembrado que o cristão não possui terra (Êx 20.12; Mt 5.5); nem casa (Mt 23.38; At 15.16), embora seja família de Deus; não possui cidade ou capital terrestre (Is 2.1-4; Sl 137.5,6); não possui trono terrestre (Lc 1.31-33); não possui reino terrestre (At 1.6, 7); não possui rei a quem deve se sujeitar (Mt 2.2), embora o cristão possa falar de Cristo como "o Rei" (1 Tm 1.17; 6.15); e não possui altar além da cruz de Cristo (Hb 13.10-14).[17]

3. Os Períodos de Tempo da Bíblia. Diversas das suas importantes divisões são observáveis em todo tempo, desde o seu começo ao seu fim, através das Escrituras. Algumas dessas partes são:

A. Divisões Relacionadas à Humanidade:

(1) *Primeiro Período* da história humana, ou de Adão a Abraão, é caracterizado pela presença na terra de uma linhagem ou povo – os gentios.

(2) *Segundo Período*, de 2.000 anos da história humana, ou de Abraão a Cristo, é caracterizado pela presença na terra de duas divisões na humanidade – o gentio e o judeu.

(3) *Terceiro Período* da história humana, ou desde a primeira vinda de Cristo ao seu segundo advento, é caracterizado pela presença na terra de três divisões na humanidade – o gentio, o judeu e o cristão.

(4) *Quarto Período*, de mil anos (Ap 20.1-9), ou desde o segundo advento de Cristo até o julgamento do grande trono branco e a criação do novo céu e da nova terra, é caracterizado pela presença de apenas duas classes de pessoas na humanidade sobre a terra – o judeu e o gentio.

B. Dispensações.

Como uma medida de tempo, uma dispensação é um período que é identificado por sua relação a algum propósito particular de Deus – um propósito a ser cumprido dentro daquele período. As dispensações anteriores, muito distantes do tempo presente, não são tão claramente definidas como as mais recentes. Por esta razão, os expositores da Bíblia não são sempre concordes com respeito aos aspectos precisos dos períodos mais remotos. Uma divisão óbvia das dispensações é a seguinte:

(1) *Dispensação da Inocência*, que se estendeu desde a criação até a queda de Adão. O tempo não é revelado; a ordem divina para Adão naquele período e a sua falha em obedecer-lhe indicam o curso e o fim da intenção divina dentro daquela era.

(2) *Dispensação da Consciência*, que se estendeu desde a queda de Adão até o Dilúvio, em que a era da consciência era, evidentemente, o aspecto dominante da vida humana sobre a terra e a base do relacionamento do homem com Deus.

(3) *Dispensação do Governo Humano*, que se estendeu desde o Dilúvio até a chamada de Abraão, é caracterizada pela entrega do autogoverno aos homens, e é a introdução de um novo propósito divino.

(4) *Dispensação da Promessa*, que é continuada desde a chamada de Abraão e vai até a doação e a aceitação da lei mosaica no Sinai. Durante essa era, a promessa divina somente sustenta Abraão e sua posteridade. Enquanto Hebreus 11.13, 39 se refira aos santos do Antigo Testamento em geral e que nenhuma grande promessa do Antigo Testamento foi cumprida durante o seu próprio período, estas passagens são especificamente verdadeiras daqueles que viveram dentro da era da promessa. Que Abraão viveu pela promessa divina é o tema de ambos os Testamentos.

(5) *Dispensação da Lei*, que se estendeu desde a doação da Lei de Jeová a Moisés e sua aceitação por Israel no Sinai (Êx 19.3 - 31.18). Ela continuou como o governo normativo de Deus sobre seu povo Israel e, assim, caracterizou essa época até que ela terminou com a morte de Cristo. Uma porção muito breve dessa era (provavelmente sete anos que Cristo declarou que seria abreviada – Mt 24.21,22), que é a 70ª semana de Daniel (Dn 9.24-27), ainda permanece sem realização.

(6) *Dispensação da Graça*, que se estende desde a morte de Cristo até o seu retorno para receber sua Noiva. É uma época caracterizada pela graça no sentido em que nesta época Deus, que sempre agiu em graça para com todos da família humana a quem Ele tem abençoado, faz agora uma demonstração celestial específica de sua graça através do grupo total de judeus e gentios que são salvos pela graça por meio da fé em Cristo. Estes compõem o povo celestial que, por causa de sua cidadania celestial, serão removidos desta terra, tanto pela ressurreição quanto pela transformação, quando o número dos eleitos estiver completo. Como foi afirmado acima, um breve período segue-se à remoção da Igreja da terra, período esse que não está relacionado à era presente e que não é caracterizado por uma demonstração da graça divina, mas antes pelos juízos de Deus sobre o mundo que rejeita a Cristo. Esta era é também um período no qual o homem é testado sob a graça.

(7) *Dispensação do Reino*, que continua desde o segundo advento de Cristo por mil anos e termina com a criação do novo céu e da nova terra. Ela é caracterizada pelo fato de Satanás ser preso, pelos pactos de Israel

serem cumpridos, onde a criação é liberta de sua escravidão, e o próprio Senhor reinará sobre a terra e o trono de seu pai, Davi.

C. Pactos.
Deus estabeleceu vários pactos. Estes também são bem definidos:

(1) *Pacto da Redenção* (Tt 1.2; Hb 13.20) no qual, comumente crido pelos teólogos, cada uma das pessoas da Trindade antes da criação do tempo, assumiu a sua parte no grande plano da redenção, que é a porção presente como é revelada na Palavra de Deus. Nesse pacto o Pai envia o Filho, o Filho oferece-se sem mácula ao Pai como um sacrifício eficaz, e o Espírito Santo administra e habilita a execução desse pacto em todas as suas partes. Este pacto repousa sobre uma revelação tênue. Ele é antes sustentado amplamente pelo fato de ele ser tanto razoável quanto inevitável.

(2) *Pacto das Obras,* que é a designação teológica para aquelas bênçãos que Deus ofereceu aos homens e condicionou ao mérito humano. Antes da Queda, Adão relacionou-se com Deus por um pacto de obras. Até ser salvo, o homem está debaixo da obrigação inerente de ser em caráter igual ao seu Criador e de fazer a vontade dele.

(3) *Pacto da Graça,* que é o termo usado pelos teólogos para indicar todos os aspectos da graça divina para com os homens em todas as épocas. O exercício da graça divina torna-se possível com justeza pela satisfação dos juízos divinos que é proporcionada pela morte de Cristo. A frase Pacto da Graça não é encontrada na Bíblia e, como presentemente apresentada pelos mestres humanos, está longe de ser uma concepção escriturística.

(4) *Pacto Edênico* (Gn 1.28-30; 2.16,17), que é declaração de Jeová, a qual incorpora sete aspectos que condicionaram a vida do homem não caído sobre a terra.

(5) *Pacto Adâmico* (Gn 3.14-19), que é também dividido em sete partes e condições da vida do homem sobre a terra após a queda. Muita coisa deste pacto é perpétua através de todas as gerações até que a maldição seja retirada da criação (Rm 8.19-23).

(6) *Pacto com Noé* (Gn 8.20 e 9.27), que novamente tem sete particulares e revela o intento divino com respeito ao governo e posteridade humanos em todas as gerações subseqüentes que começaram com Noé.

(7) *Pacto Abraâmico* (Gn 12.1-3; 13.14-17; 15.1-18; 17.1-8), que igualmente tem sete divisões ou objetivos divinos. Esse pacto garante as bênçãos eternas sobre Abraão, sua posteridade, e sobre todas as famílias da terra.

(8) *Pacto Mosaico* (Êx 20.1–31.18) que tem três partes, a saber, os mandamentos, os juízos e as ordenanças, que, por sua vez, governavam a vida moral, social e religiosa de Israel e impunham penalidades para cada pecado. O pacto mosaico é uma aliança de obras. Suas bênçãos dependiam da fidelidade humana. Ele também proporcionava os sacrifícios terapêuticos pelos quais o pecado daqueles que estavam sob o pacto poderiam ser tratados e eles eram restaurados ao relacionamento correto com Deus.

(9) *Pacto Palestínico* (Dt 30.1-9), que tem sete aspectos e revela o que Jeová ainda fará, na reunião, na bênção e na restauração de Israel à sua própria terra.

(10) *Pacto Davídico* (2 Sm 7.5-19), que assegura três vantagens supremas a Israel através da casa de Davi, a saber, um trono eterno, um reino eterno, e o Rei eterno para sentar-se no trono de Davi.

(11) *Pacto com a Igreja* (Lc 22.20), que incorpora cada promessa de salvar e manter a graça para aqueles da presente era que crêem. Suas muitas bênçãos são tanto posições quanto posses em Cristo.

(12) *Pacto com Israel* (Jr 31.31-34; Hb 8.7-12), pacto este que é "novo" no sentido em que ele supera como regra de vida o pacto mosaico que Israel quebrou, mas não altera ou conflita com o pacto palestínico, com o pacto abraâmico ou com o davídico. Suas bênçãos são quádruplas e todas ainda futuras, embora asseguradas incondicionalmente pela fidelidade infalível de Deus.

D. Períodos Proféticos.

(1) *De Adão a Abraão*, período em que Enoque profetizou a respeito do segundo advento de Cristo (Jd 14, 15), e Noé profetizou com respeito a seus filhos (Gn 9.24-27).

(2) *De Abraão a Moisés*, período em que a palavra é entregue a Abraão, que evidentemente transmitiu a outros, com respeito à sua posteridade (Gn 15.13), e Jacó predisse o futuro de sua posteridade (Gn 49.1-27).

(3) *De Moisés a Daniel*, durante esse tempo, a maior porção de profecias do Antigo Testamento foi escrita e muita coisa dela foi cumprida. Atenção deveria ser dada a Deuteronômio 28.1 e 33.29 como o gérmen da predição a respeito de todas as bênçãos futuras para Israel.

(4) *De Daniel a Cristo*, uma divisão de tempo na qual Jeová revela a Daniel o começo, a continuação e o fim do governo gentílico assim como os propósitos divinos futuros em Israel. Esta era específica inclui os escritos de Daniel, Ezequiel, Oséias, Zacarias e Malaquias. Para essa era, e como uma parte importante dela, deveriam ser acrescidas todas as predições a respeito da grande tribulação visto que esse tempo de tão grande angústia é a 70ª semana da profecia de Daniel e, portanto, a parte mais vital e inseparável dela, sem levar em conta o fato de que séculos são um parêntesis inserido no meio das semanas.

(5) *Do Primeiro até o Segundo Advento de Cristo*, período esse que junta todas as profecias do Novo Testamento, tanto enunciadas por Cristo quanto pelos apóstolos.

(6) *Do Começo ao Fim do Reino Milenário*, em cuja dispensação é revelado que "seus filhos e suas filhas profetizarão" (Jl 2.28).

(7) O Estado Eterno, que será o cumprimento de muita coisa de predição, embora não haja uma previsão registrada de que haverá qualquer profecia; na verdade, é declarado que profecias então "serão aniquiladas" (1 Co 13.8).

BIBLIOLOGIA

E. Os Vários Aspectos do Reino Terrestre:

(1) *A Teocracia*, na qual o governo divino sobre Israel é proporcionado em e através dos juízes (Jz 2.16,18; 1 Sm 8.7; At 13.19,20).

(2) *O Reino Prometido* por Deus entra em pacto incondicional com Davi com relação à perpetuidade inalterável de sua casa, seu reino e seu trono (2 Sm 7.5-19; Sl 89.20-37).

(3) *O Reino Previsto pelos Profetas*, sobre o que há uma enorme quantidade de textos que abrangem a porção maior da previsão do Antigo Testamento. À parte dos males imediatos do seu tempo e da proclamação do juízo sobre as nações vizinhas, os profetas do Antigo Testamento insistiram muito sobre a pessoa do Messias que eles esperavam, a glória e a bênção do reino que estava por vir, e o lugar que os gentios ocupariam naquele reino. No meio dessas predições há um reconhecimento claro da apostasia de Israel e do castigo que estava para vir sobre a casa de Davi, mas também com a certeza de que o pacto davídico não pode ser quebrado por causa da fidelidade de Jeová (2 Sm 7.5-19; Sl 89.20-37). Esse castigo estava para tomar a forma de uma dispersão mundial dos judeus – onde eles são encontrados hoje – e que deve ser seguida pela reunião desse povo em sua própria terra quando o Messias deles retornar (cf. Dt 28.63-68; 30.1-10).

Essas profecias começaram o seu cumprimento em conexão com o último cativeiro da Babilônia, 600 a.C, e marcam o começo do período em que Cristo denominou de "os tempos dos gentios" (Lc 21.24), e que deve continuar até a reunião de Israel no retorno de Cristo, e assume o sinal inconfundível de que Jerusalém será "pisada pelos gentios". Dentro dessa extensa dispensação dos gentios, há outros aspectos do reino sobre a terra que reconhecem a presença e autoridade da administração gentílica.

(4) *O Reino Anunciado como "às portas"*, mas rejeitado por Israel. O reino, que é parte tão grande da expectativa do Antigo Testamento, em seu anúncio e rejeição, ocupa muitos textos dos evangelhos sinóticos. Uma grande parte do ministério de Jesus Cristo anterior à cruz é descrita concisamente em João 1.11: "Veio para o que era seu, e os seus não o receberam". O Rei de Israel devia vir a eles "humilde, e montado sobre um jumento" (Zc 9.9; Mt 21.5). Esta predição explícita sobre a maneira de Cristo oferecer-se a si mesmo como Rei de Israel em seu primeiro advento não deve ser confundida com a sua vinda irresistível como o Messias em poder e grande glória na sua segunda vinda (Mt 24.29-31; Ap 19.15, 16). Pela rejeição de seu povo nos dias do seu primeiro advento, Israel foi considerado culpado do ato público de crucificação do seu Rei, e tornou o seu castigo estendido por séculos. Contudo, o sacrifício foi proporcionado na morte de Cristo que satisfez a todas as exigências da santidade divina contra o pecado e abriu a porta da bênção para todas as pessoas da terra (Rm 11.25-27).

(5) *A Forma de Mistério do Reino*, conforme esboçada por Cristo nas sete parábolas de Mateus 13.1-52, continua por toda esta era. De

acordo com o seu uso no Novo Testamento, a palavra mistério refere-se a uma verdade que até agora não foi revelada. A presente dispensação é caracterizada pela realização de um propósito divino que é corretamente denominada de mistério. Todas as coisas estão conformadas a este propósito. Efésios 3.1-6 declara este objetivo e ali ele é visto como a vocação dos gentios para entrar no novo corpo de judeus e gentios, onde todos se tornam novas criaturas pelo poder regenerador do Espírito Santo. O reino do céu é o governo de Deus na terra e Ele agora governa neste "tempo dos gentios" somente até onde a realização dos mistérios do Novo Testamento possam requerer. Esta é a extensão do reino em sua forma misteriosa (Mt 13.11).

(6) *O Reino a Ser Anunciado pelos 144.000 na Previsão Final do Retorno do Messias.* Quando estava para deixar este mundo e em conexão aos eventos que acompanhariam o seu segundo advento, Cristo declarou: "E este evangelho do reino será pregado no mundo inteiro [οἰκουμένη], em testemunho a todas as nações, e então virá o fim" (Mt 24.14; cf. Ap 7.4-9).

(7) *O Reino em Manifestação,* ou a era que se segue ao segundo advento de Cristo quando todas as profecias e pactos a respeito dos judeus e gentios serão cumpridos na terra glorificada. Esta era é comumente designada como o Milênio por causa da revelação de que será de mil anos (Ap 20.1-6).

F. Divisões das Escrituras relativas à História de Israel na terra.
À luz do pacto palestínico que garante a Israel a posse perpétua da Terra Prometida a Abraão e à sua descendência, é essencial observar que, de acordo com a profecia e com os castigos, os israelitas estavam para ser desterrados três vezes de sua terra e três vezes restaurados a ela. É igualmente importante observar que eles estão agora no terceiro desterro da terra e esperam a restauração deles na Palestina no retorno do Messias. Após serem restaurados, nunca mais sairão dela. Visto que a profecia é muito afetada pela posição que Israel ocupa num determinado tempo em relação à sua terra, esta divisão da mensagem da Bíblia é de suprema importância.

G. Divisões das Escrituras relativas aos gentios.
A enorme importância da revelação com respeito às várias posições dos gentios vem atrás somente da de Israel. Eles são vistos:

(1) *Fora dos Pactos Judaicos e dos Privilégios da Nação Judaica,* que é o estado deles desde Adão até Cristo (Ef 2.12).

(2) *Recebendo uma Dispensação do Governo do Mundo na Hora da Última Dispersão de Israel* (Dn 2.36-44).

(3) *Privilegiados agora para Receber o Evangelho da Graça Divina,* e, como indivíduos, para serem salvos no novo e natural senhorio e na glória celestial de Cristo (At 10.45; 11.17, 18; 13.47, 48).

BIBLIOLOGIA

(4) *Trazidos a Juízo no Fim da Dispensação do Governo do Mundo,* que lhes foi Entregue, e com respeito ao tratamento que deram a Israel (Mt 25.31-46).

(5) *Vistos na Profecia* como aqueles que vão participar como um povo subordinado no reino de Israel (Is 2.4; 60.3,5,12; 62.2; At 15.17).

(6) *Entrando e Continuando no Reino de Israel* (Mt 25.34); e,

(7) *Participantes na Glória da Cidade Celestial,* após a criação do novo céu e da nova terra (Ap 21.24-26).

H. Divisões das Escrituras Relativas à Igreja.

Embora com relação à sua história, a Igreja seja restrita à época presente, ela pode ser reconhecida:

(1) *Vista nos Tipos* retratados por certas noivas do Antigo Testamento;

(2) *Prevista Diretamente na Profecia* (Mt 16.18);

(3) *Chamada do Mundo, mas Ainda Residente Nele,* que é a verdadeira Igreja na presente dispensação (At 15.14; Rm 11.25);

(4) *Distinta do Judaísmo.* Nas divisões corretas da Escritura, nada é mais fundamental e determinante do que a distinção entre judaísmo e cristianismo. Como julgado pela proporção de espaço dado a ele, o judaísmo ocupa a porção maior da Bíblia e inclui praticamente tudo do Antigo e muita coisa do Novo Testamento. A Bíblia apresenta esses dois grandes sistemas, e é facilmente um dos maiores enganos dos teólogos supor que estes são um e o mesmo. É verdade que há certos aspectos comuns a ambos, como a idéia de Deus, do homem, do pecado e da redenção; mas há enormes diferenças entre eles e estas devem ser observadas. Algumas delas estão listadas nos caps. III e XI do volume IV;

(5) *Levada para o Céu pela Ressurreição e Transladação,* e lá recompensada e casada com Cristo (1 Ts 4.13-18; 2 Co 5.10; Ap 19.7-9);

(6) *Retornando com Cristo para o seu Reino Terrestre* (Jd 14, 15; Ap 19.11-16);

(7) *Reinando com Cristo na Terra* (Ap 20.6); e,

(8) *Participante na Glória do Novo Céu* e relacionada à glória da cidade celestial, o que lhe dá o título característico de "a noiva, a esposa do Cordeiro".

4. PRINCIPAIS DIVISÕES DA BIBLIOLOGIA. A Bibliologia recebe naturalmente sete divisões, a saber, (1) revelação, (2) inspiração, (3) autoridade, (4) iluminação, (5) interpretação, (6) vitalização, e (7) preservação.

Capítulo III

Revelação

No seu uso teológico, o termo *revelação* é restrito ao ato divino de comunicar-se com o homem o que de outra forma este não poderia conhecer. Esta forma extraordinária de revelação, visto que se origina em Deus, necessariamente é basicamente dependente das agências e meios sobrenaturais. Nada poderia ser mais vantajoso para o homem, nem há qualquer coisa tão certa do que o fato que Deus falou ao homem. A pergunta satânica:"Deus disse?" (Gn 3.1) – sempre é a substância do racionalismo humano com relação à revelação divina – é engendrada pelo "pai da mentira" e é estranha à intuição natural do homem.

Após ter feito o homem à sua própria imagem e tê-lo capacitado com a habilidade de comunicar-se com o seu Criador, é razoável esperar que esta capacidade seja exercida pelo homem; que no devido tempo Deus revelaria a verdade a respeito de Si mesmo e de Seus propósitos, também o verdadeiro lugar do homem no plano divino da criação – sua relação com Deus, com a eternidade, com o tempo, com a virtude, com o pecado, com a redenção assim como com os outros seres deste universo no meio dos quais a vida do homem foi colocada. Adão, criado como foi no ponto zero de todo conhecimento e experiência que advém ao homem através do processo de vida, tinha muito que aprender mesmo dentro da esfera da qual ele havia caído. Deus, é-nos dito, descia e conversava com Adão na viração do dia. Mas se Adão antes da Queda precisou da comunicação do conhecimento, quanto mais o homem caído, cuja totalidade do ser ficou obscurecida, precisa ser ensinado por Deus!

Com relação ao último, deve ser acrescentada a verdade sobre o pecado e a redenção. Deus falou. Para este fim a Bíblia foi escrita, e a revelação ao homem desse grande conjunto de verdade que o ser humano não poderia adquirir por si mesmo e que a Bíblia revela em seu proposito sublime e supremo.

I. Três Doutrinas Distintas Importantes

1. Revelação e Razão. A Teologia Sistemática retira o seu material tanto da revelação quanto da razão, embora a porção provida pela razão seja incerta com respeito à sua autoridade e, no seu melhor, restrito a ponto da insignificância. A razão, como considerada aqui, indica as faculdades intelectuais e morais do

homem exercidas na busca da verdade e à parte da ajuda sobrenatural. Uma avaliação correta da razão com freqüência está em falta. Certos homens têm sustentado que, sem a orientação e assistência de Deus, o homem pode alcançar toda a verdade que é essencial para o bem-estar aqui e no futuro. Em todas as discussões sobre este problema, a razão deve ser totalmente divorciada da revelação, se ela for vista em suas reais limitações. Tal separação é muitíssimo difícil de consumar, visto que a revelação penetrou a um grau imensurável nas bases e na textura da civilização.

Por causa dessa penetração, algumas nações são consideradas *cristãs*. O verdadeiro estado do homem sob a razão e quando isolado da revelação é parcialmente demonstrado pelas formas mais baixas de paganismo; mas mesmo os pagãos são universalmente convencidos do fato de haver um Ser Supremo e, por causa dessa convicção, eles estão à procura da evidência que, na avaliação deles, expresse o Seu favor ou o Seu desprazer. Desde que Adão andou e falou com Deus – revelação essa que, sem dúvida, comunicou à sua posteridade, nenhum homem sobre a terra pode anular inteiramente a revelação divina. Embora possuísse uma tênue medida de tal revelação, a filosofia pagã é uma manifestação deplorável das limitações da razão humana. Nunca estes sistemas foram capazes de aperfeiçoar um código de dever moral nem poderiam eles descobrir qualquer autoridade para os seus preceitos faltosos.

Semelhantemente, a luz da natureza e a ajuda da razão foram muito fracas para expelir as incertezas a respeito da vida além da sepultura. Ao falar de recompensas e punições futuras, Platão disse: "A Verdade é determinar ou estabelecer qualquer coisa certa a respeito desses assuntos, no meio de tantas dúvidas e disputas, e é a obra de Deus somente". Sócrates faz um de seus personagens dizer a respeito da vida futura: "Eu sou da mesma opinião que você, que, nesta vida, ou é absolutamente impossível, ou extremamente difícil chegar ao conhecimento claro deste assunto". Não é o antigo filósofo, mas antes o incrédulo atual que luta pela suficiência da razão humana e ridiculariza as alegações da revelação.

Dentro dos limites circunscritos do que é humano, a razão é suprema; todavia, quando comparada à revelação divina, ela é tanto falível quanto finita.

2. REVELAÇÃO E INSPIRAÇÃO. Revelação e inspiração são em si mesmas doutrinas cardeais da Bíblia e freqüentemente são confundidas. Essa confusão é talvez devida, em grande parte, ao fato que a revelação e a inspiração devem concordar ou convergir para um ponto, o de assegurar a infalibilidade do oráculo divino que a Bíblia, sem hesitação, assevera ser. Por suas próprias alegações, ela é não somente um conjunto da verdade *revelada*, mas é o *único* conjunto de verdade revelada. A revelação é uma interposição sobrenatural nos afazeres dos homens. Esta alegação necessariamente implica duas operações divinas, a saber, a *revelação*, que é a influência divina direta que comunica a verdade de Deus ao homem; e a *inspiração*, que é a influência divina direta que assegura uma transferência acurada da verdade numa linguagem que outros podem entender.

Enquanto estas duas operações divinas concordam, é igualmente verdadeiro que elas freqüentemente funcionam separadamente. Pela revelação do seu caráter mais puro, José foi advertido por Deus em sonho, a fim de que fugisse para o Egito com Maria e o infante Jesus. Não é asseverado, contudo, que ele foi inspirado para registrar a revelação a benefício de outros. Na verdade, multidões ouviram a voz de Deus quando contemplaram as graciosas revelações que foram a substância da pregação de Cristo; mas nenhum desses, exceto os discípulos escolhidos, foi chamado para empreender as funções de escritores inspirados.

Por outro lado, homens inspirados apresentaram fatos com tanta precisão que somente a inspiração poderia assegurar, acontecimentos esses que não foram, estritamente falando, revelações. Os autores humanos da Bíblia com freqüência registraram coisas que eles próprios viram ou disseram, nas quais não haveria necessidade de revelação direta.

Ademais, esta distinção é revelada pelo fato que, embora alguns homens estejam concordes em que a Bíblia apresente uma revelação de Deus, eles discordam a respeito da solução dos vários problemas sobre como a revelação de Deus poderia ser transmitida sem erro por intermédio de homens que em si mesmos são falíveis e faltos da formação escolar de seu tempo. Essas e outras diferenças entre a revelação e a inspiração naturalmente serão mais claramente vistas na medida que a consideração das duas doutrinas acontecer.

3. Revelação, Inspiração e Iluminação. Uma distinção clara entre revelação e inspiração, de um lado, e iluminação, de outro, é também essencial; a última tem a ver com a influência ou o ministério do Espírito Santo que capacita todos que estão numa relação correta com Deus a entender as Escrituras. De Cristo está escrito que ele "abriu" os entendimentos deles para compreenderem a Escritura (Lc 24.32, 45). O próprio Cristo prometeu que quando o Espírito Santo viesse, Ele "guiaria" a toda verdade. Igualmente, Paulo escreve: "Ora, não temos recebido o espírito do mundo, mas sim o Espírito que provém de Deus, a fim de compreendermos as coisas que nos foram dadas gratuitamente por Deus" (1 Co 2.12). E o apóstolo João afirma do Espírito Santo que Ele "ensinará todas as coisas" (1 Jo 2.27). Contudo, é óbvio que a iluminação, uma explicação divina da Escritura já dada, não contempla a elevada responsabilidade de acrescer algo às Escrituras; nem a iluminação contempla uma transmissão inspirada e infalível em língua que o Espírito ensina.

A inspiração, pela qual a revelação encontra a sua expressão infalível, é confundida tanto pelos romanistas como pelos racionalistas. Os romanistas seguem o caminho de modo que eles sustentam a sua suposição de que a Igreja de Roma, tanto a primitiva quanto a presente, sustenta um dogma normativo extrabíblico que é igual ao da própria Bíblia – e superior à Bíblia, e tira as suas conclusões quando se levanta uma diferença entre a Bíblia e o dogma romano. Esta é uma presunção palpável, pois as provas que estabelecem uma Bíblia normativa e inspirada são mais que suficientes, enquanto que as provas para uma Igreja normativa e inspirada são nulas. Os racionalistas, na busca da razão, confundem a iluminação, ou a influência geral do Espírito Santo sobre todos

BIBLIOLOGIA

os corações regenerados, com as realizações extraordinárias da revelação e inspiração. Isso eles fazem, mesmo quando admitem uma revelação divina específica, ao atribuir aos autores humanos da Bíblia toda a variabilidade, incerteza e deficiência que caracterizam o melhor dos homens, mesmo quando agem debaixo do poder capacitador do Espírito Santo.

A experiência de Balaão, do rei Saul e de Caifás, ao declararem a revelação divina, é prova de que a inspiração não implica necessariamente em iluminação espiritual. E, por outro lado, o fato de que o exército incontável daqueles que são abençoados pela iluminação espiritual não recebe revelação nem exerce as funções da inspiração, é prova suficiente para desarmar a alegação dos racionalistas.

É significativo que em uma passagem, a saber, em 1 Coríntios 2.9-13, há referência à *revelação* (v. 10), à *iluminação* (v. 12) e à *inspiração* (v. 13).

Finalmente, tanto a revelação quanto a inspiração podem ser distinguidas da iluminação naquilo em que esta ultima é prometida a todos os crentes; ela admite graus, visto que ela aumenta ou diminui; ela não depende de uma escolha soberana, mas, antes, do ajustamento pessoal ao Espírito de Deus; e sem ela ninguém é capaz de vir à salvação pessoal (1 Co 2.14), ou ao conhecimento da verdade revelada de Deus.

II. Natureza da Revelação

Desde a primeira revelação de si mesmo ao homem no jardim do Éden até à consumação celestial, quando os redimidos conhecerão da forma como serão conhecidos, e quando o que é em parte for aniquilado pelo advento daquilo que é "perfeito" no reino do entendimento espiritual (1 Co 13.9-12) – ainda que Ele "em tempos passados tenha permitido que todas as nações andassem nos seus próprios caminhos" (At 14.15-17) – todavia "nunca deixou de dar testemunho de si mesmo".

Ele deu testemunho com fidelidade infalível até o fim para que os homens pudessem ver além de seus horizontes naturais e apreender, em alguma medida, os fatos e os aspectos de uma esfera mais ampla. Deus procura por todos os meios disponíveis manifestar-se a si mesmo, suas obras, sua vontade e seu propósito. Com esse fim, Ele, pelo seu Espírito Santo, moveu homens para desejar este conhecimento. Este movimento divino nos corações dos homens em geral é expresso pelo apóstolo Paulo aos atenienses, da seguinte forma: "Para que buscassem a Deus, se porventura, tateando, o pudessem achar, o qual, todavia, não está longe de cada um de nós" (At 17.27); enquanto o aspecto específico mais exaltado de seu desejo mais profundo, no qual todos os redimidos podem compartilhar, é expresso pelo mesmo apóstolo da seguinte maneira: "Para conhecê-lo, e o poder da sua ressurreição e a participação dos seu sofrimentos, conformando-me a ele na sua morte" (Fp 3.10).

Visto que "o fim principal do homem é glorificar a Deus e honrá-lo para sempre", o homem não está restrito à esfera de seu próprio ser para o que foi colocado pela própria criação. O caminho está aberto para ele mover-se em direção às esferas celestiais e conhecer, mesmo agora, alguma coisa do elevado privilégio da "comunhão com o Pai, e com seu Filho Jesus Cristo", a fim de possuir a vida eterna, e antever uma conformidade final com Cristo. A revelação divina é a mesma coisa que fazer o homem conhecer tudo o que deve ser conhecido, tudo o que está entre o ponto zero onde ele começou a sua carreira como uma criatura e o caráter final do entendimento por causa do qual, redimido, possa manter comunhão ininterrupta com Deus no céu e responder inteligentemente às coisas de Deus nas esferas eternas.

Em geral, a revelação divina é realizada onde qualquer manifestação de Deus possa ser discernida ou qualquer evidência de sua presença, propósito ou poder seja comunicado. Tais manifestações podem ser descobertas desde o grande espetáculo da criação até as experiências mais vis da criatura humana mais simples. Este corpo de verdade é tão estupendo e de tão grande alcance e ainda tão complexo que qualquer tentativa de delineá-lo ou classificá-lo será necessariamente incompleta.

É prática comum dos teólogos subdividir a revelação em duas divisões principais, a saber, uma que é *geral* e a que é *específica*, ou aquela que é *natural* e a que é *sobrenatural*, ou a que é *original* e a que é *soteriológica*. As primeiras de cada uma dessas categorias duplas incorporam aquela revelação que é comunicada através da natureza e da história, enquanto que as últimas incorporam tudo aquilo que vem com uma intervenção no curso natural das coisas, e que é sobrenatural tanto em sua fonte como em seu modo.

Para uma elucidação mais abrangente, a revelação divina é aqui particularizada sob sete modos: (a) Deus revelou-se através da *natureza;* (b) Deus revelou-se através da *providência;* (c) Deus revelou-se através da *preservação;* (d) Deus revelou-se através de *milagres;* (e) Deus revelou-se através de *comunicação direta;* (f) Deus revelou-se através da *encarnação;* e (g) Deus revelou-se através das *Escrituras.*

1. DEUS REVELOU-SE ATRAVÉS DA NATUREZA. A glória terrestre transcendente que aguardava o homem quando foi criado poderia não ter tido qualquer significado para ele à parte da percepção de que tudo o que ele observava era uma obra de seu Criador, e, num certo grau, uma revelação da glória, poder e sabedoria do Senhor. Mas mesmo tal manifestação que o homem viu antes de a maldição ter caído sobre a criação (Gn 3.18,19; Rm 8.19-21) foi aumentada imensuravelmente pela presença de Deus e a comunhão com ele. A revelação da natureza foi impressionante em si mesma, mas precisava então, como é agora, ser completada por uma intimidade mais próxima e pessoal com Deus. Com relação aos aspectos naturais e sobrenaturais da revelação no Éden, o Dr. B. B. Warfield escreve: "A impressão é forte de que aquilo que nos é comunicado é que o homem morava com Deus no Éden, e desfrutava com Ele comunhão imediata e não meramente mediata. Nesse caso, podemos entender que se o homem

não tivesse caído, ele teria continuado a desfrutar este relacionamento imediato com Deus, e que a cessação deste relacionamento imediato é devida ao pecado."[19]

A Bíblia definitivamente aponta para a natureza como uma revelação prática de Deus. Lemos: "Os céus proclamam a glória de Deus e o firmamento anuncia a obra das suas mãos. Um dia faz declaração a outro dia, e uma noite revela conhecimento a outra noite. Não há fala, nem palavras; não se lhes ouve a voz. Por toda a terra estende-se a sua linha, e as suas palavras até os confins do mundo. Neles pôs uma tenda para o sol, que é qual noivo que sai do seu tálamo, e se alegra, como um herói, a correr a sua carreira. A sua saída é desde uma extremidade dos céus, e o seu curso até a outra extremidade deles; e nada se esconde ao seu calor" (Sl 19.1-6). Semelhantemente, a natureza da revelação, com seu valor restrito, é declarada em Romanos 1.19-23.

A razão apontada nesta passagem com relação ao motivo da ira de Deus é revelada do céu contra a impiedade dos homens que detêm a verdade pela injustiça (v. 18), é a seguinte: "Porquanto, tendo conhecido a Deus, contudo não o glorificaram como Deus, nem lhe deram graças, antes nas suas especulações se desvaneceram, e o seu coração insensato se obscureceu. Dizendo-se sábios, tornaram-se estultos, e mudaram a glória do Deus incorruptível em semelhança da imagem de homem corruptível, e de aves, e de quadrúpedes, e de répteis". Tudo o que pode ser conhecido de Deus através da natureza foi revelado a todos os homens igualmente, mesmo as coisas invisíveis, inclusive o seu eterno poder assim como a sua própria divindade. Portanto, a falha em reconhecer Deus da forma em que foi revelado e em glorificá-lo, e se voltar para a idolatria é indesculpável da parte do homem e torna o homem merecedor da retribuição que Deus impôs sobre ele.

Deveria ser observado nesta conexão que a natureza da revelação não apresenta algo a respeito da grande necessidade de redenção. O mundo pagão, à parte da revelação específica, tem um reconhecimento débil do Ser Supremo; mas a natureza não revela a verdade de que "Deus amou o mundo de tal maneira que deu o seu Filho unigênito, para que todo aquele que nele crê não pereça, mas tenha a vida eterna" (Jo 3.16). Até que sejam informados a respeito da graça salvadora de Deus em Cristo Jesus, os pagãos ficariam desculpados de sua ignorância a respeito da redenção; mas não há outra indicação de que esta ignorância recomende-os à graça salvadora de Deus.

Todos os argumentos naturalísticos dos teístas com respeito à existência de Deus estão baseados na revelação com respeito a Deus que a natureza proporciona. Estes argumentos (que serão considerados no estudo da Teontologia) nada são além de um esforço que o homem faz de raciocinar a partir da natureza como sua causa, e visto que tal raciocínio é justificado, o homem é "indesculpável".

2. DEUS REVELOU-SE ATRAVÉS DA PROVIDÊNCIA. A providência é a execução em todos os seus detalhes do programa divino para as dispensações. Que tal programa existe não é somente razoável em grau final,

mas é abundantemente demonstrado nas Escrituras (Dt 30.1-10; Dn 2.31-45; 7.1-28; 9.24-27; Os 3.4,5; Mt 23.37 e 25.46; At 15.13-18; Rm 11.13-29; 2 Ts 2.1-12; Ap 2.1 e 22.21). Os propósitos estabelecidos por Deus que se estendem por todas as eras, desde a eternidade passada até a eternidade futura, são também perfeitos em seus mínimos detalhes, e envolvem até mesmo a queda de um pardal e os incontáveis cabelos da cabeça. Com respeito ao discernimento da providência de Deus, somente a visão espiritual é que pode avaliá-la. A percepção restrita do não-regenerado, que não tem Deus em sua conta, é bem expresso nas palavras familiares, "o acaso e a mudança estão sempre ocupados", palavras essas, que embora sejam parte de um hino cristão, não deviam aparecer na relação do cristão com Deus. Para um filho de Deus, a providência infalível do Senhor é mais bem expressa nas Escrituras: "E sabemos que todas as coisas concorrem para o bem daqueles que amam a Deus, daqueles que são chamados segundo o seu propósito" (Rm 8.28).

A doutrina da providência divina não existe sem problemas. Não pode ser diferente enquanto o pecado e o sofrimento estão no mundo. Um entendimento maior com relação aos propósitos divinos e aos meios necessários que Deus emprega para alcançar esses fins oferece muita coisa para a solução dessas dificuldades. A revelação que Deus faz de si próprio através da providência é ilimitada. A história é a Sua História, e nas páginas da Escritura Ele se relaciona de tal maneira com os eventos futuros, pelos pactos e predição, que Ele assegura que haverá uma consumação perfeita de todas as coisas e que o fim justificará os meios usados para assegurá-la.

3. DEUS REVELOU-SE ATRAVÉS DA PRESERVAÇÃO. O Novo Testamento é específico em suas declarações a respeito da relação que a segunda pessoa da Trindade sustenta com o Universo. Está escrito dEle como Criador: "porque nele foram criadas todas as coisas nos céus e na terra, as visíveis e as invisíveis, sejam tronos, sejam dominações, sejam principados, sejam potestades; tudo foi criado por ele e para ele" (Cl 1.16); "E Tu, Senhor, no princípio fundaste a terra, e os céus são obra de tuas mãos" (Hb 1.10). É afirmado também que Aquele que pela palavra do seu poder trouxe todas as coisas à existência (Hb 11.3), pela mesma palavra do seu poder faz com que elas fiquem todas juntas, ou que continuem a existir como eram porque "ele é antes de todas as coisas, e nele subsistem todas as coisas" (Cl 1.17), "E sustentando todas as coisas pela palavra do seu poder" (Hb 1.3).

Cristo é também o doador e o sustentador da vida (Jo 1.4; 5.26; At 17.25; 1 Co 15.45). Ele é o que dá a vida eterna (Jo 10.10,28), e Ele próprio é a vida que Ele dá (Cl 1.27; 1 Jo 5.12). Assim como a seiva da vinha sustenta o ramo, assim a vida divina é sempre a força vital no cristão. É verdadeiro que "nele vivemos, nos movemos e existimos" (At 17.28). Deus é igualmente revelado no cuidado que Ele exerce na preservação de cada indivíduo, especialmente daqueles que confiam nele. Esta verdade está expressa em duas passagens no Novo Testamento: "Portanto, não vos inquieteis, dizendo: Que havemos de comer?

ou: Que havemos de beber? Ou: Com que nos havemos de vestir?... Porque vosso Pai celestial sabe que precisais de tudo isso. Mas buscai primeiro o reino de Deus e a sua justiça, e todas estas coisas vos serão acrescentadas" (Mt 6.31-33); "Meu Deus suprirá todas as vossas necessidades segundo as suas riquezas na glória em Cristo Jesus" (Fp 4.19).

No Antigo Testamento o título *Deus Todo-poderoso* ('El Shaddai') comunica a verdade de que Deus sustenta o seu povo. O termo indica mais do que simplesmente um Deus de poder. Ele realmente é poderoso, mas o título inclui a comunicação de sua força como um filho suga o leite do seio de sua mãe. A palavra *shad* quando combinada com 'El Shaddai', significa *seio*, e dá suporte à concepção da nutrição que uma mãe comunica a seu filho.

Assim, é visto que Deus é revelado através de sua preservação de todas as coisas em geral, e do seu povo em especial.

4. DEUS REVELOU-SE ATRAVÉS DOS MILAGRES. O que possa ser relevante para o entendimento pleno do que os milagres revelam, é certo que eles servem para revelar Deus ao homem. Isto não é menos verdadeiro num Testamento do que em outro. O caráter sobrenatural de um milagre revela o poder divino, assim como o seu propósito, dAquele por quem ele é produzido. À parte do bem que foi produzido, os milagres de Cristo serviram para provar que Ele era o Deus manifestado em carne (Mt 11.2-6). A pessoa e o poder de Satanás são também revelados através de obras sobrenaturais (2 Co 11.14; Ap 13.1-18).

5. DEUS REVELOU-SE POR COMUNICAÇÃO DIRETA. Deus falou ao homem. Este fato apresenta dois motivos diferentes, a saber, o de que Deus fala, e o de que o homem ouve. Do lado divino, é evidente que Deus, o qual criou todas as faculdades humanas, seja abundantemente capaz de passar sua mensagem à mente do homem. Do lado humano, os homens souberam com certeza que uma mensagem lhes havia sido dada por Deus, e, por causa desta convicção, eles foram intrépidos em sua transmissão a outros.

A revelação de Deus por meio de um relacionamento direto com os homens é um aspecto muito abrangente desse grande tema. Ele inclui teofanias, visões, sonhos, e uma comunicação *boca-a-boca* com que Jeová honrou Moisés como a nenhum outro profeta (Dt 34.10; Nm 12.8), embora Ele tenha falado diretamente a Adão, Caim, Enoque, Noé, Abraão, Isaque, Jacó e a muitos outros. Este mistério impenetrável sobre como os escritores bíblicos receberam suas mensagens de Deus, embora pertença a esta presente discussão, será considerado mais detidamente no assunto relativo à doutrina da inspiração.

Na contemplação do fato da revelação divina direta, uma variedade quase ilimitada, somos confrontados com os detalhes do modo e do método. Isto é compreensível. Por ser Deus uma pessoa, e não um autômato, naturalmente se adaptará aos indivíduos e às situações envolvidas. A variedade do modo divino de abordar os homens vai desde teofanias nas quais Jeová, ou o Anjo de

Jeová (que é a segunda pessoa da Trindade) aparece e fala a indivíduos – e essa maneira direta de comunicação continua desde as primeiras teofanias do Antigo Testamento até as aparições do Senhor a Paulo no caminho de Damasco e a João na Ilha de Patmos – até a impressão mais simples e mais discreta pela qual uma pessoa é divinamente influenciada a agir ou falar. Quão natural e totalmente dentro do alcance da experiência dos santos de Deus é a palavra do servo de Abraão: "Quanto a mim, o Senhor me guiou no caminho" (Gn 24.27)! E, de fato, tal direção é a porção de todos aqueles que são regenerados. Lemos que "todos os que são guiados pelo Espírito de Deus, esses são filhos de Deus" (Rm 8.14).

Nem sempre Deus requereu daqueles a quem Ele falou que registrassem em forma escrita as suas palavras. Isto é especialmente verdadeiro durante aqueles séculos desde Adão até Moisés, quando pouca Escritura foi produzida e quando Deus imediatamente se dirigia de vários modos aos indivíduos. Quais as comunicações divinas que precederam as ações de Melquisedeque (Gn 14.18-20), as palavras de Labão (Gn 24.50), ou as de Balaão (Nm 24.3-9), não são reveladas. Eventualmente, homens inspirados registraram as mensagens que Deus deu aos seres humanos no tempo antigo e assim o registro foi preservado (Judas 14,15 apresenta o único registro existente das palavras de Enoque).

Em cada caso uma mensagem de Deus é normativa e, portanto, não deve ser considerada de menor importância por causa do fato de ela ter sido concedida por um sonho ou visão antes que por conversa face a face com Deus. A revelação divina é sobrenatural e a mensagem dada é a pura Palavra de Deus. Os falsos profetas "profetizavam o que lhes vinha do coração" (Ez 13.2-17; cf. Jr 14.14; 23.16,26). Evidentemente, havia na verdadeira revelação alguma coisa que convencia o mensageiro a respeito da autoridade divina de sua mensagem, e o falso profeta é considerado em todo lugar como possuidor de plena consciência de que suas palavras eram destituídas de autoridade divina.

Muito próxima a essa forma de revelação que é direta e pessoal está a experiência de todos que comungam com Deus em oração e reconhecem Sua voz falando-lhes através das Escrituras. Deus revela-se e revela sua vontade àqueles que nele esperam. Está escrito: "Ora, se algum de vós tem falta de sabedoria, peça-a a Deus, que a todos dá liberalmente e não censura, e ser-lhe-á dada" (Tg 1.5).

6. **Deus Revelou-se através da Encarnação.** Muitas partes da Escritura dão suporte a este aspecto da revelação divina e somente algumas delas podem ser citadas aqui.

Por fazer-se carne e habitar "entre nós" (Jo 1.14), o Senhor Jesus Cristo, "que é... Deus" (Rm 9.5), era, é, e para sempre será "Deus manifesto em carne" (1 Tm 3.16). Para Pedro, que havia dito: "Tu és o Cristo, o Filho do Deus vivo", Cristo replicou: "Bem-aventurado és tu, Simão Barjonas, porque não foi carne e sangue quem to revelou, mas meu Pai, que está nos céus" (Mt 16.16,17). Isaías havia declarado: "E a glória do Senhor será revelada" (Is 40.5); e João registra: "...e vimos a sua glória, como a glória do unigênito do Pai" (Jo 1.14). De modo semelhante é-nos dito que "ninguém jamais viu a Deus. O Deus unigênito, que está no seio do Pai, esse o deu a conhecer" (Jo 1.18). Esta declaração revelou o poder e a sabedoria de Deus, visto que está escrito que "Cristo é poder de Deus, e sabedoria de Deus (1 Co 1.24).

Como o Λόγος ('Logos') eterno de Deus, o Senhor Jesus Cristo sempre foi a expressão ou a manifestação de Deus – a Palavra *viva* de Deus, assim como a Bíblia é a Palavra *escrita* de Deus. Do Λόγος está escrito: "No princípio era o Verbo, e o Verbo estava com Deus, e o Verbo era Deus. Ele estava no princípio com Deus... e o Verbo se fez carne... e vimos a sua glória" (Jo 1.1,2,14). Como a palavra é a expressão de um pensamento, assim é o Λόγος com relação à divindade. A Palavra viva é sempre o Manifestador. Ele era o Anjo de Jeová em todas as teofanias, e é o Revelador final de Deus. Ele disse: "Quem me vê a mim, vê o Pai". Embora Deus tenha "antigamente falado muitas vezes, e de muitas maneiras, aos pais, pelos profetas, nestes últimos dias a nós nos falou pelo Filho" (Hb 1.1,2). Cristo é a voz de Deus que fala aos homens, e esta é uma revelação direta e simples de Deus.

Quando contemplam ou ouvem o Filho, os homens são capacitados a conhecer quem Deus realmente é. Esta revelação é completa. Nele não falta algo, pois é-nos dito que "nele habita corporalmente toda a plenitude da divindade" (Cl 2.9). Mas há aspectos específicos nos quais o Λόγος é a expressão da divindade aos homens. Ele revelou o *poder* de Deus ao ponto de Nicodemos poder dizer: "Ninguém pode fazer estes sinais que tu fazes, se Deus não estiver com ele" (Jo 3.2); e revelou a *sabedoria* de Deus a ponto daqueles que o ouviam dizer: "Nenhum homem jamais falou como este homem" (Jo 7.46); e revelou a *glória* de Deus a ponto de João poder dizer: "Vimos a sua glória" (Jo 1.14); e revelou a *vida* de Deus a ponto de novamente João dizer: "O que era desde o princípio, o que ouvimos, o que vimos com os nossos olhos, o que contemplamos e as nossas mãos apalparam, a respeito do Verbo da vida (pois a vida foi manifestada, e nós a temos visto, e dela testificamos, e vos anunciamos a vida eterna, que estava com o Pai, e a nós foi manifestada); sim, o que vimos e ouvimos, isso vos anunciamos, para que vós também tenhais comunhão conosco; e a nossa comunhão é com o Pai, e com seu Filho Jesus Cristo" (1 Jo 1.1-3).

Mas acima e além de todos esses atributos de Deus que o Λόγος manifestou, está a revelação do *amor* de Deus; aquele amor, que embora patente em cada ato de Cristo através de todo o seu ministério terrestre, foi, não obstante, final e especialmente revelado através de sua morte. "Deus amou o mundo de tal maneira que deu o seu Filho unigênito"; "Mas Deus prova o seu próprio amor para conosco, em que, quando éramos ainda pecadores, Cristo morreu por nós" (Rm 5.8); e que "nisto conhecemos o amor: que Cristo deu a sua vida por nós" (1 Jo 3.16).

Deus não poderia se aproximar mais perto de nós, nem poderia Ele revelar mais claramente as maravilhas de sua pessoa, as perfeições do seu propósito, nem as profundezas de seu amor e graça, do que Ele fez na encarnação, que no escopo do seu propósito abrangeu a vida, ensinos, exemplo, morte e ressurreição do Filho eterno, a segunda pessoa da Trindade. As multidões do seu tempo ouviram e foram abençoadas por suas palavras graciosas e, assim, embora não chamadas por Deus para registrar sob inspiração o que ouviram, não obstante, elas receberam uma grande porção da revelação divina. O valor inestimável da revelação que veio pela encarnação, com outras formas de manifestação, foi preservado por todas as gerações nas páginas das Escrituras inspiradas e inerrantes.

7. Deus Revelou-se através das Escrituras. Dos modos de revelação assinalados acima, necessariamente há algum tipo de sobreposição e algum tipo de interdependência. Não poderia haver outra apreensão adicional ou exata dessa revelação que a natureza oferece à parte de sua interpretação divina que a Bíblia proporciona. Não poderia haver outra providência à parte da preservação, nem preservação à parte da providência e estas, por sua vez, podem ser vistas em sua verdadeira luz somente quando demonstradas nas páginas da Palavra de Deus. Os milagres são uma revelação de Deus àqueles que os testemunham, mas o registro deles na Bíblia aumenta o valor do testemunho deles a todos em todas as gerações que lêem o registro divino deles. O que Deus disse aos homens diretamente poderia facilmente ser esquecido ou deturpado, mas a substância e a pureza daquelas mensagens *face a face* foram preservadas no seu registro divino.

Semelhantemente, o valor da revelação da encarnação, conquanto existe totalmente à parte de quaisquer anais escritos, tornou-se uma mensagem de riqueza infinita que estende a todos o conhecimento de Deus, assim como o caminho para a vida eterna e a sua certeza. A vida e a morte de Cristo são fatos indiscutíveis da história, mas a bênção divina é assegurada a todos os que crêem no *registro* que Deus deu a respeito de seu Filho (1 Jo 5.9-12).

Pode ser concluído, então, que a Bíblia é um aspecto específico e essencial de toda a revelação divina. Ela, contudo, apresenta certos aspectos importantes:

A. A Revelação Divina é Variada em seus Temas.

Ela abrange tudo o que é doutrinário, devocional, histórico, profético e prático.

B. A Revelação Divina é Parcial. Está escrito:

"As coisas secretas pertencem ao Senhor nosso Deus, mas as reveladas nos pertencem a nós e a nossos filhos para sempre, para que observemos todas as palavras desta lei" (Dt 29.29).

C. A Revelação Divina é Completa com Relação aos Fatos Revelados.

Com respeito ao Filho, Ele é πλήρωμα (*plērōma*, 'plenitude') da divindade corporalmente (Cl 2.9), e com respeito à salvação final de todos que crêem, eles são πεπληρωμένοι (*peplērōmenoi*, 'completos') nele (Cl 2.10). Embora completos nEle agora, eles ainda vão ser conformados à sua imagem (Rm 8.29; 1 Jo 3.2).

D. A Revelação Divina é Progressiva.

Seu plano de procedimento é expresso pelas seguintes palavras: "... primeiro a erva, depois a espiga, e por último o grão cheio na espiga" (Mc 4.28). Cada livro da Bíblia serve-se da verdade acumulada que existia antes, e o último livro é como uma vasta estação de trem na qual todos os grandes trilhos da revelação e da predição convergem e terminam. Nenhum entendimento completo da verdade revelada pode ser obtido à parte de sua consumação naquele livro, e aquele livro, por sua vez, não pode ser entendido à parte da apreensão de todos os outros que vieram antes. O último livro da Bíblia é a Revelação suprema.

E. A REVELAÇÃO DIVINA É PRIMARIAMENTE PARA A REDENÇÃO.

Seu progresso de doutrina desenvolve-se com a doutrina da redenção. Deus falou até o final que o homem pode ser "sábio para a salvação" (2 Tm 3.15). Deus fez com que houvesse um registro escrito a respeito do seu Filho e os homens que crêem nesse fato são salvos, e aqueles que não crêem nesse acontecimento estão perdidos (1 Jo 5.9-12).

F. A REVELAÇÃO DIVINA É FINAL.

Ela incorpora a verdade "que uma vez por todas foi entregue aos santos" (Jd 3). Dela não pode ser tirado coisa alguma, nem a ela pode ser acrescentado algo.

G. A REVELAÇÃO DIVINA É INFINITAMENTE EXATA.

"Toda Escritura é inspirada por Deus" e é a Palavra *escrita* de Deus.

CAPÍTULO IV

Inspiração

O USO TEOLÓGICO do termo *inspiração* é uma referência àquela influência controladora que Deus exerceu sobre os autores humanos por quem Antigo e Novo Testamentos foram escritos. Ela tem a ver com a recepção da mensagem divina e com a exatidão com que ela é transcrita. Qualquer coisa que diga respeito à origem da mensagem em si mesma pertence, como já vimos, ao campo mais amplo da revelação. Visto que por uma revelação Deus falou e a capacidade divinamente dada ao homem de receber uma mensagem de Deus foi exercida, todo pensamento e ação humanos estão agora sujeitos à mensagem estabilizante que Deus deu. Ao substituir o agnosticismo nativo do homem, que é nascido de suas limitações humanas, a Revelação dada por Deus é transmitida ao homem de forma escrita permanente e não somente expande o campo de conhecimento do homem nas esferas do infinito, mas serve sempre como um corretivo para aquelas fantasias falíveis e inconstantes e para as teorias que a ignorância humana incessantemente engendra.

Na verdade, feliz é o homem regenerado que ouve atenta e submissamente a Palavra de Deus. A mensagem divina serve para dar forma e substância a cada doutrina e a nenhuma com tanta eficiência como a da doutrina da *inspiração*. Uma babel de vozes, infelizmente discordantes na relação de uma com as outras e unificadas somente num aspecto que é o da oposição à doutrina sublime da inspiração que a Bíblia apresenta, tem caracterizado cada geração dos últimos séculos. Um exame de muitos livros que têm sido escritos no século 19 e que tratam da doutrina da inspiração revela o fato que, seja numa geração ou outra, cada autor, por sua vez, revela a ocorrência que, no tempo da escrita do livro, havia um conflito irreconciliável a que tinham chegado, o que parecia ser uma crise entre os que defendiam e os que se opunham às crenças desde há muito aceitas, com relação à inspiração das Escrituras. Isto é revelador! Indica a oposição pertinaz que o homem natural – ainda que seja um erudito – exerce contra todas as coisas sobrenaturais.

Sem duvida é o elemento sobrenatural que constitui a urdidura e a textura da doutrina bíblica da inspiração, que não somente lhe dá o seu caráter distintivo e elevados mas também repele a mente espiritualmente obscurecida do homem não-regenerado, uma escuridão que de modo algum é aliviada pela erudição humana. O erudito que acha mais fácil crer que, quando a matéria inanimada por acidente se tornou "complexa o suficiente e num conjunto apropriado, os organismos vivos podem ter emergido", e que esses organismos, por sua vez, "desenvolveram-se através de uma espontaneidade inerente até se tornarem seres humanos racionais", ao invés de crer que Deus criou o homem à sua própria imagem e semelhança – e somente porque há uma exibição superficial de processos supostamente *naturais* no primeiro caso que alivia o fardo do elemento sobrenatural óbvio que é a verdadeira substância dos últimos – tal erudito vai se ofender com o ensino de que Deus falou ao homem e que esta mensagem tem sido, debaixo da orientação do Senhor, transcrita em escritos infalíveis.

Homens devotos – alguns deles de grande erudição – concordaram sempre (Dt 34.10) no principal com relação às qualidades da inerrância e da sobrenaturalidade da Bíblia. Essa crença se tornou distintiva como a "visão tradicional", ou "a doutrina da Igreja". Essa harmonia de crença da parte dos homens devotos não é um acordo de ignorância, visto que o desconhecimento é incapaz de acordo. Ela é devido ao fato de que a norma da verdade com respeito à inspiração da Bíblia existe e, após descobrir essa norma, os homens automaticamente possuem a mesma mente. Fora dessa norma somente dissonâncias e disputas serão ouvidas. A citação a seguir, do Dr. B. B. Warfield, tende fortemente para a clarificação deste assunto:

> A doutrina da inspiração que a Igreja sustenta difere das teorias que prazerosamente a suplantariam, naquilo em que ela não é a invenção nem a propriedade de um indivíduo, mas a fé estabelecida da Igreja universal de Deus; naquilo em que ela não é o crescimento de ontem, mas a persuasão segura do povo de Deus desde a primeira semeadura da Igreja até hoje; naquilo em que ela não é uma forma protéica, ao variar suas afirmações para encaixar-se em cada nova mudança no pensamento sempre alterável dos homens, mas desde o começo tem sido a convicção duradoura e constante da Igreja com respeito à divindade das Escrituras que foi confiada a ela. É certamente um fato impressionante – esta doutrina bem definida, aborígine e estável da Igreja com respeito à natureza e confiabilidade das Escrituras de Deus, que confronta com a sua persistência gentil, mas firme da afirmação de todas as teorias da inspiração que a energia incansável da especulação incrédula e meio incrédula têm sido capazes de inventar neste nosso agitado século 19 (época em que viveu o autor). Certamente aquele que busca a verdade no assunto da inspiração da Bíblia pode bem colocar esta doutrina da Igreja como seu ponto de partida.[20]

Se pudesse ser demonstrado que a Bíblia não promove uma doutrina com relação à sua própria inspiração, os homens poderiam ser justificados numa tentativa de formular uma teoria chamada "teoria da inspiração". Mas a Bíblia é muito clara e convincente com relação ao caráter de sua própria inspiração. Seu ensino sobre isto, como em todas as suas doutrinas principais, desafia o estudante a fazer uma pesquisa atenta. Todavia, uma coisa é fazer um estudo devoto e analítico da doutrina abrangente da inspiração como está revelada na Bíblia, e outra coisa é ser obediente a cada palavra que Deus falou sobre este aspecto da verdade; uma coisa é ignorar o que Deus falou e, com base racionalista, inventar uma *teoria*. Na verdade, a Bíblia não apresenta uma teoria a respeito de sua própria inspiração que – igual à noção dos liberais de que o cristianismo deve assumir seu próprio lugar entre as religiões comparadas – é chamada a competir com os esquemas humanamente determinados.

A irrelevância que se obtém entre a revelação e a razão é tão visível no campo da inspiração como em qualquer outro lugar, e o teólogo deve ser lembrado novamente que sua tarefa não é a da criação ou a de dar origem à doutrina mas, ao contrário, a da indução e da distribuição científica da verdade, a qual porta este tema que Deus se agradou em revelar. Reafirmo: A questão não é o que os homens – mesmo os eruditos – pensam que é uma teoria exeqüível com relação à maneira na qual a Bíblia foi escrita; a questão é o que a Bíblia declara a respeito de si mesma.

Deve ser admitido que Deus é capaz de produzir um livro que é verbalmente exato, a afirmação precisa em cada detalhe de seu próprio pensamento. A Bíblia, como originalmente escrita, reivindica ser esse livro. Entretanto, à luz desta afirmação – admitidamente dogmática – certos problemas aparecem:

I. O Fato e a Importância da Inspiração

Há a necessidade de um entendimento claro da contribuição precisa que a inspiração faz para o propósito divino total na revelação. Como foi demonstrado anteriormente, a inspiração não é revelação. Na melhor hipótese, a inspiração pode somente receber a mensagem e acrescentar o elemento de exatidão aos Escritos Sagrados, textos esses que são o corpo de verdade que Deus revelou. Na seção seguinte da Bibliologia, que trata com a *canonicidade* e com a *autoridade*, será demonstrado que a autoridade da mensagem da Bíblia não depende da inspiração. Contudo, não há outra sugestão a ser entendida destas distinções que o fato da inspiração, tanto em sua forma verbal quanto plenária, não seja significativa. A revelação, inspiração e autoridade são doutrinas bíblicas intimamente ligadas; todavia, que não se confundem; cada uma delas fornece uma contribuição imensurável para a grande realidade – *a mensagem de Deus ao homem*.

Embora a preservação da verdade de forma inerrante seja de valor incalculável para todas as gerações, muita coisa que faz parte das Escrituras existiu antes de qualquer registro ter sido feito, e o registro das realidades não acrescenta algo a esta substância. Se as grandes coisas essenciais da revelação existissem somente na forma escrita delas, seriam classificadas propriamente como ficção, sem levar em conta a perfeição da literatura pela qual elas foram expressas. Semelhantemente, as profecias não cumpridas, embora agora sejam totalmente confiáveis em sua forma escrita, devem, não obstante, resultar em reais ocorrências.

Quando se admite que Deus tem um conjunto de verdades que Ele prescreveu ao homem, não é difícil reconhecer a importância do registro inerrante desse conjunto de verdades. Nem é uma matéria de surpresa que uma crescente pressão seja exercida primeiramente de um grupo e, então, de outro, para derrotar o próprio testemunho que a Bíblia dá de sua inspiração. Essa doutrina da inspiração, que a Igreja tem sustentado em todas as suas gerações, permanece, não porque os seus defensores sejam capazes de gritar mais alto do que seus oponentes, não em virtude de qualquer defesa humana, mas por causa do fato de que ela está incrustada nos próprios oráculos divinos. Visto que ela está tão incrustada nos oráculos de Deus, nenhum cristão poderia fazer alguma coisa diferente a não ser crer na Palavra que Deus falou.

Pode ser observado, portanto, que a sustentação da crença tradicional da inspiração não é necessariamente uma base cega de uma "causa perdida", ou um recuo diante da posição de Roma de que uma coisa é verdadeira porque a Igreja a propõe; é um reconhecimento e uma aceitação do ensino da Igreja e essa crença faz com que uma pessoa seja colocada "na agradável comunhão dos apóstolos e profetas".

Pouco espaço precisa ser dado à citação de escritos dos oponentes da inspiração verbal e plenária. Eles têm, na maioria dos casos, admitido tanto direta quanto indiretamente que os homens que escreveram as Escrituras sustentaram a crença tradicional com respeito à inspiração. Alguns admitem que Cristo pode ter sustentado essa posição. Sob essas condições é necessário para esses oponentes afirmar que os autores humanos tenham sido enganados ou que eles próprios fossem enganadores. Uma revisão muito breve nesses argumentos é apresentada aqui:

1. Cristo versus Apóstolos. Nesse conceito, uma distinção é vista entre as supostas crenças de Cristo e a dos apóstolos. Cristo é descrito como se opusesse aos apóstolos e como aquele que procura livrá-los das tradições errôneas dos judeus, cujas tradições incluíam a crença na inerrância das Escrituras. É declarado abertamente: "Concluímos com grande probabilidade que o Redentor não compartilhou do conceito dos seus contemporâneos israelitas com relação à inspiração da Bíblia deles... pelo fato de que Ele repetidamente expressa sua insatisfação com a maneira usual entre eles de olhar com respeito os livros sagrados e de como Ele os usava. Ele diz aos escribas abertamente que eles não entendem as Escrituras (Mt 22.29; Mc 12.24), e que é um engano deles pensar possuir a vida eterna *nelas*; portanto, num *livro* (Jo 5.39), mesmo como Ele também (num outro lugar) parece falar com desaprovação da pesquisa que eles faziam das Escrituras, porque ela procedia de um ponto de vista pervertido".[21]

Com relação a essas duas passagens oferecidas como evidência, a primeira foi dirigida aos escribas e não aos apóstolos, e não há evidência alguma de que tal crítica pudesse ser com razão dirigida aos apóstolos que escreveram o Novo Testamento ou a qualquer outro discípulo que nada tenha escrito. Qualquer que possa ser a interpretação da frase na última passagem – "porque julgais ter nelas a vida eterna" –, há uma segurança mais clara de que as Escrituras do Antigo Testamento "são as que testificam" de Cristo (cf. Lc 24.27). Assim, os apóstolos são desacreditados, mas um esforço é feito para livrar Cristo da tradição indefensável à qual os apóstolos estão supostamente presos. Através de uma suposição sem base, Cristo é apresentado como aquele que nutre uma liberalidade e frouxidão doutrinária para se harmonizar com aquilo que o próprio Rothe crê, e isto provocado para se produzir uma "volta a Cristo!", que neste ou em outro exemplo, significa: saia fora da tradição à qual os apóstolos estão presos e venha para o Cristo modernizado.

2. Acomodação. Novamente, um argumento é levantado contra a doutrina sustentada pelos apóstolos que supostamente pensavam que a tradição judaica da inerrância das Escrituras era insustentável; todavia, eles acomodaram a linguagem delas, embora contrário à própria crença deles, por causa dos insuperáveis preconceitos de seu tempo. Eis uma citação: "Os escritores do Novo Testamento estavam completamente dominados pelo espírito da época, de modo que o testemunho deles sobre a questão da inspiração da Escritura não possui um valor independente".[22]

3. Ignorância. Igualmente, é afirmado que os apóstolos eram "homens iletrados e indoutos" (At 4.13) e eram, portanto, predispostos ao erro, e que o próprio Cristo, no seu lado humano, poderia ter conhecido apenas um pouco mais do que se conhecia no seu tempo. É insinuado que Ele não poderia ter tido qualquer acesso às verificações científicas de nossos tempos, e, portanto, não poderia elevar o nível de pensamento que caracterizou os seus dias. Que esperança há de acordo entre duas escolas de pensamento – uma das quais livremente questiona a autoridade até de Cristo com base numa afirmação infundada de que Ele era, por causa de sua humanidade, tão falível e ignorante como os outros homens, enquanto que a outra escola atribui a Ele toda a onisciência do Deus Triúno? No que diz respeito ao apóstolo Paulo, os seus conceitos, embora muito influenciados pela tradição judaica, não foram afirmados dogmaticamente, é alegado, e, portanto, têm pouco peso.

4. Contradição. Finalmente, muita coisa é dita das alegadas "contradições", "imprecisões" e "inconsistências". É assinalado com muita segurança que um livro inerrante não poderia apresentar tais problemas. Mas quem é o juiz? Se a Bíblia contém erros vistos por Deus, o caso seria sério; se ela contém erros vistos por homens, a dificuldade pode ser totalmente explicada na esfera dos erros humanos. A última possibilidade e de pequena evidência nos escritos dos opositores da doutrina da inspiração da Bíblia. O Espírito de Deus declarou que "toda palavra de Deus é pura" (Pv 30.5); "As palavras do Senhor são palavras puras, como prata refinada numa fornalha de barro, purificada sete vezes" (Sl 12.6); "A lei do Senhor é perfeita, e refrigera a alma" (Sl 19.7); "Quanto a Deus, o seu caminho é perfeito; a promessa do Senhor é provada" (Sl 18.30).

Confrontado com afirmações como essas, um homem de razão e de sinceridade ao menos fará algumas considerações com respeito à possibilidade de que os supostos erros na Bíblia poderiam ser vistos como produto das limitações humanas.

BIBLIOLOGIA

Há dificuldades que surgem no estudo do texto da Escritura. No século 19, a crítica bíblica levantou muitas objeções com respeito à credibilidade das Escrituras que, conforme alegado, a pesquisa erudita trouxe à luz. A publicação dessas alegações provou ser um aguilhão para os homens fiéis que haviam sido mentalizados a defender a inspiração plenária das Escrituras. Com a pesquisa deles vieram os achados de arqueologia; tudo isto veio contribuir para refutar os chamados *erros*, e como uma demonstração do fato de que, com luz suficiente, as chamadas *discrepâncias* desaparecem. A função que a arqueologia tem exercido nesta realização importante e de grande alcance não pode ser avaliada; estamos certos de que esta demonstração da exatidão da Palavra de Deus continuará numa confirmação cada vez maior da Bíblia.

É sugestivo ao menos que a pesquisa e a arqueologia não têm fortalecido as alegações dos opositores em ponto algum, mas têm servido em cada caso para confirmar os ensinos das Escrituras. Muitos volumes importantes têm sido escritos que demonstram os resultados de investigações recentes. O estudante deveria ler todos eles com carinho especial. Desses supostos erros, o Dr. Charles Hodge escreveu, algumas gerações atrás, que "em sua maior parte são triviais", "somente aparentes", e que há poucos de fato que são "de qualquer importância real".[23]

Uma diferença deve ser feita entre *objeções* e *dificuldades*. As primeiras, se existem, poderiam servir para impedir alguém de esposar a doutrina envolvida. As últimas não se inclinam para o mesmo fim. Se alguém sustenta objeções à doutrina da redenção com toda probabilidade se apartará da doutrina como um todo; ao passo que, embora haja dificuldades na doutrina que nenhuma mente finita possa resolver, o caminho da vida pode ser trilhado e os valores eternos reivindicados à despeito das dificuldades. Em tal caso, o indivíduo humildemente declara que, embora não possa entender tudo o que está envolvido na doutrina, ele reconhece que todos os fatos a respeito da doutrina são, sem dúvida, capazes de ser harmonizados e compreendidos onde existe entendimento suficiente. Assim, uma pessoa é especialmente encorajada a crer quando a doutrina passa por um teste que lhe é imposto. Com respeito à doutrina da inspiração verbal e plenária, é igualmente aceitável e vantajoso ficar do lado que os homens devotos de todas as gerações, inclusive Jesus Cristo e os apóstolos, ficaram dessa posição, para enfrentar e solucionar tais dificuldades que possam aparecer.

À parte da reivindicação decisiva da Bíblia com relação à sua inspiração verbal e plenária, há duas considerações importantes, a saber: (a) as Escrituras são em si mesmas um fenômeno de caráter tal que apresenta a verdade em tão grande escala e de modo tão maravilhoso que a alegação adicional à precisão divina aparece a *fortiori*, como um corolário necessário ao todo. Tal revelação insuperável dificilmente poderia ser apresentada em sua perfeição de forma à parte da inspiração divina; (b) os homens que serviram como autores dos livros da Bíblia eram em si mesmos testemunhas dignas de confiança. Como tal, eles devem receber crédito, tenham eles falado debaixo de inspiração ou não. Estes homens não estavam enganados nem eram enganadores. À parte de suas alegações de inspiração, a base de fé permanece estabelecida por testemunhas confiáveis.

A reivindicação de inspiração que eles sustentaram não pode ser desacreditada até que as testemunhas sejam desacreditadas. Assim, não é pequena evidência o fato dos autores humanos – e houve cerca de quarenta deles num período superior a 1.600 anos – inspirados ou não, estarem em perfeito acordo com respeito às coisas que eles ensinaram; nenhum deles em qualquer época registrou uma insinuação de que a Bíblia *não* seja a Palavra inspirada e escrita de Deus.

A questão em pauta não é nova. Ela apareceu em gerações passadas e ainda aparecerá nas seguintes enquanto houver incredulidade neste mundo. É uma questão do que deve ser aceito – os ensinos da Bíblia ou os ensinos dos homens.

II. Teorias da Inspiração

As chamadas *teorias* da inspiração são tentativas que homens das mais variadas crenças têm feito para estruturar um relacionamento entre duas autorias. Algumas dessas *teorias* são apresentadas aqui:

1. TEORIA MECÂNICA OU DO DITADO. Se Deus houvesse ditado as Escrituras aos homens, o estilo e escrita seriam uniformes. Seria a dicção e o vocabulário do autor divino, e livro de quaisquer idiossincrasias dos homens (cf. 2 Pe 3.15,16). Toda evidência de interesse da parte de autores humanos seria falha (cf. Rm 9.1-3). É verdade que os autores humanos nem sempre percebem o propósito de seus escritos. Moisés dificilmente poderia ter sabido da importância latente que Adão, Enoque, Abraão, Isaque e José poderiam exercer na história, ou sabido da tipologia de Cristo escondida na descrição que fez do Tabernáculo feito de acordo com o padrão que lhe foi mostrado no monte. Ele não poderia ter entendido por que nenhuma referência deveria ser feita aos pais, ou ao começo ou fins dos dias de Melquisedeque (Hb 7.1-3).

Uma mensagem que é ditada é obviamente o produto de alguém que dita; mas se uma pessoa tem liberdade de escrever em nome de outra e, então, é descoberto que, ao escrever de acordo com os seus próprios sentimentos, estilo e vocabulário, ela registrou uma mensagem exata daquela outra pessoa de um modo tão perfeito como se ela a tivesse recebido em forma de ditado; a convicção gerada é a de que um acompanhamento sobrenatural aconteceu. Debaixo dessa forma de trabalho, o autor humano recebe o pleno escopo de sua autoria; todavia, a mensagem elevada fica plenamente assegurada. O resultado é tão completo como se fosse um ditado; mas o método, embora não sem o mistério que sempre acompanha o sobrenatural, está mais em harmonia com o modo de Deus tratar com os homens, no qual ele *usa* as suas vontades, ao invés de *anulá-las*.

Não há qualquer insinuação de que Deus tenha ditado qualquer mensagem ao homem além daquilo que Moisés transcreveu quando da presença de Jeová no monte. Esta teoria é facilmente classificada como aquela na qual a divina autoria é enfatizada quase a ponto da exclusão da autoria humana.

2. Inspiração Parcial. De acordo com este conceito, a inspiração atinge somente os ensinos doutrinários ou preceitos, as verdades desconhecidas dos autores humanos. Assim, o objetivo em toda inspiração, que é o de assegurar a inerrância dos escritos, é negada a certas partes da Bíblia. Não importa o que os autores humanos possam ter conhecido previamente; a inspiração assegura exatidão a *tudo* que eles escreveram. Esta teoria é uma suposição que não encontra apoio na Bíblia. É óbvio que ela tende a separar as duas autorias.

3. Graus de Inspiração. O postulado de que há graus de inspiração é uma teoria que possui muitos defensores. Os advogados desta teoria tentam classificar os graus que eles propõem por palavras como "sugestão, direção, elevação, superintendência, orientação e revelação direta". Embora as Escrituras forneçam pouco apoio a tais distinções, estas distinções oferecem um amplo campo para se dar largas à imaginação e para a especulação, o que tem um valor, no mínimo, muito duvidoso. Esta teoria é classificada como aquela em que algumas partes da Bíblia são consideradas inspiradas num grau maior do que em outras, e dá ensejo para a afirmação feita de que a Bíblia está repleta de erros. As duas autorias são reconhecidas, mas nem sempre são concebidas como uma coalizão em determinados textos.

4. Conceito Inspirado, não as Palavras. Essa hipótese tenta imaginar os conceitos separados das palavras, uma teoria em que Deus comunicou idéias, mas deixou os autores humanos com liberdade para expressá-las em sua própria linguagem. Totalmente dissociado do fato de que as idéias não são transferíveis por qualquer outro meio além das palavras, esse conceito ignora a importância imensurável das *palavras* em qualquer mensagem. Mesmo um documento legal que os homens usam em assuntos triviais depende totalmente das palavras que estão nele. Quase todos os pactos e promessas contidos na Bíblia, para que tenham força e valor, dependem das palavras usadas. O estudo exegético das Escrituras nas línguas originais é um estudo de *palavras*. Um conceito só pode ser adquirido por intermédio de palavras, em vez de palavras sem importância poderem apresentar um conceito.

À parte da inspiração verbal que alcança as *palavras*, o estudo exegético é sem sentido. A Bíblia, quando se refere à sua mensagem, nunca chama a atenção para um mero conceito; ao contrário, ela fala de sua mensagem entregue ao homem em *palavras* que o Espírito Santo ensina (1 Co 2.13). Cristo disse: "As palavras que eu vos tenho dito são espírito e são vida" (Jo 6.63), e "as palavras que tu me deste, eles as receberam" (Jo 17.8), e "Então falou Deus todas estas palavras, dizendo" (Êx 20.1). Esse ensinamento claro das Escrituras com respeito à importância de palavras específicas que são usadas é revelado em centenas de textos bíblicos.

5. Inspiração Natural. Assim como tem havido artistas excepcionais, músicos, e poetas que produziram obras-primas que não foram superadas, é afirmado pelos proponentes dessa teoria que houve homens excepcionais de compreensão espiritual que, por causa de seus dons naturais, foram capazes de escrever as Escrituras. Esta é a noção mais pobre de inspiração e enfatiza a autoria humana, a fim de excluir a divina. Um escritor afirma: "A inspiração é somente um potencial mais alto daquilo que todo homem possui em algum grau". A isto outro respondeu: "A inspiração de todos é equivalente à inspiração de ninguém". O principal objetivo da inspiração total da Bíblia – o de assegurar a exatidão divina para cada parte dela – está totalmente ausente de acordo com essa opinião.

6. Inspiração Mística. Visto que os cristãos são capacitados por Deus para as suas várias tarefas – Deus operando neles "tanto o querer como o efetuar, segundo a sua boa vontade" (Fp 2.13) –, é sustentado por alguns que, semelhantemente, os autores humanos foram capacitados para escrever as Escrituras. Se esta teoria fosse verdadeira, qualquer cristão poderia, a qualquer hora, escrever a Escritura através da energia divina. Os defensores desta opinião não estão evidentemente preocupados com a base sobre qual a autoridade da Bíblia está firmada. Schleiermacher, que foi um gênio de grande magnitude, é provavelmente o responsável pela disseminação mais geral desta posição sobre a inspiração. Sua afirmação é de que a inspiração é "um despertamento e um estímulo da consciência religiosa, e difere em grau antes que em espécie da inspiração piedosa ou dos sentimentos intuitivos dos homens santos". A respeito da influência que Schleiermacher exerceu nas crenças sobre a inspiração, o Dr. B. B. Warfield, ao falar sobre a inspiração mística, afirma:

Formas muito variadas têm sido extraídas deste conceito; expressão maior ou menor tem sido dada a ele, de uma forma ou de outra, em todas as épocas. Em suas manifestações mais extremas, ele anteriormente tendeu a separar-se da corrente principal do pensamento cristão e mesmo formar seitas separadas. Mas em nosso próprio século [n 19], por intermédio da grande genialidade de Schleiermacher, ele irrompeu sobre a Igreja como um dilúvio, e atingiu cada canto do mundo protestante. Como conseqüência, encontramos homens em toda parte que desejam reconhecer como de Deus somente as partes das Escrituras que "combinam com eles" – que lançam o objetivo claro da enunciação da vontade de Deus para a misericórdia das correntes de pensamento e o sentimento varrendo-os para cima e para baixo dentro de suas próprias almas – que "persistem" algumas vezes em usar uma frase aguda, mas tristemente verdadeira de Robert Alfred Vaugham: "Na rejeição presunçosa que eles fazem da luz até que tenham tornado em

BIBLIOLOGIA

trevas a luz interior deles". ... A despeito destas tentativas de introduzir conceitos inferiores, a doutrina da inspiração plenária das Escrituras, que olha para elas como um livro de oráculos, em todas as suas partes e elementos, igualmente, como procedentes de Deus, dignos de confiança em todas as suas afirmações de toda espécie, permanece até hoje, como sempre aconteceu, a fé vital do povo de Deus, e o ensino formal da Igreja organizada.[24]

Sob a pressão da teoria mística da inspiração, a autoria divina é submersa pela ênfase que é dada à autoria humana. Ela aparece somente como o *insight* espiritual geral concedido a todos os crentes em graus que variam de acordo com a relação pessoal que eles têm com Deus.

7. INSPIRAÇÃO VERBAL E PLENÁRIA. Por inspiração *verbal* se entende que, nos escritos originais, o Espírito guiou na escolha das palavras usadas. Contudo, a autoria humana foi respeitada ao grau em que as características dos autores são preservadas e o estilo e vocabulário usados por eles são empregados, mas sem a intrusão do erro.

Por *inspiração* plenária entende-se que a exatidão que a inspiração verbal assegura, é estendida a cada parte da Bíblia de modo que ela é em todas as suas partes tanto *infalível* com relação à verdade quanto *final* com relação à autoridade divina. Esta, como já foi afirmado anteriormente, é a doutrina tradicional da Igreja e que é demonstrada por Cristo e pelos apóstolos. Este ensino preserva a autoria dual em perfeito equilíbrio, e atribui a cada um aquela consideração que lhe é conferida na Bíblia.

Certas citações onde a autoria dual é reconhecida são feitas aqui: O mandamento: "Honra teu pai e tua mãe" carrega consigo a autoridade da "ordenação divina" de Mateus 15.4; mas em Marcos 7.10, Cristo introduz as palavras: "Disse Moisés". De igual modo, o salmo 110.1 pode ser comparado com Marcos 12.36, 37; Êxodo 3.6, 15 com Mateus 22.31; Lucas 20.37 com Marcos 12.26; Isaías 6.9,10 com Atos 28.25; João 12.39-41; Atos 1.16 com Atos 4.25. Certas passagens, e há muitas, combinam uma referência a ambas as autorias em uma passagem: Atos 1.16; 4.25; Mateus 1.22; 2.15. O Espírito Santo é declarado ser a voz que fala através do salmo citado em Hebreus 3.7-11; através da lei – Hebreus 9.8; e os profetas – Hebreus 10.15.

Ao referir-se à Epístola aos Hebreus, Olshausen escreve: "Nessa notável epístola, Deus, ou o Espírito Santo, é continuamente referido como aquele que fala nas passagens citadas do Antigo Testamento; e isto não meramente daqueles dos quais é dito no contexto das Escrituras do Antigo Testamento: 'Disse Deus', mas também naqueles em que algum ser humano fala, e.g. Davi, como compositor de um salmo. Neste caso, a visão do autor claramente se expressa com respeito ao Antigo Testamento e seus autores. Ele considerava Deus como o Princípio que vivia, e trabalhava, e falava neles todos pelo seu Espírito Santo; e adequadamente a Santa Escritura era para ele a pura obra de Deus, embora anunciada ao mundo pelo homem".[25]

108

III. Autoria Dual

Pelo termo *autoria dual* dois fatos são indicados, a saber, que, do lado divino, as Escrituras são a Palavra de Deus no sentido de que elas se originaram com Ele e são uma expressão unicamente de Sua mente; e, do lado humano, certos homens foram escolhidos por Deus para a elevada honra e responsabilidade de receber a Palavra de Deus e transcrevê-la em forma escrita. Ao admitir que é propósito de Deus colocar sua Palavra em forma escrita nas mãos dos homens, o método que Ele empregou para fazer isto é o modo natural no qual isso seria feito. Contudo, como emprego de autores humanos criou muitos problemas. Parece razoável concluir que o produto de uma autoria dual não poderia ser uma Palavra de Deus inerrante se os autores humanos têm alguma coisa a ver com ela. Visto que Ele combina na união hipostática tanto a natureza divina quanto a humana, a mesma questão é apresentada a respeito da pessoa teantrópica de nosso Senhor.

A junção de uma natureza humana em seu ser singular introduz todas as restrições e limitações nesse Ser que estão na humanidade? Poucos, de fato, afirmarão que qualquer pessoa da Trindade não seja perfeita, ou que qualquer palavra que Deus fale não seja pura como Ele é puro. O elemento de dúvida é introduzido onde quer e quando quer que o elemento humano venha a ser combinado com o que é divino.

O termo Λόγος (*Logos* – Verbo) é usado no Novo Testamento cerca de duas centenas de vezes para indicar a Palavra de Deus escrita, e sete vezes para indicar o Filho de Deus – a Palavra Viva de Deus (Jo 1.1, 14; 1 Jo 1.1; 5.7; Ap 19.13); e é importante reconhecer que qualquer uma dessas formas de *Logos*, tanto os elementos divinos quanto humanos aparecem numa união sobrenatural. Estas duas formas de *Logos* estão sujeitas a várias comparações: Elas são, igualmente, a *Verdade* (Jo 14.6; 17.17); *eterna* (Sl 119.89; Mt 24.34, 35; 1 Pe 1.25); *vida* (Jo 11.25; 14.6; 1 Pe 1.23; 1 Jo 1.1); *salvadora* (At 16.31; 1 Co 15.2); *purificadora* (Tt 2.14; 1 Pe 1.22); *santificadora* (Jo 17.17; Hb 10.14); *geradora da vida* (1 Pe 1.23; Tg 1.18); *juiz* (Jo 5.26,27; 12.48); *glorificada* (Rm 15.9; At 13.48). Enquanto a *teologia* é a Θεολογία (*theologia*, ou a 'logia de Deus'), o Λόγος de Deus é a expressão de Deus – seja a Palavra Viva ou a Palavra de forma escrita.

Ao basear a sua confiança em tais Escrituras, como Lucas 1.35 que registra a palavra do anjo a Maria "o que há de nascer será chamado santo, Filho de Deus" –, e Hebreus 4.15, onde é dito que Cristo, o Sumo Sacerdote perfeito, foi tentado em todas as coisas como nós, mas sem pecado – a saber, à parte das tentações que surgem de uma natureza pecaminosa –, a Igreja tem crido com plena justificativa que Cristo, o Verbo divino, era não somente livre da prática do pecado, mas também era livre da natureza pecaminosa, e que a perfeição de sua divindade não foi de modo algum prejudicada por sua união com a sua humanidade. De maneira semelhante e com a mesma justificativa, a Igreja acredita que a perfeição da Palavra de Deus tem sido preservada, ainda que escrita por autores humanos.

BIBLIOLOGIA

O paralelo entre a Palavra Viva e a Palavra Escrita é sustentado somente até determinado grau. Há dissimilaridades importantes também. Um Livro inerrante, embora produzido pelo Espírito Santo, e vivo e ativo, usado por Ele, está muito longe da idéia da encarnação infindável do Filho de Deus em união com a sua própria humanidade não-caída. Não há união hipostática ou conjunção de naturezas na Palavra Escrita; na verdade, há uma enorme diferença a ser observada: enquanto a humanidade de Cristo não era caída e de nenhum modo sujeita à natureza adâmica, os autores humanos da Bíblia eram caídos, cujo pecado é mencionado no Texto Sagrado, sem hesitação. No caso da Palavra Viva, a natureza humana nunca poderia pecar, visto que ela nunca poderia agir fora de sua relação com a natureza divina. No caso da Palavra Escrita, o elemento humano foi mantido na única tarefa de um escrito inspirado, que de modo algum tendia a governar a conduta pessoal do autor humano, nem a área em si continuava além do tempo exigido para completá-la.

No registro das Escrituras, os autores humanos escreveram com tal liberdade a ponto de deixarem evidência de suas características humanas pessoais; todavia, esses autores não cometeram erros, enquanto estavam na tarefa de escrever, não lhes foi permitido agir à parte ou ao contrário da mente precisa de Deus, de quem eles escreveram a Palavra. Eles foram literalmente "movidos" pelo Espírito Santo (2 Pe 1.21).

Se à verdade com respeito à inspiração precisa ser dado pleno reconhecimento, tanto a autoria divina quanto a humana devem ser vistas e aceitas em plenitude. Deus foi o único autor do Decálogo quando ele foi escrito nas tábuas de pedra. O elemento de inspiração e o da autoria dual apareceram quando Moisés, com a exatidão que a inspiração assegura, transcreveu o Decálogo no manuscrito do livro de Êxodo. Por outro lado, cada palavra da Bíblia é de autoria humana, uma composição humana, aspecto esse da inspiração que é de grande importância.

Talvez seja uma fraqueza devido à Queda o fato de o homem parecer nunca ser capaz de preservar um equilíbrio da verdade, mas tenda a oscilar de um extremo a outro. Essa propensão é mostrada na pessoa teantrópica de Cristo. Alguns tendem para a direita e, dessa forma, enfatizam a sua divindade e desconsideram a sua humanidade, enquanto outros tendem para a esquerda e, dessa forma, enfatizam sua humanidade e ignoram e desonram a sua divindade. A verdade a respeito da pessoa teantrópica de Cristo é descoberta quando, totalmente à parte da capacidade ou incapacidade do homem de entender tudo esteja envolvida, cada uma das duas autorias é reconhecida em seu caráter não diminuído e intrínseco. A Bíblia não é humana quanto à sua *fonte*, nem o homem contribui para qualquer aspecto de sua infalibilidade ou autoridade.

Contudo, isto acontece por intermédio do homem como meio ou instrumento. Esse meio ou instrumento é um fator vivo, voluntário e inteligente em sua produção. Sem dúvida, os homens poderiam captar melhor a idéia da autoria da Bíblia se ela lhes viesse como unicamente obra deles – uma coleção de noções, desejos e opiniões humanos que mesmo o mais sábio dos homens poderia compor –, ou como um edito de Deus – escrito somente e diretamente pelo dedo de Deus. Semelhantemente, a dificuldade poderia ser aliviada se a Bíblia fosse declarada ser de duas autorias no sentido em que algumas partes dela fossem somente o produto de Deus e outras partes somente o produto de homens, amalgamando-se somente ao grau em que as duas mensagens são aglutinadas em um volume. Praticamente, toda *teoria* da inspiração é uma exibição de uma ou outra dessas tendências naturais.

Embora seja um pouco mais difícil, o caminho da verdade é observar e respeitar a autoria dual da Bíblia, além de dar a cada uma das partes a importância plena, inerente e não diminuída. Após demonstrar a autoria divina da Escritura, é natural, quando se tenta proteger a pureza dela, afirmar que os autores humanos foram meras *penas* de escrever nas mãos de Deus, e não escritores; é natural afirmar que eles eram sem volição e que, como autômatos, escreveram somente as palavras que lhes foram ditadas. Esse conceito faz a autoria humana desaparecer. Por outro lado, após demonstrar a autoria humana, é natural, quando se tenta conservar a importância disso, afirmar que as Escrituras são sujeitas a limitações e erros como o produto de qualquer autor humano. Esta última linha de pensamento pode ser expandida da seguinte forma: Se há um elemento humano nos escritos, eles devem ser falíveis, e se são falíveis em qualquer grau, eles são inexatos e inverossímeis.

Embora haja sugestões secundárias e variações sugeridas, há apenas quatro classificações primárias de opinião com respeito à inspiração. Elas são: (a) A Bíblia é de autoria divina quase que exclusivamente; (b) A Bíblia é de autoria humana quase que exclusivamente; (c) A Bíblia é em algumas partes quase exclusivamente divina e em outras partes quase exclusivamente humana; e (d) A autoria divina e a autoria humana são ambas sem prejuízo uma para a outra, e se mostram totalmente presentes em cada palavra desde a primeira até a última. O final destas quatro qualificações é declarado ser a verdadeira apresentação do fato da inspiração. Esta solução é sem dúvida para o homem natural mais carregada de dificuldades do que todas as outras três juntas, e somente por causa da preponderância do elemento sobrenatural nela. Assim, a pessoa de Cristo seria muito mais facilmente compreendida sob a hipótese de Apolinário em que Jesus é quase todo divino, ou debaixo da concepção de Ário, onde Ele é quase totalmente humano.

Mas, não obstante essas dificuldades para o homem natural que são introduzidas pelo elemento sobrenatural, as Escrituras apresentam uma pessoa teantrópica em quem ambas, a natureza divina e a humana, subsistem cada uma em sua plenitude, sem qualquer diminuição. Assim acontece com a autoria dual da Palavra Escrita de Deus.

Se a conjunção das duas autorias envolvesse contradições lógicas ou a composição de princípios opostos, uma objeção poderia ser levantada contra ela. Mas no caso da autoria dual da Escritura, os elementos que se amalgamam são da mesma natureza, e por arranjo divino convergem para o que conhecemos como os oráculos escritos de Deus. Se esta autoria combinada não pode ser entendida, ela não pode ser crida. Em todos os assuntos sobrenaturais, os homens são incapazes de entender, mas eles são capazes de crer. "Um homem que se recusa a crer em qualquer coisa que ele não entende, terá um credo muito pequeno."[26] Não somos capazes de explicar o modo da união das autorias, nem somos livres para resolver o problema, quando rejeitamos suas alegações.

Philip Schaff escreveu: "A Bíblia é inteiramente humana (embora sem erro) no conteúdo e na forma, no modo de seu surgimento, de sua compilação, de sua preservação e transmissão; todavia, ao mesmo tempo inteiramente divina tanto nos seus pensamentos quanto nas suas palavras, na sua origem, vitalidade, energia e efeito".[27]

O lado humano da autoria dual das Escrituras torna-se muitíssimo complexo pelo fato de mais de 40 homens terem participado neste serviço incomparável. Em outros livros que não a Bíblia, há a autoria humana somente, mas Deus exerceu o seu próprio poder que operou em muitos escritores; todavia, Ele preservou a unidade de sua revelação, e, ao mesmo tempo, demonstrou o seu controle sobre homens de qualificações de autoria de vários níveis. A imaginação humana dificilmente poderia visualizar o que a Bíblia teria sido se ela fosse a obra de apenas um homem. Todos os homens não são naturalmente historiadores, ou poetas, ou amantes da lógica. Para assegurar que a Escritura pudesse incorporar tal diversidade de aspectos literários, Deus evidentemente empregou os talentos pessoais de autores humanos, e selecionou-os de acordo com a capacidade natural deles para a tarefa que Ele lhes entregou.

Moisés, como historiador, Davi, como o doce cantor, e Paulo, como especialista em lógica, são apenas exemplos. Quando – ao seguir a morte, a ressurreição de Cristo e o dia de Pentecostes – o novo sistema de verdade que é chamado *cristianismo* estava para ser introduzido e desenvolvido, Deus não recrutou um dos doze que (por causa de três anos e meio de associação com Cristo) naturalmente teria sido selecionado, mas, após chamá-lo de seu estado de não-regenerado pela salvação, Ele preparou e usou o maior intelecto de sua geração, se não de todas as gerações. Mas se fosse Moisés, Isaías, Daniel, João ou Paulo, o fato padronizado permanece à parte da forma de literatura que eles produziram e de suas qualificações pessoais para o que fizeram, o autor humano escreveu em sua pureza a mensagem sublime que lhe foi entregue, e a totalidade desses escritos – que são singulares por causa de sua autoria dual – constitui os oráculos de Deus.

Uma tríplice afirmação do Dr. Basil Manly é abrangente com respeito à autoria dual da Escritura:

1. "A Bíblia é verdadeiramente a Palavra de Deus, tendo a verdade infalível como a autoridade divina em tudo o que ela afirma ou ordena.
2. "A Bíblia é verdadeiramente a produção de homens. Ela é marcada por todas as evidências da autoria humana tão clara e certamente como qualquer outro livro que já foi escrito por homens.
3. "Essa autoria dupla estende-se a cada parte da Escritura, e à linguagem assim como às idéias gerais expressas."

Ou pode ser sumariado numa única afirmação: "A totalidade da Bíblia é verdadeiramente a palavra escrita por homens, mas que é de Deus".[28]

IV. A Palavra de Deus a Respeito da Palavra de Deus

As evidências internas da Bíblia de que ela é a Palavra de Deus completa e inerrante são tanto múltiplas quanto manifestas. Como o bispo Butler tem dito com respeito à evidência do cristianismo, assim pode ser dito a respeito das evidências da inspiração: elas são "de grande variedade e alcance, ...e formam, todas elas juntamente, um argumento; a convicção advinda daquela espécie de prova pode ser comparada ao que eles chamam *o efeito* na arquitetura ou em outras obras de arte, um resultado de um grande número de coisas de tal maneira dispostas, e vistas em conjunto".[29] Na verdade, a evidência interna da Bíblia é tão extensa que para fazer uma tabela disso se requer um estudo cuidadoso e exige-se a referência de quase todas as páginas das Escrituras – uma tarefa que poucos (se é que há alguém) têm se aventurado a fazer.

Esta vasta quantidade de material quando reunido e classificado, e emprega-se a figura da arquitetura do bispo Butler, incluiria cada forma de asseveração desde as pedras fundamentais da asserção direta até o último adorno das implicações. Extenso argumento de natureza polêmica pode surgir com o uso de uma palavra ou um texto das Escrituras que pugna por um aspecto da inspiração, mas a *doutrina* da inspiração em si mesma é abrangente, envolve tudo e apresenta a indução de tudo aquilo que a Bíblia declara ou sugere em seu próprio favor.

Pode ser deduzido do grande volume de literatura produzida que, das principais passagens que dão apoio à reivindicação que a própria Escritura faz da inspiração, duas são de importância insuperável – 2 Timóteo 3.16 e 2 Pedro 1.21. Essas passagens não somente apresentam uma reivindicação direta e injustificada da inspiração, mas a abrangência delas provocou as maiores e vigorosas tentativas da parte de homens sem simpatia pela doutrina da inspiração verbal e plenária de diminuir a força da evidência que essas passagens oferecem, através da manipulação exegética. É duvidoso que qualquer palavra original do Novo Testamento tenha sido tão escrutinizada debaixo dos raios da pesquisa acadêmica do que a palavra Θεόπνευστος (*theopneustos* – "inspirada", uma palavra evidentemente composta de Θεός – 'Deus' –, e πνέω – 'sopro', cf. a tradução de Jó 32.8 – "o sopro do Todo-poderoso"); palavra que, qualquer que seja o seu significado, abrange a idéia central ou básica da primeira destas duas passagens.

É razoável crer que, com respeito às línguas em que os oráculos de Deus foram escritos, houve supervisão divina. Desenvolvidas por meio do processo natural pelo qual todas as línguas emergem, certas palavras foram introduzidas divinamente com seu significado determinado e preservadas com uma visão do serviço muito importante que elas haveriam de prestar e a verdade precisa que elas iriam comunicar na Palavra escrita de Deus. É igualmente concebível que certas palavras precisariam ser imediatamente cunhadas e indicariam aspectos dos relacionamentos sobrenaturais e dos empreendimentos que poderiam ter tido pouca ou nenhuma oportunidade de expressão antes e durante os tempos quando a língua em questão servia como a enunciação de coisas mundanas e aquilo que é nascido da mera especulação humana.

A palavra Θεόπνευστος aparece apenas uma vez no Novo Testamento, e provavelmente não apareça no grego secular. No âmago do problema, é de se supor que nada exatamente similar à idéia de inspiração divina, de oráculos escritos, tenha surgido entre os povos helênicos que exigiam esta expressão. É uma suposição justa que esta palavra crucial seja de origem divina, criada por Deus, com o objetivo de elucidação de uma concepção que não somente é estranha ao âmbito das coisas humanas, mas é suprema no âmbito das divinas. Assim, os escritores do Novo Testamento encontraram um número considerável de palavras preparadas e introduzidas divinamente que foram capazes de ter uma expansão em seu significado, a fim de comunicar verdades que não haviam sido anteriormente reveladas. O estudante fará bem em observar neste ponto as muitas palavras compostas com Θεός Χριστός, e Πνεῦμα, que o seu vocabulário permite.

O único texto onde Θεόπνευστος aparece – 2 Timóteo 3.16,17 – diz o seguinte: "Toda Escritura é divinamente inspirada e proveitosa para ensinar, para repreender, para corrigir, para instruir em justiça; para que o homem de Deus seja perfeito, e perfeitamente preparado para *toda boa obra*". A frase "toda escritura", como usada aqui, é naturalmente idêntica no escopo do seu significado com a afirmação no versículo precedente, onde o apóstolo relembra Timóteo que "desde a infância sabes as sagradas letras", e estas, é declarado no texto, são capazes de fazê-lo sábio para a salvação pela fé em Cristo Jesus. Variadas e maravilhosas são as coisas, na forma como estão enunciadas neste contexto, que as Escrituras são capazes de fazer, e também porque elas são *proveitosas* para o "homem de Deus". Estes valores afirmados são muito pouco desafiados; a controvérsia centra-se antes sobre as duas frases – *toda escritura* e *inspirada por Deus*.

Quando empreendemos determinar apenas o que está incluído na frase *toda escritura*, é bom lembrar que 2 Timóteo é a última epístola do apóstolo, escrita, parece-me, ao aproximar-se o seu martírio. Mas àquela altura, tudo do Novo Testamento já fora escrito – exceto somente os últimos escritos do apóstolo João. 2 Pedro 3.16 claramente designa os escritos do apóstolo Paulo como "escritura", e o próprio Paulo, como está registrado em 1 Timóteo 5.18, ao citar Deuteronômio 25.4, declara: "Não atarás a boca ao boi quando debulha", a fim de considerar como Escritura, e acrescenta o dito de Lucas 10.7: "Digno é o trabalhador do seu salário", também como Escritura de autoridade igual. Assim, numa data tão precoce, o Evangelho de Lucas – escrito por um dos que não pertencem aos doze – é aceito pelo apóstolo como Escritura normativa.

Com respeito aos próprios apóstolos, Pedro escreve: "...para que vos lembreis das palavras que dantes foram ditas pelos santos profetas, e do mandamento do Senhor e Salvador" (2 Pe 3.2). Além desta clara evidência quanto ao fato de que a frase *toda escritura* incluía uma grande parte do Novo Testamento, é acordado com a simples fé para crer que Aquele que "chama as coisas que não são, como se já fossem" (Rm 4.17), quando redigiu a passagem em questão, incluiu nesta frase tudo que, em seu propósito soberano, teria sido escrito, com a Escritura que havia sido escrita até àquela altura. Assim, pode ser concluído que as palavras *toda escritura* não são nada mais nada menos do que está incorporado na Bíblia.

Com respeito à segunda frase – *inspirada por Deus* – há muito mais dissensão. A palavra *inspiração* em nossa língua vem do latim *spiro* e a passagem em questão é traduzida na Vulgata como *Omnis scriptura divinitus inspirata*, ao passo que a grega é πᾶσα γραφὴ Θεόπνευστος (*pasa graphe theopneustos* – "toda escritura é inspirada por Deus"). Muita coisa de interesse pode ser reunida das várias traduções desta frase.

A versão Etíope traduz: "e toda escritura está no (pelo) Espírito do Senhor".

A versão de Wicliff: "Toda escritura de Deus inspirada".

A versão de Tyndale: "Toda escritura é dada por inspiração de Deus".

A versão de Cremer (*Bíblico-Theological Lexicon of N.T. Greek*, ed. 2): "Promovida por Deus, divinamente inspirada".

Thayer-Grimm (*Greek-English Lexicon of N.T.*): "Inspirada por Deus".

Robinson (*Greek and English Lexicon of N.T.*, new ed.): "Soprada por Deus, inspirada de Deus".

Warfield: "Toda escritura visto que é soprada por Deus".

The Revised Version: "Cada escritura inspirada por Deus".

À parte da tradução da Revised Version, que parece deixar lugar para a idéia de que *alguma* parte da Escritura pode não ser inspirada, estas traduções expressam, com toda a força que uma língua é capaz de expressar, a verdade de que as Escrituras são inspiradas por Deus. A questão em pauta é se a expressão inspirada por Deus deve ser tomada na forma *passiva* que implica somente que, com relação à sua *fonte*, toda Escritura é o sopro de Deus – sua característica distintiva constitui o fato de que ela se origina em Deus e procede dEle –, ou se essa expressão deve ser tomada em sua forma *ativa* que implicaria que a Escritura é permeada e impregnada com o sopro de Deus – sua característica distintiva constitui o fato que ela recebeu por comunicação ou *in*spiração o sopro de Deus.

A passagem prossegue e diz que as Escrituras são poderosas; não é demais dizer delas que elas têm o predicado de tornar os homens "sábios para a salvação", que elas são "proveitosas para ensinar, para repreender, para corrigir, para instruir em justiça", e que por elas o "homem de Deus seja perfeito, e perfeitamente habilitado para toda boa obra". Há, parece-me, duas afirmações feitas. (a) Toda Escritura é inspirada por Deus e (b) toda Escritura é proveitosa. Indubitavelmente, ela é proveitosa porque é inspirada por Deus; mas a palavra Θεόπνευστος não se refere à *in*spiração que os homens recebem de uma mensagem, mas da *ex*piração [transmissão] daquela mensagem de Deus. A mensagem é diferente e o seu efeito supera porque ela é inspirada por Deus e não porque ela foi transmitida exatamente pelos homens.

Ela tem sido transmitida e o poder determinante de Deus estava sobre os autores humanos; mas a afirmação de 2 Timóteo 3.16 enfatiza somente a expiração de Deus. Cito novamente o Dr. Warfield, e não há autoridade maior neste assunto da inspiração: "O que é Θεόπνευστος é 'soprado por Deus', produzido pelo sopro criador do Todo-poderoso. E a Escritura é chamada Θεόπνευστος, a fim de designá-la como 'soprada por Deus', o produto da expiração divina, a criação daquele Espírito que está em todas as esferas da atividade divina, o executivo da divindade... Ela não expressa um sopro na Escritura por Deus. Mas a concepção comum ligada a ela, seja entre o Pai ou os dogmáticos, é vindicada de um modo geral. O que ela afirma é que as Escrituras devem a sua origem a uma atividade de Deus, o Espírito Santo e elas são no seu sentido mais verdadeiro e mais elevado, uma criação dEle. É sobre este fundamento da origem divina que todos os elevados atributos da Escritura são edificados".[30]

O resultado de tanta discussão parece ao mesmo tempo explícito e inequívoco. As Escrituras em sua inteireza são eficazes, visto que elas são de Deus, sopradas por Ele, dadas por Ele e determinadas por Ele.

A segunda passagem importante, 2 Pedro 1.21: "Porque a profecia nunca foi produzida por vontade dos homens, mas os homens da parte de Deus falaram movidos pelo Espírito Santo", trata o problema da inspiração de outro ângulo. Como Θεόπνευστος indicou que as Escrituras se originaram com Deus, e são, portanto, a Palavra de Deus, φέρω (*pherō* – 'movidos') indica o fato que o Espírito trabalhou em homens santos de Deus para assegurar por intermédio deles um registro inerrante da mente de Deus. As duas passagens são suplementares e juntas formam a revelação total, a saber, que (a) a Palavra veio de Deus como o seu próprio *spiro* ou 'sopro', e (b) que debaixo do 'inflatus' ou *inspiro* de Deus, a Palavra foi fielmente transcrita por homens santos escolhidos para esse elevado serviço.

O contexto dessa segunda passagem principal é igualmente importante. Pedro declarou que o grande tema da profecia – "o poder e a vinda de nosso Senhor Jesus Cristo" (como previsto e prefigurado na transfiguração) – é atestado por "testemunhas oculares" que estiveram com Cristo no monte santo; mas esta verdade é tornada "mais segura" pela palavra da profecia (ou, melhor, palavra profética); e a referência aqui é para as Escrituras inspiradas como um todo e não meramente para aquela porção que denota o elemento excepcional da predição. Os escritores das Escrituras eram todos profetas no significado mais lato do termo e os seus escritos são proféticos (cf. At 3.21; 10.43), nos quais o aspecto da proclamação é mais importante do que o da predição.

A referência a "homens santos" deve ser recebida de acordo com o significado da raiz da palavra *santo*, ou *santificado*, que deve ser *colocado à parte* [ou separado] para um serviço ou propósito específico. Eles eram eleitos de Deus para este ministério e não há outra referência à santidade das vidas deles. Contudo, a experiência de Isaías na qual seus lábios foram purificados com a brasa tirada do altar é sugestiva (Is 6.1-8).

A palavra φέρω, da forma em que é usada nesta passagem, contém nela a preocupação secreta da influência particularizada do Espírito Santo sobre esses homens escolhidos, cuja influência assegurou as Escrituras inspiradas. A palavra é extraordinariamente expressiva e sugere o efeito do vento sobre as velas de um barco, vendaval esse pelo qual o *barco é movido*. Enquanto φέρω indica o controle divino dos autores humanos, ele permite em sua amplitude de expressão uma variedade indefinida de modos na qual o fim será alcançado.

A essa altura, as chamadas *teorias* da inspiração são apresentadas. Muito freqüentemente essas propostas consistem de uma tentativa de intrometer-se nos mistérios não revelados sobre *como* Deus moveu os homens escolhidos para escrever o que escreveram. Sobre este assunto as Escrituras emudecem. Os escritores às vezes dão um testemunho muito breve, mas expressivo. Lemos: "Disse o Senhor a Moisés" (Êx 4.19; cf. Dt 34.10); a "visão" que Isaías "teve" (Is 1.1; cf. Hc 1.1; Ml 1.1); "A palavra do Senhor veio a Jeremias" (Jr 1.2; cf. Os 1.1; Jn 1.1; Mq 1.1; Sf 1.1. Ag 1.1; Zc 1.1). A Daniel Deus apareceu em "visões" e "sonhos". João declara que o seu testemunho é "verdadeiro" (Jo 19.35; 1 Jo 1.1-3). E o apóstolo Paulo escreve: "Se alguém se considera profeta, ou espiritual, reconheça que as coisas que vos escrevo são mandamentos do Senhor" (1 Co 14.37).

Com relação ao *como* a revelação divina foi dada ao autor humano, ninguém além de Deus ou o seu eleito poderia saber. Isso aconteceu totalmente dentro daqueles relacionamentos pessoais e sagrados nos quais ninguém mais poderia se intrometer. Aqui, a alma devota hesitará e o espírito prudente ao menos respeitará o silêncio de Deus. É possível que, como o testemunho destes escritores sugere, houvesse não somente uma variedade de maneiras na qual Deus falou em tempos diferentes a um mesmo homem. As Escrituras ensinam com grande abundância com relação ao *fato* da inspiração, mas não oferecem qualquer explicação desse fenômeno. O *como* de todo milagre está ausente, e a inspiração é um milagre. A respeito desse e de todos os milagres, o homem é chamado para *crer* e não para *elucidar*. Cristo chamou a atenção para as limitações do homem quando disse: "O vento sopra onde quer, e ouves a sua voz; mas não sabes donde vem, nem para onde vai" (Jo 3.8). Se, após *experimentar* o milagre da regeneração, os homens ainda são incapazes de apreender esse mistério, como poderiam eles discernir as obras do Espírito Santo nas esferas em que eles nunca experimentaram?

A respeito dessas *teorias*, ou suposições, alguns fatos danosos podem ser observados:

(a) Para aqueles que, em seu zelo pela autoridade de Deus, têm sugerido que os autores humanos eram autômatos, pode ser dito que a evidência é completa o suficiente para demonstrar o fato que estes homens escolhidos exerceram cada aspecto de suas próprias volições e características; todavia, eles foram capacitados a escrever somente o que o Espírito Santo determinou. À parte deste conceito de inspiração não poderia haver um tipo de autoria dual;

(b) Para aqueles que reivindicam que esses homens eleitos escreveram sob a influência das faculdades humanas elevadas e através do exercício da genialidade poética superior, pode ser dito que o caráter da verdade revelada demonstra que ela é a Palavra de Deus, digna de Deus, e isto nunca poderia estar debaixo das provisões que essa teoria sugere;

BIBLIOLOGIA

(c) Para aqueles que persistem na noção de que a inspiração tornava os homens eleitos infalíveis e oniscientes, pode ser dito que a evidência prova que os homens foram capacitados somente para a transcrição da verdade e freqüentemente eles podem não ter compreendido a plenitude de tudo aquilo que eles escreveram;

(d) Para aqueles que imaginam que a inspiração, no que diz respeito aos autores humanos, tende a elevar cada passagem ao mesmo nível de importância espiritual, pode ser dito que nessa esfera da inspiração o seu alvo e o seu propósito são o de assegurar uma transcrição exata da mensagem dada por Deus.

A filosofia de Bildade, como está registrada em Jó, não é da mesma utilidade para os perdidos como o é o Evangelho da graça divina; mas ambos são exatamente o que Deus pretendeu incluir em sua Palavra – cada um em seu lugar e para o seu propósito. Jeová disse: "Assim será a palavra que sair da minha boca; ela não voltará para mim vazia, antes fará o que me apraz, e prosperará naquilo para que a envei" (Is 55.11). De igual modo, a inspiração pode registrar a inverdade de Satanás, mas ela não vindica a mentira ou a santifica. Ela assegura o registro exato para o que foi dito – seja coisa boa ou má. Muitas ações indignas estão registradas, mas não aprovadas por Deus.

Ao falar sobre a liberdade geral dos autores humanos, Alexander Carson disse: "A inspiração... deixou os historiadores inspirados sob o poder e ordem das mesmas leis e influências que guiam outros autores em suas composições, com a única exceção de serem sobrenaturalmente preservados do erro".[31] Essa afirmação não deixa lugar para a recepção da mensagem. Os autores foram preservados do erro, mas eles não deram origem à mensagem. Eles puderam ser exatos em declarar os seus próprios pensamentos. Eles foram, contudo, exatos na declaração dos pensamentos de Deus que haviam recebido dele.

Assim, pode ser visto que a importância específica de 2 Pedro 1.21 e o seu contexto centra-se na palavra φέρω que distingue os escritos de certos homens escolhidos que falaram enquanto foram *movidos* pelo Espírito Santo. A mensagem deles era a Palavra de Deus, e assim a autoria dual fica preservada.

Outra passagem de grande importância é a de João 10.34,35, em que é relatado que Cristo, enquanto falava a judeus a respeito de suas queridas Escrituras, disse: "Não está escrito na vossa lei? e "a Escritura não pode ser anulada". As três palavras, *Escritura, Lei* e *Profecia* são intercambiáveis, se porventura se referem, como cada uma delas freqüentemente faz, ao conjunto todo da verdade revelada. Neste contexto, Cristo afirma que uma coisa escrita na *Lei* deles não é nada mais além de *Escritura*, que não pode ser anulada. Essa passagem é um exemplo da honra irrestrita e imutável que Cristo deu às Escrituras como os oráculos normativos de Deus. Conforme o registro, a sua primeira elocução após o seu batismo foi um tríplice desafio a Satanás, e a sua vitória sobre o diabo foi adquirida pelas palavras: "Está escrito".

Através de todo seu ministério, Cristo constantemente declarou que as Escrituras devem ser cumpridas, e concedeu, assim, honra a elas (Mc 14.49; Jo 13.18; 17.12; cf. 12.14; Mc 9.12-13). Semelhantemente, no caminho de Emaús

Ele "começando por Moisés e por todos os profetas, explicou-lhes o que dele se achava em todas as Escrituras" (Lc 24.27). Ele também disse que as Escrituras (continuamente) "testificam de mim" (Jo 5.39). Dessa forma, Cristo atribuiu às Escrituras a palavra final de autoridade. Quando lemos o Evangelho de Mateus, este fato encontra-se muito claro – 4.4,7,10; 11.10; 19.4; 21.13,42; 22.29; 26.31,56. Um raciocínio igualmente extenso poderia facilmente ser deduzido das passagens que demonstram a autoridade com que todos os escritores do Novo Testamento estiveram de acordo.

O testemunho que a Bíblia apresenta com respeito à sua própria inspiração encontra-se em todas as suas partes. Cada autor testemunha do caráter sobrenatural de seus escritos. Mas a evidência mais conclusiva de que a Bíblia é inspirada está num fato duplo: (a) que Cristo aceitou o Antigo Testamento na sua totalidade assim como cada parte separada, e (b) que o Novo Testamento foi escrito em Sua direção e que aos autores humanos foi prometida a capacidade supra-humana de escrever de acordo com a mente de Deus.

Quando se contempla as próprias alegações da Escritura com respeito à sua inspiração, de grande importância, na verdade, são aquelas passagens em queDeus e sua Palavra são tratados como uma e a mesma coisa. Está escrito em Gálatas 3.8: "Ora, a Escritura, prevendo que Deus havia de justificar pela fé os gentios, anunciou previamente a boa nova a Abraão". Àquela altura, certamente as Escrituras, como tal, não tinham ainda sido escritas, não pregaram a Abraão, mas Deus pregou. Assim, em Romanos 9.17: "Pois diz a Escritura a Faraó: Para isso mesmo te levantei: para em ti mostrar o meu poder, e para que seja anunciado o meu nome em toda a terra". Todavia, Êxodo 9.16, que é o texto aqui citado, afirma que é a Palavra de Jeová a Faraó através de Moisés. É patente o fato de que as Escrituras que ainda não haviam sido escritas não poderiam ser responsáveis pelo levantamento de Faraó para um propósito específico; mas a Palavra de Deus, seja falada ou escrita, é identificada com o próprio Deus.

Deve ser observado especialmente que frases como: "Ele disse", "Ele falou", ou "Ele dá testemunho" etc., indicam a voz de Deus ao falar qualquer coisa que tenha sido dita. As expressões freqüentemente repetidas: "A palavra do Senhor", "A Lei do Senhor", "os oráculos de Deus", certificam sem exceção a autoridade divina. Porque ela é a sua Palavra, ela permanecerá para sempre (Is 40.8). Homens foram designados para pregá-la como Palavra de Deus (Rm 10.17; 1 Co 14.36); e assim ela veio, primeiro a Israel (At 10.36,37), e então aos gentios (1 Ts 2.13).

Por fazer uma reivindicação de sua própria inspiração, a Bíblia coloca forte ênfase no fato de que homens foram capacitados a escrever ou a falar a Palavra de Deus: "Como é que Davi, no Espírito, lhe chama Senhor" (cf. Sl 110.1 com Mt 22.43); "Que pelo Espírito Santo, por boca de nosso pai Davi, teu servo, disseste" (At 4.25); "Ora, tudo isso aconteceu para que se cumprisse o que fora dito da parte do Senhor pelo [através do] profeta" (Mt 1.22; 2.15); "Pelo que, como diz o Espírito Santo..." (Hb 3.7; cf. Sl 95.7); "E o Espírito Santo também no-lo testifica" (Hb 10.15; cf. Jr 31.33-34). A Moisés Jeová disse: "Vai, pois,

BIBLIOLOGIA

agora, e eu serei com a tua boca e te ensinarei o que hás de falar" (Êx 4.10-12); "Eu porei as minhas palavras na tua boca" (Dt 18.18, 19); "O meu Espírito que está sobre ti, e as minhas palavras, que pus na tua boca" (Is 59.21); "Veio a mim a palavra do Senhor, dizendo... porque a todos a quem eu te enviar, irás; e tudo quanto te mandar dirás" (Jr 1.4-9).

Os escritores do Novo Testamento da mesma maneira foram a voz de Deus. Quando estava para deixar este mundo, Cristo entregou não somente a tarefa a todos de sua Igreja para serem testemunhas, mas assegurou aos homens escolhidos que eles seriam chamados a registrar o que Ele dissera. Foi-lhes dito que o Espírito Santo lhes "ensinaria todas as coisas", "fazendo-lhes lembrar todas as coisas", que "os guiaria a toda verdade", e lhes mostraria "as coisas vindouras" (Jo 14.25, 26; 15.26, 27; 16.12-15). Embora haja uma aplicação geral para estas palavras a todos os crentes no sentido em que o Espírito Santo é o mestre deles, é evidente que esta obra específica do Espírito é o fato do fazer lembrar poderia ser experimentado somente por aqueles a quem Cristo falara. O apóstolo Paulo não era um dos doze e, portanto, ele nunca reivindicou ter tido a instrução deles.

Não obstante, ele testifica a respeito do poder energizador direto do Espírito Santo. Paulo escreveu: "...as quais também falamos, não com palavras ensinadas pela sabedoria humana, mas com palavras ensinadas pelo Espírito Santo, comparando coisas espirituais com espirituais" (1 Co 2.13; cf. 14.37; 2 Co 13.2, 3; Gl 1.8-12; Ef 3.1-7; 1 Ts 2.13; 4.2, 8, 15; 2 Ts 2.13-15. Observe outras passagens do Novo Testamento: 1 Pe 1.10-12; 2 Pe 3.1, 2; Ap 1.3, 10, 11, 19; 22.6, 7, 18, 19).

Neste raciocínio parcial de tudo o que a Bíblia assevera com relação à sua própria inspiração, já foi apresentado o suficiente para demonstrar que a inspiração verbal e plenária por si só satisfaz suas próprias reivindicações.

V. Objeções Gerais à Inspiração Verbal e Plenária

Se guardados na mente, certos fatos importantes tendem a dissolver quase todas as objeções registradas com respeito à doutrina da inspiração verbal e plenária, a saber:

(a) O progresso da doutrina, que é observável desde Gênesis até Apocalipse, não sugere que as revelações anteriores e parciais foram errôneas. No final dos três anos e meio de instrução a seus discípulos, Cristo lhes disse: "Ainda tenho muito que vos dizer" (Jo 16.12), mas isso não implicava que o que havia lhes ensinado anteriormente não havia sido verdadeiro. Além disso, e algo similar a isso, uma falácia tem aparecido, a fim de desonrar grandemente a Palavra de Deus. Isto diz respeito ao que Paulo, nos seus últimos anos, recuou da ênfase no retorno de Cristo que ele mostrara nas epístolas anteriores, especialmente a de 1 Tessalonicenses; e nenhuma razão é atribuída para essa tese além do fato, que é afirmado, de ela não aparecer em seus escritos posteriores.

Os escritos posteriores, como é óbvio, enfatizam um tema diferente; mas totalmente à parte desse fato, o último capítulo de sua última epístola apresenta um dos testemunhos mais fortes que o apóstolo deu a respeito da esperança da vinda de Cristo (2 Tm 4.6-8). Tal concepção sugere que o apóstolo estava enganado em suas epístolas anteriores, o que ele cuidadosamente corrigiu nas epístolas que escreveu posteriormente; mas, de acordo com esse pensamento, quem dirá que, se sua vida tivesse sido prolongada, ele não terminaria a sua vida tendo sido desacreditado em *tudo* o que ele escreveu? Duvidar dos seus primeiros escritos é degradar todos os seus escritos, e isto somente por causa do elemento essencial da *inspiração* estar envolvido, e não meramente por causa do descuido de um homem sincero.

Esta situação pode bem servir para ilustrar a angústia em que homens, que questionam a confiabilidade da Bíblia, são lançados, não importa se suas dúvidas surjam do problema do progresso da doutrina como um todo, ou surjam do *suposto* progresso dos autores humanos.

(b) Algumas vezes ocorrem variações nas traduções por causa das línguas diferentes que estão envolvidas. A inscrição na cruz de Cristo foi escrita em hebraico, latim e grego. O apóstolo Paulo comumente citava a versão grega do Antigo Testamento, a LXX [Septuaginta]. Em cada caso de citação do Antigo no Novo Testamento deveria ser lembrado que o Espírito Santo é o autor de ambos os testamentos e que está totalmente dentro de sua esfera de autor, quando, ao citar seus próprios escritos, mudar ou reafirmar qualquer coisa que tenha escrito antes. Isto não implica necessariamente em correção dos escritos anteriores. Pode ser, como acontece no caso com o Espírito Santo, uma adaptação de uma verdade a uma situação nova ou ambiente novo.

Todo estudante piedoso deveria crer, num grau considerável, sobre o cuidado preservador que Deus tem tido sobre cada digna tradução das Escrituras e que nessas traduções nenhum valor doutrinário essencial foi sacrificado.

(c) Na melhor das hipóteses, o entendimento humano é imperfeito. O que pode parecer uma dificuldade agora – como tem sido freqüentemente demonstrado – pode ser completamente resolvido quando todos os fatos se tornam conhecidos. Nesse ponto, a arqueologia tem contribuído muito e, sem dúvida ainda continuará a fazê-lo até o fim.

(d) A reivindicação da inspiração verbal e plenária é feita somente pelos escritos originais e não se estende a quaisquer transcrições ou traduções. É também verdade que nenhum manuscrito original esteja agora disponível. Naturalmente, estes fatos dão surgimento a um questionamento sobre se as presentes traduções existentes – notadamente o texto com o qual alguém está muito familiarizado – são realmente dignas de confiança. Este problema é de séria consideração e tem recebido a atenção dos maiores críticos do texto em todas as gerações da Igreja. Mas duas passagens de comprimento considerável são disputáveis – Marcos 16.9-20 e João 7.53 a 8.11. Destas duas passagens, a última é mais desacreditada do que a primeira. Com relação às dificuldades textuais de um modo geral, as seguintes citações são significativas:

Westcott e Hort:

Com referência ao grande volume de palavras do Novo Testamento, como acontece na maioria dos outros escritos antigos, não há qualquer variação ou outra base de dúvida, e, portanto, não há lugar para crítica textual; e aqui, entretanto, um editor é meramente um copista. O mesmo pode ser dito com verdade substancial a respeito daquelas diversas obras que nunca foram recebidas, e com toda probabilidade, nunca serão recebidas, em nenhum texto impresso. A proporção de palavras virtualmente aceitas como acima de qualquer dúvida é muito grande, não menos, numa rápida contagem, na proporção de sete oitavos do total. Aquele 1/8 remanescente, entretanto, formado em grande parte pelas mudanças de ordem e de outras trivialidades comparativas, constitui-se na área total da crítica. Se os princípios seguidos na presente edição são sadios, esta área pode ser grandemente reduzida. Ao reconhecermos o dever total de abstinência de decisão peremptória em casos onde a evidência deixa o julgamento em suspenso entre duas ou mais variantes, achamos que, ao colocarmos de lado as diferenças de ortografia, as palavras em nossa opinião ainda sujeitas a dúvida somente consistem de cerca de um sexto de todo o Novo Testamento. Nesta segunda estimativa, a proporção de variantes comparativamente triviais é muitíssimo maior do que na anterior; assim, a quantidade daquilo que pode em *algum sentido ser chamado de variante substancial* é apenas uma fração pequena da variante residual total, e dificilmente pode formar mais da *milésima* parte do texto total.[32]

O Dr. Philip Schaff, presidente do Comitê Americano de Revisores, diz:

"Esta grande quantidade de variantes do texto grego não deve desconcertar ou alarmar cristão algum. Ela é o resultado natural da grande riqueza de nossas fontes documentais; ela é um testemunho da imensa importância que o Novo Testamento tem; ela não afeta, mas, ao contrário, assegura a integridade do texto; e ela é um estímulo útil ao estudo.

"Somente cerca de 400 das 100.000 ou 150.000 variantes afetam materialmente o sentido. Destas, não mais do que cerca de cinqüenta são realmente importantes por alguma razão ou outra; e mesmo destas cinqüenta uma sequer afeta um artigo de fé ou um preceito de dever que não seja abundantemente mantido por outras passagens sobre as quais não há dúvida, ou pelo teor total do ensino da Escritura. O *Textus Receptus* de Stephens, Beza, e Ezevir, e das versões inglesas, ensina exatamente o mesmo cristianismo que o texto uncial dos manuscritos Sinaítico e Vaticano, as versões mais antigas, e a Revisão Anglo-Americana."[33]

Conclusão

No campo da discussão quase ilimitado que a doutrina da inspiração apresenta, evidência suficiente tem sido apresentada para demonstrar que a inspiração verbal e plenária é uma reivindicação incondicional que a Bíblia faz de si mesma, o ensino de Cristo e dos apóstolos, e a crença da Igreja desde os seus primórdios. Semelhantemente tem sido assinalado que a Palavra escrita veio de Deus como sua expiração e que homens escolhidos foram capacitados para receber e registrar essa mensagem. Com respeito a como Ele lhes transmitiu essa Palavra e assegurou os oráculos inerrantes nas mãos deles, as Escrituras silenciam. Uma autoria dual é preservada – Deus usou a volição e as faculdades dos autores humanos sem coerção e eles exerceram suas volições e faculdades sem causar dano à mensagem divina.

Aqueles que estão dispostos a discordar destas conclusões devem ajustar contas com Cristo, com os apóstolos e com os profetas de quem, afinal de contas, dependemos para qualquer conhecimento de qualquer verdade. Se o testemunho deles foi anulado com respeito à confiabilidade das Escrituras, deve também ser anulado com respeito a todas as outras coisas.

As doutrinas da revelação, inspiração, canonicidade e autoridade, por estarem intimamente ligadas, obrigam a discussão a seguir, para que completemos o que estudamos anteriormente.

CAPÍTULO V

Canonicidade e Autoridade

A INVESTIGAÇÃO do cânon da Bíblia é uma tentativa de descobrir a verdadeira base de sua autoridade. As Escrituras do Antigo e do Novo Testamento formam um cânon por causa do fato de que elas são normativas. Pelo termo normativa está implícito que a Bíblia em todas as suas partes é a voz de Deus que fala aos homens. Sua *autoridade* é inerente, e, como é, não menos do que um edito imperial: "Assim diz o SENHOR". Quando as Escrituras são julgadas como normativas, por causa dos decretos dos concílios eclesiásticos ou de leis ordenadas pelos governos humanos, elas podem ser consideradas como na medida em que a influência humana é capaz de chegar. Mas, em contraposição a tal idéia, as Escrituras têm direito de declarar a vontade de Deus para os concílios eclesiásticos e os governos humanos.

Semelhantemente, como a autoridade digna pressupõe a capacidade de executar decretos, a Palavra de Deus não somente proclama os Seus propósitos seguros, mas também demonstra a penalidade que deve acontecer quando e onde os homens não forem submissos a ela.

Visto que as Escrituras são imbuídas da autoridade legítima e totalmente justificável de Deus e visto que elas foram escritas pelas mãos de homens e visto que o cânon foi, em alguma medida, determinado por homens, é pertinente inquirir a respeito da natureza da autoridade divina e como ela reside nesses oráculos. Visto que a dúvida tem sido levantada a respeito da inspiração plena das Escrituras, por causa da autoria humana compartilhada, assim, e de igual modo, a dúvida tem sido levantada a respeito da autoridade das Escrituras, porque a parte que o homem compartilha tem exercido influência na determinação de quais escritos deveriam entrar no cânon. Foi demonstrado, em conexão ao estudo da doutrina da inspiração, que Deus usou autores humanos no registro das Escrituras e de tal modo que livrou aqueles escritos de imperfeições que as limitações humanas poderiam impor.

Agora, resta mostrar a verdade de que Deus, embora tenha usado homens na formação do cânon, os usou de tal modo que somente aqueles escritos foram escolhidos para compor os oráculos divinamente estabelecidos com suas perfeições de unidade, equilíbrio e inteireza de suas partes.

Os problemas relacionados à formação do cânon são muito simplificados por determinado fato, a saber, que a Bíblia está presente para evidenciar a sua perfeição divina. Assim, o problema se torna unicamente em se remontar ao ponto de partida proporcionado pelas Escrituras infalíveis. Não há necessidade de se teorizar sobre se é possível reunir uma coleção de escritos – de muitos autores humanos cujas vidas foram vividas em países diferentes e espalhadas através de muitos séculos – um só livro, livro esse que seja digno de Deus. Tal fenômeno estupendo é alcançado e sua realidade não pode ser desconsiderada. Uma devida atenção dada aos fatos envolvidos revelará a verdade de que o método empregado na formação do cânon da Bíblia é tanto natural quanto sobrenatural. Nesse empreendimento há uma exibição da coordenação da determinação divina com a cooperação humana.

Contudo, o elemento da determinação divina é supremo na formação do cânon como o é na autoria dual. A razão obriga a conclusão de que, como Deus produziu a realização de certos escritos incomparáveis, Ele, fielmente, não somente prevalecerá no ajuntamento desses escritos em uma só obra, sem erro nessa seleção, mas também determinará a ordem final deles nesse relacionamento até o fim, para que a sua continuidade singular possa ser mostrada.

Condições determinantes e de longo alcance existiam no tempo em que a Bíblia foi escrita e seu cânon foi formado, que não existem agora. Um reconhecimento pleno dessas condições deve ser sancionado para que uma avaliação verdadeira do problema da canonicidade seja consumada.

As Escrituras de ambos os testamentos foram escritas quando havia muitíssimo pouco esforço literário em produção. Aquela época não era como agora, quando os indivíduos escrevem cartas livremente, quando um exército pródigo de pessoas aspira a autoria de uma espécie ou outra, e quando a produção de literatura religiosa tem alcançado proporções inacreditáveis. Naquela época havia pouca competição e comparativamente pouca necessidade de eliminação. Do pequeno grupo que poderia escrever, somente aqueles que foram movidos por Deus teriam experimentado a motivação impulsionadora que a inspiração comunica.

No caso do Antigo Testamento, os escritos foram produzidos, na sua parte principal, por homens que estavam em posição de autoridade nas coisas religiosas e, em algum grau, da vida civil do povo. Moisés era reconhecido como o representante e o legislador de Jeová. Seus escritos, iguais aos dos profetas que possuíam crédito, não eram nada além do que a apresentação em forma escrita do que havia sido proclamado oralmente e possuía autoridade inquestionável. Na verdade, poucos resistiram à mensagem dos mensageiros reconhecidos de Jeová.

No caso do Novo Testamento, os escritos foram feitos, em sua maior parte, por homens a quem Cristo havia escolhido. O apóstolo Paulo não foi exceção nesta qualificação, visto que o Senhor lhe apareceu e o chamou quando se encontrava no caminho de Damasco. É verdade que estes homens não exerceram influência no mundo ao redor deles e que o mundo nada

BIBLIOLOGIA

teve a ver com a formação do cânon do Novo Testamento. As Escrituras do Novo Testamento foram endereçadas a um pequeno grupo de crentes desprezados (cf. 1 Co 1.26-29); todavia, a resposta espiritual a esses escritos da parte daqueles que constituíam o "pequenino rebanho" tinha tudo a ver com a determinação daquilo que eventualmente entraria na forma final do cânon do Novo Testamento. A comunicação era restrita, e por muitos anos os escritos que eram correntes e eficazes numa localidade não alcançaram todas as localidades.

É provável que nenhuma igreja tenha possuído uma cópia completa de tudo que veio compor o cânon do Novo Testamento até o começo do segundo século. Todas as cópias de porções da Escritura eram manuscritas e poucos, de fato, poderiam possuir esses tesouros. A porção possuída por uma igreja local era preservada com o maior cuidado e sua leitura era uma grande parte da comunhão dos crentes quando eles se ajuntavam. Eles não poderiam ter estado preocupados com o cânon ou com o que deveria pertencer ao cânon. Eles sabiam que as suas necessidades espirituais haviam sido satisfeitas por causa da leitura desses escritos e, assim, as porções tornaram apreciadas em todo lugar, e essa é a base da formação do cânon. Sem desígnio e esforço, o cânon, dessa forma, veio a ser aprovado com base no mérito peculiar de cada porção.

Sem consciência da coisa significativa que faziam e à parte da luta e propósito de homens, a prova grande e final de que os escritos eram da inspiração do próprio Deus foi assim mostrada. A perfeição do plano e da inteireza do resultado é uma evidência indisputável do trabalho soberano de Deus, que operou através de agências humanas. Era natural que a Igreja latina fosse lenta em reconhecer o valor sobrenatural da carta anônima aos Hebreus, e que outros preconceitos existentes fossem indubitavelmente refletidos em várias localidades. No tempo devido e debaixo da orientação do Espírito de Deus, todas as dificuldades foram vencidas e o último livro – o Apocalipse – foi acrescentado para completar o conjunto. Seria impossível determinar exatamente quando o Novo Testamento completo foi reconhecido como tal.

Ao aceitarmos que a data de Apocalipse seja por volta de 96 d.C., pode ser observado que os escritos de Inácio, em 115 d.C., aparecem apenas vinte anos mais tarde. Destes e de outros dos antigos pais, está evidente que, à parte de um preconceito natural entre os crentes judeus em relação à antiga Bíblia, o Novo Testamento como está agora, já era tratado com distinção e obedecido como Escritura logo no começo do segundo século. Não existe algum registro com relação a que Igreja adquiriu primeiro uma Bíblia completa, ou a data precisa de tal ocorrência. Não há modo de se saber tudo o que aconteceu no processo pelo qual qualquer igreja recebia uma nova parte da Escritura para ser acrescentada ao que já era aceito e amado. Sem dúvida, o fato de que uma nova porção era aceita sem questionamento de alguma outra assembléia, favorecia muito o processo. O modo no qual o cânon do Novo Testamento se formou foi totalmente natural, e, todavia, o resultado alcançado era totalmente sobrenatural.

Não há razão para se crer que houvesse algo que pudesse corresponder à consciência da formação da Bíblia entre os cristãos primitivos. Eles estavam muitíssimo gratos por qualquer mensagem de alguém que, por causa de sua associação a Cristo ou seus apóstolos, pudesse escrever ou falar com autoridade. É evidente que nem todas as mensagens assim recebidas, ainda que verdadeiras quanto aos fatos, eram designadas por Deus para serem uma parte da Bíblia. Esse elemento vivo que a inspiração comunica – e provavelmente sem sua identificação específica por alguém que lia aquelas páginas – concedia determinação santificadora irresistível (ao colocá-las separadamente como infinitamente sacras e infalivelmente verdadeiras) àquelas porções particulares que eram divinamente designadas para constituir o cânon do Novo Testamento.

Nos dias do ministério de Cristo sobre a terra, o cânon do Antigo Testamento era aparentemente como é agora; mas, como no caso do Novo Testamento, nenhuma pessoa ou grupo de pessoas havia agido com autoridade na seleção dos livros do Antigo Testamento. O mesmo caráter divino inerente que a inspiração assegura havia tornado esses livros específicos a Palavra de Deus, em distinção a todos os outros escritos humanos. É inconcebível que este elemento inefável pertencente à inspiração não impressionasse tanto naquela época, como agora, todos os interessados em que a dissensão (se é que houve) fosse insignificante. Outros escritos, tais como eram, ficaram para trás, desprovidos desta qualidade divina específica. Contudo, o cânon do Antigo Testamento não havia sido encerrado porque não havia uma autoridade humana para fazê-lo.

A Igreja primitiva havia recebido o Antigo Testamento com supremacia imposta. Isto está evidente da extensão e da maneira de sua citação no Novo Testamento. Novos livros foram adicionados como um acréscimo que se desenvolveu, e foram assim relacionados intimamente com as Escrituras do Antigo Testamento. Os apóstolos e os profetas que serviram como escritores do Novo Testamento foram em tudo qualificados e dignos para escrever debaixo da inspiração do Espírito Santo da mesma forma que os profetas do Antigo Testamento. Na verdade, a aptidão do autor humano, embora de valor na utilidade geral de seus escritos, não era a base final para a avaliação do Texto Sagrado. Isso é demonstrado pela inclusão de porções anônimas no cânon de ambos os testamentos.

O fechamento formal do cânon do Novo Testamento está ao menos insinuado em Apocalipse 22.18. A dissimilaridade na maneira em que os dois testamentos terminam é significativa. Toda a expectativa não cumprida do Antigo Testamento é enunciada à medida que o Testamento se encerra e os últimos versos dão certeza da vinda de outro profeta. Mas nenhuma revelação continuada está por acontecer quando o Novo Testamento se fecha; ao contrário, o anúncio é feito de que o próprio Senhor logo retornará e a conclusão natural é a de que não haverá uma voz adicional que fale do céu antes que a trombeta anuncie a segunda vinda de Cristo.

Não menos importante é o fato que, visto que o cânon da Bíblia foi encerrado divinamente, nenhuma tentativa foi feita de acrescentar algo a ele.

Finalmente, ainda que realizada através da aquiescência e cooperação humana, Deus realizou na formação do cânon – como Ele fez na autoria dual do texto das Escrituras – um milagre. Sua própria Palavra inerrante não foi somente recebida e confinada em escritos incomparáveis, mas foi tão infalivelmente juntada em um volume e preservada de cair em confusão, do prejuízo e do fracasso do propósito divino que a subtração ou a adição ao cânon poderia impor. O cuidado determinante de Deus na formação do cânon das Escrituras está tanto em evidência e para a sua eterna glória quanto o seu cuidado na transmissão exata de sua verdade através dos autores humanos.

Visto que qualquer porção da Bíblia é canônica por causa do fato de ela ser um documento normativo, por ser a Palavra de Deus escrita, ela é altamente recomendável para investigar mais cuidadosamente a fonte e a natureza exatas desta autoridade. O objetivo em fazer isso necessariamente não precisa ser de dissipar dúvida com respeito à constituição divina das Escrituras; pode bem ser o desejo de chegar a um conceito mais digno da importância transcendente delas.

Sem levar em conta a infinidade de provas que a Bíblia é a Palavra escrita de Deus e, portanto, imbuída da mesma autoridade que o Criador exerce sobre a sua criação e que os céus exercem sobre a terra, a família humana não é toda submissa à supremacia e domínio da Bíblia. Os homens não-regenerados, que "não têm Deus em todos os seus pensamentos", ignoram as Escrituras. Do mundo que agora agita-se sob a influência desmoralizadora dos ideais satânicos e das filosofias não pode se esperar que aprecie ou que recomende a Bíblia. Nem a desconsideração deles com relação a ela não é algo mais do que uma prova indireta do caráter celestial da Escritura.

A autoridade das Escrituras do Antigo e Novo Testamento que lhes dá a sua preeminência canônica é atribuível ao menos a sete fontes diferentes. Dessas, as primeiras três devem já ter sido consideradas em alguma medida, e, portanto, precisam apenas pouco mais que uma menção.

I. As Escrituras São Autoritativas, Porque São Inspiradas por Deus

Fazer uma declaração sobre as Escrituras, como elas fazem de si próprias, inspiradas por Deus, é assinalar a elas a autoridade suprema que pertence a Deus somente, que a autoridade procede de Deus de um modo *imediato* e sem reduções ou complicações que poderiam ser impostas pelos fatores contribuintes. Isto significa que em sua plenitude total, as Escrituras são a Palavra de Deus escrita. Elas sustentam a distinção singular de ser nada menos que o edito imperial: "Assim diz o SENHOR".

II. As Escrituras São Autoritativas, Escritas por Homens Escolhidos por Deus, "Guiados" pelo Espírito Santo

Este aspecto da autoridade bíblica está intimamente relacionado ao fato de que a mensagem que os homens escolhidos receberam e proclamaram foi inspirada por Deus. A contribuição específica que ela faz para o campo total da autoridade é que ela garante, como já foi demonstrado, que os humanos compartilham na autoria dual sem deixar qualquer sombra de imperfeição sobre a dignidade infinita e sobre a excelência da mensagem inspirada por Deus. É de importância insuperável que a mensagem normativa divina seja conservada em escritos inerrantes. Reduzir a mensagem normativa a uma forma escrita não acrescenta quaisquer supremacia e domínio suplementares a ela, mas um meio eficaz é constituído pelo qual o edito divino pode alcançar os que estão sujeitos a ela. Que a autoridade das Escrituras não é derivada de homens inspirados ou devida à inspiração propriamente atribuída a eles está evidente do fato de que aqueles livros da Bíblia, anônimos, são considerados tão normativos quanto qualquer outro do cânon.

III. As Escrituras São Autoritativas, Reconhecidas por Aqueles Que as Receberam Primeiro

No caso do Antigo Testamento, a congregação de Israel sob a liderança dos anciãos, governadores, profetas, e sacerdotes, sancionou aqueles escritos que formaram o primeiro cânon. No caso do Novo Testamento, a Igreja primitiva, inclusive seus oficiais e ministros, sancionou o segundo cânon. Sem consciência da parte deles em ambos os casos, eles foram usados por Deus para cumprir um objetivo significativo, não obstante, fizeram tudo debaixo da presidência do Espírito Santo, determinaram o que não poderia ser posposto para as gerações futuras nem entregue a outros povos, a saber, eles decidiram a inclusividade e a exclusividade do cânon bíblico. A inclusão de uma página ou uma palavra que não era inspirada ou designada por Deus para servir como Escritura teria ocasionado nada menos do que um dano para o que foi designado, a fim de manifestar a perfeição infinita.

Na mesma proporção, deixar de fora uma página ou uma palavra que foi inspirada ou designada por Deus teria prejudicado desastrosamente a irrepreensível Palavra de Deus. Através da permissão de qualquer um desses defeitos hipotéticos, a Bíblia teria sido apresentada de modo indigno do seu autor divino. Assim, pode ser visto que a aceitação e a confirmação do material exato que foi preparado por inspiração e designado por Deus para compor a sua Palavra Santa, ainda que produzida pela instrumentalidade humana e sem considerar o conhecimento em relação ao que eles fizeram, tudo foi realizado pela superintendência e determinação divinas.

IV. As Escrituras São Autoritativas, Atestadas pelo Senhor Jesus Cristo, a Segunda Pessoa da Trindade

O termo legal, "A Lei de Deus", é uma das designações verdadeiras e próprias para a Bíblia toda, uma designação que, porque sugere o pensamento do império ou domínio divino, é o título adequado e pertinente quando a autoridade das Escrituras é focalizada.

Em qualquer governo que ordena suas leis com a consideração devida pela liberdade e o bem dos seus súditos, na confecção das leis, há dois procedimentos muito diferentes representados, a saber: (a) o projeto de lei, ou a lei que é esboçada sobre a qual os legisladores concordam; e (b) ela se torna um regulamento em vigor pela assinatura autenticadora da autoridade principal do país – o presidente da república ou o rei em uma monarquia. Este processo é especialmente exigido nos governos recentemente colocados, onde existem as relações estabelecidas entre os parlamentos e o trono. Estes dois aspectos imperativos – a criação e a promulgação das leis de um lado, e a aprovação do rei, do outro – de modo algum são intercambiáveis nem devem ser confundidos. Esses fatos, quando consideramos o processo pelo qual as leis civis são consumadas, podem servir de ilustração para trazer à luz os aspectos importantes da base sobre a qual repousa a autoridade canônica das Escrituras.

Quando seguimos esta analogia em mais detalhes, observamos que a procedência das Escrituras, do sopro de Deus, o impulso determinante dos autores humanos, e o controle divino que determinou o acordo naquilo que é essencial e que serviu para destacar e selar os Escritos canônicos, asseguraram o projeto de lei perfeito, a Lei, mas sua força constritora é grandemente realçada pela autenticação, confirmação e aprovação pelo Rei dos reis. Nenhuma consideração é dada a essa altura àquelas funções e atividades que pertencem especificamente à humanidade de Cristo. Foi do lado divino do seu Ser que Ele autenticou a Palavra de Deus; do lado humano, Ele estava sujeito a ela. Como um autenticador-confirmador das Escrituras, Cristo não era meramente um entre muitos que falavam bem dos oráculos de Deus. Semelhantemente, Ele não dava uma opinião de um profeta, sacerdote ou rei humano, ainda que fosse e é e vai ser para sempre todas essas coisas.

A autenticação que Ele faz dos Escritos Sacros não era nada menos que o da divindade – a segunda pessoa da Trindade. Esse endosso real da parte do Filho de Deus nada acrescenta à inspiração ou ao caráter sobrenatural inerente da Bíblia que para Ele era um todo perfeito; antes, isso empresta àquele todo aperfeiçoado a imensurável autoridade acrescida que a assinatura do Rei confere.

É um equívoco supor que a autoridade da Bíblia é investida primariamente pelo fato da inspiração dos autores humanos ou das ações de qualquer espécie por Israel ou pela Igreja. A voz de Deus, autenticada pelo Filho, e (um tema ainda a ser elucidado) o emprego das Escrituras pelo Espírito Santo, formam a base da autoridade canônica. A inspiração dos escritores sagrados tem um lado que pertence ao campo das letras, e tem seus aspectos humanos. Do outro lado, aquilo que constitui a Bíblia como *A Lei de Deus* não é uma questão literária de forma alguma; antes, isso deve ser classificado como *teológico, moral* e *vital*. É mais até do que um assunto de vida e morte o fato de esses termos estarem relacionados a essa esfera; ela abrange não menos que as questões da *vida eterna* e *morte eterna*. Naturalmente, é a parte da sabedoria e de acordo com a verdade descobrir esta autoridade transcendente dentro da própria divindade e não em qualquer cooperação humana, conquanto esta seja exaltada.

Os quatro evangelhos contêm cerca de 35 referências diretas às Escrituras e citações delas, vindas da parte do Filho de Deus. Estas, veremos, não somente registram o Seu testemunho do caráter divino e da inspiração verbal das Escrituras, mas, tomadas como um todo, contemplam a totalidade do Antigo Testamento e, assim, servem para conferir aspectos plenários de sua perfeição. Visto que é em e através dessas citações de Cristo que Ele deu a sua aprovação de Rei à *Lei de Deus*, um exame cuidadoso delas – que não pode ser empreendido aqui – é obrigatório.[34]

Quando Cristo declarou: "Eu sou... a verdade" (Jo 14.6), Ele alegou muito mais do que o fato indisputável de Ele próprio ser verdadeiro. Ele declarou sobre si mesmo ser *a Verdade* no sentido em que Ele é o tema central das Escrituras da Verdade. Ele é o Amém, A Testemunha Fiel e Verdadeira (Ap 1.5; 3.14; cf. Is 55.4). Ele disse a respeito de si próprio: "Eu para isso nasci, e para isso vim ao mundo, a fim de dar testemunho da verdade" (Jo 18.37) – não meramente um testemunho do valor moral da verdade, mas um testemunho da Palavra de Deus. "A Tua Palavra é a verdade" (Jo 17.17). A frase: "para isso vim ao mundo" eleva o seu ministério de autenticação ao nível mais alto, e é o propósito mais importante da encarnação. Com a mesma finalidade, o apóstolo declara: "Digo pois que Cristo foi feito ministro da circuncisão, por causa da verdade de Deus, para confirmar as promessas feitas aos pais" (Rm 15.8).

De fato, Ele é o confirmador divino daqueles escritos que foram, então, identificados como "as escrituras", das quais Ele também afirmou que a "Escritura não pode falhar" (Jo 10.35). Assim, a segunda pessoa da Trindade adiciona a aprovação de Rei à *Lei de Deus*. Se este testemunho da realeza parece abranger não mais do que as Escrituras do Antigo Testamento, deve ser lembrado que Cristo designou e comissionou os escritores do Novo Testamento e que Ele falou do céu, quando disse: "Aquele que testifica estas coisas" (Ap 22.20), e isto foi dito a respeito do cânon do Novo Testamento (vv. 18 e 19).

V. As Escrituras São Autoritativas, Recebidas, Entregues e Atestadas pelos Profetas

Os profetas da antiga ordem foram divinamente designados como porta-vozes de Deus, e o mesmo é verdadeiro dos profetas do Novo Testamento. Quando falou com o apóstolo João, o anjo disse: "Porque eu sou conservo teu e de teus irmãos, os profetas" (Ap 22.9). Os profetas estão entre os líderes distintos da nova ordem (Ef 4.11); a Igreja é edificada sobre eles (Ef 2.20); e eles falam para a edificação, exortação e conforto (1 Co 14.3).

A Lei Mosaica atribuiu uma responsabilidade específica a vários grupos e oficiais do Antigo Testamento com respeito às Escrituras.

1. A RELAÇÃO DA CONGREGAÇÃO COM AS ESCRITURAS. A congregação de Israel ficou encarregada de: "Não acrescentareis à palavra que vos mando, nem diminuireis dela, para que guardeis os mandamentos do SENHOR vosso Deus, que eu vos mando" (Dt 4.2). Assim, não foi dada aos judeus a autoridade de criar ou de entregar a Escritura, mas eles foram comissionados para guardar os mandamentos do Senhor, o que implica a capacidade deles em identificar aqueles oráculos aos quais eles deveriam ser obedientes.

2. A RELAÇÃO DO REI COM AS ESCRITURAS. A relação do rei com as Escrituras é afirmada da seguinte maneira: "Será também que, quando se assentar sobre o trono do seu reino, escreverá para si, num livro, uma cópia desta lei, do exemplar que está diante dos levitas sacerdotes. E o terá consigo, e nele lerá todos os dias da sua vida, para que aprenda a temer ao SENHOR seu Deus, e aguardar todas as palavras desta lei, e estes estatutos, a fim de os cumprir" (Dt 17.18,19). Ainda que nenhum rei tivesse reinado até que os dias dos juízes terminassem – um período de cerca de quinhentos anos –, o sistema mosaico anteviu o ofício real e proporcionou responsabilidades divinas que haveriam de governar a atitude do rei com relação às Escrituras. Ao rei era concedida a autoridade governamental pela qual ele poderia mandar matar profetas e sacerdotes, mas em sua relação com a Palavra escrita de Deus, o rei não era diferente dos seus súditos mais humildes.

3. A RELAÇÃO DOS OFICIAIS COM AS ESCRITURAS. Os juízes foram árbitros nos assuntos comuns, mas se houvesse diante deles uma questão difícil demais para ser julgada, um apelo deveria ser feito para os sacerdotes, que serviam como uma espécie de suprema corte acima de todos os juízes. O juiz era instruído da seguinte maneira: "Se alguma coisa te for difícil demais em juízo, entre sangue e sangue [civil], entre demanda e demanda [cerimonial], entre ferida e ferida [lepra], tornando-se motivo de controvérsia nas tuas portas, então te levantarás e subirás ao lugar que o SENHOR teu Deus escolher; virás aos levitas sacerdotes, e ao juiz que houver nesses dias, e inquirirás; e eles te anunciarão a sentença do juízo. Depois cumprirás fielmente a sentença que te anunciarem no lugar que o SENHOR escolher; e terás cuidado de fazer conforme tudo o que te ensinarem" (Dt 17.8-10). Os versos seguintes neste contexto prescrevem a pena de morte para aquele que se recusar a fazer de acordo com a decisão da corte final ou suprema sobre Israel.

O serviço do juiz, do governador ou do sacerdote com respeito à Lei escrita de Deus era a da interpretação e administração, e nunca a mais alta responsabilidade de esboçar ou criar as leis. Eles deviam "anunciar a sentença de juízo" conforme a lei prescrevia (cf. Dt 31.9-13).

4. A Relação dos Levitas com as Escrituras. Aos levitas foi dada a custódia ou o cuidado das Escrituras escritas. Assim, eles são instruídos: "Tomai este livro da lei, e ponde-o ao lado da arca do pacto do Senhor vosso Deus, para que ali esteja por testemunha contra vós" (Dt 31.26).

5. A Relação dos Profetas com as Escrituras. Ao profeta foi entregue a alta responsabilidade de receber e transmitir a Palavra de Deus. Nem todos os escritos dos profetas vieram a se tornar Escritura, ainda que fossem a Palavra de Deus para aquela época;[35] nem poderiam todos que reivindicaram ser profetas serem ouvidos. O teste entre os profetas verdadeiros e falsos era tanto razoável quanto natural. As orientações foram: "E, se disseres no teu coração: Como conheceremos qual seja a palavra que o Senhor não falou? Quando o profeta falar em nome do Senhor e tal palavra não se cumprir, nem suceder assim, esta é palavra que o Senhor não falou; com presunção a falou o profeta; não o temerás" (Dt 18.21,22).

A comissão que o profeta tinha de falar por Deus e a exigência que o povo tinha de ouvir são demonstradas no meio da lei constituída de Israel. Sem dúvida, a passagem, como muitas outras, tem o seu cumprimento final no ministério profético de Cristo. Ele é o Profeta final de todos os profetas; o Sacerdote final de todos os sacerdotes; e o Rei final de todos os reis. Esta instrução é uma autorização imediata dos profetas que, debaixo de Deus, estavam para suceder a Moisés. A passagem diz o seguinte: "O Senhor teu Deus te suscitará do meio de ti, dentre teus irmãos, um profeta semelhante a mim; a ele ouvirás... Do meio de seus irmãos lhes suscitarei um profeta semelhante a ti; e porei as minhas palavras na sua boca, e ele lhes falará tudo o que eu lhe ordenar. E de qualquer que não ouvir as minhas palavras, que ele falar em meu nome, eu exigirei contas" (Dt 18.15,18,19).

A mensagem do verdadeiro profeta tinha de ser recebida e atendida pela totalidade da casa de Israel, desde o rei no trono até o menor no reino. Destas mensagens, contudo, somente tais porções como o Espírito de Deus determinou vieram a se tornar canônicas. O verdadeiro profeta confirmava sua própria mensagem e demonstrava sua autoridade por evidência sobrenatural. Isto não evitava que um profeta confirmasse a mensagem que outro profeta havia recebido e a pregasse com autoridade. Tal corroboração é observável, especialmente no que diz respeito aos escritos que têm o seu lugar no cânon do Novo Testamento.

No sentido mais amplo da designação, como indicado anteriormente, o profeta era um *proclamador* assim como um *prognosticador*. Ele sempre foi o primeiro e empreendeu o último somente quando uma necessidade específica exigia. O título conota o recebimento e a entrega da mensagem de Deus sobre qualquer assunto sem restrição com respeito ao tempo de sua aplicação. Os profetas do Antigo Testamento deveriam continuar até João (Mt 11.13), e o término abrupto revela o plano divino com respeito ao novo cânon e os escritores proféticos deste deveriam receber o seu comissionamento dAquele a quem João anunciaria. Malaquias fecha com uma olhadela no ministério profético que João em parte cumpriu: "Eis que eu vos enviarei o profeta Elias, antes que venha o grande e terrível dia do Senhor" (Ml 4.5), e, de João, Cristo disse: "E, se quereis dar crédito, é este o Elias que havia de vir" (Mt 11.14).

Assim, o cânon do Antigo Testamento permaneceu aberto até João, mas o Novo Testamento fechou com o último escrito do último apóstolo. O Antigo Testamento, com relação à sua esperança, foi centrado no primeiro advento de Cristo. A esperança do Novo Testamento é centrada no segundo advento de Cristo; sua palavra conclusiva vem do Senhor glorificado: "Certamente venho sem demora". A isto o escritor inspirado acrescenta: "Amém. Vem, Senhor Jesus".

Da Igreja, ou aqueles para quem o Novo Testamento veio, é dito ser edificada sobre o fundamento dos apóstolos e profetas (Ef 2.20), em vez de os apóstolos e profetas terem sido edificados sobre a Igreja. Ela não concedeu autoridade apostólica aos homens, mas os escolhidos, movidos pelo Espírito Santo, receberam e proclamaram a verdade e a doutrina pela qual a Igreja veio a existir e sobre a qual ela deve sempre continuar até o fim de sua peregrinação. Uma coisa é autorizar e ordenar um profeta, e outra totalmente diferente é reconhecer meramente o que Deus constituiu com a sua autoridade soberana. Nem a congregação de Israel nem a Igreja jamais funcionaram além deste último empreendimento.

Pode ser concluído, então, que o serviço divino mais elevado que já foi entregue ao homem é o de profeta, e transcendendo o ministério profético comum estava essa função, que foi entregue a uns poucos entre os muitos profetas, na qual eles foram treinados em receber e proclamar aquelas porções que, por autorização soberana, deveriam constituir o cânon das Escrituras. Visto que um ministério profético de proclamação geral é anunciado e delegado para que continuasse por toda essa dispensação (1 Co 14.3; Ef 4.11), é possível que a afirmação de que a profecia "cessará" (1 Co 13.8) anteveja o fechamento do cânon do Novo Testamento; porque onde não há um profeta divinamente designado e devidamente credenciado, não há Escritura para ser recebida ou proclamada.

VI. As Escrituras São Autoritativas, Porque São a Palavra Empregada pelo Espírito Santo

Após ter dado origem e transmitido as Escrituras pelos profetas escolhidos, a autoridade desses escritos é posteriormente revelada pelo fato de que o Espírito Santo emprega as Escrituras como a Sua própria linguagem ao falar aos homens. A Bíblia, a Palavra de Deus, é adaptada para uma expressão perfeita em cada situação na qual o Espírito trabalha na execução do propósito divino. As Escrituras são "a espada do Espírito" (Ef 6.17); e "Assim diz o Senhor" é sempre equivalente a "Assim diz o Espírito Santo". A frase "Mas o Espírito expressamente diz" (1 Tm 4.1) pode ser aplicada com justeza à totalidade da Palavra de Deus. É a Sua voz falando – não somente no sentido em que ela surge dele, mas no sentido também em que ela é empregada por Ele como o seu próprio vocabulário e fraseologia. Em grande medida, Ele se confina a ela para dirigir-se aos homens.

VII. A Autoridade da Bíblia É Vista no Fato de Que sem o Menor Desvio, Ela Vindica e Satisfaz cada Alegação Sua

Este tema, ainda que já tenha sido tratado em seu lugar lógico com relação à apologética, pode bem ser tratado brevemente a esta altura e sob uma classificação abrangente de suas partes, a saber:

1. PODER DURADOURO. Os escritores da Bíblia afirmaram que as Escrituras durariam, por ser a palavra normativa de Deus aos homens, o que provou ser verdadeiro através da preservação sobrenatural desses oráculos. A consideração atraente da preservação desses escritos ainda será empreendida mais extensamente.

2. PODER IMPERIAL. Visto que incorpora o Evangelho, a Bíblia é "o poder de Deus para a salvação" (Rm 1.16), e, como muito freqüentemente não é observado, o Evangelho é dirigido ao homem como se fosse um edito imperial. É algo para ser *obedecido* (At 5.32; Rm 2.8; 10.16; 2 Tm 1.8; Hb 5.9; 1 Pe 4.17). Ele não somente transmite a oferta divina de salvação aos homens, mas penetra no coração com poder iluminador e transformador. "Logo a fé é pelo ouvir, e o ouvir pela palavra de Cristo" (Rm 10.17). "Porque a palavra de Deus é viva e eficaz, e mais cortante do que qualquer espada de dois gumes, e penetra até à divisão de alma e espírito, e de juntas e medulas, e é apta para discernir os pensamentos e intenções do coração" (Hb 4.12). A Palavra de Deus deve ser pregada e não a palavra dos homens, e onde quer que a Palavra de Deus seja anunciada, ela justifica a sua própria reivindicação de ser "o poder de Deus para a salvação".

3. PODER SANTIFICADOR. A autoridade da Bíblia é afirmada e demonstrada no fato de que ela tem um poder santificador. O Senhor orou: "Santifica-os na verdade, a tua palavra é a verdade" (Jo 17.17). Israel ainda será santificado pelas Escrituras da verdade. O pacto de Jeová declara: "Porei a minha lei no seu interior, e a escreverei no seu coração; e eu serei o seu Deus e eles serão o meu povo" (Jr 31.33); bênçãos sem medida são proporcionadas para aqueles em quem a Palavra de Deus habita "ricamente em toda sabedoria" (Cl 3.16); e por tomar "a espada do Espírito, que é a palavra de Deus" (Ef 6.17), a armadura de Deus, pela qual o inimigo pode ser derrotado, está completa. As vidas de santos sem conta têm provado que a Bíblia possui um poder santificador.

4. PODER REVELADOR. A Bíblia afirma e vindica sua autoridade no fato de ser a revelação aos homens. Toda informação normativa das coisas celestiais ou mundanas, do tempo ou da eternidade, do certo ou do errado, é derivada dos oráculos de Deus. A essa altura e por todos os testes que os homens têm sido capazes de aplicar a essa vasta revelação de erudição, ela tem mostrado ser não menos do que "a sabedoria de Deus" revelada ao homem.

BIBLIOLOGIA

5. EXATIDÃO. A autoridade da Bíblia é demonstrada também no fato de ela ser exata infinitamente em assunto de história e profecia. Os dados históricos mostrados nos escritos originais são inerrantes, e a profecia não somente revela os eventos que estão por acontecer no futuro, mas proporciona uma segurança infalível de que tudo o que está predito será executado pela competência soberana e, portanto, irresistível de Deus. Assim, a autoridade divina das Escrituras tem sido demonstrada no grande grupo de predições já cumpridas, e assim será demonstrado na realização plenária de tudo o que está ainda para se cumprir. "O zelo do SENHOR dos exércitos fará isto."

6. PODER PREVALECENTE. A Bíblia demonstra sua autoridade pelo modo como ela predomina sobre as atividades humanas. O seu domínio começou com um povo pequeno e simples numa localidade bem restrita. Ela não dividiu sua tarefa com outra agência. Igual ao arrebentamento de uma represa, ela jorrou com grande força e submergiu o mundo. Ao fazer isto, ela conquistou impérios, embora, não desejada, odiada e zombada. Seus advogados foram massacrados; todavia, sem desferirem um só contra golpe. A depravação entrincheirada não pôde sustentar-se diante do seu movimento de avanço vitorioso. Igual à construção do templo onde o som da ferramenta não deveria ser ouvido, assim este edifício poderoso de Deus tem crescido. Não está sugerido que a Bíblia transformou o mundo; mas a Palavra de Jeová tem sido e será cumprida em todas as coisas que anunciou: "Ela fará o que me apraz, e prosperará naquilo para que a enviei" (Is 55.11).

Os homens, na verdade, não têm se mostrado cegos ao fato de que este Livro normativo atribui todas as suas qualidades e eficácia a Deus somente. Nenhuma teoria que cérebros febris possam apresentar é capaz de explicar a autoridade irresistível da Bíblia. Ao falar de sua própria Palavra, Jeová disse: "Porque os meus pensamentos não são os vossos pensamentos, nem os vossos caminhos os meus caminhos, diz o Senhor" (Is 55.8).

7. PROFECIA. A Bíblia demonstra sua autoridade ao propor um programa divino que Deus somente poderia completar. Em grau considerável este programa já tem sido executado. À parte de um plano abrangente, como poderiam os pactos eternos e abrangentes que Jeová fez com Abraão, Davi, Israel e a Igreja – em que Ele assume uma direção determinante sobre todas as gerações da vida humana – ser interpretados? À parte de um propósito divino irresistível, como poderia a afirmação que "estas coisas são conhecidas desde a antigüidade" (At 15.18), ser entendida? A autoridade transcendente pela qual Jeová completará o seu empreendimento iguala-se em todos os aspectos à autoridade de Sua Palavra que revela o seu propósito aos homens.

Conclusão

Dessas sete amostras da autoridade das Escrituras, três são principais: (a) O fato de que a Bíblia é o sopro de Deus e consumado na transmissão da mensagem aos profetas escolhidos e no reconhecimento do cânon sagrado por parte daqueles a quem ele veio primeiro. Nem a parte produzida pelos autores humanos nem a executada pelos que, debaixo de Deus, determinaram o cânon é a base da autoridade da Bíblia, ainda que alguns tenham asseverado que tal autoridade seja encontrada na inspiração de homens ou dos dogmas da Igreja em suas assembléias e concílios. (b) A aprovação real que a segunda Pessoa deu está intimamente relacionada à aprovação dos profetas, mas nenhuma comparação defensável entre estas fontes de autoridade. (c) O emprego que as Escrituras fazem com relação à Sua própria elocução pelo Espírito Santo está intimamente relacionado ao poder manifesto da Escritura em operação e demonstra a autoridade final delas.

Assim, recapitulando, a autoridade da Palavra de Deus pode ser vista em três realidades, a saber: (a) as Escrituras são o sopro de Deus – sua própria Palavra ao homem; (b) às Escrituras é dada a confirmação ou a aprovação do Rei, o Filho de Deus; e (c) elas se originam com o Espírito Santo e são usadas por Ele.

CAPÍTULO VI

Iluminação

O PROPÓSITO de Deus em dar a Bíblia é para que o homem, a quem a Palavra é endereçada, possa possuir uma informação confiável com relação às coisas tangíveis e intangíveis, temporais e eternas, visíveis e invisíveis, terrenas ou celestiais. Em razão das limitações naturais do homem, este fundo de verdade é de valor inestimável para ele. O homem não caído, enquanto no Éden, dependia de uma comunicação direta de Deus com relação a todas as coisas, tanto físicas quanto espirituais. Indubitavelmente, muita coisa foi aprendida pelo homem antes da Queda, mas a incompetência inédita e drástica veio para a sua mente e para o seu coração como um resultado das mudanças calamitosas que a Queda impôs. Daquele tempo em diante, Deus contemplou o homem como em "densas trevas" e *"na sombra da morte"*. Na verdade, densas eram as trevas e profundas, de fato, as sombras da morte

A frase vívida, sombra da morte, que ocorre cerca de 18 vezes na Bíblia, é sempre empregada nas Escrituras como uma descrição real do homem no seu estado de Queda.

I. Formas Específicas de Trevas Espirituais

Adicionadas às trevas originais que vieram pela Queda, há ao menos quatro formas particularizadas de cegueira espiritual que, segundo a Bíblia, são experimentadas por certos grupos da humanidade e que aumentam além da capacidade de verificação a escuridão natural do homem. Algumas considerações sobre a necessidade da iluminação são essenciais como um pano de fundo para uma apreensão adequada de tudo o que a iluminação proporciona.

1. CEGUEIRA DE ISRAEL. Em adição à cegueira natural, uma escuridão judicial veio sobre Israel, a respeito da qual Jeová instruiu Isaías a anunciá-la, nas seguintes palavras: "Vai, e dize a este povo: Ouvis, de fato, e não entendeis, e vedes, em verdade, mas não percebeis. Engorda o coração deste povo, e endurece-lhe os ouvidos, e fecha-lhes os olhos; para que ele não veja com os olhos, e ouça com os ouvidos, e entenda com o coração, e se converta, e seja sarado" (Is 6.9,10; cf. Mt 13.14,15; Mc 4.12; Lc 8.10; Jo 12.40; At 28.26,27; 2 Co 3.14,15). Esta cegueira foi predita para que viesse a Israel na chegada do Messias. A cegueira veio sobre eles como uma previsão e causou uma descrença

nacional que não somente rejeitou o Messias deles (At 2.22-24), mas foi também a ocasião em que os ramos naturais foram cortados da oliveira (Rm 11.13-25); contudo, somente pelo tempo restrito da duração desta dispensação.

Isaías também disse: "Porque o Senhor derramou sobre vós um espírito de profundo sono, e fechou os vossos olhos, os profetas; e vendou as vossas cabeças, os videntes. Pelo que toda visão vos é como as palavras dum livro selado que se dá ao que sabe ler, dizendo: Ora lê isto; e ele responde: Não posso, porque está selado. Ou dá-se o livro ao que não sabe ler, dizendo: Lê isto; e ele responde: Não sei ler" (Is 29.10-12). A cegueira, embora nacional, não é universal. Em Romanos 11.25 é afirmado: "Porque não quero, irmãos, que ignoreis este mistério (para que não presumais de vós mesmos): que o endurecimento veio em parte sobre Israel, até que a plenitude dos gentios haja entrado".

Em Efésios 1.22,23, descobrimos que a frase *"a plenitude dos gentios"* refere-se ao presente propósito de Deus com respeito à vocação da Igreja que é composta tanto de judeus quanto de gentios. Aqueles dentre Israel que, iluminados pelo Espírito de Deus, obedecem ao Evangelho, são salvos na glória celestial e não mais ficam cegos como antes.

Mas vem o tempo quando o véu que agora está sobre o Israel nação será retirado. O "véu é retirado em Cristo", mas Israel como um povo ainda não crê que Jesus é o Messias deles. "Contudo, convertendo-se um deles [Israel] ao Senhor, é-lhe tirado o véu" (2 Co 3.14-16). Esta iluminação nacional, que sem dúvida irromperá sobre eles através de um novo e correto entendimento das Escrituras, é predito por Isaías, nas seguintes palavras: "Levanta-te, resplandece, porque é chegada a tua luz, e é nascida sobre ti a glória do Senhor. Pois eis que as trevas cobrirão a terra, e a escuridão os povos; mas sobre ti o Senhor virá surgindo, e a sua glória se verá sobre ti. E nações caminharão para a tua luz, e reis para o resplendor da tua aurora" (Is 60.1-3).

Assim é revelado que para os israelitas haverá duas iluminações possíveis: uma para judeus que crêem para a salvação de suas almas, iluminação essa que dissipa todas as trevas anteriores; e a outra iluminação para a nação toda, que será a porção deles quando "o sol da justiça" trouxer cura nas suas asas (Ml 4.2), e quando "vier de Sião o Libertador, e desviará de Jacó as impiedades" (Rm 11.26). Visto que a Palavra de Deus será escrita "nos corações deles", está evidente que a agência que o Espírito Santo usará para iluminar aquela nação será as Escrituras da verdade.

2. Trevas dos Gentios. As trevas que agora são experimentadas pelas nações gentílicas, à parte da cegueira satânica, não são outras além daquilo que veio sobre eles por causa da Queda. Os não-salvos, por não terem conhecido outro estado, são inconscientes de sua própria condição e, portanto, quase universalmente descrêem das Escrituras que descrevem a real situação deles. Há muitas descrições destas trevas gentílicas apresentadas na Bíblia. Mesmo quando a luz, que é Cristo, brilhou nas trevas "as trevas não prevaleceram contra ela [luz]" (Jo 1.5; cf. Ef 5.11; e 1 Jo 2.11). Mas as palavras seguintes de Isaías, já citadas, declaram que a iluminação os alcançará quando Cristo retornar:

"O povo que andava em trevas viu uma grande luz; e sobre os que habitavam na terra de profunda escuridão resplandeceu a luz" (Is 9.2). Quando a gloriosa luz de Deus, no retorno do Messias, vier a Sião, é que a bênção prometida desde longa data alcançará também os gentios.

3. TREVAS SATÂNICAS. Uma revelação extraordinária é feita em 2 Coríntios 4.3,4 a respeito do fato de os homens não-regenerados, tanto judeus individuais quanto os gentios, serem cegos quanto ao Evangelho e que esta cegueira seja como um véu sobre a mente. Esta incapacidade de responder ao Evangelho foi imposta por Satanás com o objetivo de impedir a recepção normal da mensagem acerca da graça salvadora. Esta obstrução não está em evidência a respeito de nenhum outro aspecto da verdade além do Evangelho. A passagem afirma: "Mas, se ainda o nosso evangelho está encoberto, é naqueles que se perdem que está encoberto, nos quais o deus deste século cegou os entendimentos dos incrédulos, para que lhes não resplandeça a luz do evangelho da glória de Cristo, o qual é a imagem de Deus".

Duas afirmações muitíssimo importantes feitas por Cristo que demonstram a mesma incapacidade do homem não-regenerado. A Nicodemos, Ele disse: "Se alguém não nascer de novo, não pode ver o reino de Deus" (Jo 3.3); e dos relacionamentos presentes do Espírito, Ele disse: "...o Espírito da verdade, o qual o mundo não pode receber; porque não o vê nem o conhece" (Jo 14.17). Assim, também, o apóstolo assinala que o conhecimento que o mundo possui, forjado como é no entendimento pervertido da verdade de Deus através de filosofias e conceitos falsos, por ser a verdadeira agência que Satanás usa para conduzi-los erroneamente. Ele declara: "O mundo por sua própria sabedoria não conheceu Deus" (1 Co 1.21). Igualmente, após ter assinalado o fato de que homens têm voluntariamente se apartado da verdade a respeito de Deus que a natureza revela, o mesmo apóstolo escreve: "...dizendo-se sábios, tornaram-se estultos"; e por causa de sua estultícia Deus entregou-os à "imundície", para terem "paixões infames" e um "sentimento depravado" (Rm 1.19-32).

Tudo isto é uma revelação adicional a respeito do estado caído do homem não-regenerado. Mas estas restrições – tanto naturais quanto satânicas – podem ser vencidas pelo poder iluminador do Espírito Santo. Com isto em vista, o Espírito reprova, ou ilumina o mundo com respeito aos aspectos cardeais do Evangelho, a saber, "pecado, justiça e juízo" (Jo 16.7-11). As Escrituras são evidentemente a agência principal que é usada pelo Espírito para este fim, pois "a fé vem pelo ouvir, e ouvir pela palavra de Cristo" (Rm 10.17).

4. CEGUEIRA CARNAL. Após descrever as restrições do ψυχικός (*psuchikos*, 'natural') do homem que respeita sua incapacidade de entender as coisas do Espírito de Deus (1 Co 2.14) e após ter avaliado a capacidade sobrenatural do homem πνευματικός (*pneumatikos*, 'espiritual') (1 Co 2.15), o apóstolo retrata o entendimento espiritual restrito do homem σαρκικός (*sarkikos*, 'carnal') e atribui a causa da carnalidade num grupo específico ao qual ele escreve. Esta passagem reveladora é a seguinte: "E eu, irmãos, não vos pude falar como a espirituais [πνευματικός], mas como a carnais,[σαρκικός], como a criancinhas em Cristo. Leite vos dei por alimento, e não comida sólida, porque não a podíeis suportar; nem ainda agora podeis" (1 Co 3.1,2). O homem carnal é aqui visto como um *irmão* e como um *bebê em Cristo*, o que demonstra que ele será salvo.

Contudo, sua recepção da Palavra de Deus é limitada às suas mensagens mais simples – comparadas ao leite em contraste com a *carne* –, e isto, é afirmado, é devido à sua vida imatura. A mesma imaturidade nos crentes é vista em Hebreus 5.12-14: "Porque, devendo já ser mestres em razão do tempo, ainda necessitais de que se vos torne a ensinar os princípios elementares dos oráculos de Deus, e vos haveis feito tais que precisais de leite, e não de alimento sólido. Ora, qualquer que se alimenta de leite é inexperiente na palavra da justiça, pois é criança; mas o alimento sólido é para os adultos, os quais têm, pela prática, as faculdades exercitadas para discernir tanto o bem como o mal".

Assim, é revelado que a vida de imaturidade retarda a obra iluminadora normal do Espírito de Deus na mente e no coração dos filhos de Deus.

II. A Obra Iluminadora do Espírito

O período de tempo entre os dois adventos de Cristo é freqüentemente designado como *A Era do Espírito Santo*, e isto de maneira própria, visto que estes dias são caracterizados pela atividade e administração do Espírito. Nestes dias específicos, também, o filho de Deus é abençoado em alto grau pelo fato que o Espírito habita nele, e o Espírito assim residindo no cristão até o fim, para que o poder sobrenatural possa estar sempre disponível. Não fosse por esta suficiência e recursos divinos, o modo sobre-humano de vida, que agora é esperado de cada crente, seria impossível e, portanto, uma exigência inconsistente. Entre as operações do Espírito Santo que caracterizam essa era está a do ensino ou da iluminação do indivíduo em quem Ele habita.

Esta recepção da verdade não está confinada a questões comuns, mas pode alcançar "as coisas profundas de Deus", e a experiência do crente, quando assim ensinado pelo Espírito Santo, é peculiar neste aspecto, porque o Mestre divino está dentro do seu coração e ele, entretanto, não ouve a voz que fala de fora e em determinados momentos, como acontece com o método dos mestres humanos, mas a mente e o coração são sobrenaturalmente despertados, e isto procede de dentro para apreender o que, de outra forma, não seria conhecido. Precisa ser observado aqui que, necessariamente, esse ministério de despertamento do Espírito Santo pode ser grandemente retardado pelo pecado ou pela imaturidade da parte do filho de Deus. Esta verdade somente explica a diferença existente entre o cristão espiritual que "discerne todas as coisas" e o cristão carnal que não pode receber as verdades mais profundas e vitais que são comparadas a uma carne substanciosa (1 Co 2.15 a 3.1-3).

No dia de sua ressurreição, Cristo andou com dois de seus discípulos no caminho de Emaús (Lc 24.13-35) e está registrado que Ele "expôs" e "abriu" as Escrituras diante desses discípulos. Semelhantemente, na noite em que Ele apareceu a todo o grupo de discípulos, Ele abriu o entendimento deles para compreenderem as Escrituras (Lc 24.45). Até a sua crucificação, esses homens não haviam crido ainda que Cristo morreria (Mt 16.21-23), e foi somente no final que eles puderam saber algo do significado de sua morte e ressurreição, quando os entendimentos deles foram abertos (Lc 24.46). Assim, um campo ilimitado de verdade veio sobre eles, até mesmo o Evangelho que estavam para proclamar (Lc 24.47, 48), mas não sem o poder assegurado pelo Espírito Santo que viria sobre eles (Lc 24.49). No dia do Pentecostes, Pedro, que havia recentemente rejeitado a predição a respeito da morte de Cristo (Mt 16.21-23), pregou o valor daquela morte com tal poder convincente que três mil pessoas foram salvas.

Está evidente que o entendimento de Pedro havia sido aberto a respeito da morte de Cristo; esta, contudo, não foi a primeira experiência que Pedro havia tido do poder penetrante de uma revelação divina. Em resposta à pergunta de Cristo: "Quem dizem os homens que eu sou?", Pedro replicou: "Tu és o Cristo, o Filho do Deus vivo. Disse-lhe Jesus: Bem-aventurado és tu, Simão Barjonas, porque não foi carne e sangue quem to revelou, mas meu Pai, que está nos céus" (Mt 16.15-17). Embora nos textos acima citados o Pai e o Filho sejam declarados como tendo revelado aspectos definidos da verdade a vários homens, o Espírito de Deus é o Mestre divino, visto que o seu advento no Pentecostes e um extenso conjunto da Escritura testemunham deste ministério específico do Espírito Santo.

Após ter preanunciado o poder iluminador do Espírito sobre os não-salvos pelo qual o véu satânico com respeito ao Evangelho é levantado e sem o que ninguém pode receber Cristo como seu Salvador (Jo 16.7-11), o Senhor continuou a dizer: "Ainda tenho muito que vos dizer; mas vós não o podeis suportar agora. Quando vier, porém, aquele, o Espírito da verdade, ele vos guiará a toda a verdade; porque não falará por si mesmo, mas dirá o que tiver ouvido, e vos anunciará as coisas vindouras" (Jo 16.12-15). A afirmação importante desta passagem crucial é que Cristo, que ensinou a seus discípulos por três anos e meio, ensina-lhes agora, mas por um novo modo de abordagem aos seus corações. A frase: "quando vier, porém, aquele, o Espírito da verdade..." antevê, sem dúvida, o advento do Espírito no Pentecostes e os novos empreendimentos que seriam tornados possíveis pela sua presença habitadora nos corações deles – um dos quais é o seu trabalho como Mestre.

Mas deve ser reconhecido que o Espírito intencionalmente não origina coisa alguma. Cristo disse: "Ele receberá do que é meu, e vo-lo anunciará" (Jo 16.14). E diz novamente: "Por isso eu vos disse que ele, recebendo do que é meu, vo-lo anunciará" (v. 15). Ele vai fazer isso, ao apresentar a mensagem do Cristo ascendido ao céu, a fim de glorificar a Cristo. A parte desta maneira definida de comunicar a verdade, mas sem precedentes, os discípulos – como é igualmente verdadeiro de todo crente desde aquele dia até agora – não poderiam "suportar" muitas "daquelas coisas" que, evidentemente, não haviam sido apreendidas após três anos e meio de aulas contínuas. A linguagem não pode ser mais explícita para comunicar o fato que certos aspectos da verdade – de fato imensuráveis – não podem ser ganhos pelos métodos didáticos usuais. Estas revelações sobrenaturais devem ser reveladas pelo SENHOR ascendido ao céu através da mediação do Espírito Santo e somente, então, é quando o Espírito Santo fala de sua posição incomparável de proximidade – de dentro do próprio coração.

O discurso de Cenáculo, no qual a passagem acima é encontrada, é o canteiro semeado daquela forma de doutrina que foi posteriormente desenvolvida nas Epístolas. Não é estranho, portanto, que o apóstolo Paulo tome esse grande tema para elucidação posterior. Isso é encontrado em 1 Coríntios 2.9–3.4, com as seguintes palavras:

Mas, como está escrito: As coisas que olhos não viram, nem ouvidos ouviram, nem penetraram o coração do homem, são as que Deus preparou para os que o amam. Porque Deus no-las revelou pelo seu Espírito; pois o Espírito esquadrinha todas as coisas, mesmo as profundezas de Deus. Pois, qual dos homens entende as coisas do homem, senão o espírito do homem que nele está? Assim também as coisas de Deus, ninguém as compreendeu, senão o Espírito de Deus. Ora, nós não temos recebido o espírito do mundo, mas sim o Espírito que provém de Deus, a fim de compreendermos as coisas que nos foram dadas gratuitamente por Deus; as quais também falamos, não com palavras ensinadas pela sabedoria humana, mas com palavras ensinadas pelo Espírito Santo, comparando coisas espirituais com espirituais. Ora, o homem natural não aceita as coisas do Espírito de Deus, porque para ele são loucura; e não pode entendê-las, porque elas se discernem espiritualmente. Mas o que é espiritual discerne bem tudo, enquanto ele por ninguém é discernido. Pois, quem jamais conheceu a mente do SENHOR, para que possa instruí-lo? Mas nós temos a mente de Cristo. E eu, irmãos, não vos pude falar como a espirituais, mas como a carnais, como a criancinhas em Cristo. Leite vos dei por alimento, e não comida sólida, porque não a podíeis suportar; nem ainda agora podeis; porquanto ainda sois carnais; pois, havendo entre vós inveja e contendas, não sois porventura carnais, e não estais andando segundo os homens? Porque, dizendo um: Eu sou de Paulo; e outro: Eu de Apolo; não sois apenas homens?

A verdade central deste contexto é apresentada no versículo de abertura, em que é afirmado que Deus preparou certas "coisas" para aqueles que o amavam – coisas que não são ganhas pelos olhos, ouvidos ou pelo coração (poder de raciocínio; cf. Is 6.9,10; 52.15; 64.4; Mt 13.15). Esta declaração negativa a respeito do olho, ouvido e do coração é abundantemente substanciada no versículo seguinte, onde é afirmado que essas "coisas" específicas nos são *reveladas* pelo

BIBLIOLOGIA

Espírito Santo. Essas "coisas" são uma realidade presente, e não, como algumas vezes se pensa, um exército de glórias futuras a serem experimentadas no céu. O Espírito Santo que revela essas "coisas" é Aquele que "sonda todas as coisas, inclusive as profundezas de Deus". Não é difícil crer que a terceira pessoa da Trindade esteja em posse de toda verdade; a maravilha é que esta terceira pessoa habita no mais humilde cristão, e assim o coloca numa posição de receber e entender a verdade transcendente que Ele conhece.

Em sua própria capacidade, o filho de Deus não pode conhecer mais do que "as coisas do próprio homem", que estão dentro do alcance do "espírito do homem que nele está". Na verdade, é espantosa a revelação de que "o Espírito que é de Deus" foi recebido, e com o propósito expresso em vista de que os filhos de Deus "podem conhecer as coisas de Deus que nos são livremente dadas". Está escrito em outro lugar: "E quanto a vós, a unção que dele recebestes fica em vós, e não tendes necessidade de que alguém vos ensine; mas, como a sua unção vos ensina a respeito de todas as coisas, e é verdadeira, e não é mentira, como vos ensinou ela, assim nele permanecei" (1 Jo 2.27).

Quando seguimos a revelação de que o cristão é habitado pelo Mestre Supremo, descobrimos que ele já está admitido num seminário inimitável onde a instrução é dada livremente, i.e., sem limitação. O apóstolo assinala, como foi observado anteriormente, uma divisão tríplice da humanidade; e, para revelar a prova a respeito da classificação de cada homem em sua atitude em relação à Palavra de Deus:

(a) O homem natural ou não-regenerado não pode receber as Escrituras, visto que elas são discernidas pelo Espírito, e o homem natural, conquanto educado com tudo o que o olho, o ouvido e o poder de raciocínio possam comunicar, não recebeu o Espírito (cf. Jd 19 onde sensual é a tradução da mesma designação – $\psi\chi\lambda\kappa\acute{o}\varsigma$. Cf. 1 Co 15.46; Tg 3.15); portanto, toda revelação é "loucura" para ele. Deveria este homem natural, por causa das realizações humanas e da autoridade eclesiástica, ser colocado onde ele molda ou dirige os afazeres da Igreja na terra, sua influência deve ser sempre um perigo para as coisas de Deus. Mesmo a reverência e a sinceridade podem não faltar, mas estas não podem substituir a *revelação* que pode proceder somente do Espírito Santo que habita no crente.

(b) O homem espiritual está numa posição de receber *toda* verdade (não há sugestão de que ele já a alcançou). Ele é habitado pelo Espírito Santo e todos os ajustes a respeito de sua vida diária são feitos com a finalidade de que o Espírito não possa ser obstruído em seu ministério de ensino dentro do seu próprio coração.

(c) O cristão carnal demonstra sua carnalidade por sua incapacidade de receber as verdades mais profundas que são comparadas a uma *comida sólida* em contraste com o *leite*. A necessidade do homem carnal é a *santificação* e não a regeneração.

A fim de que o ensino do Espírito não seja considerado um pequeno aspecto no vasto campo do conhecimento humano, é bom relatar o que está incluído na categoria de "coisas" que são ensinadas pelo Espírito. Elas são: "coisas" relacionadas ao Pai, "coisas" relacionadas ao Filho, "coisas" relacionadas ao Espírito, "coisas" vindouras e "coisas" relacionadas ao reino de Deus (Jo 3.3). Assim, por comparação, a soma total do conhecimento humano é reduzida ao ponto da insignificância.

Não há disciplina no mundo comparável ao ensino de Cristo pelo Espírito Santo, tanto por causa do fato que a infinidade caracteriza os temas que são ensinados quanto por causa do método de abordagem do Mestre pelo qual Ele, pelo Espírito Santo, penetra nos recessos mais interiores do coração onde as impressões se originam e não somente nos diz ali a respeito de verdades de magnitude transcendente, mas faz o aluno realmente captar as coisas reveladas. "Pela fé entendemos" (Hb 11.3). Que Cristo continuaria a ensinar o que começou aqui, enquanto esteve na terra, foi prometido claramente (Jo 16.12-15), e está implícito em Atos 1.1 onde é feita uma referência a "tudo quanto Jesus começou a fazer e a ensinar".

Em vista do fato que a mensagem distintiva e essencial do ministro está na esfera da verdade espiritual que pode ser discernida somente pelo Espírito Santo e que o Espírito Santo deve requerer uma submissão para si próprio da parte daquele a quem Ele ensina, o ministro ou o estudante de teologia pode bem procurar, através de um exame interior, e uma confissão de estar numa relação certa com Aquele de quem depende todo progresso no conhecimento da verdade de Deus. Um requisito vital de conformidade com a vontade de Deus, da parte do estudante, não é incidental nem opcional; é *arbitrário, determinante e crucial*. Não há a mais leve possibilidade de que a mente mais bem formada e mais brilhante possa dar um passo de progresso no entendimento da verdade espiritual à parte do ensino direto e sobrenatural para o coração pelo Espírito Santo que nele habita.

Daí, o aspecto imperativo do novo nascimento. De igual modo, não pode haver uma apreensão plena ou digna da verdade revelada de Deus da parte do cristão que é imaturo ou carnal. Daí, o aspecto imperativo de uma vida submissa.

CAPÍTULO VII

Interpretação

É DEVIDAMENTE EXIGIDO do teólogo que ele tanto entenda quanto exponha as Escrituras. Este é o campo característico em que ele serve. Contudo, ele enfrenta uma ampla extensão de interpretação que é apresentada quando todas as escolas de pensamento teológico são levadas em conta. Não obstante, se qualquer pessoa ou grupo de pessoas já atingiu esse alvo ou não, há apenas um sistema de revelação relacionado e interdependente demonstrado na Palavra de Deus. Embora eles construam suas estruturas em textos selecionados (que às vezes recebem uma interpretação preconcebida), a Bíblia não se presta igualmente para dar suporte ao calvininismo, arminianismo, às varias formas de crenças lapsárias, pós-milenismo, pré-milenismo e amilenismo.

As alegações amplamente divergentes e contraditórias desses e de outros sistemas de interpretação são para demonstrar a falibilidade de homens sinceros. Algumas vezes é reivindicado que qualquer coisa boa ou má pode ser provada ou defendida com o uso das Escrituras. Tal impressão poderia ser sustentada somente pela permissão de um uso errôneo ou pelo não uso do Texto Sagrado. É observável que todos os sistemas teológicos, e até as seitas mais modernas, fazem uso da Bíblia.

É provável que, devido às limitações humanas, nenhum sistema teológico tenha alcançado aquela conclusão de que é isenta de todo erro e que incorpora em si mesmo toda verdade de uma forma equilibrada. Homens honestos lutaram por longo tempo para alcançar essa aspiração, enquanto que outros, aparentemente, têm sido falhos nesta santa consideração pelos oráculos divinos que conduzem ao provimento de todas as coisas e a uma sustentação de tudo aquilo que é bom. O *anátema* irrevogável que repousa sobre tudo que perverte o Evangelho da graça divina (Gl 1.8,9) pode ser considerado verdadeiro em algum grau com respeito à apresentação indevida de toda revelação divina. À vista destas considerações, o estudante sem compromisso fará bem em fazer um estudo incansável do Texto Sagrado e exigir de si próprio uma relação correta com Deus que assegura a orientação divina sem preço que conduz a toda verdade.

As conclusões de outros homens devem merecer o devido respeito. É tarefa do estudante, após ter considerado e pesado a contribuição que os homens têm feito ao entendimento geral das Escrituras, progredir nos resultados assegurados pela erudição, a fim de prosseguir além do que foi alcançado nas gerações passadas, na luta para ser tanto humilde quanto verdadeiro, exatamente como os pais no passado foram. Entre outras coisas afirmadas, 2 Timóteo 2.15

ordena o "estudo" que é a aplicação ao texto da Escritura e a investigação dele, e não meramente uma leitura atenta dos escritos que outros homens fizeram do texto.

A ciência da interpretação – usualmente designada *hermenêutica*, cujo termo denota a arte de interpretar literatura, especialmente as Escrituras Sagradas – inclui o reconhecimento dos princípios sobre os quais uma verdadeira análise deve ser feita. Esta ciência deve ser distinta da *exegese*, que é a aplicação das leis da interpretação. Ambas as disciplinas merecem um tratamento extenso como cursos de estudo independentes e todo currículo teológico.

Entre todas as divisões principais da Bibliologia, a hermenêutica, ou a ciência da interpretação, mantém um lugar singular, e é somente uma obra de homens. Os resultados dela, entretanto, quando muito, são caracterizados pelas imperfeições devidas às limitações humanas, e são sujeitos a regras e princípios gerais de procedimento que são obviamente exigidos. Quando se toma o empreendimento de interpretar as Escrituras, as devidas considerações deveriam ser as seguintes:

I. O Propósito da Bíblia como um Todo

Quando se examina a Escritura,[36] é bom se ter em mente o fato de que, além da esfera que limita o objetivo principal pelo qual a Bíblia, como revelação de Deus foi dada, aspectos incompletos aparecem. A Bíblia não é um tratado sobre ciência natural ou história. Ela é uma declaração plenária de Deus a respeito de Si mesmo e de suas obras – especialmente como essas obras se relacionam com o bem-estar dos homens. Os escritores sagrados tocaram necessariamente em outros temas, e o que eles apresentaram é exato na medida em que escreveram. Isto, como tem sido observado, é notável! Com referência às coisas mundanas, não foi permitido a esses escritores ir além da inteligência dos homens do seu tempo na antevisão de descobertas científicas posteriores, nem a se expressarem a si mesmos com aquelas restrições de modo que desenvolvessem absurdos quando os seus escritos fossem comparados a desenvolvimentos posteriores do conhecimento, cujo desenvolvimento foi predito (Dn 12.4).

II. O Caráter Distintivo e a Mensagem de Cada Livro da Bíblia

Embora exija muito trabalho, a observância das características diferenciadoras de cada livro da Bíblia é essencial, visto que um fator vital em qualquer revelação é o seu lugar num determinado livro, e à luz da mensagem específica daquele livro. Os quatro evangelhos oferecem uma ilustração dessa verdade. A verdade apresentada no Evangelho de Mateus é especialmente apropriada à *realeza* de Cristo; a mensagem apresentada no Evangelho de Marcos é especialmente apropriada à condição de *servo* que Cristo tomou; a verdade apresentada no Evangelho de Lucas é especialmente apropriada à *humanidade* de Cristo; enquanto que a verdade apresentada no Evangelho de João é especialmente apropriada à divindade de Cristo. Cada livro da Bíblia não somente mantém um propósito específico, mas também a sua contribuição à estrutura total das Escrituras que deve ser observada.

III. A Quem Determinada Passagem Foi Dirigida?

A interpretação acurada de determinada passagem da Escritura depende muito de uma diferenciação entre as suas aplicações *primárias* e *secundárias*. Como foi afirmado, "toda Escritura" é para o cristão no sentido em que ela é útil para o ensino, para repreensão, correção, para a educação na justiça (2 Tm 3.16); mas nem toda Escritura é a *respeito* dele. Isto é óbvio, visto que toda Escritura não é dirigida aos anjos ou aos gentios. De igual modo, toda Escritura não é dirigida ao judeu ou ao cristão. As Escrituras são "úteis" porque elas são ricas de valores morais e espirituais; isto é verdadeiro mesmo quando elas exercem somente a influência de uma aplicação secundária.

Uma aplicação primária é feita quando determinado texto da Escritura é reconhecido como pertencente diretamente àqueles a quem ele foi endereçado. Uma aplicação secundária é feita quando determinado texto da Escritura é reconhecido como não aplicável diretamente a certa pessoa ou classe de pessoas, mas os seus ensinos moral e espiritual são, não obstante, apropriados para eles. À guisa de ilustração: Muita verdade valiosa pode ser retirada para os cristãos do extenso conjunto das Escrituras com respeito ao sábado judaico; mas se àquela parte das Escrituras é dada uma aplicação primária para o cristão, a quem ela nunca foi diretamente endereçada, o cristão não teria uma base bíblica para a observância do primeiro dia da semana (que ele certamente tem), e ele não poderia oferecer desculpa alguma por sua falha em observar os aspectos específicos da lei do sábado.

Ele deve, como todos os violadores do sábado, ser apedrejado à morte (Nm 15.32-36). De igual modo, se todos os textos da Escritura são de aplicação primária aos cristãos desta dispensação, então eles estão em perigo de ir para o inferno (Mt 5.29,30), de pragas indizíveis, doenças e moléstias, e por causa disso se tornarem num número pequeno (Dt 28.58-62), e ter o sangue das almas perdidas requerido de suas mãos (Ez 3.17,18). Do cristão é dito que ele "não entra em juízo" (Jo 5.24), e que "agora nenhuma condenação há para os que estão em Cristo Jesus" (Rm 8.1). De modo algum há sistemas teológicos mais falsos do que aqueles que fazem confusão por não distinguirem entre as aplicações primárias e secundárias da Palavra de Deus. É evidente, também, que nenhum aspecto de interpretação exige mais discernimento nascido na verdadeira erudição do que este.

A aplicação precisa de algumas passagens – especialmente nos Sinóticos – é muitíssimo difícil. O apelo apostólico para o "estudo" é também uma advertência, porque a Escritura não será "corretamente manejada" à parte de "estudo" laborioso. Contudo, esta é a tarefa distintiva do teólogo e sua dignidade pode ser medida, em grande parte, pelo seu conhecimento analítico do texto total da Palavra de Deus, assim como a sua capacidade de aplicá-lo.

IV. Consideração do Contexto

O caráter e o escopo da verdade que contemplamos a esta altura devem ser descobertos muito amplamente pelo contexto que a cerca. O estudante deve aprender a estabelecer os limites do contexto sem levar em conta as meras divisões mecânicas de capítulos e versículos. Não há ilustração mais notável do contexto que vai além dos limites de capítulos do que é encontrado na narrativa que Mateus faz da transfiguração de Cristo. Este contexto começa com o último versículo do capítulo 16 e continua no capítulo 17. Para o leitor em geral, Mateus 16.28 é completamente separado de 17.1-8, por causa da intrusão completamente artificial de uma divisão de capítulo. Mateus 16.28, sozinho, parece ser uma apresentação errônea dos fatos; mas quando visto como uma parte da narrativa da transfiguração, sua predição não é somente explicada, mas ele faz uma contribuição muito importante para o propósito da transfiguração (cf. 2 Pe 1.16-21).

Igualmente, a promessa de 1 Coríntios 2.9 é vista como realizada, não em algum tempo futuro no céu, mas *agora*, se o leitor continua a leitura até o v. 10. Ainda, ἀδόκιμος (*adokimos*, "reprovado") de 1 Coríntios 9.27 não pode significar a perda da salvação num contexto que tem a ver somente com as recompensas pelo serviço cristão.

V. Consideração de Toda Escritura Sobre um Tema Específico

Uma interpretação correta sempre dependerá muito de um raciocínio feito com base em *tudo* o que a Bíblia apresenta sobre determinado assunto. A conclusão não deve ser menos que o consenso daquele testemunho pleno. Embora não haja unanimidade completa com respeito ao significado de 2 Pedro 1.20, a maioria dos expositores favorece a interpretação que sugere que nenhum texto da Escritura sobre um tema deva ser considerado à parte de outros textos a respeito do mesmo tema. A passagem afirma: "...sabendo primeiramente isto: que nenhuma profecia da Escritura é de particular elucidação". Não pode haver uma referência aqui à privacidade de uma pessoa que interpreta, pois, no final das contas, toda interpretação é pessoal e, portanto, particular.

Desse versículo se segue que há alguma base para se concluir que a ausência da particularidade pertencia aos profetas que não revelavam as próprias opiniões deles, mas eram movidos pelo Espírito Santo. Contudo, parece estar mais em harmonia com as condições subjacentes que todos devem reconhecer, a de que afirmação de uma doutrina ou tema da Palavra de Deus será verdade para a mente de Deus somente quando tudo o que Ele disse sobre aquele tema seja considerado. A *profecia* contemplada nesta passagem, e como já foi assinalado antes, é a mensagem de proclamação mais ampla que inclui tudo o que os escritores do Antigo Testamento escreveram.

A necessidade de uma indução completa é indicada quando o progresso da doutrina é reconhecido. As revelações anteriores a respeito da redenção pelo sangue não permanecem isoladas, embora será observado que a revelação anterior seja consumada na morte de Cristo e definida na estrutura doutrinária construída pelos apóstolos sobre essa morte. Entretanto, uma interpretação da redenção baseada numa passagem isolada ou particular das Escrituras mais antigas seria um erro; todavia, as passagens anteriores dão uma grande contribuição para o todo da revelação.

VI. Descoberta do Sentido Exato de Determinadas Palavras da Escritura

À parte do conhecimento das línguas originais nas quais a Bíblia foi escrita, não pode haver quaisquer conclusões exatas a respeito do que uma passagem difícil ensina. Por esta razão, o estudo tanto do hebraico quanto do grego que se exige para se fazer uma exegese digna é tido como uma coisa muito essencial e diz respeito à preparação do expositor da Bíblia. A história dos grandes pregadores e mestres do passado em relação ao uso das línguas originais é estimulante. Daqueles que não obtiveram um conhecimento das línguas originais, dificilmente se pode esperar que percebam a riqueza da descoberta que essa capacidade comunica. Ser totalmente dependente dos achados de outros homens, conquanto possa não impedir um ministério frutífero, é deprimente, visto que a autoridade vital na elocução (que deveria ser ornada com humildade) estará ausente.

VII. Necessidade de se Evitar Preconceitos Pessoais

É muitíssimo fácil torcer ou moldar a Palavra de Deus para fazê-la conformar-se às noções preconcebidas de uma pessoa. Fazer isso significa não menos que "adulterar a palavra de Deus" (2 Co 4.2), e é digno de julgamento da parte daquele cuja Palavra é, dessa forma, pervertida. Em ponto algum pode a consciência ser mais exercida e a mente de Deus mais buscada do que quando se examina o significado preciso das Escrituras e quando passamos as nossas descobertas aos outros.

Essas e outras instruções relativas aos procedimentos lógicos e ao método científico são apresentadas em qualquer curso completo de hermenêutica, e todas elas juntas proporcionam os melhores condições que os homens legaram para se lutar contra uma apresentação errônea das doutrinas da Bíblia assim como uma ênfase desproporcionada dela.

CAPÍTULO VIII

Vivificação

PELO TERMO *vivificação* é feita referência àquele elemento inimitável de vitalidade ou vida que se obtém na Bíblia e em nenhum outro livro. Há vários atributos que são predicados da Palavra escrita de Deus. No Antigo Testamento, esses são apresentados em dois salmos. Sete deles aparecem no Salmo 19: "A lei do SENHOR é perfeita, e refrigera a alma; o testemunho do SENHOR é fiel, e dá sabedoria aos simples; os preceitos do SENHOR são retos, e alegram o coração; o mandamento do SENHOR é puro e alumia os olhos; o temor do SENHOR é limpo, e permanece para sempre; os juízos do SENHOR são verdadeiros e inteiramente justos" (vv. 7-9). Semelhantemente, sete atributos da Bíblia são mencionados no Salmo 119: *fiel* (v. 86), *ilimitada* (v. 96), *reta* (v. 128), *maravilhosa* (v. 129), *pura* (v. 140), *duradoura* (v. 160), *e justa* (v. 172). O Novo Testamento acrescenta que a Palavra de Deus é *verdade* (Jo 17.17), *proveitosa* (2 Tm 3.16), *penetrante* e *poderosa* (Hb 4.12).

Na verdade, muita coisa é asseverada quando os atributos $\zeta \hat{\omega} \nu$ (*zōn*, "penetrante" ou "viva") e $\dot{\epsilon}\nu\epsilon\rho\gamma\dot{\eta}\varsigma$ (*energēs*, "poderosa") são designativos das Escrituras. A palavra $\zeta o\dot{\eta}$, usada cerca de 140 vezes no Novo Testamento, significa *vida*, seja como uma realidade ou como uma maneira de conduta. Esta raiz da palavra aparece em cada uma das treze repetições da frase: "Deus vivo". Duas vezes a raiz aparece como um elemento integral nas Escrituras Sagradas. É afirmado:

(a) "Porque a palavra de Deus é viva e eficaz, e mais cortante do que qualquer espada de dois gumes, e penetra até a divisão de alma e espírito, e de juntas e medulas, e é apta para discernir os pensamentos e as intenções [idéias] do coração" (Hb 4.12).

A referência nesta passagem à "Palavra de Deus" foi entendida pelos pais da Igreja em geral e por muitos em tempos posteriores, como designativo de Logos ou Palavra Viva, como é usado por João; mas o contexto imediato nos afasta do pensamento do Logos como a Palavra escrita. Em Hebreus, a segunda pessoa da Trindade é mostrada como o *Filho de Deus*, e os capítulos. 6.5 e 11.3 não traduzem como Logos, mas essas passagens de fato traduzem uma outra palavra ($\dot{\rho}\hat{\eta}\mu\alpha$, *rēma*), termo esse que é sempre usado para designar uma forma de elocução e nunca é usado a respeito da pessoa de Cristo.

A interpretação que faz essa referência ser a respeito da Palavra falada de Deus pode ser assinalada que não há praticamente uma diferença na realidade essencial da Palavra falada e da Palavra escrita, pois a primeira é apenas outra forma em que a segunda aparece.

Ambas são igualmente o sopro de sua boca. O elemento de *vida*, aqui afirmado ser inerente à Palavra de Deus, é mais do que aquilo que está agora em autoridade como em contraste com aquilo que se tornou apenas uma letra morta; é mais do que algo que fornece nutrição, embora as Escrituras proporcionem isso. A Escritura é *viva* no sentido em que Deus é o Deus *vivo* (cf. 10.31). Os predicados aqui usados não são somente reveladores, mas arranjados de modo que formam um clímax. A Palavra de Deus *é viva, é eficaz, é cortante, ela penetra, ela discerne.*

(b) "...tendo renascido, não de semente corruptível, mas de incorruptível, pela palavra de Deus, a qual vive e permanece" (1 Pe 1.23). Aqui, novamente ζάω (*zaō*) aparece, com o pensamento acrescido da duração eterna. Não deve ser esquecida a essa altura a afirmação de Cristo: "As palavras que eu vos tenho dito são espírito e são vida" (ζωη, *zōē*, Jo 6.63).

A segunda palavra, já indicada em Hebreus 4.12, é ἐνεργής, que concede às Escrituras o atributo da *energia*. Ela é a energia que proporciona a vida. Esse elemento de poder, ou energia, não deve ser explicado sem base suficiente. A verdade é sempre poderosa, e as Escrituras, a *verdade* divina (Jo 17.17; cf. 8.32), são sempre a voz prevalecente onde a consciência e a sinceridade predominam; mas o *poder* da Palavra de Deus não está isolado em sua integridade indisputável. De igual modo, a Palavra de Deus é "a espada do Espírito" (Ef 6.17); mas mesmo a força vital que o Espírito libera quando a sua Palavra é manejada, não explica plenamente a *energia* da Bíblia. A Palavra escrita de Deus é inspirada por Deus. Há vida inerente nela. Esta verdade não implica personalidade ou que a Bíblia possui a constituição de uma criatura viva. Ela declara que a vida divina está residente nas Escrituras. Por causa deste fato, certas realizações estupendas são operadas pela Palavra de Deus:

I. O Poder da Palavra de Deus Sobre os Não-Salvos

A Palavra de Deus é a agência pela qual a fé é gerada. Está escrito: "Logo a fé é pelo ouvir, e o ouvir pela palavra de Cristo" (Rm 10.17). Nesta mesma conexão o apóstolo declara que as Escrituras "podem fazer-te sábio para a salvação" (2 Tm 3.15). E Pedro afirma que é por meio "de grandes e preciosas promessas" que os homens podem "ser participantes da natureza divina" (2 Pe 1.4). O salmista declara: "A lei do SENHOR é perfeita, e restaura a alma" (Sl 19.7). Assim, também, como "água", a Palavra de Deus coopera com o Espírito na realização do novo nascimento (cf. Jo 3.5; Tt 3.5). "Tendo renascido, não de semente corruptível, mas de incorruptível, pela palavra de Deus" (1 Pe 1.23).

II. O Poder da Palavra de Deus Sobre os Salvos

Em sua oração sacerdotal, Cristo fez um pedido por aqueles que o Pai lhe havia dado, a fim de que pudessem ser santificados pela verdade, ao acrescentar: "A tua Palavra é a verdade... E por eles eu me santifico, para que também eles sejam santificados na verdade" (Jo 17.17-19). A Palavra de Deus é uma nutrição que comunica força: "Desejai como meninos recémnascidos, o puro leite espiritual, a fim de por ele crescerdes para a salvação" (1 Pe 2.2). As Escrituras possuem um valor especial para o cristão: "Outra razão ainda temos nós para, incessantemente, dar graças a Deus: é que, tendo nós recebido a palavra que de nós ouvistes, que é de Deus, acolhestes não como palavra de homens e sim como, em verdade é, a Palavra de Deus, a qual, com efeito está operando [ἐνεργεῖται, 'energizes'] eficazmente em vós, os que credes" (1 Ts 2.13). "Agora, pois, vos encomendo a Deus e à palavra da sua graça, àquele que é poderoso para vos edificar e dar herança entre todos os que são santificados" (At 20.32). E, por último, a Palavra é uma agência purificadora. Ao escrever a respeito do cuidado de Cristo por sua Igreja, o apóstolo disse: "...a fim de a santificar, tendo-a purificado com a lavagem da água, pela palavra" (Ef 5.26; cf. Sl 37.31; 119.11).

À luz deste conjunto de verdade que afirma tão claramente da Palavra de Deus que ela é uma agência viva e vital com poder sobrenatural, o pregador tem pouca desculpa para a apresentação de qualquer outra coisa. A promessa divina através de Isaías é: "Porque, assim como a chuva e a neve descem dos céus e para lá não tornam, mas regam a terra, e a fazem produzir e brotar, para que dê semente ao semeador, e pão ao que come, assim será a palavra que sair da minha boca; ela não voltará para mim vazia, antes fará o que me apraz, e prosperará naquilo para que a enviei" (Is 55.10,11). Com o mesmo propósito Jeremias escreveu: "Não é a minha palavra como fogo, diz o Senhor, e como um martelo que esmiúça a pedra?" (Jr 23.29). Deus usa sua Palavra. Ela é eficaz na mão do Espírito Santo para a realização de resultados sobrenaturais. Por esta razão, o apóstolo Paulo, com a sabedoria que lhe foi dada por Deus, instou o jovem discípulo, Timóteo, a "pregar a palavra".

CAPÍTULO IX

Preservação

O PACTO DE JEOVÁ, a saber, que a sua Palavra durará para sempre, tem sido esvaziado hoje. Os homens têm feito o que podem para destruir a influência da Bíblia. Eles têm tanto testificado contra ela como predito a sua queda; mas em tempo algum na história do mundo ela tem sido tanto um poder para o bem, quanto claramente marcada por uma influência crescente, do que agora. A preservação das Escrituras, assim como o cuidado divino no registro delas e na formação delas no cânon, não é acidental, incidental ou fortuito. Ela é o cumprimento da promessa divina. O que Deus em fidelidade operou, terá a sua continuação até que o seu propósito seja cumprido. Há pouca coisa, de fato, que os homens possam fazer para frustrar a eficácia da Palavra de Deus, visto que é dito dela: "...para sempre, ó Senhor, está firmada no céu"; "Há muito sei eu dos teus testemunhos que os fundaste para sempre" (Sl 119.89,152). Com o mesmo propósito Cristo disse: "Passará o céu e a terra, mas as minhas palavras jamais passarão" (Mt 24.35); e o apóstolo Pedro assevera que a "Palavra de Deus" é "a qual vive e permanece" (1 Pe 1.23).

Não é pequena a distinção concedida à Bíblia de forma que ela é classificada com poucas realidades que duram para sempre. O escritor aos Hebreus prediz o tempo quando haverá a remoção de todas as coisas que podem ser abaladas e a continuação daquelas que não podem ser abaladas. Sua referência é especificamente ao reino de Deus e contempla, naturalmente, tudo o que entra nesse reino (Hb 12.25-29). A duração eterna é atributo da Bíblia; não que sua mensagem em todas as suas partes deverá ser pregada para sempre como é agora, mas que ela é indestrutível, por ser a Palavra do Deus eterno. Não é que alguns dos inumeráveis livros que os homens escreveram foram arbitrariamente selecionados dentre outros para receber maior honra. A Bíblia é eterna por seus próprios méritos. Ela permanece por causa do fato de que nenhuma palavra que Jeová falou pode ser removida ou abalada.

Na verdade, é por meio de seus oráculos escritos que Deus anuncia suas declarações a respeito de "todas as coisas" que não podem ser abaladas. As Escrituras são o instrumento legal pelo qual Deus se obriga a executar cada detalhe de seus pactos eternos e a cumprir cada predição que seus profetas fizeram. O instrumento legal que assegura essa vasta consumação deve continuar, e continuará, até a última promessa, porque o que permanece uma certeza, tem o seu real cumprimento. Nem um iota ou til do testemunho divino pode passar até que tudo seja cumprido.

TEONTOLOGIA

TEONTOLOGIA

CAPÍTULO X

Introdução à Teontologia

O TERMO *teontologia* é uma designação mais ou menos moderna que representa o ponto de partida lógico no estudo da Teologia Sistemática, por ser, como é, o seu tema principal, a saber, uma investigação científica daquilo que pode ser conhecido sobre a existência das pessoas e das características do Deus triúno – Pai, Filho e Espírito – e totalmente à parte das obras deles. Visto que o campo total da Teologia Sistemática é muito extenso, é sábio reservar a consideração das obras do Deus triúno, como expostas no estudo da Angelologia, Antropologia, Soteriologia, Eclesiologia e Escatologia, para uma consideração posterior. Uma investigação total sobre a verdade concernente à segunda e terceira pessoas, inclusive suas obras, deverá ser feita sob duas divisões principais: Cristologia e Pneumatologia.

Quando seguem o período – desconhecido em sua duração – que possuía relações normais e ainda não quebradas com Deus, e que terminou com a expulsão do homem da presença de Deus, homens ponderados e sinceros dentre os membros da raça humana têm se comprometido com uma tentativa débil de penetrar no vasto campo que o conhecimento de Deus apresenta. Os seus obstáculos têm sido grandes, pois está escrito: "Ora, o homem natural não aceita as coisas do Espírito de Deus, porque para ele são loucura; e não pode entendê-las, porque elas se discernem espiritualmente" (1 Co 2.14); "Todos os seus pensamentos são: Não há Deus" (Sl 10.4). Sem dúvida, cada geração tem acrescido alguma coisa ao todo da especulação finita com respeito a Deus.

No meio de todas essas apalpadelas humanas pelo conhecimento dEle, Deus tem falado em revelação específica de si mesmo, e para aqueles assim iluminados a revelação é de grande alcance e final. Mas para aqueles que não são iluminados, pouca coisa é acrescentada através da revelação, além da negligência para com as Escrituras e a incapacidade natural deles de recebê-las como prova suficiente.

As fontes de conhecimento sobre Deus, que possuem algum grau de interdependência, são quatro:

I. Intuição

Uma intuição é a confiança ou crença que flui imediatamente da constituição da mente. Sempre é assim, visto que a intuição é uma função humana necessária. Portanto, pode ser dito que o conhecimento intuitivo é aquele em que a mente normal e natural assume como verdadeiro. Ele inclui temas como *tempo* e *eternidade*; *espaço, causa* e *efeito*; *certo* e *errado*; *demonstração* matemática; auto-existência, a *existência da matéria,* e a *pessoa de Deus.* Essas e outras verdades importantes, por serem já aceitas pela mente racional, são pouco melhoradas pela demonstração acrescida, nem são elas grandemente diminuídas pela argumentação contrária. O conhecimento intuitivo é pouco mais do que uma inclinação em direção a certas verdades. Cada tema intuitivo oferece um campo de pesquisa infindável e esconde depósitos inexauríveis de realidade.

Isso é particularmente verdadeiro a respeito do conhecimento de Deus. A real universalidade da crença em Deus prova que Ele é intuitivo. Tal conhecimento geral não é a superstição de mentes pervertidas, pois Ele é evidentemente mais positivo onde a cultura e a educação chegam. No meio de um universo de maravilhas transcendentes, sejam elas observadas na grandeza dos telescópios ou na perfeição dos microscópios, a mente racional pode encontrar apenas uma explicação para o fenômeno que é observado, a saber, um Deus de poder e sabedoria infinitos. É verdade que alguns homens têm procurado fugir desta concepção intuitiva de Deus e professam ser agnósticos. A Bíblia reconhece essa mente anormal quando diz: "Diz o néscio no seu coração: Não há Deus" (Sl 14.1; 53.1).

Se pela definição se quer dizer uma afirmação completa de tudo que está numa matéria, é impossível para o homem definir Deus. O melhor que um homem pode fazer é reconhecer a posição incomparável que Deus ocupa acima de todos os seres, reconhecer os atributos nele, e formular uma afirmação geral daquilo que a mente concebe como verdade. A amplitude do escopo dessa declaração necessariamente dependerá do grau de entendimento ao qual a mente do autor da afirmação teve. Um amplo alcance da visão individual é observável a essa altura, que se estende por todo o caminho desde a intuição elementar das pessoas regeneradas sem formação àquelas que possuem uma plena experiência de Deus e pertencem ao grupo dos santos mais maduros e espirituais.

Um grupo duplo bem definido será percebido quando esta ampla extensão da apreensão humana for analisada – a apreensão dos não-salvos, de um lado, e dos salvos, do outro – com pouca coisa em comum entre eles. Das pessoas regeneradas pode ser dito que em seu conhecimento de Deus elas passaram das meras intuições e obtiveram os *insights* que são produto da revelação.

A intuição é o conhecimento direto, uma percepção racional que, por sua natureza, precede todos os processos de observação e dedução. Descartes ensinou que o intelecto encontra-se no nascimento, ou quando a mente desperta para a ação consciente, a fim de estar em posse das concepções que precisam somente ser identificadas para o que elas existem. Calvino escreve: "Aqueles que julgam corretamente sempre concordarão que há um senso indelével de divindade esculpido nas mentes dos homens".[37]

Com base na essência natural delas, as verdades intuitivas devem ser testadas por certos fatores, a saber, sejam ou não (a) *universais* – isto é, elas são comuns a todos os homens, não que todos os homens as entendam ou as aceitem, mas no sentido em que todos os homens, consciente ou inconscientemente, agem sobre elas; (b) *necessárias* – isto é, elas são operadas na constituição de toda pessoa normal; e (c) *auto-evidentes* e *autodemonstrativas* – isto é, elas não estão sujeitas a quaisquer outras verdades para a cognição delas.

A citação seguinte, do Dr. W. H. Griffith Thomas, servirá para sumariar este assunto:

> Qual é a origem da idéia de Deus? Há duas explicações gerais. Para alguns a idéia de Deus como o Ser supremo é considerada, em linguagem técnica, como "uma intuição da razão moral". O apóstolo Paulo parece ter reconhecido na mente uma percepção inata de Deus (At 17.28). Isto significa que a crença num Deus pessoal é nascida em todo homem, não como uma idéia perfeita ou completa, mas como envolvendo uma capacidade para crer quando a idéia é apresentada. Se isto é assim, ela é uma das intuições principais da natureza humana. Certamente é um erro supor que derivamos a idéia de Deus da Bíblia, porque as raças que nunca ouviram da Bíblia possuem uma crença definida num Ser supremo. A Bíblia revela o caráter de Deus e o seu propósito para o homem, e assim nos dá uma idéia verdadeira do Ser divino, mas a ênfase recai sobre a verdade antes que sobre o mero fato. Do mesmo modo, é igualmente incorreto dizer que obtemos a idéia de Deus da razão, porque a razão não é neste sentido originativa. Pela reflexão podemos obter uma concepção mais plena de Deus, mas a razão em si mesma não é a fonte da concepção. Para aqueles que sustentam que a nossa idéia de Deus é intuitiva, a concepção de Deus é analisada em três elementos: primeiro, uma consciência do poder em Deus que conduz a um sentimento de dependência dele; segundo, uma consciência de sua perfeição que conduz à percepção de nossa obrigação para com ele; terceiro, uma consciência de sua personalidade que conduz a um senso de adoração a Ele.
>
> Outros objetam que a idéia de Deus seja intuitiva, e dizem que ela é o resultado da razão que instintivamente reconhece a verdade, a beleza e a bondade, e que estes coalescem no pensamento de uma realidade. Nessa visão, estes três elementos proporcionam um argumento para o teísmo.[38]

A última destas teorias é aquela desenvolvida por Everett em sua obra *Theism and the Christian Faith* (Unitariano e Hegeleiano) que carece de suporte da experiência humana assim como das Escrituras.

II. Tradição

A tradição pode ser considerada tanto (1) quanto aquilo que é remoto – as impressões mais antigas da raça – como (2) aquilo que está presente – ensino que é passado aos filhos.

1. Remota. A Escritura registra o fato de que os homens caídos começaram com o mais alto conhecimento de Deus, tal como deve possuir aquele que anda e fala com Deus. Sua memória e senso da realidade de Deus não foram perdidos na Queda, pois mesmo depois do fracasso Adão ouviu a voz de juízo de Deus e recebeu a provisão divina das roupas feitas pelas mãos de Deus, vestimentas essas que sugeriram a graça divina para o pecador. O testemunho de Adão a respeito de Deus foi dado diretamente às gerações subseqüentes, por centenas de anos, com toda a força de uma expressão original, e num tempo quando a tradição como um meio de educação era soberba.

Portanto, é concebível que o começo normativo original do conhecimento tradicional a respeito de Deus foi disseminado de geração a geração. Por outro lado, deve ser admitido que a tradição é tão poderosa na transmissão do erro como o é da verdade, que a natureza caída do homem é propensa a fugir do conhecimento de Deus (Rm 1.19-32), que se as impressões tradicionais a respeito de Deus sobrevivem, elas existem a despeito das forças em contrário.

2. Presente. A presente influência da tradição, como apresentada na instrução dos filhos, é o aspecto mais vital da educação. Os filhos são ensinados na fé (ou sem a fé) de seus pais, e quando o conhecimento salvador de Deus penetra numa casa ou comunidade o efeito pode ser passado a gerações subseqüentes. O reverso disto também é verdadeiro.

A influência do mestre ou dos pais sobre o entendimento que as crianças vêm a ter de Deus e no relacionamento com Ele é de longo alcance, ou a Igreja de Roma não afirmaria que é de pouca conseqüência o que as influências mais recentes causam, considerando que elas tiveram o molde dos anos anteriores.

Isso, será observado, está intimamente relacionado ao tema geral da intuição; porque uma criança não pode ser ensinada quando ela não tem competência constitucional ou faculdade para receber. Toda educação procede do princípio de que o aprendiz tem capacidade de receber a instrução comunicada. Deve haver uma capacidade latente que precisa somente ser despertada pelo desafio que os fatos apresentam. No conhecimento de Deus, as crianças recebem a verdade mais prontamente que os adultos. Isso não é um aspecto de *imaturidade*. É devido à *pureza*: "Bem-aventurados os puros de coração, porque eles verão a Deus".

Sobre a relação geral entre a tradição e a intuição, o Dr. Samuel Harris declara:

> Por que a crença na existência de Deus é uma característica comum da humanidade? Por que tem ela sido tão espontânea, poderosa e persistente? Como o homem vem a ter idéias sobre a eternidade, imensidão e incondicionalidade? Alguns dizem que elas vêm do

conhecimento e das próprias limitações que o homem tem. Mas como posso ter idéias sobre a finitude, condicionalidade e imperfeição exceto quando eu as contrasto com as idéias do ilimitado, do incondicionado e do perfeito? E se é dito que essas idéias e a idéia do Deus todo perfeito foi comunicada por tradição, isso somente leva-nos de volta à pergunta, Como ela se originou, de modo que nossos ancestrais tiveram-na para transmitir? Certamente, se a crença na divindade não tem raiz na constituição do homem, se o homem não tem qualquer rudimento de uma faculdade para conhecer Deus, então esta grande idéia do Espírito absoluto, infinito em poder e perfeito em sabedoria e amor, não poderia ter sido originada pelo homem nem mesmo comunicada a ele por instrução ou revelação de algo que tenha vindo de fora. A idéia seria simplesmente impossível para ele.[39]

III. Razão

Pelo termo *razão*, a referência é feita à mais alta capacidade que o homem tem – à parte da revelação e da energia divina comunicada ao homem – na sua obtenção do conhecimento de Deus. Ela é aquela sanidade no homem que torna possível a busca de deduções lógicas baseadas naquelas realidades que ela observa.

O assunto geral da *razão* pode ser considerado tanto (1) com base de seu próprio valor intrínseco, quanto (2) com base naquilo que tem sido realizado.

1. VALOR INTRÍNSECO. O valor intrínseco da razão deve incorporar o fato essencial de que a razão é uma das características pertencentes a Deus, e que o Universo em sua ordem, sistema e propósito reflete a razão perfeita que está em Deus. Semelhantemente, todas as conclusões dos seres racionais são apenas um reconhecimento da razão primária que é Deus, assim como de sua adaptação a ela. Sobre o fato de que o homem pode conhecer por inferência e pela razão, como somente é suposto por ele que Deus existe e que Deus age com sua razão perfeita, o Dr. Samuel Harris afirma:

Se a matemática pela qual os astrônomos fazem os seus cálculos não é a matemática de todo espaço e tempo, toda a nossa astronomia é inútil. Se a lei da causalidade, e o princípio da uniformidade da Natureza de que o mesmo complexo de causas sempre produz o mesmo efeito, não são verdadeiros da totalidade do Universo, toda a nossa ciência é invalidada. Se a lei do amor não é a lei de todos os seres racionais todo o conhecimento ético é aniquilado. Que os princípios da razão são em todo lugar e sempre os mesmos, isto é a base da possibilidade do conhecimento racional. Mas isso significa somente dizer que a razão suprema e universal, em todo lugar e sempre uma

TrinitarianismoTeontologia

e a mesma, energiza no Universo e é a base última de sua existência, constituição e desenvolvimento. E essa razão energizadora é Deus. A ciência presume que o Universo é um sistema de cosmos concatenado e ordenado debaixo de princípios e leis em toda parte e sempre a mesma, e que por esses ela pode determinar o que a continuação do Universo é em sua amplitude mais distante no espaço e o que ela foi no passado mais remoto e será no futuro. Isso é possível somente porque estas verdades e leis são eternas numa única razão absoluta que as expressa por sua energização na constituição e evolução do Universo. E o teísta acrescenta que a evolução do Universo é uma expressão e realização progressiva sem fim, não somente de verdades e leis, mas também de ideais e fins racionais; ideais e fins de sabedoria e amor, que são eternos e arquétipos na razão absoluta, Deus.[40]

2. REALIZAÇÕES. O valor da razão como medida por suas realizações pode, no caso de Deus, ser observado na continuação do Universo. A razão que está em Deus, por ser absoluta, tem seus resultados infinitamente perfeitos. A consumação de todas as coisas, como preditas nas Escrituras, será uma demonstração disto. O valor da razão como medida por suas realizações em seu exercício pelos homens é um assunto completamente adverso. Todas as limitações e imperfeições humanas são refletidas no exercício da razão humana. O homem, por ser finito, tem sua premissa e dedução muito freqüentemente distorcidas pelo erro. Contudo, em nenhuma esfera essa faculdade elevada no homem tem sido mais exercida do que em sua tentativa de provar, por dedução natural e à parte da revelação, a existência de Deus.

Ninguém superou Samuel Clarke (1675-1729) neste esforço. Os argumentos naturalistas que os grandes especialistas em metafísica expuseram, na sua maior parte, tiveram sua origem a partir dos antigos; mas quando seguidos à parte da revelação, estes argumentos têm conduzido a nada mais real do que "um ídolo mudo de filosofia, negligenciado pelo próprio filósofo e desconhecido da multidão; reconhecido nos lugares secretos e esquecido no mundo". Nada houve nesses raciocínios que tornasse Deus real para qualquer coração, nem houve cousa alguma suficiente para afastar os homens do politeísmo, panteísmo, ou qualquer outra noção antiteísta. Voltar para a idolatria, em algum grau, foi a tentativa deles de perceber os ideais indignos que surgiram do erro dos seus raciocínios.

Em geral e à parte dos argumentos teístas usuais que os homens têm desenvolvido, o processo de raciocínio na direção da descoberta da verdade a respeito de Deus tem seguido três métodos gerais, a saber, pelas *negativas*, cujo plano exigia a eliminação de todas as imperfeições; pela *eminência*, método esse que atribui todas as excelências humanas a Deus; e por *dedução*, processo esse que atribui todas as perfeições e qualidades a Deus que a razão supõe ser verdadeiro a respeito da divindade.[41]

IV. Revelação

Deus tem se revelado ao homem através da natureza, por intermédio da manifestação de si mesmo em seu Filho, e através das Escrituras. Por meio da Palavra de Deus escrita, o homem tem se apossado da verdade em sua forma plena e absoluta. As luzes obscurecidas da intuição, tradição e razão são submersas debaixo da fulgurante irradiação da verdade revelada. Nenhuma forma de medida pode ser colocada em vantagem sobre a Palavra de Deus na mente dos que humildemente recebem e tiram dividendos de sua mensagem.

Destas quatro fontes de conhecimento a respeito de Deus, a intuição e a tradição acrescentam muito pouco à ciência da Teologia Sistemática. A razão e a revelação são fatores vitais; todavia, a revelação supera a razão como a Palavra de Deus suplanta os pensamentos dos homens.

O termo *teontologia* é uma designação mais ou menos moderna que representa o ponto de partida lógico no estudo da Teologia Sistemática, por ser, como é, o seu tema principal, a saber, uma investigação científica daquilo que pode ser conhecido sobre a existência, as pessoas e as características do Deus triúno – Pai, Filho e Espírito Santo. Totalmente à parte das obras dos membros da Trindade, a teontologia está sujeita a uma divisão dupla: (1) *teísmo*, que diz respeito à existência e caráter de Deus como um Ser extramundano, que é Criador, Preservador e Governador do Universo; e (2) *trinitarianismo*, que é o reconhecimento das três pessoas que compreendem a Trindade, com referência específica às funções e características delas, assim como os seus relacionamentos dentro da divindade.

TEÍSMO

Capítulo XI

Argumentos Teístas Naturalistas

A ETIMOLOGIA da palavra *teísmo* forneceria um grande raio de aplicação, mas no uso comum ela significa uma crença em Deus, e incorpora um sistema de crenças que constituem uma filosofia, restrita de fato, a alguns achados e conclusões que a razão humana sugere. Mesmo em sua expressão bíblica, o *teísmo* não está confinado ao cristianismo, embora o cristianismo seja um sistema teísta. O termo teísmo poderia, com valor prático, ser mais basicamente usado e o campo da verdade que o conota poderia ser mais claramente definido. I. H. Fichte escreve: "Agora é tempo novamente de instalar o teísmo, aquela convicção inextinguível e fundamental da humanidade, como uma ciência em sua verdadeira importância; mas com isso igualmente livrá-la de tantas obstruções e véus que por muito tempo têm obscurecido a sua verdadeira luz. O Teísmo não é uma hipótese desenterrada por uma especulação unilateral, como alguns o apresentam; nem é ele uma invenção do sacerdócio nem do temor supersticioso, antigos modos de se representá-lo que inesperadamente ainda são encontrados. Ele não é também a mera confissão de qualquer religião ou escola religiosa. Mas ele é o alvo final de toda investigação, silenciosamente eficaz naquilo em que externamente o nega."[42]

Visto que todas as linhas de estudo geral da necessidade estão relacionadas às coisas criadas, não há um assunto tão elevado ao qual a mente finita possa dirigir-se do que o *teísmo*, com sua contemplação da pessoa e do caráter de Deus. O teísmo, como também o campo mais amplo da teontologia, supera todos os outros temas, como a infinidade excede aquilo que é finito. Cito William Cooke: "Não há, na verdade, um elemento de sublimidade que seja realmente existente ou mesmo concebível na natureza, exceto o que é indefinidamente superado na idéia de Deus. A proposição, portanto, de que há um Deus, não tem igual nem competidor; ela permanece sozinha e sem rival e possui uma grandeza inatingível; e se a sua sublimidade não prova sua verdade, ao menos ela se torna digna de pesquisa, e impõe uma tarefa pesada sobre o incrédulo; pois se ela é falsa, ela é não somente o mais sublime de todos os erros, mas é um erro mais sublime do que a própria verdade – sim, mais enobrecedor e dignificante para a mente do que quaisquer verdades que a natureza possa apresentar para a nossa contemplação. Se isto é um paradoxo, a sua solução é uma tarefa transferida para aqueles que negam a existência de Deus".[43]

Na Bíblia, o homem sempre é lembrado do fato de suas próprias limitações e do conhecimento sobrepujante das perfeições de Deus. O agnosticismo antiteísta tem se refugiado na negação da cognoscibilidade divina; mas há um verdadeiro conhecimento de Deus – até onde é possível se chegar – que não abrange plenamente a matéria. Tal conhecimento incompleto, na verdade, pode ser atribuído de muito, quando não de todo o conhecimento humano. Em sua defesa do agnosticismo antiteísta, Hamilton declarou: "A última e a mais alta consagração de toda verdadeira religião deve ser o altar – ἀγνώστῳ Θεῷ – ao Deus desconhecido e incognoscível". É provável que esta inscrição representasse o mais alto nível ao qual o filósofo desamparado de Atenas tinha alcançado (At 17.23).

Contudo, esta concepção tornou-se somente um ponto de partida no discurso da revelação de Deus do apóstolo inspirado. Há uma abordagem neste ponto de um comprometimento e de uma discussão intimamente relacionada com a dependência do próprio pensamento ter ligação com a contemplação da infinidade; mas basta indicar que as limitações que o agnosticismo antiteísta confessa são devidos às suas afirmações negativas a respeito de Deus, que resultam num vácuo total sem substância para o pensamento racional. A mais vaga de todas as impressões de Deus é aquela chamada *Absoluta*, que o panteísmo e o agnosticismo empregam. Por não possuir qualidades ou atributos, é um vazio em si mesmo e igualmente vazio como a matéria do pensamento. O fetichismo mais baixo tem substância além desta.

Contra esta ignorância professada está o fato de que Deus revelou-se aos homens, e esta revelação é sustentada e imposta pela obra iluminadora do Espírito Santo. Além disto, também, é a revelação dupla na qual o Pai revela o Filho, e o Filho revela o Pai. Está escrito que o Filho disse: "Todas as coisas me foram entregues por meu Pai; e ninguém conhece plenamente o Filho, senão o Pai; e ninguém conhece plenamente o Pai, senão o Filho, e aquele a quem o Filho o quiser revelar" (Mt 11.27). Pela autoridade do Filho é afirmado que a vida eterna é dada, a fim de que o Pai e o Filho possam ser conhecidos (Jo 17.3). Quando orava por seus algozes, Cristo disse: "Pai, perdoa-lhes; porque não sabem o que fazem" (Lc 23.34), e o apóstolo Paulo, quando escreveu a respeito de Cristo como a manifestação da sabedoria de Deus, revela a natureza exata da ignorância dos executores de Cristo, quando disse: "...a qual nenhum dos príncipes deste mundo compreendeu; porque se a tivessem compreendido, não teriam crucificado o Senhor da glória" (1 Co 2.8).

Além do mero conhecimento de Deus, que está ao alcance do teísmo e é comum às multidões, é possível *conhecer* Deus naquela intimidade de um filho com seu próprio pai. E o que será dito daqueles que desejam conhecer as "coisas profundas de Deus"? Como, na verdade, pode o "Abba, Pai" ser interpretado, se Deus não pode ser conhecido? O agnosticismo com a sua ignorância professa pode muito bem dar atenção às palavras de Cristo: "Vê, então, que a luz que há em ti não sejam trevas" (Lc 11.35).

Além do baixo nível do agnosticismo, há dois campos distintos da pesquisa teísta: (a) aquela que está dentro daqueles fatos que são obtidos na esfera da criação, ou natureza, e está sujeita à razão humana; e (b) aquela que, embora incorpore tudo o que é revelado na natureza, é estendida para incluir a revelação ilimitada, absoluta e toda-satisfatória demonstrada nas Escrituras. A primeira investigação é corretamente designada *teísmo naturalista*, e a última *teísmo bíblico*.

A teontologia penetra cada campo do qual qualquer verdade possa ser obtida com relação à existência e ao caráter de Deus, ou o modo de sua existência. Contudo, em vista da dupla divisão básica da família humana em *salvos e não-salvos*, quando se leva em conta as suas capacidades variadas de compreender a verdade divina, há uma vantagem peculiar numa divisão do assunto geral do teísmo naquilo que é *naturalista e bíblico*. O não-salvo, o homem natural, conquanto incapaz de receber as coisas de Deus, não obstante, é confrontado em todo lugar com os efeitos que envolvem uma causa e com um desígnio que envolve um designador. Para tal pessoa, o teísmo naturalista, com o seu apelo restrito à criação e à razão, é peculiarmente adaptado. Para o estudante crente que, por ser salvo, é capaz de receber as "coisas profundas de Deus", não há algo de definitivo ou de satisfação realizadora no teísmo naturalista que ele experimenta no teísmo bíblico.

Não obstante, ele não deveria negligenciar parte alguma da revelação divina. Tudo que pertence ao teísmo naturalista é de importância vital para o estudante de teologia em vista do fato de que, num grau limitado, Deus é revelado em sua criação (Sl 19.1-6; Rm 1.19,20), e em vista daquilo que os homens não-regenerdos, especialmente os que possuem educação formal, andam às apalpadelas na esfera daquelas verdades que pertencem à esfera circunscrita do teísmo naturalista. Descobrir, mostrar e defender tudo o que a razão afirma e que a revelação mostra com relação ao que pode ser conhecido a respeito de Deus, é uma tarefa que a Teologia Sistemática assume. É a função do teísmo naturalista apresentar argumentos e chegar a conclusões que estão dentro do alcance da *razão*; ao passo que é função do teísmo bíblico reconhecer, classificar, e mostrar a verdade demonstrada pela *revelação*.

Estas duas fontes fundamentais de erudição, embora totalmente dissimilares quanto ao método que elas empregam e ao material que elas utilizam, não obstante, coalescem quanto às partes essenciais de um grande tema – a teontologia.

Nas discussões a seguir o autor não presume uma originalidade na apresentação do argumento racional ou na descoberta da revelação. Muita coisa que é apresentada aqui foi a disputa de escritores sobre esses assuntos desde os tempos mais antigos. Na verdade, tão gerais são muitas dessas linhas de pensamento, como é encontrado na vasta literatura que a presente geração herda, que citar um autor original seria muito difícil, quando não impossível. Visto que a razão é natural ao homem e a revelação é basicamente uma aquisição sem a qual a maioria dos homens teria de viver e trabalhar, é próprio que os achados da razão devam ser pesados antes dos da revelação.

O curso da Natureza é tanto um livro de Deus como o é o Livro da revelação. O Universo é Sua obra e, portanto, deve atestar o Seu Ser, e, à medida que ele se desenvolve, revela os caminhos de Deus. A voz da Natureza e a voz da revelação procedentes da mesma fonte devem se harmonizar; e nenhuma delas pode ser menosprezada impunemente. Não é afirmado que o curso da Natureza seja comparável em volume, exatidão ou elucidação, com o Livro da revelação. Mentes piedosas, totalmente satisfeitas com as Escrituras, não deveriam ficar indiferentes diante do testemunho da natureza; nem deveriam desconsiderar os apelos superficiais e profanos da razão. O estudante sincero da verdade dificilmente agiria dessa forma. Ele não desvia os seus olhos da luz de Deus. Como os nomes delas denotam, a filosofia é "o amor da sabedoria" e a ciência é a "interpretação da natureza"; portanto, nenhum filósofo digno ignorará a Fonte de toda verdade e nenhum cientista sincero diminuirá a investigação ou a avaliação correta das reivindicações do teísmo naturalista.

A proposição de que *há um Deus* introduz, de uma vez por todas, a causa de todas as causas, a finalidade de toda filosofia, e o Alfa e o Omega de toda ciência. A consistência declara que o estudante que está em *harmonia* com a seqüência que ele observa entre as causas secundárias e seus efeitos não deveria descontinuar abruptamente sua investigação ao ponto onde eles são consumados na descoberta da Primeira Causa – Deus. Se os fatos e as forças da natureza estão comprometidos com a mente séria, quanto mais comprometidos seriam a pessoa e o poder de Deus que criou a natureza! E quanto é acrescido à importância desta investigação na proposição de que *há um Deus* quando a moral e os valores redentores estão incluídos! Foi o erro de Pilatos ao inquirir apressadamente: "O que é a verdade?" e, então, muito apressadamente continuar sem esperar pela incomparável resposta que poderia ter sido dada pelos lábios dAquele que é a incorporação de toda verdade.

Quando a evidência de que há um Deus é encontrada pelo caminho da razão, as leis da lógica e da dedução são tão essenciais como a verdade que está envolvida. As contradições palpáveis e os absurdos devem ser rejeitados, enquanto que cada fato provado deve ser aceito e precisa influenciar com justeza e retidão. De que outra forma pode ser feito qualquer progresso digno de confiança?

Os argumentos teístas naturalistas, ou os argumentos baseados na razão, tentam apenas um campo limitado de demonstração. A existência, a personalidade, a sabedoria, e o poder de Deus estão em vista; mas nenhuma prova da natureza ou da razão pode ser inferida para provar ou estabelecer o fato do amor e da graça salvadora de Deus. Tudo o que está relacionado à redenção pertence à revelação, e constitui-se numa mensagem imperativa, que é tão necessária para os que crêem num Deus através da natureza ou da razão quanto para aqueles a quem não chegou o conhecimento de Deus.

Os argumentos como prova da existência de Deus que são restritos às limitações do teísmo naturalista estão sujeitos a uma classificação geral dupla, a saber, o *argumentum* a *posteriori* e o *argumentum* a *priori*.

Um *argumentum a posteriori* é indutivo em seu procedimento e conforma-se mais naturalmente aos processos da razão humana. Essa forma de argumento se move a partir dos fenômenos até a base, dos particulares para o princípio, do conseqüente para o antecedente, e do efeito para a causa. Há três argumentos principais a *posteriori* usualmente oferecidos no teísmo naturalista – o *cosmológico*, o *teleológico* e o *antropológico*. O argumento a *posteriori* é empregado quando a partir do mecanismo de um instrumento delicado e intrincado ou de uma obra de arte o fato da mente controladora esteja envolvida com seu poder de designar a forma. Como o escritor aos hebreus declarou: "Porque toda casa é edificada por alguém, mas quem edificou todas as coisas é Deus" (Hb 3.4); na verdade, como a casa prova o fato de haver um construtor, assim o Universo prova o fato de haver um Criador.

O *argumentum a priori* é dedutivo em seu procedimento, visto que ele progride a partir da base para os fenômenos, do princípio para os particulares, do antecedente para o conseqüente, e da causa para o efeito. Essa forma de raciocínio é empregada pelo astrônomo quando a partir das várias leis que governam o movimento do sistema solar ele determina o tempo do retorno de um cometa ou de uma eclipse; ou quando o paleontólogo determina pelos princípios de anatomia comparativa o tamanho e a forma dos animais pré-históricos a partir de um fóssil geológico. O argumento a *priori* é aquele baseado em algo que aconteceu antes como uma realidade suposta, uma crença inata ou uma impressão intuitiva. Postular como uma premissa que os milagres são impossíveis com a sua conclusão silogística de que, portanto, não há milagres, é desenvolver uma suposição a *priori* e o argumento baseado sobre a suposição é, em seu caráter, também a *priori*.

O argumento *ontológico* é o único *argumentum a priori* que os mestres têm desenvolvido no campo do teísmo naturalista. O argumento *ontológico* é extremamente difícil, por ser refinado demais para que seja seguido pelo homem comum. Na verdade, os grandes especialistas em metafísica têm se declarado a si mesmos não-convencidos quanto ao seu valor como evidência. Em oposição a isso, grandes e até maiores especialistas em metafísica afirmaram o seu valor. O argumento *cosmológico* remonta sua origem ao seu Criador. O argumento *teleológico* reconhece os fins racionais na criação, enquanto que o argumento *antropológico* difere do *cosmológico* e do *teleológico* na esfera de seus princípios lógicos, e remonta a mente e o espírito do homem ao Criador. O argumento *antropológico* é uma extensão de uma esfera específica dos aspectos mais gerais dos argumentos *cosmológico* e *teleológico*.

Embora cada um destes três argumentos a *posteriori* seja distinto quanto ao seu campo de prova, de todos os três é exigido que fiquem juntos para completar plenamente o argumento teísta. Na melhor das hipóteses, esse argumento completo, como será observado, pode tentar provar apenas um conjunto limitado de verdade a respeito de Deus. Assim, muita coisa é feita se o fato da existência de Deus é indicado por essas linhas racionalistas de evidência. A isso, o *teísmo bíblico* tem muito a acrescentar quanto a atributos, propósitos, caminhos e pessoa de Deus.

Esses argumentos *teístas naturalistas* serão analisados separadamente e na ordem já sugerida.

I. Argumento Cosmológico

O Universo é um fenômeno ou um efeito que envolve uma causa adequada. O argumento cosmológico apresenta evidência de que Deus existe e é a Primeira Causa de todas as coisas. Quatro teorias foram cogitadas pelos filósofos e por especialistas em metafísica com relação à origem do Universo material: (a) que a constituição da natureza é eterna e que suas formas têm existido desde sempre; (b) que a matéria existe desde sempre, mas a sua presente constituição e forma estão sujeitas a um auto desenvolvimento, que foi o que Epicuro afirmou, e é crença admitida pelo ateísmo moderno; (c) que a matéria é eterna, mas a sua disposição e ordem presentes é a obra de Deus, que foi o ensino de Platão, Aristóteles e de muitos outros; (d) que a matéria é uma coisa criada, sendo causada, para que viesse à existência do nada através do poder gerador de Deus, que é a revelação bíblica.

A última dessas quatro filosofias não deve ser confundida com a noção impossível de que o Universo desenvolveu-se do nada. Sua declaração é a de que Deus, por seu poder infinito, fez com que a matéria viesse à existência. Está escrito: "No princípio criou Deus os céus e a terra" (Gn 1.1); "Pela fé entendemos que os mundos foram criados pela palavra de Deus; de modo que o visível não foi feito daquilo que se vê" (Hb 11.3). Leland declara: "Poucos, se é que os há, dos antigos filósofos pagãos reconheceram a existência de Deus, no seu sentido mais próprio, o Criador do mundo. Ao chamá-lo... 'o Criador do mundo', eles não quiseram dizer que Ele havia trazido à existência o que não existia; mas somente que Ele construiu a partir de material preexistente, e o dispôs numa ordem e forma regulares".[44]

O argumento cosmológico depende da validade de três verdades contribuintes: (a) que cada efeito deve ter uma causa; (b) que o efeito é dependente de sua causa para a sua existência; e (c) que a natureza não pode produzir a si mesma. O caráter fundamental e essencial dessas verdades contribuintes, assim como a dedução conclusiva de que o Universo é causado por uma criação direta de uma Causa eterna e auto-existente, aparecerá à medida que uma busca dessa forma de argumento progrida.

Sobre o significado da palavra *causa*, uma citação do Dr. Charles Hodge é apropriada: "A doutrina comum sobre esse tema inclui os seguintes pontos: (1) Uma causa é algo, possui uma existência real. Não é meramente um nome para determinada relação. É uma entidade real, uma substância. Isso é evidente porque uma coisa inexistente não pode agir. Se o que não existe pode ser uma causa, então nada pode produzir algo, o que é uma contradição; (2) Uma causa deve ser não só algo real, mas deve ter poder e eficiência. Deve haver algo em sua natureza que responde pelo efeito que ela produz; (3) Tal eficiência deve ser adequada; isto é, suficiente e apropriada ao efeito. Que essa é uma visão verdadeira da natureza de uma causa está claro."[45] O Dr. Hodge continua a ilustrar esses pontos pela experiência humana. Ele escreve:

(1)...Somos causas. Podemos produzir efeitos. E todos os três dos elementos particulares mencionados acima estão inclusos em nossa consciência de nós mesmos como causa. Somos existências reais; temos poder; temos poder adequado para os efeitos que produzimos. (2) Podemos apelar para a consciência universal dos homens. Todos os homens atingem este significado da palavra causa em sua linguagem ordinária. Todos os homens presumem que todo efeito tem um antecedente a cuja eficiência se deve. Nunca consideram mero antecedente, por mais invariável no passado ou por mais certo no futuro, como constituindo uma relação causal. A sucessão dos tempos tem sido invariável no passado, e temos confiança de que continuará invariável no futuro; todavia, ninguém diz que o inverno é a causa do verão. Cada um é cônscio de que a causa expressa uma relação inteiramente diferente daquela de mero antecedente. (3) Essa visão da natureza da causação está inclusa na crença universal e necessária de que todo efeito deve ter uma causa. Tal crença não significa que uma coisa deve sempre vir antes de outra coisa; mas que nada pode ocorrer, que nenhuma mudança pode produzir-se sem o exercício do poder ou eficiência em algum lugar; do contrário algo poderia proceder do nada.[46]

A distinção vital entre a causa e o efeito jaz na verdadeira natureza da linguagem humana. "A língua de cada nação é formada na conexão entre causa e efeito. Pois em cada língua não há somente muitas palavras diretamente que expressam idéias deste assunto, tal como causa, eficiência, efeito, produção, produzir, efetuar, criar, gerar etc., ou palavras equivalentes a essas; mas cada verbo em toda língua, exceto os verbos pessoais intransitivos, envolve, naturalmente, a causação ou a eficiência, e refere-se sempre a um agente, ou causa, de tal modo que, sem a operação dessa causa ou agente, o verbo não teria significado algum. Toda a raça humana, exceto alguns poucos filósofos céticos e ateístas, tem, assim, concordado no reconhecimento desta conexão, e eles [os céticos] a têm reconhecido tão plenamente quanto os outros na sua linguagem costumeira".[47]

A crença intuitiva de que todo efeito tem uma causa é o princípio básico sobre o qual o argumento cosmológico avança para chegar às suas conclusões necessárias. *Ex nihilo, nihil fit* – do nada, nada pode surgir – é um axioma que foi reconhecido pelos filósofos de todas as épocas. Asseverar que qualquer coisa veio a existir por si mesma é asseverar que ela agiu antes que existisse, o que é um absurdo. A inexistência não pode gerar a existência. Tivesse havido uma situação na eternidade onde nenhuma matéria ou espírito, nenhum ser de qualquer descrição – inteligente ou nãointeligente, criado ou incriado –, o Universo em si mesmo seria uma vacuidade infinita, e assim teria permanecido para sempre. Mas duas idéias básicas são possíveis, a saber: (a) que o Universo com todo o seu sistema organizado e suas formas complexas existe desde sempre – teoria que, embora esvaziada de qualquer semelhança de justificativa, tem sido o maior impedimento para a crença racional numa Primeira Causa por todas as gerações; e (b) que o Universo é tanto planejado quanto criado por Deus e com propósitos dignos. A primeira idéia é a afirmação de um ateísta, enquanto que a última é a do teísta.

Quando raciocina a premissa aceita de que não há Deus, o ateísta é compelido a afirmar que a matéria é eterna e, portanto, auto-existente. A matéria é composta de inúmeras partículas que são irrelacionadas ou sem dependência uma da outra. Assim, a cada partícula deve ser atribuído o elemento da auto-existência. Anexadas à matéria inerte devem estar todas as forças químicas, as leis da natureza, e o princípio da vida em todas as suas formas. O ateísta não pode modificar as exigências de sua filosofia baseado na premissa suposta de que não há Deus. Se ele se limitar pela concessão mais desprezada a partir de sua alegação da existência eterna da matéria ou permitir que ela passe como uma hipótese antes que uma certeza infalível, toda a estrutura do ateísmo vai se desmoronar. O ateísta gaba-se de sua incredulidade e de sua escravidão à razão; todavia, se a idéia de que a matéria é auto-existente e eterna for tida como não mais do que uma conjectura ou teoria, tudo capitula.

Na verdade, a noção de que a matéria é auto-existente e uma entidade eterna deveria ser capaz de demonstração, se verdadeira, e ser tudo apenas uma proposição axiomática. Mas não é assim. A filosofia do ateísmo repousa sobre uma hipótese improvável que tem sido enfraquecida a ponto da extinção através das descobertas mais recentes da ciência. A asserção de que a criação da matéria é impossível, é baseada na observação de que a criação da matéria é impossível para o homem. Mas quem tem substanciado a tese de que a criação da matéria é impossível para o Deus infinito? A tese de que Deus criou todas as coisas não oferece contradição alguma, mas meramente atribui mais capacidade a Deus do que aquela que reside no homem. Cudworth assevera:

> Porque é inegavelmente certo, a respeito de nós próprios e de todos os seres imperfeitos, que nenhum deles pode criar qualquer *nova substância,* os homens são aptos para medir todas as coisas pela própria dimensão deles, e supor que é universalmente impossível que qualquer poder possa criar. Mas visto que é certo, que seres imperfeitos possam, por si mesmos, produzir *algumas coisas* do nada preexistente, como *novas cogitações, novos movimentos locais,* e *novas modificações* de coisas corpóreas, é certamente razoável pensar que um ser absolutamente perfeito possa fazer algo mais, i.e., criar *novas substâncias* ou dar-lhes a sua existência total. E também pode ser imaginado que é fácil para Deus ou para um Ser onipotente fazer um mundo na sua *totalidade,* matéria e tudo... como é para nós criar um pensamento ou mover um dedo, ou como é fácil para o sol enviar seus raios, ou para a vela a luz, ou finalmente, para um corpo opaco produzir uma imagem de si mesmo num copo de água, ou projetar uma sombra: todas essas coisas imperfeitas, por serem apenas a *energia, raio, imagem,* ou *sombra* da divindade. Para uma substância ser feita do nada por Deus, ou um Ser infinitamente perfeito, não e a mesma coisa que fazer do nada no sentido impossível, mas vem daquele que é *tudo...* Mas nada é em si mesmo impossível, que não implique contradição: e embora seja uma contradição para uma coisa ser e não ser ao mesmo tempo, não há certamente contradição alguma conceber um ser imperfeito, que antes não era, mas que depois veio a ser.[48]

Como uma rejeição cega da verdade, a asserção do ateísta de que a matéria é auto-existente e eterna é igualada pela impressão não provada e absurda de que a natureza é capaz de autoprodução, que o acaso é adequado para explicar o Universo, ou que a necessidade é a base sobre a qual todas as coisas existem. Sem dúvida, em sua determinada rejeição de Deus, os homens têm se encorajado a se voltar para essas noções falsas e que desonram a Deus. Contudo, o argumento cosmológico para a existência de Deus como a Primeira Causa de todas as coisas permanece integralmente em seu valor como evidência.

Pela mesma lógica ou raciocínio que demonstra que o Universo existente não pode produzir-se por agir antes dele próprio existir, assim a Primeira Causa não é autocriada, mas é eterna e, portanto, auto-existente, visto que Deus não depende de nada além de si mesmo, por não ser causado por nada. A proposta de uma seqüência de causas secundárias, isto é, que cada causa é o efeito de uma causa anterior, não oferece solução alguma para o problema da origem das coisas. É verdade que a mente pode ficar embrutecida pela extensão infinita de tal seqüência; mas a razão assevera que há uma Causa Original – uma Primeira Causa.

Essa idéia de seqüências de causas secundárias que resultam numa primeira causa é ilustrada por Wollaston: "Suponha uma corrente que esteja dependurada no céu, de uma altura desconhecida, e embora cada elo dela gravitasse para a terra, e não seja visível onde ela esteja presa; todavia, ela não cai, mas permanece dependurada; e com relação a isso uma pergunta deveria ser feita – sobre o que sustenta ou suporta a corrente, seria uma resposta suficiente dizer, que o primeiro ou o elo mais baixo está dependurado no segundo, ou o próximo acima dele; o segundo, ou antes o primeiro e o segundo juntos, sobre o terceiro; e assim por diante infinitamente? Pois o que sustenta a totalidade? ... E assim é, numa cadeia de causas e efeitos, tendendo ou (como se estivesse) gravitando para algum fim. A última, ou a mais baixa, depende, ou (como se pode dizer) está suspensa numa causa acima dela. Aqui novamente, se não for a primeira causa, está suspensa como um efeito sobre algo acima dela".[49]

A isso o Dr. Paley acrescenta: "Uma corrente composta de um número infinito de elos não pode sustentar-se mais do que uma corrente composta de um número finito de elos. Se aumentarmos o número de elos de dez para cem e de cem para mil etc., não faríamos o menor progresso, não observaríamos a menor tendência para a auto-sustentação".[50] Há uma Primeira Causa auto-existente e eterna, e esta Primeira Causa é sábia o bastante para conceber a criação em toda a sua maravilha, e poderosa e suficiente para trazê-la à existência.

A afirmação do argumento cosmológico feita por Locke é assim: "Eu existo: eu nem sempre existi: qualquer coisa que comece a existir deve ter uma causa: a causa deve ser adequada: esta causa *adequada* é ilimitada; ela deve ser Deus".[51] Semelhantemente, a afirmação do argumento feita por Howe é conclusiva: "(1) Alguma coisa existiu desde a *eternidade*; daí (2) deve ser não causada; daí (3) independente; daí (4) necessária; daí (5) auto-ativa; e daí (6) *originalmente vital*, e a *fonte de toda vida*".[52]

Do que foi dito acima será observado que o argumento cosmológico é enfatizado na prova de várias qualidades que Deus tem, a saber, *auto-existente, eterno, plenamente sábio, poderoso, ilimitado, auto-ativo, vital* e a *fonte de toda vida*. Embora estas conclusões sejam alcançadas totalmente à parte da revelação e pela razão somente, a ilação é completa. Não pode ser utilizado espaço aqui para traçar uma discussão extensa que precede cada um desses argumentos. Isto deveria ser uma empreitada como leitura colateral do estudante. Uma citação de John Howe (1630-1705), um teólogo puritano inglês, servirá para afirmar alguns aspectos do argumento cosmológico e também para descobrir a maneira em que os grandes especialistas em lógica do passado ordenaram o seu ataque ao ateísmo. Cito:

Nós, portanto, começamos com a existência de Deus; pela demonstração disto, *primeiro*, podemos estar seguros de que tem havido alguma coisa ou outra desde toda eternidade; ou que, olhando para trás, alguma coisa de um ser real deve ser declarado eterno. Deixe aqueles que não se acostumaram a pensar em alguma coisa além do que podem ver com seus olhos, e a quem o raciocínio somente parece difícil porque eles não tentaram o que podem fazer nele, mas usam pouco seus pensamentos, e por movê-los apenas uns poucos passos fáceis, eles logo se acharão tão certos disto como aquilo que eles vêem, ou ouvem, ou entendem ou são qualquer coisa.

Certos de que alguma coisa existe agora, (aquilo que você vê, por exemplo, ou que é alguma coisa), devemos então reconhecer que alguma coisa certamente sempre existiu, e sempre tem existido, ou sido desde a eternidade; ou devemos dizer que, em algum tempo, nada existia; ou que todo ser uma vez não existia. E assim, visto que percebemos que alguma coisa *agora* existe, houve um tempo quando o ser *começou* a existir; isto é, que até aquele tempo não existia algo; mas agora, naquele tempo alguma coisa começou primeiro a existir. Pois o que poderia ser mais claro do que se todo ser em *algum tempo* não existia, e *agora* algum ser existe, cada coisa que existe teve um começo. E, por isso, se seguiria que algum ser, isso, o primeiro que já começou a existir, começou de si mesmo do nada, ou fez-se existir a si mesmo quando antes não existia.

Mas agora, você não vê claramente que é totalmente impossível para qualquer coisa fazer assim? a saber, quando era nada ainda, e quando, por ser nada, todavia era, que deveria fazer-se a si mesma, ou vir a ser por si mesma? Porque certamente fazer-se a si mesma é fazer alguma coisa. Mas pode aquilo que não existe fazer alguma coisa? Para todo fazer deve haver um feitor. Por que uma coisa deve existir antes de ela poder fazer alguma coisa; e, portanto, se segue que, ela era antes de ser; ou *era* e *não era*, era *alguma coisa* e *não era* algo ao mesmo tempo. Sim, e que isso foi diverso de si mesma; pois uma causa deve ser uma coisa distinta daquilo que é causado por ela. Pelo que está muito evidente que algum ser *sempre* existiu, e ou ele *nunca começou* a existir.

Por isso, também, está evidente, em *segundo* lugar, que algum ser não foi causado, ou que sempre existiu por si mesmo sem qualquer causa. Pois o que nunca existiu de um outro nunca teve uma causa, visto que nada poderia ser sua própria causa. E alguma coisa, como aparenta do que foi dito, nunca existiu de um outro. Ou pode ser claramente argumentado assim; que tanto algum ser não foi causado, como todo ser foi causado. Mas se todo ser foi causado, então alguém ao menos foi a causa de si mesmo; o que já foi mostrado ser impossível. Entretanto, a expressão comumente usada a respeito do primeiro ser, que existiu por si mesmo, deve ser usada *negativamente*, isto é, que ele não existiu de outro; não deve ser usada *positivamente*, como se em algum tempo existiu por si mesmo. Ou o que há de significado positivo naquela forma de linguagem, deve ser usada assim, que existia um ser de tal natureza, como se fosse impossível que ele nunca tivesse existido; não que jamais tenha saído da não existência para a existência.

E agora está muito mais evidente, em *terceiro* lugar, que algum ser é independente de outro qualquer, isto é, considerando que já parece que algum ser nunca dependeu de algum outro, como uma causa produtora, e não foi visto por nenhum outro, de forma que pudesse vir a ser; com referência a isso está igualmente evidente que ele é simplesmente independente, ou não pode ser dependente de ninguém para continuar a ser. Pois o que nunca precisou de uma causa produtora, pouca necessidade teve de uma causa para conservar ou suster. E para deixar isso mais claro, algum ser é independente, ou todo ser é dependente. Mas não há nada sem o compasso de todo ser do qual ele possa depender. Por isso, dizer que todo ser realmente depende, é dizer que ele não depende de nada, isto é, que ele não depende. Pois depender de nada é não depender. Portanto é uma contradição manifesta dizer que todo ser realmente depende; contra isso não há argumento, isto é, que todos os seres circularmente dependem uns dos outros. Portanto, todo círculo ou esfera do ser deveria depender do nada; ou um finalmente depende de si mesmo, que tomado de forma negativa, como antes, é verdade, e a coisa pela qual lutamos – aquela em que o suporte comum de todo o restante não depende de coisa alguma que não de si mesmo.

Por isso também está conseqüentemente claro, em *quarto* lugar, que tal Ser é necessário, ou que sua existência seja necessária: a saber, que é de tal natureza que não poderia deixar de existir. Pois aquilo que está em existência, não por sua própria escolha nem pela de outros, é necessário. Mas aquilo que não foi feito por si mesmo (o que foi mostrado como impossível) nem por qualquer outro, (como foi provado algo que não existia) é manifesto, nem dependeu de sua própria escolha ou a de outro qualquer, é o que existe. E, portanto, a sua existência não é devida de forma alguma à escolha, mas à necessidade de sua própria natureza. Por isso ele existe sempre por uma necessidade simples, absoluta e natural; por ser de uma natureza que é totalmente repugnante e impossível de ter existido, ou jamais deixar de ser. E agora por termos ido tão longe, e estarmos seguros de que sentimos o chão firme sob nós; a saber, por termos obtido uma plena certeza, de que há um Ser eterno, não causado, independente e necessário, portanto, real e eternamente existente, podemos avançar para o passo seguinte.

E com igual certeza acrescentamos, em *quinto* lugar, que este Ser eterno, independente, não causado e necessário, é auto-ativo; isto é (no presente o que queremos dizer), não que aja sobre si mesmo, mas que tem o poder de agir sobre as outras coisas, em e de si mesmo, sem derivar essa ação de outro qualquer. Ou, ao menos, que há tal Ser eterno, não causado etc., e tem o poder de agir em e de si mesmo. Pois tal Ser, como já foi demonstrado, é de si mesmo ativo ou é inativo, ou tem o poder de ação de si mesmo ou não. Se dissermos que é a última, que seja considerado o que vamos dizer, e com qual propósito o dizemos...[53]

Após indicar a inverdade da asserção ateísta de que a matéria com todas as suas formas é eterna – conjectura essa que o ateu desenvolve em apoio a sua crença de que não há Deus, o *argumentum a posteriori* em sua forma cosmológica assim começa com o reconhecimento do Universo como um fenômeno ou efeito que envolve uma causa, e continua a indicar que aquela causa é *auto-existente, eterna, todo sábia, poderosa, ilimitada, auto-ativa, vital,* e a *fonte de toda vida.* Se não há Deus, de onde surge o fenômeno ou o efeito, que é o Universo? A qual Primeira Causa podem todos esses atributos tão evidentes ser atribuídos?

II. Argumento Teológico

O argumento teológico, por ser a *posteriori*, apresenta evidência de que Deus existe a partir da presença da ordem e da adaptação no Universo. O termo *teleologia* é composto de τέλεος e λόγος; assim, significa *a doutrina dos fins ou o propósito racional.* O princípio que é adequado ao argumento cosmológico não é abandonado, mas, ao ser construído sobre esse princípio, o argumento teológico continua a estabelecer, por evidência racional, a inteligencia e o propósito de Deus como manifestos no desígnio, função e consumação de todas as coisas. Por ele, muita coisa da existência de Deus está afirmada. O argumento teológico dificilmente poderia ser melhor afirmado do que o que foi apresentado pelo salmista: "Aquele que fez o ouvido, não ouvirá? Ou aquele que formou o olho, não verá? Porventura aquele que disciplina as nações, não corrigirá? Aquele que instrui o homem no conhecimento [não conhecerá?]" (Sl 94.9,10).

O fato de o desígnio, que é mostrado em cada coisa criada, demonstra a perspicácia e o propósito racional do Criador. Esta intenção manifesta que caracterizou todas as obras de Deus é ilustrada – tanto quanto o finito pode ilustrar o infinito – pelo fato do desígnio e propósito que são mostrados nas realizações dos homens, realizações essas que, por causa deste desígnio, demonstram a perspicácia e o propósito racional dos homens. Nesta época, que é caracterizada pelo desenvolvimento mecânico além de outros, os homens estão muito impressionados com aquilo que a engenhosidade e inventividade têm efetuado. Mas o homem realmente não origina coisa alguma, e a sua façanha mais apreciada que se pode imaginar nunca está além de uma descoberta e da utilização de provisões e forças que já foram operadas na criação que Deus efetuou.

Quando o homem se gloria em sua descoberta dos segredos da natureza, é pertinente indagar quem criou e constituiu a natureza com as suas maravilhas unificadas e sistematizadas, de uma maneira tão maravilhosa, de fato, que nenhuma mente humana pode compreender a sua extensão telescópica ou discernir a sua perfeição microscópica. Deste exército de maravilhas incompreensíveis, o homem se agarra numa fração ocasional de alguma coisa, fração essa que, na melhor das hipóteses, poderia ser não mais do que uma representação débil daquele todo do qual essa fração é apenas uma parte. Pode ser concluído, então, que é a função do argumento cosmológico indicar a existência evidente e o poder do Criador quando estes atributos são mostrados no cosmos que Ele fez; com o mesmo propósito, é a função do argumento teleológico indicar a existência evidente e o desígnio todo-abrangente e a razão do Criador quando dispostos em ordem, construção e finalidade de todas as coisas que entram na constituição do Universo.

Provavelmente não haja uma divisão do teísmo naturalista tão atraente ou tão capaz de ilustração e expansão infindável como o argumento teleológico. Com relação à estrutura ou tendência do argumento, é citado o seguinte de Bowne:

Se, então, o conhecimento é possível, devemos declarar que o mundo continua de acordo com as leis do pensamento e dos princípios, que estabeleceram todas as coisas nas relações racionais, e equilibraram a interação delas em proporção quantitativa e qualitativa, e mediram esta proporção em números. "Deus geometriza", diz Platão. "O número é a essência da realidade", diz Pitágoras. E com isto concordam todas as conclusões do pensamento científico. Os céus são matemática cristalizada. Todas as leis da força são numéricas. Os intercâmbios de energia e a combinação química são igualmente assim. Os cristãos são geometria sólida. Muitos produtos orgânicos mostram leis matemáticas similares. Na verdade, a alegação freqüentemente levantada é a de que a ciência nunca alcança a sua forma final até que ela se torne matemática. Mas a simples existência no espaço não implica movimento nas relações matemáticas, ou a existência em formas matemáticas. O espaço é somente a base informe da forma, e é totalmente compatível com o que é irregular e amorfo. É igualmente compatível com a ausência de lei numérica. A verdadeira matemática é a obra do espírito. Daí, a maravilha de que os princípios matemáticos deveriam ser tão penetrantes, que muitas formas e processos no sistema representem concepções matemáticas definidas, e que eles deveriam ser tão precisamente pesados e medidos pelos números.

Se o cosmos fosse uma existência em repouso, poderíamos possivelmente contentar-nos a nós próprios em dizer que as coisas existem em relações tais de uma vez por todas, e que não há algo que acontece por detrás deste fato. Mas o cosmos não é uma monotonia rígida de existência; ele é, antes, um processo de acordo com regras inteligíveis; e neste processo a ordem racional é perpetuamente mantida ou restaurada. O fato de ser medido e pesado se dá continuamente. Em cada mudança química muita coisa de um elemento é combinada com muita coisa de outro. Em cada mudança de lugar as intensidades de atração e repulsão são ajustadas instantaneamente para que haja correspondência. À parte de qualquer questão de desígnio, o simples fato do ajustamento qualitativo e quantitativo de todas as coisas, de acordo com a lei fixa, é um fato da mais alta significação. O mundo trabalha, funciona numa multidão de pontos, ou numa multidão de coisas, por todo o sistema, e funciona em cada uma com referência exata às suas atividades em todo o restante. A deslocação de um átomo da largura de um fio de cabelo exige um reajustamento correspondente em todos os outros dentro do domínio da gravitação. Mas todas as coisas estão em constante movimento, e daí o reajustamento ser contínuo e instantâneo. A única lei de gravidade contém um problema de vastidão tão estonteante que as nossas mentes desfalecem na tentativa de entendê-la; mas quando outras leis da força são acrescentadas, a complexidade desafia todo entendimento. Além disso, poderíamos nos referir aos processos em construção nas formas orgânicas, pelo qual estruturas sem conta são produzidas ou mantidas constantemente, e sempre com respeito à forma típica em questão. Mas não há necessidade de nos estendermos neste ponto.

Aqui, então, há um problema, e temos somente os dois princípios da inteligência e da não inteligência, da razão auto diretiva e da necessidade cega, para a sua solução. O primeiro é adequado, e não é forçado nem violento. Ele assimila os fatos para a nossa própria experiência, e oferece a única base de ordem pela qual aquela experiência fornece qualquer sugestão. Se adotarmos esta visão, todos os fatos se tornam luminosos e conseqüentes.

Se tomarmos a outra visão, então teremos de supor um poder que produz o inteligível e o racional, sem ser em si mesmo inteligente e racional. Ele opera em todas as coisas, e em cada uma com referência exata a tudo; todavia, sem conhecer qualquer coisa de si mesmo ou das regras que segue, ou da ordem que encontra, ou das miríades de produtos de propósitos aparentes que incessantemente produz e mantém. Se perguntarmos por que isto é assim, devemos responder que deve ser assim. Se perguntarmos como nós sabemos que isto deve ser assim, a resposta deve ser que é por hipótese. Mas isto se reduz a dizer que as coisas são como são porque elas devem ser. Isso é, o problema fica totalmente abandonado. Os fatos são referidos como uma necessidade hipotética opaca, e isso resulta, quando se pesquisa, num outro problema que assume a outra forma. Não há explicação própria, exceto no teísmo.[54]

Numa combinação para um fim vantajoso de diferentes elementos dissociados com a evidência impulsionadora do desígnio que o resultado proporciona, Paul Janet escreve: "Quando uma combinação complexa de fenômenos heterogêneos é considerada de acordo com a possibilidade de um ato futuro, que não estava contido de antemão em qualquer desses fenômenos em particular, esta concordância pode ser somente compreendida pela mente humana por uma espécie de preexistência, duma forma ideal, do ato futuro em si mesmo, que a transforma de um resultado em um fim – a saber, numa causa final".[55]

Na elucidação deste fenômeno da combinação de elementos dissociados num fim vantajoso, o Dr. John Miley apresenta esta ilustração: "O casco de um navio, mastros, velas, âncoras, leme, bússola, mapas, não possuem conexão necessária, e em relação à causalidade física deles são fenômenos heterogêneos. O uso futuro de um navio não está contido em nenhum deles, mas é possível através da combinação deles. Esta combinação num navio plenamente equipado não possui interpretação em nossa inteligência racional exceto na existência prévia de seu uso no pensamento e no propósito humano. O uso do navio, portanto, não é o mero resultado de sua existência, mas a causa final de sua construção".[56]

O organismo humano com sua relação ao ambiente no qual ele funciona é uma exibição desse projeto e, portanto, denota tanto a existência como a perspicácia do projetista. Sobre este aspecto do argumento, Paul Janet escreveu:

O mundo físico externo e o laboratório interno do ser vivo estão separados um do outro por véus impenetráveis, e todavia eles estão unidos uns aos outros por uma harmonia preestabelecida incrível. Do lado de fora há um agente físico chamado luz; do lado de dentro, há uma máquina ótica fabricada, adaptada para a luz: fora, há um agente chamado som; dentro, uma máquina acústica adaptada para soar; fora, vegetais e animais; dentro, moinhos e alambiques adaptados para a assimilação dessas substâncias; fora, um meio sólido, líquido ou gasoso; dentro, milhares de meios de locomoção, adaptados ao ar, à terra ou à água. Assim, de um lado, há os fenômenos finais chamados visão, olfato, nutrição, voar, andar, nadar etc.; de outro lado, os olhos, os ouvidos, o estômago, as asas, as barbatanas, os membros motores de todo tipo. Vemos claramente nestes exemplos os dois termos do relacionamento – de um lado, um sistema; de outro, o fenômeno final em que ele termina. Se houvesse somente o sistema e a combinação, como nos cristais, ainda, como vimos, deve ter havido uma causa especial para explicar aquele sistema e aquela combinação. Mas há mais aqui; há a concordância de um sistema com um fenômeno que somente será produzido muito depois e em novas condições; conseqüentemente, uma correspondência que não pode ser casual, e que teria de ser necessariamente assim, se não admitirmos que o fenômeno final e futuro seja precisamente o elo do sistema e a circunstância que, de qualquer maneira, predeterminou a combinação.

Imagine um trabalhador cego, escondido num celeiro, e destituído de toda inteligência, que meramente se entrega à simples necessidade de movimentar suas pernas e braços, fosse encontrado forjando, sem o saber, uma chave adaptada para o cadeado mais complicado que possa ser imaginado. Isto é o que a natureza faz na fabricação do ser vivo.

Em parte alguma esta harmonia preestabelecida é, para o que temos justamente chamado a atenção, exibida de uma maneira espantosa do que entre o olho e a luz. "Na construção desse órgão", diz Trendelenburg, "devemos admitir que a luz triunfou sobre a matéria e a moldou, ou ainda que a matéria em si mesma se tornou uma senhora da luz. Isto é ao menos o que resultaria da lei das causas eficientes, mas nem uma nem a outra destas duas hipóteses acontece na realidade. Nenhum raio de luz vem para dentro das profundezas secretas do ventre materno, onde o olho é formado. Ainda menos poderia a matéria inerte, que não é coisa alguma sem a energia da luz, ser capaz de compreendê-la. Todavia, a luz e os olhos são feitos um para o outro, e no milagre do olho reside a consciência latente da luz. A causa motora, com o seu desenvolvimento necessário, é aqui empregada para um serviço mais elevado. O fim ordena o todo, e vigia a execução das partes; e é com a ajuda do fim que o olho se torna a luz do corpo."[57]

A elaboração do argumento teleológico, por William Paley (1743-1805) da forma como é demonstrado na sua obra *Natural Theology, or Evidences of the Existence and Attributes of the Deity collected from the Appearances of Nature*, não é superada por nada. Na passagem breve a seguir, na qual ele desafia aqueles que supõem o Universo como o resultado de um acaso, o seu pensamento claro e seu belo estilo são revelados:

"Por qual arte uma semente seria feita? E de que modo alguém poderia inspirá-la com uma forma seminal? E aqueles que pensam que todo este globo terrestre foi compactado por uma coalizão fortuita (ou fatal) de partículas de matéria, mágica essa com que eles conjurariam tantos juntos para formar um torrão? Inutilmente andamos à caça de milagres com mente preguiçosa; se inutilmente não mais quiséssemos alguma coisa além das novidades, somos circundados com isso: e o maior dos milagres é que nós não os vemos. Você, com quem os acontecimentos diários da natureza (como você a chama) são tão baratos, veja se pode fazer igual. Teste as suas habilidades com uma rosa. Sim, mas você deve ter uma matéria preexistente? Mas você pode provar que o Criador do mundo a tinha, ou você pode defender a possibilidade de uma matéria incriada? E suponha que eles tenham a garantia de toda a matéria entre a sua cabeça e a lua, poderiam eles dizer o que fariam com ela, ou como lidar com ela, para fazer dela uma simples flor, para que eles pudessem se gloriar nisso como a grande produção deles?"[58]

Outra vez, uma citação de Cícero com a mesma finalidade, mas que revela o fato de que os argumentos teístas naturalistas estiveram em uso um século ou mais antes de Cristo:

"Pode alguma coisa ser feita pelo acaso que tem todas as marcas do desígnio? Quatro dados podem por acaso cair com as mesmas faces para cima; mas, você pensa que quatrocentos dados, quando atirados casualmente, vão ter os mesmos lados virados para cima? As cores, quando jogadas sobre as telas sem propósito algum, podem deixar a semelhança de um rosto humano, mas você pensa que elas poderiam fazer uma pintura tão bela como a Vênus de Coan? Um porco, que volve a terra com o seu focinho, pode fazer algo parecido com a forma da letra A; mas você pensa que um porco poderia descrever no chão o Andrômaco de Enius? Carneades imaginava que, nas pedreiras de Quios, houvesse encontrado numa pedra lascada uma representação da cabeça de uma divindade pagã (o deus Pan). Eu creio que poderia encontrar uma figura fora do comum; mas certamente não tal cousa que pudéssemos dizer que foi feita por um excelente escultor como Scopas. A verdade é, de fato, aquele acaso que nunca imita perfeitamente o desígnio."[59]

Uma ilustração interessante da influência do argumento teleológico sobre o cético incógnito é relatada pelo Dr. William Cooke, como se segue:

Alguns anos atrás eu tive a infelicidade de me deparar com as falácias de Hume sobre o sujeito da causação. Os seus sofismas especiosos abalaram a fé da minha razão com relação à existência de Deus, mas não puderam vencer a repugnância do meu coração com relação à negação tão monstruosa, e conseqüentemente deixaram que aquela ânsia infinita e ardente encontrasse um descanso fixo, que o ateísmo não somente não pode dar, mas que o nega absoluta e loucamente.

Numa bela tarde de maio, eu lia, com a luz do sol que se punha, o meu favorito trecho de Platão. Eu estava sentado no gramado, cercado de flores douradas, perto do Colorado cristalino do Texas. Confuso, no distante Oeste, surgiam com os contornos esfumaçados, de forma maciça e irregular, os cones azuis, as ramificações das montanhas Rochosas.

Eu lia um dos sonhos mais estelares daquele que tem mentalidade acadêmica. Eu me apeguei firmemente às minhas fantasias, sem estimular minha fé. Eu chorei em pensar que poderia não ser verdadeiro. Finalmente cheguei àquela sentença surpreendente: "*Deus geometriza*". "Sonho vão!", exclamei, e joguei o livro aos meus pés. Ele caiu perto de uma bela e pequenina flor, que parecia fresca e luzente, como se ela houvesse caído do centro de um arco-íris. Eu a apanhei de sua haste silvestre, e comecei a examinar a sua estrutura. Os seus estames eram cinco; o seu cálice tinha cinco partes; de sua base delicada coral partiam cinco raios que se expandiam como os raios de uma estrela do Texas. Esta combinação de cinco na mesma flor parecia-me muito singular. Eu nunca havia pensado em tal coisa antes. A última sentença que eu havia lido naquela página do aluno de Sócrates tinia em meus ouvidos – "*Deus geometriza*". Havia o texto, escrito muitos séculos atrás; e aqui esta pequena flor, no remoto deserto do Oeste, fornecia o comentário. Repentinamente, diante dos meus olhos, passou um raio tênue de luz – eu senti o coração saltar do meu peito. O enigma do Universo estava aberto. Rápido como um pensamento, eu calculei as chances contra a produção daquelas três equações de cinco numa única flor, por qualquer princípio destituído de razão para perceber o número. Verifiquei que havia 125 chances contra tal suposição. Estendi o cálculo para duas flores, e elevei ao quadrado os resultados mencionados. As chances aumentaram para uma grande soma de 15.625. Botei os olhos ao redor da floresta: as velhas árvores estavam literalmente vivas com as suas flores douradas, onde abelhas sem conta zumbiam e as borboletas sugavam as gotinhas de néctar.

Eu não tentarei descrever os meus sentimentos. Minha alma tornou-se um tumulto de pensamentos radiosos. Retirei da grama o meu amado Platão, a quem eu havia jogado fora num acesso de desespero. Por várias vezes pressionei-o contra o meu peito, como uma mãe abraça ao redor de seu pescoço uma criança sonolenta. Beijei o livro e a flor, alternadamente, e reguei-os com minhas lágrimas de alegria. Em meu entusiasmo selvagem, falei com os passarinhos que estavam nos ramos verdes das árvores, e cantavam alegremente, para se despedir do dia que se findava: "Cantem, pássaros; cantem, doces menestréis! Eia! Vocês e eu temos um Deus".[60]

III. Argumento Antropológico

O argumento antropológico segue a mesma ordem *a posteriori* que é seguida pelos dois argumentos anteriores, mas diferentemente do argumento cosmológico que contempla a totalidade do cosmos e do argumento teleológico que observa o elemento do desígnio, como está manifesto em todo o Universo, o argumento antropológico está restrito ao campo da evidência, com relação à existência de Deus e de suas qualidades, que pode ser retirada da constituição do homem. Há aspectos filosóficos e morais na constituição do homem que podem ser remontados em sua origem de Deus, e com esta base, este argumento denominou o *argumento filosófico* e o *argumento moral*. Mas visto que a amplitude abrangida no argumento é a totalidade do ser do homem, o desígnio todo-abrangente – *argumento antropológico* – é mais satisfatório.

Com base no princípio declarado pelo salmista: "Aquele que fez o ouvido, não ouvirá? Ou aquele que formou o olho, não verá?... aquele que instrui o homem no conhecimento, [não o conhecerá?]" (Sl 94.9,10) – o argumento antropológico indica que os elementos que são reconhecidos como propriedades inatas do homem devem ser possuídos pelo seu Criador. Como base desta prova, a constituição orgânica do homem pertence ao argumento teleológico, mas há aspectos específicos no ser humano que suprem uma prova excepcional da finalidade divina, e estas estão afirmadas propriamente no argumento antropológico.

No começo de sua discussão do argumento antropológico, o Dr. A. A. Hodge afirma: "O argumento cosmológico levou-nos a uma Primeira Causa eterna e auto-existente. O argumento a partir da ordem e adaptação descobriu no processo do Universo revelado esta grande Causa que possuía inteligência e vontade; a saber, ela era um espírito pessoal. O argumento moral ou antropológico fornece novos dados para inferência, e confirma imediatamente as conclusões anteriores com relação ao fato da existência de uma Primeira Causa pessoa e inteligente, e ao mesmo tempo acrescenta à concepção os atributos da santidade, justiça, bondade e verdade. O argumento a partir do desígnio inclui o argumento a partir da causa, e o argumento a partir da justiça e da benevolência inclui ambos os argumentos a partir da causa e do desígnio, e lhes acrescenta um novo elemento de si próprio".[61]

O homem é composto daquilo que é material e do que é imaterial, e estas duas partes constituintes não são relacionadas. A matéria possui os atributos da extensão, forma, inércia, divisibilidade, e afinidade química; enquanto que a parte imaterial do homem possui os atributos do pensamento, razão, sensibilidade, consciência e espontaneidade. Se fosse possível explicar a origem da parte física do homem por uma teoria do desenvolvimento natural (que não o é), a imaterial, com respeito à sua origem, permanece um problema insolúvel à parte do reconhecimento de uma causa suficiente.

Embora em sua estrutura orgânica geral, a parte material do homem é similar àquela das formas mais elevadas de animais, ela é tão refinada como superior a todos os aspectos da criação material. A mão do homem executa os desígnios elevados de sua mente em todos os modos de construção e arte; a sua voz responde às exigências de uma mente elevada para a linguagem; o seu ouvido ouve e seus olhos vêem as esferas da realidade além das feras e estranho a elas. O corpo humano é, assim, uma prova específica de um Criador, visto que ele não pode ser explicado de maneira diferente.

A parte imaterial do homem, que incorpora os elementos da vida, intelecto, sensibilidade, vontade, consciência e uma crença inerente em Deus, apresenta mesmo uma exigência mais insistente de uma causa adequada. A vida não pode desenvolver-se a partir de uma matéria inerte, e embora as alegações evolucionistas remontem tudo o que existe agora ao protoplasma, todas essas formas de vida, de acordo com essa teoria, devem ter estado presentes em forma latente naquele algo original. Tais teorias não provadas não seriam toleradas no campo da investigação a não ser naqueles onde as trevas da mente natural sejam demonstradas em sua incapacidade de receber as coisas de Deus. Novamente, a inteligência do homem com as suas realizações na descoberta, nas invenções, na ciência, literatura, e na arte, exige com resistência implacável uma causa adequada.

Semelhantemente, e debaixo da mesma compulsão inflexível, tanto a sensibilidade quanto a vontade, com suas capacidades transcendentes, exigem uma causa digna. E, finalmente, a consciência assim como a crença inerente em Deus não pode ser explicada com outra base a não ser aquela em que o homem procede daquele que possui todos esses atributos num grau infinito. Uma força cega, tão excepcional quanto possa ser, nunca poderia produzir um homem com intelecto, sensibilidade, vontade, consciência e uma crença inerente num Criador. O produto de uma força cega nunca se aplicaria na busca da arte e da ciência, e na adoração a Deus.

De acordo com a teoria evolucionista do desenvolvimento natural, a criatura é o efeito de uma causa natural e é moldada e formada de acordo com forças sobre as quais ele não tem controle algum; todavia, repentinamente, este efeito surge e exerce autoridade e poder sobre a natureza que supostamente o produziu, e inclina todos os recursos naturais para servir ao seu propósito e vontade. Não é pertinente inquirir quando o homem se tornou senhor sobre a criação que supostamente o criou? "Pode ser concebido", Paul Janet pergunta, "que o agente assim capacitado com o poder de coordenar a natureza para os fins seja ele próprio um simples resultado que a natureza realizou, sem propor a si mesma um fim? Não é uma espécie de milagre admitir na série mecânica dos fenômenos um elo que repentinamente teria o poder de reverter, em algum sentido, a ordem da série, e que, por ser ele próprio somente um resultado conseqüente de um número infinito de antecedentes, impusesse a partir daí sobre as séries esta lei nova e invisível, que faz do conseqüente a lei e a regra do antecedente?"[62]

Ao escrever a respeito dos aspectos morais do argumento antropológico, o Dr. Augustus H. Strong afirma:

> O argumento é complexo, e pode ser dividido em três partes: 1. A natureza intelectual e moral do homem deve ter tido como seu autor um Ser intelectual e moral. Os elementos de prova são os que se seguem: (a) O homem, como um ser intelectual e moral, teve um começo no planeta; (b) As forças materiais e inconscientes não fornecem uma causa suficiente para a razão, consciência e livre-arbítrio do homem; (c) O homem, como um efeito, pode ser somente atribuído a uma causa que possuía autoconsciência e uma natureza moral; em outras palavras: personalidade... 2. A natureza moral do homem prova a existência de um Legislador e Juiz santo. Os elementos da prova são: (a) A consciência reconhece a existência de uma lei moral que tem autoridade suprema; (b) As violações conhecidas desta lei moral são seguidas por sentimentos de demérito e de temores de juízo; (c) Esta lei moral, visto que não é auto-imposta, e estas ameaças de juízo, visto que elas não são auto-aplicáveis, respectivamente argumentam em favor da existência de uma vontade santa que impôs a lei, e de um poder punitivo que executará as

ameaças da natureza moral... 3. A natureza emocional e voluntária do homem prova a existência de um Ser que pode fornecer em si mesmo um objeto de satisfação da afeição humana e um fim que convocará as atividades mais nobres do homem e assegurará os seus progressos mais nobres. Somente um Ser de poder, sabedoria, santidade e bondade pode satisfazer esta exigência da alma humana. Tal Ser deve existir. De outra maneira as maiores necessidades do homem não seriam supridas, e a confiança numa mentira seria mais produtora da virtude do que a crença na verdade."[63]

Quando se sumaria o escopo e o valor dos argumentos *a posteriori*, pode ser observado: (a) No argumento cosmológico a existência do cosmos, que se origina no tempo, constitui-se prova de uma Primeira Causa que é auto-existente e eterna e que possui inteligência, poder, e vontade; (b) No argumento teleológico a evidência do desígnio estende-se à prova da inteligência da Primeira Causa em detalhes de grandeza telescópica e de perfeição microscópica muito além da débil capacidade do homem descobrir ou compreender; e (c) no argumento antropológico, conquanto confirma as provas desenvolvidas nos dois argumentos precedentes, é uma indicação adicionada e assegurada, e sugere os elementos do intelecto, sensibilidade e vontade na Primeira Causa; e o aspecto moral da consciência no homem declara seu Criador como atuante através da santidade, justiça, bondade e verdade.

IV. Argumento Ontológico

"A ontologia é a ciência ou a discussão sistemática do ser real; a teoria filosófica da realidade; a doutrina das categorias ou as características universais e necessárias de toda a existência."[64] O argumento ontológico no teísmo consiste num curso de raciocínio a partir de Deus como a Primeira Causa absoluta de todas as coisas para as coisas que ele causou – especificamente, a idéia inerente de que Deus existe. Ele é reconhecido como o Criador da mente humana na qual esta concepção dEle próprio é encontrada. O fato da existência de Deus está envolvido nesta idéia congênita. Como a alegação do idealismo é a de que as coisas materiais não existem, por ser elas unicamente uma expressão da mente (como é asseverado), o argumento ontológico é uma reversão do idealismo naquilo em que ele afirma que há uma realidade ou substância onde a mente reconhece-a como existente.

Conforme este argumento, a existência de Deus é certificada pelo fato de que a mente humana crê que Ele realmente existe. É um *argumentum a priori* e, com respeito ao seu valor como prova da existência de Deus, os especialistas em metafísica sempre diferiram. O Dr. Shedd, no seu tratamento deste argumento, usa dois terços do espaço dado às provas teístas, enquanto que o Bispo R. S. Foster declara que ele nunca captou o significado ou a força do argumento.

Anselmo (1033?-1109) recebe o crédito por sua primeira enunciação e afirmação que nunca foi melhorada nas revisões posteriores. A seguinte citação da Encyclopaedia Britannica no verbete *Anselmo* é esclarecedora:

"No *Proslogion*, como o próprio autor nos diz, o alvo é provar a existência de Deus por um único argumento. Este argumento é a celebrada prova ontológica. Deus é aquele Ser além de quem nenhum outro maior pode ser concebido. Ora, se aquele de quem nada pode ser concebido como maior pode ser concebido como existente somente no intelecto, não seria o absoluto maior, pois poderíamos acrescentar a isso a existência na realidade. Segue-se então, que o Ser de quem nada maior pode ser concebido, i.e., Deus necessariamente tem uma real existência" (14ª. edição). Gaunilo, o monge, imediatamente questionou este argumento, ao afirmar que prontamente formamos a idéia de seres puramente imaginários, e a realidade, ou a existência real, não pode ser predicado destas idéias.

"A resposta de Anselmo foi que a objeção era irrefutável com respeito ao que é imperfeito, ou seres finitos, porque com eles a existência real não é essência necessária da concepção; mas que a objeção não pode ser aplicada ao Ser mais perfeito visto que a existência real é o verdadeiro aspecto essencial da impressão. Gaunilo declarou que a idéia de uma "ilha perdida" não implica que haja tal coisa na realidade. A isto Anselmo replicou que se Gaunilo vai mostrar que a idéia da 'ilha perdida' implica em sua existência necessária, ele vai encontrar a ilha para ele e que ela nunca mais será perdida novamente.[65]

O Dr. Samuel Harris escreve

Portanto, é evidente que a mente humana não pode escapar da idéia do absoluto. Ela persiste na consciência implícita, no pensamento regulador, e até mesmo quando teoricamente repudiada. É evidente que sem a suposição, explícita ou implícita, que o Ser absoluto existe, a razão do homem não pode resolver os seus problemas necessários, nem repousar satisfeito com qualquer obtenção intelectual, nem se manter inabalável diante da realidade do seu conhecimento, nem conhecer a continuidade, a unidade e a realidade do Universo. A conclusão necessária é que o princípio de que o Ser absoluto existe é uma lei do pensamento primitiva e necessária, um elemento constituinte da razão, e um postulado necessário em todo pensamento a respeito do ser.

Em sua exposição da origem da idéia do Ser absoluto e de nossa crença em sua existência, eu demonstrei o chamado argumento *a priori* para a existência de Deus em sua verdadeira importância. Este é um argumento a partir da idéia do Ser absoluto ou perfeito para a sua existência. A fim de concluir este argumento, deve ser mostrada tanto a idéia de que o Ser perfeito é uma idéia necessária da razão quanto a de que a existência do Ser está necessariamente inclusa na idéia; a saber, a sua existência deve ser tanto necessária para a razão quanto para a idéia dela. Isto é o que tem sido mostrado.[66]

Sobre o mesmo argumento, Milton Valentine escreve:

"Os germens disto estiveram envolvidos na doutrina das 'idéias' de Platão, mas ele foi primeiramente formulado por Anselmo, no século 11. A partir da existência da idéia do "ser mais perfeito", na mente humana, concluiu-se que o ser mais perfeito existe – porque a existência real é uma parte necessária da idéia do ser mais perfeito. Descartes, bispo Butler, Leibnitz, Cousin, e muitos outros eminentes escritores usaram este método de argumento, mas, sozinho, esse argumento tem se mostrado não ser sadio, porque ele confunde a existência objetiva real com a simples idéia dela na mente".[67]

Semelhantemente, o Dr. Charles Hodge afirma: "Se tal argumento possui alguma validade, é destituído de importância. Equivale simplesmente a dizer que o que deve ser realmente é. Se a idéia de Deus como ela existe na mente de cada homem inclui aquela da existência real, então, no que concerne à idéia, aquele que tem uma tem a outra. O argumento, porém, não mostra como o ideal implica o real".[68]

Sobre o mesmo argumento, Richard Watson escreve: "Eu creio que não há qualquer exemplo do registro de uma conversão ateísta que foi produzida por este processo, e que possa ser colocada entre as tentativas mais zelosas dos advogados da verdade. É bem intencionada, mas não é satisfatória, e, de um lado, ela tem levado à negligência do mais convincente e poderoso curso de argumento retirado das *'coisas que não aparecem'*; e de outro lado, tem encorajado uma dependência de um modo de investigação, para o qual a mente humana é inadequada, que em muitos casos é uma ilusão mental total, e que raramente duas mentes vão se portar da mesma maneira; ela provavelmente tem sido maligna em seus efeitos por induzir um ceticismo que não surge da natureza do caso, mas das investigações imperfeitas e insatisfatórias do entendimento humano, empurrado para além do limite de seus poderes".[69]

Conclusão

O *argumentum a posteriori* em suas três partes tem sempre sido válido e vital. O *argumentum a priori* tem produzido pouco ou nada, mas apenas especulações infundadas. Desta distinção entre a utilidade dos dois, o Dr. John Dick afirma: "É por este argumento [o *a posteriori*] que nós chegamos ao conhecimento da existência não-causada do autor do Universo, e não por especulações abstratas sobre a necessidade. Nós nunca saberíamos que Ele existe, mas a partir de nossa existência e da de outros seres ao redor de nós, e com este modo nos asseguramos de que Ele realmente existe, parece absurdo falar de provar a sua existência a *priori*. Qualquer uso que possa ser feito deste argumento para provar as suas perfeições, não pode ser empregado como prova de seu ser.

CONCLUSÃO

O próprio Dr. Clarke reconhece que 'o argumento *a posteriori* é em alto grau geralmente o argumento mais útil, mais fácil de ser entendido, e em algum grau adaptado a todas as capacidades; portanto, deveria haver distintamente mais insistência nele'.[70]

Para o cristão espiritual a quem veio o iluminador e normativo: "Assim diz o SENHOR" das Escrituras, pouco pode ser acrescentado por estes argumentos teístas racionalistas; contudo, estes argumentos existem e de fato contribuem para a teologia com aquilo que a razão sugere. Com esta base, estes argumentos deveriam ser ponderados por todo estudante de doutrina.

Capítulo XII

Teorias Antiteístas

O homem natural, que não recebe ou entende as coisas de Deus (1 Co 2.14), em todas as épocas procurou responder o problema de um universo visível e por seus esforços tem incessantemente provado que esta avaliação divina de suas limitações é verdadeira. Pode ser difícil para a mente espiritualmente iluminada compreender o nevoeiro de confusão na qual freqüentemente homens sinceros, mas não-regenerados, estão metidos. Deveria ser lembrado que o argumento não cria uma iluminação divina. Somente pelo novo nascimento alguém pode "ver o reino de Deus". A cura para a escuridão espiritual é "a luz do mundo". As apalpadelas dos homens naturais – e algumas vezes eles são homens de grandes poderes mentais – são variadas e complexas. Contudo, eles têm formulado certas linhas gerais de filosofia, e essas, iguais às falsas religiões da terra, revelam as limitações espirituais do homem caído.

O *teísmo*, que significa uma crença em Deus e em sua forma naturalista, é uma filosofia racional com relação a Deus, que é restrita à essência divina. O teísmo bíblico crê que a Essência, de acordo com a revelação, existe em três pessoas. Como uma filosofia racionalista, o teísmo naturalista é sustentado pelos argumentos racionais já considerados, e pode ser distinto de certas teorias antiteístas.

O conhecimento da natureza por parte do homem e de sua investigação incansável dos fatos do Universo e de sua origem encontra-se na história da filosofia. Muitas escolas de pensamento têm aparecido, algumas das quais existem no tempo presente somente nos registros que constituem a sua história. Estes sistemas de pensamento refletem as apalpadelas da mente humana quando não recebem a ajuda da revelação. Está registrado que alguns filósofos rejeitaram a revelação quando esta chegou a eles (Rm 1.18-32). É também verdade que outros, a quem a revelação foi negada, teriam respondido a ela e regozijado-se na luz gloriosa que ela proporciona. Platão disse: "Os filósofos são capazes de captar o eterno e o imutável... aqueles que colocam suas afeições naquilo que, em cada caso, realmente existe". A sinceridade que recebe com prazer a luz aumentada é refletida nestes pronunciamentos.

Os filósofos mais antigos estavam ocupados com a cosmologia e só depois de Sócrates e Platão que houve uma séria consideração dos fenômenos morais e intelectuais. O fato de que Sócrates tenha confundido o conhecimento com a virtude sugere a imaturidade que sua filosofia evidenciava. O estudante de teologia fará bem em se familiarizar com as principais teorias antiteístas desta época e das passadas; porque elas, por serem mais ou menos naturais às mentes não-regeneradas, sempre reaparecem de uma forma ou de outra. Algumas dessas teorias são:

I. Ateísmo

Uma negação aberta e positiva da existência de Deus é indicada pelo termo *ateísmo* ἄΘϵος – 'nenhum Deus'). A designação não é aplicada propriamente à mera ignorância de Deus. Um ateu dogmático é aquele que se presume informado com respeito às reivindicações teístas, mas nega enfaticamente a existência de Deus. É provável que um ateu consistente nunca tenha existido. Ele é um indivíduo esporádico que forçou a intuição e a razão de uma atitude numa tentativa de manter uma premissa suposta e negativa. O homem não poderia e nunca vai poder se ajustar plenamente às conclusões lógicas do ateísmo. Se ele assim se ajustasse, ele não somente repudiaria Deus, todo valor moral, e a realidade espiritual, mas igualmente repudiaria a constituição humana no seu lado imaterial. Para o ateu consistente não pode haver mente, consciência, moralidade, sensibilidade e vontade.

A teoria do ateu não pode dar apoio às suas próprias asserções por causa do elemento da mente que tal apoio exige. Para o ateu, o universo material é somente um acidente e todas as suas maravilhas de coordenação e desenvolvimento são fortuitas. Ele não reconhece uma causa para nada, mesmo para a sua própria existência. Ele não possui esperança alguma para si próprio no tempo ou na eternidade. Quando ele nega a existência de Deus, é através de uma suposição do conhecimento que transcende as limitações que o seu credo negativo permite. Cito John Foster (1770-1843):

> A maravilha, então, torna-se no grande processo, pelo qual um homem poderia atingir para a imensa inteligência que lhe permite saber que não há Deus. Que épocas e que luzes são exigências para essa obtenção! Esta inteligência envolve os verdadeiros atributos da divindade, enquanto Deus é negado. Porque a menos que esse homem seja onipresente, a menos que ele esteja neste momento em toda parte do Universo, ele não pode saber exceto que pode haver em algum lugar manifestações de uma divindade, pelas quais ele mesmo seria esmagado. Se ele não conhece absolutamente cada agente no Universo, aquele que ele não conhece pode ser Deus. Se ele próprio não é o principal agente no Universo, e

não sabe quem possa ser, aquele que assim o é, pode ser Deus. Se ele não está na posse absoluta de todas as proposições que constituem a verdade universal, aquela que lhe falta pode ser a de que há Deus. Se com certeza ele não pode apontar a causa de tudo o que ele percebe que existe, essa causa pode ser Deus. Se ele não conhece cada coisa que tenha sido feita nas imensuráveis épocas que estão no passado, algumas coisas podem ter sido feitas por Deus. Assim, a menos que ele conheça todas as coisas, a saber, que ele evite uma outra divindade por ser ele próprio uma, ele não pode saber que o Ser cuja existência ele rejeita não existe. Mas ele dever *saber* que ele não existe, para que não receba igual desrespeito e compaixão por causa da temeridade com que ele firmemente admite a sua rejeição e age desta maneira.[71]

Nenhuma outra definição abrangente do ateísmo foi encontrada além da seguinte citação do Dr. A. A. Hodge:

O ateísmo, segundo a sua etimologia, significa uma negação do ser de Deus. Foi aplicado pelos gregos antigos a Sócrates e a outros filósofos, para indicar que eles falharam em se conformar à religião popular. No mesmo sentido ele foi aplicado aos cristãos primitivos. Visto que o uso do termo teísmo ficou definitivamente fixado em todas as línguas modernas, o ateísmo necessariamente significa a negação da existência de um Criador pessoal e de um Governador moral. Não obstante a crença no Deus pessoal ser o resultado de um reconhecimento espontâneo de Deus como aquele que se manifesta na consciência e nas obras da natureza, o ateísmo é ainda possível como um estado anormal da consciência induzida pela especulação sofista ou pela indulgência de paixões pecaminosas, exatamente como o idealismo subjetivo é possível.

Ele existe nas seguintes formas: 1. Prático; 2. Especulativo. O ateísmo especulativo pode ser (1) dogmático, como quando a conclusão é alcançada seja (a) na idéia de que Deus não existe, ou (b) na idéia de que as faculdades humanas são positivamente incapazes de assegurar ou de verificar a sua existência (e.g., Herbert Spencer, "First Principles", parte 1); (2) cético, como quando se duvida simplesmente da existência, e a conclusão da evidência em que se confia é negada; (3) virtual, como quando (a) os princípios são mantidos como essencialmente inconsistentes com a existência de Deus, ou com a possibilidade do nosso conhecimento dele: e.g., pelos materialistas, positivistas e idealistas absolutos; (b) quando alguns dos atributos essenciais da natureza divina são negados, como acontece com os panteístas, e por J. S. Mill em seus "Essays on Religion"; (c) quando as explicações do Universo são dadas e excluem a agência de um Criador e Governador inteligente, o governo moral de Deus, e a liberdade moral do homem, e.g., as teorias de Darwin e Spencer, e dos necessitarianos em geral.[72]

II. Agnosticismo

O teísmo deve ser distinguido também do agnosticismo, que é a visão de que não há base suficiente tanto para uma resposta afirmativa quanto negativa à pergunta: Deus existe? Portanto, é reivindicado, o julgamento desta pergunta deve ser suspenso. Na realidade é uma indisposição de aceitar as impressões da mente sobre certos assuntos dos quais se depende e de ser convencido por um processo lícito da razão. Os agnósticos expoentes do passado foram Sr. W. Hamilton, Dean Mansel, Herbert Spencer e Huxley. Este último cunhou o termo *agnosticismo* por volta de 1870. É evidente da etimologia da palavra que ele pode se aplicar em qualquer grau ou sombra de incredulidade a qualquer matéria. Ele é usado, contudo, com um sentido restrito. Cito a Encyclopaedia Britannica:

"Considerando que o ceticismo, como um termo técnico em filosofia, denota graus variantes de dúvida sobre se alguns ou todos os processos psicológicos, propondo dar conhecimento, realmente o fazem, o agnosticismo ao contrário assevera que, possuímos conhecimento certo de certas espécies de objetos ou fatos, enquanto que de outras determinadas espécies de existência alegada não temos nem podemos ter conhecimento algum. As espécies de objetos alegados dos quais os agnósticos dizem que o conhecimento deles é impossível, estão as preocupações importantes da metafísica e da teologia: Deus, a alma e sua imortalidade e – mais geralmente falando – as realidades últimas das quais as coisas fenomenais, tais como as ciências estudam, são apenas aparências. Destas coisas fenomenais, temos um conhecimento sempre crescente e irrefutável, como em relação às coisas em si mesmas, as existências noumenais e ontológicas, das quais as 'coisas' do senso comum e da ciência são as sombras conhecíveis ou aparências, nunca podemos ter um conhecimento puro e subjetivamente impoluto. Se sabemos *que* eles existem, não podemos conhecer o que eles são; se podemos asseverar a existência deles, somos ignorantes com a respeito à essência deles."[73]

Além disso, como a etimologia da palavra sugere, o agnosticismo é simplesmente o *não conhecer*. Seu objetivo é desacreditar a certeza no campo do conhecimento humano. Ele é um ataque sobre os poderes mentais do homem e gera uma desconfiança nos fatos comuns e nas forças da existência humana. Ele é a negação de cada particular; portanto, destrutivo em seus efeitos sobre a verdade que é ganha pelas funções normais das faculdades humanas. Os agnósticos desconsideram as provas razoáveis, cujo processo, se seguido consistentemente, eliminaria as reais provas que eles desenvolvem por suas próprias teorias. Sobre esta forma de incredulidade o Dr. George Park Fisher escreve:

É óbvio que o agnosticismo é a destruição da ciência. Todas as investigações e raciocínios da ciência procedem do fundamento dos axiomas, – chamando-os de intuições, postulados racionais, ou por qualquer outro nome. Mas estes, de acordo com os agnósticos, denotam simplesmente um certo estágio no qual o processo de evolução chegou. O que os impede de desaparecer, ou de se transformarem em outro conjunto de axiomas, com o movimento de avanço deste processo incansável? O que, então, acontecerá com as doutrinas do próprio agnosticismo? É claro que com esta filosofia, todo o conhecimento das realidades, como distintas das impressões transitórias, é uma casa construída sobre a areia. Toda ciência é reduzida ao *Schein* – mera aparência. É impossível para o agnóstico limitar seu conhecimento à experiência, e rejeitar como não verificada as implicações da experiência, sem abandonar quase tudo que ele sustenta como verdadeiro. Se ele se apega ao seu princípio, o seu credo será muito pequeno. A consciência fica confinada ao momento presente. Eu sou consciente de me lembrar duma experiência do passado. Esta consciência como um fato presente eu não posso negar sem uma contradição. Mas como eu sei que o objeto de lembrança – seja ele um pensamento, um sentimento, ou uma experiência de qualquer espécie – jamais foi uma realidade? Como eu sei qualquer coisa do passado, ou que há um passado? Ora, a memória é necessária para a comparação das sensações, para o raciocínio, para a totalidade de nossa vida mental. Todavia, crer na memória é transcender a experiência. Eu tenho certas sensações que eu atribuo coletivamente a uma causa chamada meu "corpo". Sensações iguais me levam a reconhecer a existência de outros corpos iguais ao meu. Mas como eu sei que há uma consciência dentro desses corpos? Como eu sei que meus companheiros que vejo ao redor de mim têm mentes iguais à minha? Os sentidos não podem perceber a inteligência dos amigos ao redor de mim. Eu infiro que eles são inteligentes, mas nesta inferência eu transcendo a experiência. A experiência reduzida aos seus termos exatos, de acordo com os métodos do agnosticismo, está confinada ao presente sentimento – o sentimento do momento que passa. Quando o agnóstico vai além disto, quando ele infere que o que é lembrado foi uma vez apresentado na consciência, que os seus companheiros são seres pensantes, e não marionetes sem raciocínio, que quaisquer seres inteligentes existem fora de si próprio, ele transcende a experiência. Se ele fosse atribuir inteligência a Deus, ele não seria culpado de suposição mais grave do que ele atribuir inteligência aos seus companheiros que ele vê em movimento ao seu redor, e com quem ele conversa.[74]

O agnosticismo é melhor expresso pela frase: "Eu não vou crer", do que pela frase: "Eu não posso crer".

III. Evolucionismo

O Dr. Leander Keyser escreve: "Em geral, a evolução é a teoria de que o cosmos desenvolve-se desde o material bruto e homogêneo até o seu estado presente heterogêneo e avançado por meio de forças residentes".[75] A evolução é tanto *teísta* quanto *ateísta*. A evolução teísta reconhece Deus como o Criador dos materiais originais, mas afirma que a evolução é o método pelo qual todo o desenvolvimento a partir de um estado primordial suposto para um estado de perfeição foi trabalhado. A evolução ateísta rejeita a pessoa de Deus, nega sua obra na criação, e afirma que a matéria é eterna ou que se auto desenvolve.

Desde o começo o homem caído, por não ter qualquer conhecimento da revelação e disposição para avaliar a obra de Deus, tem especulado sobre o problema da origem e o desenvolvimento do Universo como ele o tem visto. Com toda a sua força sobre credulidade, a teoria evolucionista é a melhor solução deste problema que o homem natural pode urdir. Este é um sistema ímpio que é auto demonstrado. "Deus não está no pensamento deles." Nenhum lugar é feito para Deus como um fator neste sistema, nem a sua Palavra é mencionada como citação. Não poderia ser de outra maneira. A doutrina bíblica da criação explica todas as coisas sobre o fato da criação divina, que é um princípio diametralmente oposto ao proposto pela teoria da evolução. Do outro lado, os promotores da teoria evolucionista procuram evitar toda consideração do sobrenatural, a fim de tentar, como sempre fazem, reduzir as obras de Deus a um processo natural. A doutrina bíblica da criação olha para Deus; a teoria evolucionista, independentemente da suposição da evolução teísta de que Deus criou aquilo de que o Universo se desenvolveu, olha para longe de Deus.

Os evolucionistas distinguem entre coisas vivas e não vivas e reconhecem que cada uma dessas realidades apresenta o seu próprio problema de origem e desenvolvimento. Na verdade, a teoria evolucionista não está propriamente preocupada com a origem. Antes, ela tem a ver com o desdobramento e a expansão das coisas desde um suposto começo. Com respeito à origem do universo material, poucos, de fato, estão preparados para defender a noção de que ele é eterno ou que ele é auto-operado. A matéria, por ser não inteligente e inerte, não poderia se pôr em ação por si mesma nem poderia ter agido com um propósito. Somente a inteligência infinita e com capacidade igual para esta tarefa poderia ter realizado tal começo. A imensidão do empreendimento e a perspicácia que ele conota não são diminuídas pela suposição de que tudo uma vez existiu na forma de uma névoa luminosa ou protoplasma. É duvidoso se é um esforço menor fazer um ovo do qual uma galinha poderia vir do que fazer uma galinha plenamente desenvolvida. A névoa luminosa ou protoplasma que sustenta este universo potencialmente dentro dele seria uma miniatura do todo. No que diz respeito à a teoria evolucionista, o problema da causa da miniatura permanece sem solução.

Na introdução do seu tratado sobre a *evolução*, a Enciclopédia Britânica afirma. "Desde os tempos mais antigos o homem deve ter especulado sobre a natureza e a origem das multidões de criaturas vivas, tanto plantas quanto animais, que povoam a face da terra. Alguns têm presumido" – o autor tem humildemente interposto o que ele crê ser uma frase melhor, a saber, que eles *crêem* na autoridade absoluta – "que as diversas formas com seus contornos e tamanhos, propriedades e hábitos diferentes, foram cada uma criadas especialmente, provavelmente para encher um lugar particular e servir para um propósito especial; outros preferiram considerá-las como produtos da natureza gradualmente desenvolvidos. De acordo com a doutrina moderna, a evolução e a diversidade que vemos ao redor de nós são devidas à ação no passado de 'causas naturais', que podem ser observadas ainda em funcionamento no presente. Esta concepção tem sido aplicada à totalidade do cosmos, e inclui tanto as coisas vivas quanto as não vivas".

Sobre a extensão à qual a evolução é agora recebida pelos indivíduos cultos, a mesma introdução prossegue com a seguinte observação:

A idéia da evolução tem penetrado muitos outros departamentos do pensamento. A antropologia e a etnologia estão permeadas dele, e assim também a história e as religiões comparadas. A psicologia moderna reconhece que a mente humana é ininteligível sem um pano-de-fundo evolucionista. A idéia da evolução tem reenfatizado o nosso parentesco com os animais; ela tem destronado o homem de sua posição como obra-prima da criação; mas em lugar da antiga idéia da estabilidade, ela nos tem dado a idéia de um avanço possível da raça humana, e do homem como o depositário do futuro progresso evolutivo. E além disso, é agora universalmente sustentado por biólogos competentes que todos os organismos, vivos ou extintos, surgiram de ancestrais remotos comuns por um processo de mudança gradual ou evolução, e além disso, que a matéria viva ou "vida" em si mesma, com toda probabilidade surgiram da matéria não viva nos primeiros estágios deste processo evolutivo. A única dúvida que permanece diz respeito aos passos exatos no processo, e a natureza e importância relativa dos vários fatores que têm contribuído para ele.[76]

A afirmação acima de que "vida em si mesma com toda a probabilidade surgiu da matéria não viva" é uma pura conjectura. Sem dúvida, ela é a melhor solução da origem da vida que as mentes ímpias podem conceber. Aqui, o verdadeiro método científico de proceder somente com base em fatos *provados* parece ser jogado aos ventos. A evolução é uma inferência baseada em uma pura hipótese. Ainda que todos os homens eruditos abraçassem esta inferência, ela não tem direito de asseverar sobre si mesma como a ciência final e normativa, como faz o evolucionismo, até que ela seja verificada pelos fatos. Ao definir um *fato*, o New Century Dictionary afirma: "Um feito ou ato... também alguma coisa que realmente tenha acontecido, ou que seja realmente o caso; uma ocorrência real, ou estado de coisas, como distinto de algo meramente alegado ou crido; daí, uma verdade conhecida pela real observação ou testemunho autêntico" (edição de 1936).

A hipótese evolucionista não responde a uma dessas exigências e, portanto, é destituída de *fatos* sobre os quais uma ciência deve estar baseada. Em oposição a isso, após ter estabelecido a verdade de que a Bíblia é a Palavra de Deus por uma demonstração que se conforma completamente à tudo que substancia um fato, é científico crer que "no princípio criou Deus os céus e a terra". Essa afirmação apresenta um fato provado que está baseado em "testemunho autêntico" e é, portanto, científico. Contudo, por causa da escuridão espiritual que está sobre o entendimento humano a respeito de Deus e de todas as suas obras, as Escrituras com igual finalidade e clareza afirmam: "Pela fé entendemos que os mundos foram criados pela palavra de Deus, de modo que o visível não foi feito daquilo que se vê" (Hb 11.3).

No mundo intelectual, assim como em outros caminhos da vida, os homens escolhem entre as únicas alternativas, a saber, a criação direta de todas as coisas por Deus, como está afirmado em sua própria Palavra normativa, ou a evolução deste complexo e maravilhoso universo sem uma causa ou um propósito diretor, a partir do *nada*. E que trevas estão evidenciadas por aqueles que nada escolhem!

Qualquer tentativa de analisar as teorias da evolução naturalista deveria levar em conta o fato de que, a despeito de sua antigüidade, ela é a crença do tempo presente e não deve ser classificada como noções abandonadas de épocas passadas. A doutrina não é nova, e foi sustentada, de forma muito grosseira, por muitos filósofos antigos. Recentemente, ela aparece com uma importância suposta que homens cultos lhe atribuem. Nos dias de Huxley – quase um século e meio atrás – ele deu a esta teoria o peso de sua grande influência. Ele afirmou: "A matéria da vida é composta de matéria comum, e difere dela somente na maneira em que seus átomos são agregados". E ainda: "Eu devo cuidadosamente me resguardar de qualquer suposição de que pretendo sugerir que a abiogênese jamais tenha acontecido no passado ou que jamais venha a acontecer no futuro. Com a química [77]orgânica, com a física molecular e com a fisiologia ainda na sua infância, e cada dia dando largas passadas, eu penso que seria o cúmulo da presunção qualquer homem dizer que as condições sob as quais a matéria assume as propriedades que chamamos 'vitais' não possam algum dia ser artificialmente produzidas".

A afirmação mais autorizada produzida recentemente a respeito das presentes alegações da evolução naturalista pode ser encontrada na mais recente edição da Enciclopédia Britânica, onde é asseverado – uma porção dessa afirmação já foi citada anteriormente nesta obra: "Finalmente há um valor pragmático da teoria da evolução. O biólogo no estudo das coisas vivas verifica que a idéia da evolução opera e o ajuda a interpretar seus fatos e a descobrir novos fatos e princípios, ao passo que nenhuma outra teoria ate agora apresentada o ajuda de forma alguma. A idéia da evolução é tão importante quanto uma ferramenta biológica, por exemplo, o microscópio... é freqüentemente afirmado por pessoas irresponsáveis que o "darwinismo está morto". Isto está muito longe de ser o caso. À medida que o darwinismo foi uma asserção deduzida do fato da evolução, ela é muito mais firmemente baseada hoje do que o foi no próprio tempo de Darwin, e cada ano produz evidência renovada em seu apoio. Somente com respeito à natureza das variações que devem ser selecionadas a teoria da evolução pela Seleção Natural tem sofrido alguma importante modificação; em outros aspectos ela permanece inabalável" (vol. VIII, 916).

Há certos fenômenos óbvios para os quais a teoria da evolução não oferece explicação alguma, a saber, a origem da matéria; a matéria nunca evoluiu para a vida; as espécies permanecem separadas onde quer que sejam observadas e nenhuma transmutação de espécie jamais foi observada; movimento; vida; consciência; Cristo; experiência cristã; uma vida futura. Muito longe de serem questões subordinadas, estas são os fatos essenciais de toda a criação. Não é suficiente declarar a esta altura que a evolução é um princípio que não pode se preocupar com detalhes. As realidades acima mencionadas são fundamentais. A ciência para ser digna do seu nome deve proceder com base nos fatos provados. Os cientistas que abraçam as teorias não provadas da evolução naturalista violentam as exigências de sua própria profissão.

O Dr. Miley declara: "A evolução, então, é uma inferência a partir de uma mera hipótese. Este não é o método da ciência. A hipótese é uma base totalmente insuficiente para qualquer ciência. Nenhuma teoria pode alegar uma posição científica até que tenha se verificado a si mesma pelos fatos".[78] A explicação desse estranho afastamento por parte de muitos homens cultos da reconhecida base fundamental da ciência é que eles não têm escolha. Visto "que o homem natural não pode entender as coisas do Espírito de Deus" (1 Co 2.14), eles não encontram solução para o problema da origem na revelação de que Deus criou o universo. Para tal mente, é evidentemente mais fácil crer numa teoria que não é provada de que alguma coisa se desenvolveu do nada; que a matéria produziu vida, do que crer que Deus criou todas as coisas pelo seu próprio poder suficiente e para os seus próprios fins determinados.

A iluminação espiritual, e não o argumento, é a cura para a incapacidade do homem não-regenerado. Quão anormais essas coisas são! Quão pervertida é a experiência intelectual de uma pessoa que vê "loucura" nos atos criadores e sublimes de Deus, mas não vê loucura na noção estúpida de que girinos e macacos são os progenitores dos homens! A fé somente, e não o raciocínio científico, descobre as coisas de Deus. "Pela fé", e nem todos os homens possuem fé, "entendemos que os mundos foram criados pela palavra de Deus; de modo que o visível não feito daquilo que se vê" (Hb 11.3). A doutrina da criação divina não é somente o ponto de partida da revelação, mas toda a Escritura subseqüente reconhece esse ensino e edifica sobre ele.[79]

IV. Materialismo

"A doutrina de que os fatos da experiência são todos para ser explicados pela referência à realidade, atividades, e leis de substância física ou material. Na psicologia, essa doutrina nega a realidade da alma, como ser psíquico; na cosmologia, ela nega a necessidade de aceitar o ser de Deus como Espírito Absoluto, ou de qualquer outra base espiritual ou primeiro princípio: oposto ao *espiritismo*. As teorias materialistas têm variado desde a primeira, mas a forma mais amplamente aceita considera todas as espécies de vida mental e senciente como produtos do organismo, e o universo em si como resolvível em termos de elementos físicos e seus movimentos."[80]

A isso a Enciclopédia Britânica acrescenta: "Talvez possa ser justo dizer que o materialismo no presente é um postulado metodológico necessário da pesquisa científica naturalista. O negócio do cientista é explicar cada coisa por causas físicas que são comparativamente bem entendidas e excluir a interferência de causas espirituais. Foi a grande obra de Descartes a de excluir rigorosamente da ciência todas as explicações que não eram cientificamente verificáveis" (14 ed.).

O mundo aguarda a introdução de uma ciência equilibrada e sem preconceito que dê ao espiritual o seu lugar transcendente acima da matéria. Os rastejos cegos dos evolucionistas modernos que, por falta de luz espiritual, são forçados a procurar a origem da vida na emanação da "complexidade psicoquímica" (qualquer que possa ser o significado disso – cf. a Enciclopédia Britânica no verbete evolução) enterram-se sob o estrume no qual eles não serão capazes de abrir os olhos. Como Deus é maior do que as obras de Suas próprias mãos, assim o espírito do homem, por ser uma comunicação direta de Deus (Gn 2.7), supera em importância o mero "vaso de barro" onde ele mora. A história da ciência nesse campo que é meramente físico, certos progressos podem ser feitos; mas no campo daquilo que diz respeito à vida e ao ser espiritual, não tem havido progresso algum, nem poderá haver até que homens da ciência dêem boas-vindas à revelação como uma fonte válida de informação. Se toda a ciência hesita sobre o problema da mera animação, quando os seus sumo sacerdotes vão acordar para uma avaliação da maravilha maior do "dom de Deus que é a vida eterna em Jesus Cristo, nosso Senhor"?

V. Politeísmo

A crença e o ensino de que há mais de um Deus são conhecidos como *politeísmo*, e é um grande desrespeito pelo primeiro mandamento do Decálogo. Essa tem sido a reivindicação de infiéis e de evolucionistas modernos que, em seus antigos desenvolvimentos a partir de uma incipiente existência animal, os homens têm crido em muitos deuses. Ao contrário, a evidência intrabíblica e a extrabíblica demonstram que os homens começaram com uma crença em um Deus e dessa crença eles abandonaram, ficando desejosos de "tirar Deus do conhecimento deles". Nenhuma história melhor ou mais exata disso poderia ser escrita além do que está registrado por inspiração divina em Romanos 1.18-32. Citando o Dr. A. A. Hodge, outra vez:

O politeísmo... distribui as perfeições e as funções do Deus infinito entre muitos deuses limitados. Ele surgiu da adoração da natureza apresentada pelos antigos Vedas Hindus, e logo suplantou de um modo geral o monoteísmo primitivo. A princípio, permaneceu longamente na Caldéia e

Arábia, e consistia da adoração dos elementos, especialmente das estrelas e do fogo. Subseqüentemente tomou formas especiais provenientes das tradições, da índole e das civilizações relativas de cada nacionalidade. Entre os selvagens mais rudes ele se derivou para o fetichismo como na África ocidental e central. Entre os gregos ele foi tornado o veículo para a expressão de humanitarismo refinado deles na apoteose dos homens heróicos antes do que na revelação de deuses encarnados. Na Índia, surgindo de uma filosofia panteísta, ele tem sido levado aos extremos mais extravagantes, tanto com respeito ao número, quanto ao caráter de suas divindades. Onde quer que o politeísmo tenha sido conectado à especulação, ele aparece como a contraparte esotérica do panteísmo.[81]

O politeísmo não apresenta nenhuma similaridade com a doutrina bíblica de uma Trindade de Pessoas com uma só essência. A crença trinitariana é baseada no fato principal de que há um Deus — Jeová nosso Eloim é o único Jeová (Dt 6.4), e afirma que o único Deus subsiste em três Pessoas. A Bíblia é, em seu grau mais alto, uma revelação de um monoteísmo.

VI. Idealismo e Realismo

Com respeito a esses dois sistemas opostos de pensamento, o New Standard Dictionary (ed. de 1913) assevera: "Idealismo: Este sistema de pensamento reflexivo que interpretaria e explicaria a totalidade do universo, coisas e mentes em suas relações, como a percepção de um sistema de idéias, ou como a evolução progressiva de um ideal. Ele assume várias formas conforme determinado pela visão do que a idéia ou o ideal é, e de como nos tornamos certos dele. O idealismo é costumeiramente considerado como (e nos particulares freqüentemente é) a antítese do *realismo*; mas os extremos de ambos são obrigados a admitir não poucas reivindicações um do outro, enquanto negam muitas. Por outro lado, enquanto o agnosticismo admite a possibilidade da realidade como independente da consciência, ele nega a possibilidade de conhecer tal realidade. O idealismo, entretanto, difere do agnosticismo por recusar-se a admitir a possibilidade de uma realidade não-ideal".

Com respeito ao realismo quando relacionado à filosofia, é afirmado de modo similar: "A doutrina de que os objetos do conhecimento humano têm existência real, e não meramente existência na mente subjetiva que os percebe ou os conhece. Oposto ao *nominalismo, fenomenalismo, e ceticismo* ou *idealismo subjetivo*."

Assim, é declarado que, no caso do idealismo, nada existe exceto no pensamento ou na impressão que a mente sustenta; e, no caso do realismo, todos os objetos dos quais a consciência está ciente são realidades. Não é necessário assinalar que o realismo somente é sustentado pela Palavra de Deus, enquanto que o idealismo em épocas passadas serviu para especulações inúteis e infindáveis.

VII. Panteísmo

Como o termo sugere, o panteísmo é a crença que Deus é tudo e que tudo é Deus, confundindo assim Deus com a natureza, a matéria com o espírito, e o Criador com as coisas que Ele criou. Duas abordagens amplamente diferentes têm sido dadas à filosofia panteísta. Uma é que a matéria origina tudo e é Deus, vida e espírito sendo somente modos de existência do Absoluto todo-abrangente. A outra é que o espírito é tudo e que a matéria não possui existência substancial além da impressão mental, ou ilusão, de que ela existe. Em qualquer caso, Deus é tudo. Assim, tanto o idealismo quanto o realismo são apresentados em duas formas desta filosofia. Como visto nas religiões antigas do bramanismo e do budismo, essa crença tem levado à doutrina da transmigração da alma, que também afirma que a alma deriva toda a sua existência de Deus e eventualmente, após reencarnações incontáveis, ela retorna a Deus e é absorvida nele.

Nos "vedas" é ensinado que "todo o universo é o Criador, procede do Criador, e retorna a ele". Semelhantemente, da mesma fonte lemos: "Tu és Brama, tu és Vishnu, tu és Kodra etc.; tu és ar, tu és Andri, tu és a luz, tu és substância, tu és Djam; tu és a terra, tu és o mundo! O Senhor do mundo, a ti humilde adoração! Ó Alma do mundo, tu que superintendes as ações do mundo, que destróis o mundo, que crias os prazeres do mundo! Ó vida do mundo, os mundos visíveis e invisíveis são o brinquedo do teu poder; tu és o soberano, a Alma Universal; a ti humilde adoração!"[82]

A mente humana parece precisar não mais do que um filete de sugestão sobre o qual constrói pela imaginação mistério sobre mistério e fábula sobre fábula, parecendo nunca se desafiar a si mesma com o fato de que a coisa assim imposta é uma ilusão monstruosa. Em oposição a isso, a revelação proporcionou uma estabilização para a mente humana que, de outra forma, igual ao demônio expulso registrado em Lucas 11.24 – que "anda por lugares áridos, buscando repouso; e não o encontrando...", e está pronto para divinizar e adorar qualquer coisa desde "coisa rastejante" até o próprio universo. O grau até onde o panteísmo como uma filosofia pode ir é refletido nos inumeráveis escritos, antigos e modernos. Lucano disse: "Qualquer coisa que tu vês é Júpiter". Sêneca pergunta, "O que é Deus?" e responde, "Ele é tudo que você vê, e tudo que você não vê".[83]

Os seguintes versos do Dr. Mason Good de um poema atribuído a Orfeu representam o pensamento filosófico do seu tempo:

Júpiter, cujos trovões reboam acima, existe primeiro;
Júpiter último, Júpiter do meio, tudo procede de Júpiter.
A fêmea é Júpiter, o Júpiter imortal é macho,
Júpiter é a terra extensa — o clarão sem brilho do céu.
Júpiter é o Espírito sem limite, Júpiter é fogo
Que aquece o mundo com sentimento e desejo.
O mar é Júpiter, o sol, a bola lunar;
Júpiter é o rei supremo, a fonte soberana de tudo.
Todo poder é dele; a ele toda glória dai,
Pois a sua vasta forma abrange tudo que vive.[84]

O panteísmo se tornou a herança de toda nação sobre a terra e amaldiçoou as correntes do pensamento humano além de toda avaliação. Ele supõe a eternidade da matéria e o absurdo de que a matéria tem poder de originar a vida e o espírito. Em sua forma idealística ele contradiz a consciência humana e destrói a verdadeira base sobre a qual a razão humana está fundada e o método fundamental de seu próprio procedimento. Ele rompe com as distinções mais essenciais entre as coisas existentes, pelas quais somente elas são identificadas. De acordo com o panteísmo, o oleiro e o barro são uma e a mesma coisa – se eles realmente existem. Os promotores dessas noções necessariamente contradizem em suas próprias vidas diárias as reais especulações que eles propõem. Eles não podem afirmar um teorema, ou mesmo começar a fazê-lo, sem se afastar da principal idéia deles.

Cada esforço para construir essa teoria presume o princípio que a destrói. Na tentativa de apóia-lo, eles cavam seus supostos fundamentos. A teoria elimina todas as distinções. Ela nivela todos os elementos a um item. Não há nenhum reconhecimento do fato de que Deus é infinito enquanto que a criação é finita; de que Deus é onipotente enquanto que a criação é impotente; de que Deus é imutável enquanto que a criação é mutável; de que Deus é eterno enquanto que a criação experimenta tanto o nascimento quanto a morte. O erro é incidental a outras mentes, mas inevitável e essencial para os mestres panteístas. Ainda que reconheça um deus tal como a especulação humana concebe, o panteísmo é a mãe do ateísmo e a forma mais grosseira de idolatria. Ele está promovendo a noção de que a matéria é Deus e de que Deus é a matéria e é um passo pequeno entre isto e a afirmação do néscio de que não há Deus.

É apenas um passo, igualmente, para a adoração de qualquer coisa animada ou inanimada, visto que a teoria afirma que tudo é uma parte de Deus. O sistema conduz à blasfêmia e à licenciosidade. A base de toda distinção moral é obliterada por ela. Se toda a natureza é Deus, então a ação humana não é distinta de Deus, mas é a verdadeira ação de Deus. A categoria total do crime humano se torna tão digna quanto a própria virtude. Os termos pelos quais o mal é descrito são somente idéias convencionais. A razão é assassinada e a virtude difamada. Esse é o fruto da filosofia panteísta moderna presente em nossos centros educacionais hoje.

O estudante de doutrina bem pode ponderar sobre a seguinte afirmação que é um produto normal da filosofia panteísta: "A crença em um Deus vivo pessoal é o principal fundamento e origem de nosso estado social comido pelos vermes; e, além disso, enquanto a humanidade se mantiver dependurada por um simples fio de cabelo na idéia do céu, não há nenhuma alegria para ser buscada na terra. O homem é em si mesmo a religião da futuridade. Deus precisa do homem, mas o homem não tem necessidade alguma de Deus".[85] Estas afirmações revoltantes são o credo real do ateísmo e do comunismo, que estão apertando a garganta dos interesses sociais do mundo e que odeiam as coisas de Deus com um ódio consumado.

A seguinte e extensa citação do Dr. William Cooke, publicada em 1862, resume o caráter maligno dessa filosofia:

Se contemplamos o sistema teórica ou praticamente, é a monstruosidade mais ultrajante que a mente humana fabricou ou pode fabricar. É o cúmulo do absurdo e da imoralidade. Ela foi gerada pela presunção, fomentada pelo orgulho, e amadurecida pela depravação consumada. Vista pelos olhos da filosofia, ela é uma tolice sem sentido; pelos olhos da moralidade, ela é uma obscenidade repugnante; e pelos olhos da religião, ela é uma blasfêmia terrível. Ela é repugnante para a nossa razão, e revoltante para o nosso senso moral; ela é uma desgraça fétida para o intelecto e para o caráter do homem, que é tanto humilhante quanto repugnante para se contemplar; e a desgraça é aprofundada quando pensamos a respeito dos homens, do país, e da época com que o sistema surgiu nos tempos modernos. Um maníaco não poderia ser igual à sua tolice, nem um demônio exceder sua impiedade. O próprio Príncipe das Trevas... não poderia desejar um aviltamento mais completo do intelecto humano, um naufrágio mais completo do caráter e da alegria humanos, uma subversão mais perfeita da autoridade e dos desígnios do Deus Todo-Poderoso. O seu domínio universal consumaria os desejos desse espírito apóstata e maligno, dissolvendo todos os laços da sociedade, derrubando os fundamentos da alegria e da ordem social, e enchendo a terra de luxúria, violência e sangue. Não nos admiramos da disseminação do socialismo, comunismo, libertinismo, anarquia e o ódio à religião; não nos admiramos dos pecados serem às claras, dos crimes serem descarados, e de que os homens mais vis sejam tidos em alta reputação. Há uma causa! O saber e o talento têm prostituído os seus poderes advogando uma mentira ateísta, e a têm espalhado por toda a sociedade; e a mentira assim sancionada, e servindo às paixões mais vis da natureza humana, tem produzido os efeitos que deploramos.[86]

VIII. Deísmo

Este termo, do latim *Deus*, é intimamente ligado à palavra grega *Theos*. Como uma filosofia, a afirmação é a de que Deus é pessoal, infinito, santo, e o Criador de todas as coisas; mas que propositalmente Ele abandonou a sua criação quando teve o seu intento completado e que a criação deveria ser auto-sustentável e que proporcionaria as próprias forças residentes em si. Deus não é imanente na criação, mas a transcende. O deísmo rejeita as Escrituras ou qualquer sugestão de que Deus esteja trabalhando providencialmente desde a criação. De acordo com esse sistema, não há possibilidade alguma de se chegar a Deus por meio da oração, ou de manter comunhão ou relacionamento com Ele. É "a verdadeira religião da natureza" visto que ele afirma que tudo o que pode ser conhecido de Deus é restrito a tais deduções da observação da criação.

Não há influência moral no deísmo e isto os seus seguidores têm demonstrado. Carlyle assim descreveu a concepção deísta de Deus: "Um Deus ausente, sentado e sempre inativo desde o primeiro sábado, que fica do lado de fora do Universo, a fim de contemplar as coisas acontecerem".[87]

IX. Positivismo

A filosofia elaborada por Augusto Comte (1798-1857), que é baseada na suposição de que o conhecimento do homem é restrito aos fenômenos, e esses o homem pode conhecer somente em parte. Ele rejeita toda consideração da metafísica ou da filosofia especulativa. Tanto os argumentos teístas da Primeira Causa e do desígnio quanto as conclusões da razão humana são refutados.

X. Monismo

"A doutrina que se refere à explicação de todas as existências, atividades, e desenvolvimentos do universo, incluindo os seres físicos, psíquicos e espirituais, a um princípio último ou substância: oposto ao *dualismo* e *pluralismo* filosóficos. Se esse princípio ou substância é concebido em termos de vida pessoal, a doutrina toma a forma de *monismo idealista*; se em termos de matéria e mecanismo físico, ela é chamada *monismo materialista;* se em termos que negam a realidade tanto da vida pessoal finita quanto das existências físicas finitas, mas afirmam que ambas são as únicas manifestações fenomenais de uma base impessoal, a doutrina se torna *monismo panteísta*."[88]

XI. Dualismo

"Um sistema ou teoria que assevera uma dualidade radical ou duplicidade de natureza, de existência ou de operação. Na história do pensamento refletivo, quatro espécies de dualismo foram desenvolvidas, que são em algum grau interdependentes, mas não idênticas, conforme o assunto de reflexão. Elas são:

(1) DUALISMO TEOLÓGICO, ou a doutrina de que há dois princípios que se opõem eternamente, ou seres divinos, um bom e o outro mal. Essa visão foi característica do zoroastrianismo e de certos sistemas gnósticos, mas é oposto por religiões monistas como o cristianismo e o islamismo. Uma forma especial surgiu no cristianismo primitivo num tempo de controvérsia, numa doutrina atribuída a Nestório, que sustentava que o Logos habitava em Jesus

como uma pessoa distinta, e considerava assim Cristo como possuidor de duas personalidades, antes que uma personalidade com duas naturezas.

(2) DUALISMO FILOSÓFICO, ou a teoria que considera o ser último do Universo, ou 'Base do Mundo' como dupla ou como constituída de dois elementos independentes e irrreduzíveis, opostos tanto ao monismo idealista quanto ao materialista.

(3) DUALISMO PSICOLÓGICO ou Psicofísico, a teoria de que o corpo e a mente do homem são duas existências diferentes...

(4) DUALISMO ÉTICO, ou o sistema de moral que exige e justifica uma espécie de conduta dos companheiros de alguém de um mesmo grupo social e uma outra espécie de conduta de outros homens."[89]

XII. Pluralismo

À parte de seu uso geral e relativo com respeito ao aspecto plural das coisas, o termo pluralismo tem um significado filosófico específico em que a unidade essencial do mundo é negada. Ele afirma que "visto que a mente cria o seu próprio mundo, para propósitos práticos, há tantos mundos quantas mentes há para fazê-los".[90]

Conclusão

Tais são os argumentos naturalistas em geral a favor e contra a existência de Deus, e as questões filosóficas que eles geram. A partir disso, por mais importante que seja, a mente espiritual volta-se com alívio para a revelação de Deus normativa, completa e satisfatória, que está apresentada na Sua própria Palavra.

Capítulo XIII

A Personalidade de Deus

No progresso na busca do desenvolvimento sistemático da verdade teológica até agora conseguido, deve ser observado que, sob bibliologia, a Bíblia tem provado ser a Palavra de Deus escrita e, sob o *teísmo naturalista,* a evidência conclusiva com relação à existência de Deus, que a razão propicia, foi apresentada. Esses são aspectos cardeais da verdade teológica e com base nessas realidades estabelecidas o teísmo bíblico pode ser abordado. É afirmado novamente que a Teologia Sistemática retira o seu material tanto da *razão* quanto da *revelação.* É também afirmado que a Bíblia, por ser a Palavra de Deus escrita, suas declarações devem ser aceitas como finais, no que concerne as discussões nessa obra sobre teologia. Pode haver problemas de *interpretação,* mas nenhum problema de *confiabilidade* deverá ser considerado. Semelhantemente, o fato da existência de Deus, como estabelecido pela razão, não será aberto a questionamento posterior.

Uma mente espiritual, despertada para o valor de uma revelação inerrante, natural e propriamente responderá mais plenamente à verdade que a revelação transmite, e será um pouco mais impressionada com os resultados da razão. Não obstante, a evidência retirada da razão é poderosa dentro de sua própria esfera e confere segurança, no sentido de que quando a revelação e a razão são corretamente avaliadas, elas não são somente agradáveis, mas são também suplementares. A verdade deve sempre concordar consigo mesma a despeito dos vários ângulos pelos quais ela pode ser abordada ou os campos nos quais ela pode ser encontrada. Se a razão oferece conclusões que são discordes da revelação, deve ser suposto que a razão está errada, visto que ela não tem guia infalível à parte da revelação.

Em ponto algum a alma devota sente suas limitações mais do que quando confrontada com a responsabilidade de uma apreensão devida da pessoa de Deus. O homem caído é incapaz, à parte da iluminação divina, de compreender o Criador soberano, ou a criatura limitada e dependente, na importância proporcional de cada um; e os salvos recebem tal conhecimento de Deus que eles experimentam somente através da obra iluminadora do Espírito Santo. Moisés possuía a herança da verdade que pertencia ao povo escolhido e foi educado em tudo o que constituía a sabedoria do Egito; todavia, quando permaneceu diante da sarça ardente, foi-lhe dito para tirar as sandálias de seus pés.

O *teísmo bíblico* não é, como o *teísmo naturalista*, limitado ao processo da razão humana e aos meros fatos concernentes à existência de Deus; ele é um desdobramento dos detalhes da verdade maravilhosa a respeito de Deus em termos explícitos escritos por inspiração divina e preservados para sempre. O estudante deve assumir a sua responsabilidade individual em obter, pela oração e meditação e pelo poder iluminador do Espírito, os pensamentos corretos e os conceitos dignos sobre Deus.

A verdade revelada a respeito do Ser divino pode ser classificada naquilo que é *abstrato*, ou no que está dentro dEle próprio – Sua Pessoa, seus atributos, seus decretos, e seus nomes –; e o que é concreto, ou seja, as manifestações de si próprio em três pessoas. Os aspectos *abstratos* da verdade relativa a Deus estão baseados no fato de que Deus é uma *Unidade* ou *Essência*. Os aspectos *concretos* da verdade relativa a Deus estão baseados no fato de que Deus subsiste em uma trindade de pessoas, cujo corpo de verdades é chamado *trinitarianismo*. Com respeito à verdade *abstrata* relativa a Deus, pode ser observado o seguinte:

I. A Personalidade de Deus

Deus declara na Escritura inerrante que o homem, diferentemente de outros seres deste mundo, é criado à Sua própria imagem e semelhança. Está escrito: "E disse Deus: Façamos o homem à nossa imagem, conforme a nossa semelhança... Criou, pois, Deus o homem à sua imagem; à imagem de Deus o criou; homem e mulher os criou" (Gn 1.26,27). Portanto, segue-se que há uma similaridade a ser vista entre Deus e o homem. Após essa comparação, as Escrituras procedem na apresentação da natureza e do caráter de Deus. Ele é uma pessoa com aquelas faculdades e elementos constituintes que pertencem à personalidade. Essas faculdades e elementos em Deus são perfeitos num grau infinito, mas em sua *natureza* eles mantêm uma semelhança extraordinária daquelas faculdades e elementos *imperfeitos* que pertencem ao homem.

Em oposição a esse conceito bíblico de Deus, o arcebispo King assevera: "Porque não sabemos quais são Suas faculdades em si mesmas; damos-lhes nomes desses poderes que achamos que nos seriam necessários, a fim de produzir tais efeitos, e os chamamos de sabedoria, entendimento e presciência; todavia, ao mesmo tempo, não podemos ignorar que eles são de uma natureza muito diferente da nossa, e que não temos uma concepção direta ou noção própria deles".[91]

Uma objeção deve ser feita contra essa declaração. É verdade que pouca coisa pode ser conhecida de tudo o que Deus é, mas não é verdade que Deus seja tão diferente do homem de forma que nenhuma concepção própria de Deus seja possível. No assunto das faculdades e propriedades há uma semelhança, e nos atributos morais e mentais há uma correspondência em sua *natureza* embora eles sejam incomparáveis quanto ao grau de *perfeição*. A volição, amor, verdade, fidelidade, santidade e justiça são realidades que pertencem tanto a Deus quanto ao homem, e embora o grau que elas representam possa ser imensuravelmente distante um do outro, a natureza dessas características é a mesma em cada esfera.

Ainda, a objeção acima, como muitas outras nos vários campos da verdade, falha em reconhecer a finalidade da afirmação divina de que o homem é feito à "imagem" e "semelhança" de Deus. A possibilidade de uma distinção entre os significados destes dois termos – *imagem* e *semelhança* – como usados nas Escrituras, não precisa ser discutido nessa conjuntura. O ponto em questão é que Deus com grande ênfase assevera que há uma correspondência entre Ele próprio e o homem. Sobre esse princípio que esta afirmação apresenta, o homem é justificado quando traça as características do padrão, embora incompletamente, que o seu próprio ser fornece.

Não é afirmado que a natureza corporal do homem esteja envolvida nessa comparação, visto que é atributo de Deus ser Espírito (Jo 4.24). Portanto, segue-se que o delineio dessa semelhança deve ser restrito à parte imaterial do homem. Os antropomorfismos são estabelecidos quando as características de Deus são afirmadas em termos dos elementos humanos. Esses freqüentemente se estendem ao corpo humano e às suas várias propriedades. Com referência a Deus está afirmado: "O Deus eterno é a tua habitação, e por baixo estão os braços eternos" (Dt 33.27); "Meu Pai, que mas deu, é maior do que todos; e ninguém pode arrebatá-las da mão de meu Pai" (Jo 10.29); "Assim diz o Senhor: O céu é o meu trono, e a terra o escabelo dos meus pés" (Is 66.1); "Porque, quanto ao Senhor, seus olhos passam por toda a terra, para mostrar-se forte a favor daqueles cujo coração é perfeito para com ele" (2 Cr 16.9); "Eis que a mão do Senhor não está encolhida, para que não possa salvar; nem surdo o seu ouvido, para que não possa ouvir" (Is 59.1); "Porque a boca do Senhor o disse" (Is 58.14).

Assim, a referência é feita também à "face" de Deus (Êx 33.11,20), e suas "narinas" (2 Sm 22.9,16). Tais antropomorfismos, como os que são apresentados na Bíblia, e deve ser observado que onde os membros físicos estão assim atribuídos a Deus não são uma asserção direta de que Deus possui esses membros, ou forma corporal com suas partes; mas que Ele é capaz de fazer precisamente aquelas coisas que são funções da parte física do homem. "Aquele que fez o ouvido, não ouvirá? Ou aquele que formou o olho, não verá?" (Sl 94.9).

O Dr. W. H. Griffith Thomas escreve: "A objeção é algumas vezes levantada ao conceito bíblico de Deus como antropomórfico, mas a objeção não é sadia porque devemos usar a linguagem humana, e as concepções do homem e a personalidade são as mais altas possíveis para nós. É obviamente melhor usar expressões antropomórficas do que zoomórficas ou cosmomórficas, e quando atribuímos a Deus emoções e sensações, nós o libertamos de todas as imperfeições ligadas aos conceitos humanos desses elementos. Ao se revelar,

Deus tem de descer para perto de nossas capacidades, e usar a linguagem que pode ser entendida".[92] Não foi o propósito mais vital na encarnação que Deus pudesse ser revelado aos homens em termos da personalidade humana tal como o homem é capaz de absorver?

Richard Watson afirma: "Quando é dito que Deus é um espírito, não temos razão para concluir que uma analogia distante seja pretendida, tal como aquela que surge da mera relação. A natureza de Deus e a do homem não são a mesma, mas elas são semelhantes, porque elas compartilham muitos atributos comuns, embora, com relação à natureza divina, excede infinitamente no grau de perfeição".[93]

O Dr. Chalmers comenta: "A mente do homem é uma criação; portanto, indica por suas características o caráter dEle, a quem, pelo 'fiat' e a manifestação de cuja vontade, ela deve a sua existência".[94] Mais tarde, Robert Hall da mesma maneira assevera: "O corpo tem uma tendência de nos separar de Deus pela dissimilaridade de sua natureza; a alma, ao contrário, une-nos novamente a Ele, por meio daqueles princípios e faculdades que, embora infinitamente inferiores, são de um caráter que combina com o dele. O corpo é a produção de Deus; a alma é a sua imagem".[95] Teodoro de Mopsuéstia oferece esta vívida ilustração: "Quando Deus criou o homem, sua última e melhor obra, foi como se um rei tivesse construído uma grande cidade, e a adornado com muitas e várias obras, após ter aperfeiçoado tudo, ordenasse que uma grande e bela imagem de si mesmo fosse estabelecida no meio da cidade, para mostrar quem era o construtor dela".[96]

Ao falar com o mesmo objetivo, o Dr. J. J. Van Oosterzee escreve:

O homem pode falar de Deus somente de um modo humano; e, se a nossa natureza é verdadeiramente relacionada à de Deus, como podemos conceber algo dele sem o componente de uma única característica derivada de nós próprios? Essa é a importância profunda das palavras de Jacobi: "Ao criar o homem Deus teomorfizou; portanto, necessariamente o homem antropomorfiza". "Deus condescende conosco, a fim de que nós possamos nos elevar até Ele." O antropomorfismo e o antropopatismo não são, portanto, de modo algum antípodas, mas antes a expressão aproximada imperfeita da verdade eterna; e na nossa interpretação, também, da Santa Escritura, é simplesmente delinear a verdade, a fim de sublinhar tais expressões, tanto quanto possível. Ao fazer assim, devemos ter o cuidado de explicar os conceitos antropomórficos pelos meios puramente espirituais, não o reverso, e que somos guardados por certo tato espiritual contra "o pensamento segundo a maneira terrena"... da suprema majestade de Deus. Assim considerado e explicado, até as expressões antropopáticas das Escrituras se tornam o meio de um melhor conhecimento de Deus; uma acomodação sublime aos desejos e fraquezas humanos, santificados pelo olho da fé, uma vez que o próprio Filho de Deus apareceu como homem neste mundo. O antropomorfismo pertence, assim, também à forma necessária das revelações de Deus; e deixe aquele que se ofende com a palha que não se perca com o cerne, para reter um Deus meramente apático.[97]

É igualmente correto que a fraqueza e o pecado do homem não podem ser atribuídos a Deus, e, semelhantemente, há características em Deus que não podem ser expressas em termos da vida humana. Mas as propriedades mentais e morais servem para demonstrar o fato significativo e grave de que os atributos que são os mesmos em natureza, se não no grau de perfeição deles, residem tanto em Deus quanto no homem. Ao estudante piedoso não é dado lugar para liberdade com especulações racionalistas no assunto da existência ou não de uma norma ou padrão existente sobre a pessoa de Deus. Através de termos inconfundíveis Deus tem afirmado que o homem é, por desígnio estabelecido na criação, uma exibição de certos elementos que pertencem ao próprio Deus – uma revelação tangível do grau em que o homem é feito à imagem e semelhança de Deus.

A verdadeira impressão com relação à pessoa de Deus não é ganha na linha do raciocínio panteísta, raciocínio esse que não reconhece outro poder distinto ou qualidades em Deus; nem é ganho na linha da noção superficial de que Deus não é mais do que a soma de suas capacidades; portanto, divisível em tantas partes quantas possam corresponder ao número de seus atributos. Deus é uma pessoa, não pelo fato de Ele ser imaterial e infinito. Suas capacidades fluem do que Ele é, mas a sua competência não é a medida ou a equivalência de si mesmo. Há sempre um perigo de que a concepção que o homem tem de Deus se estacione e fique satisfeita com a apreensão do desempenho divino, e não prossiga na captação dos aspectos conseqüentes de sua Pessoa divina. Sir Isaac Newton expressou-se da seguinte forma: "Não é a eternidade ou a infinidade, mas o Ser eterno e infinito".[98] Não é suficiente discernir as obras de Deus ou suas características; o coração deve conhecer Deus como uma pessoa.

Voltaire afirmou: "Deus fez o homem à sua própria imagem, e o homem retornou a gentileza".[99] A falácia dessa impressionante frase é que o homem é creditado como criador de Deus no mesmo sentido em que Deus criou o homem. Somente por um *argumentum a posteriori* o homem raciocina a partir de suas próprias capacidades como uma pessoa em relação à pessoa de seu Criador. Este argumento de modo algum deve ser formulado de que Deus foi feito pelo homem; ele é meramente a retirada de uma conclusão do que Deus fez. A razão humana reflete a razão divina e, sem levar em conta a disparidade de grau, deve ser concluído da autoridade divina que a razão em Deus é da mesma natureza da razão no homem; que a sensibilidade em Deus é da mesma natureza que a sensibilidade no homem; e que a volição e amor em Deus são da mesma natureza que a volição e o amor no homem. Se em sua investigação das obras de Deus o homem descobrir que as partes essenciais e motivadoras de seu próprio ser não possuem a mesma correspondência das partes essenciais motivadoras do Ser divino; portanto, sujeitas aos mesmos princípios e leis que invariavelmente governam toda personalidade, então todo o conhecimento humano fica dissolvido na névoa da ilusão, quando não na desilusão.

O conceito comum é que a realidade primária é a matéria, ou a força das coisas tangíveis, e que as coisas do espírito são fantasmagóricas e irreais. O teísmo bíblico, por outro lado, contempla a pessoa de Deus como a realidade

A Personalidade de Deus

primária e tudo mais – mesmo o homem – como um meio-termo da revelação e expressão da realização divina. As primeiras quatro palavras da Bíblia são decisivas e empíricas – "No principio criou Deus". Se o Criador de todas as coisas dissesse de um fragmento específico de sua criação: "Eu fiz disto uma imagem e semelhança de mim mesmo", isso faria as suas criaturas aceitarem essa declaração como verdadeira e as faria agir com base nela. Tal aceitação não somente dá a Deus a posição mais importante em seu universo, mas também reconhece que Ele é uma *pessoa* com todas as coisas que o termo sugere.

Portanto, pode ser concluído que a personalidade de Deus deve ser estudada à luz do próprio ser e consciência do homem. Esse procedimento está de acordo com um princípio essencial da ciência, a saber, que as coisas que manifestam as mesmas qualidades são, na verdade, a mesma coisa. Nada é mais claro do que a personalidade ser uma unidade. Ela junta todo seu passado em si mesma pela faculdade da memória, o seu presente por sua consciência imediata, e o seu futuro por seu método de planejar e pela faculdade da previsão. À parte do reconhecimento dessa unidade de todas as partes em uma personalidade não poderia haver uma análise da vida humana ou de qualquer ciência da psicologia. A vida animal, na qual o homem pode penetrar somente num grau limitado, devido à sua incapacidade de colocar a consciência animal à luz da sua própria, não apresenta uma evidência de inteligência racional, liberdade de escolha, ou propósito com fins dignos que pertençam à personalidade.

Os elementos que combinam para formar a personalidade são: intelecto, sensibilidade e vontade; mas todos esses agem juntos, a fim de exigir uma liberdade tanto da ação externa quanto da escolha dos fins para os quais a ação for direcionada. O intelecto deve dirigir, a sensibilidade deve desejar, e a vontade deve determinar a direção dos fins racionais. Não pode haver personalidade, seja humana, angelical ou divina, à parte desse complexo de essenciais. Como os elementos da personalidade que estão em Deus são descobertos, há variações que devem ser esperadas a partir da norma que a personalidade humana supre; mas não podemos fugir da idéia de que esses elementos fundamentais estão presentes. À parte desses não pode haver personalidade alguma. Pelo argumento cosmológico tem sido observado que há um Criador que possui uma vontade de autodeterminação.

Pelo argumento teleológico tem sido observado que há um Criador que possui poderes mentais que designam e determinam os meios para um fim. E pelo argumento antropológico, tem sido observado que há um Criador possuidor de sensibilidade. Disto a Escritura dá abundante testemunho. Esse registro bíblico é que o homem, os anjos, e Deus todos possuem esses elementos essenciais que juntos constituem a personalidade. De Deus é declarado que Ele é inteligente e onisciente: "Grande é o nosso Senhor, e de grande poder; não há limite ao seu entendimento" (Sl 147.5); "...diz o Senhor que faz estas coisas, que são conhecidas desde a antiguidade" (At 15.18); "E não há criatura alguma encoberta diante dele; antes todas as coisas estão nuas e patentes aos olhos daquele a quem havemos de prestar contas" (Hb 4.13).

De maneira semelhante, é declarado de Deus que Ele possui sensibilidade. Ele ama a justiça e odeia a iniqüidade. Ele possui ternas compaixões. O seu amor infinito o moveu ao sacrifício extremo pelo qual a redenção é proporcionada para o homem caído. "Deus é amor" (1 Jo 4.16). E finalmente, o elemento de vontade é visto como presente em Deus: "Mas o nosso Deus está nos céus; ele faz tudo o que lhe apraz" (Sl 115.3); "O meu conselho subsistirá, e farei toda a minha vontade" (Is 46.10); "...e segundo a sua vontade ele opera no exército do céu e entre os moradores da terra; não há quem lhe possa deter a mão, nem lhe dizer: Que fazes?" (Dn 4.35).

Com relação ao fato da personalidade de Deus, o Dr. John Miley afirma: "Se Deus não é um ser pessoal, o resultado deve ser o ateísmo ou o panteísmo. Isso pouco importa. A escuridão e as implicações mortais são a mesma coisa. Não há outro deus com autoconsciência ou o poder de autodeterminação racional e moral, e não há uma agência divina e pessoal no universo. Uma força necessária e cega é o que origina tudo. A existência do mundo e dos céus é sem razão ou finalidade. Não há razão para a existência do homem, e nenhuma finalidade racional ou moral. Deus não tem interesse algum nele, e não pôs sequer uma regra racional ou moral sobre ele. O senso universal de obrigação e responsabilidade morais deve ser entendido como uma ilusão. Deveria haver uma finalidade de adoração, pois há uma carência de um ser que possa verdadeiramente ser adorado. Tudo o que foi dito é uma descrição escura de um universo sem providência ou teologia divina".[100]

Sob esse aspecto do teísmo bíblico ora considerado, a concepção de Deus como uma essência é o único objetivo. Em desenvolvimentos posteriores desse tema haverá uma atenção devida ao fato de que Deus subsiste em três pessoas, e que às personalidades deve ser atribuída em plena medida cada uma das perfeições divinas. Deus se revela ao homem, não como uma influência ou força cega, mas como uma pessoa viva com quem os homens podem ter comunhão. O convite a essa comunhão pressupõe e obriga o conceito da semelhança de natureza entre aqueles que dela participam. "E a nossa comunhão é com o Pai, e com seu Filho Jesus Cristo" (1 Jo 1.3). O Pai e o Filho revelam um ao outro como pessoas (Mt 11.27), e o Pai e o Filho enviam o Espírito, cuja missão é claramente a de uma pessoa (Jo 14.16,17,26; 15.26; 16.7-11). A verdade fundamental de toda a Escritura é o fato de que Deus é um e subsiste em três pessoas.

Capítulo XIV

Os Atributos de Deus

EMBORA TOTALMENTE INADEQUADA, a concepção que o homem tem de Deus é medida por aquelas características que ele atribui a Deus. A Bíblia apresenta uma revelação que, embora limitada pelas restrições que a linguagem sempre impõe, é de uma pessoa, e essa revelação atribui a ele aquelas qualidades elevadas que lhe pertencem. Essas qualidades assim atribuídas são propriamente chamadas de *atributos*. Declarar a sua pessoa e a soma total de seus atributos, constituiria uma definição final de Deus que o homem jamais deveria fazer.

Diante da pergunta: *Deus pode ser definido?*, alguns escritores têm respondido negativamente, e isso devido ao reconhecimento do fato de que nenhuma definição pode exaurir completamente a idéia em pauta – especialmente quando essa idéia é caracterizada pela infinidade. Contudo, na definição de uma coisa, não se exige que ela evidencie um conhecimento de todas as suas partes. Será o suficiente se muitos dos elementos dessa coisa forem apresentados como a definição de todas as outras coisas. De acordo com essa avaliação razoável de uma definição digna, Deus pode ser definido. Existe uma distinção evidente entre a definição que os filósofos racionalistas desenvolvem que, ao desconsiderar a revelação, tentam definir Deus dentro do campo limitado que a razão fornece, e a definição formulada por homens que reconhecem a mensagem normativa que a Bíblia apresenta.

Os filósofos racionalistas têm definido Deus como "um ser auto-existente, em quem a base da realidade do mundo é encontrada". Ou, ainda: "Deus é um ser que tem a base de sua existência em si mesmo". A isto alguns acrescentam que Deus é *independente*, *infinito*, *necessário* com relação à sua existência, e *eterno*. Essas formas de definição são retiradas do *argumentum a posteriori*, e aqueles que oferecem essas elucidações, fazem isso quase que totalmente com o uso da razão à parte da revelação. Uma definição filosófica de Deus que tem sido satisfatória e recebe uma aprovação geral é: "Deus é o ser mais perfeito, e é a causa de todos os outros seres". O intento desta definição é afirmar que Deus é o Ser Supremo, exaltado sobre todas as coisas, a quem ninguém pode ser comparado. Essa definição é muito falha porque não há uma referência nela a respeito das coisas morais.

TRINITARIANISMO TEONTOLOGIA

Kant opôs-se a esse conceito com base nesse defeito e acrescentou que Deus é *livre* em si mesmo e tem *vontade moral pura*.

Nas Escrituras, observa-se imediatamente que Deus não é definido especificamente por qualquer asserção, mas a sua existência e atributos são reconhecidos e aparecem à medida que o texto, em vários lugares e em múltiplos termos, demonstra o que Ele é e o que Ele faz. Uma definição verdadeiramente bíblica de Deus será dada somente como uma indução de tudo o que a Bíblia está segura (Cf. Gn 1.1; Jó 11.7-9; 36.26; 37.5,23; Sl 77.19; 92.5; 97.2; 145.3; 147.5; Pv 25.2; Is 40.28; Jr 10.10-16; Mt 11.27; Rm 11.33,34; etc.).

Como foi observado anteriormente, é verdade que Deus necessariamente está revelado – mesmo na Bíblia – nas expressões que pertencem à vida e experiência humanas. Ele é apresentado em termos antropomórficos e antropopáticos. Como deve ser previsto, quando a mente finita entra na contemplação do infinito, o conhecimento ganho é, quando muito, apenas parcial, e, com relação a isso, há duas linhas distintas e quase paradoxais da verdade que são igualmente mantidas nas Escrituras. (1) Davi, ao referir-se ao entendimento divino, disse: "Tal conhecimento é maravilhoso demais para mim; elevado é, não o posso atingir" (Sl 139.6). E o apóstolo, ao escrever sobre a glória de Deus, declara: "Aquele que possui, ele só, a imortalidade, e habita em luz inacessível; a quem nenhum dos homens tem visto nem pode ver; ao qual seja honra e poder sempiterno, Amém" (1 Tm 6.16). Assim, também, Ele se refere à "imagem do Deus invisível" (Cl 1.15), e ao "Rei eterno, imortal, invisível" (1 Tm 1.17). Ainda (2) Ele é revelado em Cristo. João afirma: "E o Verbo se fez carne, e habitou entre nós, cheio de graça e de verdade; e vimos a sua glória, como a glória do unigênito do Pai" (Jo 1.14). E "Ninguém jamais viu a Deus. O Deus unigênito, que está no seio do Pai, esse se deu a conhecer" (Jo 1.18). Todavia, ainda que Deus seja assim exaltado a um grau incomparável de excelência, é dito aos homens que eles deveriam ser santos e perfeitos como Deus é santo e perfeito (Mt 5.48; 1 Pe 1.16).

Com referência à definição de Deus, é provável que nada mais abrangente ou bíblico já foi melhor formulado do que o que está incorporado na *Confissão de Fé de Westminster*, tese essa que tem uma superioridade notável de ser uma obra conjugada de muitos homens piedosos e eruditos, antes do que a obra de quaisquer homens. Essa confissão declara:

I. Há um só Deus vivo e verdadeiro, o qual é infinito em seu ser e perfeições. Ele é um espírito puríssimo, invisível, sem corpo, membros ou paixões; é imutável, imenso, eterno, incompreensível – onipotente, onisciente, santíssimo, completamente livre e absoluto, e faz tudo para a sua própria glória e segundo o conselho da sua própria vontade, que é reta e imutável. É cheio de amor, gracioso, misericordioso, longânimo, muito bondoso e verdadeiro remunerador dos que o buscam e, contudo, justíssimo e terrível em seus juízos, pois odeia todo o pecado; de modo algum terá por inocente o culpado.

II. Deus tem em si Mesmo, e de si mesmo, toda a vida, glória, bondade e bem-aventurança. Ele é todo-suficiente em si e para si, pois não precisa das criaturas que trouxe à existência, não deriva delas glória alguma, mas somente manifesta a sua glória nelas, por elas, para elas e sobre elas. Ele é a única origem de todo o ser; dEle, por Ele e para Ele são todas as coisas e sobre elas tem Ele soberano domínio para fazer com elas, para elas e sobre elas tudo quanto quiser. Todas as coisas estão patentes e manifestas diante dEle; o seu saber é infinito, infalível e independente da criatura, de sorte que para Ele nada é contingente ou incerto. Ele é santíssimo em todos os seus conselhos, em todas as suas obras e em todos os seus preceitos. Da parte dos anjos e dos homens e de qualquer outra criatura lhe são devidos todo o culto, todo o serviço e obediência, que Ele há por bem requerer deles.

III. NA UNIDADE DA DIVINDADE há três pessoas de uma mesma substância, poder e eternidade – Deus o Pai, Deus o Filho e Deus o Espírito Santo, O Pai não é de ninguém – não é nem gerado, nem procedente; o Filho é eternamente gerado do Pai; o Espírito Santo é eternamente procedente do Pai e do Filho. (Cap. II)

Os atributos de Deus apresentam um tema tão vasto e complexo e muito além do alcance das faculdades finitas que qualquer tentativa de qualificá-los deve ser somente aproximada com relação à exatidão e à perfeição. Assim também, os atributos são tão inter-relacionados e interdependentes que a colocação exata de alguns deles é difícil, quando não impossível. É evidente que nenhum aspecto da Teologia Sistemática ocasionou mais confusão e discordância entre os teólogos do que a tentativa de ordenar a categoria dos atributos divinos. Em geral, os teólogos separaram esses atributos em divisões sob terminologias variadas. Um grupo de atributos apresenta, assim é alegado, aquelas características que estão em Deus e não podem ser encontradas na criação; o outro grupo apresenta aquelas características em Deus que, num grau limitado, são encontradas nos anjos e nos espíritos humanos, ou que emanam objetivamente de Deus, e alcança outros seres.

Algumas dessas divisões duplas são: incomunicáveis e comunicáveis; naturais e morais; imanentes ou intransitivos e emanentes ou transitivos; passivos e ativos; absolutos e relativos; negativos e positivos. Obviamente, há sombras de distinções implícitas nessas várias designações. O intento do termo *incomunicáveis* é apresentar aqueles atributos que não admitem uma extensão ou grau no homem e que pertencem somente a Deus. Entre eles estão a auto-existência, infinidade, eternidade e imutabilidade. Entre os atributos comunicáveis, que são encontrados em determinado grau nos seres criados, estão a sabedoria, benevolência, santidade, justiça, compaixão, verdade etc. Os atributos naturais têm o propósito de indicar aquilo que é constitucional em Deus, enquanto que os atributos morais são aqueles que funcionam em virtude da vontade divina.

Os atributos imanentes ou intransitivos são aqueles dentro do próprio Ser divino, enquanto que os emanentes ou transitivos saem de Deus e produzem certos efeitos. Os atributos absolutos dizem respeito à relação de Deus consigo mesmo, enquanto que os atributos relativos falam de sua relação com outros. Os atributos negativos, é dito, são aqueles que são livres de limitações finitas, enquanto que os atributos positivos são aqueles que, num grau limitado, pertencem à criatura. Muitos enganos aparecem quando essa última distinção é proposta. Tem sido sugerido que, visto que o termo *negativo* nesse caso sugere alguma coisa que não está em Deus, esses atributos podem ser referir a alguma limitação divina. Ao contrário, o termo denota algo que está na criatura e que não está em Deus.

A Deus pode ser atribuído que Ele é incorpóreo enquanto que o homem é corpóreo; que Ele é imutável enquanto que o homem é mutável; que Ele é independente enquanto que o homem é dependente etc. Os chamados atributos negativos são algumas vezes classificados sob quatro títulos gerais, a saber: auto-existência, imensidão, eternidade e plenitude.

Um atributo é uma propriedade que é intrínseca ao seu sujeito. É aquela pela qual ele é distinto ou identificado. O termo tem duas aplicações amplamente diferentes, fato esse evidenciado pelas qualificações duplas já mencionadas. Parece certo que algumas qualidades que não são especificamente atributos de Deus foram incluídas por alguns escritores sob essa designação. Um corpo tem suas propriedades distintivas, a mente tem suas atribuições, e, de igual modo, há atributos específicos que podem ser atribuídos a Deus. O corpo é mais do que a soma total de todas as suas propriedades, que é igualmente verdadeiro a respeito da mente; e Deus é mais do que a soma de todos os seus atributos. Contudo, em cada caso essas definições peculiares retêm um valor intrínseco no sentido de que o corpo, a mente ou o próprio Deus não pode ser concebido à parte das qualidades que lhes são atribuídas.

Deus pode ser concebido pelo pensamento abstrato à parte de seus atributos; mas permanece verdadeiro que Ele é conhecido pelos seus atributos e à parte deles não pareceria ser o que é. Por outro lado, conquanto qualquer conceito de Deus deva incluir seus atributos, é requerido que os atributos em si mesmos devam ser tratados como idéias abstratas.

Na sua pesquisa pelas designações exatas e discriminatórias, os teólogos têm exaurido toda a escala de terminologia que a língua fornece. Em cada grupo, alguma verdade vital serve como sua base. A dificuldade é que, devido ao caráter inexaurível e individual de cada fato a respeito de Deus, a verdade básica pela qual a classificação é feita mostra-se ser insuficiente em algum grau.

Já apresentamos o suficiente sobre as várias classificações dos atributos de Deus na forma em que os homens os têm distribuído. O plano desta tese é apresentar os atributos em sua natureza independente e individual, e tentar somente distinguir entre aqueles fatos revelados a respeito de Deus que *constituem* o seu Ser essencial e aqueles fatos a respeito dele que *caracterizam* o seu Ser essencial. Os termos totalmente satisfatórios pelos quais essa distinção e divisão podem ser retirados, dentro dos fatos concernentes a Deus, não podem ser encontrados. Deus é o sujeito, enquanto que os seus atributos são aqueles fatos que podem ser predicados dEle; mas predicados não são o sujeito. O oceano e o céu são azuis. A cor *azul* é, assim, vista como predicado do oceano e do céu, mas a cor *azul* não é o oceano nem o céu. Se essa distinção for mantida na mente, importa pouco se os termos *atributo*, *predicado* ou *definitivo* são usados para apresentar todos os fatos a respeito de Deus – aqueles que constituem seu Ser com aqueles que o caracterizam.

Deveria ser observado, também, que embora a ênfase deva, por necessidade, recair sobre os fatos constitucionais de seu Ser, não há detração pretendida a partir da imanência e dos fatos caracterizantes. A totalidade da essência divina está em cada atributo e o atributo pertence a toda essência. Os atributos pertencem eternamente à essência. A essência não existiu à parte dos atributos. A consideração dos fatos relacionados a Deus obedece à seguinte ordem:

I. Personalidade

Anteriormente, demos atenção à realidade da personalidade de Deus; mas uma reversão deste assunto é feita, visto que ela forma um ponto de partida lógico para a investigação em certas realidades essenciais com relação a Deus. Alguns escritores têm incluído a *personalidade* como um dos atributos caracterizantes de Deus. Ela própria é a real essência do ser de Deus, e que acima de tudo mais que o constitui como sujeito a quem os atributos caracterizantes podem ser predicados.

Como foi afirmado anteriormente, a personalidade tem suas partes, a saber: *intelecto*, *sensibilidade* e *vontade*. Cada uma dessas, foi já demonstrado, está presente em Deus num grau infinito, e, visto que essas qualidades pertencem à personalidade de Deus, em seu uso primário, elas não devem ser classificadas como atributos caracterizantes.

1. ONISCIÊNCIA. O intelecto no homem tem o seu aspecto correspondente em Deus, mas quando atribuído a Deus ele é propriamente chamado de *onisciência*. Obviamente, uma grande diferença existe entre os dois. O intelecto no homem dificilmente é mais do que a capacidade ou prontidão em adquirir conhecimento, conhecimento esse que, quando adquirido e comparado com a onisciência, é até menos do que elementar, enquanto que o entendimento de Deus é todo-abrangente e infinito. Essas são duas medidas patentes do conhecimento divino: (1) *onisciência*, que inclui todas as coisas concernentes a Si próprio e a todas as suas obras; e (2) *presciência*, que pode ser restrita às coisas especificamente ordenadas. A investigação da relação que existe entre a presciência e a preordenação fica reservada para o seu lugar na soteriologia.

A mente finita não pode captar a verdade completa a respeito da onisciência mais do que ela pode captar a onipotência divina assim como a sua onipresença ou seu amor divino. O que quer que a onisciência seja, somente a onisciência pode conhecer na cognição absoluta dela. Não obstante, algumas porções dessa realidade divina maravilhosa podem ser compreendidas e o que não pode ser conhecido pode ser recebido pela fé na Palavra de Deus.

TRINITARIANISMO TEONTOLOGIA

A onisciência de Deus abrange todas as coisas – do passado, do presente e do futuro, e o possível assim como o real. Como demonstrado na Bíblia, as obras de Deus são, com relação às relações temporais, declaradas como do passado, do presente e do futuro. Por organização divina, os eventos seguem-se em seqüência ou em ordem cronológica. Todavia, para Deus, as coisas do passado são tão reais como se fossem presentes e as coisas do futuro são como se fossem passadas. Ele é quem "chama as coisas que não são, como se já fossem" (Rm 4.17; cf. Is 46.10). Perfeitamente conhecidas dele, como se elas estivessem agora em processo, são todas as suas obras desde a fundação do mundo (At 15.18). Um homem que permanece na rua é capaz de ver em um dado momento apenas uma parte insignificante de uma procissão que passa; e é assim que o homem observa as obras de Deus.

Mas aquele que olha para baixo, ao se encontrar numa grande elevação (Sl 33.13), ele vê todo o processo de uma só vez. Assim Deus vê todo o seu programa de eventos na totalidade unificada deles. Desde o princípio Ele conhece o fim, e desde o fim ele conhece o princípio. A onisciência traz todas as coisas – passadas, presentes e futuras – com igualdade real diante da mente de Deus. Estritamente falando, a distinção da presciência em Deus é uma concepção humana; pois o conhecimento divino é simultâneo e oposto à sucessão. Ele é completo e certo quando comparado ao que é incompleto e incerto. Ele é intuitivo e não discursivo; todavia, nessa perfeição do conhecimento simultâneo, completo e intuitivo, todos os eventos futuros, tanto os reais quanto os possíveis, são conhecidos por Ele.

Charnocke declara: "O conhecimento de uma coisa não está em Deus, antes do conhecimento de uma outra coisa; um ato do conhecimento não gera outro. Com relação aos objetos em si mesmos, uma coisa vem antes de outra; uma é a causa, e a outra é o efeito; na mente da criatura há essa tal sucessão, e Deus sabe que haverá tal sucessão; mas não há essa ordem no conhecimento de Deus; pois Ele conhece todas essas sucessões de uma só vez, sem qualquer sucessão de conhecimento em si mesmo".[101]

Que Deus conhece todas as coisas futuras que são meramente possíveis, mas que nunca se tornam reais está revelado na Palavra de Deus. Toda advertência de Deus é uma declaração de perigo e de mal que Ele conhece, que se seguirá a uma escolha errada. A pregação de Jonas ao povo de Nínive foi a respeito de uma destruição certa que foi evitada somente por um profundo arrependimento. Cristo disse: "Ai de ti, Corazim! Ai de ti, Betsaida! porque se em Tiro e em Sidom se tivessem operado os milagres que em vós se operaram, há muito elas se teriam arrependido em cilício e em cinza. Contudo, eu vos digo que para Tiro e Sidom haverá menos rigor, no dia do juízo, do que para vós. E tu, Cafarnaum, porventura serás elevada até o céu? Até o Hades descerás; porque, se em Sodoma se tivessem operado os milagres que em ti se operaram, teria ela permanecido até hoje" (Mt 11.21-23; cf. 1 Sm 23.5-14; 2 Rs 13.19; Jr 38.17-20).

A onisciência de Deus pode ser estudada tanto em seu aspecto arquétipo quanto no seu aspecto presente. O conhecimento arquétipo de Deus diz respeito àquilo que Ele planejou e designou primeiramente para o Universo antes dele ser trazido à existência, ou tornado real pelo seu poder criador onipotente. Os arquétipos do Universo existiram desde a eternidade na mente de Deus, e a criação foi apenas o exercício da onipotência pela qual a realidade veio a existir em relação àquilo que a onisciência havia concebido. Assim, e dessa forma somente, surgiram a ordem e o sistema que agora existem com sua perfeição de organização, seu propósito realizado e a sua estabilidade. Tal geração da parte de Deus não foi uma mera organização ou aplicação de elementos existentes, mas foi a *criação* de materiais adaptáveis ao fim em vista. Esse surgimento de toda criação com suas leis, sua harmonia, sua adaptação, e suas formas de vida auto-perpetuadas e variadas – inclusive o homem feito à imagem divina – é uma manifestação do conhecimento arquetípico que espanta toda a capacidade que o homem tem de apreender.

De acordo com as concepções arquetípicas, a capacidade intuitiva do homem constrói vários mecanismos e é capaz de prever precisamente quais serão os resultados das vastas combinações de partes e forças, e antes que quaisquer porções sejam anexadas ou construídas. Assim, com respeito a Deus, com o aspecto adicional de que na criação divina mesmo o que é material foi criado para os fins incomparáveis de Deus.

Ainda que seja verdadeiro que o conhecimento arquetípico de Deus seja capaz de discernir a natureza dos elementos exigidos na realização de seus fins e dos resultados precisos da combinação daqueles elementos, qualquer sugestão de que haja na natureza um poder independente de ação deve ser repelida. Deus é a energia sempre presente, penetra todas as coisas, guia e dirige tudo. Não somente é declarado de Cristo que Ele criou todas as coisas visíveis e invisíveis, mas é asseverado que por Ele todas as coisas subsistem e mantêm-se (Cl 1.16,17). Dele é dito que "sustenta todas as coisas pela palavra do seu poder" (Hb 1.3). Este universo não é tão preso pelas leis e forças da natureza, a ponto de excluir a interposição e as interrupções especiais de Deus. Essas intervenções não constituem exceção à exatidão da presciência divina. Elas são uma parte do conhecimento arquetípico de Deus e são tanto previstas quanto designadas por Ele desde a eternidade.

Com a mesma onisciência ou presciência, Deus conhece de antemão as ações de todos os agentes morais. Uma discussão segue-se desse ponto que tem dividido os teólogos em campos opostos, onde um grupo assevera que a presciência divina é incompatível com a ação moral livre, e o outro garante que há compatibilidade. Por suas suposições, um lado tem sido encorajado a negar a presciência completa de Deus, enquanto que o outro tem sido pela força de sua própria lógica encorajado a negar a liberdade do homem. É evidente que ambas as posições não podem ser totalmente verdadeiras. Uma ou outra, ou mesmo ambas devem estar erradas. Nas mentes de um grande número de teólogos não há um conflito entre a presciência divina e a liberdade humana. A presciência divina em si mesma não sugere um elemento de necessidade ou de determinação, embora ela implique uma certeza. Um problema formidável surge a respeito da relação entre a doutrina dos decretos divinos e da liberdade humana, problemática essa que deve ser considerada no seu devido lugar.

Os especialistas em metafísica podem ocasionar uma confusão na mente de uma pessoa, mas eles não podem dispor daquela consciência inerente que cada pessoa experimenta e que assevera sua própria liberdade de agir de acordo com a escolha. Sem dúvida, essa liberdade está circunscrita por forças maiores e que não são reconhecidas; mas dentro do âmbito do autoconhecimento humano, a liberdade de agir é livre. De um lado, a revelação apresenta Deus como o que conhece de antemão todas as coisas, inclusive as ações dos agentes livres, e à parte de tal conhecimento Deus seria ignorante e, em certo sentido, imperfeito. De outro lado, a revelação apela para as vontades dos homens com a suposição evidente de que o homem é capaz de uma escolha livre – "Quem quiser vir".

O ensino bíblico, assim como a crença racional de que não existe uma desarmonia entre a presciência divina e a ação moral livre ou contingência, recebeu oposição nos tempos antigos de Aristóteles e mais tarde dos doutores Adam Clarke e Chevalier Ramsay. O Dr. Clarke afirma: "Deus ordenou *algumas* coisas como absolutamente certas. Ele ordenou outras coisas como contingentes. Estas, Ele conhece como contingentes". O Dr. Clarke, em defesa de sua crença, assevera: "Como a onipotência sugere o poder de fazer todas as coisas, assim a onisciência sugere a *capacidade* de conhecer todas as coisas, mas não a *obrigação* de conhecer todas as coisas... Deus, embora possuidor da onipotência, evidentemente não a exerce ao grau extremo – não faz tudo que poderia fazer – assim, embora Ele possa conhecer todas as coisas, todavia Ele resolve ser ignorante de algumas coisas, porque Ele não acha próprio conhecer tudo que Ele poderia conhecer".[102] Chevaleir Ramsay escreve: "É uma matéria de escolha em Deus, pensar idéias finitas".[103]

À parte da sugestão que essas objeções apresentam, a saber, que Deus teme conhecer os resultados da ação moral livre, elas introduzem uma falácia que é insustentável. É verdade que a onipotência é de tal natureza que ela não compromete Deus a fazer tudo o que Ele é capaz de fazer, por ser a onipotência somente a *capacidade* de agir com poder ilimitado. Em oposição a isso, a onisciência não é a mera capacidade de adquirir conhecimento, mas é a posse real do conhecimento. O Dr. Clarke propôs tornar Deus *capaz de onisciência*, mas não *onisciente*. Se este paralelo suposto entre a onipotência e a onisciência fosse verdadeiro, a onipotência consistiria em um ato infinito como a onisciência consiste na real compreensão de todas as coisas.

Richard Watson diz a respeito dessas teorias: "A noção da escolha de Deus de conhecer algumas coisas, e não conhecer outras, supõe uma *razão* pela qual Ele recusa conhecer qualquer espécie de coisas ou eventos, razão essa, parece-nos, que pode somente surgir da natureza delas e das circunstâncias; portanto, supõe ao menos um conhecimento parcial delas, da qual surge a razão para a sua escolha de não conhecê-las. A doutrina é, portanto, algo contraditória. Mas é fatal para essa opinião, que ela não satisfaça a dificuldade da questão da congruidade da presciência divina, e das ações livres dos homens; visto que algumas ações contingentes, pelas quais os homens foram tornados responsáveis, estamos certos de que foram *conhecidas de antemão* por Deus, porque pelo seu Espírito nos profetas, elas foram *preditas*; e se a liberdade do homem pode nesses casos ser reconciliada com a presciência de Deus, não há dificuldade maior em qualquer outro caso que possa possivelmente ocorrer."[104]

Se Deus for ignorante das ações futuras dos livres-agentes, não poderá haver um controle divino seguro do destino humano como garantido em cada pacto incondicional que Deus fez, e como garantido em cada profecia das Escrituras. Se Deus não conhece as ações futuras dos livres-agentes, então Ele jamais conhecerá as coisas que Ele não conheceu antes e deve viver mudando seus planos e propósitos constantemente. Sobre essa situação Jonathan Edwards escreve: "Em tal situação, Deus deve ter pouco mais que fazer senão emendar elos quebrados do jeito que Ele pode, e retificar sua estrutura desarticulada e movimentos desordenados na melhor maneira que a situação permite. O supremo Senhor de todas as coisas precisa estar debaixo de grandes e miseráveis desvantagens no governo do mundo que Ele fez e de que cuida, através de seu ser totalmente incapaz de perceber coisas da maior importância que daqui por diante sobreviráo ao seu sistema, que, se Ele apenas conhecesse, para o qual Ele poderia fazer uma provisão adequada".[105]

Se levantarmos a pergunta sobre se o agente moral tem liberdade de agir de modo diferente que Deus prevê que ele vai fazer, pode ser respondido que a vontade humana, por causa de sua inerente liberdade de escolha, será capaz de escolher o curso oposto daquilo que foi divinamente pré-conhecido; mas ele não fará assim. Se o fizesse, isso seria a coisa pré-conhecida por Deus. A presciência divina não compele; ela meramente sabe qual será a escolha humana. Os socinianos asseveram que até que a escolha humana seja feita, ela foi uma matéria do conhecimento e, portanto, mesmo Deus não poderia saber qual seria a escolha; mas isto é confundir a ignorância humana com a onisciência divina. O que Deus pré-conhece certamente acontece, não porque Ele a pré-conhece, mas por causa do fato de que Ele a decretou. Os homens que crucificaram Cristo fizeram exatamente o que mil anos antes havia sido predito e, portanto, determinado que fariam, até mesmo as palavras: "Confiou no Senhor; que ele o livre; que ele o salve, pois que nele tem prazer" (Sl 22.8; cf. Mt 27.43).

E como foi predito, eles repartiram suas vestes entre si e lançaram sortes sobre a sua túnica: "E, de fato, os soldados assim fizeram [porque estava registrado]" (Jo 19.24). Dentro de sua própria experiência, esses homens disseram e fizeram exatamente o que eles livremente escolheram realizar; todavia, eles disseram e fizeram somente o que havia sido divinamente determinado e, conseqüentemente, vemos a presciência divina (At 2.23).

O desafio de que se Deus conhecia tudo e, portanto, conhecia o pecado e poderia tê-lo evitado, poderia ser expandido para incluir o fato de que Deus sabe que os homens continuariam em pecado, e que as novas gerações de pecadores estão nascendo. Semelhantemente, esse desafio deveria considerar o fato de que o perfeito conhecimento de Deus tinha consciência do fato de que o pecado exigiria o maior sacrifício que Deus poderia fazer – a morte de seu Filho. A despeito da pecaminosidade do pecado e do sacrifício que ele exigia, Deus não foi surpreendido pela calamidade e falha não prevista. Seus propósitos são executados e serão vistos no final como santos, justos e bons. Muita coisa que faz parte dos grandes problemas está além do alcance do entendimento humano, mas fora da jurisdição divina que sempre é compatível com a santidade infinita.

Um problema muito mais profundo existe além do da reconciliação da presciência divina com a liberdade das criaturas morais, a saber, a verdadeira liberdade do próprio Deus se, na verdade, sua concepção for eternamente completa dentro da sua presciência eterna. Evidentemente, não há um problema para Deus escolher entre duas linhas de ação, pois a onisciência dirige para aquilo que é certo, e aquilo que é certo tem sido discernido e determinado desde toda eternidade. O que qualquer ser inteligente conhece, é tão intimamente relacionado ao que ele propõe e faz que é algo difícil isolar questões que fiquem restritas ao conhecimento somente. O santo caráter de Deus não pode mudar. Ele não possui uma liberdade que envolva uma contradição de seu santo caráter. Quando confrontado com o pecador o Seu desprazer é expresso e o Seu julgamento seguro está em vista; mas quando o ímpio volta-se para Ele e beneficia-se de sua graça, a sua misericórdia é sem limite e os seus julgamentos são abandonados. Em tal caso, a santidade não muda. Embora num caso ela repila e no outro ela favoreça, é a mesma santidade do começo ao fim. Não há uma mudança em Deus, mas um ajustamento às mudanças que acontecem no homem.

O apelo prático da onisciência é múltiplo. Pela organização divina na criação, os homens estão sempre dentro da observação de Deus. O homem não pode escapar do Todo-poderoso mais do que não consegue fugir de si próprio. O provérbio de Maomé: "Onde quer que haja duas pessoas presentes, Deus forma a terceira"[106], poderia também incorporar a verdade de que onde há uma pessoa, Deus forma a segunda. A afirmativa da Escritura: "Tu me sondas, ó Deus", anuncia o fato de que ninguém jamais escapa de sua observação. Que tolice manifesta é quando se supõe que qualquer pecado pode ser secreto, somente porque ficou escondido dos homens. O salmista fala de "nossos pecados ocultos à luz do teu rosto" (Sl 90.8; cf. Jó 42.2; Is 29.15; Jr 23.24; Hb 4.13).

Quão rica de sabedoria é a palavra de Sêneca: "Nós devemos sempre nos conduzir como se vivêssemos em público; nós devemos pensar como se alguém pudesse ver o que está se passando no nosso mais íntimo; e há Um que faz assim diante de nós. De que vale, então, que algum de nossos atos seja oculto dos homens? Nada pode ser escondido de Deus. Ele está presente com nossas almas, e penetra os nossos pensamentos mais interiores, e, na verdade, nunca está ausente de nós".[107] Verdadeiramente, a posição do homem diante de Deus é "permanecer em reverência e não pecar" (Sl 4.4).

A onisciência de Deus garante que todos os julgamentos futuros serão de acordo com a verdade; nada será deixado de lado ou avaliado falsamente. A respeito disto o Dr. William Cooke escreve: "Se os olhos do transgressor pudessem apenas ser abertos para a realidade de sua posição, que horror se apoderaria dele! Uma visão mais terrível do que o Sinai em uma chama, mais terrível do que a caligrafia de Deus no palácio de Belsazar – uma visão mais terrível do que o drama da conflagração do mundo irromperia sobre essa visão – ele veria a divindade ofendida de todos os lados, ele se veria envolto com a presença e os atributos do eterno Deus, seu Criador e Juiz".[108] "Ainda que cavem até o Seol, dali os tirará a minha mão; ainda que subam ao céu, dali os farei descer. Ainda que se escondam no cume do Carmelo, buscá-los-ei, e dali os tirarei; e, ainda que se ocultem aos meus olhos no fundo do mar, ali darei ordem à serpente, e ela os morderá. Também ainda que vão para o cativeiro diante de seus inimigos, ali darei ordem à espada, e ela os matará; enfim, eu porei os meus olhos sobre eles para o mal, e não para o bem" (Am 9.2-4).

A onisciência de Deus é repleta de grande encorajamento e de conforto para aqueles que estão em relações corretas com Ele. Todo esforço sincero, ainda que infrutífero; todo sofrimento através do entendimento errôneo; e toda provação pode ser suportada à luz da verdade de que Deus vê e conhece perfeitamente. O Antigo Testamento encerra-se com palavras de grande significação: "Então aqueles que temiam ao Senhor falaram uns aos outros; e o Senhor atentou e ouviu, e um memorial foi escrito diante dele, para os que temiam ao Senhor, e para os que se lembravam do seu nome. E eles serão meus, diz o Senhor dos exércitos, minha possessão particular naquele dia que prepararei; poupá-los-ei, como um homem poupa a seu filho, que o serve" (Ml 3.16, 17).

Intimamente ligada à onisciência divina, embora superior a ela, está a *sabedoria* divina. Esta, como um atributo de Deus, implica num julgamento correto e no autêntico uso do conhecimento. Na verdade, o conhecimento é o material do qual a sabedoria constrói a sua estrutura. Deus é não menos perfeito em sabedoria do que em qualquer outro de seus atributos. Na verdade, a sua sabedoria transcende em muito a de todos os outros seres a ponto da Escritura dizer dele que "é o único Deus sábio" (Jd 25; cf. 1 Tm 1.17). A sua sabedoria é demonstrada no vasto e complexo Universo, todavia, organizado, no fato de que todo propósito de Deus é o melhor que a sabedoria divina pode ter planejado, na perfeição de seus caminhos pelos quais todas as coisas são realizadas por Ele. Nenhuma parte das obras de Deus está ausente na manifestação de sua perfeita sabedoria.

Contudo, em nenhum lugar a sabedoria divina foi tão belamente demonstrada como no plano da redenção. Aqui Deus é visto como o solucionador do maior de todos os seus problemas, a saber, como Ele poderia ser justo e, ao mesmo tempo, o justificador dos ímpios. A referência à solução desse problema é feita em 1 Coríntios 1.22-24: "Pois, enquanto os judeus pedem sinal, e os gregos buscam sabedoria, nós pregamos a Cristo crucificado, que é escândalo para os judeus, e loucura para os gregos, mas para os que são chamados, tanto judeus como gregos, Cristo, poder de Deus, e sabedoria de Deus".

Um testemunho abundante é fornecido pela Bíblia tanto para o conhecimento quanto para a sabedoria de Deus:

"Porque, quanto ao Senhor, seus olhos passam por toda a terra, para mostrar-se forte a favor daqueles cujo coração é perfeito para com ele;

nisto procedeste loucamente, pois desde agora haverá guerras contra ti" (2 Cr 16.9); "Mas ele sabe o caminho pelo qual eu ando; provando-me ele, serei como o ouro" (Jó 23.10); "Quão grandes são, ó Senhor, as tuas obras! Quão profundos são os teus pensamentos!" (Sl 92.5); "Ó Senhor, quão multiformes são as tuas obras! Todas elas as fizeste com sabedoria; a terra está cheia das tuas riquezas" (Sl 104.24); "Àquele que com entendimento fez os céus, porque a sua benignidade dura para sempre" (Sl 136.5).

"Senhor, tu me sondaste, e me conheces. Tu conheces o meu sentar e o meu levantar; de longe entendes o meu pensamento. Esquadrinhas o meu andar, e o meu deitar, e conheces todos os meus caminhos. Sem que haja uma palavra na minha língua, eis que, ó Senhor, tudo conheces. Tu me cercaste em volta, e puseste sobre mim a tua mão. Tal conhecimento é maravilhoso demais para mim; elevado é, não o posso atingir. Para onde me irei do teu Espírito, ou para onde fugirei da tua presença? Se subir ao céu, tu aí estás; se fizer no Seol a minha cama, eis que tu ali estás também. Se tomar as asas da alva, se habitar nas extremidades do mar, ainda ali a tua mão me guiará e a tua destra me susterá. Se eu disser: Ocultem-me as trevas; torne-se em noite a luz que me circunda; nem ainda as trevas são escuras para ti, mas a noite resplandece como o dia; as trevas e a luz são para ti a mesma coisa" (Sl 139.1-12).

"Porque o Senhor se agrada do seu povo; ele adorna os mansos com a salvação. Exultem de glória os santos, cantem de alegria nos seus leitos" (Sl 149.4,5); "O Senhor pela sabedoria fundou a terra; pelo entendimento estabeleceu o céu" (Pv 3.19); "Eis que as primeiras coisas já se realizaram, e novas coisas eu vos anuncio; antes que venham à luz, vo-las faço ouvir" (Is 42.9); "Por amor de meu servo Jacó, e de Israel, meu escolhido, eu te chamo pelo teu nome; ponho-te o teu sobrenome, ainda que não me conheças" (Is 45.4); "Pois eu conheço as suas obras e os seus pensamentos; vem o dia em que ajuntarei todas as nações e línguas; e elas virão, e verão a minha glória" (Is 66.18); "É ele quem fez a terra com o seu poder, estabeleceu o mundo com a sua sabedoria, e estendeu os céus com o seu entendimento" (Jr 51.15); "E caiu sobre mim o Espírito do Senhor, e disse-me: Fala: Assim diz o Senhor: Assim tendes dito, ó casa de Israel; pois eu conheço as coisas que vos entram na mente" (Ez 11.5).

"...para que a tua esmola fique em secreto; e teu Pai, que vê em secreto, te recompensará... Não vos assemelheis, pois, a eles; porque vosso Pai sabe o que vos é necessário, antes de vós lho pedirdes... (Pois todas estas coisas os gentios procuram.) Porque vosso Pai celestial sabe que precisais de tudo isso" (Mt 6.4,8,32); "que ele fez abundar para conosco em toda sabedoria e prudência" (Ef 1.8); "para que agora a multiforme sabedoria de Deus seja manifestada, por meio da igreja, aos principados e potestades nas regiões celestes" (Ef 3.10); "Ó profundidade das riquezas, tanto da sabedoria, como da ciência de Deus! Quão insondáveis são os seus juízos, e quão inescrutáveis os seus caminhos!" (Rm 11.33).

2. Sensibilidade. Por esse termo, o segundo elemento na personalidade é introduzido. Tanto no uso filosófico quanto teológico, a designação *sensibilidade* inclui as formas mais elevadas de sentimento e sustenta-se tanto para o racional quanto para o moral no que respeita aos apetites. Embora uma diferença quanto ao grau e à pureza essencial seja reconhecida entre a sensibilidade divina e a humana, a realidade da divina não pode ser questionada. Dispor do vasto conjunto de verdades da Escritura e direcionar sobre esse tema, ao sustentar que a sensibilidade divina, como demonstrada na Bíblia, é mais do que um antropomorfismo, e não satisfaz a exigência; ao contrário, e muito mais de acordo com a verdade, a sensibilidade humana apenas reflete debilmente aquilo que subsiste em Deus num grau de perfeição infinita.

O fato de que em Deus as emoções de amor e paciência, e os atributos de santidade, justiça, bondade, misericórdia e fidelidade existem, vão mais além de indicar a verdadeira qualidade dEle em contraste aos erros do deísmo e panteísmo. Na verdade, muito freqüentes têm sido os esforços dos escritores de teologia no sentido de remover dos pensamentos dos homens a natureza amorosa e sensível que, por toda forma de elocução, as Escrituras procuram apresentar. Definir Deus pelos atributos negativos é justificável somente quando os elementos de fraqueza e imperfeição, que residem no homem, devem ser eliminados. Este procedimento é efetuado quando Deus é apresentado como inteligência pura e ação à parte daquelas emoções que sustentam a atitude e motivam a ação divina.

A sensibilidade em Deus é tão bem definida quanto as outras partes essenciais da personalidade – inteligência e vontade. À parte da frágil experiência do amor humano, os homens nada poderiam compreender da revelação apresentada nas palavras de Cristo ao seu Pai: "Porque tu me amaste antes da fundação do mundo", e as palavras de Cristo aos homens foi: "Deus amou ao mundo". Não é a limitação em Deus que requer um objeto para o seu amor, ou que o seu amor varia de acordo com os diferentes objetos. Há uma força peculiar nas palavras dirigidas a Israel: "Pois que com amor eterno te amei, também com benignidade te atraí" (Jr 31.3), e nas palavras: "Eu amei a Jacó, mas aborreci a Esaú" (Rm 9.13; cf. Ml 1.2-4).

A sensibilidade em Deus inclui o seu Ser racional. No Universo, Ele expressou o seu desejo supremo, e a respeito do Universo, em sua forma original, Ele pode dizer que "era muito bom". Após contemplar a beleza na criação, ninguém pode duvidar da natureza estética em Deus. Que o homem deriva a sua natureza estética de Deus, é bem afirmado por Hugh Miller: "Eu devo sustentar que nós recebemos a verdadeira explicação do caráter do homem parecido com as obras do Criador antes que o homem existisse, no texto notável em que é-nos dito que 'Deus fez o homem à sua imagem e semelhança'. Não há uma restrição aqui à qualidade moral: a imagem moral que o homem tinha, e que em grande medida perdeu; mas a imagem intelectual ele ainda retém. Como o especialista em geometria, aritmética, química e astronomia – em resumo, em todos os departamentos do que conhecemos como ciências estritas – o homem difere de seu Criador, não em espécie, mas em grau – não como a matéria difere da mente, ou as trevas da luz, mas simplesmente como uma mera porção do espaço difere de todo espaço ou todo tempo. Eu já me referi aos dispositivos mecânicos como identicamente os mesmos nas realizações divinas e humanas; nem posso duvidar que, não somente no sentido penetrante da beleza em forma e cor que é nosso privilégio como homens em algum grau experimentar e possuir, mas também na percepção da harmonia que constitui o senso musical, e naquele sentimento poético do qual a Escritura nos fornece, ao mesmo tempo, os exemplos mais antigos e elevados, e que podemos chamar o senso poético, portamos o selo e a impressão da imagem divina".[109]

Semelhantemente Bowne escreve:

Sustentamos, portanto, que Deus não é apenas puro pensamento, mas Ele é também intuição absoluta e sensibilidade absoluta. Ele não somente capta a realidade em seu pensamento absoluto, mas Ele a vê em sua intuição absoluta, e desfruta dela em sua sensibilidade absoluta. Não podemos permitir sem contradição que haja qualquer coisa no mundo das coisas concebíveis que seja excluída da fonte de todo pensamento e conhecimento. A nossa noção de Deus como puro pensamento somente excluiria as harmonias da luz, som, e forma de seu conhecimento; e o limitaria a um conhecimento do esqueleto do Universo ao invés de sua beleza. A noção de Deus como sensível aparece como antropomórfica somente por causa da confusão mental. Para o imprudente, a sensibilidade sugere um corpo; mas na verdade ela é uma afeição tão puramente espiritual como o pensamento mais abstrato. Tudo o que o corpo faz por nós é fazer surgir a sensibilidade; mas em nenhum sentido ele a produz, e é inteiramente concebível que ele deva existir num ser puramente espiritual à parte de qualquer corpo. Dificilmente pode haver um conceito mais irracional do conhecimento divino do que aquele que presume que ele capta a realidade somente da forma em que ela existe pelo puro pensamento, e deixa de captar totalmente a visão e a vida das coisas. Ao contrário, exatamente como consideramos a razão como o tipo fraco da razão infinita, assim consideramos as nossas intuições das coisas como um tipo fraco da intuição absoluta; e também consideramos as harmonias das sensibilidades e sentimentos como os ecos mais fracos da sensibilidade absoluta, notas ocasionais da fonte de sentimento, vida e beleza.[110]

Há certos modos a serem observados a respeito da sensibilidade moral divina, e todos eles, por sua vez, são atributos bem definidos de Deus:

A. SANTIDADE. A santidade de Deus é *ativa*. Como um motivo principal, ela incita tudo o que Deus faz; portanto, Ele é justo em seus caminhos. Embora infinitamente santo, não obstante Ele mantém um relacionamento com as criaturas caídas; não uma indiferença imóvel para com eles, mas uma proximidade vital e palpitante. A santidade dEle não é uma santidade gerada por um esforço mantido ou preservada pela separação de outros seres. A santidade de Deus é intrínseca, incriada e imaculada; ela é observável em toda atitude e ação divinas. Ela abrange não somente a sua devoção ao que é bom, mas é também a verdadeira base e força de seu ódio por aquilo que é mau. Assim, há na santidade divina a capacidade de reação em relação a outros, que é tanto positiva quanto negativa.

PERSONALIDADE

As seguintes passagens das Escrituras, selecionadas de um grande volume de testemunho bíblico sobre esse tema, servirá para declarar a santidade de Deus:

"Prosseguiu Deus: Não te chegues para cá, tira os sapatos dos pés; porque o lugar em que tu estás é terra santa" (Êx 3.5); "Fala a toda a congregação dos filhos de Israel, e dize-lhes: Sereis santos, porque eu, o Senhor vosso Deus, sou santo" (Lv 19.2); "Ninguém há santo como o Senhor; não há outro fora de ti; não há rocha como o nosso Deus" (1 Sm 2.2); "Eis que Deus não confia nos seus santos, e nem o céu é puro aos seus olhos" (Jó 15.15); "Contudo tu és santo, entronizado sobre os louvores de Israel" (Sl 22.3); "Deus reina sobre as nações; Deus está sentado sobre o seu santo trono" (Sl 47.8); "Enviou ao seu povo a redenção; ordenou para sempre o seu pacto; santo e tremendo é o seu nome" (Sl 111.9); "E clamavam uns para os outros, dizendo: Santo, santo, santo é o Senhor dos exércitos; a terra toda está cheia da sua glória" (Is 6.3); "Porque assim diz o Alto e o Excelso, que habita na eternidade, e cujo nome é Santo: num alto e santo lugar habito, e também com o contrito e humilde de espírito, para vivificar o espírito dos humildes, e para vivificar o coração dos contritos" (Is 57.15).

"E esta é a mensagem que dele ouvimos, e vos anunciamos: que Deus é luz, e nele não há treva nenhuma" (1 Jo 1.5); "Os quatro seres viventes tinham, cada um, seis asas, e ao redor e por dentro estavam cheios de olhos, e não têm descanso nem de dia nem de noite, dizendo: Santo, Santo, Santo é o Senhor Deus, o Todo-poderoso, aquele que era, e que é, e que há de vir" (Ap 4.8); "E clamaram com grande voz, dizendo: Até quando, ó Soberano, santo e verdadeiro, não julgas e vingas o nosso sangue dos que habitam sobre a terra?" (Ap 6.10); "Quem não te temerá, Senhor, e não glorificará o teu nome: Pois só tu és santo, por isso todas as nações virão e se prostrarão diante de ti, porque os teus juízos são manifestos" (Ap 15.4).

B. JUSTIÇA. Este é um termo legal e refere-se ao caráter essencial do governo divino na mais alta excelência adequada ao que esse governo sempre desenvolve. A esta altura é bom observar que Deus tem o direito e a autoridade absoluta sobre as suas criaturas. Em sua rebelião contra Deus, a criatura firmemente se recusa a reconhecer a verdade a respeito do direito e da autoridade do Criador. Deus poderia ter criado ou não, de acordo com o seu prazer. Outros seres, além dos que foram feitos poderiam ter sido criados e aqueles que foram criados poderiam não ter vindo à existência. Ele tem o perfeito direito de dispor de todas as suas obras como bem lhe apraz. Se refletirmos sobre esses relacionamentos, ficará evidente que a esfera de direito do homem é a da criatura dependente e que o destino mais elevado do homem será alcançado, não por resistir ao Criador, mas por uma completa submissão à sua vontade. Visto que a autoridade do Criador é absoluta, ela é uma causa superlativa para gratidão ao Criador que é perfeito em justiça. Que infelicidade seria a porção da criatura, se fosse de outra forma!

TRINITARIANISMOTEONTOLOGIA

A justiça divina é demonstrada no fato de que as leis justas são dadas aos homens, e que estas leis são sustentadas por sanções próprias, e que a estas leis é dada uma execução imparcial. Nenhum favoritismo é jamais tolerado, embora o favor infinito seja estendido àqueles que andam debaixo de provisões justas para a salvação, que foi tornada possível através do sacrifício de Cristo pelo pecado. Deve ser observado que em ponto algum a justiça divina é mais observável do que no plano da redenção. O que é feito pelo lado divino pelos homens perdidos através do sacrifício de Cristo, é operado em justiça perfeita – justiça essa, na verdade, que é consoante com a santidade infinita. A justiça exige que a penalidade, após cair sobre um Outro e que o benefício, após ter sido recebido como a base da esperança pelo ofensor, não cairá novamente sobre o transgressor.

A santidade dita que não haverá, da parte de Deus, nenhuma indulgência para com o mal. É verdade que Ele considera a nossa estrutura e lembra-se de que somos pó; mas Deus nunca fecha os olhos ao pecado. Não é dito que Deus seja misericordioso ou amável quando Ele justifica aquele que crê em Cristo; mas é dito que Ele é *justo* (Rm 3.26). Com o mesmo fim, quando perdoa e limpa o cristão que confessa seu pecado, é dito que Deus é *fiel* e *justo* (1 Jo 1.9; cf. 1 Co 11.31,32). Em sua conduta administrativa e teocrática com as nações – especialmente Israel –, há extensões tanto de suas bênçãos quanto de seus juízos nas gerações que se sucedem. Nenhuma dessas extensões de juízo ou penalidade tornou-se a finalidade do trato divino com o indivíduo na justiça retributiva de Deus, que confere a cada indivíduo de acordo com a sua relação pessoal com Deus. Uma provisão somente foi feita – e esta tem um custo infinito – pela qual o ímpio pode escapar das penalidades da justiça ultrajada. Rejeitar essa porta de salvação aberta que é Cristo e na qual Deus sem dano à sua santa justiça pode manifestar graça completa e perfeita ao pecador, torna-se imediatamente o pecado condenador e final.

Finalmente, a justiça de Deus será vista em sua disposição para com todas as suas criaturas no fim – a glória eterna para aqueles que, através da redenção, entraram em relacionamento com Ele que deu liberdade a Ele de operar para eles uma perfeita justiça de tudo o que o seu infinito amor dispõe; por outro lado, uma reprovação eterna para aqueles que persistentemente o repudiam. A justiça exige que os santos sejam recompensados por sua fidelidade – alguns mais e outros menos. Com a mesma consistência, a justiça exige que haja graus de experiência no estado dos perdidos. Está escrito: "Porque todos os que sem lei [a de Moisés] pecaram, sem lei [a de Moisés] também perecerão; e todos os que sob a lei pecaram, pela lei serão julgados... no dia em que Deus há de julgar os segredos dos homens, por Cristo Jesus, segundo o meu evangelho" (Rm 2.12-16).

É verdade que o crime cresce à vista de Deus de acordo com o grau de conhecimentoqueopecadortem.Nãoestáditonapassagemacimaqueelaimplique queaquelesqueestãosemaleimosaica (cf. 1 Co 9.21) vão escapar do julgamento (estes que pecaram contra uma lei como a afirmada nos versículos. 14 e 15), mas o judeu a quem mais luz foi dada, será sujeito a condenação maior. A experiência normal é que todos "perecerão" (cf. v.12, também Jo 3.16; 10.28). A experiência anormal é que o judeu, a quem a lei mosaica foi dada, sofrerá condenação maior. M. R. Vincent escreve: "*Ambas* as classes de homens serão *condenadas*; em ambas o resultado será perecer, mas o julgamento pela lei está confinado àqueles que têm a lei".[111] E Godet acrescenta: "Os judeus somente serão, estritamente falando, sujeitos a uma *inquirição detalhada* tal como o que surge quando se aplicam os artigos particulares de um código".[112] Eles, individual e coletivamente, estarão perdidos eternamente (cf. Ap 20.12-15).

As Escrituras testificam da justiça de Deus: "Agora, pois, seja o temor do Senhor convosco; tomai cuidado no que fazeis; porque não há no Senhor nosso Deus iniqüidade, nem acepção de pessoas, nem aceitação de presentes" (2 Cr 19.7); "Pode o homem mortal ser justo diante de Deus? Pode o varão ser puro diante do seu Criador?" (Jó 4.17); "O temor do Senhor é limpo, e permanece para sempre; os juízos do Senhor são verdadeiros e inteiramente justos" (Sl 19.9); "Justiça e juízo são a base do seu trono; benignidade e verdade vão adiante de ti" (Sl 89.14); "Anunciai e apresentai as razões: tomai conselho todos juntos. Quem mostrou isso desde a antigüidade? Quem de há muito o anunciou? Porventura não sou eu, o Senhor? Pois não há outro Deus senão eu; Deus justo e salvador não há além de mim" (Is 45.21).

"Porquanto determinou um dia em que com justiça há de julgar o mundo, por meio do varão que para isso ordenou; e disso tem dado certeza a todos, ressuscitando-o dentre os mortos" (At 17.31); "E cantavam o cântico de Moisés, servo de Deus, e o cântico do Cordeiro, dizendo: Grandes e admiráveis são as tuas obras, ó Senhor Deus Todo-poderoso; justos e verdadeiros são os teus caminhos, ó Rei dos séculos" (Ap 15.3).

C. AMOR. Certos termos – três ao todo – são usados nas Escrituras como descrições abrangentes de Deus, a saber: *Espírito* – "Deus é Espírito" (Jo 4.24); *luz* – "Deus é luz" (1 Jo 1.5); e *amor* – "Deus é amor" (1 Jo 4.8). Pela palavra *abrangente* é afirmado que os termos *Espírito, luz* e *amor* não se referem meramente a virtudes peculiares entre muitas outras que estão em Deus, mas que Deus é exatamente o que esses termos denotam. Mais especificamente com respeito ao *amor*: Deus não obteve o amor, nem Ele por qualquer esforço mantém o amor; o amor é a estrutura do seu ser. Deus é a fonte inesgotável do amor. Por causa desse fato, o amor é a coisa que preeminentemente Ele exige. "O amor é o cumprimento de toda a lei." Sem o atributo do amor, Deus não seria o que Ele é. Como nenhuma outra virtude, o amor é a motivação primária em Deus, e para satisfazer o seu amor, toda a criação foi formada.

É por causa do fato de que Deus não tem necessidade alguma de depender de outros que O supram de amor, Ele concede e comunica amor. É essencial também que Ele tenha aqueles sobre quem a sua benevolência possa ser conferida; daí, as inumeráveis criaturas que estão acima de todos os objetos de sua afeição. Os cristãos, objetos de sua afeição, recebem o título significativo de *amados*, título esse que significa simplesmente que eles devem *ser amados* de Deus.

Esse amor infinito sempre existiu entre as pessoas da Trindade e que Deus, no sentido mais digno, ama-se a si mesmo de modo supremo, e não pode ser questionado. O amor divino, assim, não começou a ser exercido somente quando as criaturas – objetos do seu amor – foram criadas. Mesmo o seu amor pelas criaturas estava em sua previsão. A Escritura diz que dentro do ser de Deus desde a eternidade "a benignidade e a fidelidade se encontraram; a justiça e a paz se beijaram" (Sl 85.10). É a vinda do mal sobre a criação de Deus que estabeleceu um conflito dentro dos atributos de Deus. A santidade condena o pecado enquanto que o amor de Deus procura salvar o pecador. O amor somente poderia o sacrifício exigido para que o pecador pudesse ser salvo. Esse empreendimento não deve ser interpretado como se Deus (Cristo) salvasse o pecador de um outro Deus (o Pai).

Está dentro da própria natureza divina esse ajuste entre os atributos em operação. "Deus estava em Cristo, reconciliando consigo o mundo" (2 Co 5.19). O amor divino, embora imensurável em si mesmo, é sempre acessível à razão e à justiça divina. O ajuste entre a santidade e o amor, quando esses atributos são afetados pelo pecado, embora operados no tempo e na cruz, foi previsto desde toda a eternidade. De Cristo é dito que Ele é "o Cordeiro que foi morto desde a fundação do mundo" (Ap 13.8). O amor de Deus tem a sua manifestação perfeita na morte de Cristo (Jo 3.16; Rm 5.8; 1 Jo 3.16). Não é uma mera afeição, mas é antes uma livre escolha de Deus que pode ser reconhecida em tudo o que Ele faz: "Deus é amor".

D. BONDADE. Este atributo, se contemplado como aquilo que está dentro de Deus, está ligado à sua santidade; se contemplado como aquilo que procede de Deus, está ligado ao amor. A bondade infinita de Deus é uma perfeição de seu ser que caracteriza a sua natureza e é em si mesma a fonte de tudo no Universo, que é bom. Os termos específicos empregados para demonstrar a bondade de Deus são (a) *benevolência*, que é a bondade em seu sentido genérico, e abrange todas as suas criaturas e assegura-lhes o seu bem-estar; (b) *complacência*, que é aquilo em Deus que aprova todas as suas próprias perfeições, assim como tudo o que se conforma a si mesmo; (c) *misericórdia*, que é a bondade de Deus exercida em favor da necessidade de suas criaturas; e (d) *graça*, que é a livre ação de Deus em favor daqueles que são sem mérito, liberdade essa que tem sido assegurada pela morte de Cristo.

Os termos, *misericórdia*, *amor*, e *graça* são muito freqüentemente confundidos. Eles aparecem num contexto limitado de Efésios 2.4, 5 e são usados ali com a discriminação devida: "Mas Deus, sendo rico em misericórdia, pelo seu muito amor com que nos amou, estando nós ainda mortos em nossos delitos, nos vivificou juntamente com Cristo (pela graça sois salvos)..."

Há um exercício triplo, presente e imediato da misericórdia divina. Primeiro, é dito de Deus que Ele é misericordioso para com os que põem a sua confiança nele. Para eles, Deus é "o Pai de misericórdias" (2 Co 1.3), e eles são convidados a se aproximar do seu trono de graça onde lhes é assegurado que agora "obterão misericórdia" (Hb 4.16); segundo, a misericórdia divina ainda será manifesta

PERSONALIDADE

a Israel quando eles forem reunidos em sua própria terra (Is 54.7); terceiro, a misericórdia é exercida, também, quando o pecador é chamado do seu estado de perdido e salvo pela graça de Deus (Rm 9.15, 18; 1 Tm 1.13). Contudo, a misericórdia de Deus teve a sua manifestação suprema quando o Filho foi entregue pelos perdidos deste mundo. Dos pecadores que crêem não é dito que eles serão salvos através de um exercício imediato e pessoal da misericórdia divina; mas antes, visto que a misericórdia de Deus proporcionou um Salvador que é o Substituto perfeito para eles, tanto como um portador de pecado (para que possam ser perdoados de todas as suas transgressões), como a base justa de uma justificação completa, é dito que Deus é "justo" quando Ele justifica aquele que nada faz além de "crer em Jesus" (Rm 3.26). Assim, de qualquer ângulo de abordagem, Deus é visto como "rico em misericórdia".

E. VERDADE. O caráter de Deus se percebe quando Ele é chamado de o Deus da verdade. Ele não somente promove e confirma que Ele é verdadeiro, mas em fidelidade permanece em sua promessa, e executa cada ameaça ou advertência que fez. À parte do elemento *verdade* em Deus não haveria uma certeza nesta vida, e os homens ficariam em perplexidade e sem conforto, sem saber de onde vieram ou para aonde vão. Sem a *verdade* em Deus, a revelação é somente uma zombaria. Ao contrário, como é asseverado na Bíblia: "Seja Deus verdadeiro e todo homem mentiroso" (Rm 3.4). Embora os homens se enganem, a veracidade de Deus nunca pode ser questionada por pouco que seja.

A verdade em Deus é a certeza de que o que Ele revelou está de acordo com a natureza das coisas e que as suas revelações devem ser cridas com plena certeza. Esta convicção caracteriza igualmente cada revelação de Deus por quaisquer que sejam os meios. Deus concedeu aos homens sentidos que, sob condições normais, dão informação acurada e verdadeira a respeito dos objetos que Deus deseja que os homens reconheçam. Os reais filósofos que afirmam que a matéria não existe realmente mas é somente uma impressão dentro da mente, realmente contradizem suas próprias noções ao evitarem os perigos e forças da Natureza. Além disso, a razão, embora não suficiente em si mesma, que possui suas conclusões baseadas em fatos, é outra descoberta da realidade divinal. A demonstração final da verdade de Deus está na Bíblia. Ela, por ser a Palavra de Deus, é verdadeira em todas as suas partes.

Há um vasto exército de verdades, temas e assuntos a respeito dos quais o homem, por si mesmo, nada poderia saber. A Bíblia supre essa informação fidedigna: "As palavras do Senhor são palavras puras, como prata refinada numa fornalha de barro, purificada sete vezes" (Sl 12.6). Deus é declarado ser Aquele que cumpre o seu pacto. Algumas de suas alianças contêm somente promessas e outras possuem promessas e advertências. Ele é fiel em cada palavra que disse. "Deus não é homem, para que minta; nem filho do homem, para que se arrependa. Porventura, tendo ele dito, não o fará? Ou, havendo falado, não o cumprirá?" (Nm 23.19). "Porque é fiel aquele que fez a promessa" (Hb 10.23). No caso de o homem falhar na sua parte de um pacto condicional, Deus fica livre daquele compromisso. Se Deus, então, faz diferente daquilo que propôs no pacto, Ele não falta com a verdade. Ao prometer a Abraão incondicionalmente que a descendência dele seria liberta da escravidão do Egito (Gn 15.13-14), Ele deixou escrito: "E aconteceu que, ao fim de quatrocentos e trinta anos, naquele mesmo dia, todos os exércitos do Senhor saíram da terra do Egito" (Êx 12.41).

Isto é verdade porque Deus é verdadeiro, e que "nenhuma promessa falhou de todas as boas palavras que o Senhor falara".

Deus é igualmente verdadeiro na execução de todas as suas ameaças, mas há uma libertação implícita para aqueles que se voltam para Ele. Deus declara: "Se em qualquer tempo eu falar acerca duma nação e acerca dum reino, para arrancar, para derribar e para destruir, e se aquela nação, contra a qual falar, se converter da sua maldade, também eu me arrependerei do mal que intentava fazer-lhe" (Jr 18.7,8). De igual modo, está declarado que Deus considera os que não estão salvos como já se encontrassem debaixo de condenação, e que, "quem, porém desobedece ao Filho não verá a vida, mas sobre ele permanece a ira de Deus". Mas, por outro lado, está prometido que "quem crê no Filho tem a vida eterna" (Jo 3.36). Não há certeza maior de perdição do que a que é encontrada no fato de que Deus, que não pode mentir, disse que isso será assim.

A fidelidade de Deus é a fonte infalível de conforto e segurança para aqueles que estão de bem com Ele, ou que são participantes de seus pactos de promessa. Foi uma palavra de grande significado a que Cristo disse: "Eu sou... a verdade" (Jo 14.6).

3. VONTADE. O terceiro elemento essencial na personalidade é a *vontade*, e da vontade de Deus muita coisa pode ser observada. A vontade é aquilo em Deus que põe em ação tudo o que Ele designou. A evidência de que a vontade pertence a Deus é estabelecida pelo fato de que ela pertence à personalidade, que pertence à perfeição, que pertence à independência, que foi exercida na criação, e que é diretamente atribuída a Deus nas Escrituras (João 1.13; Rm 8.27; 12.2; 1 Co 1.1; Ef 1.5). A vontade de Deus pode ser considerada como *livre* e *onipotente*.

A. LIBERDADE. A vontade de Deus é *livre*. Ela age segundo o modo da sabedoria, e é exercida pelo poder infinito, e sustenta somente os seus propósitos e caminhos justos; todavia ela é livre no sentido em que ela é independente de todas as suas criaturas e também de todas as ações delas. Quando refletem sobre este aspecto da vontade de Deus, os teólogos algumas vezes distinguem entre a vontade decretiva de Deus e a sua vontade *preceptiva*. A vontade decretiva vai ser considerada ainda na seção seguinte deste livro. Esse aspecto da vontade divina é o seu propósito eficaz a respeito de tudo o que existe, ou que ainda acontecerá, na criação que Ele fez. De modo contrário a isso, a vontade preceptiva de Deus é aquilo que meramente Ele prescreve, mas que não compele suas criaturas. Esses dois aspectos da vontade não estão em conflito. A vontade preceptiva pode ser resistida, como acontece freqüentemente. Cada rejeição de um seu mandamento, embora pré-conhecida, não é aprovada por Ele. A vontade preceptiva apresenta um preceito que os homens podem receber ou rejeitar.

A vontade de Deus não determina o que é certo ou errado. A idéia que algumas vezes se obtém é a de que Deus por decreto soberano poderia fazer o errado ser certo e o certo ser errado. O que Deus deseja é o certo porque Ele expressa o seu caráter santo. Contudo, foi a respeito de coisas, algumas das quais boas e outras más, que Cristo orou: "Sim, ó Pai, porque assim foi do teu agrado" (Mt 11.26).

Outra distinção na livre vontade de Deus é que alguns de seus propósitos são secretos, chamados *voluntas beneplaciti*, e alguns são revelados, chamados *signi*. Deus ordenou que Abraão oferecesse seu próprio filho, todavia estava na vontade secreta de Deus que Abraão ficasse desobrigado daquela ordem. A distinção entre *beneplaciti* e *signi* está afirmada em Deuteronômio 29.29: "As coisas encobertas pertencem ao Senhor nosso Deus, mas as reveladas nos pertencem a nós e a nossos filhos para sempre, para que observemos todas as palavras desta lei" (cf. Sl 36.6; Rm 11.33,34).

B. ONIPOTÊNCIA. O poder infinito de Deus, que é chamado de *onipotência*, é empregado na realização de tudo o que Deus quer. Muito daquilo que Deus faz é por uma volição direta à parte dos meios e agências. Deus disse: "Haja luz; e houve luz". Esta é a onipotência operando através da volição. A vontade do homem é restrita a pensamentos, propósitos, volições e certos movimentos corporais. O homem não pode fazer nada vir à existência pela força de sua vontade. A capacidade divina de trazer o universo à existência do nada pela volição é a grande manifestação de seu poder. Tal poder pertence a Deus somente. Ele é capaz de fazer o que quer, mas Ele pode querer não fazer tudo com o uso pleno de sua onipotência. Sua vontade é conduzida de modo santo e para fins dignos. Ele não pode contradizer a si próprio. John Howe disse que "pertence ao ser auto-existente ser sempre pleno e comunicativo, e aos seres contingentes, comunicados, serem sempre vazios e anelantes".[113]

Richard Watson escreveu algo um tanto extenso sobre a onipotência divina. O que se segue é vital:

Na revelação que foi assim designada para causar admiração e para controlar os maus, e para proporcionar força de mente e consolação para os bons sob todas as circunstâncias, a onipotência de Deus é, portanto, demonstrada numa grande variedade de aspectos impressionantes, e são conectados com as mais notáveis ilustrações.

Ela é apresentada pelo fato da *criação*, a criação de seres a partir *do nada*, que em si mesma, embora tivesse sido confinada a um único objeto, conquanto mínimo, excede a compreensão finita, e supera as faculdades. Com Deus isso não requereu esforço algum – "Ele falou e tudo foi feito, ele ordenou e tudo veio a acontecer". A *vastidão* e a *variedade* de suas obras ampliam o conceito. "Os céus proclamam a glória de Deus e o firmamento anuncia a obra das suas mãos." "O que sozinho estende os céus, e anda sobre as ondas do mar; o que a Ursa, o Órion, e as Plêiades, e as recâmaras do sul; o que faz coisas grandes e insondáveis, e maravilhas que não se podem contar" [Jó 9.8-10]. "Ele estende o norte sobre o vazio; suspende a terra sobre o nada. Prende as águas em suas densas nuvens, e a nuvem não se rasga debaixo delas. Encobre a face do seu trono, e sobre ele estende a sua nuvem. Marcou um limite circular sobre a superfície das águas, onde a luz e as trevas se confinam"[Jó 26.7-10]. A *tranqüilidade* com que Ele sustenta, ordena, e controla o mais poderoso e rebelde dos elementos, apresenta sua onipotência sob um aspecto de dignidade e majestade inefáveis. "Por meio dele e para ele são todas as coisas". Ele refreou o mar com limites e portas, dizendo: "Até aqui virás, porém não mais adiante; e aqui se quebrarão as tuas ondas orgulhosas?" [Jó 38.11]; "Porque ele perscruta até as extremidades da terra, sim, ele vê tudo o que há debaixo do céu. Quando regulou o peso do vento, e fixou a medida das águas; quando prescreveu leis para a chuva e caminho para o relâmpago dos trovões" [Jó 28.24-26]; "Quem mediu com o seu punho as águas, e tomou a medida dos céus aos palmos, e recolheu numa medida o pó da terra e pesou os montes com pesos e os outeiros em balanças?" [Is 40.12]. As descrições do poder divino são freqüentemente *terríveis*. "As colunas do céu tremem, e se espantam da sua ameaça. Com seu poder fez sossegar o mar" [Jó 26.11-12]. "Ele é o que remove os montes, sem que o saibam, e os transtorna no seu furor; o que sacode a terra do seu lugar, de modo que as suas colunas estremecem; o que dá ordens ao sol, e ele não nasce; o que sela as estrelas" [Jó 9.5-7]. A mesma absoluta sujeição das criaturas ao seu domínio é vista entre os habitantes inteligentes do universo material, e os anjos, os homens mais elevados, e os espíritos malignos, são dominados com a mesma facilidade que Ele domina os elementos que não oferecem resistência. "Que fazes dos ventos teus mensageiros, dum fogo abrasador os teus ministros" [Sl 104.4]; "É ele o que está assentado sobre o círculo da terra, cujos moradores são para ele como gafanhotos" [Is 40.22]; "Postos na balança, subiriam; todos juntos são mais leves do que um sopro" [Sl 62.9]. "É ele quem reduz a nada os príncipes"; "Ele derruba uns e exalta outros", "porque o reino é do Senhor e ele é governador entre as nações". "Não poupou a anjos que pecaram, mas lançou-os no inferno, e os entregou aos abismos da escuridão, reservando-os para o juízo" [2 Pe 2.4]. As cenas finais desse mundo completam estes conceitos transcendentes da majestade e poder de Deus. Os mortos de todas as eras ressurgirão de suas sepulturas à sua *voz*; e o mar dará os seus mortos que estão nele. Diante de sua *face* os céus e a terra fugirão, e as estrelas cairão do firmamento, e os poderes do céu serão abalados. Os mortos, os pequenos e os grandes, comparecerão diante de Deus e serão separados como um pastor separa suas ovelhas dos bodes; os ímpios irão para o castigo eterno, mas os justos para a vida eterna.

Dessas idéias espantosas da onipotência de Deus, espalhadas por todas as páginas da Escritura, o poder repousa na *verdade* delas. Elas não são exagero oriental, sendo usados erroneamente por causa da sublimidade. Cada coisa na natureza responde a elas, e renova de

PERSONALIDADE

tempo em tempo a energia da impressão que elas não podem senão sustentar a mente que pensa. A ordem das revoluções astrais indica a presença constante de um poder invisível, mas incompreensível: – os mares jogam o peso de seus vagalhões sobre as praias, mas em todo lugar encontra "um *limite* fixado pelo decreto perpétuo"; – as marés se elevam em suas alturas; se elas subissem por umas poucas horas a mais, a terra seria mudada de lugar com o leito do mar; mas debaixo de um controle invisível elas se tornam refluentes. "Ele toca as montanhas e elas fumegam", isto não é mera figura. Cada vulcão é um testemunho dessa verdade que encontramos nas Escrituras; e os terremotos ensinam, que diante dele, "os pilares do mundo se estremecem". Os homens reunidos em exércitos e nações populosas nos dão uma ampla idéia do *poder* humano; mas deixe um exército ser colocado no meio de uma tempestade de areia e dos ventos flamejantes do deserto, como tem freqüentemente acontecido no Oriente; ou diante da temperatura *gélida*, como aconteceu em nossos dias na Rússia, onde um dos exércitos mais poderosos bateu em retirada ou pereceu diante da visita inesperada da neve e da tempestade; ou deixe um país populoso totalmente indefeso ser visitado pela fome, ou por uma pestilência irresistível, e reflita sobre isso, e não é nenhuma figura de linguagem dizer que "todas as nações são diante dele *menos do que nada* e *são vaidade.*"

Nem a revisão dessa doutrina da Escritura pode fazer com que o uso que os escritores sagrados fizeram da onipotência de Deus ser esquecido. Neles não há nada dito para a exibição do conhecimento, como com muita freqüência acontece com os escritores pagãos; nenhuma especulação sem uma subserviência *moral* a Ele, e isto por *desígnio* evidente. Estimular e manter vivo no homem o temor e a adoração de Deus, e levá-lo a uma feliz confiança naquele poder todo-poderoso que penetra e controla todas as coisas, como temos observado, são as razões para aquelas demonstrações amplas da onipotência de Deus, que se vê através do volume sagrado com uma sublimidade que somente a inspiração pode proporcionar. "Publicai entre as nações a sua glória, entre todos os povos as suas maravilhas. Porque grande é o Senhor, e muito digno de louvor; também é mais temível do que todos os deuses... Tributai ao Senhor, ó família dos povos, tributai ao Senhor glória e força. Tributai ao Senhor a glória devida ao seu nome; trazei oferendas, e entrai nos seus átrios" [Sl 96.3-8]. "O Senhor é a minha luz e a minha salvação; a quem temerei? O Senhor é a fortaleza da minha vida; a quem temerei?" [Sl 27.1-2]. "Se o Senhor é por nós, quem será contra nós?" "O nosso socorro vem do Senhor que fez o céu e a terra. De quem terei medo, pois confio em ti". Assim, como alguém observa, "que os nossos temores naturais, dos quais temos muitos, levam-nos a Deus e nos lembram, visto que sabemos quem Deus é, e podemos nos apegar ao seu poder todo-poderoso".

Contudo, por mais ampla que seja a visão que as Escrituras apresentem do poder de Deus, não devemos considerar o assunto como limitado a elas. Como quando as Escrituras declaram a eternidade de Deus, elas a declaram de modo a nos revelar algo da peculiaridade terrível da natureza divina, que Ele é a fonte do seu próprio ser, e que Ele é eterno, porque Ele é o "Eu Sou"; assim, somos ensinados não a medir a sua onipotência pela real demonstração dela que temos visto. Elas são as *manifestações* do princípio, mas não a *medida* de sua capacidade; e deveríamos nos valer das descobertas da filosofia moderna que, com a ajuda de instrumentos, tem aumentado grandemente os limites conhecidos do universo visível, e acrescentado às estrelas, visíveis a olho nu, novas exibições do poder divino naquelas aparições nebulosas dos céus que são explicáveis em miríades de luminárias celestiais distintas, e cujas imensas distâncias mesclam a suas luzes antes que alcancem os nossos olhos; assim quase infinitamente expandimos o círculo da existência criada, e entramos num raio anteriormente desconhecido e esmagador da operação divina; mas somos ainda lembrados, de que o seu poder é verdadeiramente *todo-poderoso* e *imensurável* – "Eis que essas coisas são apenas as orlas dos seus caminhos; e quão pequeno é o sussurro que dele ouvimos! Mas o trovão do seu poder, quem o poderá entender?" [Jó 26.14]. É um conceito poderoso pensar de um poder do qual todos os outros poderes são derivados, e ao qual tudo é subordinado; a quem nada pode se opor; que pode derrubar e aniquilar todos os outros poderes; um poder que opera do modo mais perfeito; de uma só vez, num instante, com a máxima facilidade: mas as Escrituras nos levam à contemplação de profundidades maiores, que são inescrutáveis. A onipotência de Deus é inconcebível e é sem limites. Ela surge da perfeição infinita de Deus, de forma que o seu poder nunca pode ser realmente exaurido; e em cada instante imaginável na eternidade, esse poder inexaurível de Deus pode, se lhe agrada, se acrescentar ainda mais criaturas àquelas que já existem, ou acrescentar perfeição maior a elas.[114]

II. Atributos Constitucionais

Na discussão anterior, os atributos de Deus relacionados à personalidade foram contemplados com pouca ou nenhuma consideração na classificação deles seja como *constitucionais* ou *caracterizantes*. Deve ser confessada uma dificuldade insuperável de todo estudante atento que tenta uma classificação arbitrária de todos os atributos de Deus. O presente grupo de atributos inclui aqueles que são distintivamente *constitucionais* e estes completam a lista dos predicados característicos de Deus. Esses são atributos do seu Ser essencial. Eles não são comunicados a outros seres. O fato de que eles são peculiares a

Deus e ausentes em todos os outros cria imediatamente uma dificuldade não encontrada no estudo dos atributos que são, em algum grau, refletidos na esfera das criaturas. Tendo alguma relação vital com o bem como algum contraste com o mal, o homem pode por analogia raciocinar a partir de seus ideais do que é bom com base na perfeita justiça de Deus; mas tal base de raciocínio ou tal fonte de impressão não existe quando os atributos constitucionais são investigados. O tema todo é abstrato, teórico, e difícil de compreender, onde a experiência humana está envolvida. A designação, *atributos constitucionais*, é empregada somente pela falta de um termo melhor. Há uma questão muito importante a ser levantada sobre se a simplicidade, infinidade, onipresença, imutabilidade, eternidade e soberania são realmente atributos. Esses predicados surgem da perfeição de seus atributos pessoais e são, igualmente, uma realidade de cada um deles. A santidade, amor, e justiça de Deus são todos infinitos em seu escopo, e aquilo que caracteriza outros atributos dificilmente pode ser um atributo. Estes atributos constitucionais são:

1. Simplicidade. Por este termo se indica que o Ser divino não é composto, não é complexo ou divisível. O homem é um composto de espírito e matéria. Os anjos, se eles são sem corpos adaptados à esfera em que existem, estariam mais próximos do ideal da simplicidade divina do que os homens, mas lhes faltaria a perfeição da simplicidade que pertence a Deus somente. A complexidade não é o mais alto ideal em ser algum. Como nas obras de arte, quanto mais simplificada for uma coisa, mas as suas propriedades satisfazem e permanecem. Assim é com Deus. Sendo Ele o Ser perfeito, deve ser adorado como a expressão última e infinita da simplicidade. Sobre a simplicidade de Deus, o Dr. A. A. Hodge escreve:

O termo simplicidade é usado, *primeiro*, em oposição à composição material, seja mecânica, orgânica, ou química; *segundo*, num sentido metafísico como negação da relação entre substância e propriedade, essência e modo. No primeiro sentido da palavra, as almas humanas são simples, porque elas não são compostas de elementos, partes, ou órgãos. No segundo sentido da palavra nossas almas são complexas, visto que há nelas uma distinção entre a essência delas e as propriedades delas, e os modos sucessivos delas ou estados de existência. Entretanto, como Deus é infinito, eterno, auto-existente desde a eternidade, necessariamente o mesmo sem sucessão, os teólogos têm sustentado que nele a essência, a propriedade e o modo são um. Ele sempre é o que Ele é; e os seus vários estados de intelecção, emoção, e volição não são sucessivos e transitórios, mas co-existentes e permanentes; e Ele é o que Ele é essencialmente, e pela mesma necessidade que Ele existe. Qualquer coisa que esteja em Deus, seja o pensamento, emoção, volição, ou ação, é Deus.

Alguns homens concebem Deus como passando através de vários modos e estados transitórios exatamente como os homens, e, portanto, eles supõem que as propriedades da natureza divina estejam relacionadas à divina essência como as propriedades das coisas criadas estão relacionadas às essências com as quais eles estão capacitados. Outros insistem tanto na idéia da simplicidade que negam qualquer distinção nos atributos divinos em si mesmos, e supõem que a única diferença entre eles deve ser encontrada no modo da manifestação externa, e nos efeitos produzidos. Eles ilustram a idéia deles pelos vários efeitos produzidos sobre objetos diferentes pela mesma radiação do sol.

A fim de evitar ambos os extremos, os teólogos se acostumaram a dizer que os atributos divinos diferem da essência divina e um do outro, primeiro, não *realiter* ou como uma coisa que difere de outra, ou de tal modo que implique composição em Deus. Nem, em segundo lugar, meramente *nominaliter*, como se não houvesse nada em Deus realmente correspondente aos conceitos que temos de suas perfeições. Mas, em terceiro lugar, é dito que eles se diferem *virtualiter*, de modo que há nele um fundamento ou razão adequados para todas as representações que são feitas nas Escrituras em relação às perfeições divinas, e para os conceitos conseqüentes que temos delas.

Quando tentamos definir a simplicidade como está manifesta em Deus, algumas vezes surge uma confusão: (1) A simplicidade do Ser em Deus não é uma contradição da Trindade de Pessoas no modo em que Ele subsiste. O fato da Trindade não implica em três essências; antes, ela implica em uma essência e essa Essência é *simples* em si mesma. A totalidade da Essência está em cada uma das Pessoas. (2) Os atributos de Deus não são porções destacadas de seu Ser que quando compostos, formam Deus. Sua essência está em cada atributo e cada atributo demonstra algum fato relacionado à sua Essência não-composta. Como J. F. Bruch afirmou: "Os atributos divinos pertencem a Deus, não como se eles compusessem a sua natureza, como se seu Ser total consistisse somente da combinação deles; mas porque eles são as *formas* e as *expressões exteriores*, nas quais seu Ser é revelado e se torna manifesto"[115] E, (3) Deus, sendo a simplicidade infinita, não é difuso como uma exalação de partículas que poderiam sair de uma fonte para formar novas entidades de existência. Como Criador Deus é o Autor de todas as coisas. Ele soprou no homem o sopro da vida e o homem foi feito e veio manifestar a "imagem" e "semelhança" de Deus; mas a vida humana não é uma parte de Deus como um elemento contribuinte no Ser de Deus. Seja Deus o que for, ele retém o seu caráter simples, indivisível e sem a possibilidade de ser diminuído. Nada pode ser composto sem a possibilidade de ter o seu ser dividido. Além disto está o fato de que uma coisa que é composta ser a obra de algum outro ser e Deus é a Primeira Causa de todas as coisas e Ele próprio não é composto ou criado por ninguém. A simplicidade de Deus é essencial para o verdadeiro modo do seu Ser.

2. UNIDADE. Intimamente ligado ao atributo da simplicidade está o da unidade, sendo, contudo, diferente em que, embora Deus fosse composto em contraposição à sua simplicidade, Ele ainda seria uma *unidade*, ou *um* em si mesmo. Ele ainda seria uma unidade ou uma entidade única se ele, igual ao homem, fosse composto de matéria e espírito. Se houvesse apenas um homem no mundo, a Ele a palavra *unidade* se aplicaria, e se pudesse haver apenas um homem no universo a Ele a designação *unidade essencial* se aplicaria. Semelhantemente, a palavra *unidade* deve ser distinguida do fato de que Deus é um Espírito visto que Ele poderia ser mais do que um puro Espírito e, ainda, manter a sua unidade.

A importância teológica da palavra *unidade*, quando aplicada a Deus, é que Deus é uma essência. O trinitarianismo não é triteísmo. Os unitarianos não são mais comprometidos com a unidade divina do que são os trinitarianos. "O Senhor nosso Deus é o único Senhor" (Dt 6.4). Toda a Bíblia enfatiza o fato da unidade de Deus e nenhuma porção dela faz isso melhor do que o Decálogo. De modo semelhante está escrito: "Vede agora que eu, eu o sou, e não há outro deus além de mim" Dt 32.39); "Assim diz o Senhor, Rei de Israel, seu Redentor, o Senhor dos exércitos: Eu sou o primeiro, e eu sou o último, e fora de mim não há Deus" (Is 44.6); "não há outro Deus, senão um só" (1 Co 8.4). Este tema sublime dificilmente poderia ser afirmado mais convincente ou adequadamente do que o é no Credo de Atanásio. Ele declara: "que nós adoramos um Deus em trindade, e trindade em unidade; não confundimos as pessoas nem dividimos a substância; pois há uma pessoa do Pai, uma outra do Filho, e uma outra do Espírito Santo; mas a Divindade do Pai, do Filho e do Espírito Santo é toda uma; a glória igual, a majestade co-eterna. Assim o Pai é Deus, o Filho é Deus, e o Espírito Santo é Deus; e, todavia, não há três deuses, mas um Deus".[116]

A unidade de Deus é um atributo. Ele não determina o que Deus é em si mesmo. Ele tem a ver somente com o seu modo de existência. A unidade, portanto, para alguns teólogos não é aceita como um entre os atributos de Deus. O lugar lógico para a sua plena consideração é sob o assunto da Trindade.

3. Infinidade. Este, um atributo negativo de Deus, é negativo somente no sentido de que Deus é infinito e, portanto, *não* finito. O fato da infinidade de Deus relaciona-o com todos os atributos em que eles são o que eles são num grau infinito, ou sem fim. Deus transcende todas as limitações que o tempo e o espaço impõem. Ele não pode ser aprisionado pelo tempo nem pelo espaço. De igual modo, Ele conhece todas as coisas perfeitamente. Ele é capaz de levar as coisas para o passado, até de criar como Ele quer à parte dos meios ou do material, e sempre com perfeição imensurável. Em toda qualidade moral, Ele é completo ao grau infinito.

Deus tem sido chamado de "O Absoluto", que é uma tentativa de expressar o fato de que Ele existe eternamente sem causa alguma fora dele mesmo, e que Ele somente é a causa suficiente para tudo o que existe. Esta é a infinidade na sua demonstração máxima.

4. Eternidade. Com a palavra *eternidade*, a relação que Deus mantém com a duração é que está em pauta. Deus, o autor do tempo, de modo algum está condicionado a ele. Ele é livre para agir em relação ao tempo e igualmente livre para agir fora das limitações do tempo. Ao agir no tempo, Ele disse a Abraão: "Há, porventura, alguma coisa difícil ao Senhor? Ao tempo determinado, no ano vindouro, tornarei a ti, e Sara terá um filho" (Gn 18.14). Outra vez: "Mas, vindo a plenitude dos tempos, Deus enviou seu Filho, nascido de mulher, nascido sob a lei" (Gl 4.4).

A palavra *eternidade* é empregada de dois modos: (1) para descrever aquilo que existe desde a eternidade passada, ou aquilo que existe com relação à eternidade futura. A criação não tem parte na eternidade que é passada, visto que ela teve um começo. Por outro lado, tanto homens quanto anjos têm uma relação com a eternidade futura, visto que eles jamais cessarão de existir. (2) A eternidade é mais propriamente uma designação de eternidade agrupada em um conceito. É nesse aspecto de eternidade que de Deus é dito ser "o Deus eterno". Ele é de eternidade a eternidade. O problema de como o tempo está relacionado com a eternidade está além do conhecimento de nossas mentes finitas. De igual modo, é de pouco proveito especular sobre como e por quais meios o tempo começou e o que será a causa de seu fim, se é que ele terminará. A pura idéia da eternidade é vasta demais para o pensamento humano. Sobre essa verdade óbvia, o Dr. Samuel Harris escreveu:

O Ser eterno existe sem começo ou fim. A existência limitada no tempo deve ter um começo e pode ter um fim. Um ser dependente não tem garantia de si mesmo que ele existirá para sempre. Sua existência pode terminar pelo poder do qual ele depende. Essas limitações são negadas em Deus. A respeito disto, nenhuma dificuldade é percebida.

Outra limitação de um ser no tempo é que sua existência é transitória através de uma sucessão de eventos. Isto normalmente ocasiona mais dificuldade. A afirmação seguinte, até onde se segue, parece dar um significado real. Deus como o Espírito absoluto, existe independentemente do tempo. O tempo, como o universo condicionado por Ele, é dependente dEle. Ao agir no tempo, Deus permanece imutável e o mesmo através de toda sucessão de tempo e de suas mudanças. Ele não está na cadeia de causas e efeitos. Ele não existe em transição através de formas sucessivas de existência. Em seu ser e seus atributos essenciais como Espírito pessoal, Ele é imutavelmente o mesmo, o Eterno a partir de quem toda sucessão de eventos emerge e, por comparação com o qual como o padrão imutável a sucessão é possível. Ele é o EU SOU. Mesmo em nosso próprio ser encontramos uma analogia com isso. Cada ser pessoal persiste em sua identidade, embora sujeitos a atos e eventos sucessivos. Um homem, à semelhança de Deus em sua personalidade livre e racional, é também um EU SOU; ele permanece uma e a mesma pessoa, imutável em sua personalidade e em seus atributos essenciais, através de todas as transições e mudanças de sua vida. A matéria está em constante ação e fluxo. Todavia, mesmo isto nos dá uma analogia muito apagada. Somos obrigados a pensar de átomos principais não alterados e não espatifados por toda colisão e opressão dessa ação energética desde que os mundos foram feitos. Deus é imutável e eterno não somente em seu ser e seus atributos essenciais, mas também na plenitude do seu conhecimento, sem aumentar nem diminuir e, portanto, sem sucessão. Mas a isenção de Deus de limitação no tempo não impede sua presença e ação nele, de modo que não evita o seu conhecimento das distinções de tempo e dos eventos como presentes, passados ou futuros. O Universo em sua existência total é arquétipo na razão de Deus; ele vê nele o mapa ou o plano de tudo que é progressivamente realizado no tempo. Mas Ele vê a diferença entre um ser existente no tempo e outro visto somente idealmente como algo que vai existir num futuro distante ou que tenha existido no passado e não mais existe. Se não pudesse conhecer isso, Ele seria limitado no tempo. Ele seria não somente incapaz de agir nele, mas mesmo de ver no tempo. Mas sua razão é um olho aberto, e vê tudo que existe, que existiu ou que existirá, e observa-o em sua relação com o tempo que realmente é medido por eventos... O propósito de Deus de realizar o seu plano arquetípico no universo finito nas formas de espaço e tempo é um plano imutável e eterno. Todavia imanente e sempre ativo no Universo, Ele o realiza progressivamente por sua ação no tempo. E o seu amor, que constitui seu caráter, é um amor eterno e imutável que Ele continua e progressivamente expressa em toda sua ação de criação, preservação, providência e redenção.

O resultado a que chegamos é, não a eternidade como tempo imensurável, mas Deus o eterno e imutável, existente em todo tempo e revela-se progressivamente no Universo enquanto Ele existe no tempo. Deus é o EU SOU. O Universo é aquilo que se torna, ou que vem a ser. Deus é eterno. O Universo é a revelação progressiva e nunca completada dele no tempo e no espaço.

A eternidade de Deus está envolvida em sua auto-existência. Ele não é causado. Portanto, Ele não deve ter começo. Ele transcende toda a cadeia de causas e efeitos. Portanto, Ele nunca pode cessar de existir.[117]

5. IMUTABILIDADE. Definida pelo *New Standard Dictionary* (1913), a imutabilidade é o estado ou qualidade de existência que "não é capaz ou suscetível de mudança, seja para aumento ou para diminuição, pelo desenvolvimento ou por auto-evolução; imutável, invariável, permanente; como Deus é *imutável*". Em nenhuma esfera ou relacionamento Deus está sujeito a mudar. Ele não poderia ser menos do que é, e, visto que Ele enche todas as coisas, Ele não pode ser mais do que é. Ele não pode ser removido de nenhum espaço, nem pode o seu conhecimento ou santidade estar sujeito a mudança. As Escrituras afirmam: "Eu clamo: Deus meu, não me leves no meio dos meus dias, tu, cujos anos alcançam todas as gerações. Desde a antiguidade fundaste a terra; e os céus são obra das tuas mãos. Eles perecerão, mas tu permanecerás; todos eles, como um vestido, envelhecerão; como roupa os mudarás, e ficarão mudados. Mas tu és o mesmo, e os teus anos não acabarão" (Sl 102.24-27); "Lembrai-vos das coisas passadas desde a antigüidade; que eu sou Deus, e não há outro; eu sou Deus, e não há outro semelhante a mim; que anuncio o fim desde o princípio, e desde a antigüidade as coisas que ainda não sucederam; que digo: O meu conselho subsistirá, e farei toda a minha vontade" (Is 46.9,10); "Pois eu, o Senhor, não mudo; por isso vós, ó filhos de Jacó, não sois consumidos" (Ml 3.6); "Toda boa dádiva e todo dom perfeito vêm do alto, descendo do Pai das luzes, em quem não há mudança nem sombra de variação" (Tg 1.17).

Não somente não há mudança no próprio Deus, mas os princípios morais que Ele publicou permanecem. Sobre isto o Dr. Miley escreve: "A história sagrada revela uma estrutura em mudança de conveniência nas dispensações mais antigas da religião revelada, e uma grande mudança de cerimônias elaboradas do judaísmo para formas simples do cristianismo, mas os mesmos princípios morais permanecem através de todas essas economias. A mudança dentro da esfera da conveniência é totalmente consistente com a imutabilidade de Deus, enquanto que os princípios morais que não mudam são uma profunda realidade de sua imutabilidade. Que Ele considera a mesma pessoa ora com desprazer de repreensão, ora com amor de aprovação, não é somente consistente com sua imutabilidade, mas é uma exigência dela em razão da mudança moral no objeto de considerações mudadas".[118]

Como anunciado pelo Dr. Miley, certas passagens parecem à primeira vista ensinar que Deus está sujeito a mudança. A afirmação demonstrada em Gênesis 6.6, de que "se arrependeu o Senhor de ter feito o homem", deve ser considerada à luz de Números 23.19: "Deus não é homem para que minta; nem filho do homem, para que se arrependa". No capítulo 15 de 1 Samuel, está registrado que Deus disse: "Arrependo-me de haver posto a Saul como rei" (vv. 11,35); todavia, Ele também disse através de Samuel: "Também aquele que é a Força de Israel não mente nem se arrepende, porquanto não é homem para que se arrependa" (v. 29). Deus, embora imutável, não é inamovível. Se Ele consistentemente busca um curso justo, a sua atitude deve se adaptar a cada mudança moral nos homens.

"A santidade imutável de Deus requer que Ele trate o ímpio diferentemente do justo. Quando os justos se tornam ímpios, o tratamento deles deve mudar. O sol não é inconstante ou parcial porque ele derrete a cera e endurece o barro – a mudança não está no sol, mas nos objetos sobre os quais ele brilha. A mudança no tratamento de Deus para com os homens está descrita de forma antropomórfica, como se houvesse uma mudança no próprio Deus – outras passagens similares à primeira servem para corrigir qualquer possível entendimento errôneo. As ameaças não cumpridas, como em Jonas 3.4,10, devem ser explicadas pela natureza condicional delas. Conseqüentemente, a imutabilidade de Deus em si mesma entende como certo que o seu amor vai se adaptar a toda variação de humor e de condição de seus filhos, como seja, Ele vai guiar seus passos, simpatizar-se com as suas tristezas, responder suas orações. Deus responde-nos mais rapidamente do que o rosto de uma mãe às alterações de humor de seu filhinho".[119]

6. Onipresença ou Imensidão. A relação que Deus mantém com o espaço é apresentada pelos termos *onipresença* e *imensidão*. A concepção de Deus que é mantida pelas Escrituras é a de que Ele está presente em toda parte. A apreensão dessa verdade é, de fato, muito difícil de ser absorvida. É igualmente declarado nas Escrituras que Deus – em cada uma das três pessoas – está presente num lugar em determinado tempo. Sobre o Pai, a afirmação é: "Pai nosso que estás nos céus" (Mt 6.9); sobre o Filho é dito que Ele, depois de subir da terra, "assentou-se à direita da majestade nas alturas" (Hb 1.3); e do Espírito Santo, em relação à Igreja, está escrito: "No qual também vós juntamente sois edificados para morada de Deus no Espírito" (Ef 2.22; cf. Sl 113.5; 123.1; Rm 10.6,7; 1 Co 3.16; 6.19). Por outro lado, o Pai é dito estar no Filho como o Filho no Pai (Jo 17.21); o Pai está "acima de todos, e através de todos e em todos" (Ef 4.6); o Filho está presente onde dois ou três estiverem reunidos em seu nome (Mt 18.20; cf. 28.20; Cl 1.27). Do Espírito, como do Pai e do Filho, é dito que Ele mora em todo crente (Rm 8.9).

A dificuldade para a mente finita surge quando tanto a revelação quanto a razão abstrata assevera a ubiqüidade, ou onipresença, de Deus. Todos os outros seres conhecidos dos homens, inclusive os anjos, ficam restritos a determinado lugar em determinado tempo. Quando eles estão aqui, não estão em outro lugar. As coisas materiais ocupam alguma parte do espaço, mas nunca a totalidade dele. O espaço tem sido definido como "uma extensão vazia de matéria ou corpo, e capaz de receber ou conter a matéria ou corpo".[120] É assim que o espaço excede tudo o que ele contém. Deus é a causa do espaço e, portanto, não está sujeito a ele (cf. 1 Rs 8.27). Com respeito à sua criação, inclusive o espaço, Deus é tanto imanente como transcendente. Se o espaço é definido pelos limites, Ele o excede por sua infinidade.

É provável que os termos *onipresença* e *imensidão* representem idéias ligeiramente diferentes. A onipresença naturalmente relaciona Deus ao Universo, onde outros seres estão como presente com Ele, enquanto que a imensidão sobrepassa toda criação e estende-se infinitamente.

Há ao menos três argumentos para a imensidão e onipresença divinas que a razão abstrata apresenta:

(1) A perfeição de Deus exige que Ele esteja presente em toda parte. Se algum lugar fosse vazio de Deus, a mente humana poderia conceber um ser maior que enchesse todos os lugares e, assim, Deus seria imperfeito ao grau em que Ele não correspondesse à idéia de imensidão. Sobre essa importante consideração, o Dr. Dick escreve: "O resultado é, que em nossa opinião é melhor para um ser estar em muitos lugares do que em poucos, estar em todos os lugares do que em muitos. Supor, entretanto, que Deus existe somente numa parte do Universo, no céu mas não na terra, circunscrever sua essência dentro de quaisquer limites conquanto amplamente estendidos, seria concebê-lo como similar às suas criaturas. Seria fácil imaginar um ser ainda mais perfeito, pois certamente ele seria mais perfeito por estar presente ao mesmo tempo no céu e na terra. Assim, parece que é agradável à razão atribuir imensidão a Deus".[121]

(2) A real natureza de Deus exige que Ele esteja presente em toda parte. O exercício de seus atributos não é restrito à localidade, mas tem ubiqüidade,

e conseqüentemente, como Ele está onde os seus atributos estão, Ele é em si mesmo onipresente.

(3) A RAZÃO, além disso, afirma que, visto que Deus não usou qualquer mecanismo ou agente na criação e visto que tudo veio à existência ao mesmo tempo, Ele estava presente naquele tempo quando a criação aconteceu.

O erro do panteísmo que alega que Deus é a soma total de toda a vida que existe – a alma do Universo – foi assinalado anteriormente; mas há perigo de que a mente, quando tenta tornar real a onipresença de Deus, vá pensar dele como amplamente difuso no sentido em que somente uma pequena parte dEle esteja presente em determinado lugar, como a vida humana está apenas parcialmente presente em qualquer parte determinada do corpo que ela ocupa. Deus, contudo, está totalmente presente em todo lugar. Se a natureza divina reside em muitos lugares, isso não acontece por difusão até o fim de modo que cada um pode compartilhar uma pequena parte de sua natureza. Ele está totalmente presente tão plenamente como se Ele não estivesse em nenhum outro lugar – Pai, Filho e Espírito – em cada santuário humano em que Ele habita, e em cada parte do seu domínio.

O Dr. Samuel Clarke bem disse: "Aquilo que mais seguramente podemos afirmar, e que nenhum ateu pode dizer que é absurdo, e que não obstante é suficiente para todos os propósitos sábios e bons, é isto: considerando que todos os seres finitos e criados podem estar presentes apenas em um lugar definido de uma só vez, e os seres corpóreos mesmo num lugar muito imperfeitamente e desproporcionalmente, para qualquer propósito de poder e atividade, somente por um movimento sucessivo de membros e órgãos diferentes; a Causa Suprema, ao contrário, por ser a essência mais simples e infinita, e abrangendo todas as coisas perfeitamente em si mesmo, *está igualmente presente em todos os tempos*, tanto em sua essência simples, quanto pelo exercício imediato e perfeito de todos os seus atributos, em *cada ponto* da imensidão ilimitada, como se tudo fosse realmente apenas um único ponto".[122]

Não é razoável para a mente finita supor que ela possa entender o modo divino da onipresença. As palavras do salmista expressam os pensamentos de um dos mais sábios dos homens: "Tal conhecimento é maravilhoso demais para mim; elevado é, não o posso atingir" (Sl 139.6). As Escrituras são abundantes de declarações a respeito da onipresença divina, e nenhuma passagem é tão direta e conclusiva do que o Salmo 139.7-12: "Para onde me irei do teu Espírito, ou para onde fugirei da tua presença? Se subir ao céu, tu aí estás; se fizer no Seol a minha cama, eis que tu ali estás também. Se tomar as asas da alva, se habitar nas extremidades do mar, ainda ali a tua mão me guiará e a tua destra me susterá; Se eu dissesse: Ocultem-me as trevas; torne-se em noite a luz que me circunda; nem ainda as trevas são escuras para ti, mas a noite resplandece como o dia; as trevas e a luz são para ti a mesma coisa".

A esta verdade pode ser acrescentado o que o profeta Amós registrou: "Ainda que cavem até o Seol, dali os tirará a minha mão; ainda que subam ao céu, dali os farei descer" (9.2).

Para homens razoáveis, a onipresença de Deus torna-se um poder para refrear o impulso para a ação errada. "Deus é aquele que me vê" (Gn 16.13). Com eficácia semelhante, a onipresença de Deus é uma consolação indispensável para o justo. Sobre este aspecto desse tema, o Dr. Dick escreve com eloqüência singular:

> Por último, para os justos esta doutrina é uma fonte de consolação abundante. Em cada lugar eles encontram um amigo, um protetor e um pai. A voz do trovão, ou o marulhar do oceano, ou a fúria da tempestade, anuncia a sua presença? Eles não têm o que temer, por amor deles Ele preside os movimentos dos elementos. Eles o percebem nas cenas mais tranqüilas da natureza, no progresso silente da vegetação, no sorriso dos céus, e na beneficência regular que supre as suas necessidades constantes, e que difunde tanta alegria entre todas as espécies de seres animados? Oh! Quão prazeroso é o pensamento de que Ele, em quem eles depositam confiança, está tão próximo que eles podem sempre se assegurar de sua ajuda pronta e eficaz! Este pensamento serve para avivar cada cena, e para adoçar qualquer condição, e fará com que as fontes da alegria irrompam no deserto árido e sedento, e revistam os lugares desnudos e tristes de verdor. Ele dará sabor ao bocado seco, e um copo de água fria. Ele vai iluminar a premência da pobreza e suavizar as dores da aflição. Ele vai dissipar os horrores do calabouço, e consolar o exílio de seu país e de seus amigos. Como nos eleva o pensamento o fato de que não podemos ir onde Deus não está! Um bom homem pode ficar privado de sua reputação, de sua liberdade e de tudo o que há aqui na terra; mas o ódio mortal de seus inimigos nunca poderá fazê-lo queixar-se com tristeza: "Vocês me tiraram Deus, e o que mais tenho eu?" Com quaisquer que sejam as aflições, sua fé e paciência venham a ser provadas, e quaisquer que sejam as mudanças de circunstâncias que a Providência o faça passar, e embora não haja um coração humano para simpatizar-se com ele, o mesmo pode expressar sua fé e alegria nas palavras do salmista: "Todavia estou sempre contigo; tu me seguras a mão direita. Tu me guias com o teu conselho, e depois me receberás em glória" (Sl 73.23,24).[123]

7. SOBERANIA. Para muitos escritores, a *soberania* não está incluída entre os atributos de Deus. Ela é mais uma *prerrogativa* de Deus do que um atributo e deve toda sua realidade às perfeições divinas que foram aqui nomeadas. A soberania é o real fundamento da doutrina dos decretos – ainda por ser estudada. Contudo, quando se contempla a perfeição transcendente da pessoa divina, exige-se que a sua soberania seja incluída.

A soberania de Deus é discernida de maneira absoluta pela qual todas as coisas receberam os seus devidos lugares na criação, no assinalar aos homens sobre o dia deles e sobre a geração deles assim como os limites da habitação deles, e no exercício da graça salvadora. Há uma perfeita paz e o destino mais

TrinitarianismoTeontologia

elevado para aqueles que, conhecendo a vontade de Deus, estão sujeitos a ela. Há aflição e angústia esperando aqueles que, conhecendo a vontade de Deus, a desconsideram. Por causa da soberania divina, o Evangelho salvador de Cristo é, em vários trechos das Escrituras, apresentado como algo a ser *obedecido*. Além disso, a autoridade de Deus é mostrada no fato de que as coisas que eram somente possíveis, não foram permitidas por Ele que se tornassem reais. Em relação às coisas existentes, Deus tem autoridade absoluta, que pode vir de uma ou de mais associações.

(1) Ele é o criador e o seu domínio é perfeito e final. Ele é livre para dispor de sua criação como lhe apraz; mas a sua vontade, como já se viu, é guiada totalmente pelos aspectos verdadeiros e benevolentes de sua pessoa. Toda majestade e glória pertencem a Deus. Todas as coisas materiais são dele pelo mesmo domínio absoluto. Os homens mantêm propriedades por direitos que são somente temporários e permitidos por Deus. "Porque meu é todo animal da selva, e o gado sobre milhares de outeiros" (Sl 50.10).

(2) A autoridade de Deus é estabelecida sobre os redimidos pela compra que aconteceu com a redenção.

(3) Ele está em autoridade sobre aqueles que estão entre os remidos que voluntariamente deram suas vidas a Ele. As Escrituras demonstram a estimativa da soberania de Deus de modo que nenhuma palavra humana poderia jamais fazê-lo. "O Senhor é o que tira a vida e a dá; faz descer ao Seol e faz subir dali. O Senhor empobrece e enriquece; abate e também exalta. Levanta do pó o pobre, do monturo eleva o necessitado, para os fazer sentar entre os príncipes, para os fazer herdar um trono de glória; porque do Senhor são as colunas da terra, sobre elas pôs ele o mundo" (1 Sm 2.6-8); "Tua é, ó Senhor, a grandeza, e o poder, e a glória, e a vitória, e a majestade, porque teu é tudo quanto há no céu e na terra; teu é, ó Senhor, o reino, e tu te exaltaste como chefe sobre todos. Tanto riquezas como honra vêm de ti; tu dominas sobre tudo, e na tua mão há força e poder; na tua mão está o engrandecer e o dar força a tudo" (1 Cr 29.11,12); "E não nos deixes entrar em tentação; mas livra-nos do mal [porque teu é o reino e o poder, e a glória, para sempre. Amém" (Mt 6.13).

Conclusão

Os atributos de Deus formam uma comunhão entretecida e independente dos fatos e forças que se harmonizam na pessoa de Deus. Uma omissão ou desprezo de qualquer deles, ou qualquer ênfase desproporcional sobre qualquer um deles certamente conduz a um erro fundamental de magnitude imensurável. Uma enorme tarefa cabe ao estudante de teologia, ou seja, a de descobrir esses atributos e apresentá-los de acordo com a verdade.

Sobre a comunhão desses atributos de Deus, o Dr. Morris Roach escreveu: "A falha que temos observado numa ênfase anormal dos atributos de Deus pode ser corrigida pela comunhão dos atributos. O panteísmo, politeísmo, deísmo, materialismo e o evolucionismo revelam anormalidades no caráter de Deus que eles subscrevem em sua crença. Os erros de todas essas falsas concepções de Deus poderiam ser corrigidos por uma explicação do seu verdadeiro caráter da forma como está sistematicamente equilibrado pela comunhão desses elementos de sua natureza. A teologia cristã é o único campo que fornece um pensamento próprio e proporcional para o caráter de Deus como um produto de seus atributos. Não é possível atribuir poder a Deus no sentido de 'onipotência completa'. O caráter não pode ser o produto do poder. O amor sozinho não é um atributo todo-abrangente, e não é, em si mesmo, uma base suficiente para o caráter. O caráter pleno e completo não pode ser atribuído onde somente uma porção dos atributos de Deus é considerada. O caráter de Deus é o produto de todos os seus atributos nas relações objetivas de uns para com os outros".[124]

O vasto tema do conflito que o pecado ocasionou entre a santidade e o amor de Deus deve ser considerado no assunto sobre a soteriologia.

No que já dissemos, um esforço foi feito para apresentar alguns aspectos das perfeições de Deus. Comparativamente pouco foi dito quando consideramos o caráter incompreensível e o Ser de Deus. Deus somente pode declarar a sua glória. Ele é Aquele de quem o homem não deveria pensar sem que a mais profunda reverência brotasse em seu coração. Deus é um Inimigo terrível daqueles que o repudiam; mas daqueles – mesmo os mais pecaminosos – que crêem no seu Filho, Ele é o Deus deles, e todas as suas perfeições ilimitadas trabalham em favor deles, e isto garante que tudo cooperará conjuntamente para o bem.

"Assim, ao Rei eterno, imortal, invisível, Deus, única honra e glória pelos séculos dos séculos. Amém."

CAPÍTULO XV

Os Decretos Divinos

EM SUAS IMPLICAÇÕES TEOLÓGICAS, o termo *decreto* indica o plano pelo qual Deus procedeu em todos os seus atos de criação e continuação. Que Ele tem um plano não é somente uma dedução justificada da razão – porque Ele é perfeito em sabedoria – mas é o testemunho claro da Bíblia. Numerosas passagens que asseveram o *decreto*, o *propósito*, o *conselho determinado*, a *presciência*, a *pré-ordenação* e a *eleição*, pelos quais é dito que Ele age, combinam para estabelecer a verdade que, seja direta ou indiretamente, está afirmada na Confissão de Fé de Westminster, Deus origina e executa "tudo o que acontece". Nenhuma dedução a respeito de Deus poderia ser mais desonrosa e confusa do que as suposições de que Ele não é soberano sobre as suas obras, ou que Ele não opera de acordo com um plano em que Ele articula a ordem da inteligência infinita.

Se pudesse a imaginação de um homem descrever uma situação antes do ato criativo ser operado, quando Deus, por assim dizer, tivesse diante de si mesmo uma variedade infinita de possíveis planos ou projetos dentre os quais pudesse escolher – cada um deles representasse um possível programa da ação divina de longo alcance e elaborasse como o que agora é executado –, seria razoável e honroso para Deus concluir que o presente plano como foi ordenado e como se processa é, e no final provará ser, o melhor plano e propósito que poderiam ter sido imaginados pela sabedoria infinita, consumados pelo poder infinito, e que serão a satisfação suprema para o seu amor infinito. Tal exercício de imaginação estaria em falta num particular, a saber, que ele supõe que o plano e propósito de Deus que agora estão em processo não tinham sido previstos desde toda a eternidade.

Esse fato apenas serve para enfatizar o ponto em questão, que o presente plano é tão perfeito quanto o seu autor. É muito essencial clarear o pensamento da parte das mentes devotas que todas as sugestões que tendem a sugerir que Deus não segue um plano que é digno dEle, ou que Ele está apenas parcialmente em autoridade, ou que Ele falhou e procura recuperar alguma coisa dos destroços, ou que Ele se conforma às coisas existentes sobre as quais Ele não tem controle algum. Todas essas coisas devem ser rejeitadas e, a despeito dos problemas imediatos que a presença do pecado e do sofrimento criam, e deverá ser reconhecido que Deus, no final, operará aquilo que unicamente estiver em consonância com a sua infinita sabedoria e bondade. Tal avaliação da presente ordem é exigida à luz da revelação, já considerada, como essencial para o caráter de Deus, por ser a única conclusão que a razão sem preconceitos pode aprovar.

Quando se pesa os fatos da soberania de Deus na execução do seu propósito eterno, os problemas surgem – problemas mais difíceis do que aqueles encontrados quando se pesa as verdades concernentes à pessoa e atributos de Deus. No último caso, as realidades conhecíveis são projetadas no infinito, mas sem o elemento de contradição aparente. No primeiro caso, ou quando se contempla a soberania divina de Deus como vista no seu controle sobre o Universo no qual o pecado entrou e no qual é dito haver a liberdade de agir da parte dos seres além da liberdade do Deus soberano, os relacionamentos conflitantes surgem. Alguns desses problemas não podem ser resolvidos neste mundo; eles nunca foram resolvidos aqui, nem o serão na eternidade. Na discussão anterior a questão que a presença do pecado no mundo gera foi abordada à luz da *presciência* divina.

O pecado deve agora ser abordado à luz da *permissão* e do *propósito* divinos. Quando esta questão é reduzida às suas dimensões menores, permanecem apenas duas propostas gerais: (1) a de que Deus é soberano e tudo o que sempre existiu ou existirá está dentro do seu plano, ou (2) a de que Ele não é soberano e há mais ou menos no Universo que existe em rebeldia ao seu santo caráter e sobre o que Ele não tem autoridade alguma. A última proposta, na forma extrema em que ela é apresentada aqui, é desacreditada por todos os indivíduos devotos e ponderados, embora muito freqüentemente alguma modificação dessa proposta seja adotada como uma suposta libertação do fardo que o problema do pecado impõe no Universo. Nenhuma modificação da soberania divina pode ser permitida sem desafiar a dignidade de Deus.

Em um vestígio de uma concepção digna de louvor a respeito de Deus permanece na mente daquele que supõe que, mesmo num grau desprezível, Deus falhou, foi derrotado, ou que ignore o pecado. Dificuldades insuperáveis surgem na realização de qualquer uma dessas propostas, mas aquelas geradas pela primeira são muito menores do que as produzidas pela última. Portanto, é melhor abordar as dificuldades a partir da posição na qual a soberania absoluta de Deus e a dignidade de todas as suas obras são sustentadas. Sem dúvida, deveriam ser levados em consideração o modo justo e o normativo em que Deus realiza os seus fins. Após estabelecer a investigação dos atributos de Deus, o seu santo carater, a sua justiça infinita, a sua onipotência e a sua onipresença, a mente racional está incumbida de abordar as dificuldades que surgem quando um ajuste é tentado em relação a tudo o que a soberania de Deus impõe, do ponto de vista de tudo que Deus tem mostrado ser.

Quando muito, o entendimento do homem é falível e essa limitação é sempre demonstrada pelo modo superficial e precipitado com que os homens tratam essas dificuldades. Suspeitar da sabedoria dos homens não é um assunto sério; sim, eles todos poderiam ser vistos como mentirosos sem transgredir os limites da revelação a respeito da corrupção moral do coração humano. Entretanto, é uma coisa muito séria suspeitar da sabedoria, da santidade ou da autoridade de

Deus. Moisés registrou em Deuteronômio 29.29 que há certas coisas secretas que pertencem a Deus, e que há coisas reveladas que pertencem aos homens. É tolice supor que as coisas reveladas incluem tudo que há para ser conhecido. O teólogo não deve ser desconsiderado, mas, antes, ordenado que, quando confrontado com as coisas secretas de Deus, seja capaz de dizer: *eu não sei*.

A respeito das coisas reveladas, pode ser dito novamente que muito pouco pertence a essa categoria que não faça parte da mensagem divina para o não-regenerado, para quem, na sua maior parte, as coisas de Deus são somente "loucura" (1 Co 2.14). Igualmente, muita coisa do que está revelado não pertence aos regenerados que, por causa de sua imaturidade ou carnalidade, podem receber somente o "leite da palavra". Algumas porções da revelação divina, por ser divinamente classificadas como "alimento sólido", não são próprias para bebês. O grau de dano causado em certos períodos da história da igreja pela pregação indiscriminada a certas classes de pessoas sobre a doutrina da *soberania*, *predestinação* e *eleição*, não pode ser avaliado. Os homens não-regenerados não são sobrecarregados com a necessidade de determinar se são eleitos ou não.

Deus lhes fala com fidelidade absoluta para que eles possam exercer a fé em seu Filho como Salvador e, daí, serem salvos. O evangelista quando declara sua mensagem aos perdidos, ele propriamente ignora todos os problemas que surgem a respeito das questões que pertencem às condições obtidas antes da queda do homem. Para os não-regenerados é suficiente saber que eles são justamente condenados e que uma salvação perfeita lhes é assegurada através da graça salvadora de Deus em Cristo Jesus. Diferente disto, é a incumbência do estudante de teologia, a quem a mais profunda revelação divina é dirigida, penetrar naquilo que pode ser conhecido a respeito de como o homem veio a ficar perdido e o que poderia tê-lo provocado passar no meio do Universo onde Deus reina supremo.

Ao falar da graça salvadora de Deus para o não-regenerado, o bispo Moule declara: "A graça é o complemento imerecido da necessidade"; mas, pode ser acrescentado, que o Evangelho da graça não inclui a discussão de temas obscuros e difíceis tais como aqueles que cercam a doutrina da *eleição* ou a permissão do pecado no mundo. Nem tais temas são adaptados aos santos imaturos, tais como aqueles que o escritor aos Hebreus descreveu quando disse: "Porque, devendo já ser mestres em razão do tempo, ainda necessitais de que se vos torne a ensinar os princípios elementares dos oráculos de Deus, e vos haveis feito tais que precisais de leite, e não de alimento sólido" (Hb 5.12).

O Decreto de Deus

A doutrina do decreto divino é somente outro método de atribuir a Deus a posição de primeira causa de tudo o que existe. Há um plano abrangente em que todas as coisas têm o seu lugar e pelo qual elas prosseguem. O Catecismo Menor de Westminster assevera que é o "seu eterno propósito, segundo o conselho de sua vontade, por meio do qual, para a sua própria glória, Ele ordenou tudo o que tem de acontecer" (p. 7). Contudo, Deus nada decretou a respeito de si mesmo – com relação à sua existência, seus atributos, o modo de sua subsistência em três pessoas, ou qualquer relacionamento inerente ou suposição de responsabilidades dentro da divindade. Nem Deus decretou, ao levar em conta sua própria existência e atos transitivos como se Ele ordenasse a si mesmo para criar, sustentar e governar o Universo. O decreto de Deus diz respeito aos seus atos que não são imanentes e intrínsecos e que são externos ao seu próprio ser.

O termo *decreto de Deus* aparece primeiro no singular, visto que Deus tem apenas um plano abrangente. Ele vê todas as coisas de uma vez. Por conveniência, os aspectos separados desse plano podem ser chamados *decretos de Deus*; mas não haveria uma implicação nessa frase de que o entendimento infinito de Deus se desenvolve por passos ou em sucessão. E não há uma possibilidade de que um plano venha a ser alterado por omissões ou adições. Nem é verdadeiro que Deus mantém um propósito distinto e irrelacionado a respeito de cada aspecto de sua única intenção. Com Deus há um decreto imutável que abrange em si cada detalhe, mesmo a queda de um pardal. É o conhecimento divino desde toda eternidade. "O Senhor que faz estas cousas, que são conhecidas desde a antiguidade" (At 15.18).

Deveria ser observado que Deus formou o seu decreto na eternidade, embora a sua execução esteja no tempo. O decreto, por ser eterno, todas as suas partes são, na mente de Deus, apenas uma intuição, embora em sua realização haja sucessão. A missão de Cristo na terra foi vista numa concepção; todavia, um intervalo de 33 anos existe entre o seu nascimento e sua morte. Ele foi "conhecido ainda antes da fundação do mundo, mas manifestado no fim dos tempos por amor de vós" (1 Pe 1.20). Agostinho afirma: "Deus não quer uma coisa agora, e outra depois, mas uma vez, ao mesmo tempo, e sempre, e agora; nem quer depois o que antes não queria; não quer o que antes queria porque tal vontade é mutável; e nenhuma coisa mutável é eterna".[125]

O poder de conceber uma coisa como um todo antes dela ser executada na ordem que a sua intenção exige, não está de todo excluído do alcance das mentes finitas. Há razão para crer que Salomão previu e desenhou cada detalhe do templo antes da obra ter começado. Essa visão de acordo com ele era uma preocupação abrangente daqueles aspectos que estavam para ser realizados no final do processo com respeito às coisas que eram primeiras na ordem da execução. A parte final do acabamento não é menos evidente na mente do arquiteto do que o seu fundamento. É verdade que a previsão humana é sujeita a desenvolvimento e mudança, mas é também verdade que a mutabilidade nunca é verdadeira a respeito da visão arquetípica de Deus.

Após ter, pois, enfatizado o caráter *eterno* do decreto divino, pode ainda ser acrescentado que o decreto de Deus é *sábio*, por ser o produto de sua sabedoria infinita. Há uma razão nobre para tudo o que Deus fez ou fará. Mesmo a sua permissão para o mal, como a ira do homem, será executada para o louvor dele

(Sl 76.10). "Ó profundidade das riquezas, tanto da sabedoria, como da ciência de Deus! Quão insondáveis são os seus juízos, e quão inescrutáveis os seus caminhos!" (Rm 11.33).

Igualmente, o decreto divino é *livre*. "Quem guiou o Espírito do Senhor, ou, como seu conselheiro o ensinou? Com quem tomou ele conselho, para que lhe desse entendimento, e quem lhe mostrou a vereda do juízo? Quem lhe ensinou conhecimento, e lhe mostrou o caminho de entendimento?" (Is 40.13, 14). Por estar sozinho quando o seu decreto foi feito, a sua determinação não foi influenciada por nenhum outro ser. Além do fato de que Ele deve agir de acordo com a sua sabedoria e santidade, Ele é livre para fazer ou não fazer. Dentro da esfera de suas perfeições, Ele poderia fazer o que quisesse. É muito próximo da impiedade asseverar que Deus *não poderia* ter feito de uma maneira diferente da que Ele fez, ainda que seja provável que Ele *não faria* de modo diferente, por ser guiado pelo que é digno de si.

Por último, o decreto divino é absolutamente *incondicional*. A execução dele de modo algum é dependente de condições que podem ou não aparecer. A noção arminiana de que a vontade do homem é soberana em seu poder de resistir o Todo-poderoso deve ser negada, visto que ela é refutada em toda parte da história da relação de Deus com os homens. Por razões justas, Deus pode permitir que a vontade do homem prevaleça; mas Ele não tem de fazer assim. Ele tem poder para fazer toda a vontade do seu beneplácito. "[Eu] que anuncio o fim desde o princípio, e desde a antiguidade as coisas que ainda não sucederam; que digo: O meu conselho subsistirá, e farei toda a minha vontade" (Is 46.10). "[Deus] faz todas as coisas segundo o conselho da sua vontade" (Ef 1.11). Tal afirmação não poderia ser feita verazmente se a execução de seu propósito dependesse de uma cooperação de outros que tivessem o poder de impedi-lo. Essa parte do tema deve, todavia, ser tratada mais demoradamente.

Deve ser feita referência novamente à distinção dentro do conhecimento que Deus mantém a respeito dos eventos futuros, pelo qual Ele reconhece algumas coisas como meramente *possíveis*, mas nunca se tornam reais e, portanto, não devem ser incluídas no seu decreto eterno, e as coisas que são divinamente *determinadas*. Do total que tudo do seu conhecimento e tudo do seu poder supremo pode realizar, Ele determinou fazer algumas coisas somente, e que o propósito tornou essas coisas específicas certas de acontecer. Há aquelas pessoas que a essa altura introduziriam outra distinção dentro do conhecimento de Deus. Elas alegam reconhecer que certas coisas – notadamente os atos livres dos homens – não são derivadas de Deus, mas, antes, da criatura.

Desses atos livres é asseverado que Deus não pode ter relação alguma com eles, além de ter presciência de que as criaturas os realizarão. Essa noção é desenvolvida por aqueles que sustentam que os decretos de Deus são condicionais, isto é, algumas pessoas são escolhidas para a vida eterna com base na previsão divina a respeito da fé e obediência futuras deles. Essa teoria, se fosse verdadeira, daria suporte a toda idéia não escriturística de que, no final, os homens são salvos com base em seu próprio mérito e dignidade. Esta alegação não somente se opõe à doutrina da salvação unicamente pela graça, mas deixa sem resposta a questão sobre se Deus é o autor do pecado e coloca Deus na posição indigna de ser dependente de suas criaturas. As Escrituras, conquanto reconhecem uma liberdade de ação no homem, não obstante asseveram que o homem não é livre do controle do seu Criador.

Pode ser dito que Deus conhece quais serão as ações dos homens quando colocadas sob certas circunstâncias. É igualmente verdadeiro que Ele é o autor das circunstâncias. Deus sabia que, quando colocado debaixo de certas circunstâncias, Adão cairia. Deus poderia ter arranjado as coisas de forma diferente, mas Ele não fez assim. A questão da relação entre a responsabilidade divina e a humana, em tal caso, é muitíssimo complexa. Deus não falhou em advertir Adão, nem, quando pronunciou sentença após o seu pecado, admitiu qualquer porção de responsabilidade. Pode ser observado, além disso, que se Adão houvesse obedecido a Deus, como Ele havia ordenado que o fizesse, não teria havido necessidade de um Redentor; todavia, o Redentor, tanto quanto a necessidade dele estava evidentemente no decreto de Deus desde toda eternidade (Ap 13.8). Esse problema, todavia, será considerado mais plenamente e com maior alcance, mas não pode ser solucionado por qualquer teoria que procura escapar das dificuldades pela porta de saída de uma presciência divina supostamente irresponsável.

Se nenhum conhecimento certo sobre Deus fosse concedido aos homens, estes poderiam ser perdoados por supor que Deus não sabe o que faz, e que Ele não tem poder para se livrar dos dilemas nos quais a ignorância o imergem ou que Ele não mantém um padrão de santidade. Tais conclusões poderiam ser justificadas entre os pagãos a quem a revelação de Deus não veio. Mas Deus se revelou aos homens e eles são indesculpáveis se mantêm conceitos sobre Ele que desconsideram as suas perfeições. Os problemas existem, mas cada um deles deve ser abordado e resolvido – até onde pode ser resolvido – sem a menor fuga da dignidade infinita de Deus. Certos sistemas de teologia começam com o homem, centram-se no homem, e terminam com o homem; e Deus é introduzido apenas à medida que Ele se conforma com a noção centralizada no homem. Por outro lado, há certos sistemas de teologia que começam com Deus, centram-se em Deus, e terminam com Deus; e o homem é introduzido somente à medida que ele se conforma com essa idéia centralizada em Deus.

É óbvio verificar que desses dois sistemas gerais a Bíblia empresta o seu apoio, e que, no final, dá descanso e satisfação ao coração do homem. O maior de todos os problemas emerge quando o homem dirige os seus pensamentos para a soberania de Deus e para tudo o que a soberania implica. Esses problemas nunca serão resolvidos por minimizar Deus, santidade, o pecado ou a responsabilidade humana. Os sistemas conhecidos de teologia que omitem a doutrina do decreto divino, ou se opõem à doutrina, são repreensíveis com justeza. Eles removem do leme do navio e deixam-no à deriva, sujeito ao vento e à maré. É uma desonra mesmo para um homem asseverar que Ele não age com propósito, com fins racionais em vista, ou que Ele não emprega meios dignos para realizar esses fins.

A doutrina do decreto divino, de si mesma, nada apresenta de misterioso ou profundo. Ela declara que Deus tanto designou como quis antes dele ter agido, e que todas as suas ações estão em harmonia com o seu caráter e atributos perfeitos. Os problemas aparecem quando o homem, com o seu próprio livre-arbítrio, e o fato do pecado entram em cena.

O termo *decreto divino* é uma tentativa de reunir em uma só designação aquilo que as Escrituras referem através de várias designações – o *propósito* divino (Ef 1.11), *determinado conselho* (At 2.23), *presciência* (1 Pe 1.2; cf. 1.20), *eleição* (1 Ts 1.4), *predestinação* (Rm 8.30), *vontade divina* (Ef 1.11), e o *prazer divino* (Ef 1.9). Quando a referência é ao conselho divino não se sugere uma conferência de Deus com outros seres, mas que os seus conselhos são perfeitamente sábios. De igual modo, a referência à vontade divina não sugere uma ação caprichosa ou irrazoável. A sabedoria infinita dirige a determinação divina. Nesse sentido dos seus decretos é dito serem "o conselho da sua vontade". Estes termos certamente significam que Deus age somente de acordo com o propósito eterno que incorpora todas as coisas.

Quando se procura chegar a um entendimento correto da doutrina do decreto divino, é essencial distinguir o decreto de predestinação e predestinação, e de eleição e retribuição. O decreto divino abrange tudo o que aconteceu e o que vai acontecer. Tudo o que transpira no tempo foi decretado desde a eternidade, seja coisa boa ou má, seja grande ou pequena, seja operada diretamente por Deus ou indiretamente através de agências secundárias. O decreto em si mesmo determinou as ações livres das criaturas e incluiu o que os homens gostam de chamar *acidentes*. Com referência ao que é bom em distinção do que é mal, uma discriminação é comumente feita: uma por *designação* divina e outra por *permissão* divina. O decreto divino abarca o processo contínuo total do Universo, inclusive as coisas materiais e as imateriais.

O termo *predestinação* é restrito às criaturas de Deus, sejam angelicais ou humanas e, embora o fato de que nas Escrituras ele seja usualmente aplicado àqueles atos que são bons, ele é, em seu significado mais amplo, usado propriamente a respeito do destino de todos os seres criados – alguns deles são eleitos e outros reprovados. Ainda, a *eleição* é mais estrita no seu significado do que a predestinação, visto que ela se refere somente àqueles que estão em relações corretas com Deus e destinados para as bênçãos eternas; e em oposição a isto é a *retribuição* que inclui em seu desígnio todos os que não são eleitos.

Se o pecado não houvesse entrado no Universo e todas as criaturas tivessem permanecido no seu estado original, é provável que nenhuma objeção à doutrina do *decreto divino*, com seu reconhecimento de soberania, teria vindo à tona. Nessa seqüência é digno de nota que há vastas esferas do Universo e da autoridade divina onde a soberania divina não tem sido controvertida. Dentro daquilo que comparativamente é uma porção muitíssimo limitada do Universo, a santidade e o pecado estão agora em disputa e a duração desse conflito é restrita àquela fração inconcebível da eternidade que é representada pelo tempo. Aquele que na eternidade passada reinou supremo, todavia reinará na eternidade futura com todos os inimigos destruídos. É uma improbabilidade de magnitude insuperável – mesmo quando sujeito à razão somente – que Aquele que reina por toda a eternidade sobre o vasto domínio do Universo, tenha conhecido sua derrota e se tornado impotente, ao invés de onipotente em face das questões morais que, em seu eterno conselho, Ele permitiu que existissem por um tempo restrito.

As Escrituras asseveram a soberania infalível de Deus, e elas fazem isto quando predizem a hora que se aproxima rapidamente em que o pecado não mais existirá. Quem, na verdade, determina a hora quando o pecado cessará? Cessará ele por mero capricho? Ou Deus não mais mantém relação vital com sua cessação além de uma presciência de que ele vai cessar? Quem faz as guerras cessarem? Por qual poder e autoridade Satanás será preso e confinado ao abismo e finalmente lançado no lago de fogo? Quem preparou esse lago de fogo? É um mero acidente que Deus somente soube de antemão o fato do Universo ser purgado de todo mal? Ou é uma fábula que o Criador pronunciará uma sentença sobre cada inimigo seu? A Deus somente seja a majestade, o domínio, e o poder para sempre e sempre – Amém!

Após ter, assim, uma débil nota de louvor a Deus, é necessário agora – como é incumbência de todos os estudantes do teísmo bíblico – dar atenção aos problemas que o tema da soberania divina gera. Há questões envolvidas em tal contemplação que são vastas demais para a mente finita penetrar, e nenhuma pessoa reverente e inteligente se surpreenderá ao descobrir os limites de sua mente finita. Quando se permanece na divisa entre o finito e o infinito, entre o tempo e a eternidade, entre a vontade de Deus perfeita e irresistível e a vontade do homem pervertida e impotente, entre a graça soberana e o pecado que merece o inferno, quem dentre os homens é orgulhoso demais para exclamar: *Há alguma coisa que eu não possa entender?*

As questões desconcertantes que surgem não são o fardo de qualquer sistema particular de teologia. Elas pertencem propriamente a todos, e não recomendamos que alguém presuma que não esteja preocupado com essas questões.

É provável que essas questões sejam muito difíceis, por causa do conhecimento limitado do homem, a respeito do caráter essencial do pecado, da vontade humana; todavia, muito diferente, quando comparada com a vontade divina, e do propósito supremo e verdadeiro de Deus. Com esses fatos qualificantes em mente, os problemas são realmente apenas dois, pelo menos com relação à sua amplitude geral, a saber (1) o *problema moral*, ou o fato de que o mal está presente no Universo sobre o qual Deus reina supremo, e (2) o *problema da vontade*, ou a aparente incompatibilidade do livre-arbítrio do homem com a soberania divina. Esses problemas serão agora examinados.

1. Dois Problemas Básicos

A. O Problema Moral

A permissão e a presença do pecado no Universo sobre o qual o Deus infinitamente santo governa, insere um choque de idéias que, em todos os seus

TRINITARIANISMO TEONTOLOGIA

envolvimentos, nenhuma mente humana pode harmonizar. Ao considerar as duas realidades dissonantes, a saber, Deus e o pecado, é certo que a solução da dificuldade não será descoberta na direção de qualquer suposição de que Deus foi incapaz de evitar que o pecado acontecesse no Universo, ou que Ele não pode fazê-lo cessar em qualquer momento do tempo. Com o mesmo fim, é certo que o dilema não será ajustado ou aliviado por qualquer suposição de que o pecado não é muito nojento à vista de Deus – aquilo que Ele odeia com ódio consumado. A questão que deve ficar sem modificação é a de que Deus, que é ativa e infinitamente santo e que é totalmente livre em todos os seus empreendimentos, por ser capaz de criar ou não criar e excluir o mal daquilo que Ele criou, tem, não obstante, permitido que o mal aparecesse e seguisse o seu curso nas esferas angelical e humana.

Essa perplexidade é também intensificada a um grau imensurável pelo fato de que Deus sabia quando o pecado se manifestaria, e que ele custaria o maior sacrifício que é possível para Deus – a morte de seu Filho. As Escrituras afirmam com grande certeza que (a) Deus é Todo-poderoso e não está, portanto, enganado com o pecado que sempre vai contra a sua vontade permissiva; (b) que Deus é perfeitamente santo e odeia o pecado irrestritamente; e (c) que o pecado está presente no Universo com todo o seu dano às coisas criadas e que esse dano, por causa da falha de alguns em participar da graça redentora, continuará sobre eles por toda a eternidade.

Se as Escrituras asseveram que uma coisa é verdadeira, ela deveria ser recebida dessa forma por todo cristão. Ainda que pareça ter havido um conflito de idéias, como observado acima, permanece o fato de que a narrativa bíblica de cada item em consideração é *verdadeira*, e a perplexidade deve ser atribuível ao entendimento insuficiente da mente humana. A Bíblia não tenta dar uma explicação desses dilemas que os homens observam. O aparente conflito de idéias evidentemente não possui uma realidade ou existência na mente de Deus. Pela observação atenta de certas questões, a perplexidade pode ser relativamente diminuída.

(1) A NATUREZA ESSENCIAL DO PECADO. Através de todo o campo da hamartiologia [estudo do pecado] é indicado a esta altura da discussão, que o seu estudo pleno está reservado para o seu lugar correto, que é uma subdivisão da antropologia. O problema da presença do pecado no Universo não é diminuído a um grau pequeno quando uma consideração devida é dada à natureza exata do pecado. Muito freqüentemente tem sido presumido que o mal é uma criação divina e, portanto, não teve factualidade até que Deus lhe deu um lugar entre as coisas existentes; enquanto o mal, como uma realidade abstrata, não é mais uma coisa criada do que o é a virtude. Desde que Deus existe a virtude existiu; e desde que a virtude existiu, o oposto a ela também existiu, e embora não tenha havido mesmo uma leve possibilidade de que o oposto da virtude pudesse encontrar expressão até que os seres que foram criados tivessem a capacidade de pecar.

Tal dedução não deve ser julgada mesmo como uma suave forma de dualismo, além da presciência de Deus que previu o presente conflito entre o bem e o mal, e, na verdade, o presente conflito é, em si mesmo, um dualismo. Como no propósito de Deus poderia o Cordeiro ser morto, como uma oferta pelo pecado, desde toda a eternidade, se o fato potencial do mal não estivesse debaixo da consideração divina? Por outro lado, o problema de como o mal pode entrar no Universo e encontrar manifestação por permissão divina somente, é ainda mais difícil de compreender. Com respeito ao primeiro pecado humano, houve um sinistro tentador presente a quem muita responsabilidade é atribuída; mas no caso do primeiro pecado dos anjos a questão é desconcertante, pois não havia tentação externa nem depravação interna. Certamente, uma permissão divina passiva não gera uma disposição impulsora para o mal. Esse aspecto de toda a questão relativa à permissão do pecado é, sem dúvida, a sua essência ou a sua natureza intrínseca, e está totalmente fora do alcance da compreensão finita.

Com relação ao propósito pretendido na presença do pecado no Universo, várias sugestões têm sido apresentadas, mas nenhuma delas ou mesmo todas combinadas, tem mostrado uma resposta completa à questão.

(a) Por ser o propósito final de Deus trazer os homens a uma semelhança consigo, eles, para alcançar esse fim, devem vir a conhecer em algum grau o que Deus conhece. Eles devem reconhecer o caráter mau do pecado. Isto Deus conhece intuitivamente, mas tal conhecimento pode ser obtido pelas criaturas somente através da observação e experiência. Obviamente, se o propósito divino deve ser realizado, o mal deve ser permitido manifestar-se. O que a demonstração do pecado e a experiência dele pode significar para os anjos, não é revelado.

(b) Há algo em Deus que nenhuma criatura jamais viu – embora elas tenham visto a sua glória, sua sabedoria e o seu poder –, a saber, sua *graça* para com os pecadores e caídos. Mas nenhuma demonstração de graça é possível a menos que haja objetos da graça, e não poderia haver objetos da graça à parte da presença e experiência do pecado.

(c) Igualmente, o princípio do pecado – uma coisa oposta à virtude – deve ser trazido a juízo completo e final. O Universo deve ser purgado das realidades do pecado e de suas possibilidades. Uma coisa abstrata não pode ser corretamente julgada até que tenha sido concreta. Assim, ele pode ser julgado em seu real caráter, como ele foi julgado na cruz. Mas a vinda do mal na sua forma concreta envolveu a sua presente manifestação no Universo.

Dessas sugestões, oferecidas pela razão, pode ser concluído que o principal propósito divino não era evitar a presença do pecado no Universo, pois Deus poderia tê-lo evitado, nem determiná-lo antes do tempo próprio, pois a sua realidade total poderia ser finalizada e deixar de existir a qualquer momento por apenas uma palavra de seu comando. Que pode haver muitos filhos na glória capazes de cantar o cântico da redenção (Ap 5.9) e que o Universo pode ser purgado de todo mal, são propósitos divinos que sobrepassam o nosso conhecimento; mas a realização desses fins desejados é dependente totalmente da presença do pecado no mundo. Tal pensamento nunca deveria ser diminuído na avaliação humana do ódio de Deus pelo pecado, nem ser qualquer encorajamento para uma criatura pecar. Que o pecado é infinitamente mau é demonstrado pela ruína que ele trouxe para os anjos, pela presente depravação da humanidade com todos os seus ais, e o fato de que nenhuma cura para o pecado pode ser encontrada num custo menor do que o sangue do Filho de Deus. Chega quase a ser uma suposição imperdoável para a mente finita presumir, avaliar e julgar o curso que Deus estabeleceu. Ele é digno de confiança e deveria ser crido totalmente. "Ele fez todas as coisas boas", e é uma previsão digna de cada crente ficar satisfeito quando despertar à semelhança dele (Sl 17.15).

(2) A Permissão do Pecado. Os teólogos calvinistas geralmente têm feito uma distinção dentro do campo total das ocorrências abrangidas no decreto divino, ao dividir essas muitas questões em duas partes – os decretos que eles gostam de chamar de *eficazes* e aqueles que eles chamam de *permissivos*. Os decretos eficazes são aqueles que determinam as ocorrências diretamente por causas físicas (Jó 28.26), e por forças espirituais (Fp 2.13; Ef 2.8,10; 4.24). Os decretos permissivos abarcam somente os aspectos morais que são maus. O termo *permissivo* sugere que Deus não promove ativamente a execução dos decretos que são indicados dessa forma. Em contraste com os eficazes, o propósito divino energizante que opera até o fim de que os homens *queiram* e *façam* a sua boa vontade, Ele, pelo modo da permissão, "nos tempos passados permitiu que todas as nações andassem nos seus próprios caminhos" (At 14.16), "pois lhes trouxe o que cobiçavam" (Sl 78.29; cf. 106.15).

Com respeito à sua vontade permissiva, é alegado que Deus determina não impedir o curso de ação que suas criaturas propõem; mas Ele não determina regular e controlar os limites e os resultados de tais ações. John Howe disse sobre esse ponto: "A vontade permissiva de Deus é a sua vontade de permitir qualquer coisa que Ele ache adequado permitir, ou não impedir; enquanto o que Ele assim deseja ou determina permitir, Ele também pretende regular, e não ficar como um espectador desinteressado, mas determinar tudo o que Ele permite para os seus próprios fins sábios e grandes."[126]

Uma consideração adequada deveria ser dada ao fato que, em permitir o pecado, Deus decreta a coisa que Ele odeia, e que, como se observa, lhe custaria o maior de todos os sacrifícios. Tal decreto é relacionado ao seu "beneplácito", somente ao grau em que Ele, por razões conhecidas somente dEle, permite ao mal a sua entrada e o seu procedimento presente. O problema é admitidamente difícil para todos os interessados, mas não é o único. A permissão do mal *continua* em cada momento da realização da história humana. Aquilo que em seus próprios conselhos Ele não impediu desde o começo, Ele não impede em todo o seu desenvolvimento subseqüente. A manifestação do mal deve prosseguir em seu curso determinado e alcançar fins determinados. A abordagem arminiana para a solução desse problema não atribui a Deus uma relação com o advento do pecado no Universo a não ser que Ele teve presciência do que eventualmente aconteceria.

Essa visão é totalmente inadequada, visto que a presciência de Deus carrega consigo, necessariamente, toda a força de um propósito soberano. Uma coisa não pode ser pré-conhecida que não seja certa, e nada é certo até que o propósito soberano a torne assim. A objeção à doutrina do decreto divino é levantada por alguns com base no fato de que ela torna as ações humanas *necessárias*. Mas a ação humana, do ponto de vista da presciência, não é menos necessária do que quando vista a partir do decreto divino. A menor de todas as coisas que Deus conhece de antemão não pode ser mais incerta do que o próprio Universo. Deus criou os anjos e os homens com o pleno conhecimento de que eles pecariam. A razão afirma que a responsabilidade por essas coisas na criação deve, no final, recair sobre o Criador. Sobre esse assunto as Escrituras dão uma revelação final.

Em ponto algum é permitido que as criaturas passem de volta para Deus uma responsabilidade que pertence a elas. Quando Deus pronunciou juízo sobre Adão, Ele não disse: *Eu sou parcialmente culpado porque eu criei você*. A culpa recaiu sobre Adão somente. Os homens caíram em Adão e tornaram-se o que eles são: "filhos da ira" (Ef 2.3), e o pecado original com todo o seu resultado nunca, de modo algum, é vinculado a Deus. Esse princípio prevalece também na esfera das recompensas que ainda vão ser dadas aos fiéis. Deve ser reconhecido por todos que toda virtude ou serviço honrado é produzido somente pelo poder capacitador do Espírito de Deus; todavia, quando Deus confere as suas recompensas, não se deve esperar que Ele diga: "*Eu reivindico a parte maior de tudo o que você fez para mim*". A honra e o crédito do serviço recairão sobre o fiel somente de maneira tão integral como se ele tivesse produzido nas suas próprias forças.

A permissão divina do mal na esfera humana estende-se para além do único pecado de Adão. Está escrito que Deus endureceu o coração de Faraó com a finalidade de demonstrar que o poder divino poderia ser plenamente exibido. Por essa demonstração a multidão total dos egípcios veio a conhecer alguma coisa de Jeová (Êx 14.4). Ainda, e como uma revelação a respeito da atitude de Deus para com o pecado, o fato é óbvio de que Deus ordenou a Adão *não* pecar; todavia, a menos que Adão pecasse, não haveria necessidade de um Redentor, Redentor esse cuja vinda já fora decretada nas eras eternas, antes, portanto, que Adão pecasse (Ap 13.8). Semelhantemente, Deus disse ao rei Saul que se ele guardasse os mandamentos que lhe foram dados, sua casa seria estabelecida para sempre (1 Sm 13.13); ainda, por decreto, foi determinado e profetizado que o trono e o reino eternos para Israel estavam para vir através da tribo de Judá e não da de Benjamin, a qual Saul pertencia (Gn 49.10).

Com a mesma finalidade pode ser percebido que, na controvérsia entre Jeová e Satanás (como está registrado nos primeiros dois capítulos de Jó), Satanás admite que ele não pode testar Jó à parte da permissão de Jeová; e está afirmado que Jeová deu a Satanás essa permissão. Ainda, a experiência de um indivíduo que peca é sugestiva. Após o pecado ter sido cometido, aquele que peca pode dizer: *Deus deve ser culpado. Ele poderia ter evitado que eu pecasse, mas Ele não o fez*. Contudo, isto o pecador *não* diz, visto que há dentro dele uma consciência de que ele somente é responsável. Os mártires poderiam ter evitado o pecado do assassinato por parte de seus algozes, se eles tivessem se retratado com relação à verdade em questão. Mesmo Cristo poderia ter evitado que um número incontável de homens cometesse o pecado imensurável da crucificação do Filho de Deus, se Ele tivesse descido da cruz.

Tudo isso sugere o fato óbvio que o mero evitar do pecado nem sempre é a causa principal. Com todas essas situações, a mente sincera se recusa a atribuir pecado a Deus, seja direta ou indiretamente. Pode ser concluído, então, que o pecado está no Universo pela permissão de Deus, que o odeia completamente e que, por ser soberano, tinha poder para evitar a sua manifestação, se Ele tivesse decidido fazer assim. O fato dEle não evitar a manifestação do pecado, demonstra que, por ser o que é, deve ter um propósito em vista além do de evitar o pecado. Aqui, como em nenhuma outra parte nos afazeres do Universo, o fim justifica os meios.

B. O PROBLEMA DA VONTADE.

Essa dificuldade presta-se a várias explicações. Pode em geral ser afirmado assim: Se Deus é soberano e somente ocorrem aquelas coisas que estão determinadas em seu decreto, há qualquer esfera em que a criatura possa exercer o seu próprio livre-arbítrio? Ou, poderia a vontade humana sempre agir fora do decreto de Deus, e, se não pode, é a ação humana livre?

Para o problema afirmado nessas perguntas, há respostas mais ou menos claras que podem ser dadas. Mas antes dessas respostas serem consideradas, é bom prestar atenção à natureza exata das questões envolvidas.

Quando primeiramente criados, tanto os anjos quanto os homens eram alegres e perfeitamente submissos à vontade de Deus. Na verdade, essa é a presente condição dos anjos eleitos e não há necessidade de inquirir a respeito deles e do exercício da vontade deles. Eles estão determinados a fazer somente o que agrada a Deus. A liberdade de fazer alguma coisa contrária era algo acordado entre os anjos tão plenamente quanto havia entendimento entre eles "que não guardaram o seu estado original" (Jd 6). Eles continuaram na vontade de Deus e, sem dúvida, continuarão a fazer assim eternamente. O primeiro pecado a ser cometido no céu e no universo em si foi cometido pelo maior de todos os anjos, talvez séculos antes da criação do homem. O anjo que primeiramente pecou no céu é descrito, tanto com relação à sua pessoa quanto ao desígnio divino, em Ezequiel 28.11-15, e sob o título de "rei de Tiro".

A natureza daquele pecado é registrada em Isaías 14.12-14, em que aquele anjo é apresentado sob o título de "Lúcifer, estrela da manhã", e onde o caráter exato de seu quíntuplo pecado é revelado. Será visto que o pecado consiste no exercício do desejo do anjo em oposição à vontade de Deus. Nenhuma imaginação poderia descrever nem qualquer linguagem poderia expressar o horror daquele momento quando, pela primeira vez, uma criatura se opôs à vontade soberana de seu Criador. Foi esse mesmo ser que na consumação de seu próprio pecado disse: "...e serei semelhante ao altíssimo" (Is 14.14), que mais tarde apareceu no Jardim do Éden e, seguindo a criação do homem, ali aconselhou ao primeiro homem e à primeira mulher a *serem como Deus* (Elohim, cf. Dn 5.11). A nossa versão diz "e sereis como Deus", mas na versão da língua inglesa, chamada *Authorized Version*, a tradução é "e sereis deuses".

Isto ainda é uma questão aberta, visto que o nome da divindade, que é usado aqui pelo Espírito, é *Elohim*. É um nome plural, na verdade, mas é o original do qual as versões chamam *Deus*, e quase é universalmente traduzida por todo o Antigo Testamento. Aquele que havia pecado, por dizer: "...eu serei como o Altíssimo", agora propõe ao homem santo que ele, pela desobediência, *seria como Deus*. Somente em um aspecto – independência – poderia tanto o anjo quanto o homem ser como Deus.

Em oposição a isso, está revelado que a perfeita humanidade de Cristo foi totalmente sujeita à vontade de seu Pai. Está escrito dele: "Pelo que, entrando no mundo, diz: ...Eis-me aqui... para fazer, ó Deus, a tua vontade" (Hb 10.5-7; cf.Sl40.6-8).Nãopodehaverumahumanidadeperfeitaquenãosejacompletamente sujeita à vontade de Deus; e o primeiro passo na salvação por parte daqueles para quem a redenção é provida é que *obedeçam* ao Evangelho (At 5.32; 2 Ts 1.8; Hb 5.9; 1 Pe 4.17). Com essa provisão em vista, não há necessidade de que qualquer pessoa que deseja ser salva se perca.

A escolha humana daquilo que é bom, igual à escolha daquilo que é mau, origina-se *dentro*, como a volição do indivíduo e é *livre* no sentido de que o indivíduo não está consciente de qualquer necessidade imposta sobre ele. Toda ação humana está incluída nesse conceito. Visto que a ação humana parece não ser restringida por nada além da persuasão moral ou pelas emoções, a questão é em que grau a vontade humana é livre. Em oposição ao sentido de liberdade de agir que o indivíduo experimenta, as Escrituras ensinam que há restringência de longo alcance sobre a vontade. A respeito dos não-regenerados é dito que eles, por serem filhos da desobediência, são energizados (ἐνεργέω – *energeō*) por Satanás (Ef 2.2), fato esse que denota quase uma dominação ilimitada sobre aqueles que são energizados assim.

Com respeito aos regenerados, está revelado que "é Deus quem opera ἐνεργέω em vós" (Fp 2.13), fato esse que denota quase uma dominação ilimitada da parte de Deus sobre aqueles que são salvos. Assim, a totalidade da família humana – tanto os que não são salvos quanto os que são salvos – está incluída, e nenhum desses está realmente livre de uma influência superior. Essa influência, poderosa como é, pode ser totalmente desconhecida dentro do raio da experiência humana. A Bíblia afirma claramente que Deus influencia o não-regenerado como, em algum grau, Satanás e o poder de uma natureza caída também influenciam os regenerados. A influência de Deus sobre o não-regenerado deve ser exercida se eles estão para se voltar para Deus em fé salvadora.

Cristo declarou: "Ninguém pode vir a mim, se o Pai que me enviou não o trouxer" (Jo 6.44); e o apóstolo Paulo escreveu pelo Espírito: "Pela graça sois salvos mediante a fé; e isto não vem de vós; é dom de Deus (Ef 2.8; cf. Fp 1.29). Muita perplexidade é causada pelas afirmações de que Deus às vezes impede visão espiritual e endurece corações. Ele ordenou a respeito de Israel: "Engorda o coração deste povo, e endurece-lhe os ouvidos, e fecha-lhe os olhos; para que ele não veja com os olhos, e ouça com os ouvidos, e entenda com o coração, e se converta, e seja sarado" (Is 6.10). Esse é o juízo sobre uma nação por causa dos caminhos maus deles e serve também para cegar aquele povo, como predito, por toda a era presente em que judeus e gentios igualmente são confrontados com a graça salvadora de Deus e o propósito dele é a chamada da Igreja (Rm 11.25).

Sete vezes é afirmado que Deus endureceu o coração de Faraó (Êx 4.21; 7.3; 9.12; 10.20,27; 11.10; Rm 9.17,18), e três vezes é dito que Faraó endureceu o seu próprio coração (Êx 8.15,32; 9.34; cf. Dt 2.30). Observe também Êxodo 7.13,22; 8.19. Assim, é também registrado em 2 Tessalonicenses 2.11 que Deus determinou a tribulação como uma "operação do erro", para que eles cressem naquilo que era mentira. Esse engano tem a finalidade de julgar aqueles que não acolheram o amor da verdade, a fim de que pudessem ser salvos. Não há mera *ação permissiva* aqui ou no caso de Faraó. Claramente é dito que Deus foi a *causa* desses estados do coração, como ele é também a *causa* da cegueira de Israel. Nesses casos, como acontece freqüentemente com outros, Deus aparentemente não pede para ser liberto da responsabilidade direta de causar tudo o que é atribuído a Ele. É certo que nos exemplos acima mencionados, Deus não cria o coração mau, mas, antes, traz à luz aquilo que está latente dentro do coração para que ele possa ser julgado: "Portanto, tem misericórdia de quem quer, e a quem quer, endurece" (Rm 9.18).

A vontade da criatura é uma criação de Deus e, em relação a ela, Deus não alimenta timidez ou incerteza. Ele fez a vontade da criatura como um instrumento pelo qual Ele pode cumprir o seu propósito soberano e é inconcebível que Ele jamais seja frustrado em sem propósito. Ao tratar da soberania de Deus sobre todas as criaturas, o estudante de teologia deveria ler com atenção reverente Isaías 40.10-31 e Jó 38.1 a 41.34.

Quando exerce a sua vontade, o homem está consciente somente de sua liberdade de ação. Ele determina o seu curso por circunstâncias, mas Deus é o autor das circunstâncias. O homem é impelido pelas emoções, mas Deus é capaz de originar e controlar cada emoção humana. O homem orgulha-se de que é governado pelo juízo da experiência, mas Deus é capaz de promover todo pensamento ou determinação da mente humana. Deus molda e dirige todas as causas secundárias até que o seu próprio propósito eterno seja realizado. Como poderia Ele cumprir os seus pactos que o obrigam ao controle das ações e destinos dos homens para o fim dos tempos e para a eternidade? A eleição dele é *certa*; porque aos que predestinou – não mais nem menos – Ele chamou; e aos que chamou – não mais nem menos – Ele justificou; e aos que justificou – não mais nem menos – Ele glorificou.

Quando Deus predestina, Ele assume a responsabilidade de criar, chamar, salvar, e completar o processo de acordo com o seu próprio propósito. Ao chamar aqueles que ele havia escolhido, Ele move essas pessoas a crer para a salvação de suas almas. Ao justificar, Ele proporciona um substituto, um

Salvador eficaz por cuja morte e ressurreição se torna legalmente capaz de colocar o principal dos pecadores numa condição de perfeita relação consigo como a do seu próprio Filho. E quando glorifica, Ele aperfeiçoa a todos os que o amor infinito designou. O número exato que será glorificado será exatamente os mesmos indivíduos – não mais nem menos – que Ele predestinou. Cada um deles terá crido, terá sido salvo, terá sido aperfeiçoado e tornado igual a Cristo em glória. Os homens entram conscientemente nesse grande empreendimento somente quando crêem, ou respondem à chamada eficaz.

Naturalmente, parece-lhes que eles, ao agir em liberdade dentro da esfera restrita de suas consciências, determinam tudo. A ação deles é vital, porque nenhum elo na corrente de Deus pode faltar. O ponto onde o mal-entendido surge é com referência ao fato que, até onde a percepção deles lhes serve, estão certos de que agiram livremente; todavia, cada pessoa verdadeiramente regenerada testificará que ela não teria se voltado para Deus à parte daquela atração do seu coração movida por Deus. A eleição divina é absoluta. Se isso parece para alguns tirar as coisas das mãos dos homens e colocá-las nas mãos de Deus, ao menos deverá ser admitido que, quando assim entregues a Deus, as coisas estão em melhores mãos e este, afinal de contas, é o universo de Deus sobre o qual Ele tem o direito soberano de fazer o que dita de sua própria vontade. Será admitido também que a esfera da ação humana, até onde significa alguma coisa na esfera da consciência humana, é deixada em perfeita liberdade de ação. Não deveríamos supor que não é nenhum crime da parte de Deus o fato de Ele revelar aos seus eleitos que o seu poder e propósito soberanos são operados através das forças humanas e sobre todas as causas secundárias.

Ao escrever sobre as soluções propostas para o problema que as duas vontades geram, o Dr. John Dick afirma:

Aqui chegamos numa questão que tem chamado a atenção, exercido a inexperiência e que tem tornado perplexos os juízos dos homens em todas as épocas. Se Deus preordenou tudo o que vai acontecer, a série total dos eventos é necessária, e a liberdade humana é retirada. Os homens são instrumentos passivos nas mãos do seu Criador; eles não podem fazer algo, exceto o que são influenciados a fazer de um modo secreto e irresistível; portanto, não são responsáveis por suas ações; e Deus é o autor do pecado. A essa objeção respondemos que o decreto divino é externo à mente humana; ele não exerce uma força ou influência sobre as nossas faculdades; e ainda, conquanto assegure a futuridade dos eventos, deixa que sejam realizados no exercício de nossa liberdade. Conquanto o decreto determine que algumas coisas devam acontecer necessariamente, ele determina que outras coisas devam acontecer livremente. Deus decretou não somente que os homens devem agir, mas que ajam livremente, e de acordo com a sua natureza racional. Ele determinou o ato; mas os homens, por serem livres agentes, torna possível o fato de eles agirem de modo diferente, se considerarmos a sua liberdade abstratamente. Contudo, quando você reflete sobre essa resposta, e a despimos de sua forma técnica, você vai descobrir que ela nada significa. Ela apenas diz que, não obstante o decreto de Deus, o homem retém a sua liberdade de ação; e, conseqüentemente, nos desconcerta com uma afirmação sob o pretexto de nos dar uma explicação. Cientes que todas as coisas estão imutavelmente fixas nos conselhos divinos, queremos saber como a predeterminação é consistente com a liberdade. Com qual propósito Deus decretou que algumas coisas acontecerão necessariamente e outras acontecerão livremente? Que informação esta resposta nos dá? Qual dúvida ela resolve? Ainda a pergunta permanece: Como podem essas ações ser livres, se foi estabelecido que não poderiam ser evitadas?

É um método mais inteligente explicar o assunto através da doutrina que faz com que a liberdade consista no poder de agir de acordo com a inclinação dominante, ou de acordo com o motivo que se apresenta mais forte para a mente. São livres aquelas ações que são o efeito da volição. Seja como for que o estado de mente que dá surgimento à volição tenha sido produzido, a liberdade do agente não é maior nem menor. É a sua vontade somente que deve ser considerada, e não o meio pelo qual ela foi determinada. Se Deus preordenou certas ações, e colocou os homens em tais circunstâncias que as ações certamente aconteceriam de acordo com as leis da mente, não obstante os homens são agentes morais, porque eles agem voluntariamente, e são responsáveis pelas ações que são feitas por eles próprios. A liberdade não consiste no poder de agir ou não agir, mas na ação de escolha. A escolha é determinada por alguma coisa na mente em si mesma, ou por alguma coisa externa que influencia a mente; mas qualquer que seja a causa, a escolha torna a ação livre, e torna o agente responsável. Se essa definição de liberdade é admitida, você perceberá que é possível reconciliar a liberdade da vontade com os decretos absolutos; mas não descartamos toda dificuldade. Por essa teoria, as ações humanas parecem ser tão necessárias quanto os movimentos da matéria de acordo com as leis da gravidade e atração; e o homem parece ser uma máquina, consciente de seus movimentos, e consente com eles, mas impelido por algo diferente de si mesmo.

Nesse assunto, nenhum homem deveria se envergonhar em reconhecer a sua ignorância. Não nos é exigido que reconciliemos os decretos divinos com a liberdade humana. É suficiente saber que Deus decretou todas as coisas que acontecem, e que os homens são responsáveis por suas ações. Estamos seguros de ambas as verdades pelas Escrituras; e a última é confirmada pelo testemunho da consciência. Sentimos que, embora não sejamos independentes de Deus, somos livres; de forma que nós nos justificamos quando cumprimos o nosso dever e nos acusamos quando o negligenciamos. Sentimentos de aprovação e desaprovação com referência à nossa própria conduta ou da conduta de outros homens, não existiriam em nossas mentes, se crêssemos que os homens são agentes necessários. Mas o elo que liga os decretos divinos com a liberdade humana é invisível. "Tal conhecimento é maravilhoso demais para mim; elevado é que não o posso atingir." Se cada coisa na religião estivesse no nível da compreensão da razão, não haveria lugar algum para a fé. É melhor crer humildemente do que raciocinar presunçosamente. E todos esses raciocínios que levam à negação da imutabilidade dos decretos divinos, ou negam a liberdade da vontade humana, ou que tornam o homem uma máquina, e Deus o autor do pecado, podem ser chamados de presunçosos.[127]

2. Predestinação.

O termo *predestinação* significa a predeterminação do destino. O conjunto de verdade que esse termo apresenta é propriamente uma subdivisão da doutrina do decreto divino. Ele não diz respeito ao destino das coisas materiais, mas, em seu significado mais amplo, diz respeito ao destino de todas as criaturas inteligentes, inclusive anjos e homens. Por ausência de revelação específica, pouca coisa é conhecida a respeito do destino dos anjos. Presume-se que os obedientes permanecerão no estado em que foram vistos na cidade eterna (Hb 12.22-24). Aqueles que não guardaram o seu estado original, estão destinados para o lago de fogo (Mt 25.41; cf. Ap 20.10), e não há insinuação de que qualquer redenção lhes será oferecida.

Uma revelação muito mais determinante é encontrada na Bíblia com respeito ao destino dos homens. Tão certo quanto Deus preordena qualquer coisa que venha acontecer, o futuro de cada ser humano está determinado no plano eterno de Deus. Como a doutrina mais ampla do decreto divino, esse aspecto particular da predestinação é repleto de perplexidades, e cada uma delas, podemos estar certos, é devida às restrições que cercam a mente humana. Visto que a predestinação divina é ensinada na Bíblia sem que seja aliviada, ela deve ser recebida e crida. As tentativas racionalistas de modificar essa revelação, como era de se esperar, resultaram em complicações ainda maiores.

Além do destino predeterminado que pertence a Israel e às nações que "herdam a terra", a doutrina da predestinação obedece a duas divisões, a saber: (1) eleição e (2) retribuição. Em seu significado anterior e básico, o termo *retribuição* tem muito a ver com a recompensa que resulta para os salvos assim como as penalidades que resultam para os não-salvos. A eleição e a retribuição são contrapartes uma da outra. Não pode haver eleição de alguns que não implique na rejeição de outros.

A. Eleição. A eleição que é apresentada nas Escrituras, à parte da nação eleita de Israel – que será assunto de consideração aqui – é aquele favor de Deus, notadamente uma salvação plena e livre, que é conferida a alguns, não a todos. De alguns é dito que eles são "escolhidos no Senhor" (Rm 16.13); "eleitos... para a salvação" (2 Ts 2.13); "eleitos... antes da fundação do mundo" (Ef 1.4); predestinados para "a adoção de filhos" (Ef 1.5); "para serem conformes à imagem de seu Filho (Rm 8.29); "eleitos segundo a presciência de Deus"

(1 Pe 1.2); e "vasos de misericórdia, que de antemão preparou para a glória" (Rm 9.23). O termo *eleição* não deveria ser interpretado com o sentido de somente um propósito divino geral de *proporcionar* salvação para todos os homens. Ele se refere a um propósito divino expresso de conferir salvação a alguns, não a todos.

Nem deveria o termo sugerir que Deus abençoará aqueles que crêem. Ele antes especifica aqueles que crerão. Alguns, mas não todos, estão inscritos no livro da vida do Cordeiro. A evasão dessas palavras claras da Escritura nada garante para o entendimento desse assunto tão solene. Qualquer que possa ser o caso do não eleito, está escrito sobre os salvos que Ele "nos salvou, e chamou com uma santa vocação, não segundo as nossas obras, mas segundo o seu próprio propósito e a graça que nos foi dada em Cristo Jesus antes dos tempos eternos" (2 Tm 1.9); "como também nos elegeu nele antes da fundação do mundo, para sermos santos e irrepreensíveis perante ele..." (Ef 1.4).

Não há um mero capricho arbitrário na eleição divina, pois nisso e em tudo o que Deus faz, todas as coisas são governadas pela sabedoria infinita, santidade e amor. Como a base de sua eleição, Ele não previu diferença de caráter de um sobre outro. A sua escolha não é baseada em dignidade prevista. A eleição é um ato da graça à parte das obras. Nem mesmo a fé ou as boas obras são a causa da eleição divina. Elas são antes o fruto da eleição. Os homens não são primeiramente santos e, então, escolhidos; mas são primeiramente escolhidos e, então, tornados santos. Eles puderam ser santos porque foram escolhidos. O destino dos filhos de Isaque foi determinado antes que eles tivessem feito qualquer coisa boa ou má, para que o fato da eleição soberana pudesse ficar sem complicação (Rm 9.11-13). Sem dúvida, o fato de uma suposta eleição *condicional* é a crença da maioria devido à relutância da parte do homem em admitir que não há mérito algum em seu *eu* natural.

Com o mesmo propósito, a eleição de Deus é *imutável*. Alguns têm afirmado que está no poder do eleito frustrar os cálculos do Todo-poderoso. Sentimentos como esses são escritos da seguinte forma: "É falso dizer que a eleição é confirmada desde a eternidade"; "Os homens podem invalidar a sua eleição"; "Eles podem mudar a si mesmos de crentes para incrédulos, de eleitos para não-eleitos". Para tais mestres, não há palavra ou obra de Deus que seja segura. Não obstante, Deus tem dito: "Lembrai-vos das coisas passadas desde a antiguidade; que eu sou Deus, e não há outro; eu sou Deus, e não há outro semelhante a mim; que anuncio o fim desde o princípio, e desde a antiguidade as coisas que ainda não sucederam; que digo: O meu conselho subsistirá, e farei toda a minha vontade" (Is 46.9,10).

Os supralapsarianos sustentam que o propósito supremo de Deus na criação é a manifestação de sua perfeição e que a sua misericórdia será revelada na eleição de alguns e sua justiça será revelada na reprovação de todos os outros. Assim, uma verdade muito solene é declarada; mas eles então caem numa inconsistência. Para alcançar o seu fim desejado, alegam que primeiro Deus decretou criar o homem e, então colocá-lo sob circunstâncias onde ele cairia, e então enviar seu Filho para morrer por aqueles que Ele escolheu para a salvação. Nessa formulação, Deus é visto tratando da Queda do homem somente como um meio para um fim. Os homens foram eleitos ou rejeitados antes do decreto relacionado à Queda e sem referência à Queda. Assim, não foram vistos como pecadores, mas como criaturas, e como tais foram escolhidos e rejeitados sem uma base para a rejeição deles ou sem uma oportunidade para o exercício da graça. O efeito desse esquema doutrinário é tirar de Deus toda sua compaixão e amor e apresentá-lo como Alguém que desconsidera o sofrimento de suas criaturas. Tal doutrina pode trazer uma resposta para a razão fria e errônea do homem, mas ela desconsidera o pleno testemunho da Palavra de Deus onde a compaixão de Deus é enfatizada.

Os infralapsarianos afirmam que, a fim de estabelecer o seu decreto eletivo, Deus primeiramente permitiu a Queda e, então, determinou o destino dos homens, para ter como ponto de partida uma posição de demérito da parte humana diante dele. Esse conceito ao menos proporciona uma base para o exercício da graça e uma base para a condenação do perdido.

Intimamente ligada à controvérsia lapsária está a questão se alguns que são predestinados para a vida foram escolhidos em vista do fato de que Cristo morreria por eles, a saber, por amor dEle, ou que Ele morreria por eles porque haviam sido escolhidos de Deus. A última posição parece ser verdadeira, visto que Deus primeiro amou o mundo e, por causa desse amor, Ele deu o seu unigênito Filho.

A doutrina da eleição é um ensino fundamental das Escrituras. Sem dúvida, ela é acompanhada de dificuldades que, igualmente, são um fardo para todos os sistemas de teologia. Contudo, nenhuma palavra de Deus pode ser alterada ou negligenciada. Muita ajuda acontece quando há a lembrança de que o guia da fé é a revelação, não a razão. Quando a revelação fala, a razão deve ouvir e aquiescer.

B. RETRIBUIÇÃO. No propósito divino há o que chamamos de *retribuição*. Como um ato de Deus, o termo significa que alguns são rejeitados, ou seja, os que Ele não elege. A palavra *preterição* tem sido preferida por alguns como menos severa. Certamente, nenhum crente consciencioso resolveria empregar os termos em relação à condenação do perdido que são desnecessariamente fortes. O tema é uma solenidade insuperável e não há uma evidência de compaixão se os homens propositalmente se expressassem com relação ao estado futuro do não-regenerado em termos duros e insensíveis. Esse é um tema que deveria fazer-nos chorar. Com a escolha da palavra *preterição*, pretende se sugerir que Deus não toma uma atitude ativa em relação ao não-eleito além de não contemplá-lo com a regeneração, deixando-o sob justa condenação que o seu estado de perdido merece.

Assim, supõe-se que, em algum grau, Deus fica aliviado da responsabilidade, se lhe é atribuída a função de *preterir*, ao invés da de *reprovar* o não eleito. Tais distinções são mais uma ilusão de palavras do que uma discriminação dos fatos. À parte desse tema terrível e sob quaisquer circunstâncias mais apropriadas, uma seleção elaborada de palavras dificilmente seria tolerada. É impossível ativamente escolher alguns de um grupo e, ao mesmo tempo, e pelo mesmo processo, ativamente rejeitar o restante. Todavia, uma distinção real existe no modo divino de tratar com uma classe, quando comparada a outra. Bênçãos totalmente novas e imerecidas são dadas aos eleitos, enquanto que o grupo dos não-eleitos colhe somente a justa recompensa de seu estado de perdidos. Deus faz por um grupo o que não faz por outro, mas ambas as combinações passam diante de sua mente e tornam-se objetos de sua determinação.

Expressões muitíssimo dolorosas são usadas nas Escrituras para descrever a decisão divina com relação aos não-eleitos. Eles "não estão inscritos" no livro da vida (Ap 13.8); eles são "vasos de ira preparados para a perdição" (Rm 9.22); eles foram "desde há muito destinados para este juízo" (Jd 4); eles "tropeçam na palavra, sendo desobedientes; para o que também foram destinados" (1 Pe 2.8). É dito que Deus ama alguns menos que outros (Ml 1.2,3). Alguns são chamados de "eleitos" e outros são chamados de "os demais" (Rm 11.7). Uma leitura ponderada de Romanos, capítulos 9 e 11, vai resultar numa certeza que, o que quer que os homens creiam ou descreiam sobre esse assunto, a Palavra de Deus é intrépida em declarar que alguns são designados para a bênção e outros são designados para experimentar a condenação.

As limitações humanas e o raciocínio perverso dificultam a emissão de juízos verdadeiros sobre essas questões. É claro que a condenação dos não-eleitos não é à parte de uma consideração devida da indignidade deles. Deus é apresentado como um objeto de adoração e amor, o que poderia não ser se Ele fosse revelado como Aquele que meramente exerce autoridade à parte de sua bondade e justiça. O problema real pode ser afirmado da seguinte maneira: Foi Deus justo em decretar a reprovação dos transgressores de sua vontade santa? Em outras palavras: É o mal digno de separação eterna de Deus? Sobre essa questão a mente humana não pode lançar luz. O que a verdadeira natureza do pecado é, da forma como avaliado pelo Deus infinitamente santo, deve ser aceito nos termos da revelação.

Por ser contra Deus, o pecado assume a qualidade de infinidade. Naturalmente, a pergunta surge: Poderia Deus não ter escolhido salvar todos? Com o mesmo fim, outra pergunta surge: Não seria Ele justificado, se reprovasse a todos? Para tais perguntas, conquanto sinceras, não há resposta possível. Deus é apresentado como digno de confiança inquestionável, e nos é assegurado que Ele faz o que é melhor. Esta conclusão será abraçada por todos quando a obra for concretizada. Com um grupo, Ele demonstra a sua graça; com outro, a sua justiça pode ser vista. Os não-eleitos são julgados pelo seu demérito, enquanto que os eleitos, que em tudo também são indignos, tornam-se objetos de sua graça.

Um perigo que pode resultar da atenção que se presta a esses temas e que deve ser devido também ao entendimento errôneo dos homens, é que o coração pode, por um tempo, perder de vista a revelação de que Deus tem compaixão infinita, e não deseja que alguém pereça, e por causa dessa verdade nenhuma pessoa, não importa quão pecaminosa seja, que deseja ser salva, fique sem essa graça eterna. O convite é para todos. Nada é mais agradável a Deus do que o exercício de sua graça.

A razão sintoniza-se com a revelação e assevera que cada parte da criação de Deus servirá para um propósito, e a revelação acrescenta que ela redundará em sua glória; mesmo a ira do homem haverá de louvar a Deus (Sl 76.10). Assim, é sugerido que nenhum mal virá além dos limites daquilo que no final será para a glória dele. Que os ímpios podem contribuir para a glória final de Deus já foi bem afirmado na *Confissão de Fé de Westminster*: "Segundo o inescrutável conselho da sua própria vontade, pela qual Ele concede ou recusa misericórdia, como lhe apraz, para a glória do seu soberano poder sobre as suas criaturas, o resto dos homens, para louvor da sua gloriosa justiça, foi Deus servido não contemplar e ordená-los para a desonra e ira por causa dos seus pecados" (Cap. III, vii).

3. Objeções à Doutrina do Decreto Divino.

Uma discussão quase interminável tem surgido sobre a doutrina do decreto divino e sua subdivisão, a predestinação. A discordância mais importante entre os sistemas calvinista e arminiano centra-se nesse ponto. Nenhuma fase do assunto tem sido negligenciada e não é prático, se fosse possível, empreender nessa obra uma revisão ou análise desses argumentos estendidos. Uma biblioteca teológica geralmente é repleta desse material.

A respeito das objeções em geral, pode ser dito: mesmo a razão em seu estado caído não teria sido qualificada para estabelecer julgamento sobre a revelação sobrenatural. Muito menos é a razão caída capaz disso! O Espírito Santo tem falado, e a determinação soberana de Deus está tão afirmada claramente nas páginas da Bíblia como estão quaisquer das prerrogativas dos homens. Afinal de contas, o que o homem conhece a respeito de Deus ou das questões envolvidas na consecução daqueles fins que a sabedoria infinita determinou? É alguma coisa ruim para o mais sábio dos homens especular mesmo sobre o que Deus deve ou não fazer. Muita coisa do que está escrito sobre esses assuntos é distinta por sua chocante irreverência. As objeções à doutrina do decreto divino são usualmente divididas em duas classes, a saber: (1) aquelas que envolvem o caráter moral de Deus, e (2) aquelas que envolvem a agência moral do homem. Da última, nenhuma palavra será acrescentada aqui, além do que já foi dito anteriormente.

A. A Justiça de Deus. É objetado que a predestinação apresente Deus como um respeitador de pessoas. Ele seria um respeitador de pessoas se entre aqueles que fossem todos merecedores, Ele salvasse alguns e deixasse de lado o restante; mas nenhum de todos os da raça humana caída tem, dentro de si mesmo, uma base para reivindicar qualquer coisa perante Deus. Aqueles que Ele salva são salvos sem a menor consideração pelo mérito humano. Deus age com graça salvadora como um *soberano* e não como um *juiz*. A Palavra de Deus, que tão insistentemente afirma a autoridade absoluta e a liberdade de Deus, também declara pela boca do apóstolo Pedro: "Na verdade reconheço que Deus não faz acepção de pessoas" (At 10.34; cf. Lv 19.15). Com essas questões imediatas em mente, os homens perguntam por que Deus fez a criatura existir a quem Ele pré-conheceu e que seria perdida para sempre; mas esta pergunta sugere que Deus era livre para criar ou não criar, e também presume que o bem-estar de cada ser humano é o importante objetivo divino. Embora tal suposição seja a conclusão natural de um ser humano autocentrado, ela tem pouco ou nenhum suporte procedente das Escrituras. Toda a questão vai muito além dos limites do entendimento humano e pode somente inclinar a pensamentos errados concernentes a Deus.

B. O Amor de Deus. Tem sido questionado que Deus, por ser revelado como Aquele que ama todos os homens, possa consistentemente reprovar algum deles. Numa tentativa de responder a essa questão, alguns defensores da Redenção Limitada têm tomado como base o fato de Deus amar somente os eleitos; mas tal conclusão é alcançada totalmente à parte dos ensinos da Escritura. Ele não somente é contrário aos ensinos da Bíblia, mas desonra Deus e impede toda a liberdade na pregação do Evangelho. Há uma dificuldade real envolvida nesse desafio; todavia, é facilmente possível que, conquanto tendo afeição genuína e universal por todas as criaturas e deseje o bem delas – que é o testemunho das Escrituras –, todavia, por razões maiores que não foram reveladas aos homens, Ele resolve não satisfazer todos os seus desejos. Homens inteligentes reprimem seus desejos e afeições no interesse de fins maiores. Tal ação é tão possível na esfera da razão divina como o é na esfera da razão humana.

C. A Predestinação Predetermina Que os Homens Pequem. Tal inferência revoltante superficialmente poderia ter fundamento para algumas pessoas. Já foi assinalado que nem a Bíblia nem a consciência dos homens jamais acusam Deus de promover o pecado; nem as Escrituras deixam de declarar que Deus preordenou todas as coisas que acontecem. Tal contradição aparente é harmonizada em Deus, quando não na mente dos homens. Nenhuma ilustração mais esclarecedora dessa aparente contradição deve ser encontrada além do que está envolvido na morte de Cristo e o propósito eterno de Deus nesse acontecimento. Deus determinou que o Seu Cordeiro deveria morrer e predisse que Ele morreria nas mãos de homens ímpios. Sua predição até antecipou as reais palavras que esses homens pronunciariam na hora da morte de Cristo (Sl 22.8).

A maneira da morte de Cristo e as palavras ditas por seus executores não foram meramente pré-conhecidas por uma previsão que nada determina. Esses homens ímpios não executaram a sua ação nem emitiram as suas palavras debaixo de uma necessidade que a predeterminação impõe; mas dentro da esfera da consciência desses homens, eles fizeram exatamente o que quiseram fazer sem a idéia da necessidade. Eles teriam rechaçado com veemência qualquer sugestão de que cumpriam à risca o mais importante decreto divino. A estranha harmonia entre a predestinação e o pecado humano está afirmada em Atos 2.23: "...e este, que foi entregue pelo determinado conselho e presciência de Deus, vós o matastes, crucificando-o pelas mãos de iníquos".

D. A Predestinação e os Meios para os Seus Fins. Esta objeção indaga: Serão os eleitos salvos se eles se preocuparem com a salvação e se conformarem à verdade ou não? Como resposta é afirmado que a predestinação inclui todos os meios requeridos e prevê cada passo no alcance dos fins. Se o eleito deve ser chamado e justificado, a fim de estar preparado para a glória, Deus assevera que Ele se encarregará de chamá-los e justificá-los. A chamada incluirá a resposta em fé salvadora, que em seu exercício experimental será para cada indivíduo como uma ação produto de sua própria vontade livre. Após ter assim decretado a vontade livre como um passo necessário no cumprimento do eterno propósito de Deus, torna-se tão essencial à vista de Deus como qualquer outro elo nessa cadeia.

E. A PREDESTINAÇÃO E A PREGAÇÃO DO EVANGELHO. O objetor questiona (a) a necessidade de uma proclamação do Evangelho para aqueles que são eleitos; (b) a inutilidade dela para o não-eleito; e (c) a sinceridade na pregação do Evangelho ao não-eleito. A primeira objeção foi respondida no parágrafo anterior. Com respeito à segunda objeção, pode ser afirmado que nenhum homem sabe quem são os eleitos e quem são os não-eleitos; portanto, a instrução divina para o pregador é que ele vá por todo mundo e pregue o Evangelho a *toda* criatura. Sobre a questão da sinceridade divina na oferta do Evangelho àqueles que não são eleitos, pode ser observado que um dos pecados dos não-salvos pelo qual vem a penalidade sobre eles é o da *rejeição* de Cristo, ou da incredulidade. Está evidente que nenhuma rejeição pode ser predicado daqueles que não ouviram a pregação do Evangelho e, portanto, realmente não o recusaram (Rm 2.12).

F. A PREDESTINAÇÃO E O FATALISMO. O termo *fatalismo* pode significar que todas as coisas são determinadas por Deus e que nenhuma escolha humana é possível ou "que todos os eventos, inclusive as escolhas humanas, estão absolutamente determinadas dum modo mecânico por suas causas físicas antecedentes; determinismo físico".[128] Esse conceito é adquirido em qualquer lugar onde a soberania de Deus é enfatizada às custas da exclusão da ação livre dos homens, ou quando Deus é deixado de fora no cálculo dos homens e estes se imaginam dirigidos por forças cegas sobre as quais eles não têm controle. A escolha mais importante que o coração humano pode fazer é a da aceitação de Cristo como Salvador, e só a vontade do homem é chamada para fazer essa decisão. Se o homem é livre na esfera das coisas vitais e eternas, supõe-se que ele é igualmente livre em assuntos de menor importância.

G. OS DECRETOS DIVINOS E O SOFRIMENTO HUMANO. Esta, a última das objeções à soberania divina a ser examinada, traz à lume a sabedoria e a bondade de Deus em relação ao sofrimento e morte que há no mundo. Uma teodicéia é indicada, a saber, uma defesa da dignidade de Deus em face de toda a angústia e agonia que há no mundo. Muita coisa do que já discutimos anteriormente tem sido o único objetivo de defender Deus das conclusões ocasionadas pelo entendimento errôneo dos homens. O conteúdo de qualquer teodicéia naturalmente será determinado pelo número de problemas apresentados para consideração. Somente o problema do sofrimento humano permanece nessa relação de assuntos. Essa questão tem estado diante da raça desde os dias de Jó. Os homens têm ficado perplexos, não somente pela presença do sofrimento humano no mundo onde Deus, que é bondade infinita, reina; mas, pelo fato de que freqüentemente os ímpios prosperam enquanto que os justos adoecem em sofrimentos e perdas. Como está registrado no Salmo 73, o salmista testifica que ele era cada manhã "afligido e castigado" ao contemplar a prosperidade dos ímpios. Isto aconteceu até que ele entrou no santuário e entendeu qual seria o fim deles. Deus tem se revelado aos seus neste mundo. Eles são capazes de ficar acima do presente sofrimento por causa da segurança insuperável com que o conhecimento que eles têm de Deus os enriquece.

O sofrimento pode ser como uma disciplina para o crente ou como uma penalidade para o pecador (1 Pe 3.17). Em qualquer um dos casos há apenas a mão que o concede – a mão dAquele que nunca erra – dAquele que pode ser e deveria ser aceito implicitamente – dAquele que da meia-noite do mal vai produzir, todavia, a sua própria justiça como a do meio-dia. O sofrimento é um meio que Deus emprega para a consecução da sua mais perfeita vontade. Ele nunca está errado; Ele nunca se engana. "Amados, não estranheis a ardente provação que vem sobre vós para vos experimentar, como se coisa estranha vos acontecesse; mas regozijai-vos por serdes participantes das aflições de Cristo; para que também na revelação da sua glória vos regozijeis e exulteis. Se pelo nome de Cristo sois vituperados, bem-aventurados sois, porque sobre vós repousa o Espírito da glória, o Espírito de Deus. Que nenhum de vós, entretanto, padeça como homicida, ou ladrão, ou malfeitor, ou como quem se entremete em negócios alheios; mas, se padece como cristão, não se envergonhe; antes glorifique a Deus neste nome" (1 Pe 4.12-16).

O próprio Cristo, com a sua perfeição, não foi poupado do sofrimento. Está escrito: "Ora pois, já que Cristo padeceu na carne, armai-vos também vós deste mesmo pensamento; porque aquele que padeceu na carne já cessou do pecado" (1 Pe 4.1).

Ao escrever sobre o tema geral das objeções à doutrina do decreto divino e com uma palavra apropriada de advertência, o Dr. Dick afirma:

Pode não servir para um grande propósito juntar objeções contra a infalibilidade dos decretos divinos, ou contra a responsabilidade dos homens; ouvi-las quando propostas por outros; revolvê-las em nossas mentes; ficar perplexos com as tentativas de respondê-las; permitir a nós mesmos ficar inquietos e duvidar por causa de nossos esforços não serem vitoriosos. Embora devêssemos provar para a nossa satisfação, como muitos têm feito com as suas, que os decretos de Deus não são absolutos, ou que o homem não é livre, tudo o que ganhamos é confirmar as nossas mentes na crença de uma falsidade; pois ambas as doutrinas devem ser verdadeiras, porque elas são expressamente declaradas nas Escrituras. Devemos nos curvar diante da autoridade delas; e pela decisão delas regulemos os nossos pensamentos e a nossa conduta. Se ainda opomos os nossos raciocínios a ditames delas, devemos seguir o nosso curso; mas sejamos cuidadosos, a fim de que não nos encontremos em infidelidade e ateísmo, e procuremos um refúgio para nossas dúvidas na rejeição da revelação, porque ela inculca verdades que nos parecem contraditórias, ou, numa conclusão triste, que vivemos num mundo órfão, onde a casualidade domina, em que o homem é o fantasma do momento, o esporte do acidente e da paixão, e que, como ele não sabe de onde veio, assim ele não pode dizer para onde vai. Em oposição a essa conclusão ímpia e desconfortável, sustentemos o credo que está de acordo com a razão assim como de acordo com a revelação, em que o Ser Supremo governa os afazeres do Universo que Ele criou; que todas as criaturas são dependentes dele, e todos os eventos estão sujeitos ao seu controle; que enquanto bons homens lhe obedecem por escolha, a ira e as paixões instáveis dos homens maus são subservientes ao seu desígnio; que enquanto o seu poder todo-poderoso os inclina para o seu propósito, Ele é um governador moral e juiz, cuja justiça será exibida na punição dos transgressores, mesmo por aquelas ações que foram os meios de executar os seus próprios decretos.[129]

4. Principais Manifestações do Decreto Divino.

Várias manifestações importantes do decreto divino deveriam ser observadas especificamente:

A. Criação. A narrativa bíblica da criação declara que de sua própria livre vontade, e não de necessidade, e por um ato, antes que por um processo, Deus criou do *nada* todas as coisas que existem. Uma distinção é feita entre a revelação de que uma causa suficiente, na pessoa do Deus eterno, criou todas as coisas do *nada*, e a noção ateísta de que a matéria é tanto eterna quanto auto-evoluída. A frase *creatio prima seu immediata* denota aquela forma da criação que trouxe todos os elementos necessários à existência. A frase *creatio secunda seu mediata* denota um ato subseqüente de Deus pelo qual Ele trouxe ordem e forma ao caos que se seguiu à criação original. Esta é a ordem dos eventos como apresentada nos versículos iniciais da Bíblia. Há três atitudes gerais para com a narrativa bíblica da criação, a saber: (a) que ela é somente alegórica; (b) que ela é a base para um processo espiritualizante de ensino; e (c) que ela é histórica.

A última atitude mencionada é a única que se conforma à narrativa dada em Gênesis e a mais de cinqüenta afirmações subseqüentes em todo o texto sagrado (cf. Sl 33.6; 148.5). Através de toda a Bíblia, Deus é honrado como o criador soberano, e todas as coisas que criou são absolutamente dependentes dEle (cf. Ne 9.6; At 17.28; Rm 11.36; 1 Co 8.6; Cl 1.16; Ap 4.11). A Bíblia também assevera que Deus existia antes das coisas que Ele criou (cf. Sl 90.2; Jo 17.5,24). A Bíblia atribui claramente a obra da criação a cada uma das três pessoas da Trindade separadamente – ao Pai (1 Co 8.6); ao Filho (Jo 1.3; Cl 1.16,17; Hb 1.10-12); ao Espírito (Gn 1.2; Jó 26.13; 33.4; Sl 33.6; 104.29,30; Is 40.13); e a Deus – *Elohim*, o nome plural de Deus (Gn 1.1,26).

Deve ainda ser observado que, visto que somente Deus existia antes da criação do Universo, Ele deve ter criado todas as coisas para o seu próprio prazer e para que, por sua dignidade, pudesse ser glorificado.

B. O Programa das Dispensações. O propósito irrestrito e soberano de Deus é visto na ordenação da sucessão das eras. Que Deus tem um programa das eras é revelado em muitas passagens (cf. Dt 30.1-10; Dn 2.31-45; 7.1-28; 9.24-27; Os 3.4,5; Mt 23.37 a 25.46; At 15.13-18; Rm 11.13-29; 2 Ts 2.1-12; Ap 2.1 a 22.31). Igualmente, há períodos bem definidos de tempo relacionados ao propósito divino. O apóstolo Paulo escreve a respeito do período entre Adão e Moisés (Rm 5.14); João fala da lei dada por Moisés, mas da graça e da verdade como procedentes de Cristo (João 1.17). Cristo também fala dos "tempos dos gentios" (Lc 21.24), que são evidentemente distintos dos "tempos e estações" dos judeus (At 1.7; 1 Ts 5.1). Igualmente, Ele falou do período até então não anunciado entre os seus dois adventos e indicou os seus aspectos distintivos (Mt 13.1-51), e predisse um tempo ainda futuro de "grande tribulação" e definiu o seu caráter (Mt 24.9-31).

Há os "últimos dias" para Israel (Is 2.1-5) assim como os "últimos dias" para a Igreja (2 Tm 3.1-5). O apóstolo João prevê um período de mil anos e o relaciona ao reino de Cristo, tempo em que a Igreja, sua noiva, reinará com Ele (Ap 20.1-6). Que Cristo se sentará no trono de Davi e reinará sobre a casa de Jacó para sempre está declarado pelo anjo Gabriel (Lc 1.31-33), e que haverá um novo céu e uma nova terra permanentes está muito claramente revelado (Is 65.17; 66.22; 2 Pe 3.13; Ap 21.1). Em Hebreus 1.1,2, um agudo contraste é visto entre "o tempo passado", quando Deus falou aos pais pelos profetas e os "últimos dias", quando Ele nos fala através de seu Filho. Semelhantemente, está claramente mostrado que houve *eras passadas* (Ef 3.5; Cl 1.26), há *era presente* (Rm 12.2; Gl 1.4) e haverá *era* ou *eras vindouras* (Ef 2.7; Hb 6.5; observe Ef 1.10), onde a era futura é chamada de *dispensação* – οἰκονομία – plenitude – πλήρωμα – dos tempos – καιρός).

O uso de αἰῶνας em Hebreus 1.2 e 11.3, com a sua referência a tempo como quase universal, de forma limitada ou ilimitada, é de importância especial quando diz respeito aos arranjos divinos de períodos de tempo. O primeiro uso de ἐποίησεν τοὺς αἰῶνας e o último uso de κατηρτίσθαι τοὺς αἰῶνας têm sido muito discutidos. Dean Alford afirma: "As classes principais de intérpretes são duas: (1) Aqueles que vêem na palavra o seu significado ordinário de uma 'era de tempo'; (2) Aqueles que não reconhecem tal significado, mas o supõe como tendo sido incorporado ao 'mundo' ou 'os mundos'. Ao primeiro grupo pertencem os pais gregos e alguns outros. Por outro lado, ao segundo grupo pertence a maioria dos comentadores".[130]

Em diversas passagens, inclusive as duas em questão, Vincent declara que αἰῶνας se refere ao "universo, o agregado das eras ou períodos, e seus conteúdos que estão incluídos na duração do mundo". A palavra, ele afirma, "significa um período de tempo. De outra forma, seria impossível explicar o plural, ou tais expressões qualificantes como *esta* era, ou a era *vindoura*"[131]

Quando consideramos o significado aceito de αἰῶνας, a interpretação natural da passagem em questão é a de que Deus, por meio de Cristo, formulou períodos sucessivos, muito além de καιρός dentro de χρόνος, e estendeu, de fato, as coisas eternas ou de eternidade a eternidade. Esta interpretação, de acordo com Alford, sustentada pelos gregos, ainda que não livre de dificuldade, é de importância considerável para aqueles que discernem o fato, a força e a realização dos períodos de tempo de Deus.

c. PRESERVAÇÃO. Esta forma da atividade divina é apenas a obra de continuação de Deus pela qual Ele mantém e consome os objetos de sua criação. A doutrina da *preservação* responde à reivindicação da filosofia deísta, e assevera que o decreto soberano de Deus será aperfeiçoado para sempre (cf. Ne 9.6; Sl 36.6; Cl 1.17; Hb 1.2,3).

d. PROVIDÊNCIA. Além disso, Deus é revelado na providência como Aquele soberano que, após ter revelado seus propósitos eternos, molda todos os eventos, sejam eles morais ou físicos. Enquanto a preservação mantém a existência das coisas, a providência dirige o progresso delas. Ela se estende a todas as obras de Deus. Dr. A. A. Hodge explica da seguinte forma a providência bíblica:

> Tendo Deus absolutamente decretado desde a eternidade tudo o que vai acontecer, e tendo no começo criado todas as coisas do nada pela palavra do seu poder, e continuando subseqüentemente presente em cada átomo de sua criação, sustentando todas as coisas em existência e na posse e exercício de todas as propriedades delas, Ele também controla continuamente e dirige as ações de todas as suas criaturas assim preservadas, de modo que conquanto nunca viole a lei das naturezas diversas delas, Ele todavia infalivelmente causa todas as ações e eventos singulares e universais, para que ocorram de acordo com um plano eterno e imutável abrangido por seu decreto. Há um desígnio na providência. Deus escolheu o seu grande fim, a manifestação de sua própria glória, mas, a fim de atingir esse fim, Ele determinou outros inumeráveis e subordinados fins; eles estão fixamente determinados; e Ele destinou todas as ações e eventos em suas diversas relações como meios para aqueles fins; e Ele continuamente dirige as ações de todas as criaturas que todos esses fins gerais e especiais são realizados exatamente no tempo, pelos meios, e nos modos e debaixo das condições, que Ele determinou desde a eternidade.[132]

A doutrina da providência pode ser estendida para abranger quase tudo o que entra tanto no teísmo naturalista quanto no teísmo bíblico. Ela tem naturalmente uma divisão quádrupla: (a) *Preventiva* (cf. Gn 20.6; Sl 19.13). Deus usa pais, governos, leis, costumes, opinião pública, Sua Palavra, Seu Espírito, e a consciência como meios de impedir providencialmente o mal. O Espírito, a Palavra e a oração são de grande vantagem para o cristão; (b) *Permissiva*, que abrange aquele que Deus não restringe (cf. Dt 8.2; 2 Cr 32.31; Os 4.17; Rm 1.24, 28); (c) *Diretiva*, pela qual a ação de Deus guia os caminhos dos homens e freqüentemente sem que eles tenham consciência dessa orientação (cf. Gn 50.20; Sl 76.10; Is 10.5; João 13.27; At 4.28); (d) *Determinativa*, pela qual Deus decide e executa todas as coisas segundo o conselho de sua própria vontade.

A providência de Deus assim combina com a liberdade humana que, embora os caminhos de Deus sejam certos, não é *fatalismo* em sentido algum. Igualmente, a providência de Deus é o oposto do acaso. O cuidado divino inclui o menor detalhe da vida assim como os seus aspectos maiores. Certos atributos de Deus exigem o exercício de sua providência. A sua justiça impele-o a assegurar todo o bem moral; a sua benevolência impele-o a cuidar dos seus; a sua imutabilidade assegura que o que Ele começou Ele vai completar; e o seu poder é suficiente para executar todos os seus desejos.

E. Oração. Embora Deus condicione certas ações dos seus sobre a oração, não se segue que essas coisas assim condicionadas sejam certas. Este, novamente, é o problema das vontades divina e humana combinadas de tal modo a perceber o propósito divino exato através da escolha livre dos homens. A oração eficaz é para a glória do Pai (Jo 14.13), no nome do Filho (Jo 14.14), e no poder capacitador do Espírito Santo (Rm 8.26,27). A aquiescência com essas condições assegura que a vontade humana está de acordo com a vontade divina. Na verdade, coisas transformadoras podem ser produzidas pela oração, mas somente coisas compatíveis com a vontade e propósito de Deus. Por que, então, deveriam ser feitas as orações? Somente por causa do fato de que o propósito divino, que a resposta à oração apresenta, inclui o aspecto da oração. É porque está decretado que será feito em resposta à oração. "Devemos acrescer a isto que a verdadeira oração não é meramente humana, mas sustentada e levada a efeito pelo Espírito divino como o Espírito de oração, e que tem em tal grau um caráter profético, em que a providência de Deus é uma com o pressentimento do homem. Daí o selo da oração pelo Amém... A oração provém da eterna liberdade do Filho, e volta-se para a eterna liberdade do Pai."[133]

F. Milagres. Aquilo que no mundo físico ultrapassa todos os poderes morais ou humanos conhecidos e, portanto, é atribuído a agências sobrenaturais, é chamado de milagre. É um poder suficiente que age fora da esfera das causas e efeitos naturais. Mas os milagres não sugerem que Deus tenha introduzido alguma coisa não prevista em seu propósito eterno, pois o milagre, como todas as outras coisas, está incluso no seu plano eterno. Os milagres são vistos dessa forma apenas pelos homens; para Deus eles são apenas eventos extraordinários na providência divina. Embora os milagres sejam maravilhas (At 2.19) aos homens e evidenciem o poder de Deus, o verdadeiro propósito deles é o de um "sinal" (Mt 12.38; Jo 2.18). Eles certificam e autenticam um mestre ou sua doutrina. Por esta razão, a falsa doutrina tem sempre lançado mão de ocorrências supostamente sobrenaturais, para estabelecer suas alegações. Satanás é reconhecido por seu poder miraculoso (2 Ts 2.9; Ap 13.13-15). Visto que a Palavra de Deus foi escrita em tal perfeição e é preservada, não há necessidade adicional de sinais. A presente necessidade é de orientação do Espírito para toda a verdade, cujo ministério é proporcionado para todos aqueles que se lhes submetem.

G. Graça. Embora muitos objetivos sejam revelados, o propósito supremo de Deus na criação parece ser a demonstração de sua *graça*. A manifestação da graça divina como se vê em Cristo (Tt 2.11) e como será demonstrada pelos redimidos na glória (Ef 2.7), não somente está dentro do decreto divino, mas é um aspecto importante desse decreto.

Conclusão

Como foi insinuado no começo desta discussão sobre a doutrina do decreto divino, as coisas secretas de Deus não podem ser resolvidas pela mente finita. Isso foi tentado tanto quanto caberia a qualquer um tentar, a saber, alguns desentendimentos desnecessários foram examinados; e se os problemas foram solucionados nesse grau, o trabalho não é em vão.

Na conclusão da tradução de cerca de 65 páginas sobre o decreto de Deus e da predestinação escrito por Hermann Venema nas suas *Institutes of Theology*, o tradutor – Alex. W. Brown – escreve um comentário que bem serve como uma observação concludente ao que foi dito aqui sobre essa parte difícil da teologia:

Depois de uma discussão longa e habilidosa pelo autor sobre o assunto da predestinação, confessamos que nos sentimos exatamente no mesmo lugar onde estávamos. Na tentativa de reconciliar a doutrina da eleição com a universalidade da oferta do Evangelho e com a expressa vontade de Deus de que os homens não morram, ele somente mudou a dificuldade, mas ele não a removeu. O fato é que essas coisas são sem esperança de serem reconciliadas em nosso presente estado, e aqueles que fizeram a tentativa teriam feito muito melhor sem ela. Ela é uma verdade revelada na Escritura que todos que são ou que serão salvos estão e estarão nessa condição em conseqüência do propósito eterno de Deus. Em outras palavras, todos os crentes são pessoas eleitas, escolhidas em Cristo antes da fundação do mundo, e que ninguém crerá em Cristo e será participante de sua salvação exceto aqueles que são sujeitos desse propósito ou decreto divino. Está também revelado nas Escrituras que há um propósito divino em relação àqueles que não são eleitos ou escolhidos. Pensamos que é impossível admitir um sem admitir o outro. A eleição é um ato da mente sobre a parte de Deus em relação a alguns – reprovação ou preterição ou qualquer outro nome que possa ser empregado, é também um ato da mente sobre a parte de Deus em relação a outros – a quem ele recusou-se a escolher. Realmente lemos, por exemplo, que os nomes de alguns foram escritos no livro da vida? Lemos também que os nomes de outros não foram escritos. Encontramos alguns mencionados como vasos de misericórdia preparados de antemão para a glória? Encontramos outros de quem se fala como vasos de ira preparados para a destruição. É dito que alguns foram escolhidos em Cristo antes da fundação do mundo? É também dito que outros foram antecipadamente ordenados para a condenação, que tropeçam na palavra, sendo desobedientes, para o que foram colocados. Ora, devemos tomar a palavra de Deus como a encontramos e receber as suas afirmações como verdadeiras com quaisquer que sejam as dificuldades que a recepção delas possam trazer. Podemos não ser capazes de ver quanto a existência desses decretos pode coexistir com a liberdade e a responsabilidade humanas ou com a justiça e a bondade de Deus. Mas o fato é que nada temos a ver com a reconciliação dessas coisas aparentemente contrárias. Isso está no domínio de Deus, não no nosso. Se achamos que ambas as coisas estão claramente reveladas, estamos obrigados a receber ambas. A nossa razão de ficar silente diante disso e de cada mistério contido em sua palavra. Isto deve ser tratado como Zacarias foi tratado pelo anjo. Quando o sacerdote a quem ele comunicou as alegres novas do nascimento de um filho, perguntou: "Como saberei isto?", o anjo fechou sua boca: "Ficarás mudo", ele disse. Exatamente como Hagar, enquanto obediente a Sara, foi considerada como serva, mas quando ela usurpou e contradisse e que não mais se submeteria a Sara, foi expulsa da casa de Abraão, assim a razão, enquanto sujeita à revelação, deve ser considerada como uma serva útil, mas no momento em que ela começa a se opor à fé, ela deve ser abandonada e lançada fora conforme a lei dada àquele que está investido de autoridade à qual ela deveria humilde e desejosamente se submeter. O dever daqueles que pregam e ouvem o Evangelho em relação a essa dificuldade é claro. As doutrinas da eleição e da reprovação devem ser cridas porque Deus as revelou. Mas na entrega da mensagem de misericórdia o pregador nada tem a ver com elas – ele deve proclamar aquela mensagem como se essas coisas não existissem, e não mais permiti-las interferir com sua apresentação a toda a oferta de uma salvação livre e plena em Cristo, como um médico faria no exercício de sua profissão. Há predestinação neste último caso como no primeiro – uma predestinação que abrange tanto os fins quanto os meios. Alguns foram destinados para morrer, outros para se recuperar. Mas ele trata com todos, como se sua capacidade em cada caso fosse seguida de sucesso. A mesma coisa é verdadeira em relação àqueles que ouvem o Evangelho. O fato de que Deus escolheu alguns para a vida eterna e deixou o restante de lado não deveria interferir com o dever que recai sobre eles de procurarem ser salvos, assim como o fato do decreto de Deus se estender a todas as ocupações comuns da vida não deveria interferir em grau algum com a atenção que eles deveriam dar a eles. A regra do dever deles em ambos os casos não é o que Deus determinou, mas o que Deus disse. Todos os eventos estão preordenados – aqueles que dizem respeito às coisas temporais assim como aqueles que dizem respeito à condição espiritual. Sem levar em conta o fato de que o dia e a hora da morte deles já estão fixados, eles não podem deixar este mundo antes, e além do que todos os esforços deles não podem levá-los, não obstante eles trabalham tão exaustivamente como se a preservação da vida deles dependesse somente do próprio empenho deles; do mesmo modo, sem procurar penetrar os mistérios do governo de Deus nos assuntos espirituais, eles deveriam se submeter à afirmação de que "aquele que crê será salvo", e laborar tão diligentemente no uso dos meios para a salvação como se o sucesso dela dependesse totalmente deles próprios. Que todos eles se esforcem para provar o chamado deles com a oferta de misericórdia que lhes foi oferecida e que lutem para fazer a vontade do Pai celestial deles, e então, eles possam descansar certos de sua eleição.[134]

CAPÍTULO XVI

Os Nomes da Divindade

COMO NENHUM ARGUMENTO é apresentado no Antigo Testamento para provar a existência de Deus, assim igualmente não há um argumento desenvolvido para demonstrar que Deus pode ser conhecido. Os homens daquela época conheciam Deus por causa da sua presença com eles. Esta verdade não sugere a sua aparência corporal. Na verdade, há pouca cousa que se aproxime de uma concepção física nem, de outro lado, há muita doutrina que estabeleça o fato da essência divina. A apresentação que o Antigo Testamento faz de Deus é quase toda ética. Com referência ao modo em que Deus é revelado, o Dr. A. B. Davidson em sua *Theology of the Old Testament* afirma:

A peculiaridade da concepção do Antigo Testamento aparece melhor quando a pergunta é levantada, *como* Deus é conhecido. Aqui tocamos na idéia fundamental do Antigo Testamento – a idéia da *Revelação*. Se os homens conhecem Deus, é por causa do fato de Ele fazer-se conhecido a eles. Este conhecimento é devido ao que Ele faz, não ao que os próprios homens realizam. Como Deus é a fonte de toda vida, e como o conhecimento de Ele é a vida mais elevada, esse conhecimento não pode ser alcançado por qualquer mero esforço do homem. Se o homem tem qualquer coisa de Deus, ele o recebeu de Deus, que se comunica em amor e graça. A idéia do homem chegar a um conhecimento de Deus ou comunhão com Ele através de seus próprios esforços é totalmente estranha ao Antigo Testamento. Deus fala, Ele aparece; o homem ouve e observa. Deus aproxima-se dos homens; Ele entra num pacto ou relação pessoal com eles; Ele estabelece mandamentos para eles. Eles o recebem quando Ele aborda; eles aceitam sua vontade e obedecem às suas ordens. Moisés e os profetas em lugar algum são apresentados como mentes pensantes que refletem sobre o Invisível, e tiram conclusões com respeito a Ele, ou a respeito de elevados conceitos da divindade. O Invisível se manifesta perante eles, e eles o conhecem... Mas, conquanto muita coisa do Antigo Testamento repousa na base de que todo conhecimento de Deus vem dele revelar-se a si mesmo, e que há tal real e verdadeira revelação, está longe de sugerir que essa revelação de Deus seja uma exibição plena dele como Ele realmente é. Uma comunicação exaustiva de Deus não pode ser feita, porque a criatura não pode absorvê-la. Talvez nem o próprio Deus possa comunicar-se como Ele é. Daí, Moisés viu somente uma forma, viu somente as costas dele. Sua face não poderia ser contemplada. Assim, para os patriarcas, Ele apareceu com forma humana. Assim, no tabernáculo a sua presença foi manifesta na fumaça que pairava sobre a Arca. Assim, também, no Éden ele foi conhecido como presente nos querubins, que eram a carruagem divina sobre a qual Ele andava. Todas essas coisas significavam a sua presença, enquanto que ao mesmo tempo davam a entender que Ele em si mesmo não poderia ser visto.[135]

Os nomes bíblicos das pessoas têm um significado que usualmente transmite alguma impressão com relação ao caráter intrínseco daquele que leva o nome. Essa verdade é acentuada pelo fato de que, quando uma pessoa adquiria alguma nova significação, o nome era mudado adequadamente – de Abrão para Abraão, de Jacó para Israel, de Salomão para Jedidias. O próprio Deus chama Moisés e Ciro pelo nome. A revelação do caráter através de um nome é também verdade a respeito da divindade num grau absoluto. Deus não somente inspirou as páginas onde os seus nomes aparecem, mas Ele anunciou ou revelou seus nomes especificamente aos homens e com referência especial ao significado deles. No princípio, Adão deu nomes a todas as coisas que Deus criara, mas os nomes de Deus são auto-revelados. Assim, o estudante chega a essa altura no campo da especulação inútil. Uma revelação de longo alcance está envolvida, e a verdade com relação a Deus que não é descoberta de outro modo e por nenhum outro meio. Uma grande ênfase, portanto, deveria ser dada a essa fonte de verdade. Toda a investigação teísta é com o propósito em vista de que a realidade que Deus é pode tornar-se conhecida pelo homem, e deveria ser dada atenção aos nomes divinos e ao significado deles, o que seria muito vantajoso.

O Dr. W. Lindsay Alexander escreve: "No processo de considerar as revelações bíblicas concernentes a Deus, a primeira coisa que exige a nossa atenção são os *nomes* pelos quais Deus designa-se a si mesmo. Como a Bíblia professa tornar conhecido de nós, não Deus como Ele é em si mesmo, mas o seu *nome* ou manifestação externa de si próprio às suas criaturas inteligentes, assim Ele estabelece importância especial nas palavras pelas quais essa manifestação nos é apresentada. Todos os nomes pelos quais a Bíblia designa Deus são significativos. E assim cada um deles permanece como um símbolo de alguma verdade a respeito dEle que Ele queria que recebêssemos. Tudo isso nos exprime a importância de que deveríamos apreender corretamente a importância dos nomes divinos na Escritura".[136]

Na verdade, notável é a ocorrência do fato de que os nomes da divindade dividem-se em grupos de três. Alguns dos exemplos são: (1) os três nomes principais da divindade no Antigo Testamento – *Jeová, Elohim,* e *Adonai*; (2) três importantes nomes compostos com Jeová – *Jeová Elohim, Adonai Jeová, Jeová Sabaoth*; (3) três compostos com El – *El-Shaddai, El Elyon,* e *El Olam*; (4) três classes gerais de nomes divinos – um nome próprio e peculiar Jeová, apelativos tais como *Elohim* e *Adonai*, e atributivos e tipos epitéticos tais como *Todo-poderoso* e *Deus dos Exércitos*; (5) título pleno da divindade no Novo Testamento – *Pai, Filho* e *Espírito Santo*; (6) título pleno da segunda pessoa – *Senhor Jesus Cristo*; e (7) a distinção trinitária – a *primeira pessoa*, a *segunda pessoa*, e a *terceira pessoa*.

I. Os Nomes Principais da Divindade no Antigo Testamento

Os títulos principais do Antigo Testamento não apresentam uma revelação individualizada das três pessoas, mas antes três realidades caracterizadoras dentro da divindade. Em adição a outros vários significados, o nome *Jeová* exibe as profundezas mais interiores do Ser divino, o nome *Elohim*, por ser plural em sua forma, dá a entender o fato das três pessoas, e o nome *Adonai* proclama a autoridade divina. Como indicado acima, o nome *Jeová* – impresso nas nossas versões como Senhor e Deus, com as primeiras letras em maiúsculo – é divinamente reservado para o seu serviço inefável como o nome da divindade mais impoluto que não é compartilhado com alguém. *Elohim* e *Adonai* são impressos como 'Senhor', somente com a letra inicial em maiúsculo. Nenhum estudo filológico completo dos vários nomes da divindade será apresentado nesta tese, pois este exercício pertence propriamente ao campo das línguas originais.

1. Jeová. Não obstante toda a pesquisa que os eruditos têm feito com o nome *Jeová*, pouco é conhecido além do que está preservado no texto sagrado. A sua pronúncia original foi perdida, e isto é devido basicamente à má vontade dos judeus durante muitos séculos em pronunciar o seu nome. Se a atitude deles nesse caso foi chamada de superstição ou reverência, não faz diferença com relação à perda em si mesma. O nome *Jeová* é mais plenamente definido nas Escrituras com relação ao seu significado do que todos os outros títulos da divindade juntos. Nos salmos, o original aparece algumas vezes numa forma contrata, *Jah*, que é a sílaba concludente de *hallelujah* (cf. Sl 68.4).

Alguma perplexidade tem surgido do fato de que esse nome aparece muitas vezes nas Escrituras (notadamente, Gn 15.2) antes de ser declarado em Êxodo 6.3: "Apareci a Abraão, a Isaque e a Jacó, como o Deus Todo-poderoso, mas pelo meu nome Jeová, não lhes fui conhecido". Isto parece ser uma contradição. Há duas explicações: (a) que o nome foi usado livremente de Adão a Moisés, como as Escrituras registram, mas que o seu significado não foi revelado naquele tempo; (b) que ele aparece no texto como um procronismo ou uma prolepse, termos esses que sugerem que, como Moisés escreveu a narrativa do Gênesis, ele usou para designar a divindade, mas as pessoas daquelas muitas gerações anteriores não usaram esse nome. Esta última explicação falha em todos os pontos onde está registrado que os homens realmente falaram com a divindade como Jeová (cf. Gn 15.2), enquanto que a solução anterior, ainda que não livre de problemas, parece ser a mais razoável.

Não importa qual título seja usado, está óbvio que a Escritura não lança luz, além de inferência, sobre o significado do nome até que ele seja especificamente revelado a Moisés. Mesmo o próprio Moisés parece carecer de instrução a respeito desse título quando a explicação lhe veio (cf. Êx 3.14). A nova revelação é de Jeová como aquele que é auto-existente – EU SOU O QUE SOU –, e a palavra *hayah*, cf. *Yahwe*, da qual a palavra Jeová é evidentemente formada, comunica também a idéia de um contínuo vir a ser, isto é, por uma revelação sempre crescente. Assim, por esse cognome fica revelado que Jeová é "Aquele auto-existente que se revela".

Com respeito a esta frase, o Dr. Gustav Friedrich Oehler escreve: "O nome significa *Aquele que é*, de acordo com Êxodo 3.14; mais particularmente, *Aquele que é o que é*. Mas como ele não dá a idéia de uma *existência contínua* que repousa no verbo *havah* ou *hayah*, mas sim o da *existência em movimento*, de se tornar e de ocorrer... assim também a forma do nome quando derivada do imperfeito leva-nos a entender nela a existência de Deus, não como uma existência em repouso, mas como aquela que sempre vem a ser, sempre se torna conhecida num processo de vir a ser. Daí ser errado achar no nome a noção abstrata de ὄντως ὄν. Deus é antes *Jahwe* desde que entrou em uma relação *histórica* com a raça humana, e em particular com o povo escolhido de Israel, e mostra-se continuamente nessa relação histórica como Aquele que é, e que é o que é. Enquanto o paganismo repousa quase que exclusivamente sobre as revelações *passadas* de suas divindades, esse nome testifica, por outro lado, que a relação de Deus com o mundo está num estado de atividade viva contínua; ele testifica, especialmente com referência aos povos que se dirigem a Deus por esse nome, que eles têm em seu Deus um futuro".[137]

A designação *Jeová* aparece no Texto Sagrado após a criação do homem e é geralmente usada onde os relacionamentos entre Deus e o homem estão envolvidos, e especialmente na redenção do homem. É com respeito à redenção de Israel do Egito que o verdadeiro significado do termo é elucidado. Todos os atributos divinos que participam na redenção são mostrados – santidade, justiça e amor pelo pecador. É com o Redentor deles que Israel tem a ver e, portanto, seus pactos com eles estão basicamente debaixo do nome *Jeová* (cf. Êx 20.2; Jr 31.31-34).

Foi o próprio Jeová que comunicou a Moisés o significado desse título: "O Senhor desceu numa nuvem e, pondo-se ali junto a ele, proclamou o nome Jeová. Tendo o Senhor passado perante Moisés, proclamou: Jeová, Jeová, Deus misericordioso e compassivo, tardio em irar-se e grande em beneficência e verdade; que usa de beneficência com milhares; que perdoa a iniqüidade, a transgressão e o pecado; que de maneira alguma terá por inocente o culpado; que visita a iniqüidade dos pais sobre os filhos e sobre os filhos dos filhos até a terceira e quarta geração" (Êx 34.5-7); "Respondeu-lhe o Senhor: Eu farei passar toda a minha bondade diante de ti, e te proclamarei o meu nome Jeová; e terei misericórdia de quem eu tiver misericórdia, e me compadecerei de quem me compadecer" (Êx 33.19); "Conhecido é Deus em Judá, grande é o seu nome em Israel" (Sl 76.1).

O nome, como revelado a Moisés, é, primeiro de tudo, a revelação da verdade da *eternidade* da divindade. Tal revelação devia ser esperada e deveria ser dada atenção a ela. Jeová *vive* como nenhum outro ser vive. Ele não é causado, mas é, antes, a causa de tudo o que existe. Ele é imutável, infinito e eterno. As Escrituras conduzem os pensamentos dos homens para essas concepções elevadas. Ele não muda (Ml 3.6); como Rei, Ele deve reinar para sempre (Sl 10.16; 99.1; 146.10); Ele é o Autor e o Criador de todas as coisas e o Governador universal delas (Am 5.8; Sl 68.4; Jr 32.27). Nenhum judeu instruído que estivesse presente perdeu de vista o fato de que Cristo asseverou de si mesmo como o "Eu sou", o *Jeová* do Antigo Testamento. O registro declara: "Abraão, vosso pai, exultou por ver o meu dia; viu-o e alegrou-se. Disseram-lhe, pois, os judeus: Ainda não tens cinqüenta anos, e viste Abraão? Respondeu-lhes Jesus: Em verdade, em verdade vos digo que antes que Abraão existisse, eu sou. Então pegaram em pedras para lhe atirarem; mas Jesus ocultou-se, e saiu do templo" (Jo 8.56-59).

Como foi observado anteriormente, a confusão ocorre com respeito ao nome Jeová a partir do fato de que, por muitos séculos – os reais séculos em que uma grande parte do Antigo Testamento foi escrita – o povo judeu, por pura reverência, recusou-se até a pronunciar esse nome, e quando esse vocábulo foi escrito em sinais vocálicos pertencentes a outro título da divindade foram acrescidos ao nome *Jeová* pelos quais o leitor foi direcionado na substituição de outra designação. Assim, a escrita do nome *Jeová* no texto é complexa. A ausência da pronúncia real desse nome pode ser julgada como mera superstição; mas claramente ela foi uma tentativa de reverência, ainda que mal orientada, e sem dúvida essa prática, com todos os seus resultados confusos, serviu para criar uma profunda impressão em todos quanto ao caráter inefável de Deus.

2. ELOHIM. Este nome muito freqüentemente usado no Antigo Testamento aparece algumas vezes como *El*, ou *Eloah*. A designação El remonta o uso através de escritos babilônicos, fenícios, aramaicos, arábicos ou mesmo hebraicos. Em algum grau, ele pertence a todo mundo semítico. *Elohim* é o plural e *Eloah* o singular, e este último aparece usualmente na poesia sagrada. A derivação desse nome é naturalmente problemática. Alguns acham que a sua raiz significa *O Forte*, e outros acham que a raiz denota *temor*, e disto é alegado a idéia de onde surge a noção de reverência (Gn 31.42,53). J. B. Jackson, em seu *Dictionary of Scripture Proper Names* (p. viii), declara que "alguns nomes são capazes de ser derivados, com igual exatidão, de duas, ou mesmo três raízes diferentes, como *e.g.* quando a raiz é aquela com um radical frágil, ou se duplica o segundo radical, a inflexão de tais verbos sendo similar em algum grau". Sem dúvida tudo que essas duas raízes-idéias originam quanto ao significado de Elohim é verdadeiro. Ele é O Forte que é fiel a todos os seus pactos que deve ser reverenciado e temido por causa daquilo que Ele é. Uma atribuição de louvor e em si mesmo reveladora do significado do nome, não diferente daquele de Jeová em Êxodo 34.5-7, é dada no Salmo 86.15, onde está escrito: "Mas tu, Senhor, és um Deus compassivo e benigno, longânimo, e abundante em graça e em fidelidade".

Até recentemente, os teólogos criam que a forma plural de *Elohim* com as suas combinações variantes com pronomes, adjetivos e verbos, seja no singular ou no plural, indicava a trindade do Ser em uma Essência. Oehler dá a Dietrich o crédito (1846) da primeira negação da idéia de que a forma plural sugere a trindade de pessoas, embora Richard Watson se refira a Buxtorf (o mais jovem, 1599-1664) como "oposto" à crença geral da Igreja e Buxtorf sugere que ele segue certos judeus nessa oposição. Contudo, ele admite que é tão difícil ler poderes *ad extra* nessa forma plural quanto é ler *ad intra* uma pluralidade de pessoas.[138] O pensamento de Dietrich, semelhante ao de Busfort, é o de que a forma plural não é numérica, mas quantitativa, e denota uma grandeza ilimitada.

Oehler chamou-o um plural de "plenitude infinita"; Delitzsch chamou-a de um "plural intensivo".[139] Outros asseveram que é um "plural de majestade". Dietrich tem o apoio no tempo presente de todos que abraçam a escola moderna de teologia, enquanto que alguns teólogos e a maioria de expositores pendem para a crença original. Os argumentos desenvolvidos por essa violenta fuga da crença tão antiga têm sido examinados e nada se encontrou além de uma opinião humana.

Em oposição a isso, há considerações importantes a serem observadas:

(A) A Bíblia inicia-se com uma afirmação de que *Elohim* é o Criador e a forma plural é reconhecida pelos pronomes plurais, da seguinte forma: "E disse Deus: Façamos o homem à nossa imagem, conforme a nossa semelhança" (Gn 1.26); novamente, "criou, pois, Deus o homem à sua imagem; à imagem de Deus o criou; homem e mulher os criou" (Gn 1.27). O pronome plural em um caso e o singular no outro legitimam a idéia de que *Elohim* pode servir para indicar a pluralidade de pessoas, ou a sua única Essência. Em outras passagens, a Palavra de Deus distintamente atribui a obra da criação a cada uma das três pessoas separadamente (Gn 1.1,2; Cl 1.16). Portanto, é tanto razoável quanto consistente que o plural das pessoas divinas seja indicado na narrativa do Gênesis a respeito da criação. De grande importância é o Salmo 100.3 nesse ponto, visto que ele também atribui a criação a *Elohim*: "Sabei que o Senhor é Deus! Foi ele quem nos fez, e somos dele; somos o seu povo e ovelhas do seu pasto".

(B) Além disso, o fato da trindade de pessoas na divindade é um dos ensinos cardeais da Bíblia e toca no centro do Ser divino, e o fato que é o propósito dos nomes divinos revelar o seu Ser propicia a suposição mais forte de que a doutrina da Trindade está incluída na revelação que os nomes pressagiam. Certamente, nada novo ou desordenado é introduzido se um dos nomes divinos revela a forma plural do Ser na divindade. Dificilmente poderia ser de forma diferente.

(C) Embora a doutrina da Trindade não seja tão conspícua no Antigo Testamento como o é no Novo Testamento, ela está ali, e ela naturalmente está inerente nos nomes pelos quais Deus especificamente se revela aos homens. A consideração mais ampla da doutrina da Trindade encontrada no Antigo Testamento vai ser estudada numa posterior divisão da Teontologia. Nenhum argumento suficiente foi desenvolvido de forma contrária. Essa tese procede com base na crença antiga e digna de que a trindade de pessoas está implícita na forma plural do nome *Elohim*.

Deuteronômio 6.4 é uma passagem de grande importância para a presente discussão: "Ouve, ó Israel; o Senhor nosso Deus [Elohim] é o único Senhor [Jeová]". Talvez a palavra chave para o significado dessa passagem seja *'eḥādh*, aqui traduzida como 'único'. Esta palavra, freqüentemente encontrada no texto do Antigo Testamento, é, no entanto, bem específica em seu significado. Conquanto seja usada muitas vezes com ênfase particular sobre a solidariedade distinta da coisa representada, ela é a palavra universalmente usada quando uma coisa está em vista que é composta de partes unificadas, como "tarde e manhã, *um* dia"; "eles serão *uma* só carne". Não é possível provar que *'eḥādh*, quando usado na passagem em questão representa a unificação das partes, que nesse caso indicaria que a pluralidade na divindade é *uma* Essência.

Se não é assim, a passagem assevera que *Jeová* nosso *Elohim* é Um no sentido em que não há outro. Este é um ensino importante do Antigo Testamento. Se a palavra *único* é usada aqui em seu sentido unificador, a passagem registra que *Jeová* – sempre singular em número – nosso *Elohim* – plural em número – é não obstante Único – pluralidade em Um – Jeová – singular em número. Com tal interpretação, essa passagem parece ser de tremenda importância no campo geral do ensino trinitário do Antigo Testamento. De qualquer forma, a palavra *único* nesse texto não é *yaḥadh* que denota uma unidade absoluta indivisível.

Igualmente, há muita importância na interpretação correta de Gênesis 3.5 onde as palavras de Satanás a Adão e Eva são registradas em algumas versões americanas: "Porque Deus sabe que no dia em que comerdes desse fruto, vossos olhos se abrirão, e sereis como deuses, conhecendo o bem e o mal". A frase: "e sereis como deuses", é, por falta de consistência da parte dos tradutores, totalmente enganosa. O uso da palavra *deuses* no plural e sem a letra inicial maiúscula sugere, para algumas mentes, uma referência a anjos que estão em certos casos, crêem eles, designados como *filhos de Deus* (cf. Gn 6.4; Jó 1.6; 2.1). Mas o pensamento não é restrito aos anjos (cf. Is 43.6). Além disso, a palavra *deuses* pode se referir, alguns pensam, a deuses pagãos; mas visto que não havia pagão no tempo em que Satanás apareceu no Éden, nem havia a noção de "muitos deuses" na mente de alguém, tal interpretação é impossível.

A palavra original que é traduzida por *deuses* é outra que não *Elohim*. O plural seria justificado se fosse a prática dos tradutores em outro lugar qualquer, mas não é o caso. A omissão da letra maiúscula inicial não tem justificativa. Satanás, que havia dito: "Eu serei semelhante ao Altíssimo" (Is 14.14), disse a Adão e Eva: "Vós sereis como *Elohim*". A palavra *Elohim* ocorre duas vezes em Gênesis 3.5 e não há razão alguma para traduzi-la como deuses em um caso e não no outro.

Com o mesmo propósito, o Salmo 138.1 é importante quanto ao uso da forma plural *Elohim*. O texto diz: "diante dos deuses a ti canto louvores". A LXX sugere que os anjos estão em vista aqui. A palavra é *Elohim* e o seu plural não necessita confundir alguém nesse ponto. A omissão da letra maiúscula inicial é novamente

Os Nomes Principais da Divindade no Antigo Testamento

confusa. É sugerido que *Elohim* possa ser tomado nesse texto da Escritura para mostrar ou incorporar o lugar de sua habitação no santo dos santos, e diante do lugar de habitação de *Elohim*, o salmista oferece louvor (cf. Sl 5.7).

Após assinalar que *Elohim* com o artigo é indicativo do único verdadeiro Deus, o Dr. W. Lindsay Alexander escreve a respeito do título sem o artigo, da seguinte forma:

> Elohim, contudo, sem o artigo tem a mesma força, e é assim usado numa multidão de passagens. Quando usado a respeito de Deus, é usualmente construído com verbos e adjetivos no singular. Por causa dessa construção peculiar de um substantivo plural com adjuntos singulares, diferentes sugestões têm sido apresentadas como explicação. Todas são concordes em que é uma *constructio* ad *sensum*; mas sobre qual é o sentido indicado os críticos não são concordes. Os teólogos mais antigos sustentaram que o fato da Trindade ter sido indicada por isso, o substantivo plural, por ser expressivo da distinção na divindade, o adjunto singular sugere que é um; todavia. Isso é agora quase universalmente rejeitado; mas eu não estou certo de que deva ser assim. É indubitavelmente uma lei da sintaxe hebraica que um objeto no qual a pluralidade é combinada com uma unidade que é construída no plural com verbos e adjetivos no singular... Isso é um uso estabelecido no discurso hebraico; não me parece de todo improvável que foi porque os antigos hebreus conheciam alguma coisa da distinção na divindade que eles construíram não somente Elohim, mas outras designações da divindade no plural com verbos e adjetivos no singular.[140]

Semelhantemente, Richard Watson observa, após ter discutido diferentes passagens nas quais o plural da divindade está implícito: "Esses exemplos não precisam ser multiplicados: eles são as formas comuns de discurso nas Escrituras Sagradas, que nenhuma crítica tem sido capaz de reduzir a meras expressões idiomáticas, e que somente a doutrina de uma pluralidade de pessoas na unidade da divindade pode explicar satisfatoriamente. Se fossem meras expressões idiomáticas, elas não teriam sido confundidas por aqueles para quem a língua hebraica era nativa, em implicar pluralidade... O argumento para a trindade retirado dos apelativos plurais dados a Deus nas escrituras hebraicas, recebeu a oposição do Buxtorf mais jovem [1599-1664]; que, todavia, admite que esse argumento não deveria de maneira alguma ser rejeitado entre os cristãos, 'pois com o mesmo princípio sobre o qual não poucos judeus remetem essa aplicação enfática do número plural à pluralidade de poderes ou de influências, ou de operações, isto é, *ad extra*; por que não podemos nos reportar a ela, *ad intra*, a uma pluralidade de pessoas e a obras pessoais? *Sim, quem certamente sabe* o que foi que os antigos judeus entenderam por esta pluralidade de poderes e faculdades?".[141]

Essa linha de discussão poderia ser buscada indefinidamente; mas visto que ela antecipa a verdade ainda a ser contemplada no estudo do *trinitarianismo*, uma evidência posterior será reservada para essa tese.

3. ADON, ADONAI. Este nome da divindade aparece no Antigo Testamento com grande freqüência e expressa o domínio e a posse soberana. Sobre esse nome o Dr. C. I. Scofield escreve:

(1) O significado básico de *Adon, Adonai*, é Senhor, e é aplicado nas Escrituras do Antigo Testamento tanto para a divindade quanto para o homem. No caso dos homens, os exemplos são distintos pela omissão da letra inicial maiúscula. Quando aplicado ao homem, a palavra é usada com respeito a dois relacionamentos: senhor e marido (Gn 24.9, 10, 12, para o primeiro, e Gn 18.12 para o segundo). Ambos os relacionamentos existem entre Cristo e o crente (Jo 13.13, "Senhor"; 2 Co 11.2, 3, "marido").

(2) Os dois princípios estão presentes na relação de senhor e servo: (a) o direito do Senhor à obediência implícita (Mt 23.10; Lc 6.46; Jo 13.13). (b) o direito do servo à direção no culto (Is 6.8-11). Uma distinção clara no uso dos nomes divinos é ilustrada em Êxodo 4.10-12. Moisés sente a sua fraqueza e incompetência, e "...disse ao Senhor [Jeová]: Ó meu Senhor [Adonai], eu não sou eloqüente" etc. Visto que o culto está em vista aqui, Moisés (de modo apropriado) dirige-se a Jeová como Senhor. Mas agora o poder está em questão, e não é o Senhor [Adonai] mas Jeová (Senhor) que responde (referindo-se ao poder da criação) – "E Jeová lhe disse: Quem fez a boca do homem?... Agora, portanto, vai, e eu serei com a tua boca". A mesma distinção aparece em Josué 7.8-11.[142]

II. Compostos

O nome supremo, *Jeová*, é composto com *Elohim*, como *Jeová Elohim*, traduzido em nossas versões geralmente como "Senhor Deus" (cf. Gn 2.4; com *Adonai*, como *Adonai Jeová*, traduzido da mesma forma; e com *Sabaoth*, como *Jeová Sabaoth*, traduzido geralmente como "Senhor dos Exércitos").

O nome básico *Elohim* é composto com *Shaddai*, como *El Shaddai*, traduzido geralmente como "Deus Todo-poderoso" (Gn 17.1); com *Elyon*, como *El Elyon*, traduzido geralmente como o "Altíssimo" ou "Deus Altíssimo" (Gn 14.18); e com *Olam*, como *El Olam* traduzido geralmente como "Deus eterno" (Gn 21.33).

Além disso, Jeová é composto com sete apelativos: (a) *Jeová-Jireh*, "O Senhor proverá" (Gn 22.14); (b) *Jeová-rapha*, "O Senhor que cura" (Êx 15.26); (c) *Jeová-nissi*, "O Senhor nossa bandeira" (Êx 17.8-15); (d) *Jeová-shalom*, "O Senhor nossa paz" (Jz 6.23-24); (e) *Jeová-rā-ah*, "O Senhor meu pastor" (Sl 23.1); (f) *Jeová-tsidkenu*, "O Senhor nossa justiça" (Jr 23.6); e (g) *Jeová-shammah*, "O Senhor está aqui" (Ez 48.35).

III. Epítetos do Antigo Testamento

Deus é mencionado metaforicamente no Antigo Testamento como Rei, Legislador, Juiz, Rocha, Fortaleza, Torre, Libertador, Pastor, Marido e Pai.

IV. Nomes da Divindade no Novo Testamento

Como esses termos e os seus relacionamentos ainda serão considerados sob a discussão trinitária brevemente, somente um breve esboço foi apresentado aqui.

O nome pleno e final para a divindade é *Pai, Filho* e *Espírito Santo*. Isto pode ser mais explícito quando nos referimos a Deus o Pai, Deus o Filho, e a Deus o Espírito Santo. Os títulos da primeira pessoa são basicamente restritos à combinações associadas à palavra *Pai*. Ele é o Deus e Pai de nosso Senhor Jesus Cristo; o Pai das misericórdias; Ele é conhecido como Abba, pai; Pai Celestial; Pai dos Espíritos; Pai Santo; Pai Justo; Pai das Luzes; e Pai da Glória.

Há cerca de 300 títulos e designações na Bíblia que se referem à segunda pessoa. Contudo, o seu nome pleno e final é Senhor Jesus Cristo, *Senhor* sendo o título da divindade, *Jesus* sendo o título da humanidade, e *Cristo* sendo o título do seu ofício como Profeta, Sacerdote e Rei, ou o Messias do Antigo Testamento. Está evidente que a seleção dos nomes e a ordem da sua disposição em qualquer texto é com propósito divino e manifesta a sabedoria divina em cada caso.

Não há nomes revelados para o Espírito Santo. Ele é conhecido por títulos descritivos como *O Espírito de Deus, O Espírito de Cristo*. Há mais de vinte designações como essas.

Conclusão

No final desta análise das coisas essenciais do teísmo e antes de entrar na investigação sedutora do modo triúno da existência divina, uma breve recapitulação não será sem proveito. Após a demonstração do fato da natureza normativa e confiável das Escrituras, e o estabelecimento da base da crença na existência de Deus para a satisfação da razão, um esforço foi feito para demonstrar a partir da revelação, o caráter e a infinidade de Deus como apresentados pelos seus atributos, sua soberania como manifestada em seu decreto, e a sua glória como revelada em seus nomes. Embora algumas questões permaneçam sem solução, a sobrepujante realidade da pessoa, caráter e os caminhos de Deus, foram mostrados e defendidos. Assim, Ele se coloca diante da mente devota e atenta como Aquele que é Supremo sobre toda a sua criação e o seu único objeto de adoração e glória.

As imperfeições sempre aparecem num esforço como esse. A mente finita não pode descrever plenamente o infinito seja por imaginação ou por palavra. Deveria ficar claro agora que Deus é tudo em todos. Sem tal crença na realidade que Ele é, tudo o que parece certo se torna incerto e incompreensível. A idéia de que Deus existe não é uma mera hipótese; ela é a única base sobre a qual a razão e o entendimento humanos podem construir suas estruturas frágeis. Com que facilidade todas essas estruturas são demolidas quando a verdade essencial a respeito de Deus é questionada! À luz da revelação total que o teísmo fornece, uma fé pessoal é exigida dos seres racionais e esta deveria ficar estabelecida pelo estudo teístico. Tal fé é um tesouro carente de ser guardado e defendido dos ataques hostis, e todo esforço deveria ser feito para se crescer no conhecimento de Deus.

TRINITARIANISMO

Capítulo XVII

Introdução ao Trinitarianismo

APÓS INVESTIGAR a verdade fundamental da existência de Deus e mostrar alguma evidência quanto às suas perfeições como vistas em seus atributos, o seu propósito soberano e a sua auto-revelação através de seus nomes – tudo o que está abrangido pelo *teísmo* e é uma divisão geral da *Teontologia* –, falta agora inquirir se Deus é, com relação ao seu modo de existência, uma unidade *absoluta*, ou subsiste como uma pluralidade de pessoas. Se Ele subsiste como uma pluralidade de pessoas, que pessoas são essas e qual é o seu número?

Ao reconhecer que a palavra trindade não é encontrada no Texto Sagrado e que a doutrina que ela apresenta não é diretamente ensinada dessa maneira, o Dr. W. Lindsay Alexander afirma:

> Embora uma verdade não seja formalmente enunciada na Escritura, ela pode estar implícita nas afirmações da Escritura a ponto de ela se tornar a expressão necessária e própria dessas afirmações. Neste caso a doutrina é uma conclusão retirada indutivamente daquilo que a Escritura anuncia, e assim é tão verdadeiramente uma doutrina da Escritura quanto qualquer lei natural – como a lei da gravidade, por exemplo – que é uma doutrina da natureza. Embora admitamos que a doutrina da Trindade não permaneça com o mesmo fundamento como as doutrinas formalmente enunciadas na Escritura, reivindicamos para ela uma autoridade igual com base em que ela está envolvida nas afirmações da Escritura, e é a expressão e a evoluçao própria delas. Como uma doutrina, ela é uma indução humana das afirmações da Escritura; mas a indução, por ser feita com justeza, é tão parte do ensino de Deus em sua palavra como é qualquer uma das doutrinas que têm sido formalmente enunciadas ali. Os fenômenos (para usar uma fraseologia de Bacon) com os quais temos de tratar aqui são, de um lado, o fato claramente revelado de que há apenas um Deus; e, por outro lado, o fato revelado não menos claramente de que há três a quem os atributos e qualidades da divindade são atribuídos no mais alto sentido, ou seja, o Pai, o Filho e o Espírito Santo. Ambas as afirmações devem ser recebidas por todos que reconhecem as Escrituras como a regra de fé; a questão é como elas devem ser formuladas de forma que, sem fazer

injustiça a qualquer uma, uma expressão harmoniosa e justa da verdade total contida nelas seja alcançada?[143]

Nessa divisão da Teontologia, o maior mistério de toda a verdade revelada se nos defronta. A mera dificuldade em conceber o que é peculiar e conveniente ao Infinito não deveria oferecer qualquer objeção para uma doutrina baseada na revelação. A natureza de Deus deve apresentar mistérios para a mente finita, e o modo triúno de existência talvez seja o supremo mistério. M. Coquerel afirma: "Deus é o único Ser inteligente, para quem nenhum mistério existe. Ser surpreendido, ficar indignado ao encontrar mistérios, é ser surpreendido, é ficar indignado por não ser Deus".[144]

Inevitavelmente, alguma antecipação desse problema foi considerada quando se tratou da forma plural de *Elohim*. O modo da existência divina é um aspecto essencial do conhecimento, se queremos formar conceitos corretos sobre Deus. Essa demonstração é tão importante e deve ser esperado que ela tenha um importante lugar na revelação, e deveria ser, em algum grau, confirmada pela razão. É óbvio que, com referência à revelação e nas passagens numerosas a serem acrescentadas, há uma referência clara feita às distinções na divindade. O Pai, Filho, e o Espírito Santo são constantemente nomeados como pessoas separadas com operações específicas executadas individualmente. Tudo isso aparece em narrativa, em doutrina, e na adoração que está prescrita para a criatura em sua relação com o Criador.

Todos os atributos divinos assim como as propriedades da personalidade são atribuídas a cada pessoa da Trindade com tanta certeza e freqüência, que o fato de um modo triúno de existência não pode ser posto em dúvida por uma mente sem preconceitos. Por outro lado, revelações igualmente claras e numerosas são feitas de forma que apresentam Deus como essencialmente Um. Essas duas afirmações da Bíblia são igualmente normativas e, portanto, com o mesmo grau de exigência com relação ao seu reconhecimento. Embora nenhuma mente finita tenha jamais compreendido como três pessoas possam formar apenas uma Essência, esta verdade precisa é o testemunho de todas as partes da Bíblia. Não é possível definir todas essas distinções e tudo o que elas implicam. Sem dúvida, há uma consciência distinta que identifica cada pessoa; todavia, há uma posse unida dos atributos e de natureza.

Essa revelação apresenta uma complexidade que ultrapassa o conhecimento, mas que é livre do elemento de contradição; pois uma contradição existe onde duas coisas contrárias são atributos de uma mesma coisa e no mesmo sentido. Tais contradições não aparecem na revelação e as tentativas de tal alegação têm se tornado inúteis. A doutrina da Trindade é retirada totalmente da revelação, visto que a criação é incapaz de servir como um meio de expressão das questões envolvidas. A doutrina como apresentada nas Escrituras é, portanto, aceitável ainda que não explicável. O *como* de qualquer realidade sobre-humana não é, e provavelmente nunca poderá ser, apreendida pela mente finita. É suficiente saber de uma fonte digna de confiança que ela realmente *de fato* existe.

Entender uma proposição é uma coisa; entender a verdade ou o fato afirmado naquela proporção é outra totalmente diferente. Estes dois aspectos de entendimento são constantemente distintos na experiência humana. Nenhum cientista ou filósofo tem uma explicação a oferecer sobre como a mente age sobre a matéria, nem podem eles descobrir os mistérios que estão relacionados à própria vida – nutrição, assimilação, e crescimento –, nem podem eles entender as operações interiores de um grande número de fatos e forças provadas que a natureza apresenta. A incapacidade de penetrar as profundezas de tais fenômenos não é considerada razão para a rejeição dos fatos óbvios em si mesmos. O modo triúno de existência das três pessoas que formam uma Essência pertence à categoria dos fatos supremos e o aspecto inexplicável não deve ser confundido com a evidência de uma verdade abstrata e real em si mesma.

Nenhum argumento foi desenvolvido contra a concepção trinitária além daquela que não se conforma com as limitações da mente humana. Numa defesa do unitarianismo, o Dr. Channing escreve sobre essa doutrina como "um ultraje à nossa natureza racional" e "contraditório e degradante para a nossa razão". Se o Dr. Channing quisesse dizer por "natureza racional" que ele poderia aceitar somente o que a mente humana entende e, portanto, o que a razão humana aprova, pode ser afirmado que nem o Dr. Channing nem qualquer outro homem jamais confinaram suas ações a tais limitações restritas. Cada ser humano emprega uma sucessão interminável de realidades e forças a respeito das quais nenhuma explicação pode ser oferecida. Não deveriam estas, também, ser classificadas como "ultrajes à nossa natureza racional" tal como a inexplicável doutrina da Trindade?

A revelação a respeito da trindade de pessoas relacionadas em uma só Essência não contradiz a verdade absoluta. Está evidente que, como sujeitos totalmente separados e individualmente identificados, um não é três, nem três são um. Isto é uma contradição. A doutrina da Trindade não assevera tal inconsistência. Ela afirma não mais do que um Ser que pode ser singular em um sentido e plural em outro. Diversas ilustrações de tais realidades na natureza poderiam ser apresentadas. Na constituição de um ser humano há uma conjunção de unidade e pluralidade. Os elementos material e imaterial combinam para formar um indivíduo. Cada um desses elementos é essencial à existência humana nessa esfera. Assim, é visto que um ser humano pode ser singular num sentido e plural em outro.

Se a pluralidade e a unidade são ambas requeridas na existência humana, por que deveriam a pluralidade e a unidade ser negadas no caso da existência divina? Deveria ser suposto que Deus pode incluir em sua criatura o que Ele não pode manifestar em si mesmo? Por essa analogia nenhuma tentativa deve ser feita para demonstrar que uma pessoa humana, ao combinar em si mesma o material e o imaterial, seja comparável com relação aos elementos e à ordem com as três pessoas que subsistem em uma Essência divina. A analogia não vai além de estabelecer um princípio. No caso do ser humano, há uma consciência com uma subsistência dupla; no caso da divindade, há três consciências e apenas uma natureza. O princípio de que a pluralidade não é incompatível com a unidade é, assim, provado.

Num caso, por ser comum à experiência humana, não há dúvida alguma nutrida a respeito dela; no outro, por estar fora da esfera da experiência humana, há uma objeção irrazoável levantada. É provável que, se ambas as posições estivessem total e igualmente fora do alcance da experiência humana, não houvesse tanta perplexidade gerada pela apresentação de uma tanto quanto da outra. Afinal de contas, qual é a mais anormal: um ser puramente espiritual que subsiste como três pessoas com uma natureza, ou uma pessoa que subsiste com duas naturezas que são tão amplamente diferentes uma da outra como o material e o imaterial? Na sua forma abstrata, uma proposição não é mais complexa do que a outra, e visto que a conjunção da pluralidade com a unidade é o fato mais óbvio da vida humana, não deveria ser chamado um insulto para a razão humana quando é afirmado pelo próprio Deus, e com a autoridade da revelação, que Deus representa a conjunção da pluralidade com a unidade – uma Essência que subsiste em três pessoas.

As restrições que geralmente são impostas sobre o escopo da Teontologia, a saber, que ela abrange somente as pessoas da divindade à parte de suas obras, devem ser observadas nesse tratado. A doutrina da Trindade reparte-se em quatro principais divisões: (1) O fato da Trindade; (2) Deus o Pai, a primeira pessoa; (3) Deus o Filho, a segunda pessoa, e (4) Deus o Espírito Santo, a terceira pessoa. Adianta-se que a terceira dessas divisões, ou a que concerne ao Filho, será, todavia, tratada melhor na Soteriologia e Cristologia, e que a quarta divisão, ou a que concerne ao Espírito Santo, será, todavia, tratada melhor na Soteriologia e Pneumatologia.

I. Considerações Preliminares

Por caminharmos mais na tentativa de apreender aquilo que pode ser conhecido com relação ao modo triúno de existência, dois erros devem ser evitados: (a) que pode ser suposto que a divindade seja composta de três pessoas distintas – como Pedro, Tiago e João – que se relacionam um com o outro somente no livre modo em que os homens podem se associar com relação a certos ideais e princípios, suposição essa que, no caso de Deus, seria um *Triteísmo*; ou (b) que a divindade é uma pessoa somente e que o aspecto triúno do seu Ser não é nada mais além de três campos de interesses, atividades e manifestações, suposição essa que seria *Sabelianismo*.

Um fardo é colocado sobre o estudante em reconhecer que, sem levar em conta o mistério envolvido, ele é designado para descobrir e defender a verdade de que a Bíblia é monoteísta no grau maior, e afirma, como ela faz, que há um

Deus e um somente; todavia, como ela certamente assevera que este único Deus subsiste em três pessoas definidas e identificadas.

O termo *personalidade* aplicado a Deus não deve ser entendido ou tomado no sentido filosófico estrito, no qual seres totalmente distintos são indicados. Deus é um Ser, mas Ele é mais do que um Ser em três relações. Atos bem definidos que são pessoas em caráter são atribuídos a cada pessoa das três. Esses atos inequivocamente estabelecem personalidade. A linguagem trabalha com dificuldade nesse ponto. As pessoas não são separadas, mas distintas. A Trindade é composta de três pessoas unidas sem existência separada – tão completamente unidas que formam Um só Deus. A natureza divina subsiste em três distinções – Pai, Filho, e Espírito Santo.

A personalidade é expressa em termos como *Eu, Tu, Ele* – e é assim que as pessoas da Trindade se dirigem uma às outras – e em atos pessoais; mas não é exigido que Deus seja restrito a uma pessoa, embora esta restrição prevaleça em toda criação. Portanto, não existe razão para negar essa complexidade na Trindade. O termo *pessoa* não é geralmente empregado na Bíblia, embora tudo o que constitui uma personalidade seja repetidamente predicado de cada membro da Trindade. Isto dificilmente será contestado. Hebreus 1.3 afirma que o Filho é a "expressa imagem" da *pessoa* do Pai. Conquanto a palavra usada aqui possa significar qualquer identidade específica tal como uma essência ou pessoa, ela serve para afirmar a distinção que existe entre duas pessoas da Trindade e a igualdade delas.

Diversas palavras gregas foram reduzidas ao seu significado mais exato quando a controvérsia foi travada contra Ário que negava que Cristo era da mesma substância do Pai, e contra Sabélio que admitia a divindade do Filho e do Espírito, mas lhes negava uma personalidade própria. Os termos bíblicos têm se constituído nos testes mais penetrantes, e a prova da doutrina da Trindade é que ela tem se tornado amplamente escrita na história da Igreja. A conclusão da Igreja com relação ao ensino da Bíblia a respeito do relacionamento dentro da Trindade é bem afirmado por Hermann Venema em suas *Institutes of Theology*:

1. Dizemos que há três ὑποστάσεις ou subsistências, verdadeira e propriamente chamadas, que são mutuamente distintas – cada uma com inteligência, que subsiste por si mesma, e não comunicada ou comunicável às outras – e que chamamos pessoas, conforme a definição que demos do termo. Não queremos dizer com isto que há três modos de subsistência ou três modos de manifestação, mas, como dissemos, três subsistências inteligentes realmente distintas uma da outra. Porque uma pessoa sugere a idéia de alguém com inteligência e poder, e que subsiste por si mesma, e esse é o significado quando dizemos que há três pessoas na Divindade.

2. Dizemos que as três pessoas ou subsistências têm individualmente uma natureza divina – uma natureza que inclui todos os atributos de que já falamos como pertencentes a um Ser perfeito, tal como independência, eternidade, imutabilidade, onipotência etc.

3. Dizemos que essas subsistências não têm uma natureza divina separada, mas uma só e a mesma. Há apenas um Deus, como dissemos, e, portanto, deve haver apenas uma natureza divina que existe em cada – a mesma essência *numérica* e não meramente a mesma essência *específica* comum às três.

4. Dizemos, além disso, que as três pessoas partilham de uma e da mesma essência e permanecem em íntima relação uma com as outras – a segunda pessoa procede da primeira, e a terceira procede da primeira e da segunda. Esta relação está implícita nos nomes Pai, Filho e Espírito – o Pai é a fonte de uma essência que é partilhada pelas outras duas. Essa participação de essência, em referência ao Filho, é chamada *geração* – e, em referência ao Espírito, *processão* ou *espiração*.

No que concerne à nossa capacidade de apreensão, esta é a explicação simples e clara do mistério da Trindade – da qual podemos conhecer ao menos de forma geral o que devemos entender dessa doutrina.[145]

Provavelmente, nenhuma doutrina da Palavra de Deus possui um alcance maior em suas implicações do que a da Trindade. Aqueles que deixam de perceber isso e que minimizam a sua importância usualmente abraçam alguma heresia a respeito das duas pessoas – a segunda e a terceira. O Dr. Joseph Priestley disse: "Tudo que pode ser dito é que a doutrina, conquanto não possa ser provada em si mesma, é necessário que se explique alguns textos particulares da Escritura; e que, se não tivesse sido por meio desses textos particulares, não teríamos encontrado uma base para ela, pois não há qualquer fato da natureza, nem qualquer propósito de moral, que possam ser o objeto e a finalidade de toda religião, que o requeira".[146]

Esta afirmação, totalmente característica daqueles que se opõem à doutrina da Trindade, torna "os fatos da natureza" e "o propósito de moral" o "objeto e a finalidade de toda religião", e ignoram a idéia total de uma auto-revelação divina, a obra da redenção, e o destino eterno. Obviamente, é nesses campos assim negligenciados que a verdade com respeito à Trindade tem as suas manifestações mais plenas. A negação da doutrina da Trindade resulta em desonra para Cristo, o Espírito Santo, e o testemunho da Bíblia. Essa desonra tríplice pode ser bem especificamente observada:

II. Três Desonras

1. CRISTO. Na consideração da doutrina da Trindade, está envolvida uma questão crucial com respeito à absoluta divindade de Cristo como a segunda pessoa e a do Espírito como terceira pessoa. Aqueles que se opõem à doutrina da Trindade automaticamente rejeitam a divindade do Filho e do Espírito. Uma distinção importante deve ser feita entre a reivindicação de que Deus, como uma Essência, é somente uma pessoa, e a reivindicação de que Deus, embora

uma Essência, é igualmente três pessoas divinas. Ambas as reivindicações não poderiam ser verdadeiras e aqueles que, seja quem for, estão em erro nesse assunto e estão perto das alucinações dos pagãos. Há muito que se supõe que é um assunto opcional o fato da existência triúna de Deus seja reconhecido ou não, uma suposição infundada sendo que se a concepção trinitária é rejeitada, a idéia de "um Deus" ainda permanece para abençoar a raça humana, enquanto que a única fonte confiável de qualquer conhecimento de Deus está na Bíblia e ela não diz algo de "um Deus" que não subsiste numa tripla personalidade.

Waterland afirma: "Se Deus é o Pai, o Filho e o Espírito Santo, os deveres devidos a Ele serão deveres devidos àquela distinção triúna, que devem ser tributados adequadamente; e qualquer um que deixe qualquer um deles fora de sua idéia de Deus, falha em honra a Deus, e de servi-lo na proporção às manifestações que Ele tem dado de si mesmo".[147] Em oposição a essa afirmação de que aqueles que negam a existência triúna da Divindade não adoram o Deus da Bíblia, está a alternativa de que os trinitários são culpados de idolatria quando prestam honra divina completa ao Filho e ao Espírito, se fosse provado que a existência triúna como uma revelação é sem evidência digna em seu apoio.

O Dr. Priestley, de acordo com alguns outros escritores mais recentes, não vê lugar para a tese trinitária, seja na natureza ou na moral; mas a Bíblia declara que a Natureza é a criação do Filho, é sustentada por Ele, e existe num sentido peculiar para Ele (Cl 1.16,17). Semelhantemente, conquanto possa ser concebido que as idéias morais podem ser derivadas da noção unitária de Deus, não pode haver redenção alguma para aqueles que falham, à parte daquilo que é operado pelo Filho em seu sacrifício substitutivo. Um esquema moral que não proporciona cura para aqueles que falham é a condenação de tudo, visto que todos falham. O sentimento de que Deus poderia ter perdoado o pecado como um ato de mera generosidade, é um insulto à santidade divina e ao seu governo.

A necessidade imperativa da redenção para o mundo no seu estado presente é evidenciada pelo fato de que Deus, que conhece tudo o que está envolvido, proporcionou-a a um custo imensurável. Foi Jeová que foi traspassado (Zc 12.10); Deus foi quem comprou a Igreja com o seu próprio sangue (At 20.28); Ele era ο Λεσπότης – 'Soberano Senhor' – que comprou pecadores (2 Pe 2.1); e o Senhor da Glória foi crucificado (1 Co 2.8).[148]

Não somente o plano total da salvação impinge sobre a divindade do Filho, mas a medida do amor de Deus é reduzida a nada se Deus deu apenas uma criatura para o homem como expressão do seu dom de amor por eles (Jo 3.16; Rm 5.8; 2 Co 9.15; 1 Jo 3.16). Tal expressão do amor divino seria de fato muito débil. De maneira semelhante, se Cristo é somente uma criatura, como afirmam os oponentes do trinitarianismo, o seu amor pelo homem é pouco mais do que um item incidental. Para citar Waterland novamente: "Se Cristo tinha a forma de Deus, igual a Deus, e verdadeiro Deus, foi então um ato de amor infinito e condescendência dele tornar-se homem; mas se Ele era não mais do que uma criatura, não foi nenhuma condescendência surpreendente embarcar numa obra tão gloriosa como a de ser o Salvador da raça humana, que o colocaria na posição de Senhor e Juiz do mundo, para ser admirado, reverenciado, e adorado, tanto por homens quanto por anjos".[149]

Foi o próprio amor de Cristo que o levou a vir a este mundo como um Salvador. Nenhuma criatura poderia, com qualquer razão, dizer ao Pai: "Agora, pois, glorifica-me tu, ó Pai, junto de ti mesmo, com aquela glória que eu tinha contigo antes que o mundo existisse" (Jo 17.5).

É esse amor de Cristo que motiva todo o amor cristão. Esse é um grande tema, mas de pouca força se Cristo não é Deus. Richard Watson expressou-se muito bem:

O amor de Cristo por nós também como um motivo de serviço generoso, sofrimentos e morte, por amor de outros, perde também a sua força e a sua aplicação. "Pois o amor de Cristo nos constrange, porque julgamos assim: se um morreu por todos, logo todos morreram" [2 Co 5.14]. Esse amor de Cristo que constrangeu o apóstolo foi um amor que o levou à morte *por* homens. O evangelista João torna obrigatório para todos os cristãos o dever de morrer por nosso irmão, se chamados a isso, e com base no mesmo fato. "Cristo deu a sua vida por nós; e nós devemos dar a vida pelos irmãos" [1 Jo 3.16]. Sem dúvida, o significado é a fim de salvá-los, e embora os homens sejam salvos pela morte de Cristo por eles, num sentido muito diferente daquele em que eles podem ser salvos pela nossa morte na causa da instrução, e assim instrumentalmente salvando uns aos outros; todavia, o argumento é fundamentado na conexão necessária que há entre a morte de Cristo e a salvação dos homens. Mas, no esquema sociniano, em nenhum sentido Cristo morreu por homens; não no modo geral de interpretar tais passagens, *"para o benefício dos homens"*, pois qual benefício, independente da propiciação, que os socinianos negam, os homens derivam da morte voluntária de Cristo, considerado como um mero instrutor humano? Se é dito que a sua morte foi um exemplo, não foi especial e peculiarmente assim; porque ambos, os profetas e os apóstolos, morreram com resignação e firmeza. Se é alegado, que foi para confirmar a sua doutrina, a resposta é que, nessa visão, foi sem valor, porque havia sido confirmado por milagres indubitáveis. Se Ele pode confirmar a sua missão por sua ressurreição, isto poderia ter sido também seguido de uma morte natural como de uma morte violenta; e, além disso, o benefício que os homens recebem dele, é, por essa noção, colocada em sua ressurreição, e não em sua morte, que é sempre mostrada no Novo Testamento com ênfase marcante e surpreendente. O motivo para o sacrifício generoso de bem-estar e de vida, em favor dos homens, retirado da morte de Cristo, não tem, portanto, uma existência onde quer que a sua divindade e o seu sacrifício sejam negados.[150]

Assim, sobre a suficiência de Cristo, o Dr. Richard Graves declarou: "Se o Redentor não fosse onipresente e onisciente, poderíamos nós estar certos de que Ele sempre ouve as nossas orações, e conhece a fonte e o remédio de todas as nossas misérias? Se Ele não fosse todo-misericordioso, poderíamos nós estar certos de que Ele sempre está desejoso de perdoar e de nos aliviar? Se Ele não fosse Todo-poderoso, poderíamos estar certos de que Ele sempre é capaz de nos dar suporte e de nos fortalecer, iluminar e nos dirigir? De qualquer ser menos do que Deus, podemos suspeitar que os seus propósitos poderiam vacilar, que suas promessas poderiam falhar, que sua existência, talvez, pudesse acabar; pois de toda coisa criada, a existência deve ser dependente e sujeita ao término".[151]

2. O Espírito Santo. Igualmente envolvida neste problema está a divindade do Espírito Santo, que, de acordo com as Escrituras, exercita todo poder e função de Deus. William Sherlock, em sua *Vindication*, escreveu convincentemente: "A nossa salvação por Cristo não consiste somente na expiação de nossos pecados etc., mas na comunicação da graça e poder divinos, para nos renovar e santificar: e isso em toda parte da Escritura é atribuído ao *Espírito Santo*, como seu ofício peculiar na economia da salvação do homem; portanto, deve causar uma *mudança fundamental* na doutrina da graça e da assistência divinas, negar a divindade do Espírito Santo. Pois pode uma criatura ser a origem e a fonte da graça e da vida divinas?

Pode uma criatura *finita* ser uma espécie de alma universal para a Igreja e todo membro sincero dela? Pode uma criatura fazer uma aplicação tão íntima a nossas mentes, conhecer nossos pensamentos, colocar limites às nossas paixões, inspirar-nos com novas afeições e desejos, e ser mais íntima de nós do que nós próprios poderíamos ser? Se uma criatura for o único instrumento e o princípio da graça, logo seremos tentados a negar a graça de Deus, ou a torná-la somente uma coisa externa, e nutrir noções mesquinhas sobre ela. Todos aqueles dons miraculosos que foram concedidos aos apóstolos e aos cristãos primitivos, para a edificação da Igreja, todas as graças da vida cristã, são os frutos do Espírito Santo. Ele é o princípio da imortalidade em nós, que primeiro deu vida às nossas almas, e que, no último dia, vai ressuscitar os nossos corpos mortais do pó, obras que suficientemente proclamam-no como nosso Deus, e que não poderíamos sinceramente crer na noção do Evangelho, se Ele não o fosse".[152]

3. As Escrituras. Afirmar que as Escrituras ensinam a unidade divina que subsiste em três pessoas é tomar a questão como provada. É antes discordar daqueles que falham em explicar o testemunho bíblico, e é concordar com o mais sabio e o maior dos homens que têm a parte deles na Igreja. Com relação ao testemunho que as Escrituras dão da visão trinitariana, Richard Watson pode bem ser citado novamente:

> Mas a importância da doutrina da santa trindade pode ser finalmente deduzida a partir da maneira em que a negação dela afetaria *o crédito das Santas Escrituras* em si mesmas; porque se essa doutrina não estiver contida nelas, a tendência delas de confundir é óbvia. A linguagem constante delas é tão adaptada ao engano, e mesmo a compelir a crença da falsidade, mesmo em pontos fundamentais, e conduzir à prática da própria idolatria, que elas perderiam toda a alegação de serem consideradas como uma revelação de Deus sobre a verdade, e deveriam

antes ser evitadas ao invés de serem estudadas. Uma grande parte das Escrituras é dirigida contra a idolatria, que é declarada ser "aquela coisa abominável que o Senhor odeia"; e na busca deste propósito, a doutrina de que existe apenas *um* Deus é apresentada nos termos mais explícitos, e constantemente confirmada pelos apelos às suas obras. O primeiro mandamento no Decálogo é, "Não terás outros deuses diante de mim"; e o resumo da lei, com relação aos nossos deveres para com Deus, é que O amemos "de todo o coração, mente, alma e força". Se a doutrina de uma trindade de pessoas divinas em unidade na Divindade for consistente com tudo isso, então o estilo e a maneira das Escrituras estão de perfeito acordo com os fins morais que elas propõem, e as verdades em que elas haveriam de instruir à raça humana; mas se o Filho e o Espírito Santo são criaturas, então a linguagem dos livros sagrados é mais enganosa e perigosa. Pois como deve ser explicado, nesse caso, que no Antigo Testamento, Deus deveria ser referido em termos plurais, e que essa pluralidade deveria ser restrita a três? Como é que o verdadeiro nome *Jeová* deveria ser dado a cada um deles, e isso repetidamente e ainda nas ocasiões mais solenes? Como é que o Messias prometido e encarnado deveria ser investido, nas profecias de seu advento, com os atributos mais grandiosos de Deus, e aquelas obras infinitamente sobre-humanas, e as honras divinas poderiam ser preditas a respeito dele? E aqueles atos e caracteres da divindade inequívoca, de acordo com a apreensão comum da raça, deveriam ser atribuídos ao Espírito também? Como é que, no Novo Testamento, o nome de Deus deveria ser dado a ambos, e isso sem qualquer insinuação de que deva ser tomado num sentido inferior? Que a *criação* e a *conservação* de todas as coisas sejam atribuídas a Cristo; que Ele deva ser *adorado* por anjos e homens; que Ele seja apresentado como sentado sobre o trono do Universo, para receber a adoração de todas as criaturas; e que na real fórmula de iniciação pelo batismo em sua Igreja, uma pública e solene profissão de fé, é o batismo prescrito para ser administrado no *único nome* do Pai, e do Filho e do Espírito Santo? Um Deus e duas *criaturas*! Como se a verdadeira porta de entrada na Igreja propositadamente fosse tornado o portão do erro pior e mais corruptor jamais introduzido no meio da raça humana: *adorar criaturas como se fossem Deus*; o erro que espalha trevas e desolação moral sobre todo o mundo pagão.[153]

Ao concluir este apelo para um reconhecimento correto e bíblico do modo triúno da existência divina, pode ser observado que a economia total da redenção do homem serve para trazer ao ser humano a revelação de Deus em sua subsistência tríplice e confusa; na verdade, fica a visão espiritual que não recebe qualquer instrução dessa revelação ilimitada que Deus ofereceu ao homem.

III. Definição Geral

Em seu ensino, a Bíblia não é *politeísta* – muitos deuses – nem *triteísta* – três deuses –, nem *unitariana* – que ensina sobre um deus que exerce seus interesses e poderes de vários modos. A doutrina monoteísta de um Deus que subsiste numa pluralidade de pessoas – três, não menos nem mais – é aquela que está de acordo com toda a Escritura e, ainda que caracterizada pelo mistério quando abordada por uma mente finita, não obstante, é sem contradição e é perfeita em toda adaptação e partes. Ela é tão perfeita quanto o Deus que a revela. O testemunho relativo ao conceito trinitário de Deus poderia ser exemplificado pelos pais primitivos e escritores posteriores quase que indefinidamente. A seguinte citação é suficiente:

AGOSTINHO: "Todos aqueles católicos expositores das Escrituras divinas a quem eu tenho sido capaz de ler, que escreveram antes de mim sobre a Trindade, quem é Deus, têm proposto ensinar, de acordo com as Escrituras, essa doutrina, que o Pai, e o Filho, e o Espírito Santo sugere uma unidade divina de uma e da mesma substância numa igualdade indivisível; e, portanto, que não há três deuses, mas um Deus".

TERTULIANO: "Ele é Deus e o Filho de Deus, e ambos são um. E, assim, o Espírito do Espírito e Deus de Deus se torna um outro *em modo de ser, não em número*; em ordem, não em estado ou posição (i.e., divina); e saiu, mas não saiu (ou separado de) da fonte original (divina)... Eles são três, não em substância mas em forma, não em poder mas em uma distinção específica; mas de uma substância e poder... Apegue-se firmemente sempre à regra que eu professo, de acordo com a qual eu testifico que o Pai, o Filho, e o Espírito não são separados. Quando eu digo que eles são distintos, somente a ignorância ou a perversidade tomarão isso como significando uma diversidade que resulta em separação... Porque o Filho é outro além do Pai, não por diversidade, mas por distribuição; não por divisão, mas por distinção. O Pai e o Filho não são o mesmo, mas eles diferem um do outro em seu modo de ser (*modulo*)".

ATANÁSIO: "Nós adoramos um Deus em trindade, e trindade em unidade; não confundimos as pessoas nem dividimos a substância".

GIESELER: "A unidade e a igualdade das pessoas, que necessariamente resultaram da posse da mesma essência, não foram plenamente reconhecidas imediatamente, mesmo pelos pais de Nicéia, mas continuaram a ser mais claramente percebidas, até que ao final foi expresso por Agostinho pela primeira vez com a decidida conseqüência lógica".[154]

O CATECISMO MAIOR DE WESTMINSTER afirma do Pai, e do Filho e do Espírito Santo que eles "são um Deus verdadeiro e eterno, com a mesma substância, iguais em poder e glória" (p. 9). Sobre os aspectos numéricos da doutrina, o Dr. Samuel Harris diz: "Vemos, portanto, que a doutrina dominante da Igreja e seus teólogos tem sido a de que Deus, o Pai, o

Filho e o Espírito Santo, são numérica e indivisivelmente um em sua substância ou ser essencial. Portanto, o Pai, o Filho e o Espírito Santo não são três deuses, mas um numa unidade meramente genérica, como os homens são um na unidade de gênero; não numa unidade meramente moral, como pessoas do mesmo caráter moral e propósito são um. Eles são distintos como três somente dentro da unidade numérica e indivisível e unicidade de Deus".[155]

Qualquer verdadeira concepção dessa doutrina deve incluir três aspectos principais, a saber: "a *unidade* e a *unicidade* de Deus; os três são distinções eternas ou modos de ser de um único Deus – o Pai, o Filho, e o Espírito Santo; e a divindade própria de cada uma das três – Deus, o Único Espírito Indivisível Absoluto em cada um desses modos de ser peculiar e eterno".[156] Como um exercício de seu discernimento, o estudante fará bem em escrutinizar mais criticamente as seguintes definições da idéia trinitariana como demonstradas pelos vários e bem-conhecidos teólogos e mestres:

DR. JOHN DICK: "Conquanto haja somente uma natureza divina, há três substâncias, ou pessoas, chamadas Pai, Filho e Espírito Santo, que possuem não uma essência similar, mas uma mesma essência numérica, e a distinção entre elas não é meramente nominal, mas real".[157]

A. H. STRONG: "Na natureza do único Deus há três distinções eternas... e estas três são iguais; (palavras de E. A. Park citadas aqui) "a doutrina da Trindade, de um lado, não assevera que três pessoas são unidas numa pessoa, ou três seres em um ser, ou três deuses em um Deus (triteísmo); nem, por outro lado, que Deus meramente se manifesta em três modos diferentes (trindade moral ou trindade de manifestações); mas, antes, que há três distinções eternas na substância de Deus".[158]

JOSEPH COOK: "(1) O Pai, o Filho e o Espírito Santo são um Deus; (2) cada um tem uma peculiaridade incomunicável aos outros; (3) nenhum é Deus sem os outros; (4) cada um, com os outros, é Deus".[159]

AGOSTINHO: "O Pai não é a Trindade, nem o Filho é a Trindade, nem o Espírito é a Trindade; mas quando se fala de cada um individualmente, então não se fala deles como três, no plural, mas de um, a Trindade em si mesma".[160]

SCOFIELD: "*Deus é um*... Ele subsiste numa personalidade que é tríplice, indicada pelo *relacionamento* entre Pai e Filho; por um *modo de ser* como Espírito; e por partes diferentes assumidas pela Divindade na manifestação e na obra da redenção".[161]

CHARLES HODGE: "Os fatos bíblicos são: (a) O Pai diz Eu; o Filho diz Eu; o Espírito diz Eu. (b.) O Pai diz Tu para o Filho; e o Filho diz Tu para o Pai; e de igual forma o Pai e o Filho usam os pronomes Ele e Aquele em referência ao Espírito. (c.) O Pai ama o Filho; o Filho ama o Pai; o Espírito testifica do Filho. O Pai, o Filho e o Espírito são variadamente sujeito e objeto. Agem e são objetos de ação. Nada se acrescenta a estes fatos quando se diz que o Pai, o Filho e o Espírito são pessoas distintas; porque uma pessoa é um sujeito inteligente que pode dizer Eu, a quem se pode apelar como Tu, e que pode agir e ser objeto de ação. A suma desses fatos é expressa na proposição: O único Ser divino subsiste em três pessoas: Pai, Filho e Espírito Santo. Esta proposição nada acrescenta aos fatos em si; pois os fatos são: (1) Que há um Ser divino; (2) O Pai, o Filho e o Espírito Santo são divinos; (3) O Pai, o Filho e o Espírito são, no sentido que se acaba de expressar, pessoas distintas; (4) Por serem os atributos inseparáveis da substância, as Escrituras, ao dizerem que o Pai, o Filho e o Espírito Santo possuem os mesmos atributos, dizem que são o mesmo em substância; e se são o mesmo em substância, são iguais em poder e glória".[162]

CALVINO: "Deus declara-se que Ele é singular (*unicum*); todavia, Ele propõe distintamente ser considerado em três pessoas; e que, a menos que sustentemos isso, flutuará em nosso cérebro apenas o nome de Deus despido e vazio, sem o verdadeiro Deus. Além do mais, para que ninguém sonhe a respeito de um Deus tríplice, ou pense que a simples essência de Deus seja partida em três pessoas, precisamos procurar uma definição curta e fácil, que possa nos livrar de todo erro".[163]

DEAN SWIFT: "Deus ordena-nos a crer que há uma união e que há uma distinção; mas sobre o que essa união é ou o que é essa distinção, toda a raça humana ignora; e deve continuar sendo assim, ao menos até o dia do juízo, sem alguma nova revelação. Portanto, novamente eu repetirei a doutrina da Trindade como ela é positivamente afirmada na Escritura: que Deus é ali expresso em três diferentes nomes como Pai, como Filho e como Espírito Santo; que cada um desses é Deus, e que há apenas um Deus. Mas essa união e distinção são mistérios totalmente desconhecidos da raça humana".[164]

DR. PYE SMITH: "Na unidade perfeita e absoluta da Essência divina três são objetos de nossa concepção, ou sujeitos conhecidos por propriedades diferentes, que nas Escrituras são designados pela atribuição de tais apelações, pronomes, qualidades, e atos como próprios das pessoas racionais, inteligentes e distintas. Ao invés de pessoas, o termo subsistência é preferido por muitos. Essas três subsistências divinas não são Essências separadas (esta noção seria triteísmo). Nem meros nomes, ou propriedades, ou modos de ação (modalismo ou sabelianismo); mas essa unidade de subsistências é uma propriedade essencial, necessária e imutável da Essência divina. Há caracteres hipostáticos ou propriedades pessoais que são distintivas de cada pessoa, e que expressam as *relações* de uma com as outras".[165]

CREDO NICENO: "Cremos em um Deus, Pai Todo-poderoso, Criador de todas as coisas visíveis e invisíveis; e um único Senhor Jesus Cristo, o Filho de Deus, gerado do Pai, Unigênito, a saber, da essência do Pai, luz de luz, verdadeiro Deus de verdadeiro Deus, gerado, não feito, de uma essência com o Pai; por quem todas as coisas foram feitas, tanto as que estão no céu como as que estão sobre a terra etc., e no Espírito Santo.

Aqueles que dizem que houve um tempo quando Ele não era, e que Ele não era antes de ser gerado, e que Ele foi feito de coisas que não são; ou dizem que Ele é de uma hipóstase ou essência diferente do Pai, ou que o Filho de Deus é criado, nutrido e capaz de ser mudado, a Igreja Católica (universal) anatematiza".[166]

CREDO DE ATANÁSIO: "A fé católica (universal) consiste em adorar um só Deus em três pessoas e três pessoas em um só Deus. Sem confundir as pessoas nem separar a substância. Porque uma só é a pessoa do Pai, outra a do Filho, outra a do Espírito Santo. Mas uma só é a divindade do Pai, e do Filho, e do Espírito Santo, igual a glória, co-eterna a majestade... O Pai não foi feito, nem gerado, nem criado por alguém. O Filho procede do Pai; não foi feito, nem criado, mas gerado. O Espírito Santo não foi feito, nem criado, nem gerado, mas procede do Pai e do Filho. Não há, pois, senão um só Pai, e não três pais; um só Filho, e não três filhos; um só Espírito Santo, e não três espíritos santos. E nesta Trindade não há nem mais antigo nem menos antigo, nem maior nem menor, mas as três pessoas são co-eternas e iguais entre si. De sorte que, como se disse acima, em tudo se deve adorar a unidade na Trindade e a Trindade na unidade".[167]

Um sumário satisfatório dessa grande afirmação da Bíblia é feito pelo Dr. W. L. Alexander, da seguinte maneira:

No que respeita à distinção em uma divindade é real e eterna, e é marcada por certas propriedades peculiares a cada pessoa e não comunicável. Essas propriedades são tanto *externas* quanto *internas*; a última diz respeito aos modos de subsistência na essência divina, enquanto que a primeira diz respeito ao modo de revelação no mundo. As notas *internas* são *atos* e *noções* pessoais; os atos pessoais sendo (1) que o Pai gera o Filho etc., e espira o Espírito; (2) que o Filho é gerado do Pai, e com o Pai espira o Espírito; (3) que o Espírito procede do Pai e do Filho. As *noções* pessoais são (1) A capacidade de gerar e a paternidade são peculiares ao Pai; (2) a espiração como pertencente ao Pai e ao Filho; (3) A filiação como peculiar ao Filho; (4) A processão (*spiratio passiva*) como peculiar ao Espírito. As *notas externas* são (1) As obras na economia da redenção peculiares a cada um: o Pai envia o Filho para redimir e o Espírito para santificar; o Filho redime a raça e envia o Espírito; o Espírito é enviado para as mentes dos homens e os torna participantes da salvação de Cristo. (2) As obras atributivas ou apropriativas, i.e. aquelas que, embora comuns às três pessoas, são comumente atribuídas na Escritura a uma delas, como a criação universal, conservação e governo ao Pai através do Filho; a criação do mundo, ressurreição dos mortos, e a condução do juízo final, ao Filho; a inspiração dos profetas etc., ao Espírito.[168]

Só pode haver benefício prático se o estudante, após considerar o testemunho dado acima, tentar formar uma definição da idéia trinitariana, e evitar os erros que foram indicados.

IV. As Ênfases Verdadeiras

Visto que a segunda pessoa da Trindade é revelada como a declaração concreta ou manifestação de Deus aos homens (Jo 1.18; 2 Co 4.6; 5.19), a investigação da doutrina da Trindade pelos teólogos tem sido muito freqüentemente centrada na segunda pessoa, e negligencia a doutrina em si mesma. Tal atitude da parte dos homens é natural, a totalidade da fé cristã está – talvez mais do que tudo – comprimida nas palavras de Paulo: "Deus estava em Cristo, reconciliando consigo o mundo, não imputando aos homens as suas transgressões" (2 Co 5.19). Com referência a esse texto, Neander diz: "Reconhecemos nisso o conteúdo essencial do cristianismo resumido sinteticamente".[169] É na obra da redenção que as distinções entre as pessoas da Trindade aparecem mais claramente.

Isto é enfatizado pelo Dr. James Orr, em seu livro *The Christian View of God and the World*: "A doutrina da trindade não é um resultado de mera especulação, não uma teoria ou hipótese inventada por teólogos como produto de suas fantasias, e ainda menos, como alguns escritores eminentes sustentariam, o resultado da importação da metafísica grega para a teologia cristã. Primeiramente, ela é o resultado de um simples processo de indução dos fatos da revelação cristã... A concepção triúna de Deus é justificada, quando é mostrada como a concepção que forma a base da revelação triúna que Deus deu de si próprio, e a atividade triúna na obra da redenção".[170]

É muitíssimo difícil para os judeus, maometanos e unitarianos entenderem que os cristãos são tão comprometidos com a doutrina de *um* Deus como eles, e, mais ainda, visto que para o cristão ela é não somente a revelação das Escrituras, mas é um tema fundamental que o cristão está encarregado de mostrar e defender. Reconhecer o modo triúno de existência, não enfraquece, diminui ou complica a doutrina de *um* Deus, ou mesmo diminui a obrigação de sustentá-la. O Alcorão reflete esse engano: "Não diga, *Há* três deuses; evite *isso*; será melhor para você. Deus é apenas um Deus... Eles certamente são infiéis os que dizem, Deus é o terço de três; pois não há deus além de um Deus... E quando Deus disser *a Jesus no último dia*: Ó Jesus, filho de Maria, tu disseste aos homens: Considere-me a mim e minha mãe como dois deuses além de Deus? Ele responderá: Louvado sejas! Não é para eu dizer o que eu não devo".[171]

O judeu resiste a essa doutrina, visto que reconhecer a Trindade na divindade é, da parte dele, reconhecer a divindade daquele que ele identifica como *Jesus de Nazaré*. O unitariano resiste a essa doutrina, visto que de outra forma ele deve reconhecer a necessidade e o caminho da redenção através de Cristo. O maometano resiste a essa doutrina, visto que reconhecê-la é ignorar a advertência do Alcorão e, para a sua mente, é fugir do fundamento de sua fé, a saber, *que há um Deus*. O missionário cristão em terra islâmica encontra essa resistência como o missionário entre os judeus, e o mistério inexplicável que o modo triúno de existência apresenta é um problema a mais no seu trabalho.

W. A. Rice, M.A., escreve em *The Crusaders of the Twentieth Century*: "Nada seria mais fácil do que fazer prosélitos entre os hindus e maometanos, se somente se desistisse dessa doutrina da Trindade" (p. 230). Nenhuma dessas diversas pessoas é aberta às Escrituras. Os judeus rejeitam o Novo Testamento; o unitariano rejeita a confiabilidade de toda a Escritura; e o maometano rejeita a própria Bíblia. Maomé evidentemente obteve a impressão que teve do cristianismo da Igreja Católica Romana, e está evidente que a sua familiaridade com o verdadeiro testemunho das Escrituras era escasso.

Na abordagem do tema da Trindade, o estudante pode muito bem estar preparado para confrontar-se com um mistério profundo que, de necessidade, não pode ser explicado para mentes finitas. O fato de que a doutrina está envolvida em mistério tende a restringir a sua consideração àqueles que por iluminação espiritual estão inclinados a crer no testemunho de Deus relativo às coisas que não se podem conhecer. Para outros, a doutrina da Trindade não apresenta problema algum, visto que ela é rejeitada por eles completamente. A falha em respeitar o silêncio de Deus aqui, como sempre, conduz à conclusão. Na verdade, esse tem sido o caráter de muita controvérsia teológica sobre a afirmação trinitária.

Com o mesmo discernimento que lhe é peculiar, o Dr. Robert South (1634-1716) disse dessa doutrina: "Como aquele que a nega pode perder a sua alma; assim aquele que se esforça muito por entendê-la pode perder o seu juízo".[172]

Semelhantemente, John C. Doederlein (1780) disse: "Nós chegamos a um campo que há muito temos temido, amplo para a lavoura; todavia, semeado e emaranhado de espinhos cujas sementes têm sido disseminadas pela inexperiência frutuosa de teólogos e nutridas pelo calor dos concílios e sínodos misturados com as tempestades de anátemas; colheitas que muitos homens bons parecem pensar que deveriam ser cortadas, ou, se o matagal sagrado deve ser poupado, entregue para que os teólogos o cultivem".[173]

Capítulo XVIII

Prova da Doutrina Trinitária

As provas da doutrina essencial da Trindade podem ser retiradas tanto da razão quanto da revelação, embora a utilidade e a validade da primeira têm sido freqüentemente questionadas. O fato de que homens de igual sinceridade discordem com relação à possibilidade da razão servir no campo dessa doutrina é evidência de que as mentes humanas entregues a si mesmas falham em sua tentativa de pesquisar as coisas profundas de Deus. Porém, mais objetáveis que as tentativas da razão, são os esforços de ilustrar aquilo que não tem correspondência na vida humana ou na natureza. A existência triúna de Deus é muito mais do que o exercício das três funções primárias como poder, intelecto e vontade; ou correspondência às três divisões de um ser humano em corpo, alma e espírito; ou qualquer sugestão criada pelo movimento, luz e calor relacionado ao sol; ou três tons que se misturam num acorde; ou (como sugerido por D. Brewster) que um simples raio de luz possa ser decomposto por um prisma nas três cores primárias – vermelha, amarela e azul – com as suas intensidades variadas de poderes químicos.

Por causa da sua irrelevância, as ilustrações podem ser consideradas como "conselho obscurecido" com palavras que são vazias de significação. Richard Baxter (1615-1691) afirma: "Quanto a mim, como eu sinceramente considero a doutrina da trindade como o sumário e o cerne da religião cristã (como manifesto em nosso batismo) e o Credo de Atanásio, que possui a melhor explicação que jamais li; assim creio que é muito inadequado, com relação a esses mistérios tremendos, ir mais além da própria luz que temos de Deus para nos guiar."[174] Nem mesmo uma fração de relevância pode ser estabelecida entre tais ocorrências incidentais dentro das esferas finitas e da infinidade da realidade que o modo triúno da existência de um Deus apresenta. Uma ilustração que nao ilustra é pior do que nada.

I. Razão

Esta abordagem à doutrina do modo triúno de existência de Deus é propriamente uma continuação do que já foi apresentado sob os argumentos racionais para a realidade que Deus é, e tais qualificações como já foram desenvolvidas e impostas com respeito ao escopo e valor da razão na busca de coisas divinas, a essa altura se aplicam também. Como foi afirmado antes, a razão não pode dar uma anuência inteligente a tudo o que a revelação apresenta, fato esse que é devido às limitações da razão. Não obstante, não pode haver uma contradição final estabelecida entre a razão e a revelação, visto que a revelação é, acima de tudo, a manifestação da razão infinita. Deus é a perfeição suprema da razão e qualquer coisa que Ele revele não é nada além da manifestação da razão infinita. Owen Feltham (...1668) testificou: "Eu creio que nada há na religião contrário à razão, quando a conhecemos corretamente".[175]

É igualmente verdadeiro que, se ela fosse realmente entendida, não haveria uma palavra da revelação à qual a razão não daria uma resposta positiva. A crença na doutrina da trindade – um Deus que subsiste em três modos de existência – não deveria ser fundada na razão. É uma revelação. Contudo, é totalmente legítimo observar, como se pode fazer com alguma atenção, que a razão, até onde ela pode ir, aquiesce naquilo que a revelação apresenta. A Bíblia, por ser infinitamente verdadeira, não procura apoio na razão finita. Sobre isto Hermann Venema diz: "Mas embora a razão não proporcione uma assistência em fazer qualquer afirmação expressa sobre o assunto, nem o nega ou se opõe a ele. Ela ensina a unidade da essência divina; mas, embora não possa provar que essa essência subsiste em diversas pessoas, ela não pode apresentar uma refutação de tal doutrina. Ela a deixa no seu devido lugar".[176]

Uma reafirmação é necessária com a finalidade de não ser entendido que a razão é chamada para assentir com a noção impossível de que um é três e que três são um. A doutrina da existência triúna de Deus não se assemelha a tais contradições abstratas, quando se afirma que na divindade há distinções na consciência pessoal que são combinadas com a identidade de natureza e de atributos. Anteriormente, foi provado que não há um absurdo envolvido quando se afirmou que a pluralidade coexiste com a unidade. O elemento de mistério que está presente é normal. O problema não é o *como* do mistério, mas o *fato*. Qualquer pessoa experimentada e especialista em lógica distinguirá entre essas proposições tão amplamente diferentes.

Quando prosseguimos ao longo das linhas da contemplação racionalista dessa grande doutrina, nenhuma alegação é feita quanto à originalidade. Os argumentos desenvolvidos são aqueles empregados por diversos escritores – na verdade, são muitos para qualquer identificação com relação à autoria humana. A linha de raciocínio será numa série de proposições independentes, a saber:

1. OS ATRIBUTOS DIVINOS SÃO ETERNOS. Visto que Deus existe eternamente, os seus atributos, que existem necessariamente, existem eternamente. Nenhum atributo de Deus é derivado, visto que isso tornaria Deus dependente em algum grau. Igualmente, nenhum atributo de Deus é adquirido, visto que isso implicaria que Deus existiu em algum tempo como um Ser imperfeito. Seus atributos coexistem com a sua existência. Visto que a auto-suficiência, imutabilidade, onipresença, onisciência, onipotência, bondade,

amor, santidade e uma disposição de comunhão são atributos de Deus, eles têm sido seus atributos precisamente do mesmo modo desde a eternidade.

2. A ATIVIDADE ETERNA DOS ATRIBUTOS. Os atributos de Deus são ativos eternamente. Essa verdade levou alguns dos antigos a concluir que Deus, para satisfazer os seus atributos, criou as coisas materiais. Aristóteles afirma: "Deus, que é uma natureza inamovível (imutável), cuja essência é energia, não pode ser imaginado descansando ou dormindo desde a eternidade, não fazendo nada, e então, após eras infinitas, ter começado a mover a matéria, ou a fazer o mundo".[177] Essa linha de raciocínio falha porque ela está baseada na falácia de que a atividade de Deus está confinada à criação das coisas materiais. Embora os atributos de Deus tenham estado ativos eternamente, a criação teve o seu começo. Asseverar que a onisciência de Deus não esteve eternamente ativa é alegar que houve um tempo quando Ele nada conhecia.

Não há tempo, quando no exercício da onipotência, que Ele não tenha feito alguma coisa. Assim, e com significado específico nesta conjuntura, nunca houve um tempo quando a sua disposição para relacionamento não esteve ativa. Nenhum pensamento pode ser nutrido que implique que tenha havido um tempo quando a santidade divina, sua justiça e bondade não tenham estado ativos. É igualmente evidente que como Deus vive na realização de seus atributos, eles têm estado ativos desde toda a eternidade, e assim Deus será relacionado aos seus atributos por toda a eternidade vindoura. Deve ser observado, contudo, que Deus não é, como um autômato, governado por Seus atributos, mas sempre age com inteligência e razão que podem envolver alguma variedade na ênfase dada a alguns atributos mais do que a outros sob circunstâncias atenuantes.

3. OS ATRIBUTOS EXIGEM TANTO O AGENTE QUANTO O OBJETO. O exercício dos atributos divinos sugere que é requerido tanto o agente quanto o objeto. O poder, o amor e a disposição de relacionamento, iguais a todos os outros atributos, exigem tanto o agente quanto o objeto. Semelhantemente, o agente não pode ser numérica, idêntica e individualmente o mesmo. Ao requerer relações recíprocas, os atributos não podem surgir e ser exercidos dentro de uma unidade absoluta. Se existe qualquer exceção, ela está na esfera da onisciência na qual o autoconhecimento é reconhecido. A ilustração conhecida é aquela de um espírito totalmente isolado de todos os outros seres sem nenhum conhecimento de que outro qualquer existe. Poderia tal espírito sob tais circunstâncias exercer um poder objetivo, amor, ou disposição de relacionamento?

Assim seria com Deus. Ele é um Agente perfeito no exercício de perfeições e atributos infinitos; mas quem, pode ser perguntado, é o objeto? A criação apresenta uma multidão de objetos e esses todos são beneficiados por Sua agência; mas a pergunta é mais exigente, pois ela indaga sobre quem serviu como objeto no exercício dos eternos atributos naquela situação que existiu antes que alguma coisa fosse criada. Os atributos de Deus foram ativos antes da criação e, se é assim, deve ter havido tanto o agente quanto o objeto, como agora. Restringir o objeto divino à criação é privar Deus do exercício de Suas qualidades e características durante aquele período que precedeu a criação. Segue-se também que, visto que a criação era um assunto de escolha divina e, portanto, contingente, é restringir o exercício dos atributos divinos ao que é contingente.

Em tal caso, os atributos divinos poderiam facilmente nunca ter sido exercidos. Tudo isso sugere o absurdo de que os atributos divinos não foram exercidos na eternidade passada, que eles, debaixo de algumas circunstâncias, não podem ser exercidos hoje, e que eles podem não ter sido exercidos. Tal raciocínio deve ser rejeitado. Cícero apresenta Velleius como aquele que propõe a seus oponentes uma estranha pergunta: "O que foi que induziu Deus a adornar os céus com estrelas e luminárias brilhantes? Foi Ele anteriormente igual a alguém que viveu numa habitação escura e desconfortável, e desejou uma habitação melhor? Se é assim, por que ficou Ele tanto tempo sem a satisfação do seu desejo?"[178] Conquanto esta referência seja mais ou menos irrelevante para esse ponto, é verdade que o exercício dos atributos divinos não começou com a criação.

Deus era tão tranqüilo e completo em si mesmo antes da criação como depois dela. É igualmente imperativo reconhecer que um universo finito nunca foi, nem será jamais, a plena satisfação objetivamente de um Ser infinito. Um homem pode gostar de seu cão fiel, mas todas as atividades e capacidades de um homem não são satisfeitas com um cão como objeto. Pode ser observado que mesmo o homem, que é feito à imagem de Deus, não fica satisfeito plenamente até que ele seja basicamente atraído para o infinito. O salmista expressa essa verdade quando diz: "Como o cervo anseia pelas correntes das águas, assim a minha alma anseia por ti, ó Deus!" (Sl 42.1). O destino do homem é de duração eterna. Ele observará a criação dos novos céus e da nova terra e, se remido, os desfrutará para sempre. Após receber o dom da vida eterna, ele tem pouca vontade de colocar o seu afeto em coisas do tempo e dos sentidos. Ele é antes ordenado a colocar as suas afeições nas coisas de cima, onde Cristo está sentado à direita de Deus (Cl 3.1-3).

Deus não é dependente da criação como um objeto para o exercício de seus atributos. Ele não depende de algo senão de si mesmo.

4. Deus é Suficiente em Si Mesmo. A razão assim assevera que há dentro de Deus aquilo que corresponde tanto ao agente quanto ao objeto. Todas as tentativas de descobrir um objeto divino adequado fora de Deus sempre falharão. Alguma coisa deve ser descoberta, porque ela certamente existe, que é anterior e infinitamente superior a tudo o que a criação propicia. Nesse ponto pode ser observado que a antecipação da criação não pode servir como um objeto adequado; pois, se a criação, quando realizada, é insuficiente para servir como um objeto infinito, ele podia não servir quando existisse como uma mera idéia arquétipa. Está em harmonia com a independência e a excelência infinita da Divindade asseverar que os seus recursos estão nele próprio, e é igualmente verdadeiro que Ele é também a resposta para cada desejo de seu próprio Ser.

Em sua relação com a criação, Ele dá, mas nada recebe. Ele é a fonte de toda bênção e encontra em si mesmo o seu próprio contentamento. Ele é a única esfera em que pode exercer a sua própria natureza infinita. O exercício de seus atributos é tanto a essência quanto a existência deles. Assim, se não há outra esfera que corresponda à sua infinidade, esses atributos devem ser exercidos dentro dele mesmo; e dentro dele mesmo Ele encontrou satisfação por toda a eternidade. Portanto, é necessário concluir que o próprio modo do Ser divino responde a todas essas exigências. O agente e o objeto estão abrangidos nele próprio. Uma pluralidade é, assim, predicado da natureza divina.

5. O AGENTE E O OBJETO SÃO PESSOAS. Visto que a natureza divina inclui a pluralidade, ela deve ser uma pluralidade de pessoas. Tal pluralidade não pode ser predicado da Essência divina, porque as Escrituras distintamente testificam a verdade de que há apenas *um* Deus. Semelhantemente, essa pluralidade não pode ser aquela dos meros ofícios ou modos de manifestação, pois isso não poderia servir na relação deles de um para com o outro como agente e objeto. Nada menos do que pessoas podem servir nesta reciprocidade. No caso do exercício dos atributos que são morais, tanto o agente quanto o objeto devem mostrar inteligência, consciência e agência moral. Na experiência de relacionamento, a necessidade é tanto do objeto quanto do agente, de haver uma similaridade em pensamento, disposição, vontade, propósito e afeição.

Se o agente é uma pessoa, o objeto deve ser uma pessoa também; o que quer que pertença à Divindade é de necessidade eterna. Nada em Deus, como tem sido visto, pode ser contingente ou acidental. Cada atributo e qualidade divina é eterno, e, igualmente, a pessoa, ou pessoas, a quem esses atributos pertencem são eternas. Nenhuma dessas pessoas dentro da Divindade poderia estar ausente nos aspectos essenciais e atributos da Trindade e ainda manter qualquer lugar no relacionamento que abrange a Divindade. Pela necessidade mais empírica essas pessoas são co-iguais. Nenhuma gradação pertence à infinidade. Não há uma esfera de existência intermediária entre a Divindade infinita e a criatura finita. Tudo o que está dentro da Essência da Divindade não falta nas coisas que pertencem à perfeição infinita. Todos devem ser iguais em poder, glória, sabedoria, benevolência, dignidade e disposição para relacionamento.

Esses atributos têm sido e sempre serão exercidos pela pessoa dentro da Divindade. Em toda a plenitude da infinidade, esses atributos têm sido eternamente ativos em cada pessoa. Portanto, como cada pessoa exerceu esses atributos com relação à infinidade e eternidade, torna-se evidente que cada um deles foi e será infinitamente ativo como agente e objeto. É impossível para uma mente finita compreender a afeição íntima e duradoura que o amor infinito gerou dentro da Divindade. Cada um amando e recebendo algo em troca. Cada um com entendimento infinito apreciando a perfeição dos outros. A vontade de um em absoluto acordo com a vontade dos outros. Não há uma surpresa que o Pai diga do Filho: "Este é o meu Filho amado em quem me comprazo".

TRINITARIANISMOTEONTOLOGIA

6. Pluralidade em Deus é uma Trindade. Até agora nesse argumento somente uma pluralidade dentro da Divindade foi asseverada, mas alguma prova pode ser desenvolvida como evidência de que essa pluralidade é uma trindade – não menos nem mais. Esse é o testemunho claro da revelação, mas é o propósito desse argumento demonstrar primeiramente tudo o que pode ser descoberto através da razão antes de nos voltarmos à revelação. Foi visto que deve haver uma pluralidade e pessoas, a fim de que os atributos divinos possam ser exercidos dentro da Divindade e à parte da criação, e que cada pessoa deve servir tanto como agente quanto objeto na comunhão e reciprocidade que pertence ao relacionamento; mas se todas as formas de atividade das pessoas devem ser experimentadas, deve haver uma ação conjunta assim como a que é individual.

Uma comunhão unida e de acordo, que tem uma importância especial entre os homens na terra (Mt 18.19), sem dúvida tem a sua contraparte na comunhão dentro da Divindade. Em alto grau, tal ação conjunta está implícita na comunhão e no acordo entre as pessoas da Divindade, acordo esse que tem sido reconhecido. Portanto, segue-se que tanto o elemento da ação conjunta quanto o agente é experimentado por duas, e deve haver uma terceira pessoa que serve como objeto. Não há necessidade de mais de três pessoas na Divindade e não poderia haver menos. *Três* é o número da perfeição divina, não somente no testemunho da Bíblia, que é suficiente e final, mas com base no fato de que dentro de uma tríade de pessoas, toda exigência que a reciprocidade possa apresentar é satisfeita. Duas pessoas infinitas concordando como agentes para uma função conjunta de seres devem ter como objeto uma terceira pessoa igualmente classificada tanto quanto elas próprias.

Assim, o Pai e o Filho, por serem agentes conjuntos, no exercício do amor infinito, dizem ter o Espírito Santo como o objeto deles; o Filho e Espírito, por serem agentes conjuntos, têm o Pai como o objeto deles; e o Pai e o Espírito, por serem agentes conjuntos, têm o Filho como o objeto do amor deles. Assim, é visto que há uma grande medida de acordo entre a revelação e a razão a respeito da Trindade.

O opositor individual do dogma trinitário faria bem se prestasse atenção aos ensinos da Bíblia sobre esse assunto; mas se ele, por sua incredulidade, não é receptivo à Palavra de Deus, deveria prestar atenção, não obstante, aos ditames empíricos da razão. O ponto de partida do testemunho cristão, esteja ele tratando com judeu, unitariano, maometano ou agnóstico, é uma defesa da unidade de Deus. O cristão não cede o primeiro lugar a ninguém em sua insistência de que há apenas *um* Deus. O cristão está em plena posse de tudo aquilo que o judeu ou o maometano reivindica e infinitamente mais.

7. A Bíblia Sustenta a Razão. Todavia, além disso, e continuando sob o tema geral da *razão*, será visto que a Bíblia sustenta e justifica toda conclusão racional com relação ao modo triúno da existência de Deus. A verdade existiu antes de qualquer revelação ou forma escrita ter sido feita. Portanto, ela não depende da revelação para a sua veracidade. Com o mesmo fim, pode ser dito que algumas verdades, embora registradas e de nenhum modo opostas à razão, não são demonstráveis pela razão. Se, como foi provado, a revelação é infinitamente verdadeira, segue-se que [a razão fomenta uma contradição com a revelação] a razão está em falta. A doutrina da Trindade é um dos ensinos mais inequívocos da Bíblia. Embora a razão em nenhuma ocasião tenha de ajudar a revelação com respeito a essa doutrina, a revelação pode assistir a razão.

Deve ser dada atenção agora a esse campo de investigação. As Escrituras disponíveis somente asseveram a existência eterna da Divindade. Algumas coisas, as Escrituras afirmam, existem *desde* a fundação do mundo, ou dentro dos limites do tempo, enquanto outras partes das Escrituras afirmam que algumas coisas existem desde *antes* da fundação do mundo, ou desde toda a eternidade. É dito que Cristo é morto *desde* a fundação do mundo (Ap 13.8), mas a sua morte foi preordenada *antes* da fundação do mundo (1 Pe 1.20).

A. O Exercício Eterno do Amor. Em sua oração sacerdotal Cristo disse ao seu Pai: "...pois que me amaste antes da fundação do mundo" (Jo 17.24). O amor é um atributo divino, igual a todos os atributos, como foi demonstrado, que não é somente eterno e, portanto, exercido antes da criação do universo e à parte do universo, mas requer que ele, como agente, tenha um objeto co-igual e recíproco em tudo. Essa declaração da parte de Cristo refere-se ao exercício eterno do amor. Através dessas palavras de Cristo, o leitor é levado de volta à impressionante eternidade que precede a criação, quando não havia um agente nem objeto além das pessoas da Trindade. Como uma pessoa individual, Deus não meramente se amou, mas Ele amou as outras pessoas além de si próprio, que abrange a Essência única que é Deus.

B. O Exercício Mútuo da Glória. Na mesma oração e quando falava diretamente ao seu Pai das coisas perfeitamente acordadas entre eles, Cristo disse: "Agora, pois, glorifica-me tu, ó Pai, junto de ti mesmo, com aquela glória que eu tinha contigo antes que o mundo existisse" (Jo 17.5). A frase παρὰ σεαυτῳ ("junto de ti mesmo") é definida, e indica uma glória com a pessoa do Pai à parte das dignidades e honras externas. O mesmo é expresso novamente pelas palavras, παρὰ σοί ("contigo"). Desde a eternidade o Filho participou da glória eterna que pertence à Trindade. A glória é a de dignidade, perfeição e bem-aventurança infinita. Por ser Deus imutável, a sua glória nunca pode mudar. A data dessa glória não poderia deixar de ser observada. Ela é antes da criação dos mundos e, sem dúvida, anterior à existência de quaisquer seres angelicais que estavam presentes para observar essa glória. Alguma sugestão dessa glória pode ser obtida de Apocalipse 21.23, onde aquela mesma glória imutável é dita ser manifesta nas eternas e vindouras.

C. O Exercício de Conhecer. Uma pluralidade de pessoas na Trindade proporciona uma comunhão mútua de conhecimento entre o agente e o objeto. Tal acontece agora como se sucedeu sempre. As palavras de Cristo sobre esse aspecto da reciprocidade eterna são de grande importância: "Assim como o Pai me conhece e eu conheço o Pai" (Jo 10.15); "e ninguém conhece plenamente o Filho, senão o Pai; e ninguém conhece plenamente o Pai, senão o Filho, e aquele a quem o Filho o quiser revelar" (Mt 11.27). Semelhantemente, é revelado que o Espírito conhece. Está escrito: "E aquele que esquadrinha os corações sabe qual é a intenção do Espírito: que ele, segundo a vontade de Deus, intercede pelos santos" (Rm 8.27); "Porque Deus no-las revelou pelo seu Espírito; pois o Espírito esquadrinha todas as coisas, mesmo as profundezas de Deus" (1 Co 2.10). Assim, não somente é assegurada a reciprocidade do agente e objeto na esfera do conhecimento, mas a eternidade de ambos, o Filho e o Espírito, é assegurada.

D. O Exercício da Disposição Divina para a Comunhão. Se a existência triúna tivesse sido a de seres totalmente distintos sem relações mútuas que os ligassem, seria fácil, sob tais circunstâncias, para esses seres terem se separado um do outro e terem se perturbado por interesses rivais; mas, por haver uma só Essência, não existiria uma separação instigada por interesses próprios. A importante palavra *com* é empregada para denotar essa comunhão eterna. Como foi observado acima, Cristo fala ao Pai da glória que tivera *com* Ele nas eras passadas, e João abre o seu evangelho com a sublime declaração: "No princípio era o Verbo, e o Verbo estava com Deus, e o Verbo era Deus. Ele estava no princípio com Deus" (Jo 1.1, 2). O mesmo relacionamento é apresentado em 1 João 1.2. Está escrito de Cristo que Ele era "a vida eterna, que estava com o Pai".

A frase *no princípio*, como usada aqui por João, dificilmente poderia ser uma referência a outra coisa qualquer além da eternidade passada que foi anterior ao evento mencionado no versículo seguinte, a saber: "...todas as coisas foram feitas por ele". Em tal tempo e sob tais circunstâncias, é afirmado que o Filho, ou Logos, estava *com* Deus, e também que então, como agora e sempre, será o Filho, ou Logos, era e é Deus. Nunca houve e jamais poderia ter havido qualquer coisa além de uma comunhão mútua (que satisfazia plenamente tanto o agente quanto o objeto) entre as pessoas da Trindade. Essa comunhão, por ser parte de tudo o que é criado, foi tão perfeita e completa tanto antes quanto depois da criação. É dentro da esfera da Trindade que há uma profundidade incompreensível do significado para as frases: "...o Unigênito que está no seio do Pai"; "...como tu, ó Pai, está em mim, e eu em ti"; e "...Eu estou no Pai, e o Pai está em mim"; "...todas as coisas que o Pai tem são minhas".

Assim, é visto que as deduções que a razão finita afirma são sustentadas pela Palavra de Deus, que é infinitamente verdadeira. Há uma pluralidade [de pessoas] na Trindade desde toda eternidade e essas na reciprocidade de agente e objeto têm mantido um amor, glória, conhecimento e comunhão mútuos desde a eternidade – um relacionamento tão suficiente que as demandas infinitas foram satisfeitas. A isso, a criação, vinda mais tarde no tempo, nada poderia acrescentar.

II. Revelação

Como a Escritura presume a existência de Deus com base no fato de que Ele nunca começou a existir, de igual modo e pela mesma razão, as Escrituras presumem um modo triúno de existência da Divindade. As três pessoas concorrem como os autores da revelação e não devem, por causa disso, ser magnificadas isoladamente como os sujeitos da revelação. A existência do autor de qualquer livro é suposta, e é verdadeiro dessas realidades que a doutrina da existência triúna não está baseada numa asserção direta da Bíblia, ou de qualquer uso da palavra *trindade*, palavra essa que não é encontrada no Texto Sagrado. O termo *trindade* veio a ser usado no segundo século da era cristã. É de grande importância que os nomes de Deus sejam auto-revelados e que, no Antigo Testamento, o nome *Elohim* seja plural, e que, no Novo Testamento, o nome Θεός, embora singular, seja representado na pluralidade triúna como Pai, Filho e Espírito Santo.

Também deve ser observado que a mensagem principal do Antigo Testamento com respeito à Divindade é de sua unidade, mas há muitas indicações de que há uma pluralidade de pessoas. Assim, e com o mesmo propósito, deve ser observado que em conexão com o Novo Testamento, como tendo a ver com os vários aspectos da redenção, partes essas que são assumidas pelas diferentes pessoas da Trindade, que a sua mensagem principal com relação a Deus é das três pessoas com indicações definidas que, por trás dessa representação, há apenas um Deus.

1. A DOUTRINA DA TRINDADE DEMONSTRADA NO ANTIGO TESTAMENTO. Já chamamos a atenção anteriormente nesse tratado para a importância da verdade que a palavra *Elohim* é plural e, conseqüentemente, é usada propriamente com formas plurais de linguagem; mas isto, semelhantemente a outras doutrinas do Antigo Testamento, é incompleto à parte do progresso da doutrina que é consumada no Novo Testamento, onde as distinções entre Pai, Filho e Espírito Santo aparecem. Porque a declaração de que o nome *Elohim*, do Antigo Testamento, que é uma referência velada à trindade de pessoas, deveria ser resistida, quando o Novo Testamento afirma que a trindade de pessoas existe e sempre existiu? Se não houvesse um desenvolvimento posterior da doutrina trinitária, além da sugestão adiantada pela forma plural de *Elohim*, o caso seria diferente, pois o plural de *Elohim* não é prova suficiente e final do modo triúno de existência; mas a forma singular de Θεός, quando é vista pela forma normativa da Escritura que apresenta três pessoas distintas, não nos leva corretamente à solução certa do problema que o plural de *Elohim* gera? O caso é ainda mais forte quando se descobre que o adversário não argumenta contra essa interpretação, mas meramente a substituiria por outra idéia.

De modo algum o testemunho que o Antigo Testamento fornece sobre a pluralidade de pessoas na Divindade fica restrito ao que pode ser derivado da forma plural de *Elohim* e suas formas associadas de linguagem. A distinção definida é feita no Salmo 2 entre Jeová e Seu Messias (v. 2). Neste salmo, Jeová afirma: "Eu tenho estabelecido o meu Rei sobre Sião, meu santo monte" (v.6), e o Filho, que é o Rei, declara: "Jeová me disse: Tu és meu Filho, hoje te gerei" (v. 7). Semelhantemente, uma distinção é estabelecida em muitas passagens entre Jeová e o Servo de Jeová, ou o Anjo de Jeová. Com o objeto total de manter a verdade que Deus é uma Essência em que três pessoas subsistem, está o fato de que o Anjo de Jeová é, às vezes, outro além de Jeová, e em outras vezes, Ele é o próprio Jeová. Ainda mais, no Salmo 22, que registra a oração de Cristo, ao dirigir-se ao seu Pai, quando estava na cruz, é dito que Ele disse: "Deus meu, Deus meu, por que me desamparaste?" (v. 1); assim, também, no v. 15: "...tu me puseste no pó da morte".

Assim, igualmente, o nome *Emanuel* é interpretado por inspiração com o significado de "Deus conosco", que indica simplesmente o fato de que Deus entrou na esfera humana na encarnação do Filho, que se fez carne e habitou entre nós. É de grande importância que os três nomes básicos da Divindade no Antigo Testamento sejam diretamente atribuídos a cada uma das três pessoas. Que a primeira pessoa é *Jeová, Elohim* e *Adonai* não precisa ser enfatizado. Todavia é igualmente verdadeiro que esses nomes são aplicados à segunda pessoa. Ele é chamado *El* (Is 9.6), *Jeová* (Sl 68.18; Is 6.1-3; 45.21). Assim, também, o Espírito é chamado *Jeová* (Is 11.2, literalmente *Espírito de Jeová*; cf. Jz 15.14), e o Espírito é *Elohim* (Êx 31.3, literalmente *Espírito de Elohim*).

Deveríamos pensar também na bênção que o sumo sacerdote usava para despedir as pessoas de Israel, por autoridade divina: "O Senhor te abençoe e te guarde; o Senhor faça resplandecer o seu rosto sobre ti, e tenha misericórdia de ti; o Senhor levante sobre ti o seu rosto, e te dê a paz. Assim porão o meu nome sobre os filhos de Israel, e eu os abençoarei" (Nm 6.24-27). As três partes dessa bênção concordam com os ministérios das três pessoas da Divindade. A seguinte citação do livro *Person of Christ*, de J. Pye Smith apresenta bem esse aspecto da verdade: "A primeira parte da fórmula expressa o benevolente 'amor de Deus', o Pai de misericórdias e a fonte de todo bem; a segunda concorda bem com a redentora e reconciliadora 'graça de nosso Senhor Jesus Cristo'; e a última é apropriada à pureza, consolação e alegria que são recebidas da 'comunhão do Espírito'".[179] Aqui há uma correspondência notável com as bênçãos registradas nas epístolas do Novo Testamento, que tão claramente denominam as pessoas da Trindade e lhes atribuem os seus respectivos ministérios (cf. 2 Co 13.14).

Por causa desse grande significado, é dada grande atenção à atribuição tríplice de Isaías 6.3. Sobre esta passagem Richard Watson escreveu:

A parte mais interior do santuário judaico era chamada de *santo dos santos*, a saber, o santo lugar dos *Santos*; e o número destes é indicado, e limitado a *três*, na visão celebrada de Isaías, e com grande clareza. A cena daquela visão é santo lugar do templo, e, portanto, está posta na real habitação e residência dos *Santos*, aqui celebrados pelos serafins que escondem as suas faces perante eles. E uns clamavam aos outros, e diziam: "Santo, santo, santo é o Senhor dos Exércitos". Esta passagem, se vista isoladamente, poderia ser entendida como que dizendo que esse ato da adoração *divina* aqui mencionado é meramente enfático, ou que no modo hebraico de expressar é um *superlativo*; embora isso possa ser suposto, mas de modo algum pode ser provado. Contudo, é seriamente digno de nota que este ato *trino* distinto de adoração, que tem sido tão freqüentemente suposto como determinação de uma pluralidade de pessoas como objetos dela, é respondido por uma voz daquela glória excelente que sobrepujou a mente do profeta quando ele foi agraciado com a visão, e respondeu na mesma linguagem de pluralidade em que a doxologia dos serafins é expressa. "Depois disto ouvi a voz do Senhor, que dizia: A quem enviarei, e quem irá por nós?" Mas esta não é a única evidência de que nessa passagem os *Santos*, que individualmente foram os destinatários dessa adoração pela designação apropriada e igual, *Santo* aponta para as *três* subsistências divinas na Trindade. O endereçamento é ao "Senhor dos Exércitos". Todos reconhecem que isto inclui o *Pai*; mas o evangelista João, no capítulo 12.41, numa referência clara a essa transação, observa: "Estas coisas disse Isaías, porque viu a sua [de Cristo] glória, e dele falou". Nesta visão, portanto, temos o *Filho* também, cuja glória nessa ocasião o profeta disse ter visto. Atos 28.25 determina que havia também a presença do Espírito Santo. "Bem falou o Espírito Santo aos vossos pais pelo profeta Isaías, dizendo: Vai a este povo e dize: Ouvindo, ouvireis, e de maneira nenhuma entendereis; e, vendo, vereis, e de maneira nenhuma percebereis." Essas palavras, citadas de Isaías, o apóstolo Paulo declara terem sido faladas pelo Espírito Santo, e Isaías as declara terem sido transmitidas naquela ocasião pelo "Senhor dos Exércitos". "E ele disse: Vai a este povo e dize: Ouvindo, ouvireis, e de maneira nenhuma entendereis; e, vendo, vereis, e de maneira nenhuma percebereis".

Ora, coloque todas essas circunstâncias juntas – O *Lugar*, o lugar santo dos Santos; a repetição da deferência, *três* vezes, Santo, santo, santo – por *um* Jeová dos Exércitos, a quem ela foi dirigida –, o pronome plural usado por este *um* Jeová, Nós; a declaração de um evangelista, de que nessa ocasião Isaías viu a glória de *Cristo*; a declaração de Paulo, de que o Senhor dos Exércitos que falou na ocasião era o *Espírito Santo*; e a conclusão parecerá ser com a mais poderosa autoridade, tanto circunstancial quanto declaratória, que a adoração, Santo, santo, santo referia-se divino em três, em uma essência do Senhor dos Exércitos. Conseqüentemente, no livro do Apocalipse, onde "o cordeiro" é tão constantemente apresentado como sentado no trono divino, e onde Ele é associado pelo nome ao Pai, como o objeto de deferência e louvor *iguais* da parte dos santos e dos anjos; essa cena de Isaías é transferida para o capítulo 4, e os "seres viventes", o serafim do profeta, são ouvidos na mesma canção, e com a mesma repetição *trina*, dizendo: "Santo, santo, santo, Senhor Todo-poderoso, que *era*, e que *é*, e que *há de vir*".[180]

Semelhantemente, a bênção tríplice que Jacó invocou sobre os filhos de José é bem descrita por Hermann Venema:

"O Deus em cuja presença andaram os meus pais... que tem sido o meu pastor durante toda a minha vida até este dia.... o anjo que me tem livrado de todo o mal, abençoe estes mancebos" (Gn 48.15, 16). Se a doutrina da trindade não está revelada nesta passagem, será bem difícil explicar tão longo prefácio. Mas vamos examiná-la um pouco mais de perto. Fizemos menção nas palavras de Jacó de três pessoas distintas – "O Deus em cuja presença andaram meus pais", e "o anjo que me tem livrado de todo o mal" – aqui temos ao menos *duas* pessoas; mas é dito ainda que "o Deus que tem sido o meu pastor". Esta última é inquestionavelmente distinta do Anjo, e também do Deus diante de quem os pais andaram. Há, assim, três pessoas distintas, sob três nomes pessoais, que realizam obras distintas. "O Deus que tem sido o meu pastor" e "o Anjo que me tem livrado de todo o mal" são representadas como possuidoras do que é peculiar à pessoa divina, e como firmadas no mesmo pé de igualdade com o verdadeiro Deus. As obras divinas são atribuídas a cada uma delas. Eles são mencionados como o objeto da adoração divina e como a fonte de bênção. Jacó invoca a bênção dos três. Mas o verdadeiro Deus é o único objeto de adoração – o único ser a quem a oração pode ser dirigida. Em nenhum lugar lemos a respeito dos santos do Antigo Testamento que oram ou pedem bênçãos a alguém, a não ser a Deus. É como se Jacó houvesse dito: "Que Ele, que é a fonte de bênçãos, abençoe os mancebos". Nenhuma criatura pode eficazmente abençoá-los. Os outros dois, portanto, que Jacó menciona, são realmente pessoas divinas. Isto é confirmado pela Escritura que descreve Deus o Pai como o líder, o mestre, ou aquele diante de quem nossos pais andaram – o Filho de Deus como o Göel, o Anjo que redimia – e o Deus que é o autor da iluminação, santificação e conforto, como o Espírito Santo que nos fornece toda comida espiritual e nos alimenta com ela.[181]

Três pessoas distintas são indicadas em 2 Samuel 23.2,3; Isaías 48.16 e 63.7-10. Igualmente, à vista do fato de que a criação é atribuída a cada pessoa da Trindade separadamente como também de *Elohim* pela palavras: "...e Deus [*Elohim*] disse, façamos o homem à nossa imagem" (Gn 1.26), temos uma confirmação forte da mesma verdade no plural de Eclesiastes 12.1: "Lembra-te do teu Criador ['criadores'] nos dias da tua mocidade"; e em Isaías 54.5, que diz: "Teu Criador ['criadores'] é teu marido".

Como um sumário da doutrina da Trindade encontrada no Antigo Testamento, o Dr. W. H. Griffith Thomas afirma o seguinte em seu livro *Principles of Theology*, sob o sub-título "A Doutrina Antecipada":

A esta altura, e somente aqui, podemos procurar outro apoio para a doutrina. À luz dos fatos do Novo Testamento não podemos deixar de perguntar se não pode ter havido qualquer prenúncio dela no Antigo Testamento. Como a doutrina surge diretamente dos fatos do Novo Testamento, não procuramos qualquer descoberta plena dela no Antigo Testamento. Não devemos esperar muito, porque, como a função de Israel era enfatizar a unidade de Deus (Dt 6.4), qualquer revelação prematura poderia ter sido desastrosa. Mas se a doutrina é verdadeira, podemos esperar que os judeus cristãos, a qualquer preço, procurem alguma antecipação dela no Antigo Testamento. Cremos que a encontramos ali. (a) O uso do plural *"Elohim"*, com o verbo singular, *"bara"*, é ao menos digno de nota, e parece exigir algum reconhecimento, especialmente com o mesmo solecismo gramatical usado por Paulo (1 Ts 3.11, no grego). Então, também, o uso do plural "nós" (Gn 1.26; 3.22; 11.7) parece indicar algum tipo de conversa intra-trinitária. Não é satisfatório atribuir isto a anjos porque eles não estavam associados a Deus na criação. Qualquer que possa ser o significado desse uso, parece, a qualquer custo, implicar que o monoteísmo hebraico era uma realidade intensamente vívida. (b) As referências ao "Anjo de Jeová" preparam o caminho para a doutrina cristã de uma distinção na divindade (Gn 18.2,17; 18.22 com 19.1; Js 5.13-15 com 6.2; Jz 13.8-21; Zc 13.7). (c) Alusões ao "Espírito de Jeová" formam outra linha de ensino no Antigo Testamento. Em Gênesis 1.2, o Espírito é uma energia somente, mas nos livros subseqüentes um agente (Is 40.13; 48.16; 59.19; 63.10s.). (d) A personificação da Sabedoria divina deve ser observada também, porque a conexão entre a personificação da Sabedoria em Provérbios 8, o Logos de João 1.1-18, e a "sabedoria" de 1 Coríntios 1.24 dificilmente pode ser acidental. (e) Há também outras sugestões, como a triplicidade dos nomes divinos (Nm 6.24-27; Sl 29.3-5; Is 6.1-3), que, conquanto não possam ser enfatizadas, não podem ser subestimadas. As sugestões são tudo o que poderíamos esperar até que a plenitude dos tempos aparecesse. A obra especial de Israel era manter a transcendência e a onipresença de Deus; coube ao cristianismo desenvolver a doutrina da Trindade em sua plenitude, profundidade, e riqueza que encontramos na revelação do Filho de Deus encarnado.

2. A DOUTRINA DA TRINDADE DEMONSTRADA NO NOVO TESTAMENTO. Dentro do Novo Testamento, o campo de testemunho e investigação relativo à doutrina da Trindade é grandemente ampliado. Aqueles, não são poucos, os quais declaram que não há uma prova conclusiva do modo triúno de existência estabelecida no Antigo Testamento, a saber, à parte da influência retroativa da revelação do Novo Testamento. Alguns judeus piedosos evidentemente perceberam o aspecto plural da existência divina. Tais homens quando serviram como tradutores da LXX investigaram as Escrituras, mas pouca coisa está registrada como segurança de que eles tiveram qualquer entendimento claro de um modo triúno de existência do único Deus a quem eles adoravam. A instrução lhes foi dada para defender vigorosamente a concepção monoteísta da Divindade. Como é verdadeiro a respeito de todos os santos de todas as épocas, a crença deles escondia em si mesma grandes realidades que eles não atingiram. Mesmo se o aspecto plural da Divindade fosse divinamente apreendido por alguns, mais do que por outros, a revelação para o mundo todo esperava ainda a plenitude dos tempos.

A revelação do Novo Testamento não é ainda ilimitada. A menção de um nome da Divindade ou o seu pronome correspondente é a declaração imediata de uma distinção trinitária. Igual ao elemento da virtude moral na conduta prescrita do cristão, o modo triúno de existência da Divindade está presente em todo lugar e é assumido em todo o Novo Testamento. A esfera dos relacionamentos é tão completa que desafia a análise. Não obstante, alguns dos aspectos mais gloriosos dessa verdade podem ser considerados separadamente com proveito. Quatro linhas gerais de investigação se seguem, a saber, (a) os nomes de Deus, (b) os atributos de Deus, (c) as obras de Deus e (d) a adoração a Deus.

A. A TRINDADE E OS NOMES DE DEUS. A aplicação direta é feita dos nomes de Deus a cada uma das três pessoas. Não há dúvida surgida quanto aos títulos divinos pertencentes propriamente ao Pai. Todavia, o Filho e o Espírito tomam as mesmas designações. O Filho é chamado *Deus* (Jo 1.1); *o verdadeiro Deus* (1 Jo 5.20), o *Deus bendito* (Rm 9.5), o *grande Deus* (Tt 2.13). Assim, também, o Espírito Santo é chamado *Deus* (Atos 5.3-9) e *Senhor* (2 Co 3.17).

Embora os nomes diferentes das pessoas na Trindade sejam empregados plenamente por todo o Novo Testamento, a designação completa para Deus, conforme revelada no novo pacto, está declarada na Grande Comissão e como parte dela: "Portanto ide, fazei discípulos de todas as nações, batizando-os em nome do Pai, e do Filho, e do Espírito Santo" (Mt 28.19). Da mesma forma que o batismo permanece como o estado iniciatório de um crente no testemunho público de Cristo, assim, naquele princípio, o título pleno é proclamado a respeito de Deus em cuja comunhão o candidato [ao batismo] participa. Nesta conexão, é significativo que a primeira aparição pública de Cristo foi a do seu batismo, e que, embora nenhuma fórmula seja registrada como pronunciada sobre Cristo por João naquela ocasião, as três pessoas da Trindade estiveram presentes e foram identificadas.

O Pai possuía o Filho "Este é o meu Filho amado" o Filho estava visivelmente presente; e o Espírito foi visto descendo sobre Cristo na forma de uma pomba. Uma orientação é dada na Grande Comissão de que o batismo deveria ser administrado no *nome*, não *nos nomes* – o único nome do Pai, e do Filho e do Espírito Santo. A frase *em nome* é uma declaração forte da unidade divina que subsiste como Pai, Filho e Espírito. A ordenação em vista deve ser executada pela autoridade daquele nome incomparável, mas o nome é triplo.

B. A TRINDADE E OS ATRIBUTOS DE DEUS. É um fato desafiador que os atributos da Trindade sejam atribuídos a cada uma das três pessoas:

(A) DO PAI É DITO: "De eternidade a eternidade tu és Deus" (Sl 90.2); do Filho é dito que Ele é o "Alfa e Omega, o princípio e o fim, o primeiro e o último", aquele que "estava no princípio com Deus", e que "as suas origens são desde os dias da eternidade" (Mq 5.2; Jo 1.2; Ap 1.8,17); do Espírito está escrito: "...o sangue de Cristo, que pelo Espírito eterno se ofereceu a si mesmo imaculado a Deus" (Hb 9.14).

(B) O PODER INFINITO É EXERCIDO PELAS TRÊS PESSOAS. Do Pai é dito: "...que pelo poder de Deus sois guardados" (1 Pe 1.5); do Filho – "porque o meu poder

se aperfeiçoa na fraqueza... a fim de que repouse sobre mim o poder de Cristo" (2 Co 12.9); do Espírito – sinais e maravilhas são operados "pelo poder do Espírito de Deus" (Rm 15.19).

(C) ONISCIÊNCIA É ATRIBUÍDA A CADA UMA DAS PESSOAS DA TRINDADE: O Pai "sonda o coração" (Jr 17.10); o Filho – "eu sou aquele que esquadrinha os rins e os corações" (Ap 2.23); o Espírito – "assim também as coisas de Deus, ninguém as compreendeu, senão o Espírito de Deus" (1 Co 2.11).

(D) ASSIM, A ONIPRESENÇA PERTENCE A CADA PESSOA. Deus disse: "Não encho eu os céus e a terra?" (Jr 23.24); Cristo disse: "Porque onde estiverem dois ou três reunidos em meu nome, aí estou no meio deles (Mt 18.20); o salmista escreveu sobre o Espírito Santo: "Para onde meu ausentarei do teu Espírito? Ou para onde fugirei de tua face?" (Sl 139.7).

(E) A SANTIDADE É O CARÁTER DE CADA UMA DAS PESSOAS: da primeira é perguntado: "Quem não te temerá, Senhor, e não glorificará o teu nome? Pois só tu és santo" (Ap 15.4); Cristo é o Santo – "Mas vós negastes o Santo" (At 3.14); e o Espírito em toda parte é dito ser o *Espírito Santo*. Não é de se espantar que os anjos exclamem: "Santo, santo, santo, é Jeová dos Exércitos" (Is 6.3).

(F) A VERDADE É ATRIBUÍDA A CADA PESSOA; do Pai, Cristo disse: "Aquele que enviou é verdadeiro" (Jo 7.28); de Cristo está escrito: "Isto diz o que é santo, o que é verdadeiro" (Ap 3.7); e do Espírito: "E o Espírito é o que dá testemunho, porque o Espírito é a verdade" (1 Jo 5.6).

(G) IGUALMENTE, DE FATO, AS TRÊS PESSOAS SÃO BENEVOLENTES: do Pai é declarado: "A bondade de Deus é que te conduz ao arrependimento" (Rm 2.4); Cristo amou a Igreja (Ef 5.25); "Teu bom espírito" (Ne 9.20).

(H) A DISPOSIÇÃO PARA RELACIONAMENTO É COMPARTILHADA PELAS TRÊS PESSOAS: O Pai e o Filho são ditos ter comunhão com os santos: "e a nossa comunhão é com o Pai, e com seu Filho Jesus Cristo" (1 Jo 1.3); e o testemunho é dado com relação à *comunhão* do Espírito Santo (2 Co 13.13).

A mesma igualdade poderia ser demonstrada a respeito de cada aspecto do caráter de Deus. O que é verdadeiro de uma pessoa é verdadeiro das outras e esta é a evidência conclusiva de que a Divindade é uma Trindade de pessoas infinitas, todavia *um* Deus.

Não há sugestão de que uma pessoa da Trindade mantenha esses atributos com respeito às outras duas pessoas, ou que os atributos sejam sustentados em parceria. Tudo é predicado de uma pessoa como se as outras não existissem. Assim, o relacionamento peculiar de um em três, e de três em um, é mantido à parte daqueles compartilhamentos usuais e interdependentes que caracterizam todas as combinações humanas e manifestações mútuas. O fato de que cada pessoa possui todas as características divinas e tão completamente que parece que nenhuma outra precisa possuí-las, fala propriamente da distinção entre as pessoas. Por outro lado, o fato de que manifestam essas características nos mesmos modos identicamente e na mesma medida, fala da unidade a partir da qual surge o modo de existência delas.

c. A Trindade e as Obras de Deus. Toda obra distintiva de Deus não é operada por uma pessoa da Trindade, mas as principais obras de Deus são atribuídas a cada uma das três pessoas. Em nenhum caso é dito que as pessoas estão combinadas naquilo que elas fazem; antes, a mesma coisa em um texto da Escritura é atribuída a uma pessoa que é em outro texto designada a outra pessoa, e assim com cada uma das três recebe o crédito da obra, e em cada caso é como se nenhuma outra pessoa estivesse relacionada a ela. Nenhuma parceria externa é reconhecida. O fato de que cada uma é anunciada como realizando totalmente determinado empreendimento, totalmente à parte das outras, indica a verdade que as pessoas mantinham uma distinção de uma em relação às outras. Por outro lado, o fato de que cada uma faz completa e perfeitamente a tarefa determinada e de um modo que implica que ninguém mais precisa assumi-la, indica uma unidade misteriosa muito mais vitalmente concentrada do que as que conhecemos em qualquer aspecto da experiência humana. Algumas dessas obras principais de Deus que são declaradas ser totalmente realizadas individualmente pela pessoa e totalmente independente das outras deveriam ser especificamente observadas:

(1) A Criação e o Universo. A estupenda iniciativa de chamar à existência um imensurável universo é uma operação feita individualmente pela pessoa totalmente à parte de parceria, compartilhamento ou cooperação. De Deus, a primeira pessoa, é afirmado: "Desde a antiguidade fundaste a terra; e os céus são obra das tuas mãos" (Sl 102.25); de Cristo é afirmado: "...porque nele foram criadas todas as coisas nos céus e na terra, as visíveis e as invisíveis" (Cl 1.16); e do Espírito está escrito que "o Espírito de Deus pairava sobre a face das águas" (Gn 1.2), e "pelo seu sopro ornou o céu" (Jó 26.13). Tudo isso é combinado em uma afirmação sublime que "no principio criou Deus [*Elohim*] os céus e a terra (Gn 1.1). O ato separado da criação, embora completo, da parte de cada pessoa, é organizado na asserção de que *Elohim* – cujo nome prognostica o mistério da pluralidade na unidade e unidade na pluralidade – realizou o empreendimento.

(2) A criação e o homem. A criação do homem é um ato de Deus, visto que não é dito de nenhum outro que tenha sido criado segundo a sua imagem e semelhança. Esse ato criador de Deus é também a obra das pessoas separadas da Trindade: De *Jeová Elohim* é dito: "...formou o homem do pó da terra, e soprou em suas narinas o fôlego da vida; e o homem se tornou alma vivente" (Gn 2.7); de Cristo está escrito que "nele foram criadas todas as coisas nos céus e na terra, as visíveis e as invisíveis" (Cl 1.16); de forma que, com a mesma finalidade, está declarado que "o Espírito de Deus me fez, e o sopro do Todo-poderoso me dá vida" (Jó 33.4). Em vista disto, o homem sábio admoesta: "Lembra-te do teu Criador [palavra no plural no original] nos dias da tua mocidade" (Ec 12.1); e para Israel está escrito: "Teu Criador [também plural] é o teu marido" (Is 54.5).

(3) A Encarnação. As três pessoas estão presentes na Encarnação: o Espírito gera o Filho, mas de tal maneira que o Filho sempre se dirige à primeira pessoa como *Pai*. Assim é a natureza da regeneração no caso das almas perdidas. Enquanto que a regeneração é operada pelo Espírito, o salvo sempre, daquele tempo em diante, se dirige à primeira pessoa como *Pai*.

(4) A VIDA E O MINISTÉRIO DE CRISTO. Ele, o Filho, sempre fez a vontade do Pai e, para este fim, o Espírito foi dado ao Filho sem medida.

(5) A MORTE DE CRISTO. Quando sobre a cruz, dirigiu-se ao seu Pai, está registrado que Cristo disse: "...tu me puseste no pó da morte" (Sl 22.15). Semelhantemente, está escrito do Pai que "aquele que nem mesmo a seu próprio Filho poupou, antes o entregou por todos nós" (Rm 8.32). Igualmente, "Deus amou ao mundo de tal maneira, que deu o seu Filho unigênito" (Jo 3.16); o Filho falou por si mesmo, dizendo: "...ninguém ma tira de mim [minha vida], mas eu de mim mesmo a dou; tenho autoridade para a dar, e tenho autoridade para retomá-la" (Jo 10.18). Ainda Paulo testificou a respeito do sacrifício de Cristo, quando disse que ele "me amou e deu-se a si mesmo por mim" (Gl 2.20). Do Espírito é dito sobre a morte de Cristo: "Cristo que pelo Espírito eterno se ofereceu a si mesmo imaculado a Deus" (Hb 9.14).

(6) A RESSURREIÇÃO DE CRISTO. Das muitas afirmações diretas que asseveram que o Pai ressuscitou o Filho dentre os mortos, uma declara: "...ao qual Deus ressuscitou" (At 2.24), e o Filho disse de sua vida na ressurreição: "...eu tenho poder para reavê-la" (Jo 10.18); e "derribai este santuário, e em três dias o levantarei" (Jo 2.19). Do Espírito, na mesma conexão, é dito: "sendo, na verdade, na verdade, morto na carne, mas vivificado no espírito" (1 Pe 3.18).

(7) A RESSURREIÇÃO DE TODA A RAÇA HUMANA. Está registrado tanto do Pai como do Filho: "Pois assim como o Pai levanta os mortos e lhes dá vida, assim também o Filho dá vida a quem ele quer" (Jo 5.21, e da terceira pessoa está afirmado: "E, se o Espírito daquele que dos mortos ressuscitou a Jesus habita em vós, aquele que dos mortos ressuscitou a Cristo Jesus há de vivificar também os vossos corpos mortais, pelo seu Espírito que em vós habita" (Rm 8.11).

(8) A INSPIRAÇÃO DAS ESCRITURAS. Aqui as três pessoas aparecem em várias passagens: "Toda Escritura é inspirada por Deus" (2 Tm 3.16); "Os profetas que profetizaram a graça... indagando qual o tempo... que o Espírito de Cristo que estava neles indicavam, ao predizer os sofrimentos que a Cristo haviam de vir, e a glória que se lhes havia de seguir" (1 Pe 1.10,11); e do Espírito – "mas os homens da parte de Deus falaram movidos pelo Espírito Santo" (2 Pe 1.21).

(9) A AUTORIDADE DO MINISTRO. Está escrito do Pai: "...a nossa suficiência vem de Deus, o qual também nos capacitou para sermos ministros dum novo pacto" (2 Co 3.5,6); e do Filho, o apóstolo testificou: "...a Cristo Jesus nosso Senhor, porque me julgou fiel, pondo-me no ministério" (1 Tm 1.12); e o mesmo apóstolo instrui os presbíteros da igreja em Éfeso: "Cuidai pois de vós mesmos e de todo o rebanho sobre o qual o Espírito Santo vos constituiu bispos, para apascentardes a igreja de Deus, que ele adquiriu com seu próprio sangue" (At 20.28).

(10) A PRESENÇA INTERIOR. Há "um só Deus e Pai de todos, o que é sobre todos, e por todos e em todos" (Ef 4.6). A nova vida do crente é declarada ser "Cristo em vós, a esperança da glória" (Cl 1.27). E: "Ou não sabeis que o vosso corpo é santuário do Espírito Santo, que habita em vós...?" (1 Co 6.19).

(11) A OBRA DE SANTIFICAÇÃO. Judas escreve aos crentes como àqueles que "são santificados por Deus o Pai" (Jd 1); ainda de Cristo é dito que "tanto o que

TRINITARIANISMO TEONTOLOGIA

santifica, como os que são santificados, vêm todos de um só; por esta causa ele não se envergonha de lhes chamar irmãos" (Hb 2.11). Assim, também, o apóstolo escreve sobre o Espírito Santo em relação aos crentes: "mas fostes lavados, mas fostes santificados, mas fostes justificados em nome do Senhor Jesus Cristo e no Espírito do nosso Deus" (1 Co 6.11).

(12) A Proteção do Crente. Vários aspectos dessa característica da verdade poderiam ser apresentados. Cristo declarou do Pai que "ninguém pode arrebatá-las da mão de meu Pai" (Jo 10.29); e não somente a mesma coisa é prometida pelo próprio Filho (Jo 10.28), mas o Filho operou de quatro modos eficazes com o mesmo fim. Está escrito, "Quem os condenará? Cristo Jesus é quem morreu, ou antes, quem ressurgiu dentre os mortos, o que está à direita de Deus, e também intercede por nós" (Rm 8.34). Nada poderia ser mais seguro do que o crente ser "selado [pelo Espírito] para o dia da redenção" (Ef 4.30).

Na verdade, as obras de Deus são maravilhosas e de importância insuperável é o fato de que essas obras são, em cada caso, ditas serem totalmente operadas individualmente pelas pessoas da Trindade separadamente, não em parceria ou em cooperação mútua, e suficientemente em cada caso a ponto de não parecer ser necessário a obra ser assumida por outra! Assim, a unidade e a pluralidade são demonstradas como existentes na Divindade num plano de relacionamento acima e além da esfera da experiência humana.

D. A Trindade e a Adoração a Deus. Todas as inteligências criadas devem prestar adoração a Deus, e essa sua adoração abrange a Divindade triúna.

(1) Pelos Anjos. Como já foi observado, os anjos adoram as três pessoas quando dizem: "Santo, santo, santo é o Senhor dos Exércitos" (Is 6.3), e os "seres viventes" afirmam: "Santo, santo, santo, Senhor Deus Todo-poderoso, que era, que é, e que há de vir" (Ap 4.8).

(2) Pelos Santos. Toda oração e adoração são agora dirigidas, por instrução divina, ao Pai, em nome do Filho, e no poder capacitador do Espírito Santo (Jo 16.23,24; Ef 6.18).

(3) As Bênçãos. Em Números 6.24-26, a bênção invocada pelo sumo sacerdote sobre o povo é registrada como: "O Senhor te abençoe e te guarde; o Senhor faça resplandecer o seu rosto sobre ti, e tenha misericórdia de ti; o Senhor levante sobre ti o seu rosto, e te dê a paz". Em 2 Coríntios 13.13 a bênção mais usada na Igreja é assim registrada: "A graça do Senhor Jesus Cristo, e o amor de Deus, e a comunhão do Espírito Santo sejam com todos vós".

Como um sumário dessa longa discussão sobre a doutrina da Trindade, o Dr. Horace Bushnell escreve:

> Sustentar este grande mistério subtônico, na arena de cujas profundas reverberações recebemos as nossas impressões mais fortes de Deus, como se fosse somente uma coisa apenas receptível, mas não proveitosa, a verdade morta, não viva; um artigo teológico, por ser apenas um lado da vida prática; estamos certos que nada pode ser menos adequado do que

isto, ou traga uma perda para a religião que é mais deplorável, a menos que seja uma negação clara do mistério em si mesmo. Nessa visão não podemos senão esperar o que temos sido capazes de dizer possa ter certo valor... preparando alguns para ver quão glorioso e quão abençoado um dom a ser experimentado, quão grande uma abertura de Deus para o homem, quão poderoso, transformador, arrebatador esse grande mistério de Deus pode ser. Não podemos desejar para o leitor nada mais beatífico nesta vida do que encontrar e plenamente sentir a importância prática desse eterno ato ou fato de Deus, que chamamos Trindade cristã.

Em nenhum outro lugar os laços da limitação se irrompem como aqui. Em nenhum outro lugar a alma se lança sobre a imensidão como aqui; em nenhum lugar o seu incensário ardente se enche das chamas eternas de Deus, como quando ela canta:

Um três inexplicável
Uma simples unidade

...Nem fará com que soframos qualquer impaciência ou que fiquemos apressados em qualquer ato de presunção, porque a Trindade de Deus custa-nos algumas lutas de pensamento, e porque não podemos descobrir imediatamente como sustentá-la sem algum sentimento de perturbação e distração. Simplesmente porque Deus é grande demais para a nossa compreensão meramente infantil e improvisada, ele deveria nos ser dado de forma que nos custasse labor e nos colocasse numa condição de esforço. Assim é com todos os grandes temas...

Que nenhuma presunção superficial nos afaste, então, desse mistério glorioso até que tenhamos concedido tempo suficiente e aberto as janelas suficientemente pelos nossos louvores e por nossas orações, para entrar na revelação de sua glória.

Que também seja uma recomendação bem-vinda à nossa reverência, pois muitos amigos de Deus e homens justos das eras passadas, que tiveram lutas maiores do que nós e que cresceram muito mais em sua caminhada de santidade, e eles próprios se curvaram em adoração a esse santo mistério, e cantaram aleluias na adoração de seus templos, nos seus jejuns desérticos e nos seus testemunhos flamejantes. E como o *Gloria Patri* deles, a mais sublime de todas as doxologias, está na forma de um hino por eras, estruturado para ser continuamente cantado no decorrer dos tempos até que os tempos sejam tragados pela eternidade, o que poderia ser melhor fazer do que deixar que a onda nos eleve e a eles também, cantando: Glória seja ao Pai, ao Filho e ao Santo Espírito, como era no princípio, é hoje e para sempre, eternamente. Amém.[182]

Ao Deus Supremo Benfeitor
Anjos e homens dêem louvor
A Deus o Filho, a Deus o Pai,
E ao Espírito glória dai.

Capítulo XIX

Deus o Pai

PARA UMA INVESTIGAÇÃO mais abrangente naquilo que a revelação apresenta a respeito das características individuais e relacionamento de cada pessoa da Trindade, aquilo que é peculiar à primeira pessoa, conhecida como Pai, esta é a primeira a ser estudada. Primeiramente, é essencial observar a diferença entre aquela noção concernente a Deus que é mais desenvolvida pelos monoteístas da classe unitariana e a apresentação bíblica do Pai. Tem sido freqüentemente suposto que todos os sistemas que reconhecem Deus concordam com o sistema cristão ao grau em que a primeira pessoa é compartilhada por todos, isto é, a crença cristã fica satisfeita se as outras duas pessoas são acrescidas ao único Deus a quem todos devem supostamente reconhecer.

O erro dessa suposição torna-se mais evidente quando se observa que o conceito do cristão, baseado no ensino das Escrituras, não é o de *um* Deus dos unitarianos que crêem na primeira pessoa mais duas que mantêm títulos duvidosos que honram a Divindade; mas a crença do cristão de *um* Deus é o de que toda a Essência subsiste como Pai, Filho e Espírito, e a de que qualquer uma dessas três pessoas deve ser designada como um representante da idéia unitariana de Deus para quem o cristão acrescentaria duas mais, qualquer um dos três, por serem eles absolutamente iguais em cada detalhe, poderia ser esboçado com propriedade imparcial para tal discriminação imaginária. A noção monoteísta, conforme sustentada pelos judeus, maometanos e unitarianos, é a de um Deus que é uma pessoa; embora a idéia do cristão seja a de um Deus que responde a cada alegação do monoteísmo bíblico, todavia subsiste em três pessoas iguais.

O Pai não é o Deus da Bíblia mais do que o é o Filho ou o Espírito. Os Três são *um* Deus. É reconhecido que, para os propósitos de manifestação e redenção, o Filho voluntariamente resolveu fazer a vontade do Pai e fazer essa vontade na dependência do Espírito. Com a mesma finalidade, o Espírito Santo resolveu voluntariamente não falar de si mesmo como o autor do que Ele diz, mas falar tudo o que haveria de ouvir. Não é bíblico, mas superficial, e desonroso tanto o Filho quanto o Espírito presumir que essas sujeições voluntárias sejam devido a uma inferioridade inerente. Tal alegação tira essas duas pessoas de uma de suas grandes glórias – a da sujeição voluntária com a finalidade de que os objetivos dignos possam ser realizados.

O unitarianismo, naquilo que ele se refere à Escritura, apega-se às passagens onde essa sujeição voluntária é afirmada e através dessas passagens procura provar que as Escrituras declaram uma inferioridade inerente do Filho e do Espírito. Para chegar a essas conclusões, eles devem desacreditar ou rejeitar totalmente o conjunto mais amplo da Escritura (que será examinado mais tarde) que declara a divindade absoluta do Filho e do Espírito. Pode ser concluído, então, que, fora desses relacionamentos mais ou menos temporários que as sujeições voluntárias geram, o Pai não é inerentemente superior seja ao Filho ou ao Espírito. A paternidade de Deus tem diversas manifestações. Em Efésios 3.15 a frase "toda família" sobre a qual Deus é dito ser o Pai, é melhor traduzida como *toda paternidade*, que revela a verdade que esta paternidade inclui várias filiações, e é por si mesma aquela norma pela qual todas as paternidades são padronizadas e da qual elas são nomeadas. Essas paternidades distintivas de Deus são:

I. Paternidade Sobre a Criação

A paternidade de Deus sobre a criação é de uma extensão imensurável. No texto da carta aos Efésios, referido acima, há uma alusão a famílias no céu e na terra. Em Hebreus 12.9, Deus é mencionado como "o Pai dos espíritos", e em Tiago 1.17, Ele é designado "o Pai das luzes". Semelhantemente, em Jó 38.7, os anjos são chamados filhos de Deus (cf. Gn 6.4; Jó 1.6; 2.1). Com respeito ao relacionamento mais estrito da paternidade divina com a humanidade, está escrito de Adão – após ter traçado a genealogia de Cristo de volta a Adão – que ele é um "filho de Deus". Assim, também, em Malaquias 2.10 está afirmado: "Não temos nós todos um mesmo Pai? Não nos criou um mesmo Deus?" Todavia, novamente, em Atos 17.29 está registrado que o apóstolo disse em seu sermão para os homens de Atenas, no Areópago: "...pois dele também somos geração".

Essas passagens, como 1 Coríntios 8.6, onde está declarado que "para nós há um só Deus, o Pai, de quem são todas as coisas", ensinam que está dentro do escopo do uso bíblico da palavra *Pai*, como aplicada a Deus, abranger todos os seres criados como pertencentes a essa paternidade. Assim, está revelado que há uma forma de paternidade e irmandade universais que, dentro de seus limites próprios, deveria ser reconhecida; mas isto, tão importante quanto possa ser, de modo algum deve ser confundido com aquela paternidade e irmandade que é assegurada pela obra regeneradora do Espírito. Deveria ser acrescentado como um fato qualificador que essa forma geral de parentesco entre a Trindade e a criação não é usualmente atribuída ao Pai, mas é declarada ser uma relação entre Deus e a sua criação. Seu amor por toda a humanidade é expresso nas palavras: "Porque Deus amou o mundo... que ele deu o seu Filho unigênito".

II. Paternidade por Relacionamento Íntimo

O relacionamento íntimo entre Jeová e Israel, que deveu toda sua realidade à obra graciosa de Deus, é expresso divinamente pelas figuras de pai e filho. Em Êxodo 4.22, está registrado que Jeová instruiu Moisés para dizer a Faraó: "Assim diz o Senhor: Israel é meu filho, meu primogênito". Não há registro de que eles fossem filhos de Deus por regeneração. Nem eram eles, naquele tempo, um povo redimido, como eles foram posteriormente quando partiram do Egito. Ao antecipar a preciosa proximidade de Deus com Salomão por causa do seu pai, Deus disse a Davi: "Eu lhe serei pai, e ele me será filho" (2 Sm 7.14). Semelhantemente, num esforço de trazer Deus mais próximo dos corações do seu povo, o salmista diz: "Como um pai se compadece de seus filhos, assim o Senhor se compadece dos que o temem" (Sl 103.13).

III. O Pai de Nosso Senhor Jesus Cristo

A frase "o Deus e Pai de nosso Senhor Jesus Cristo" é o título pleno da primeira pessoa da Trindade, e Ele incorpora, também, o título pleno da segunda pessoa. É verdade que Deus o Pai também é Pai de todos os que crêem, mas por toda a eternidade vindoura Ele deve primeiro ser reconhecido por aquela distinção sobrepujante que, em parte, foi sua por toda a eternidade passada, a saber, o *Deus* e *Pai* de nosso Senhor Jesus Cristo. A relação da segunda pessoa com a primeira tem sido desde toda eternidade a de um Filho, e, como tudo o que se relaciona com a Trindade, não é somente eterna, mas é imutável. Ele não se tornou um Filho do Pai, como alguns dizem, por sua encarnação, ou por sua ressurreição, nem é um Filho por mero título, nem temporariamente assumiu tal relacionamento de forma que Ele pode executar sua parte no Pacto da Redenção.

Dessas alegações, a da filiação pela encarnação tem tido muitos expoentes e nenhum mais eficaz do que Ralph Wardlaw, que fez certas distinções que outros daquela escola de interpretação falharam em observar, a saber, que o título *Filho de Deus* não deve significar, de acordo com essa crença específica, que Ele é um Filho através do canal de sua humanidade somente – idéia essa que chega próximo da opinião dos unitarianos – nem é verdade que o título pertença à sua divindade somente. O Dr. Wardlaw reivindica que ele pertence à pessoa de Cristo, inclusive sua divindade e sua humanidade embora ambas as naturezas residam nele como conseqüência da encarnação. Essa teoria da encarnação da filiação não questiona a preexistência da segunda pessoa como o Logos de Deus, mas ela assevera que o título específico *Filho de Deus* não se aplica ao Logos até que a união hipostática das naturezas divina e humana seja formada pela encarnação.

Torna-se, então, uma questão sobre *quando* o título começou a ter um uso devido. Os teólogos geralmente têm sido enfáticos em sua insistência na afirmação de que a filiação divina é desde toda a eternidade. A crença deles nesse assunto é baseada na evidência clara das Escrituras. Ele era o *Unigênito* do Pai desde toda a eternidade, não tendo outra relação com o tempo e com a criação além de ser o Criador deles. Está evidente que o relacionamento entre o Pai e o Filho demonstra somente os aspectos da *emanação* e *manifestação* e não inclui a concepção comum de derivação, inferioridade ou distinção com relação ao tempo do começo. O Filho, por ser verdadeiro Deus, está eternamente em igualdade absoluta com o Pai. Por outro lado, a primeira pessoa tornou-se o *Deus* da segunda pela encarnação. Somente desde sua humanidade, Cristo poderia dirigir-se à primeira pessoa como "Meu Deus". Isto Ele fez no momento da manifestação suprema de sua humanidade quando na cruz Ele disse: "Meu Deus, meu Deus, por que me desamparaste?" E ainda, após a sua ressurreição, Ele disse: "Eu subo para o meu Pai e vosso Pai, meu Deus e vosso Deus" (Jo 20.17).

Sobre esse ponto de sua filiação eterna, o Dr. Van Oosterzee diz:

Esta relação entre Pai e Filho não teve um começo, mas existiu desde toda a *eternidade*. Isto nos é assegurado de maneira muito clara pelo próprio Senhor (Jo 8.58; 17.5,24), e pelo primeiro testemunho dele (Jo 1.1; Cl 1.17; Ap 22.13 etc.). Há pouco fundamento aqui para se aceitar uma preexistência puramente ideal, quando se fala de um período de tempo antes da criação, em que o Filho que previamente não existia, foi chamado à existência pelo Pai. O arianismo, que assevera essa posição, é propriamente considerado como exegética e absolutamente sem base. Uma exposição sadia de Colossenses 1.15,16 mostra, não que o Filho é aqui colocado num mesmo nível com a criatura em oposição ao Pai, mas num nível com o Deus invisível em oposição à criatura... Como uma conseqüência legítima de tudo o que foi dito, pode ser deduzido que o Pai dá a mais perfeita *revelação de si mesmo* em e através do Filho.

Se o Pai habita numa luz inacessível, no Filho o Invisível se tornou visível (Jo 1.18). No Pai adoramos de igual modo o escondido, e no Filho contemplamos o Deus que se revela (Hb 1.3). "Como a figura humana no espelho reflete a si mesma, e tudo o que está no selo é encontrado também na sua impressão, assim nEle, assim como a irradiação de seu ser invisível, o Invisível se tornou visível. Deus encontra-se novamente, e reflete-se a si mesmo no Logos, como no seu outro Eu" (Tholuck). Assim, o Filho é um com o Pai, na comunhão do Espírito Santo.[183]

O Dr. Van Oosterzee, no decorrer da sua argumentação, confunde a questão quando usa passagens que ensinam a eternidade do Logos ou a segunda pessoa, mas não envolvem qualquer referência ao Filho. Será verificado que apenas poucas passagens fornecem apoio direto para a eternidade da relação de filiação; mas um número suficiente delas está em evidência – assim se crê – para sustentar a doutrina. Nenhuma dessas passagens é mais conclusiva do que Colossenses 1.15, 16, que o Dr. Van Oosterzee emprega na citação que se seguiu. Deus é dito dar o seu Filho para ser um Salvador. Isto não significa que Deus deu o Logos eterno ou a segunda pessoa que, por sua vez, se tornou um Filho ao ser dado. O Dr. Wardlaw, juntamente com outros, erra, parece-me, na

TrinitarianismoTeontologia

tentativa de provar a teoria da filiação pela encarnação com base em Hebreus 1.2-4. Neste contexto o Filho é dito ser "constituído herdeiro de todas as coisas". Como essa constituição antedata a encarnação, assim essa constituição do Filho como herdeiro aconteceu antes da encarnação. O Dr. Wardlaw faz um comentário importante sobre o escopo do significado atribuído aos dois títulos – *Filho de Deus* e *Filho do Homem*.

Portanto, se é alegado que a mesma coisa que temos falado do título Filho de Deus pode igualmente ser afirmado do título Filho do Homem, concordamos imediatamente. Um e outro são títulos de Sua pessoa. Um não o representa como unicamente Deus, nem o outro como unicamente homem. Mas ambos distinguem-no como Emanuel, "Deus manifesto em carne". "O nome 'Filho de Deus' significa que Ele é realmente Deus; e 'Filho do Homem' que Ele é realmente homem. Mas como 'Filho do Homem' não significa que é somente um homem, assim nem Filho de Deus implica que Ele é somente Deus. Sob esta apelação Filho do Homem, Ele fala de si mesmo como tendo descido do céu, e como estando no céu mesmo quando na terra (João 3.13), como tendo poder de perdoar pecados (Mt 9), de ressuscitar os mortos, e de julgar o mundo (Mt 25.31-32; João 5.27). Portanto, este nome deve incluir mais do que a Sua natureza humana. Falando de Si mesmo sob a designação Filho de Deus, Ele declara que nada pode fazer por si mesmo (Jo 5.19), e que o Pai é maior do que Ele (Jo 14.28); portanto, o nome Filho de Deus deve incluir mais do que a sua natureza divina. A verdade é que esses nomes são usados indiferentemente para denotar a única pessoa de Emanuel, e não nos dar uma visão separada ou abstrata de suas naturezas e das ações peculiares deles, sendo isso facilmente conhecido das naturezas das próprias ações. Em Sua pessoa encontramos Deus realizando as ações do homem, e o homem realizando as ações e exercendo e exibindo as perfeições de Deus; pois embora Ele possuísse as duas naturezas distintas, todavia a união delas é de tal modo nEle que elas constituem apenas um eu; assim, pois, se as abstraímos ou as separamos, perdemos a personalidade do Filho; e Ele não mais é Ele próprio."[184]

Diversas passagens sugerem a geração do Filho, – "o unigênito do Pai"; "o unigênito Filho"; "o unigênito Filho de Deus". Com base nestes e em outros termos de distinção teológica fica demonstrado que o Filho é eternamente gerado. Como "o primogênito de toda criação", Cristo é totalmente sem relação alguma com as coisas criadas, por ser, como é, gerado *antes* de todos os seres criados. Essa distinção entre Cristo e a criação é profunda, um mistério, visto que suas realidades estão fora do alcance da cognição humana. Cristo existe, por geração, e não por criação. Ele é o Criador de todas as coisas. A geração não é atributo do Pai ou do Espírito. Este aspecto é peculiar ao Filho. Não é o resultado de qualquer ato divino, mas tem sido assim desde toda a eternidade.

As palavras do Credo Niceno são: "O unigênito de Deus, gerado do seu Pai antes de todos os mundos, Deus de Deus, Luz de Luz, verdadeiro Deus de verdadeiro Deus, gerado, não feito, sendo de uma substância com o Pai". Lemos no Credo de Atanásio: "O Filho é do Pai somente; nem feito, nem criado, mas gerado... gerado desde a eternidade da substância do Pai".[185]

É provável que os termos *Pai* e *Filho*, quando aplicados à primeira e segunda pessoas da Trindade, sejam um tanto antropomórficos no seu caráter. O relacionamento eterno e sublime que existia entre essas duas pessoas é melhor expresso ao entendimento humano em termos de *pai* e *filho*, mas totalmente sem implicação que as duas pessoas, do lado divino, não sejam iguais em cada aspecto. O Dr. John Miley disse corretamente a respeito da doutrina da subordinação do Filho: "Na economia divina da religião, particularmente na obra da redenção, há uma subordinação do Filho ao Pai. Há, de fato, essa mesma idéia de subordinação nas obras da criação e da providência do Filho. Contudo, na plenitude essa idéia está na obra da redenção. O Pai dá o Filho, envia-o, entrega-o totalmente, prepara um corpo para a sua encarnação, e em obediência filial, o Filho realiza o prazer de seu Pai, mesmo em sua crucificação (Sl 40.6-8; Jo 3.16,17; Rm 8.32; Fp 2.8; Hb 10.5-7). A base dessa subordinação está puramente em sua filiação, não em qualquer distinção da divindade essencial".[186]

IV. Paternidade Sobre Todos os Que Crêem

Sob este quarto aspecto da paternidade divina, temos em vista um relacionamento mais íntimo e uma realidade permanente. A geração e a regeneração estão intimamente ligadas. A primeira tem a ver com a geração da vida que está no ponto inicial da existência física, enquanto que a última tem a ver com a geração da vida que é o ponto inicial da existência espiritual. Com a autoridade de Deus, as Escrituras testificam que os homens em seu estado natural de geração são espiritualmente mortos até serem nascidos de novo, ou de cima. Esse nascimento, com a sua comunicação da natureza divina, é um grande mistério. Ele, igual ao soprar do vento, é discernível com relação aos seus efeitos, mas não revelado ao homem com relação à sua operação. Quanto à relação deles com Deus, os homens não estão completamente perdidos, nem totalmente salvos, por estarem regenerados.

Essa transformação distintiva é totalmente operada por Deus – somente Ele é capaz dela – e, igual aos outros empreendimentos divinos, nenhuma ajuda humana ou cooperação humana pode haver. A única relação que o homem pode manter com essa obra de Deus é a da *fé*, crença, ou confiança em Deus para fazer o que Ele somente é capaz de fazer. Após prometer essa bênção em resposta à fé, Ele nunca falha em fazer o que prometeu. A atitude de fé é em si mesma uma operação produzida por Deus, visto que os não-regenerados não possuem tal capacidade em si mesmos. Aqueles que crêem e são salvos, são os eleitos de Deus. Dentre os muitos aspectos da empreitada divina da salvação, a regeneração é uma delas. Esse novo nascimento é operado por Deus, o Espírito Santo, e resulta na paternidade legítima da parte de Deus, e a filiação legítima da parte daquele que crê.

A regeneração é o próprio plano de Deus pelo qual o perdido pode entrar em relação com Deus que está infinitamente próximo e é real, e podemos dizer que o plano traz satisfação total ao amor infinito. Os aspectos soteriológicos extensos da regeneração não precisam ser introduzidos aqui. Já foi dito o suficiente sobre esse ponto se está claro que cada indivíduo que é nascido de Deus tornou-se, assim, um filho de Deus no sentido mais vital e imutável de filiação e foi recebido na casa e família de Deus. O regenerado pode dizer, e ele o diz: *Abba, Pai* – um termo de relação filial. Essa filiação, embora traga o crente a uma posição de herdeiro de Deus e de co-herdeiro com Cristo, não está no mesmo plano da filiação de Cristo que é desde toda a eternidade. Cristo nunca usou a frase *nosso Pai*.

A chamada "oração do Senhor" não é exceção a isso visto que é uma petição que Ele ensinou para que os seus discípulos a fizessem, mas Ele não poderia fazê-la. Ele falou de "meu Pai, e vosso Pai; meu Deus e vosso Deus". Não obstante, as relações de paternidade e de filiação entre Deus e os crentes sejam maravilhosas e gloriosas, além da expressão.

Capítulo XX

Deus o Filho: Sua Preexistência

A UNIDADE DE DEUS, como já foi dito, é um fundamento essencial da revelação. Ela é apresentada nas Escrituras com grande solenidade e é guardada com o maior carinho. Os preceitos diretos, as promessas, as ameaças e os exemplos de punição para a idolatria, todos tendem a enfatizar essa verdade básica. Todavia, além dessa verdade tão vital e sem qualificação ou diminuição, uma revelação adicional é apresentada, a saber, que este Deus subsiste em três pessoas. Essa pluralidade é tão claramente proclamada mesmo no Antigo Testamento, que o judeu devoto não poderia ter falhado em observá-la; nem teve ele qualquer razão para rejeitá-la até que seus preconceitos surgissem contra as alegações dAquele que apareceu com todas as credenciais de seu Messias longamente esperado.

No exercício daquela perda cega, ele se separou da verdade que havia sustentado a respeito da divindade de seu Messias e do Espírito Santo. Ele se tornou o defensor de uma forma de monoteísmo que as suas apreciadas Escrituras não sustentam. Como já foi afirmado anteriormente, não é agora uma matéria de acrescer duas pessoas a uma que o judeu se agradava em reconhecer como seu Deus ou de designar que um fosse um de três; é antes um reconhecimento de uma revelação acrescida de que o único Deus, a quem todos igualmente reconhecem, subsiste numa pluralidade tríplice. Avantajada por essa revelação, a mente iluminada torna-se cônscia da grande verdade de que as três pessoas são iguais em cada detalhe e que a mesma honra e adoração são igualmente devidas a cada uma delas.

Para aquela mente espiritual que é guiada pelas Escrituras, cada pessoa da Trindade, por causa das funções específicas e individuais, ocupa um lugar distinto. Referência já foi feita àqueles aspectos que são peculiares ao Pai, e referência ainda será feita àqueles aspectos que são peculiares ao Espírito Santo. O objetivo presente é o exame daqueles aspectos que são peculiares ao Filho, e assim apresentaremos o maior tema da Teologia Sistemática. Por causa de sua importância determinante e insuperável, os conflitos doutrinários – e tem havido muitos – da era cristã têm sido travados sobre esse assunto. Em alguns casos a luta foi entre os que creram e os que não creram; porém, mais freqüentemente ela aconteceu entre homens que possuem igual sinceridade que procuravam determinar o que é verdadeiro a respeito do Deus-homem, o Senhor Jesus Cristo.

A sua completa humanidade é claramente afirmada, e ainda dEle é claramente revelado que Ele é igual com o Pai e com o Espírito Santo. A Ele são dados os títulos de Jeová, Redentor e Salvador, e Ele é investido de cada atributo pertencente à Divindade. Ele é o maior tema das profecias; a respeito dEle coisas são escritas que não poderiam ser verdadeiras dos anjos e dos homens. Por causa de sua afirmação de ser o que Ele é, morreu sob a acusação de blasfêmia. Ele suportou os pecados do mundo numa morte sacrificial, e, por causa dessa realização, perdoou o pecado e por causa dEle somente o pecado é perdoado até o fim do mundo. Ele ressurgiu dos mortos, e selou assim a sua reivindicação de ser divino. Ele está agora assentado junto ao trono de Deus e todo poder lhe foi dado tanto no céu como na terra.

Ele é declarado ser o criador de todas as coisas visíveis e invisíveis, a fonte da vida eterna, o objeto da adoração de anjos e de homens. Ele ainda ressuscitará os mortos e, como Juiz, determinará o estado futuro de todos os seres criados. Da parte de Deus, Ele é a manifestação de Deus aos homens e o Doador de cada elemento da vida humana que é aceitável diante de Deus. Tais contrastes como os estabelecidos entre a sua humanidade e a sua divindade não poderiam apenas retardar o fogo da controvérsia violenta e prolongada – uma controvérsia muito freqüentemente travada nos interesses de meras considerações metafísicas e ontológicas sem o devido respeito à simplicidade daquela realidade concernente a Ele que a Palavra de Deus assevera. A Igreja tem aprendido muito dessas dissensões, e nenhuma verdade mais empírica do que aquelas "coisas de Cristo" são reveladas somente às mentes espirituais e por revelação.

Com relação ao verdadeiro ponto de partida para todo pensamento digno com respeito a Cristo, o teólogo fará bem em colocar na mente o fato essencial de que a segunda pessoa é intrinsecamente igual em todos os sentidos às outras pessoas na Divindade, e que Ele permanece o que foi sem levar em conta os enganos surgidos a respeito de sua geração eterna, ou sua filiação, ou de quaisquer deduções naturais surgidas do fato de sua encarnação e humilhação. Nenhuma abordagem à cristologia bíblica é possível que não se baseie na ou não proceda da verdade determinante de que a segunda pessoa encarnada, embora Ele seja um "homem de dores e que sabe o que é padecer", seja o Deus eterno. A distinção sociniana entre as palavras *Deidade* e *Divindade* e as suas alegações de que Cristo não era Deidade, mas era Divindade no sentido somente em que Ele participou dos elementos divinos, deve ser rejeitada.

Ele é divino no sentido em que é a Deidade absoluta – ou a linguagem da Bíblia está totalmente enganada. Uma mente sincera deve reconhecer a grande evidência com relação à divindade de Cristo, ou então apresentar razão igualmente válida para não fazer isso. A tentativa leviana dos unitarianos de dispor de um vasto corpo de verdade que assevera a Deidade de Cristo não é digno de consideração. Nenhuma questão mais vital já foi proposta como esta: "Quem pensais vós de Cristo?" e, semelhantemente: "Quem os homens dizem que eu, o Filho do homem, sou?" Exteriormente, os homens religiosos disseram em resposta: "João Batista, Elias, Jeremias, ou um dos profetas". Outros que estavam mais próximos dele disseram: "Tu és o Cristo, o Filho do Deus vivo" (Mt 16.13-16). Nenhuma base de argumentação é deixada para o judeu, o maometano ou o ateu que repudia a doutrina total da existência sobrenatural de Cristo.

Os arianos professaram grande adoração por Cristo, mesmo reconhecendo a sua preexistência; mas eles, cientes de que Ele era uma criação de Deus, rejeitaram a verdade de sua preexistência *eterna*. Em tempos mais recentes, a controvérsia foi com os socinianos e com os sucessores deles, os unitarianos, que com inconsistência patente todos procuraram reter o nome digno de *cristãos* enquanto desonram Aquele cujos nomes eles esposam. Esse insulto imensurável a Cristo seria suficientemente sério se fosse confinado àqueles que ouvem o nome unitariano, mas esses ensinos heréticos novamente, como estiveram no passado, penetram a totalidade da profissão cristã sob a glossa de erudição que, motivada pela incredulidade e tão escura como o coração do homem natural, tende sempre a promover o seu estimado liberalismo.

O chamado *modernismo* não deve ser justificado com base numa fraqueza suposta no testemunho bíblico. Os maiores eruditos da era cristã têm se rendido com submissão plena à autoridade das Escrituras e têm saudado a sua mensagem como perfeita e final. O unitarianismo e o seu outro eu – o modernismo – refletem a tendência declinante daquela incredulidade que caracteriza o não-regenerado. A mesma verdade que tem sustentado os santos em vida e enchido os mártires com glória na morte, permanece. O unitariano raramente se torna um mártir. O Dr. Joseph Priestley ficou muito indignado quando ouviu do judeu, David Levi, que quando olhava para o Novo Testamento ele (Levi) via que Jesus de Nazaré era ali representado como Deus, e por essa razão ele não considerava que o Dr. Priestley, com todas as suas alegações em contrário, era um cristão.

As provas idênticas que demonstram, para a satisfação do unitariano (ou seja qual for o nome) que Deus o Pai é Deidade, continuam a demonstrar em grau igual e com a mesma força que o Senhor Jesus Cristo é Deidade. Mediante o que foi apresentado na Palavra de Deus, que sozinha dá testemunho confiável, alguns aspectos do vasto campo da cristologia serão agora examinados.

A importância desse tema pode ser obtida do fato de que, direta ou indiretamente, quase tudo que entra na Teologia Sistemática pode ser incorporado em Cristologia. Visto que nesta obra um volume todo é dedicado à Cristologia, somente algumas partes dessa disciplina serão consideradas debaixo do tema do trinitarianismo, à medida que elas possam ser exigidas na preparação para o estudo de Antropologia, Soteriologia, Eclesiologia e Escatologia. Igualmente, visto que está no escopo da Teontologia restringir a contemplação de Cristo à sua pessoa à parte de suas obras, este presente tratamento se conformará com essa máxima. Uma investigação mais ampla sobre Cristologia (vol. V) fica sujeita a estas sete divisões principais: (a) Sua preexistência, (b) Sua encarnação, (c) Sua morte, (d) Sua ressurreição, (e) Sua ascensão e sessão, (f) Seu retorno e reino, e (g) Sua autoridade e relacionamentos eternos.

TrinitarianismoTeontologia

A presente discussão, mais restrita, é assim dividida: (a) Sua preexistência, (b) Seus nomes, (c) Sua divindade, (d) Sua encarnação, (e) Sua humanidade, (f) a kenosis, e (g) a união hipostática. Possa o Espírito, cuja obra é tomar as coisas de Cristo e mostrá-las aos Seus, iluminar a mente daquele que escreve e a mente de todos os que, pacientemente, examinam estas páginas.

O primeiro passo na prova de que o Senhor Jesus Cristo tem direito igual e certo na Divindade é dado, quando a verdade é substanciada no fato de que Ele exista antes que viesse a este mundo em forma humana. Como matéria necessária, a evidência de tema tão estupendo como a preexistência de Cristo, será retirada somente da Bíblia. Não existe outra fonte de informação. A demonstração de que Cristo preexistia, contudo, não é uma prova completa de que Ele é verdadeiro Deus. Tal prova refuta a afirmação sociniana, a saber, de que Ele é somente um homem, pois nenhum homem jamais existiu antes de seu nascimento; mas ela não refuta a hipótese ariana, que é a de que Cristo é um ser criado que existia como tal antes de entrar na esfera humana. Evidência decisiva com respeito à deidade de Cristo aparecerá sob outra divisão deste tema geral.

Não há espaço aqui para a investigação de passagens secundárias que somente *sugerem* que Cristo preexistia. Há diversas frases em que essa sugestão está presente. Ele disse de si mesmo que foi enviado ao mundo (Jo 17.18); igualmente está escrito que veio em carne (Jo 1.14); participou de carne e sangue (Hb 2.14); foi encontrado em forma de homem (Fp 2.8). Disse: "...eu vim de cima" (Jo 8.23); e "...eu não sou deste mundo" (Jo 17.14); falou também de ter descido do céu (Jo 3.13). Aqui está indicado que preexistia e declarações como essas poderiam ter lugar na experiência de seres humanos. A atenção é dirigida aqui (a) a passagens importantes de valor indiscutível e (b) à pessoa do Anjo de Jeová.

I. Principais Passagens Sobre a Preexistência

João 1.15,30 – João Batista assevera duas vezes nesta passagem: Cristo "existia antes de mim". Um relacionamento de tempo está implícito, e, embora João fosse mais velho do que Jesus, declara que Cristo existia *antes* dele. A noção unitariana de que João afirmava que, por designação divina, Cristo é mais alto no grau da dignidade do que João é impossível e não pode ser sustentada por exegese sem preconceitos. Se João tivesse feito referência somente a matéria de designação e dignidade, teria dito: "Ele *existe* antes de mim" e não: "Ele *existia* antes de mim". O texto declara que, num ponto do tempo, Cristo precedeu João.

João 6.33,38,41,50,51,58,62. Neste contexto está escrito uma sétupla declaração feita por Jesus Cristo de que Ele "desceu do céu". A isto podem ser acrescentas as palavras a Nicodemos: "Ora, ninguém subiu ao céu, senão o que desceu do céu, o Filho do homem" (Jo 3.13). Semelhantemente, a certeza torna-se enfática pela repetição como acontece em João 3.31: "Aquele que vem de cima é sobre todos; aquele que vem da terra é da terra, e fala da terra. Aquele que vem do céu é sobre todos". Como um arranjo desse conjunto de verdades, e como uma pura invenção que não tem um vestígio de apoio, seja na Bíblia ou na tradição, os socinianos ofereceram a hipótese de que algum tempo após o seu nascimento Cristo foi transportado para o céu, para que pudesse receber a Palavra da Verdade que lhe foi comissionada, e, como conseqüência, Ele desceu do céu.

Mais tarde, promotores dessa forma de doutrina presumiram que essas passagens asseveram que Cristo havia sido "admitido a um conhecimento íntimo das coisas celestiais". Se este fosse o caso, Cristo não seria nem um pouco superior a Moisés ou a qualquer dos profetas. Em João 3.13 é assinalado que nenhum homem havia ascendido ao céu e que Cristo é o único que esteve no céu – como diz uma tradução: "Nenhum homem, exceto eu mesmo, jamais esteve no céu". Com o mesmo propósito, João 6.62 não somente antecipa a ascensão literal registrada em Atos 1.10, mas afirma também que, quando Ele ascendeu, retornou "para onde estava antes". Sobre esta controvérsia, um escritor antigo, o Dr. Edward Nares, pode ser citado com proveito: "Nada temos exceto as contradições positivas do partido unitariano, para provar-nos que Cristo não desceu do céu, embora Ele diga de si mesmo que desceu do céu; que embora Ele declare que havia visto o Pai, não tinha visto o Pai; que embora nos assegure que Ele, numa maneira muito *peculiar* e *singular*, desceu de Deus, veio dele duma forma não diferente daquela dos profetas antigos, e de seu precursor imediato".[187]

JOÃO 8.58. Na verdade, a afirmação mais enfática é a alegação do próprio Salvador com relação à sua preexistência. Ele disse: "Antes que Abraão existisse, eu sou". Que esta frase *Eu sou* apresenta o significado do nome inefável, Jeová, e que ela não assevera menos do que a existência eterna, tem sido demonstrado sob o tema geral do *teísmo bíblico*. Está evidente, também, que os judeus reconheceram que por essa afirmação Cristo declarou-se ser Jeová. Isto é visto na indignação amarga deles. Como poderia Ele, não tendo mais do que 50 anos, ter existido antes de Abraão? Em resposta a essa indagação Jesus Cristo replicou que não somente existia *antes* de Abraão, mas que já havia existido antes do tempo em que estava falando. Tal é a alegação incorporada na aplicação do eterno *Eu sou* a si mesmo. Pois o grau maior de blasfêmia, que os judeus criam ser, é a de que eles eram pela sua lei obrigados a apedrejá-lo até à morte.

Eles começaram a fazer isso, mas Cristo demonstrou o seu real poder sobrenatural que havia professado, por desaparecer do meio deles. As teorias unitarianas de que Cristo asseverava que sua existência no tempo era anterior ao tempo quando Abraão se tornaria o pai de muitas nações através da pregação do Evangelho aos gentios, ou que Cristo meramente preexistiu na presciência de Deus, não são dignas de consideração. Faustus Socinus interpretou essa passagem da seguinte maneira: "Antes de Abraão se tornar Abraão, i.e., o pai de muitas nações, Eu sou ou eu me tornei o Messias".[188] Esta afirmação foi incluída mais tarde na confissão de fé dos socinianos. Esse evento significativo é melhor descrito por John Whitaker da seguinte forma:

"Vosso pai Abraão", diz nosso Salvador aos judeus, "regozijou em ver o meu dia; e ele o viu, e ficou alegre". O nosso Salvador propõe-se, assim, a seus compatriotas, como o Messias deles; que grande objeto de esperança e desejo para os pais deles, e particularmente para esse primeiro pai dos fiéis, Abraão. Mas os seus compatriotas, não reconhecendo sua alegação quanto ao caráter de Messias, e, portanto, não permitindo a sua anterioridade sobrenatural de existência com relação a Abraão, resolveram considerar suas palavras numa significação meramente humana. "Então lhe disseram os judeus: 'Tu não tens cinqüenta anos, e viste a Abraão?'" Mas o que o nosso Salvador respondeu a esse comentário grosso e baixo sobre a sua sugestão? Será que Ele se retratou por interpretar mal a sua linguagem em relação à perversidade deles, e assim, abriu mão de suas pretensões da dignidade assumida? Não! Se tivesse agido assim, teria sido depreciativo para a *sua* dignidade, e injurioso para os interesses *deles*. Na verdade Ele repete sua alegação quanto ao seu caráter. Ele realmente reforça suas pretensões sobre uma prioridade sobrenatural de existência. Ele até mesmo intensifica as duas coisas. Ele se eleva muito acima de Abraão. Ele ascende para além de todas as ordens da criação. E Ele se coloca com Deus no topo do Universo. Assim, Ele arroga para si o mais alto grau de dignidade que os judeus esperavam que o Messias deles assumisse. Ele fez isso da maneira mais energética, que a sua simplicidade de linguagem, tão natural à grandeza inerente, possivelmente admitiria. Ele também introduz o que Ele diz, com muita solenidade na forma, e com mais ainda na repetição. "Em verdade, em verdade vos digo", Ele diz: "Antes que Abraão existisse Eu sou". Ele não diz de si mesmo, como Ele diz de Abraão: "antes dele existir, eu era". Na verdade, isso teria sido suficiente para afirmar a sua existência prévia a Abraão. Mas não teria sido suficiente para declarar o que Ele agora queria dizer, sua alegação plena à majestade do Messias. Portanto, Ele deixa de lado todas as formas de linguagem, que poderiam ser acomodadas às meras criaturas de Deus. Ele se prende apenas a uma, aquela que era apropriada para a própria Divindade. "Antes que Abrão *existisse*" ou ainda mais propriamente, "Antes de Abraão *ter sido feito*", ele diz, "Eu sou". Assim, Ele dá a si mesmo a marca de existência incriada ou existência *contínua*, em oposição direta a *contingente* e *criado*... Ele atribui a si o real selo da eternidade, que Deus usa para a sua divindade no Antigo Testamento; e do qual um apóstolo posteriormente descreve: "Jesus Cristo" como expressamente "o mesmo ontem, hoje e para sempre". Os judeus não poderiam tê-lo entendido mal agora. Eles não poderiam. Eles o ouviram direta e decisivamente vindicar os mais nobres direitos do Messias deles, e as mais altas honras do Deus deles, para si próprio. Eles o consideraram como um mero pretendente a *essas* coisas. Portanto, olharam para Ee, como se fosse um usurpador blasfemo. "Então pegaram em pedras para atirarem nele", como se fosse um blasfemador; como de fato Ele o era nas suas pretensões de ser Deus, se não tivesse sido na realidade o Messias deles e o único Deus deles. Mas Ele instantaneamente provou para os sentidos deles, ser ambas as coisas, por exercer os poderes energéticos de sua divindade, sobre eles. Pois Ele "se ocultou e saiu do templo, *passando pelo meio deles*".[189]

JOÃO 1.1-4,14. Este texto familiar diz: "No princípio era o Verbo, e o Verbo estava com Deus, e o Verbo era Deus. Ele estava no princípio com Deus. Todas as coisas foram feitas por intermédio dele, e sem ele nada do que foi feito se fez, Nele estava a vida, e a vida era a luz dos homens... E o Verbo se fez carne, e habitou entre nós, cheio de graça e de verdade; e vimos a sua glória, como a glória do unigênito do Pai". Nenhum outro texto da Escritura é mais conclusivo com relação à preexistência de Cristo do que esse. Igual à passagem precedente (Jo 8.58), uma tentativa é feita para expressar o pensamento da existência eterna pelo uso do tempo imperfeito com o pensamento implícito de que Ele é um eterno presente. Ele *está*, não meramente *estava*, em existência no tempo do princípio que houve antes dele ter criado todas as coisas pela Palavra do seu poder (cf. v. 3).

Ele não somente *estava* com Deus, mas *era* Deus. Aquele que sempre *é*, nunca começou a ser. Com a mais plena certeza, o texto inspirado continua a relatar que esse Eterno "se fez carne, e habitou entre nós". Sobre a ordem desses acontecimentos, a verdade que eles revelam, e a majestade aqui descrita, o Dr. B. B. Warfield fez este comentário iluminador:

João aqui chama a pessoa que se encarnou por um nome peculiar a si mesmo no Novo Testamento – o "Logos" ou "Verbo". De acordo com os atributos que aqui aplica a Ele, pode querer dizer algo por "Verbo" além de próprio Deus, "considerado em seu caráter criador, operativo, auto-revelador e comunicador", a soma total do que o divino é (C. F. Schmid). Em três sentenças incisivas Ele declara no princípio a sua subsistência eterna, sua intercomunicação com Deus, a sua eterna identidade com Deus: "No princípio era o Verbo; e o Verbo estava com Deus, e o Verbo era Deus" (Jo 1.1). "No princípio", naquele ponto do tempo quando as coisas começaram a existir (Gn 1.1), o Verbo já "existia". Ele antedata o começo de todas as coisas. E não meramente as antedata, mas imediatamente é acrescentado que Ele próprio é o Criador de tudo que existe: "Todas as coisas foram feitas por intermédio dele, e sem ele nada do que foi feito se fez" (1.3). Assim, Ele é tirado da categoria das criaturas totalmente. Conseqüentemente, o que é dito dEle não é que Ele era a primeira das criaturas a vir a existência – que "no princípio Ele já tinha vindo à existência" – mas que "no princípio, quando as coisas começaram a vir à existência, Ele já era". Isso expressa a eternidade de existência que é asseverada: "o tempo imperfeito do original sugere nessa relação, até onde a linguagem humana pode fazê-lo, a noção da existência absoluta e supra-temporal" (Westcott). A sua subsistência eterna, não estava, contudo, em isolamento: "E o Verbo estava com

Deus". A linguagem é rica. Não se trata meramente da afirmação da coexistência com Deus, como de dois seres que permanecem lado a lado, unidos numa relação local, ou mesmo numa concepção comum. O que é sugerido é uma relação ativa de comunicação. A personalidade distinta do Verbo não é, portanto, obscuramente insinuada. Desde toda a eternidade o Verbo tem estado com Deus como um igual: Aquele que já no começo "era", "estava" também em comunhão com Deus; Ele não era, não obstante, um ser separado de Deus: "E o Verbo era" – ainda o eterno "era" – "Deus". Em algum sentido distinguível de Deus, Ele era num verdadeiro sentido idêntico a Deus. Há apenas um Deus eterno; este Deus eterno, o Verbo é, em qualquer sentido que possamos distingui-lo do Deus com que Ele "está", Ele não é ainda outro além deste Deus, mas Ele próprio é este Deus. O predicado "Deus ocupa a posição de ênfase nessa grande declaração, e é assim colocado na sentença para ser atirado em agudo contraste com a frase "com Deus", como se fosse para evitar inferências inadequadas com respeito à natureza do Verbo, ainda que retiradas momentaneamente da frase. João queria que percebêssemos que o que a Palavra era na eternidade não era meramente o igual co-eterno com Deus, mas o próprio Deus eterno.[190]

João 17.5. Em sua oração a seu Pai, o Salvador disse: "Agora, pois, glorifica-me tu, ó Pai, junto de ti mesmo, com aquela glória que eu tinha contigo antes que o mundo existisse". Esta declaração não justificada que Ele havia compartilhado a personalidade e do direito da glória que pertencia somente à Deidade antes que o mundo existisse, é outra proclamação da verdade de que Cristo existia antes de sua encarnação e, por ser, como é, uma parte de sua oração ao Pai, Ele não está sujeito àquelas restrições que são requeridas quando se refere aos homens. Ele fala ao Pai a respeito de coisas que pertencem ao relacionamento eterno dentro da Divindade. A interpretação unitariana propõe que Cristo compartilhava da glória somente no sentido em que Ele antecipou os eternos conselhos de Deus. Se isso fosse verdade, a consistência requereria que a sua petição fosse restaurada àquela glória que era não mais do que um pedido para ser levado de volta à antecipação não existente, sem expectativas de jamais alcançar uma glória real.

Filipenses 2.6. Aqui está escrito: "O qual, subsistindo em forma de Deus, não considerou o ser igual a Deus coisa a que se devia aferrar". Esta passagem decisiva – toda ela será examinada sob as implicações kenóticas –, é citada aqui apenas pela razão de sua afirmação clara de que Cristo, antes da encarnação, existiu em forma de Deus. A questão kenótica é aquela da sua forma humana – a forma divina pré-encarnada dificilmente sujeita a questionamento, exceto por aqueles que devem subverter ou invalidar cada passagem da Escritura que se opõe às suas idéias preconceituosas, todas nascidas na incredulidade. Sobre a importância fundamental na qual essa passagem está baseada, a saber, a Deidade essencial e a preexistência de Cristo, o Dr. B. B. Warfield escreveu em detalhes, e aqui está apenas uma parte citada:

A afirmação é lançada em forma histórica: ela nos conta a história da vida de Cristo sobre a terra. Mas ela apresenta a sua vida sobre a terra como uma vida em todos os seus elementos estranhos à sua natureza intrínseca, e assumiu somente no desempenho de um propósito altruísta. Sobre a terra Ele viveu como um homem, e sujeitou-se ao grupo comum de homens. Mas Ele não era por natureza um homem, nem era Ele em sua própria natureza sujeito às venturas da vida humana. Por natureza Ele era Deus; e teria naturalmente vivido como Deus – "em igualdade com Deus". Ele se tornou homem por um ato voluntário, "não se levando em conta", e, tendo se tornado homem, Ele voluntariamente viveu sua vida humana sob as condições que o cumprimento do seu propósito altruísta se lhe impunha. Os termos nos quais essas grandes afirmações são feitas merecem a mais cuidadosa atenção. A linguagem em que a Deidade intrínseca de nosso Senhor é expressa, por exemplo, é provavelmente tão forte quanto poderia ter sido. Paulo não diz simplesmente: "Ele era Deus". Ele diz: "Ele subsistia na forma de Deus", e emprega uma forma de linguagem que põe ênfase sobre a posse que o Senhor tinha da qualidade específica de Deus. "Forma" é um termo que expressa a soma daquelas qualidades caracterizantes que fazem uma coisa ser precisamente o que é. Assim, a "forma" de uma espada (neste caso principalmente matéria de configuração externa) é tudo que torna determinado pedaço de metal especificamente numa espada, ao invés de uma pá. E "a forma de Deus", é especificamente Deus, ao invés de outro ser – um anjo ou um homem. Quando é dito que nosso Senhor tinha a "forma de Deus", portanto, fica declarado que Ele, da maneira mais expressa possível, é tudo o que Deus pode ser, e possui a totalidade dos atributos que fazem com que Deus seja Deus. Paulo escolhe essa maneira de expressar-se aqui instintivamente, porque, ao citar nosso Senhor como nosso exemplo de auto-abnegação, sua mente está naturalmente repousando, não no mero fato de que Ele é Deus, mas na riqueza e plenitude de seu ser como Deus. Ele era tudo isso; todavia, Ele não olhou para as suas próprias coisas, mas sobre as dos outros. Deveria ser cuidadosamente observado também que, ao fazer essa grande afirmação a respeito de nosso Senhor, Paulo não a lança distintivamente no passado, como se descrevesse um modo de ser anterior de nosso Senhor, na verdade, que não mais era seu por causa da ação pela qual Ele se tornou nosso exemplo de altruísmo. Nosso Senhor, diz ele, "sendo", "existindo", "subsistindo" "na forma de Deus" – como é variadamente traduzido... Paulo não nos diz aqui, então, o que o nosso Senhor foi certa vez, mas antes o que Ele já era, ou, melhor, o que Ele é em sua natureza intrínseca; Ele não descreve um modo passado de existência de nosso Senhor, antes que acontecesse a ação que Ele menciona como exemplo – embora o modo de existência que ele descreve era o modo de existência de nosso Senhor antes dessa ação – como se pintasse o cenário sobre o qual a ação citada pudesse ser destacada. Ele nos diz quem e o que Ele é, quem fez essas coisas por nós, para que pudéssemos apreciar quão grandes coisas Ele fez por nós.[191]

II. O Anjo de Jeová

A unanimidade da crença da parte de todos os eruditos devotos de que o Anjo de Jeová é a segunda pessoa pré-encarnada da Trindade, é muito significativa. O objetivo total desse tema não pode ser introduzido aqui. Duas linhas de evidência deveriam ser buscadas: (a) que esse anjo é uma pessoa divina e não meramente um dos membros dos exércitos celestiais criados; e (b) que esse anjo não é outro senão o Cristo de Deus, a segunda pessoa da Trindade.

1. UMA PESSOA DIVINA. O fato dos aparecimentos de uma pessoa divina não será questionado por qualquer pessoa que aceita o testemunho da Bíblia. Está registrado que Ele apareceu uma vez na "consumação dos séculos" para aniquilar o pecado pelo sacrifício de si mesmo (Hb 9.26); que Ele agora "comparece por nós perante a face de Deus" (Hb 9.24); e que "aparecerá segunda vez, sem pecado, aos que o esperavam para a salvação" (Hb 9.28). Mas como Anjo de Jeová ele apareceu várias vezes na realização dos propósitos e dos relacionamentos de Jeová com os santos do Antigo Testamento. Esse poderoso é algumas vezes designado como o *Anjo de Jeová*, e algumas vezes como o *Anjo da Presença* – a fim de significar que Ele estava sempre diante da face de Deus. Na verdade, esse Ser está muito distante dos anjos que são criados. Ele é um anjo somente por *ofício*. Isto significa que Ele é um da Divindade que serve como mensageiro ou revelador. Ele sempre é a manifestação de Deus (Jo 1.18). A primeira prova a ser desenvolvida é que esse anjo é deidade, sem levar em conta as suas manifestações ou o serviço prestado.

A evidência principal de que esse anjo é membro da Divindade está no fato de que, entre os diversos títulos, Ele porta o título pertencente à Deidade somente – *Jeová* e *Elohim*. Como tais, Ele habitou entre Israel como um objeto supremo e final da adoração deles. Para o povo foi dito: "Não terás outros deuses diante de mim". Assim, aquele a quem adoravam debaixo do favor divino era, necessariamente, a Deidade. Este ponto tem a ver somente com uma designação, *Jeová*. Este título acima de todos os outros é peculiar à Deidade, visto que ele em tempo algum se aplicou a qualquer outro. Para enfatizar esta verdade, as Escrituras declaram: "Procurai aquele que fez as Plêiades e o Órion, e torna a sombra da noite em manhã, e transforma o dia em noite; o que chama as águas do mar, e as derrama sobre a terra; o Senhor é o seu nome" (Am 5.8); "Para que saibam que só tu, cujo nome é o Senhor, és o Altíssimo sobre toda a terra" (Sl 83.18); "Eu sou o Senhor; este é o meu nome; a minha glória, pois, a outrem não a darei, nem o meu louvor às imagens esculpidas" (Is 42.8).

Quando esse nome inefável é assim livremente atribuído à segunda pessoa, o Senhor Jesus Cristo, a evidência é completa de que o Salvador não é somente a Divindade, mas que Ele existiu como tal desde toda a eternidade. Quando esse mais alto dos títulos no céu ou na terra é dado Àquele que porta o nome *Anjo*, como o cognome *Anjo de Jeová* especifica, não significa que o nome foi empregado de modo contrário às Escrituras, mas indica uma pessoa da Deidade, que, por causa de seu serviço peculiar e de seus relacionamentos, embora incriado, é chamado *Anjo*. Certas passagens (cf. Êx 17.15; Nm 10.35,36; Ez 48.35) onde Jeová é associado a objetos materiais, não provê uma exceção, nem deveria surgir confusão por causa do fato desse anjo algumas vezes ser chamado *Jeová* e outras vezes *Mensageiro de Jeová*.

Está registrado que Jeová disse: "Eu enviarei o meu anjo [ou mensageiro]", mas desse anjo é claramente dito ser o próprio Jeová. Sobre a mesma pessoa que está evidentemente em vista, Jeová diz: "Eu enviarei o meu anjo"; ou diga: "Eu irei". Se um mistério insolúvel surge nesse ponto, não é outro além daquele que permeia toda a doutrina da Trindade com sua única Essência. Todas as passagens que falam do Anjo de Jeová são evidências e deveriam ser consideradas (Gn 16.7; 18.1; 22.11,12; 31.11-13; 32.24-32; 48.15,16; Êx 3.2,14; Js 5.13,14; Jz 3.19-22; 2 Rs 19.35; 1 Cr 21.15,16; Sl 34.7; Zc 14.1-4). Destes textos das Escrituras é conclusiva a demonstração de que o Anjo de Jeová é parte da divindade eterna.

2. PARTE DA TRINDADE. Semelhantemente, as Escrituras são igualmente claras na apresentação da verdade de que o Anjo de Jeová do Antigo Testamento é o Cristo do Novo Testamento. Num grau considerável, o entendimento de tudo que é demonstrado depende do reconhecimento do fato de que as palavras *mensageiro* e *servo*, como usadas a respeito de Jeová, são equivalentes ao nome *Anjo de Jeová*. Os aparecimentos da Divindade registrados no Antigo Testamento muito raramente são da primeira pessoa da Trindade. Antes, são aparições do Manifestador, do Mensageiro, de Jeová – seu Anjo, ou Anjo de Jeová, que aparece e que realiza. Não é outro senão Aquele por quem todas as coisas foram criadas, que é designado no Novo Testamento como o Cristo de Deus (Cl 1.16; Hb 1.2). Como o Mensageiro do pacto, Ele apareceu a Abraão, Isaque, Jacó, Moisés, e Hagar.

Ele conduziu Israel para fora do Egito. Ele administrou a lei no Sinai, e será o Executor assim como o Sustentador do pacto ainda a ser feito com Israel (Jr 31.31-33). Não deve haver dúvida de que o tabernáculo, e mais tarde o templo, haveria de ser o lugar onde Jeová se agradaria de encontrar o seu povo. Malaquias declara que o Mensageiro do pacto repentinamente viria para o seu templo. O que ele chamou de *seu templo* sugere que o Mensageiro é Jeová que se fazia presente no templo e para quem este existia. A passagem que evidentemente se refere ao segundo advento de Cristo, diz: "Eis que eu envio o meu mensageiro, e ele há de preparar o caminho diante de mim; e de repente virá ao seu templo o Senhor, a quem vós buscais, e o anjo do pacto, a quem vós desejais; eis que ele vem, diz o Senhor dos Exércitos" (Ml 3.1).

Contudo, Ele veio repentinamente ao tabernáculo que Moisés construiu no deserto, e repentinamente para o templo que Salomão construiu e dedicou a Jeová. Assim Ele virá, como Malaquias prediz, ao templo que está em Jerusalém e daquele lugar fará o julgamento há muito predito que ainda virá sobre Israel. Mas, quando Cristo esteve aqui sobre a terra e quando em Jerusalém, esteve sempre no templo. Era para Ele a casa de sua habitação. O evento crucial que teve a maior significação a respeito de sua relação com o templo no tempo de sua primeira vinda foi a sua entrada formal no templo, como a consumação da chamada entrada "triunfal" em Jerusalém – evento esse que todos os evangelistas registram muito cuidadosamente. Essa ocorrência, será ainda vista, é um advento notável de Jeová que entra no seu templo.

Quando veio da Galiléia e aproximou-se de Jerusalém, Cristo parou ao pé do monte das Oliveiras e enviou dois discípulos para uma vila à procura de um jumentinho, a fim de entrar montado na cidade. A distância restante foi menos que uma milha. A obtenção desse meio de transporte não foi por uma distinção pessoal auto-centrada, nem foi devido ao cansaço. Havia sido predito que Ele entraria na cidade nos dias do seu aparecimento humilde. O ato foi específico no programa para o Messias tão claramente quanto foi o seu nascimento de uma virgem em Belém. Todo judeu letrado sabia disso. A profecia diz: "Alegra-te muito, ó filha de Sião; exulta, ó filha de Jerusalém; eis que vem a ti o teu rei; ele é justo e traz a salvação; ele é humilde e vem montado sobre um jumento, sobre um jumentinho, filho de jumenta" (Zc 9.9; cf. Mt 21.1-10; Mc 11.1-10; Lc 19.29-40; Jo 12.12-15).

Assim, Cristo cumpriu as expectativas a respeito do Messias e não outro senão o Mensageiro de Jeová do Antigo Testamento. A reação das pessoas não pode ser explicada de outra maneira além de que eles inconscientemente, ou de outra forma, cooperaram no cumprimento dessa predição tão importante. Eles disseram: "Hosana ao Filho de Davi; bendito é aquele que vem em nome do Senhor [Jeová]; Hosana nas maiores alturas" (Mt 21.9). Era a Páscoa e a cidade estava cheia de judeus de muitos lugares estrangeiros. Até àquela altura Cristo tinha evitado se mostrar para que os seus inimigos não precipitassem a sua morte antes que seu ministério fosse completado. O ministério estava no seu final e agora, por esse ato, Ele afirma a sua reivindicação messiânica. Se os *hosanas* da multidão fossem suprimidos, as pedras haveriam de clamar – tão grande, na verdade, era a exigência imperativa de que a profecia fosse cumprida. Ao falar com a autoridade de Jeová, Ele disse, enquanto entrava no templo: "Minha casa é chamada casa de oração; mas vós a transformais em covil de salteadores".

Com respeito ao ministério de João Batista, é dito que ele cumpriu a profecia de Isaías – "Eis a voz do que clama: Preparai no deserto o caminho do Senhor [Jeová]; endireitai no ermo uma estrada para o nosso Deus" (Is 40.3). Assim Cristo, a quem João anunciou, *era* e *é* Jeová e, se Ele é Jeová, preexistiu desde toda a eternidade. Da mesma forma, o Anjo que apareceu a Abraão, a Jacó, a Moisés na sarça, e como a voz que abalou a terra, é muito claramente identificado como o Cristo do Novo Testamento. Ele é o Anjo de Jeová.

Sobre esta conclusão que é sustentada pelas Escrituras, sustentada pelos pais da Igreja, e por todos os intérpretes que buscaram a honra de Cristo, Richard Watson escreve: "Portanto, foi agora estabelecido que o Anjo de Jeová e Jesus Cristo, nosso Senhor, são a mesma pessoa; e este é o primeiro grande argumento pelo qual a sua divindade é estabelecida... Vemos as mesmas manifestações da mesma pessoa desde Adão até Abraão; de Abraão a Moisés; de Moisés aos profetas; dos profetas a Jesus. Debaixo de cada manifestação Ele apareceu na forma de Deus, e nunca pensou com usurpação ser igual a Deus. 'Vestido com as vestimentas apropriadas do estado divino, usando a coroa de Deus e empunhando o cetro de Deus', Ele sempre recebeu a honra e as homenagens divinas. Nenhum nome é dado ao Anjo de Jeová, que não seja dado a Jeová Jesus; nenhum atributo é atribuído a um que não seja atribuído a outro; a adoração que é prestada a um pelos patriarcas e profetas, foi prestada ao outro pelos evangelistas e apóstolos; e as Escrituras declaram que eles são a mesma augusta pessoa – a imagem do Invisível, a quem nenhum homem pode ver e viver; – o *Anjo Redentor*, o *Parente Remidor*, e o *Deus Redentor*".[192]

À vista do testemunho de tantas passagens da Escritura do Antigo Testamento, ninguém pode sensatamente duvidar de que Jeová estabelecerá um reino de justiça sobre toda a terra. Assim, está escrito no Salmo 96.11-13 e repetido em substância no Salmo 98.7-9, cuja ênfase não deveria passar despercebida: "Brame o mar e a sua plenitude, o mundo e os que nele habitam; batam palmas os rios; à uma regozijem-se os montes diante do Senhor, porque vem julgar a terra; com justiça julgará o mundo, e os povos com eqüidade". Esta é uma descrição do segundo advento do Messias e a resposta de um coração iluminado está preparada na frase final da Bíblia – "Amém; vem, Senhor Jesus".

CAPÍTULO XXI

Deus o Filho: Seus Nomes

O CARÁTER MESSIÂNICO do Salmo 45 não pode ser questionado. Seu versículo final é uma promessa e uma profecia: "Farei lembrado o teu nome de geração em geração; pelo que os povos te louvarão eternamente". Por causa de tudo que está revelado no nome do Messias, Ele será louvado por todas as gerações. Na verdade, grande é o som total de todos os seus nomes, seus títulos e suas designações descritivas. Por causa da sua encarnação, sua obra na redenção, e de seus relacionamentos multiplicados, o número de seus títulos excede aos do Pai, do Espírito Santo e de todos os anjos até onde nos são revelados. Como acontece a respeito de cada pessoa da Trindade, os nomes da segunda pessoa são uma revelação distinta. É provável que quase toda verdade essencial residente na segunda pessoa seja expressa em algum nome específico:

Emanuel fala de seu relacionamento na encarnação, *Jesus* de sua salvação, o *Filho do homem* de sua humanidade, o *Filho de Deus* de sua deidade; *Senhor,* de sua autoridade; o *Filho de Davi* de seus direitos do trono; *Fiel e Verdadeiro,* de suas manifestações, e *Jesus Cristo, o Justo,* da eqüidade com que Ele faz a condenação devida ao cristão por causa do pecado. Alguns desses títulos principais devem ser considerados mais especificamente.

I. Jeová, Senhor

Alguma verdade relativa ao caráter de Jeová, a segunda pessoa, já foi demonstrada em discussão anterior. Sem reafirmar o que foi dito antes, uma evidência adicional pode ser desenvolvida com a finalidade de que a glória pode ser para Ele, a quem ela realmente pertence. Ele é propriamente chamado *Jeová.* Isto é por causa do fato de que Ele é *Jeová;* todavia, deverá ser lembrado que essa designação é aplicável somente à Deidade. É o nome inefável que apresenta a exaltação eterna que não pode ser comunicada a criatura alguma. No Salmo 83.18 está escrito: "...para que saibam que só tu, cujo nome é o Senhor [Jeová], és o Altíssimo sobre toda a terra". Semelhantemente, em Isaías 42.8, "Eu sou o

Senhor; este é o meu nome; a minha glória, pois, a outrem não a darei, nem o meu louvor às imagens esculpidas".

Nenhuma prova maior poderia ser apresentada com relação a Cristo do que aquela que Ele deveria corretamente ser chamado *Jeová*. Somente pouca atenção precisa ser exercida para descobrir quão constantemente o título Jeová é atribuído a Cristo. Em Zacarias 12.10, Jeová prediz a respeito de si mesmo: "Mas sobre a casa de Davi, e sobre os habitantes de Jerusalém, derramarei espírito de graça e de súplicas; e olharão para aquele a quem traspassaram, e o prantearão como quem pranteia por seu filho único; e chorarão amargamente por ele, como se chora pelo primogênito". Além de Cristo não se poderia dizer isso de ninguém na divindade, que ele foi "traspassado" e por quem o povo haveria de "prantear". Todavia, Jeová é que fala isso. Que outra aplicação poderia ser dada a Apocalipse 1.7, que diz: "Eis que vem com as nuvens, e todo olho o verá; até mesmo aqueles que o traspassaram; e todas as tribos da terra se lamentarão sobre ele. Sim. Amém".

Com o mesmo propósito, a profecia apresentada em Jeremias 23.5,6 declara que o renovo justo, um filho de Davi, que é Rei, será chamado *Jeová nossa Justiça*. É Cristo e não outro que se torna para os crentes *justiça* (1 Co 1.30), e é somente em Cristo que eles são feitos *justiça de Deus* (Rm 3.22; 2 Co 5.21). Além disso, Jeová que ascendeu ao céu, levou cativo o cativeiro; de acordo com o Salmo 68.18, não é outro senão Cristo, de quem Efésios 4.8-10 trata. E no Salmo 102 onde o nome *Jeová* aparece muitas vezes e no versículo 12 com significação especial, essa pessoa eterna é declarada em Hebreus 1.10 em diante, como o Senhor Jesus Cristo. Veja o testemunho de Isaías: "Então disse eu: Ai de mim! Pois estou perdido; porque sou homem de lábios impuros, e habito no meio dum povo de impuros lábios; e os meus olhos viram o rei, o Senhor [Jeová] dos exércitos!" (Is 6.5).

Este versículo é interpretado pelo apóstolo João como uma referência a Cristo. Ele afirma: "Estas coisas disse Isaías, porque viu a sua glória, e dele falou [Cristo]" (Jo 12.41). Ainda pode ser acrescentado que como Jeová do Antigo Testamento declara-se ser o Primeiro e o Último (Is 41.4; 44.6; 48.12), assim Cristo, de acordo com Apocalipse 1.8,17,18; 22.13,16, é o mesmo Primeiro e Último. Os exércitos do céu não imaginaram sequer retirar de Cristo a honra devida a Jeová. No cântico deles está escrito: "E cantavam o cântico de Moisés, servo de Deus, e o cântico do Cordeiro, dizendo: Grandes e admiráveis são as tuas obras, ó Senhor Deus Todo-poderoso; justos e verdadeiros são os teus caminhos, ó Rei dos séculos. Quem não te temerá, Senhor, e não glorificará o teu nome? Pois só tu és santo, por isso, todas as nações virão e se prostrarão diante de ti, porque os teus juízos são manifestos" (Ap 15.3,4). Como já foi observado, Cristo é o Jeová do templo (cf. Ml 3.1; Mt 12.6; 21.12,13), e Ele é o Jeová do sábado (Mt 12.8).

Uma prova distinta e extensa de que Cristo é Jeová deve ser vista no título *Senhor* que o Novo Testamento lhe dá, que lhe é aplicado mais de mil vezes. *Jeová* é um termo hebraico equivalente que não é usado no Novo Testamento. Seu equivalente é Κύριος, título esse que é também aplicado ao Pai e ao Espírito

TrinitarianismoTeontologia

Santo. É um procedimento justificável tratar o nome *Jeová* do Antigo Testamento como possuidor de um significado continuado no Novo Testamento, no uso do nome *Senhor*. Seria o significado natural de muitas declarações: "Senhor de todos" (At 10.36); "Senhor sobre todos" (Rm 10.12), "Senhor da glória" (1 Co 2.8) e "Rei dos reis, e Senhor dos senhores" (Ap 17.14; 19.16).

II. Elohim, Deus

O conjunto das Escrituras em que este título é atribuído à segunda pessoa é, na verdade, muito grande. Em duas passagens notáveis em Isaías, o advento de Cristo é previsto e em cada uma Ele é chamado *Elohim*. Ao predizer o ministério do precursor e sua mensagem, o profeta escreve: "Eis a voz do que clama: Preparai no deserto o caminho do Senhor; endireitai no ermo uma estrada para o nosso Deus" (Is 40.3). No cumprimento dessa profecia, Lucas declara que Cristo é que está em vista. Ele afirma: "...como está escrito no livro das palavras do profeta Isaías: Voz do que clama no deserto: Preparai o caminho do Senhor; endireitai as suas veredas" (3.4). Está evidente que a palavra "nosso" da forma em que é usada nesta passagem profética inclui os santos de todas as épocas e afirma a verdade de que aquele que porta esse título é Criador, Benfeitor e Juiz, e que a suprema adoração é sempre devida a ele.

Nenhum dentre os homens poderia jamais satisfazer as reivindicações desse nome exaltado. Da mesma forma, numa passagem que ninguém poderia interpretar mal, Isaías, no meio de outros títulos igualmente significativos, afirma que Cristo é *o poderoso El*. A passagem diz: "Porque um menino nos nasceu, um filho se nos deu; e o governo estará sobre os seus ombros; e o seu nome será: Maravilhoso, Conselheiro, Deus Forte, Pai Eterno e Príncipe da Paz. Do aumento do seu governo e da paz não haverá fim, sobre o trono de Davi e no seu reino, para o estabelecer e o fortificar em retidão e em justiça, desde agora e para sempre; o zelo do Senhor dos exércitos fará isso" (Is 9.6,7). As outras declarações desta passagem são tão exaltadoras como o título, *Deus Forte*. Ele é Maravilhoso, Conselheiro, Pai da Eternidade e um Rei que estabelecerá um reino de paz perfeita. Este Deus Forte é nascido como uma criança. O antigo de dias torna-se um infante nos braços de uma mulher; o Pai da Eternidade é um Filho dado ao mundo. Cada título revela o caráter da divindade e, juntos, sem dúvida, pertencem à segunda pessoa da Trindade.

O Novo Testamento dá até um testemunho maior. De João Batista foi dito que ele tornaria muitos para "o Senhor deles". O apóstolo João certifica que "o Verbo era Deus". Emanuel, diz Mateus, é "Deus conosco" – não uma mera presença espiritual, mas uma identificação completa com a família humana para sempre. O apóstolo Paulo prescreve aos presbíteros de Éfeso "a pastorear a igreja de Deus que ele [Deus] comprou com o seu próprio sangue" (At 20.28). O escritor aos Hebreus diz de Cristo: "Teu trono, ó Deus, é para todo sempre". Tomé, a despeito de sua incredulidade, diz: "Senhor meu e Deus meu", e o apóstolo Paulo num outro texto antecipa o retorno de Cristo como "o aparecimento da glória do nosso grande Deus e Salvador Cristo Jesus" (Tt 2.13). Pode ser aceito como verdadeiro que nos títulos compostos como *Deus e Pai, Cristo e Deus, Deus e nosso Salvador, o grande Deus e nosso Salvador*, tem apenas uma pessoa em vista. Assim, Cristo é especificamente chamado *Deus* (cf. Rm 15.6; Ef 1.3; 5.5, 20; 2 Pe 1.1). Em 1 João 5.20,21, Cristo é designado "o verdadeiro Deus e a vida eterna". Assim, Ele é "Deus bendito para todo sempre" (Rm 9.5).

III. Filho de Deus, Filho do Homem

Um estudo interessante e frutuoso é apresentado nestes dois títulos. Freqüentemente, Cristo não se designa como *Filho de Deus*, embora Ele tenha aceitado essa designação quando lhe foi feita por outros. Ele asseverou que era o *Filho de Deus* e isso levou à acusação de blasfêmia no seu julgamento (Lc 22.67-71). Nesse caso foram-lhe feitas duas perguntas diretas, a saber: "Tu és o Cristo?" e "És tu o Filho de Deus". É possível que, na avaliação dos judeus, reivindicar ser o Messias não era um grande mal como reivindicar ser Filho de Deus. Ele foi condenado por blasfêmia por causa de sua afirmação não justificada de que era o Filho de Deus. João 5.18 registra: "Por isso, pois, os judeus ainda mais procuravam matá-lo, porque não só violava o sábado, mas também dizia que Deus era seu próprio Pai, fazendo-se igual a Deus"; e, ainda em 10.33: "Responderam-lhe os judeus: Não é por nenhuma obra boa que vamos apedrejar-te, mas por blasfêmia; e porque, sendo tu homem, te fazes Deus".

Está evidente também que Cristo falou repetidamente de Deus como seu Pai, e embora Ele lembrasse seus seguidores de que Deus é o Pai deles, a sua própria filiação é uma realidade que Ele nunca comparou à dos outros. Isto é verdadeiro com respeito a toda forma de filiação que a Bíblia reconhece e especialmente verdadeiro com relação à filiação que os crentes mantêm com Deus através da regeneração. Ele ensinou seus discípulos a orar: "Pai nosso que estás nos céus", mas não poderia orar nem orou aquela oração com eles (cf. Mt 11.27). O evangelho de João fala muito e propriamente do título *Filho de Deus*, visto que é o evangelho da sua divindade.

Nesse evangelho, o *Filho* – que evidentemente é uma abreviação do título pleno *o Filho de Deus* – executa juízo (5.22); Ele tem vida em si mesmo e vivifica a quem quer (5.26, 21). Ele dá vida eterna (10.10); é a vontade do Pai que todos os homens honrem o Filho, da mesma maneira que honram o Pai (5.23); o Filho faz somente o que vê o Pai fazer (5.19), e fala somente aquilo que ouve do Pai (14.10); e o Filho confessa que, do lado divino, Ele tem um Pai e, do lado humano, Ele tem um Deus (20.17). Um texto conclusivo e impressionante nessa conexão está em Mateus 28.18-20, que diz: "E, aproximando-se Jesus,

TRINITARIANISMOTEONTOLOGIA

falou-lhes, dizendo: Foi-me dada toda a autoridade no céu e na terra. Portanto ide, fazei discípulos de todas as nações, batizando-as em nome do Pai, e do Filho, e do Espírito Santo; ensinando-os a observar todas as coisas que eu vos tenho mandado; e eis que eu estou convosco todos os dias, até a consumação dos séculos".

Aqui parece que não somente toda a autoridade é dada ao Filho, mas Ele é visto na Trindade em igualdade com as outras pessoas da Divindade. O apóstolo Paulo começou o seu ministério incomparável sem nenhuma incerteza com respeito ao Filho de Deus. Está escrito dele: "...e logo nas sinagogas pregava a Jesus, que este era o Filho de Deus" (At 9.20), e esta ênfase continuada sobre a divindade do Filho é demonstrada em Romanos 1.1-4: "Paulo, servo de Jesus Cristo, chamado para ser apóstolo, separado para o evangelho de Deus, que ele antes havia prometido pelos seus profetas nas santas Escrituras, acerca de seu Filho, que nasceu da descendência de Davi segundo a carne, e que com poder foi declarado Filho de Deus segundo o espírito de santidade, pela ressurreição dentre os mortos – Jesus Cristo nosso Senhor".

Com respeito ao nome *Filho do homem*, o fato deve ser reconhecido por tudo o que ele conota, que Cristo quase universalmente referiu-se a si mesmo por esse título. Ele assim se apresenta trinta vezes em Mateus, quinze vezes em Marcos, vinte e cinco vezes em Lucas, e doze vezes em João. A designação, como pertencente a Cristo, aparece uma vez em Atos (7.56) e duas vezes em Apocalipse (1.13; 14.14). Esse cognome aparece em certas partes do Antigo Testamento, especialmente em Salmos, Ezequiel e Daniel. Recentemente, muita atenção tem sido dada ao problema por que Cristo escolheu essa designação, ao invés de escolher o nome mais elevado – *Filho de Deus*. A impressão geralmente sustentada em tempos mais antigos era a de que o termo *Filho de Deus* enfatizava a divindade do Salvador, enquanto que o termo *Filho do homem* enfatizava a sua humanidade.

É altamente provável que na maioria dos casos essa diferença seja vista. Contudo, nem sempre é o caso. O título *Filho do homem* cobre um amplo espectro da realidade. Em Marcos 2.28 está declarado que "o Filho do homem é Senhor também do sábado", enquanto que em Mateus 8.20, Cristo aparece debaixo do mesmo nome de forma mais humilde: "As raposas têm covis, e as aves do céu têm ninhos; mas o Filho do homem não tem onde reclinar a cabeça". Alguns têm procurado explicar o uso continuado que Cristo faz desse nome com base no aparecimento dele no Antigo Testamento. Tal conexão dificilmente pode ser estabelecida, embora haja uma previsão clara do Messias sob esta designação em Daniel 7.13,14. A escolha desse título por Cristo não parece ser restrita aos aspectos messiânicos do seu ministério.

O povo perguntou: "Quem é o Filho do homem?" (Jo 12.34), e Cristo inquiriu: "Quem dizem os homens ser o Filho do homem?" (Mt 16.13). As diferentes respostas, como à pergunta da parte do povo, dificilmente indicaram que esse título específico esteve associado geralmente à esperança messiânica. Talvez parecesse, do seu próprio ponto de vista, tendo em mente o pano-de-fundo de sua divindade desde toda a eternidade, o aspecto natural de sua pessoa a ser enfatizado aqui na terra como coisa nova: a sua humanidade. Com isto Ele se aproximava daqueles a quem falava e ministrava a Palavra de Deus. Sem dúvida, um contato foi estabelecido sob o relacionamento que o título de humanidade sugeria, que não poderia ter sido assegurado sob o título divino. O uso do título *Filho do homem* pelo Salvador não evitou que Ele se apresentasse numa posição exaltada que a ocasião poderia exigir. Uma revelação importante é feita em Marcos 10.45 a respeito do Filho do homem: "Pois também o Filho do homem não veio para ser servido, mas para servir, e para dar a sua vida em resgate de muitos".

IV. Senhor Jesus Cristo

A verdade essencial para a pessoa do Redentor é revelada neste seu título completo e oficial. O nome *Senhor*, por não ser algo além de Jeová, declara a sua divindade. O nome *Jesus* pertence à sua humanidade e o modo de salvação através de seu sacrifício redentor – "...um corpo me preparaste". O título *Cristo*, embora usado como uma identificação geral da segunda pessoa, em sua implicação técnica significa tudo que é antecipado no Antigo Testamento – Profeta, Sacerdote e Rei. Visto que estes ofícios que são representados por esses títulos ocupam uma grande parte na Cristologia e devem ser considerados mais extensivamente em outras divisões da Teologia Sistemática, eles não serão extensamente considerados aqui.

A primeira sentença do primeiro escrito preservado do apóstolo Paulo emprega uma designação de divindade, que parece ser aquela que é mais comumente usada por ele: "Deus nosso Pai e do Senhor Jesus Cristo" (1 Ts 1.1; cf. Rm 1.7; 1 Co 1.3; 2 Co 1.2; Gl 1.1; Ef 1.2; 6.23; Fp 1.2; Cl 1.2; 2 Ts 1.1; 1 Tm 1.2; 2 Tm 1.2; Tt 1.4; Fm 1.3). Nestes textos podemos ver o caráter exaltado desse nome e dAquele que o porta. A designação, *Senhor Jesus Cristo*, é tão elevada como o termo Deus, com o qual ele sempre vem junto.

CapÍtulo XXII

Deus o Filho: Sua Divindade

AO LEVAR EM CONTA que não há questão entre os cristãos professos a respeito da divindade seja do Pai ou do Espírito Santo, é razoável supor que não haveria questão levantada a respeito da divindade que o Filho possuía, se Ele não tivesse assumido a forma humana. A divindade do Filho é asseverada na Bíblia tão plena e claramente, mesmo em detalhes, como é a divindade do Pai ou a do Espírito Santo. Por outro lado, a humanidade do Salvador é estabelecida muito dogmaticamente. Para aqueles que em seu pensamento mantêm essas duas naturezas de Cristo separadas tanto com respeito à substância quanto sobre a manifestação, há menos perplexidade a respeito da divindade de Cristo. A dificuldade surge com aqueles que, ao assumir que eles devem misturar essas naturezas, tentam derrubar o conceito comum no qual a sua divindade é diminuída e a sua humanidade é exaltada a ponto da equivalência.

Para tais pessoas, o erro resultante é duplo: a divindade do Senhor é submersa na dúvida e a humanidade do Senhor é privada de todas as coisas que lhe são naturais. Sob essas condições, as Escrituras que muito claramente apresentam cada uma dessas duas naturezas devem ser tanto discutidas quanto qualificadas, além da efetividade. A união hipostática das duas naturezas em Cristo deve ser considerada em outra parte desse tema geral. Contudo, deveria ser observado nesse lugar, que o verdadeiro método científico seria o primeiro a estabelecer o fato das duas naturezas de Cristo antes da tarefa de entrar no mistério envolvido. A verdade das duas naturezas é plenamente demonstrada; o mistério reside na coexistência delas em uma pessoa. Deste método científico o Dr. A. B. Winchester escreveu:

A sarça ardente que não se consumia foi um grande mistério. Moisés poderia ter-se afastado para pensar numa coisa "prática" – como os homens de negócio fazem. Se ele tivesse feito assim que visão, que experiência, que caráter e que glória ele teria perdido! Todo o progresso do conhecimento de qualquer espécie torna-se possível somente pelo reconhecimento imediato do fato e do mistério. Cada fato tem o seu mistério, e cada mistério tem o seu fato. O procedimento científico é tornar o conhecido, o degrau para o desconhecido; o desenvolvimento do simples para o complexo; do fato para o mistério.

Inverter essa ordem, ignorar o fato e começar com o mistério é não-científico e uma barreira eficaz para qualquer avanço possível no conhecimento. Lembre-se de que essa é a lei inexorável do avanço do conhecimento de qualquer espécie, secular ou religioso. "Grande é o mistério da piedade: Aquele que se manifestou em carne..." (1 Tm 3.16). No estudo desse "grande mistério" devemos seguir essa mesma ordem, i.e., primeiro o fato, então o mistério. Isto é exatamente o que os teólogos racionalistas e céticos têm feito. Moisés procedeu cientificamente. Sua atenção ficou presa ao fato de uma sarça e ao fato de uma chama. Ele investigaria os fatos reverente e cuidadosamente, esperando com paciência pelo desvendar do mistério. Amados, não percam de vista essa importante lição. Aquela sarça que não se consumia é um tipo radiante da glória do anjo do pacto, nosso gracioso e glorioso Senhor Jesus Cristo. Ela prefigura Jesus na constituição misteriosa de sua pessoa complexa e na grande obra redentora que necessitava sua realização na união (não na mistura) das naturezas divina e humana em uma só pessoa gloriosa e misteriosa. A chama da sarça que não se consumia tipificava a presença de Jeová-Jesus, antecipando, como em outros tipos, um aparecimento futuro em "carne" do grande Deus e nosso Salvador Jesus Cristo.[193]

A segunda pessoa sempre foi a manifestação da divindade e nunca foi maior do que na encarnação e através dela. Tão vital é essa verdade que Ele pode dizer: "Quem me viu a mim, viu o Pai" (Jo 14.9); e "...todas as coisas me foram entregues por meu Pai; e ninguém conhece plenamente o Filho, senão o Pai; e ninguém conhece plenamente o Pai, senão o Filho, e aquele a quem o Filho o quiser revelar" (Mt 11.27). A manifestação da divindade não é dependente somente da humanidade do Filho assegurada através da encarnação, pois Ele foi o perfeito Revelador desde toda a eternidade. Por causa disto, Ele somente serviu como o Anjo de Jeová. Há razão abundante para se crer que a humanidade finita, de si mesma, nunca poderia servir como um meio através do qual a infinidade poderia ser expressa. Segue-se das obras de Cristo registradas em João 5.23 e 1 João 2.22, 23, que aquele que falha em ver Deus em Cristo vê Deus também. Segue-se também, que o primeiro passo a ser tomado numa abordagem para o entendimento da pessoa de Cristo é um reconhecimento sem preconceitos de sua divindade. Certas linhas de evidência estabelecem essa realidade:

I. Atributos Divinos Que Pertencem a Cristo

Não há um atributo da divindade que não seja declarado como pertencente a Cristo na mesma medida de infinidade. Podemos observar o seguinte:

1. ETERNIDADE. Este atributo a ninguém pode ser aplicado, exceto Deus. É possível que os anjos tenham vivido para observar as eras incontáveis que vêm e vão, mas as eras multiplicadas não perfazem a eternidade. É uma asserção específica e peculiar reivindicar para qualquer ser o atributo da *eternidade*. Em

Isaías 9.6 Cristo é chamado *"Pai da Eternidade"*, e Miquéias declara que esse mesmo Jesus que do lado humano deveria nascer em Belém, era, do lado divino, aquele "cujas saídas são desde os tempos antigos, desde os dias da eternidade" (Mq 5.2). Assim, também, João anuncia que este Logos de Deus *estava* no princípio e Ele não era outro senão o Deus eterno (Jo 1.1,2). De si próprio, Ele disse: "Antes que Abraão existisse, eu sou" (Jo 8.58). Por esta declaração Cristo proclamou a sua divindade e seus inimigos o entenderam, razão pela qual eles pegaram em pedras para matá-lo, com acusação de blasfêmia. Ele é a *vida eterna* e o doador dela. Uma criatura por geração pode gerar segundo sua espécie, mas ninguém exceto o Deus eterno pode gerar a vida eterna. O novo nascimento "é de cima".

2. IMUTABILIDADE. De nenhuma coisa criada pode ser dito que é imutável. Jeová pode dizer de si mesmo: "Eu, o Senhor [Jeová], não mudo" (Ml 3.6). O Salmo 102.25-27 é uma mensagem a respeito de Jeová e é citado em Hebreus 1.10-12, e ali é aplicado a Cristo, da seguinte maneira: "Tu, Senhor, no princípio fundaste a terra, e os céus são obra de tuas mãos; eles perecerão, mas tu permaneces; e todos eles, como roupa, envelhecerão, e qual um manto os enrolarás, e como roupa se mudarão; mas tu és o mesmo, e os teus anos não acabarão". O Senhor Jesus Cristo "é o mesmo, ontem, e hoje, e eternamente" (Hb 13.8).

3. ONIPOTÊNCIA. Como foi indicado anteriormente, o título Deus Todo-poderoso é usado como uma designação de Cristo (Ap 1.8). Está escrito que Ele reinará até todos os inimigos serem destruídos (1 Co 15.25), e que "segundo o seu poder eficaz de até sujeitar a si todas as coisas" (Fp 3.21).

4. ONISCIÊNCIA. Está definidamente estabelecido que Cristo conhecia todas as coisas. João afirma que Ele conhecia desde o princípio quais eram os que não criam, e quem o havia de trair (Jo 6.64), e que Ele bem conhecia quem era o homem (Jo 2.25). Pedro disse: "Senhor, tu sabes todas as coisas" (Jo 21.17). O Senhor disse de si mesmo: "...assim, como o Pai me conhece e eu conheço o Pai" (Jo 10.15). Em Marcos 13.32 onde está registrado que Cristo declarou que não conhecia o dia ou a hora de seu retorno, pode ser observado que a passagem não é diferente de 1 Coríntios 2.2, onde o apóstolo Paulo escreveu: "Porque nada me propus saber entre vós, senão a Jesus Cristo, e este crucificado", com o sentido de *não tornar conhecido*, ou *não fazer outro conhecer*. A verdade mencionada, portanto, não era quanto ao tempo, tarefa do Filho ou dos anjos publicarem.

5. ONIPRESENÇA. Nenhum atributo é tão distintivo nas esferas que são peculiares à divindade do que a onipresença, e nada é tão estranho à criatura; todavia de Cristo é dito que Ele "enche todas as coisas" (Ef 1.23). Cristo prometeu que Ele, cuja residência devia ser no céu, com o Pai, mas como Jeová andaria com Israel (Lv 26.12), faria morada com os crentes (Jo 14.23). Ele também prometeu que, onde estivessem dois ou três reunidos em seu nome, ali Ele estaria no meio deles (Mt 18.20). Assim, também, Ele declarou a seus mensageiros em toda a terra e em todas as épocas: "Eis que eu estou convosco sempre" (Mt 28.20).

6. Outros Atributos Importantes. A esses atributos divinos já mencionados como pertencentes ao Salvador, podem ser acrescentados outros, principalmente a *vida* (Jo 1.4; 5.26; 10.10; 14.6; Hb 7.16); a *verdade* (Jo 14.6; Ap 3.7); a *santidade* (Lc 1.35; Jo 6.69; Hb 7.26); e o *amor* (Jo 13.1, 34; 1 Jo 3.16).

Assim, fica claro que, se os atributos representam os elementos do ser e os atributos divinos são aspectos distintivos da Deidade e cada atributo é plenamente atribuído a Cristo, Ele é Deidade no sentido mais absoluto.

II. Prerrogativas da Divindade Que São Atribuídas a Cristo

É predicado do Salvador que Ele é Criador de todas as coisas e o Preservador delas, e que tem autoridade sobre sua criação. Ele perdoa pecados, ressuscitará os mortos, e julgará o mundo. A verdadeira adoração é oferecida a Ele e é recebida por Ele. Ele é honrado como Deidade pelos escritores inspirados, e por aqueles que o conheceram, o amaram muito e o serviram mais. Algumas dessas verdades patentes podem ser consideradas mais detalhadamente:

1. Ele é o Criador de Todas as Coisas. Três passagens importantes precisam ser colocadas aqui para dar suporte a essa declaração. Com o que parece ser alguma consideração para com a narrativa mosaica a respeito da criação, João declara, *positivamente*, que "todas as coisas foram feitas por intermédio dele" (o Logos); e *negativamente*, "sem ele nada do que foi feito se fez"; e *universalmente*, "o mundo foi feito por ele" (Jo 1.3,10). Uma asserção dogmática mais conclusiva do que essa não poderia ser feita. O mundo material em que Ele viveu e moveu-se era uma obra de suas próprias mãos. Com a mesma significação positiva e universal o apóstolo Paulo, pelo Espírito Santo, afirma: "...porque nele foram criadas todas as coisas nos céus e na terra, as visíveis e as invisíveis, sejam tronos, sejam dominações, sejam principados, sejam potestades; tudo foi criado por ele e para ele" (Cl 1.16); e com a verdade adicional de que todos os elementos no seu universo são mantidos juntos por Ele. Por último, em Hebreus 1.10 está escrito: "Tu, Senhor, no princípio fundaste a terra, e os céus são obra de tuas mãos". Portanto, se criar todas as coisas como *Originador* delas e ser o objeto delas como *Proprietário*, é a marca da Divindade, o Senhor Jesus Cristo é, em sentido absoluto, Deus.

2. Ele é o Preservador de Todas as Coisas. O Senhor da glória, o Salvador do mundo, sustenta todas as coisas pela palavra do seu poder (Hb 1.3), e, como foi observado acima, Ele é aquele por quem todas as coisas subsistem (Cl 1.17). Tão vasto quanto o universo possa ser, Ele é um todo orgânico que é ligado e sustentado por uma pessoa onipotente – o Cristo de Deus.

3. Ele Perdoa Pecados. O direito e autoridade de perdoar pecado, visto que o pecado é mal por causa de sua ofensa contra Deus, poderia ser exercido somente pelo próprio Deus. Por essa razão quando, nos vários casos, Cristo agiu diretamente no perdão de pecado, Ele o fez ciente que era Deus. Numa ocasião, Ele operou um milagre notável para convencer os escribas de que "o Filho do homem tem poder sobre a terra de perdoar pecados" (Lc 5.24). Assim, também, está revelado que Cristo perdoa os pecados dos crentes. O apóstolo Paulo escreve: "...perdoando-vos uns aos outros, se alguém tiver queixa contra outro; assim como o Senhor vos perdoou, assim fazei vós também" (Cl 3.13).

4. Cristo Ressuscitará os Mortos. Isto Ele fez enquanto esteve aqui na terra. Quando identificou o que é peculiar à Divindade, o apóstolo declarou: "...para que não confiássemos em nós, mas em Deus, que ressuscita os mortos" (2 Co 1.9). Com o mesmo propósito, Cristo disse: "Pois, assim como o Pai levanta os mortos e lhes dá vida, assim também o Filho dá vida a quem ele quer" (Jo 5.21). João 5.28,29 apresenta uma predição clara: "Não admireis disso, porque vem a hora em que todos os que estão nos sepulcros ouvirão a sua voz e sairão: os que tiverem feito o bem, para a ressurreição da vida, e os que tiverem praticado o mal, para a ressurreição do juízo". Na verdade, porque enfaticamente é dito que Cristo tem o poder de ressuscitar os mortos, Ele é chamado de "a ressurreição e a vida" (Jo 11.25).

5. Cristo Distribui as Recompensas aos Santos. Embora libertos do julgamento por causa do pecado e por causa do fato de que Cristo levou os pecados deles, os redimidos dessa época, não obstante, todos comparecem perante o tribunal de Cristo, para receber a sua aprovação ou desaprovação a respeito do serviço que eles fizeram para Ele (2 Co 5.10).

6. O Julgamento do Mundo é Confiado a Cristo. O próprio Senhor disse: "Porque o Pai a ninguém julga, mas deu ao Filho todo o julgamento" (Jo 5.22). Com isto em mente, deve ser observado que os mortos, pequenos ou grandes, comparecerão perante *Deus* e serão julgados por Ele (Ap 20.12). Assim, Cristo é identificado como Deus e declarado ser Deus.

7. A Adoração Que Pertence Somente a Deus é Livremente Prestada a Cristo. A adoração de Deus é primariamente baseada no fato de Deus ser o criador. O Salmista diz: "Oh, vinde, adoremos e prostremo-nos; ajoelhemos diante do Senhor, que nos criou" (Sl 95.6). De igual modo Cristo declarou: "Venha o teu reino, seja feita a tua vontade, assim na terra como nos céus" (Mt 6.10). Nenhum homem – nem mesmo um apóstolo – aceitaria ser adorado (cf. At 10.25,26; 14.8-15); nem qualquer anjo eleito aceitará adoração que pertence a Deus somente (Ap 22.8,9). Todavia, Cristo afirmou: "...para que todos honrem o Filho, assim como honram o Pai. Quem não honra o Filho, não honra o Pai que o enviou" (Jo 5.23). O sentido em que Cristo deve ser honrado pode ser determinado pelo modo em que os escritores inspirados o honram. Na sua ascensão ao céu, eles os adoraram (Lc 24.52), e os cristãos primitivos foram designados como aqueles que invocavam o nome de Cristo (At 9.14; cf. 22.16; Rm 10.13; 1 Co 1.2). Para aqueles familiarizados com o texto do Novo Testamento, não é necessário assinalar que, como Ele foi adorado em sua glória como pré-encarnado (Is 6.3), assim Cristo é até apresentado como o objeto de adoração após a sua encarnação. Essa é uma grande característica dessa conseqüência que toda oração deve ser agora feita em nome de Cristo (Jo 14.13,14), e que aqueles que o conheceram bem foram muito impelidos a adorá-lo. Ele sempre provou-se ser a porção satisfatória de todos os santos desta e das eras passadas.

Quão completa, então, é a evidência que estabelece a real Divindade de Cristo! Foi demonstrado que Ele existiu desde toda a eternidade na forma de Deus, que Ele porta os títulos da Divindade, que os atributos da Divindade são predicados dEle, e que Ele funciona com todas as prerrogativas da Deidade – Ele é Criador e Preservador do Universo, o Perdoador de pecados, Aquele que ressuscita os mortos, concede vida e recompensa eternas, julga o mundo e recebe a adoração de anjos e de homens. Do Pai ou do Espírito Santo não é declarado mais do que do Filho. Questionar esse conjunto de evidência é rejeitar igualmente as provas, cuja conseqüência é rejeitar Deus e partir para o ateísmo. Ou o Senhor Jesus Cristo é Deus no sentido mais pleno ou não há Deus de forma alguma.

Nenhum sumário breve sobre a evidência de que Cristo é Deus foi encontrado melhor do que o de Samuel Greene:

Nas Santas Escrituras aprendemos de Cristo, que o seu *nome* é Jeová; o Senhor dos Exércitos, o Senhor Deus, o Senhor da Glória; o Senhor de todos; Ele é o verdadeiro Deus, o Grande Deus; e Deus sobre tudo; o Primeiro e o Último; o auto-existente Eu Sou. Vemos que todos os *atributos* e perfeições incomunicáveis de Jeová pertencem a Cristo. Ele é Eterno, Imutável, Onipresente, Onisciente, Onipotente! Vemos que as *obras* que não podem ser feitas por alguém, exceto pelo próprio Jeová, são feitas por Cristo. Ele criou todos os mundos; sustenta todas as coisas pela palavra do seu poder; governa a totalidade do Universo, e faz provisão para toda a criação; o poder de sua voz chamará todos os milhões de mortos para a vida; Ele os julgará a todos no grande dia. Embora a multidão diante do seu tremendo tribunal seja inumerável como a areia do mar, todavia serão perfeitamente lembradas todas as ações, palavras, e pensamentos deles, desde o começo da criação até o final dos tempos: isso é demais para o homem, mas é fácil para Cristo! Ele é também *para a sua igreja* o que ninguém pode ser, exceto Deus. Ele escolheu seu povo antes da fundação do mundo; a Igreja é sua propriedade particular; Ele redimiu um mundo perdido; Ele é a fonte de toda graça e eterna salvação do seu povo; e é Ele que envia o Espírito Santo, a fim de preparar a Igreja para a glória; é Ele que apresenta para si mesmo finalmente, e dá a ela o reino. E nós devemos *agir para com Cristo* exatamente do mesmo modo como devemos proceder para com Deus, o Pai; crer nEle; ser batizado em seu nome, orar a Ele; e servi-lo e adorá-lo, da mesma forma como o fazemos com o Pai. Estas são as coisas que irresistivelmente provam da Divindade do Emanuel. Que provas fortes além destas temos da existência de Jeová?[194]

TrinitarianismoTeontologia

Objeções

Não é o propósito desta obra utilizar muito tempo com o lado negativo de qualquer verdade; mas como a doutrina fundamental da inspiração das Escrituras, assim a doutrina igualmente fundamental da pessoa de Cristo tem sido atacada. As objeções usualmente revelam a incapacidade do objetor de reconhecer e de receber a verdade mostrada na Palavra de Deus. Isto é especialmente verdadeiro em duas doutrinas fundamentais mencionadas. Em cada uma delas há uma união do que é divino e do que é humano. A autoria dual da Bíblia é um mistério insolúvel para a mente do não-regenerado. Assim, também a união das duas naturezas em Cristo o é. Com respeito às objeções que são feitas contra a verdade da Divindade de Cristo, uma boa ilustração é apresentada pelo Dr. B. B. Warfield, retirada dos escritos de Schmiedel:

Ao proceder desse modo, Schmiedel fixa-se primariamente em cinco passagens que lhe parecem satisfazer as condições estabelecidas; isto quer dizer que elas fizeram afirmações que estão em conflito com a reverência por Jesus que permeia os evangelhos e, portanto, não poderiam ter sido inventadas pelos autores dos evangelhos, mas devem ter procedido deles, surgidas das tradições mais antigas; e elas são preservadas em sua contradição rude com o ponto de vista dos evangelistas; conseqüentemente, somente por uma ou duas delas, enquanto outras, ou outra, delas, se elas as registram, modifica-as em harmonia com o ponto de vista de reverência deles. As cinco passagens são: Marcos 10.17ss ("Por que me chamas bom? Ninguém é bom senão um, que é Deus"); Mateus 12.31ss (blasfêmia contra o Filho do Homem pode ser perdoada); Marcos 3.21 (seus parentes pensaram que ele estava fora de si); Marcos 13.32 ("Quanto porém, ao dia e à hora, ninguém sabe, nem os anjos no céu nem o Filho, senão o Pai"); Marcos 15.34; Mateus 27.46 ("Deus meu, Deus meu, por que me desamparaste?"). A estes ele acrescenta quatro mais que têm referência ao poder de Jesus de operar milagres: Marcos 8.12 (Jesus declina operar um sinal); Marcos 6.5ss (Jesus não foi capaz de fazer atos poderosos em Nazaré); Marcos 8.14-21 ("o fermento dos fariseus e de Herodes" não se refere ao pão, mas ao ensino); Mateus 11.5; Lucas 7.22 (os sinais do Messias são somente figurativamente miraculosos). Estas nove passagens que ele chama de "pilares fundamentais para uma vida de Jesus verdadeiramente científica". Nesta concepção, eles provam, por outro lado, que "ele [Jesus] realmente existiu, e que os evangelhos contêm ao menos alguns fatos dignos de confiança a respeito dele", – uma matéria que, ele parece sugerir, seria sujeita à dúvida legítima na ausência de tais passagens; e, por outro lado, que "na pessoa de Jesus temos a ver com um ser completamente humano, e que o divino deve ser visto nele somente na forma em que o divino é possível de ser encontrado num homem". Por ter estes como base, ele propõe solucionar o problema, ao admitir que nada é crível que não esteja de acordo com o não-miraculoso, puramente humano, o Jesus que esses textos sugerem.[195]

Comentário adicional além da verdade afirmada é desnecessário. Se o Cristo de Deus é demonstrado ser tanto Deus quanto homem, deve ser esperado que a sua humanidade seja apresentada ao lado de sua Divindade. Este é o plano e o intento da Bíblia que não precisa de alguma defesa.

Richard Watson escreve uma declaração valiosa sobre a divindade essencial de Cristo. Ela deveria ser preservada e lida por todos:

Será observado sobre Cristo que os títulos de Jeová, Senhor, Deus, Rei, Rei de Israel, Redentor, Salvador e outros nomes de Deus, são atribuídos a Ele –, que Ele é investido dos atributos da eternidade, onipotência, ubiquidade, sabedoria infinita, santidade, bondade etc., – que Ele era o Líder, o Rei visível, e o objeto de adoração dos judeus, – que Ele forma o grande assunto da profecia, e dele se fala nas predições dos profetas em linguagem, que, se aplicada aos homens ou aos anjos, seria considerada pelos judeus não como sagrada mas idólatra, e que, portanto, exceto se concordasse com a fé antiga, seria totalmente destruído o crédito daqueles escritos – que Ele é eminentemente conhecido tanto no Antigo quanto no Novo Testamento, como o Filho de Deus, uma designação que é suficientemente provada e considerada como sugestão de uma suposição de Divindade pela circunstância que, por asseverá-la, nosso Senhor foi condenado a morrer como um blasfemo pelo sinédrio judaico – que Ele tornou-se encarnado, assumiu nossa natureza – operou milagres por seu próprio poder original, e não, como seus servos, em nome de outro – que Ele perdoou pecado com autoridade – que em razão do seu sacrifício, o pecado é perdoado até o fim do mundo, e por causa disso somente – que Ele ressuscitou dos mortos para selar todas essas pretensões quanto à sua Divindade – que Ele está assentado no trono do Universo, todo o poder foi-lhe dado no céu e na terra – que os seus apóstolos inspirados exibiram-no como o Criador de todas as coisas visíveis e invisíveis; como o verdadeiro Deus e a vida eterna; como o Rei eterno, imortal, invisível, o único Deus sábio e nosso Salvador – que eles prestaram-lhe adoração – que eles confiaram nEle, e ordenaram a outros que confiassem nEle para a vida eterna, – que Ele é o cabeça sobre todas as coisas – que os anjos o adoram e lhe prestam serviço – que Ele ressuscitará os mortos no último dia – julgará os segredos dos corações dos homens, e finalmente determinará o estado eterno dos justos e dos ímpios.[196]

Capítulo XXIII

Deus o Filho: Sua Encarnação

A ENCARNAÇÃO É CORRETAMENTE INCLUÍDA como um dos sete principais eventos na história do Universo desde o seu começo registrado até o seu fim mencionado. Estes eventos em sua ordem cronológica são: (1) a criação das hostes angelicais (Cl 1.16); (2) a criação das coisas materiais, inclusive o homem (Gn 1.1-31); (3) a encarnação (Jo 1.14); (4) a morte de Cristo (Jo 19.30); (5) a ressurreição de Cristo (Mt 28.5, 6); (6) a segunda vinda de Cristo (Ap 19.11-16); e (7) a criação dos novos céus e da nova terra (Ap 21.1; Is 65.17).

Esses eventos estupendos não somente são os maiores empreendimentos divinos, mas cada um deles, e todos eles, por sua vez, indicam os começos de um novo e imensurável avanço no poderoso programa da realização divina. A encarnação de modo algum é a parte menor nesta série. Ela não é menos do que o evento da entrada da segunda pessoa da Trindade eterna na esfera humana, a fim de partilhar dos elementos humanos – corpo, alma e espírito – com o propósito distinto de permanecer um participante de tudo o que é a natureza humana por toda a eternidade vindoura. É verdade que nEle foi que o mortal se revestiu de imortalidade (1 Tm 6.16), e Ele foi, e é agora, glorificado com a mais alta glória conhecida ao grau infinito (Ef 1.20, 21; Fp 2.9-11; Hb 1.3).

Certamente, do ponto de vista divino, tal descida, das inefáveis alturas do céu nas quais a segunda pessoa habitava na eternidade passada, para a esfera habitada por meras criaturas de suas mãos, a fim de que Ele pudesse elevá-las para a esfera de sua glória eterna, constitui-se no evento de importância ilimitada. Essa experiência de crise sem precedentes e irrepetível na existência eterna da segunda pessoa está, de si mesma, além do alcance do entendimento humano, enquanto os seus efeitos sobre a companhia dos redimidos escolhidos dentre suas criaturas que, através do direito inerente estabelecido pelo seu advento na esfera deles, são finalmente apresentados na glória eterna conformados à sua imagem, constitui uma realização de importância insuperável, quer seja avaliada pelos moradores da terra ou pelos mais elevados anjos do céu.

A importância transcendente dessa doutrina deve ser vista na verdade daquilo que o Deus homem singular é e no que Ele faz como coisas igualmente baseadas na realidade de sua encarnação – a sua divindade essencial, sua humanidade, sua personalidade, e seu nascimento virginal como fatores contribuintes para a sua pessoa teantrópica. Embora a sua divindade tenha sido anteriormente contemplada, é apropriado ao entendimento correto deste tema perguntar: (a) Quem se encarnou? (b) Como Ele se encarnou? e (c) Com que propósito Ele se encarnou?

I. Quem se Encarnou?

Chegar-se a uma espécie de resposta a esta pergunta significativa, é exigência que haja uma verdadeira apreensão da pessoa de Cristo sustentada com convicções respeitáveis. A doutrina da pessoa de Cristo não é de um interesse meramente especulativo; ela envolve a própria estrutura do cristianismo, assim como tudo que entra na esperança messiânica para Israel e o mundo. Os fundadores das religiões antigas serviram somente para criar ideais e sistemas que poderiam também ter sido fomentados por quaisquer outros seres humanos. Os homens que iniciaram esses sistemas não permaneceram como a fonte de tudo o que eles propuseram, ou os executores vivos das coisas do Universo no qual os homens e anjos vivem. Mesmo dentro do judaísmo e cristianismo homens como Moisés e Paulo poderiam ter sido substituídos por outros igualmente bons, mas não é assim com Cristo. Sobre este assunto Charles Gore escreve:

Reconhecer essa verdade é ficar perplexo pelo contraste que neste aspecto o cristianismo apresenta às outras religiões. Por exemplo, o lugar que Moisés ocupa no Islamismo não é o lugar que Jesus ocupa no cristianismo, mas aquele que Moisés ocupa no judaísmo. O profeta árabe não fez uma reivindicação para si mesmo além da qual os profetas judaicos fizeram, além do que todos os profetas, verdadeiros ou falsos, ou parcialmente verdadeiros ou parcialmente falsos, sempre fizeram – fala a Palavra de Deus. A substância do maometanismo, considerada como religião, repousa simplesmente na mensagem que o Alcorão contém. Como nenhuma outra religião, ele tem o fundamento num livro. A pessoa do profeta tem a sua importância somente até onde ele é suposto ter se certificado da realidade das revelações que o livro registra.

Gautama, o fundador do budismo, que eu suponho seja um dos mais nobres e maiores entre os homens, é somente um descobridor ou redescobridor de um método ou caminho, de salvação, pelo qual se pretende alcançar a emancipação final da aborrecida cadeia da existência e chegar ao Nirvana, ou Parinirvana, a extinção final e abençoada. Havendo encontrado esse caminho, após muitos anos de aborrecida procura, ele pôde ensiná-lo a outros, mas ele é, o tempo todo, somente um exemplo proeminente de sucesso de seu próprio método, um de uma série de budas ou iluminados, que derramam sobre outros homens a luz de seu conhecimento superior...

Foi claramente o método de Buda, não a pessoa, que salva seus irmãos. Com relação à pessoa, ele morreu, como o escritor da escritura budista repetidamente declara, "com aquela morte completa na qual nada é deixado para trás", e vive somente metaforicamente no método e ensino que ele legou aos seus seguidores. Escrevemos sobre esse ponto não discutido quando asseveramos que, de acordo com as escrituras budistas, a vida pessoal e consciente do fundador daquela religião foi extinta na morte. Mas este único fato aponta o seu contraste com o cristianismo. O ensino de Jesus difere de fato do ensino de Buda não mais no ideal de salvação que ele propôs do que no lugar ocupado pela pessoa que propôs o ideal. Porque Jesus Cristo não ensinou método algum pelo qual os homens podem obter o fim de suas vidas, nem Ele próprio foi pessoalmente aniquilado: mas como Ele se ofereceu a si mesmo pelos homens sobre a terra como a satisfação da existência deles – como o senhorio deles, exemplo deles, e redentor deles – assim quando Ele deixou este mundo, prometeu preservá-los do mundo invisível pela sua presença contínua e para comunicar-lhes a sua própria vida, e assegurou-lhes que no final eles se encontrariam face a face com Ele como juiz deles. A relação pessoal com Ele mesmo existe desde o começo até o fim da essência da religião que Ele inaugurou.[197]

Cristo não somente dá origem ao Universo como seu Criador, formula ideais e princípios que são a glória intrínseca da Bíblia, mas continua a comunicar-se a si mesmo aos homens finitos e a executar e finalizar o programa que a Infinidade planejou. Com essas verdades em mente, não precisamos nos admirar de que a pessoa de Cristo foi, e é, o ponto central de toda controvérsia moral e religiosa. A história dessa disputa será encontrada pelo estudante de teologia em outras divisões de seu programa. Sem a realidade do Deus-homem, não há base suficiente para as verdades da salvação, para a santificação, ou para um mundo perdido. Essa pessoa teantrópica é a esperança dos homens de todas as épocas e do próprio Universo.

Com estas considerações em mente, podemos recorrer a uma discussão anterior nesta tese, onde o Cristo pré-encarnado foi investigado com uma atenção específica. Lá foi demonstrado através de muitos textos das Escrituras, e visto como o testemunho de todas as Escrituras, que Aquele que veio a este mundo não é outro senão a segunda pessoa da Trindade – igual em todo aspecto ao Pai ou ao Espírito Santo. A união hipostática das duas naturezas que a encarnação realizou, um tema assinalado para uma divisão específica desse tratado, como acontece com cada uma das naturezas separadamente, não receberá um tratamento extenso desses aspectos da verdade agora. É suficiente assinalar que Cristo é Deus em sua natureza divina e homem em sua natureza humana, mas em sua personalidade como Deus-homem, Ele não é um nem o outro à parte da unidade que Ele é.

O isolamento de uma natureza da outra não é possível, embora cada uma possa ser analisada separadamente. A natureza divina é eterna, mas a humana origina-se no tempo. Segue-se, portanto, que a união das duas é em si mesma um evento no tempo, embora ela esteja destinada a continuar para sempre. Essa união é uma realização de longo alcance, que é a realidade singular da pessoa teantrópica. A verdade que esta união incorpora está bem afirmada no Credo de Atanásio: "Deus perfeito e homem perfeito, com alma racional e carne humana. Igual ao Pai segundo a divindade; menor que o Pai segundo a humanidade. E embora seja Deus e homem, contudo não são dois, mas um só Cristo. É um, não porque a divindade se tenha convertido em humanidade, mas porque Deus assumiu a humanidade. Um, finalmente, não por confusão de substâncias, mas pela unidade da pessoa. Porque, assim como a alma racional e o corpo formam um só homem, assim também a divindade e a humanidade formam um só Cristo".

A mesma verdade é também apresentada no segundo artigo do Credo da Igreja inglesa: "O Filho, que é a Palavra do Pai, gerado desde a eternidade do Pai, o verdadeiro e eterno Deus, de uma substância com o Pai, tomou a natureza do homem no ventre da bendita virgem e da substância dela, de modo que as duas naturezas plenas, a saber, a divina e a humana, foram colocadas juntas numa pessoa, para nunca serem separadas, daquele que é o único Cristo, verdadeiro Deus e verdadeiro homem".[198] (Citado por Watson, *Institutes*, 617) A Bíblia fornece a melhor maneira de falar, em sua declaração da verdade que Ele foi uma das Três Pessoas da Trindade que pela encarnação se tornou o Deus homem.

ISAÍAS 7.14. "Eis que uma virgem concebrá, e dará à luz um filho, e será o seu nome Emanuel". Esta predição dupla é explícita naquilo que ela afirma que Aquele que vai nascer de uma mulher, que debaixo de circunstância alguma poderia sugerir, com respeito à sua derivação, que seria mais do que humano; todavia, esse filho nascido é Emanuel, que, interpretado, é "Deus conosco" – mas a expressão *conosco*, no sentido mais profundo da palavra, é que Ele se tornou *um de nós*.

ISAÍAS 9.6,7. "Porque um menino nos nasceu, um filho se nos deu; e o governo estará sobre os seus ombros; e o seu nome será: Maravilhoso Conselheiro, Deus Forte, Pai Eterno, Príncipe da Paz. Do aumento do seu governo e da paz não haverá fim, sobre o trono de Davi e no seu reino, para o estabelecer e o fortificar em retidão e em justiça, desde agora e para sempre; o zelo do Senhor dos exércitos fará isso." Novamente a pessoa dupla e complexa é delineada. Ele é um menino nascido e é um filho dado. Portanto, a referência é feita tanto à sua natureza humana quanto divina. Um menino que é nascido se sentará no trono de Davi, mas o Filho que é dado porta os títulos da divindade e carrega todo o governo e autoridade do Universo em seus ombros.

MIQUÉIAS 5.2. "Mas tu, Belém Efrata, posto que pequena para estar entre os milhares de Judá, de ti é que me sairá aquele que há de reinar em Israel, e cujas saídas são desde os tempos antigos, desde os dias da eternidade." De igual modo, alguém é visto em uma região geográfica sobre a terra – Belém – que é uma identificação de sua humanidade; todavia sua procedência é divina, desde os dias eternos.

LUCAS 1.30-35. "Disse-lhe então o anjo: Não temas, Maria; pois achaste graça diante de Deus. Eis que conceberás e darás à luz um filho, ao qual porás o nome de Jesus. Este será grande e será chamado filho do Altíssimo; o Senhor Deus lhe dará o trono de Davi, seu pai; e reinará eternamente sobre a casa de Jacó, e o seu reino não terá fim. Então Maria perguntou ao anjo: Como se fará isso, uma vez que não conheço varão? Respondeu-lhe o anjo: Virá sobre ti o Espírito Santo, e o poder do Altíssimo te cobrirá com a sua sombra; por isso, o que há de nascer será chamado santo, Filho de Deus." Nenhuma certeza mais explícita de uma realidade dupla poderia ser formada dentro dos limites da linguagem humana do que esta apresentada nestes versos. Aquele que é tão claramente humano é predicado dAquele que é o Filho do Altíssimo e que era, como nenhum ser humano poderia ser, "o ente santo".

JOÃO 1.1,2,14. "No princípio era o Verbo, e o Verbo estava com Deus, e o Verbo era Deus. Ele estava no princípio com Deus... E o Verbo se fez carne, e habitou entre nós, cheio de graça e de verdade; e vimos a sua glória, como a glória do unigênito do Pai." Numa exposição anterior desta passagem foi assinalado ali, mais positivamente que em outro lugar qualquer, que o Deus eterno, o Logos, tornou-se carne para que Ele pudesse habitar entre os homens. Como o contexto revela, Ele que criou todas as coisas e de quem toda vida procede – especialmente a vida eterna que aqueles que *crêem* em seu nome e o *recebem* (v. 12) possuem.

FILIPENSES 2.6-8. "O qual, subsistindo em forma de Deus, não considerou o ser igual a Deus coisa a que se devia aferrar, mas esvaziou-se a si mesmo, tomando a forma de servo, tornando-se semelhante aos homens; e, achado na forma de homem, humilhou-se a si mesmo, tornando-se obediente até a morte, e morte de cruz." Esta grande porção cristológica da Palavra de Deus coloca Cristo em três posições, e cada uma delas é final com respeito à revelação total da encarnação: (a) Ele estava na forma de Deus, (b) Ele é igual a Deus, e (c) Ele apareceu na terra na semelhança humana. Além de umas poucas palavras de exposição, o tratamento mais extenso dessa passagem deve ser reservado para a consideração posterior sobre a *kenosis*. A palavra determinante neste contexto é μορφῇ, que indica que o Cristo pré-encarnado estava na *forma* de Deus no sentido que Ele existia *em* e *com* a natureza de Deus.

Ele *era* Deus e, portanto, ocupava o lugar de Deus e possuía todas as perfeições divinas. O bispo Lightfoot, ao escrever sobre este texto, *in loc*, e de μορφῇ em particular, afirma: "Embora μορφὴ não seja a mesma coisa que φύσις ou οὐσία, todavia a posse de μορφὴ envolve participação na οὐσία também; pois μορφὴ não implica quaisquer acidentes externos mas os atributos essenciais". A sua preexistência na forma de Deus é completa evidência de que Ele é Deus, mas é esse mesmo Alguém que tomou sobre si a μορφὴ de um servo e ὁμοίωμα humana. Em ambas as *formas*, a divina e a humana, há uma completa realidade.

COLOSSENSES 1.13-17: "...e que nos tirou do poder das trevas, e nos transportou para o reino do seu Filho amado; em quem temos a redenção, a saber, a remissão dos pecados; o que é imagem do Deus invisível, o primogênito de toda a criação; porque nele foram criadas todas as coisas nos céus e na terra, as visíveis e as invisíveis, sejam tronos, sejam dominações, sejam principados, sejam potestades; tudo foi criado por ele e para ele. Ele é antes de todas coisas, e nele subsistem todas as coisas". A ordem de anotação é revertida nesta passagem sublime, mas a declaração direta não é diminuída. Esse Alguém, por ser humano e ter provido uma redenção através do seu sangue, é, não obstante, outro senão o Filho eterno que é o Criador de todas as coisas visíveis e invisíveis.

1 TIMÓTEO 3.16. "E, sem dúvida alguma, grande é o mistério da piedade: Aquele que se manifestou em carne, foi justificado em espírito, visto dos anjos, pregado entre os gentios, crido no mundo, e recebido acima na glória." Nesse ponto o leitor é confrontado com uma afirmação direta, a saber: "Aquele que se manifestou em carne"; tudo mais que aqui é predicado dele serve somente para fortalecer essa verdade bem estabelecida.

CARTA AOS HEBREUS. Esta epístola é abundante de revelação cristológica. Na verdade, mais conclusivo é o ensino de que o Filho eterno e o Criador que é descrito no capítulo 1, é Aquele que, de acordo com o capítulo 2, é participante, juntamente como os "filhos", de "carne e sangue".

Essas passagens conduzem a mente, em submissão à Palavra de Deus, a uma grande conclusão, a saber, que o eterno Filho de Deus entrou na esfera humana. O *método* e o *propósito* desse estupendo movimento da parte de Deus ainda vão ser considerados.

II. Como o Filho se Encarnou?

As Escrituras respondem essa pergunta tão explicitamente quanto elas testificam da encarnação. Ele nasceu numa família humana e, assim, veio a possuir a sua própria identidade humana, ou seja, corpo, alma e espírito. Nisso pode ser vista a diferença entre *habitação*, que implica não mais do que os seres humanos podem participar da natureza divina, e *encarnação*, que não é menos do que a apropriação da parte da Deidade de uma completa humanidade que não é de modo algum a posse de outra pessoa. Que o Cristo de Deus nasceu de uma virgem é também expressamente afirmado e sem a menor sugestão em contrário. A geração daquela vida no ventre da virgem é um mistério, mas não é impossível para o Deus que cria e forma todas as coisas. Que Cristo foi nascido de uma virgem também assevera que Ele não recebeu uma natureza caída de seu Pai; e, para que não se pensasse que uma natureza caída lhe pudesse alcançar através de uma mãe humana, foi declarado a Maria pelo anjo que anunciou o seu nascimento, que o "ente santo" que nasceu dela seria, por causa dessa santidade, chamado o "Filho de Deus". O reconhecimento da ênfase bíblica sobre a verdade de que Cristo não era somente livre do pecado mais também livre de uma natureza pecaminosa, é muito essencial. E, além disso, não há sugestão contrária.

A doutrina do *nascimento virginal* não é de nenhum modo de igual extensão com a doutrina da *encarnação*. Num caso o reconhecimento é dado somente de um passo importante no empreendimento da encarnação total, enquanto que, na doutrina da *encarnação*, deve haver uma consideração extensa à totalidade da vida do Filho de Deus, desde o nascimento virginal até a eternidade vindoura. Cada revelação da encarnação trata de alguma sugestão de seu caráter permanente. Em conformidade com o Deus-homem glorificado, os santos da presente era devem ser trazidos para estar em comunhão com Ele para sempre. Os corpos deles, sejam eles trasladados ou ressuscitados, devem "ser iguais ao seu corpo glorioso" (Fp 3.21). De Cristo é declarado: "Ele somente possui imortalidade, habitando em luz inacessível" (1 Tm 6.16).

A ressurreição é do corpo e, assim, foi no caso de Cristo. O seu corpo humano levantado, Ele foi visto por muitas testemunhas, e ascendeu ao céu onde apareceu como as primícias de todos os santos que se parecerão com Cristo em glória. O corpo humano glorificado de Cristo tornou-se uma revelação para todas as hostes angelicais daquela realidade que os santos exibirão no céu quando eles, também, forem recebidos em seus corpos ressuscitados. De Cristo e em relação à sua segunda vinda, é dito que "naquele dia estarão os seus pés sobre o monte das Oliveiras, que está defronte de Jerusalém para o oriente" (Zc 14.4). Ele será reconhecido peslas marcas que carrega (Zc 13.6), e como Filho de Davi Ele se sentará no trono (Lc 1.32). Pouca referência específica é feita à alma e espírito humanos de Cristo. A mesma coisa é verdadeira a respeito dos santos em seu futuro estado glorioso. Isto é sem dúvida devido ao fato que a Bíblia emprega o termo *corpo* para incluir tudo o que é humano (cf. Rm 12.1; 1 Tm 3.16; Hb 2.14; 10.5).

Ao tornar-se um membro individual identificado da raça humana, era tanto natural quanto razoável que Cristo entrasse naquele estado pelo modo do nascimento e buscasse o processo normal de desenvolvimento desde a infância até a maturidade. Qualquer outra abordagem a esse estado não seria somente inconveniente, mas o teria deixado sujeito a uma grave suspeita de sua existência não ser realmente humana. Uma consideração posterior desses problemas mais intrincados conectados com a união das duas naturezas numa pessoa será considerada quando a união hipostática for analisada.

III. Com Que Propósito Ele se Encarnou?

A doutrina da encarnação é uma revelação no seu caráter mais puro, e em nenhum aspecto dela o estudante é mais dependente da Palavra de Deus do que quando procura resposta a essa presente questão. Pelo menos sete razões importantes são reveladas, a saber: (a) para que Ele pudesse manifestar Deus ao homem; (b) para que Ele pudesse manifestar o homem a Deus; (c) para que Ele pudesse ser um Sumo sacerdote fiel e misericordioso; (d) para que Ele pudesse destruir as obras do diabo; (e) para que Ele pudesse ser Cabeça sobre uma nova criação; (f) para que Ele pudesse sentar-se no trono de Davi; e (g) para que Ele pudesse ser o Parente Redentor. Quando consideramos esses pontos mais detidamente, podemos observar o seguinte:

1. Para Que Ele Pudesse Manifestar Deus ao Homem. O Cristo encarnado é a resposta divina a essa pergunta: Deus é semelhante a quê? O Deus-homem expressa tanto dAquele que é infinito quanto pode ser traduzido em idéias e realidades humanas. Cristo é Deus; portanto, nenhuma ficção foi decretada quando aquele que é tão diferente do homem caído veio a ser reduzido à compreensão daqueles que, em grande necessidade, precisam ser informados e cujas mentes são sobrenaturalmente escurecidas. É verdade que, enquanto aqui sobre a terra, o Senhor exibiu o *poder* de Deus. Nicodemos testificou: "Rabi, sabemos que és Mestre, vindo da parte de Deus; pois ninguém pode fazer estes sinais que tu fazes, se Deus não estiver com ele" (Jo 3.2), mas Cristo não veio primariamente para mostrar o poder de Deus. Semelhantemente, Ele exibiu a *sabedoria* de Deus.

Eles disseram dele: "Nunca homem algum falou assim como este homem" (Jo 7.46); todavia, Ele não veio primariamente para mostrar a sabedoria de Deus. Assim, Ele também manifestou a *glória* de Deus. Isto Ele fez sobre o monte da Transfiguração, e, de acordo com 2 Coríntios 4.6, "das trevas brilhará a luz... para a iluminação do conhecimento da glória de Deus na face de Cristo"; mas Ele não veio primariamente para exibir a glória de Deus. Contudo, veio para revelar o *amor* de Deus. Aquele que sempre esteve no *seio* do Pai é uma declaração dessa identidade com o Pai. Está escrito: "Ninguém jamais viu a Deus. O Deus unigênito, que está no seio do Pai, esse o deu a conhecer" (Jo 1.18). Deus nestes últimos dias fala através do seu Filho (Hb 1.2) não do poder, nem da sabedoria, nem da glória, mas do *amor*.

Deve ser observado também que Cristo manifestou o amor de Deus em todo o seu ministério terreno, mas a revelação suprema desse amor veio com a sua morte na cruz. Disso a Escritura dá testemunho: "Porque Deus amou o mundo de tal maneira que deu o seu Filho unigênito, para que todo aquele que nele crê não pereça, mas tenha a vida eterna" (Jo 3.16); "Mas Deus dá prova do seu amor para conosco, em que, quando éramos ainda pecadores, Cristo morreu por nós" (Rm 5.8); "Nisto conhecemos o amor: que Cristo deu a sua vida por nós; e nós devemos dar a vida pelos irmãos" (1 Jo 3.16); "Nisto está o amor, não em que nós tenhamos amado a Deus, mas em que ele nos amou a nós, e enviou seu Filho como propiciação pelos nossos pecados" (1 Jo 4.10).

A morte de Cristo por "pecadores" e "inimigos" é a expressão suprema do amor divino. A morte de Cristo pela raça perdida não é o brilho eclipsado de uma crise experiencial da parte de Deus. Se a atitude divina pudesse ser vista como ela é agora, ela revelaria o mesmo amor sublime e voluntário, se isso fosse exigido, para fazer o mesmo sacrifício pelos necessitados como aconteceu no Calvário. O amor de Deus não conhece experiência espasmódica. Ele é agora e sempre será o que foi naquele momento em que foi exibido na cruz. Essa revelação de Deus aos homens torna-se possível e tangível pela encarnação.

A encarnação está relacionada ao ofício profético de Cristo, visto que o profeta é o mensageiro de Deus aos homens. Ao antecipar o ministério profético de Cristo, Moisés escreveu: "O Senhor teu Deus te suscitará do meio de ti, dentre teus irmãos, um profeta semelhante a mim; a ele ouvirás... Do meio de seus irmãos lhes suscitarei um profeta semelhante a ti; e porei as minhas palavras na sua boca, e ele lhes falará tudo o que eu lhe ordenar. E de qualquer que não ouvir as minhas palavras, que ele falar em meu nome, eu exigirei contas" (Dt 18.15,18,19). A importância insuperável dessa predição é vista no fato que é referido cinco vezes no Novo Testamento (cf. Jo 7.16; 8.28; 12.49,50; 14.10,24; 17.8). Está afirmado que esse profeta predito deveria ser "de teus irmãos", que é divinamente "suscitado" do "meio de ti". Esta é um claro vaticínio da humanidade do Cristo encarnado.

2. Para Que Ele Pudesse Manifestar o Homem a Deus. Qualquer que seja a estimativa de que uma raça caída está inclinada a assumir as qualidades e dignidades do primeiro homem, Adão, é verdade que, em sua humanidade, o último Adão, Jesus, é o ideal totalmente satisfatório do Criador, Aquele em quem o Pai tem perfeito prazer. Dele o Pai disse: "Este é o meu Filho amado, em quem me comprazo". Essa voz do céu foi ouvida no batismo – sua iniciação no ofício sacerdotal (Mt 3.17); na transfiguração – quando o seu ministério profético foi reconhecido (Mt 17.5); e ainda será ouvida quando, de acordo com o Salmo 2.7, Ele sobe ao trono de Davi para cumprir o ofício de Rei. Qualquer coisa que seria reservado para o primeiro Adão e sua raça, se ele não houvesse pecado, não nos é revelado. Contudo, o ideal divino para o último Adão e seus redimidos – que alcança a glória celestial – preenche a expectativa divina de perfeição infinita.

Por ser o requisito essencial do homem como uma criatura faz a vontade do Criador, o último Adão – o Homem perfeito – fez sempre aquelas coisas que o seu Pai quis. Nisto Ele é o exemplo para todos aqueles que estão *nEle*. Há uma base razoável para uma chamada dirigida a todos os redimidos, para serem iguais a Cristo: "Tende em vós aquele sentimento que houve também em Cristo Jesus" (Fp 2.5); "Porque para isso fostes chamados, porquanto também Cristo padeceu por vós, deixando-vos o exemplo, para que sigais as suas pisadas" (1 Pe 2.21). Assim, aquela ética que é o resultado normal de uma doutrina sadia não possui somente uma ênfase na Palavra escrita, mas está incorporada e representada na Palavra viva.

3. Para Que Ele Pudesse Ser um Fiel e Misericordioso Sumo Sacerdote. Como no tema que acabamos de ver Cristo é visto diante de Deus como uma representação de tudo o que é perfeito na esfera humana, assim como sacerdote Ele pode ser visto como representante do homem perante Deus em sacrifício e em favor da imperfeição na esfera humana. Nenhuma lei dentro do reino de Deus é mais arbitrária em sua necessidade inflexível do que o sacrifício sangrento que é exigido pelo pecado humano. Qualquer coisa que possa ter sido aceita na esfera das coisas típicas, o sangue final e eficaz poderia ser somente da Divindade e sem a menor cumplicidade com o pecado humano para o qual foi ele designado como remédio. Somente Deus pode apresentar um sacrifício que satisfaça as exigências da santidade infinita.

Há uma profunda significação na Palavra do Filho eterno dirigida a seu Pai e no tempo de sua vinda ao mundo: "Um corpo me preparaste" (Hb 10.5), e isto em contraste ao "sangue de touros e bodes" em sua incapacidade de "remover pecados". Este texto da Escritura sugere que o sacrifício de acordo com os conselhos divinos devia ser feito pelo Filho, a segunda pessoa na Trindade, e que o necessário derramamento de sangue do corpo havia sido preparado pelo Pai. Portanto, não é o sangue de uma vítima humana, mas o sangue de Cristo que é Deus (cf. At 20.28, onde o sangue é dito ser de Deus). É função do sacerdote fazer uma oferta pelo pecado. Cristo, como sacerdote, *ofereceu-se a si mesmo* sem mancha a Deus (Hb 9.14; cf. 1 Pe 1.19). Ele tanto foi a Oferta quanto o Ofertante.

Aquele precioso sangue derramado se torna a base sobre a qual Deus sempre pode tratar com o pecado humano. Ele tem utilidade para aqueles que estão perdidos, se eles escolhem ser cobertos pelo seu poder salvador. Ele é sempre a purificação daqueles que são salvos (1 Jo 1.7). Como um sacerdote misericordioso e fiel, o Senhor da Glória "sempre viveu para fazer intercessão por eles" que "se chegam a Deus por ele" (Hb 7.25). Subjazendo tudo isso está a necessidade que a segunda pessoa, que empreende essa tarefa estupenda de representar homens perante Deus, ter de oferecer alguma coisa em sacrifício – um sacrifício aceitável com sangue mais puro do que qualquer homem ou animal. Para esse fim a encarnação tornou-se uma necessidade divina.

4. Para Que Ele Pudesse Destruir as Obras do Diabo. Como veremos mais adiante sob o estudo de satanologia, a relação que existiu entre Cristo e Satanás estende-se a esferas que vão muito além do alcance da compreensão humana. Tais coisas são reveladas. A mente atenta pode perceber muita coisa no campo da comparação entre a falha do primeiro Adão sob a tentação satânica e a vitória do último Adão sob circunstâncias similares. Mas toda tentação ou teste está dentro da esfera humana (Tg 1.13); portanto, no caso de Cristo, pressupõe a encarnação. Além disso, a morte de Cristo é dita ser o julgamento do "príncipe deste mundo" e do despojamento dos principados e potestates (Jo 12.31; 16.11; Cl 2.15); mas a morte é puramente uma realidade humana, e se o Cristo de Deus deve morrer para pôr em juízo as obras de Satanás, segue-se que Ele deve se encarnar.

5. Para Que Ele Pudesse Ser o Cabeça Sobre a Nova Criação. A nova criação é um grupo de seres humanos unidos a Cristo, e estes, através da graça redentora, são individualmente salvos e destinados a aparecer em glória conformados ao Cabeça ressurreto deles (Rm 8.29; 1 Jo 3.2). Eles estão *nele* por um relacionamento que, no Novo Testamento, é igualado ao dos membros de um corpo humano que estão unidos à cabeça e dependentes dela. Eles terão corpos ressuscitados conformados ao seu corpo glorificado (Fp 3.20,21), mas a humanidade de Cristo exige a sua encarnação.

As duas divisões que ainda restam deste tema geral, a saber, o *trono davídico*, e o *Redentor Parente*, representam o propósito divino duplo – com exceção da auto-revelação de Deus em Cristo. O trono davídico é a consumação e a realização do propósito terreno (cf. Sl 2.6), enquanto que o Redentor Parente é o meio para a finalidade sublime de muitos filhos serem recebidos em glória

(Hb 2.10). O devido reconhecimento dessas realizações divinas tão amplamente diferentes e, todavia, imutáveis, é fundamental para o conhecimento correto da Bíblia. Essa distinção dupla atinge cada porção do texto das Escrituras e caracteriza-a através de todas as coisas escatológicas assim como históricas. Essa divisão dupla da verdade deve ser especialmente observada na realização da encarnação. Visto que estes temas ocupam um lugar proeminente da verdade que ainda vai ser estudada, daremos a eles o tratamento mais breve possível aqui.

6. Para Que Ele Pudesse Sentar-se no Trono de Davi. É realmente digno de nota o fato que as duas maiores passagens que tratam do nascimento virginal de Cristo assinalam apenas um propósito para aquele nascimento – para que Ele pudesse assentar-se no trono de Davi. Essas passagens dizem o seguinte: "Porque um menino nos nasceu, um filho se nos deu; e o governo estará sobre os seus ombros; e o seu nome será: Maravilhoso, Conselheiro, Deus Forte, Pai Eterno e Príncipe da Paz. Do aumento do seu governo e da paz não haverá fim, sobre o trono de Davi e no seu reino, para o estabelecer e o fortificar em retidão e em justiça, desde agora e para sempre; o zelo do Senhor dos exércitos fará isso" (Is 9.6,7); "Disse-lhe então o anjo: Não temas, Maria; pois achaste graça diante de Deus. Eis que conceberás e darás à luz um filho, ao qual porás o nome de Jesus. Este será grande e será chamado filho do Altíssimo; o Senhor Deus lhe dará o trono de Davi, seu pai; e reinará eternamente sobre a casa de Jacó, e o seu reino não terá fim" (Lc 1.30-33).

Esse mesmo propósito terreno está em vista na ressurreição de Cristo. Pedro, no dia de Pentecostes, com referência à mensagem do Salmo 16.8-11, afirma que Cristo ressuscitou para sentar-se no trono de Davi: "Sendo, pois, ele profeta, e sabendo que Deus lhe havia prometido com juramento que faria sentar sobre o seu trono um dos seus descendentes – prevendo isto, Davi falou da ressurreição de Cristo, que a sua alma não foi deixada no hades, nem a sua carne viu a corrupção" (At 2.30,31). Semelhantemente, esse grande propósito terreno está em vista no segundo advento de Cristo: "Quando, pois, vier o Filho do homem na sua glória, e todos os anjos com ele, então se assentará no trono da sua glória" (Mt 25.31; cf. 19.28; At 15.16).

O caminho da profecia com respeito ao trono de Davi começa propriamente com o pacto de Deus com Davi, da forma como está registrado em 2 Samuel 7.16. Após ter dito a Davi que não lhe seria permitido construir o tempo, mas que Salomão o construiria, e que o reino de Davi seria estabelecido para sempre a despeito do mal que seus filhos poderiam cometer, Jeová disse a Davi: "...e tua casa e o teu reino serão estabelecidos para sempre diante de ti; teu trono será estabelecido para sempre". O entendimento que Davi teve desse pacto é revelado nos versículos que se seguem (18-29) e a sua interpretação está no Salmo 89.20-37. Davi aceita esse pacto soberano, e reconhece a sua duração ilimitada. Nas Escrituras, com referência ao pacto divino a respeito do trono de Davi, pouca base pode ser descoberta para a noção teológica predominante de que Jeová antecipa nesse pacto um reino espiritual com o trono de Davi localizado no céu. Visto que Jeová decretou diretamente que o trono de

Davi passaria a Salomão e seus sucessores, um problema sério surge para a espiritualização desse pacto com relação ao tempo quando (e as circunstâncias sob a qual) o trono passa para o céu e quando a autoridade desse trono muda do que é terreno para o celestial.

Jeremias anuncia a mesma continuidade na sucessão conforme revelado a Davi: "Eis que vêm dias, diz o Senhor, em que cumprirei a boa palavra que falei acerca da casa de Israel e acerca da casa de Judá. Naqueles dias e naquele tempo farei que brote a Davi um Renovo de Justiça; ele executará juízo e justiça na terra. Naqueles dias Judá será salvo e Jerusalém habitará em segurança; e este é o nome que lhe chamarão: O SENHOR É NOSSA JUSTIÇA. Pois assim diz o Senhor: Nunca faltará a Davi varão que se assente sobre o trono da casa de Israel... Assim diz o Senhor: Se o meu pacto com o dia e com a noite não permanecer, e se eu não tiver determinado as ordenanças dos céus e da terra, também rejeitarei a descendência de Jacó, e de Davi, meu servo, de modo que não tome da sua descendência os que dominem sobre a descendência de Abraão, Isaque e Jacó; pois eu os farei voltar do seu cativeiro, e apiedar-me-ei deles" (Jr 33.14-26).

Esta predição foi cumprida até o tempo de Cristo tanto pela sucessão de reis enquanto o reino davídico existia, e então por aqueles citados em Mateus 1.12-16 que foram, em suas respectivas gerações, designados para sentar no trono de Davi. Com o nascimento de Cristo nessa linhagem real – tanto através de sua mãe como por intermédio de seu pai adotivo – Aquele que vive para sempre e sempre viverá, completa a promessa eterna feita a Davi referida por Jeremias. Se o reino davídico previsto tivesse sido aquele suposto reino espiritual do céu, não haveria oportunidade alguma para os direitos do trono serem passados a qualquer filho terreno de Davi, nem haveria qualquer oportunidade para uma encarnação na linhagem davídica. A autoridade sobre a terra havia sido livremente exercida dos céus em eras anteriores e poderia ter continuado assim. À parte do trono e do reino terreno de Davi, não há significado para o título atribuído a Jesus: "o Filho de Davi". Grande significação deve ser vista na resposta de Cristo à pergunta de Pilatos: "Logo tu és rei?" "Tu dizes que eu sou rei. Eu para isso nasci, e para isso vim ao mundo, a fim de dar testemunho da verdade" (Jo 18.37).

Pode ser concluído, então, que a segunda pessoa encarnou-se para que a promessa a Davi pudesse ser cumprida. Com esse propósito, é dito que o trono e o reino do Encarnado permanecem para sempre, ocupados pelo eterno Messias de Israel. Este é o testemunho direto e simples da Palavra de Deus. Assim, a encarnação é exigida para que o Rei pudesse se sentar no trono de Davi para sempre.

7. **Para Que Ele Pudesse Ser um Redentor.** Quando a principal divisão da Teologia Sistemática, a Soteriologia, for considerada, será demonstrado que ao menos catorze razões são apresentadas na Bíblia para a morte de Cristo, e, visto que Ele nasceu para morrer, segue-se que nasceu, ou se encarnou, por elas individualmente, e por todas as razões. Contudo, a principal dessas razões é apenas uma variação dos aspectos do tema geral da cura do pecado, que, no que diz respeito à encarnação, será examinada sob um aspecto dessa verdade

soteriológica – o Redentor Parente. Como em muitos casos, a doutrina que agora é apresentada transcende todo o entendimento humano, pois ninguém jamais pode conhecer plenamente nesta vida o *motivo* para a redenção que é o pecado, o *preço* pago da redenção que é o precioso sangue de Cristo, ou o *fim* da redenção que é o estado daqueles que são salvos.

As verdades envolvidas nesse tema são prefiguradas no Antigo Testamento sob o que é propriamente designado como *tipo do Redentor Parente*. As duas linhas gerais de ensino estão inerentes no tipo do Antigo Testamento: (a) a lei governava aquele que redimiria (Lv 25.25-55), e (b) o exemplo do redentor (o Livro de Rute). O tipo de redenção é muito simples, mas o antítipo como foi operado por Cristo na cruz é de fato complexo, embora siga implicitamente as mesmas linhas encontradas no tipo. As linhas de tipo são: (a) o redentor deve ser um parente (Lv 25.48,49; Rt 3.12,13); (b) o redentor deve ser capaz de redimir (Rt 4.4-6; cf Jr 50.34); e (c) a redenção é realizada pelo redentor, ou *goel*, por pagar as justas exigências (Lv 25.27). A redenção era de pessoas e de propriedades, e na provisão de uma redenção típica era feita por meio da qual os indivíduos poderiam se redimir, que correspondia a não mais do que uma posição ou herança que não podia ser retirada do possuidor original e de direito, se estivesse em condições de reivindicá-la.

Por detrás disso está a concessão divina da terra às tribos e famílias que, como foi pretendido, deveria ficar como um arranjo de herança permanente pelas gerações subseqüentes. O aspecto da auto-redenção não tem lugar na redenção antitípica, pois não há ocasião de Cristo redimir-se, nem há qualquer base sobre a qual um pecador pode redimir-se a si mesmo do pecado. O grande ato redentor do Antigo testamento foi aquele operado por Jeová quando Ele redimiu Israel do Egito. Nesse ato, que corresponde ao plano da verdade redentora e no qual há muitos tipos para serem vistos, a redenção é totalmente operada por Jeová (Êx 3.7,8); é operada através de uma pessoa – Moisés; é pelo sangue (Êx 12.13,23,27); e é por poder – Israel foi retirado do Egito por um poder sobrenatural. A redenção do Novo Testamento segue os mesmos passos. Ela foi operada por Deus, através de Cristo, pelo seu sangue, e a libertação da escravidão do pecado é pelo poder do Espírito Santo. A redenção de Israel foi da nação e para todas as gerações futuras. Eles permanecem diante de Jeová como uma nação redimida para sempre. A redenção deles com base típica foi verificada e estabelecida na morte de Cristo.

Ao retornar aos principais aspectos do tipo do redentor parente no Antigo Testamento, pode ser visto:

(a) Que o redentor deve ser um parente. Esta, na verdade, é a razão inclusa no propósito celestial para a encarnação do Filho eterno na família humana. Para que esses escravos ao pecado pudessem ser redimidos do estado de perdidos perante Deus, era necessário que Aquele que os redimiria fosse um parente deles. Contudo, o que parece ser essencial no tipo não cria a necessidade no antítipo. É o oposto disto. A necessidade que é vista no antítipo cria a necessidade no tipo. O tipo não mais pode refletir o que é verdadeiro no antítipo.

(b) Que o redentor deve ser capaz de redimir é uma verdade que, quando contemplada no antítipo, envolve fatos e forças dentro de Deus que nenhum homem pode sondar. O fato é que, quando agiu sob a orientação da sabedoria infinita e quando possuiu os recursos infinitos, o sangue de Deus[199] (At 20.28) foi derramado na redenção e aponta para o grau mais pleno que nenhuma outra redenção poderia alcançar. A morte de Cristo, a única resposta para o estado de perdição do homem, o Redentor Parente, ou *goel*, foi capaz de pagar o preço; por ser o Deus-homem, Ele pôde derramar o "precioso sangue" que, por causa da unidade do seu ser, foi no sentido real o sangue de Deus.

(c) Que uma das revelações mais vitais a respeito de Cristo foi aquela em que Ele próprio estava pronto a remir. A suposição racionalista de que a provisão do Pai de um sacrifício na pessoa de seu Filho era uma imposição cruel e imoral – um ato que mesmo um pai humano não cometeria – desaparece quando é reconhecido que o Filho estava totalmente de acordo e cooperou com aquele sacrifício. Na verdade, a unidade dentro da divindade cria uma identidade de ação que é bem expressa nas palavras: "Deus estava em Cristo, reconciliando o mundo consigo" (2 Co 5.19).

O tema total da sujeição do Filho ao Pai é tão extenso como a vida do Filho na terra. Ao falar do Pai, o Filho disse: "...faço sempre o que é do seu agrado" (Jo 8.29). Contudo, a sujeição do Filho ao Pai está totalmente dentro do relacionamento da humanidade da pessoa encarnada ao seu Pai e não é primariamente uma sujeição da divindade, a segunda pessoa à primeira pessoa. Entre as duas pessoas divinas há uma cooperação eterna, mas não sujeição. Posteriomente, será visto que a sujeição ao Criador da parte do homem é aquela que é inerente à ordem das coisas criadas, e o Deus-homem não pode ser o homem *perfeito* que a encarnação assegura se, como homem, não fosse sujeito totalmente ao Pai. Assim o *goel*, o Redentor Parente, Cristo, cumpre o tipo por estar *pronto* a redimir.

Com sua declaração de que Cristo é um Rei, João 18.37 trata do propósito terreno de Deus, assim como João 12.27, com sua referência à morte de Cristo, trata do propósito celestial de Deus. Em ambas as passagens há esta nota de finalidade: "Mas para isto vim".

Conclusão

Assim, está demonstrado que a *encarnação* é de importância insuperável. Seja qual for a importância da doutrina da *Divindade* de Cristo ou da doutrina da sua *humanidade*, a doutrina da *encarnação* inclui ambas; mesmo estudos posteriores sobre a união hipostática e da *kenosis* servirão somente para elucidar o significado mais pleno da *encarnação*.

CAPÍTULO XXIV

Deus o Filho: Sua Humanidade

U M EXAME ESPECÍFICO da humanidade do Senhor Jesus Cristo é indicado em qualquer tese cristológica. Inevitavelmente, esse aspecto da verdade a respeito de Cristo foi antecipado em algum grau em parte anterior desta discussão, e o tema deve reaparecer mais para a frente. Uma nova realidade aparece na pessoa de Cristo, pela adição de sua humanidade ao que desde toda a eternidade foi a sua divindade que nunca foi diminuída. À parte da união das duas naturezas não há pessoa teantrópica, não há Mediador, Redentor e Salvador. A verdade total relativa a Cristo não foi alcançada quando a sua deidade essencial foi demonstrada, nem foi ela alcançada quando uma demonstração semelhante de sua humanidade essencial aconteceu. O Cristo de Deus é (em grau de excelência, e impossível de ser conhecida) a combinação incomparável dessas duas naturezas.

O peso daquilo que é divino, ou do que é humano, no Deus-homem – à parte das limitações naturais da parte do estudante – é comparativamente uma matéria simples. Uma complexidade interminável surge quando essas duas naturezas são combinadas numa só pessoa, como elas estão em Cristo. A complexidade será considerada na divisão deste estudo que se segue. O objetivo na presente investigação é a descoberta e o reconhecimento da humanidade de Cristo.

A era cristã tem sido uma reversão da ênfase em sua cristologia. Os primeiros séculos foram caracterizados por discussões relacionadas ao estabelecimento da *humanidade* de Cristo, enquanto que a exigência presente parece ser de reconhecimento e ênfase sobre a sua divindade. No seu evangelho, o apóstolo João apresentou a divindade de Cristo; e em suas epístolas, ele fielmente afirmou a humanidade dele. Isto foi indicativo do tempo em que ele escreveu, quando disse: "Nisto conheceis o Espírito de Deus; todo espírito que confessa que Jesus Cristo veio em carne é de Deus; e todo espírito que não confessa a Jesus não é de Deus; mas é o espírito do anticristo, a respeito do qual tendes ouvido que havia de vir; e agora já está no mundo" (1 Jo 4.2,3).

Um forte incentivo surge neste ponto para se ir aos aspectos históricos dessa fase da Cristologia. Richard Watson compilou uma condensação admirável da antiga controvérsia sobre a humanidade de Cristo, numa citação que será suficiente para a compreensão:

A fonte desse erro antigo parece ter sido filosófica. Em ambas as escolas, a oriental e a grega, ela foi a noção favorita, a de que qualquer coisa que estivesse unida à *matéria* seria necessariamente contaminada por ela, e que a mais alta perfeição dessa vida era abstração das coisas materiais, e, em outra, uma separação total e final do corpo. Essa opinião também foi a provável causa de conduzir algumas pessoas, no tempo de Paulo, a negar a realidade da ressurreição, e para explicá-la figurativamente. Mas, conquanto possa ter sido isso, foi uma das bases principais da rejeição da humanidade própria de Cristo entre os diferentes ramos dos gnósticos que, na verdade, erraram com respeito a ambas as naturezas. As coisas que as Escrituras atribuem à natureza humana de nosso Senhor eles não negaram; mas afirmaram que elas aconteceram somente na aparência, e elas eram, portanto, chamadas de *Docetae e Phantasiastae*. Num período posterior, Êutico caiu num erro semelhante, ao ensinar que a natureza humana de Cristo foi absorvida pela divina, e que o seu corpo não possuía existência real. Esses erros desapareceram, e o perigo agora está somente de um lado; na verdade, não por causa dos homens terem se tornado menos sujeitos ou menos dispostos ao erro, mas porque a filosofia – a partir de vãs pretensões das quais (ou de uma confiança arrogante) quase todos os grandes erros religiosos fluem – tem, em eras posteriores, tomado um caráter diferente. Enquanto esses erros negavam a real existência do corpo de Cristo, a heresia apolinariana rejeitava a existência de uma *alma* humana em nosso Senhor, e ensinava que a divindade supriu o lugar dela. Assim, ambas as posições negaram a Cristo uma humanidade devida, e ambos foram, igualmente, condenados pela Igreja nos concílios gerais. Entre aqueles que sustentaram a união das duas naturezas de Cristo, a divina e a humana, que, na linguagem teológica é chamada de união hipostática, ou união de pessoas, diversas distinções também foram feitas que conduziram a uma diversidade de opinião. Os nestorianos reconheceram duas pessoas em nosso Senhor, mística e mais proximamente unidas do que qualquer analogia humana pode explicar. Os monofisitas afirmaram uma pessoa e uma natureza, as quais foram consideradas como confusas, de alguma maneira misteriosa. Os monotelitas reconheceram duas naturezas e uma vontade. Várias outras distinções foram propagadas em tempos diferentes; mas o verdadeiro sentido das Escrituras parece ter sido muito exatamente expresso pelo Concílio de Calcedônia, no quinto século, – que em Cristo há uma pessoa; na unidade da pessoa, duas naturezas, a divina e a humana; e que não há mudança, mistura, confusão dessas duas naturezas, mas que cada uma delas retém as suas próprias propriedades distintas. Com isto concorda o Credo de Atanásio, qualquer que tenha sido a sua data.[200]

As Escrituras declaram que Cristo possuía um corpo, alma e espírito humanos, e que Ele experimentou emoções que pertencem à existência humana. Muita dificuldade surge quando o pensamento nutrido é o de duas volições – uma divina e outra humana – nessa há uma pessoa. Embora esse problema seja difícil, é claramente ensinado no Novo Testamento que Cristo, do lado humano, possuía uma vontade que era totalmente submissa à de seu Pai. A rendição da vontade, conquanto evite qualquer conflito entre a vontade do Pai e a do Filho, não serve de forma alguma para remover a vontade humana dessa pessoa singular. A vontade humana sempre esteve presente sem se pensar no uso que Ele possa ter feito dela.

A verdade com respeito à humanidade de Cristo pode, pelas Escrituras inerrantes, ser provada de uma maneira totalmente científica. A realidade de sua natureza humana é determinada pela presença de fatos que são distintamente humanos. Esse princípio é tudo o que a ciência exige na busca de qualquer investigação. Os fatos concernentes à humanidade de Cristo podem ser sumariados da seguinte maneira:

I. A Humanidade de Cristo Prevista
Antes da Fundação do Mundo

Isto é afirmado em Apocalipse 13.8, onde Cristo é declarado ser o "Cordeiro morto desde a fundação do mundo". Todas as referências a Cristo como o "Cordeiro" são relativas à sua humanidade. Elas dizem respeito ao seu corpo humano, ao perfeito sacrifício pelo pecado. A humanidade de Cristo, semelhantemente ao plano total da redenção, foi proposta por Deus antes da fundação do mundo. A cruz, com o seu sacrifício humano, é atemporal em seu propósito e efeito.

II. A Expectativa do Antigo Testamento
Era a de um Messias Humano

Esta expectativa era dupla: (a) como ficou esboçada nos tipos e (b) como predita na profecia:

1. Os Tipos. Dos mais de cinqüenta tipos de Cristo encontrados no Antigo Testamento, a maioria direta ou indiretamente, apresenta, entre outros aspectos, a humanidade de Cristo. Está óbvio que, onde o sangue é derramado, um corpo sacrificado, ou uma pessoa típica aparece, o elemento humano está indicado.

2. Profecia. Uma pequena seleção do conjunto de textos proféticos deve ser suficiente: "Porei inimizade entre ti e a mulher, e entre a tua descendência e a sua descendência; esta te ferirá a cabeça, e tu lhe ferirás o calcanhar" (Gn 3.15). "Portanto o Senhor mesmo vos dará um sinal: eis que uma virgem conceberá, e dará à luz um filho, e será o seu nome Emanuel" (Is 7.14) O fato de uma virgem conceber e gerar um filho é coisa humana; todavia, esse filho seria Emanuel, que interpretado significa "Deus conosco". "Porque um menino nos nasceu, um filho se nos deu; e o governo estará sobre os seus ombros; e o seu nome será: Maravilhoso, Conselheiro, Deus Forte, Pai Eterno e Príncipe da Paz. Do aumento do seu governo e da paz não haverá fim, sobre o trono de Davi e no seu reino, para o estabelecer e o fortificar em retidão e em justiça, desde agora e para sempre; o zelo do Senhor dos exércitos fará isso" (Is 9.6,7).

O patriarca Jó estava cônscio de uma distância insuperável entre ele e Deus. O seu desejo era que houvesse um "árbitro" que colocasse a sua mão sobre Deus e o homem. Esse foi o seu clamor por um mediador: "Porque ele não é homem, como eu, para eu lhe responder, para nos encontrarmos em juízo. Não há entre nós árbitro para pôr a mão sobre nós ambos" (Jó 9.32,33).

III. Uma Profecia Específica do Novo Testamento

Além da expectativa do Antigo Testamento a respeito da humanidade de Cristo, está a mensagem do anjo a Maria: "Eis que conceberás e darás à luz um filho, ao qual porás o nome de Jesus. Este será grande e será chamado filho do Altíssimo; o Senhor Deus lhe dará o trono de Davi, seu pai; e reinará eternamente sobre a casa de Jacó, e o seu reino não terá fim. Então Maria perguntou ao anjo: Como se fará isso, uma vez que não conheço varão? Respondeu-lhe o anjo: Virá sobre ti o Espírito Santo, e o poder do Altíssimo te cobrirá com a sua sombra; por isso o que há de nascer será chamado santo, Filho de Deus" (Lc 1.31-35).

IV. A Vida de Cristo na Terra

Está escrito: "Pelo que convinha que em tudo fosse feito semelhante a seus irmãos" (Hb 2.17). Ele é declarado ser humano por:

1. Seus Nomes. *Jesus* é o seu nome humano. Está relacionado à sua vida humana, sua morte e a glória adquirida concedida por causa de sua graça redentora (Fp 2.5-9). Diversas vezes é chamado "o homem Jesus Cristo", e cerca de oitenta vezes é chamado de "o Filho do homem". Este último título foi o nome que Ele mais freqüentemente atribuiu a si próprio. Foi como se, do ponto de vista divino, o aspecto humano de sua pessoa que mais precisava ser revelado.

2. Sua Ascendência Humana. Diversas frases inconfundíveis são usadas de Cristo a respeito de sua ascendência: "fruto do ventre", "seu [de Maria] primogênito", "da semente do homem", "semente de Davi", "semente de Abraão", "nascido de mulher", "descendência de Judá". A sua humanidade é afirmada individualmente pos todas essas frases.

3. O Fato de Que Ele Possuía um Corpo, Alma e Espírito Humanos.

Observe estes textos: "Nisto conheceis o Espírito de Deus; todo espírito que confessa que Jesus Cristo veio em carne é de Deus; e todo espírito que não confessa a Jesus não é de Deus; mas é o espírito do anticristo, a respeito do qual tendes ouvido que havia de vir; e agora já está no mundo" (1 Jo 4.2, 3); "Então lhe disse: A minha alma está triste até à morte; ficai aqui e vigiai comigo" (Mt 26.38); "Tendo Jesus dito isto, turbou-se em espírito" (Jo 13.21).

4. Suas Limitações Humanas.

Nesta altura somos confrontados com os mais fortes contrastes entre a divindade e a humanidade de Cristo. Ele esteve cansado; todavia chamou os cansados para descansar em si. Ele esteve com fome; todavia, era "o pão da vida"; Ele esteve sedento; todavia, era "a água da vida". Ele esteve em agonia; todavia, curou todas as espécies de doenças e aliviou toda dor. Ele "crescia e se fortalecia em espírito"; todavia, era o Pai da eternidade. Ele foi tentado; todavia, como Deus, não podia ser tentado. Ele foi auto-limitado em conhecimento; todavia, era a sabedoria de Deus. Ele disse: "meu Pai é maior do que eu" (com referência à sua humilhação, por se tornar, por um pouco, menor do que os anjos); todavia, também disse: "Quem me vê a mim vê o meu Pai'; "Eu e o meu Pai somos um". Ele orou, o que é propriamente humano; todavia, Ele mesmo respondeu às orações.

Ele disse: "...esta porém é a vossa hora e o poder das trevas"; todavia, todo poder lhe é dado no céu e na terra. Ele dormiu na popa do barco; todavia, levantou-se e repreendeu o mar e os ventos. Ele foi batizado, o que era um ato próprio de homens; todavia, naquele tempo Deus declarou que Ele era o Seu Filho amado. Ele andou dois longos dias de jornada até Betânia; todavia, sabia o momento que Lázaro morreu. Ele chorou na tumba; todavia, levou o morto à ressurreição. Ele confessou que seria morto; todavia, apenas um momento antes tinha recebido a declaração inspirada de Pedro de que era o Cristo, o Filho do Deus vivo. Ele disse: "Quem dizem os homens que eu sou?"; mas João nos diz que "Ele não precisava de que alguém lhe desse testemunho a respeito do homem, porque ele mesmo sabia o que era a natureza humana".

Ele teve fome; todavia, poderia transformar pedras em pães. Mas isto não fez, porque se tivesse feito, não teria sofrido como os homens sofrem. Ele disse: "Deus meu, Deus meu, por que me desamparaste?"; todavia, foi esse mesmo Deus que declarou que "estava em Cristo, reconciliando o mundo consigo". Ele morreu; todavia, é a vida eterna. Ele livremente atuou em sua vida terrena dentro daquilo que era perfeitamente humano, e, assim também, livremente, viveu a sua vida terrena dentro daquilo que era perfeitamente divino. Sua vida terrena, portanto, testifica tanto de sua humanidade quanto de sua divindade, e ambas as revelações são igualmente verdadeiras.

Todos os ofícios que caracterizaram Cristo – Profeta, Sacerdote e Rei –, vistos tanto no Antigo quanto no Novo Testamentos, são por sua vez dependentes em larga escala da humanidade que Ele possuía.

V. A Morte e a Ressurreição de Cristo

À parte de sua humanidade nenhum sangue poderia ser derramado; todavia, aquele sangue é considerado imensamente "precioso" pelo fato de que era o sangue de alguém da Trindade divina. Deus não meramente *usou* o Jesus humano como um sacrifício; Deus estava em Cristo como um agente reconciliador. "Porque é impossível que o sangue de touros e de bodes tire pecados. Pelo que, entrando no mundo, diz: Sacrifício e oferta não quiseste, mas um corpo me preparaste; .... nem deles te deleitaste (os quais se ofereceram segundo a lei); agora disse: Eis-me aqui para fazer a tua vontade. Ele tira o primeiro, para estabelecer o segundo. É nessa vontade que temos sido santificados pela oferta do corpo de Jesus Cristo, feita uma vez para sempre" (Hb 10.4-10).

VI. A Humanidade de Cristo é Vista em sua Ascensão e Majestade

Enquanto eles o observavam atentamente, viram-no subir ao céu com o seu corpo humano ressuscitado. Ele sentou-se "à direita do trono de Deus". Dele é falado também como "o Filho do homem que está no céu". Estêvão, quando o viu após a ascensão, disse: "Eis que vejo os céus abertos e o Filho do homem em pé à destra de Deus". Através de sua humanidade, Cristo foi feito "misericordioso e fiel sumo sacerdote nas cousas referentes a Deus". Ele está agora no céu como nosso Sumo Sacerdote. A Sua humanidade é declarada por sua ascensão e presente ministério no céu.

VII. A Humanidade de Cristo Está Evidente no seu Segundo Advento e Reino

Os anjos disseram: "Esse Jesus que dentre vós foi assunto ao céu, assim virá do modo como o vistes subir". Ele disse de si mesmo: "Então se verá o Filho do homem vindo numa nuvem, com poder e grande glória". Ele então "se sentará no trono da sua glória", "no trono do seu pai Davi". A humanidade de Cristo é vista, em seu retorno para a terra e em seu reino.

Conclusão

São tão visíveis e presentes em toda parte os fatos que dizem respeito à humanidade de Cristo, que insistir neles é como fazer um esforço para provar a sua existência. O perigo é, e sempre tem sido, que, à luz dessas realidades patentes, a mente possa tender a renunciar a apreensão de sua divindade. Por outro lado, não é uma impossibilidade magnificar tanto a sua divindade a ponto de excluir a concepção correta de sua humanidade. As controvérsias da Igreja que ficaram cristalizadas nos credos fizeram muito para estabilizar o pensamento com respeito à pessoa teantrópica. Não obstante, ainda que por esses credos uma estrada tenha sido pavimentada sobre a qual podemos andar, toda mente deve ser instruída pessoalmente e por sua própria meditação chegar às conclusões certas.

Como um discernimento importante na doutrina geral da *humanidade* de Cristo, o Dr. John Dick escreve: "Uma distinção tem sido feita entre a condescendência e a humilhação de Cristo; a primeira, consistindo da ascensão de nossa natureza, e a última em seu conseqüente abatimento e sofrimento. A razão pela qual a ascensão de nossa natureza não é contada como parte de sua humilhação, é porque Ele a retém no seu estado de exaltação. A distinção parece ser favorecida por Paulo, que o apresenta como o primeiro 'feito em semelhança de homens', e então 'reconhecido em figura humana, a si mesmo se humilhou, tornando-se obediente até à morte, e morte de cruz" (Fp 2.7,8). Talvez esta seja a visão mais exata do assunto; mas essa visão não tem sido sempre observada pelos teólogos, pois que alguns deles consideraram a encarnação como parte de sua humilhação."[201]

De acordo com a carta de Hebreus, Aquele que foi o resplendor da glória divina e a expressão exata do Ser divino *condescendeu* em descer ao nível em que participou de carne e sangue com os homens. Contudo, esse mesmo que era exaltado entrou na esfera da *humilhação* por sua morte e pelo modo dela. A humilhação estava em foco quando Ele veio ao mundo, visto que nasceu para morrer. Ele disse: "Mas para isto vim a esta hora" (Jo 12.27). Sobre esse propósito importante de Cristo em assumir a forma humana, o Dr. B. B. Warfield escreve:

A finalidade próxima de Cristo ter assumido a humanidade é declarado ser para a sua morte. Ele foi feito "por um pouco, menor do que os anjos... por causa do sofrimento da morte (Hb 2.9); Ele participou de carne e sangue, a fim de nos resgatar "através da morte..." (2.14). O Filho de Deus como tal, não poderia morrer; a Ele pertence por natureza "o poder duma vida indissolúvel" (Hb 7.16). Se Ele precisava morrer, portanto, deveria tomar outra natureza para a qual a experiência da morte fosse possível (2.17). Naturalmente, isso não significa que a morte fosse desejada por Ele. O propósito do nosso texto é livrar os seus leitores judaicos da ofensa da morte de Cristo. Eles são chamados para observar, portanto, que Jesus foi feito, por um pouco, menor do que os anjos, por causa do sofrimento de morte, "coroado de glória e de honra, por causa da paixão da morte, para que, pela graça de Deus, provasse a morte por todos" (Hb 2.9), e o argumento fica imediatamente provado de que foi eminentemente adequado para o Deus Todo-poderoso trazer muitos

CONCLUSÃO

filhos à glória, para aperfeiçoar (como Salvador) o capitão da salvação deles por meio do sofrimento. O significado é que foi somente através do sofrimento que esses homens, pecadores, poderiam ser trazidos à glória. E, portanto, na afirmação mais clara do versículo 14 lemos que o nosso Senhor participou da carne e sangue, a fim de que "pela morte derrotasse aquele que tinha o poder da morte, isto é, o diabo; e livrasse todos aqueles que, com medo da morte, estavam por toda a vida sujeitos á escravidão"; e ainda na mais clara afirmação do versículo 17 de que o objeto supremo de sua assimilação da natureza humana foi para que Ele "fizesse propiciação pelos pecados do povo". É para a salvação de pecadores que nosso Senhor veio ao mundo, mas, como essa salvação poderia ser operada somente pelo sofrimento e morte, a finalidade da adoção da humanidade ainda existe, para que Ele pudesse morrer; qualquer coisa que seja mais do que isso, aproxima-se disso.[202]

Capítulo XXV

Deus o Filho: A Kenosis

NESTA DIVISÃO do estudo da cristologia, deve ser dada consideração a um texto da Escritura que, devido ao fato da incredulidade tê-lo interpretado erroneamente e aumentado a sua importância acima da proporção, ele foi mais plenamente tratado exegeticamente pelos eruditos das gerações passadas do que qualquer outro na Palavra de Deus. A referência é a Filipenses 2.5-8: "Tende em vós aquele sentimento que houve também em Cristo Jesus, o qual, subsistindo em forma de Deus, não considerou o ser igual a Deus coisa a que se devia aferrar, mas esvaziou-se a si mesmo, tomando a forma de servo, tornando-se semelhante aos homens; e, achado na forma de homem, humilhou-se a si mesmo, tornando-se obediente até a morte, e morte de cruz".

O problema centra-se no verbo ἐκένωσεν que, com referência a Cristo, declara que ele *esvaziou-se a si mesmo*. O contexto imediato é claro a respeito do que Ele renunciou. Essa verdade específica seria tratada mais plenamente. A partir deste verbo a palavra *kenosis* entrou na terminologia teológica, e é correspondente a um substantivo. A *Teoria da Kenosis* é usualmente uma visão extremada do auto-esvaziamento de Cristo, fato esse que se deu na encarnação, quando Ele trocou o que pode ser chamado o seu modo de existência eterno pelo que é relacionado ao tempo, da forma de Deus para a forma de um servo ou escravo. Certas penalidades ou perdas estiveram envolvidas nessa mudança, que, pela incredulidade, tem sido aumentada muito além da autorização das Escrituras.

A discussão teológica que tem sido gerada é removida para muito longe da simplicidade da fé da Igreja primitiva, cuja fé essa passagem reflete, e igualmente para muito distante do intento do grande apóstolo que escreveu estas palavras. Naturalmente, a frase *esvaziou-se a si mesmo* pode sugerir, para aquelas mentes que assim exigem, a noção de que desvestiu-se de todos os seus atributos divinos. Os eruditos devotos não podem aceitar essa concepção e eles evidentemente não somente têm o apoio do contexto imediato, mas de toda a Escritura. Um grupo exagerou nas limitações humanas de Cristo, enquanto, por outro lado, outro grupo – totalmente atento quanto a essas limitações – vê também a ênfase que a Palavra de Deus atribui às manifestações da sua divindade. A controvérsia entre aqueles que com limitações naturais de sua própria visão curta das realidades da pessoa teantrópica, e daqueles na oposição que, por serem iluminados pelo Espírito, reconhecem a presença nada complicada nem diminuída das naturezas divina e humana em Cristo. Uma porção do grande volume de literatura que essa discussão produziu deveria ser lida por todo estudante de teologia.

Tanto a *condescendência* de Cristo – a partir da sua esfera nativa celestial para a posição de homem – quanto a *humilhação* de Cristo – de sua posição como um homem para a morte de cruz – são indicadas nessa passagem. A questão da *kenosis* não está muito preocupada com a humilhação de Cristo como com sua condescendência. A pergunta é esta: "Quanto Ele renunciou?" A resposta, naturalmente, deve ser encontrada na revelação daquilo que entra na sua pessoa teantrópica. Se na sua encarnação Deus o Filho revogou o estado de divindade, a sujeição está além de qualquer cálculo. Se, por outro lado, Ele reteve a sua divindade, permitindo que certas manifestações da divindade ficassem veladas por algum tempo, a renúncia pode ser mais facilmente compreendida.

A verdade fundamental de que o Deus eterno não pode cessar de ser o que Ele é, foi demonstrada anteriormente nesta obra, e qualquer teoria que suponha que Deus o Filho tenha cessado de ser o que sempre foi e sempre será, é um erro de primeira magnitude. Mas, ainda vem uma pergunta: As limitações humanas admitidas (cf. Mt 8.10; Mc 13.32; Lc 2.52; Hb 4.15; 5.8) não implicam na ausência das perfeições divinas? Não é essa dupla realidade do funcionamento das duas naturezas numa pessoa que constitui a sua singularidade? Ele é o Deus-homem, misterioso, na verdade, para as mentes finitas, mas não menos real conforme o testemunho das Escrituras. Se Ele deve servir como Mediador entre Deus e o homem, deve ser esperado que seja uma pessoa complexa além de toda compreensão humana.

Na abordagem dessa passagem notável, o propósito da mente do apóstolo deveria estar em vista. Isto está afirmado no versículo 4: "Não olhe cada um somente para o que é seu, mas cada qual também para o que é dos outros". Fazer isto é ter a mente de Cristo, visto que isso é precisamente o que Ele fez quando, sem apegar-se egoisticamente ao estado que lhe era próprio por direito, renunciou em favor de outros, ou em palavras semelhantes que expressam a mesma verdade com respeito a Cristo: "Pois conheceis a graça de nosso Senhor Jesus Cristo, que, sendo rico, por amor de vós se fez pobre, para que pela sua pobreza fôsseis enriquecidos" (2 Co 8.9). Evidentemente não há motivo para convencer os cristãos de Filipos que Aquele que apareceu na forma de um servo já tivesse existido na forma de Deus, e que Ele, ántes de se tornar em forma de um homem, não pensou em usurpar o direito de ser igual a Deus. Tudo isso era verdade aceita entre eles. A mensagem do apóstolo é prática antes que teológica no seu propósito: "Tende em vós o mesmo sentimento que houve também em Cristo Jesus" (v. 5). Esta maneira incidental e mais ou menos familiar de se referir à preexistência de Cristo argumenta fortemente em favor da idéia de que a doutrina era recebida pelos crentes de Filipos.

Esse contexto, naquilo em que é reivindicado pelos kenotistas, pode ser dividido em três partes, a saber (a) "a forma de Deus", (b) a condescendência, e (c) "a forma de servo... a semelhança de homens".

I. "A Forma de Deus"

A primeira revelação a respeito deste grande movimento da parte de Cristo procedente da eterna glória que pertence somente à divindade para a morte de um criminoso numa cruz é que Ele subsistiu (*sendo ou existindo*, como é variadamente traduzido) na forma de Deus. O verbo não comunica o pensamento de um estado em que alguém estava, mas agora não mais está. "Ele não contém uma sugestão, contudo, da cessação dessas circunstâncias ou disposição, ou modo de subsistência; e que, no caso presente, onde Ele se encontra encaixado no tempo imperfeito que de modo algum sugere que o modo de subsistência insinuado acabou na ação descrita pelo verbo subseqüente (cf. os paralelos, Lc 16.14,23; 23.50; At 2.30; 3.2; 2 Co 8.17; 12.16; Gl 1.14). Paulo não nos diz aqui, então, o que nosso Senhor foi no passado, mas antes o que Ele já era, ou, melhor, o que em sua natureza intrínseca Ele é; não descreve um modo passado de existência de nosso Senhor, antes da ação que menciona como exemplo acontecido – embora o modo de existência que descreve foi o modo de existência antes dessa ação – assim como numa pintura a ação se destaca no pano-de-fundo em que ela é inserida. Ele nos diz quem e o quê é Aquele que fez essas grandes coisas por nós, para que possamos apreciar quão grandes são as coisas que Jesus fez por nós."[203]

A frase, "a forma – μορφῇ – de Deus", não tem significado de uma mera aparência exterior; ela afirma que Cristo era essencial e naturalmente Deus. Embora Ele fosse isto, não considerou tal estado com avidez. Se μορφῇ significa aqui somente uma aparência exterior, então Cristo deixou pouca coisa para vir a esta esfera. Semelhantemente, a palavra μορφῇ é usada neste contexto como um contraste para descrever o seu espírito de servo e isto, também, não era uma mera aparência exterior, caso em que a sua condescendência se reduziria a nada. A medida da "graça de nosso Senhor Jesus Cristo" é exibida por dois extremos. Minimizar um deles, ou ambos, é falsificar aquilo que solenemente Deus declara ser verdadeiro. Felizmente, essa passagem não é a única. Todos os textos das Escrituras que apresentam a verdade da existência pré-encarnada de Cristo como Deidade, selam a força dessa declaração de que Ele subsistia em igualdade com Deus, e que Ele era Deus.

Assim, também, todas as passagens que afirmam a sua deidade após a encarnação – e há muitas delas – estabelecem o fato de que a deidade não foi revogada ou que qualquer atributo dele tenha sido revogado quando Ele se fez carne. Uma mudança de posição ou relacionamento está implícita, mas nenhuma renúncia do Ser essencial é indicada, nem tal renúncia é possível (cf. Rm 1.3,4; 8.3; 2 Co 5.21; Gl 4.4). Toda a plenitude mora nele (Cl 1.19), e até mais enfaticamente, "nele habita corporalmente toda a plenitude da divindade" (Cl 2.9). Não foi alguém senão o próprio Deus quem disse que Ele foi "manifesto em carne" (1 Tm 3.16). O mesmo Deus é manifesto pelo aparecimento do Salvador Jesus Cristo (2 Tm 1.10); e aquele que veio, a pessoa teantrópica glorificada, é declarada ser "o grande Deus e Salvador Jesus Cristo" (Tt 2.13). Mesmo se Filipenses 2.6 fosse obscuro, de nenhum modo seria sujeito a uma "interpretação particular", mas requereria conformidade com esse testemunho sobrepujante das Escrituras de que a deidade do Filho de Deus de modo algum cessou por causa da encarnação.

É muito freqüentemente suposto que a vinda de Cristo ao mundo foi uma visitação abrupta e inesperada. Essa simulação tem tornado toda a revelação divina mais difícil para a apreensão da parte de muitos. Ao olhar para trás, através da Palavra de Deus, pode ser visto que houve uma progressão contínua na revelação de Deus aos homens e que a primeira procedente de Cristo, embora estivesse relacionada ao problema do pecado, agora é revelada pelo Espírito Santo e é um passo preparatório em direção à finalidade da revelação quando a presença e o poder de Deus serão vistos na segunda vinda.

A extensão do estado de Cristo que Ele possuía antes de vir ao mundo é descrita muito bem pelo Dr. Samuel Harris: "Assim, no conhecimento de Cristo somos elevados acima do 'provincialismo deste planeta' e trazidos a uma comunhão com os anjos e arcanjos, com os espíritos finitos de todas as ordens e todos os mundos. Deus, nesse eterno modo de seu Ser, chamou o Logos, o Verbo, o Filho, que existia e que trabalhava para os grandes fins da sabedoria e amor eternos antes do seu advento em Cristo na terra. No mistério de sua existência eterna, Ele se exprimia, pondo-se em ação como o Espírito pessoal eterno, o arquétipo eterno e original de todas as pessoas racionais finitas. De modos que nos são desconhecidos, ele pode ter se revelado a habitantes racionais de outros mundos em sua semelhança a eles como Espírito pessoal. Ele pode ter sido adorado e confiado por miríades inumeráveis de pessoas finitas de outros mundos antes dele revelar-se sobre a terra no Filho de Maria. Assim, Ele próprio diz na oração ao seu Pai celestial: 'A gloria que eu tive junto de ti antes que houvesse mundo'. E Ele se descreve como o Filho do homem que desceu do céu, e que, mesmo enquanto na terra, esteve no céu".[204]

Outra pessoa sugeriu que esta terra poderia ser "a Belém do Universo", e o pensamento é razoável à luz da verdade revelada a respeito de tudo o que existe. Há aqueles que, como o Dr. I. A. Dorner em particular, que sustentam, com muito uso da razão e com algum texto da Escritura, que o primeiro advento foi não somente uma missão relacionada à cura do pecado, mas que ela era exigida no progresso da auto-revelação divina. Ele sustenta que ver Deus revelado em Cristo Jesus é uma experiência essencial para qualquer e para todos que alcançam as esferas da glória, tenham eles pecado ou não. Qual o significado profundo e escondido que está contido nas palavras de que Cristo, enquanto aqui na terra, foi "contemplado por anjos"? De qualquer forma, o estreitamento daquele eterno modo de existência e o ocultamento do brilho de sua glória para o fim de Deus poder ser manifesto aos homens e para que a redenção dos perdidos pudesse ser assegurada, é a história da encarnação.

II. A Condescendência

A extensão da transição da mais alta glória do céu para a esfera dos homens não poderia ser avaliada. "Quando ele entrou no mundo, ele diz... Eis aqui estou eu (no rolo do livro está escrito a meu respeito), para fazer a tua vontade, ó Deus" (Hb 10.5-7). Este texto registra uma palavra falada por Cristo antes dele ter alcançado a idade da maturidade – talvez Ele a tenha falado antes dele ser nascido da virgem; pois está escrito no Salmo 22.10 que, enquanto na cruz, Ele disse a seu Pai: "Nos teus braços fui lançado desde a madre; tu és o meu Deus desde o ventre de minha mãe". Nas eras passadas desconhecidas Ele foi designado para ser o Cordeiro morto (Ap 13.8). Além de tudo isso o Espírito de Deus fez muitas predições serem escritas que anteciparam a vinda de Cristo – uma, na verdade, no Jardim do Éden. Assim, a condescendência é prevista e registrada.

Ela representa um arranjo divino, por ser designado e operado por Deus. Cristo era o dom do Pai ao mundo; todavia, escolheu vir e ficar sujeito à vontade de outra pessoa. Ele *se agradou* em favor da vontade de seu Pai, com obediência alegre e por causa do seu entendimento infinito e participação vital em tudo o que foi proposto nos conselhos eternos de Deus. Que outro significado pode ser colocado na frase, "quando chegou a plenitude dos tempos"? Não foi nesse momento de tempo que havia chegado que "Deus enviou o seu Filho, nascido de mulher, nascido debaixo da lei" (Gl 4.4)? De todas as maravilhas do Universo nenhuma é maior do que essa, do que aquele que estava no princípio com Deus, e era Deus, tornou-se carne. João testifica que Ele foi visto e apalpado por homens (Jo 1.1; 1 Jo 1.1). O fogo na sarça – tipificando a sua deidade – não consumia a sarça que tipificava a sua humanidade. Embora humilde em sua origem, aquilo que a sarça representa permanece não consumido para sempre.

III. "A Forma de um Servo... à Semelhança de Homem"

Com relação a Deus, ninguém jamais o viu. "O Deus unigênito, que está no seio do Pai, esse o deu a conhecer" (Jo 1.18). Esse é o Mensageiro de todos os mensageiros, o Servo mais eficaz do que todos os servos. Para esse fim Ele se tornou tudo o que foi requerido que fosse, para que pudesse assim servir como a Revelação e o Redentor. Ele, assim, serviu tanto a Deus quanto ao homem, como a Revelação, e assim serviu tanto a Deus e ao homem como Redentor. Ele disse: "Eu sou entre vós como aquele que serve", e, na real experiência de serviço humilde, lavou os pés dos apóstolos. A frase "a forma de servo" é idêntica na realidade com a frase "a forma de Deus". Pela última é declarado que originalmente Ele era tudo que faz Deus ser Deus; pela primeira é declarado que Ele era tudo o que faz um servo ser um servo. Seu título de servo, *Fiel* e *Verdadeiro* (Ap 19.11) é revelador. Ele sugere tanto a perfeita obediência quanto a realização perfeita. Isto foi concretizado por Ele na morte – mesmo a morte de cruz. Com visão profética, Ele disse, mesmo antes de sua morte: "...completei a obra que me deste para fazer" (Jo 17.4), e quando chegou o momento de sua morte, disse: "Está consumado" (Jo 19.30). Quão grande é essa revelação! Quão perfeita é a Redenção!

Aquele que subsistiu imutavelmente como a forma ou a realidade exata de Deus, assumiu aquilo que é humano, não no lugar do divino, mas em conjunção com o divino. Ele acresceu a si mesmo a forma exata de um servo, por ser feito em semelhança de homens. Ele era *homem*, mas esse termo não é suficiente para defini-lo. Por causa da sua pessoa teantrópica, a sua humanidade, embora plenamente presente, foi melhor chamada de "a semelhança de homens".

Visto que está registrado que Ele "a si mesmo se esvaziou", a pergunta kenótica é: De que Ele se esvaziou? A sua divindade foi diminuída, ou Ele renunciou qualquer atributo divino. Essas coisas são igualmente impossíveis por causa da imutabilidade da deidade, nem são tais noções sustentadas por qualquer palavra nas Escrituras. Pode ser observado novamente que toda a revelação doutrinária que a passagem da *kenosis* apresenta foi retirada como uma ilustração da virtude humana, então, por ser ordenada, a fim de não olhar para as coisas do eu, mas para as dos outros. A subordinação do eu em favor de outros não requer o abandono do eu. Cristo esvaziou-se do interesse próprio, mas sem se apegar ao seu estado de exaltação, conquanto corretamente este lhe pertencia, como um prêmio muito caro de se renunciar em favor dos outros.

Para fazer isso, Ele condescendeu a uma posição mais humilde, por estar a sua glória escondida, e foi desprezado e rejeitado por homens. Eles não viram beleza nele que os agradasse. Ele era como uma raiz duma terra seca sem aparência ou formosura (Is 53.2). Na cruz, Ele disse de si mesmo: "Eu sou um verme e não homem; opróbrio dos homens e desprezado do povo. Todos os que me vêem zombam de mim" (Sl 22.6,7). A glória muito especial dessa condescendência não é que a deidade o havia desamparado, mas Deus assim operou. Foi Deus que estava em Cristo reconciliando consigo o mundo (2 Co 5.19).

Com referência à passagem da *kenosis* e as formas gerais de interpretação dela, nenhuma afirmação melhor foi encontrada do que a do Dr. Charles Lee Feinberg, que é citada aqui:

Qualquer explicação escriturística da doutrina, a pessoa de Cristo deve dar a essa passagem um lugar proeminente, quando não central. Mas na exposição dela as mentes dos homens têm se acostumado a perguntar: "De que Cristo a si mesmo se esvaziou? De que consiste a *kenosis*?" Toda esta questão foi empurrada para o primeiro plano desde as primeiras décadas do século 19 quando os ramos reformado e luterano da Igreja protestante alemã tentou efetivar uma base factível para união deles. Tais passagens como João 14.28 e Marcos 13.32 onde está escrito, "Meu Pai é maior do que eu" e "Quanto, porém, ao dia e à hora, ninguém sabe, nem os anjos no céu nem o Filho, senão o Pai", formaram o ponto de partida, à parte de Filipenses 2.5-11, para muita coisa do pensamento e da discussão sobre a matéria. Diante das circunstâncias, a consideração desse assunto foi inevitável: se Cristo era Deus em seu estado pré-encarnado e, então, tornou-se homem, de que Ele abriu mão nessa transação? Tem havido quatro teorias kenóticas gerais, e todas almejam o mesmo fim. De acordo com Bruce, "a idéia dominante da cristologia kenótica é que, ao se tornar carne, a fim de tornar a encarnação em sua real forma histórica possível, o Logos preexistente reduziu-se à posição e medidas da humanidade.[205] Os quatro tipos de especulação kenótica são: (1) um tipo dualístico absoluto; (2) o tipo metamórfico absoluto; (3) o tipo semi-metamórfico absoluto; (4) o real, mas relativo.

A primeira teoria, que é estabelecida por Tomásio e outros, sustenta que os atributos de Deus podem ser divididos em dois grupos muito distintos: os éticos ou imanentes e os relativos ou físicos. Os primeiros são realmente os que são essenciais à divindade. Os atributos da trindade imanente não podem ser partilhados com outros; aqueles da trindade econômica podem. Os atributos divinos da onipresença, onisciência e onipotência são meramente expressivos da livre relação de Deus com o mundo e não precisam ser considerados como indispensáveis. Os atributos essenciais da divindade são supostos ser de poder, amor, verdade e santidade absolutos. Essa teoria não pode permanecer porque ela estabelece uma distinção muito aguda entre os atributos de Deus e deduz deles conclusões que não são sustentáveis. Poderia Cristo ser verdadeiramente Deus, embora Ele mantivesse uma santidade absoluta, se Ele perdesse a onisciência ou a onipresença? Esta teoria despontencializa o Logos a um grau desautorizado. Além disso, a negação da onipresença do Logos encarnado parece totalmente fraca em face de uma afirmação feita como a de João 3.13 onde o Senhor Jesus disse: "Ora, ninguém subiu ao céu, senão o que desceu do céu, o Filho do homem".

A segunda teoria, sustentada por homens como Gess, Godet e Newton Clarke, realmente sustenta um metamorfismo absoluto pelo "suicídio divino". De acordo com essa teoria o Logos pré-encarnado humilhou-se tanto e esvaziou-se a si mesmo de todos os atributos divinos, que Ele se tornou puramente uma alma humana. A fim de aliviarem-se a si mesmos do estigma de Apolinarismo, eles deixaram claro que eles asseveram, não que o Logos tomou o lugar de uma alma humana em Cristo, mas que Ele se tornou a alma humana. A sua consciência eterna cessou, para ser resgatada gradualmente até que Ele atingisse uma vez mais a *plerosis* para ter a sua vida divina completa. Essa teoria é tão inverídica para a apresentação escriturística da união hipostática na história, que deve sempre ser a vara de medida para todas as teorias da pessoa de Cristo, que nem mesmo precisa de refutação.

A terceira teoria, desenvolvida por Ebrard, afirma que o Filho eterno, ao se tornar homem, suportou não uma perda mas uma simulação de sua divindade, de tal forma que "as propriedades divinas, conquanto retidas, foram possuídas pelo teântropos somente numa forma de tempo apropriada para um modo humano de existência. O Logos, ao assumir a carne, trocou a forma de Deus, a saber, a maneira eterna de existência, pela forma de um homem, a saber, com a maneira temporal de existência".[206] Esta troca é tanto perpétua quanto absoluta. Essa teoria não se sai melhor do que as duas primeiras quando julgada com base na Palavra; se essa teoria é verdadeira, então Cristo não era plenamente Deus e plenamente homem de uma só vez, como a Escritura o retrata ser.

Há que se observar agora a quarta teoria da cristologia da *kenosis* que declara que o Logos encarnado ainda possui a sua divindade num sentido real e verdadeiro, mas que Ele faz assim dentro de limites restritos da consciência humana. A verdadeira divindade nunca existe fora da verdadeira humanidade. As propriedades da natureza divina não estão presentes em sua infinidade, mas são mudadas em propriedades da natureza humana. A objeção a essa teoria é que os atributos de Deus não são tão elásticos como essa teoria quer nos fazer crer – onde a vontade é ampliada ou contraída. A onisciência é sempre a mesma; a onipresença é sempre a mesma; a onipotência conota as mesmas coisas sempre. Não há uma onipresença limitada, porque embora o Logos estivesse no corpo de Cristo, Ele também estava no céu (Jo 3.13).

Qual, então, é a teoria verdadeira da *kenosis* ou do auto-esvaziamento de Cristo? Primeiramente, o princípio que deve ser estabelecido é o de que "o Logos... não cessa de ser, em momento algum (a despeito de sua humilhação voluntária), o que Ele sempre foi em sua natureza ou essência eterna".[207] Quando o Logos preexistente e eterno assumiu a humanidade, Ele abriu mão de sua glória visível. Os homens não poderiam ter olhado para uma deidade sem o véu. A *kenosis*, além do mais, sugere que Cristo abriu mão, como Strong habilmente sugere, do "exercício independente dos atributos divinos".[208] Cristo foi possuído de todos os atributos essenciais e propriedades da divindade, mas Ele não os usou, exceto no prazer de seu Pai. Cremos que foi exatamente isso que Cristo declara: "O Filho de si mesmo nada pode fazer, senão o que vir o Pai fazer; porque tudo quanto ele faz, o Filho o faz igualmente" (Jo 5.19). Uma explicação e o entendimento adequados de Filipenses 2.5-11, então, assim como as questões envolvidas na posição escriturística da *kenosis*, são bases indispensáveis para qualquer discussão cristológica.

Conclusão

Uma simples ilustração – aquela da auto-negação de Cristo – usada pelo apóstolo para reforçar a graça cristã da auto-negação, por causa da imensurável verdade envolvida naquilo que Cristo realizou e, em alguma medida, por causa do entendimento errôneo de terminologia, foi transformada numa grande controvérsia entre os teólogos; todavia, a declaração é claramente a da verdade da encarnação e tudo o que está envolvido nela. O ato supremo de Deus dificilmente estaria totalmente dentro do alcance do entendimento humano finito, embora os seres finitos, que são obedientes à Palavra de Deus, não precisam ser enganados com respeito mesmo às realidades mais elevadas.

CAPÍTULO XXVI

Deus o Filho: A União Hipostática

O TERMO *hipostática* é derivado de *hipóstase*, palavra essa que, segundo o *New Standard Dictionary*, significa "o modo de ser pelo qual a qualquer existência substancial é dada uma individualidade independente e distinta". A expressão *união hipostática* é distintamente teológica e é aplicável somente a Cristo em quem, como em nenhum outro, duas naturezas distintas e dissimilares estão unidas. A história não registra outro exemplo de qualquer outro ser igual a Cristo nesse sentido, nem outro jamais aparecerá. Ele é a pessoa teantrópica incomparável, o Deus-homem, o Mediador e Árbitro (cf. Jó 9.32, 33). Não há necessidade de haver outro, pois toda exigência, seja ela por satisfação divina ou por necessidade humana, é perfeitamente satisfeita em Cristo. Esta pessoa singular com duas naturezas, por ser uma vez a revelação de Deus aos homens e a manifestação da humanidade perfeita e ideal, mantém adequadamente o lugar central em todo pensamento humano reverente, nas disputas dos séculos passados, sobre a sua pessoa complexa e gloriosa.

Ele não é somente de interesse insuperável para os seres humanos, mas nele somente há toda esperança para a humanidade no tempo e na eternidade. Ele é o dom de Deus, a única solução de Deus para a queda humana. Dentro do homem não há recursos quaisquer pelos quais ele poderia proporcionar um árbitro cujo direito e autoridade são ambas, perfeitamente divina e perfeitamente humana. Nada que o homem pudesse produzir e poderia redimir uma alma do pecado ou poderia proporcionar o sangue sacrificial essencial que é o único que pode satisfazer a santidade ultrajada. É pena que a tendência da discussão teológica com respeito à pessoa singular de Cristo tem sido metafísica, teórica e abstrata, e pouca atenção tem sido dada à verdade de que a sua maravilhosa pessoa é mediatorial, salvadora e satisfatória para sempre. O estudo das controvérsias dos séculos passados sobre a pessoa de Cristo é uma disciplina em si mesma e não deve ser incluída no plano desta obra sobre Teologia Sistemática, além dessa linha de verdade histórica de certas advertências a respeito de ênfases desproporcionais podem ser estabelecidas. O tema específico, a união hipostática, deve ser abordado sob duas divisões principais, a saber, (a) a estrutura da doutrina e (b) os relacionamentos da Pessoa teantrópica.

I. A Estrutura da Doutrina

· Quatro fatores vitais constituem a estrutura desta doutrina específica: (a) sua deidade, (b) sua humanidade, (c) a preservação completa de cada uma dessas duas naturezas sem confusão ou alteração delas e sua unidade.

1. SUA DIVINDADE. As provas já apresentadas numa seção anterior deste trabalho são dependentes desse ponto como uma declaração da deidade de Cristo. Aquela evidência demonstrou a verdade de que Cristo não é somente um membro igual da Trindade divina antes da encarnação, mas que Ele reteve aquela realidade "nos dias da sua carne". Contudo, precisa ainda ser visto que essa experiência da encarnação pela qual duas naturezas são unidas numa pessoa pertence somente ao Filho. O Pai e o Espírito são vistos associados e ativos em tudo que diz respeito ao Filho, mas foi o Filho somente que tomou sobre si a forma humana e que é, portanto, embora glorificado, o Parente na família humana. Por mais complexo e difícil que isso possa ser para as mentes humanas, a unidade trinitária original permanece tão perfeitamente após a encarnação como antes (cf. Jo 10.30; 14.9-11).

2. SUA HUMANIDADE. Semelhantemente, uma seção anterior deste trabalho demonstrou que pela encarnação Cristo assumiu uma humanidade perfeita e completa. Isto Ele não possuía antes, e sua adição a sua deidade eterna resultou no Deus-homem que é Cristo. Embora sua deidade seja eterna, a sua humanidade foi ganha no tempo. Portanto, a pessoa teantrópica – destinada a ser assim para sempre – começou com a encarnação. Está também revelado que embora a adoção de sua humanidade tenha sido primeiro uma condescendência e depois uma humilhação, através de sua morte, ressurreição e ascensão, onde Ele adquiriu uma glória insuperável. Houve uma alegria que lhe "foi proposta" (Hb 12.2), e, por causa da obediência manifesta na cruz, Deus "exaltou-o sobremaneira" (Fp 2.9). Deve ser feita uma referência à excelente glória e alegria que lhe pertenciam antes. Sua condescendência e humilhação não foram aliviadas por uma dispensa de sua humanidade, mas pela glorificação dela. Um homem glorificado cuja humanidade não foi renunciada está no céu. Como tal Ele ministra em favor dos seus que estão no mundo e como Ele está assentado no trono do Pai na esperança de que, pela autoridade e poder do Pai atribuído a Ele, seus inimigos sejam postos diante de seus pés (Hb 10.12,13) e os reinos deste mundo se tornem "reinos de nosso Senhor e do seu Cristo" (Ap 11.15).

Portanto, deve ser reconhecido que a pessoa teantrópica é *verdadeiro Deus* e *verdadeiro homem*, e que sua humanidade, perfeita e completa, é tão duradoura quanto o é sua Deidade.

3. A PRESERVAÇÃO Completa de Cada uma de Suas Duas Naturezas sem Confusão ou Alteração Delas e a Unidade Delas. O presente esforço não é o de defender, seja a divindade ou a humanidade de Cristo, separadamente consideradas, esforço esse que se fez nas páginas anteriores. É antes um esforço de defender a verdade tão evidentemente ensinada no Novo Testamento, a de que a divindade não diminuída – ninguém além da segunda pessoa,

que eternamente é – incorporada no seu Ser, essa perfeita humanidade que Ele adquiriu e sempre reterá. Dessas duas naturezas pode ser afirmado, por evidência da Escritura, que estão unidas em uma pessoa, e não em duas; que nessa união, que é divina e de nenhum modo degradada por sua amalgamação com aquilo que é humano; e, da mesma maneira e com a mesma plenitude, aquilo que é humano de modo algum é exaltado ou exagerado acima daquilo que foi a humanidade antes da Queda.

A realidade em que a divindade completa e a humanidade antes da Queda se uniram em uma pessoa teantrópica, é sem paralelo no Universo. Não precisa ser uma matéria surpreendente se, pela contemplação de tal Ser, problemas surgem que a capacidade humana não pode resolver, nem deveria ser esse um assunto de espanto que (a Bíblia não apresenta uma Cristologia de forma sistematizada, mas antes oferece uma narrativa simples com suas questões resultantes) aquele desafio momentoso que Cristo é para o pensamento e investigação humanos, tem sido a principal questão na controvérsia teológica desde o começo até o presente momento. Sobre as verdades sobrenaturais, as maiores e as mais devotas mentes têm ponderado, os maiores teólogos têm escrito, e os mais dignos profetas têm proclamado.

A ordem e a sistematização da verdade relativa à pessoa teantrópica não somente poderiam ser evitadas, mas se tornaram imediatamente no maior fardo para aqueles que exerceram liderança na Igreja. Os credos são facilmente lidos e professados, mas é bom lembrar o fogo da controvérsia no qual essa herança inestimável foi forjada. A Palavra de Deus aconselha os homens a terem cuidado dessa doutrina (1 Tm 4.13,16), e aqui, com respeito a Cristo, é um campo ilimitado em que os tesouros inestimáveis estão escondidos e as verdades são descobertas que não somente determinam o destino dos homens, mas despertam toda capacidade humana para meditação, adoração e louvor. O maior objetivo divino e o suprimento da maior necessidade humana são dependentes do caráter teantrópico do Cristo divino para a sua realização.

Se a união hipostática das duas naturezas em Cristo é sujeita a comentários superficiais, o propósito de Deus é frustrado em todos os aspectos, os homens ainda permanecem em seus pecados e condenação, o cristianismo se torna somente num paganismo refinado, e o mundo fica sem esperança. Repetindo: a questão aqui não é matéria de uma visão correta com relação à divindade ou humanidade de Cristo considerada separadamente; é antes uma matéria relativa ao Deus-homem – o que Ele é, por ser a pessoa teantrópica encarnada. Com reverência é dito que a divindade de Cristo, desacompanhada de sua humanidade, não poderia salvar o perdido, nem poderia a humanidade de Cristo, ao agir solitariamente, redimir. As questões envolvidas são tão grandes como o propósito eterno de Deus e tão imperativas quanto a necessidade de todas as almas perdidas combinadas.

Tão delicado é o ajustamento dessas duas naturezas de Cristo que enfatizar uma em prejuízo da outra é sacrificar a eficácia de tudo. É natural avaliar que a divina natureza de Cristo transcende em muito a natureza humana em dignidade, no Ser eterno, na glória intrínseca, que a importância da natureza humana quase desaparece por completo. Qualquer que possa ser a disparidade correta entre a divindade e a humanidade quando mantidas à parte e quando permanecem cada uma na representação de sua própria esfera, devem ser observadas a manifestação e a redenção, e muita coisa da glória futura reside em grande medida na humanidade de Cristo.

É igualmente natural supor que a natureza divina seja prejudicada em algum grau quando combinada com aquela que é humana, e a natureza humana, por ser exaltada com respeito a suas limitações exatas quando combinada com a natureza divina. O ensino das Escrituras serve para livrar o leitor de tais conclusões naturais. A divindade de Cristo não é diminuída por sua união em uma pessoa com aquilo que é a natureza humana não-caída, e a humanidade não-caída retém as suas limitações normais. A confusão e incerteza que se seguiram dessas naturezas foram sujeitas a alterações problemáticas que estão além de nossa avaliação.

É também natural concluir que a presença das duas naturezas deve resultar em duas personalidades. Isto não poderia acontecer, pois Cristo é sempre apresentado como uma pessoa, embora Ele seja a coalisão de duas qualidades tão diversas. Sobre esse aspecto tão profundamente importante deste tema, o Dr. B. B. Warfield escreveu com sua clareza costumeira:

Assim, a totalidade da literatura do Novo Testamento está firmada numa concepção única e invariável da constituição da pessoa de nosso Senhor. A partir de Mateus, onde Ele é apresentado como uma das pessoas da Trindade (28.19) – ou se preferirmos a ordem cronológica dos livros, da carta de Tiago onde é dito que Ele é a glória de Deus, o *shekinah* (2.1) – até o Apocalipse onde Ele é apresentado como o Alfa e o Ômega, o Primeiro e o Último, o Princípio e o Fim (1.8,17; 22.13), dele é consistentemente pensado como fundamentalmente Deus. Ao mesmo tempo, a partir dos evangelhos sinóticos, em que Ele é dramatizado como um homem que anda entre outros homens, e fica a sua humilhação registrada cuidadosamente, e o seu senso de dependência de Deus tão enfatizado em que a oração se torna quase que em sua ação mais característica, até as cartas de João nas quais se observa que um cristão confessa que Jesus veio em carne (1 Jo 4.2) e no Apocalipse em que o seu nascimento é da tribo de Judá e da casa de Davi (5.5; 22.16), a sua vida exemplar de conflito e vitória (3.21) e sua morte sobre a cruz (11.8) são observados, e que Ele é igual e consistentemente crido ser verdadeiro homem. Não obstante, do começo ao fim da série total de livros, enquanto que a primeira e então a outra de suas duas naturezas aparece em repetida proeminência, nunca há uma questão de conflito entre as duas, nunca há qualquer confusão no relacionamento das duas, nem qualquer cisma na sua ação pessoal unitária, mas Ele é obviamente considerado e apresentado como uma personalidade composta de fato, mas indivisível. Nesta situação podemos retirar evidências não somente da constituição

TRINITARIANISMO TEONTOLOGIA

da pessoa de nosso Senhor indiferentemente de cada parte do Novo Testamento, e citar texto acertadamente para dar suporte e explicar outras passagens sem referência à porção do Novo Testamento na qual ela está fundamentada, mas seria sem justificativa se empregássemos essa pressuposição comum de todo o conjunto desta literatura para ilustrar e explicar as várias representações que nos satisfazem superficialmente em suas páginas, representações que facilmente poderiam ser feitas para parecer mutuamente contraditórias onde elas não operam em harmonia por suas relações como partes componentes naturais dessa concepção unitária única que subjaz e dá consistência a todas elas. Raramente, pode ser imaginado uma prova melhor da verdade de uma doutrina do que o seu poder completo de harmonizar muitas afirmações que, sem ela, a nossa visão se apresentaria como uma massa de inconsistências confusas. Uma chave que se encaixa perfeitamente numa fechadura de proteção muito complicada dificilmente deixaria de ser a chave verdadeira.[209]

A verdade a respeito da pessoa complexa que Cristo é, está demonstrada no Novo Testamento. É obra do teólogo descobrir a sua ordem própria e discernir o seu significado preciso. Este não será o resultado se a opinião humana for introduzida. Alcançar uma avaliação correta da pessoa de Cristo foi o alvo dos maiores eruditos cujas conclusões foram cristalizadas nos credos. O símbolo de Calcedônia tem sido a norma do pensamento ortodoxo desde o seu esboço no quinto século. Está assim escrito:

"Fiéis aos santos pais, todos nós, perfeitamente unânimes, ensinamos que se deve confessar um só e mesmo Filho, nosso Senhor Jesus Cristo, perfeito quanto à divindade, e perfeito quanto à humanidade; verdadeiramente Deus e verdadeiramente homem, constando de alma racional e de corpo, consubstancial com o Pai, segundo a divindade, e consubstancial a nós, segundo a humanidade; em tudo semelhante a nós, excetuando o pecado; gerado segundo a divindade pelo Pai antes de todos os séculos, e nestes últimos dias, segundo a humanidade, por nós e para nossa salvação, nascido da virgem Maria; um e o mesmo Cristo, Filho, Senhor, Unigênito, que se deve confessar, em duas naturezas. A Estrutura da Doutrina a distinção da natureza de modo algum é anulada pela união, antes é preservada a propriedade de cada natureza, concorrendo para formar uma só pessoa e em uma subsistência; não separado nem dividido em duas pessoas, mas um só e o mesmo Filho, o Unigênito, Verbo de Deus, o Senhor Jesus Cristo, conforme os profetas desde o princípio acerca dele testemunharam, e o mesmo Senhor Jesus nos ensinou, e o credo dos santos pais nos transmitiu."[210]

A declaração feita na Confissão de Fé de Westminster está em harmonia com o Credo da Calcedônia, embora seja feita numa linguagem diferente. Ali está escrito:

"O Filho de Deus, a segunda pessoa da Trindade, sendo verdadeiro e eterno Deus, da mesma substância do Pai e igual a Ele, quando chegou o cumprimento do tempo, tomou sobre si a natureza humana com todas as suas propriedades essenciais e enfermidades comuns; contudo, sem pecado, sendo concebido pelo poder do Espírito Santo no ventre da Virgem Maria e da substância dela. As duas naturezas, inteiras, perfeitas e distintas – a divindade e a humanidade – foram inseparavelmente unidas em uma só pessoa, sem conversão, composição ou confusão; essa pessoa é verdadeiro Deus e verdadeiro homem; porém, um só Cristo, o único Mediador entre Deus e o homem." (Cap. VIII, ii).

Há pouca dúvida da parte de homens devotos de que a divindade de Cristo esteja sempre presente e que seja permanente. A humanidade, que se origina no tempo, é sujeita a muitas suposições, e somente a Palavra de Deus infalível deve ser seguida. Uma breve citação do Dr. W. Cunningham é cheia de significado:

Os elementos distintivos constituintes de um homem, de um ser humano, daquele que é possuído de uma natureza humana completa, são um corpo e uma alma unidos. Cristo tomou para si um verdadeiro corpo e uma alma racional, e Ele os reteve, e ainda os retém em toda a sua inteireza, e com todas as suas qualidades essenciais. Ele foi concebido pelo poder do Espírito Santo, no ventre da virgem Maria, "da substância dela", como é dito na Confissão de Fé e no Catecismo Maior; as palavras, "da substância dela", sendo pretendidas como uma negação de uma antiga heresia revivida por alguns anabatistas após a Reforma, com o sentido de que Ele foi concebido *em* Maria, mas não dela; e que Ele, como era, passou através do corpo dela sem derivar qualquer coisa da substância dela; e pretendida para asseverar, em oposição a essa noção, que ela contribuiu para a formação dos filhos dela. Por ter, assim, tomado um verdadeiro corpo, formado da substância da Virgem, Ele continuou sempre a retê-lo, como está manifesto na história total de sua vida, morte e no período que sucedeu sua ressurreição; e Ele a tem ainda à mão direita de Deus. Ele também tomou uma alma racional, possuída de todas as faculdades e capacidades ordinárias das almas de outros homens, inclusive um poder de volição, que é afirmado em oposição ao erro dos monotelitas. Vemos isso claramente manifesto na totalidade de sua história, tanto antes quanto após a sua morte e ressurreição; e as provas disso poderiam facilmente ser retiradas em detalhes num panorama do registro total que Deus nos deu a respeito de seu Filho.[211]

O Dr. John Miley prestou um grande serviço, ao traçar o desenvolvimento do pensamento cristológico através dos primeiros séculos. Embora longa, a porção é reproduzida aqui:

Na cristandade, mesmo desde o começo, Cristo foi o grande tema do Evangelho e a vida da experiência e a esperança cristã. Portanto, Ele não poderia deixar de ser sujeito a muitas cogitações. Nem poderiam tais cogitações se limitar às meditações meramente devocionais, mas inevitavelmente avançaram para o estudo de sua verdadeira natureza ou personalidade. Para a consciência cristã mais profunda, Cristo era o Salvador por causa de quem todo pecado é perdoado, e em cuja comunhão todas as ricas bênçãos de uma nova vida espiritual foram recebidas. Para tal consciência, Ele não poderia ser um mero homem. É verdade que na história de sua vida, Ele se manifestou na forma de homem e na posse de características humanas; ainda, para a consciência humana, Ele tem sido mais do que um homem. Mas quanto mais? e em quê mais? Tais perguntas não poderiam deixar de ser feitas; e nas próprias perguntas há uma busca do cristão por uma doutrina da pessoa de Cristo. Em tal movimento mental de muitas elocuções da Escritura quando elas lhe atribuem uma natureza mais elevada e perfeições mais elevadas do que o meramente humano poderia ter alcançado. Aqui é que a doutrina da pessoa de Cristo começa a tomar forma. Ele é humano, e, todavia, mais do que humano; é o Filho do Deus encarnado na natureza do homem; é humano e divino. O pensamento refletivo não poderia fazer uma pausa nesse estágio. Se Cristo é tanto divino quanto humano em suas naturezas, como estas naturezas se relacionam mutuamente? Qual é a influência de uma sobre a outra devido à sua conjunção ou união nele? É Cristo composto de duas pessoas de acordo com as suas duas naturezas, ou uma pessoa em união de duas naturezas? Tais perguntas foram inevitáveis. Nem poderiam elas permanecer sem resposta. As respostas foram dadas nas diferentes teorias da pessoa de Cristo que apareceram nos primeiros séculos do cristianismo. Não se deve estranhar que essas teorias tenham se diferido. A matéria é uma das mais profundas. Ela repousa no mistério da encarnação divina. O Filho divino envolve-se na natureza humana. Até aqui a afirmação da encarnação é fácil de ser feita; mas a afirmação nos deixa na superfície de uma realidade profunda. Com uma união meramente palpável ou simpática das duas naturezas, e conseqüentemente duas pessoas distintas em Cristo, a realidade da encarnação divina desaparece. Com as duas naturezas distintas, e as duas classes de fatos divinos e humanos, como pode Ele ser uma pessoa? É a natureza divina humanizada, ou a natureza humana deificada nele? Ou a união das duas naturezas resultou numa terceira natureza diferente de ambas, e assim proveu para a unidade de sua personalidade? As Escrituras não possuem uma resposta direta a essas perguntas. Elas nos dão muitos fatos cristológicos, mas de forma elementar, e deixa a construção da doutrina da pessoa de Cristo aos recursos do pensamento cristão. Logo, várias doutrinas foram elaboradas. Em cada caso a doutrina foi construída de acordo com o que foi visto como fato mais vital ou determinante da cristologia, com relação à pessoa de Cristo. Pontos de vista opostos e erros de doutrina foram o resultado. As disputas foram mais ou menos inevitáveis. O interesse do assunto foi tão profundo por teorias a serem sustentadas como opiniões meramente particulares, ou com indiferença pelas opiniões opostas. A luta causou um prejuízo sério para a vida cristã. Daí haver a necessidade de uma doutrina construída cuidadosamente da pessoa de Cristo; a necessidade dessa construção deveria ser a obra do melhor pensamento cristão, e isto deveria ser feito duma maneira que assegurasse a mais alta sanção moral da igreja.

A situação dos fatos descrita previamente exigia alguma ação da Igreja que pudesse corrigir ou, ao menos, mitigar os males existentes. Certamente havia necessidade de que os erros em cristologia fossem corrigidos e as partes opostas se reconciliassem. Um concílio que incorporasse o pensamento doutrinário mais verdadeiro da Igreja parecia ser a melhor agência para se alcançar esse fim. O Concílio de Calcedônia foi constituído adequadamente no ano 451 d.C. O Concílio de Nicéia esteve principalmente preocupado com a doutrina da Trindade. A doutrina construída clara e fortemente assevera a divindade verdadeira e essencial de Cristo, mas não expressava definitivamente algo com respeito à sua personalidade. Por mais de um século essa grande questão ainda permaneceu sem formulação doutrinária por um concílio que propriamente representasse a Igreja. A construção de tal doutrina foi uma obra especial do Concílio de Calcedônia. O assunto não era novo. Muita obra preparatória havia sido feita. Muitas mentes estavam em posse de tal doutrina, que já era a fé dominante da Igreja. Já havia tal preparação para a obra desse Concílio. Na verdade, a notável carta de Leão, o Papa de Roma, a Flaviano, Patriarca de Constantinopla, esboçou acurada e plenamente uma afirmação doutrinária da pessoa de Cristo, que pouca coisa restou para o Concílio, além de lançar o material no molde do seu próprio pensamento e publicá-lo sob a sanção moral da Igreja.[212]

II. Os Relacionamentos

Um método prático para o entendimento correto da pessoa teantrópica é através dos relacionamentos principais que Ele, como Deus-homem, manteve enquanto esteve aqui na terra. Eles são:

1. COM O PAI. Do lado divino do seu Ser, o Cristo de Deus sempre ocupou o lugar exaltado da comunhão com o Pai com base na igualdade — notadamente quando lemos a sua oração sacerdotal registrada em João 17.1-26; e toda referência à sua divindade sugere essa igualdade e unidade. Do lado humano do seu Ser, aquele que é inerentemente a relação da criatura com o Criador, é expresso de modo perfeito, a saber, na perfeita submissão à vontade do Pai. A obediência completa de Cristo ao Pai se deu mesmo na ocasião de dúvida com respeito à sua igualdade com o Pai. Forte ênfase é necessária nesse ponto, que reforça a verdade de que a sua atitude subserviente é totalmente uma função de sua humanidade. Na sua natureza divina havia, antes de mais nada, o *desejo* de ser o Obediente. Ele *voluntariamente* deixou a glória, e o exercício de sua volição precedeu a sua encarnação (Hb 10.4-7). Igualmente, Ele exercerá autoridade em todas as eras futuras por designação do Pai. Ele reina para sempre, mas com base na verdade de que toda autoridade lhe é entregue pelo Pai (Mt 28.18; Jo 5.27; 1 Co 15.24-28).

2. COM O ESPÍRITO. Outro aspecto difícil da revelação com respeito aos relacionamentos do Deus-homem reside na verdade de que Ele realizou os seus feitos poderosos pelo poder do Espírito Santo. Está escrito que o Espírito gerou a humanidade do Deus-homem (Lc 1.35); Ele desceu sobre Cristo (Mt 3.16); Ele encheu Cristo com o poder sem medida (Jo 3.34; cf. Lc 4.1); Cristo asseverou que suas obras foram operadas pelo Espírito Santo (Mt 12.28); e Ele se ofereceu pelo Espírito do Deus eterno (Hb 9.14). Essa dependência que Cristo tinha ao Espírito é um tema que deve ter um tratamento pleno quando estudarmos pneumatologia. Pode ser suficiente observar a esta altura que a humanidade de Cristo está novamente em pauta. Por ser igual ao Espírito, estava totalmente dentro do seu poder ministrar em cada obra poderosa, mas evidentemente complicaria mais os relacionamentos interiores de seu próprio Ser e o removeria de sua posição como Aquele que é um exemplo para os seus seguidores.

Os cristãos são privilegiados em servir no poder do Espírito; e assim o Cristo de Deus serviu, mas somente dentro da esfera de sua humanidade. Pode ser igualmente observado que a cooperação das pessoas da Trindade podem formar alguma base para esses relacionamentos. Em oposição à verdade de que Cristo operava pelo poder do Espírito, está a verdade correspondente de que o Espírito estava sujeito a Cristo, pois Ele enviou o Espírito ao mundo (Jo 16.7), que é uma prerrogativa divina; e o Espírito não origina uma mensagem de si próprio, mas fala somente o que Ele ouve, a saber, a mensagem de Cristo (Jo 16.13).

3. CONSIGO MESMO. Discussões intermináveis e opiniões muito variadas têm sido expressas com respeito à consciência que Cristo poderia ter tido de si próprio. Como poderia Ele saber e sentir o poder e a sabedoria da infinidade e, todavia, preservar aquilo que é normal à fraqueza e limitação humana? Como poderia Ele, ao mesmo tempo, conhecer e não conhecer? Como poderia Ele ser a fonte de todo poder e, todavia, ser inclinado e exposto à fragilidade humana? Se duas personalidades fossem predicados dEle, é concebível que uma, por ser divina, pudesse ser cônscia das coisas que pertencem àquela esfera enquanto que a outra, por ser humana, pudesse ser cônscia das coisas que lhe são restritas. A Palavra de Deus não sanciona a idéia de uma personalidade dual em Cristo. Quaisquer que possam ser as suas diversas capacidades, Ele permanece uma pessoa individual.

Obviamente, as considerações são dirigidas para o problema do desenvolvimento de Cristo desde a sua tenra infância até sua maturidade quando Ele se tornou consciente de sua divindade e, assim, assegurou-se de seus recursos ilimitados. Esta questão existe desde todas as gerações e parece apelar até para aqueles que mostram pouco interesse nos aspectos mais vitais do estudo cristológico. Um escritor recentemente sugeriu, e isso não é uma noção nova, que no tempo da encarnação a divindade de Cristo passou para um estado de coma do qual houve uma recobra gradual à medida que os anos se passavam.

Contudo, por mais sincero que esse autor possa ser, tal proposta não é nada menos do que um insulto à divindade de Cristo. Nenhuma verdade poderia ser mais estabelecida do que aquela que declara que a divindade, por ser imutável com relação a cada aspecto que participa da existência divina, nunca poderia ser sujeita a uma experiência de inconsciência, por menor que fosse.

A combinação da divindade consciente com a infância humana não constitui um problema maior do que a combinação da divindade com a humanidade, de forma alguma. Do lado divino do seu Ser – mesmo quando Ele existiu como um feto no ventre da Virgem – Ele poderia ter dado uma palavra de ordem e desfazer todas as coisas materiais, fazendo-as voltar ao nada de onde foram chamadas à existência. O campo de contraste entre as duas naturezas de Cristo está alargado, como parece às mentes finitas, quando o Criador de todas as coisas é contemplado como uma criança impotente nos braços de sua mãe. O mistério é o da própria encarnação, e é um problema de fé e não de entendimento.

Cristo estava longe de ser uma criança comum. Deve ser crido dEle que nunca pecou em sua infância, assim como em sua maturidade.

Do ponto de vista humano é muito difícil imaginar uma criança alcançar a idade da maturidade sem nunca ter pecado no sentido absoluto de que uma divindade não pode pecar. Maria tinha muitas coisas para "guardar no coração" e a pureza do seu filho era uma delas. A abordagem desta complexidade é muito freqüente e totalmente errada. É suposto que Cristo foi primeiro um infante humano que, em algum tempo de sua experiência, teve consciência de sua divindade. A verdade é que Ele era Deus desde toda a eternidade com uma consciência divina que nunca pode ser obscurecida, e, na experiência imutável da divindade, Ele tomou ou entrou nas esferas comuns o corpo, alma e espírito humanos. Evidentemente, para algumas mentes, Cristo era mais *antropoteístico* do que *teantrópico*. Em sua infância, como no período da gestação, Ele esperou a hora de uma manifestação plena; mas Ele sempre foi o Logos consciente de Deus que estava presente.

Qualquer que possa ter sido a solução do problema das duas vontades – a divina e a humana – em uma pessoa, o problema da consciência divina e humana em uma pessoa é ainda mais desconcertante. É somente um dos muitos enigmas. Como poderia Ele ser tentado quando Deus não pode ser tentado? Como poderia Ele morrer quando Deus não pode morrer? Estes são problemas que a mente finita não pode resolver. Certamente não há outro comparável a Ele. Ele é o "Deus manifesto em carne", a única pessoa teantrópica do Universo que sempre será observada. Por que, na verdade, deveria o homem ficar surpreso em não poder entender Deus? Ser surpreendido assim é ficar estupefato diante da revelação de que Deus é maior do que o homem.

4. Com os Anjos Eleitos e Caídos. Um campo muito vasto do relacionamento está indicado na Bíblia entre os anjos eleitos e o Senhor da Glória. Eles evidentemente o serviram e o observaram desde o seu nascimento até a sua ascensão. A encarnação do Criador deles e os eventos que conduziram a uma redenção perfeita foram da maior importância para os santos anjos.

Com respeito aos anjos caídos, surge um relacionamento que é mais ou menos paradoxal. O testemunho em relação a Ele é que Ele ordenou aos espíritos imundos com uma autoridade divina completa. Eles nunca resistiram a sua soberana vontade. Eles até previram os julgamentos vindouros sobre eles quando declararam: "Que temos nós contigo, Filho de Deus? Vieste aqui atormentar-nos antes do tempo?" (Mt 8.29). Todavia, de outro lado, Ele próprio foi testado por Satanás. Este teste estava totalmente dentro da esfera de sua humanidade e questões relacionadas que tinham a ver com a vontade do Pai para Ele. Em um exemplo, a sua divindade age de modos que são puramente divinos. Em outro exemplo, a sua humanidade, por ser o que era, está sujeita àquela forma peculiar de tentação. A resposta está toda selada na verdade de que Ele é a pessoa teantrópica – o Deus-homem.

5. COM A HUMANIDADE. Anteriormente já foi dada ênfase suficiente sobre a verdade da humanidade de Cristo. Ele é o *Emanuel* – Deus conosco, um membro da raça humana. Isto não significa que Aquele que *era* Deus, ou que "cessou" de ser Deus, que se fez carne; é o Deus manifesto em carne. Tivesse Ele cessado de ser Deus, ou tivesse Ele falhado em se tornar homem, Ele não poderia ter sido o Redentor Parente. Nenhuma honra maior já foi conferida à raça do que a que foi revelada na palavra *Emanuel*.

6. COM O PECADO E A NATUREZA PECAMINOSA. Neste relacionamento tudo é negativo no que diz respeito à pessoa de Jesus Cristo. Um tema muito grande é apresentado aqui e que pertence à soteriologia, por ser totalmente estranho nessa parte, quando é declarado que Ele se "fez pecado por nós" (2 Co 5.21). Com respeito à sua pessoa, é verdade que a sua humanidade era tão sem pecado como sua divindade. Como o homem antes da Queda, Ele é livre de uma natureza pecaminosa, mas é diferentemente verdadeiro que Ele nunca pecou. Com relação à natureza pecaminosa, Ele foi anunciado por um anjo, mesmo antes do seu nascimento como um "ente santo" (Lc 1.35), e em todos as coisas Ele foi tentado como um homem, exceto aquelas tentações que surgem da esfera da natureza pecaminosa (Hb 4.15). Com respeito ao fruto da natureza caída, Ele destemidamente desafiou seus inimigos, quando disse: "Quem dentre vós me convence de pecado?" (Jo 8.46). E ninguém em todas as gerações subseqüentes teve mais sucesso em lhe atribuir algum pecado. Embora vivesse entre os homens como um deles por 33 anos, Ele manteve a sua santidade em todos os sentidos.

A. A IMPECABILIDADE DE CRISTO. Uma questão séria, totalmente hipotética, todavia vital, surge sobre o fato de Cristo, por ser humano, tinha a capacidade de pecar. Era Ele pecável ou impecável? Aqui o fato da *unidade* de sua pessoa está envolvido e se torna, em grande medida, a chave para a solução do problema. Há aqueles que, ao desejar acentuar a realidade da humanidade de Cristo, têm pensado que Ele poderia ter pecado, e, aparentemente, sem a devida consideração por tudo o que está envolvido. Alguns têm tomado como base o fato de que, por ser Ele infinito em sabedoria e poder, *não pecaria*. Outros afirmam que, por ser Deus, Ele não *poderia* pecar.

No curso do argumento que esse problema gera, é essencial reconhecer que, como foi demonstrado no caso do primeiro Adão, um ser humano não-caído pode pecar; e disto pode ser raciocinado, se não houvesse outros fatores a serem considerados, que a humanidade não-caída de Cristo poderia ter pecado. É nessa altura que o erro entra. Se isolada e só, alega-se que a humanidade de Cristo, por ser sem apoio, poderia ter pecado contra Deus como fez o primeiro Adão. A falácia enganosa é que a humanidade de Cristo jamais poderia permanecer isolada e sem o suporte de sua divindade. Com Adão havia apenas uma natureza e ela não poderia permanecer de outra maneira senão isolada e sem suporte. A humanidade de Cristo não estava só, nem poderia estar divorciada de sua divindade, nem poderia jamais estar numa posição de responsabilidade sem envolvimento.

O Dr. W. G. T. Shedd tem usado uma ilustração com bom efeito de que um arme pode ser dobrado pela mão humana, mas quando soldado numa barra indobrável de aço, ele não pode ser dobrado. Se é argumentado que a humanidade de Cristo parecia agir separadamente em matéria de conhecimento, de fraqueza humana, e de limitações, isto pode ser admitido; todavia, não sem um lembrete de que, embora a sua humanidade possa parecer agir independentemente em certos modos que não envolvem questões morais, por causa da unidade de sua pessoa, sua humanidade não poderia pecar sem que necessariamente Deus pecasse. De tal conclusão todas as pessoas devotas devem fugir com santo temor. Em Deus não há treva alguma (1 Jo 1.5), nem há em Deus qualquer sombra ou variação de mudança (Tg 1.17).

Este problema vergonhoso é assim reduzido a uma questão simples sobre se Deus poderia pecar, pois Jesus Cristo é Deus. Se fosse admitido que Deus não pode pecar – não que meramente não *pecaria*, deveria ser admitido que Cristo não *poderia* – não meramente não *pecaria*. Falta somente observar que, visto que Ele é "o mesmo ontem, hoje, e eternamente (Hb 13.8), tivesse sido capaz de pecar na terra, ainda é capaz de pecar agora. Em tal situação, a posição do crente que permanece *em Cristo* deve também estar numa situação de profundo dano. É uma questão de uma pessoa teantrópica poder pecar. Quando assim visto, não pode haver base para uma discussão adicionar da parte daqueles que honram o Filho como eles honram o Pai (Jo 5.23).

A pessoa impecável do Cristo é bem demonstrada pelo Dr. Charles Lee Feinberg:

Primeiramente, a união hipostática deu ao mundo uma pessoa impecável. Este atributo de Cristo, observe, não é somente anamartesia, mas impecabilidade. Não é apenas uma matéria de *posse non peccare*, mas de *non posse peccare*. Não é suficiente dizer que Cristo não pecou; deve ser declarado inequivocamente que Ele não poderia pecar. Acalentar por um momento o pensamento de que Cristo poderia pecar, envolveria questões que justificam uma revolução radical em nossa concepção da divindade. Dizer que Cristo não poderia pecar não é equivalente a manter que Ele não poderia ser tentado. Porque era homem, poderia ser tentado; mas porque era Deus, não poderia pecar, porque não havia princípio em Cristo que poderia ou que responderia à solicitação do pecado. Quando Satanás tentou o Último Adão no deserto, Ele foi tentado e testado em todos os pontos

(1 Jo 2.16) como aconteceu com o primeiro Adão, e com a raça humana desde então; todavia, no caso de Cristo, sem pecado. O pecado como uma natureza inerente ou como um ato exterior foi estranho a Cristo. Lucas registra que o anjo revelou a Maria que dela seria nascido um ente santo que seria chamado Filho de Deus (Lc 1.35). A natureza hereditária do pecado que Maria havia recebido mediatamente de Adão através de seus progenitores não foi transmitida a Cristo por causa da sua concepção miraculosa através da operação do Espírito Santo. Cristo pôde desafiar posteriormente, não a seus amigos, mas a seus inimigos, que queriam convencê-lo de pecado (Jo 8.46). Ele sabia que quando o príncipe deste mundo viesse, este nada teria com Cristo (Jo 14.30). Paulo diz dele que Deus fez pecado por nós, aquele que nenhum pecado cometeu (2 Co 5.21). Embora tentado em todas as coisas como nós, Ele, não obstante, era sem pecado (Hb 4.15); na verdade, é-nos dito que Ele era santo, sem mancha, sem defeito e separado dos pecadores (Hb 7.26). Em resumo, o testemunho combinado da Escritura revela que nele não há pecado (1 Jo 3.5).[213]

7. Com os Que são Salvos. Tudo o que Cristo é para o cristão pode ser classificado tanto como benefício que flui de sua divindade, quanto benefício que flui de sua humanidade. Na esfera da redenção e tudo que resulta para aqueles que são salvos através do sangue de Cristo, a humanidade e a divindade estão tão proximamente relacionadas para serem facilmente separadas. Com respeito ao padrão, ideal e exemplo que Cristo é, tudo se origina em sua humanidade. Nenhum ser humano é solicitado a imitar Deus; é-lhe pedido para ser igual a Cristo, que se relaciona às perfeições humanas perfeitas e adoráveis de Cristo. Neste sentido o crente deveria ser santo visto que Deus é santo. Tudo isto se torna possível no cristão através do poder capacitador do Espírito Santo.

Conclusão

É obra do Espírito Santo tomar as coisas de Cristo e mostrá-las aos homens. À parte dessa revelação, Cristo sempre vai ser um confuso mistério. Um escritor liberal disse: "Ele era ao mesmo tempo humilde e orgulhoso, de mente aguçada e fraca, de visão clara e cego, de mente sóbria e fanático, com conhecimento profundo dos homens e sem auto conhecimento, claro em sua visão do presente, e cheio de sonhos fantásticos do futuro. Sua vida era, como Lepsius notavelmente disse: 'uma tragédia de fanatismo'". Esta declaração está muito longe da honra que inspirou os apóstolos, os quais viveram com Cristo, lhe atribuírem. Isto não é a adoração dos mártires que morreram por pura devoção ao seu Salvador, nem é ela a voz dos dignos santos e eruditos através de toda a história da Igreja sobre a terra. Desde os dias dos apóstolos, a pessoa teantrópica tem sido reconhecida e adorada em suas duas naturezas complexas.

O Dr. B. B. Warfield resume este tema numa maneira característica: "A doutrina das duas naturezas supre, numa palavra, a única solução possível dos enigmas da manifestação de vida do Jesus histórico. Ela se nos apresenta não como criador, mas como o solucionador de dificuldades – nisto, ao desempenhar o mesmo serviço ao pensamento que é feito por todas as doutrinas cristãs. Se olhamos para ela meramente como uma hipótese, ela chama a nossa atenção pela multiplicidade de fenômenos que a reduz à ordem e unifica, e neste nível mais baixo, também, ela se recomenda à nossa aceitação. Mas ela não nos vem meramente como uma hipótese. É a afirmação a respeito do Senhor de todas as primeiras testemunhas da fé cristã. É de fato o auto-testemunho do próprio Senhor, que nos revela o mistério do seu Ser. Para dizer de um modo breve, é a simples afirmação do 'fato de Jesus', como aquele acontecimento que nos é revelado em sua manifestação total. Podemos rejeitá-lo se quisermos, mas quando o rejeitamos, desprezamos o único Jesus real em favor de outro Jesus – que não é outro, mas é a criatura da pura fantasia. As alternativas com as quais estamos face a face, seja o Cristo da história que possui duas naturezas, ou seja [214] – uma grande ilusão".

Uma palavra adicional do Dr. Feinberg é de valor especial:

Para recapitular, então, temos buscado a nossa discussão na união hipostática em diversas linhas de pensamento – segundo o credo, na observação do curso do pensamento cristológico para mostrar o seu uso como uma base para o pensamento teológico posterior; com base nas profecias, a fim de mostrar a união a ser uma matéria definida de profecia; com base na história, a fim de estabelecer a apresentação escriturística da união como uma matéria indisputável da história; com base na crítica ou com base na análise, a fim de chamar a atenção para as implicações da doutrina, e finalmente, com base na função, a fim de tornar claras as conseqüências ou benefícios que fluem dessa união. Em conclusão, ficamos estupefatos na presença dessa grande coisa que Deus nos trouxe – a união hipostática com todos os seus mistérios insondáveis, todavia benefícios superabundantes – e quando nos lembramos de que este Deus-homem é o centro do propósito eterno e duplo de Deus em que Ele determinou na "dispensação da plenitude dos tempos, de fazer convergir em Cristo todas as coisas, tanto as que estão nos céus como as que estão na terra", proclamamos com Paulo: "Ó profundidade das riquezas, tanto da sabedoria, como da ciência de Deus!... Porque dele, e por ele, e para ele são todas as coisas; glória, pois, a ele eternamente. Amém" (Ef 1.10; Rm 11.33,36).[215]

A tudo isto podem ser acrescidas as palavras do apóstolo inspirado: "E, sem dúvida alguma, grande é o mistério da piedade: Aquele que se manifestou em carne, foi justificado em espírito, visto dos anjos, pregado entre os gentios, crido no mundo, e recebido acima na glória" (1 Tm 3.16); "Paulo, apóstolo de Cristo Jesus segundo o mandado de Deus, nosso Salvador, e de Cristo Jesus, esperança nossa" (1 Tm 1.1).

Capítulo XXVII

Deus o Espírito Santo

NA ABORDAGEM deste grande aspecto da doutrina bíblica, três determinantes considerações saltam imediatamente à vista, a saber:

(a) Embora seja o propósito desta obra aderir completamente ao costume dominante de tratar sob teontologia somente a pessoa e não a obra dos membros da Trindade, a revelação a respeito do Espírito – por ser Ele o Administrador dos empreendimentos divinos – está quase totalmente contida nas Escrituras que revelam alguma forma de sua atividade, e, portanto, alguma menção de tal atividade é inevitável.

(b) Visto que um volume todo será, todavia, dedicado à pneumatologia, apenas esta doutrina será introduzida aqui, que é essencial para a preparação do que virá posteriormente.

(c) Não é intenção nesta apresentação de Teologia Sistemática seguir um costume estabelecido, de negligenciar e, assim, desonrar o Espírito Santo em alguma medida; todavia, a esta altura, o leitor pode ser lembrado de que no campo da evidência no que diz respeito à divindade do Espírito, muitos dos mesmos argumentos, baseados em passagens similares das Escrituras já empregadas com relação à divindade do Filho, são pertinentes e apropriados aqui. Tal discussão dessa doutrina, da forma como é admitido neste trabalho a esta altura, seguirá uma divisão sétupla: (a) a personalidade do Espírito Santo, (b) a divindade do Espírito Santo; (c) o testemunho do Antigo Testamento; (d) o testemunho do Novo Testamento; (e) Seus títulos; (f) Seus relacionamentos, e (g) seu caráter adorável.

I. A Personalidade do Espírito Santo

Como o fardo do curso do raciocínio com respeito a Deus, o Filho centrou-se na sua pessoa teantrópica; de igual modo o fardo do curso de raciocínio a respeito do Espírito centra-se sobre o que pode ser conhecido a respeito de Sua pessoa, mas sem a complexidade que aparece quando a união das duas naturezas

A PERSONALIDADE DO ESPÍRITO SANTO

está envolvida. A questão é se o Espírito é realmente uma pessoa. Naturalmente, aqueles que se opõem à verdade de que Deus subsiste em três pessoas iguais foi sempre buscada para degradar o Espírito a uma mera influência, assim como procuraram degradar o Filho, ao considerá-lo como um mero homem. Tais opositores, e muitas pessoas não instruídas despreocupadamente se juntaram a eles, têm feito muito da verdade de que o termo *espírito* significa aquilo que é mais etéreo, por ser simbolizado pelo vento e pelo sopro.

Aqui será facilmente visto que seja qualquer o argumento, ele está baseado no mero fato da incorporeidade do Espírito Santo que também é aplicável a Deus o Pai e aos anjos. Abundante evidência tem sido apresentada para demonstrar que um ser não menos uma pessoa pelo simples fato de possuir um modo de existência incorpóreo. A corporeidade acrescenta muito pouco aos três elementos da personalidade: intelecto, sensibilidade e vontade. As seguintes passagens sugerem o caráter etéreo do Espírito: "O Espírito de Deus me fez, e o sopro do Todo-poderoso me dá vida" (Jó 33.4); "E havendo dito isto, assoprou sobre eles, e disse-lhes: Recebei o Espírito Santo" (Jo 20.22). Obviamente, estes textos asseveram que tanto a antiga criação das coisas materiais quanto a nova criação das realidades espirituais são o resultado da obra do Espírito como o sopro de Deus.

Sem dúvida, os atos criadores aqui mencionados são as obras supremas de Deus e estas dificilmente poderiam ser operadas pelo vento ou seu sopro como tal, nem poderiam elas ser operadas por qualquer influência impessoal procedente de Deus. De igual modo, a mesma réplica pode ser feita para aqueles que afirmam que o Espírito Santo é apenas um atributo de Deus. Nenhum atributo jamais funcionou como Criador, nem tiveram os atributos divinos qualquer coisa essencial da personalidade. A mera citação de passagem como João 16.13, que diz, "Quando vier, porém, aquele, o Espírito da verdade, ele vos guiará a toda a verdade; porque não falará por si mesmo, mas dirá o que tiver ouvido, e vos anunciará as coisas vindouras", contradiz a noção de que o Espírito não é mais do que um atributo divino (cf. Jo 14.16,17,26; 15.26; 16.7-15; Mt 28.19). Que a *sabedoria* é um título de Cristo usado no livro de Provérbios não é base sobre a qual Cristo pode ser diminuído a ponto de somente ser um atributo de Deus que é *sabedoria*.

Do mesmo modo está claro que, por causa do fato de o Espírito exercer *poder* e *influência*, não pode ser dito que Ele não é mais do que os atributos divinos que estas palavras representam. Duas passagens similares – Romanos 7.6 e 2 Coríntios 3.6 – têm sido consideradas por alguns como uma sugestão de que o Espírito é somente um atributo de Deus. Elas rezam assim: "Mas agora fomos libertos da lei, havendo morrido para aquilo em que estávamos retidos, para servirmos em novidade de espírito, e não na velhice da letra" (Rm 7.6); "o qual também nos capacitou para sermos ministros dum novo pacto, não da letra, mas do espírito; porque a letra mata, mas o espírito vivifica" (2 Co 3.6). Aqui estão em foco duas dispensações, a primeira dominada pela Lei que ministra a morte, e a presente dominada pelo Espírito que ministra vida.

A ciência chega às suas conclusões com base em fatos freqüentes. Se este procedimento for seguido relativamente à evidência existente sobre a personalidade do Espírito, será visto que Ele, o Administrador divino que sempre está em ação que mostra cada elemento da personalidade, tem o direito de ser reconhecido como uma pessoa mais do que qualquer outro. Qualquer citação de texto da Escritura agora seria supérflua, visto que, das centenas de referências ao Espírito que a Bíblia apresenta, qualquer uma delas servirá. A inclusão do Espírito distinta, separada e igualmente nas atribuições da Trindade – Pai, Filho e Espírito Santo –, e o fato de que Cristo referiu-se a Ele como outro Consolador, capaz de atuar em cada aspecto como realmente Ele tem atuado, serve para encerrar as dúvidas com respeito à personalidade do Espírito.

II. A Divindade do Espírito Santo

Alguns argumentos específicos e adicionais com respeito à divindade do Espírito – aqueles apresentados acima com respeito à divindade do Filho são argumentos que o Espírito compartilha – deveriam ser considerados. Estes podem ser estudados em quatro grupos gerais.

1. O ESPÍRITO SANTO É CHAMADO DEUS. No Antigo Testamento, o Espírito é chamado Jeová (Is 61.1). No Novo Testamento, Pedro acusa Ananias de ter mentido ao Espírito Santo, que ele declara ser uma mentira a Deus. O texto diz: "Disse então Pedro: Ananias, por que encheu Satanás o teu coração, para que mentisses ao Espírito Santo e retivesses parte do preço do terreno? Enquanto o possuías, não era teu? E vendido, não estava o preço em teu poder? Como, pois, formaste este desígnio em teu coração? Não mentiste aos homens, mas a Deus" (At 5.3,4). Assim, também, em 2 Coríntios 3.17 o Espírito é dito ser o *Senhor*, que é claramente um título de Jeová.

2. O ESPÍRITO SANTO É ASSOCIADO A DEUS. Como já foi observado, é uma verdade importante que o Espírito está associado ao Pai e ao Filho na igualdade do Ser, em posição e responsabilidade. Por razões totalmente irrelacionadas à posição ou capacidade das pessoas da divindade, ao Filho é dado o segundo lugar e ao Espírito o terceiro, uma ordem na qual a totalidade e a inteireza do título Deus aparecem no Novo Testamento. Toda característica da divindade pertence igualmente ao Espírito como ao Pai e ao Filho.

Sobre o relacionamento entre as pessoas da divindade, Richard Watson escreve, ao acrescentar uma citação longa do bispo John Pearson:

Com relação à *maneira* do seu ser, a doutrina ortodoxa é que, como Cristo é Deus pela Filiação eterna, assim o é o Espírito pela *processão* do Pai e do Filho. "Eu creio no Espírito Santo, o Senhor e doador da vida, que *procede* do Pai e do Filho, que, com o Pai e o Filho juntamente, é adorado e glorificado" (*Credo Niceno*). "O Espírito Santo é do Pai e do Filho; não foi criado, nem gerado, mas *procede* deles" (*Credo de Atanásio*). "O Espírito Santo, *procedendo* do Pai e do

Filho, é de uma substância, majestade, e glória, com o Pai e o Filho, verdadeiro e eterno Deus" (*Artigos da Igreja da Inglaterra*). A Igreja Latina introduziu o termo *espiração*, de *spiro*, soprar, para denotar a maneira dessa *processão*, sobre a qual o Dr. Owen observa: "Como o sopro vital de um homem tem uma emanação contínua dele, e todavia nunca é separado totalmente de sua pessoa, ou nem o abandona, assim o Espírito do Pai e do Filho procede deles por uma emanação contínua divina, ainda permanece um com eles". Sobre essa visão requintada pouca coisa pode ser dita que tenham autoridade escriturística tão óbvia; mas o próprio termo pelo qual a terceira pessoa na trindade é designada, vento ou sopro pode, com relação à terceira pessoa, ser designada, como o termo Filho é aplicado à segunda, para comunicar, mesmo que imperfeitamente, *alguma insinuação sobre aquela maneira de ser pela qual ambas são distintas* uma da outra, e do Pai; e foi uma ação notável de nosso Senhor, e uma ação que certamente não desaprova essa idéia, que quando Ele comunicou o Espírito a seus discípulos, "ele soprou sobre eles, e lhes disse: "Recebei o Espírito Santo" (Jo 20.22).

Mas seja o que for que possamos pensar com relação à doutrina da "*espiração*", a processão do Espírito Santo repousa sobre uma autoridade direta das Escrituras, e é assim afirmado pelo bispo Pearson:

"Ora, esta processão do Espírito, em referência ao Pai, é dita expressamente, em relação ao Filho, e está virtualmente contida nas Escrituras. Primeiramente, é expressamente dito que o Espírito Santo procede do Pai, como o nosso Salvador testifica: "Quando vier o Ajudador, que eu vos enviarei da parte do Pai, o Espírito da verdade, que do Pai procede, esse dará testemunho de mim" (Jo 15.26). E isto está também evidente daquilo que já foi afirmado: porque o Pai e o Espírito são o mesmo Deus, e por ser assim o mesmo na unidade da natureza de Deus, são todavia distintos com respeito à personalidade, um deles deve ter a mesma natureza do outro; e porque já foi mostrado que o Pai não a possui de ninguém, segue-se que o Espírito a possui dele próprio.

"Em segundo lugar, ainda que não expressamente afirmado na Escritura, o Espírito Santo procede do Pai e do Filho; todavia, a substância da mesma verdade está virtualmente contida aqui; por causa daquelas expressões, que são ditas do Espírito Santo em relação ao Pai, pela razão que Ele procede do Pai, é também dito do mesmo Espírito em relação ao Filho; e, portanto, deve haver a mesma razão pressuposta em referência ao Filho, que é expresso em referência ao Pai. Porque o Espírito procede do Pai; portanto, Ele é chamado de Espírito de Deus e Espírito do Pai. 'Porque não sois vós que falais, mas o Espírito de vosso Pai é que fala em vós' (Mt 10.20). Porque pela expressão do apóstolo, o Espírito de Deus é o Espírito que é de Deus, quando diz: 'As coisas de Deus, ninguém as compreendeu, senão o Espírito de Deus. Ora, nós não temos recebido o espírito do mundo, mas o Espírito que provém de Deus" (1 Co 2.11,12). Ora, o mesmo Espírito é também chamado

TRINITARIANISMO TEONTOLOGIA

de Espírito do Filho, pois "porque sois filhos, Deus enviou aos nossos corações o Espírito de seu Filho" (Gl 4.6 – o Espírito de Cristo); "Mas, se alguém não tem o Espírito de Cristo, esse tal não é dele" (Rm 8.9); "...o Espírito de Cristo que estava neles [profetas]" (1 Pe 1.11); o Espírito de Jesus Cristo, como o apóstolo fala, "porque sei que isto me resultará em salvação, pela vossa súplica e pelo socorro do Espírito de Jesus Cristo" (Fp 1.19). Se, então, o Espírito Santo é chamado o Espírito do Pai, porque Ele procede do Pai, segue-se que, sendo chamado o Espírito do Filho, Ele procede também do Filho.

"Além disso: porque o Espírito Santo procede do Pai, Ele é, portanto, enviado pelo Pai, de quem tem por comunicação original, um direito de missão; como "o Ajudador, que é o Espírito Santo, a quem o Pai enviará" (Jo 14.26). Mas o mesmo Espírito que é enviado pelo Pai é também enviado pelo Filho, como está dito: "Quando vier o Ajudador, que eu vos enviarei da parte do Pai" (Jo 15.26). Portanto, o Filho tem o mesmo direito de missão que o Pai, e conseqüentemente, deve ser reconhecido como comunicador da mesma essência. O Pai nunca é enviado pelo Filho, porque Ele não recebeu a divindade dEle; mas o Pai envia o Filho, porque Ele comunicou a divindade a Ele: de igual modo, nem o Pai nem o Filho são enviados pelo Espírito Santo, porque nenhum dos dois recebeu a natureza divina do Espírito; mas tanto o Pai quanto o Filho enviam o Espírito, porque a natureza divina, comum a ambos, Pai e Filho, foi comunicada por eles ao Espírito Santo. Como portanto as Escrituras declaram expressamente, que o Espírito procede do Pai, assim elas também virtualmente ensinam que Ele procede do Filho."[216]

3. Os Atributos de Deus São Predicados do Espírito Santo. O Espírito é *eterno* (Hb 9.14). Ele é *onipresente*, visto que é dito que Ele habita em todo crente (1 Co 6.19). Ele é *onisciente*. Ele é aquele que sonda todas as coisas, mesmo as profundezas de Deus (1 Co 2.10). Ele tem *majestade suprema*, pois entristecê-lo, menosprezá-lo ou blasfemar contra Ele, é pecado na sua forma mais séria. Ele dá vida (Jo 6.63). Ele inspira as Escrituras (2 Tm 3.16); Ele ensina (Jo 16.13); Ele regenera (Jo 3.6); Ele é o Espírito da "verdade", da "graça", e Ele é *santo*, honrado especialmente com esse título descritivo.

4. O Espírito Santo Pode Ser Blasfemado. Nenhum outro Ser além de Deus poderia ser objeto de blasfêmia, e no caso do Espírito e debaixo das circunstâncias que imperavam quando Cristo estava aqui na terra, o Espírito pode ser objeto de blasfêmia por se atribuir a Satanás as obras que foram operadas pelo Espírito Santo (Mt 12.31).

Pode ser concluído, então, que o Espírito é aquele que compartilha igualmente na Trindade e, embora o Filho e o Espírito mantenham relações específicas com respeito à *maneira* de sua posição, não se segue que o Filho ou o Espírito sejam alguma coisa menos em divindade do que o Pai. Essa conclusão está em harmonia com a totalidade da Palavra de Deus, que atribui ao Espírito honra igual com o Pai e com o Filho.

III. O Testemunho do Antigo Testamento

A esta altura, o progresso da doutrina que a Bíblia apresenta está novamente em evidência. Muita coisa concernente ao Espírito de Deus é descoberta no Antigo Testamento; mas, como no caso do Filho, ou mais exatamente, sobre a doutrina da Trindade, a revelação direta e completa do modo triúno de subsistência é reservado para o Novo Testamento. Com as revelações anteriores e mais limitadas e com o fardo que os crentes do Antigo Testamento tinham de manter a respeito da verdade monoteísta em sua pureza essencial, há razão suficiente para o fato de que a revelação plena do modo triúno de existência seja sustentado e revelado no tempo em que a segunda e terceira pessoas tiveram os seus ministérios plenamente revelados. Não obstante, a doutrina do Espírito Santo sofre menos mudança em passar de um Testamento para o outro do que com referência à doutrina do Filho.

Deve ser dado lugar ao caso da encarnação e da vida terrena do Filho e a todas as coisas que daí derivam, enquanto que o Espírito, à parte do fato dEle empreender atividades diferentes em diversas épocas, e está factualmente presente no mundo nesta era, Ele tem o mesmo modo essencial de Ser em todas as épocas. Embora muita verdade acrescentada a respeito do Espírito aguardava uma expressão mais ampla no Novo Testamento, o Antigo Testamento não deixou qualquer aspecto vital por anunciar.

O título pelo qual a terceira pessoa é mais comumente conhecida é confrontado nos versículos de abertura da Bíblia e sem introdução ou preparação. A sua pessoa e o seu poder estão pressupostos. Mas, conquanto a Bíblia seja verdadeira, será visto que vários livros do Antigo Testamento não fazem referência alguma ao Espírito; Ele aparece em cada livro do Novo Testamento, exceto Filemom, 2 e 3 João, e mais freqüentemente, na verdade, nos escritos do apóstolo Paulo do que em todo o Antigo Testamento.

Sobre a identidade do Espírito da forma como Ele é apresentado no Novo Testamento em harmonia com os registros do Antigo Testamento, o Dr. James Denney escreve: "Os apóstolos eram todos judeus – homens, como tem sido dito, que tinham o monoteísmo como uma paixão em seu sangue. Eles não cessaram de ser monoteístas quando se tornaram pregadores de Cristo, mas instintivamente conceberam Deus de um modo em que a antiga revelação não os tinha ensinado a concebê-lo... As distinções foram reconhecidas naquilo que tinha uma vez sido a simplicidade da natureza divina. A distinção de Pai e Filho foi a mais óbvia, e foi enriquecida, com base no próprio ensino de Cristo, e da real experiência da Igreja, pela distinção posterior do Espírito Santo."[217]

O Dr. B. B. Warfield de modo definitivo assevera:

Os escritores do Novo Testamento identificam o "Espírito Santo" deles com o "Espírito de Deus" dos livros antigos. Tudo o que é atribuído ao Espírito de Deus no Antigo Testamento, é atribuído por eles ao Espírito Santo pessoal deles. Foi o próprio Espírito Santo deles que foi o guia e diretor de Israel a quem Israel rejeitou quando eles resistiram a direção de Deus (At 7.51). Foi nEle que Cristo (sem dúvida na pessoa de Noé) pregou aos antediluvianos (1 Pe 3.19). Foi Ele o autor da fé dos antigos como a dos de agora (2 Co 4.13). Foi Ele que deu a Israel o seu serviço ritual (Hb 9.8). Foi Ele que falou em e através de Davi e Isaías e de todos os profetas (Mt 22.43; Mc 12.36; At 1.16; 28.25; Hb 3.7; 10.15). Se Zacarias (7.12) ou Neemias (9.20) nos diz que Jeová dos Exércitos enviou sua Palavra pelo seu Espírito pelas mãos dos profetas, Pedro nos diz que esses homens de Deus foram movidos pelo Espírito Santo para falar essas palavras (2 Pe 1.21), e até que foi especificamente o Espírito de Cristo que estava nos profetas (1 Pe 1.11). Somos assegurados de que foi em Jesus sobre quem o Espírito visivelmente havia descido, que as predições de Isaías foram cumpridas no sentido de que Jeová colocaria o seu Espírito sobre o seu servo justo (Is 42.1) e que (Is 61.1) o Espírito do Senhor Jeová estaria sobre Ele (Mt 12.18; Lc 4.18,19). E Pedro nos leva a observar a descida do Espírito Santo no Pentecostes como o cumprimento da promessa de Joel, de que Deus derramaria o seu Espírito sobre toda a carne (Jl 2.28,29; At 2.16). Não pode haver dúvida de que os escritores do Novo Testamento identificam o Espírito Santo do Novo Testamento com o Espírito de Deus do Antigo.[218]

Diversos escritores têm adotado uma divisão tríplice da ministração do Espírito como apresentada no Antigo Testamento. Essas ministrações, embora fora do raio de ação da teontologia, podem ser mencionadas aqui em apoio à afirmação de que o Espírito é da divindade e provado ser o que é por sua administração das coisas de Deus. Esta divisão tríplice é:

1. O Espírito Santo nos Empreendimentos Cósmicos. Desde o versículo de abertura até o final do Antigo Testamento há testemunho dado a respeito do Espírito Santo como o poder ativo em Deus que criou todas as coisas e por quem elas são sustentadas. A impressão que o texto comunica é a de que há um na divindade que é transcendente, que dá a voz de comando, que pode ser designado a *Palavra de Deus,* e um que executa o que é determinado. Deus disse: "Haja" (ou "seja feito"), e Aquele que produz todas as coisas fez com que tudo viesse a existir. Muita luz é lançada nos textos subseqüentes das Escrituras sobre esses eventos estupendos tão brevemente mencionados nos versículos iniciais de Gênesis.

No começo do Evangelho de João está declarado que o Verbo é Deus e que todas as coisas foram feitas por intermédio dEle. Essa narrativa confirma a verdade já insinuada, a saber, que pela ordenação do Verbo todas as coisas foram operadas, e operadas por Aquele que administra e executa a vontade e o propósito divinos. Assim, alguma base frágil é oferecida para a apreensão da verdade desconcertante de que cada uma daquelas pessoas que compreendem a Trindade atuaram separadamente como Criador. Assim, das pessoas da Trindade é dito que operaram na encarnação, na morte, e na ressurreição da segunda pessoa. De igual modo, elas são vistas como empenhadas na nova criação quando a alma do homem é nascida do Espírito para um relacionamento em Deus, seu Pai, e a base dessa salvação é a obra redentora do Filho.

Cada chamada divina à existência de alguma coisa é um ato criador e poderoso e é executado por Aquele que administra a vontade divina. Confirmação em textos posteriores da Escritura do testemunho do Antigo Testamento com relação à obra do Espírito na criação, em adição à narrativa de Gênesis 1.1,2, é de grande importância. Está escrito: "Pelo seu sopro ornou o céu; a sua mão traspassou a serpente veloz" (Jó 26.13); "Envias o teu fôlego ['espírito'], e são criados; e assim renovas a face da terra" (Sl 104.30); "O Espírito de Deus me fez, e o sopro do Todo-poderoso me dá vida" (Jó 33.4). Aqui, também, há evidência abundante demonstrada com relação à personalidade do Espírito que contraria a alegação do panteísmo, e Deus é visto como um ser tanto imanente quanto transcendente em sua relação com o mundo que Ele criou. A obra do Espírito na esfera do governo divino é, todavia, um dos aspectos mais pronunciados da doutrina do Antigo Testamento.

2. A Obra do Espírito Santo nas Coisas Governamentais. Esse tema vitalmente importante não deve ficar restrito ao mero governo dos homens no qual o Espírito assume uma grande parte; esse governo alcança, também, o governo divino de todas as coisas e contempla a autoridade de Deus que é exibida não somente na direção, mas na criação das realidades espirituais. Nesse ponto, o contraste entre o tempo antes da cruz e o tempo presente se torna óbvio. Naquele tempo o Espírito veio sobre os indivíduos aparentemente sem levar em conta qualificações pessoais; no tempo presente Ele tem uma presença permanente, pois habita em todos os que crêem.

Ao escrever sobre a autoridade e empreendimentos do Espírito, Oehler afirma: "Ele governa dentro da teocracia (Ne 9.20; Is 63.11; Ag 2.5), mas não como se todos os cidadãos da teocracia do Antigo Testamento como tal participassem neste Espírito, que Moisés expressa como um desejo (Nm 11.29), mas que é reservado para a comunidade futura da salvação (Jo 3.5). No Antigo Testamento a obra do Espírito no reino divino é antes a de *capacitar os órgãos da teocracia com os dons exigidos para o chamamento deles*, e aqueles dons de ofício no Antigo Testamento são semelhantes aos dons da graça no Novo Testamento (1 Co 12.ss)."[219]

A frase freqüentemente repetida, "o Espírito de Jeová veio sobre", caracterizou tantos que governaram e agiram diretamente por Deus. Isto é especialmente verdadeiro dos homens escolhidos que trabalharam na construção do Tabernáculo e do templo. A manifestação notável do Espírito sobre os homens do período do Antigo Testamento é aquela que é chamada o *Espírito de profecia*. Deus levantou os seus profetas em todas as gerações, mas poucos desses foram chamados a escrever e daqueles que escreveram não muitos foram designados para escrever a Escritura. A autoridade suprema do profeta foi reconhecida pelos reis e governadores. Outros homens podiam aplicar a lei, mas o profeta proclamava a lei de Deus que devia ser aplicada. O fato de que os profetas do Antigo Testamento foram especialmente dotados pelo

Espírito de Deus é afirmado no Novo Testamento: "Porque a profecia nunca foi produzida por vontade dos homens, mas os homens da parte de Deus falaram movidos pelo Espírito Santo" (2 Pe 1.21).

Duas passagens muitíssimo vitais tendem a revelar a elevada expectativa do povo com relação às provisões divinamente feitas: "...segundo o pacto que fiz convosco quando saístes do Egito, e o meu Espírito habita no meio de vós; não temais" (Ag 2.5); "Não por força nem por poder, mas pelo meu Espírito, diz o Senhor dos Exércitos" (Zc 4.6). Foi dentro de uma nação sagrada, Israel, que o poder divino operava, para proteger, instruir e conduzir, e tudo com a finalidade de que a vontade de Deus para o povo fosse realizada.

Como nos empreendimentos cósmicos que ficaram tão evidentemente fora das coisas operadas e para a confusão de todas as noções panteístas, igualmente, nos empreendimentos governamentais, o Espírito é visto como o soberano que usa materiais segundo o seu próprio desígnio e totalmente à parte da volição do instrumento. A sua ação é totalmente à parte dos dons naturais que o instrumento possa ter. Essa abordagem dos homens dessa maneira é enfatizada no fato de que o Espírito é dado a eles especificamente como procedente de Deus (Is 42.1). Deus enche os homens com o seu Espírito (Nm 11.25; Êx 28.3; 31.3). Esta é, como no caso do enchimento do Espírito no Novo Testamento, uma vinda *sobre* os homens (Jz 14.6, 19; 1 Sm 11.6). Assim, também, o Espírito "cai" sobre o profeta (Ez 11.5), e apodera-se de um homem (Jz 6.34).

Muita coisa disso está em forte contraste com o relacionamento do Novo Testamento, em que cada crente é um templo do Espírito e onde são ordenados a "serem cheios do Espírito", bênção essa que depende não da ação soberana divina, mas do ajustamento humano à vontade de Deus. Semelhantemente, o contraste é posteriormente visto naquela presença do Espírito no crente do Novo Testamento que não é meramente por um momento, correspondente à duração de algum empreendimento divino específico, mas é uma realidade permanente até o final do caminho do peregrino. É verdade que o Espírito operava imediatamente em e através de instrumento em cada ocasião ou necessidade.

A respeito desse aspecto da verdade, o Dr. A. B. Davidson escreve: "A visão que prevaleceu entre as pessoas – e parece a visão dos próprios escritores do Antigo Testamento – parece ter sido esta: o profeta não falou através de uma inspiração geral de Jeová, que lhe era concedida de uma vez por todas, a saber, em sua vocação; cada palavra particular que Ele falava, seja uma predição ou um conselho prático, era devido a uma inspiração especial, exercida sobre Ele para aquela ocasião."[220]

Nenhuma consideração sobre o aspecto governamental do Espírito em relação a Israel será completa que não contemple uma grande passagem messiânica na qual, como em nenhum outro lugar da Palavra de Deus, é ensinado que mesmo o reinado do Messias será exercido no poder do Espírito: "Então brotará um rebento do tronco de Jessé, e das suas raízes um renovo frutificará. E repousará sobre ele o Espírito do Senhor, o espírito de sabedoria e de entendimento, o espírito de conselho e de fortaleza, o espírito de conhecimento e de temor do Senhor. E deleitar-se-á no temor do Senhor; e não julgará segundo a vista dos seus olhos, nem decidirá segundo o ouvir dos seus ouvidos; mas julgará com justiça os pobres, e decidirá com eqüidade em defesa dos mansos da terra; e ferirá a terra com a vara de sua boca, e com o sopro dos seus lábios matará o ímpio" (Is 11.1-4).

Neste contexto, o Espírito é apresentado à sua plenitude sétupla, referência essa que não implica que haja sete espíritos separados, mas antes uma medida completa e plena de um Espírito.

É igualmente importante observar a expectativa que o Antigo Testamento concede sobre a relação do Espírito com Cristo durante o seu primeiro advento. Um texto registra essa previsão: "Eis aqui o meu servo, a quem sustenho; o meu escolhido, em quem se compraz a minha alma; pus o meu espírito sobre ele; ele trará justiça às nações. Não clamará, não se exaltará, nem fará ouvir a sua voz na rua. A cana trilhada, não a quebrará, nem apagará o pavio que fumega; em verdade trará a justiça; não faltará nem será quebrantado, até que ponha na terra a justiça; e as ilhas aguardarão a sua lei" (Is 42.1-4). Todavia, além disso, o profeta Isaías prevê tanto a primeira quanto a segunda vinda de Cristo e do Espírito de Jeová é dito que Ele está sobre Jesus em ambos os adventos.

A porção dessa predição que pertence especificamente ao primeiro advento é identificada e indicada pelo próprio Cristo, no registro que está em Lucas 4.16-21. A predição total na qual os dois adventos aparecem é como se segue: "O Espírito do Senhor Deus está sobre mim, porque o Senhor me ungiu para pregar boas-novas aos mansos; enviou-me a restaurar os contritos de coração, a proclamar liberdade aos cativos, e a abertura de prisão aos presos; a apregoar o ano aceitável do Senhor e o dia da vingança do nosso Deus; a consolar todos os tristes; a ordenar acerca dos que choram em Sião, que se lhes dê uma grinalda em vez de cinzas, óleo de gozo em vez de pranto, vestidos de louvor em vez de espírito angustiado; a fim de que se chamem árvores de justiça, plantação do Senhor, para que ele seja glorificado" (Is 61.1-3). Todavia, outra passagem do Antigo Testamento descreve a obra do Espírito em relação ao segundo advento e o estabelecimento do governo do Messias: "Acontecerá depois que derramarei o meu Espírito sobre toda a carne; vossos filhos e vossas filhas profetizarão, os vossos anciãos terão sonhos, os vossos mancebos terão visões; e também sobre os servos e sobre as servas naqueles dias derramarei o meu Espírito" (Jl 2.28,29).

3. O Espírito Santo na Relação com os Indivíduos. Enquanto na parte acima demos atenção à obra do Espírito no cosmos e no governo de Deus sobre Israel, tanto no passado quanto no futuro, essa terceira divisão relativa à obra do Espírito, como revelada no Antigo Testamento, é a respeito de sua relação com os indivíduos, na esfera da vida e da experiência deles. Uma doutrina sobre o Espírito Santo que abranja todo o ensino do Antigo Testamento não pode ser formulada com a mesma perfeição como acontece com o ensino no Novo Testamento. A doutrina da regeneração pelo Espírito veio como uma surpresa e espanto para Nicodemos. Não é dito que o Espírito habita nos santos do Antigo Testamento que foram considerados como o povo de Deus do pacto. Nem há qualquer palavra no Antigo Testamento relacionada ao *batismo* do Espírito, ministério pelo qual os crentes do Novo Testamento são juntados no corpo de Cristo.

O israelita começava por ser nascido numa relação de pacto com Jeová e a partir desse pacto ele era capaz de continuar numa relação correta com Jeová através de sacrifícios que eram, no evento do pecado, a base do perdão e da restauração. Que muitos santos do Antigo Testamento experimentaram uma profunda comunhão com Deus é demonstrado num número muito grande de indivíduos, muitos dos quais são mencionados em Hebreus 11.1-40. Um caso notável é o de Saul. Quando ele foi escolhido rei, Samuel declarou: "E o Espírito do Senhor se apoderará de ti, e profetizarás com eles, e serás transformado em outro homem... Ao virar Saul as costas para se apartar de Samuel, Deus lhe mudou o coração em outro; e todos esses sinais aconteceram naquele mesmo dia" (1 Sm 10.6, 9). Será lembrado que com toda essa capacitação divina, Saul falhou e o próprio Jeová declara, quando falou a Davi do reino de Salomão: "mas não retirarei dele a minha benignidade como a retirei de Saul, a quem tirei de diante de ti" (2 Sm 7.15). Que o Espírito uma vez dado poderia ser retirado é continuamente sugerido no Antigo Testamento (cf. Sl 51.11; Is 63.10, 11).

Visto que a era messiânica foi a grande expectativa dos profetas do Antigo Testamento, aquelas passagens que falam da relação do Espírito com os homens naquela época são introduzidas devidamente aqui. Os juízos de Israel serão "até que se derrame sobre nós o espírito lá do alto, e o deserto se torne em campo fértil, e o campo fértil seja reputado por um bosque" (Is 32.15). A promessa do reino é: "Porque derramarei água sobre o sedento, e correntes sobre a terra seca; derramarei o meu Espírito sobre a tua posteridade, e a minha bênção sobre a tua descendência" (Is 44.3); "Quanto a mim, este é o meu pacto com eles, diz o Senhor: o meu Espírito, que está sobre ti, e as minhas palavras, que pus na tua boca, não se desviarão da tua boca, nem da boca dos teus filhos, nem da boca dos filhos dos teus filhos, diz o Senhor, desde agora e para todo o sempre" (Is 59.21; cf. Ez 11.19; 18.31; 36.26; 37.14; 39.29).

Assim, também, Zacarias profetiza do mesmo povo e das mesmas condições do reino, da seguinte maneira: "Mas sobre a casa de Davi, e sobre os habitantes de Jerusalém, derramarei o espírito de graça e de súplicas; e olharão para aquele a quem traspassaram, e o pranteirão como quem pranteia por seu filho único; e chorarão amargamente por ele, como se chora pelo primogênito" (Zc 12.10; cf. Jl 2.28,29).

Ao concluirmos esta pesquisa do testemunho que o Antigo Testamento oferece sobre o Espírito Santo, a única questão que permanece é se o texto é suficientemente explícito para justificar a crença de que os santos do Antigo Testamento, por não possuírem outra Escritura além da que tinham, reconheciam essa pessoa distinta e separada da Trindade. Está dentro do escopo do ensino do Antigo Testamento introduzir a pessoa e obra do Espírito de forma que Ele pudesse ser visto com uma individualidade que pertence às pessoas da Trindade?

Nenhuma resposta melhor será encontrada do que aquela que o Dr. B. B. Warfield aponta, a saber:

Tal identificação não precisa envolver, contudo, a afirmação de que o Espírito de Deus era concebido no Antigo Testamento como o Espírito Santo o é no Novo, como uma hipóstase distinta na natureza divina. Se isto é assim, ou, se é assim em alguma medida, ou até que ponto pode ser verdadeiro, é um assunto para averiguação separada. O Espírito de Deus certamente age como uma pessoa e nos é apresentado como uma pessoa, através de todo o Antigo Testamento. Em nenhuma passagem Ele é concebido diferentemente de uma personalidade – como um ser livre, com vontade própria e com inteligência. Isto é, contudo, em si mesmo somente o testemunho penetrante das Escrituras com respeito à personalidade de Deus. Pois é igualmente verdadeiro que o Espírito de Deus em todo lugar do Antigo Testamento é identificado com Deus. Este é somente o seu testemunho penetrante da unidade divina. A questão para exame é até onde um Deus pessoal foi concebido como abrangente em sua unidade nas distinções hipostáticas. Esta questão é muito complicada e merece um tratamento muito delicado. Na verdade, há três questões inclusas numa geral, aquela que em nome da clareza devemos deixar de lado. Podemos perguntar: "Pode o cristão ver adequadamente no Espírito de Deus do Antigo Testamento o Espírito Santo pessoal do Novo?" Isto podemos responder imediatamente na afirmativa. Podemos perguntar novamente: "Há qualquer sugestão no Antigo Testamento que antecipa e prenuncia a revelação do Espírito hipostático do Novo?" Isto também, parece-me, poderia ser respondido na afirmativa. Podemos perguntar novamente: "Há qualquer sugestão de tal clareza que realmente revela essa doutrina, à parte da revelação do Novo Testamento?" Sem dúvida, essa pergunta deveria ser respondida na negativa. Há sugestões, e elas servem para pontos de junção para o ensino mais pleno do Novo Testamento. Mas elas são somente sugestões, e, à parte do ensino do Novo Testamento, seriam prontamente explicadas como objetivações ideais ou personificações do poder de Deus. Indubitavelmente, lado a lado com a ênfase posta sobre a unidade de Deus e a identidade do Espírito com o Deus que a dá, há uma distinção reconhecida entre Deus e seu Espírito – no sentido ao menos de uma discriminação entre Deus sobre tudo e Deus em tudo, entre o Doador e Aquele que é Doado, entre a Fonte e o Executor da lei moral. Esta distinção já emerge em Gênesis 1.2; e não se torna menos observável à medida que avançamos através do Antigo Testamento. É proeminente nas frases constantes pelas quais, de um lado, de Deus é dito como aquele que envia, coloca, derrama, e esvazia o homem do seu Espírito e, de outro lado, do Espírito é dito como aquele que vem, cai, é derramado sobre o homem. Há uma espécie de objetivação do Espírito em oposição a Deus em ambos os casos; no primeiro caso, por enviá-lo a Si mesmo, como se o separasse de Si mesmo; no outro caso, Ele aparece quase como uma pessoa distinta, ao agir mediante sua própria vontade.[221]

IV. O Testemunho do Novo Testamento

Qualquer que possa ter sido a força da revelação do Antigo Testamento com respeito ao Espírito Santo e que sob as limitações prescritas que um progresso divinamente articulado da doutrina tenha imposto, está evidente que a manifestação plena da sua personalidade e divindade, a importância plena de sua posição igual na divindade, e objetivo e o escopo específico em sua obra, estão declarados no Novo Testamento. Que a verdade concernente ao Espírito forma um tema principal em praticamente todo livro do Novo Testamento é um fato que deve agradar a todos os que estão interessados. Está fora do alcance do escopo desta presente discussão tentar a esta altura qualquer apresentação geral de tema tão vasto, exceto dizer, que, como assinalado acima, é o mesmo Espírito Santo que é revelado no Novo Testamento que aparece tão plenamente no Antigo Testamento, embora muito pouca verdade seja acrescida pela mensagem do Novo Testamento.

O progresso da doutrina está em evidência e nenhuma mudança na pessoa será considerada. Sem uma introdução expandida do Espírito, como o próprio Deus é visto no Novo Testamento na majestade plena de sua própria divina pessoa. Ele é apresentado como Aquele que está no mundo e que pela promessa tanto do Pai quanto do Filho (Jo 14.26; 16.7), Ele veio no dia de Pentecostes. Em razão da revelação do Antigo Testamento que afirma que Ele já estava no mundo, um problema surge a respeito do significado dessas promessas que Ele viria ao mundo. A resposta está escondida na distinção que se obtém entre uma *onipresença,* que é o modo da presença do Espírito no mundo antes do dia de Pentecostes, e a *residência* dele, que é o modo da presença do Espírito após o Pentecostes. Todavia, ocorre que aquela residência que está agora na Igreja, o templo de pedras vivas (Ef 2.18-22), definitivamente deixará o mundo quando o seu templo for removido; e ainda, após ser removido deste mundo como um residente, Ele ainda estará no mundo como o Onipresente.

Isto não constitui um procedimento novo, visto que o mesmo é verdadeiro da segunda pessoa que esteve primeiro no mundo no sentido onipresente e, após ter sido residente aqui por 33 anos, deixou o mundo, mas ainda permaneceu onipresente visto que Ele habita em cada crente (Cl 1.27) e está presente onde dois ou três se reúnem em seu nome (Mt 18.20).

V. Seus Títulos

É estranho, na verdade, que nenhum nome tenha sido revelado pelo qual o Espírito possa ser designado. Ele é, antes, diferenciado por títulos descritivos. O que se segue é apenas uma apresentação parcial dessas designações: "Espírito de vosso Pai" (Mt 10.20), "Espírito de Deus" (Mt 12.28); "Espírito do Senhor" (Lc 4.18); "Espírito Santo" (Lc 11.13); "Espírito da verdade" (Jo 14.17); "Espírito da vida" (Rm 8.2; Ap 11.11); "Espírito de adoção" (Rm 8.15); "O Senhor o Espírito" (2 Co 3.17); "Espírito do seu Filho" (Gl 4.6); "Espírito de Jesus Cristo" (Fp 1.19); "Espírito que nos tem dado" (1 Jo 3.24); "Espírito eterno" (Hb 9.14); "Espírito Santo da Promessa" (Ef 1.13); "O Espírito" (Jo 7.39); "o Consolador" (Jo 15.26); "o Espírito da glória" (1 Pe 4.14); "os sete espíritos" (Ap 1.4).

Nenhuma razão final pode ser encontrada para o fato de que somente títulos descritivos são usados com relação ao Espírito na Bíblia. Aquele que não fala *de si mesmo* como o originador de sua mensagem, mas declara o que lhe é dito pelo Filho (Jo 16.13,14) e, não obstante, e a despeito de toda a sua submissão nesta era, não é ninguém mais senão a pessoa gloriosa – a terceira na Trindade.

VI. Seus Relacionamentos

Aqui, uma vez mais, o curso deste tema conduz à obra do Espírito e, portanto, deve ser restrito a esta altura à mera sugestão com uma consideração antecipada mais ampla. Os relacionamentos do Espírito, quando considerados separadamente, podem servir para ampliar o que deveria ser apreendido com respeito a Ele:

1. COM O PAI. Do Espírito é declarado que Ele procede do Pai. Ele executa os desígnios do Pai. Os títulos amplos como "Espírito de Deus" e "O Espírito do vosso Pai", podem ser recebidos como referências Àquele que assim está relacionado ao Pai. Deus, que é Espírito (Jo 4.24), permite que seu Espírito venha sobre o Filho (Jo 3.34), e sobre todos os que crêem (Jo 7.39).

2. COM O FILHO. O relacionamento entre as segunda e terceira pessoas da Trindade introduz um tema ilimitado que abrange todas aquelas obras do Filho que foram operadas pelo poder do Espírito. É crido por alguns que Cristo realizou todas as suas obras poderosas pelo poder do Espírito e, assim, é um exemplo para os crentes que são designados para viver e servir pelo Espírito. A terceira pessoa é algumas vezes denominada de Espírito de Cristo (cf. Rm 8.9), título esse que evidentemente relaciona-o à segunda pessoa como Aquela a quem a segunda pessoa envia (Jo 16.7), e que executa o propósito e aplica os valores que surgem através da segunda pessoa.

3. Com o Mundo. Dois textos esclarecedores relacionam o Espírito ao mundo. Primeiro, 2 Tessalonicenses 2.6,7, que apresenta o Espírito, embora a identidade não seja diretamente afirmada, como o poder restringente presente no mundo. O texto é o seguinte: "E agora vós sabeis o que o detém para que a seu próprio tempo seja revelado. Pois o mistério da iniqüidade já opera; somente há um que agora o detém até que seja posto fora". O segundo texto, o de João 16.7-11, em que o Espírito é apresentado como Aquele que reprova ou ilumina o mundo com respeito ao pecado, justiça e juízo. Esta, parece-me, é uma obra do Espírito no coração de uma pessoa não-regenerada, que é a preparação essencial daquela pessoa para uma aceitação inteligente de Cristo como Salvador. Eis o texto: "Todavia, digo-vos a verdade, convém-vos que eu vá; pois se eu não for, o Ajudador não virá a vós; mas, se eu for, vo-lo enviarei. E quando ele vier, convencerá o mundo do pecado, da justiça e do juízo: do pecado, porque não crêem em mim; da justiça, porque vou para meu Pai, e não me vereis mais, e do juízo, porque o príncipe deste mundo já está julgado". Semelhantemente, como o mundo é um dos três maiores inimigos que o crente encontra, o Espírito é o poder capacitador que o livra da sedução deste século.

4. Com a Carne. A carne, com a sua natureza adâmica inerente, é dita ser "contrária" ao Espírito, e o seu "pendor" é contra o Espírito, assim como o "pendor" do Espírito é contra a carne. Assim, dois modos de andar totalmente diferentes, ou maneiras de vida estão indicados – o da carne e o do Espírito. É verdade que andar na carne é anular o poder do Espírito (Rm 8.6,13), e o andar no Espírito é anular as obras da carne (Rm 6.6; 8.4; Gl 5.16).

5. Com o Diabo. Novamente a esfera de conflito do cristão está em foco. Como no encontro com o mundo e a carne, a vitória é somente através do poder do Espírito. A passagem central – Efésios 6.10-17 – aponta para a verdade de que a vitória deve acontecer pelo fato de sermos "fortalecidos no Senhor e na força do seu poder", ao vestirmos a "armadura de Deus". A provisão completa está sugerida em 1 João 4.4: "Filhinhos, vós sois de Deus, e já os tendes vencido; porque maior é aquele que está em vós do que aquele que está no mundo".

6. Com os Cristãos. Os relacionamentos entre o Espírito e o cristão são característicos e de longo alcance. O Espírito regenera, habita e unge, batiza, sela, e enche, a fim de criar assim não somente os fatores essenciais que juntos tornam o cristão o que ele é, mas os capacita a andar dignamente da vocação em que foram chamados.

7. Com o Propósito Divino. Embora seja uma espécie de recapitulação, o último relacionamento a ser mencionado aqui abrange os empreendimentos imensuráveis do Espírito como Administrador e Executivo do propósito divino total desde o princípio até a sua consumação final em glória.

VII. Seu Caráter Adorável

Por razões específicas não reveladas, a terceira pessoa porta o título distintivo de *Santo* Espírito. Não poderia ser concluído com base alguma que as Escrituras afirmam que Ele é mais santo do que o Pai ou o Filho; antes, é uma ênfase que é dada ao seu caráter adorável. Há uma forte probabilidade de que, como Ele habita nos seres pecaminosos da terra, esse título impressivo seja empregado para haver um contraste. Com certeza aconteceu o mesmo com o Filho. Quando a segunda pessoa se tornou encarnada – ao relacionar-se assim com a humanidade – Ela foi descrita pelo anjo como um "ente santo" (Lc 1.35). Assim, a terceira pessoa, embora residente nos corações humanos, é ainda e sempre será o Espírito Santo de Deus.

Conclusão

Embora estranhamente desprezado, negligenciado e desconhecido, o Espírito é adorável, majestoso, sempre glorioso, membro igual da Trindade. Que Ele é desconsiderado não pode ser devido a qualquer falha da parte da Bíblia em declarar a sua pessoa, ou em demonstrar o caráter ilimitado e a importância infinita de sua obra. Naturalmente, o pensamento humano começa com a primeira pessoa e se estende à segunda pessoa, e é altamente provável que, após ter contemplado estas, o ponto de saturação é tão contiguamente alcançado que pouca capacidade resta para responder às alegações devidas da terceira pessoa na Trindade. Torna-se um dever solene de cada estudante da Palavra de Deus corrigir, tanto quanto possível, toda tendência de ignorar a verdade concernente ao Espírito, e pela oração e meditação chegar a uma percepção mais profunda de sua pessoa e presença.

Na verdade, reprovável é o cristão que não conhece alguns fatos relacionados com Aquele cujo templo Ele é. É verdade que o ministério do Espírito é glorificar a Cristo, mas não há garantia alguma da Palavra de Deus para a indignidade que um descaso comum pelo Espírito seja imposto sobre Ele.

Glória seja ao Pai, e ao Filho, e ao Espírito Santo; ...eternamente Amém

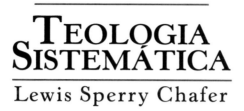

TEOLOGIA SISTEMÁTICA
Lewis Sperry Chafer

Volume 2

Angelologia - Antropologia
Hamartiologia

Lewis Sperry Chafer
D.D., Litt.D., Th.D.
Ex-presidente e professor de Teologia Sistemática no
Seminário Teológico em Dallas

ANGELOLOGIA

ANGELOLOGIA

ANGELOLOGIA

CAPÍTULO I

Introdução à Angelologia

A VERDADE DE QUE HÁ UMA ORDEM de seres celestiais totalmente distinta da humanidade e da divindade, que ocupa um estado exaltado acima da presente posição do homem caído, é o ensino de muitos textos da Escritura. Esses seres celestiais são mencionados ao menos 108 vezes no Antigo Testamento e 165 no Novo Testamento, e desse conjunto enorme de textos da Escritura o estudante pode construir a sua doutrina sobre os anjos.[222]

A designação *anjos* – seja *mal'ak* do hebraico do Antigo Testamento ou *angelos* do grego do Novo Testamento – significa 'mensageiro'. Esses seres executam o propósito de Deus, a quem servem. Os santos anjos são os mensageiros daquele que os criou, enquanto que os anjos caídos são os mensageiros de Satanás – "o deus deste século" – a quem eles escolheram servir. Os homens, também, são algumas vezes chamados 'mensageiros', como pode ser visto em Apocalipse 1.20, embora certos expositores, como Alford, afirmam que os seres espirituais são os mensageiros das sete igrejas da Ásia. O termo *anjo* não é somente *genérico*, no sentido em que ele é aplicado a todas as ordens de espíritos criados, mas ele é expressivo, também, do ofício ou do serviço deles.

Quando tratamos dos anjos, como em outras doutrinas, há algum campo para o exercício da razão. Visto que Deus é espírito (Jo 4.24), e não partilha de modo algum dos elementos materiais, é natural presumir que há seres criados que lembram Deus mais de perto do que as criaturas deste mundo que combinam tanto com o material quanto com o imaterial. Há um reino material, um reino animal, e um reino humano; assim, pode ser suposto que há um reino espiritual ou angelical. Contudo, a Angelologia não está baseada na razão ou em suposição, mas na revelação.

Desde que o Universo foi ordenado, não agradou a Deus dar ao homem qualquer comunicação com os anjos, nem qualquer consciência da presença deles; todavia, a Bíblia afirma que os anjos não somente observam os afazeres dos homens, mas que os anjos bons ministram para o bem-estar deles (Hb 1.14), e os anjos maus travam uma guerra contra aquilo que é operado por Deus no homem (Ef 6.12). A realidade da influência angelical nos afazeres do homem não é restrita a uma porção limitada da história humana. Está registrado que os anjos estão presentes desde a criação e serão atuantes até a eternidade vindoura. Sob uma abrangente quíntupla divisão das criaturas finitas de Deus, como elas existem agora, os anjos consistem de duas divisões, a saber, os anjos santos e os anjos caídos. A estes são acrescentados os gentios, os judeus e os cristãos. Contudo, todas as classes de seres, sem levar em conta a ordem ou tempo de começo, por serem originados e constituídos como são, continuarão dentro do seu grupo distintivo pela eternidade vindoura. Não há evidência de que outras ordens de seres finitos venham a ser introduzidas nesta época ou em épocas futuras.

Na Idade Média, uma especulação grotesca e sem proveito caracterizou a discussão da doutrina dos anjos, o que causou uma grande depreciação dessa parte da verdade até hoje. Sobre essas discussões, o Dr. Augustus Strong escreve: "Os escolásticos debateram as questões sobre como muitos anjos poderiam permanecer simultaneamente sobre a ponta de uma agulha (relação de anjos ao espaço); se um anjo poderia estar em dois lugares ao mesmo tempo; quão grande seria o intervalo entre a criação dos anjos e a queda deles; se o pecado do primeiro anjo causou o pecado do restante; se os que retiveram a sua integridade foram tantos quantos os que caíram; se a nossa atmosfera é o lugar de punição para os anjos caídos; se os anjos da guarda assumem a sua responsabilidade das crianças após o batismo, após o nascimento ou enquanto a criança ainda está no ventre de sua mãe".[223]

Assim, também, Rossetti diz de Dante: "A queda dos anjos rebeldes ele considera ter acontecido dentro de vinte segundos de sua criação, e ter se originado no orgulho que tornou Lúcifer indisposto a esperar o tempo prefixado pelo seu Criador para iluminá-lo com um conhecimento perfeito".[224]

A presença de seres espirituais tem sido reconhecida em quase todas as crenças religiosas. Sobre este fato, o Dr. William Cooke faz este comentário:

Na verdade, em quase todas as crença religiosas, antigas e modernas, podemos ver traços desses seres; nos aeons dos gnósticos, os demônios, os semideuses, os gênios, e os espíritos guardiões, que figuram tão amplamente nas teogonias, poemas e literatura geral da antigüidade pagã, encontramos evidência abundante de uma crença quase universal na existência de inteligências espirituais, que ocupam diferentes ordens entre o homem e seu Criador. Aqui, contudo, encontramos freqüentemente a verdade revestida de ficção e fatos distorcidos pelas loucas fantasias da mitologia. A doutrina dos pagãos, com respeito aos seres espirituais, pode ser assim brevemente afirmada. Eles crêem que as almas dos heróis que morrem e dos bons homens foram exaltadas para a esfera da dignidade e alegria. Esses eram chamados demônios, e supostamente eram empregados como mediadores entre a divindade suprema e o homem. Havia, entretanto, outra classe de demônios, que supostamente nunca habitaram os corpos mortais e destes, há duas espécies: os bons, que eram usados como guardiões dos homens bons; e os maus, que tinham inveja da alegria humana, e procuravam impedir a virtude deles e a efetuar a ruína deles. Nessas noções vemos um substrato da verdade; mas nas Escrituras temos a verdade em si, em sua pureza original, livre da corrupção das superstições e da imaginação licenciosa dos poetas; e a verdade é mais majestosa em sua simplicidade.

Os filósofos e poetas pagãos falaram freqüentemente do ministério dos seres espirituais. Sócrates contou de um bom demônio que o servia, dirigia e guiava-o através de suas admoestações. Platão ensinou que a espécie mais elevada de demônios, como os que nunca haviam habitado os corpos mortais, foram designados como guardiões dos homens. Mas o antigo Hesíodo atribui uma agência ministradora aos espíritos que uma vez haviam habitado os corpos mortais durante a era dourada, e fala deles como:

Espíritos etéreos, pelo grande desígnio de Júpiter,
Para serem sobre a terra os guardiões da raça;
Invisíveis aos olhos mortais eles vão
E marcam as nossas ações boas e más daqui debaixo;
Os espias imortais que presidem com olhar atento,
E vinte mil vezes eles circulam ao redor.
Eles podem recompensar com glória e com ouro,
um poder que eles possuem por permissão divina.

Temos aqui uma apresentação breve do sentimento geral sobre os ofícios desses seres superiores, que encontramos tão abundantemente amplificados na especulação dos filósofos, e nas ficções sonhadoras dos poetas. Mas com que firmeza andamos quando, ao deixarmos as teorias fugazes e os dramas divertidos dos pagãos, chegamos às verdades substanciais da revelação, e na narrativa da verdade simples ouvimos o que Deus nos tem dito e que os santos viram do mundo angelical.[225]

CAPÍTULO II

Fatos Gerais a Respeito dos Anjos

A DOUTRINA DOS ANJOS presta-se a doze divisões gerais, que agora vão ser examinadas:

I. Esferas Angelicais

Na abordagem da revelação bíblica com respeito aos seres angelicais, é necessário considerar a esfera mais ampla da totalidade do Universo e não a restrita com respeito aos marcos limitados desta terra. A astronomia moderna tem apresentado evidência da vastidão da criação material. Sistemas solares maiores do que este se estendem para além do alcance do poder humano de compreensão. Já se sabe da existência de outros sóis com tudo o que os cerca; estão distantes desta terra e do seu sol cerca de 30 a 60 bilhões de milhas.

Camille Flammarion afirma: "Então eu entendo que todas as estrelas que sempre têm sido observadas no céu, os milhões de pontos luminosos que constituem a Via Láctea, os inumeráveis corpos celestiais, sóis de toda magnitude e de todo grau de brilho, sistemas solares, planetas e satélites, que por milhões e centenas de milhões se sucedem um ao outro num vácuo ao redor de nós, que a linguagem humana designou como Universo, não representam no infinito mais do que um arquipélago de ilhas celestiais e não mais do que uma cidade no grande conjunto da população, uma cidade de maior ou menor importância. Nessa cidade de império ilimitado, nessa cidade de uma terra sem fronteiras, o nosso Sol e seu sistema representam um simples ponto, uma simples casa entre milhões de outras habitações. É nosso sistema solar um palácio ou uma choupana nessa grande cidade? Provavelmente uma choupana. E a terra? A terra é um quarto na mansão solar – uma pequena moradia, miseravelmente pequena".[226]

Desde os tempos mais antigos os homens têm considerado a questão sobre se a terra é o único planeta habitado. A ciência arrisca a fazer adivinhações, mas a Bíblia fala com autoridade sobre esse antigo problema. Está revelado que os anjos moram nas esferas celestiais e em números além da contagem humana. Eles estão reunidos em grupos que são identificados como tronos e domínios, principados e potestades, autoridades e hostes celestiais. Todavia, todos eles estão totalmente sujeitos ao Senhor Jesus Cristo que criou este universo e tudo o que ele contém, inclusive os seres angelicais. Ele criou "as coisas visíveis e as invisíveis" (Cl 1.16). Pedro declara que esses seres são sujeitos a Cristo (1 Pe 3.22). Nenhuma insinuação foi feita de que esses seres estejam limitados à esfera desta terra ou a qualquer parte restrita do universo.

Jesus disse: "Na casa de meu Pai há muitas moradas" (Jo 14.2). A "casa do Pai" não é nada menos que o Universo em que há muitas moradas. Judas assevera (v. 6) que os anjos têm os seus próprios lugares de morada. Sobre esta passagem o Dr. A. C. Gaebelein escreve: "Na epístola de Judas encontramos esta afirmação significativa: 'aos anjos que não guardaram o seu principado, mas deixaram a sua própria habitação, ele os tem reservado em prisões eternas na escuridão para o juízo do grande dia" (Jd 6). A única coisa que desejamos considerar é o fato de que esses anjos tinham 'a sua própria habitação'. Eles tinham um estado que lhes foi dado. Parece-nos conclusivo que os anjos têm habitações celestiais, lugares onde moram, de onde saem como ministros invisíveis de Deus".[227]

Hooker afirma: "Os anjos estão ligados por uma espécie de corporação entre si mesmos..." Considere os anjos de Deus associados, e a lei deles é aquela que os dispõem como um exército, um em ordem e grau acima de outro" (Lc 2.13; Mt 26.53; Hb 12.22).[228] Esta consideração é importante visto que é natural para os homens supor que a esfera humana forma um centro em volta do qual todas as outras ordens de seres são reunidas. A existência dos anjos antedata a existência da humanidade por eras sem conta, e o que é apropriado à comunidade unida e correlacionada dos anjos, e às realizações para as quais eles foram criados, tem sido continuamente executado sem referência à ordem inferior e posterior da subsistência humana, nem dependente dela. O significado das designações citadas acima – tronos, domínios, principados, potestades, autoridades – é pouco relacionado com as coisas deste mundo ou dependentes delas.

Esses termos expressam a cooperação entre os próprios anjos. Outra esfera de relacionamento é refletida, que é em si mesma tão vasta quanto o universo na qual ela reside e na qual funciona. Os seres angelicais são declarados como interessados nas coisas da terra e em algum serviço nessa direção; mas nenhuma revelação é dada com relação à extensão e a natureza dos fatos e das forças que constituem a realidade em que os anjos vivem, realidade essa que estava em ação nas eras anteriores à criação do homem. A Bíblia não se dirige aos anjos, nem entra numa descrição exaustiva do estado ou dos inter-relacionamentos deles. Está implícito, entretanto, que um vasto universo que o olho humano penetra apenas fracamente é habitado por inumeráveis seres espirituais, e que, depois de liberados das limitações desta esfera, os moradores da terra são iniciados nesses extensos domínios não para serem anjos, mas para entrar na esfera que a teleologia divina designou para eles.

A visão humana natural não é capaz de discernir a presença dos anjos, mas este fato não impugna a verdade de que os anjos estão ao redor de nós. Milton escreveu sua fantasia poética e não por inspiração: "Milhões de criaturas espirituais andam invisíveis pela terra, quando estamos acordados e quando dormimos".[229] Quando a visão natural do jovem de 2 Reis 6.17 foi aumentada, ele viu uma montanha cheia de cavalos e carruagens de fogo ao redor de Eliseu. Uma razão pela qual os anjos são apresentados como invisíveis aos olhos humanos pode ser aquela que, se fossem vistos, seriam adorados. O homem, que é tão propenso à idolatria como para adorar as obras de suas próprias mãos, dificilmente seria capaz de resistir à adoração de anjos se estivessem diante de seus olhos.

Paulo admoesta contra a "adoração de anjos" (Cl 2.18), e João testifica: "Eu João sou o que ouvi e vi estas coisas. E quando as ouvi e vi, prostrei-me aos pés do anjo que me mostrava, para o adorar. Mas ele me disse: Olha, não faças tal; porque eu sou conservo teu e de teus irmãos, os profetas, e dos que guardam as palavras deste livro. Adora a Deus" (Ap 22.8,9).

II. A Realidade dos Anjos

À luz de tanta revelação, as especulações do gnosticismo com respeito aos anjos devem ser rejeitadas. Os anjos são seres vivos da mais alta posição e da maior importância no Universo. Eles são mais do que meros poderes que emanam de Deus. Embora de modo algum independentes no sentido em que são auto-originados, auto-sustentados, ou capazes de auto-aniquilação, são seres morais livres e, nas eras passadas, mantiveram o seu próprio destino dentro do poder de sua própria escolha. Está revelado que alguns dos anjos "pecaram" e "não guardaram o seu estado original" (2 Pe 2.4; Jd 6). Das tremendas questões envolvidas e das eras extensas abarcadas pela história nessas breves declarações, nenhuma revelação completa é oferecida. Seja o que for que tenha ocorrido, não pode haver uma quebra da relação da criatura com o Criador, e, como está afirmado nas Escrituras, esses anjos caídos devem no final prestar contas Àquele que repudiaram (Ez 28.16,17; Mt 25.41). A suficiência dos anjos, igual a de todos os seres criados, vem somente de Deus. Eles vivem e movem-se em virtude da capacitação divina. Mesmo Miguel, o arcanjo, quando em controvérsia com Satanás, asseverou sua dependência de Deus (Jd 9).

III. A Relativa Importância de Anjos e Homens

As Escrituras sustentam que o homem foi "feito por um pouco menor do que os anjos" (Sl 8.4-5; Hb 2.6, 7). Se isto se refere ao estado, ou às qualidades inerentes ou essenciais, não está afirmado. É provável que os anjos sejam superiores ao homem em ambos os aspectos. Muita disputa houve nos dias primitivos sobre essa questão. Entre os escritores mais recentes, Martensen, com muitos outros, argumenta que os anjos são inferiores aos homens, enquanto que Dorner, com um grande grupo também, afirma que os anjos são superiores. A Bíblia afirma que o homem foi feito à imagem de Deus; esta palavra não é dita a respeito dos anjos. O homem possui um corpo material com as experiências que dele resultam; tal experiência não é dita pertencer aos anjos, embora seja evidente que os demônios procuram um corpo onde quer que seja possível.

Ao discursar sobre os anjos, o Dr. Gerhart escreve sobre a importância relativa dos anjos e homens: "O homem é um ser físico-espiritual, organicamente unido em sua constituição de corpo e alma. O corpo não é, como freqüentemente tem sido ensinado, um entrave para a alma ou uma degradação da humanidade, ou a imposição de uma penalidade. Ele é um elemento de dignidade, uma condição de vitalidade espiritual. Numa associação de corpo e alma em unidade indissolúvel, o homem fica conectado com dois mundos. De um lado, a organização corporal liga a vida humana, a personalidade humana com a matéria, com todas as suas forças e processos da natureza desde o seu início. De outro lado, a vida espiritual liga o homem ao domínio pré-mundano do Espírito. Conectado com a esfera celestial e com a economia da terra, a sua constituição o qualifica para ser o mediador entre o infinito e o finito, entre o celestial e o terrestre, o material e o espiritual, o representante de Deus em suas relações com o mundo, o órgão do mundo em suas relações com Deus. A revelação não concorda com essa posição de dignidade de qualquer uma das ordens dos espíritos angélicos".[230]

Martensen, em sua *Dogmatics*, afirma: "Embora o anjo, em relação ao homem, seja um espírito mais poderoso, o espírito do homem é não obstante o mais rico e o mais abrangente. Pois o anjo em todo o seu poder é somente a expressão de apenas uma de todas as fases que o homem, na natureza interior de sua alma, e a riqueza de sua própria individualidade, tencionou combinar num microcosmo perfeito e completo... É precisamente porque os anjos são somente espíritos, não almas, que eles não podem possuir a mesma existência rica do homem, cuja alma é o ponto de união em que o espírito e a natureza se encontram".[231]

Nenhuma consideração da importância relativa dos anjos, quando comparados ao homem, será completa quando falha em observar que o homem, embora agora afundado no "poço de perdição" e num "tremedal de lama" seja, quando redimido, elevado a um lugar seguro sobre a Rocha (Sl 40.2) e destinado a ser conformado à imagem de Cristo, cujo estado final estará muito acima do dos anjos. Há uma discrepância marcante no grande esforço de se estabelecer um contraste entre essas duas ordens da criação divina. A Bíblia é a única fonte de informação digna de confiança e é primariamente uma revelação aos homens de sua própria relação com Deus. Além da mera parte que os anjos têm nos afazeres dos homens, há pouca sugestão a respeito daquelas grandes esferas de atividade em que os anjos entram. A discussão não leva a uma conclusão satisfatória por falta de até um conhecimento elementar com respeito aos anjos.

IV. A Personalidade dos Anjos

A verdade sobre a personalidade dos anjos é também acompanhada de dificuldades. Não pode haver acordo a respeito da vaga afirmação de Martensen:

Há muitas espécies de espíritos debaixo dos céus, e por esta razão também muitos graus de espiritualidade e independência espiritual; e, portanto, podemos muito propriamente afirmar que os anjos estão divididos em classes... Se contemplamos os anjos em sua relação com a concepção da personalidade, podemos dizer: há poderes, cuja espiritualidade é tão distante do ser independente, que eles possuem somente uma personalidade representada; em resumo, são somente personificações. Possuem o mesmo caráter das tempestades e das chamas, que executam as ordens do Senhor... Existem outros poderes na criação que possuem um grau mais alto de espiritualidade, um estado intermediário de existência entre a personificação e a personalidade. Sob essa categoria podem ser classificados os poderes espirituais na história, por exemplo, os espíritos das nações e as deidades da mitologia... Mas se nesse assunto encontramos poderes na história, que pairam na região que fica entre a personalidade e a personificação, mais certo ainda é que a revelação reconhece uma terceira classe de poderes cósmicos que constituem um reino espiritual livre e pessoal.[232]

Embora possa variar o serviço ou a dignidade deles, não há sugestão na Bíblia de que alguns anjos são mais inteligentes do que outros. Todos os aspectos da personalidade são atribuídos aos anjos. Eles são seres individuais e, ainda que espíritos, experimentam emoções e prestam uma adoração inteligente (Sl 148.2). Contemplam com o devido entendimento a face do Pai (Mt 18.10); conhecem as suas limitações (Mt 24.36), sua inferioridade em relação ao Filho de Deus (Hb 1.4-14); e, no caso dos anjos caídos, conhecem a sua capacidade para o mal. Os anjos são indivíduos; todavia, algumas vezes aparecem numa condição separada, estão sujeitos às classificações e categorias variadas de importância.

V. A Criação e o Modo de Existência dos Anjos

É deduzido de Colossenses 1.16, 17 que todos os anjos foram criados simultaneamente. De igual modo, é deduzido que a criação dos anjos foi concluída naquele tempo e que nenhum mais será acrescentado ao seu número. Eles não são sujeitos à morte ou qualquer forma de extinção; entretanto, eles não diminuem como também não aumentam. O plano pelo qual a família humana é assegurada através da propagação não tem contraparte entre os anjos. Cada anjo, por ser uma criação direta de Deus, permanece numa relação imediata e pessoal com o Criador. A respeito da família humana, como ela vai se apresentar no mundo vindouro, Cristo disse: "...pois na ressurreição nem se casam nem se dão em casamento; mas serão como os anjos no céu" (Mt 22.28-30). Assim, pode ser concluído que não há aumento ou diminuição entre esses seres celestiais.

A existência de anjos é admitida nas Escrituras, e as Escrituras formam a única fonte de informação confiável sobre esses seres que, à parte de suas aparições sobrenaturais, não são permitidos se manifestar na esfera da consciência humana. Como o homem é a mais alta criação das esferas terrestres, assim os anjos são a mais alta criação das esferas mais amplas descritas em Colossenses 1.16,17, onde está escrito: "Porque nele foram criadas todas as coisas nos céus e na terra, as visíveis e as invisíveis, sejam tronos, sejam dominações, sejam principados, sejam potestades; tudo foi criado por ele e para ele. Ele é antes de todas as coisas, e nele subsistem todas as coisas". Os anjos, em comum com todos os outros seres morais, foram criados por Cristo e para Cristo, de modo que permanecem para sempre para o louvor de sua glória.

Embora alguns seres humanos e certos anjos agora recusem adoração a Deus, a maior parte dos anjos está diante do trono em adoração incessante. Não é uma questão muito importante nos conselhos divinos que certas criaturas caídas no pecado se neguem a uma expressão de louvor Àquele a quem toda honra é devida. Esse repúdio pode não permanecer para sempre. É gratificante ler que, em seu reinado, Cristo derrubará todo governo e autoridade, e que, no final da presente era, pelo ministério dos anjos, Ele excluirá das esferas humanas todas as coisas ofensivas. A respeito da disposição da inimizade nas altas esferas é dito: "Pois é necessário que ele reine até que haja posto todos os inimigos debaixo de seus pés. Ora, o último inimigo a ser destruído é a morte" (1 Co 15.25, 26); enquanto a respeito da disposição do inimigo nas esferas mais baixas está escrito: "Mandará o Filho do homem os seus anjos, e eles ajuntarão do seu reino todos os que servem de tropeço, e os que praticam a iniqüidade, e vai lançá-los na fornalha de fogo; ali haverá choro e ranger de dentes" (Mt 13.41-43).

Quando comparados à existência humana e animal, dos anjos pode ser dito que são incorpóreos, mas somente no sentido de que eles não mantêm uma organização mortal. As Escrituras sugerem que os anjos têm uma forma localizada. Deus é um espírito; todavia, quando se dirige aos judeus, Cristo disse do Pai: "Vós nunca ouvistes a sua voz, nem vistes a sua forma" (Jo 5.37; cf. Êx 33.23; Ez 1.1-28; Sl 104.1, 2). É essencial para um espírito que ele tenha uma forma localizada, determinada e espiritual. Muito freqüentemente o problema é confuso pela imposição aos seres espirituais de limitações que pertencem aos humanos. Para os santos no céu há a promessa de um "corpo espiritual" – um corpo adaptado ao espírito do homem (1 Co 15.44). Na verdade, esse é o corpo do Senhor glorificado (Fp 3.21).

Há muitas espécies de corpos mesmo sobre a terra, assinala o apóstolo (1 Co 15.39,40), e continua a afirmar: "Há também corpos celestiais e corpos terrestres". É pequena a evidência de que não haja corpos celestiais, se a questão repousa no fato de o homem não ter o poder para discernir tais corpos. Os espíritos têm uma forma definida de organização que é adaptada à lei da existência deles. Eles são ambos: finitos e espaciais. Tudo isto pode ser verdadeiro embora estejam muito longe da economia deste mundo. São capazes de abordar a esfera da vida humana, mas isto de modo algum impõe sobre eles a conformidade com a existência humana. A aparição de anjos pode existir, quando a ocasião exige, que tomam a forma de homens, de modo que passam como homens. Como, doutra maneira, poderíamos explicar que alguns "sem o saber hospedaram anjos" (Hb 13.2)? Por outro lado, a aparição deles é algumas vezes num branco reluzente e numa glória resplandecente (Mt 28.2-4). Quando Cristo declarou: "...um espírito não tem carne e ossos como vede que eu tenho" (Lc 24.37-39), Ele não sugeria de forma alguma que um espírito não tenha corpo, mas, antes, que têm corpos que na sua constituição são diferentes do corpo dos homens.

De uma maneira prudente e discreta o Dr. William Cooke examinou o campo complicado da verdade relativa à natureza e corporeidade dos anjos, da seguinte forma:

No Antigo Testamento o salmista os chama de espíritos – *que fazes os anjos espíritos* (Sl 104.4). E no Novo Testamento eles são designados pelo mesmo termo – *Não são todos eles espíritos ministradores* (Hb 1.14). Aqui, contudo, uma pergunta surge – são os anjos tão espirituais a ponto de serem absolutamente imateriais como Deus? ou são mantidos numa estrutura material refinada? Opiniões dos antigos e modernos estão muito divididas neste assunto. Atanásio, Basílio, Gregório, Niceno, Cirilo e Crisóstomo sustentaram que os anjos são absolutamente imateriais; mas Clemente de Alexandria, Orígenes, Cesário e Tertuliano, entre os pais mais antigos, pensaram que esses seres são formados de uma estrutura material refinada. O termo espírito, aplicado a eles, de si mesmo não decide absolutamente a questão; pois como essa palavra no hebraico e no grego é primariamente um termo material, e indica vento, ar, ou sopro, sem se fazer violência a ela, pode ser aplicada tanto para um espírito puro quanto para uma natureza material refinada. É verdade que, nas aparições dos anjos aos homens, eles assumiram uma forma humana visível. Este fato, contudo, não prova a materialidade deles; pois os espíritos humanos no estado intermediário, embora desincorporados, têm aparecido na comunicação com os homens numa forma humana material: no monte da Transfiguração, Moisés, assim como Elias, foi reconhecido como um homem; e os que apareceram e conversaram com João, no Apocalipse, tinham uma forma humana (Ap 5.5; 7.13). Todavia, tais aparições não podem definitivamente decidir a questão. Teologicamente, não há discordância ou improvável na suposição de que os anjos são revestidos de uma natureza material refinada. O céu é indubitavelmente adequado como um habitat para tais seres. Enoque e Elias tiveram seus corpos e suas almas elevados ao céu pela trasladação; a humanidade glorificada de nosso Senhor está entronizada ali; e os anjos, embora revestidos de uma estrutura material, podem morar nos esplendores da presença divina... Todavia, como é uma lei de adaptação, nenhuma materialidade bruta, como "carne e sangue", pode entrar naquela região abençoada, segue-se que se os anjos são revestidos de uma estrutura material, ela deve ser tão refinada em sua natureza que exclui tudo o que envolve a possibilidade de declínio, e qualquer organização com apetites e desejos animais. O próprio nosso Senhor decidiu isso, por afirmar que os seres humanos no céu não se casam nem se dão em casamento, mas são como anjos no céu (Mt 22.30). Nesta comparação entre o estado final dos justos e o presente estado dos anjos, temos um vislumbre da condição de ambos. O nosso tema fica investido de maior interesse quando sabemos que os seres exaltados com quem haveremos de viver para sempre têm uma natureza muito em comum com a nossa; é ainda mais interessante saber que nos atributos mais elevados tanto dos anjos quanto dos homens, muita coisa relembra a natureza humana de Cristo.[233]

A arte medieval apegou-se à narrativa (Dn 9.21) que descreve um anjo "voando rapidamente" como a base para colocar asas sobre todos os seres angelicais. Contudo, é verdade que os querubins, serafins, ou seres viventes são referidos como possuidores de asas. E, assim, o querubim aparece na imagem dourada acima da arca do propiciatório. Os anjos locomovem-se de uma localidade para outra com incrível velocidade (Dn 9.21).

VI. A Morada dos Anjos

A morada dos anjos é igualmente um assunto definitivo de revelação. Uma insinuação já foi registrada anteriormente sobre a verdade de que o Universo todo é habitado por inumeráveis hostes de seres espirituais. Essa vasta ordem de seres com todas as suas classificações tem morada e centros fixos para as suas atividades. Pelo uso da frase "os anjos que estão no céu" (Mc 13.32), Cristo definitivamente assevera que os anjos habitam as esferas celestiais. Paulo escreve "ainda que um anjo do céu" (Gl 1.8), e "do qual toda família nos céus e na terra toma o nome" (Ef 3.15). Igualmente, na oração que Cristo ensinou aos seus discípulos, eles foram instruídos a dizer: "Seja feita a tua vontade assim na terra como no céu" (Mt 6.10).

O Dr. A. C. Gaebelein escreveu sobre a morada dos anjos:

No hebraico, a palavra céu está no plural, "os céus". A Bíblia fala de três céus, o terceiro céu é o céu dos céus, o lugar de morada de Deus, onde o seu trono sempre esteve. O tabernáculo possuído por seu povo

ANGELOLOGIA

terrestre, Israel, era um padrão dos céus. Do monte, Moisés havia olhado para os vastos céus e havia visto três céus. Ele não possuía telescópio. Mas o próprio Deus mostrou a ele os mistérios dos céus. Então Deus advertiu-o quando ele estava para fazer o tabernáculo, ao dizer-lhe: "Olha, faze tudo conforme o modelo que no monte se te mostrou" (Hb 8.5). O tabernáculo possuía três compartimentos, o átrio exterior, a parte santa e o lugar santíssimo. Uma vez por ano o sumo sacerdote entrava nesse lugar terreno de adoração, ao passar pelo átrio externo, pela parte santa e, finalmente, ele entrava no lugar santíssimo para aspergir o sangue sacrificial na presença santa de Jeová. Mas Arão era somente um tipo dAquele que era maior do que ele, o verdadeiro sumo sacerdote. Dele, o verdadeiro Sacerdote, nosso Senhor e Salvador Jesus Cristo, está escrito que *penetrou os céus* (Hb 4.14). "Pois Cristo não entrou num santuário feito por mãos, figura do verdadeiro, mas no próprio céu, para agora comparecer por nós perante a face de Deus" (Hb 9.24). Ele penetrou os céus, o átrio exterior, o céu que circunda a terra; a parte santa, os imensos universos, com sua distância imensurável, e finalmente entrou no terceiro céu, aquele céu que a astronomia sabe que existe, mas que nenhum telescópio consegue alcançar. Nos lugares celestiais, conforme a carta aos Efésios, estão os principados e as potestades, um exército inumerável de anjos. A morada deles está nesses céus. Deus os criou, e os fez espíritos e os revestiu de corpos adaptados à sua natureza espiritual, mas também lhes atribuiu lugares de morada... É também significativo e importante que a frase "o exército dos céus" pode ser entendida tanto como estrelas quanto como exército de anjos; o "Senhor dos exércitos" tem também esse significado duplo, pois Ele é o Senhor das estrelas e o Senhor dos anjos.[234]

VII. O Número dos Anjos

A alusão ao número dos anjos é um dos superlativos da Bíblia. Eles são ali descritos como multidões "que nenhum homem poderia contar". É razoável concluir que há tantos seres espirituais em existência quanto tem havido de seres humanos em toda história da terra. É significativo que como a frase "as hostes do céu" descreve tanto as estrelas materiais quanto os anjos, estes últimos possam ser tantos como o número dos primeiros (Gn 15.5).

Cito aqui o Dr. Cooke, onde ele reúne o testemunho bíblico sobre o número dos anjos:

Ouça o que Miquéias diz: "Vi o Senhor assentado no seu trono, e todo o exército celestial em pé junto a ele, à sua direita e à sua esquerda" (1 Rs 22.19).

Ouça o que Davi diz: "Os carros de Deus são miríades, milhares de milhares. O Senhor está no meio deles, como em Sinai, no santuário" (Sl 68.17). Eliseu viu uma separação desses seres celestiais, enviados para serem seus salva-guardas: "...e eis que o monte estava cheio de cavalos e carros de fogo em redor de Eliseu" (2 Rs 6.17). Ouça o que Daniel viu: "Milhares de milhares o serviam, e miríades de miríades assistiam diante dele" (Dn 7.10). Eis o que os atentos pastores viram e ouviram na noite do anúncio do nascimento do Redentor: "Então, de repente, apareceu junto ao anjo grande multidão da milícia celestial, louvando a Deus..." (Lc 2.13). Ouça o que Jesus diz: "Ou pensas tu que eu não poderia rogar a meu Pai, e que ele não me mandaria agora mesmo mais de doze legiões de anjos?" (Mt 26.53). Observe novamente o magnificente espetáculo que João viu e ouviu quando olhava para o mundo celestial: "E olhei, e ouvi a voz de muitos anjos ao redor do trono e dos seres viventes e dos anciãos; e o número deles era miríades de miríades e milhares de milhares" (Ap 5.11). Se esses números forem tomados literalmente, eles indicam 202 milhões; todavia, eles são somente uma parte do exército celestial. É provável, contudo, que essas figuras não fossem pretendidas para indicar qualquer número exato, mas para indicar que a multidão era imensa, além do que os homens podem contar. Por isso, em Hebreus 12.22 lemos não a respeito de qualquer número limitado e definido, conquanto grande, mas de "miríades de anjos".[235]

VIII. O Poder dos Anjos

O que é verdadeiro de todas as criaturas relativo ao poder que elas exercem, é igualmente verdadeiro dos anjos: o poder deles é derivado de Deus. O poder deles, conquanto grande, é restrito. Eles são incapazes de fazer aquelas coisas que são peculiares da divindade – criar, ação sem o uso de meios, ou sondar o coração humano. Eles podem influenciar a mente humana como uma criatura pode influenciar outra. O conhecimento dessa verdade é de grande importância quando, mais tarde, considerações serão feitas à ascendência que os espíritos malignos podem exercer sobre os seres humanos. Será verificado que os seres humanos são capazes de impedir a influência de espíritos malignos somente por capacitação divina (Ef 6.10-12; 1 Jo 4.4). Mesmo um anjo pode reivindicar assistência divina quando em conflito com outro ser celestial (Jd 9). Em sua mesma maneira abrangente, o Dr. Cooke escreve a respeito do poder angelical:

As expressões "anjo forte" e "anjo poderoso" encontramos no Apocalipse. O nome Gabriel significa *o poderoso de Deus;* e entre as designações das ordens angelicais encontramos a que se chama poderes ($\delta\upsilon\nu\acute{\alpha}\mu\epsilon\iota\varsigma$). O atributo de poder extraordinário pertence às naturezas angelicais em geral, como aprendemos no ensino de Davi, que exclama: "Bendizei ao Senhor, vós anjos seus, poderosos em força, que cumpris as suas ordens" (Sl 103.20). É impossível estabelecer qualquer comparação

Angelologia

entre o poder de um ser espiritual, como o de um anjo, e o típico poder do homem, que é limitado por sua organização. Se, contudo, o poder do homem é avaliado pelos extraordinários efeitos que ele pode produzir por seu conhecimento superior, e as aplicações que pode fazer, temos então a mostra que pode nos dar uma idéia débil dos recursos do poder angelical, pois provavelmente o conhecimento superior que os anjos têm da natureza os capacitaria a empregar em muito maior grau os recursos do universo, para cumprir qualquer comissão que Deus lhes tenha dado para desempenhar.

Qualquer que seja o modo ou o meio pelo qual os poderes deles são exercidos, os efeitos resultantes são espantosos. Milton os descreve como os arrancam as colinas dos seus fundamentos e arremessam-nas contra os seus oponentes. Isto é poesia, mas nos registros da Escritura temos a verdade sem o colorido da ficção; e aqui encontramos um anjo, como um ministro de vingança, destruir 70 mil pessoas do reino de Davi em três dias; outro destruiu, numa só noite, 85 mil corpulentos guerreiros do exército do orgulhoso monarca da Assíria; outro destruiu todos os primogênitos do Egito numa só noite. No Apocalipse vemos anjos que sustentam os quatro ventos do céu, esvaziam as taças e controlam os trovões da ira de Jeová sobre as nações culpadas; a velha terra treme diante das exibições do poder deles como ministros da vingança de Deus contra o pecado. Mas os anjos são igualmente poderosos para o bem; e enquanto a natureza santa deles os torna fiéis executores da justiça, a benevolência, assim como a santidade deles, os torna prazerosos em empregar as suas energias no serviço da misericórdia.[236]

IX. A Classificação dos Anjos

1. Governo. A revelação especifica certos grupos assim como diversos indivíduos importantes entre os anjos. Menção foi feita a cinco principais representações de supremacia entre esses seres, a saber, tronos (θρόνοι), domínios (κυριότητες), principados (ἀρχαί), potestades (ἐξουσίαι), e poderes (δυνάμεις). Visto que a Bíblia não favorece uma tautologia[237] inútil, pode ser crido que há um significado específico para cada uma dessas denominações, cujo significado indubitavelmente corresponde às realidades terrestres que levam tais designações. A verdade revelada com respeito aos anjos é não suficientemente completa para que se estabeleça uma analogia plena. O termo *tronos* se refere àqueles que estão sobre eles; *domínios*, àqueles que ditam regras; *principados*, àqueles que governam; *potestades*, àqueles que estão investidos de responsabilidade imperial; *poderes*, àqueles que exercem supremacia. Embora haja similaridade nessas designações, pode ser suposto que a representação é feita por esses títulos para uma dignidade incompreensível e variados graus de posição. As esferas celestiais de governo excedem os impérios humanos como o universo excede a terra.

2. Anjos Eleitos. A referência em 1 Timóteo 5.21 a "anjos eleitos" imediatamente abre um interessante campo de pesquisa com respeito à extensão em que a eleição soberana deve ser vista na relação dos anjos com o Criador deles. Deve ser admitido que os anjos são criados com um propósito e que na esfera deles, como acontece com o homem, os desígnios do Criador devem ser executados plenamente. A queda de alguns anjos foi tão antecipada por Deus quanto o pecado do homem. Pode ser inferido, também, que os anjos passaram por um período de prova.

3. Querubins, Serafins e Seres Viventes. Interpretações sobre esta tríplice classificação dos anjos variam enormemente. O Dr. A. H. Strong afirma que eles são "figuras artificiais, temporárias e simbólicas" que "em si mesmos não possuem existências pessoais". Ele procura sustentar esta idéia pela afirmação de que essas designações específicas não são combinadas com os anjos em passagem alguma da Escritura. Smith (*Bible Dictionary*) e Alford (*Greek Testament*) sustentam que eles são somente símbolos dos atributos de Deus. A grande proporção de expositores saúda estes como anjos exaltados na situação mais elevada, talvez totalmente à parte dos governos. Alguns expositores procuram descobrir distinções de posição e de posto entre aqueles a quem essas designações são atribuídas. É mais satisfatório concordar com eles não somente sobre o mais alto posto, mas em que pertencem a um mesmo agrupamento geral. Os diferentes termos usados parecem indicar uma distinção no serviço prestado antes do que uma posição essencial. Por causa do estado elevado desses anjos, o serviço que prestam deveria ser considerado com a devida atenção.

A. Querubim. O título querubim fala da posição alta e santa e da responsabilidade deles porque ela está relacionada proximamente ao trono de Deus e porque são defensores do caráter santo e da presença de Deus. Numa nota sobre Ezequiel 1.5, o Dr. C. I. Scofield, em sua *Reference Bible*, faz a seguinte afirmação:

Os "seres viventes" são idênticos aos querubins. O assunto é algo obscuro, mas da posição do querubim no portão do Éden, na cobertura da arca do pacto, em Apocalipse 4, concluímos claramente que têm a ver com a vindicação da santidade de Deus contra o orgulho presunçoso do homem pecador que, a despeito do seu pecado, estenderia a sua mão para comer da árvore da vida (Gn 3.22-24). Sobre a arca do pacto, de uma substância com o propiciatório, viram o sangue aspergido que, no tipo, falava da manutenção perfeita da justiça divina pelo sacrifício de Cristo (Êx 25.17-20; Rm 3.24-26, *notas*). Os seres viventes (ou querubins) parecem ser seres reais de ordem angelical (cf. Is 6.2, *nota*).

Os querubins ou seres viventes não são idênticos aos serafins (Is 6.2-7). Eles parecem ter alguma coisa com a santidade de Deus, quando ultrajada pelo *pecado*; os serafins têm a ver com a *imundície* do povo de Deus. A passagem em Ezequiel é altamente figurativa, mas o efeito foi a revelação ao profeta, da glória [*Shekina*] do Senhor. Tais revelações são conectadas invariavelmente a nova bênção e serviço (cf. Êx 3.2-10; Is 6.1-10; Dn 10.5-14; Ap 1.12-19).

Os querubins aparecem primeiro no portão do Jardim do Éden após o homem ter sido expulso e como protetores para que o homem não retornasse a poluir a santa presença de Deus. Eles aparecem novamente como protetores, em imagens douradas, sobre a arca do pacto onde Deus se agradava em habitar. A cortina do tabernáculo, que separava a presença divina do povo impuro, era bordada com figuras de querubins (Êx 26.1). Ezequiel refere-se a esses seres com esse título 19 vezes e a verdade a respeito deles deve ser derivada dessas passagens. Ele os apresenta com as seguintes características: a face de um leão, a face de um boi, a face de um homem, e a face de uma águia (Ez 1.3-28; 10.1-22). Este simbolismo relaciona-os imediatamente aos seres viventes da visão de João (Ap 4.6–5.14 – a tradução de ζῶον como besta é insatisfatória).

B. SERAFIM. O título Serafins fala da adoração incessante, do ministério de purificação deles e de sua humildade. Eles aparecem na Escritura apenas uma vez debaixo dessa designação (Is 6.1-3). Sua tríplice atribuição de adoração da forma como Isaías registra, é novamente afirmado por João (Ap 4.8) e sob o título de seres viventes, fato esse que facilmente estabelece a identidade desse grupo. O Dr. Scofield escreve uma nota no tocante ao texto de Isaías 6.1-3: "Hebraico *burners*. A palavra ocorre somente aqui. Cf Ez 1.5, nota. Os serafins estão, em muitos aspectos, em contraste com os querubins, embora ambos sejam expressões da santidade divina, que exige que o pecador tenha acesso à presença divina somente através de um sacrifício que realmente vindica a justiça de Deus (Rm 3.24-26, *notas*), e que o santo será limpo antes de servir. Gênesis 3.22-24 ilustra o primeiro; Isaías 6.1-8, o segundo. Dos querubins pode ser dito que têm a ver com o altar, enquanto que os serafins com a pia das abluções" (Op. Cit).

C. SERES VIVENTES. Os seres viventes são um título que representa esses anjos quando manifestam a plenitude da vida divina, uma atividade incessante, e uma participação permanente na adoração a Deus.

Quando muito, o entendimento humano deve caracterizar de incerteza com respeito aos anjos. A respeito da majestade e adoração que eles prestam a Deus e da glória insuperável do Objeto da adoração deles, o Bispo Bull (1634-1710), citado pelo Dr. Gaebelein, escreveu:

Quando consideramos que seres gloriosos são os anjos, e que eles são apenas criaturas de Deus e servos a quem eles servem, permanecem diante do seu trono, e humildemente obedecem às suas ordens; essa consideração, se deixarmos que ela penetre os mais profundos dos nossos corações, vai nos dominar com as mais espantosas apreensões da majestade gloriosa de nosso Deus em todos os tempos, mas especialmente em nossas abordagens dele em sua adoração, e vai encher-nos com a maior reverência e humildade. Faríamos bem em ter em mente a visão de Daniel, a quem foi apresentado o "Ancião de dias sentado no seu trono, e milhares de milhares o serviam, e miríades de miríades estavam diante dele".

Com essa reverência, deveríamos nos comportar quando nos dirigimos à majestade divina, diante de quem os próprios serafins esconderam as suas faces! E se eles cobriram os seus pés, estão conscientes de sua própria imperfeição natural, comparados ao Deus gloriosamente infinito, quanto mais deveríamos nós, tão pequeninos e vis pecadores, corar de vergonha na sua presença, que não temos presunção de confiança com relação a nós próprios, mas deveríamos nos apegar às misericórdias fundadas em Deus e nos méritos de nosso bendito Redentor e Advogado, Jesus Cristo!

E quando nos vemos inclinados ao orgulho e à vaidade, cientes de nós e do nosso serviço a Deus muito além do que convém, reflitamos sobre quão distantes estamos atrás dos anjos santos, sobre quão imperfeitos, insatisfatórios e carentes são os nossos serviços em relação ao ministério santo e excelente dos anjos. Todavia, quando pensamos a respeito dos ministérios que os santos anjos prestam perante Deus, e por nós; ao mesmo tempo apresentemo-los para nós próprios como padrão para a nossa imitação.[238]

4. Anjos Individuais.

A. Lúcifer, Estrela da Manhã (Is 14.12). Este, o mais exaltado dos anjos – tanto por criação como por designação – ocupou um lugar no texto da Escritura próximo às pessoas da divindade. Por seu pecado – o primeiro no universo, até onde a revelação indica – tornou-se Satanás e aparece na Palavra de Deus com cerca de quarenta títulos diferentes. Como ele é o tema da seção seguinte sobre satanologia, um exame posterior da verdade a respeito desse anjo poderoso será adiado para mais tarde.

B. Miguel (Dn 12.1). O significado deste nome, que é muito importante, é *Quem é como Deus?* Em qual sentido ele é semelhante a Deus não é revelado, mas das três passagens onde é mencionado diretamente deve ser visto que possui grande autoridade. De acordo com Daniel 12.1, é dito que ele se "levanta" em favor do povo de Daniel, que é Israel, como uma espécie de defesa para eles. Em Judas 9, é visto como presente na controversia com Satanás sobre o corpo de Moisés; mas em tal situação e a despeito de toda a sua grandeza, Miguel "não ousou pronunciar contra ele juízo de maldição", mas, na dependência de Deus, declara: "O Senhor te repreenda". Neste texto lhe é dado o título acrescido de *arcanjo*; e há apenas um arcanjo. Miguel é novamente visto numa predição registrada em Apocalipse 12.7-12. Como cabeça dos exércitos do céu, ele trava uma batalha vitoriosa no céu contra Satanás e seus anjos. Temos ainda a revelação de que a "voz do arcanjo" será ouvida quando Cristo retornar para a Igreja (1 Ts 4.16).

ANGELOLOGIA

c. Gabriel (Dn 9.21). O significado deste nome *é o poderoso,* e ele é evidentemente tudo o que o nome sugere. Nunca é dito na Bíblia que é um arcanjo, embora freqüentemente seja chamado assim pelos homens. Ele aparece quatro vezes, conforme o registro das Escrituras, e sempre como um mensageiro ou revelador do propósito divino. Falou a Daniel a respeito do fim dos tempos (Dn 8.15-27). Semelhantemente, trouxe a Daniel a mais incomparável predição escatológica (Dn 9.20-27). O profeta havia descoberto pelos escritos de Jeremias (25.11, 12) que o período designado para Israel permanecer na Babilônia era de setenta anos, e que esse tempo estava para ser completado. Ele, portanto, entregou-se à oração por seu povo. A oração, como registrada, poderia ter ocupado apenas pouco momento; todavia, nesse tempo, Gabriel passou com incrível velocidade do trono de Deus para o profeta que orava sobre a terra. Foi quando esse anjo revelou o propósito de Jeová a respeito do futuro de Israel. Foi Gabriel que trouxe a mensagem a Zacarias sobre o nascimento de João Batista, e foi ele quem veio com a maior de todas as mensagens para a virgem Maria a respeito do nascimento de Cristo e de seu ministério como Rei sobre o trono de Davi (Lc 1.26-33).

5. Anjos Especialmente Designados. Certos anjos são conhecidos somente pelo serviço que prestam. Desses, há aqueles que servem como anjos de juízo (Gn 19.13; 2 Sm 24.16; 2 Rs 19.35; Ez 9.1, 5, 7; Sl 78.49). Fala-se do "vigilante" (Dn 4.13, 23); do "anjo do abismo" (Ap 9.11); do anjo que "tinha poder sobre o fogo" (Ap 14.18); do "anjo das águas" (Ap 16.5); e dos "sete anjos" (Ap 8.2). Nos escritos apócrifos é feita menção a três anjos não mencionados na Bíblia, a saber, Rafael, Uriel e Jeremiel.

Propriamente, nenhuma referência é feita ao Anjo de Jeová visto que, como já foi demonstrado anteriormente, não é outro Ser senão o Cristo pré-encarnado – a segunda pessoa da Trindade. Não de modo algum relacionado aos anjos criados; portanto, não deve ser classificado com eles.

X. O Ministério dos Anjos

As 273 referências na Bíblia aos anjos são basicamente narrativas das atividades deles, e por essas temos revelado um vasto campo de realização. Contudo, o que é mais importante não é a relação deles com os habitantes da terra, mas antes o seu serviço perante Deus. Este é primariamente um serviço de adoração e sugere a majestade inefável e a glória de Deus, que os santos anjos entendem, e que, por causa da infinidade da dignidade de Deus, continua sem cessar, para sempre. João afirma que em sua adoração, os seres viventes "não têm descanso nem de dia nem de noite, dizendo: Santo, Santo, Santo é o Senhor Deus, o Todo-poderoso, aquele que era, e que é, e que há de vir" (Ap 4.8). Isaías assevera que eles "clamavam uns para os outros, dizendo: Santo, santo, santo é o Senhor dos exércitos; a terra toda está cheia da sua glória" (Is 6.3).

Com o mesmo propósito o salmista escreve: "Bendizei ao Senhor, vós anjos seus, poderosos em força, que cumpris as suas ordens, obedecendo à voz da sua palavra!" (Sl 103.20). "Louvai ao Senhor! Louvai ao Senhor desde o céu, louvai-o nas alturas! Louvai-o, todos os seus anjos; louvai-o, todas as suas hostes!" (Sl 148.1, 2). A humildade deles, sugerida pela cobertura de seus pés (Is 6.2), é natural, visto que eles estão sempre diante de Deus, cuja majestade e glória são transcendentes. O nascimento, vida, morte, ressurreição e ascensão de Jesus Cristo foram realidades estupendas para os anjos. Não foi para menos que, como afirmado por Paulo, Cristo, enquanto na terra, "foi contemplado por anjos" (1 Tm 3.16). O interesse deles na devoção ao Senhor da glória é medido, em algum grau, pela adoração que eles lhe oferecem desde a sua criação até o presente tempo. Somente com fragilidade o mais espiritual dos santos antevê o que será olhar direta e interminavelmente para a face do Senhor da glória. A resposta que será despertada no coração do homem – aumentada sem medida em relação à sua capacidade – embora observe que os seus conhecimentos sobre o Criador e Redentor não possam ser previstos, esta tem sido sempre a experiência dos anjos. Eles olham para a face do Senhor sem um véu. A consideração que tiveram por Cristo enquanto aqui na terra é apresentada adequadamente pelo Dr. Cooke:

Quão constante foi o serviço que eles prestaram ao Salvador encarnado durante a sua vida misteriosa entre os homens! No seu nascimento eles foram seus arautos, e com cânticos exultantes anunciaram as alegres novas à raça humana. Em sua tentação eles o serviram; em suas agonias eles o socorreram; em sua ressurreição eles são os primeiros a proclamar o seu triunfo; na sua ascensão eles vieram para escoltá-lo ao seu trono mediatorial; em seu estado glorificado eles lhe prestam honra suprema como o seu Senhor; e quando Cristo retornar para julgar o mundo, comporão o seu cortejo! Que pensamentos sublimes seriam sugeridos, que emoções de assombro e alegria seriam despertadas pelas cenas que presenciaram na terra e ainda testemunham no céu, em referência a Cristo, em sua natureza dupla, e em sua obra redentora. *Deus encarnado!* Isto era novo para eles. Eles haviam visto o Filho em sua divindade; mas nunca o haviam visto envolto em sua humanidade. Que condescendência espantosa! Eles o haviam visto como o governador do universo; mas nunca como um súdito! *Enfrentou Satanás num conflito e numa tentação prolongada!* Isto era novo. Eles o haviam visto expulsando um arqui-rebelde de sua presença, atirando-o para a perdição; mas nunca submetendo-se a ser tentado por ele cuja sutileza e poder tinham seduzido miríades à ruína eterna. *Sofreu a zombaria e o descrédito de homens pecadores!* Isto era novo. Eles tinham visto miríades de espírito felizes adorá-lo e amá-lo, mas nunca o haviam visto até então ser pessoalmente insultado, rejeitado e maltratado por suas criaturas. *Gemeu no Getsêmani, e foi crucificado entre dois ladrões, e morreu como uma vítima sacrificial!* Isto era novo. Eles o haviam visto supremamente feliz e glorioso, mas vê-lo agonizando e ouvir aquele lamento de moribundo, e contemplar aquele corpo exangue, e tudo isso para salvar o mundo que havia se revoltado contra ele! Que amor misterioso! *Vê-lo, depois de tudo isso, entronizado e glorificado em sua natureza humana*! Isto era um fato novo na história moral do universo. O cenário todo foi cheio de interesse, maravilha e mistério; uma gradação de maravilhas surgindo em sucessão, até que culminaram na presença permanente do Deus-homem, resplendente com uma glória que enche o céu dos céus. Foram capítulos de instrução para as mentes angelicais ponderarem; foram revelações de verdades escondidas; foram descobertas de perfeições divinas, nunca dantes conhecidas; e ainda se revelam num fulgor ainda maior à medida que os séculos se sucedem.[239]

O serviço fiel dos anjos para a raça humana não pode ser explicado com base no próprio amor deles pela humanidade. Eles estão interessados naquilo que diz respeito ao Deus deles. Se Ele desse o seu Filho para morrer por uma raça perdida de homens, eles o seguiriam tanto quanto possível e ao menos prestariam um serviço imediato, por amor dEle, onde lhes fosse designado. Não é imaginação, mas realidade, que os anjos são servos dos homens em milhares de maneiras. Nenhuma verdade é mais estabelecida na Escritura do que aquela que é afirmada em Hebreus 1.14: "Não são todos eles espíritos ministradores, enviados para servir a favor dos que hão de herdar a salvação?"

Com respeito aos ministérios específicos dos anjos na terra e em favor da raça humana – especialmente os santos – os detalhes formam um campo muito extenso de investigação que não pode ser empreendido aqui. Embora os anjos estivessem presentes na criação, nenhuma referência é feita aos ministérios deles na terra até o tempo de Abraão. Na companhia do Senhor, eles visitaram o patriarca nos carvalhais de Manre (Gn 18.1,2), e dali partiram para libertar Ló. Os anjos apareceram a Jacó e eram familiares a Moisés. Está escrito que a Lei "foi promulgada por meio de anjos" (Gl 3.19), e foi administrada por "ministério de anjos" (At 7.53). O cuidado que eles têm pelo povo eleito de Deus é afirmado em ambos os testamentos. No Salmo 91.11,12 está escrito: "Porque a seus anjos dará ordem a teu respeito, para te guardarem em todos os teus caminhos. Eles te susterão nas suas mãos, para que não tropeces em alguma pedra"; e em Hebreus 1.14: "Não são todos eles espíritos ministradores, enviados para servir a favor dos que hão de herdar a salvação?" É um anjo que permanece com os três homens na fornalha de fogo (Dn 3.25), e com Daniel na cova dos leões (Dn 6.22).

Na terminologia do Antigo Testamento, algumas vezes os anjos são chamados *filhos de Deus* enquanto que os homens são chamados *servos de Deus*. No Novo Testamento, isto é invertido. Os anjos são servos, e os cristãos são filhos de Deus. Essa ordem peculiar pode ser devida ao fato de que, no Antigo Testamento, os homens são vistos como relacionados a essa esfera sobre a qual os anjos são superiores; enquanto que, no Novo Testamento, os santos são vistos como relacionados à sua exaltação final à semelhança de Cristo, com o que os anjos são inferiores.

Voltamos ao Novo Testamento, e observamos que muitas das referências aos anjos são encontradas nos quatro evangelhos e em Atos dos Apóstolos. Em razão da verdade que foi o Criador deles, o Senhor da glória, a quem adoram, que pôs de lado a sua glória e desceu para uma esfera "menor do que a dos anjos", não é de se estranhar que um dos membros dos exércitos celestiais anunciasse o nascimento do precursor a seu pai; o nascimento do Salvador a Maria; que os anjos deveriam anunciar o seu nascimento ao mundo; que dirigissem a ida de Jesus para o Egito; que lhe ministrassem no deserto; que o socorressem no jardim; que estivessem prontos em legiões para defendê-lo à sua chamada; que o vissem morrer e vissem seu corpo ser colocado na tumba; que estivessem presentes para anunciar a sua ressurreição; e que dessem conselho aos discípulos no momento de sua ascensão de volta para o céu.

Assim, está visto que a relação dos anjos com o Filho de Deus encarnado é um dos maiores aspectos da revelação, e sobre essas manifestações a mente devota pode viver proveitosamente. No plano de Deus, a presente era é evidentemente vazia de manifestações angelicais. Isto facilmente poderia ser devido ao fato que, como em nenhuma outra época, os santos de Deus foram habitados pelo Espírito Santo e sujeitos à sua direção, fator este que é mais constante, vital e elevado do que as visitações angelicais poderiam possivelmente ser. Contudo, os anjos são proeminentes no final desta era. Isto acontecerá quando o Senhor retornar com a voz do arcanjo. Em seu segundo advento, "mandará o Filho do homem os seus anjos, e eles ajuntarão do seu reino todos os que servem de tropeço, e os que praticam a iniquidade, e lançá-los-ão na fornalha de fogo; ali haverá choro e ranger de dentes" (Mt 13.41,42; cf. v. 30).

Também é dito que Cristo "enviará os seus anjos com grande clangor de trombeta, os quais lhe ajuntarão os escolhidos desde os quatro ventos, de uma à outra extremidade dos céus" (Mt 24.31). A presença dos anjos nas cenas do segundo advento é enfatizada geralmente. Está escrito: "Porque o Filho do homem há de vir na glória do seu Pai, com os seus anjos; e então retribuirá a cada um segundo as suas obras" (Mt 16.27). "E digo-vos que todo aquele que me confessar diante dos homens, também o Filho do homem o confessará diante dos anjos de Deus; mas quem me negar diante dos homens, será negado diante dos anjos de Deus" (Lc 12.8, 9). A estes deve ser acrescentado Judas 14, contexto a que as palavras *milhares de santos* são melhor traduzidas como *santas miríades*, e podem se referir a anjos.

De acordo com o período do reino, no qual nenhuma ministração angelical é predita e quando o Rei estará presente em sua glória visível para governar e o Santo Espírito seria derramado sobre toda a carne (Jl 2.28-32; At 2.16-21), os anjos são vistos novamente e estão eternamente relacionados à cidade que desce do céu da parte de Deus (Hb 12.22-24; Ap 21.12).

Certas passagens do Novo Testamento indicam ministrações angelicais específicas. Lucas 16.22 assevera que os anjos transportaram a alma de um morto para outra esfera; se este caso é uma pura conjectura. Atos 5.19 e 12.7 relatam a libertação de apóstolos da prisão. Atos 8.26; 10.3 e 27.23 falam de mensagens que os anjos transmitiram.

XI. A Disciplina Progressiva dos Anjos

As Escrituras revelam a verdade de que os anjos aprendem muito quando observam os homens na terra – especialmente na realização da redenção. Incidentalmente, isto indica que os anjos não são oniscientes. Contudo, não deveria ser concluído que os anjos sabem menos que os homens. Então, qual seria o campo de descoberta e de interesse para os homens se eles pudessem ver tudo o que acontece nas esferas angelicais? A declaração de Pedro, "para as quais coisas os anjos bem desejam atentar" (1 Pe 1.12), divulga a verdade relativa ao interesse deles nas coisas dos homens. É significativo que estas "coisas" referidas se relacionam ao programa de Deus no primeiro e segundo adventos de Cristo e ao Evangelho da graça divina agora a ser pregado a todo o mundo. Com o mesmo propósito, a Igreja na terra revela aos anjos algo da sabedoria de Deus.

Está escrito: "...para que agora a multiforme sabedoria de Deus seja manifestada, por meio da igreja, aos principados e potestades nas regiões celestes" (Ef 3.10). Assim, também, a Igreja, todavia, será uma reveladora da graça divina aos anjos, pois está dito: "...para mostrar nos séculos vindouros a suprema riqueza da sua graça, pela sua bondade para conosco em Cristo Jesus" (Ef 2.7). Ao escrever sobre este tema, Otto Von Gerlach assinalou: "Pela revelação de Si mesmo em Cristo, pela instituição da Igreja sobre a terra, Deus de um modo até agora desconhecido se glorifica diante dos principados e potestades celestiais. Aqueles que até agora, cheios de admiração, haviam louvado a Deus pela maravilha da criação, agora vêem a sua sabedoria glorificada de uma nova forma na comunhão cristã através das múltiplas formas pelas quais os homens perdidos são salvos. Inteiramente nova e inexaurivelmente rica, a sabedoria divina foi manifesta na redenção".[240]

Não há base alguma para a crença de que a redenção através da morte de Cristo seja estendida aos anjos caídos (cf. Mt 25.41; Ap 20.10). Os santos anjos evidentemente são beneficiados e passam para esferas mais altas de conhecimento e de conseqüente espiritualidade através do que vêem do amor redentor em Cristo. Assim, Cristo se torna para eles um Mediador. Nenhum escritor afirmou isto com mais clareza do que o Dr. Gerhart:

A ênfase é colocada pelo apóstolo Paulo sobre o fato de que aos principados a sabedoria de Deus é tornada conhecida *pela Igreja*. A existência da Igreja, e a pregação das insondáveis riquezas pela Igreja, condicionam o crescimento dos anjos em conhecimento espiritual. Quanto mais da verdade cristã os "principados" não conhecerão quando a Igreja, agora imperfeita, obtiver a perfeição; agora militante, na luta contra os inimigos tanto humanos quanto diabólicos, tornar-se-à uma Igreja triunfante? A consumação final na segunda vinda afetará não somente a posição relativa e o conhecimento espiritual dos anjos, mas a Escritura sugere que a consumação final afetará igualmente a *vida* dos anjos. Ao menos indiretamente, eles participarão dos benefícios espirituais que vêm à Igreja procedentes do Filho do homem. Paulo ensina que Deus o Pai tornou conhecido de nós o mistério de sua vontade, de acordo com o beneplácito que Ele propôs no Amado na dispensação da plenitude dos tempos, ao reunir todas as coisas em Cristo, as coisas nos céus e as coisas na terra. Tanto a raça humana na terra quanto as ordens angelicais nos céus estão incluídas em "todas as coisas" que serão reunidas em Cristo. Os espíritos angelicais, então, terão uma relação com o Cabeça da Igreja que eles não possuem agora, e que eles não perceberão antes da "plenitude dos tempos". De importância semelhante é a visão profética de Paulo em Colossenses 1.20. Foi o beneplácito do Pai através do Filho reconciliar todas as coisas consigo mesmo, sejam as que estão na terra, sejam as que se encontram no céu. As coisas visíveis e as invisíveis, sejam tronos ou domínios ou principados ou poderes, todas as coisas foram criadas através do Filho, e para o Filho. Conseqüentemente, todas as ordens angelicais existem para o Filho; Ele é o *fim* delas. No Filho estas ordens de espíritos consistem, e mantêm-se juntas. Ele é a lei pela qual são preservados e governados. Após estabelecer a paz entre Deus e os homens, entre gentios e judeus, através do sangue de Sua cruz, Ele se torna também para os anjos um Mediador através de quem a vida deles encontra-se em um plano espiritual mais alto de perfeição e glória. O reino do Filho do homem abrange todas as ordens de espíritos angelicais assim como todas as raças da humanidade. Quando a era transcendente e iminente, que agora está em processo de colheita, for sobreposta à era atual, os anjos como uma conseqüência da glorificação do corpo místico, terão uma comunhão mais íntima com a fonte básica da vida, da luz e do amor. Mas embora a vida e o conhecimento deles tenham se desenvolvido para um estágio mais elevado de perfeição espiritual através da Igreja; todavia, na glória final do Reino, a posição e o ofício dos anjos serão subordinados à autoridade e ofício dos santos.[241]

XII. Os Anjos Como Espectadores

Em quatro exemplos os anjos são vistos como quem observa. Em Lucas 15.10, são vistos na observação da alegria do Senhor sobre o pecador que se arrepende. Não é a alegria dos anjos, como é freqüentemente suposto (cf. Jd 24). Em Lucas 12.8,9, a palavra de Cristo está escrita: "E digo-vos que todo aquele que me confessar diante dos homens, também o Filho do homem o confessará diante dos anjos de Deus; mas quem me negar diante dos homens, será negado diante dos anjos de Deus". Assim, também toda a vida de Cristo sobre a terra foi "contemplada por anjos" (1 Tm 3.16), e em Apocalipse 14.10, 11, é dito que os anjos observam os ais eternos daqueles que "adoram a besta e a sua imagem". Em oposição a isto, a Igreja, como está predito, julgará os anjos

(1 Co 6.3), mesmo que no presente ela esteja tão pobremente preparada para julgar até as coisas terrenas.

A presença dos anjos é registrada na criação das coisas materiais (Jó 38.7); na doação da Lei (At 7.53; Gl 3.19; Hb 2.2); no nascimento de Cristo (Lc 2.13); na tentação (Mt 4.11); na ressurreição (Mt 28.2); na ascensão (At 1.10); e na sua segunda vinda (Mt 13.37-39; 24.31; 25.31; 2 Ts 1.7).

Conclusão

A consciência da realidade das grandes hostes de seres angelicais – o benefício derivado do bem e a oposição ao mal – pode ser ganha somente pela meditação nas Escrituras que registram essas verdades, e através da oração.

CAPÍTULO III

Participação Angelical
no Problema Moral

PELOS DOIS TERMOS *problema moral* observamos o conflito que está sempre presente onde os agentes livres morais confrontam-se com a questão tanto do bem quanto do mal. A força deste conflito alcança um clímax em três casos mais importantes: (a) a queda dos anjos, (b) a queda do homem, e (c) a morte expiatória de Cristo. Destes, o primeiro e o segundo estão intimamente ligados, como estão o segundo e o terceiro; mas a relação entre o primeiro e o terceiro é remota, por ser de princípios antes que de pessoas. O mal começou com a queda de um anjo. A queda foi seguida por uma multidão de outros anjos (Ap 12.4). A mesma queda foi cometida pelo primeiro homem e transmitida à sua raça na forma de natureza depravada. Mediante o retrocedimento nessa seqüência histórica, é possível reconhecer que a raça foi prejudicada no pecado do seu cabeça federal, cabeça federal que foi tentado por um anjo que primeiramente havia pecado no céu, e que nisso foi seguido por uma multidão de anjos sob a influência do mesmo e original anjo pecador no céu.

Assim, surge um problema insuperável do qual é difícil tratar. É difícil ir além e assinalar uma razão pela qual um anjo, sem ser tentado de fora, um anjo altamente iluminado, que permanecia na presença imediata de Deus e que deve ter compreendido a diferença entre a luz e as trevas morais, resolveu escolher as trevas. Como pode ser explicado o nascimento do mal moral no seio do bem moral? O aspecto metafísico da origem do mal é um problema que os teólogos nunca resolveram, e com relação a ele, somente certos aspectos conseqüenciais podem ser observados pela mente finita.

Como no caso da queda do homem, é imperativo à luz da revelação concernente a Deus, reconhecer certas verdades imutáveis quando abordamos o assunto desconcertante da queda dos anjos. Estes aspectos são: (a) que o próprio Deus é santo e, em nenhum sentido, Ele é direta ou indiretamente o instigador do pecado angélico; (b) Embora os anjos fossem criados para cumprir um propósito divino, a queda deles foi antecipada desde toda a eternidade; (c) Foi-lhes dada a autonomia de anjos, que lhes atribuía a liberdade de permanecer no estado de santidade ou sair dele, estado esse que tinham por criação; (d) Os anjos que caíram, diferentemente dos homens que pelo nascimento físico herdam a natureza corrupta que seu cabeça adquiriu através do primeiro pecado humano, permaneceram diretamente relacionados a Deus em santidade angelical original, posição da qual caíram individualmente como fez o primeiro anjo; e (e) embora a queda do homem tenha aberto o caminho pelo qual a graça de Deus pôde ser demonstrada na redenção (Ef 2.7), não há bem compensador de qualquer grau que possa ser visto em conexão à queda dos anjos.

Os anjos foram criados com a responsabilidade de autodeterminação. Este foi o ideal divino apresentado por eles na criação. A possibilidade do mal não estava com eles em qualquer sentido de uma necessidade. Asseverar que Deus deveria ter evitado a queda deles pois tinha poder para fazê-lo, é colocar a vontade divina de governo contra a vontade divina de criação – contra a vontade divina como apresentada na constituição dos anjos. Embora os anjos quando criados despertaram para uma consciência de um estado de santidade e de não serem tentados por qualquer solicitação externa, não obstante, caiu sobre eles tanto a obrigação de querer como de fazer as coisas que pertencem à santidade. Como no caso do homem, um período de prova parece ter sido colocado para os anjos. O amor de Deus por eles foi o de Criador por sua criatura; mas eles foram dotados com aquela liberdade de ação que é adequada à responsabilidade angelical.

Tal liberdade foi acordada para o primeiro homem, mas com essa exceção importante: já havia em existência um reino do mal com sua solicitação externa e poderosa para a impiedade. Nenhuma influência desfavorável e externa desafiava os anjos quando eles entraram na sua existência consciente. A multidão de anjos que pecaram sob a influência do primeiro anjo que transgrediu é imediatamente eliminada do problema. Eles caíram cada um individualmente, mas pela força de influências que surgiram após terem experimentado o seu estado de santidade. A confirmação do bem é para os anjos rebeldes que sempre permaneceram na presença de Deus e desfrutaram dela, uma conseqüência muito mais provável do que pode acontecer com o homem caído, que nunca permaneceu nem experimentou um momento de santidade imaculada. Agostinho afirma: "Que ninguém duvide que os anjos santos em sua moradia celestial, ainda que não de fato, são co-eternos com Deus; todavia, seguros e certos de uma felicidade eterna e verdadeira".[242]

Da mesma forma, Richard Hooker assevera: "Deus que move os meros agentes naturais com eficiência, diferentemente move seus santos anjos: para contemplar a face de Deus (Mt 18.10), e arrebatados pelo amor de sua beleza, eles penetram inseparavelmente para sempre nEle. O desejo de se parecerem com Ele em sua bondade faz deles incansáveis e mesmo insaciáveis em seu anelo de fazer por todos os meios todo o bem a todas as criaturas de Deus, mas especialmente aos filhos dos homens".[243]

Os anjos são definitivamente influenciados na direção da santidade. Aquela constante comunhão com Deus que é acordada pelos santos anjos e que foi originalmente estendida a todos os seres angelicais, é imensurável em sua potencialidade. A única lei de existência angelical era a vontade do Criador deles. Essa lei respondia cada necessidade da experiência e felicidade angelicais. Ela determinava cada detalhe da relação deles com Deus e de uns com os outros. Fugir dessa vontade é assumir uma atitude falsa para com todas as coisas. Em que grau essa fuga mudava o amor em ódio e amargura, será considerado mais tarde.

Com respeito ao problema do primeiro pecado do primeiro anjo, pode ser observado que, debaixo das condições existentes, quase todo caminho ao longo do qual o pecado avança era inexistente. A auto-afirmação contra Deus foi a única direção na qual tal ser poderia pecar. Sobre essa verdade patente Hooker escreveu: "Parece, portanto, que não houve outro modo para os anjos pecarem, senão por reflexo do entendimento deles sobre si próprios; quando foram pegos pela admiração de sua própria sublimidade e honra, a memória da subordinação deles a Deus e sua dependência dele foi submersa nessa presunção; em conseqüência da adoração deles, o amor e a imitação de Deus não puderam continuar em existência".[244]

Esta presunção que assumiu a autodireção onde o Criador propôs ser a autoridade e guia, é aludida pelo apóstolo Paulo quando ele escreveu a um "noviço" em assuntos eclesiásticos: "...para que não se ensoberbeça e venha a cair na condenação do diabo" (1 Tm 3.6; cf. Is 14.12; Ez 28.17). Embora a natureza do primeiro pecado seja tão definitivamente revelada, todavia permanece um mistério sobre como esse princípio do mal poderia encontrar guarida em tal ser. No mínimo, continuar com Deus como a sabedoria infinita tem especificado, era uma sanidade angelical. Fugir desse curso era uma insanidade angelical – mas essa espécie de insanidade que é responsável. O pecado não tem lugar na constituição e no *status* de um santo anjo. A sua presença é ilegalidade e falta de razão.

Tanto a filosofia quanto a teologia têm abordado o problema que o primeiro pecado apresenta e tem oferecido as suas soluções. Qualquer que seja o vestígio de verdade que estas possam sugerir, nenhum é suficiente. Tentar a descoberta de uma razão inteligível onde a mente reconhece que a razão falhou, como aconteceu quando o anjo pecou, é empreender o impossível. O pecado, por ser uma contradição da razão e o irracional em si mesmo, não é sujeito à razão. É totalmente possível que uma criatura irracional acostumada a modos impuros que possam emprestar um entendimento simpático à insanidade que uma criatura mostra, mas que não proporciona razão que possa servir como uma explicação para o pecado de um santo anjo.

A criatura – seja anjo ou homem – é criada para ser centrada em Deus. Tornar-se autocentrada é uma contradição da lei básica da existência da criatura. A falsificação da ordem moral de Deus é completa quando autocentrada. É também considerada ser uma violação do desígnio original relativo às inter-relações entre os próprios seres finitos. O pecado não é somente contra Deus, mas contra todas as outras criaturas.

A queda de um anjo santo imediatamente ocasiona o surgimento de duas perguntas teológicas importantes, a saber, (a) "Como poderia o santo Deus permitir que qualquer criatura pecasse?" e (b) "Como poderia um anjo santo

ANGELOLOGIA

e não-influenciado pecar?" Quando consideramos a questão apresentada na primeira das perguntas, pode ser dito – embora o assunto seja estranho à presente discussão – que a criação original de Deus é declarada ser *boa* aos seus próprios santos olhos; que Ele, por ser onisciente e sabedor que certos seres morais cairiam, não obstante trazer-lhes à existência com certo grau de conhecimento; todavia, em toda parte, no caso dos anjos assim como no dos homens, Ele atribui falta moral àqueles que falham e a falha nada tem a ver com Deus.

Com respeito à segunda pergunta, isto pode ser acrescido ao que já foi dito anteriormente: o mal moral é o fato supremo no universo que não pode ser explicado nem se pode dar satisfação. Quando nos remontamos ao seu início, quando o pecado foi cometido pelo primeiro anjo santo, a verdade é desenvolvida na avaliação da transgressão como um mistério, irracional e extremamente pecaminoso. O pecado não está em Deus como não está em parte alguma da criação original. O decreto de Deus antecipou tudo o que aconteceria; todavia, o pecado original não está no decreto divino, mas no livre ato do pecador. O pecado não está na constituição das criaturas da forma como elas procedem das mãos criadoras de Deus, pois nesse caso tudo seria pecaminoso. O pecado não é uma fraqueza inerente da criatura, pois nesse caso tudo teria falhado.

O pecado não é uma coisa que acontece concomitantemente com a livre agência moral, pois nesse caso todos os agentes livres morais deveriam pecar. O Dr. Gerhart, ao escrever a respeito do primeiro pecado, diz: "O Ego afirma-se contra a sua própria lei fundamental, um fato para o qual nenhuma razão é alegada além desta, que a possibilidade da escolha falsa é uma prerrogativa do ser autônomo finito".[245] Mas o Dr. Gerhart admitiria que o mero poder de escolha não constitui razão para a escolha. O problema fica sem resposta. Agostinho discursou sobre esse aspecto do pecado de maneira proveitosa: "Se procuramos a causa da miséria dos anjos maus, ela nos ocorre; e isso não é irrazoável, que eles são miseráveis por que abandonaram Aquele que existe supremamente, e tornaram-se para si próprios que não possuem tal essência. E este pecado, que mais pode ser chamado senão de orgulho? ... Se a questão adicional fosse levantada, qual foi a causa eficiente da vontade má deles? Não há alguma. Pois o que é que torna a vontade má, quando é a vontade em si mesma que torna a ação má? E conseqüentemente a vontade má é a causa da má ação, mas nada é a causa eficiente da vontade má... Quando a vontade abandona o que está acima de si própria, e se volta para o que é inferior, ela se torna má, não porque é mal aquilo para o que ela se volta, mas porque a volta em si mesma é ímpia. Portanto, não é uma coisa inferior que tornou a vontade má, mas é ela própria que se tornou assim por impiamente desejar uma coisa inferior".[246]

O pecado é a vida e a ação autocentradas da parte de uma criatura que, por criação, é designada para ser totalmente centrada em Deus. Um caminho é cheio de angústia e conduz à perdição; o outro é cheio de tranqüilidade e conduz à glória eterna. Alguma medida dessas verdades deve ter sido entendida pelos anjos; por isso, o início do pecado é um mistério. O mal no mundo não é um acidente ou alguma coisa não prevista por Deus, ou algo que Ele não poderia predizer, como Ele fez, com relação ao seu curso e fim. O conflito das eras é comprimido nessas poucas palavras de Gênesis 3.15. O mal deve seguir o seu curso e tornar plena a sua demonstração de que pode ser julgado, não como uma teoria, mas uma factualidade completa. "A medida da iniqüidade dos amorreus não está ainda cheia" (Gn 15.16). O trigo e o joio devem crescer juntos até o fim dos tempos (Mt 13.30). E Ele apontou um dia em que julgará o mundo com justiça por meio de um varão que acreditou (At 17.31). E o homem do pecado será revelado somente no tempo designado por Deus (2 Ts 2.6-8). Assim, está revelado que o mal deve continuar com o bem até que cada um alcance o fim determinado. Que o mal será julgado e destruído para sempre é o testemunho seguro das Escrituras.

Capítulo IV

Satanologia: Introdução

SEJAM SANTOS OU IMPUROS, os seres espirituais são igualmente designados como *anjos* (Ap 12.7). Os anjos impuros são normalmente conhecidos como δαίμονες ou δαιμόνια, propriamente traduzidos como demônios. Há também um διάβολος ou *diabo*. Como há um arcanjo entre os anjos que são santos, assim há um arcanjo entre os anjos que são impuros. O chefe dos anjos caídos possui pelo menos quarenta designações. Destas, algumas são títulos descritivos e alguns são nomes próprios. Quando ele é chamado "o acusador de nossos irmãos" (Ap 12.10), um título descritivo aparece. Há muita coisa revelada também nos nomes próprios.

Estes são: *Serpente* (ὄφις), que sugere *fraude; Lúcifer*, a estrela da manhã, que é seu título no céu antes de sua queda (Is 14.12); *Diabo* (Διάβολος), que significa *acusador*, ou *caluniador*, e é grego na origem; *Satan* (Σατανᾶς), que significa *aquele que resiste*, e é hebraico em sua origem. *Apoliom* (Ἀπολλύων), que significa *destruidor; Dragão* (Δράκων), que sugere seu poder; *o príncipe deste mundo; o príncipe do poder do ar; o deus deste mundo*. Quatro desses títulos pessoais aparecem num só versículo (Ap 12.9). A designação *Belial* pode ser aplicada ao principal dos anjos imundos somente por implicação, embora o apóstolo Paulo assinale a esse nome um caráter pessoal e definido quando ele pergunta: "Que harmonia há entre Cristo e Belial?" (2 Co 6.15).

H. A. W. Meyer afirma que aquele termo é uma referência geral a Satanás, muito parecido com Πονηρός – *o Maligno* (cf. Mt 6.13; Jo 17.15; 2 Ts 3.3; 1 Jo 5.19). Isto é evidente de Mateus 12.24 (cf. v. 27) que os judeus tinham o costume de se referir a esse grande ser pelo nome *Belzebu* (Βεελζεβούλ, cf. 2 Rs 1.2,3,6, 16), a fim de sugerir que ele é "príncipe dos demônios". Como Διάβολος, ele permanece só, o agente infernal que está no comando de todos os δαιμόνια ou demônios. Esse anjo poderoso aparece com proeminência, importância e poder na Bíblia, e está logo abaixo da Trindade divina. Ele é freqüentemente mencionado no texto das Escrituras como o conjunto de todos os anjos. Ele é colocado na história humana desde a primeira página até a última, e sempre é apresentado como o fator mais vital nos negócios dos homens, dos anjos e do Universo em si mesmo.

SATANOLOGIA: INTRODUÇÃO

É de grande significação que as Escrituras delineiem com detalhe e cuidado esse principal inimigo desde a sua criação, através de toda a sua carreira, e até o seu juízo final. Tal honraria não está de acordo com outro anjo, ou qualquer ser humano; contudo, ele pode ser usado por Deus. Nenhum outro é tão analisado e tem os seus motivos, métodos, caráter e propósitos publicados como esse ser. O teólogo é confrontado com essa enorme revelação e é desafiado a dar atenção a essa, uma doutrina importante da Bíblia – a verdade a respeito de um ser que é o originador do pecado, o promotor dele tanto no mundo angelical quanto humano, e o adversário mais forte das coisas de Deus. Mas poucos podem dizer como o apóstolo Paulo: "Não lhe ignoramos os desígnios". Esse ser é aquele que "engana o mundo inteiro" e de nenhum modo mais evidente do que aquele que não crê que ele realmente exista.

Nessa incredulidade, sem dúvida, ele leva muita vantagem. As pessoas, desinformadas ou mal-informadas, num certo grau de medo, tornam-se uma presa fácil para o poder do inimigo das almas. Os modernos saduceus procuram reduzir esse ser terrível numa "figura de linguagem", "uma personificação metafórica do mal", ou um "engano de mentes insanas". Eles negam sua personalidade como eles fazem a respeito dos demônios. Satanás encorajaria tais impressões visto que elas desarmam o preconceito e o temor em relação aos seus empreendimentos infernais. Com respeito a esse ser poderoso ser somente uma "figura de linguagem" sem uma personalidade real, pode ser observado que as figuras de linguagem não são anjos criados que pecam e servem nos reinos da escuridão e são condenados para um julgamento final nas mãos de Deus. Uma metáfora dificilmente poderia entrar num bando de porcos e ser precipitada para uma destruição instantânea. Nem uma metáfora poderia oferecer os reinos deste mundo ao Senhor da glória, e asseverar que aqueles reinos lhe foram entregues e que ele os poderia dar a quem quisesse. O Dr. Gerhart falou enfaticamente sobre essa fase desse tema quando diz:

A exegese racionalista que atribui possessão demoníaca à superstição e torna os registros do Novo Testamento desse tema obscuro em fantasias ilusórias, se aplicada a todo o ensino bíblico sobre as coisas invisíveis e sobrenaturais, tornaria todo o mundo espiritual em algo irreal. Há apenas um curto passo entre uma zombaria do diabo e uma ironia do Redentor. Não é esquecida aquela crença na personalidade do diabo e na influência dos demônios nos afazeres dos homens que assumiu formas grotescas durante a Idade Média; nem aquelas interpretações errôneas das possessões demoníacas que têm conduzido bons homens a cometer atos de horror. Mas o abuso dos fatos da Escritura realmente prova que não há verdade na representação que eles fazem do poder do diabo sobre homens maus e sobre a natureza? É superstição sustentar que Satanás é aquele "maligno" que é o "príncipe deste mundo"? Por causa de alguns teólogos e eruditos que em outras épocas entenderam erroneamente e erradamente aplicaram alguns dos milagres de nosso Senhor? Se este princípio de raciocínio fosse aplicado a reais superstições, os erros

455

monstruosos do politeísmo não provariam que não há Deus? O oráculo de Delfos não provaria que Isaías não pode ser um profeta genuíno? Ou a adoração fetichista da África provaria que nenhuma adoração é digna do homem? Ou o *totem* dos índios americanos provaria que não há providência divina?[247]

Exatamente como qualquer pessoa na Bíblia, cada elemento da personalidade é atributo de Satanás. Se aplicássemos um método factível que privaria Satanás de personalidade, o próprio Senhor e o Espírito Santo também poderiam ser privados, e por tal tortura da Bíblia esse livro se torna adaptado somente para desviar aqueles que o lêem. O mundo estranhamente retém a terminologia bíblica relativa a Satanás, embora todo vestígio dessa terminologia seja esvaziado do seu verdadeiro significado. Sem referência à revelação, o mundo tem imaginado um ser grotesco, enfeitado com ornamentos estranhos, que tem se tornado o caráter central de ficção e desempenhos teatrais e, então, está convencido que tal ser, como é retratado, não existe. Todo o corpo de verdade tem sido destinado ao limbo dos mitos de uma era passada. Infelizmente, o ser real demonstrado na Bíblia não é posto de lado por desconsideração pueril e ímpia da verdade solene de Deus. Não há carência de evidência tanto para a personalidade de Satanás quanto dos demônios. O registro dos feitos deles, igual ao destino deles, forma as páginas mais escuras da Palavra de Deus. O lago de fogo está preparado, não para os homens, mas para "o diabo e seus anjos" (Mt 25.41). Personagens de ficção e metáforas não são julgados pela morte de Cristo nem são enviados para o lago de fogo.

A queda desse poderoso anjo não foi acordo entre o bem e o mal. Ele se tornou a incorporação do mal e totalmente esvaziado do bem. A impiedade essencial desse ser não pode ser avaliada pela mente finita. Sua impiedade, contudo, é construtiva e alinhada com os grandes empreendimentos e ideais que são maus por causa da oposição que fazem a Deus. Uma consideração adicional do pecado consumado desse ser será vista à medida que este trabalho se desenvolver. É necessário somente ser acrescentado aqui que Satanás é uma personificação viva do engano. Mas reveladoras ainda são as palavras de Cristo dirigidas aos judeus: "Vós tendes por pai o Diabo, e quereis satisfazer os desejos de vosso pai; ele é homicida desde o princípio, e nunca se firmou na verdade, porque nele não há verdade; quando ele profere mentira, fala do que lhe é próprio; porque é mentiroso, e pai da mentira" (Jo 8.44).

Assim também um testemunho tríplice é dado do Apocalipse. No capítulo 12.9, é declarado que Satanás é o sedutor do mundo inteiro; no capítulo 20.2, 3, está predito que ele será lançado no abismo, fechado e selado, até o fim para "que não enganasse mais as nações até que os mil anos se completassem". Semelhantemente, quando solto, é dito que ele "sairá a enganar as nações que estão nos quatro cantos da terra" (20.7, 8). Assim, também, na tribulação, o homem do pecado fará o povo crer *na mentira*, fator este que é instigado pelo diabo e recebido pelo povo por causa da "forte sedução". Com tudo isto diante da mente, não é difícil explicar os enganos presentes que são tão gerais, que os mestres modernos descreiam na personalidade de Satanás, que os não-regenerados não considerem sua realidade; e que os cristãos em todo mundo estejam desinformados a respeito dessas astúcias.

Na verdade, poucos marchariam conscientemente sob a bandeira de Satanás. Todavia, será visto que há apenas alguns que, em algum grau, não prestam fidelidade a ele. Visto que a totalidade da verdade com respeito aos anjos é estranhamente irreal para as mentes humanas, e é talvez alguma coisa a ser esperada, que muitas pessoas vão pensar muito pouca coisa real a respeito de Satanás e dos demônios. Mas por mais restrita que a mente natural possa ser nessa direção, não há desculpa para uma negação aberta da revelação que é clara e extensa.

Aquele que for encontrado fiel e útil como um expoente digno das Escrituras e um guia para as almas humanas, deve compreender junto ao conhecimento do Deus triúno e os valores positivos de sua graça redentora, a verdade relativa ao inimigo de Deus, que "anda em derredor, rugindo como leão, e procurando a quem possa tragar" (1 Pe 5.8). Os conflitos e as provações do cristão são totalmente explicados dentro de três realidades – o *mundo*, a *carne* e o *diabo* – mas esse inimigo poderoso é "deus deste mundo", e a natureza má que domina a carne foi nascida na mentira de Satanás no jardim do Éden, e ele é em si mesmo um combatente vivo contra o crente – não somente na esfera da carne e sangue, mas nas esferas da vida e da atividade espirituais.

Se o texto da Escritura é observado, pode ser verificado que esse maior dos inimigos é colocado diante da contemplação do cristão próximo somente ao Pai, ao Filho e ao Espírito Santo. Se o conhecimento sobre esse inimigo faltar – como não deveria acontecer nos estudos teológicos –, os resultados não poderão ser menos que trágicos, por terem conseqüências eternas. Se é dada a devida atenção a esse tema num programa de estudos, como está registrado na Bíblia, muitas páginas deveriam ser necessárias para ele, sem nenhuma apologia. Acima de tudo, não julguemos com superstição quando tal atenção é dada a essa revelação extensa e explícita e quando essa porção da Escritura é tomada no seu significado natural e literal. Noções totalmente fanáticas e não escriturísticas são facilmente geradas com relação aos espíritos maus entre aqueles menos instruídos na Palavra de Deus; por isso mesmo, torna-se imperativo que seja dado o devido cuidado para que tudo se acomode ao que foi revelado. O pagão tem sido sempre torturado por suas imaginações infundadas a respeito da presença e da influência dos espíritos maus, e o cristão deve gratidão pela revelação clara que Deus lhe deu.

A crença na influência maligna dos espíritos maus antedata a Bíblia e estende-se a regiões em que a Bíblia nunca penetrou. Plutarco afirma: "Era uma opinião muito antiga a de que há certos demônios ímpios e malignos, que cobiçam homens bons, e esforçam-se para impedi-los em buscar a virtude, para que eles não sejam participantes ao menos de uma alegria maior do que aquela que eles desfrutam".[248] A adoração do diabo na África, Burma, Sirilanka,

Pérsia e Caldéia é um desenvolvimento que evidentemente é uma perversão da revelação divina mais antiga, no começo da história da raça humana.

The International Standard Bible Encyclopaedia afirma: "Sem dúvida, há sérias dificuldades no modo de aceitar a doutrina de um poder maligno, pessoal e supra-humano como Satanás é descrito ser. É duvidoso, contudo, se essas dificuldades possam não ser devidas, ao menos em parte, a um entendimento errôneo da doutrina e algumas de suas implicações. Além disso, deve ser reconhecido, sejam quais forem as dificuldades que possa haver no ensino, elas são exageradas e, ao mesmo tempo, não são justamente satisfeitas pelo ceticismo vago e irracional que nega sem investigação. Há dificuldades envolvidas em qualquer visão que tenhamos do mundo. O mínimo que se pode dizer, alguns problemas são resolvidos, quando se aceita um poder maligno mundial que é supra-humano.[249]

É crido por muitos que a terra era, no princípio, igual a outros planetas, uma habitação de seres espirituais; que Satanás estava em autoridade sobre esta esfera, e que o caos que é indicado em Gênesis 1.2 era o resultado direto do pecado de Satanás. Pouca coisa pode ser conhecida desses assuntos e novamente o silêncio de Deus deveria ser respeitado.

Três objeções gerais foram levantadas contra a doutrina bíblica de Satanás: (1) É asseverado que ela tem a sua origem na mitologia. Essa concepção não pode ser sustentada. A Bíblia não sistematiza essa divisão da doutrina mais do que qualquer outra. Tudo o que está estabelecido é com aquela sanidade e prudência que caracteriza a concepção divina do mundo como um todo; (2) A segunda objeção é que a doutrina de Satanás conforma-se ao dualismo do zoroastrianismo. A isto pode ser respondido que a doutrina total do mal – à parte da antecipação divina eterna dela – teve o seu começo e definitivamente vai chegar ao seu fim. Todo mal não somente existe por permissão divina, mas ele está debaixo do controle divino; (3) Todavia, é dito que a doutrina de Satanás destrói a unidade de Deus. Mas a criação por Deus de outras vontades, além da sua própria, visto que no fim elas têm de prestar conta a Ele, de modo algum milita contra a unidade de Deus. No final, como desde o começo, "Deus é tudo em todos".

As principais divisões da satanologia, como apresentadas aqui, são: (a) Carreira de Satanás; (b) Caráter mau de Satanás; (c) O *cosmos* satânico; (d) o motivo de Satanás; e (e) o método de Satanás.

CAPÍTULO V

Satanologia: A Carreira de Satanás

NA ABERTURA DESTA DIVISÃO de satanologia, cumpre-me fazer uma pausa em gratidão a Deus pelo livro que ele preparou, preservou e presenteou a seu povo, livro esse que revela a verdade com exatidão infinita relacionada aos habitantes das esferas espirituais e assinala a natureza desses seres com referência específica à relação que eles têm com a humanidade. Como foi afirmado anteriormente, a Palavra de Deus discorre longamente sobre a verdade concernente a um anjo poderoso. Uma revelação extensa é dada a respeito de sua criação, de seu estado original, de sua queda, do desenvolvimento e manifestação de sua autoridade, de seus vários juízos e de seu futuro confinamento no lago de fogo. A carreira revelada de Satanás é uma longa história que remonta um passado sem data e atinge uma eternidade vindoura, e é cheia de detalhes importantes.

I. A Criação, o Estado Original e a Queda de Satanás

Estes três aspectos da história desse grande anjo são tão inter-relacionados que dificilmente podem ser tratados separadamente. A passagem central que trata especificamente desses aspectos da carreira de Satanás é:

Ezequiel 28.11-19 – Uma porção considerável deste contexto imediato deverá ser examinada versículo por versículo, mas uma preparação para tal empreendimento deve ser observado: a revelação a respeito de Satanás começa com um período sem data entre a criação dos céus e da terra naquela forma perfeita na qual eles primeiro surgiram (Gn 1.1) e os julgamentos desoladores que puseram um fim àquele período, quando a terra se tornou sem forma e vazia (Gn 1.2; Is 24.1; Jr 4.23-26). Essa passagem extensa de Ezequiel, como será visto, é um delineamento do mais poderoso dos anjos – mais significativo, na verdade, é o fato de que é dito mais desse anjo do que qualquer outro e mais do que é dito de outros anjos juntos – da era da glória primeva da terra, e do primeiro pecado dos anjos. É razoável esperar que a Bíblia proporcione informação sobre história tão vital e tão determinante como essa, e ela o faz.

ANGELOLOGIA

O contexto imediato que cerca essa profecia de Ezequiel apresenta um registro dos juízos divinos sobre os inimigos de Israel e, de acordo com 1 Crônicas 21.1, Satanás pertence a esse grupo. A porção que apresenta a verdade com respeito a Satanás é algo escondido visto que ela está repousada numa figura oriental. Este é um meio divino tão legítimo de se expressar como qualquer outra forma de literatura, mas ele transmite a sua mensagem somente para aqueles que buscam o seu significado mais profundo e dedicam uma profunda atenção a ele. No entendimento correto dessa revelação vital sobre Satanás, é de grande importância observar que os versículos precedentes deste capítulo (Ez 28.1-10), embora se dirijam ao "príncipe de Tiro", são tão claramente uma palavra ao homem do pecado – a personificação e a obra-prima final de Satanás – como é uma palavra ao próprio Satanás.

Há uma significação notável na maneira em que esses dois são mencionados, relacionados e colocados em seqüência. O homem do pecado é identificado por toda a Palavra de Deus pela sua presunção blasfema de ser Deus. Na verdade, essa é a substância da semelhança entre Antíoco Epifânio e o homem do pecado (cf. Dn 8.9 com 7.8. Observe, também, sobre o homem do pecado em Mt 24.15; 2 Ts 2.3,4; Ap 13.6). Ezequiel 28.1-10 afirma essa característica com ênfase peculiar. Como um príncipe é inferior e sujeito a um Rei, assim é que o homem do pecado é sujeito a Satanás.

Antes desse discurso a um "príncipe" e um "rei" em Tiro, é feita uma alusão a quatro nações – Amom, Moabe, Edom e Filístia – e as mensagens a elas são comprimidas em 17 versículos, enquanto que a mensagem a uma cidade, Tiro, ocupa 83 versículos. Essa proporção é impressionante, e sugere a importância simbólica de uma cidade. Tiro era a cidade mercante do mundo, como era a grande Babilônia. Por essa ênfase fica sugerida a promoção do ideal de sucesso do mundo. Como no mundo de hoje, deixar todas as coisas aqui sem levar algo para o próximo mundo é considerado sucesso, mas não deixar algo aqui e levar tudo para o próximo mundo é um *fracasso*. Tiro é o símbolo de um mundo que ama o Deus do dinheiro.

Esse discurso ao "rei de Tiro" identifica alguém em vista por um dos seus quarenta títulos pelos quais ele é designado na Bíblia. Como o Filho maior de Davi é distinto nos salmos messiânicos pelos aspectos sobrenaturais demonstrados, assim a pessoa saudada na Escritura como "rei de tiro" é mostrada ser o mais elevado dos anjos. Não poderia ser um mortal. Alguns dos aspectos importantes desse texto da Escritura são aqui examinados:

28.11,12: "Veio a mim a palavra do Senhor, dizendo: Filho do homem, levanta uma lamentação sobre o rei de tiro, e dize-lhe: Assim diz o Senhor Deus: Tu eras o selo da perfeição, cheio de sabedoria e perfeito em formosura".

Importância suprema deve ser atribuída a esse texto da Escritura quando é reconhecido que essa é a palavra de Jeová ao "rei de Tiro", e não a palavra do profeta. Uma lamentação, que significa uma angústia intensa acompanhada de gestos de bater no peito, é um termo muito impressivo quando descreve a tristeza de Jeová derramada contra o pecador; e não é o que acontece sempre? Jeová deixar de lamentar alguma vez sobre as suas criaturas pecadoras? Se aceitássemos que há uma aplicação secundária desse lamento a algum rei em Tiro, tal conjectura seria de pouco valor ou significado em vista dos aspectos sobrenaturais que são imediatamente introduzidos: "Assim diz o Senhor Deus; Tu eras o selo da perfeição, cheio de sabedoria e perfeito em formosura". Tal expressão é superlativa até mesmo de acordo com os padrões divinos. A sugestão é que todo o poder criador divino com referência à *sabedoria* e *formosura* está representado nesse ser. Tal terminologia não é encontrada na boca de Jeová a respeito do homem caído que, quando muito, é apenas um rei pagão. A expressão, contudo, está de acordo com a verdade quando vista como uma mensagem para o maior dos anjos em seu estado ainda não caído.

28.13: "Estiveste no Éden, jardim de Deus; cobrias-te de toda pedra preciosa: a cornalina, o topázio, o ônix, a crisólita, o berilo, o jaspe, a safira, a granada e a esmeralda. Em ti se faziam os teus tambores e os teus pífaros; no dia em que foste criado foram preparados".

Faz pouca diferença se isto é uma referência ao Éden primitivo ou ao Éden do Gênesis 3. Satanás esteve em ambos, mas ninguém poderá asseverar que qualquer rei de Tiro pudesse ser tão favorecido. A ornamentação com pedras preciosas sugere a sua grande importância e o lustro de sua aparência. Assim, em esplendor, ele foi exibido no jardim do Éden, pois o seu nome, *nahash*, traduzido como "serpente", significa "o reluzente". O apóstolo Paulo afirma que ele até se transforma em anjo de luz (2 Co 11.14). Essas pedras preciosas são mostradas apenas três vezes na Bíblia: (a) no peitoral do sumo sacerdote, e ali foram uma manifestação da graça divina; (b) na Nova Jerusalém, que reflete a glória de Deus; e (c) como a vestidura desse grande anjo, que sinaliza que ele é o mais elevado na criação. Nenhuma distinção poderia ser colocada sobre qualquer criatura com tom mais exaltado do que é imposta por essas pedras de cobertura.

Semelhantemente, esse simbolismo apresenta esse anjo como criado para ter tido um diadema de louvor ao seu Criador. "Tambores" e "Pífaros" foram preparados para ele. Ele não precisava de um instrumento de louvor para glorificar o seu Criador; *ele* era um diadema de louvor. Mas a declaração mais reveladora nesse versículo é a afirmação de que ele é um ser *criado*. Esta verdade essencial é anunciada novamente no versículo 15 onde é dito que ele era "perfeito" em todos os seus caminhos desde o dia em que foi criado. O poder e a sabedoria desse ser são tão vastos que muitas pessoas têm suposto que ele é tão eterno como o próprio Deus. Por ser uma criatura, ele deve, não obstante o seu estado, ser sujeito, no final, ao seu Criador e prestar contas a ele. Este Satanás ainda fará isso.

28.14: "Eu te coloquei como querubim da guarda; estiveste sobre o monte santo de Deus; andaste no meio das pedras afogueadas".

Que esse ser pertença à ordem dos querubins é impressionante. Como foi indicado anteriormente, esse grupo de anjos está relacionado ao trono de Deus como protetores e defensores de sua santidade. As provas dessa afirmação, tão recentemente listadas, não precisam ser repetidas aqui. Jeová dirige uma palavra especial nesse ponto a esse anjo: "Eu te coloquei..." e estas palavras são seguidas de expressão reveladora – "estiveste no monte de Deus". Este trabalho específico como querubim, ou protetor, realmente sobre o trono de Deus – visto que a frase, *o monte de Deus*, é, no uso que o Antigo Testamento faz dela, o lugar da autoridade de Deus (cf. Êx 4.27; Sl 2.6; 3.4; 43.3; 68.15; Is 2.2; 11.9). Destas revelações pode ser concluído que esse grande anjo foi criado acima de todos os anjos e para ser um defensor do trono de Deus.

Se for sugerido que Deus, por ser o Todo-poderoso, não precisaria de tal defesa, pode ser dito que não é uma questão a respeito do que Deus precisa, mas, antes, uma revelação a respeito do que Deus escolheu fazer. Sem dúvida, Ele não *precisava* dos querubins no jardim do Éden; todavia, colocou-os ali. A frase restante – "andaste no meio das pedras afogueadas" – é algo obscuro. Poderia se referir a uma glória primeva na terra. As pedras de fogo podem ser uma manifestação daquele fogo consumidor que Jeová é. Em tal caso, essa declaração sugeriria que o primeiro estado desse anjo era aquele em que ele andava num relacionamento ininterrupto com a santidade divina.

Ao retornar por um momento à identificação desse ser, deverá ser reconhecido que nenhum rei de Tiro preenche essa descrição de exaltação. Nenhum homem caído jamais foi um diadema de louvor, nem foi diretamente criado por Deus, nem pertenceu aos querubins, nem foi colocado sobre o monte santo de Deus, nem andou no meio de pedras afogueadas, nem foi perfeito em todos os caminhos desde a criação.

28.15: "Perfeito eras nos teus caminhos, desde o dia em que foste criado, até que em ti se achou iniqüidade".

A descrição agora muda e o fato do primeiro pecado desse anjo é revelado. A iniqüidade foi encontrada nele. A sugestão é a de que um pecado secreto foi descoberto. A onisciência de Deus não pode ser enganada nem demonstra falha em conhecer todas as coisas. Se os nossos pecados secretos estão sob a luz do Seu rosto (Sl 90.8), seria igualmente verdadeiro a respeito dos pecados secretos dos anjos.

28.16: "Pela abundância do teu comércio o teu coração se encheu de violência, e pecaste; pelo que te lancei, profanado, fora do monte de Deus, e o querubim da guarda te expulsou do meio das pedras afogueadas".

A palavra *comércio* é sugestiva. O mesmo pensamento ocorre a respeito do homem do pecado como é expresso pela palavra *comércio* (v. 5). O pensamento aqui expresso está muito longe da idéia de permuta e das transações comerciais pelos seres humanos. O significado do termo é "andar para lá e para cá". Pember sugere que é um assunto de difamação. Pode indicar que entre os anjos esse andar era necessário para assegurar fidelidade ao seu programa de rebelião contra Deus. A acusação direta, "pecaste", e "te lancei", são aspectos importantes na carreira de Satanás e serão considerados em mais detalhes aqui.

28.17: "Elevou-se o teu coração por causa da tua formosura, corrompeste a tua sabedoria por causa do teu resplendor; por terra te lancei; diante dos reis te pus, para que te contemplem".

A Criação, o Estado Original e a Queda de Satanás

O pecado de Satanás está sugerido aqui, pecado esse que é descrito mais plenamente em outras porções da Escritura. A natureza autocentrada de todo pecado é evidente nesse caso. Todavia, há uma longa caminhada das "pedras afogueadas" com toda a honra e glória exaltadas que tal linguagem expressa, para o lago de fogo na qual a carreira de Satanás vai acabar.

28.18,19: "Pela multidão das tuas iniqüidades, na injustiça do teu comércio, profanaste os teus santuários; eu, pois, fiz sair do meio de ti um fogo, que te consumiu a ti, e te tornei em cinza sobre a terra, à vista de todos os que te contemplavam. Todos os que te conhecem entre os povos estão espantados de ti; chegaste a um fim horrível, e não mais existirás, por todo o sempre".

É óbvio que estes versículos apontam para o julgamento imediato, futuro e final de Deus sobre esse anjo poderoso, e muitas outras coisas são mais completamente descritas em outras partes da Bíblia.

Nesse contexto Deus registra a origem, o estado, o caráter e o pecado do maior dos anjos. A importância dessa revelação, que é exibida na doutrina dos anjos e na doutrina do homem, geralmente não pode ser superestimada. Deus não criou Satanás como tal; Ele criou um anjo que era perfeito em todos os seus caminhos, e esse anjo pecou, ao opor-se à vontade de Deus. Por esse ato ele se tornou Satanás, ou aquele que resiste, e tudo mais que os seus títulos sugerem. Uma antiga questão levantada pelos céticos do passado com respeito ao originador do diabo foi respondida no texto que acabamos de considerar. Foi visto que Deus criou um anjo santo que possuía o poder de escolha entre o bem e o mal, e ele escolheu fazer o mal. Através do poder degenerador do pecado, Satanás, como fez Adão, tornou-se um ser totalmente diferente daquele que Deus havia criado.

Quando Deus cria um ser para cumprir um propósito, esse deve ser o cumprimento perfeito do ideal divino. Portanto, é bom, quando se procura descobrir as medidas desse grande anjo, identifica-se o propósito com o qual foi criado e avalia-se as qualidades que foram suas em razão desse propósito. Por seu pecado ele perdeu a sua santidade original e a sua posição celestial, mas ele retém a sua sabedoria, e tornou as suas capacidades insuperáveis em capacidades para o mal e o seu entendimento tem sido prostituído ao nível de *mentiras, enganos, ciladas* e *astúcia*. O grau destes empreendimentos malignos, o seu caráter exaltado, o seu motivo e método constituem uma porção desse grande tema que será ainda estudado.

No livro *Satan*, F. C. Jennings sumariza no final de sua lúcida exposição da passagem de Ezequiel, da seguinte maneira: "(a) Por seu cenário e linguagem, ele pode ser aplicado a algum filho de homem caído – pois é impossível; (b) Deve, portanto, se referir necessariamente a um espírito ou anjo; (c) esse anjo ou espírito, fosse quem fosse, era pessoalmente a coroa dessa criação primeva; (d) O seu ofício era o de proteger o trono de Deus, proibir a abordagem do mal, ou qualquer injustiça; (e) A iniqüidade foi encontrada nele, e essa iniqüidade foi a auto-exaltação; (f) A sentença de expulsão de seu lugar é pronunciada, embora não realmente, ou ao menos plenamente, executada".[250]

II. O Pecado de Satanás

Com a mesma clareza e detalhes extensos, o exato pecado de Satanás é delineado no Texto Sagrado, e numa passagem central, a saber, Isaías 14.12-17. É verdade que, desde o começo, Satanás não cessou de pecar, mas o interesse está focado especificamente no seu pecado inicial, pecado esse, até onde Deus se agradou revelar, foi o primeiro a ser cometido no Universo. Uma exposição parcial dessa passagem importante já foi empreendida na divisão anterior deste trabalho, e aparece propriamente como uma consideração fundamental em hamartiologia. Na verdade, o primeiro pecado a ser cometido não somente nos explica muito a respeito de nosso entendimento daquele que o comete, mas é a norma ou padrão de todo pecado, que demonstra o elemento no pecado que o faz ser o que é – "excessivamente maligno" (Rm 7.13).

Com referência à queda do céu, esta passagem (Is 14.12-17) levanta uma questão séria sobre se Satanás está agora, com respeito à sua habitação, verdadeiramente expulso do céu, ou ainda habita na esfera em que ele foi colocado quando criado. Uma noção popular, que é obtida totalmente à parte da revelação, supõe que Satanás habita nas regiões inferiores, se não no próprio inferno. Nesta conexão, é essencial considerar novamente a verdade de que há três céus mencionados na Bíblia: (a) o céu da atmosfera em que os pássaros do céu se movem, e sobre o qual "o príncipe da potestade do ar" tem autoridade e está ativo; (b) os espaços estelares que, como foi anteriormente indicado, são as habitações dos seres angelicais; e (c) o "terceiro céu" que é a habitação do Deus triúno, um local que não pode ser determinado. A pergunta em questão é se Satanás, e com ele os anjos caídos, são lançados de sua habitação original.

Certas passagens lançam luz sobre esse problema. De Cristo está escrito que "Respondeu-lhes ele: Eu via Satanás, como raio, cair do céu" (Lc 10.18). Se isto foi história ou profecia deve ser determinado pelo veredicto de outras passagens da Escritura. Apocalipse 12.7-9 relata uma expulsão de Satanás do céu para a terra e, como está descrito ali, é algo evidentemente futuro. A passagem afirma: "Então houve guerra no céu: Miguel e os seus anjos batalhavam contra o dragão. E o dragão e os seus anjos batalhavam, mas não prevaleceram, nem mais o seu lugar se achou no céu. E foi precipitado o grande dragão, a antiga serpente, que se chama o Diabo e Satanás, que engana todo o mundo; foi precipitado na terra, e os seus anjos foram precipitados com ele".

O profeta Ezequiel prevê uma expulsão de Satanás. Ele escreve a respeito de Satanás: "...e pecaste; pelo que te lancei, profanado, fora do monte de Deus" (Ez 28.16-19). Esta palavra não revela o tempo quando essa promessa será cumprida, além do fato de que ela está nesses versículos associada aos julgamentos finais que estão para vir sobre Satanás. Certas passagens presumem que Satanás está agora naquele céu para o qual ele tem título por criação. Em Jó 1.6 e 2.1 é afirmado que Satanás estava, então, presente no céu. Está escrito: "Ora, chegado o dia em que os filhos de Deus vieram apresentar-se perante o Senhor, veio também Satanás entre eles" (Jó 1.6). Aparentemente, não havia algo diferente na presença de Satanás naquele lugar, ou naquela ocasião. Ele é chamado para dar relatório de suas atividades; e assim ele o faz. Nesse relatório, ele incidentalmente revela a verdade de que tem liberdade suficiente ou expressão de ação para "rodear a terra, e de passear por ela", assim como de comparecer diante da presença de Deus nas alturas.

Cristo deu a Pedro a seguinte advertência: "Simão, Simão, eis que Satanás vos pediu [ἐξῃτήσατο, 'exigiu por pedido'] para vos cirandar como trigo" (Lc 22.31). A implicação é que Satanás apareceu pessoalmente diante de Deus com esse pedido. Novamente, o apóstolo ordena: "Revesti-vos de toda a armadura de Deus, para poderdes permanecer firmes contra as ciladas do Diabo; pois não é contra carne e sangue que temos que lutar, mas sim contra os principados, contra as potestades, contra os príncipes do mundo destas trevas, contra as hostes espirituais da iniqüidade nas regiões celestes" (Ef 6.11,12). Com a mesma finalidade esta passagem declara que os poderes malignos estão ainda nas esferas celestiais. A evidência que esse conjunto de textos apresenta – e aparentemente não há testemunho em contrário – é que Satanás está ainda em sua habitação original e ficará lá até que, conforme Apocalipse 12.7-9, ele seja lançado para a terra, como uma parte da experiência da tribulação.

É exigência também que estas duas grandes passagens – Ezequiel 28.11-19 e Isaías 14.12-17, que contribuem muito para tornar conhecida a história primitiva de Satanás – devem ser interpretadas de acordo com a verdade, para distinguir os diferentes pontos de vista desses autores humanos. Ezequiel em sua visão profética permaneceu no limiar da história angelical e viu em *prospectiva* o fim da carreira de Satanás, enquanto que Isaías, em sua visão profética, permaneceu no fim dessa história e viu em retrospectiva o que ele registra. A verdade que Isaías viu, ao olhar do fim para o começo, explica a sentença inicial de sua profecia, que presume que esse anjo poderoso haveria de cair do céu. Muita coisa que é encontrada nessa predição não é ainda cumprida em sua medida completa. Os empreendimentos colossais desse anjo, como Isaías os viu, não estão concluídos ainda.

Além disso, são empregados contrastes extremos por esses dois profetas nos títulos que eles aplicam a esse anjo. Quando começou a sua descrição do santo e elevado estado desse anjo na sua criação, Ezequiel se dirige a ele, e fala por Jeová, a fim de chamá-lo por um título terreno, "rei de Tiro"; enquanto Isaías, ao tentar demonstrar a degradação desse ser, dirige-se a ele e usa um título celestial, "Lúcifer, estrela da manhã". Poderia parecer que estes títulos são empregados com um propósito até o final para que esses dois estados – aquele que está entre os mais altos de todo poder criador, e aquele que está entre os mais baixos e aviltantes de um anjo – possam ser trazidos numa justaposição surpreendente. O título "Lúcifer, estrela da manhã" é uma designação celestial gloriosa desse grande anjo antes de sua queda moral.

Lúcifer significa "brilhante" ou "aquele que brilha" – e é quase idêntico a *nāḥāsh*, a serpente, que significa "a que é brilhante". Cristo porta os títulos "brilhante estrela da manhã" e "Sol da justiça". Os títulos "Lúcifer, estrela da manhã" e "brilhante estrela da manhã" são praticamente os mesmos. Cristo é chamado "o último Adão" como um sucessor do primeiro Adão que caiu. Não é possível que, de alguma maneira não revelada, Ele seja "a brilhante estrela da manhã", como sucessor do caído "Lúcifer, estrela da manhã"? Isto é apenas um dos muitos paralelos e contrastes entre Cristo e Satanás, entre Cristo e Adão, e entre Satanás e Adão.

A profecia de Isaías é a seguinte:

"Como caíste do céu, ó estrela da manhã, filha da alva! como foste lançado por terra tu que prostravas as nações! E tu dizias no teu coração: Eu subirei ao céu; acima das estrelas de Deus exaltarei o meu trono; e no monte da congregação me assentarei, nas extremidades do norte; subirei acima das alturas das nuvens, e serei semelhante ao Altíssimo. Contudo levado serás ao Seol, ao mais profundo do abismo. Os que te virem te contemplarão, considerar-te-ão, e dirão: É este o varão que fazia estremecer a terra, e que fazia tremer os reinos? Que punha o mundo como um deserto, e assolava as suas cidades? Que a seus cativos não deixava ir soltos para suas casas?" (Is 14.12-17).

Assim o profeta anuncia a queda desse anjo, a ocasião da queda, e alguma coisa desse poder estupendo. Do último, é dito que ele "prostrava as nações", "que fazia estremecer a terra", "e que fazia tremer os reinos", "que punha o mundo como um deserto", "que assolava as suas cidades" e "que a seus cativos não deixava ir soltos para suas casas". Muitas coisas desse vasso programa não foram ainda cumpridas, e a autoridade e o poder que ele conota pertence a uma discussão posterior. Novamente é enfatizado aqui o pecado de Satanás, por ter pretendido que sua intenção fosse um segredo. Esse é o significado das palavras "E tu dizias no teu coração". Igualmente, é afirmado nessa passagem que o pecado de Lúcifer consistia de cinco "decisões" contra a vontade de Deus.

Na verdade, o poder da imaginação humana é débil para descrever a crise neste universo no momento em que se deu o primeiro repúdio a Deus no céu. Essas cinco "decisões" de Satanás são evidentemente os vários aspectos de um só pecado. Ao escrever sobre as características aceitáveis de um presbítero na igreja, o apóstolo afirma que ele não deve ser um neófito, "para que não se ensoberbeça e venha a cair na condenação do Diabo" (1 Tm 3.6). Cristo afirmou que Satanás não permanece na verdade; que ele foi dominado por um desejo impuro; e que ele foi assassino desde o princípio (Jo 8.44). Todas essas revelações são, sem dúvida, apenas vários modos de descrever um pecado – o de procurar se elevar acima da esfera em que ele foi criado, e acima do propósito e serviço que lhe foi atribuído. Será observado que este é o caráter essencial do pecado humano, como o é dos anjos. As cinco "decisões" são:

1. "EU SUBIREI AO CÉU." Nesta decisão, o primeiro aspecto do pecado de Satanás, ele aparentemente propôs fazer o seu *domicílio* no terceiro e mais alto dos céus, onde Deus e seus remidos habitam (2 Co 12.1-4). O domicílio dos anjos é evidentemente num plano mais inferior; porque, quando retornou ao mais alto dos céus, após a sua ressurreição, é dito que Cristo sentou-se "à sua direita nos céus, muito acima de todo principado, e autoridade, e poder, e domínio" (Ef 1.20,21); mas Satanás, cujo domicílio é o dos anjos, ainda que seus deveres lhe dêem acesso tanto à terra como às esferas elevadas (cf. Jó 1.6; Ez 28.14), numa autopromoção impura determinou que o seu domicílio fosse mais alto do que a esfera para a qual ele havia sido designado por seu Criador.

A graça redentora de Deus não ficará satisfeita até que alguns dentre os homens, que por posição original são inferiores aos anjos (Sl 8.4-6; Hb 2.6-8), sejam elevados a uma cidadania eterna na mais alta esfera (Jo 14.3; 17.21-24; Cl 3.3, 4; Hb 2.10; 10.19, 20); mas Satanás não tem direito, seja por posição ou por redenção, a reivindicar essa esfera como o lugar de seu domicílio. Sua intenção egoísta, como está revelado em suas declarações, é um ultraje contra o plano e o propósito do Criador.

2. "Eu Exaltarei o meu Trono Acima das Estrelas de Deus." Por esta afirmação fica revelado que Satanás, embora designado para ser guardião do trono de Deus, aspirava a posse de um trono para si e aspirava governar as "estrelas de Deus". Os seres angelicais, antes que os sistemas estelares, é que estão em vista aqui (Jó 38.7; Jd 13; Ap 12.3, 4; 22.16). Evidentemente, muito pouco da ambição que Satanás tinha de possuir um trono lhe foi permitido, pois está revelado que ele agora é um rei reconhecido, embora julgado, com autoridade e trono tanto na esfera celestial (Mt 12.26; Ef 2.2; Cl 2.13-15) quanto na esfera terrestre (Lc 4.5, 6; 2 Co 4.4 e Ap 2.13, onde "assento" é uma tradução inadequada de θρόνος). O caráter pecaminoso do propósito de Satanás de assegurar um trono é evidente.

3. "E no Monte da Congregação me Assentarei, nas Extremidades do Norte." Como já foi afirmado, "o monte" é uma frase que evidentemente se refere ao lugar do governo divino na terra (Is 2.1-4), e o vocábulo "congregação" é claramente uma referência a Israel. Assim, essa presunção específica parece visar o compartilhamento ao menos do governo messiânico terrestre. Esse governo deve ser exercido de Jerusalém, a cidade do grande Rei. O Messias, é-nos dito no Salmo 48.2, reinará desde o monte Sião "nas extremidades do norte". Está também revelado que na cruz, colocada no lado norte de Jerusalém, Cristo julgou e despojou os principados e as potestades (Cl 2.15). É possível que quando assim julgado, os desígnios impuros de Satanás sobre o governo messiânico foram desfeitos para sempre.

4. "Subirei acima das mais Altas Nuvens." O significado desta suposição será provavelmente descoberto no uso da palavra nuvens. Das mais de 150 referências que a Bíblia faz a nuvens, cem delas são relacionadas à presença e glória divinas. Jeová apareceu na nuvem (Êx 16.10); a nuvem era chamada de "a nuvem de Jeová" (Êx 40.38); quando Jeová estava presente a nuvem encheu a casa (1 Rs 8.10); Jeová faz das "nuvens o seu carro" (Sl 104.3; Is 19.1); Cristo virá dos céus, como subiu, nas nuvens do céu (Mt 24.30; At 1.9; Ap 1.7); assim os resgatados aparecerão (Israel, em Is 60.8; e a Igreja, em 1 Ts 4.17). O "homem do pecado" de Satanás exaltar-se-á acima de

tudo o que é chamado Deus, ou o que é adorado (2 Ts 2.4), e por sua presunção Satanás está evidentemente à procura de assegurar para si alguma glória que pertence somente a Deus.

5. "SEREI SEMELHANTE AO ALTÍSSIMO." Esta, a quinta e última das decisões de Satanás contra a vontade de Deus, pode ser considerada como uma chave para o entendimento e o rastreamento de seus motivos e métodos. A despeito de uma impressão quase universal de que o ideal de Satanás para si próprio é ser *diferente* de Deus, ele aqui é revelado como aquele que age com o propósito de ser *igual* a Deus. Contudo, esta ambição não era a de ser igual a Jeová, o auto-existente, que nenhum ser criado pode igualá-lo, mas ser igual ao Altíssimo, cujo título significa o "possuidor do céu e da terra" (Gn 14.19,22). O propósito de Satanás, então, é possuir autoridade sobre os céus e terra. O caráter essencial e maligno do pecado aqui, como em todo lugar, é uma indisposição da parte da criatura em permanecer na posição exata em que foi colocada pelo Criador.

Na busca desse propósito de vida como imitador de Deus e falsificador dos empreendimentos divinos, Satanás, aparentemente com sinceridade, recomendou a Adão e Eva que eles também "fossem como deuses". A palavra original aqui traduzida como "deuses" é *Elohim* e a forma plural *Elohim* evidentemente explica o plural "deuses". O que Satanás realmente disse foi, "e sereis como *Elohim*". Em resposta a esta sugestão, que refletia somente a própria ambição suprema de Satanás de ser igual ao Altíssimo, Adão penetrou no mesmo caminho de repúdio impuro ao propósito divino. Essa forma de pecado tem sido tão universal que o homem pensa que realizou muito quando, se o fez, ele, pela graça de Deus, chega ao lugar onde sua vontade é rendida a Deus – o lugar, na verdade, de onde o homem nunca deveria ter saído. Na permissão estranha e inexplicável de Deus, o homem ideal de Satanás, o homem do pecado, ainda se declarará ser Deus, ao sentar-se no templo de Deus (2 Ts 2.4); mas isto parece ser o clímax da presunção impura do homem e constituirá o sinal do fim da era (Mt 24.15).

O pecado de Satanás pode ser assim sumarizado como um propósito para assegurar (1) a posição celestial mais elevada; (2) os direitos de realeza tanto no céu quanto na terra; (3) o reconhecimento messiânico; (4) a glória que pertence a Deus somente; e (5) a semelhança ao Altíssimo, o "possuidor do céu e da terra".

Não pode haver avaliação adequada do efeito imediato do pecado inicial de Satanás, primeiro sobre si próprio, e então sobre o enorme exército de seres espirituais que, em fidelidade a Satanás, "não guardaram o seu estado original"; ou do efeito final sobre a totalidade da raça humana cujo cabeça federal adotou o mesmo repúdio satânico de Deus.

III. Satanás Conforme o Antigo Testamento

Satanás é apresentado no Antigo Testamento com várias caracterizações, mas ele aparece quatro vezes no Antigo Testamento com o designativo hebraico

Satanás. Em 1 Crônicas 21.1 é feito um registro da verdade de que Satanás moveu Davi a fazer o censo de Israel de modo contrário à vontade de Deus, e este ato da parte de Satanás ilustra bem o seu propósito e caráter. Tanto o Salmo 109.6 como Zacarias 3.1,2 revelam o mesmo desígnio satânico. Na primeira das duas passagens, a presença de Satanás é invocada como um julgamento sobre os inimigos de Jeová, enquanto que, na segunda, Satanás é visto numa atitude de prontidão, para resistir o propósito divino em favor de Josué, o sumo sacerdote. É Jeová quem diretamente repreende Satanás, cuja verdade tem o seu paralelo em Judas 9, onde é dito que Miguel invoca Jeová para repreender Satanás por causa de sua oposição. A referência restante do Antigo Testamento com respeito a Satanás é uma narrativa iluminadora da controvérsia de Jeová com Satanás sobre Jó. Como essa passagem exige extensas considerações que serão feitas na próxima divisão de satanologia, nenhuma atenção adicional será dada a esta altura além do reconhecimento de que Satanás, aqui, como sempre, aparece como o opositor de Deus.

A revelação total do poder mundial rebelde de Satanás não é encontrada no Antigo Testamento, mas está reservada para o Novo Testamento. Tal revelação sem dúvida foi retida por ser demasiado pesada para aqueles do Antigo Testamento a quem uma revelação mais plena da verdade não havia chegado. Há um progresso da doutrina a respeito das coisas malignas assim como há a respeito das coisas benignas, e estes dois desenvolvimentos não poderiam perder a sua inter-relação e equilíbrio. No Antigo Testamento, o próprio Jeová é apresentado como o que permite aquilo que acontece, o que sempre é o fato básico (Êx 10.20; 1 Sm 16.14; Is 45.7; Am 3.6). A permissão divina aqui, como sempre, de modo algum alivia a responsabilidade dos pecados daqueles que pecam. O primeiro título real pelo qual esse grande anjo é apresentado na Bíblia não é plenamente clarificado com respeito ao seu significado até a chegada do final, em Apocalipse 12.9 (cf. 2 Co 11.3).

IV. Satanás Conforme o Novo Testamento

No começo do Novo Testamento, o estudante é confrontado com a extrema atividade de Satanás e dos demônios. Parece que toda oposição possível residente nos anjos caídos estava pronta para o combate. Tão certamente como o propósito de Deus na redenção estava para ser cumprido, a mais violenta oposição foi estabelecida pelo poder das trevas. Tal esforço supremo da parte de Satanás está de acordo com a verdade revelada, mas também em concordância com a razão. Há apenas uma situação que se compara a essa, a saber, o período que precederá imediatamente a segunda vinda de Cristo quando, como é anunciado em Apocalipse 16.13,14: "E da boca do dragão, e da boca da besta, e da boca do falso profeta, vi saírem três espíritos imundos, semelhantes a rãs. Pois são espíritos de demônios, que operam sinais; os quais vão ao encontro dos reis de todo mundo, para os congregar para a batalha do grande dia do Deus Todo-poderoso".

Esta situação é mais completamente retratada no Salmo 2, como também em Apocalipse 19.17-21. O verdadeiro caráter desse conflito vindouro fica esclarecido quando se observa que esses reis guerreiros serão possuídos pelos demônios.

A atividade de Satanás, como descrita no Novo Testamento, pode ser dividida numa classificação dupla – aquela que surge através de sua autoridade como um rei sobre os espíritos malignos, e aquela que surge através do seu domínio sobre o mundo. Em resposta àqueles que o acusaram de expulsar Satanás pelo poder de Satanás, Cristo disse que uma casa que está dividida contra si mesma, não pode subsistir, e fez a seguinte pergunta: "Se Satanás expulsa Satanás, como o seu reino subsistirá?" Esta passagem é mencionada somente para evidenciar a verdade de que Satanás tem um reino de espíritos malignos. Essa afirmação de Cristo é mais do que uma sugestão; ela é uma afirmação direta e sua realidade deve ser levada em conta. Assim, também, Satanás é dito ser "o deus deste mundo" (2 Co 4.4) e está em autoridade sobre este mundo a ponto dele poder dar os seus reinos a quem queira (Lc 4.6). É provável que toda atividade de Satanás esteja relacionada a uma ou outra dessas esferas de autoridade.

No limiar do ministério de Cristo sobre a terra, Satanás o encontrou no deserto. Há um mistério escondido neste encontro que, provavelmente, se refere às esferas da realidade angelical. Também penetra na união hipostática das duas naturezas de Cristo. A tentação está aparentemente dentro da esfera de Sua humanidade e sugere o exercício de aspectos humanos – corpo, alma e espírito – e nos ajustamentos deles à presença e às exigências de sua divindade. Nessa esfera de relacionamento, a mente humana não pode entrar; todavia, a afirmação clara que a Bíblia demonstra deveria ser aceita. Sem dúvida, essas questões sobrenaturais estão dentro do raio de ação do entendimento de Satanás, e fornecem um vasto campo para o conflito que na experiência humana não se encontra paralelo.

Os aspectos da situação são apresentados fielmente. Cristo, por ser cheio do Espírito Santo, é conduzido pelo Espírito para o deserto e ali se submete a um teste que dura quarenta dias e quarenta noites. Como clímax do texto, Satanás apresenta uma tríplice sugestão. A primeira envolvia o rompimento daquela separação que Cristo fielmente preservou entre a sua divindade e humanidade. Se as exigências comuns de comida e bebida fossem supridas sobrenaturalmente por sua divindade, Ele não seria testado em todas as coisas como são seus seguidores neste mundo. O segundo teste envolvia um atalho, sem passar pelo sacrifício, para a posse dos reinos deste mundo. Eles foram prometidos ao Filho (Sl 2.8,9) pelo Pai e a garantia deles com respeito ao título foi parte do seu triunfo na cruz. Em algum grau Satanás tem interesse pessoal em servir, pois há uma enorme diferença entre trocar os reinos do mundo pela adoração da parte do Filho de Deus quando comparado com a chegada da condenação que o priva de tudo, exceto do lago de fogo.

No terceiro teste, ele ofereceu a Cristo a segurança de um reconhecimento do povo sem passar pelo caminho do sofrimento e da vergonha. Em todos os três testes Cristo confrontou as propostas de Satanás com a Palavra de Deus, e demonstrou o fato de que a ação que Satanás sugere não é a vontade de Deus. O primeiro Adão foi vencido por Satanás; o Último Adão expulsou Satanás do campo. Como Filho de Deus, por ter sua divindade em vista, o resultado não poderia ser diferente; como um homem com sua humanidade em vista, a vitória é imensurável e forma um padrão para todos os santos de Deus em todas as épocas.

O que está sugerido a respeito dos últimos ataques de Satanás a Cristo, expresso nas palavras: "Assim, tendo o Diabo acabado toda sorte de tentação, retirou-se dele até ocasião oportuna" (Lc 4.13), não é fácil de rastrear, mas que outras tentativas foram feitas – que podem ter caracterizado muita coisa da vida e obra de Cristo em todos os dias antes da cruz –, é absolutamente certo.

V. Satanás Julgado na Cruz

Quando estudamos a sua trajetória, a cruz, como um julgamento de Satanás e de todas as ordens de espíritos, é o evento que vem a seguir, e novamente o tema alcança esferas mais amplas onde a vida e o serviço dos anjos estão situados. Há o envolvimento de questões que extrapolam a esfera terrena. Por esta razão, o tema deve ser abordado com cuidado. Aquilo que está revelado deve ser recebido como a revelação de Deus e dela certas conclusões devem ser tiradas. Em sua morte, Cristo tratou do pecado como um princípio, como um todo; e conquanto seja um privilégio para um ser humano saber que o seu pecado pessoal encontrou satisfação em Deus pelo pagamento feito por Cristo, é evidente que a coisa realizada por Cristo é tão ilimitada como o Universo e tão atemporal como a eternidade.

A Carta aos Colossenses contém duas passagens notáveis que enunciam o caráter ilimitado da obra de Cristo sobre a cruz. Ao atribuir a Cristo, em 1.15-18, a criação de todas as coisas e a preeminência dele acima de toda a sua criação, a carta afirma nos versículos 19-22, o seguinte: "Porque aprouve a Deus que nele habitasse toda a plenitude, e que, havendo por ele feito a paz pelo sangue da sua cruz, por meio dele reconciliasse consigo mesmo todas as coisas, tanto as que estão na terra como as que estão nos céus. A vós também, que outrora éreis estranhos, e inimigos no entendimento pelas vossas obras más, agora contudo vos reconciliou no corpo da sua carne, pela morte, a fim de perante ele vos apresentar santos, sem defeito e irrepreensíveis". O escopo desta reconciliação que a cruz proporciona é tão ilimitado como aquela esfera que inclui tanto o céu quanto a terra.

O termo *reconciliação* não é o equivalente à *restauração*, ou *salvação*. O seu significado preciso é "mudar completamente", e a sua realização é vista no fato de que a avaliação divina de todas as coisas foi mudada completamente pela cruz. Quando é dito, como é o caso de 2 Coríntios 5.19, que Deus reconciliou o mundo consigo, não quer dizer que todos os homens estão salvos, ou que todos serão salvos. E com significado semelhante, a reconciliação de "todas as coisas", como é afirmado em Colossenses 1.20, não sugere que todas as coisas no céu e na terra

ANGELOLOGIA

estão agora aperfeiçoadas à vista de Deus, ou que elas necessariamente o serão. A reconciliação que é agora operada pela cruz proporcionou uma base para a redenção daqueles que, de antemão, foram escolhidos por Deus e uma base para o juízo daqueles que rejeitam as suas provisões que foram feitas em favor deles.

As Escrituras nem mesmo sugerem que os homens caídos, que continuam impenitentes, ou os anjos caídos, serão resgatados de sua condenação (Mt 25.41; Ap 20.12-15). É provável que o que está envolvido não pode ser reduzido ao nível do entendimento humano, mas a verdade que a morte de Cristo estende um benefício às coisas no céu e na terra, é tornada clara. Satanás e suas hostes são julgados. Os seres caídos e os seus atos malignos vieram à tona para o julgamento divino, e estão julgados agora, embora a execução desse julgamento ainda seja futura. Embora o calcanhar do Juiz de todas as coisas esteja ferido, também é certo que a cabeça da "serpente" foi esmagada. É impossível que um seja ferido sem que o outro seja esmagado.

A segunda passagem em Colossenses é muitíssimo explícita, ainda que tudo o que ela anuncia pode não ser compreendido pelos habitantes desta esfera. Ela diz: "E havendo riscado o escrito de dívida que havia contra nós nas suas ordenanças, o qual nos era contrário, removeu-o do meio de nós, cravando-o na cruz; e, tendo despojado os principados e potestades, os exibiu publicamente e deles triunfou na mesma cruz" (Cl 2.14,15). Aqui, como antes, o valor da cruz é visto estendido a dois reinos: aquele que é humano (v. 14), e aquele que é angélico (v. 15). O que se refere às esferas humanas não vai ser considerado agora; mas dentro das esferas daquilo que é angélico, realizações estupendas são indicadas pela revelação de que Cristo, em sua morte, "*despojou* os principados e potestades, os exibiu publicamente e *deles triunfou* na mesma cruz".

A imaginação humana poderia descrever tudo isso como se tivesse acontecido no passado numa sessão final de tribunal, mas aqui é ensinado que a sua realização através da cruz de Cristo é uma realidade presente. Visto que o tema é tão vasto quanto a esfera e destino dos anjos, é parte da sabedoria que o estudante aborde a consideração dele com a devida humildade. A verdade de que Satanás foi julgado na cruz de Cristo é confirmada pelas duas afirmações registradas por Cristo: "Agora é o juízo deste mundo; agora será expulso o príncipe deste mundo" (Jo 12.31); "e do juízo, porque o príncipe deste mundo já está julgado" (Jo 16.11). Estas palavras foram ditas imediatamente antes da crucificação e relatam o julgamento de Satanás à morte predita de Cristo. A essas afirmações pode ser acrescentado o texto de Hebreus 2.14, que declara: "Portanto, visto como os filhos são participantes comuns de carne e sangue, também ele semelhantemente participou das mesmas coisas, para que pela morte derrotasse aquele que tinha o poder da morte, isto é, o Diabo".

Assim, por um ensino explícito, a Bíblia reitera a verdade de que Satanás e seus exércitos vieram a juízo, mesmo despojados, expostos, vencidos, julgados e expulsos por Cristo em sua morte. Na verdade, esse é um fato histórico, e ainda resta para ser descoberta alguma coisa desse julgamento com os seus resultados imediatos e futuros. Sobre os resultados imediatos, pode ser repetido que uma distinção deve ser feita entre o julgamento feito que está na natureza de uma sentença legal ainda não executada, e a administração final da penalidade. A evidência é conclusiva de que a sentença não foi executada ainda visto que por toda esta era após a cruz, por autoridade divina, Satanás recebe a designação de "o príncipe da potestade do ar" (Ef 2.2), e de "o deus deste século" (2 Co 4.4). Está evidente que lhe é permitido continuar como o usurpador até o tempo de sua execução.

Uma ilustração da presente relação de Satanás com este mundo pode ser vista na história de Saul e Davi. É natural que Davi, o primeiro a ocupar o trono davídico, devesse ser um tipo de Cristo que seria o último e o mais glorioso ocupante desse trono (Lc 1.31-33). Como houve um período entre a unção de Davi e o banimento final de Saul, no qual Saul reinou como um usurpador, embora sob sentença divina e Davi era o rei designado por Deus, de igual modo há agora um período similar em que Satanás reina como um usurpador, embora sob sentença, e a real ocupação do trono de Cristo é ainda futura. Nesse período Satanás, o monarca rejeitado, ainda governa, e procura matar todos aqueles que se aliaram a Cristo, o Rei ungido por Deus. Sobre esse período tão importante da carreira de Satanás e sobre o caráter peculiar dele, como tipificado por Saul, F. C. Jennings escreve:

Assim você se lembra de que Deus permitiu que Israel escolhesse o seu primeiro rei, e eles escolheram Saul, de quem nos foi dito que "desde os ombros para cima sobressaía em altura a todo o povo" (1 Sm 9.2). Por que isto nos foi dito? Exaurimos o seu significado quando nos descrevemos para nós próprios a grande altura de um rei humano? Eu estou certo disso, mas antes, o Espírito de Deus proporcionaria uma figura perfeita ou um tipo dele que exatamente do mesmo modo se elevaria sobre os *seus* companheiros: em outras palavras, como outros textos da Escritura que temos observado mostram, ele era a mais exaltada de todas as inteligências espirituais criadas. Mas Saul desobedece, ou, para usar uma linguagem que vai sugerir o paralelo que eu desejo colocar diante de nós; – "iniqüidade *foi encontrada nele*" (veja Ez 28.15), e ele foi tirado de seu ofício real: o reino foi tirado dele e dado a outro melhor do que ele (1 Sm 15.27-28), e então Deus ungiu outro rei de Sua própria escolha: um *rei pastor*, Davi! Agora, ninguém questiona Davi, um tipo do amado Filho de Deus; por que Saul não nos forneceria também um tipo de Seu oponente? Ele certamente o faz. Mas – e este é o ponto que deve ser observado e ponderado cuidadosamente –, *Saul retém o trono de Israel, e é ainda reconhecido como o rei, muito depois de ser divinamente rejeitado*; a sentença é pronunciada, mas o julgamento não é executado imediatamente, enquanto Davi, agora o verdadeiro rei, é "caçado como uma perdiz nas montanhas, ou se esconde na caverna de Adulão", Deus não intervém imediatamente com seu *poder*, nem retira de Saul as dignidades do reino – embora ele tenha perdido todo o *direito* a elas – e as colocou nas mãos de Davi: o poder é de Saul, mas a posição é de Davi. Este último é o rei *de jure*, enquanto que o primeiro é o rei *de facto*. Você não percebe a analogia clara e maravilhosa? Satanás também, conquanto possa ter perdido toda a *posição* quanto ao trono da terra

ANGELOLOGIA

– vamos considerar isso mais direta e cuidadosamente – ainda se apega, como Saul fez, ao seu poder e dignidade; reivindica, como fez Saul, todo o poder de seu governo; enquanto o verdadeiro Davi, a quem pertence todo o *direito*, é, como se estivesse, na caverna de Adulão, onde uns poucos "descontentes", aqueles que não estão satisfeitos com tal estado de coisas – encontraram o caminho até Ele, e O possuíram, mesmo no dia de Sua rejeição, como o Senhor legítimo de tudo. Portanto, enquanto Satanás é o príncipe deste mundo no tempo presente, somos conduzidos pela analogia da história inspirada, assim como cada texto claro da Escritura, a considerá-lo como o seu príncipe *usurpador*: um príncipe no *poder*, mas não no *direito*. Todavia, enquanto agora, por ser um usurpador, como Saul era; ainda visto que ele, como também Saul, foi divinamente ungido como rei, a dignidade daquela unção ainda permanece sobre ele, de forma que Miguel reconheceu essa dignidade – não falando mal, mas reverentemente (da mesma forma como Davi falou de Saul sempre como "o ungido do Senhor") e disse: "O *Senhor* te repreenda".[251]

Ao voltar à verdade central registrada em Colossenses 2.15, deve ser lembrado que o crime específico que ocasionou a queda de Satanás, a queda dos anjos, e a queda do homem, embora instigada pelo orgulho (1 Tm 3.6; Ez 28.16,17) e que conduziu para uma carreira de iniqüidade, é o fato de que esse poderoso anjo assumiu, para se opor ao plano e ao propósito de Deus, tanto para si próprio quanto para outras criaturas. Ele introduziu uma filosofia de vida, um modo de procedimento, que é diretamente oposto ao que é revelado pela vontade de Deus. É uma mentira no sentido em que ele contradiz aquilo que é infinitamente verdadeiro. A forma de julgamento que Deus deve impor sobre tal ofensa imensurável não deve ser determinada pelos homens. O julgamento propriamente tem em vista o crime em si. Tal, de fato, é a razão para um confinamento interminável no lago de fogo.

Satanás declarou: "Eu exaltarei o meu trono acima das estrelas de Deus... Eu serei igual ao Altíssimo". Está evidente que este é o aspecto essencial do programa de Satanás. Em harmonia com esse propósito, ele lutou pelo cetro de Adão e dominou sobre a grande maioria da família humana por todas as suas gerações. Separados de Deus, como descrito em Efésios 2.12, eles não possuíram um caminho para Deus até que o sacrifício do calvário fosse aberto. É verdade que a um pequeno grupo de pessoas, Israel, com relação aos patriarcas, foi dada a cura do pecado pelo sangue do sacrifício, mas a grande massa da humanidade permaneceu sem esperança e sem Deus no mundo. Poderia parecer, entretanto, que a base do domínio de Satanás sobre a humanidade foi basicamente o fato de que eles não eram qualificados para nenhum relacionamento mais elevado.

Com base nisto, tivesse Deus abordado qualquer dos seres humanos caídos, Satanás teria alegado a própria santidade de Deus como a razão pela qual Ele não deveria agir. Satanás está comprometido com a sua própria filosofia infernal e com a defesa daqueles que a têm abraçado. Ao menos ele não vai renunciá-los sem a mais drástica resistência dentro da esfera de seu poder. Enquanto a impureza do homem não é levada à cruz, o conflito estava basicamente a favor de Satanás. Em Isaías 14.17, está escrito de Satanás que "a seus cativos não deixava ir soltos para suas casas". Esta afirmação é iluminadora. Contudo, quando se refere ao que Cristo faria pelo seu sacrifício, o mesmo profeta afirma que Cristo viria para "proclamar liberdade aos cativos, e a abertura de prisão aos presos" (Is 61.1; cf. Lc 4.16-21). O encarceramento ao qual as Escrituras se referem é mais sério e extenso do que qualquer coisa que pode se obter nos governos humanos.

Nenhuma sugestão será encontrada aqui de que aqueles que estão em prisão por crime, vão ser livres daquele juízo. A escravidão veio com o repúdio de Deus por parte daquele que era o cabeça responsável da raça. Esses prisioneiros não são somente escravos do pecado, mas estão em escravidão ao maligno. Ele é quem energiza todos os filhos da desobediência (Ef 2.2); Satanás aprisionou com enfermidade física uma "filha de Abraão" (Lc 13.16); por ele havia sido exercido "o poder da morte" (Hb 2.14, 15); e Paulo testemunha freqüentemente das atividades de Satanás (cf. 1 Co 5.5; 7.5; 2 Co 12.7; 1 Ts 2.18). Os convites incomparáveis – "Todo aquele que quiser... venha", ou "o que vem a mim de maneira nenhuma eu o lançarei fora" – são possíveis somente através da redenção que Cristo trouxe. A porta está bem aberta. O Evangelho deve ser pregado a "toda criatura".

Assim, foi visto que o julgamento de Satanás feito por Cristo na cruz teve primariamente a ver com o crime original de Satanás e com a filosofia de repúdio de Deus que o crime representa. O *princípio* do mal foi julgado. O julgamento da cruz alcança um mundo perdido por quem Cristo morreu e torna-se a base do Evangelho da salvação.

A essa altura, uma investigação de um conjunto de extensa literatura que trata da atividade e influência de Satanás sobre os salvos e os não-salvos nesta época presente, deve ser feita e será incluída posteriormente nas divisões deste tema geral.

VI. A Execução dos Juízos de Satanás

A execução daqueles julgamentos que foram assegurados contra Satanás por Cristo através da cruz é prevista na Palavra de Deus em três estágios ou eventos sucessivos. Estes devem ser considerados totalmente à parte dos três julgamentos já acontecidos, a saber: (a) a degradação moral e perda correspondente da posição por causa da queda; (b) a sentença pronunciada contra ele no Jardim do Éden; e (c) o julgamento da cruz. A tríplice execução do futuro julgamento sobre Satanás deve ser afirmada do seguinte modo:

1. Satanás Expulso do Céu. A expulsão de Satanás do céu e o confinamento dele com os anjos a uma esfera restrita da terra são descritos em Apocalipse 12.7-12. A passagem é a seguinte:

"Então houve guerra no céu: Miguel e os seus anjos batalhavam contra o dragão. E o dragão e os seus anjos batalhavam, mas não prevaleceram, nem mais o seu lugar se achou no céu. E foi precipitado o grande dragão, a antiga serpente, que se chama o Diabo e Satanás, que engana todo o mundo; foi precipitado na terra, e os seus anjos foram precipitados com ele. Então ouvi uma grande voz no céu, que dizia: Agora é chegada a salvação, e o poder, e o reino do nosso Deus, e a autoridade do seu Cristo; porque já foi lançado fora o acusador de nossos irmãos, o qual diante do nosso Deus os acusava dia e noite. E eles o venceram pelo sangue do Cordeiro e pela palavra do seu testemunho; e não amaram as suas vidas até a morte. Pelo que alegrai-vos, ó céus, e vós que neles habitais. Mas ai da terra e do mar! Porque o Diabo desceu a vós com grande ira, sabendo que pouco tempo lhe resta."

Além da revelação da verdade central de que Satanás e seus anjos serão expulsos do céu, essa passagem aponta para uma revelação vital. O meio que será empregado para expulsar Satanás e seus anjos não é outro senão a autoridade e poder dos santos anjos debaixo da liderança de Miguel. Esses anjos caídos, vencidos, são como exilados de sua esfera nativa, confinados na terra. Um cântico de regozijo se eleva no céu por causa do alívio que a ausência desses anjos assegura. Tudo isso é muito sugestivo. Igualmente, um ai é dirigido com relação à terra em razão da calamidade que a presença deles impõe sobre os moradores da terra. É em conexão com esse exílio que a grande ira de Satanás está ligada, e é então que, aparentemente, ele se torna cônscio de que a causa com a qual ele está comprometido ficou perdida para sempre. A presença de Satanás e de suas hostes restritas à terra e em ira desmedida dificilmente poderia ser a causa para alegria na terra. Ao contrário, esta situação é dos fatores mais contribuintes para aquela grande tribulação predita para aqueles dias (Mt 24.21; Dn 12.1). Que essa tribulação será mais severa sobre a nação de Israel está afirmado aqui (cf. 12.13-17), como em todas as Escrituras.

A expulsão das hostes satânicas do céu significa muito também para os "irmãos" a quem Satanás não cessa de acuar perante Deus de dia e de noite, e é uma verdade muito vital que está acrescentada nas palavras: "e eles o venceram pelo sangue do Cordeiro e pela palavra do seu testemunho". A pergunta que pode ser levantada a esta altura é aquela a respeito do que constitui a oposição de Satanás aos caminhos de Deus em relação aos homens. Pode haver um grande rancor contra a verdade de que a redenção não tenha sido extensiva aos anjos caídos como ela é extensiva a todos os homens caídos. Poderia parecer que Satanás ainda exerce alguma de sua responsabilidade original, como o defensor e promotor da justiça sobre a qual o trono de Deus deve sempre repousar. Os ministros de Satanás se apresentam como "ministros de justiça" (2 Co 11.15), mas é feita uma referência neste texto à justiça *pessoal e auto-promovida*.

O plano redentor propõe constituir pecadores justos diante de Deus através dos méritos de Cristo que Ele conseguiu e proporcionou para os perdidos, em sua morte. O fato de Deus constituir pecadores para serem justos através da obra salvadora de Cristo é facilmente crido ser um ponto de oposição satânica contra Deus. Não haveria algo mais a respeito do Evangelho que Satanás pudesse resistir, ou preocupação maior do que "cegar os entendimentos" daqueles que estão perdidos (2 Co 4.3, 4). Aquele que se especializa em justiça de autopromoção foi sempre o menor capaz de compreender e o maior objetor da doutrina da justiça imputada. Certamente não deve ser tomado como estranho o fato de o próprio Satanás ser igual aos homens que são energizados por ele, oposto àquilo que é o fruto permanente da graça redentora.

As acusações que Satanás tem lançado contra os irmãos, sem dúvida, têm sido a respeito do pecado atual e da injustiça que eles cometem. É inconcebível que ele os acuse daquilo que realmente não aconteceu. Isto perderia a sua própria força. Ao contrário, Satanás fica ofendido pelo arranjo onde os santos são preservados a despeito da indignidade deles, como ele fica ofendido pela imputação da justiça a pecadores sem mérito em primeiro lugar. As Escrituras oferecem uma ilustração dessa posição incontestável daqueles que são redimidos. Deus disse a Balaque através do relutante profeta Balaão: Não tenho visto "iniqüidade em Jacó" nem "perseverança em Israel". Houve mal nesse povo, mas, quando atacados pelo inimigo da graça divina, Jeová teve prazer em declarar que Ele não viu ou observou aquilo em que o inimigo baseou as suas acusações.

Deus não afirma que essas coisas ímpias não existiram; Ele afirma que, por tê-las coberto com o sangue redentor, não vê ou observa o que o inimigo aponta. Contudo, quando trata com aqueles a quem Ele redimiu, Jeová é incansável em seu esforço de afastá-los de todos os seus caminhos maus. A respeito desta grande verdade, o Salmista escreve: "Se tu, Senhor, observares as iniqüidades, Senhor, quem subsistirá?" (Sl 130.3). A não observação da iniqüidade só é possível através da redenção e nunca é uma matéria apenas de mera gratuidade. A atitude furiosa de Balaque é um reflexo da atitude de Satanás que o energizava. Semelhantemente, o mal que foi condenado em Caim não é a imoralidade, mas, antes, o ideal satânico de autodignidade como uma base para a aceitação divina. O sangue sacrificial de Abel, vistos nos frutos da redenção, proporcionou um relacionamento perfeito com Deus ao qual nenhum ser caído poderia jamais obter pelas obras de justiça pessoal.

Os santos serão recompensados diante do tribunal de Cristo no céu. Àquela altura nenhuma menção será feita dos pecados já lavados pelo sangue do Cordeiro. Tal silêncio com respeito ao pecado cancelado não poderia estar no céu até que o acusador seja expulso. Grande alegria será a porção daqueles que entram na percepção plena do perdão e da aceitação divinos.

2. O JULGAMENTO DE SATANÁS NA SEGUNDA VINDA DE CRISTO. Como uma parte daquilo que transpira no retorno glorioso de Cristo – cuja vinda acaba com a grande tribulação (Mt 24.30), e termina com o reino do homem do pecado (2 Ts 2.8-10) – Satanás é preso por uma grande corrente e lançado no abismo. Este evento é descrito por estas palavras: "E vi descer do céu um anjo, que tinha a chave do abismo e uma grande cadeia na sua mão. Ele prendeu o dragão, a antiga serpente, que é o Diabo e Satanás, e o amarrou por mil anos. Lançou-o no abismo, o qual fechou e selou sobre ele, para que não enganasse mais as nações até que os mil anos se completassem. Depois disto é necessário que ele seja solto por um pouco de tempo" (Ap 20.1-3). Nesta passagem, como

na que foi anteriormente citada, há muita coisa revelada além do fato de que Satanás está preso e lançado no abismo e selado.

É afirmado que Satanás é o enganador de todo o mundo, e é dada certeza que a terra será livre desses enganos por um período dito ser de "mil anos". Sua presença de ira na terra durante um período precedente teria contribuído muito para a agonia da grande tribulação. Assim, também, a sua restrição de toda atividade contribui muito para a paz e justiça sobre a terra por mil anos. A mente humana não poderia compreender tudo o que está envolvido nessas revelações. Mais tarde, neste contexto, é revelado que, no final dos mil anos, Satanás será solto por "pouco tempo". Está escrito: "Ora, quando se completarem os mil anos, Satanás será solto da sua prisão, e sairá a enganar as nações que estão nos quatro cantos da terra. Gogue e Magogue, cujo número é como a areia do mar, a fim de ajuntá-las para a batalha. E subiram sobre a largura da terra, e cercaram o arraial dos santos e a cidade querida; mas desceu fogo do céu, e os devorou" (Ap 20.7-9).

Sobre as nações é dito que serão enganadas novamente e esse engano imerge-as novamente – e pela última vez – em guerra. Está predito que a guerra cessará durante aquele período do reino de paz (Is 2.1-4), e que é imediatamente retomada quando Satanás for solto do abismo. Esta dupla verdade de que não haverá guerra sobre a terra quando o poder e os enganos de Satanás forem retirados e de que essas coisas serão imediatamente revividas sobre a terra, demonstram claramente a causa de toda guerra sobre a terra. Esta será a última guerra, pois o próprio Deus vai intervir com juízos e destruição sobrenaturais.

Uma predição correspondente no Antigo Testamento acrescenta muita coisa a essa revelação de que Satanás estará no abismo. É dito em Isaías 24.21-23 que: "Naquele dia o Senhor castigará os exércitos do alto nas alturas, e os reis da terra sobre a terra. E serão ajuntados como presos numa cova, e serão encerrados num cárcere; e serão punidos depois de muitos dias. Então a luz se confundirá, e o sol se envergonhará, pois o Senhor dos exércitos reinará no monte Sião e em Jerusalém; e perante os seus anciãos manifestará a sua glória". Se, como parece justificado, "os exércitos do alto nas alturas, e os reis da terra sobre a terra" são uma referência a anjos caídos e seus principados e potestades, é claro que os anjos caídos, com o seu chefe, são também colocados no abismo. Onde mais poderiam eles estar a essa altura? É geralmente verdadeiro que nas Escrituras um rei e seu reino estão intimamente relacionados, e o que acontece a um sucede ao outro (cf. Dn 2.37,38).

Com esse princípio de interpretação pode ser admitido que esses anjos caídos acompanham Satanás até o fim de sua carreira. Será observado que alguns desses já estão em cadeias à espera do juízo final que virá sobre os espíritos maus (Jd 6; 2 Pe 2.4), e é de grande significação que, como testemunhas ao menos, os santos estarão associados a Cristo nesse juízo (1 Co 6.3).

3. O JULGAMENTO FINAL DE SATANÁS. A própria Escritura descreverá melhor esse último passo na execução do juízo de Satanás: "E o Diabo, que os enganava, foi lançado no lago de fogo e enxofre, onde estão a besta e o falso profeta; e de dia e de noite serão atormentados pelos séculos dos séculos" (Ap 20.10).

CAPÍTULO VI

Satanologia: O Caráter Maligno de Satanás

N A ABORDAGEM DESTA MATÉRIA difícil e intrincada, certa pergunta aparece, a saber: "Qual é a extensão concedida aos anjos no exercício de seus poderes com relação ao mal?" As implicações da Escritura e as deduções da razão afirmam, em resposta a esta pergunta, que muita coisa é possível com relação ao pecado dos homens e é impossível com relação aos anjos e estranho a eles. Não há evidência alguma de que os anjos são tentados nas esferas daqueles pecados que encontram expressão através do corpo humano – relações imorais, glutonaria e a perversão das funções corporais normais. É igualmente certo que não há ocasião para a avareza, parcimônia, ou roubo entre os anjos visto que, até onde sabemos, eles não possuem a preocupação da posse, seja do tipo que for. Na verdade, é mais fácil descobrir os pecados que são predicados dos anjos do que listar aqueles que eles, por razões óbvias, não praticam.

O pecado angelical está em linha com dois males intimamente relacionados – o *orgulho ambicioso* e a *mentira* – conforme se manifestam dentro da esfera da existência angelical. Dentro do escopo desses dois pecados, o caráter maligno de Satanás deve ser computado. A pecaminosidade do pecado de Satanás não deve ser descoberta por compará-la com a impiedade nas esferas humanas, mas antes pela devida comparação dela com a santidade de Deus, e à luz daquilo que Deus requereu dos anjos.

Como Deus é a personificação do bem, assim Satanás, em sua esfera restrita, é a personificação do mal. Deus, infinito, é infinitamente bom; Satanás, finito, é mal ao grau de seus recursos e meios. Visto que ele é a mais alta das criaturas, Satanás é a única de todas a assumir a posição de *antideus*. É reconhecido que Satanás ainda introduzirá e exaltará o anticristo; mas, está claro, que desde o princípio, ele arrogou para si a função de antideus. Esta suposição é a concepção suprema que impulsiona o seu orgulho ambicioso. Em grau semelhante ele é a *antiverdade*, mas em esferas e modos que desafiam a mais íntima atenção de todo estudante da doutrina bíblica. No mesmo grau em que esse grande anjo supera o entendimento humano, a sua natureza má e os seus empreendimentos perversos vão além da compreensão humana.

Entretanto, está previsto que os crentes ensinados pelo Espírito buscarão esses vastos temas com algum discernimento e um alto grau de proveito. As impressões populares do caráter de Satanás são errôneas. Sem dúvida, se chamado para enfrentar a verdade sobre a natureza exata do pecado de Satanás, o homem do mundo encontraria pouca falta nele. Não poderia ser diferente visto que o mundo tem adotado para si mesmo como seu protótipo os reais e maus ideais de Satanás. Do mundo não poderia ser esperado que se colocasse no tribunal de julgamento, e isto é especialmente verdadeiro em vista do fato de que Satanás cegou as mentes daqueles que não crêem naquilo que é de Deus. O caráter mau de Satanás será visto nesta impiedade dupla – orgulho ambicioso e mentira – da qual ele é acusado.

I. Impiedade Dupla

1. Orgulho Ambicioso. Embora a carreira total de Satanás seja uma manifestação ininterrupta de seu orgulho, há três passagens da Escritura que acusam diretamente Satanás com respeito a esse pecado específico:

1 Timóteo 3.6. Esta notável passagem sublinha a falta de sabedoria de se eleger um convertido recente e inexperiente para o ofício de presbítero na igreja. Tal oficial não deveria ser um "neófito, para que não se ensoberbeça e venha a cair na condenação do Diabo" – não um julgamento a ser imposto pelo Diabo, mas o julgamento que Deus impõe sobre o Diabo por causa do mesmo pecado do orgulho. O versículo seguinte assevera que há uma *repreensão* para o Diabo (cf. Jd 9; 2 Pe 2.11), e um *laço* do diabo (2 Tm 2.26); mas o texto em questão adverte contra a experiência do julgamento de Satanás que segue ao decreto do pecado de Satanás – o orgulho ambicioso. A citação dessa passagem nesse ponto é com o propósito de reforçar a verdade de que o pecado notável de Satanás era o orgulho. O efeito sobre o neófito seria, como foi com Satanás, um anuviamento da mente com respeito aos valores reais. O verbo τυφόομαι, traduzido como "ensoberbecer", significa "fazer fumaça" e ser cegado por ela (cf. 1 Tm 6.4; 2 Tm 3.4). É interessante observar que a insinuação é que o próprio Satanás experimentou uma intoxicação de mente que, em algum grau, tornou possível a sua pecaminosidade.

Ezequiel 28.17. Deve ser feita referência novamente a esta passagem por causa de sua revelação clara relativa à pecaminosidade de Satanás, e ao seu orgulho de autopromoção. Assim diz o texto: "Elevou-se o teu coração por causa da tua formosura; corrompeste a tua sabedoria por causa do teu resplendor; por terra te lancei; diante dos reis te pus, para que te contemplem". Aquele que havia sido criado para a posição mais alta e o mais elevado serviço, descrito anteriormente, tornou-se consciente e orgulhoso de sua sabedoria e beleza. Será visto do versículo 12 que a sabedoria é *plena* e a beleza é *perfeita*. O significado de tais termos para descrever, como eles o fazem, a mente de Jeová em sua apreciação desse anjo, não pode ser traçada pelo homem. Sem dúvida, houve essas qualidades nesse anjo que fizeram do orgulho uma conseqüência natural. Com esse obscurecimento da mente que o orgulho gera, é possível assim ser mal orientado com relação ao empreender da linha de ação oposta àquela que a sabedoria infinita ditou.

Isaías 14.12-14. Embora citado e exposto anteriormente, esta passagem iluminadora é citada novamente: "Como caíste do céu, ó estrela da manhã, filha da alva! Como foste lançado por terra tu que prostravas as nações! E tu dizias no teu coração: Eu subirei ao céu; acima das estrelas de Deus exaltarei o meu trono; e no monte da congregação me assentarei, nas extremidades do norte; subirei acima das alturas das nuvens, e serei semelhante ao Altíssimo".

O orgulho é visto aqui como o que impele esse grande anjo a uma ambição ímpia. Com uma mente obscurecida, ele facilmente repudia o Criador e mostra insatisfação com o estado no qual ele foi divinamente colocado. Ele se propõe pela ambição e autopromoção a avançar em seu estado para o mais alto dos céus e uma semelhança ao Altíssimo.

Assim, fica demonstrado pela autoridade divina que a carreira de malignidade de Satanás começou com o orgulho e que, através do seu poder de confundir a mente, conduziu-o a todos os caminhos malignos que são registrados a respeito dele. O resultado importante do orgulho de Satanás é fato de que "nele não habita a verdade".

2. Mentira. Uma lista extensa de acusações contra Satanás deve ser apresentada em breve e poderia parecer impossível que toda acusação contra esse anjo mau poderia se originar de um único pecado da mentira que foi gerado pelo orgulho. A própria palavra de Cristo em referência ao primeiro procedimento de Satanás no caminho do pecado é tanto revelador quanto final. Ele disse: "Vós tendes por pai o Diabo, e quereis satisfazer os desejos de vosso pai; ele é homicida desde o princípio, e nunca se firmou na verdade, porque nele não há verdade; quando ele profere mentira, fala do que lhe é próprio; porque é mentiroso, e pai da mentira" (Jo 8.44). E a isto pode ser acrescentado: "Quem comete pecado é do Diabo; porque o Diabo peca desde o princípio. Para isto o Filho de Deus se manifestou: para destruir as obras do Diabo" (1 Jo 3.8).

A acusação de que esses judeus, a quem Cristo falou, era o pai deles, o Diabo, é muito séria, e tem provocado perplexidade e controvérsia. Como há um nascimento espiritual no qual aquele que crê em Cristo é o recipiente da natureza divina – estranho à vida humana normal – assim há essa tal coisa como uma recepção dos ideais satânicos com a finalidade de que a vida que os recebe seja, num grau marcante, filho daquele que origina a maneira de vida que é abraçada. A designação três vezes empregada pelo apóstolo: *filhos da desobediência* (Ef 2.2; 5.6; Cl 3.6), e a frase de Pedro *filhos malditos* (2 Pe 2.14; cf 1 Pe 1.14), são todas muito significativas, em que o contexto delas incita a mais cuidadosa exegese do estudante, a fim de que a importância exata dessas designações seja apreendida. A desobediência caracterizadora referida anteriormente é federal – como é a obediência caracterizadora (cf. Rm 5.19).

Pelo nascimento natural, todos estão sujeitos à ira divina que é devida à desobediência do cabeça federal da raça e pelo qual a raça caiu; todavia, os filhos, com respeito à infância pessoal e inocência, retratam a cidadania no reino do céu (Mt 18.1-4). Visto que a desobediência federal e não a pessoal é a que está em vista, as implicações do título são tão aplicáveis a uma pessoa não-regenerada quanto a outra e ainda sem levar em conta uma subserviência pessoal. Daí, é certo concluir que todas as pessoas não-regeneradas estão igualmente em necessidade de provisão da graça divina.

Tudo isso substancia a verdade de que há uma realidade solene nas palavras de Cristo: "Vós sois filhos do diabo", e com base desta filiação e da expressão inevitável de suas qualidades interiores que ele continua a dizer, "e quereis satisfazer os desejos de vosso pai". Com autoridade inquestionável Cristo relaciona o parentesco que o pecado gera, de modo algum com Adão, que é somente um elo na corrente (Rm 5.12), mas ao originador do mal – Satanás. *Filhos de Adão* é uma designação muito suave comparada com *filhos do diabo*. Cristo assevera a realidade desta última expressão.

A afirmação de que Satanás "era assassino desde o princípio" parece ser o resultado da influência de Satanás sobre outras criaturas. Se há qualquer sentido em que essa acusação poderia se aplicar ao dano de Satanás a outros anjos ou não, é facilmente determinável que ele tenha seduzido homens ao pecado que os sujeitou à morte. É razoável presumir – e não sem autorização da Escritura – que o único que fez o homem pecar fez também os anjos menores pecarem. A origem do pecado é não distribuída entre os vários indivíduos; ela é invariavelmente atribuída àquele que deve, portanto, ter degradado os anjos como também os homens. O princípio satânico manifesto em Caim moveu-o a assassinar Abel que, por sua vez, manifestou o propósito e os ideais divinos. De acordo com a Bíblia, o assassínio está na intenção assim como no ato evidente (1 Jo 3.12,15). Satanás matou Adão e Eva, embora tenham vivido muitos anos antes da morte física vir sobre eles. Aqueles que por criação eram tão imortais como os anjos, pagaram o preço da morte que o conselho de Satanás impôs sobre eles.

A raiz do problema jaz escondida na acusação que Cristo fez na qual Ele disse que no diabo "não há verdade; quando ele profere mentira, fala do que lhe é próprio; porque é mentiroso, e pai da mentira". Como fica demonstrado na Bíblia, o tema geral da mentira é, na verdade, muito vasto; mas é dada uma importância específica à mentira como oposta à verdade que é própria de Deus. Em sua natureza essencial, a mentira é um ser antideus como não somente é a representação falsa da pessoa e do caráter de Deus, mas uma distorção de Seu propósito e caminhos. Como o entendimento humano falha em apreender a crise envolvida quando em Satanás "não há verdade", assim, mesmo num grau maior, a linguagem humana é impotente como um meio de descrever as mentiras que estão envolvidas. Satanás resolveu não continuar na esfera exata na qual foi colocado pela vontade infinita e benevolência de Deus. Mas não é somente um caso de uma esfera contra outra; é também um caso de uma escolha de um princípio ou filosofia de vida contra outro.

O que Deus tinha revelado de Si mesmo como a autoridade suprema e designado com respeito ao relacionamento e atividade para esse grande anjo era a *verdade* na qual uma totalidade perfeita abarca todas as suas partes. Tal personificação extensiva da verdade que refletia a infinidade do Designador em cada particular dela não poderia sofrer a mais leve desarmonia de seu equilíbrio e simetria perfeitos – quanto mais uma destruição completa de todos os seus aspectos vitais. Em sua ação ímpia, o grande anjo propôs um curso de realização independente que imediatamente em princípio destronou o Deus da verdade e entronizou o eu. Cada aspecto dessa intenção estava em oposição a Deus e independente dele. Tal violência não será completamente avaliada à parte de uma consideração devida do fato de que a criatura – anjo ou homem – esteja designada para ser guiada por Deus somente.

Da necessidade que o homem tem da orientação divina, Jeremias escreve: "Eu sei, ó Senhor, que não é do homem o seu caminho; nem é do homem que caminha o dirigir os seus passos" (Jr 10.23). Como foi indicado anteriormente, tentar uma vida independente e autodirigida é o único trajeto aberto para a criatura para que ela possa satisfazer o seu desejo satânico de assemelhar-se a Deus. A semelhança é débil na verdade, mas serve para satisfazer a insanidade que o pecado realmente é. Há pouco espanto no fato da miséria crescer tanto no mundo quando é reconhecido que quase toda vida humana é vivida sem qualquer confiança consciente em Deus. Sobre a angústia que a independência de Deus tem imposto sobre os anjos caídos não é plenamente revelado. O destino deles, igual ao dos seres humanos não-regenerados, é apenas uma consumação normal de sua carreira infeliz.

O próprio Deus, com tudo aquilo que faz parte do seu plano e propósito, é a *verdade* em seu sentido absoluto e plenário. Continuar com ele no curso que designou, é o destino mais elevado possível para qualquer criatura. Abandonar tal curso é experimentar as penalidades do mal presentes e futuras. Duas palavras gregas que são traduzidas em nossa língua pelos termos que conotam o mal, são muito reveladoras com respeito ao caráter essencial do pecado. Elas são ἁμαρτία, que significa errar o alvo, e ἄνομος, que significa sem lei, ou ilegal. Esta última pode significar somente o fato concernente aos gentios de que a eles a lei mosaica nunca foi dada (1 Co 9.21), ou pode implicar em rejeição *proposital* da autoridade (1 Jo 3.4).

A primeira palavra é capaz de expressar aquela falha colossal que é errar o propósito e a finalidade perfeitos de Deus, enquanto que a última sugere toda a rebelião do maligno em seu pecado original. Em errar o propósito divino para si, Satanás tornou-se o antideus destinado ao lago de fogo para sempre. Tal fim é como um fracasso de um começo tão perfeito, uma tragédia a um grau incompreensível. Contudo, a presente discussão tem mais a ver com o pecado do desprezo de Satanás pela lei quando ele repudiou Deus e rejeitou a vontade de Deus para ele. Sua impiedade não foi uma mera desconsideração por um código de regras existente; foi uma rejeição completa do Legislador e de todas as suas intenções bondosas para uma vida eterna.

É digno de nota também que a impiedade do pecado não é exaurida no alto crime de rejeitar Deus e seu plano benevolente; ele prossegue em entronizar o eu e esposar uma maneira de vida diferente e totalmente indigna, que desonra Deus. O pecado de Satanás não foi meramente *negativo* em sua rejeição de Deus;

ele foi *positivo* também naquilo em que se construiu uma filosofia de vida, uma linha de ação, que se originou com Satanás, foi autocentrado, e excluiu Deus. O tratamento total da satanologia deve ser ajustado a esses fatos estupendos.

Pode ser concluído que, em sua forma definitiva, a mentira é uma substituição de Deus pelo eu e a presunção de um plano de vida autodesignado, ao invés daquele que é proposto pelo Criador. Esta é *a mentira*. Isto é assim porque é o antideus visto de todos os ângulos. Este é o significado ilimitado da palavra de Cristo com respeito a Satanás, quando disse que "nele não há verdade", que é o aspecto negativo do pecado de Satanás. Cristo também declarou que Satanás era um mentiroso desde o princípio, que representa muito plenamente o aspecto positivo daquele pecado original. Um abandono parcial ou comprometedor de Deus é impossível. Deus é tudo ou nada nesses relacionamentos. Toda mentira, como vista nas vidas desencaminhadas, é participante da mentira de Satanás e cresce dela, e desonra a verdade que caracteriza Deus essencialmente. Satanás é "um mentiroso e pai da mentira" (cf. Rm 1.25; Ef 4.25; 2 Ts 2.11).

Não é sem significado específico que Cristo continua no seu contexto a dizer que Ele próprio diz a verdade, que ninguém poderia convencê-lo de pecado, e que aqueles que são de Deus ouvem as palavras de Deus. Semelhantemente, visto que Cristo veio de Deus, é impossível que alguém seja de Deus e ao mesmo tempo rejeite Aquele que Deus enviou ao mundo. Quanta coisa está declarada quando Cristo disse: "Eu sou... a verdade"! Ele era não somente Deus [a Verdade] manifesto em carne, mas como o perfeito homem, nele estava a verdade no sentido de que sempre fez as coisas e somente aquelas que agradavam a seu Pai. No teste mais drástico que Satanás impôs sobre Ele, Jesus não pecou por abandonar o propósito exato que seu Pai tinha para si.

A mentira satânica foi colocada no jardim do Éden e foi ali adotada pelos primeiros pais da raça. Satanás disse a eles: "Sejam como Elohim" (Gn 3.5). A mentira neste caso não consistiu no mero fato de que eles não seriam realmente como *Elohim*, embora Satanás tenha dito que seriam; ela consistiu em rejeitar Deus e seu propósito para eles. A filosofia apresentada por essas palavras é diabólica em todas as suas partes. O caráter infernal dela não é mitigado pelo fato de que ela é quase universal, ou pela verdade de que todos aqueles que estão sob a sua maldição permanecem inconscientes de que há outra filosofia melhor existente.

O apóstolo Paulo registra sobre aqueles que abraçam essa filosofia maligna: "Porquanto, tendo conhecido a Deus, contudo não o glorificaram como Deus, nem lhe deram graças, antes nas suas especulações se desvaneceram, e o seu coração insensato se obscureceu. Dizendo-se sábios, tornaram-se estultos... pois trocaram a verdade de Deus pela mentira, e adoraram e serviram à criatura antes que ao Criador, que é bendito eternamente. Amém... E assim como eles rejeitaram o conhecimento de Deus, Deus, por sua vez, os entregou a um sentimento depravado, para fazerem coisas que não convêm; estando cheios de toda injustiça, malícia, cobiça, maldade; cheios de inveja, homicídio, contenda, dolo, malignidade; sendo murmuradores, detratores, aborrecedores de Deus, injuriadores, soberbos, presunçosos, inventores de males, desobedientes aos pais; néscios, infiéis nos contratos, sem afeição natural, sem misericórdia" (Rm 1.21, 22, 25, 28-31).

Os pecados lamentáveis que seguem o repúdio de Deus são apenas as mentiras inumeráveis que são o resultado legítimo da primeira mentira. O presente sistema mundial total é um produto e uma manifestação da mentira – mas oportunamente será mais que isso. O aspecto de um mundo em rebelião aberta contra Jeová e seu Messias é descrito no Salmo 2.1-3, da seguinte maneira: "Por que se amotinam as nações, e os povos tramam em vão? Os reis da terra se levantam, e os príncipes juntos conspiram contra o Senhor e contra o seu ungido, dizendo: Rompamos as suas ataduras, e sacudamos de nós as suas cordas". É evidente que este texto da Escritura será cumprido no fim dos tempos, quando a mentira estiver em sua manifestação mais plena. O curso do mal se movimenta em direção a um fim determinado, e tem sido suave na verdade o ajustamento da teologia às Escrituras quando a teologia de um modo geral antecipa um mundo convertido antes que o Rei retorne. A mentira não é predita para se tornar a verdade por qualquer processo, seja ele qual for. Ela se desenvolve em seu próprio curso maligno e é concluída no zênite de sua impiedade por Aquele em cujas mãos todo o julgamento foi confiado, e no programa do seu segundo advento.

Nenhuma outra passagem da Bíblia é tão determinante em relação à manifestação final da mentira do que o texto de 2 Tessalonicenses 2.1-12, no qual todas as forças da impiedade são vistas como concentradas no iníquo. A segurança é crescente também de que todos serão julgados por Deus com base unicamente na mentira em que eles creram. A passagem sendo central e final sobre esse tema é citada plenamente e de acordo com uma tradução por Dean Alford em suas notas ao Novo Testamento:

Ora, quanto à vinda de nosso Senhor Jesus Cristo e à nossa reunião com ele, rogamo-vos, irmãos, que não vos movais facilmente do vosso modo de pensar, nem vos perturbeis, quer por espírito, quer por palavra, quer por epístola como enviada de nós, como se o dia do Senhor estivesse já perto. Ninguém de modo algum vos engane; porque isto não sucederá sem que venha primeiro a apostasia e seja revelado o homem do pecado, o filho da perdição, aquele que se opõe e se levanta contra tudo o que se chama Deus ou é objeto de adoração, de sorte que se assenta no santuário de Deus, apresentando-se como Deus... E agora vós sabeis o que o detém para que a seu próprio tempo seja revelado. Pois O MISTÉRIO DA INIQÜIDADE JÁ OPERA; somente há um que agora o detém até que seja posto fora; E ENTÃO SERÁ REVELADO ESSE INÍQUO, a quem o Senhor Jesus matará com o sopro da sua boca e destruirá com a manifestação da sua vinda; e esse iníquo cuja vinda é segundo a eficácia de Satanás com todo o poder e sinais e prodígios de mentira, e com todo o engano da injustiça para os que perecem, porque não receberam o amor da verdade para serem salvos. E por isso Deus lhes envia a operação do erro, para que creiam na mentira; para que sejam julgados todos os que não creram na verdade, antes tiveram prazer na injustiça.

A tentação surge imediatamente para entrar plenamente nesse contexto, que pode ser melhor estudado sob o tema da escatologia. Contudo, três forças devem ser identificadas no interesse mesmo de uma tentativa de contemplação de tudo que aqui está revelado: (a) a força do homem do pecado; (b) a força daquele que restringe; e (c) a força do destruidor.

A. Três Forças.

(1) A Força do Homem do Pecado. Com linguagem inequívoca o apóstolo prediz que antes do Dia do Senhor (não o "Dia de Cristo") surgir, o homem do pecado deve aparecer. O título é específico e não existe garantia para confundi-lo com o nome mais genérico de anticristo. Sem dúvida, o homem do pecado é anticristo com respeito à doutrina e prática. Na verdade, ele aparece como a falsificação satânica suprema de Cristo. Ele é a última e a mais enganadora mentira de Satanás a quem o mundo está destinado a seguir (Ap 13.4-8); mas em nenhum texto das Escritursa esse indivíduo é chamado *anticristo*. Este ponto é enfatizado por causa do fato de que muitas interpretações dessa passagem recorrem a declarações genéricas a respeito do anticristo e assim falham em chegar à verdade essencial aqui demonstrada com respeito a uma *pessoa* específica.

Ela aparece por todo este contexto no singular e dela são afirmadas somente aquelas coisas que pertencem a uma pessoa. Após citar minuciosamente os pais da Igreja – Irineu, Tertuliano, Justino o Mártir, Orígenes, Crisóstomo, Cirilo de Jerusalém, Agostinho, e Jerônimo – Dean Alford continua a dizer: "as características principais na história devem ser tomadas dos Pais da Igreja. E a interpretação deles é para a maior parte dos intérpretes marcante e consistente. Eles todos consideram-na como uma profecia do futuro, mas ainda não cumprida quando eles escreveram. Eles todos consideram a vinda (*parousia*) como um retorno pessoal de nosso Senhor para julgamento e trazer o seu reino. Eles todos consideram o adversário aqui descrito como uma pessoa individual, a encarnação e a concentração do pecado".[252]

A despeito dos títulos acrescentados, dados aqui a esta pessoa – *filho da perdição* e *o iníquo* – com tudo o que eles sugerem, a Igreja de Roma tem professado ver essa pessoa cumprida em Martinho Lutero e todos que o seguem, e muitos protestantes devolvem esse cumprimento duvidoso por professar ver esse homem cumprir-se no papa e no sistema que ele representa. Com respeito a esta última crença, que tem tido grande apoio, pode ser dito que, embora muita ênfase seja colocada na suposição do papa ser o vigário de Cristo e que se senta num lugar de poder eclesiástico, não poderia estar sob qualquer interpretação digna do texto que corresponda àquele que "se opõe e se levanta contra tudo o que se chama Deus ou é objeto de adoração". De igual modo, se o papado é o homem do pecado, então tudo foi cumprido quinze séculos atrás – mesmo a destruição dele pelo retorno de Cristo.

Ainda que seja um super-homem por causa do poder satânico, o homem do pecado é, não obstante, um *homem* e o seu aparecimento e carreira preditos não estão cumpridos ainda. Qualquer abandono dessa conclusão deve envolver dúvida com respeito à inspiração do texto em si. No terceiro milênio, essa profecia permanece ainda não cumprida. O apóstolo não podia mudar a sua terminologia, se fosse escrever hoje a respeito dessa esperança. O homem do pecado não apareceu ainda; nem o Dia do Senhor começou. O mistério da iniqüidade está ainda em operação como estava nos dias de Paulo. Qualquer um que se diga parecer com o anticristo, dessa pessoa deve ser requerido que a presente questão pertença a uma pessoa chamada "o homem do pecado, o filho da perdição" e o "iníquo". Esta última designação – o *iníquo* – diz respeito diretamente à mentira satânica e o consumador de tudo que a mentira tem armazenado.

Tem havido discordância com respeito à identificação do templo em que esse iníquo estará sentado. Escritores antigos afirmaram que ele é uma igreja qualquer. Escritores posteriores estão mais concordes que diz respeito ao templo judeu restaurado. Não pode ser mais do que um tabernáculo temporário que servirá para a adoração judaica de Jeová, que estará em operação naquele tempo (cf. Dn 9.27; Ap 13.6).

(2) A Força do Restringidor. Após identificar o homem do pecado, o apóstolo procede a asseverar que a consumação satânica não terá a sua realização permitida até o tempo determinado por Deus. Sem dúvida, Satanás aceleraria a sua consumação, mas ela espera o tempo apontado por Deus. A filosofia antideus está em plena atividade e ninguém poderia ser capaz ou digno de restringir o mal em tão vasta escala, senão uma pessoa da Trindade; e, visto que o Espírito Santo é o poder ativo e residente de Deus no mundo durante essa época, é razoável concluir que Ele é quem tem a força restringente. De nenhuma outra força poderia ser dito que será removida em determinado momento, a fim de que o clímax de todo mal possa ser realizado no aparecimento e poder do homem do pecado. Em sua presença como Aquele que habita na Igreja e não como Aquele que é onipresente, o Espírito será removido do mundo naquele tempo quando a Igreja será trasladada para o céu (1 Ts 4.13-18). A corrupção do mundo realmente será demonstrada naqueles poucos e terríveis anos que se seguem à remoção daquele que tem poder restringente. Nesse mundo, o iníquo prospera.

(3) A Força do Destruidor. O Cristo que vai retornar destrói o iníquo. Ao escrever sobre este grande evento e, como era comum, ao usar o título *anticristo* quando o homem do pecado estava em foco, Crisóstomo afirma: "Exatamente como um fogo, quando se aproxima, faz com que os insetos menores se contraiam e os consome, assim Cristo, com a sua palavra somente e com seu aparecimento, consome o anticristo. É suficiente apenas a vinda do Senhor; sem demora o anticristo e tudo o que pertence a ele perecerão".[253] A vinda do homem do pecado é dito ser "segundo a eficácia de Satanás com todo o poder e sinais e prodígios da mentira, e com todo o engano da injustiça para os que perecem, porque não receberam o amor da verdade para serem salvos". Tal é a imposição do iníquo no exercício do poder e na falsidade de Satanás.

Com respeito aos que perecem, por rejeitarem o amor da verdade – o oposto da falsidade de Satanás – Deus é quem envia uma operação do erro, a fim de que eles creiam na mentira, para que possam ser julgados todos os que rejeitaram a verdade e encontraram prazer na injustiça, que é oposta à verdade. O que é mal latente nesses rejeitadores de Cristo é trazido para um lugar de conhecimento óbvio, que ninguém poderá questionar a justiça daquele julgamento que virá sobre eles. Esse julgamento é dito ser devido diretamente ao fato deles crerem na mentira – a mentira original que repudia o Deus de toda verdade e rejeita o seu propósito bondoso. Essa mentira se torna o *eu quero* da criatura contra a vontade do Criador a toda obediência, deferência e submissão.

Esses dois cursos de ação possíveis – concordância e discordância – são apresentados pelo apóstolo João, quando escreve sobre o tema geral da cura do pecado do cristão, nestas palavras: "Se dissermos que temos comunhão com ele, e andarmos nas trevas, mentimos, e não praticamos a verdade" (1 Jo 1.6). *A verdade* é alguma coisa a ser praticada, e a falha na prática da verdade é cometer uma mentira por ação. Em seu ajuste louco à filosofia de vida de Satanás e em seu propósito à parte do de Deus, o mundo inteiro aprova a mentira, e o julgamento deles deve ser aquele que vem sobre Satanás e todos os que repudiam Deus.

II. A Pecaminosidade de Satanás

Neste universo há "altura e profundidade" que podem atrapalhar um filho de Deus (Rm 8.39). Em relação à sabedoria e conhecimento concernentes a Deus, há profundidade (Rm 11.33; 1 Co 2.10). No amor de Deus há tanto altura quanto profundidade (Ef 3.18). O termo *profundidade* é mais sugestivo e é usado, com apenas uma exceção, para representar as realidades que estão escondidas em Deus, e é a exceção encontrada em Apocalipse 2.24 onde há referência às coisas *profundas* de Satanás. A doutrina satânica está em foco em 1 Timóteo 4.1, onde *doutrinas de demônios* são mencionadas. Naturalmente, a doutrina de Satanás não caminha em direção à redenção através da morte de Cristo ou à posição exaltada assegurada por permanecer no Cristo ressuscitado.

A doutrina de Satanás exalta o eu e dirige-se para o caminho de Caim, ou à justiça de autopromoção. É um caminho de vida totalmente independente de Deus, sejam quais forem os elementos de verdade que possa emprestar ou incorporar. O pecado original de Satanás de rejeitar Deus tem gerado dimensões que abarcam os anjos caídos e toda a família humana em suas centenas de gerações. Para os anjos caídos não há esperança; mas para a humanidade caída há a provisão do Evangelho da graça divina, que é tornado possível pelo sangue de Cristo. Pela graça de Deus, o salvo se volta para as relações corretas com Deus.

Satanás sustenta um título nada invejável de ser o chefe de todos os pecadores. Ele é o pecador original. Ele causou o dano maior. Ele tem praticado o pecado por mais tempo do que qualquer outra pessoa. Ele pecou contra a luz maior. Somente Deus pode computar a extensão e o caráter horrendo da pecaminosidade de Satanás. Todavia, esse pecado é de tal natureza que o chamado homem do mundo o elogia. O pecado é a coisa que os não-regenerados reivindicam ser direito pessoal deles, quando vivem na independência de Deus. Um registro parcial das acusações que Deus traz contra Satanás é o seguinte:

(1) Ele repudiou Deus no princípio (Is 14.12-14).
(2) Ele atraiu uma terça parte das estrelas do céu para si (Ap 12.4).
(3) Ele pecou desde o princípio (1 Jo 3.8)
(4) Ele é um mentiroso desde o princípio (Jo 8.44).
(5) No Jardim do Éden, ele menosprezou Deus e aconselhou os primeiros pais a repudiarem Deus (Gn 3.1-5).
(6) Ele insinuou a Jeová que Jó o amava e o servia somente enquanto ele era pago para fazè-lo (Jó 1.9). Nenhum insulto maior poderia ser dirigido a Jeová do que aquele em que Ele não é realmente amado com base em sua própria dignidade, mas, por ser rico, é capaz de pagar homens como Jó para *fingirem* que eles o amam.
(7) Quando teve permissão de agir por si mesmo, Satanás causou cinco terríveis calamidades em Jó (Jó 1.13–2.7).
(8) Ele se levantou contra Israel (1 Cr 21.1; Sl 109.6; Zc 3.1, 2).
(9) Ele enfraqueceu as nações (Is 14.12).
(10) Ele fez a terra tremer (Is 14.16).
(11) Ele abalou reinos (Is 14.16).
(12) Ele torna o mundo um deserto (Is 14.17).
(13) Ele destrói as cidades (Is 14.17)
(14) Ele não soltou as cadeias dos cativos (Is 14.17).
(15) Ele provoca guerra na terra com todos os seus horrores; pois quando preso, a guerra cessa, e quando solto, a guerra é retomada (Ap 20.2, 7, 8).
(16) Ele tentou o Filho de Deus e, então, deixou-o por pouco tempo. Ele propôs a Cristo que abandonasse a sua missão, que ele não confiasse na bondade de seu Pai, e que Ele o adorasse (Lc 4.1-13).
(17) Ele manteve cativa uma filha de Abraão por dezoito anos (Lc 13.16; cf. At 10.38).
(18) Ele entrou em Judas e o incitou a trair o Filho de Deus (Jo 13.2).
(19) Ele cega as mentes daqueles que estão perdidos (2 Co 4.3, 4).
(20) Ele retira a Palavra dos corações dos incrédulos, para que eles não creiam e, assim, sejam salvos (Lc 8.12).
(21) Ele arma ciladas e laços contra os crentes (Ef 6.11; 2 Tm 2.26).
(22) Ele exerce o poder da morte e abusa dele (Hb 2.14; cf. Ap 1.18).
(23) Ele, como adversário, é como leão que ruge à procura de quem possa devorar (1 Pe 5.8).
(24) Ele é o oposto a Deus; é o perseguidor dos santos, o "pai" das mentiras. Através de seus emissários, ele destrona a razão, tortura os seres humanos, e leva-os à superstição e idolatria.

O Dr. William Cooke escreve com grande clareza sobre a depravação de Satanás e de seus anjos:

A lei da dependência é universal, porque Deus somente é a fonte de todo ser e de todo bem. Toda criatura, conquanto alta na escala da existência, é dependente de Deus, não somente por seu ser, mas por sua bondade; e, portanto, a sua bondade ou santidade pode ser perpetuada somente pela união com Ele. O pecado separa a alma de Deus; e, separada dele, a alma é privada de seu favor, e de sua força para sustentá-lo em virtude e bondade; e privada do seu favor e do seu poder sustentador, ela fica entregue a si mesma, e torna-se influenciada por seu próprio instinto egoísta; e como o egoísmo se torna intensificado, não há pecado, conquanto profundo em culpa e malignidade, que não possa brotar dele. Tal tem sido o efeito direto da apostasia dos anjos. O egoísmo que gera o primeiro pecado, através dos séculos, produziu e desenvolveu cada princípio maligno que agora macula tão sombriamente a condição deles. O ódio por Deus produz ódio por tudo o que é bom – por todo bem em si mesmo, e por todos os seres que são bons, e tem inveja da alegria deles. Do ódio e da inveja brotam o desejo de corromper qualquer coisa que seja boa, e quer destruir todo aquele que é feliz. Esse desejo procura o seu fim pelo estratagema, engano, e todos os meios disponíveis dentro do seu alcance. O principal inimigo é chamado "Satanás", que significa adversário; "a antiga serpente", por causa do seu engano; "um leão", "um mentiroso desde o princípio", "o pai da mentira", e "quando fala a mentira, fala do que lhe é próprio". Ele é chamado "Apoliom", que significa destruidor, porque ele tem prazer em destruir as almas dos homens, "e como leão que ruge, procurando quem possa tragar". Não somente ele é um destruidor, mas "um assassino", um assassino tanto de corpos quanto de almas; todas as suas artes de sedução têm o assassinato como o seu objeto último. Todo o pecado e miséria do mundo por seis mil anos, e todo o pecado e miséria de sua história futura, e toda a miséria do inferno, não é somente o resultado de sua agência e influência, mas também resulta naquilo em que ele e seus subordinados encontram a sua satisfação.[254]

O poder de Satanás e de seus anjos caídos é limitado. Eles são apenas criaturas finitas que não podem fazer algo fora da vontade permissiva de Deus. Satanás não poderia fazer algo contra Jó (e esta foi a sua queixa), mas teve permissão de Deus para fazê-lo. Satanás e seus anjos possuem um grande conhecimento, mas eles não são oniscientes; eles possuem um vasto poder, quando são permitidos empregá-lo, mas não são onipotentes; eles cobrem o mundo porque lhes foi delegada essa responsabilidade, mas eles não são onipresentes. Eles podem sugerir o mal, mas não podem coagir a vontade de outra criatura. Eles podem espalhar os laços e instrumentos para arruinar os filhos de Deus, mas não podem compelir qualquer outro ser a aquiescer aos seus desígnios. Eles têm poder sobre a natureza, quando se lhes é permitido fazer uso dela, mas não podem criar algo, nem podem empregar a criação de Deus, senão para cumprir os Seus decretos. Eles nunca derrotaram Deus. Na verdade, Deus usa Satanás como um instrumento para castigar e corrigir os santos que erram (Lc 22.31,32; 1 Co 5.5; 1 Tm 1.20). O conhecimento dessas limitações não pode deixar de ser um conforto para aqueles cristãos que levam a sério os seus conflitos com os poderes das trevas.

CAPÍTULO VII

Satanologia: O Cosmos Satânico

A PRESENTE DIVISÃO de satanologia é um tema de proporções vastas – incompreensível, não reconhecida e não identificada. Numa extensão que não pode encontrar paralelo na Bíblia, esse grande conjunto de verdade é representado por uma palavra, κόσμος ('cosmos') que é encontrada 187 vezes no Novo Testamento e é traduzida em cada caso, exceto em um, pela palavra *mundo*. Não precisa ser utilizado tempo algum para se saber que a palavra *mundo* é também uma tradução de duas outras palavras gregas – αἰών, em suas várias formas e tem o significado de tempo, 41 vezes; a outra é οἰκουμένη, que significa uma região inabitada, 14 vezes. Destas duas palavras adicionais, a última não tem relação com a presente consideração; mas a primeira, quando se refere à presente era, traz consigo a revelação importante de que esta era é *má* em seu caráter. O pecado repreensível de Demas (2 Tm 4.10) não foi somente o abandono do apóstolo, mas que ele amou o presente século. O seu amor não dizia respeito a determinado tempo, mas pelo mal que caracterizava aquele tempo (cf. Rm 12.2; 2 Co 4.4; Gl 1.4; Ef 2.2; 6.12).

Em sua segunda epístola, o apóstolo Pedro menciona três fases do mundo ou terra – (a) o mundo antes do dilúvio, ou "desde a antiguidade" (3.5,6); (b) "os céus e a terra de agora" (3.7); e (c) os "novos céus e a nova terra" que ainda estão por existir (3.13). O *cosmos* do Novo Testamento diz respeito somente ao mundo que agora é.

Os lexicógrafos concordam que *cosmos* significa "ordem, regularidade, disposição, e organização", e que, como Êxodo 33.4-6 e Isaías 49.18 são traduzidos pela LXX, o significado é ampliado para implicar ornamentação. A idéia de ordem e organização está inerente no texto hebraico de Gênesis 1.1. Deus criou uma ordem perfeita, ou o *cosmos*, que por alguma causa não revelada se tornou um *caos* – o oposto a *cosmos* (cf. Is 34.11; Jr 4.23). Uma investigação provará que a LXX, embora empregue *cosmos* como uma tradução da idéia de ornamentação (e uma vez no Novo Testamento – 1 Pe 3.3), nunca usa *cosmos* para traduzir a idéia de mundo. A tradução de 'mundo' por *cosmos* é peculiar ao Novo Testamento e apresenta uma revelação totalmente nova no progresso da doutrina.

O desenvolvimento etimológico do vocábulo *cosmos* é daquilo que representa a *ordem* na organização das coisas para a contemplação da humanidade em sua relação com aquelas coisas, e, por causa da queda. Separado de Deus e estranho a Ele, o mundo está debaixo da autoridade do antideus. Uma consideração atenta dos 186 usos de *cosmos*, onde é traduzido como 'mundo', revelará que em cada caso os valores morais estão envolvidos, e a esfera da influência e autoridade satânica estão indicados. A concepção que o Novo Testamento tem *de mundo* é aquilo que é oposto a Deus como a mundanidade é oposta à espiritualidade. Embora ele possa ter uma noção vaga de que a chamada *mundanidade* é contrária a Deus, o leitor desatento da Escritura aparentemente pensa que o mundo, como mencionado nas Escrituras, é meramente um lugar de habitação, um planeta onde tanto o bem quanto o mal igualmente se sentem à vontade.

A verdade de que a grande gama de exemplos onde *cosmos* é usado no Novo Testamento e envolve aquilo que o termo apresenta com um caráter antideus, não pode ser senão uma surpresa para muitos. Eles, como estão no mundo, sob a ilusão do engano de Satanás, não estão conscientes da revelação que a palavra *cosmos* transmite. A escuridão do *cosmos* está implícita quando Cristo disse: "Eu sou a luz do mundo" (*cosmos* – Jo 12.46). Assim, igualmente, é prometido que o Espírito haveria de "convencer o mundo" (*cosmos* – Jo 16.8). Para o crente é dito: "No mundo [*cosmos*] tereis tribulações" (Jo 16.33). E ainda "Eles não são do mundo [*cosmos*], como eu também não sou do mundo [*cosmos*]" (Jo 17.14). Assim igualmente definida é a palavra de Cristo, "o mundo [*cosmos*] não te conheceu" (o Pai – Jo 17.25). Semelhantemente, "meu reino não é deste mundo" (*cosmos* – Jo 18.36). Outras frases curtas são mais expressivas: "o pecado entrou no mundo" (*cosmos* – Rm 5.12); "e todo mundo [*cosmos*] fique sujeito ao juízo de Deus" (Rm 3.19); "na sabedoria de Deus o mundo [*cosmos*] pela sua sabedoria não conheceu a Deus" (1 Co 1.21); "os devassos deste mundo [*cosmos*]" (1 Co 5.10); "para não sermos condenados pelo mundo [*cosmos*]" (1 Co 11.32); "sem Deus no mundo [*cosmos*]" (Ef 2.12); "guardar-se isento da corrupção do mundo [*cosmos*]" (Tg 1.27); "a corrupção que está no mundo [*cosmos*]" (1 Pe 1.4); "depois de terem escapado das corrupções do mundo [*cosmos*]" (2 Pe 2.20).

O *cosmos* é uma vasta ordem ou sistema que Satanás tem promovido, que se conforma aos seus ideais, alvos e métodos. É a civilização que agora funciona à parte de Deus – uma civilização da qual nenhum dos seus promotores realmente espera que Deus compartilhe, que não atribui a Deus qualquer consideração com respeito aos projetos deles; nem eles atribuem qualquer causalidade a Ele. Esse sistema abrange seus governos ateus, conflitos, armamentos, invejas, sua educação, cultura, religiões de moralidade e orgulho. É essa esfera na qual o homem vive. É o que ele vê, o que ele emprega. Para uma multidão incontável é tudo o que sempre souberam enquanto viveram neste mundo. É propriamente chamado de *sistema satânico*, frase essa que, em muitos casos, é uma interpretação justificada dessa palavra tão cheia de significado, *cosmos*. É literalmente um *cosmos diabolicus*.

ANGELOLOGIA

Uma revelação vital é apresentada pelas seguintes palavras: "Nisto se manifestou o amor de Deus para conosco: em que Deus enviou seu Filho unigênito ao mundo [*cosmos*], para que por meio dele vivamos" (1 Jo 4.9). É revelado posteriormente que essa grande missão por parte do Filho é devida à verdade de que "Deus amou o mundo [*cosmos*] de tal maneira que deu o seu Filho unigênito, para que todo aquele que nele crê não pereça, mas tenha a vida eterna" (Jo 3.16). Nesta passagem, como quase em nenhuma outra, um uso restrito do termo *cosmos* é apresentado; não restrito como os que crêem na expiação limitada, para os eleitos desta era, mas restrito à humanidade em si mesma, à parte de suas instituições, práticas e relacionamentos malignos. Deus amou pessoas perdidas que compõem o *cosmos* e esse amor foi grande o suficiente para movê-lo a dar o seu unigênito Filho, para proporcionar um caminho de salvação através dele, e foi tão completo, que pela crença no filho como Salvador o perdido deste *cosmos* pode não perecer, mas ter vida eterna. É também verdadeiro que o cristão espiritual experimentará essa compaixão divina para um *cosmos* perdido na medida em que, pelo Espírito, o amor de Deus é derramado em seu coração.

Em oposição a essa revelação concernente ao valioso amor divino pelo *cosmos*, está a instrução dada aos cristãos relativa ao amor deles pelo *cosmos*. Está escrito: "Não ameis o mundo [*cosmos*], nem o que há no mundo [*cosmos*]. Se alguém ama o mundo [*cosmos*], o amor do Pai não está nele. Porque tudo o que há no mundo [*cosmos*], a concupiscência da carne, a concupiscência dos olhos e a soberba da vida, não vem do Pai, mas sim do mundo [*cosmos*]" (1 Jo 2.15, 16). Uma diferença está clara. Deus ama o *cosmos;* todavia, se o crente amar o *cosmos*, o amor do Pai não está reproduzido nele. Naturalmente, a solução do problema é encontrada no significado preciso da palavra *cosmos*, quando ela é empregada. Como tem sido afirmado, enquanto o amor de Deus pela humanidade à parte de suas instituições malignas, o crente é advertido a não amar as instituições que são totalmente malignas na avaliação de Deus e não são, portanto, amadas por Ele. Este *cosmos* mau é aquilo do qual o cristão foi salvo. Nenhuma restrição é imposta em 1 João 2.15,16, a qual impeça que o filho de Deus ame a natureza, ou aquilo que não tenha vindo sob a autoridade satânica. Tiago escreve muito claramente quando ele diz: "Infiéis, não sabeis que a amizade do mundo [*cosmos*] é inimizade contra Deus? Portanto qualquer que quiser ser amigo do mundo [*cosmos*] constitui-se inimigo de Deus" (Tg 4.4).

Satanás não criou coisa alguma. A ordem e o sistema da criação material de Deus estão envolvidos no *cosmos* somente quando foi permitido a Satanás que assumisse autoridade e, por isso, veio a desorientá-los. As manifestações do cosmos são quase totalmente aquelas que surgem da humanidade desorientada que é governada por Satanás, na cegueira dela de subscrever os princípios de vida e ação que são o produto da *mentira* original. A criação em si mesma é afetada pela queda (Rm 8.19-23), mas ela retém o caráter que Deus lhe deu e nunca pertence a outro. Nessa mesma conexão é digno de nota que a presente era, como referida em Mateus 13.11, é o reino em sua forma de "mistério".

494

Qualquer regra de Deus em qualquer tempo é *reino* em seu caráter. Ele agora reina somente no grau em que aquelas coisas, que são chamadas *mistérios* e constituem os aspectos peculiares de seus próprios propósitos, nesta época, são realizadas. Mais este importante assunto será estudado sob escatologia.

É significativo que das 187 vezes em que a palavra *cosmos* aparece no Novo Testamento, Cristo empregou esse termo mais do que todos os outros juntos. A palavra ocorre 68 vezes no evangelho de João e 23 em 1 João. Cristo usou a palavra *cosmos* 41 vezes no seu discurso do cenáculo e 19 vezes em sua oração sacerdotal registrada em João 17. É como se a realidade do caráter essencial do *cosmos* fosse enfatizada em razão do ponto exaltado do qual ela é vista e pelo santo caráter dAquele que a vê. Se, como tem sido sugerido, o discurso do cenáculo corresponde ao santo lugar no templo e a oração sacerdotal ao lugar santíssimo, não é somente perceptível que o Santo esteja consciente do significado real da palavra *cosmos*, mas, quando a revelação da verdade é intensificada, as revelações a respeito do sistema opositor satânico são multiplicadas. Para os cristãos que são de Deus, e que, em algum grau, possuem a mente de Cristo, o *cosmos diabolicus* deveria apresentar-se em seu caráter maligno essencial, por ser o resultado daquela mentira que se move para a independência de Deus e é oposta aos propósitos divinos. A totalidade da verdade a respeito da natureza e da extensão deste *cosmos* ou sistema satânico, é encontrada nas Escrituras onde este sistema é mencionado. Essa revelação está sujeita a certas divisões:

I. A Autoridade de Satanás Sobre o Cosmos

Afirmações surpreendentes e quase incríveis são feitas no Novo Testamento a respeito dos direitos de Satanás e o controle que ele tem sobre o *cosmos*. Esta revelação é estranha à mente popular. Mesmo o crente que é submisso às Escrituras vê-se confrontado com afirmações que parecem impossíveis, não fossem escritas pela mão de Deus. É admitido que Satanás fará tudo o que estiver em seu poder para evitar que os seres humanos tenham um entendimento adequado dessas verdades estupendas. Algumas passagens principais deveriam ser examinadas com a devida atenção:

Lucas 4.5-7. Esta passagem, retirada do registro da tríplice tentação de Cristo por Satanás, tem a seguinte redação. "Então o Diabo, levando-o a um lugar elevado, mostrou-lhe num relance todos os reinos do mundo. E disse-lhe: Dar-te-ei toda a autoridade e glória destes reinos, porque me foi entregue, e a dou a quem eu quiser. Se tu, pois, me adorares, será toda tua".

O método que Satanás empregou para produzir o panorama dos reinos terrestres num momento de tempo diante de Cristo é muito impressionante. Imediatamente o procedimento total dirige-se para além das esferas da experiência e dos recursos humanos, e funciona nas realidades de outra esfera. Jesus contempla todos os reinos do mundo de uma montanha e num momento de tempo conota coisas sobrenaturais. Há lugar para se pensar também na asserção que Satanás levou o Senhor para um lugar determinado e por uma razão qualquer. Há forças em operação aqui que a mente humana não pode compreender. Todavia, o aspecto impressionante dessa revelação é a declaração de Satanás, palavra essa que Cristo não caracterizou como mentirosa, de que os reinos deste *cosmos* (cf. Mt 4.8 para o uso específico da palavra *cosmos*) foram entregues a Satanás e a quem quer que ele queira dá-los.

Está predito que em algum tempo futuro o reino deste mundo será conferido por Satanás ao homem do pecado, fato esse que tende a fortalecer a reivindicação de Satanás que poderia dispor desses reinos. Tem sido um método comum tratar com essa passagem para dizer que Satanás apresentou a Cristo nada além do que o território da Palestina; mas naquele tempo a Palestina era uma porção muito pequena do domínio de Roma e não poderia corresponder aos reinos deste mundo. Igualmente, imagina-se que essa oferta por parte de Satanás é apenas uma de suas falsidades; mas se tivesse sido uma inverdade o que ele disse, não teria sido uma tentação dele para Jesus, aquele a quem não se pode enganar nem esconder. Se tivesse sido uma inverdade, a resposta do Filho de Deus não se confinaria ao pedido chocante de Satanás para que ele fosse adorado por uma criatura feita por Suas próprias mãos.

Não deve ser esquecido nessa conexão que todas as autoridades e potestades nas esferas espirituais foram criadas por Aquele com quem Satanás falava (Cl 1.16). Se é consoante com a razão humana ou não, a palavra clara da verdade inspirada dá apoio pleno à idéia de que os governos da terra estão nas mãos de Satanás. A história registra muitos exemplos onde não é difícil crer que Satanás guiava a ação e o destino de certos governos. É mais um problema de como aceitar essa reivindicação satânica em conexão com governos que são recomendáveis aos olhos dos homens; mas o método de Satanás não é o de eliminar tudo o que é bom. É evidentemente verdadeiro que todos os governos humanos, conquanto pareçam aos homens, são exercidos no senso de independência de Deus.

A afirmação de Satanás nessa passagem é dupla: (a) o domínio da totalidade do cosmos é-lhe entregue, e isto deve significar que a permissão divina lhe é dada para esse fim, e (b) Satanás oferece os reinos a quem ele quer. Sem dúvida, essa última asserção é verdadeira do ponto de vista de Satanás, mas é absolutamente certo também que cada uma dessas concessões está dentro do propósito soberano de Deus. Ainda permanece verdade que "não há autoridade que não venha de Deus; e as que existem foram ordenadas por Deus" (Rm 13.1). Como em outro lugar, Deus é visto como soberano sobre tudo, e ainda à criatura é permitido fazer a sua própria vontade e andar por caminhos maus, e torna-se assim culpada.

João 12.31; 14.30; 16.11. A revelação de que Satanás tem autoridade sobre o *cosmos* não repousa somente em sua própria afirmação. Cristo referiu-se a Satanás como o *príncipe do cosmos*. O registro diz o seguinte: "Agora é o juízo deste mundo; agora será expulso o príncipe deste mundo" (Jo 12.31); "Já não falarei muito convosco, porque vem o príncipe deste mundo, e ele nada tem comigo" (Jo 14.30); "e do juízo, porque o príncipe deste mundo já está julgado" (Jo 16.11). Além disto, pela autoridade que pertence a toda Escritura, o apóstolo Paulo escreve de Satanás como "príncipe da potestade do ar" (Ef 2.2), e como "o deus deste século" (2 Co 4.4). Com o mesmo fim, Paulo, quando escreve sobre o conflito dos cristãos contra os poderes malignos (Ef 6.12), afirma que esta luta "não é contra carne e sangue, mas, sim, contra os principados, contra as potestades, contra os príncipes *do mundo destas trevas*".

Isto implica que este mundo está debaixo de trevas em si mesmo e tem sobre si governadores malignos. Assim, fielmente, a Palavra de Deus inspirada dirige todo o seu testemunho a uma verdade, a de que o *cosmos* é governado por poderes malignos. Portando a mesma mensagem, o Senhor que já havia sido assunto ao céu, falou à igreja de Pérgamo: "Sei onde habitas, que é onde está o trono de Satanás" (Ap 2.13). Conquanto a extensão da autoridade de Satanás não esteja definida nessa passagem, ela afirma que Satanás ocupa um trono terreno. Por fim, quando magnifica o poder superior do Espírito Santo, que habita em cada crente, em contraste com o poder de Satanás, o apóstolo João declara: "Filhinhos, vós sois de Deus, e já os tendes vencido; porque maior é aquele que está em vós do que aquele que está no mundo [*cosmos*]" (1 Jo 4.4). A frase específica, *no mundo*, identifica a esfera do exercício do poder de Satanás. Muita luz é acrescida sobre o relacionamento entre Satanás e o *cosmos* com a passagem a seguir.

1 João 5.19. Esta passagem decisiva diz: "Sabemos que somos de Deus, e que o mundo inteiro jaz no Maligno". O mundo aqui mencionado é *cosmos* – a totalidade do cosmos. Os dois membros dessa sentença abrangem a totalidade da família humana. "Somos de Deus" é um reconhecimento da verdade de que os cristãos estão *no* mundo, mas não são uma parte daquilo que pertence a ele. O ponto em foco, contudo, é revelado na segunda afirmação, a saber, *o mundo inteiro* [a totalidade do *cosmos*] *jaz no maligno*. A tradução de πονηρῷ por impiedade na Versão Autorizada, em inglês, é insatisfatória. A tradução dessa palavra, como usada em 1 João 2.13, 14; 5.18 exige o mesmo em 5.19. A mesma correção é exigida em João 17.15. A identidade é clara, e não é outra senão *diabolos*, a quem é feita referência direta em 1 João 3.8, 10. Que o *inteiro cosmos jaz* no ímpio é uma revelação incomum e de conseqüências de longo alcance. As palavras "jaz no" comunicam a verdade de que o *cosmos* está tanto localizado no maligno quanto está debaixo do poder dele.

Dean Alford afirma: "O maligno é como se fosse o lugar de permanência e representativo de tudo o que é dele, como nas expressões '*no Senhor*', '*em Cristo*', '*em Cristo Jesus*', '*estamos no Verdadeiro*', do versículo 20, o Senhor é dele. E enquanto vimos *de Deus*, sugere um nascimento e uma procedência e uma mudança de estado, o *mundo*, todo o restante da humanidade, *jaz no maligno*, permanece onde ela estava, no poder do *maligno*. Alguns comentadores têm ficado ansiosos em evitar a inconsistência com passagens como 1 João 2.2; 4.14, e, portanto, dariam um significado diferente para mundo aqui. Mas não há inconsistência. Se Cristo não tivesse feito uma propiciação pelos pecados do mundo inteiro, Ele não seria o Salvador de todo o mundo, e ninguém seria salvo do mundo e teria crido nele; mas aqueles que crêem nele, saem do mundo e são separados do mundo: assim nossa proposição aqui permanece estritamente verdadeira: o *mundo* é a negação da fé nele, e como tal jaz no maligno, seu adversário."[255]

Igualmente esse é o ensino de Pope e Moulton no *Schaff's Commentary*, de que o maligno "mantém o mundo inteiro sob seu poder, enquanto a nova vida não o transforma. Não é dito que o mundo é 'do maligno'... Os homens do mundo estão 'naquele que é falso', mas o 'em' não é usado nessa simplicidade absoluta, mas 'jaz em', uma frase que não ocorre em outro lugar, e deve ser interpretada de acordo com o teor da epístola. O 'mundo inteiro' não é, contudo, os homens do mundo somente; mas a sua constituição total, a sua inteira economia, sua concupiscência, princípios e motivos, o curso e o fim; tudo que não é 'de Deus' jaz no poder e na escravidão do maligno. Isto o apóstolo acrescenta como uma verdade antiga, nunca tão temerariamente expressa como aqui".[256] A conclusão nessa passagem, como em todas as outras que portam o relacionamento indicado, é que a totalidade do *cosmos* – do qual alguns têm sido salvos – está localizada no *diabolos* e sob o poder dele.

Isaías 14.12,16,17; Jó 1.13-19; 2.7. Quando virmos a acusação sêxtupla contra Satanás registrada em Isaías e a acusação quíntupla registrada em Jó a respeito da influência e ascendência de Satanás sobre as coisas mundanas, veremos que o exercício divinamente permitido de seu poder resulta em realizações muito vastas para a mente humana captar. Essas onze realizações estupendas de Satanás devem ser consideradas à parte daquelas manifestações mais remotas de seu poder registrado em Apocalipse 12.4,15, e do exercício de seu poderio através do homem do pecado (2 Ts 2.9,10) e das duas bestas de Apocalipse 13.1-17.

Está escrito em Isaías 14 que Satanás, sob o título de *Lúcifer, estrela da manhã*, e com referência a um tempo ainda futuro, quando os seus atos poderosos ainda serão cumpridos, fará o seguinte:

(1) Ele *enfraquecerá as nações*. Na Palavra de Deus as nações, como tal, são vistas como opostas a Deus (Sl 2.1-3), e especialmente em contraste à nação eleita, Israel. Essas nações formam o fator essencial no *cosmos*. O que elas poderiam ter sido, não tivessem elas abraçado o ideal satânico, ninguém pode avaliar, exceto Deus. Seja qual for a força bruta delas como elas próprias se medem, todas elas são diante de Deus como "um pingo que cai dum balde, e como um grão de pó na balança" (que pode ser assoprado). "Eis que as nações são consideradas por ele como a gota de um balde, e como o pó miúdo das balanças; eis que ele levanta as ilhas como a uma coisa pequeníssima... Todas as nações são como nada perante ele; são por ele reputadas menos do que nada, e como coisa vã" (Is 40.15,17);

(2) Assim, também, está escrito em Isaías 14.16,17 que Satanás, no final de sua carreira maligna, *fará a terra tremer;*

(3) Ele *fará tremer os reinos*;

(4) Ele *fará do mundo um deserto*;

(5) Ele *destruirá as cidades*;

(6) Ele esconderá os benefícios à humanidade a ponto de não deixar os *cativos ir soltos para as suas casas*. A imaginação falha em acompanhar esses empreendimentos e não pode acrescentar algo ao que aqui está demonstrado;

Com a mesma revelação em vista, está escrito que, quando foi assegurado a permissão de Jeová a respeito de Jó, Satanás exibiu um quíntuplo poder sobre a criação no exercício de seus propósitos malignos:

(7) Ele ofereceu pagamento aos sabeus para que estes destruíssem os bois e as jumentas de Jó e matassem os servos dele com a espada;

(8) Ele fez cair fogo do céu para consumir as ovelhas e os servos que as protegiam;

(9) Ele fez os caldeus roubarem os camelos de Jó e matar os seus servos;

(10) Ele causou a morte de todos os filhos de Jó por um vento do deserto que abateu sobre a casa em que eles estavam reunidos;

(11) Ele fez Jó prostrar-se com o mais dolorido sofrimento corporal que se pode imaginar.

A tudo isso ele teria ainda acrescentado a morte para Jó, se Jeová não o impedisse. Foi-lhe dito por Jeová que não o destruísse, e isto é evidência de que teria feito, e certamente *faria* isso, se não houvesse a proibição restringente. A essa altura, o campo total da revelação a respeito do poder de Satanás de causar tantos males físicos aos seres humanos é naturalmente apresentado, tema esse que não pode ser examinado aqui.

II. O Cosmos é Totalmente Mau

Esta é de fato uma frase muito dura. Embora seja verdadeira, ela exige elucidação. Satanás incorpora em seu vasto sistema certas coisas que são boas em si mesmas. Muitos ideais humanitários, morais e aspectos da cultura são consoantes com as realidades espirituais, embora residam no *cosmos*. A raiz do mal no *cosmos* é de tal monta que há uma ordem ou sistema totalmente abrangente que é metodizado sobre uma base de completa independência de Deus. É uma manifestação de tudo o que Satanás pode produzir como uma exibição completa daquilo que faz parte da mentira original. É a exibição consumadora daquilo que a criatura – seja angelical ou humana – pode produzir, ao embarcar na carreira da autonomia. O *cosmos* não é um campo de batalha onde Deus luta contra Satanás por supremacia; é alguma coisa que Deus permitiu, para que a mentira tenha a sua revelação plenária.

É razoável supor que o *cosmos* represente todo o esforço de uma criatura suprema, e como começou com o repúdio de Deus, ela tem mantido sua segregação pretendida da vontade e do propósito divinos. Há muitas decepções no fato de as coisas boas em si mesmas estarem inclusas nesse grande sistema. A verdade fundamental de que "o que não provém da fé é pecado" (Rm 14.23; cf. Hb 11.6) não é reconhecida ou crida no *cosmos*. A *mentira* deve seguir o seu curso para que possa ser julgada, não como uma mera hipótese ou uma ventura incipiente, mas numa manifestação completa e final de seu caráter antideus. Ela começou com o repúdio de Deus por um anjo e por um homem e mantém esse traço distintivo até que o anticristo apareça e seja destruído. As empreitadas humanitárias, a cultura, as leis e as formas religiosas do *cosmos* não constituem evidência de que Deus seja reconhecido em Sua verdadeira posição ou seja honrado.

Este é um *cosmos* que rejeita Cristo. Seus príncipes "crucificaram o Senhor da glória" (1 Co 2.8), e, além do poder restringente de Deus, eles o crucificariam novamente e destruiriam as suas testemunhas. Eles não evidenciam algum arrependimento pelo seu crime racial climático – o Salvador, como tal, ainda é desonrado e rejeitado. Os ideais sociais são emprestados dos Seus ensinos. Sua pureza e graça são sustentadas como um padrão de vida, mas a salvação através do seu sangue é ridicularizada. O *cosmos* independente, autocentrado, auto-satisfeito e autônomo não clama por redenção visto que ele não reconhece a necessidade dela. Ele é a personificação da filosofia da qual Caim é o arquétipo. O que Deus vê no lado humano do *cosmos* está descrito em Romanos 3.9-18.

Aqui, a acusação divina contra os homens caídos é infinitamente exata e decisiva: "Como está escrito: Não há justo, nem sequer um. Não há quem entenda; não há quem busque a Deus. Todos se extraviaram; juntamente se fizeram inúteis. Não há quem faça o bem, não há nem um só. A sua garganta é um sepulcro aberto; com as suas línguas tratam enganosamente; peçonha de áspides está debaixo dos seus lábios" (Rm 3.10-13). Certamente, Deus não engana com relação aos propósitos de Satanás. Não revelou Ele aqueles segredos no princípio (Is 14.13; Ez 28.15)? Um *cosmos* que crucifica o seu Redentor odeia aqueles que são redimidos como rejeita o Salvador (Jo 15.18, 19), e ama as trevas, ao invés da luz, dificilmente enganará ou defraudará o Todo-poderoso. Ele deve ser julgado e destruído completamente. Nenhuma tentativa será feita para salvar qualquer coisa dele quando o dia da sua destruição chegar.

As passagens seguintes são um testemunho suficiente para mostrar o caráter maligno do *cosmos*:

"Pelas quais ele nos tem dado as suas preciosas e grandíssimas promessas, para que por elas vos torneis participantes da natureza divina, havendo escapado da corrupção, que pela concupiscência há no mundo [*cosmos*]" (2 Pe 1.4); "Porquanto se, depois de terem escapado das corrupções do mundo [*cosmos*] pelo pleno conhecimento do Senhor e Salvador Jesus Cristo, ficam de novo envolvidos nelas e vencidos, tornou-se-lhes o último estado pior do que o primeiro" (2 Pe 2.20); "A religião pura e imaculada diante de nosso Deus e Pai é esta: Visitar os órfãos e as viúvas nas suas aflições e guardar-se isento da corrupção do mundo [*cosmos*]" (Tg 1.27); "Infiéis, não sabeis que a amizade do mundo [*cosmos*] é inimizade contra Deus? Portanto qualquer que quiser ser amigo do mundo constitui-se inimigo de Deus" (Tg 4.4); "Porque todo aquele que é nascido de Deus vence o mundo [*cosmos*]; e esta é a vitória que vence o mundo [*cosmos*]: a nossa fé"

(1 Jo 5.4); "Já não falarei muito convosco, porque vem o príncipe deste mundo [*cosmos*], e ele nada tem em mim" (Jo 14.30); "...e todo espírito que não confessa a Jesus não é de Deus; mas é o espírito do anticristo, a respeito do qual tendes ouvido que havia de vir; e agora já está no mundo [*cosmos*]" (1 Jo 4.3).

De igual modo, do crente é dito que ele foi liberto da era presente (Gl 1.4) e "liberto do império das trevas" (Cl 1.13), e que não deve se conformar com este mundo (Rm 12.2).

III. Os Empreendimentos de Satanás no Cosmos

Este tema extenso reaparece na divisão final de satanologia e, portanto, reduzido aqui. Aquele que começou com o propósito de ser "semelhante ao Altíssimo", nunca abandonou esse ideal. Em alguns aspectos, Satanás tenta realizar as obras de Deus, mas isto se torna apenas um aspecto a mais de sua grande ilusão. As obras da ordem satânica estão claramente esboçadas em diversas passagens descritivas, que também apresentam aquilo que é o mais alto ideal, e o mais profundo motivo na massa da humanidade energizada por Satanás. Uma passagem sozinha contém a revelação total: "Porque tudo o que há no mundo, a concupiscência da carne, a concupiscência dos olhos e a soberba da vida, não vem do Pai, mas sim do mundo [*cosmos*]" (1 Jo 2.16). A satisfação desses mesmos anseios foi a tentação colocada diante de Eva no jardim: "Então, vendo a mulher que aquela árvore era boa para se comer, e agradável aos olhos, e árvore desejável para dar entendimento, tomou do seu fruto, comeu, e deu a seu marido, e ele também comeu" (Gn 3.6). A natureza real desses anseios é facilmente reconhecida como totalmente autocentrada e sem qualquer pensamento de Deus.

Todas "as guerras e contendas" (Tg 4.1) entre os homens são somente um resultado natural das qualidades malignas desta grande federação. Jesus disse a Pilatos: "O meu reino não é deste mundo [*cosmos*]; se o meu reino fosse deste mundo [*cosmos*], pelejariam os meus servos, para que eu não fosse entregue aos judeus; entretanto, o meu reino não é daqui" (Jo 18.36). É um fato notável que os governos do mundo dependam do poder físico e da exibição de armamentos para manter a sua posição e autoridade, e a lei superior do amor não é adaptada aos elementos que compõem o *cosmos* ou é entendida por eles.

IV. As Coisas do Cosmos

Toda propriedade terrena é de ordem satânica, propriedade essa que o crente pode usar, mas não deve abusar: "Quem, pois, tiver bens do mundo [*cosmos*], e, vendo o seu irmão necessitado, lhe fechar o seu coração, como permanece nele o amor de Deus?" (1 Jo 3.17); "mas os cuidados do mundo [lit.

'*século*'], a sedução das riquezas e a cobiça doutras coisas, entrando, sufocam a palavra, e ela fica infrutífera" (Mc 4.19); "Isto, porém, vos digo, irmãos, que o tempo se abrevia; pelo que, doravante, os que têm mulher sejam como se não a tivessem; os que choram, como se não chorassem; os que folgam, como se não folgassem; os que compram, como se não possuíssem; e os que usam deste mundo [*cosmos*], como se dele não usassem em absoluto, porque a aparência deste mundo passa" (1 Co 7.29-31). Tiago escreve: "Ouvi, meus amados irmãos. Não escolheu Deus os que são pobres quanto ao mundo [*mundo*] para fazê-los ricos na fé e herdeiros do reino que prometeu aos que o amam?" (Tg 2.5). Aqui uma mudança necessária na tradução revela muito. Tiago não disse *os pobres deste mundo*, mas, antes, *os pobres quanto ao mundo* – todas e quaisquer coisas que constituem o *cosmos*, ou o que ele tem para oferecer. Essa pobreza é mais honrosa e deveria ser a condição de cada cristão.

V. Embora Vivendo Aqui, os Cristãos não São Deste Mundo

Duas vezes em sua oração sacerdotal, Cristo assevera a respeito dos seus redimidos: "Porque não são do mundo, assim como eu não sou do mundo" (Jo 17.14, 16). Assim, ele declara outra vez: "Se o mundo [*cosmos*] vos odeia, sabei que, primeiro do que a vós, me odiou a mim. Se fôsseis do mundo [*cosmos*], o mundo [*cosmos*] amaria o que era seu; mas, porque não sois do mundo [*cosmos*], antes eu vos escolhi do mundo [*cosmos*]; por isso, é que o mundo [*cosmos*] vos odeia" (Jo 15.18, 19). E o apóstolo João afirma: "Meus irmãos, não vos admireis se o mundo [*cosmos*] vos odeia" (1 Jo 3.13). Os cristãos são enviados ao *cosmos* (Jo 17.18) como aqueles que não têm relação com ele, a não ser de testemunhar a ele. Eles são *embaixadores* (2 Co 5.20), *estrangeiros e peregrinos* (1 Pe 2.11), e *cidadãos dos céus* (Fp 3.20) com relação a este sistema do mundo. Assim é que Deus vê o cristão em relação ao *cosmos*.

Embora Jó tenha pertencido a um período remoto, a sua experiência apresenta uma ilustração vívida do cuidado de Jeová com os seus em relação aos ataques de Satanás. Nesta narrativa, Jó é apresentado, não como alguém que precisa ser punido pelo mal – concepção essa que se constituiu no erro dos três amigos de Jó, erro que Jeová condenou tão severamente no final da provação de Jó – mas ele é declarado três vezes por Jeová como "perfeito" e "justo" (1.1,8; 2.3). A queixa de Satanás com respeito a Jó é dupla: (a) Jó está tão completamente protegido que Satanás não pode alcançá-lo, e (b) Jó realmente não ama a Jeová. Um salário é realmente pago a Jó por Jeová, Satanás afirma, para que Jó fingisse que amava Jeová. Ao fazer este desafio para um teste experimental, Jeová livra Jó do poder de Satanás. Até aquele tempo, como assinalado por Satanás, Jó estava seguro nas mãos de Jeová. A transferência das mãos de Jeová para as mãos de Satanás tem uma limitação drástica que Satanás não pode transpor de maneira alguma. A Jó foi dado o privilégio e a honra de provar que Jeová é digno de toda adoração, à parte de seus benefícios. A mentira de Satanás ficou completamente exposta, para a glória de Deus.

VI. A Impotência do Cosmos

A impotência e as limitações da ordem mundial são muito evidentes. Seu líder, embora poderoso, é inferior a Cristo: "Filhinhos, vós sois de Deus, e já os tendes vencido; porque maior é aquele que está em vós do que aquele que está no mundo [*cosmos*]" (1 Jo 4.4). O seu conhecimento e entendimento são limitados: "Vede que grande amor nos tem concedido o Pai: que fôssemos chamados filhos de Deus; e nós o somos. Por isso o mundo [*cosmos*] não nos conhece; porque não o conheceu a ele" (1 Jo 3.1; "Ora, o homem natural não aceita as coisas do Espírito de Deus, porque para ele são loucura; e não pode entendê-las, porque elas se discernem espiritualmente" (1 Co 2.14, 15); "Não há quem entenda; não há quem busque a Deus" (Rm 3.11); "Mas, se ainda o nosso evangelho está encoberto, é naqueles que se perdem que está encoberto, nos quais o deus deste século cegou os entendimentos dos incrédulos, para que lhe não resplandeça a luz do evangelho da glória de Cristo, o qual é a imagem de Deus" (2 Co 4.3, 4); "Eles são do mundo [*cosmos*]; por isso, falam como quem é do mundo [*cosmos*], e o mundo [*cosmos*] os ouve" (1 Jo 4.5).

VII. O Fim do Cosmos

Este tema específico pertence à escatologia e será estudado mais plenamente sob essa divisão da Teologia Sistemática. O fato de que o cosmos vai ter o seu término e destruição é testemunhado pelos dois testamentos.

Salmo 2. Na predição que este salmo apresenta, as nações são vistas em sua última e diabólica rejeição de Jeová e de seu Messias (cf. Ap 16.13, 14); todavia, a despeito da resistência combinada delas, Jeová coloca o seu Rei sobre o trono de Davi em Jerusalém, pois ali está o "santo monte de Sião". O Filho assume o governo das mãos do Pai e despedaça as nações como um vaso de oleiro e com o cetro de ferro. Os reis e governantes são admoestados a manter relações corretas com o Cristo antes que os seus juízos terríveis comecem.

Daniel 2 e 7. Nestas profecias a respeito do curso do fim das nações gentílicas, Deus revela a verdade de que elas serão esmagadas e varridas, como "a palha das eiras no estio" e o Rei dos reis então reinará sobre toda a terra.

Mateus 25.31-46. As nações, totalmente incapazes de resistir ao poder soberano do Rei, são vistas como reunidas diante dele, tempo em que Ele determina o destino delas – uma parte para entrar no seu reino terrestre e a outra consignada para o lago de fogo preparado para o diabo e seus anjos.

ANGELOLOGIA

2 Tessalonicenses 1.7-10. A mensagem distintiva desta passagem é a destruição total de tudo que faz parte do *cosmos*.

Apocalipse 14-22. Um entendimento correto desta extensa passagem da Escritura é imperativo. Nada registrado aqui poderia ter sido cumprido na história passada. A descrição entra em mais detalhes conforme é revelado, não num tema novo, mas em um esboço que foi previamente apresentado na Palavra de Deus. A falsa aparência religiosa e a apostasia da verdade de Deus com o *cosmos* em si mesmo, devem vir a um julgamento final, perante o Rei que toma o seu trono para reinar em justiça sobre toda a terra. Apocalipse 18.24 somente serve para identificar essa destruição final como o juízo de Deus sobre todo o *cosmos* e tudo o que por ele foi operado.

Com toda a certeza, então, aquilo que Deus agora tolera para propósitos sábios é condenado à completa destruição. Isto é afirmado diretamente: "a aparência deste mundo [*cosmos*] passa" (1 Co 7.31); "Ora, o mundo [*cosmos*] passa, e a sua concupiscência; mas aquele que faz a vontade de Deus permanece para sempre" (1 Jo 2.17); "Virá, pois, como ladrão o dia do Senhor, no qual os céus passarão com grande estrondo, e os elementos, ardendo, se dissolverão, e a terra, e as obras que nela há, serão descobertas" (2 Pe 3.10).

CAPÍTULO VIII

Satanologia: O Motivo de Satanás

QUALQUER QUE POSSA TER SIDO o motivo que tenha impulsionado Satanás desde o começo de sua carreira, há um problema mais fundamental que está por detrás de todo o mal no Universo. É a razão que impulsionou Deus em permitir que o mal estivesse presente. Que Ele poderia ter impedido não precisa defesa alguma, pelo fato de ser Absoluto – Criador e Promotor de tudo o que compõe o Universo. Várias sugestões têm sido desenvolvidas como soluções para esse problema. Sem dúvida, há alguma verdade em todas elas, e quando todas são reunidas e aceitas, é até mais provável que a agregação seja não mais do que uma fraca idéia de tudo o que impulsiona Deus. Um dos motivos óbvios de Deus, que têm sido levantados, um tem uma aplicação imediata para o tema em questão, a saber, que, como visto em várias dispensações e em exemplos de relação pessoal com Deus, Ele, evidentemente, e como uma regra geral de procedimento, coloca as proposições que a criatura propõe para um teste experimental.

Jeová fez assim no caso da afirmação de Satanás com relação a Jó, que estava debaixo de um sofrimento suficiente, de que ele repudiaria Jeová. Esse pedido poderia ter sido negado, pois Jeová sabia que isso não seria verdadeiro a respeito de Jó. Entretanto, a Satanás foi dada autoridade de colocar a mentira para um teste experimental. Este método custou muito, na verdade, mas ninguém duvidará que a vitória valeu muito o preço pago. É possível que Jó sirva como um tipo ou representação de questões mais amplas que agora estão presentes na consumação da totalidade do *cosmos*. Esse tema é extenso e lança muita luz para aquele que vai segui-lo através do ensino da Bíblia.

Ao admitir a veracidade da reivindicação de que Deus põe as pretensões da criatura para serem testadas experimentalmente, torna-se claro que a determinação de Satanás – que constituiu o seu pecado inicial – de construir uma vasta estrutura de relações independentes ao redor de si como o centro totalmente autônomo em relação ao Criador, a quem toda lealdade e obediência pertencem corretamente, foi permitida por Deus que fosse experimentada e que chegasse a um fim amargo. Com relação à sabedoria de tal procedimento estupendo da parte de Deus, nenhuma criatura poderia jamais ter se colocado na posição onde ela pudesse possuir um número suficiente de fatos relacionados, ou que obtivesse uma perspectiva com base naquilo que ela pudesse se colocar na posição de julgamento. As realidades observáveis apontam em uma direção: Satanás propôs tal rumo; Deus poderia tê-lo impedido, mas antes permitiu que ele tomasse essa direção que desejou seguir, e permitiu que essa direção se tornasse, no final, a base de sua própria condenação universal.

Quando Satanás e sua teoria vierem para o julgamento e a execução final, "toda boca se calará" e todos serão culpados – não somente à luz dos ideais de Deus, mas como aqueles que são absolutamente culpados à luz de uma falha colossal do empreendimento total. A mentira será reconhecida como mentira. Como poderiam agentes morais livres obstinados e iludidos chegar a tal reconhecimento à parte de uma demonstração que não deixa lugar para nenhuma outra voz ser ouvida que pudesse reivindicar que a mentira teria sido provada como a verdade que havia sido permitida demonstrar sua própria filosofia? O grande engano deve ser imposto sobre os homens, é dito na Escritura, para que eles abracem a mentira para a sua consumação final (2 Ts 2.9-12). Não somente toda boca será calada, mas todo o mundo [*cosmos*] se tornará culpado diante de Deus (Rm 3.19). Um *cosmos culpado*, que provou ser de tal culpa que toda boca se cala – mesmo a do próprio Satanás – é uma realização estupenda!

O que tal conclusão pode contribuir para a felicidade do universo na eternidade por vir, ninguém tentaria declarar. A mentira incorpora todas as formas de rebelião da criatura contra Deus, e a desilusão completa de todos os seres caídos e o julgamento deles não podem senão ser uma realização que contribuirá muito para a paz e bem-aventurança das eras futuras. De Cristo é dito que "ele reina até que haja posto todos os inimigos debaixo de seus pés". Mesmo a *morte*, como a penalidade do primeiro pecado humano, será destruída, e ao final Deus será "tudo em todos" (1 Co 15.24-28). Em um caso ao menos, o fim justificará os meios, e nenhuma criatura pode com sabedoria oferecer um julgamento como meio, quando ela é, necessariamente, totalmente incapaz de compreender o fim.

A presença do pecado e sofrimento no mundo é muito freqüentemente vista como se fossem incursões estranhas na ordem perfeita de Deus, e Deus é desafiado por essas incursões. J. M. E. McTaggart diz que é uma "crença deprimente e revoltante a de que o destino do universo esteja à mercê de um ser que, com os recursos da onipotência à sua disposição, decida tornar o universo não melhor do que isto".[257] E em oposição a isto está a revelação de que tudo o que está no *cosmos* é de origem satânica e que Deus interfere somente como aquele que restringe até que chegue o dia do juízo, para retirar do *cosmos diabolicus* que, em seu propósito eletivo soberano, escolhe redimir. A presença do pecado e do sofrimento não é uma falha de Deus. Eles são o fracasso inevitável e a falência da mentira. Embora suas ramificações pareçam alcançar a infinidade, há apenas uma mentira. Deus governa sobre o universo ou não. A mentira declara que Ele não o governa; a *verdade* declara que sim. Tal assunto prodigioso não pode ser tratado com indiferença. Os julgamentos deles são absolutamente certos.

Quando verificamos a razão da presença do pecado e do sofrimento no cosmos, é reconhecido que existem outras razões, que apresentam um valor evidencial maior com respeito à justiça de Deus em permitir a intrusão do pecado. Estas são devidamente estudadas na divisão chamada hamartiologia, ou a doutrina do pecado.

Tanto o motivo quanto o método de Satanás são refletidos precisamente na atitude e ação do homem do pecado, a quem Satanás inspirará, e através de quem ele expressa os seus próprios desígnios. Em 2 Tessalonicenses 2.4 está afirmado do homem do pecado que ele "se opõe e se levanta contra tudo o que se chama Deus ou é objeto de adoração". O propósito de Satanás é frustrar os empreendimentos divinos – especialmente o desejo divino de salvar os perdidos – e de exaltar-se acima de Deus. Está sugerido que em sua ambição Satanás tentaria se aproveitar da autoridade que pertence a Deus somente e que ele procuraria ser adorado como Deus, e que seria adorado.

A passagem que fala do motivo central de Satanás é Isaías 14.12-14. Como já foi observado, os cinco *Eu vou fazer* de Satanás, embora cada um deles tenha um objetivo, todos convergem para o último dos cinco, a saber, *eu serei semelhante ao Altíssimo*. Os outros quatro asseveram a intenção de Satanás de exaltar-se a si mesmo de vários modos, mas somente com a finalidade de ser igual ao Altíssimo. Como foi demonstrado anteriormente, há apenas um modo em que qualquer criatura – anjo ou homem – pode tentar ser igual a Deus, e que é procurar ser independente como Deus é independente. Para fazer isto, toda a dependência do Criador divinamente pretendida para a criatura deve ser repudiada, e aquele que procura agir assim deve estar comprometido com uma carreira onde o ego tenha planejado e que este deve manter-se em completa separação de Deus, até que o curso de ação venha à sua realização.

Em tais empreendimentos, a auto-exaltação é suprema, e a oposição a Deus é buscada, para que fique claro que o ego seja glorificado. A Escritura distintamente afirma que foi a auto-estima, ou orgulho, que incitou o maior de todos os anjos a empreender um curso independente de ação (Ez 28.17; 1 Tm 3.6). Poderia parecer que está indicado que ele não perde a fé em sua empreitada até que, num tempo ainda futuro, seja expulso do céu. De Satanás, àquela altura, está escrito: "Mas ai da terra e do mar! Porque o Diabo desceu a vós com grande ira, sabendo que pouco tempo lhe resta" (Ap 12.12).

O enorme projeto que nasceu na mente de Satanás, e que foi inspirado pelo seu orgulho de auto-exaltação estava, necessariamente, confinado às esferas celestiais até a criação do homem. Naquelas eras anteriores, pode ser crido que Satanás "negociou" (cf. Ez 28.18) entre os anjos inferiores para assegurar a lealdade deles à sua filosofia de liberdade do Criador e de independência dele. Na criação do homem foi aberta a Satanás a possibilidade de uma vasta demonstração nessa nova esfera do seu desígnio e de sua execução. O presente *cosmos* é aquele em que Satanás propôs e Deus permitiu-lhe executar para o seu fim trágico.

Quatro marcos assinalam o caminho de ação do trajeto deliberado de Satanás:

(A) Ele disse: "Eu serei semelhante ao Altíssimo". Sobre isto, a origem de toda a impiedade, nada precisa ser acrescentado a esta altura.

(B) Ele disse a Adão e Eva, *sereis como deuses* (*Elohim*, Gn 3.5). Quantos anjos tinham ouvido e atentado para essa sugestão ninguém aqui na terra poderá dizer, O seu conselho foi recebido e influenciou os progenitores da raça humana. Pela sua própria escolha, eles incorreram na penalidade que a advertência graciosa de Deus havia posto perante eles. Ele havia dito: *No dia em que comeres certamente morrerás*. Nenhuma palavra de Deus pode falhar jamais. Assim, toda forma de morte veio sobre essas criaturas pecaminosas. A morte em qualquer uma de suas formas era uma intrusa desconhecida neste universo. Ela não foi a penalidade divina sobre os anjos pecaminosos, mas caiu sobre o homem. Um aspecto doloroso dessa penalidade é a morte espiritual que significa a separação da alma e do espírito humano de Deus. Este estado de nossos primeiros pais tornou-se a herança de todos os descendentes deles por todas as gerações.

Eles pertencem ao *cosmos diabolicus*. Até que sejam redimidos pela infinita graça, partilham não somente das obras do *cosmos*, mas do seu espírito satânico de independência de Deus. Se uma pessoa dessa raça degenerada deseja estar em relação correta com Deus, o primeiro passo não é meramente evidenciar uma disposição de ser obediente a Deus de um modo geral, mas é requerido dele que *obedeça* ao Evangelho da salvação divina (At 5.32; Rm 2.8; 2 Ts 1.8; Hb 5.9; 1 Pe 4.17). Por detrás dessa exigência, está a verdade essencial de que uma relação correta com Deus é mais do que um arrependimento seguido pelo perdão divino. A satisfação da santidade ultrajada deve ser assegurada. Isso Cristo proporcionou por sua morte, mas isso não é apresentado em outro lugar. Assim, Cristo é o caminho exclusivo para Deus, o escape das mãos do maligno. A cura divinamente proporcionada é perfeita além da medida; pela fé em Cristo há paz com Deus, perdão, regeneração com o seu dom comunicado de vida eterna, justiça imputada e justificação.

Há também a palavra certa de promessa de que o salvo experimentará uma conformidade completa com Deus, o Filho, na glória. A mentira satânica "sereis como deuses (*Elohim*)" é mostrada ser um engano terrível, enquanto que as ofertas da graça divina apresentam a certeza de uma unidade final e duradoura com Deus e uma completa conformidade a tudo que Deus é e a tudo o que Ele deseja. A mentira se torna no antípoda da verdade ao grau final de avaliação. A mentira termina na ruína eterna para aqueles que a buscam; a verdade termina na felicidade eterna e na justeza com Deus porque repousa em tudo o que possui em Cristo. É uma maravilha da graça infinita que mesmo uma alma seja libertada do império das trevas e transportada para o reino do Filho do amor de Deus (Cl 1.13). Quão trágica, na verdade, é a presente vida e o destino de qualquer ser humano que, embora nascido na condição de perdido, recusa a graça divina e voluntariamente continua a lançar toda a sua sorte no *cosmos* antideus – *cosmos diabolicus* – e vai partilhar da condenação do inimigo de Deus no lago de fogo!

Mas o plano de tornar-se como *Elohim,* por meramente presumir uma independência de Deus, originada por intermédio de Satanás, e sua proposta a Adão, marca o curso do propósito não alterado do diabo.

(c) Quando se encontrou com o último Adão no deserto, Satanás não disse, como o fez com o primeiro Adão: *vós sereis como Elohim*; porque Satanás sabia sem dúvida que Jesus Cristo era *Deus.* Contudo, sua grande paixão de ser *semelhante ao Altíssimo* foi expressa nas seguintes palavras: "se me adorares". O caráter presunçoso e ímpio dessa sugestão não pode ser repetido na história do universo, nem jamais será repetido nas eras futuras. É provável que em lugar algum essa mentira venha com tal manifestação desse caráter ímpio e falso como aqui, onde ela se dirige diretamente Àquele que é a Verdade. Foi uma audácia além da medida que Satanás tivesse solicitado a cooperação dos anjos e do homem; mas quem avaliará a impiedade daquele que sugere que Deus, o Criador, venha a se tornar um suplicante aos pés de uma criatura feita por suas próprias mãos? O orgulho tinha evidentemente obscurecido a mente desse ser a ponto de ser uma insanidade angelical; todavia, não é uma insanidade que evidencia irresponsabilidade. Além e acima de todas as experiências da tríplice tentação no deserto, a única verdade é revelada, a saber, que o propósito de Satanás é de ser *semelhante ao Altíssimo.*

(d) Está longe de ser acidente que a última manifestação da mentira de Satanás seja o homem do pecado – do qual se diz que vai se opor a Deus e exaltar-se a si mesmo acima de tudo o que é chamado Deus ou objeto de culto, e que vem segundo a eficácia de Satanás, com todo poder e sinais e prodígios da mentira e com todo o engano da injustiça – que sempre é distinto pela presunção blasfema de que é Deus.

No primeiro registro mais antigo a respeito dele, ele é descrito pelas seguintes palavras: "Filho do homem, dize ao príncipe de Tiro: Assim diz o Senhor Deus: Visto como se elevou o teu coração, e disseste: Eu sou um deus, na cadeira dos deuses me assento, no meio dos mares; todavia tu és homem, e não deus, embora consideres o teu coração como se fora o coração de um deus... Portanto, assim diz o Senhor Deus: Pois que consideras o teu coração como se fora o coração de um deus; por isso, eis que eu trarei sobre ti estrangeiros, os mais terríveis dentre as nações, os quais desembainharão as suas espadas contra a formosura da tua sabedoria, e mancharão o teu resplendor. Eles te farão descer à cova; e morrerás da morte dos traspassados, no meio dos mares. Acaso dirás ainda diante daquele que te matar: Eu sou um deus? mas tu és um homem, e não um deus, na mão do que te traspassa" (Ez 28.2,6-9).

Duas vezes essa encarnação de Satanás é mencionada em Daniel (Dn 7.8; 9.27). Na primeira passagem, ele é caracterizado como aquele com "uma boca falando grandes coisas", e na última passagem ele é dito ser aquele que faz cessar o sacrifício e a oblação. Este é exatamente o testemunho do apóstolo, que afirma que este que se "senta no santuário de Deus, ostentando-se como se fosse o próprio Deus" (2 Ts 2.4). Evidentemente, a adoração de Jeová é finda por esse homem do pecado, a fim de que ele próprio possa ser adorado.

Dessa mesma pessoa João escreve: "Também vi uma de suas cabeças como se fora ferida de morte, mas a sua ferida mortal foi curada. Toda a terra se maravilhou, seguindo a besta, e adoraram o dragão, porque deu à besta a sua autoridade; e adoraram a besta, dizendo: Quem é semelhante à besta: quem poderá batalhar contra ela? Foi-lhe dada uma boca que proferia arrogâncias e blasfêmias; e deu-se-lhe autoridade para atuar por 42 meses. E abriu a sua boca em blasfêmias contra Deus, para blasfemar do seu nome e do seu tabernáculo e dos que habitam no céu. Também lhe foi permitido fazer guerra aos santos, e vencê-los; e deu-se-lhe autoridade sobre toda tribo, e povo, e língua, e nação. E adorá-la-ão todos os que habitam sobre a terra, esses cujos nomes não estão escritos no livro da vida do Cordeiro que foi morto desde a fundação do mundo" (Ap 13.3-8).

Portanto, deve ser esperado que a reivindicação blasfema de ser deus e a exigência de ser adorado como deus se constituirão no último capítulo do drama da iniqüidade, e isto de acordo com o registro do apóstolo Paulo feito em 2 Tessalonicenses 2. É igualmente razoável que Cristo tenha indicado para os judeus que o aparecimento desse iníquo no "lugar santíssimo" se constitua no sinal do fim de sua era e uma prova para que os judeus fujam para a sua segurança (Mt 24.15-22).

Não é um mistério muito grande que Deus permita que Satanás vá ao encalço de sua mentira para sua própria consumação com o seu homem do pecado – aquele que estabelece um pacto com as nações – e blasfema ao grau em que ele reivindica ser Deus e exige, sob pena de morte, a adoração de sua pessoa, adoração essa que pertence a Deus somente. Mas há outro mistério tão grande como esse: que Deus tenha permitido que a mentira tivesse o seu começo.

Na busca do mais profundo de todos os aspectos que possa estar contido no motivo interior de Satanás, é sugerido que, como tem sido apresentado, que ele foi movido, primeiro pelo orgulho que é a causa motora de sua ambição impura; segundo, Satanás pode ter ficado ofendido por causa da existência de um plano de salvação que tenha sido colocado em prática, pelo qual as vítimas podem ser resgatadas e elevadas às alturas da glória que nenhum anjo jamais alcançou. O Dr. William Cooke cita o seguinte de Plutarco: "Foi uma opinião muito antiga, a de que há certos demônios malignos e ímpios, que têm inveja dos homens bons, e que se esforçam para impedi-los de buscar a virtude, para que eles não sejam participantes ao menos de uma alegria maior além da que eles desfrutam".[258] Por não existir uma redenção para si mesmo ou qualquer outro anjo caído, surge em Satanás inveja, ressentimento e ódio, em relação a Deus e seus santos; terceiro, Satanás aparentemente não pode reconhecer qualquer outra base de relacionamento da parte da criatura para com Deus além do mérito pessoal, cuja base existia em todas as criaturas desde o princípio.

A questão do mérito pessoal formava a verdadeira base da autoridade de Satanás em sua defesa para usurpar o trono de Deus. A operação total da graça divina tornou-se uma intrusão, se não uma invasão, naquele princípio sobre o qual Satanás originalmente estava designado para agir. Que aquelas criaturas condenadas, pela fé num Salvador crucificado e ressurrecto, podem ser constituídas justas ao grau da perfeita justiça de Deus, que é Cristo, deve ser muito desconcertante e odioso para Satanás. O seu ideal é sempre refletido em seus ministros que são ditos ser "ministros de justiça [pessoal]" (2 Co 11.13-15). E a respeito desse Evangelho da graça pelo qual os perdidos podem ser salvos, que Satanás lançou um véu sobre as mentes de todos os seres humanos não-regenerados "para que não lhes resplandeça a luz do evangelho da glória de Cristo" (2 Co 4.4).

Todo ganhador de almas observador mais cedo ou mais tarde fica impressionado com a incapacidade mais do que natural dos não-salvos de compreender a oferta da salvação à parte do mérito humano e pela fé somente. Ao escrever especificamente do véu que Satanás lança sobre as mentes dos homens, F. C. Jennings afirma: "Aquele que elabora o curso de sua época: suas formas religiosas, cerimônias, decências externas, respeitabilidades, e convenções para formar um véu espesso, é o que esconde totalmente *a glória de Deus na face de Jesus Cristo*', que consiste na misericórdia de retidão para os pecadores penitentes somente. Esse véu não é formado de vida maligna, depravação, ou qualquer forma do que se chama de erro entre os homens; mas é formada de formalidade fria, de decência insensível, do orgulho da autocomplacência, a altamente estimada respeitabilidade externa, e devemos acrescentar, a membrezia da igreja – tudo sem *Cristo*. É o mais fatal de todos os enganos, o mais espesso de todos os véus, e o mais comum. Esse é o caminho que, por ser religioso, respeitável e decente, *parece certo ao homem, mas é caminho de morte*; pois não há Cristo, Cordeiro de Deus e sangue da expiação nele".[259]

Ainda resta mais coisas para serem vistas mais detalhadamente que, em sua oposição a Deus, Satanás entra nas coisas religiosas.

CAPÍTULO IX

Satanologia: O Método de Satanás

NO COMEÇO DESTA DIVISÃO DA SATANOLOGIA deveria ser reafirmado com ênfase que o propósito dominante de Satanás não é, como a impressão popular supõe, o de tentar ser *diferente* de Deus. Satanás explicitamente tem asseverado a respeito de si mesmo, conforme está registrado em Isaías 14.14, que o seu objetivo transcendente é ser *igual* ao Altíssimo. Numa fase anterior desta discussão, o desígnio de Satanás foi traçado através da história e da profecia e a conclusão deste registro é que não pode haver questão razoável senão que, desde a sua intenção mais antiga até a última manifestação dela – Satanás é impelido apenas por uma intenção. Quão essencial na avaliação de Satanás deverá ser a adoração do homem do pecado, pode ser vista a partir da revelação de que o homem do pecado exigirá a adoração dos habitantes da terra sob pena de morte (Ap 13.15).

É dito que a massa não-regenerada da humanidade está enganada por Satanás. O engano dessas pessoas é tanto trágico quanto lastimável. Satanás lhes impõe a sua fraude, subterfúgio e traição. Não há substância permanente em qualquer objeto sobre o qual eles colocam as suas esperanças. Com reconhecimento distintivo, as Escrituras declaram que os enganos de Satanás afetam meramente o elemento humano no *cosmos*, e não o sistema total de coisas que o *cosmos* abarca. Assim, a palavra *cosmos* não é empregada em conexão com esses enganos. O termo grego οἰκουμένη, que significa os habitantes da terra, ou a designação, *as nações*, é usado aqui. Está escrito da terra inabitada em Apocalipse 12.9: "E foi precipitado o grande dragão, a antiga serpente, que se chama o Diabo e Satanás, que engana todo o mundo ['*terra inabitada*']; foi precipitado na terra, e os seus anjos foram precipitados com ele".

Igualmente, em Apocalipse 13.14, os enganos são ditos que alcançaram "os que habitavam sobre a terra". Então, também em Apocalipse 20.3,8,10, os enganos de Satanás são ditos que alcançaram todas as nações – inclusive todos os povos da terra – exceto os indivíduos que são salvos. Com a mesma finalidade está escrito novamente a respeito do poder de Satanás que é exercido pelo homem do pecado, que será "com todo engano de injustiça para com os que perecem" (2 Ts 2.10). Nessa descrição não há esperança, dentro deles próprios, pois há uma raça de caídos que rejeita Cristo. Está escrito a respeito do futuro dos homens caídos: "Mas os homens maus e impostores irão de mal a pior, enganando e sendo enganados" (1 Tm 3.13). À luz de toda essa revelação, os sonhos dos guias religiosos que predizem um cosmos transformado e regenerado como um resultado do esforço humano no serviço cristão são visto como sem fundamento.

Os enganos de Satanás continuam até que ele seja preso e destinado ao abismo. Mas quem amarrará Satanás e o colocará naquela prisão? No interesse da justiça divina, a dissolução do *cosmos* e o desaponto da mentira devem alcançar os fins preditos quando tudo será destruído no zênite de sua impiedade. Somente então é que o Rei reinará e prosperará. Então, e tãosomente então, que a justiça e a paz cobrirão a terra como as águas vestem a face do abismo. Qual forma de engano tem pego os homens bons de forma que eles falham em ver o ensino simples da Bíblia com respeito ao curso e o fim do mal? As realidades estupendas apresentadas no *cosmos diabolicus* não são ditas como transformáveis. Quando Deus declara, como o fez, que o *cosmos diabolicus* deve continuar com o engano crescente, a fim de incorporar a mentira até que ele seja esmagado pelo poder infinito do Rei que vai voltar, há pouca base para quaisquer tentativas de salvá-lo e de transformá-lo. Na verdade, os cristãos são exortados a serem operosos a tempo e a fora de tempo na tarefa de salvar *indivíduos*; mas isto é muito distante do objetivo de tentar resgatar aquilo que Deus condenou à destruição e que, por sua própria natureza, é antideus.

Com a mentira propriamente dita, o maior engano que Satanás impõe – ao alcançar a todos os não-salvos e uma grande proporção de cristãos – é a suposição de que somente coisas que a sociedade considera más poderiam se originar com o diabo – se, na verdade, há qualquer diabo para dar origem a qualquer coisa. Não é a razão humana, mas a revelação de Deus, que assinala que os governos, a moral, a educação, arte, comércio, os grandes empreendimentos e organizações, e muita coisa da atividade religiosa estão incluídos no *cosmos diabolicus*. Isto é, o sistema que Satanás construiu inclui todo o bem que ele pode incorporar nele e ser consistente na coisa que ele almeja realizar. Uma questão séria surge se a presença do mal total no mundo é devida à intenção de Satanás tê-lo, ou se isso indica a incapacidade dele de executar tudo o que designou.

A probabilidade é grande de que a ambição de Satanás o tenha conduzido a empreender mais do que qualquer criatura poderia jamais administrar. A revelação de Deus declara que o *sistema total do cosmos* deve ser aniquilado – não o seu mal somente, mas *tudo* o que está nele, tanto o bom quanto o mau. Deus não incorporará o fracasso de Satanás naquele reino que vai estabelecer na terra. O *cosmos diabolicus* deve ser "quebrado em pedaços" e vai se tornar como a palha que as debulhadoras lançam ao vento no verão, e tudo isso *antes* que a Pedra golpeadora – Cristo em seu retorno à terra – estabeleça um reino que abrangerá toda a terra (Dn 2.34, 35, 44, 45). O Novo Testamento prediz a mesma consumação, quando diz: "Ora o mundo [cosmos] passa, e a sua concupiscência ['desejo', ou 'propósito']; mas aquele que faz a vontade de Deus permanece para sempre" (1 Jo 2.17).

A única coisa que sobreviverá a esse grande cataclisma, que este texto afirma, é "aquele que faz a vontade de Deus"; este permanece para sempre. A *mentira* é expandida a ponto de sua manifestação abarcar tudo o que está no cosmos, e é construída sobre a idéia original que caracteriza tudo, *a independência de Deus*. Fazer a vontade de Deus é *praticar* a verdade; agir independentemente de Deus é *praticar* a mentira. Aqueles que praticam a verdade, que é a vontade de Deus, permanecem para sempre. Não deve haver surpresa alguma no término de toda a teia que Satanás tece; todavia, os que são do *cosmos* não são influenciados pela Palavra de Deus, nem os *cristãos do cosmos* ficam muito impressionados com a verdade solene que Deus tem falado. Este é o efeito de longo alcance do engano de Satanás. A independência original de Satanás com relação a Deus que permeia a ordem total, seus enganos a respeito de si próprio, a respeito de seu propósito, e a respeito da extensão de sua empreitada, constituem os aspectos principais do *método* de Satanás no *cosmos*.

Visto que em sua busca determinada de exaltar-se acima de Deus, Satanás opõe-se aos empreendimentos divinos, a sua oposição naturalmente será exercida onde Deus agir num determinado tempo. Visto que Deus não tem um programa presente que siga nas linhas de reforma, educação, ou civilização (e qualquer registro de que tais empreendimentos está no propósito presente de Deus e será procurado em vão), não há conflito ou resistência satânica nessas esferas. A presente relação de Deus com o *cosmos*, além de sua permissão soberana e de sua ação restringente, é salvar deste mundo o seu povo eleito e levá-lo para a sua glória celestial. Por outro lado, o objetivo duplo de Satanás – o de exaltar-se, e o de se opor a Deus – é a chave pela qual muita coisa pode ser conhecida que, de outro modo, seria desconhecida. É ainda mais adiante revelado que a inimizade de Satanás não é somente em relação à pessoa de Deus a quem ele teme, mas também em relação aos verdadeiros filhos de Deus.

Não pode ser colocada ênfase demasiada sobre esse fato. Satanás não tem controvérsia ou guerra com os que são seus, as pessoas não-regeneradas, mas há textos abundantes da Escritura que provam que ele faz um esforço incessante para arruinar a vida e o serviço do cristão. O motivo para esse esforço é todo-suficiente: eles foram feitos participantes da "natureza divina" (2 Pe 1.4), e, portanto, propiciam uma possível oportunidade para Satanás atirar os seus dardos inflamados na pessoa divina que neles habita. Assim, o crente se torna um meio de conexão entre a pessoa divina e a ordem satânica, pois é também verdade que Deus literalmente ama os não-salvos através do crente (Rm 5.5). Por outro lado, o príncipe do sistema satânico procura uma oportunidade para golpear a pessoa de Deus através do crente.

Diversas passagens importantes sobre este último ponto podem ser observadas aqui: "Tenho-vos dito estas coisas, para que em mim tenhais paz. No mundo tereis tribulações; mas tende bom ânimo, eu venci o mundo" (Jo 16.33); "E na verdade todos os que querem viver piamente em Cristo Jesus padecerão perseguições" (2 Tm 3.12); "Meus irmãos, não vos admireis se o mundo vos odeia" (1 Jo 3.13); "...lançando sobre ele toda a vossa ansiedade, porque ele tem cuidado de vós. Sede sóbrios, vigiai. O vosso adversário, o Diabo, anda em derredor, rugindo como leão, e procurando a quem possa tragar; ao qual resisti firmes na fé, sabendo que os mesmos sofrimentos estão se cumprindo entre os vossos irmãos no mundo" (1 Pe 5.7-9); "Finalmente, fortalecei-vos no Senhor e na força do seu poder. Revesti-vos de toda a armadura de Deus, para poderdes permanecer firmes contra as ciladas do Diabo; pois não é contra carne e sangue que temos que lutar, mas sim contra os principados, contra as potestades, contra os príncipes do mundo destas trevas, contra as hostes espirituais da iniqüidade nas regiões celestes" (Ef 6.10-12).

O ensino destas passagens indica claramente a inimizade satânica em relação ao crente, e desamparo total do crente à parte da suficiência divina. Elas também revelam um grau de inimizade que resultaria na vida do crente, que seria esmagada, se não fosse pela resposta evidente à oração de Cristo: "Não rogo que os tires do mundo [*cosmos*], mas que os guardes do maligno" (Jo 17.15). Certamente há razão abundante para o crente esperar a oposição mais feroz de Satanás e seus exércitos em toda sua vida e serviço, e somente a fé assegura sua vitória sobre o mundo (*cosmos*).

O crente é também o objeto do ataque satânico por causa do fato de que ao filho de Deus é entregue o grande mistério da reconciliação, que pelo seu exemplo pela vida e pelo seu testemunho da palavra, e por suas orações, as verdades da redenção podem ser anunciadas ao mundo. Se Satanás pode aleijar o serviço do crente, ele realiza o seu intento de resistir o propósito presente de Deus. Nenhuma outra explicação é adequada para as páginas da história da Igreja, senão a apavorante falha da Igreja na evangelização do mundo, suas presentes divisões sectárias e a indiferença egoísta, ou o seu estado final como é descrito em Apocalipse 3.15-17. A oposição frustrante de Satanás pode ser detectada em cada esforço para a salvação dos perdidos. Ela pode ser vista no fato de que nenhum apelo pessoal foi feito à vasta maioria, mesmo numa terra favorecida com o Evangelho como os Estados Unidos; além disso, quando um apelo é feito, ele é facilmente perturbado e desviado para a discussão de temas que não são importantes.

O pastor ou evangelista fiel é muito doloridamente criticado, e cada instrumento de Satanás é usado para distorcer a mensagem supremamente importante da graça que leva para um assunto que não é de importância vital. O apelo do evangelista para as decisões é freqüentemente obstruído por aquilo que é enganoso ou por uma afirmação errônea dos termos da salvação; assim, o apelo é perdido e todo o esforço é frustrado. Além disso, o poder opositor de Satanás pode ser visto no assunto dos donativos cristãos. Milhões são dados sem que sejam solicitados para a educação, cultura, e para o conforto físico da humanidade, mas a real evangelização mundial deve sempre se arrastar com vergonhosas limitações e dívidas. Essa batalha de Satanás é mesmo mais perceptível na vida de oração dos crentes. Este, por ser o seu lugar de maior utilidade e poder, é sujeito ao conflito mais severo.

Nesta conexão, pode ser afirmado seguramente que há comparativamente pouca oração que prevalece hoje; todavia, o caminho está aberto e as promessas são seguras. Se o crente não pode ser iludido para a indiferença ou uma negação de Cristo, ele é freqüentemente tentado a colocar a ênfase indevida sobre uma verdade de menor importância, e, numa cegueira parcial, sacrificar a sua influência total para o bem através de um desequilíbrio evidente de seu testemunho.

A batalha de Satanás contra o propósito de Deus é ainda mais evidente em impedir diretamente os não-salvos. Não somente eles estão cegos para o Evangelho, mas, quando o Espírito os liberta, as mentes deles ficam freqüentemente cheias de temores estranhos e visões distorcidas. A incapacidade deles de lançar-se a si mesmos sobre Cristo lhes é um mistério, e nada além do direto poder iluminador do Espírito, em convicção, pode abrir os olhos deles e livrá-los de suas densas trevas.

Satanás sempre adaptou os seus métodos aos tempos e condições. Se atenção tem sido ganha, se uma negação completa da verdade tem sido feita, ou, quando algum reconhecimento da verdade é exigido, tem sido admitido com a condição de que aquilo que é vital na redenção deveria ser omitido. Esse reconhecimento parcial da verdade é exigido pelo mundo hoje. Pois, enquanto o resultado direto do testemunho do crente ao *cosmos* tem sido para o ajuntamento da Noiva, tem havido uma influência indireta desse testemunho ao mundo, que os tem conduzido a verem que tudo que é bom em seus próprios ideais já foi afirmado na Bíblia e exemplificado na vida de Cristo. Além disso, eles têm ouvido que todo princípio da simpatia humanitária ou do governo justo foi revelado nas Escrituras da Verdade. Assim, tem crescido uma apreciação mais ou menos popular do valor desses preceitos morais das Escrituras e do exemplo que Cristo apresenta.

Essa condição tem prevalecido em tal grau que qualquer novo sistema ou doutrina que consegue atrair atenção hoje deve reivindicar a sua base na Bíblia, e incluir, em algum grau, a pessoa e os ensinos de Cristo. O fato de que o mundo tem, dessa forma, parcialmente reconhecido o valor das Escrituras é tido por muitos como uma vitória gloriosa para Deus, enquanto, ao contrário, a humanidade caída tem ficado menos inclinada a aceitar os termos da salvação de Deus do que nas gerações passadas. É evidente que essa concessão parcial do mundo com relação ao testemunho de Deus tem aberto a porta para os sistemas falsos da verdade que, de acordo com a profecia, são os últimos e os mais pavorosos métodos da guerra satânica. Neste contexto, deve ser admitido que Satanás não tem feito concessão alguma de sua própria posição, ainda que ele seja forçado a reconhecer todo princípio da verdade do qual a salvação depende.

Antes, ele tem tido vantagem de tal reconhecimento; pois o valor e o engano de uma falsificação são aumentados pela proximidade de sua semelhança ao real. Por advogar muita coisa da verdade, na forma de um sistema falsificado da verdade, Satanás pode satisfazer todos os anseios religiosos externos do mundo, e ainda realizar o seu próprio alvo de deter aquilo de que depende a única esperança do homem. Portanto, não mais é seguro subscrever cegamente àquilo que promete um bem geral, simplesmente porque é bom e é enfeitado com os ensinos da Bíblia; pois, de um lado, o bem tem deixado de ser tudo o que ele é e, do outro, também o mal. Na verdade, aquilo que é mal em seu propósito tem gradualmente se apropriado do bem ao grau em que apenas um item os distingue. Meias verdades têm levado a um conflito final com a verdade toda, e ai da alma que não discerne entre elas! As primeiras, embora externamente religiosas, vêm de Satanás, e deixam os seus seguidores na condenação do banimento eterno da presença de Deus, enquanto que as últimas vêm de Deus "tendo a promessa da vida eterna que agora é, e da que há de vir".

É também digno de nota que o termo "infiel", no espaço de uma geração, tem desaparecido do uso comum, e que aquela maneira de negação aberta da verdade tem sido quase que totalmente abandonada. Todavia, a Igreja na verdade não perdeu os seus inimigos, pois eles são agora ainda mais numerosos, sutis e mais terríveis do que jamais foram antes. Esses atuais inimigos, contudo, gostam de aves impuras que encontram abrigo nos ramos da árvore de mostarda. Eles celebram nos altares mais sagrados da Igreja e dirigem as suas instituições. Esses urubus são alimentados por uma multidão, seja da Igreja ou de fora, que, em sua cegueira satânica, estão comprometidos com o fomento de qualquer projeto ou com a aceitação de qualquer teoria que promete o bem ao mundo, se ele aparentemente é baseado na Escritura, e percebe pouco que eles realmente dão suporte ao inimigo de Deus.

A falsificação é o método mais natural de Satanás para resistir ao propósito de Deus, visto que, através disso, ele, ao grau em que entende, pode realizar o seu desejo de ser *semelhante* ao Altíssimo. Todo material está agora disponível, como nunca antes, para o estabelecimento dessas condições que estão preditas para acontecer somente no fim desta era. Em 2 Timóteo 3.1-5, uma dessas predições pode ser encontrada:

"Sabe, porém, isto, que nos últimos dias sobrevirão tempos penosos; pois os homens serão amantes de si mesmos, gananciosos, presunçosos, soberbos, blasfemos, desobedientes a seus pais, ingratos, ímpios, sem afeição natural, implacáveis, caluniadores, incontinentes, cruéis, inimigos do bem, traidores, atrevidos, orgulhosos, mais amigos dos deleites do que amigos de Deus, tendo aparência de piedade, mas negando-lhe o poder. Afasta-te também desses".

Cada palavra desta profecia é digna do mais cuidadoso estudo à luz da tendência presente da sociedade. O versículo 5 é especialmente importante em conexão com a matéria da falsificação da verdade: "tendo aparência de piedade, mas negando-lhe o poder. Afasta-te também desses". Aqui está afirmado que nesses últimos dias formas de piedade aparecerão que, contudo, negarão o poder de Deus, e o crente é advertido para se afastar delas. O elemento importante na verdadeira fé que deve ser omitido nesta "forma" é definido em outro texto das Escrituras: "Porque não me envergonho do evangelho, pois é o poder de Deus para salvação de todo aquele que crê; primeiro do judeu, e também do grego" (Rm 1.16); "nós pregamos a cristo crucificado, que é escândalo para os judeus, e loucura para os gregos, mas para os que são chamados, tanto judeus como gregos, Cristo, poder de Deus, e sabedoria de Deus" (1 Co 1.23, 24).

Portanto, o que é omitido tão cuidadosamente dessas formas é a salvação que está em Cristo. Isto é muito sugestivo, pois "não há nenhum outro nome debaixo do céu pelo qual importa que sejamos salvos", e é pela salvação somente que qualquer libertação do poder das trevas pode se efetuar. Sem essa salvação Satanás ainda pode reivindicar tudo como seu. Talvez seja necessário acrescentar que, ao julgar seus próprios escritos, essa salvação da qual Paulo confessa que não se envergonha, não era algo menos que a regeneração pelo Espírito; e qualquer outra coisa que outras teorias possam ter desenvolvido, esse é o ensino do Espírito através do apóstolo Paulo. Esta profecia concernente às condições "nos últimos dias" termina com uma injunção que é dirigida somente aos crentes que são chamados para viver e testemunhar durante aqueles dias. A eles é dito: "De tal [forma de piedade que nega o poder] foge".

Tão certamente como os "últimos dias" são os dias atuais, assim certamente esta injunção deve ser agora atendida, e os do Senhor são chamados a se separar das igrejas e instituições que negam o Evangelho da graça salvadora de Deus através do sangue redentor e substitutivo da cruz. Dar apoio a instituições e ministérios que "negam o poder", é dar ajuda a Satanás – o inimigo de Deus. Com a mesma ênfase é afirmado em 2 Pedro 2.1: "Mas houve também entre o povo falsos profetas, como entre vós haverá falsos mestres, os quais introduzirão encobertamente heresias destruidoras, negando até o Senhor que os resgatou, trazendo sobre si mesmos repentina destruição". Da mesma maneira, de acordo com essa passagem, a negação não está sobre a *pessoa* de Cristo, mas antes sobre a sua *obra* redentora – "o Senhor que os resgatou". Segue-se, portanto, que um aspecto dos últimos dias será uma forma de piedade que meticulosamente nega o poder de Deus na salvação.

Além disso, Satanás, "nos últimos tempos", deve ser o promotor de um sistema de verdade ou de doutrina: "Mas o Espírito expressamente diz que em tempos posteriores alguns apostatarão da fé, dando ouvidos a espíritos enganadores, e a doutrinas de demônios, pela hipocrisia de homens que falam mentiras e têm a sua própria consciência cauterizada" (1 Tm 4.1,2). Estes sistemas satânicos preditos são aqui descritos com exatidão. As ofertas deles serão tão atraentes e externamente eles serão tão religiosos que por causa deles "alguns apostatarão da fé", por serem atraídos por espíritos de sedução. Nenhuma referência é feita aqui à fé pessoal pela qual alguém pode ser salvo. A "fé" mencionada aqui é o conjunto de verdades (cf. Jd 3) que é aceita a princípio, mas depois rejeitada. Uma pessoa regenerada nunca fará isso.

Esses sistemas atraentes não são somente de Satanás, mas eles próprios são "da hipocrisia de homens que falam mentiras", por serem apresentadas por aqueles cuja consciência tem sido cauterizada. Não há termos mais iluminadores que possam ser usados além desses. Uma mentira coberta pela hipocrisia significa, evidentemente, que eles ainda tentam ser contados entre os fiéis; e a consciência cauterizada indicaria que eles podem distorcer o testemunho de Deus e cegamente levar outras almas à perdição, sem remorso ou arrependimento. A doutrina dos demônios é novamente mencionada em Apocalipse 2.24 como "as coisas profundas de Satanás", e esta é a dissimulação de Satanás das "coisas profundas de Deus" que o Espírito revela àqueles que o amam (1 Co 2.10). Assim, está predito para os últimos dias desta era tanto uma forma de piedade que nega o poder de salvação que está em Cristo, quanto um sistema conhecido como "as coisas profundas de Satanás" ou "ensinos de demônios", ao falar mentiras da hipocrisia. Pode haver qualquer dúvida de que estes dois textos das Escrituras descrevem a mesma coisa, visto que eles também se referem ao mesmo período? A mentira de um texto pode ser apenas a negação oculta da salvação do outro texto.

Além disso, Satanás possui a sua assembléia, ou reunião congregacional, que é a sua dissimulação na Igreja visível. Esta assembléia é mencionada tanto em Apocalipse 2.9 quanto em 3.9 como a "sinagoga de Satanás", uma assembléia organizada relativamente tão importante para o testemunho das coisas profundas de Satanás como tem sido para as coisas de Deus. Em Mateus 13, o joio aparece entre o trigo e é dito que a aparência do joio é após a semeadura do trigo. Assim, também, os "filhos do maligno" aparecem e são freqüentemente incluídos e mesmo organizados dentro das formas da Igreja visível. A assembléia de Satanás, que chama a si mesma parte da Igreja visível, deve ter os seus ministros e mestres. Isto está afirmado em 2 Coríntios 11.13-15: "Pois os tais são falsos apóstolos, obreiros fraudulentos, disfarçando-se em apóstolos de Cristo. E não é de admirar, porquanto o próprio Satanás se disfarça em anjo de luz. Não é muito, pois, que também os seus ministros se disfarcem em ministros da justiça; o fim dos quais será conforme as suas obras".

Aqui está uma revelação notável da extensão da dissimulação satânica – "são falsos apóstolos, obreiros fraudulentos, disfarçando-se em apóstolos de Cristo" e "ministros de justiça"; todavia, eles são apresentados como somente agentes do grande enganador, Satanás, que a si mesmo se transforma em anjo de luz. Está evidente que o método desse engano é imitar os reais ministros de Cristo. Certamente esses falsos apóstolos não podem aparecer a menos que ponham em sua mensagem "toda forma de piedade" que esteja disponível, e cubram suas mentiras com a mais sutil hipocrisia. O mal não aparecerá do lado de fora desses sistemas, mas serão anunciados como "um outro evangelho", ou um entendimento mais amplo de toda verdade que foi previamente aceita, e terá tudo de mais atraente e enganoso, visto que serão anunciados por aqueles que reivindicam ser ministros de Cristo, que refletem a beleza de um "anjo de luz", e cujas vidas estão indubitavelmente livres de grande tentação.

Deveria ser observado, contudo, que esses falsos ministros não conhecem necessariamente a real missão que eles têm. Por serem pessoas não-regeneradas do *cosmos*, e dessa forma estão cegas para o Evangelho, elas são sinceras, pregam e ensinam as melhores coisas, com o seu poder energizante que o anjo de luz se agradou em lhes revelar. O evangelho deles é o da razão humana e apela para os recursos humanos. Não pode haver apreciação alguma pela revelação divina neles, pois eles não conheceram realmente a Deus e a seu Filho Jesus Cristo. Eles são ministros de justiça, cuja mensagem nunca deveria ser confundida com o Evangelho da graça. Um traz uma mensagem que é dirigida somente para a reforma do homem natural, enquanto o outro almeja a regeneração através do poder de Deus. Como tudo isto é verdade, quão perigosa é a atitude de muitos que seguem os ministros e os guias religiosos atraentes somente por causa da reivindicação deles de serem ministros e, ainda, sinceros, e que não se despertam para um único teste final de doutrina, pelo qual o total sistema dissimulado das mentiras satânicas pode ser distinto da verdade de Deus! Nesse contexto, João escreve a seguinte advertência: "Se alguém vem ter convosco, e não traz este ensino, não o recebais em casa, nem tampouco o saudeis" (2 Jo 10).

Os falsos mestres são usualmente sinceros e cheios de zelo humanitário; mas eles *não são regenerados*. Este julgamento necessariamente segue-se quando é entendido que eles negam a única base de redenção. Por não serem regenerados, é dito deles: "Ora, o homem natural não aceita as coisas do Espírito de Deus, porque para ele são loucura; e não pode entendê-las, porque elas se discernem espiritualmente" (1 Co 2.14). Tais líderes religiosos possuem uma alta formação escolar e são capazes de falar com autoridade em vários assuntos do conhecimento humano, mas se eles não são nascidos de novo, o julgamento deles em assuntos espirituais é indigno e enganoso. Todos os mestres devem ser julgados pelas atitudes deles com relação à doutrina do sangue da redenção de Cristo, antes que por sua personalidade atraente, por sua formação ou por sua sinceridade.

Visto que o sangue da redenção da cruz é a verdade central e é o valor da verdadeira fé, por ser "o poder de Deus para a salvação" (Rm 1.16; 1 Co 1.23-24), qualquer sistema falsificado de doutrina que omitisse essa parte essencial deve forçar alguma verdade secundária para tomar o lugar de proeminência. Qualquer dos grandes assuntos da Escritura, que é de interesse universal para a humanidade, tal como a saúde física, como a vida após a morte, moralidade, profecias não cumpridas, ou formas religiosas, num sistema falso de doutrina, qualquer um deles pode substituir aquilo que é vital. E enquanto esses assuntos são todos encontrados em suas relações e importância próprias na verdadeira fé, o fato de que as pessoas são universalmente inclinadas a dar atenção a eles fornece uma oportunidade para Satanás fazer um forte apelo para a humanidade através deles, no usufruto desses assuntos como verdades centrais em seus sistemas dissimulados e falsos.

Muitos são facilmente levados a fixar a sua atenção em coisas secundárias, e a negligenciar totalmente as coisas que são principais. Isto é especialmente verdadeiro visto que as coisas secundárias são tangíveis e vistas, enquanto que a coisa essencial é espiritual e não é vista; e Satanás tem cegado os olhos dessas pessoas para as coisas que possuem valor eterno. Um sistema de doutrina pode ser formado, então, inclusive cada verdade das Escrituras exceto uma: a exaltação da *pessoa* de Cristo, mas não a sua *obra*, e com isso enfatiza somente a verdade secundária como o seu valor central. Esse sistema será prontamente aceito pela humanidade cega, embora o real poder de Deus para a salvação tenha sido meticulosamente retirado. Naturalmente, deveria ser entendido que tais sistemas inspirados por Satanás não teriam valor ou poder, visto que não poderia haver qualquer favor divino sobre eles.

Tal suposição seria possível somente por causa do entendimento errôneo dominante com respeito ao real poder de Satanás. Se a descrição dada dele nas Escrituras for aceita, ele será visto como possuidor de poderes miraculosos, capaz de realizar maravilhas tais que o mundo todo se espantará delas e o adorará (Ap 13.2). Assim, não é de se espantar que os seus ministros, que aparecem como mensageiros da justiça, sejam capazes de exercer poder sobre-humano quando agem diretamente no interesse dos projetos satânicos. O grande poder de Satanás, sem dúvida, foi ativo nesse sentido durante todas as eras passadas; porque é impossível que a humanidade tenha adorado outros deuses cegamente sem alguma recompensa, e é o próprio Satanás que foi, portanto, adorado (Lv 17.7; 2 Cr 11.15; Ap 9.20).

Portanto, não é evidência final que um sistema de doutrina seja de Deus simplesmente porque seja acompanhado de manifestações de poder sobre-humano, nem é evidência final de que o Todo-poderoso respondeu simplesmente porque qualquer forma de súplica foi respondida. Os movimentos divinos são, necessariamente, limitados pelas leis de Sua própria santidade; e o acesso à sua presença é pelo sangue de Cristo somente, por um novo e vivo caminho que foi consagrado para nós através de sua carne (Hb 10.19, 20). Pretender comparecer perante Deus em oração, mas ignorar essa verdade é apenas um insulto que polui aquele que é infinitamente santo e puro. Certamente o mundo governado por Satanás não comparece perante Deus pelo sangue de Cristo.

As igrejas algumas vezes caem facilmente como vítimas de formas de doutrina – "engano de injustiça" – que se originam em Satanás. É triste o espetáculo de igrejas que se reúnem semana após semana para serem iludidas pela filosofia de homens, e nenhuma voz de protesto é levantada contra a negação do único fundamento deles como igreja, e contra a única esperança do indivíduo para este tempo e a eternidade! Muito mais respeitáveis eram os infiéis das gerações passadas do que aqueles que ministram nessas igrejas hoje. Eles estavam totalmente fora da Ireja. Mas agora, veja que inconsistência! Os homens que estão cobertos pelas vestes eclesiásticas, que ministram os seus sacramentos, e estão apoiados em sua benevolência, desfecham um ataque direto à sabedoria de Deus que fez com que Jesus Cristo fosse a única base para toda justiça, santificação e redenção.

As predições para os últimos dias não somente se cumprem pelos falsos sistemas e doutrinas, mas elas são encontradas na própria Igreja visível. "Porque virá tempo em que não suportarão a sã doutrina; mas, tendo grande desejo de ouvir coisas agradáveis, ajuntarão para si mestres segundo os seus próprios desejos, e não só desviarão os ouvidos da verdade, mas se voltarão às fábulas" (2 Tm 4.3,4). As grandes atividades religiosas são possíveis sem que tenham qualquer complicação com a fé salvadora. É possível lutar contra o pecado e não apresentar o Salvador, ou instar os mais elevados ideais das Escrituras e ainda não oferecer caminho razoável de atingi-los. Há uma fascinação estranha a respeito desses empreendimentos que são humanitários e religiosos somente na forma e no rótulo. E há uma atração estranha no líder que anuncia que ele não está preocupado com as doutrinas da Bíblia, porque a ajuda da humanidade é sua única paixão e preocupação; todavia, toda sua paixão é perdida e a sua preocupação não possui uma finalidade real a menos que seja combinada com uma mensagem muito positiva de um caminho específico de salvação, o verdadeiro entendimento de que se exige uma série de distinções muito cuidadosas.

Quem pode ser o deus desses sistemas? O poder energizador dessas pessoas? E quem responde as orações delas? Certamente não é o Deus das Escrituras que não pode negar-se a si mesmo, e cuja palavra não passará! A revelação apresenta apenas outro ser que é capaz desses empreendimentos; e ela não somente atribui a esse ser um grande e suficiente motivo para toda essa atividade, mas claramente prediz que ele assim se "oporá" a Deus e "se exaltará" neste tempo e época. Muita coisa da verdade secundária é a herança presente do filho de Deus. Contudo, se há uma escolha a ser feita, a mais profunda sabedoria perceberá que todos os valores secundários combinados que Satanás pode oferecer são apenas para um tempo passageiro, e não são dignas de ser comparadas às riquezas eternas da graça em Cristo Jesus.

Certos sistemas religiosos que de modo algum estão relacionados à Bíblia, têm continuado a existir por milênios – inclusive os antigos sistemas pagãos e o espiritismo – e têm contado com a devoção de milhões e portam a evidência de serem inspirados por Satanás. O problema moral, que é sentido em algum grau por todo ser humano, é aproveitado por quase todo sistema contrário à Escritura. A idéia de que o homem se mantém sobre a base de uma dignidade pessoal tem sido a principal heresia, que se opõe à doutrina central da graça, desde o tempo da morte de Cristo até os dias atuais. Ele permeia tanto a Igreja que poucos pregadores são capazes de exclui-lo de suas tentativas na mensagem do Evangelho. É seguro dizer que onde quer que o elemento do mérito humano é permitido imiscuir-se na apresentação do plano da salvação, a mensagem é satânica nesse ponto. Os ministros de Satanás proclamam a retidão pessoal como a base do direito individual para se ter relações com Deus (2 Co 11.13-15). Nenhuma esfera de profissão tem sido mais confusa e nebulosa pela intrusão do mérito humano do que a Igreja de Roma.

Como já foi observado, os cultos agora se multiplicam e o aparecimento deles tem sido restrito nestes últimos tempos. Esses cultos cobrem uma variedade de idéias desde a Ciência Cristã até o Buchmanismo. Este último ignora tão completamente o sangue da redenção de Cristo como a primeira. Enquanto a Ciência Cristã substitui a salvação da alma pela saúde física, o Buchmanismo substitui o novo nascimento do Espírito pela consagração a Deus. Não menos errônea é a moderna doutrina de que a salvação é através da fé mais consagração. Provavelmente nenhum movimento religioso seja mais atrevido do que o culto do EU SOU dos últimos dias. Desavergonhadamente ele anuncia por seus nomes blasfemos que ele livremente abraça tudo que pertence à mentira original. Seu título teria sido igualmente muito apropriado se fosse: *Eu serei semelhante ao Altíssimo.*

Não há espaço para a enumeração e análise de todos esses sistemas, antigos e modernos. Ninguém pode prever o número que ainda aparecerá ou a confusão de doutrina que será gerada; mas para tudo isso há um teste ácido, a saber – Que lugar se dá à graça redentora de Deus que se nos tornou possível somente através da morte e do derramamento do sangue de Cristo?

Conclusão

À luz do que foi escrito nas divisões anteriores da satanologia, pode ser concluído que, por criação, Satanás é o mais elevado de todos os anjos e que ele caiu em pecado, obscurecido pela distorção da sanidade que o orgulho gera. O seu pecado tomou a forma de uma presunção, ao agir independentemente do seu Criador – uma tarefa que, de necessidade, tornou-se uma personificação concreta da *mentira* tão certamente quanto Deus é a *Verdade*. De acordo com o método divino de tratar com a pretensão da criatura, como foi vista em toda história passada, foi permitido a Satanás – ainda que não requerido – que colocasse o seu esquema de ação independente para um teste experimental, e o seu presente desenvolvimento, embora manifestasse a sua natureza corrupta, está ainda incompleto. As Escrituras proféticas e inerrantes têm a tarefa estupenda de anunciar a consumação desse experimento gigantesco que é inevitável, irracional, uma falência espiritual incompreensível.

Durante estes terríveis dias de prova, a Luz se opõe às trevas, e a Verdade se contrapõe à falsidade. Pouca atenção pode ter sido dada à Escritura da parte de homens que se propõem a justificar o maligno como uma mera influência no mundo. Sobre tal desatenção ímpia para com a revelação, o Dr. Gerhart escreve: "Na história de Jesus o fato do ódio mortal do mal ao bem ideal, da impiedade diabólica para com a virtude imaculada, ninguém pode negar. Aqueles que escolhem atribuir tal desumanidade espantosa e satanismo exclusivamente aos judeus e gentios, (ao invés de aludirem a um espírito maligno poderoso e pessoal, como seu pano-de-fundo), não se livram, como pensam, de um diabo. Então o homem é em si mesmo transformado num *diabo*; pois ele é investido com uma espécie e um grau de malícia que desumaniza a natureza humana, torna a terra num pandemônio, e a história numa guerra interminável de demônios encarnados".[260]

Talvez ambas as coisas aqui afirmadas sejam verdadeiras. Não somente Satanás e seus anjos devem ser vistos como realmente são, demônios das trevas, mas a humanidade como aliada deles é evidentemente vista por Deus como totalmente má, quando não diabólica. Ela se tornou de tal modo que, após arriscar a sua sorte com a mentira satânica, se não for salva, deve partilhar do lago de fogo que originalmente foi preparado para o "diabo e seus anjos" (Mt 25.41; Ap 20.10). É para esses seres humanos caídos como repudiadores de Deus que o Evangelho da redenção eterna e da glória celestial deve ser pregado. Quão incomparável é a graça de Deus dirigida a esses inimigos (Rm 5.10)! E quão incompreensivelmente benditas são as palavras de Cristo: "...não pereça, mas tenha a vida eterna"!

Capítulo X

Demonologia

INEVITAVELMENTE, muita coisa que faz parte deste grande tema já foi visto nas páginas precedentes. Todavia, devemos contemplar mais especificamente a verdade revelada a respeito dos anjos caídos que são propriamente chamados *demônios*. Alguma evidência já foi desenvolvida para demonstrar que esses seres são anjos que seguiram Satanás em sua rebelião contra Deus. Não é sem importância que esses seres sejam chamados anjos de Satanás (cf. Mt 25.41; Ap 12.9), o que não sugere que Satanás os tenha criado, mas antes, que ele é responsável – até onde vai a sua influência – pelo caráter demoníaco deles. A voz de Deus no jardim, que relata o pecado do homem para a mulher e o pecado da mulher para a serpente (Gn 3.12, 13), poderia ser estendida de uma raça caída da terra para um exército de espíritos caídos nas esferas celestiais, e com a finalidade de que toda a responsabilidade original pelo pecado no universo pertence ao primeiro de todos os pecadores – Satanás. De igual modo, não é sem importância que outros textos da Escritura sejam usados para elucidar a verdade concernente a todos os anjos caídos juntos. Na verdade, é poderoso o arcanjo que está em autoridade sobre todos os anjos caídos! Ele é o *valente* de Mateus 12.29 que ainda deve ser preso, e cuja "casa" ainda será destruída.

As Escrituras declaram que Satanás é rei sobre dois domínios: o reino dos espíritos caídos cujo número é cognominado legião (Mc 5.9, 15; Lc 8.30), e o reino do *cosmos*. A autoridade que Satanás exerce sobre as hostes de demônios é afirmada ou sugerida em muitas porções da Bíblia e em nenhum texto melhor do que em Mateus 12.22-30, que diz:

> Trouxeram-lhe então um endemoninhado cego e mudo; e ele o curou, de modo que o mudo falava e via. E toda a multidão, maravilhada, dizia: É este, porventura, o Filho de Davi? Mas os fariseus, ouvindo isso, disseram: Este não expulsa os demônios senão por Belzebu, príncipe dos demônios. Jesus, porém, conhecendo-lhes os pensamentos, disselhes: Todo reino dividido contra si mesmo é devastado; e toda cidade, ou casa, dividida contra si mesma não subsistirá. Ora, se Satanás expulsa a Satanás, está dividido contra si mesmo; como subsistirá, pois, o seu reino? E, se eu expulso os demônios por Belzebu, por quem os expulsam

os vossos filhos? Por isso, eles mesmos serão os vossos juízes. Mas, se é pelo Espírito de Deus que eu expulso os demônios, logo é chegado a vós o reino de Deus. Ou, como pode alguém entrar na casa do valente, e roubar-lhe os bens, se primeiro não amarrar o valente? E então lhe saqueará a casa. Quem não é comigo é contra mim; e quem comigo não ajunta, espalha.

Os títulos principados e potestades, quando se referem aos espíritos caídos, indicam esses anjos poderosos sobre quem Satanás governa.

Com referência à autoridade de Satanás sobre o *cosmos*, a afirmação é direta e final. Satanás é tido como *o deus deste mundo* (2 Co 4.4), "o príncipe do mundo [*cosmos*]", aquele que energiza os filhos da desobediência, o único corretamente chamado de **poder das trevas**, e o *iníquo* sob cuja autoridade o *cosmos* todo permanece. De igual modo, é dito que o trono de Satanás – o trono de esfera terrestre – que está na terra (cf. Ap 2.13). A mesma autoridade satânica está declarada em Efésios 6.12. Assim está escrito: "...pois não é contra carne e sangue que temos que lutar, mas sim contra os principados, contra as potestades, contra os príncipes do mundo destas trevas, contra as hostes espirituais da iniqüidade nas regiões celestes".

Que os demônios fazem a vontade de seu rei é assegurado em todo lugar nas Escrituras. Está também revelado que eles prestam uma colaboração total e espontânea ao projeto satânico. Para isto eles foram evidentemente comprometidos quando abandonaram o seu estado original (2 Pe 2.4; Jd 6). Esse serviço aparentemente atingiu todo o universo aonde chega a autoridade de Satanás. O diabo, em sua proposta de suplantar o Todo-poderoso, não é onipotente; mas o seu poder e a extensão de sua atividade são imensuravelmente aumentados pela cooperação de seu exército de demônios. Satanás não é onisciente, mas o seu conhecimento é grandemente extenso pela sabedoria combinada e pela observação de seus súditos. Satanás não é onipresente, mas ele é capaz de manter uma atividade incessante em toda localidade pela obediência leal de sua hoste satânica.

Em seu livro *The Spirit World* (p. 23), Clarence Larkin distingue entre os anjos caídos que estão presos e os que estão livres. Ao citar Judas 6, 7 que diz: "...aos anjos que não guardaram o seu principado, mas deixaram a sua própria habitação, ele os tem reservado em prisões eternas na escuridão para o juízo do grande dia, assim como Sodoma e Gomorra, e as cidades circunvizinhas, que, havendo-se prostituido como aqueles anjos, e ido após outra carne, foram postas como exemplo, sofrendo a pena do fogo eterno" – e relacionar isto com Gênesis 6.1-4, que diz: "Sucedeu que, quando os homens começaram a multiplicar-se sobre a terra, e lhes nasceram filhas, viram os filhos de Deus que as filhas dos homens eram formosas; e tomaram para si mulheres de todas as que escolheram. Então disse o Senhor: O meu Espírito não permanecerá para sempre no homem, porquanto ele é carne, mas os seus dias serão cento e vinte anos. Naqueles dias estavam os nefilins na terra, e também depois, quando os filhos de Deus conheceram as filhas dos homens, as quais lhes deram

ANGELOLOGIA

filhos. Esses nefilins eram os valentes, os homens de renome, que houve na antiguidade", o Sr. Larkin tira a conclusão de que os anjos caídos que estão em cadeias encontram-se sob essa sentença por causa de relações imorais com mulheres da raça humana. A "outra carne" e a "fornicação" de Sodoma e Gomorra sugerem ao Dr. Larkin que o texto de Judas 6, 7 pretende revelar que este é o pecado desses anjos que estão presos.

Toda a discussão com respeito aos "filhos de Deus" mencionados em Gênesis 6.1-4 (cf. Jó 1.6; 2.1; 38.7), deveria ser incluída corretamente no estudo da demonologia. Se, como muitos crêem, a referência é a homens da linhagem de Sete que coabitam com mulheres da linhagem de Caim, ou se crê que os anjos que coabitaram com as mulheres da terra, como o Sr. Larkin e outros crêem, provavelmente nunca será determinado para a satisfação de todos os que se preocupam com o assunto. O argumento do Dr. Larkin, que contempla muita coisa que está envolvida em ambos os lados da contenda, é o que se segue:

Quem são esses anjos? Eles não são anjos de Satanás, pois os seus anjos são livres, e, como ele, perambulam; mas esses anjos estão em "prisão", "em trevas" e "reservados em cadeias" para juízo. O lugar do confinamento deles não é o inferno, mas o Tártaro. Qual foi o pecado deles? Foi a "fornicação", e fornicação com um caráter anormal, relações sexuais ilegais de seres angelicais com "outra carne", isto é, com seres de natureza diferente. Quando esse pecado foi cometido? O texto diz que foi nos "dias de Noé", e esta foi a causa do dilúvio...

Quem eram estes "filhos de Deus"? Alguns dizem que eles são os filhos de *Sete*, e que as "filhas dos *homens*" eram as filhas de *Caim*, e que o significado é que os filhos de uma linhagem supostamente divina de Sete, casaram-se com as filhas ímpias de Caim, e resultaram numa raça ímpia. Que os "filhos de Deus" foram os descendentes de Sete é baseado na suposição de que os descendentes de Sete viveram separados dos descendentes de Caim até o tempo imediato ao dilúvio, e que eles eram uma raça pura e santa, enquanto que os descendentes de Caim eram ímpios, e as mulheres deles sem religião e carnalmente mentalizadas, e possuidoras de atrações físicas que eram estranhas às mulheres da tribo de Sete. Tal suposição não tem fundamento na Escritura. Está certo que Gênesis 4.26 diz que após o nascimento de Enos, um filho de Sete, que os homens começaram a invocar o Senhor, mas não se segue que esses homens ficaram limitados aos descendentes de Sete, nem que todos os descendentes de Sete desde aquela época tenham sido justos. Como nos dias mais antigos da raça foi necessário que irmãos e irmãs e parentes próximos se casassem, era muito improvável que os descendentes de Sete e de Caim não se casassem entre si até algum tempo antes do dilúvio, e mais estranho ainda que quando eles se casaram a descendência deles viesse a ser uma raça de "gigantes" ou de "homens poderosos". É digno de nota que nada seja dito de mulheres gigantes ou de "mulheres poderosas", que teria sido o caso se tivesse havido união entre os filhos de

Sete e as filhas de Caim. Como tanto os descendentes de Sete (exceto oito pessoas) e de Caim foram destruídos no dilúvio, fica evidente que eles não eram tribos separadas naquele tempo e eram igualmente pecadores à vista de Deus. Se os filhos de Sete e as filhas de Caim estivessem em vista, por que Moisés, que escreveu o Pentateuco, não disse isso? Não é suficiente dizer que os homens do tempo de Moisés sabiam o que ele queria dizer. É esperado que as Escrituras digam o que elas querem dizer. Somos informados que, quando os *homens* começaram a se multiplicar na face da terra, e as filhas lhes foram nascidas, os "filhos de Deus" viram as "filhas dos *homens*". O uso da palavra *homens* significa a raça adâmica total, e não simplesmente os descendentes de Caim, a fim de distinguir assim os "filhos de Deus" dos descendentes de Adão. Não há sugestão alguma sobre se os "filhos de Deus" foram também homens.

Quatro nomes são usados em Gênesis 6.1-4. *Ben-Ha-Elohim*, traduzido como "filhos de Deus"; *Bnoth-Ha-Adam*, traduzido como "filhas dos homens"; *Hans-Nephilim*, traduzido como "gigantes"; *Hog-Gibborim*, traduzido como "homens poderosos". O título *Ben-Ha-Elohim*, "filhos de Deus", não possui o mesmo significado no Antigo Testamento que tem no Novo. Neste, ele se aplica àqueles que se tornaram "filhos de Deus" pelo novo nascimento (Jo 1.12; Rm 8.14-16; Gl 4.6; 1 Jo 3.1-2). No Antigo Testamento, ele se aplica exclusivamente aos anjos, e é usado dessa forma cinco vezes. Duas em Gênesis (Gn 6.2-4) e três vezes em Jó, onde Satanás, um ser angelical, é agrupado com os "filhos de Deus" (Jó 1.6; 2.1; 38.7). Um "filho de Deus" denota um ser que foi trazido à existência por um ato criador de Deus. Tais foram os anjos, e assim foi Adão, e ele é assim chamado em Lucas 3.38. Os descendentes naturais de Adão não são uma criação especial de Deus. Adão foi criado "à semelhança de Deus" (Gn 5.1), mas os seus descendentes foram nascidos à sua própria semelhança, pois lemos em Gênesis 5.3 que Adão "gerou um filho à sua *semelhança*, conforme a sua *imagem*". Portanto, todos os homens que nasceram de Adão e de seus descendentes por geração natural, são os *filhos dos homens*, e é somente por serem *nascidos de novo* (Jo 3.3-7), que é uma *nova criação*, que eles podem se tornar os *filhos de Deus* no sentido do uso do Novo Testamento. Que os *filhos de Deus* de Gênesis 6.1-4 foram *anjos* foi mantido pela antiga sinagoga judaica, pelos judeus helenistas, antes e durante o tempo de Cristo, e pela Igreja até o quarto século, quando a interpretação foi mudada para "filhos de Sete" por duas razões. Primeira, porque a adoração de anjos havia sido estabelecida, e se os "filhos de Deus" de Gênesis 6.1-4 foram anjos e caíram, então os anjos poderiam cair novamente, e que essa possibilidade afetaria a adoração dos anjos. A segunda razão era que o celibato havia se tornado uma instituição da Igreja, e se foi ensinado que os anjos no céu não se casam, e ainda que alguns deles seduzidos pela beleza da feminilidade vieram do céu

ANGELOLOGIA

para satisfazer suas propensões amorosas, uma fraqueza de espécie semelhante em um dos "anjos terrenos" (celibatários) poderia ser a mais prontamente desculpada. No século 18 a "interpretação angelical" foi revivida, e agora é amplamente sustentada por eruditos da Bíblia.[261]

O Sr. Larkin também alega que Satanás deve ter uma real descendência na pessoa do homem do pecado. Esse argumento é baseado numa interpretação arbitrária de Gênesis 3.15, que supõe que o homem do pecado seja a semente de Satanás num sentido real. Se aceitarmos essa conclusão, todas as pessoas não-salvas devem ser consideradas como uma descendência de Satanás, visto que Cristo se refere a eles como filhos "de vosso pai que é o diabo" (Jo 8.44). Esta teoria também coloca o combate mortal entre as duas descendências de Gênesis 3.15 num tempo quando o homem do pecado é destruído na segunda vinda de Cristo. De acordo com 2 Tessalonicenses 2.8, o homem do pecado é dominado, o que poderia corresponder ao esmagamento da cabeça de Satanás; mas não há algo nesse evento que corresponda ao ferimento do calcanhar de Cristo.

Evidentemente, os demônios sempre foram ativos no mundo desde o início da história humana; mas, como a ocasião pode surgir, eles se tornaram mais ativos num tempo do que em outro. A presença no mundo do Senhor da glória, o Criador deles e Aquele contra quem eles estão em rebelião, parece provocar uma manifestação de oposição até então desconhecida. Mesmo o próprio Satanás, após ter tentado três vezes o Filho de Deus em ação que seria independente de seu Pai, cuja vontade Ele veio fazer, esperou assim que Jesus compartilhasse da sua mentira, e deixou o Salvador somente numa ocasião. O combate final aconteceu na cruz onde a sua cabeça foi esmagada, aquele que, de acordo com a predição, foi permitido ferir o calcanhar do Salvador (Gn 3.15).

Um aumento similar na atividade dos demônios é predita para o final desta era e na Grande Tribulação. Tudo isso chegará ao seu clímax quando Satanás e seus anjos forem expulsos do céu e confinados à terra. É então que o *ai* será pronunciado sobre a terra e uma nova alegria é liberada no céu. Uma linhagem de atividade demoníaca é vista no mais antigo *ismo* da raça, que a Bíblia chama de possessão de "espíritos familiares"; ele é também chamado *espiritismo*. Isto é demonismo (cf. Lv 20.6,27; Dt 18.10,11; Is 8.19). Uma condenação taxativa de Deus vem sobre o espiritismo. A sua atração, pela qual o espiritismo seduz aqueles que estão à disposição, é o interesse natural da mente humana por aquilo que está além da presente esfera de vida; esse interesse é especialmente despertado naqueles que estão desolados pela perda de seus entes queridos. Nestes últimos tempos esse antigo sistema tem revivido sob a guisa de *investigação* e sob o patrocínio de cientistas.

Um abandono especial da fé está previsto para os últimos dias da Igreja na terra. Está registrado em 1 Timóteo 4.1-3: "Mas o Espírito expressamente diz que em tempos posteriores alguns apostatarão da fé, dando ouvidos a espíritos enganadores, e a doutrinas de demônios, pela hipocrisia de homens que falam mentiras e têm a sua própria consciência cauterizada, proibindo o casamento, e ordenando a abstinência de alimentos que Deus criou para serem recebidos com ações de graças pelos que são fiéis e que conhecem bem a verdade". O desvio da verdade revelada, sem dúvida, será de muitas maneiras. As doutrinas dos demônios com as suas seduções estão também determinadas para o mesmo período de tempo. A ab-rogação do casamento que está mencionada não é nada além da ruptura daquilo que Deus ordenou de maneira solene. Em adição a isso tudo, a verdade que existe por detrás da adoração de ídolos encontra-se declarada em 1 Coríntios 10.20, 21: "Antes digo que as coisas que eles sacrificam, sacrificam-nas a demônios, e não a Deus. E não quero que sejais participantes com os demônios. Não podeis beber do cálice do Senhor e do cálice dos demônios; não podeis participar da mesa do Senhor e da mesa de demônios".

Talvez nenhuma passagem da Escritura sobre o mundo dos espíritos seja entendida mais erroneamente do que o texto que se refere ao rei Saul e a feiticeira de En-dor. O espiritismo tem se voltado para esse incidente para justificar as suas alegações, e isto sem o reconhecimento da verdade de que a Bíblia em toda parte condena todas as práticas e ensinos espíritas. Há uma ligeira distinção que deve ser vista entre os supostos contatos com os espíritos dos que morreram e o contato com os anjos caídos, ou demônios. À parte de um caso na experiência do rei Saul, não há outra evidência de que qualquer contato tenha sido feito entre os mortos e aqueles que ainda permanecem neste mundo. Um demônio pode facilmente fingir ser um espírito humano, e isso, se algum contato foi estabelecido, deve explicar o fenômeno. O caso da feiticeira de En-dor é evidentemente um caso excepcional pretendido por Deus para trazer o julgamento ao rei Saul.

O procedimento total foi diferente daquele que a mulher esperava e, evidentemente, totalmente estranho a qualquer experiência anterior da parte dela. Ela era usada para a cooperação de um espírito maligno, mas ela viu o que ninguém mais viu e causou terror na totalidade do ser dela. Foi o último ato que Saul teve de rejeição de Deus. Ele havia se voltado para os demônios, a fim de adquirir informação, que, se ele estivesse de bem com Deus, ele a teria obtido do próprio Deus. Ainda que qualquer coisa não seja bem explicada na narrativa desse episódio, é essencial lembrar que ele é o único dessa espécie registrado na Bíblia. A experiência não advoga de maneira alguma a prática do espiritismo daquele tempo, nem agora. A mulher, tomada de terror, abandona o seu papel como *médium* e o espírito de Samuel fala diretamente a Saul.

Ao considerarmos o serviço que esses seres prestam a Satanás, é importante distinguir entre possessão demoníaca, ou controle, e influência demoníaca. No primeiro caso, o corpo sofre um controle e um domínio total, enquanto que no segundo caso, uma luta externa através da sugestão, tentação e influência. Uma investigação das Escrituras com respeito à possessão demoníaca revela:

PRIMEIRO: que esse hospedeiro é composto de espíritos desincorporados somente. Os seguintes textos da Escritura mostram que é verdadeira esta afirmação: "Ora, havendo o espírito imundo saído do homem, anda por lugares áridos, buscando repouso, e não o encontra. Então diz: Voltarei para minha

ANGELOLOGIA

casa, donde saí. E, chegando, acha-a desocupada, varrida e adornada. Então vai e leva consigo outros sete espíritos piores do que ele e, entrando, habitam ali; e o último estado desse homem vem a ser pior do que o primeiro. Assim há de acontecer também a esta geração perversa" (Mt 12.43-45); "Rogaram-lhe, pois, os demônios, dizendo: Manda-nos para aqueles porcos, para que entremos neles" (Mc 5.12).

SEGUNDO: Contudo, eles não só procuram entrar nos corpos dos seres mortais ou das bestas, pois o poder deles parece ser em alguma medida dependente de tal incorporação, mas eles são constantemente vistos como incorporados, conforme registra o Novo Testamento. Umas poucas passagens são dadas aqui: "Caída a tarde, trouxeram-lhe muitos endemoninhados; e ele com a sua palavra expulsou os espíritos, e curou todos os enfermos" (Mt 8.16); "Enquanto esses se retiravam, eis que lhe trouxeram um homem mudo e endemoninhado. E, expulso o demônio, falou o mudo e as multidões se admiraram, dizendo: Nunca tal se viu em Israel. Os fariseus, porém, diziam: É pelo príncipe dos demônios que ele expulsa os demônios" (Mt 9.32, 33); "As multidões escutavam, unânimes, as coisas que Filipe dizia, ouvindo-o e vendo os sinais que ele operava; pois saíam de muitos possessos os espíritos imundos, clamando em alta voz; e muitos paralíticos e coxos foram curados" (At 8.6,7).

"Ora, aconteceu que quando íamos ao lugar de oração, nos veio ao encontro uma jovem, que tinha um espírito adivinhador, e que, adivinhando, dava grande lucro a seus senhores" (At 16.16); "Chegaram então ao outro lado do mar, à terra dos gerasenos. E, logo que Jesus saíra do barco, lhe veio ao encontro, dos sepulcros, um homem com espírito imundo, o qual tinha a sua morada nos sepulcros; e nem ainda com cadeias podia alguém prendê-lo; porque, tendo sido muitas vezes preso com grilhões e cadeias, as cadeias foram por ele feitas em pedaços, e os grilhões em migalhas; e ninguém o podia domar; e sempre, de dia e de noite, andava pelos sepulcros e pelos montes, gritando, e ferindo-se com pedras. Vendo, pois, de longe a Jesus, correu e adorou-o; e, clamando com grande voz, disse: Que tenho eu contigo, Jesus, Filho do Deus Altíssimo? Conjuro-te por Deus que não me atormentes. Pois Jesus lhe dizia: Sai desse homem, espírito imundo. E perguntou-lhe: Qual é o teu nome? Respondeu-lhe ele: Legião é o meu nome, porque somos muitos. E rogava-lhe muito que não os enviasse para fora da região. Ora, andava ali pastando no monte uma grande manada de porcos. Rogaram-lhe, pois, os demônios, dizendo: Manda-nos para aqueles porcos, para que entremos neles. E ele lho permitiu. Saindo, então, os espíritos imundos, entraram nos porcos; e precipitou-se a manada, que era de uns dois mil, pelo despenhadeiro no mar, onde todos se afogaram" (Mc 5.1-13).

TERCEIRO: Eles são ímpios, impuros e pecadores. Muitas passagens poderiam ser citadas como prova desta afirmação. "Tendo ele chegado ao outro lado, à terra dos gadarenos, saíram-lhe ao encontro dois endemoninhados, vindos dos sepulcros; tão ferozes eram que ninguém podia passar por aquele

530

caminho" (Mt 8.28); "E chamando a si os seus doze discípulos, deu-lhes autoridade sobre os espíritos imundos, para os expulsarem, e para curarem toda sorte de doenças e enfermidades" (Mt 10.1). Poderia ser acrescentado que parece ter havido graus de impiedade representados por esses espíritos; pois é afirmado em Mateus 12.43-45 que o demônio, ao retornar à sua casa, "leva consigo outros sete espíritos piores do que ele".

A questão freqüentemente levantada é se a possessão demoníaca acontece no tempo presente. Embora os registros autênticos de tal controle sejam quase totalmente limitados aos três anos do ministério público de Jesus, é incrível que a possessão demoníaca não tenha existido antes daquela época, ou que não tenha havido desde então. Neste contexto deveria ser lembrado não somente que esses seres são inteligentes, mas que são governados e ordenados diretamente por Satanás, cuja sabedoria e astúcia são claramente demonstradas pelas Escrituras. É razoável concluir que eles, como o monarca deles, adaptam-se a maneira da atividade deles para a iluminação da era e localidade. É evidente que eles não estejam agora menos inclinados do que antes a entrar num corpo e a dominá-lo. A possessão demoníaca no tempo presente é provavelmente muito insuspeita por causa do fato geralmente não reconhecido de que os demônios são capazes de inspirar uma vida moral e exemplar, assim como de aparecer como o espírito dominante de um médium espírita, ou através de manifestações mais grosseiras que são registradas por missionários a respeito das condições que eles observam em terras pagãs. Esses demônios, como o rei deles, também poderão se manifestar como "anjos de luz", assim como "leões rugidores", quando através de uma personificação eles podem mais perfeitamente promover os empreendimentos estupendos de Satanás em sua guerra contra a obra de Deus.

A influência demoníaca, semelhantemente à atividade de Satanás, é impulsionada por dois motivos: tanto impedir o propósito de Deus para a humanidade, quanto estender a autoridade de Satanás. Eles, portanto, ao comando do seu rei, espontaneamente cooperam em todos os seus empreendimentos para desonrar Deus. A influência deles é exercida tanto para enganar os que não são salvos quanto lutar incessantemente contra o crente (Ef 6.12).

O motivo deles é sugerido naquilo que é revelado pelo conhecimento que eles possuem da autoridade e divindade de Cristo, assim como pelo que eles conhecem de sua própria e eterna condenação. As passagens seguintes são importantes para este contexto: "E eis que gritaram, dizendo: Que temos nós contigo, Filho de Deus? Vieste aqui atormentar-nos antes do tempo?" (Mt 8.29); "Ora, estava na sinagoga um homem possesso dum espírito imundo, o qual gritou: Que temos nós contigo, Jesus, nazareno? Vieste destruir-nos? Bem sei quem és: o Santo de Deus. Mas Jesus o repreendeu, dizendo: Cala-te, e sai dele" (Mc 1.23-25); "Respondendo, porém, o espírito maligno, disse: A Jesus conheço, e sei quem é Paulo; mas vós, quem sois?" (At 19.15); "Crês tu que Deus é um só? Fazes bem; os demônios também o crêem e estremecem" (Tg 2.19).

Está no domínio dos demônios causar mudez (Mt 9.32, 33), cegueira (Mt 12.22), insanidade (Lc 8.26-35), danos pessoais (Mc 9.18), grande força física (Lc 8.29), e impingir sofrimento e deformações (Lc 13.11-17).

Há uma realidade solene nesse grande conjunto de verdade da Escritura. Ele apresenta a intrusão dos espíritos caídos no *cosmos*. Tal intrusão é natural visto que Satanás é aquele que trouxe o *cosmos* à sua presente forma. Ninguém pode prever o alívio que virá ao Universo quando Cristo "houver destruído todo domínio, e toda autoridade e todo poder" (1 Co 15.24), e "o reino do mundo passará a ser de nosso Senhor e do Cristo, e ele reinará pelos séculos dos séculos" (Ap 11.15).

ANTROPOLOGIA

ANTROPOLOGIA

CAPÍTULO XI

Introdução à Antropologia

A ANTROPOLOGIA – A CIÊNCIA DO HOMEM – é abordada de dois ângulos muito diferentes, a saber, através da filosofia humana e pela Bíblia. O primeiro é extrabíblico e evita cada aspecto da revelação da Escritura. O último é intrabíblico e confina-se à Palavra de Deus e a corroboração que a experiência humana pode dar testemunho que confirma a verdade revelada. O primeiro é concebido pelo homem e, ao refletir a sua filosofia da vida humana, é oferecida como disciplina educacional nas escolas seculares de aprendizado. A segunda é uma revelação de Deus no sentido em que toda Escritura se origina com Ele e apresenta um registro que o homem orgulhoso detesta aceitar. Na verdade, um aspecto sugestivo da atitude da educação moderna é relacionado com a revelação divina, e esta não encontra lugar algum na filosofia dessa educação. Em oposição a isto, a antropologia como matéria teológica, ao mesmo tempo em que dá a devida atenção ao que o homem tem asseverado, ela incorpora somente a verdade como Deus a declarou em sua Palavra.

Na Bíblia, será descoberto que está disponível um material abundante de natureza positiva e fidedigna. A Palavra de Deus apresenta uma informação final sobre esse tema complexo. Uma distinção ainda mais vital existe entre essas duas disciplinas antropológicas amplamente separadas. Com referência à parte imaterial do homem, a antropologia extrabíblica apenas faz uma apresentação dos aspectos emocionais e intelectuais da vida humana, ou aquilo que é psicológico, enquanto que a antropologia intrabíblica apresenta as esferas mais profundas das coisas morais, espirituais e eternas. A antropologia extrabíblica não dá lugar algum a Deus nos assuntos da origem, carreira, ou destino do homem, enquanto que a antropologia intrabíblica, por ser uma indução da revelação divina, assevera verdades de longo alcance em todos esses campos. Como uma matéria da educação moderna, a antropologia, embora apenas recentemente desenvolvida, alega a mesma importância como as ciências afins – biologia e psicologia. Ela incorpora as teorias da evolução e é materialista em seu caráter. À parte do fato subjacente de que essas duas disciplinas antropológicas tratam do estudo do homem, há pouca coisa em comum entre elas.

Esta a definição de antropologia dada pela *Enciclopédia Britânica* (14a. edição): "aquele ramo da história natural que trata com a espécie humana... É, além disso, parte da biologia, a ciência das coisas vivas em geral. Na verdade, ela foi o desenvolvimento dos estudos biológicos do século 19, principalmente devido ao estímulo propiciado pela pesquisa sobre a origem das espécies, que trouxe a antropologia à existência em sua forma moderna". Esta "forma moderna" da doutrina do homem, dirige-se em duas linhas: (a) o que o homem é – sua evolução natural – e (b) o que o homem faz – sua história cultural, sua relação com as coisas materiais, consigo mesmo, e com os outros.

*The New Standard Dictio*nary define a antropologia, que é teológica, como "aquele ramo da ciência teológica que trata do homem, tanto em sua condição original quanto em sua condição caída. Ela abraça a consideração da criação do homem, sua condição primitiva, seu estado de prova e apostasia, o pecado original, e as transgressões atuais" (edição de 1913).

Assim como a Teologia Sistemática incorpora logicamente todas as outras ciências, também a Antropologia incorpora tudo que faz parte do ser do homem – aquilo que é material e o que é imaterial, e, se fosse sábio estendê-la, as várias disciplinas que são ramos importantes da ciência seriam incluídas, entre elas muita coisa da biologia e mais da psicologia. Por causa das complexidades da última e de sua semelhança ao reino da existência espiritual, aquilo que faz parte da psicologia naturalmente recebe uma ênfase maior. A esta altura surge uma pergunta crucial, se a Bíblia se propõe a ensinar as ciências como tal. A despeito do fato de que alguns homens honestos têm sentido que uma psicologia ampliada pode ser construída sobre o texto da Bíblia, os professores mais conservadores estão convencidos de que na verdade concernente a Deus – Sua criação, e o homem em sua relação com Deus – a Bíblia fala com perfeição e com caráter final, mas que nos temas relacionados, ela é exata ao grau em que tem oportunidade de ir.

Isto é bem ilustrado pela ciência da história. Qualquer coisa que apareça na Palavra de Deus que tenha uma natureza histórica é um registro verdadeiro, mas não professa ser um tratado exaustivo sobre a história do universo ou do mundo. O estudo do homem deve incorporar alguns aspectos importantes da verdade relativa ao que o homem foi, ao que ele é agora, e ao que ele virá a ser. Em tudo, um entendimento claro das realidades humanas é o mais essencial. Com respeito a esse campo de investigação, a Bíblia não é deficiente. No campo da natureza, o homem ocupa a posição central de acordo com a Escritura Sagrada.

Em relação às alegações que alguns homens fazem de que uma psicologia completa pode ser retirada da Bíblia, J. I. Marais escreve:

> As alegações extravagantes feitas por alguns escritores, pugnando por um sistema plenamente desenvolvido de psicologia bíblica, têm trazido o assunto todo ao descrédito. Assim aconteceu a ponto de Hofmann (*Schrifibeweis*) ter afirmado ousadamente que "um sistema de psicologia bíblica ter sido criado sem qualquer justificativa para ele

na Escritura". A princípio, portanto, deve se ter em mente que a Bíblia não se nos apresenta com uma filosofia sistematizada do homem, mas dá de forma popular uma narrativa da natureza humana em todos os seus diversos relacionamentos. Um estudo reverente da Escritura, sem dúvida, nos conduzirá ao reconhecimento de um sistema de psicologia bem definido, sobre o qual o esquema total da redenção está baseado. As grandes verdades sobre a natureza humana estão pressupostas e aceitas pelo Antigo e Novo Testamentos; ali é colocada ênfase sobre outros aspectos da verdade, desconhecidos aos escritores que estão alienados à redenção, e nos são apresentados, não na linguagem acadêmica, mas na linguagem da vida prática. O homem é ali descrito como caído e degradado, mas como alguém que Deus pretendeu levantar, redimir e renovar. Deste ponto de vista a psicologia bíblica deve ser estudada, e o nosso alvo deveria ser "o de trazer à luz o ponto de vista das Escrituras com respeito à natureza, a vida e os destinos vitais da alma, como eles são determinados na história da salvação".[262]

Alguns têm afirmado que a Bíblia apresenta algo que não é mais do que a psicologia dos antigos judeus, e outros declaram que em assuntos da natureza dos escritores sagrados foram deixados a um conhecimento humano tal como aqueles que os homens possuíam no tempo em que as Escrituras foram escritas. A concepção da inspiração deve ser ajustada a tais pontos de vista de um modo razoável. C. A. Row em sua Bampton Lecture, em 1877, afirma "que a inspiração não foi uma capacitação geral, mas funcional, e conseqüentemente limitada aos assuntos nos quais a religião está envolvida diretamente; e que naquilo que fica fora dela, os escritores de diferentes livros na Bíblia foram deixados livres para fazer um uso livre de suas faculdades ordinárias".[263] Isto deixa transparecer que alguns homens sentem que um escritor é mais livre para exercer suas faculdades quando não inspirados.

Tais sugestões sugerem que a Bíblia não é inspirada em todas as suas partes. Não há ocasião alguma para dar novamente atenção a esses problemas. Esta obra ofereceu anteriormente uma prova conclusiva da infalibilidade das Escrituras, e o assunto sob consideração não é uma exceção. A *inteireza e a exatidão* dessa afirmação são duas idéias amplamente diferentes. Matthew Fontaine Maury – um cientista a quem o mundo honra como "o explorador dos mares" – afirmou num discurso no lançamento da pedra fundamental da University of South em Sewanee, no Tennessee, em 1860 (como registrado por Charles Lee Lewis na biografia que fez de Maury):

Eu tenho sido acusado por homens da ciência, tanto neste país quanto na Inglaterra por citar a Bíblia na confirmação de doutrinas da geografia física. Eles dizem que a Bíblia não foi escrita com propósitos científicos, e é, portanto, sem autoridade em assuntos de ciência. Desculpem, mas a Bíblia *é* autoridade em tudo o que ela toca. O que você pensaria de um historiador que se recusasse a consultar os registros históricos da Bíblia, porque a Bíblia não foi escrita com propósitos da história? A

Bíblia é verdadeira e a ciência é verdadeira. Os agentes preocupados com a economia física de nosso planeta são ministros de Deus que fez tanto ela quanto a Bíblia. Os registros que Ele escolheu para fazer através da agência desses Seus ministros sobre a crosta da terra são tão verdadeiros como os registros que, pela mão de Seus profetas e servos, Ele se agradou em fazer o Livro da Vida. Eles são ambos verdadeiros; e quando os homens da ciência, com presunção apressada e vã, anunciam a descoberta de uma discordância entre elas, creiam que a falta não está com a Testemunha ou Seus registros, mas com o "verme" que ensaia interpretar a evidência daquilo que ele não entende. Quando eu, um pioneiro de um departamento dessa bela ciência, descubro as verdades da revelação e as verdades da ciência refletindo luz uma sobre a outra, como posso, como um amante da verdade, um pesquisador do conhecimento, falhar em assinalar essa beleza e em regozijar nessa descoberta? A reserva em tal ocasião seria pecado, e se eu suprimisse a emoção com que tais descobertas podem proporcionar à alma, as ondas do mar levantariam a sua voz, e as próprias pedras haveriam de clamar contra mim.[264]

Em oposição a tudo isso, a revelação com relação ao homem, da forma como é encontrada na Palavra de Deus, estende-se a muitos campos onde a antropologia concebida pelo homem não pode entrar: o modo verdadeiro da criação, o estado original do homem, sua queda, a causa real da morte no mundo, o novo nascimento, a base de uma moralidade correta, e a ressurreição do corpo. A antropologia extrabíblica será pesquisada em vão por qualquer referência a esses temas; todavia, essas são realidades na vida humana e, como tal, se tornam fatores determinantes numa psicologia digna.

Entretanto, há uma discriminação importante a ser feita. De um lado, as verdades ensinadas na Bíblia com respeito ao homem não são conjecturas e sujeitas a erro de homens de tempos primitivos; nem, por outro lado, são uma ciência sobrenatural perfeita no que se refere à sua totalidade. É verdade que a narrativa bíblica da origem do homem é descrita em termos empregados por homens de tempos antigos e era imediatamente dirigida a pessoas daquela época. É também verdade que a expansão da doutrina segue o curso da revelação divina, mas há uma qualidade sobrenatural do começo ao fim que harmoniza tudo o que é dito em muitos séculos numa narrativa consistente. Os homens dos tempos primitivos falaram a própria linguagem deles às pessoas daqueles tempos. A verdade revelada é elevada acima do nível dos fatos naturais e revela um discernimento que é divino. A ciência de todas as épocas tem crido que esses ensinos bíblicos sublimes estão fora do alcance de seu próprio campo restrito de observação.

As expressões bíblicas da verdade a respeito da origem do homem e sobre o seu lugar na terra, embora formadas na época em que elas foram escritas, têm servido perfeitamente como veículos de pensamento em toda a história humana. Em cada época, a ciência de seu tempo tem imposto sobre a teologia as suas noções sempre-mutantes relativas à origem, e tem sido um fardo para a teologia em cada época livrar-se dos fantasmas das filosofias que morreram e das opiniões científicas de uma era precedente. Está indicado claramente que o objeto dos escritores das Escrituras não era a ciência, mas era a teologia. A Igreja primitiva foi logo enfraquecida pela filosofia platônica e pela doutrina aristotélica da alma. Tal situação caracterizou os séculos medievais. É presunção do homem afirmar que a narrativa divina da origem das coisas é verdadeira somente quando ela se conforma à ciência de seu próprio tempo.

Se a ciência de hoje prossegue fiel ao curso estabelecido por ela pelas gerações anteriores – e por que falharia ela em fazer isso? – será descartada pelos próprios cientistas; todavia, a Palavra de Deus permanecerá imutável. O futuro da opinião humana não terá sucesso em modificar a Palavra de Deus, como não teve sucesso no passado. Literalmente, a ciência pode ir e vir, mas a Palavra de Deus permanece eternamente.

CAPÍTULO XII

A Origem do Homem

A RESPOSTA PARA O PROBLEMA da origem do homem é de importância imensurável, pois de sua resposta depende toda a estrutura da antropologia. Necessariamente, a natureza do homem, a sua responsabilidade e destino estão determinados pelo fato fundamental de seu ser essencial da forma em que foi criado. Dois sistemas de pensamento – um, pura suposição, e o outro uma revelação – propõem-se a responder a questão sobre a origem do homem. A suposição – a teoria da evolução – é uma especulação, uma conjectura, uma hipótese, que é a melhor solução que a mente não-regenerada, espiritualmente não-iluminada e finita pode construir. A revelação incorpora uma série de verdades que são harmoniosas e razoáveis, se a pessoa, o propósito e o poder do Criador são reconhecidos. Esses dois sistemas de pensamento deveriam ser pesados separadamente.

I. A Teoria Evolucionista

A análise desta hipótese foi incluída no volume precedente desta obra quando estudamos o teísmo naturalista; portanto, um discurso extenso desse tema pode ser eliminado a esta altura. Se eles tivessem qualquer coisa que quisessem colocar em seu lugar, esses homens pensantes não tolerariam um sistema que não oferece prova para qualquer alegação que ele desenvolve. O ato de trazer o homem à existência é uma realização de proporções estupendas. Fazer o homem ser o resultado de um processo evolutivo acidental, que surgiu de um suposto gérmen primordial – gérmen esse que não pode ser explicado à parte de um Criador – e tudo isto como uma pura fantasia imaginosa sem nenhuma sombra de substância sobre a qual pode repousar como prova, aponta para todas as marcas de desespero mental e de falência das idéias. Todavia, essas noções, não demonstráveis, são passadas para o mundo sob o patrocínio da boa formação escolar e da ciência. Para a mente não-regenerada, para a qual Deus está ausente na realidade, o problema da origem não é resolvido pela afirmação de que Deus criou o homem. Quão desesperadamente irreal essa revelação é para tudo que pode ser medido pelo dogma ridículo que os homens colocaram em seu lugar. Seria revelador para tais mestres se, após ter despertado toda a humildade e sinceridade que está latente nos seres deles, eles inquirissem *a razão* pela qual rejeitam Deus como Criador.

A evolução, considerada abstratamente, é apresentada em duas formas diferentes. Ela pode ser *naturalista*, a qual afirma que pela "seleção natural" e "sobrevivência do mais adaptável", as formas variadas de coisas animadas vieram a ser o que elas são como um resultado de uma harmonização casual. Por outro lado, a evolução teísta – aquele sistema que procura reter algum reconhecimento de Deus por torná-lo a causa original, ao mesmo tempo em que abrange um suposto processo evolutivo como o *método* pelo qual Deus desenvolveu o homem de uma célula original que Ele criou – não somente é não provado como é irrazoável, e também uma desonra a Deus. Deus afirma no Livro, que é o único que apresenta todos os conceitos sobre o seu Ser, o método preciso que Ele empregou na criação do homem. Desconsiderar esta revelação e substitui-la por uma ficção humana sem base, é chamar Deus de mentiroso e rejeitar uma Escritura clara que concede a outros a liberdade de rejeitar qualquer outra página da Bíblia, se a incredulidade deles assim o requer.

O método divino da criação reaparece constantemente no texto da Bíblia e está precisamente de acordo com a primeira revelação em Gênesis (cf. Mt 19.4; Rm 5.12-19; 1 Co 15.45-49; 1 Tm 2.13). Os esforços feitos pelos homens para explicar as obras de Deus parecem freqüentemente ser uma tentativa de impedir que outros creiam em Deus. O registro que Deus deu é digno dele. Aqueles que tratam o registro com desdém, tratam Deus com o mesmo desdém, desprezam os conselhos divinos e rejeitam a graça divina. Aquele que abraça a teoria da linhagem animal desonra tanto Deus quanto a si próprio.

Além do seu insulto a Deus e ao homem e além de sua falha imperdoável e indefensável em oferecer uma prova científica para as suas asserções atrevidas, há o efeito moral de sua hipótese antideus. Não é afirmado que a evolução como um sistema ensina a imoralidade diretamente; está declarado, contudo, que essa filosofia pagã, por ser destituída de Deus que é a única fora dos ideais morais, não pode gerar qualquer impulso moral. Tão certamente como Deus criou o homem, assim certamente o homem sustenta uma responsabilidade moral inerente de ser igual a Deus na conduta e virtude, a fim de ser semelhante a Deus por criação. Deus concedeu uma ordem razoável para as suas criaturas humanas: "Sede santos, porque eu sou santo" (1 Pe 1.16; cf. Mt 5.48). O bem-estar da criatura humana não é somente designado por Deus, mas deve ser executado para a sua glória.

Toda a conduta moral está baseada sobre essa base, pois não há outra base sobre a qual ela possa repousar. As ações dos homens são corretas quando conformadas ao caráter de Deus, e erradas quando não se conformam ao caráter dele. Nenhuma outra base pode existir para a distinção entre o bem e o mal. Por outro lado, se o homem é o produto de forças naturais, então ele possui

ANTROPOLOGIA

tanta responsabilidade com as linhas morais quanto as forças naturais exigem, e nada mais. Se Deus e sua Palavra são eliminados, como acontece na hipótese evolucionista, então os homens podem olhar para os girinos, a fim de ver os seus ideais morais, e a verdade é sem fundamento algum, a santidade dos anjos é uma ficção, e a corrupção do diabo é uma calúnia, por ser uma propaganda daquilo que não existe. Espera-se que o animalismo mova-se lentamente para a sociedade e as escolas onde este sistema antideus é sustentado. Se a sociedade e as escolas retêm alguns ideais morais a despeito dessa filosofia antideus, não é mais do que uma força viva moral minguante de uma geração precedente que honrou a Deus. Na verdade, seria um pobre começo se a Bíblia concedesse as suas concepções altamente celestiais de conduta e a sua narrativa sublime da criação fossem substituídas pela hipótese da evolução.

Além do governo natural de Deus que exerce sobre a criação material e sobre as coisas vivas como partes de sua harmonia ordenada, há um exercício de disciplina moral que se aplica aos seres racionais, tanto angelicais quanto humanos. Estes devem considerar a diferença entre o bem e o mal. Tal diferença e tal governo moral são eliminados quando Deus é rejeitado.

Essa forma de modernismo que aceita as teorias humanas e rejeita a revelação, é incapaz de formar uma teologia, e o seu aborrecimento declarado pelas coisas doutrinárias é um testemunho contra ela. Na verdade, freqüentemente devemos nos voltar para a Escritura que afirma: "Seja Deus verdadeiro e todo homem mentiroso" (Rm 3.4).

A certeza que agora caracteriza aqueles que aceitam a teoria evolucionista é bem refletida no parágrafo de abertura do artigo sobre a *evolução do homem* na décima quarta edição da *Enciclopédia Britânica*, que diz:

O falecido E. B. Tylor, ao escrever sobre a teoria evolucionista da origem do homem, fez a seguinte afirmação: "De uma forma ou outra tal teoria da origem do homem, em nosso tempo, tem se tornado parte de uma estrutura de zoologia aceita, se não como uma verdade demonstrável, de qualquer forma como uma hipótese em operação que não tem nenhum rival efetivo". Quando Edward Tylor fez esta afirmação em 1910, estava com 78 anos de idade; sua memória poderia levá-lo de volta ao tempo quando era crido que o homem tinha vindo a este mundo como uma criação especial cerca de 4.000 anos antes de Cristo e não possuía ligação alguma com as outras coisas vivas. Ele tinha 27 anos, quando o livro *A Origem das Espécies* de Darwin foi publicado em 1859; em 1865, dois anos após Huxley ter publicado o seu renomado tratado sobre o lugar do homem na natureza (*Man's Place in Nature*), ele próprio publicou uma obra que lançou luz sobre a história humana, *Researches into the Early History of Mankind and the Development of Civilization* (Pesquisas na Primitiva História da Raça e o Desenvolvimento da Civilização). Quando a obra de Darwin, *Descent of Man* (A Origem do Homem) surgiu em 1871, a obra de Tylor, *Primitive Culture; Researches into the Development of Mythology, Philosophy, Religion, Art and Custom* (Cultura Primitiva; Pesquisas Sobre o Desenvolvimento da Mitologia, Filosofia, Religião, Arte e Costumes), lhe fez companhia. No final do século 19, ele contemplou cátedra após cátedra nas universidades do mundo cheias de homens que estavam convencidos de que a evolução era verdadeira; em sua morte em 1917, com 85 cinco anos, havia visto outra geração de pesquisadores que despontava, a qual, após aplicar o ensino de Darwin a todos os departamentos do mundo do homem – a seu corpo, mente e cultura – ele permaneceu convencido de que, como uma hipótese em operação, a doutrina da evolução não possuía rival algum.[265]

Assim é admitido por E. B. Tylor que a teoria evolucionista é, ao menos, uma hipótese em operação, quando não, uma verdade demonstrável.

A semelhança da constituição física do homem à das formas mais elevadas de animais é afirmada plenamente e incluída na narrativa do Gênesis, mas aqueles que sustentam a teoria evolucionista aproveitam-se dessas semelhanças como se elas pertencessem exclusivamente a essa teoria. Isto está ilustrado no primeiro parágrafo do "sumário de evidência" incluído no mesmo artigo citado acima: "Não importa qual aspecto do homem o estudante de hoje possa selecionar para estudar, a convicção de que a evolução (q.v.) é verdadeira logo lhe é imposta. Se ele investiga o desenvolvimento de uma criança no ventre, depara-se com uma série complicada de fenômenos que podem ser explicados somente se o ensino de Darwin é aceito".

Na matéria das formas fósseis, os itens mais improváveis são apresentados com um preconceito a favor da teoria evolucionista, que é totalmente prejudicial à teoria apresentada. Sob o assunto *paleontologia* e como *evidência*, esse mesmo artigo assevera: "Nas camadas da terra recentemente formadas são encontradas formas fósseis do homem; aquelas das camadas mais antigas são mais semelhantes ao macaco do que as mais recentes. Ainda nas camadas mais antigas são encontrados fragmentos fósseis de grandes antropóides; em camadas ainda mais antigas, os restos de antropóides pequenos; mais profundos ainda nos registros da terra nenhum traço de antropóides foi ainda descoberto. Nessas camadas mais antigas ocorrem restos fósseis de pequenos primatas semelhantes aos macacos. Os registros geológicos, até onde são conhecidos, dão apoio à teoria de Darwin sobre a origem do homem; eles são totalmente contra a crença de que o homem apareceu repentinamente – por um ato especial de criação".

Aqui o escritor, citado acima, admite uma contradição completa da narrativa do Gênesis. Até onde vão as formas fósseis, nenhuma mais impressiva foi encontrada além do chamado *Pithecantropus erectus*. Deste o mesmo escritor afirma:

A descoberta que lança mais luz sobre o progresso evolutivo do homem foi feita em Java durante os anos 1891/92 pelo professor Eugène Dubois, então um cirurgião no serviço militar colonial, e mais tarde professor de geologia na Universidade de Amsterdã. Numa camada que continha os ossos fósseis de muitas espécies extintas de animais ele obteve cinco fragmentos de uma espécie estranha de ser, um que ele considerou como uma forma transicional entre o homem e o macaco – um real elo perdido. Ele o chamou *Pithecanthropus erectus,* e classificou-o como uma família separada de primatas – numa linha divisória entre os antropóides e o homem... Os cinco fragmentos fósseis encontrados foram: uma parte superior de um crânio que exteriormente tinha a forma que poderia ser de um gigante de gibão, um fêmur esquerdo e três dentes. O mais distante dos fragmentos estava a 20 passos. Mais tarde, ele acrescentou um sexto fragmento – parte de uma mandíbula inferior que encontra numa outra parte da ilha, mas numa camada da mesma era geológica. A parte superior do crânio é chata, baixa e tem grandes sobrancelhas salientes; seus caracteres são mais parecidos com os símios do que com os humanos; todavia, quando o Prof. Dubois teve sucesso em obter um molde do interior da capa do crânio, esse modelo teve ligação com o padrão circunvolutivo do cérebro do Pithecanthropus, e esse padrão provou ser também humano. O Pithecanthropus, o fóssil do homem de Java, tinha um cérebro que era menor, mais simples e infinitamente mais primitivo do que o mais inferior dos homens vivos.

Após uma seção que alargava o tamanho e a capacidade prováveis do cérebro desse suposto ser humano, o escritor conclui:

O Pithecanthropus foi colocado pelo Prof. Dubois, com evidências dignas de confiança, como se pertencesse a uma época mais recente no período Plioceno; outros, quando pesam a evidência, supõem que ele tenha vivido anteriormente, no período Pleistoceno. Se aceitamos a duração do período Pleistoceno como o de 250.000 anos, e considerarmos o Pithecanthropous como o representante do estágio evolutivo alcançado pela raça humana no começo desse período, então temos de concluir que o corpo do homem havia se adaptado à sua postura e modo de andar peculiares antes do final do período Plioceno, e que o desenvolvimento mais alto do cérebro aconteceu no período Pleistoceno resultante... Devemos considerar o Pithecanthropus como homem ou macaco? A resposta é que ele era humano por causa das seguintes razões. No ponto do tamanho e da conformação, o seu cérebro atingiu quase os limites mínimos do homem Neantrópico ou moderno; sua postura e modo de progressão eram humanos; suas mãos e braços ficavam livres para locomoção; seus dentes se encaixam dentro do raio da variação humana. O Pithecanthropus representa uma das primeiras formas da humanidade, e com sua descoberta tornou-se possível afirmar que a antiguidade do homem poderia remontar com certeza ao fechamento do período Plioceno. Não é improvável que as formas mais altas que o Pithecanthropus foram evoluídas antes do final do período Plioceno; o estágio alcançado pelo homem de Piltdown no começo do período Pleistoceno dá apoio a tal inferência. Uma consideração de toda a evidência nos leva a esperar que os restos fósseis do homem primitivo emergente têm de ser buscados nas camadas do período Plioceno, e aqueles do homem Neantrópico nos depósitos do período Pleistoceno.

Tal credulidade que se agarra a cinco ou seis "fragmentos fósseis" que mostram não mais do que uma parte superior do crânio, um fêmur e três dentes, e estes espalhados por uma distância de 20 passos, cerca de vinte metros, e declara que esta é "a descoberta que lança mais luz sobre o progresso evolutivo do homem" dificilmente pode ser levada a sério. Homens cultos não tentariam ficar assim, na sombra de uma árvore, se pudessem por qualquer visão espiritual entronizar Deus no seu devido lugar como Criador. Ainda permanece verdadeiro a despeito de cinco ou seis "fragmentos fósseis" separados no local por cerca de vinte metros (e não seria aquele poder bem-vindo que operou na visão de Ezequiel quando "os ossos se juntaram, osso com osso"?), que Deus criou o homem à sua própria imagem. Alguns homens evidentemente preferem a imagem de um macaco, mas há aqueles ainda que preferem a *imagem de* Deus.

II. A Revelação

O homem é criado à "imagem" e "semelhança" de Deus e Ele somente é capaz dessa tarefa estupenda. Em sua Palavra, Deus não impõe noções pueris e absurdas sobre a credulidade humana. Ele atribui uma causa suficiente e razoável para todas as coisas quando declara que é o Criador. Um conjunto maravilhoso de verdades harmoniosas está contido nos primeiros dois capítulos da Bíblia. Há um registro de Deus que declara o relacionamento que existe entre o Criador e a criatura humana. Nenhuma outra literatura no mundo é tão repleta de revelação direta destinada a informar a mente do homem e orientar a pesquisa científica como essas primeiras páginas da Bíblia. Essa porção das Escrituras produziu um conjunto incomparável de literatura tanto construtiva quanto crítica; todavia, o texto permanece imutável e agora satisfaz a mente devota como sempre o fez.

O fato da criação do homem ser registrada em duas narrativas – uma em cada um dos dois primeiros capítulos de Gênesis – tem causado muita discussão. Novamente uma forte ênfase é imposta por uma segunda repetição e sobre um tema que, à luz da incredulidade humana, sem dúvida exige esta ênfase pronunciada. Certas variações, contudo, devem ser vistas nessas narrativas, e, como acontece freqüentemente na Bíblia, ambas passagens são necessárias para completar o registro. O primeiro e geral; o segundo introduz detalhes que, se tivessem sido incorporados no primeiro, teriam arruinado sua harmonia e simetria majestosas. De acordo com a primeira narrativa, o homem e a mulher são igualmente uma criação direta de Deus (Gn 1.26, 27); mas na segunda narrativa, é afirmado que o homem foi trazido à existência primeiro, após ter sido formado do pó da terra, e a mulher é tomada do homem por uma ação especial de Deus que resultou na mesma perfeição do ser (Gn 2.7, 21-25).

De acordo com a primeira narrativa, o homem em sua criação está intimamente relacionado com os animais que são de três classes – "animais domésticos", "répteis" e "animais que rastejam sobre a terra" – mas, na segunda narrativa, nada mais é dito desses além do que eles são conforme a sua espécie. Contudo, a respeito do homem é afirmado três vezes em um só versículo e como uma parte da primeira narrativa de que Deus criou o homem (Gn 1.27). Esta tremenda ênfase é seguida imediatamente de uma declaração formal e solene que era propósito de Deus criar o homem (Gn 1.26). A natureza enfática da repetição deve ser vista novamente no fato de que o homem é três vezes dito ser feito à *imagem* de Deus (Gn 1.26, 27). A linguagem, da forma em que ela é empregada na Palavra de Deus, não pode ser mais insistente do que é, quando ela assevera três vezes que Deus criou o homem diretamente, e três vezes que Ele criou o homem à sua própria imagem.

Qualquer filosofia humana que nega essas afirmações determinantes não escolhe uma das duas opiniões duvidosas a respeito do que Deus disse; diretamente, ela corta a verdade mais enfática que Deus revelou ao homem e sugere que Deus não é verdadeiro num certo grau. Embora tal impiedade seja sustentada por toda a pseudo-erudição do mundo, é ainda falsa até o fim, e pertence ao atrevido caráter antideus daquele que primeiro contradisse Deus, ao dizer: "Certamente não morrereis" (cf. Gn 2.17; 3.4). O primeiro registro da criação do homem reporta com simplicidade sublime um tema muito difícil, a saber, o de que o homem compartilha com a existência animal e, todavia, num sentido especial, é feito semelhante a Deus, e é em cada caso dito ser que o triúno *Elohim* que assim o cria. No detalhe acrescentado que caracteriza o segundo registro, está declarado que homem e mulher são parecidos no aspecto físico, por ter sido feitos diretamente – como no caso do homem – e indiretamente – como no caso da mulher – do pó da terra.

A essa altura, a química apresentada no corpo humano é introduzida. Macdonald, em sua obra *Creation and the Fall*, afirma: "É bem conhecido que o corpo animal é composto, duma maneira inescrutável chamada *organização*, de carbono, hidrogênio, oxigênio, nitrogênio, cal, ferro, súlfur e fósforo, substâncias que em suas combinações variadas formam uma grande parte do chão sólido".[266] Também é provável que essa origem terrena do corpo do homem explique o fato de que ele seja chamado *Adão*, que pode ser de *adhamah*, que significa 'terra'. Um aspecto mais distinto do ser humano, como registrado em conexão com a sua criação, é a verdade de que Deus soprou nele o fôlego das vidas (lit. plural). A respeito disto F. Delitzsch escreve: "Não é meramente o princípio da vida geral comunicado ao mundo que se individualiza no homem, mas que Deus sopra diretamente nas narinas do homem a plenitude da sua personalidade... que duma maneira correspondente à personalidade de Deus, o homem pode se tornar um ser vivente".[267] De todos esses fatos afirmados de uma maneira tão simples nesses dois capítulos, uma verdade doutrinária quase interminável tem sido desenvolvida.

A comparação geral dessas duas narrativas da criação é sumariada por John Laidlaw em em *The Bible Doctrine of Man*. pp. 35-37::

Em todo o caso, a relação das duas narrativas se torna muito clara quando as colocamos lado a lado. A primeira pode ser chamada cósmica, a segunda fisiológica. A primeira é uma narrativa genérica da criação do homem – do homem, a raça, o ideal; a última é a produção do homem real, do histórico Adão. A primeira falou da *fiat* criadora que trouxe o homem à existência; esta fala do processo plástico através do qual o Criador formou tanto o homem quanto a mulher – ele do pó da terra, ela do osso e da carne do homem. A primeira falou deles com respeito ao tipo deles – à imagem de Deus; esta última, do elemento no qual esse tipo foi feito – uma estrutura material, comunicado pelo espírito soprado divinamente. A primeira falava da raça na cabeça das criaturas, que governa a terra e tudo o que habita nela; essa última fala do lar proporcionado para ele, a obra com a qual ele se comprometeu, dos relacionamentos formados por ele, e, finalmente, da lei moral sob a qual ele foi colocado em sua relação com Deus. E nenhum leitor imparcial pode ver qualquer coisa senão unidade nessas duas narrativas – uma harmonia real e razoável, como distinta do ensamble literal ou verbal; nem podemos duvidar que a mão mestra que une nesse todo – o livro de Gênesis – os vários parágrafos de uma tradição preciosa, que conserva a verdade espiritual mais elevada, e que colocou essas duas narrativas da criação do homem lado a lado para a luz mútua que eles lançam uma sobre a outra sem choque absoluto, e certamente sem contradição. Os resultados dessa narrativa bíblica dupla da criação do homem são claros, definidos e inteligíveis. A origem dele não é emanação, mas criação – formação de material preexistente de uma parte de sua natureza, e da plenitude bendita da vida divina sobre a outra. A criação dele está na linha da ordem natural dos seres animados, bem como em seu clímax. A sua posição entre eles é central e suprema, mas a sua natureza permanece distinta deles todos no sentido em que ele é formado à imagem divina.[268]

De acordo com essa e com todas as outras partes da Bíblia, Adão é uma pessoa tão real como qualquer que já tenha vivido na terra, e de modo algum um ser inferior. Huxley afirmou que o esqueleto mais antigo do homem poderia facilmente ser os restos de um filósofo, e Dana admitiu que a especulação humana era sem evidência em seu fundamento. Assim, também, Darwin disse que a lacuna entre o mundo animal e o homem era espantosa.

A única "teoria que funciona" para a origem do homem é aquela desenvolvida pelo próprio Criador e este evento na criação não precisa ser restrito com respeito à sua data ao período que a cronologia aceita fixou. A história do homem sobre a terra pode facilmente ser mais do que os supostos seis mil anos e sem fazer violência alguma ao testemunho do Texto Sagrado. Seja num tempo ou noutro, permanece verdadeiro que Deus criou o homem imediata e diretamente. Sob esta premissa toda a Escritura caminha e à parte dela o testemunho do Criador é abjurado.

III. O Tempo da Origem do Homem

Com relação ao tempo da origem do homem, vários grupos de cientistas estão em constantes desafios: o historiador com sua preocupação pelos fatos relativos aos povos e nações primitivos, com a distinção entre raças e a possibilidade de uma origem comum; o filólogo com seu problema da origem da língua à luz de suas formas variadas presentes; o arqueólogo e o geólogo com a evidência que oferecem para a antiguidade do homem. O que esses homens asseveram a respeito da idade da família humana varia em tal grau que todas as alegações da infalibilidade ficam destruídas. O desacordo entre as autoridades não possui a tendência de gerar crença ou de estabelecer uma data confiável. Uma afirmação geral surge, a qual alega que o homem viveu muito mais sobre a terra do que a data de 4004 a.C., avaliada pelo Arcebispo Usher. Estas exigências imperiosas dos cientistas modernos merecem uma consideração sincera por parte dos teólogos. A questão pode ser levantada quando a teologia conservadora está comprometida com as datas que estão baseadas na cronologia de Usher. Sobre esse problema de cronologia, o Dr. Miley escreveu:

É bem conhecido que a cronologia bíblica permanece, como sempre, uma questão aberta. Os indivíduos podem ter sido muito positivos com respeito aos anos exatos dos grandes e notáveis eventos da história do mundo, mas não há uma cooperação comum em tal visão. Os estudantes mais profundos dessa questão encontram medidas diferentes de tempo, que não variam tão amplamente como entre os cientistas; todavia, suficientemente de valor para o ajustamento da questão que ainda permanece com os fatos da ciência. Os pontos-de-vista mais importantes são bem conhecidos e facilmente afirmados. A origem do homem precedeu o advento de nosso Senhor em 4.004 anos, como calculado por Usher com base nas Escrituras hebraicas; em 5.411 anos, como calculado por Hales com base na versão Septuaginta. Aqui há uma margem de 1.407 anos, que poderia cobrir muitos fatos da ciência com respeito à presença do homem no mundo, e trazê-los em harmonia com a cronologia bíblica. A aceitação desse cálculo não exige um mecanismo astuto. Enquanto através da Vulgata o período mais curto tenha ganho ascendência na Igreja do Ocidente, na do Oriente o período mais longo prevaleceu. Com a totalidade da Igreja tem acontecido o mesmo; e, enquanto uma avaliação mais baixa do que a de Usher raramente tem sido feita, um cálculo mais longo do que o de Hales não tem sido raro. A incerteza da cronologia bíblica é de valor especial em seu ajustamento às reivindicações razoáveis da ciência com respeito ao tempo da origem do homem. Essa incerteza não é uma suposição recente, não é um mero artifício que a exigência de uma questão tenha forçado os cronologistas bíblicos, mas tem sido sentida e abertamente expressa. Os resultados muito diferentes e amplamente variados do cálculo mais cuidadoso testemunha da incerteza dos dados sobre os quais esse cálculo procede. As listas de genealogia são os principais dados no caso, e o alvo delas é traçar as linhas de ascendência, não marcar a sucessão de anos.

Conseqüentemente, a linha de conexão não é sempre traçada imediatamente de pai para filhos, mas freqüentemente a transição é para um descendente diversas gerações mais tarde – o que corresponde exatamente os propósitos de governo, embora possa tornar perplexa a questão do tempo. "Assim, em Gênesis 46.18, após registrar os filhos de Zilpa, seus netos e bisnetos, o escritor acrescenta, "Estes são os filhos de Zilpa... e estes ela deu a Jacó, ao todo dezesseis almas". A mesma coisa sucede no caso de Bila, no versículo 25 – "estes deu ela a Jacó, ao todo sete almas". Compare os versículos 15 e 22. Ninguém pode ter pretensões que o autor desse registro não usou o termo compreensivelmente a respeito dos descendentes além da primeira geração. De igual modo, conforme Mateus 1.11, Josias gerou a seu neto Jeconias, e no versículo 8, Jorão gerou o seu bisneto Ozias. E em Gênesis 10.15-18, Caná, o neto de Noé, é dito ter gerado diversas nações inteiras, os jebusitas, os amoritas, os girgasitas, os heveus etc. Nada pode ser mais claro, portanto, do que aquilo que, no uso da Bíblia, "gerar" é usado num sentido amplo para indicar descendência, sem restringir isso à geração imediata.[269] Seria fácil dar muitos outros casos de uma apresentação semelhante dos fatos. Tais fatos justificam a incerteza dominante a respeito da cronologia bíblica. Na verdade, as listas que fornecem os dados principais para a sua construção são puramente genealógicos, e em nenhum sentido cronológico próprio. Com tal incerteza de dados, nenhuma cronologia bíblica poderia ter limites fixos ou reivindicação doutrinária. Segue-se que a contagem comum pode ser tão estendida que satisfaça qualquer exigência razoável dos fatos científicos com respeito ao tempo da origem do homem, sem a perversão de qualquer parte da Escritura ou violação de qualquer lei da hermenêutica. Tais são as idéias dos teólogos completamente ortodoxos nos credos e mais leais às Escrituras.[270]

Com respeito ao seu começo, o homem é a mais recente das criaturas; e a despeito do fato de que os cientistas estejam habituados a falar em termos de eras longas quando tratam do problema da vida humana sobre a terra – especialmente os evolucionistas cuja suposição depende tão completamente de toda matéria da origem ser sepultada no esquecimento de um passado incompreensível – a extensão razoável da história humana é de vários milhares de anos além da data proposta por Usher – extensão essa que não conflita, como já foi afirmado anteriormente, com o registro bíblico – permite tempo suficiente para todas as afirmações justificadas de um historiador, de um geólogo, de um arqueólogo e de um filólogo.

Quando considerava as alegações de um geólogo e de um arqueólogo, o Dr. Miley cita detalhadamente um cientista de sua época para cujos achados nenhum fato material foi acrescentado nessa geração. A citação é reproduzida plenamente aqui:

Os cálculos de longos períodos baseados nos cascalhos de Somme, no cone do Tinière, nas turfas da França e da Dinamarca, sobre certos depósitos de cavernas, tem sido mostrado que todos são mais ou menos falhos; e possivelmente nenhum desses retrocede a mais de seis ou sete mil anos que, de acordo com o Dr. Andrews, têm passado desde o término dos depósitos de argila saibrosa na América... Olhemos para uns poucos fatos. Muito uso tem sido feito do "cone" ou delta do Tinière, do lado oriental do Lago de Genebra, como uma ilustração da duração do período moderno. Esta pequena corrente tem depositado na sua foz uma massa de *fragmentos* que é trazida das montanhas. Por ser ele cortado por uma estrada de ferro, foi encontrado nela relíquias romanas a uma profundidade de quatro pés, implementos de bronze a uma profundidade de dez pés, implementos de pedra a uma profundidade de dezenove pés. O depósito cessou cerca de trezentos anos atrás, e, ao calcularmos 1.300 a 1.500 anos para o período romano, deveríamos ter 7.000 a 10.000 anos como a era do cone. Mas antes da formação do presente cone outro havia sido formado doze vezes maior. Assim, por dois cones juntos uma duração de mais de 90.000 anos é alegada. Parece, entretanto, que esse cálculo foi feito sem levar em consideração os dois elementos essenciais na questão. Nenhuma condescendência foi feita ao fato de que as camadas interiores de um cone são necessariamente menores do que as exteriores; nem para o fato adicional de que o cone mais antigo pertence a um tempo distinto (a era pluvial a que já nos referimos), quando a queda de chuvas era muito maior, e o poder transportador das torrentes era superior em proporção. Ao fazer concessão a essas condições, a era do cone mais novo, que contém os restos humanos, cai entre 4.000 e 5.000 anos. A turfeira de Abbeville, no norte da França, tem crescido na proporção de uma vez e meia, ou duas polegadas num século. Por ter 26 pés de espessura, o tempo decorrido em seu crescimento deve ser cerca de 20.000 anos; e provavelmente é ainda mais novo de alguns dos cascalhos no mesmo rio, que contém implementos parecidos com quartzo. Mas a composição da turfa de Abbeville mostra que ela é procedente da floresta, e as hastes eretas preservadas nela provam que no primeiro caso ela deve ter crescido na proporção de cerca de três pés por século, e após a destruição da floresta a sua espessura de aumento caiu no tempo presente e diminuiu rapidamente a quase nada. Sua era é, assim, reduzida a talvez menos de 4.000 anos. Em 1865 eu tive a oportunidade de examinar os agora celebrados cascalhos de St. Acheul, no Somme, e por alguns supostos remontar a um período muito antigo. Com os documentos de Prestwick e outros observadores capazes em minhas mãos, pude concluir meramente que os cascalhos inalterados eram mais antigos que o período romano, mas o quanto mais antigos somente um levantamento topográfico detalhado poderia provar; e, ao levar em consideração as probabilidades de nível diferente da terra, o nível de arborização do país, uma queda de chuva maior, e um enchimento glacial do vale do Somme com barro e pedras subseqüentemente cortadas pela água corrente, os cascalhos poderiam dificilmente ser mais antigos do que as turfas de Abbeville... Taylor e Andrews, contudo, mostraram subseqüentemente, creio eu, que as minhas impressões estavam corretas.

De igual modo, eu não percebi – e creio que todos os geólogos americanos familiarizados com os monumentos pré-históricos do continente ocidental devem concordar comigo – evidência alguma de grande antigüidade nas cavernas da Bélgica e Inglaterra, nos sambaquis da Dinamarca, nas cavernas da França, nas habitações lacustres da Suíça. Ao mesmo tempo, eu repudiaria toda tentativa de resolver as datas delas em termos precisos de anos. Eu posso meramente acrescentar que as observações elaboradas e cuidadosas do Dr. Andrews sobre as praias surgidas do Lago Michigam – observações de caráter muito mais preciso do que qualquer que, até onde sei, foram feitas de tais depósitos na Europa – o capacitam a calcular o tempo que se passou visto que a América do Norte surgiu das águas do período glacial entre 5.500 e 7.500 anos. Isto fixa ao menos a duração possível do período humano na América do Norte, embora eu creia que haja outras linhas de evidência que reduziriam a residência do homem na América para um tempo mais curto. Períodos mais longos têm, na verdade, sido deduzidos do delta do Mississipi e do desfiladeiro do Niágara; mas os depósitos do primeiro foram encontrados por Hilgard como procedentes em grande parte do mar, e a escavação do último começou num período provavelmente anterior ao advento do homem.[271]

O professor W. H. Green, D.D., em seu livro *The Pentateuch Vindicated*, na página 128, diz:

Não deve ser esquecido que há um elemento de incerteza na computação do tempo que está colocado sobre as genealogias da forma como a cronologia sagrada faz de modo tão básico. Quem deve certificar-nos de que as genealogias antediluviana e anteabraâmica não foram condensadas da mesma maneira que a pós-abraâmica? Se Mateus omitiu nomes dos ancestrais de nosso Senhor, a fim de equalizar os três grandes períodos sobre os quais ele passa, não pode Moisés ter feito o mesmo, a fim de produzir sete gerações desde Adão até Enoque, e dez de Adão a Noé? A nossa presente cronologia está baseada na impressão *prima facie* dessas genealogias. A isto nós aderiremos até que vejamos boa razão para abrir mão dela. Mas essas indicações recentemente descobertas da antigüidade do homem, com as quais os círculos científicos estão tão animados, quando cuidadosamente inspecionadas e totalmente avaliadas, demonstrarem tudo que qualquer pessoa tem imaginado que elas possam demonstrar, o que fazer então? Elas simplesmente mostrarão que a cronologia popular está baseada numa interpretação errônea, e que um registro seleto e parcial dos nomes anteabraâmicos foram tomados erroneamente como se fossem um registro completo.[272]

O filólogo, ao começar com a suposição de que o homem originou a sua própria linguagem, afirma que enormes eras são exigidas para a realização desse fim e acrescenta a isso até mais eras para o desenvolvimento da linguagem até as suas formas variadas presentes. Essa teoria ignora a narrativa bíblica. Há a melhor razão para se crer que o homem foi criado com a capacidade de falar e

ANTROPOLOGIA

de entender o que se fala. Adão foi criado maduro de mente da mesma forma que era maduro em seu corpo. Que ele empregou a linguagem desde o começo de sua consciência está indicado na narrativa de Gênesis. A narrativa de Gênesis também registra que, após um período em que o homem tinha apenas uma língua sobre a terra, Deus direta e propositalmente confundiu toda a linguagem com os seus resultados até o tempo presente (Gn 11.5-9). Se esses registros são aceitos, as alegações do filólogo não são importantes.

Semelhantemente, o argumento do historiador a respeito de um tempo extenso exigido para o desenvolvimento de um número razoável de povos e nações de aspectos físicos tão amplamente diferentes, isto falha em considerar o registro divino. A variação das nações levou Agassiz a afirmar que toda divisão da raça foi criada separadamente. Essa teoria, sustentada por Agassiz, embora sem base, alega a solução de um problema que a ciência nunca resolveu. O registro bíblico assevera que, qualquer que possa ter sido as inclinações das características humanas antes do dilúvio, a raça foi reduzida a uma família e desse estoque limitado surgiu toda a população presente. O testemunho de Gênesis 10.32, que diz: "Essas são as famílias dos filhos de Noé, segundo as suas gerações, em suas nações; e delas foram disseminadas as nações na terra depois do dilúvio", é muitíssimo claro a respeito da origem das nações.

Deus fez com que os cabeças das nações descendessem da linhagem de Noé. Sobre em que grau isso aconteceu, nenhuma informação nos foi dada. É suficiente saber que, de acordo com a Palavra de Deus, o problema de nações diferentes emergirem de um estoque comum é explicado nessa passagem. Que Deus poderia encontrar raças de homens individuais é provado no caso mais recente de Abraão e do povo hebreu. Originalmente, Abraão foi do grupo comum dos cidadãos de Ur; todavia, através dele Deus fez a raça mais identificada que apareceu sobre a terra, para nada dizer de Ismael e do povo distinto que ele gerou.

Em acréscimo a tais aspectos raciais que Deus se agradou em estabelecer por controle direto, está a verdade de que os tipos e características humanos sempre mudam sob a força de várias influências; mas acima de tudo isso, a família humana é imutável. Ela retém a sua unidade e estrutura física, e exibe as mesmas capacidades, a mesma natureza moral e religiosa. Partes da raça podem cair no paganismo, ou ser objeto da mais alta revelação; todavia, os fatos e formas da realidade humana não podem mudar. Não há quaisquer restrições híbridas entre as raças mais distantes. Isto somente assevera a unidade da família humana. Nem o *poligenismo* – o qual afirma que tem havido criações separadas para cada uma das espécies distintas – nem o *pré-adamitismo* – que assevera que a humanidade existiu antes de Adão e que ele foi o cabeça somente de um grupo específico – tem qualquer suporte nas Escrituras.

Quando os homens rejeitam a Bíblia e procuram encontrar o seu caminho através de problemas da vida humana, as suas apalpadelas são de pouco valor, embora possam ser sinceros. A Bíblia revela aquilo que Deus queria que o homem soubesse. "Pela fé entendemos" (Hb 11.3).

552

CAPÍTULO XIII

A Parte Material do Homem na Criação

APÓS FAZER ALGUMAS CONSIDERAÇÕES a respeito da controvérsia entre os dois sistemas que ensaiam resolver o problema da origem humana, esta obra afirma, com base segura, que o homem procede da mão de seu Criador, precisamente da maneira que está demonstrada nos Oráculos Infalíveis da verdade. Entretanto, há outra consideração a ser feita, a saber, sobre o estado do homem na criação. Aqui não há complicação alguma que se levanta além da compreensão correta do Texto Sagrado. A teoria evolucionista é incapaz de dar qualquer registro digno do primeiro estado do homem. Nesse sistema, há uma dependência de eras supostamente intermináveis, para se criar um esquecimento do qual nada definido pode ser esperado. Ele é lógico o suficiente, por ter começado com o nada, para terminar com o nada. Se a idéia da existência interminável do homem for emprestada da Bíblia, deve ser afirmado que é somente o homem, a quem Deus criou, que dura para sempre.

O homem de suposta origem natural não tem um destino mais digno do que o suposto começo. A respeito dele não há informação alguma confiável. O sistema que, por sua pretensão, desonra Deus como um mentiroso em assuntos da origem humana, deveria encontrar um destino lógico para os seus personagens fictícios, sem recorrer à revelação. A Teologia Sistemática está preocupada somente com a verdade que a Bíblia registra, e com respeito ao homem a Bíblia apresenta um largo campo de fatos harmoniosos a serem considerados e destes podem ser retiradas conclusões definidas.

A natureza dupla do ser humano – que é material e imaterial – é determinada pelo modo como o homem foi criado. Está escrito: "E formou o Senhor Deus o homem do pó da terra, e soprou-lhe nas narinas [i.e., face] o fôlego da vida; e o homem tornou-se alma vivente" (Gn 2.7). Assim, a parte material do homem foi formada em toda a sua inteireza do pó da terra, e faltava apenas aquilo de Deus que dava vida. Aquele sopro de Deus foi a outorga do espírito, que estava tão longe das outras formas de vida que estão no mundo da mesma forma em que Deus está distante de sua criação. Esse sopro divino foi uma vida interminável – uma existência não sujeita à morte, ainda que, como uma penalidade por causa do pecado, o corpo morre. Tais são o caráter e a duração da vida humana concedidos por Deus. Essa existência não deve ser confundida com "o dom de Deus que é a vida eterna através de Jesus Cristo nosso Senhor" (Rm 6.23).

Esta última é a comunicação da regeneração e é livremente concedida a todos os que crêem para a salvação da alma. A Palavra de Deus registra três sopros interiores divinos: (a) aquele pelo qual o homem se tornou uma alma vivente com uma existência eterna, seja para o bem ou o mal; (b) o sopro nos discípulos do Espírito Santo feito pelo Cristo ressurrecto (Jo 20.22); e (c) o sopro da Palavra de Deus, que é a sua inspiração (2 Tm 3.16).

A verdade com respeito ao ser do homem pode ser feita mais ou menos naturalmente em sete principais divisões, a saber, (a) a parte material do homem, (b) a parte imaterial do homem, (c) o ambiente do primeiro homem, (d) a responsabilidade do primeiro homem, (e) as qualidades morais do primeiro homem, (f) o tentador do primeiro homem, e (g) a tentação do primeiro homem.

Ao combinar em si mesmo o que é material um corpo físico e o que é imaterial uma alma e um espírito o homem é assim relacionado em duas direções para a substância e a existência do espírito. Os animais, é verdade, são de dois fatores semelhantes; mas a parte imaterial deles é apenas uma forma de vida criada, e a parte material deles, conquanto similar em muitos aspectos à do homem – por ter carne, ossos, nervos, cérebro, sangue, órgãos vitais e poderes de procriação – não possui os refinamentos do corpo humano. O corpo de um animal é adaptado às atividades de um ser irracional, enquanto que o corpo do homem é adaptado à sua participação na arte, ciência, literatura, mecânica etc. Fica evidente que o corpo humano proporciona um meio para a sensação, o êxtase e a dor que corresponde ao caráter exaltado da natureza humana, em contraste com as exigências menos elevadas da vida animal. Muita coisa que é apropriada à presente fase desta discussão já foi considerada anteriormente sob o argumento antropológico para a existência de Deus. O corpo do homem e o do animal exibem o pensamento e o desígnio do Criador; mas o corpo do homem, por ser mais delicado e refinado, é uma manifestação majestosa e impressionante do propósito divino.

I. O Caráter Estrutural do Corpo Humano

Com a sua simplicidade incomparável e sublime, a Palavra de Deus declara que Deus formou o corpo do homem do pó da terra. Quimicamente, isto é verdade. Uma autoridade científica afirma que 16 elementos do solo estão representados no corpo humano. Ele os enumera da seguinte maneira: cálcio, carbono, cloro, flúor, hidrogênio, tintura de iodo, ferro, magnésio, manganês, nitrogênio, oxigênio, fósforo, potássio, silicone, sódio, súlfur. Os minerais vitais são cálcio, ferro, potássio, magnésio, sódio e silicone. Todos esses minerais estão presentes na forma orgânica e compõem aproximadamente 6%

do corpo; o restante é composto de água, carbono e gases. Embora nenhum mineral em sua forma inorgânica possa ser assimilado pelo corpo humano, quando transformado da forma inorgânica para a orgânica por sua absorção em vegetação ou quando decompostos por ação química, eles então estão preparados para tomar o seu lugar no corpo humano. Assim, pode ser visto que o testemunho da ciência reitera a revelação bíblica de que o corpo humano é "da terra, terreno" (1 Co 15.47-49), e o espírito do homem, como um "tesouro", está contido em "vaso de barro" (2 Co 4.7).

Por uma função maravilhosa do ser humano, que pertence ao processo da vida, o corpo de uma pessoa viva normal constantemente lança fora e absorve os seus próprios elementos. A criança cresce e o corpo de uma pessoa madura é sustentado por uma apropriação incessante de novos materiais que vêm direta ou indiretamente do pó da terra. Em algum grau, o crescimento e a sustentação do corpo é uma continuação do primeiro empreendimento criador quando Deus formou o corpo do pó da terra.

De importância solene são as palavras que asseveram que o corpo do homem retorna ao pó de onde ele originalmente se derivou. Dessa dissolução está escrito: "Do suor do teu rosto comerás o teu pão, até que tornes à terra, porque dela foste tomado; porquanto és pó, e ao pó tornarás" (Gn 3.19).

Tão adaptado é o corpo aos propósitos e funções do homem imaterial que ele de forma alguma se torna consciente de qualquer separação entre o corpo e a alma. Todo o êxtase, dor, sensação e capacidade que se expressam em e através do corpo são identificados como a própria pessoa e pertencentes ao próprio *ego* de um ser humano. Numa experiência espiritual muito excepcional, o apóstolo Paulo declara de si mesmo: "...se no corpo não sei, se fora do corpo não sei; Deus o sabe" (2 Co 12.2).

Embora as partes material e imaterial do homem sejam freqüentemente colocadas uma contra a outra e referência é feita a elas como partes componentes do ser humano, o homem é, não obstante, uma unidade – um ser – e o material e o imaterial podem ser separados somente pela morte física. Há uma psicologia que trata o homem como uma totalidade, e assevera que a parte imaterial do homem não seja o homem, nem o homem é a parte material; mas que ele é o *tertium quid* de ambos os elementos unidos. Naturalmente, há uma base sobre a qual essa tese repousa, mas a Bíblia definitiva e constantemente separa esses dois fatores no ser humano. A conclusão lógica dessa psicologia é que a morte é o fim da existência do homem visto que o corpo tão obviamente cessa de funcionar e se decompõe, e que a parte imaterial do homem, por ser, como se supõe, inseparável do corpo, deve sofrer o mesmo destino.

Em oposição a isto, as Escrituras ensinam com clareza que o homem, conquanto uma unidade, é composto de partes separadas. Conquanto a parte imaterial do homem resida no corpo, o senso de unidade é tudo o que o homem experimenta. Na morte esses elementos são separados por um tempo, somente para se juntarem no tempo e no modo designados por Deus. Fica assim demonstrado que essas duas partes são separáveis.

J. B. Heard em seu livro *Tripartite Nature of Man* (pp. 58,59), declara:
Caminhamos na direção certa quando sustentamos uma existência separada da mente e do corpo, e todavia com respeito à primeira que tão perfeitamente penetra a segunda, mais ainda, como o princípio formativo pelo qual ela está construída e adaptada à nossa natureza e uso. O alvo para o qual tende a pesquisa moderna é o ponto onde o antigo dualismo entre a mente e o corpo não desaparecerá, mas combinará sob alguma lei superior de unidade que ainda não captamos. A fisiologia e a psicologia não permanecerão contrastadas àquela altura, como estão hoje, mas antes se mostrarão como dois lados da mesma coisa vista em seu aspecto exterior e interior. A ressurreição do corpo, que é uma pedra de tropeço para os espíritas e uma tolice para os materialistas, será então encontrada para ser a sabedoria de Deus, assim como o poder de Deus; e, assim, as insinuações da Escritura sobre a unidade da natureza verdadeira do homem em uma pessoa serão abundantemente vindicadas. De acordo com a Escritura, o corpo não é escravo da alma nem a sua prisão, como a filosofia, com suas idéias dualistas do corpo e da mente, ensina constantemente. A relação das duas pode ser descrita como sacramental; o corpo é o sinal externo e visível da uma mente interior e espiritual. A mente não está colocada numa parte do corpo, mas no todo dele; ela não emprega uma classe de órgãos somente, mas todos. Daí o bem conhecido hebraísmo: "todos os meus ossos te louvarão"; e a outra expressão, "Naphshi", que traduzimos como "minha alma", mas que poderia ser melhor expressa "meu eu". A natureza total da mente respira através de todo o corpo.[273]

Em 1876 St. George Mivart escreveu em *Lessons From Nature*:
A lição, então, com respeito ao homem, que podemos extrair da natureza que nos foi revelada em nossa própria consciência e pode ser observada externamente, é aquela em que o homem difere fundamentalmente de qualquer outra criatura que se apresenta aos nossos sentidos. Ele difere absolutamente, e, portanto, difere na origem também. Embora uma unidade estrita, um todo material com uma forma ou força (não feito de duas partes que age mutuamente de acordo com a noção vulgar da alma e do corpo); todavia, ele é visto como uma unidade composta na qual duas ordens distintas do ser se unem. Ele é manifestamente "animal", com as funções de reflexo, sentimentos, desejos e emoções de um animal. Todavia, igualmente manifesto é que ele tem uma natureza especial "que considera o antes e o depois", que o constitui um ser "racional". Ele governa, compreende, interpreta e completa grande parte da natureza. Nós também vemos nele aquilo que manifestamente aponta para além da natureza. Vemos isto, visto que sabemos que ele pode conceber a mente indefinidamente aumentada em poder, e se livrar daquelas limitações e imperfeições que se mostram nele. Manifestamente uma contemplação da natureza deve ser fútil na

verdade porque negligencia e pondera sobre aquelas idéias de poder, sabedoria, propósito, bondade e que serão reveladas a ele em e por sua própria natureza que ele sabe que existem, e, portanto, concebivelmente devem existir numa forma bem mais elevada neste vasto universo do ser do qual ele é um fragmento auto-consciente.[274]

O fato de que o Antigo Testamento não contém uma palavra distintiva para o corpo do homem sugere as limitações nas revelações anteriores sobre essa doutrina. Isto, contudo, está em harmonia com o progresso da doutrina observável com muitas linhas específicas. O Antigo Testamento se refere à alma como uma parte particular do homem e às porções do corpo como membros em particular. Tiago assevera que "o corpo sem o espírito está morto" (2.26), mas isto sugere que estes aspectos – corpo e espírito – são possíveis de serem separados. Assim o apóstolo afirma: "enquanto estamos presentes no corpo, estamos ausentes do Senhor... mas desejamos antes estar ausentes deste corpo, para estarmos presentes com o Senhor" (2 Co 5.6-8). O apóstolo também compara o corpo ao que é "exterior" e a alma e o espírito ao que é "interior". Ele escreve: "Por isso não desfalecemos; mas ainda que o nosso homem exterior se consuma, o interior, contudo, se renova de dia em dia" (2 Co 4.16).

E o testemunho pessoal de Pedro é muito definido: "E tenho por justo, enquanto ainda estou neste tabernáculo, despertar-vos com admoestações, ciente que brevemente hei de deixar este meu tabernáculo, assim como nosso Senhor Jesus Cristo já mo revelou. Mas procurarei diligentemente que também em toda ocasião depois da minha morte tenhais lembrança destas coisas" (2 Pe 1.13-15). Cristo deu uma advertência impressionante que incorpora a mesma verdade: "E não temais os que matam o corpo, e não podem matar a alma; temei antes aquele que pode fazer perecer no inferno tanto a alma como o corpo" (Mt 10.28). Por estes e muitos outros textos similares da Escritura é oferecida a prova de que o homem é um *ego* unificado enquanto ele está "neste tabernáculo", no corpo; todavia, não tão unificado que os seus elementos essenciais não possam ser identificados ou, sob certas circunstâncias, serem separados.

O corpo humano foi prejudicado pela queda. Até que ponto foi atingido, ninguém pode avaliar plenamente. Ele se tornou um corpo moribundo, condenado à morte. O fato de que, como ele foi originalmente criado, possuía órgãos vitais e era auto-sustentado como o corpo se mantém agora, indica que, à parte de tal proteção e suporte que Deus tem proporcionado, o corpo original e não-caído era passível de morte. A morte não era inevitável então, embora fosse possível. Deus impôs a sentença de morte – morte em todas as suas formas – sobre o primeiro homem e, através dele, sobre a raça humana (Rm 5.12) como uma penalidade pelo pecado. Como primeiro homem criado, ele não estava sujeito à morte; todavia, por causa do pecado, o homem se tornou uma criatura perecível. Embora a vida sempre construa o corpo, a morte sempre destrói e com a certeza em vista, à parte daqueles que experimentarem o arrebatamento e assim não morrem, a morte vencerá o conflito. "Está ordenado aos homens morrerem uma só vez" (Hb 9.27).

II. O Futuro do Corpo Humano

Embora não seja muito freqüentemente observado, a Palavra de Deus declara que em cada caso, seja de não-salvos como dos salvos, o corpo humano ressurgirá dos mortos. As seguintes palavras de Cristo não podem ser interpretadas de outra maneira: "Pois assim como o Pai tem vida em si mesmo, assim também deu ao Filho ter vida em si mesmo; e deu-lhe autoridade para julgar, porque é o Filho do homem. Não vos admireis disso, porque vem a hora em que todos os que estão nos sepulcros ouvirão a sua voz e sairão; os que tiverem feito o bem, para a ressurreição da vida, e os que tiverem praticado o mal, para a ressurreição do juízo" (Jo 5.26-29). O fato de que Daniel 12.2,3 é um pouco restrito indicaria, como o contexto assevera, que é somente o povo de Daniel, ou Israel, que está em vista.

Após ter feito referência à provação incomparável que está predita para Israel, o profeta declara: "E muitos dos que dormem no pó da terra ressuscitarão, uns para a vida eterna, e outros para vergonha e desprezo eterno" (Dn 12.2). A restrição deve ser observada nas palavras "muitos dos que", e não é claramente *todos* os que dormem no pó da terra. Sem dúvida, aqueles que não ressuscitaram naquela época são os gentios não-regenerados sobre cuja ressurreição há uma revelação específica (Jo 5.28; Ap 20.12). Ainda outra passagem lúcida afirma a universalidade da ressurreição para todos os corpos humanos: "Pois como em Adão todos morrem, do mesmo modo em Cristo todos serão vivificados. Cada um, porém, na sua ordem: Cristo as primícias, depois os que são de Cristo, na sua vinda. Então virá o fim quando ele entregar o reino a Deus o Pai, quando houver destruído todo domínio, e toda autoridade e todo poder. Pois é necessário que ele reine até que haja posto todos os inimigos debaixo de seus pés. Ora, o último inimigo a ser destruído é a morte" (1 Co 15.22-26).

A única exceção mencionada nesse contexto é a daqueles santos que não "dormiram"; todavia, os corpos deles devem ser transformados. Está escrito: "Eis aqui vos digo um mistério: nem todos dormiremos, mas todos seremos transformados, num momento, num abrir e fechar de olhos, ao som da última trombeta; porque a trombeta soará, e os mortos serão ressuscitados incorruptíveis, e nós seremos transformados. Porque é necessário que isto que é corruptível se revista da incorruptibilidade; e isto que é mortal se revestir de imortalidade, então se cumprirá a palavra que está escrita: Tragada foi a morte na vitória" (1 Co 15.51-53). E assim, também, com referência à universalidade, o apóstolo diz: "tendo esperança em Deus, como estes mesmos também esperam, de que há de haver ressurreição tanto dos justos como dos injustos" (At 24.15).

Uma descrição plena do caráter do corpo ressurrecto dos crentes deve ser adquirida por uma integração de todas as revelações que o Novo Testamento proporciona sobre o corpo ressurrecto de Jesus Cristo: "Mas a nossa pátria está nos céus, donde também aguardamos um Salvador, o Senhor Jesus Cristo, que transformará o corpo da nossa humilhação, para ser conforme ao corpo da sua glória, segundo o seu eficaz poder de sujeitar a si todas as coisas"

(Fp 3.20,21). Isto, contudo, pertence somente ao corpo daqueles que, por serem salvos, ressuscitarão na vinda de Cristo (cf. 1 Co 15.23). Com respeito à natureza do corpo ressurrecto dos não-salvos, quando eles "permanecerão" perante o grande trono branco (Ap 20.12), pouca coisa pode ser dita. Não pode haver dúvida a respeito do *fato* da ressurreição deles no tempo e no espaço divinamente designados.

Uma pergunta que sempre atrai o interesse é esta: "Como ressuscitam os mortos? e com que qualidade de corpo vêm?" (1 Co 15.35). Essa pergunta é respondida pelo apóstolo Paulo em 1 Coríntios 15.36-44. O problema de um aparecimento literal ou real do corpo do crente pela ressurreição após a sua decomposição na sepultura, ou após uma destruição imediata dos elementos, é a dificuldade sobre a qual muitas teorias têm sido propostas. A mais determinante é a verdade que em sua ressurreição – que é o padrão da ressurreição do cristão – Cristo não deixou algo do seu corpo material na tumba. Em oposição a esta revelação, está a afirmação do apóstolo de que o corpo da ressurreição será relacionado ao presente corpo como a colheita está relacionada com a semente da qual ela germina – semente essa que deve sempre morrer. Mesmo na existência do presente corpo há dificuldade na identificação de suas partes após determinado período de tempo. O constante fluxo de sua substância é tal que o corpo todo é dissolvido e reconstruído ao menos a cada sete anos.

Portanto, dificilmente será uma questão de identificação de partículas ou da ressurreição de restos mortais, assim como a colheita não é o reaparecimento da matéria real que estava contida na morte da semente. No caso de Cristo, o que restou de um vestígio do seu corpo na tumba teria estabelecido o erro de que Ele não ressuscitou dos mortos. Um mistério muito evidente está envolvido nisto. Não há base alguma para dúvida com respeito à verdade de que a personalidade individual na sua unidade orgânica de espírito, alma e corpo não seja somente redimida com a eternidade em vista, mas que o corpo seja ressuscitado e compartilhe de sua própria redenção específica com a alma e o espírito do homem (Rm 8.19-23), na reunião do corpo com a alma e com o espírito. É o presente corpo que é ressuscitado, mas no sentido de que a sua identidade é totalmente absorvida e depositada dentro do novo corpo. Uma identidade completa é assumida – aquilo que é semeado, ressuscita (cf. 1 Co 15.42-44). A especulação humana é inútil com respeito às partículas específicas que identificam qualquer corpo nesta vida ou na futura.

Por haver declarado o fato de que há variedade na carne das criaturas e afirmado que o corpo da ressurreição está relacionado ao presente corpo como a colheita está relacionada à semente, o apóstolo assevera que o presente corpo é *semeado*. Sobre isto ele escreve: "Assim também é a ressurreição dos mortos. Semeia-se o corpo em corrupção, é ressuscitado em incorrupção. Semeia-se em ignomínia, é ressuscitado em glória. Semeia-se em fraqueza, é ressuscitado em poder. Semeia-se corpo animal, é ressuscitado corpo espiritual. Se há corpo animal, há também corpo espiritual" (1 Co 15.42-44). Aqui há quatro transformações poderosas: de corrupção à incorrupção; de desonra à glória; de fraqueza ao poder; e do natural, ou o que é adaptado à alma, ao espiritual, ou do que é adaptado ao espírito. Aqui está a amostra da amplitude da mudança através da qual o corpo do crente passará após haver experimentado a morte.

Duas palavras vitais são empregadas neste contexto todo e com efeito suavizante – *semear* (v. 42) e *dormir* (v. 51). A primeira é usada no lugar da palavra mais familiar, *sepultar*. No uso de qualquer uma dessas palavras o pensamento de sepultamento está indicado, mas não há esperança de ressurreição implícita na palavra *sepultar* como se sugere na palavra *semear*. Enquanto *dormir* é um termo do Novo Testamento para significar *morte* (Jo 11.11-14; 1 Co 11.30), é esse aspecto peculiar da morte que pertence somente ao cristão, da qual o seu corpo será despertado pela trombeta de Deus na vinda de Cristo (1 Co 15.52; 1 Ts 4.16). O tempo dessa ressurreição é dado somente ao grau em que ela ocorre em conexão com a vinda de Cristo para receber os seus – aqueles que são salvos nesta era. Anteriormente neste capítulo, este evento já foi demonstrado.

A Bíblia afirma: "Pois como em Adão todos morrem, do mesmo modo em Cristo todos serão vivificados. Cada um, porém, na sua ordem: Cristo as primícias, depois os que são de Cristo, na sua vinda" (1 Co 15.22-23). Assim, com o mesmo propósito, está escrito: "Não queremos, porém, irmãos, que sejais ignorantes acerca dos que já dormem, para que não vos entristeçais como os outros que não têm esperança. Porque, se cremos que Jesus morreu e ressurgiu, assim também aos que dormem, Deus, mediante Jesus, os tornará a trazer juntamente com ele. Dizemo-vos, pois, isto pela palavra do Senhor: que nós, os que ficarmos vivos para a vinda do Senhor, de modo algum precederemos os que já dormem. Porque o Senhor mesmo descerá do céu com grande brado, à voz do arcanjo, ao som da trombeta de Deus, e os que morreram em Cristo ressuscitarão primeiro. Depois nós, os que ficarmos vivos, seremos arrebatados juntamente com eles, nas nuvens, ao encontro do Senhor nos ares, e assim estaremos para sempre com o Senhor. Portanto, consolai-vos uns aos outros com estas palavras" (1 Ts 4.13-18; cf. Fp 3.10, 11, 20, 21; Tt 2.11-13).

Uma exceção a este ensino claro sobre a universalidade da ressurreição dos corpos dos cristãos é a afirmação abrupta de que "nem todos dormiremos" (1 Co 15.51), isto é, nem todos os cristãos experimentarão a morte. Por essas palavras impressionantes um propósito de Deus não revelado até agora, aqui é chamado de um *mistério*, e é revelado. Como declarado em outro lugar, alguns estarão vivos e permanecerão até a vinda do Senhor (1 Ts 4.15-17); mas estes não entram no céu no presente corpo de limitação. Para esses, este corpo será mudado "num momento, num abrir e fechar de olhos" (vv. 51, 52). A mudança aqui indicada não é com respeito à residência, embora tal mudança seja determinada (1 Ts 4.17), mas antes a mudança é a de natureza do corpo em si. Foi afirmado que a carne e sangue não podem herdar o reino de Deus "nem a corrupção herdar a incorrupção" (1 Co 15.50). "A trombeta soará, e os mortos serão ressuscitados incorruptíveis, e nós seremos transformados" (v. 52).

Ao incluir a si mesmo como um daqueles que poderia não morrer, o apóstolo esboça um agudo contraste entre aqueles que são ressuscitados incorruptíveis e os que são mudados do estado de vivos para o corpo de glória e sem a morte. "Porque é necessário que isto que é corruptível se revista da incorruptibilidade e que isto que é mortal se revista da imortalidade" (v. 53). Aqueles a quem estas promessas são dirigidas têm, quando salvos, o seu velho homem "despojado" e são "revestidos" do novo homem (Ef 4.22-24; Cl 3.9-10), mas agora é-lhes dito que vão se revestir tanto da *incorrupção* quanto da *imortalidade*; tudo o que implica corrupção e mortalidade será colocado fora. A incorrupção naquele estado do corpo que é obtida através da ressurreição dos mortos e é descrita nos versículos anteriores (vv. 35-50), e é a experiência *habitual* dos crentes; enquanto a imortalidade é aquele estado do corpo que é obtido por uma mudança imediata à parte da morte, e é uma exceção, visto que ela é somente para aqueles que estão vivos e que permanecem até a vinda do Senhor. A conseqüência final é idêntica em qualquer um dos casos, por ser, como será, um corpo igual ao corpo glorioso de Cristo (Fp 3.20, 21).

O uso teológico da palavra *imortalidade* que se refere à existência interminável da alma, deve ser trazida à baila. *Mortalidade* é um termo totalmente físico e o seu oposto, *imortalidade*, também o é. A frase "imortalidade da alma", apenas confunde e não tem o mais leve apoio da Escritura.

Cristo é a única exceção ao universal programa humano em que a incorrupção ou imortalidade é obtida. Embora Ele tenha morrido, não viu corrupção e o seu presente estado não é o de incorrupção, mas é o de imortalidade. O Salmo 16.10 prediz ambos, a morte de Cristo e a verdade de que Ele não veria corrupção. O texto diz: "Pois não deixarás a minha alma no Seol, nem permitirás que o teu Santo veja corrupção". E o apóstolo Pedro levanta a mesma verdade no seu sermão no dia de Pentecostes (cf. At 2.25-31). A referência, Pedro afirma, não pode ser a Davi visto que este já tinha se corrompido pelo pecado. Portanto, é declarado com exatidão a respeito de Cristo em relação ao seu presente estado corporal no céu: "...aquele que possui, ele só, a imortalidade, e habita em luz inacessível; a quem nenhum dos homens tem visto nem pode ver; ao que seja honra e poder sempiterno. Amém" (1 Tm 6.16).

O fato específico de que Cristo somente tem imortalidade será entendido somente à luz da verdade de que todos que "dormem em Cristo" esperam a hora de seu retorno como o tempo designado quando a experiência deles de mudança da corrupção para a incorrupção acontecerá, e o que é mortal, ou aqueles que ainda estão vivos, esperam a mesma hora em que acontecerá a experiência deles de mudar do mortal para o imortal. Cristo é a mostra da história da ressurreição e as "primícias" daqueles que dormem (1 Co 15.20, 23).

A morte é consistentemente apresentada na Bíblia como uma coisa que é anormal, um julgamento sobre o homem por causa do pecado. Com toda fidelidade a advertência foi dada a Adão que, como um resultado de sua desobediência, *morrendo, tu morrerás* (lit. Gn 2.17). Como criatura, Adão era livre da morte. Em face dessa advertência, ele desobedeceu a Deus e a penalidade iminente veio. O amplo tratamento desse evento pertence ao ramo da hamartiologia e será estudado sob essa divisão novamente. É suficiente

Antropologia

apontar aqui que todas as três formas de morte – física, espiritual e a segunda morte – vieram a se tornar a parcela do cabeça da raça por causa de seu pecado. A morte física é universal para todos os da posteridade de Adão e *imediata* com base em que eles, como presentes em Adão, o cabeça federal, participaram na morte imposta pelo pecado.

Eles compartilharam no pecado, por estarem "nos lombos" de seu Pai Adão (cf. Hb 7.9, 10). Nenhuma outra interpretação de Romanos 5.12 explica os versículos que se seguem (13-21). O fato da morte física do homem é explicado na Bíblia apenas com esta base, a saber, todos compartilham do pecado de Adão. No caso de Adão a experiência da morte física foi protelada por muitos anos, embora, como a morte operou em todos os homens, Adão começou a morrer fisicamente no mesmo dia em que pecou. Na esfera da morte espiritual, Adão morreu no momento em que transgrediu e, por uma mudança, tornou-se uma espécie diferente do ser que Deus criara. Ele passou a possuir uma natureza caída que em si mesma é a morte espiritual, e isto foi transmitido *mediatamente* à sua posteridade pelas leis da geração natural. Visto que Adão, por estar caído, poderia propagar somente conforme a sua espécie, a raça é tão caída como o seu cabeça federal. A segunda morte, por ser o caráter inevitável e eterno da morte espiritual, é experimentada por todos aqueles que não vêm à fé em Cristo, sob o poder regenerador de Deus (Ap 20.12-15).

A promessa com referência à morte física é afirmada duas vezes, com certeza de que ela será destruída e não mais existirá. Ao enumerar as poderosas coisas que Cristo fará durante o seu reinado, o apóstolo declara: "Então virá o fim, quando ele entregará o reino a Deus o Pai; quando houver destruído todo domínio, e toda autoridade e todo poder. Pois é necessário que ele reine até que haja posto todos os inimigos debaixo de seus pés. Ora, o último inimigo a ser destruído é a morte" (1 Co 15.24-26). Assim, também, em Apocalipse 21.4, onde o estado futuro dos redimidos sobre a terra é revelado, está escrito: "e não haverá mais morte". A anulação da morte não é algo menos que a revogação da sentença que foi dada no Éden, exceto para os aspectos espirituais duradouros da morte; e é trazida não somente por um decreto divino que determina o seu fim, mas por uma ressurreição universal ou reversão de tudo o que a morte física havia trazido.

Esta referência à cessação do reinado da morte, como apresentada em 1 Coríntios 15.26, está em conexão com o *fim* do evento da ressurreição que fecha todo o programa da ressurreição que começou com o ressurgimento de Cristo e inclui a ressurreição daqueles que são de Jesus na sua vinda e inclui, também, isto, a ressurreição final, quando os mortos remanescentes estarão perante o grande trono branco (Ap 20.12). Nenhuma disposição de morte física poderia ser mais completa e eficaz do que todos que tenham vivido sobre a terra serão ressuscitados da morte para a vida, em existência consciente eternamente. Daquele tempo em diante ninguém mais poderá morrer, pois a morte já não mais existirá. Está claramente predito que muitos, que não têm relações corretas com Deus, devem permanecer separados dEle e de suas bênçãos, que são a

O Futuro do Corpo Humano

parte dos redimidos. "Disse-me ainda: Não seles as palavras da profecia deste livro; porque próximo está o tempo. Quem é injusto, faça injustiça ainda; e quem está sujo, suje-se ainda; e quem é justo, faça justiça ainda; e quem é santo, santifique-se ainda" (Ap 22.10, 11).

A Palavra de Deus não é complicada em seu testemunho da verdade de que o corpo dos crentes é tão eterno no seu caráter como a alma e o espírito. Como já foi observado, o termo *imortalidade* refere-se somente ao futuro dos corpos redimidos e não à alma, e qualquer que seja a realidade que essa grande palavra afirme, ela se aplica somente ao corpo. Embora as mudanças estruturais estejam reservadas, visto que carne e sangue não podem entrar no reino de Deus (1 Co 15.50), o corpo que agora existe será ressuscitado do estado de morte, e nada deixará para trás, e experimentará essas mudanças que estão determinadas por Deus. A última das quatro transformações descritas em 1 Coríntios 15.42-44 é especialmente de longo alcance e iluminadora. A verdade declarada é que o presente corpo é adaptado à alma, por ser σῶμα ψυχικόν, enquanto que o corpo que ainda será adaptado ao espírito, será σῶμα πνευματικόν.

A medida desta distinção corresponde à diferença que se obtém entre a alma humana e o espírito – na verdade, um difícil problema de metafísica! A sugestão de que uma diferença tão extensa existe entre a alma do cristão e o espírito, como representados através destes dois corpos, servem muito bem para corrigir as teorias que afirmam que a alma e o espírito são idênticos. Visto que o corpo da ressurreição ou o corpo mudado deve ser igual ao corpo glorificado de Cristo, e visto que o corpo é adaptado ao espírito, segue-se que o espírito do homem almeja aqueles requintes indescritíveis que caracterizam o corpo glorificado de Cristo. Do presente corpo é dito ser de humilhação ou de limitação (1 Co 15.43; Fp 3.20, 21), mas o corpo que existirá haverá de satisfazer todo desejo do espírito. Sobre este tema interessante, Laidlaw escreveu o seguinte:

Não é sábio para nós tentar dizer muita coisa com respeito ao quando ou ao como o corpo espiritual vem. Sabemos que ele terá roupas que se adaptam a um espírito resgatado e glorificado. Sabemos que ele próprio será um penhor e um troféu que de todos aquele que Cristo obteve do Pai, Ele não perdeu nenhum. Ele representará o pó redimido, o corpo resgatado da sepultura. Como ele será tecido no oculto da vida após a morte, não podemos nos aventurar a fazer conjecturas. Se já temos observado como o corpo, mesmo aqui, adquire uma semelhança e uma correspondência ao homem real, à vida interior, não será difícil pensar que para o cristão amadurecido o seu corpo futuro está sendo preparado pelo Espírito de Cristo que já habita nessa estrutura mortal, e despertando dentro dele aquilo que vai viver para sempre. Cremos que o processo está sendo aperfeiçoado para os espíritos dos justos num mundo invisível, e que todas essas coisas serão tornadas claras quando aparecerem com Cristo em sua vinda, quando os filhos de Deus resplandecerão num grandioso exército, no dia da adoção, a saber, a redenção do corpo deles. "Porque agora vemos como um espelho, obscuramente, então veremos face a face; agora conheço em parte; então, conhecerei como também sou conhecido".[275]

Muitos têm interpretado 2 Coríntios 5.1-8 como uma revelação de que há um corpo intermediário a ser ocupado no período entre a morte do crente e a vinda de Cristo. O texto afirma: "Porque sabemos que, se a nossa casa terrestre deste tabernáculo se desfizer, temos de Deus um edifício, uma casa não feita por mãos, eterna, nos céus. Pois neste tabernáculo nós gememos, desejando muito ser revestidos da nossa habitação que é do céu, se é que, estando vestidos, não formos achados nus. Porque, na verdade, nós, os que estamos neste tabernáculo, gememos oprimidos, porque não queremos ser despidos, mas, sim, revestidos, para que o mortal seja absorvido pela vida. Ora, quem para isto mesmo nos preparou foi Deus, o qual nos deu como penhor o Espírito. Temos, portanto, sempre bom ânimo, sabendo que, enquanto estamos presentes no corpo, estamos ausentes do Senhor (porque andamos por fé, e não por vista); temos bom ânimo, mas desejamos antes estar ausentes deste corpo, para estarmos presentes com o Senhor".

O pensamento aqui expresso é de que o redimido não deseja um estado desincorporado, estado esse que é inevitável se não há um corpo intermediário. O corpo descrito nessa passagem é dito ser "do céu", antes do que da sepultura. Por ser de origem celestial, ele pertence àquelas realidades que são eternas. Que ele pertence às coisas eternas não se requer que seja usado para sempre. Certamente, o corpo final de glória é assegurado somente na vinda de Cristo. E certamente o corpo de 2 Coríntios 5.1-8 é proporcionado para que não possa haver um momento de desincorporação. Estes dois fatos parecem levar à conclusão de que há um corpo intermediário.

Nas notas de sua *Reference Bible*, o Dr. C. I. Scofield apresentou um sumário exaustivo da doutrina total da ressurreição. Ali está escrito:

(1) A ressurreição dos mortos foi crida pelos patriarcas (cf. Gn 22.5 com Hb 11.19; Jó 19.25-27), e revelada através dos profetas (Is 26.19; Dn 12.2,13; Os 13.14), e os milagres dos mortos restaurados à vida estão registrados no Antigo Testamento (2 Rs 4.32-35; 13.21); (2) Jesus Cristo restaurou a vida aos mortos (Mt 9.25; Lc 7.12-15; Jo 11.43, 44), e predisse a sua própria ressurreição (Jo 10.18; Lc 24.1-8); (3) A ressurreição dos mortos segue-se à ressurreição de Cristo (Mt 27.52, 53); e os apóstolos ressuscitarão (At 9.36-41; 20.9, 10); (4) As duas ressurreições ainda são futuras, que incluem "todos os que estão nos túmulos" (Jo 5.28). Estas são distintas, por ser uma "para a vida" (1 Co 15.22, 23; 1 Ts 4.14-17; Ap 20.4), e a outra "para o juízo" (Jo 5.28,29; Ap 20.11-13). Elas são separadas por um período de mil anos (Ap 20.5). A "primeira ressurreição", que é "para a vida", ocorrerá na segunda vinda de Cristo (1 Co 15.23), quando os santos do Antigo e do Novo Testamentos, e os que forem transformados no dia do Arrebatamento da Igreja, se encontrarão no ar (1 Ts 4.16,17); enquanto isso os mártires da Grande Tribulação, que também têm parte na primeira ressurreição (Ap 20.4), ressuscitarão

no final da Grande Tribulação; (5) O corpo mortal estará relacionado ao corpo da ressurreição como o grão semeado está relacionado à colheita (1 Co 15.37,38); o corpo será incorruptível, glorioso, poderoso e espiritual (1 Co 15.42-44, 49); (6) Os corpos dos crentes vivos, ao mesmo tempo, serão mudados instantaneamente (1 Co 15.50-53; Fp 3.20,21). Essa "transformação" dos vivos, e a ressurreição dos mortos em Cristo são chamadas de "redenção do corpo" (Rm 8.23; Ef 1.13-14); (7) Após os mil anos a "ressurreição para o juízo" (João 5.29) ocorre. A ressurreição física dos ímpios não é descrita. Eles serão julgados de acordo com as suas obras, e lançados no lago de fogo (Ap 20.7-15).[276]

III. Vários Usos da Palavra Corpo

Devemos considerar aqui os vários usos da palavra *corpo* nas formas em que o Novo Testamento a emprega.

Corpo do pecado (Rm 6.6). Esta frase, encontrada em Romanos 6.6, não fornece garantia alguma para a filosofia antiga que ensina que o corpo é a sede do mal e deve, portanto, ser enfraquecido e desprezado. Tal idéia contradiz todo o testemunho bíblico a respeito do corpo humano. O pecado não começou com o corpo, mas é antes uma rebelião da vontade contra Deus, e continua a ser sempre a mesma coisa. O corpo do cristão carrega as marcas inconfundíveis de honra e de dignidade. O corpo é para o Senhor e o Senhor é para o corpo (1 Co 6.13); ele é o templo do Espírito Santo (1 Co 6.15,19); os seus membros devem ser devidamente submissos a Deus como instrumentos de justiça (Rm 6.13); e ele deve ser apresentado a Deus num sacrifício vivo (Rm 12.1). Se o corpo é a sede do pecado, ele deveria antes ser abandonado, ao invés de redimido; mas é dito que o Espírito "vivifica" esses corpos mortais. No meio de um sofrimento anormal uma pessoa pode dar boas-vindas à libertação desse corpo, mas a atitude normal é nutri-lo e cuidar dele (Ef 5.29). Mais conclusivo ainda é o fato de que Cristo possuía um corpo humano normal; todavia, sem pecado. Nunca foi sugerido que o seu corpo fosse a fonte de qualquer tentação. Surge aqui uma distinção entre o corpo, $\sigma\tilde{\omega}\mu\alpha$, e a carne, $\sigma\acute{\alpha}\rho\xi$, que nós consideraremos no tempo próprio.

A frase, *o corpo do pecado*, é usada em Romanos 6.6 para descrever o "velho homem", ou a natureza do pecado. Como o corpo humano expressa a vida do homem, assim o poder do pecado para se expressar pode ser anulado pelo poder maior do Espírito. *O corpo do pecado* não é, portanto, outro além do poder do pecado se expressar.

O Corpo Desta Morte (Rm 7.24). Novamente a natureza do pecado está em vista, ou o que está na carne, $\sigma\acute{\alpha}\rho\xi$, que está oposto a Deus. A luta de Paulo, como é testemunhado por este contexto (Rm 7.15-25), está entre o eu salvo – hipoteticamente considerado – e a sua carne – eticamente considerada. Ele clama por libertação daquilo que ele compara a um corpo mortal sempre presente. O mesmo apóstolo escreveu de si mesmo que esmurrava o seu corpo, para que pudesse trazê-lo à sujeição (1 Co 9.27), mas o corpo físico era somente um meio de atingir a letargia de sua alma.

O Corpo da Nossa Humilhação (Fp 3.21). Algumas versões americanas não traduzem bem este texto. Na verdade, a versão que usamos é a melhor, pois todos os exegetas usam a expressão "o corpo da nossa humilhação", um corpo que não tem a glória que ainda deverá ter.

IV. O Corpo de Cristo

A frase *o corpo de Cristo* tem um significado duplo. Pode se referir ao seu próprio corpo humano, ou ao corpo místico composto daqueles que são salvos, sobre quem Cristo é o Cabeça.

Em razão do fato que como antítipo de todos os sacrifícios do Antigo Testamento e que como Cordeiro de Deus, cujo sangue teve de ser derramado como o fundamento da redenção, Ele se tornou o Filho de Deus quando entrou no mundo para falar uma palavra de gratidão ao seu Pai, da seguinte forma: "Um corpo me preparaste" (Hb 10.5). Embora o seu ser fosse um corpo humano real sem qualquer dano trazido pela queda, ele se tornou um corpo de valor inestimável, por ser o corpo do Filho de Deus. É aquele corpo que, como nenhum outro, foi revestido de imortalidade e tornou-se o corpo de glória insuperável. A sua distinção presente e singular não poderia ser avaliada por ninguém neste mundo.

Com relação ao corpo místico, que é a Igreja, nenhuma figura que apresente o relacionamento que há entre Cristo e a Igreja foi tão freqüentemente empregada como o da cabeça e do corpo com os seus muitos membros. Dois pensamentos estão subjacentes nessa figura, a saber, o da manifestação e o do serviço. Como a vida interior é manifesta através do corpo, assim o Corpo de Cristo serve para manifestar Cristo a este mundo, e é o meio de mostrar Sua atividade através do Espírito.

Conclusão

Com referência ao corpo humano, pode ser concluído que ele é por criação um produto do pó da terra; ele é sustentado pelos elementos que são derivados do pó; e ele retorna ao pó. Ele está condenado à morte por causa da queda. Ele está sujeito à ressurreição ou transformação, e é tão eterno como a alma e o espírito do homem.

CAPÍTULO XIV

A Parte Imaterial do Homem na Criação

I. A Origem da Parte Imaterial do Primeiro Homem

APÓS TER FEITO ALGUMA CONSIDERAÇÃO sobre a doutrina da parte material do homem e reconhecido que a revelação mais importante a respeito do homem está declarada nas palavras que afirmam que o homem foi feito à imagem e semelhança de Deus, e que essa semelhança é retratada no imaterial e não na parte material do homem, vamos agora investigar a verdade que Deus revelou a respeito da parte imaterial do homem. Sobre o seu lado material, foi dito que o homem é uma criação direta e imediata de Deus e que foi feito de uma matéria já existente. Está escrito: "E formou o Senhor Deus o homem do pó da terra" (Gn 2.7); mas da parte imaterial do homem não é dito que foi divinamente criada ou feita de qualquer material já existente, mas que o homem tornou-se alma vivente como resultado do sopro divino naquele vaso de barro. "E soprou-lhe nas narinas o fôlego da vida; e o homem tornou-se alma vivente" (Gn 2.7); "E disse Deus: Façamos o homem à nossa imagem, conforme a nossa semelhança; domine ele sobre os peixes do mar, sobre as aves do céu, sobre os animais domésticos, e sobre toda a terra, e sobre todo réptil que se arrasta sobre a terra. Criou, pois, Deus o homem à sua imagem; à imagem de Deus o criou; homem e mulher os criou" (Gn 1.26,27).

Estas afirmações introduzem fatos e forças totalmente além do alcance do entendimento humano. Está claro, contudo, que a parte imaterial do homem se origina não como uma criação, mas uma transmissão. Algum elemento da criação pode ter estado presente e ativo, mas fica evidente que a "alma vivente" em que o homem se tornou pelo sopro divino é mais uma idéia de algo incriado do que criado. Ela é uma comunicação do Eterno. Os anjos são seres criados (Cl 1.16), e, visto que eles são imateriais, segue-se que os seres deles, em todos os seus aspectos, são uma criação distinta totalmente à parte de matéria preexistente. Nenhum registro nos é dado de que eles foram constituídos pelo sopro divino. O homem parece ser exaltado a um lugar de dignidade e honra insuperáveis. Por ser por designação divina colocado para ser o senhor de uma pequena parte do universo em que haveria de viver e ser o meio de instrução para os seres angelicais, é razoável que o homem deva ser altamente enobrecido. Em qualquer outra esfera que os anjos possam se distinguir, é essencial que entre as criaturas da terra haja uma que, por ser racional, possa estar preeminentemente acima de tudo o que é deste mundo.

Na verdade, as implicações são imensuráveis no fato de um sopro divino trazer proeminência, permanência e grandeza aos seres assim produzidos. A alma humana e o espírito são assim originados por *Elohim* e, como já foi assinalado, o título *Elohim* sugere que todas as três pessoas da divindade compartilharam – e cada uma suficiente em si mesma – a fim de assegurar a feitura dessa obra-prima dos poderes criadores de *Elohim*.

II. A Imagem de Deus

Por ser assim observado a origem incomparável da parte imaterial do primeiro homem, é agora pertinente avaliar o que está declarado quando as Escrituras afirmam que o homem foi feito à *imagem* e à *semelhança* de Deus. Estas palavras não são somente representação exata dos fatos, mas elas transmitem tudo o que uma linguagem pode comunicar a respeito daquilo que é supremo no alcance do entendimento humano. Nenhuma criação ou produção divina poderia ser realizada num plano superior do que aquilo que foi feito à *imagem* e *semelhança* de Deus. Estas duas palavras reaparecem em textos subseqüentes da Escritura e confirmam a verdade de que a Bíblia toda está em harmonia com a narrativa da criação encontrada em Gênesis. Muita coisa tem sido escrita com o alvo de demonstrar alguma diferença vital entre o significado dessas duas palavras.

Tais esforços falharam em estabelecer quaisquer distinções claras, embora elas possam existir. Não é prática comum dos escritores bíblicos multiplicar palavras onde não existe alguma distinção. Então, de que consiste esta *imagem* e *semelhança*? Pouco espaço é necessário a esta altura para refutar qualquer noção indevida. Uma delas é o esforço que alguns têm feito para conectar a imagem e semelhança a Eclesiastes 7.29, onde é dito que "Deus fez o homem reto", e disto é argumentado que a postura reta (ou ereta) do corpo humano reflete a postura de Deus e que *imagem* e *semelhança* referem-se a essa postura. Mas Deus, por ser incorpóreo, não é perpendicular nem horizontal em sua postura. Com a mesma ineficiência, outros reivindicam que a idéia de imagem e semelhança é exaurida no fato de que o homem, igual a Deus, tem uma esfera de domínio.

A isto pode ser respondido que o homem existe antes que o domínio fosse colocado por Deus nele, e que o homem tem autoridade por causa da verdade de que ele é feito à imagem e semelhança de Deus. A autoridade não é a causa da imagem ou semelhança, mas a imagem e semelhança são a base para essa autoridade. É provável que seja igualmente inútil tentar restringir a idéia de imagem e semelhança a qualquer outro aspecto em Deus. O apóstolo Paulo declarou na mais ampla das concepções: "Sendo nós, pois, geração de Deus" (At 17.29), concepção essa que dificilmente consistiria em apenas um laço de similaridade. Que a semelhança vai além das coisas materiais e das coisas específicas e que envolve realidades em Deus que o homem não pode compreender é bem afirmado por John Howe, quando diz que "devemos entender que a nossa semelhança a ele, como geração dele que somos, repousa em alguma coisa mais elevada, mais nobre e mais excelente da qual não pode haver figura alguma, como: quem pode dizer como dar a figura ou imagem de um pensamento, ou da mente ou do poder do pensamento?"[277]

De sua criação Deus disse que era muito *boa*. O propósito de Deus não somente foi cumprido completamente, mas foi uma satisfação suprema para Ele. Onde as questões morais estavam envolvidas – como no caso do homem – não poderia haver uma exceção. A santidade perfeita não encontrou falha alguma com aquilo que havia sido feito. Isto pode não sugerir uma justiça dominante da parte do primeiro homem, mas significa uma inocência verdadeira e suficiente com relação ao mal. Duas passagens do Novo Testamento servem para destacar três aspectos que pertencem àqueles que se "revestiram" de Cristo, aspectos esses que foram perdidos na queda. Eles são certamente ganhos de volta sob a graça salvadora. Está escrito: "...e a vos revestir do novo homem, que segundo Deus foi criado em verdadeira justiça e santidade" (Ef 4.24); "...e vos vestistes do novo, que se renova para o pleno conhecimento, segundo a imagem daquele que o criou" (Cl 3.10).

A regeneração da nova criação, com tudo o que a acompanha, assegura *retidão*, *verdadeira santidade* e *conhecimento*. Enquanto essas passagens asseveram diretamente somente aquilo que é operado na salvação, a linguagem com justeza sugere que o homem foi originalmente constituído à imagem de Deus. Nada mais além disto deve ser tirado desses textos notáveis. Aquilo que é o melhor na criatura não é evidentemente mais do que uma miniatura daquilo que o Criador é num grau infinito. As duas idéias – aquilo que é verdadeiro de Deus e aquilo que é verdadeiro dos redimidos – podem ser o mesmo em natureza embora nunca serão a mesma coisa em grau. De qualquer forma aquilo que não é semelhante a Deus nunca poderia ter sido uma parte de um ser que é feita à semelhança de Deus.

Com referência ao *conhecimento* original que Adão possuía, Richard Watson escreve:

O "conhecimento" no qual o apóstolo Paulo, na passagem citada acima de Colossenses 3.10, coloca a "imagem de Deus" com a qual o homem foi criado, não implica meramente na faculdade do entendimento, que é uma parte da imagem natural de Deus; mas aquela que poderia ser perdida, porque é esta na qual o homem é *renovado*. Portanto, deve ser entendido a respeito da faculdade do conhecimento no exercício correto de seu poder original; e da aceitação voluntária, e retenção firme, e a aprovação sincera da verdade religiosa, na qual o conhecimento, quando se fala na moralidade, é sempre entendido nas Escrituras. Podemos não estar dispostos a permitir, com alguns, que ele tenha entendido a profunda filosofia da natureza, e que pudesse compreender e explicar os mistérios sublimes da religião. A circunstância dos nomes dados por

Adão aos animais certamente não é prova suficiente de ter alcançado uma familiaridade filosófica com as qualidades deles e os seus hábitos peculiares, embora possamos permitir os nomes serem ainda retidos no hebraico, e serem tão expressivos das peculiaridades deles como alguns expositores têm afirmado. Parece que não houve tempo suficiente disponibilizado a Adão para o estudo das propriedades dos animais, pois esse evento aconteceu antes da formação de Eva; e com relação à noção dele ter adquirido conhecimento por intuição, isto é contraditado pelo fato *revelado*, de que os próprios anjos adquirem o seu conhecimento por observação e estudo, embora, sem dúvida, com maior rapidez e certeza do que nós. A totalidade da transação foi sobrenatural; as bestas foram "trazidas" a Adão, e é provável que ele tenha dado o nome a elas sob um impulso divino. Tem sido suposto que ele tenha sido o inventor da língua, mas a história mostra que ele nunca existiu sem a linguagem. Desde o princípio ele foi capaz de conversar com Deus; e, portanto, podemos inferir que a linguagem foi nele uma capacitação sobrenatural e miraculosa. Que o seu entendimento foi, com relação à sua capacidade, profundo, grande, muito além da capacidade de qualquer um de sua posteridade, deve se seguir da perfeição na qual ele foi criado, e as suas aquisições de conhecimento, portanto, seriam rápidas e mais fáceis. Portanto, foi na moral e na verdade religiosa, por ser a primeira preocupação para ele, que devemos supor que a excelência de seu conhecimento consistia. "Sua razão seria clara, seu julgamento incorrupto, e sua consciência reta e sensível" (Watts). O melhor conhecimento foi, nele, o primeiro a ser colocado, e todas as demais coisas foram subservientes a ele, de acordo com sua relação a elas. O apóstolo acrescenta ao conhecimento "justiça e verdadeira santidade", termos que expressam não meramente liberdade do pecado, mas virtudes positivas e ativas.[278]

A respeito das qualidades morais de Adão, o Dr. Isaac Watts afirmou:

Uma criatura racional feita dessa forma, deve não somente ser inocente e livre, mas deve ser criada santa. Sua vontade deve ter uma inclinação interior para a virtude: ele deve ter uma inclinação para agradar ao Deus que o criou; um amor supremo pelo Criador, um zelo para servi-lo, tendo um temor sensível de ofendê-lo. Pois o novo homem criado amava a Deus supremamente ou não. Se não amasse ele não seria inocente, visto que a lei da natureza requer um amor supremo por Deus. Se ele amasse, permaneceria pronto para todo ato de obediência: e esta é *a verdadeira santidade do coração*. Na verdade, sem isso, como poderia um Deus de santidade amar a obra de suas próprias mãos? Deve haver também nessa criatura uma sujeição regular dos poderes inferiores para com os superiores, e o apetite e a paixão devem estar sujeitos à razão. A mente deve ter um poder de governar as faculdades inferiores, para que ele não ofenda as leis de sua criação. Ele deve também ter o seu coração incrustado de amor às criaturas, especialmente aquelas de sua própria espécie, se ele for colocado entre elas: e com um princípio de honestidade e verdade em tratar com elas. E se muitas dessas criaturas fossem feitas de uma vez, não haveria orgulho, malícia ou inveja, nem falsidade, nem disputas ou contenções entre elas, mas tudo seria harmonia e amor.[279]

Aqui os socinianos e os sucessores deles impuseram a opinião de que a santidade pode existir somente como um resultado da concorrência e cooperação do indivíduo. Em outras palavras, é alegado que a santidade é um produto da vivência, da experiência de vida; mas isto confunde duas coisas diferentes, a saber, o *hábito* da santidade e o *princípio* dela. O hábito da santidade não será formado até que haja aquele princípio interior que possa exercitar-se para aquele fim. Jonathan Edwards escreveu em sua obra sobre o pecado original:

Eu creio que é uma contradição da natureza das coisas a forma como elas são julgadas pelo senso comum da raça. É agradável para o senso dos homens, em todas as nações e épocas, não somente que o fruto ou o efeito de uma boa coisa seja virtuosa, mas que a boa escolha em si mesma seja agradável, de onde aquele efeito procede, como tal; sim, também a comida, a disposição, o humor ou a afeição antecedente da mente, dos quais procede toda *boa* escolha que é virtuosa. Esta é a noção geral – não que aqueles princípios derivam a sua bondade das ações, mas – que as ações derivam a sua bondade dos princípios de onde eles procedem; de modo que o ato de escolher o que é bom, não é mais virtuoso do que aquilo que procede de um bom princípio ou de uma disposição virtuosa da mente. Supõe-se que uma disposição virtuosa da mente possa vir antes de um ato virtuoso de escolha; e que, portanto, não é necessário que haja primeiro o pensamento, a reflexão e a escolha antes que possa haver qualquer disposição virtuosa. Se a escolha vem primeiro, antes da existência de uma boa disposição do coração, qual é o caráter dessa escolha? De acordo com as nossas noções naturais, não pode haver virtude alguma numa escolha que não proceda de um princípio virtuoso, mas do mero auto-amor, ambição ou de alguns apetites animais; portanto, uma disposição virtuosa da mente pode existir antes de um ato bom de escolha, como uma árvore pode existir antes do fruto, e a fonte existir antes da corrente que procede dela.[280]

Um entendimento claro relativo ao estado primitivo do homem, gerado pela observação e meditação, é manifesto na seguinte citação de Richard Watson:

A *causa última* da criação do homem foi a exibição da glória de Deus, e principalmente a exibição de suas perfeições morais. Entre estas, a benevolência brilhou com lustro eminente. A criação das criaturas racionais e santas foi o único meio, como nos parece, de realizar aquele desígnio muito paternal e benevolente, para comunicar aos outros seres uma porção da bem-aventurança divina. A alegria de Deus é o resultado de sua perfeição moral, e ela é completa e perfeita. Ela é também específica; é a felicidade do conhecimento, da retidão consciente, da suficiência e da independência. Das duas primeiras, as criaturas foram capazes; mas somente as criaturas racionais. Conquanto formada, a matéria é inconsciente, e é, e deve permanecer assim para sempre, incapaz de alegria. Conquanto disposta e adornada, ela foi feita para outros, e não com referência a si mesma. Se for curiosamente operada, ela é para o assombro de outros; se ela tem utilidade, é para a conveniência de outros; se ela tem beleza, é para os olhos de outros; se ela tem harmonia, é para os ouvidos de outros. As criaturas irracionais animadas podem derivar vantagem da mera matéria; mas não parece que elas estejam conscientes disso. Elas desfrutam dos sentidos, mas não têm poderes de reflexão, comparação e discernimento. Elas vêem, mas sem admiração, e elas não combinam as suas relações. Assim acontece com a consciência do conhecimento, e com o sentir dos prazeres do conhecimento; o mesmo acontece com a comunicação de conhecimento a outros; assim acontece no lançamento de base do futuro e do aumento do conhecimento, como descobrir as causas finais e eficientes das coisas; e assim acontece no desfrutar dos prazeres da descoberta e da certeza da imaginação e do discernimento – isto tudo é peculiar aos seres racionais. Acima de tudo, para conhecer o grande Criador e Senhor de tudo; para ver as distinções entre o certo e o errado, do bem e do mal em sua lei; para ter, portanto, a consciência da integridade e das paixões ordenadas e perfeitamente equilibradas; para sentir a felicidade da benevolência universal e ilimitada; para ser consciente do valor do próprio Deus; para ter confiança perfeita em seu cuidado e bênção constante; para adorá-lo; para ser grato; para exercer esperança sem limites sobre o futuro e a aquisição das bênçãos incessantes; todas essas fontes de felicidade foram acrescidas aos prazeres do intelecto e da imaginação na criação dos seres racionais. Em qualquer que seja a parte do universo eles foram criados e colocados, e temos razão suficiente para crer que essa foi a condição primeva de tudo; e sabemos com certeza pela própria revelação de Deus, que essa foi a condição do homem. Em sua criação e em sua condição primeva, "a bondade e o amor de Deus" apareceram eminentemente. Ele foi criado um espírito racional e imortal, sem limites para o constante aumento de seus poderes; pois, de toda a evidência que a nossa própria consciência, mesmo em nosso estado de caídos, nos proporciona, parece possível à alma humana abordar eternamente o infinito na força e na obtenção intelectual dela. Ele foi criado santo e feliz; ele foi admitido nas relações com Deus. Ele não foi deixado só, mas teve o prazer da sociedade. Ele foi colocado num mundo de grandeza, de harmonia, beleza e utilidade; recebeu por teto outros mundos distantes para exibir aos seus sentidos uma manifestação da extensão do espaço e da vastidão do universo variado; e para convocar tanto a sua razão, quanto a sua fantasia e a sua devoção nos exercícios mais vigorosos e salutares delas. Ele foi colocado num paraíso, onde, provavelmente, tudo o que era sublime e terno no cenário de toda a terra foi exibido como *padrão*; e tudo que poderia deleitar os sentidos inocentes e despertar as perguntas curiosas da mente, foi apresentado diante dele. Ele tinha trabalho para entreter a sua atenção, sem que isso o cansasse; e tinha tempo para os seus propósitos mais elevados de conhecer a Deus, sua vontade e suas obras. Tudo era uma manifestação do amor universal, do qual ele era o principal objeto visível; e a felicidade e glória de sua condição devem, pela obediência dele e deles em sucessão, passar à sua posteridade para sempre. Assim era o nosso mundo, e seus habitantes racionais, o primeiro casal; e assim a criação manifestou não somente o poder e a sabedoria, mas também a benevolência da divindade. Ele os fez iguais a si, e Ele os fez capazes de uma alegria igual à sua própria.[281]

É possível, como muitos afirmam, que o termo semelhança, como usado em Gênesis 1.26 (cf. 5.1), se refira àquilo que no homem original, ante da queda, foi perdido pela Queda, aquilo que continha as vastas potencialidades para o homem original, e que é mais do que realizado através da redenção. A suposição de que o Adão santo era a obra suprema e o propósito de Deus e que a redenção seja a tentativa de salvamento, que está em operação, de alguma coisa de um plano inferior que está destroçado, é algo que está muito longe da verdade. Em seu livro *Christian Doctrine of Sin*, Müller afirma: "Não pode ser provado que a nova criação em Cristo não seja nada mais do que a restauração do estado onde Adão primeiro estava ao ser criado. Na verdade, há um relacionamento entre os dois; a imagem divina operada pela redenção de Cristo é a única verdadeira realização da imagem com a qual o homem foi primeiramente criado. O homem recebeu originalmente uma delas, a fim de que pudesse obter a outra, se não diretamente, por continuar fiel em obediência e comunhão com Deus; todavia, indiretamente, após sua queda por meio da redenção.

Mas fica evidente que, com relação à verdadeira natureza desse relacionamento, as duas não são idênticas".[282] A presente salvação não está no estado do Adão não-caído, mas é antes uma conformidade com o Último Adão glorificado. Para este fim está escrito: "Porque aos que dantes conheceu, também os predestinou para serem conformes à imagem de seu Filho, a fim de que ele seja o primogênito entre muitos irmãos" (Rm 8.29); "que transformará o corpo da nossa humilhação, para ser conforme ao corpo da sua glória, segundo o seu eficaz poder de até sujeitar a si todas as coisas" (Fp 3.21); "Amados, agora somos filhos de Deus, e ainda não é manifesto o que havemos de ser. Mas sabemos que, quando ele se manifestar, seremos semelhantes a ele; porque assim como é, o veremos" (1 Jo 3.2).

Se esta contemplação da semelhança original do homem a Deus for de acordo com tudo o que é verdade ou não, as Escrituras declaram com grande ênfase que pelo pecado o homem "está destituído da glória de Deus" (Rm 3.23), que os não-regenerados estão agora "mortos em delitos e pecados" (Ef 2.1), "debaixo do pecado" (Rm 3.9), "sem esperança e sem Deus no mundo" (Ef 2.12), e vivendo "no maligno" (1 Jo 5.19). Seja o que for que tenha sido preservado do estado original do homem sob essas condições, isto deve ser cuidadosamente identificado. Para esse fim deve ser dada uma atenção mais específica ao que está indicado pela palavra *imagem*.

Seja qual for a força da palavra *semelhança* – fale ela dos aspectos no homem original que foram perdidos ou prejudicados na queda, ou seja somente uma ênfase por repetição, ou seja ainda, como G. F. Oehler afirma, o padrão original ou que sempre foi reproduzido no homem – a palavra *imagem* é aquele termo que a Escritura emprega livremente. Em Gênesis 1.26, 27 ambas as palavras, *imagem* e *semelhança*, aparecem, mas a palavra imagem ocorre três vezes enquanto que o termo semelhança ocorre apenas uma vez. O último reaparece em Gênesis 5.1-3, com a palavra imagem, e com grande força de significado. Esta passagem declara: "Este é o livro das gerações de Adão. No dia em que Deus criou o homem, à semelhança de Deus o fez. Homem e mulher os criou; e os abençoou, e os chamou pelo nome de homem, no dia em que foram criados. Adão viveu centro e trinta anos, e gerou um filho à sua semelhança, conforme a sua imagem, e pôs-lhe o nome de Sete".

Novamente aqui deve ser observado que não há esforço evidente feito para atribuir significados específicos e variados a esses termos tão importantes. A passagem serve para estabelecer uma verdade vital, a saber, que Adão, criado à imagem de Deus, gera Sete à sua própria imagem. O que aconteceu da linhagem de Caim a Bíblia não revela plenamente. Ela não é traçada na história sagrada subseqüente. Três passagens do Novo Testamento servem para registrar o que pode ser conhecido sobre Caim fora da narração histórica dada em Gênesis – Hebreus 11.4; Judas 11; 1 João 3.12 (cf. Lc 3.38). Esta importante passagem (Gn 5.1-3) deve ser reconhecida principalmente pela verdade asseverada por ela, que é a da *imagem* de Deus; seja o que for que possa ser verdadeiro sobre o termo *semelhança*, tudo isso é transmitido pela geração ordinária e descreve aquilo que é verdadeiro de toda a família humana.

Uma consideração devida será dada posteriormente com respeito ao estrago que a queda impôs; mas o fato permanece, como em toda parte a Palavra de Deus testemunhou, que o não-regenerado, o homem caído, porta a imagem de seu Criador. O valor dessa revelação dificilmente poderia ser superestimado. Não há uma sugestão de que o homem não seja caído ou que ele não esteja perdido à parte da redenção. Antes, essa redenção é proporcionada por causa daquilo que o homem é. A verdade de que o homem porta a imagem de Deus realça a realidade tanto do seu estado de perdido quanto de sua condenação final, se não for salvo. O registro sublime e majestoso é o de que Deus criou o homem, não uma mera ordem não-identificada de seres. Sua individualidade é suprema e ele é supremo entre todas as criaturas da terra. Ele é criado em semelhança de Deus.

Dificilmente poderia haver dúvida de que Gênesis 9.6 e Tiago 3.9 contemplam o homem em seu estado presente. As passagens declaram: "Quem derramar sangue de homem, pelo homem terá o seu sangue derramado; porque Deus fez o homem à sua imagem". "Com ela bendizemos ao Senhor e Pai, e com ela amaldiçoamos os homens, feitos à semelhança de Deus." Pecar contra o homem seja por assassinato ou por difamação é reprovável com base na imagem divina que reside no homem. A sacralidade pertence à vida humana. O homem deve respeitar o seu semelhante, não com base no parentesco, mas com base na verdade exaltada de que a vida humana pertence a Deus. Prejudicar o homem é prejudicar aquele que porta a imagem de Deus.

O caráter exaltado do homem está indicado especialmente no Salmo 8 onde a sua grandeza é vista em sua pequenez; pois "da boca das crianças e dos que mamam tu suscitaste força, por causa dos teus adversários, para fazeres calar o inimigo e o vingador". Neste salmo o homem é dito ser feito, ou colocado, numa posição um pouco menor do que os anjos. No hebraico é *Elohim*, e a referência é especificamente a Cristo (cf. Hb 2.9), que foi por um pouco de tempo feito menor em posição do que *Elohim* para que pudesse sofrer a morte. A aplicação mais geral (cf. Hb 2.6-8) se refere ao homem, que é dito ser coroado com autoridade legítima para governar sobre toda a terra. Com essa mesma posição exaltada de homem em vista, o apóstolo Paulo diz que o homem "é a imagem e glória de Deus" (1 Co 11.7). Não é importante a esta altura decidir o que suscita essa grande afirmação - grande na verdade, pois nada mais louvável poderia ser dito do homem exceto aquelas novas posições nas quais os redimidos são postos *em Cristo*.

Nas passagens citadas acima, pode ser observado que todas, exceto Gênesis 1.26, 27; 2.7, se referem ao homem em seu estado presente. Embora muito seja dito por toda a Bíblia a respeito da pecaminosidade do homem e das profundezas às quais ele desceu, nada é dito que ele tenha perdido a imagem de Deus. Na verdade, como já foi declarado, a Bíblia ensina diretamente que o homem caído retém essa imagem e que é essa realidade que determina a extensão de sua degradação.

As passagens seguintes fornecem uma sugestão forte sobre o que era a manifestação original da imagem divina: "Sede vós, pois, perfeitos, como é perfeito o vosso Pai celestial" (Mt 5.48); "Sede misericordiosos, como também vosso Pai é misericordioso" (Lc 6.36); "Mas, como é santo aquele que vos chamou, sede vós também santos em todo o vosso procedimento; porquanto está escrito: Sereis santos, porque eu sou santo" (1 Pe 1.15, 16). Com referência a estas passagens pode ser observado que aqui, em algum grau de inteireza, encontramos a descrição do homem original em que o Criador encontrou satisfação.

Duas verdades muitíssimo importantes surgem desse vasto conjunto de escritos teológicos com respeito àquela imagem na qual o homem foi criado, a saber: (a) que o homem caído porta a imagem inalienável do Criador; e (b) que o homem é prejudicado pela queda a ponto de apenas a graça redentora poder resgatá-lo. Ambas as verdades estão profundamente embebidas das Escrituras sem considerar qualquer aparente contradição que possam apresentar. Nem essa verdade pode ser modificada ou abandonada. Seria fácil para mentes não instruídas considerar toda essa discussão a respeito da imagem como mera contenda de palavras e totalmente esvaziada de valor prático; mas é aqui que a verdadeira base da antropologia, soteriologia e escatologia é descoberta. A parte vital que a doutrina do homem criado à imagem de Deus ocupa em cada uma dessas principais divisões da teologia é muito patente e precisa de elucidação.

A base da distinção entre os vários sistemas teológicos, em grande medida, é determinada nesse ponto. Tanto os luteranos quanto os calvinistas subscrevem os mais altos conceitos do homem em seu estado antes da Queda, e com respeito à descrição mais obscura do homem em seu estado após a Queda. Os católicos romanos, os socinianos, os seguidores diretos de Armínio (chamados remonstrantes), e os modernos liberais possuem um conceito mais degradante do homem antes da Queda e uma visão mais lisonjeira do homem após a queda. Isto não significa que os agostinianos – tanto luteranos quanto calvinistas – difamam a vida humana e que os liberais exaltam essa vida. Não poderia haver concepção mais elevada do homem do que aquela que é sustentada por luteranos e calvinistas. Todo o campo da verdade é caracterizado por demasiadas pressuposições dogmáticas. Sem dúvida, isto é devido às afirmações muitíssimo reduzidas que as Escrituras apresentam. Há muito lugar onde Deus não falou para os teólogos preencherem com grandes porções de coisas agradáveis ao próprio modo deles pensarem; então, nos desenvolvimentos posteriores dos sistemas deles, eles retiraram de suas próprias elaborações exatamente o que prepararam e necessitaram. À luz dessa análise, é interessante ler o material que os homens prepararam sobre este tema. O estudante faria bem se lesse esses escritos com atenção.

Para concluir a consideração da imagem de Deus no homem, é essencial chegar a algumas convicções definidas. Uma doutrina construtiva que se conforma à Palavra de Deus deveria ser formada. Uma concordância plena pode ser harmonizada quando lemos o que John Laidlaw escreve: "A Escritura nunca fala da imagem divina no homem, mas sempre do homem como formado à imagem de Deus. E isto indica um princípio profundo do pensamento bíblico. Ela pressupõe Deus, para explicar o homem. Ela nunca estabelece o 'trabalho de sísifo' [ação sem resultado] de provar Deus e o sobrenatural a partir do homem e da natureza. Assim, por 'imagem de Deus', a Bíblia não quer dizer aqueles elementos no homem dos quais uma idéia de Deus pode ser estruturada, mas de modo inverso, aqueles aspectos no Ser divino dos quais o homem é uma cópia. Se lermos o que a Bíblia diz de Deus em relação ao mundo, e o que Deus diz de si próprio, obteremos as linhas principais para a sua delineação do homem; sempre admitindo que o homem é criado como uma cópia a partir da Idéia divina, não, como o Logos, que é a imagem essencial de Deus".[283]

Assim, também, G. F. Oehler declara que o homem porta a imagem divina em vista dos fatos que: (a) a natureza humana é distinta da dos animais, porque não havia companheiro para o homem entre as formas inferiores de criação, e o homem pode matar os animais, mas não o ser que é feito à imagem de Deus; (b) O homem é estabelecido sobre a natureza com uma personalidade livre, visto que ele é designado para uma comunhão com Deus, e designado para exercer autoridade divina nas coisas da terra.[284] Jonatham Edwards sumaria assim: "*A imagem natural de Deus* consiste muito naquilo em que Deus, em sua criação, distinguiu o homem dos animais, a saber, naquelas faculdades e princípios da natureza pelos quais ele é capaz de agência moral; considerando que a imagem *espiritual* e *moral* – na qual o homem foi criado inicialmente – consistia da excelência moral com a qual ele foi capacitado".[285]

Embora um pouco extensa, nenhuma afirmação tão iluminadora foi encontrada além da que John Laidlaw escreveu:

Passando da visão da Escritura sobre a relação de Deus com o mundo para a sua visão daquilo que ele dá de si mesmo, encontramos aquelas definições muito simples do Ser divino: Deus é "Espírito", "Luz", "Amor". Vejamos como isso pode ter um paralelo no homem, a cópia criada:

Corresponde a tudo o que já traçamos sobre a psicologia bíblica, que é do lado do *Espírito*, que o homem deveria primariamente exibir uma analogia com a natureza divina. É o único elemento na constituição do homem que é propriamente atribuído a Deus. Ele é Espírito. Absoluta e supremamente, a existência espiritual é afirmada a respeito de Deus. Além disso, Ele é dito ser o Pai dos espíritos, e o Deus dos espíritos de toda carne; indicando que o mundo espiritual, incluindo o homem, até onde ele é espiritual, permanece numa relação mais próxima com Deus do que o mundo corpóreo. Já nos resguardamos suficientemente contra a forma platonizante dessa idéia – uma forma dada a ela por alguns pais gregos, que tornaram o *pneuma* algo físico que conecta o homem com Deus. Essa forma de afirmação facilmente conduz à conclusão de que, através da queda, a natureza humana ficou constitucionalmente alterada pela perda de uma parte ou elemento; considerando que a doutrina bíblica é aquela em que a natureza do homem está moralmente diminuída pela perda de sua pureza. O ponto de vista da psicologia bíblica é sempre o da origem divina do homem. A sua vida – animal, intelectual, moral – é espiritual, por causa especialmente do sopro de Deus. O "espírito no homem" é a "inspiração do Todo-poderoso", e o homem é espiritual até onde ele vive e age de acordo com a sua origem divina e com a sua base de vida. Assim, a Escritura ensina que a natureza espiritual que o homem tem, o espírito do homem que está nele, fornece um paralelo ou analogia para o Espírito supremo e absoluto que é Deus.

Conseqüentemente verificamos que a Bíblia torna o *Intelecto* ou a *Racionalidade* no homem – não somente uma função do "espírito" nele, mas uma função que flui de Deus e corresponde a algo em Deus. É o sopro do Todo-poderoso que dá ao homem instrução e entendimento. A cena no jardim, quando o Senhor trouxe os animais a Adão para receberem nomes, apresenta essa idéia de forma ilustrada. Aquela "admirável palestra filosófica", como o bispo Bull a rotula, que Adão, designado pelo próprio Deus, prossegue, ao nomear todos os outros animais, denota a correspondência das inteligências divina e humana: "e tudo o que o homem chamou a todo ser vivente, isso foi o seu nome" (Gn 2.19). "Eu penso, ó Sócrates, que a narrativa mais verdadeira desses assuntos é que algum poder mais do que humano deu os primeiros nomes às coisas, de modo que os fez necessariamente corretos." Semelhante é a atribuição aos artífices do Tabernáculo por sua sabedoria, entendimento, habilidade para artesanato, com o Espírito de Deus. Assim, todo conhecimento científico e habilidade artística, todos os resultados da razão, a Escritura atribui à assistência divina; não a partir de um vago sentimento de piedade, mas no direito de sua teoria consistente de que o espírito no homem corresponde ao Espírito do seu Criador, e é sustentado por ele. Um ensino como esse é o fundamento para a filosofia mais sublime do homem. É imediatamente uma asserção da preciosidade do indivíduo e uma predição do progresso da raça. A verdadeira idéia da grandeza humana nós devemos não ao pensamento moderno, mas aos principais axiomas da revelação.

Outro ponto da analogia entre o espírito divino e humano a Bíblia encontra na *autoconsciência*. "O espírito do homem é uma luz do Senhor que sonda todas as recâmaras do coração." A frase "luz do Senhor" pode afirmar a origem divina – a luz no homem que o Senhor acendeu – ou a possessão divina – a luz que é do Senhor, a verdadeira luz que ilumina todo homem – ou ambas as coisas; mas a característica do espírito humano ao qual ela afixa a descrição é o seu poder de autopenetração, que sonda as regiões mais interiores do ser humano. Com uma figura muito similar, a consciência moral ou consciência é apresentada no Novo Testamento como "o olho", "a luz do corpo", "a luz interior". Ainda mais explicitamente é afirmado que o espírito do homem que nele está é o único que conhece as coisas do homem, e é, portanto, análogo ao Espírito divino, que é o único que conhece as coisas de Deus. Essa analogia é (e ainda em outro texto) fortalecida pela idéia da correspondência ou comunicação. "O Espírito mesmo testifica com o nosso espírito que somos filhos de Deus" (Rm 8.16). Pode ser justo inferir dessas passagens que a Bíblia considera a autoconsciência no homem como um aspecto essencial da semelhança com Deus.

Da autoconsciência é um curto passo até a *personalidade*. É um *clichê* dizer que a livre personalidade autoconsciente é uma representação bíblica de Deus. Penetrando cada linha da Escritura, desde a primeira até a última, está a idéia de que Deus é pessoal. É fácil bastante chamar isto de antropomorfismo. Mas a Bíblia, como uma revelação de Deus ao homem, começa com Deus. E a sua própria narrativa de sua doutrina não é que ela apresenta um Deus à moda dos homens, mas um Deus que pode revelar-se ao homem, por que o homem foi feito à semelhança de Deus. Não se deve espantar com essa mostra de que o homem deveria ser ensinado a pensar a respeito de Deus como uma pessoa, que possui vontade, santidade amor – idéias das quais ele encontra algumas cópias em sua própria constituição, visto que a constituição é estruturada sobre um modelo divino. Não é em qualquer fórmula metafísica que a Bíblia alega personalidade no homem como a imagem de algo em Deus, mas em seu profundo princípio da relação entre Deus e o homem, i.e., entre Deus e o ser humano individual, assim como entre Deus e a raça humana. Este princípio é asseverado, por exemplo, em Números 16.22, onde a relação de Deus com os espíritos de toda carne é alegada como uma razão para Deus tratar com um homem que pecou, antes do que com a punição de um povo todo. Este princípio repete-se em Números 27.16 como uma razão pela qual Deus deveria escolher um líder particular para a congregação. O mesmo argumento da propriedade divina no homem torna o fundamento de uma declaração esplêndida feita pelo profeta Ezequiel a respeito do tratamento moral de Deus com os indivíduos, contrastado com o federalismo intacto sobre o qual Israel presumia contar. O direito de Deus sobre cada alma (onde **nephesh** denota o ser humano, "todas as almas são minhas") torna-se a base da prerrogativa divina de exercer em cada caso individual tanto a punição quanto o perdão. O outro lado dessa relação é apresentado naquelas passagens que falam do homem como existente para Deus, mesmo o Pai, o que é buscado na adoração, do homem como redimido para a vida eterna que consiste no conhecimento do Pai e do Filho. Mesmo em sua presente condição caída, e sob as formas mais desfavoráveis dessa condição, Paulo apresenta o homem como geração de Deus: "se porventura, tateando, o pudessem achar". Nesta passagem a interioridade total da semelhança entre a geração e o grande Pai é considerada uma razão contra os esforços artísticos do paganismo grego de humanizar o divino. Visto que o homem é a geração de Deus, ele não deve pensar que ele pode estruturar uma imagem exterior de Deus, – uma muito melhor está dentro dele. O relacionamento do homem com Deus não deve ser imaginado como físico, mas como moral. O sentimento de que somos a geração de Deus é citado para ilustrar o fato de que a raça foi destinada para buscar a Deus, que não estava longe deles, a saber, que se fez conhecível e concebível por eles. Somente seres pessoais podem buscar e encontrar um Deus pessoal e, ao fazer assim, a semelhança deles com Deus é afirmada e confirmada.[286]

Qualquer exame digno da doutrina da imagem de Deus que é exibida no homem deve dedicar alguma atenção ao relacionamento do Senhor Jesus Cristo, o Filho de Deus, com esse grande tema. Com o Pai e o Espírito Santo, é dito que Jesus Cristo é o Criador de todas as coisas, e que o homem é, assim, o produto de seu poder de criação; mas Ele próprio é declarado ser o primogênito de toda criação e, portanto, Senhor de tudo. Nisto vemos um paralelo com o homem que é divinamente designado como senhor das criaturas terrenas. Do Filho é dito que Ele é a "expressão exata" de Deus. A sua encarnação na humanidade caída não se subtraiu dessa realidade sublime. A imagem que Ele apresenta pode ser assemelhada ao aço estampado que reproduz cada aspecto nos seus mínimos detalhes. Por outro lado, a imagem que o homem apresenta pode ser assemelhada à sombra de um perfil; mas essa é a verdade que de modo algum pode ser menosprezada. A primeira criação encontra o seu arquétipo no *Elohim*, porque o homem foi criado à imagem de *Elohim*. A nova criação encontra o seu arquétipo no Filho de Deus. É à imagem de Deus que a graça salvadora traz aqueles que são redimidos (Rm 8.29; 1 Jo 3.2).

III. A Derivação e a Perpetuação da Parte Imaterial do Homem

Já dedicamos atenção à verdade relativa à origem da parte imaterial do primeiro homem, por ser revelado que ele se tornou uma alma vivente pelo sopro divino de vidas (lit. plural) nele. O problema que surge agora diz respeito à geração e perpetuação da vida humana. O plano divino para a humanidade é que dois seres originais – macho e fêmea – deveriam "frutificar, multiplicar e encher a terra" (Gn 1.28). Fica indicado, assim, que para Adão e Eva, assim como para a posteridade deles, foi dado um poder de procriação que não somente gera o corpo de sua descendência, mas responsabiliza diretamente pela existência da natureza imaterial deles. Não obstante, há diversas teorias desenvolvidas – três ao todo – para a origem da parte imaterial de cada membro da raça adâmica. Essas teorias exigem consideração.

1. A TEORIA DA PREEXISTÊNCIA. Os advogados desta hipótese reivindicam em bases racionais e totalmente à parte da autoridade bíblica que, qualquer que possa ter sido a derivação original da parte imaterial do homem – seja criada ou eternamente existente – é sujeita à reencarnação ou transmigração de um corpo para outro – estendendo até as formas mais inferiores de vida. Essa teoria, conquanto aceita com várias modificações pelos homens que poderiam se valer da verdade bíblica, deve sua origem totalmente à filosofia pagã. Ela é o princípio principal do hinduísmo e é representada na sua forma moderna pela teosofia. Uma teoria primitiva atribuía uma alma humana ao Cristo preexistente. Deste sistema a *Enciclopédia Britânica* afirma:

Na teologia, a doutrina de que Jesus Cristo tinha uma alma humana que existia antes da criação do mundo – a primeira e a mais perfeita das coisas criadas – e subsistia, anterior ao seu nascimento humano, em união com a segunda pessoa da Trindade. Foi essa alma humana que sofreu a dor e a tristeza descritas nos evangelhos. A principal exposição dessa doutrina é a do Dr. Watts (*Works*, 274 etc.); e ela recebeu pouco apoio. Numa forma mais ampla a doutrina foi aplicada aos homens em geral – a saber, que no começo da criação Deus, criou as almas de todos os homens, que foram subseqüentemente como uma punição pelos males encarnados nos corpos físicos até que a disciplina os torne adaptados para a existência espiritual. Os defensores dessa doutrina, os preexistentes, são encontrados já no segundo século, e entre eles estavam Justino o Mártir e Orígenes (q.v.), e a idéia não somente pertence à metempsicose e ao misticismo em geral, mas é amplamente dominante no pensamento oriental. Ela foi condenada pelo Concílio de Constantinopla em 540, mas tem reaparecido freqüentemente no pensamento moderno (cf. na obra *Intimations of Immortality* de Wordsworth), por ser de fato o correlativo natural de uma crença na imortalidade.[287]

A argumentação de que a vida humana preexistia incentiva o encorajamento para se ter a esperança de que a vida consciente continua após a morte. Assim ela reflete o desejo natural do coração humano para uma existência interminável.

A afirmação seguinte do Dr. William G. T. Shedd, em sua obra *History of Christian Doctrine*, é uma análise clara desse sistema: "A teoria da preexistência ensina que todas as almas humanas foram criadas no começo da criação, – não aquelas deste mundo simplesmente, mas de todos os mundos. Todos os espíritos finitos foram criados simultaneamente, e antes da criação da matéria. O universo intelectual precede o universo sensível. As almas dos homens, conseqüentemente, existiram antes da criação de Adão. A vida preexistente era pré-adâmica. Os homens foram espíritos angelicais antes de tudo. Por causa da apostasia deles na esfera angelical, eles foram transferidos, como uma punição pelo seu pecado, para corpos materiais nesta esfera mundana, e agora todos eles, sem exceção, passam por um processo de disciplina, a fim de serem restaurados, para a sua condição angelical, de preexistentes. Esses corpos, aos quais estão unidos, vêm à existência por um curso ordinário de propagação física; assim aquela parte material e sensória da natureza humana não tem uma existência anterior a Adão. É somente do princípio racional e espiritual da vida pré-adâmica que se pode falar."[288]

As objeções a essa teoria são três, a saber: (a) as Escrituras são ignoradas. Em seu costumeiro método alegorizante, Orígenes, que é considerado o "nascente e o poente" da teoria da preexistência da alma, tentou harmonizar suas idéias com a Palavra de Deus, e suas distorções da Bíblia deixam pouca semelhança dos ensinos claros dela; (b) A doutrina do pecado original é desacreditada, embora o fato do pecado seja reconhecido; (c) não há prova para essa teoria.

2. A TEORIA DO CRIACIONISMO. O criacionismo, que vai ser estudado agora e o traducianismo, que ainda vai ser considerado, são doutrinas relacionadas à origem da parte imaterial do ser humano que, embora defendidas por homens de igual ortodoxia, são muito diferentes mesmo a ponto de contradição. O criacionismo ensina que Deus cria direta e imediatamente uma alma e um espírito para cada corpo no tempo da concepção, e que somente o corpo é gerado pela fecundação do óvulo através do espermatozóide. O traducianismo ensina que a alma e o espírito do homem são gerados com o corpo. A questão não é determinada normativamente, e quando bons homens diferem tão grandemente isto é normalmente devido à falta de testemunho decisivo das Escrituras. Deve ser observado que, na história da Igreja, o criacionismo foi grandemente a doutrina aceita pelo Oriente, enquanto que o traducianismo foi a doutrina admitida pelo Ocidente. A questão sempre foi de opinião pessoal e não tem como base uma separação teológica. Não obstante, grandes questões estão envolvidas. Imediatamente a humanidade de Cristo está implicada assim como todo o campo da verdade relativa à transmissão do pecado original e à hereditariedade.

Dos dois grandes teólogos do século passado, o Dr. Charles Hodge e o Dr. William Shedd – embora ambos estivessem comprometidos com o sistema calvinista de teologia – o Dr. Hodge afirma o criacionismo e o Dr. Shedd o traducianismo. O plano a ser seguido nesta discussão é citar algo de cada um desses homens dignos conforme cada um esposa a sua própria doutrina. Seguindo assim, algumas considerações gerais devem ser feitas.

O Dr. Hodge escreve:

A doutrina comum da Igreja, e especialmente dos teólogos reformados, tem sempre sido a de que a alma da criança não é gerada ou derivada dos pais, mas que ela é criada pela agência imediata de Deus. Os argumentos geralmente usados a favor desta teoria são:

1. Que ele é mais consistente com as apresentações dominantes das Escrituras. No registro original da criação há uma distinção marcante entre o corpo e a alma. Aquele procede da terra, esta procede de Deus. Tal distinção é mantida por toda a Bíblia. O corpo e a alma não são simplesmente representados como substâncias diferentes, mas também como de origens diferentes. O corpo voltará ao pó, diz o sábio, e o espírito voltará a Deus que o deu. Aqui a origem da alma é representada como diferente do corpo e mais sublime que ele. Aquela procede de Deus em um sentido que o segundo não procede. De modo semelhante, declarando-se que Deus formou "o espírito do homem dentro nele" (Zc 12.1): "que dá fôlego de vida ao povo que nela está e o espírito aos que andam nela" (Is 42.5). Essa linguagem quase concorda com o relato da criação original, a qual afirma que Deus soprou no homem o fôlego de vida, indicando que a alma não é terrena nem material, mas tem sua origem imediatamente de Deus. Daí ser Ele chamado "Deus dos espíritos de toda carne" (Nm 16.22 – Edição Revista e Corrigida). Bem que se poderia dizer que Ele é o Deus dos corpos de todos os homens. A relação que a alma mantém com Deus, como seu Deus e Criador, é muito diferente daquela que o corpo mantém com ele. E daí dizer-se em Hebreus 12.9: "Além disso, tínhamos nossos pais segundo a carne, que nos corrigiam, e os respeitávamos; não havemos de estar em muito maior submissão ao Pai espiritual e, então, viveremos?" A antítese óbvia aqui apresentada é entre os que são os pais de nosso corpo e Aquele que é o Pai de nosso espírito. Nosso corpo deriva-se de nossos pais terrenos; nossa alma deriva-se de Deus. Isso está em consonância com o uso familiar da palavra carne, contrastada com a alma, quer expressamente, quer por implicação. Paulo fala dos que não haviam "visto sua face na carne", da

"vida que ele vivia na carne". Ele diz aos filipenses que lhe era necessário permanecer "na carne"; ele fala de sua "carne mortal". O salmista diz do Messias: "Minha carne repousará em esperança", o que o apóstolo Paulo explica significar que sua carne [de Jesus] não veria corrupção. Em todas essas passagens, e em grande número de outras semelhantes, carne significa o corpo, e "pais de nossa carne" significa pais de nosso corpo. Portanto, até onde as Escrituras revelam acerca do tema, sua autoridade é contra o traducianismo e em prol do criacionismo.

2. Esta última doutrina é também muitíssimo e claramente consistente com a natureza da alma. Entre os cristãos admite-se ser a alma imaterial e espiritual. Ela é indivisível. A doutrina traducianista nega essa verdade universalmente reconhecida. Ela assevera que a alma admite "separação ou divisão de essência". Na mesma base sobre a qual a Igreja rejeitou universalmente a doutrina gnóstica da emanação como inconsistente com a natureza de Deus como espírito, ela tem, quase com a mesma unanimidade, rejeitado a doutrina de que a alma admite divisão de substância. Esta é uma dificuldade tão séria, que alguns dos defensores da doutrina *ex traduce* procuram evitá-la, e negam que sua teoria pressuponha qualquer separação ou divisão da substância da alma. Mas tal negação tem pouca valia. Eles sustentam que a mesma essência numérica que constituiu a alma de Adão constitui a alma de cada um de nós. Se esse é o caso, então ou a humanidade é uma essência geral da qual os homens individualmente são os modos de existência, ou o que estava inteiramente em Adão está distributiva, partitivamente e por separação, na multidão de seus descendentes. Portanto, derivação de essência implica, e geralmente admite-se implicar, separação ou divisão de essência. E esse seria o caso, se admitirmos que a identidade numérica de essência em todo gênero humano se assegura por meio de geração ou propagação.

3. Um terceiro argumento em prol do criacionismo e contra o traducianismo se deriva da doutrina bíblica no tocante à pessoa de Cristo. Ele era mesmo homem; possuía uma natureza humana genuína; um corpo genuíno e uma alma racional. Ele nasceu de uma mulher. Era, no que tange à sua carne, o filho de Davi. Ele descendeu dos pais. Em tudo foi feito um de nós, não obstante sem pecado. Isso se admite de ambos os lados. Mas, como já se observou com respeito ao realismo, isso, na teoria do traducianismo, exige a conclusão de que a natureza humana de Cristo era culpada e pecaminosa. Somos participantes do pecado de Adão, quer quanto à culpa, quer quanto à corrupção, visto nos ser comunicada a mesma essência numérica que pecou nele. Afirma-se que o pecado é um acidente e pressupõe, pois, comunicação de essência. Se não estivermos em Adão no tocante à essência, então não pecamos nele nem derivamos dele uma natureza corrupta. Mas, se estivermos nele quanto à essência, então seu pecado foi nosso pecado, quer quanto

à culpa, quer quanto à corrupção. Esse é o argumento dos traducianistas reiterado de muitas formas. Eles insistem, porém, que Cristo estava em Adão quanto à substância de sua natureza humana tão genuinamente como estávamos. Dizem que, se seu corpo e alma não se derivaram do corpo e alma de sua virgem mãe, então Ele não era um homem real, e não poderia ser o Redentor dos homens. O que procede no tocante aos demais homens deve, conseqüentemente, proceder no tocante a ele. Portanto, Ele deve estar tão envolvido na culpa e corrupção da apostasia como os demais homens. Não se pode afirmar e negar a mesma coisa. É contraditório dizer que somos culpados do pecado de Adão em virtude de sermos participantes de sua essência, e que Cristo não é culpado de seu pecado nem se envolveu em sua corrupção, embora seja participante de sua essência. Se participação de essência envolve comunicação de culpa e depravação num caso, então deve envolver também no outro. Como essa parece ser uma conclusão legítima da doutrina traducianista, e como tal conclusão é anticristã e falsa, a doutrina propriamente dita não pode ser verdadeira.[289]

3. A Teoria do Traducianismo. Este sistema de crença afirma que as partes, tanto a imaterial quanto a material do homem são propagadas pela geração humana. Sobre este aspecto geral, o Dr. Shedd escreve:

O traducianismo aplica a idéia das espécies tanto ao corpo quanto à alma. No sexto dia, Deus criou dois indivíduos humanos, um macho e uma fêmea, e neles também criou a natureza psicofísica específica da qual todos os indivíduos subseqüentes da família humana são procriados tanto psíquica quanto fisicamente... O criacionismo confina a idéia de espécie ao corpo. Neste assunto, ele concorda com a teoria da preexistência; a diferença diz respeito somente ao tempo quando a alma é criada. O criacionismo e a preexistência sustentam igualmente que a alma humana é individual somente, e nunca tiveram uma existência racial em Adão. O criacionista sustenta que Deus no sexto dia criou dois indivíduos humanos, um macho e uma fêmea, e neles também criou a natureza física específica da qual os corpos de todos os indivíduos subseqüentes foram procriados; a alma em cada caso é uma nova criação *ex nihilo,* e infusa num corpo propagado... A escolha deve ser feita entre o traducianismo e o criacionismo, visto que a opinião de que o homem, no que respeita à sua alma, existia antes de Adão, não conta com o apoio da revelação. A Bíblia ensina claramente que Adão foi o primeiro homem; e que todos os espíritos finitos que existiram antes dele eram anjos. A questão entre o traducianista e o criacionista é esta: Quando Deus criou os dois primeiros seres humanos individuais, Adão e Eva, Ele criou em e com eles a substância invisível de todas as gerações posteriores dos homens, tanto com relação à alma ou corpo, ou somente com relação ao corpo? Era a natureza humana aquela que foi criada em Adão e Eva simples ou complexa? Era física somente, ou era psicofísica?

A Derivação e a Perpetuação da Parte Imaterial do Homem

Tinha a natureza humana no primeiro casal dois lados, ou somente um? Foi a provisão feita para propagação da natureza específica depositada em Adão, para indivíduos que estariam em união de corpo e alma, ou somente um mero corpo sem uma alma? A questão, conseqüentemente, entre as partes envolve a quantidade do ser que foi criado no sexto dia, quando Deus disse ter criado o "homem". O traducianista assevera que substância invisível total de todas as gerações da raça foi originada *ex nihilo*, por aquele simples ato de Deus mencionado em Gênesis 1.27, pelo qual Ele criou "o homem, macho e fêmea". O criacionista assevera que somente uma parte da substância invisível de todas as gerações da raça foi criada por aquele ato: a saber, a dos corpos deles; a substância invisível que constitui as almas deles foi criada subseqüentemente, por muitos atos criadores distintos quantas almas individuais há. O traducianismo e o criacionismo concordam entre si com respeito ao ponto mais difícil do problema: a saber, uma espécie de existência que é anterior à existência individual. O criacionista admite que a história humana não começa com o nascimento do homem individual. Ele não tenta explicar o pecado original sem qualquer referência a Adão. Ele sustenta que o corpo e a vida física do indivíduo não é uma criação *ex nihilo* em casa caso, mas é derivado de uma natureza física comum que foi originada no sexto dia. Com esse procedimento, o criacionista admite existência em Adão, *quoad hoc*. Mas esse modo racial da existência humana, que é anterior ao modo individual, é a principal dificuldade no problema, e ao admitir a sua realidade com relação ao corpo, o criacionista carrega um fardo comum com o traducianista. Porque é tão difícil pensar de uma existência invisível do corpo humano em Adão como é pensar de uma existência invisível da alma humana nele. Na realidade, é até mais difícil, porque o corpo de um homem individual, como nós o conhecemos agora, é visível e tangível, enquanto a alma não o é. E uma existência invisível e intangível em Adão é mais concebível do que uma visível e tangível... Há dificuldades nas duas teorias da origem do homem, mas menores são as conectadas com o traducianismo do que com as conectadas com o criacionismo. Se o mistério de uma existência completa em Adão tanto do lado físico quanto do lado psíquico é aceito, as dificuldades conectadas com a imputação do primeiro pecado e da propagação da corrupção são aliviadas. Como Turretin diz: "não há dúvida que por essa teoria toda a dificuldade parece ser removida". É somente o primeiro passo que custa. Adotar um mistério revelado no começo, o mistério nesse caso, como em todos os outros casos dos mistérios revelados, lança muita luz, e torna todas as coisas claras.[290]

Nessa porção do exame que o Dr. Shedd faz deste tema, ele empreende 75 páginas para discutir problemas destas três avenidas de abordagem, a saber: (a) as Escrituras; (b) a teologia; e (c) a fisiologia. Um estudo atento destas páginas deve ser exigido dos estudantes que buscam em exame exaustivo dessas questões importantes. Crê-se que nenhum conjunto de argumento tão convincente como esse já foi apresentado, por qualquer criacionista e é duvidoso se a teoria do criacionismo seria capaz de tão grande desenvolvimento. Como foi insinuado, o problema da humanidade de Cristo – que incluía a alma e espírito humanos assim como um corpo humano – e o problema do pecado original e da hereditariedade entram grandemente na controvérsia.

Com relação à alma e ao espírito humanos de Cristo, o Dr. Hodge, influenciado por suas opiniões criacionistas, que não podem concordar com a teoria traducianista, diz que Cristo provavelmente foi liberto de participar da natureza adâmica. Os teólogos do grupo traducianista sempre creram que houve a ação de uma proteção divina especial contra a natureza adâmica que foi comunicada ao Filho proveniente de sua mãe humana. O que é chamado de a "imaculada conceição", de acordo com a visão traducianista da Igreja Católica Romana, assegura essa libertação da mancha do pecado original. Ao falar a Maria, o anjo disse: "Virá sobre ti o Espírito Santo, e o poder do Altíssimo te cobrirá com a sua sombra; por isso o que há de nascer será chamado santo, Filho de Deus" (Lc 1.35).

Por outro lado, é difícil entender que uma natureza pecaminosa que é atribuída a todos os homens e originária no pecado de Adão possa existir, se Deus cria cada alma e espírito individualmente no nascimento, *ex nihilo*. Se, como os traducianistas afirmam, a parte imaterial do homem é transmitida de pai para filho, o pai propaga segundo a sua espécie, a comunicação da natureza adâmica não é somente razoável, mas uma conseqüência inevitável. Quando tentaram explicar a natureza universal do pecado, especulações estranhas foram desenvolvidas pelos criacionistas. Estas devem ser examinadas mais tarde sob a discussão geral da imputação. É testemunho da Bíblia que os *filhos* e não meramente os corpos humanos são gerados por pais humanos. Está claro também que as características mentais e de temperamento são em muito herdadas como o são as semelhanças físicas.

Provavelmente nenhum texto da Escritura seja mais revelador do que Hebreus 7.9-10 – "E, por assim dizer, por meio de Abraão, até Levi, que recebe dízimos, pagou dízimos, porquanto ele estava ainda nos lombos de seu pai quando Melquisedeque saiu ao encontro deste". Aqui está declarado que Levi pagou dízimos – um ato que não poderia ser atribuído a um mero gérmen de um corpo humano sem vida – enquanto nos lombos de seu bisavô, Abraão. É reconhecido pelos traducianistas que Deus realiza um ato criador quando os homens são regenerados e que Ele ainda criará um novo céu e uma nova terra, mas é também verdade que essa seqüência de criação na qual o homem veio à existência cessou com a produção do primeiro homem e com a consumação do sexto dia. Deveria ser reconhecido também que se o homem não é procriado – corpo, alma e espírito – ele é, neste caso, uma exceção à todas as outras formas de vida criada. Haveria uma ausência notável de real parentesco entre aqueles que, por acaso, são individualmente criados *ex nihilo* no nascimento e todos os animais. O relacionamento humano deve, debaixo dessas condições, depender somente da procriação do corpo sem vida. Se aquela parte imaterial de Cristo que era humana foi uma criação de Deus totalmente irrelacionada e direta, o fundamento para o Seu serviço como Redentor-parente é diminuído a ponto do desvanecimento.

A conclusão é que, embora o assunto esteja envolvido em mistério – como é o fato de toda vida de qualquer espécie – a preponderância de evidência sustenta a teoria traducianista.

IV. Elementos Que Compreendem a Parte Imaterial do Homem

O mistério da vida é desconcertante, e mais do que nunca quando uma análise da parte imaterial do homem é empreendida. A realidade total do ser é basicamente devida ao que impulsiona o corpo numa pessoa viva, que mantém uma relação consciente com todas as coisas, e sem as quais o corpo não está somente morto, mas imediatamente sujeito à decomposição; mas enquanto essa realidade permanece no corpo, a vida continua, o corpo é preservado, e a sua estrutura é renovada. É isso que pensa, que sente, que raciocina, que deseja. É essa realidade enigmática que compreende, mas não pode ser compreendida.

Quando se refere ao "homem interior", a Bíblia emprega vários termos – alma, espírito, coração, carne, mente – e a questão que surge é se esses elementos são separados e devem existir um separado do outro, ou se eles são funções ou modos de expressão de um *ego*. Que esta última idéia é mais próxima da verdade é geralmente crido e por razões dignas; não obstante, na Bíblia é feita constantemente referência a esses elementos ou faculdades do "homem interior" de tal modo que qualquer pessoa pode ver apresentada a totalidade da natureza imaterial do homem. O que é especificamente verdadeiro de cada um desses elementos será descoberto somente quando uma indução foi feita. O que esses termos significam quando usados na Bíblia deve ser descoberto do uso deles no Texto Sagrado. A Bíblia não é um livro de definições. As suas grandes realidades são presumidas ser o que elas são. Com respeito a esses aspectos da vida humana, pode ser dito que a especulação humana tende mais a confundir do que a clarificar. Esses termos são distintos e usados na Palavra de Deus com exatidão infinita. Destes termos, os dois – *alma* e *espírito* – recebem uma proeminência especial; não que o uso deles seja numericamente superior, mas por causa da maneira na qual eles são empregados. O homem total é dito ser corpo, alma e espírito, e sem reconhecimento dos outros aspectos do "homem interior" que foram mencionados acima.

A questão que se levanta a essa altura, que tem ocupado e dividido os teólogos de todas as gerações, é a seguinte: É o homem um ser *dicotômico* – duas partes, material e imaterial, com a suposição de que a alma e espírito são a mesma coisa – ou é ele um ser *tricotômico* – corpo, alma e espírito? Seria prontamente admitido por todos que, sob qualquer consideração, não há a mesma amplitude de distinção observável entre alma e espírito como há entre *alma e corpo*, ou *espírito e corpo*. Uma grande distinção está implícita entre alma e espírito; todavia, esses termos são usados como sinônimos. Assim, a controvérsia é entre aqueles que ficam impressionados com as distinções e aqueles que ficam impressionados com as similaridades. Seria bom reconhecer que, quando assim exigido, a Bíblia atribui a esses dois termos um significado distintivo e que, quando não há um significado distintivo em vista, a Bíblia os usa intercambiavelmente.

Em outras palavras, a Bíblia dá suporte tanto à *dicotomia* quanto à *tricotomia*. A distinção entre alma e espírito é tão incompreensível como a própria vida, e os esforços dos homens em estruturar decisões devem sempre ser insatisfatórios. Para confirmar o que foi afirmado com respeito ao uso que a Bíblia faz desses termos, pode ser observado o seguinte: o termo *espírito* é usado livremente para indicar a parte imaterial do homem (cf. 1 Co 5.3; 6.20; 7.34; Tg 2.26); assim, também, o termo *alma* é usado da mesma maneira (cf. Mt 10.28; At 2.31; 1 Pe 2.11). Para um uso paralelo desses dois termos, veja Lucas 1.46, 47. Igualmente as mesmas funções gerais são atribuídas tanto à alma quanto ao espírito (cf. Mc 8.12; Jo 11.33; 13.21 com Mt 26.38; Jo 12.27; Cf. 2 Co 7.13; 1 Co 16.18 com Mt 11.29; Cf. 2 Co 7.1 com 1 Pe 2.11; 1 Ts 5.23; Hb 10.39; Cf. Tg 5.20 com 1 Co 5.5. Observe, também, Marcos 8.36, 37; 12.30; Lc 1.46; Hb 6.18, 19; Tg 1.21). Aqueles que partiram desta vida são algumas vezes mencionados como *almas* e algumas vezes como *espíritos* (cf. Gn 35.18; 1 Rs 17.21; Mt 27.50; Jo 19.30; At 2.27, 31; 7.59; Hb 12.23; 1 Pe 3.18; Ap 6.9; 20.4). Assim, também, Deus é revelado como espírito e alma (Is 42.1; Jr 9.9; Mt 12.18; Jo 4.24; Hb 10.38).

Ao basear as suas conclusões nessas generalidades, muitos têm presumido que a Bíblia ensina somente uma dicotomia. Em oposição a isto está a verdade de que freqüentemente esses termos não podem ser usados intercambiavelmente. A esta altura pode ser observado que há uma relação íntima entre o espírito humano e o Espírito Santo – tão próximos, na verdade, que nem sempre se sabe a qual deles o Texto Sagrado se refere. O Espírito Santo opera em e através do espírito humano, mas isto não é dito com respeito à alma humana. "O Espírito mesmo testifica com o nosso espírito que somos filhos de Deus" (Rm 8.16). Uma alma pode estar perdida, mas isto não é declarado a respeito do espírito (Mt 16.26). Os três textos importantes que distinguem entre alma e espírito são: "Semeia-se corpo animal, é ressuscitado corpo espiritual. Se há corpo animal, há também corpo espiritual" (1 Co 15.44); "E o próprio Deus vos santifique completamente; e o vosso espírito, e alma e corpo sejam plenamente conservados irrepreensíveis para a vinda de nosso Senhor Jesus Cristo" (1 Ts 5.23); "Porque a palavra de Deus é viva e eficaz, e mais cortante do que qualquer espada de dois gumes, e penetra até a divisão de alma e espírito, e de juntas e medulas, e é apta para discernir os pensamentos e intenções do coração" (Hb 4.12).

Muita coisa tem sido escrita com a idéia de trazer essas três passagens em harmonia com a visão dicotômica. Nesse esforço o texto de 1 Coríntios 15.44 é também freqüente e totalmente ignorado. Todavia, ele apresenta um campo de distinção que é imensurável. A tradução das versões da língua portuguesa usam a palavra *natural* (ao invés de *animal*), que obscurece o fato para os leitores comuns. O que se quer apresentar aqui é o corpo que é adaptado à alma, em contraste com aquele corpo que é futuro e que será adaptado ao espírito. O corpo futuro deve ser igual ao corpo glorioso de Deus e a diferença, como medida aqui, entre o corpo presente – corruptível, em desonra, fraco e próprio para a alma – e o corpo da ressurreição – incorruptível, glorioso, poderoso e adaptado ao espírito – apresenta aquilo que é da perspectiva e capacidade da alma em contraste com aquilo que é da perspectiva e capacidade do espírito.

Cada um dos elementos que juntos compõem a parte imaterial do homem deveria ser considerado separadamente:

1. ALMA. Nenhuma análise melhor de alma e espírito pode ser encontrada além daquela feita por J. I. Marais na *International Standard Bible Encyclopaedia*. Com respeito à alma humana ele escreve:

Alma, igual ao espírito, tem várias tonalidades de significado no Antigo Testamento, que pode ser sumariado da seguinte maneira: "Alma", "ser vivente", "vida", "eu", "pessoa", "desejo", "apetite", "emoção", e "paixão". No primeiro caso, significa aquilo que sopra, e, como tal, é distinto de *bāsār*, "carne" (Is 10.18; Dt 12.23); de *shᵉ'ēr*, "a carne interior", próxima dos ossos (Pv 11.17: "sua própria alma"); de *beṭen*, "ossos" (Sl 31.10: "os meus ossos se consomem") etc.

Como *sopro de vida*, ele parte na morte (Gn 35.18; Jr 15.2). Daí, o desejo entre os santos do Antigo Testamento de serem libertos do Sheol (Sl 16.10: "...tu não deixarás a minha alma no *sheol*") e do *shaḥath*, "a cova" (Jó 33.18: "para reter a sua alma da cova"; Is 38.17: "tu... livraste [a minha alma] da cova da corrupção").

Por uma transição fácil, a palavra vem a significar o *indivíduo, vida pessoal*, a *pessoa*, com duas variações distintas que podem melhor ser indicadas pelo latim *anima* e *animus*. Como *anima*, "alma" a vida inerente no corpo, o princípio animador no sangue é denotado (cf. Dt 12.23,24 – "Tão somente guarda-te de comeres do sangue; pois o sangue é a vida [*alma*]; pelo que não comerás a vida com a carne). Como *animus*, "mente", o centro de nossas atividades e passividades mentais é indicado. Assim, lemos de "uma alma faminta" (Sl 107.9), "uma alma cansada" (Jr 31.25), "alma com aversão" (Lv 26.11), "alma sedenta" (Sl 42.2), "alma angustiada" (Jó 30.25), "alma cheia de amor" (Ct 1.7), e muitas expressões parecidas. Cremer caracterizou esse uso da palavra numa sentença: "A *Nephesh* [alma] no homem é o sujeito da vida pessoal, onde *pneuma* ou *rūᵃḥ* [espírito] é o princípio" (*Lexicon*, 795).

Essa individualidade do homem, contudo, pode ser denotada por *pneuma* também, mas com uma distinção. *Nephesh* ou "alma" pode somente denotar a vida individual com uma organização material ou corpo. *Pneuma* ou "espírito" não é tão restrito. A Escritura fala dos "espíritos dos justos aperfeiçoados" (Hb 12.23), onde não pode haver pensamento de uma organização material, física ou corpórea. Eles são "seres espirituais libertos dos assaltos e das corrupções da carne" (Delitzsch, in loc.). Para um uso excepcional de *psuchē* no mesmo sentido, veja Apocalipse 6.9; 20.4, e (a despeito do significado do Salmo 16.10) Atos 2.27.

No Novo Testamento *psuchē* aparece sob mais ou menos as mesmas condições como no Antigo Testamento. O contraste aqui é tão cuidadosamente mantido como lá. Ela é usada onde *pneuma* ficaria fora de lugar; e todavia ela parece às vezes ser empregada onde *pneuma* deveria ter sido substituída. Assim, em João 19.30 lemos: "Jesus entregou o seu *espírito*" ao Pai, e, no mesmo evangelho (Jo 10.15), Jesus deu a "sua *alma* pelas ovelhas", e em Mateus 20.28 Ele deu sua *alma* (não seu espírito) em resgate – uma diferença que é característica. Porque o *pneuma* permanece numa relação totalmente diferente para com Deus se comparado com a *psuchē*. O "espírito" (*pneuma*) é a expiração de Deus sobre a criatura, é o princípio vital derivado de Deus. A "alma" (*psuchē*) é a possessão individual do homem, aquela que distingue um homem de outro e da natureza inanimada. O *pneuma* de Cristo foi entregue ao Pai na morte; sua *psuchē* foi rendida, sua vida individual foi dada "como resgate por muitos". Sua vida "foi dada pelas ovelhas".

Isto explica aquelas expressões no Novo Testamento que falam da salvação da alma e sua preservação nas regiões dos mortos. "Tu não deixarás a minha alma no Hades" [o mundo de sombras] (At 2.27); "tribulação e angústia sobre a alma de todo homem que pratica o mal" (Rm 2.9); "Nós, porém, não somos daqueles que recuam para a perdição, mas daqueles que crêem para a conservação da alma" (Hb 10.39); "...a palavra implantada em vós, a qual é poderosa para salvar as vossas almas" (Tg 1.21). A mesma expressão ou expressões similares podem ser encontradas no Antigo Testamento em referência à alma. Assim, no Salmo 49.8: "pois a redenção da sua vida [alma] é caríssima", e ainda: "Mas Deus remirá a minha alma do poder do Seol, pois me receberá" (Sl 49.15). Talvez isso possa explicar – ao menos essa é a explicação de Wend – por que mesmo um cadáver seja chamado *nephesh* ou alma no Antigo Testamento, porque, na região dos mortos, a individualidade é retida e, numa medida, separada de Deus (cf. Lv 21.11; Ag 2.13).

A distinção entre *psuchē* e *pneuma*, ou *nephesh* e *rū^{a}ḥ*, aos quais já foi feita referência, pode ser melhor descrita nas palavras de Oehler: "O homem não é espírito, mas ele o *tem*: ele é alma... Na alma, que brotou do espírito, e existe continuamente através dele, repousa a individualidade – no caso do homem, a sua personalidade, o seu eu, seu *ego*".[291] Ele chama atenção para as palavras de Eliú em Jó (33.4): "O *Espírito* de Deus me fez", onde a alma é chamada à existência, "e o *sopro* do Todo-poderoso me dá vida", a alma mantida em energia e força, em existência continuada, pelo Todo-poderoso, em cujas mãos o *espírito* soprado é rendido, quando a *alma* parte ou é tirada de nós (1 Rs 19.4). Conseqüentemente, de acordo com Oehler as frases *naphshī* ("minha alma"), *naphshᵉkhā* ("tua alma") pode ser traduzida em latim *egomet, tu ipse*; mas não *rūḥī* ("meu espírito"), *ruḥăkhā* ("teu espírito") – alma significa a pessoa total, como em Gênesis 12.5; 17.14; Ezequiel 18.4 etc.[292]

2. Espírito. Semelhantemente, a análise do espírito humano pelo mesmo autor é parcialmente citada:

Usado principalmente no Antigo e Novo Testamentos para se referir ao *vento*, como em Gênesis 8.1; Números 11.31; Hebreus 1.7 (anjos, "espíritos" ou "ventos" na margem); freqüentemente usado para denotar sopro, como em Jó 12.10; 15.30, e em 2 Tessalonicenses 2.8 (o homem do pecado consumido pelo "sopro de sua boca"). Num sentido figurativo ele foi usado como indicador da *ira* ou *fúria*, e como tal aplicado mesmo a Deus, que destrói pelo "sopro de suas narinas" (Êx 15.8; Jó 4.9; 2 Sm 22.16; veja 2 Ts 2.8). Conseqüentemente, aplicado ao homem – como a sede da emoção no desejo ou nos problemas, e assim gradualmente das qualidades mentais e morais em geral (Êx 28.3, "o espírito de sabedoria"; Ez 11.19, "um novo espírito" etc.). Onde o homem é profundamente despertado pelo Espírito divino, como entre os profetas, temos uso um tanto similar da palavra, em expressões como "o Espírito do Senhor veio sobre mim" (1 Sm 10.10).

O espírito como princípio de vida no homem tem várias aplicações: algumas vezes para denotar uma *aparição* (Mt 14.26: "É um fantasma [espírito]"; Lc 24.37: "algum espírito"); algumas vezes para denotar anjos, tanto caídos quanto não caídos (Hb 1.14: "espíritos ministradores"; Mt 10.1: "espíritos imundos"; cf. também 12.43; Mc 1.23, 26, 27; e em Ap 1.4: "os sete espíritos... perante o seu trono"). O espírito é, assim, no homem o princípio da vida – mas do homem como distinto do animal – de forma que na morte esse espírito é entregue ao Senhor (Lc 23.46; At 7.59; 1 Co 5.5: "para que o espírito possa ser salvo"). Por isso, Deus é chamado o "Pai dos espíritos" (Hb 12.9). Assim geralmente para todas as manifestações da parte espiritual no homem, como aquela que pensa, sente e decide; e também para denotar certas qualidades que formam o homem, e.g., "pobre de espírito" (Mt 5.3); "espírito de mansidão" (Gl 6.1); "espírito de escravidão" (Rm 8.15); "espírito de ciúmes" (Nm 5.14); "espírito de temor" (2 Tm 1.7); "espírito entorpecido" (Rm 11.8). Conseqüentemente somos chamados para "dominar o nosso próprio espírito" (Pv 16.32; 25.28), e somos advertidos para não nos deixar dominar por um espírito de erro (Lc 9.55: "vós não sabeis de que espírito sois"). Assim, o homem pode submeter-se ao "espírito do erro" e afastar-se do "espírito da verdade" (1 Jo 4.6). Assim, lemos do "espírito de conselho" (Is 11.2); "espírito de sabedoria" (Ef 1.17).

Quando avançamos mais um passo encontramos o espírito humano em relacionamento com o Espírito divino. Porque o homem é apenas uma criatura a quem a vida foi comunicada pelo Espírito de Deus – a vida apenas como resultante do sopro de Deus. Assim, a vida e a morte são realisticamente descritas como uma comunicação ou retirada do sopro de Deus, como em Jó 27.3; 33.4; 34.14, onde "espírito e sopro" estão juntos. O espírito pode assim ser "revivido" (Gn 45.27), ou "esmorecido" (Sl 143.4), ou "abatido" (Pv 15.13). E onde o pecado foi profundamente sentido, ele é "um espírito quebrantado" que é "um sacrifício a Deus" (Sl 51.17); e quando o homem submete-se ao poder do pecado, uma nova direção é dada à sua mente: ele se põe debaixo do "espírito da luxúria" (Os 4.12); ele se torna "orgulhoso de espírito" (Ec 7.8), ao invés de ser "paciente em espírito"; ele é tolo porque é "apressado no seu espírito para irar-se" (Ec 7.9). O "fiel de espírito" é o homem que suporta os mexericos e as maledicências no mundo (Pv 11.13). Em tais casos como estes, a diferença entre "alma" e "espírito" fica evidente.[293]

Na mesma obra e sob o mesmo verbete *Psicologia*, o mesmo autor apresenta contrastes importantes entre *alma* e *espírito*: "Após reunir todas as coisas, a posição da Escritura parece ser a seguinte: o Espírito divino é a fonte de toda vida, e o seu poder é comunicado na esfera física, intelectual e moral. Esse Espírito, como o *spiritus spirans*, o espírito que inspira, por seu real sopro torna o homem uma alma vivente: "enquanto em mim houver alento, e o sopro de Deus no meu nariz" (Jó 27.3); "se lhes tiras a respiração [*rūªḥ*, "espírito"] morrem, e voltam para o seu pó". Conseqüentemente, Deus é chamado "Deus dos espíritos de toda carne (Nm 16.22; 27.16).

"A alma, embora idêntica ao espírito, tem nuanças de significado que o espírito não possui; ela representa o indivíduo. 'O homem é espírito, porque ele é dependente de Deus. O homem é alma, porque, diferentemente dos anjos, tem um corpo, que o liga a terra. Ele é *animal* porque possui anima, mas ele é um animal racional, que o distingue dos outros animais'".[294]

Após citar C. A. Auberlen, que disse: "Corpo, alma, e espírito não são nada além da base real dos três elementos do ser humano, consciência do mundo, autoconsciência e consciência de Deus", John Laidlaw afirma:

Seria muito fácil refutar cada uma das divisões propostas, ao confrontá-las com um ou mais textos que elas não cobrem. É melhor aceitá-las como evidência de que há claramente um uso tricotômico na Escritura, e que ele exige reconhecimento e explicação. Somente uma investigação paciente do seu surgimento nos capacitará a apreender a sua força. Que a alma e o espírito denotam naturezas distintas no homem, ou, como Delitzsch coloca, elementos separados de uma natureza, ou mesmo, como o fazem outros, faculdades distintas do homem interior, implica numa espécie de análise que está fora da harmonia com o pensamento bíblico, e não se sustentará diante de um exame imparcial da fraseologia bíblica. Por outro lado, [dizer] que nas passagens a serem explicadas nada temos mais do que acúmulo retórico de termos, não satisfará os fatos.

Quando passamos do uso natural para o teológico desses dois termos no Novo Testamento, a questão importante logo aparece, se a distinção deve ser encontrada entre *pneuma* com seu adjetivo de um lado, e *psyche* com seu adjetivo do outro, no grupo bem conhecido de textos, principalmente paulino (1 Co 2.14; 15.44; 1 Ts 5.23); Hb 4.12, Jd 19, é idêntico ao das escolas judaicas, ou deve sua força a outra e mais alta influência. Se é seguido o uso que o Antigo Testamento faz deles, como aprendemos nos evangelhos, por nosso Senhor e pelos apóstolos, não foi analítico, foi natural e real em oposição ao filosófico; então, embora Paulo possa ter dito que adotou a linguagem filosófica das escolas judaicas, ele estava antes redimindo os termos do Antigo Testamento das mãos deles para um novo propósito. O paralelo entre a sua linguagem tripartite e a dos platonistas e estóicos é bastante óbvio. Mas a diferença não é menos distinta. O que ele emprestou deles foi sancionado pelo uso da septuaginta; o que ele acrescentou foi uma aplicação da linguagem do Antigo Testamento para expressar a revelação da graça no Novo Testamento. A noção tripartite de Platão e das escolas platonizantes foi parte de um método para resolver o problema do mal. Foi com a intenção de explicar as forças morais divergentes no homem, para a subjugação nele do que é melhor pelo que é pior; e se fez assim por presumir que havia em sua formação um elemento físico eternamente oposto ao divino. Nos termos da tricotomia, como derivada do Antigo Testamento, não havia tal mancha. Foram idealizados para uma coisa melhor do que explicar o mal no homem – a saber, para expressar sob o poder de uma nova revelação o caminho de sua restauração. Eles foram exatamente adaptados para expressar a nova idéia. Uma delas especialmente, "espírito" ($\pi\nu\epsilon\hat{\upsilon}\mu\alpha$), nunca havia sido corrompida por pensamento étnico ou errôneo. Ela nunca foi usada na psicologia grega; mesmo o princípio mais elevado de Platão não é $\pi\nu\epsilon\hat{\upsilon}\mu\alpha$, mas $\nu o\hat{\upsilon}\varsigma$ e seus derivados. Portanto, enquanto a idéia da tricotomia no Novo Testamento foi sugerida pelo uso das escolas gregas e greco-judaicas, os termos em si mesmos foram bíblicos. O significado era imediatamente verdadeiro para a psicologia simples do Antigo Testamento, e aumentada em plenitude na revelação do Novo Testamento. Fica claro que a distinção entre o homem psíquico e o espiritual, o corpo psíquico e o espiritual, é uma distinção radical para a teologia das epístolas paulinas. Mas, ao invés de ser enraizada numa análise filosófica dos elementos constituintes da natureza humana, ela é principalmente nascida de duas descobertas do pensamento desenvolvido da revelação. Uma é revelação clara da personalidade de uma terceira hipóstase na divindade, definida e plenamente indicada no Novo Testamento pelo termo Espírito, o Espírito Santo de Deus, Espírito de Cristo. A outra é a união espiritual da humanidade redimida por Deus através de Jesus Cristo. A nova vida ou natureza assim originada é variavelmente chamada "o novo homem", "uma nova criatura", "o

ANTROPOLOGIA

homem interior" e especialmente "o espírito", a fim de contrastar com "a carne". É clara a razão por que esta palavra *pneuma* deve ser adotada para expressar a nova natureza nos crentes, ou a habitação de Deus com o homem. A terceira pessoa da Trindade é o agente que origina e mantém essa nova vida, e com rara felicidade, a mesma palavra (*ruach*, do Antigo Testamento, e *pneuma*, do Novo) denota o Espírito Santo de Deus e a vida celestialmente derivada no homem renovado. É um exemplo imediato da engrandecedora influência da revelação sobre a linguagem, e dessa visão para a capacidade e destinos da natureza humana que o progresso da revelação traz com ela. *Pneuma* e *Psyche*, com os seus derivados, assim presumem sob a influência da teologia do Novo Testamento uma significação nova e maior. Além de denotar vida física em comum, todavia, com diferença de aspecto; além de denotar vida interior em geral com diferença correspondente de ênfase, eles denotam uma distinção moral e espiritual. O homem psíquico é da forma como a natureza o constitui e como o pecado o infectou. O homem espiritual é como a graça o reconstituiu, e como o Espírito de Deus habita nele. O homem não renovado é "psíquico, não tendo o espírito". A Palavra de Deus divide e discrimina entre o que é psíquico e o que é espiritual. O cristão deve ser santificado na totalidade de sua vida tríplice – a vida física do corpo, a vida individual da alma, a vida interior do espírito; essas duas últimas se tornam novamente a base da vida natural e regenerada, respectivamente. No progresso da redenção, ele terá mudado o corpo físico ou natural, que ele tem em comum com todos os homens derivados de Adão, por um corpo espiritual ou glorificado, adaptado à sua nova natureza e moldado ao corpo glorioso do seu Senhor; pois o cabeça da raça foi feito *psyche* vivente, mas o segundo Adão foi feito *pneuma* vivificante.[295]

3. CORAÇÃO. No seu sentido psicológico, o termo *coração* se refere, igualmente em ambos os testamentos, à vida humana com suas energias exercidas. O órgão físico que porta esse nome é o distribuidor do sangue e o conceito bíblico é o de que a vida está no sangue (Lv 17.11). É, assim, natural que o coração deva ser considerado o centro da vida humana. Semelhantemente, o coração é o órgão que reage às emoções humanas e é, assim, muito facilmente considerado o centro da sensibilidade. Em Provérbios está escrito: "O coração conhece a sua própria amargura" (14.10); "Guarda com toda a diligência o teu coração, porque dele procedem as fontes da vida" (4.23). Desta maneira a Palavra de Deus relaciona o termo *coração* ao autoconhecimento natural. Com o mesmo propósito, Isaías 6.10 – uma passagem seis vezes citada no Novo Testamento – e 1 Coríntios 2.9 são especialmente reveladoras.

Está escrito: "Engorda o coração deste povo, e endurece-lhe os ouvidos, e fecha-lhes os olhos; para que ele não veja com os olhos, e ouça com os ouvidos, e entenda com o coração, e se converta, e seja sarado" (Is 6.10); "Mas como está escrito: As coisas que olhos não viram, nem ouvidos ouviram, nem penetraram o coração do homem, são as que Deus preparou para os que o amam" (1 Co 2.9). Foi declarado a respeito do homem muito cedo em sua história como se vê no registro de Gênesis 6.5 que "viu o Senhor que era grande a maldade do homem na terra, e que toda a imaginação dos pensamentos de seu coração era má continuamente". O profeta Ezequiel declara ser propósito de Jeová dar a Israel um "novo coração" (Ez 36.26), e o apóstolo escreve sobre a lei como "escrita nos seus corações". O coração deve ser purificado "pela fé". Pedro escreve sobre o "homem interior do coração", e que Jeová "sonda o coração". De tais passagens como estas, deve ser visto que o termo *coração* representa o exercício específico das realidades da vida humana e pode, assim, em algum grau, ser distinto de alma e de espírito, embora aqui, novamente, nenhuma linha direta possa ser traçada e a especulação humana é de pouco proveito.

A palavra *coração* ocorre mais de 600 vezes no Antigo Testamento e ao menos 120 vezes no Novo Testamento. A palavra *alma* ocorre apenas cerca de 400 vezes em toda a Bíblia e a palavra *espírito* apenas um pouco mais – inclusive todas as referências ao Espírito de Deus. O uso extenso da palavra *coração* em todas as suas mais variadas implicações coloca-a numa posição de importância suprema na psicologia bíblica. Intimamente ligado com a palavra *coração* em sua importância psicológica está a palavra *rins*, que é usada 14 vezes no Antigo Testamento e apenas uma vez no Novo Testamento (Ap 2.23). Neste termo os *rins* parecem simbolizar a parte mais interior do ser humano, a sede das emoções mais profundas do homem que Deus somente pode conhecer plenamente. Seis vezes a palavra *rins* é usada com a palavra *coração* e evidentemente como uma ênfase sobre a natureza emocional do homem.

4. Carne. Este quarto termo psicológico que a Bíblia usa introduz uma realidade que é até mais complexa do que qualquer outra. A palavra *carne* ($\sigma\acute{\alpha}\rho\xi$) está sujeita a três usos no Novo Testamento, e quando esses termos são distinguidos, alguma luz vem sobre esse tema facilmente mal-entendido. Em alguns casos, o termo *carne* refere-se somente à parte material do homem, caso esse que não possua uma conotação psicológica. É equivalente ao seu sinônimo, corpo ($\sigma\hat{\omega}\mu\alpha$). No seu sermão no dia de Pentecostes, Pedro, ao referir-se à esperança de Davi de que Cristo ressuscitaria dos mortos, afirma: "Sendo, pois, ele profeta, e sabendo que Deus lhe havia prometido com juramento que faria sentar sobre o seu trono um dos seus descendentes – prevendo isto, Davi falou da ressurreição de Cristo, que a sua alma não foi deixada no Hades, nem a sua carne viu a corrupção" (At 2.30, 31).

Em ambos os casos onde esse termo é usado nessa passagem, o significado é restrito à substância do corpo. Em 1 Coríntios 15.39, o apóstolo Paulo estende o seu significado para incluir a substância de todas as formas de criaturas vivas. O termo é diversas vezes ligado com a palavra *sangue*, como "carne e sangue" e com significado importante. Embora usado a respeito do corpo humano (Ef 5.29) e do corpo de Cristo (Jo 1.14; 1 Tm 3.16; Hb 5.7), ele é nesse uso específico não mais do que um sinônimo de *corpo*.

Em seu segundo significado, ele se refere aos relacionamentos e classificações da humanidade. Portanto, nesse sentido, o termo *carne* aparece muitas vezes no Antigo Testamento. Ao citar Isaías 40.6-8, Pedro declara: "Porque: toda a carne é como a erva, e toda a sua glória como a flor da erva. Secou-se a erva, e caiu a sua flor; mas a palavra do Senhor permanece para sempre. E esta é a palavra que vos foi evangelizada" (1 Pe 1.24,25). Esta referência é a pessoas vivas da terra – não a muitos corpos compostos de substância de carne, mas corpos com alma, e vivos. Contudo, embora esse uso da palavra significasse tanto o corpo quanto a vida que está nele, não há uma referência direta de tal uso da palavra referente a qualidades morais ou éticas.

O terceiro uso da palavra *carne* é aquele que é totalmente restrito à parte imaterial do homem. Ao abordar esta aplicação específica dessa palavra, será observado que no primeiro caso ela é vista ser restrita ao corpo somente; no segundo caso, ela combina tanto o material quanto o imaterial, mas sem significação moral; mas nesse terceiro caso ela é restrita à parte imaterial do homem e com significação especial moral e ética. Ela é um elemento no homem que é predicado tanto dos não-regenerados quanto dos regenerados. Ela é oposta a Deus em piedade. Por ser isolada da mera substância, pode ser definida como uma natureza caída, uma disposição para o pecado. Ela manifesta o eu, e na avaliação dela, o corpo pode estar indiretamente incluso, mas sem qualquer contribuição importante. O apóstolo Paulo falou de *si mesmo* assim: "Porque eu sei que em mim, isto é, na minha carne, não habita bem algum; com efeito o querer o bem está em mim, mas o efetuá-lo não está" (Rm 7.18).

A expressão usual da carne é através do corpo, mas as tendências más não são sempre expressas sob o termo *carne*. Há desejos malignos na mente (Ef 2.3), e há a "impureza" do espírito (2 Co 7.1). Algumas "obras da carne", tais como "ódio, discórdia, emulações, heresias", são totalmente desconectadas do corpo. Há aquilo que é chamado de "sabedoria carnal" (2 Co 1.12) – a sabedoria do homem que é oposta à sabedoria de Deus – e uma "mente carnal" (Cl 2.18), que caracteriza o gnosticismo. O termo *carne*, por ser ético no seu caráter, é similar a expressões como o "velho homem", "o corpo da carne" (Rm 6.6), "o corpo dos pecados da carne" (Cl 1.22), "lei de meus membros" (Rm 7.23), "inclinações carnais" (Cl 3.5).

Assim, é visto que o termo *carne*, quando porta uma significação ética, refere-se àquela parte do homem que, por causa da queda, é oposta a Deus e à santidade. Ela é uma natureza caída que, embora se expresse através dos atos do corpo, não obstante, deve ser identificada como o que é imaterial e relaciona-se ao material somente quando tudo que é imaterial está residente no material e se expresse através dele. Para o apóstolo Paulo, a presente existência é uma "vida na carne" (Gl 2.20). Ele está na carne do mesmo modo em que está no *cosmos*. É a esfera desta presente habitação, e é, portanto, sempre uma ocasião para conflito. A essa altura, é introduzida no Novo Testamento a palavra *carnal*, que é a tradução da palavra σαρκικός, e indica aquilo que é carnal em seu caráter. Uma passagem importante que trata diretamente deste tema (1 Co 3.1-4), aparece duas vezes com essa palavra grega.

Os coríntios são tratados de "irmãos" e são "crianças em Cristo" (3.1), e esta é uma evidência conclusiva de que eles são regenerados. Todavia, são *carnais*, por causa das condições que são mencionadas no contexto. Assim, o termo carnal deve ser uma descrição do estado espiritual de um cristão que é dominado pela carne, do que pelo Espírito de Deus. Ele é o que está "andando" na carne. No mesmo contexto (Rm 7.14-25) no qual ele se declara estar *na carne* (7.18), o apóstolo afirma: "Eu sou carnal, vendido sob o pecado" (7.14). Esta porção das Escrituras – tão pessoal no seu caráter – é apresentada pelo apóstolo como um exemplo do conflito que é desenvolvido pela presença da carne naquele que é salvo. Nisto Pedro concorre com uma admoestação para "vos absterdes das concupiscências da carne, as quais combatem contra a alma" (1 Pe 2.11).

A função da alma é usualmente numa esfera inferior da vida humana em relação à função do espírito (cf. 1 Co 15.54); mas aqui é revelado que a carne é inferior ao espírito, pois as paixões são em detrimento da alma. Numa passagem semelhante (Rm 8.5-13), o problema fundamental de se é a carne ou o Espírito de Deus que vai dominar a vida do crente, é levado ao seu fim lógico, a saber, viver de acordo com a carne é entrar no caminho da morte, e viver de acordo com o Espírito é entrar no caminho da vida com sua vitória sobre a carne. Não é afirmado que os cristãos estão em perigo de morte espiritual, mas não obstante é verdadeiro que eles podem viver nas esferas em que vivem aqueles que estão espiritualmente mortos (cf. Ef 2.3). Eles podem ser indulgentes com "os feitos do corpo". A palavra *carnal* (*mente*) aparece na *Authorized Version* (Versão Autorizada) de Romanos 8.6, 7, mas o termo σάρξ e não σαρκικός aparece no original.

Uma boa consideração desse contexto não pode apenas impressionar a mente com respeito ao caráter mau da carne quando considerada eticamente, e em sua oposição determinada e impiedosa ao Espírito de Deus. Visto que nenhuma pessoa não-regenerada é habitada pelo Espírito Santo, o conflito aqui descrito é entre o que o cristão é em si mesmo – carne – e o Espírito de Deus que nele habita. Tal luta pertence somente ao filho de Deus. Com respeito a esse conflito, deve ser vista uma distinção entre a carne em seu contrapeso à *mente* (νοῦς, Rm 7.23-25), e a *carne* em seu contrapeso ao Espírito Santo (Rm 8.4-13; Gl 5.16-26). No primeiro conflito, ou o que há entre a carne e a mente, há somente derrota, embora a verdade é estabelecida de que com a mente um cristão pode servir a "lei de Deus" e, todavia, com a carne servir "a lei do pecado" (Rm 7.25).

No conflito mais amplo entre a carne e o Espírito Santo pode haver vitória. O triunfo possível é publicado em duas passagens importantes, cada uma delas seguida de uma porção explicativa muito vital. Estas passagens dizem: "Porque a lei do Espírito da vida, em Cristo Jesus, te livrou da lei do pecado e da morte. Porquanto, o que era impossível à lei, visto que se achava fraca pela carne, Deus, enviando a seu próprio Filho em semelhança da carne do pecado, e por causa do pecado, na carne condenou o pecado, para que a justa exigência da lei se cumprisse em nós, que não andamos segundo a carne, mas segundo o Espírito"

(Rm 8.2-4); "Digo, porém: Andai pelo Espírito, e não haveis de cumprir a cobiça da carne. Porque a carne luta contra o Espírito, e o Espírito contra a carne; e estes se opõem um ao outro, para que não façais o que quereis" (Gl 5.16, 17).

Não há dúvida a respeito do caráter maligno da carne – eticamente considerada – quando examinamos mais de vinte passagens do Novo Testamento. A citação de cinco delas será suficiente: "Porque, se viverdes segundo a carne, haveis de morrer; mas, se pelo Espírito mortificardes as obras do corpo, vivereis" (Rm 8.13); "E os que são de Cristo Jesus crucificaram a carne com as suas paixões e concupiscências" (Gl 5.24); "Porque quem semeia na sua carne, da carne ceifará a corrupção; mas quem semeia no Espírito, do Espírito ceifará a vida eterna" (Gl 6.8); "no qual também fostes circuncidados com a circuncisão não feita por mãos no despojar do corpo da carne, a saber, a circuncisão de Cristo" (Cl 2.11); "e salvai-os, arrebatando-os do fogo; e de outros tende misericórdia com temor, abominando até a túnica manchada pela carne" (Jd 23).

5. MENTE. Nas epístolas paulinas, a palavra *mente* é empregada como um dos elementos da parte imaterial do homem. Ela está intimamente relacionada tanto ao Espírito Santo quanto à carne. Paulo fala da "mente do Espírito" e da "mente da carne". Obviamente, a mente humana pode estar relacionada ao que é bom ou ao que é mal. O apóstolo escreve, como foi indicado anteriormente, que com a mente ele servia a lei de Deus (Rm 7.25). Ele também definitivamente assevera que a mente carnal é inimizade contra Deus (Rm 8.7). Em outro lugar, une carne e *mente* em uma frase: "os desejos da carne e da mente" (Ef 2.3), com uma sugestão má com respeito a cada uma delas. A mente pode ser corrompida (Tt 1.15), e, contra isto, Pedro diz que a mente pode ser "cingida" como o são os lombos (1 Pe 1.13).

Um sumário da doutrina bíblica a respeito dos quatro elementos principais que compõem a parte imaterial do homem – *alma, espírito, coração e carne* – é apresentado por John Laidlaw, da seguinte maneira:

Para sumariar: ninguém precisa ficar incerto ao captar a simples psicologia da Bíblia que mantém bem em vista a significação original e o crescimento subseqüente dos quatro principais termos: ESPÍRITO, ALMA, CARNE, CORAÇÃO. Estes são as *voces signatae* da visão da totalidade da Escritura com respeito à natureza e constituição do homem. Eles estão todos agrupados ao redor da idéia da vida ou do ser vivo. Os dois primeiros, *alma* e *espírito*, representam em diferentes modos a vida em si mesma de um ser vivo (não a vida em abstrato). Os dois últimos, *carne* e *coração*, denotam respectivamente o ambiente da vida e o órgão da vida; o primeiro ao qual a vida pertence, o último é aquele através do qual a vida age. Isso é quanto ao significado simples e primitivo deles. No significado secundário deles (que no caso dos primeiros três – *espírito, alma, carne* – se torna a base de um significado terciário, ético ou teológico no desenvolvimento final do pensamento inspirado), eles devem ser agrupados como se segue.

Espírito, alma, e *carne* são expressão para a natureza do homem vista de pontos diferentes. Eles não são três naturezas. A única natureza do homem é realmente expressa individualmente por eles, de modo que cada um pode designar o espírito humano. Assim, o homem é *carne*, como uma criatura perecível que tem corpo: "Toda a carne é como a erva". Ele é *alma*, como um ser vivo, uma criatura individual responsável: "Todas as almas são minhas" (Ez 18.4); "e naquele dia agregaram-se quase três mil almas" (At 2.41). Uma vez mais, o homem é *espírito*. Mais comumente, contudo, é dito que ele tem o espírito, como um princípio de vida derivado de Deus. Ele é de ordem espiritual – a saber, de Deus e anjos. Mas a palavra "espíritos" designa homens somente quando desincorporados: "os espíritos dos justos aperfeiçoados" (Hb 12.23), "espíritos em prisão" (1 Pe 3.19), do mesmo modo como lemos as "almas debaixo do altar" (Ap 6.9).

O *coração* fica fora dessa tríade, porque o homem nunca é chamado "um coração", nem os homens são referidos como "corações". *Coração* nunca denota o sujeito pessoal, mas sempre o órgão pessoal. Além disso, eles podem ser agrupados assim: *espírito, alma, coração*. Cada um deles pode ser usado para indicar um lado da natureza dupla do homem, a sua vida interior ou mais elevada. Em oposição a eles está o termo *carne*, que representa aquela natureza exterior e inferior, de modo que qualquer um dos primeiros três, combinado com *carne*, expressará, dicotomicamente, a totalidade do homem – carne e espírito, carne e alma, ou carne e coração. Então, ao olharmos à primeira vista para os três uma vez mais, não em relação à carne, mas em suas relações mútuas com a "vida", chegamos à conclusão que a divisão correta e conveniente sugerida por Beck e seguida pela maioria de pesquisadores competentes visto que – um resultado claro e inteligível, que se justifique por toda a Escritura, que o *espírito* representa o princípio da vida; a *alma*, o sujeito da vida; e o *coração*, o órgão da vida; definições que serão encontradas para aplicar exatamente a todos os três elementos constituintes que o ser humano pode conduzir – (a) o elemento físico; (b) o elemento mental e moral; (c) o elemento espiritual e religioso.[296]

V. As Capacidades e Faculdades da Parte Imaterial do Homem

Ao passarmos das considerações dos elementos que compõem a parte imaterial do homem para as capacidades e faculdades, a atenção é mudada do tema geral daquilo que a parte imaterial *é*, para o que a parte imaterial *faz*. Muita verdade vital pode ser tirada da Bíblia que trata das atividades da parte imaterial do homem. A filosofia de Kant, que classifica essas atividades no *intelecto, sensibilidade* e *vontade*, é usualmente aceita como a base funcional para o pensamento. Contudo, a isto deve ser acrescido que uma função estranha e misteriosa chamada *consciência*, que facilmente poderia ser classificada com aqueles elementos que compõem a parte imaterial do homem, como com as atividades operadas por ele. Na verdade, a consciência fica totalmente só como um monitor que julga tudo dentro do homem. Seguindo as divisões kantianas, cada atividade será examinada separadamente.

1. Intelecto. A *Enciclopédia Britânica* faz menção à palavra intelecto como "o termo geral para a mente em referência à sua capacidade para o entendimento". Esse tema pertence propriamente à psicologia. Contudo, quando temos em vista o entendimento aumentado, que é operado na mente humana pelo poder do Espírito Santo, o assunto se torna teológico. Uma iluminação sobrenatural para o não-regenerado foi prometida por Cristo, quando disse: "Todavia, digo-vos a verdade, convém-vos que eu vá; pois se eu não for, o Ajudador não virá a vós; mas, se eu for, vo-lo enviarei. E quando ele vier, convencerá o mundo do pecado, da justiça e do juízo; do pecado, porque não crêem em mim; da justiça, porque vou para meu Pai, e não me vereis mais, e do juízo, porque o príncipe deste mundo já está julgado" (Jo 16.7-11). Esta iluminação é designada evidentemente para vencer a incapacidade descrita em 2 Coríntios 4.3,4, que diz: "Mas, se ainda o nosso evangelho está encoberto, é naqueles que se perdem que está encoberto, nos quais o deus deste século cegou os entendimentos dos incrédulos, para que lhes não resplandeça a luz do evangelho da glória de Cristo, o que é a imagem de Deus".

De igual modo, um campo ilimitado da verdade torna-se disponível para os regenerados pelo mesmo Espírito. Desse ensino ou iluminação, a obra do Espírito de Cristo falou da seguinte maneira em João 16.12-15: "Ainda tenho muito que vos dizer; mas vós não o podeis suportar agora. Quando vier, porém, aquele, o Espírito da verdade, ele vos guiará a toda a verdade; porque não falará por si mesmo, mas dirá o que tiver ouvido, e vos anunciará as coisas vindouras. Ele me glorificará, porque receberá do que é meu, e vo-lo anunciará. Tudo quanto o Pai tem é meu; por isso eu vos disse que ele, recebendo do que é meu, vo-lo anunciará" (cf. Jo 3.3; 1 Co 2.9–3.4; Hb 5.12-14; 11.3; 1 Pe 2.2; 1 Jo 2.27). Ao orar pelos crentes de Éfeso, Paulo introduz uma realidade vital quando ele faz o seguinte pedido: "...para que o Deus de nosso Senhor Jesus Cristo, o Pai da glória, vos dê o espírito de sabedoria e de revelação no pleno conhecimento dele; sendo iluminados os olhos do vosso coração, para que saibais qual seja a esperança da sua vocação, e quais as riquezas da glória da sua herança nos santos" (Ef 1.17, 18).

Aqui a palavra usada é *coração*, como a sede do entendimento, como também é a sede das emoções, e também da vontade (cf. Rm 1.21). A recepção da grande revelação pela qual o apóstolo ora, portanto, é mais estendida do que seria se fosse restrita ao intelecto ou às emoções. Platão emprega a frase "olhos da alma" (*Sophist*, 254), onde Ovídio, ao falar de Pitágoras, diz: "Com sua mente ele abordou os deuses, conquanto longe do céu, e o que a natureza negou à vista humana, ele captou com os olhos do seu coração".[297] Tudo o que o apóstolo ora é com o fim de que "possais conhecer", e conhecer pela capacidade peculiar do coração, visto que o coração tanto sente quanto entende.

2. Sensibilidade. Esta, outra função da parte imaterial do homem, é também propriamente classificada quanto um tema importante da psicologia; todavia, há muita coisa que é emocional tanto em Deus como no homem, a qual é teológica. Neste caso o homem reflete ou simboliza aquilo que é verdadeiro de Deus. Quão vasto é o amor de Deus, e quão real é o amor e a devoção do coração humano! Além disso, a natureza emocional humana, semelhantemente ao intelecto humano, pode ser operada e aumentada experimentalmente pelo poder do Espírito que habita em nós. "O amor de Deus é derramado em nossos corações pelo Espírito Santo que nos foi dado" (Rm 5.5). As Escrituras declaram que a compaixão divina pode encontrar expressão através do cristão e que ela surge, não da capacidade do cristão, mas do Espírito que nele habita. "O fruto do Espírito é o amor" (Gl 5.22; cf. 1 Co 13.1-13). O cristão, através do amor divino, amará aqueles objetos que Deus ama. A amplitude de tal possibilidade é ilimitada. Esse amor divino, por causa da força atuante, das emoções e da vida, é elevado ao plano daquilo que é sobrenatural.

3. VONTADE. A vontade humana é legitimamente um tema importante em teologia. Ela aparece não somente em antropologia, mas também em soteriologia, e, ao considerar que o homem foi criado à imagem de Deus e reflete os atributos divinos, a vontade do homem é indiretamente relacionada ao Teísmo. O *fato* da vontade é uma verdade psicológica, enquanto que a *liberdade* da vontade é teológica. Este último aspecto do assunto pertence especificamente à soteriologia, e será estudado no tempo devido. Pode ser registrado aqui, contudo, que a vontade usualmente age movida ou influenciada pelo intelecto e emoções, e a sua liberdade não é mais do que a experiência de agir sem a necessidade consciente; todavia, nenhuma necessidade maior poderia ser imposta do que aquela que surge quando o intelecto e as emoções são em si mesmas influenciadas por um poder superior.

Dos não-regenerados é dito que Satanás opera neles ou energiza-os (Ef 2.2), enquanto que dos regenerados é dito que Deus os energiza, de modo que "Deus é quem efetua neles tanto o querer como o fazer segundo a sua boa vontade" (Fp 2.13). Estas duas passagens explicam toda a humanidade e, portanto, determinam a verdade – importante realmente – de que nenhuma vontade humana, no sentido mais absoluto, é livre. Ao dirigir-se àqueles que estão debaixo da influência de Satanás, como acontece com todos os não-regenerados, Cristo disse: "...mas não quereis vir a mim para terdes vida!" (Jo 5.40). Ele também declarou: "Ninguém pode vir a mim, se o Pai que me enviou não o trouxer; e eu o ressuscitarei no último dia" (Jo 6.44; cf. 5.21). Esse "trazer" é evidentemente um movimento da totalidade interior do homem e e experimentado pelo intelecto, pelas sensibilidades e pela vontade. Fé, ou confiança em Deus, é um estado de mente operado divinamente, assim como gracioso é o convite: "O que vem a mim de maneira nenhuma o lançarei fora" (Jo 6.37), e é mais atraente. Existe essa coisa de ver o Filho e crer nele por causa dessa visão (cf. Jo 6.40). À parte disso ninguém é naturalmente inclinado a crer. Para aqueles que estão sujeitos à vontade de Deus, há um conhecimento sempre crescente da verdade disponível. Desse fato gracioso, Cristo disse: "Se alguém quiser fazer a vontade de Deus, há de saber se a doutrina é dele, ou se eu falo por mim mesmo" (Jo 7.17).

Da vontade em geral a *Enciclopédia Britânica* afirma:

Na psicologia, a vontade é algumas vezes usada como sinônimo de conação, porém, mais usualmente no sentido restrito de decisão deliberada, quando contrastada com o mero impulso ou desejo. Num ato de vontade há uma escolha deliberada de uma entre as diversas alternativas, e freqüentemente uma referência consciente aos interesses do eu, do sujeito como um todo. As pessoas algumas vezes falam como se a vontade fosse uma espécie de entidade ou faculdade independente que toma as decisões etc. Mas isto é somente um modo livre de falar. Como Spinoza e Locke assinalaram muito tempo atrás, não há vontade à parte de atos particulares ou processos de querer; e não é a vontade que deseja, mas a totalidade do eu que o faz. Semelhantemente com hipóstase relacionada do "poder de vontade" ou "força de vontade". Não há uma "vontade" forte, mas há caracteres de fortes desejos, a saber, pessoas que podem buscar alvos distantes (bons ou maus) com grande perseverança; pessoas que desejam fracamente, por outro lado, são facilmente influenciadas e levadas por todo instinto ou impulso ou desejo que as inclinam de tempos em tempos, e não podem subordiná-las a buscarem fins remotos.[298]

Sobre a vontade considerada sob o prisma teológico, o Dr. Augustus H. Strong escreve:

A. VONTADE DEFINIDA. A vontade é o poder da alma de escolher entre motivos e de dirigir a sua atividade subseqüente para o motivo assim escolhido. Em outras palavras, é o poder da alma de escolher tanto um fim assim quanto os meios de alcançá-lo. A escolha de um fim supremo chamamos preferência imanente; a escolha de meios chamamos volição executiva.

B. VONTADE E OUTRAS FACULDADES: (a) aceitamos a tríplice divisão das faculdades humanas: intelecto, sensibilidade e vontade. (b) O intelecto é o conhecimento da alma; a sensibilidade é o sentimento da alma (desejos, afeições); a vontade é a escolha da alma (os fins ou meios). (c) Em cada ato da alma, todas as faculdades agem. O conhecimento envolve o querer; o sentimento envolve o conhecimento e o querer; o querer envolve o conhecer e o sentir; (d) Logicamente, cada um envolve a ação precedente do anterior: a alma deve conhecer antes de sentir; deve conhecer antes de querer; (e) Todavia, visto que o conhecer e o sentir são atividades, nenhuma dessas é possível sem o querer.

C. VONTADE E ESTADOS PERMANENTES: (a) Embora cada ato da alma envolva a ação de todas as faculdades, todavia em cada ação particular uma faculdade pode ser mais proeminente do que as outras. Assim acontece com os atos do intelecto, da afeição e da vontade. (b) Essa ação predominante de cada faculdade produz efeitos sobre as outras faculdades associadas a ela. A ação da vontade dá uma direção ao intelecto e às afeições, assim como uma inclinação permanente à vontade em si. (c) Cada faculdade, portanto, tem os seus estados permanentes, assim como seus atos transientes, e a vontade pode originar esses estados. Conseqüentemente, falamos das afeições voluntárias, e, com igual propriedade, podemos falar das opiniões voluntárias. Estes estados voluntários permanentes nós denominamos caráter.

D. A Vontade e Os Motivos: (a) Os estados permanentes supracitados, uma vez determinados, também influenciam a vontade. As visões e as disposições internas, e não simplesmente as apresentações externas, constituem a força dos motivos. (b) Esses motivos freqüentemente se conflitam; embora a alma nunca aja sem um motivo, não obstante ela escolhe entre motivos, e assim determina o fim para o qual ela dirigirá as suas atividades. (c) Os motivos não são *causas*, que compelem a vontade, mas *influências*, que a persuadem. O poder desses motivos, contudo, é proporcionado à força da vontade que entrou nelas e as tornou o que elas são.

E. A Vontade e a Escolha contrária: (a) Embora nenhum ato de pura vontade seja possível, a alma pode divulgar simples volições numa direção oposta ao seu propósito governante anterior, e assim o homem tem o poder de uma escolha contrária (Rm 7.18 – "o querer fazer o bem está em mim"). (b) Mas até onde a vontade entrou e revelou-se nos estados permanentes do intelecto e da sensibilidade, e numa inclinação estabelecida da própria vontade, o homem não pode por um simples ato reverter o seu estado moral, e, neste aspecto, ele não tem o poder de uma escolha contrária. (c) Neste último caso, ele pode mudar o seu caráter somente de um modo indireto, por voltar sua atenção para considerações adaptadas, ao despertar disposições opostas, e assim criar motivos para um curso oposto.

F. A Vontade e a Responsabilidade: (a) Por atos repetidos da vontade efetuados em determinada direção, as afeições podem se tornar tão confirmadas para o mal ou para o bem como tornar previamente certa, embora não necessária, a ação boa futura ou a ação má do homem. Assim, enquanto a vontade é livre, o homem pode ser "um escravo do pecado" (Jo 8.31-36) ou o "servo da justiça" (Rm 6.15-23; cf. Hb 12.23 – "espíritos dos justos aperfeiçoados"). (b) O homem é responsável por todos os efeitos da vontade, assim como pela vontade em si mesma; pelas afeições voluntárias, assim como por atos voluntários; pelas opiniões intelectuais nas quais a vontade entrou, assim como pelos atos de vontade pelos quais essas opiniões foram formadas no passado ou são mantidas no presente (2 Pe 3.5 – "deliberadamente se esquecem").

G. Inferências Desse Conceito de Vontade: (a) Podemos ser responsáveis pelas más afeições voluntárias com as quais somos nascidos, e pelas preferências de egoísmo herdadas que a vontade possui, somente sobre a hipótese de que originamos esses estados de afeições e vontade, ou que tínhamos uma parte na origem deles. A Escritura fornece essa explicação, em sua doutrina do pecado original, ou a doutrina de uma apostasia comum da raça no seu primeiro pai, e nossa derivação de uma natureza corrupta por geração natural dele. (b) Embora o homem continue a possuir, mesmo em sua presente condição, um poder natural de vontade pelo qual ele pode exercer volições externamente conformadas à lei divina e assim pode, num grau limitado, modificar o seu caráter, ainda é verdade que a inclinação pecaminosa de suas afeições não está diretamente sob controle; e essa inclinação constitui um motivo para o mal ser tão constante, inveterado, e poderoso, que realmente influencia todo membro da raça para reafirmar a sua escolha má, e torna necessária uma operação especial do Espírito de Deus sobre o seu coração para assegurar a sua salvação. Daí, a doutrina bíblica da regeneração.[299]

4. Consciência. A faculdade da *consciência* é uma das principais manifestações da parte imaterial do homem, e, sem dúvida, nenhuma outra faculdade reflete mais plenamente aquilo que se assemelha a Deus. A avaliação da parte dos homens do que a consciência realmente é varia em alto grau. Alguns sustentam que ela não é uma parte integral do homem, mas é antes a voz de Deus que fala diretamente a alguém que é exercitado pela consciência. Por outro lado, e muito longe dessa, está a noção de que a consciência é mais do que uma inclinação da mente recebida pela disciplina na infância. Nenhum desses extremos é sustentado pela Escritura. Deve ser observado, contudo, que a voz da consciência, quando normal em qualquer grau, é sempre verdadeira para o ideal divino, e isto a despeito do fato de que há muita coisa no homem que é contrária a Deus, especialmente em sua carne. A consciência não está sujeita à vontade, mas antes exerce julgamento sobre ela e sobre todos os outros aspectos da vida do homem.

A unidade do ser do homem não é menos real por causa dos diversos elementos em sua natureza imaterial – *alma, espírito, coração, carne* e *mente* – nem menos real por causa dos vários modos de expressão da natureza imaterial – *intelecto, sensibilidade, vontade, memória* e *consciência*. Todos esses elementos e manifestações são perfeitamente articulados para formar uma experiência que é chamada vida. A mente pode originar pensamentos, a memória pode reter pensamentos, o espírito pode discernir o valor dos pensamentos, e a alma responder aos pensamentos, mas a consciência julga os pensamentos com respeito à dignidade moral deles. Naturalmente, pouca coisa que é experimentada pelo homem tem um caráter moral e, portanto, a consciência nem sempre é exercitada. Às vezes, e quando a ocasião exige, a consciência pode se tornar um tormento, um chicote, que se torna insuportável. Nisto, Deus parece ser mais ou menos identificado por todo indivíduo. Ele sabe que Deus conhece o que ele conhece. A consciência está pouco preocupada com o fato, conforme o caso, a ponto de outras pessoas saberem aquilo que constitui o fardo dela.

O testemunho bíblico a respeito da consciência é aquele em que ela é (a) *natural* – aquela que pertence ao não-regenerado – ou (b) sobrenatural, aquela que pertence ao regenerado. A consciência do não-regenerado é *corrompida* (Tt 1.15), *má* (Hb 10.22), *convencida* (Jo 8.9), *cauterizada* (1 Tm 4.2). Por outro lado, a consciência sobrenatural, a que é do cristão, é muito mais complexa. Na verdade, a questão real é levantada devidamente sobre se o cristão vive por sua consciência.

As Capacidades e Faculdades da Parte Imaterial do Homem

É afirmado que ele é influenciado pelo Espírito que o habita, entristecido ou não entristecido pela maneira como o cristão vive. Nenhuma descrição da experiência de alguém em quem o Espírito está triste é tão vívida quanto aquele que nos mostra o texto do Salmo 32.3,4: "Enquanto guardei silêncio, consumiram-se os meus ossos pelo meu bramido durante o dia todo. Porque de dia e de noite a tua mão pesava sobre mim; o meu humor se tornou em sequidão de estio".

O apóstolo Paulo significativamente afirma que a sua consciência dava testemunho no Espírito Santo (Rm 9.1). Por isto parece que o Espírito emprega a consciência como um Seu meio de expressão em impressão, e talvez esta seja a revelação da verdadeira relação entre o Espírito Santo e a consciência do salvo. Com isto em mente, certas verdades reveladas com respeito à consciência do cristão podem ser consideradas. A consciência é *purificada*. Está escrito: "Porque a lei, tendo a sombra dos bens futuros, e não a imagem exata das coisas, não pode nunca, pelos mesmos sacrifícios que continuamente se oferecem de ano em ano, aperfeiçoar os que se chegam a Deus. Doutra maneira, não teriam deixado de ser oferecidos? Pois tendo sido uma vez purificados os que prestavam o culto, nunca mais teriam consciência de pecado" (Hb 10.1,2). Não há uma insinuação aqui de que o cristão não será cônscio de pecado inconfesso em sua vida; antes, o registro total dos pecados passados, por terem sido perdoados como parte da salvação, a consciência purificada não será exercitada sobre eles.

Esse texto específico da Escritura apresenta um teste vital que pode provar se alguém é salvo e pode ser aplicado a qualquer crente professo. Intimamente relacionado com isso está a boa consciência, que é mencionada seis vezes no Novo Testamento (veja 1 Pe 3.16). Esse aspecto da consciência se relaciona ao estado do coração do crente ou o reflete. Uma boa consciência é livre de autocondenação. Duas passagens servem para descrever essa realidade. Em 1 Coríntios 4.4, Paulo assevera: "Porque, embora em nada me sinta culpado, nem por isso sou justificado; pois quem me julga é o Senhor", e em 1 João 3.20-22, essa consciência é dita ser um fato importante na oração eficaz. Esta passagem afirma: "Porque se o coração nos condena, maior é Deus do que o nosso coração, e conhece todas as coisas. Amados, se o coração não nos condena, temos confiança para com Deus; e qualquer coisa que lhe pedirmos, dele a receberemos, porque guardamos os seus mandamentos, e fazemos o que é agradável".

Evidentemente esta forma particular de consciência registrada aqui foi experimentada por todos aqueles que foram fiéis a Jeová sob o judaísmo (cf. At 23.1; 2 Tm 1.3). É desta maneira que a consciência testemunha (Rm 9.1) e pode ser sem ofensa (At 24.16). É também digno de nota que a consciência de um cristão imaturo pode ser encorajada em alguns modos de pecado pelo exemplo que outros cristãos apresentam. Está escrito: "Porque se alguém vir a ti, que tens ciência, reclinado à mesa em templo de ídolos, não será induzido, sendo a sua consciência fraca, a comer das coisas sacrificadas aos ídolos?" (1 Co 8.10). O apóstolo também identifica isto como uma consciência *ferida*: Ora, pecando assim contra os irmãos, e ferindo-lhes a consciência quando fraca, pecais contra Cristo" (v. 12).

Capítulo XV

O Estado de Inocência

I. O Ambiente do Primeiro Homem

A DESCRIÇÃO DO AMBIENTE em que vivia o primeiro homem está registrada em Gênesis 2.8,9,15, que diz: "Então plantou o Senhor Deus um jardim, da banda do oriente, no Éden; e pôs ali o homem que tinha formado. E o Senhor Deus fez brotar da terra toda qualidade de árvores agradáveis à vista e boas para comida, bem como a árvore da vida no meio do jardim, e a árvore do conhecimento do bem e do mal... Tomou, pois, o Senhor Deus o homem, e o pôs no jardim do Éden, para o lavrar e guardar". Pode ser presumido que quando Jeová plantou um jardim no qual estavam "árvores agradáveis à vista e boas para comida", o prospecto era tão agradável quanto poderia ser assegurado por meio de coisas materiais. A capacidade de atração exercida pelo jardim estava em harmonia com tudo mais que Deus havia criado e que Ele havia dito que era "muito bom". A evidência aponta inconfundivelmente para o fato de que um ambiente pobre tende a encorajar toda forma de mal.

A situação em que o primeiro homem foi colocado não poderia, com qualquer raciocínio, ter sido a causa que contribuiu para a sua queda. O que permanece desse jardim maravilhoso é somente o sonho do poeta. J. Vondel (1654), o expoente dos poetas da Holanda, em sua maior obra, *Lúcifer*, apresenta Apoliom, que se reporta a Belzebu sobre a sua visita ao Jardim do Éden.

APOLIOM:

Senhor Belzebu, eu tenho observado o terreno abaixo com olho muito atento, e agora eu te ofereço os frutos que ali cresceram muito abaixo destas alturas, sob os outros céus e outro sol: julga agora pelo fruto a terra e o jardim que o próprio Deus abençoou e plantou para o deleite da raça humana.

BELZEBU:

Eu vejo as folhas douradas, todas carregadas de pérolas etéreas, o orvalho prateado e cintilante. Que doce perfume exalam aquelas folhas radiantes de cores que não descoram! Quão fascinantemente se incandesce aquele agradável fruto de tons carmesim e dourado! Era uma pena polui-lo com as mãos. Os olhos tentam a boca. Quem não desejaria ardentemente essa luxúria terrena? Quem pode colher o fruto da terra, despreza o nosso dia e o alimento celestial. Alguém amaldiçoaria por causa do jardim de Adão, o nosso paraíso. A bem-aventurança dos anjos se desvanece naquela [bem-aventurança] do homem.

APOLIOM:

Isso é muito verdadeiro, senhor Belzebu, embora possa parecer muito alto o nosso céu, ele é muito baixo. Pois o que eu vi com os meus próprios olhos não me engana. Os prazeres do mundo, sim, os campos do Éden sozinhos, excedem em muito o nosso paraíso.

...

APOLIOM:

O jardim é redondo, como o próprio mundo. Acima do centro aparece o monte do qual a fonte jorra que se divide em quatro, e as águas de toda a terra, que refrescam as árvores e campos; e fluem em riachos estouvados de pureza cristalina. As correntes do rico aluvião delas influenciam e nutrem toda a terra. Aqui o ônix reluz e o bdélio realmente brilha; e reluzente o céu brilha intensamente com estrelas resplandecentes; assim aqui a senhora natureza plantou as suas constelações de pedras que empalidecem as nossas estrelas. Aqui deslumbram os veios de ouro; pois a natureza quis juntar todos os seus tesouros em um só lugar.

...

APOLIOM

Nenhum anjo dentre nós exala um hálito tão suave e doce como uma pura inalação refrescante que satisfaça o homem, que suavemente refresque a sua face e com o seu toque delicado e vivificante afague todas as coisas em seu curso bem-aventurado: ali intumescem os seios do campo fértil com ervas, cores e botões em flor que desabrocham, e os múltiplos odores que noturnamente o orvalho refresca. O nascer e o pôr-do-sol sabem e observam o seu tempo próprio e assim de acordo com a necessidade de toda planta moderam os seus próprios raios que florescem e frutificam, e são todos encontrados dentro da mesma estação.[300]

II. A Responsabilidade do Primeiro Homem

Com respeito à sua maneira de vida, a obrigação do primeiro homem – à parte da tarefa de cuidar e guardar o jardim – é a norma ou padrão para toda vida humana na terra. Durante aquele período indeterminado, no qual Adão viveu antes da queda, aquele ideal foi realizado para a satisfação mais plena de seu Criador. Essa responsabilidade é facilmente afirmada na expressão *ele fez a vontade de Deus*. Não falta evidência para provar que numa comunhão ininterrupta com Deus Adão recebeu conselho e orientação diária do Criador. Mas uma proibição foi imposta sobre ele. Esta, na verdade, formava uma proporção muitíssimo pequena em comparação com as instruções graciosas que vinham dos lábios de Jeová. O ideal presente para os redimidos é que eles também possam encontrar e fazer a vontade de Deus. Muito freqüentemente o lado negativo da vontade de Deus é enfatizado desproporcionalmente.

Há coisas que são más e não convenientes das quais o cristão deve se abster, mas a vontade de Deus é *positiva*. É a que deve ser *feita*, e em comunhão alegre com o Pai e com o seu Filho (1 Jo 1.3, 4). Que o cristão pode andar e falar com Deus, que o ministério de orientação e ensino do Espírito lhe é concedido, e que o poder capacitador de realizar a perfeita vontade e plano de Deus é livremente concedido, ilustram, em alguma medida, o alto privilégio e responsabilidade do primeiro homem, quando nenhuma névoa havia entre ele e o seu Criador. "A vocação de esposo é uma vocação antiga e honrosa; ela foi necessária mesmo no paraíso. O jardim do Éden, embora não precisasse ser capinado (pois os espinhos e abrolhos ainda não incomodavam); todavia, devia ser cuidado e guardado. A natureza, mesmo em seu estado primevo, deixou lugar para o bem das artes e das atividades. Era uma ocupação própria para o estado de inocência, a fim de fazer provisão para a vida, não para a concupiscência, e dava ao homem uma oportunidade para admirar o Criador e reconhecer a sua providência: enquanto as suas mãos estavam postas nas árvores, o seu coração poderia estar posto em seu Deus."[301]

III. As Qualidades Morais do Primeiro Homem

Visto que a santidade pode ser *ativa* ou *passiva* – uma virtude positiva, ou a ausência do mal – as qualidades morais do primeiro homem eram passivas. Ele era inocente quanto ao mal. Não tinha havido uma oportunidade para desenvolver um caráter moral testado; todavia, nenhum registro afirma que ele não havia entendido a diferença entre o certo e o errado. O que poderia ter sido exigido moralmente do primeiro homem e a medida de sua obrigação, dependia basicamente do grau do seu desenvolvimento quando criado. Se, como alguns têm alegado, ele era somente uma criança em seus poderes mentais – por ser um infante com respeito aos dias de sua existência – então a sua responsabilidade moral é rebaixada a ponto do desaparecimento, e a transgressão na qual ele caiu não poderia receber juízo. No que respeita à sua transgressão, Deus tratou Adão como totalmente responsável e este fato sozinho certifica a respeito do desenvolvimento moral que ele possuía.

Deus criou um homem *maduro*. É verdade que ele não poderia lembrar uma história passada, nem poderia aquilatar o valor da experiência acumulada; mas estes valores eram possuídos a um grau exigido pela maturidade da ação. Esse era o caráter do ato criador de Deus. Nenhuma comprovação mais elevada do pleno crescimento da excelência humana poderia ser encontrado além daquilo que é mostrado na verdade de que o homem, quando criado, agradava a Deus e, assim, era recebido na comunhão divina. Com isso, a idéia da imaturidade ou da irresponsabilidade é evitada; todavia, a santidade do primeiro homem antes da queda era passiva no sentido de ser inocente e de não ter ainda um caráter testado.

IV. O Tentador do Primeiro Homem

Deste ser – identificado como Satanás – muita coisa já foi dita quando estudamos angelologia, sobre a pessoa e a tentação que ele impôs, e mais ainda será introduzido num estudo posterior sobre a hamartiologia.

Deve ser reconhecido que o tentador não é identificado na narrativa de Gênesis, que diz: "Ora, a serpente era o mais astuto de todos os animais do campo, que o Senhor Deus tinha feito. E esta disse à mulher: É assim que Deus disse: Não comereis de toda árvore do jardim?" (Gn 3.1). Somente no capítulo 12.9 de Apocalipse, o título *serpente* é identificado como referência ao diabo e Satanás. Anteriormente, no Novo Testamento, há certas referências claras ao fato de que era Satanás que tentou os primeiros pais (2 Co 11.3; 1 Tm 2.14). Deve ser observado que, no desenvolvimento da doutrina, a revelação clara a respeito do tentador não é dada até a redenção ser realizada na cruz. O fato de que a narrativa original dada em Gênesis não identifica o tentador, mas lida somente com a criatura com a qual Satanás empregou seus meios de comunicação, tem encorajado várias explicações desse evento importante, e tem gerado muitas críticas.

O registro afirma que o homem e a mulher, criados evidentemente fora do jardim, são colocados nele e designados para cuidar dele. Dentro do jardim estão duas árvores – "a árvore da vida" e a "árvore do conhecimento do bem e do mal". Desta última os primeiros pais estavam proibidos de comer. A penalidade por comer seria a morte em todas as suas formas, pois Deus lhes havia dito: "porque no dia em que dela comeres, certamente morrerás" (Gn 2.17). A serpente aparece e nega a palavra que Deus havia falado, e declara que no ato de comer os olhos deles haveriam de ser abertos, e eles seriam como *Elohim*, e conheceriam o bem e o mal. A mulher tomou primeiro do fruto e o deu ao seu marido que o comeu também. De acordo com a Palavra de Deus, eles morreram e foram expulsos do jardim. À luz de textos subseqüentes da Escritura não é difícil identificar o tentador como Satanás, que mais tarde é revelado como aquele que sempre procura arruinar as criaturas humanas que Deus fez. Que ele buscou a derrubada de Adão e Eva está em harmonia com todas as suas astúcias, que estão fielmente descritas nas Escrituras, as quais aparecem posteriormente.

ANTROPOLOGIA

Três opiniões com respeito a essa narrativa podem ser listadas, a saber:

(a) Aqueles que tratam do registro como uma ficção, um *mito*, e para estes é sempre uma dificuldade definir a moral da fábula. Após se apartarem completamente da interpretação natural, eles introduzem livremente tantas idéias quantas a mente humana pode inventar;

(b) O segundo grupo de intérpretes é daqueles que tentam misturar a realidade com a alegoria em vários graus da realidade e alegria. O absurdo em introduzir aspectos alegóricos naquilo que se propõe que seja real já foi bem assinalado pelo bispo Samuel Horsley (1733-1806), da seguinte forma:

Nenhum escritor de história verdadeira misturaria uma matéria clara de fato com alegoria numa narrativa continuada, sem qualquer insinuação de uma transição de uma para outra. Portanto, se qualquer parte dessa narrativa for matéria de fato, nenhuma parte dela é alegórica. Por outro lado, se qualquer parte for alegórica, nenhuma parte é, obviamente, matéria de fato: e a conseqüência disto será que cada coisa em cada parte da narrativa toda deve ser alegórica. Se a formação da mulher a partir do homem for alegórica, a mulher deve ser uma mulher alegórica. O homem, portanto, deve ser um homem alegórico; pois de tal homem somente uma mulher alegórica pode ser a companheira. Se o homem é alegórico, o seu paraíso será um jardim alegórico; as árvores que crescem nele, árvores alegóricas; os rios que regam o jardim, são rios alegóricos; e assim, podemos ascender ao começo da criação; e concluir finalmente, que os céus são céus alegóricos, e que a terra é uma terra alegórica. Assim, toda a história da criação será uma alegoria, da qual o real assunto não é revelado; e nesse absurdo termina o esquema alegorizante.[302]

(c) Um terceiro grupo crê no registro como literal. Eles afirmam que a narrativa mosaica, embora sem dúvida transmita verdades mais profundas do que aquelas que aparecem na superfície, é, não obstante, um registro histórico com respeito às coisas e condições reais. Que é uma narrativa literal, pode ser provado primeiro, pelo fato de ela ser uma parte de uma história contínua. A narrativa se desenvolve sem uma interrupção em toda a história subseqüente. Se este registro é fábula e não história, o caráter histórico da totalidade do Pentateuco deve ser posto em dúvida, pois ninguém poderia assinalar um lugar conveniente onde uma primitiva fábula venha a se tornar história. O argumento baseado numa história contínua não pode ser refutado. A história é tão claramente literal no seu começo como o é no seu final, ou em qualquer ponto do seu desenvolvimento. Em segundo lugar, o caráter literal deste registro é evidenciado pelo fato de que essa referência é feita a ela com toda a franqueza nas Escrituras posteriores, por ser ali feita a base de instrução e apelo que não teria peso algum se estes fossem retirados de uma fábula. A Bíblia, como um todo e sem exceção, trata o registro de Gênesis como literal. Isto sugere um tema extenso que pode ser estudado aqui somente num grau limitado.

Visto que o livro de Jó é anterior com respeito ao seu registro do que a narrativa de Gênesis por Moisés, é significativo que este livro afirme: "Não sabes tu que desde a antigüidade, desde que o homem foi posto sobre a terra, o triunfo dos iníquos é breve, e a alegria dos ímpios é apenas dum momento?" (Jó 20.4, 5). Neste texto a palavra homem pode ser traduzida por *Adão*. Além disso, Jó declara: "...se, como Adão, encobri as minhas transgressões, ocultando a minha iniqüidade no meu seio" (31.33). Assim, também, visto que Deus fez o homem reto (Ec 7.29), o primeiro pecado da mulher está implícito no que Elifaz diz, "Que é o homem, para que seja puro? E o que nasce da mulher, para que fique justo?" (Jó 15.14). "Éden, o jardim de Deus" é mencionado pelos profetas, e "a árvore da vida" é mencionada quatro vezes em Provérbios e três vezes em Apocalipse.

Talvez nenhuma palavra seja mais conclusiva do que as de Cristo que aparecem em Mateus 19.4, 5: "Respondeu-lhes Jesus: Não tendes lido que o Criador os fez desde o princípio homem e mulher, e que ordenou: Por isso deixará o homem pai e mãe, e unir-se-á a sua mulher; e serão os dois uma só carne?" Neste texto da Escritura deve ser visto que Cristo reconheceu que Deus havia feito o primeiro homem e a primeira mulher e que a relação de casamento repousa sobre o fato básico ao qual Cristo se refere, a saber, que a mulher foi tomada do homem, e, por causa dessa verdade, Adão disse: "Esta é agora osso dos meus ossos, e carne da minha carne; ela será chamada varoa, porquanto do varão foi tomada. Portanto deixará o homem a seu pai e a sua mãe, e unir-se-á à sua mulher, e serão uma só carne" (Gn 2.23, 24).

Neste exemplo, não poderia haver dúvida a respeito da verdade de que Cristo considerava isto um evento histórico. O campo total da tipologia que se obtém entre Cristo e Adão cessa de ter o seu significado ou propósito se Adão, e tudo o que diz respeito a ele, não é real. "Como por um só homem entrou o pecado no mundo"; "Desde Adão até Moisés"; "um só pecou"; "pois se pela ofensa de um só"; "a desobediência de um só homem" (Rm 5.12-21); "visto que por um só homem veio a morte"; "porque como em Adão todos morrem" (1 Tm 2.13, 14). "O primeiro homem, Adão, foi feito alma vivente."; "o primeiro homem da terra é terreno" (1 Co 15.45, 47). "Mas temo que, assim como a serpente enganou a Eva com a sua astúcia, assim também sejam de alguma sorte corrompidos os vossos entendimentos e se apartem da simplicidade e da pureza que há em Cristo" (2 Co 11.3); "Porque primeiro foi formado Adão, depois Eva. E Adão não foi enganado, mas a mulher, sendo enganada, caiu em transgressão" (1 Tm 2.13, 14).

Nenhuma dessas passagens apresenta uma alusão retórica. Antes, elas são uma base de raciocínio sadio e a base de uma doutrina de longo alcance que é sacrificada, se os eventos registrados no começo de Gênesis não são mais do que fábulas. O único motivo que favorece o argumento contra a historicidade desses registros mosaicos é que eles parecem absurdos visto que, como é alegado, são diferentes da presente experiência humana; mas tal raciocínio não somente presume que Deus está restrito àqueles modos de operação que são correntes hoje, mas também que o homem é livre para se colocar como juiz da Palavra de Deus. A afirmação gira em torno das duas árvores e da serpente. Dessas objeções Richard Watson escreveu extensamente, da seguinte maneira:

A falácia da maioria dessas objeções é, contudo, facilmente observada. Pergunta-se primeiro: é razoável supor que o fruto da árvore da vida poderia conferir imortalidade? Mas o que há de irracional em supor que, embora Adão tenha se tornado livre da morte, e que o fruto de uma árvore fosse o instrumento designado por Deus para preservar a sua saúde, para reparar o desgaste de sua natureza animal, e de mantê-lo em perpétua juventude? O Deus Todo-poderoso poderia ter realizado este fim sem qualquer meio, ou por outros meios; mas visto que ele tão freqüentemente emprega instrumentos, não se deve estranhar que ele deva preservar Adão permanentemente da morte pelo alimento de uma qualidade especial, diferente do alimento que ele agora dá aos homens para preservá-los com saúde e vida, durante setenta anos, através de alimento específico; e que, para neutralizar as desordens, ele deveria ter dado qualidades medicinais específicas às ervas e minerais: ou se, como pensam alguns, nós consideramos o comer da árvore da vida como um ato sacramental, uma expressão de fé na promessa de preservação contínua, e um meio através do qual a influência conservadora de Deus foi concedida, uma noção, contudo, não muito bem fundamentada como a outra, e ainda não é inconsistente com a interpretação literal, e não envolve realmente uma conseqüência irrazoável, e nada diretamente contrário à analogia da fé. Também tem sido muito tolamente perguntado se o fruto da árvore proibida, ou de qualquer árvore, poderia ter comunicado "conhecimento do bem e do mal", ou teria tido qualquer efeito sobre todos os poderes intelectuais? Mas esta não é a idéia comunicada pela história, ainda que literalmente entendida, e a objeção é sem base. Que certamente a árvore poderia, sem a menor abordagem alegórica, ser chamada de "árvore do conhecimento do bem e do mal", se entendemos por isso que por comê-la o homem viria a conhecer, por triste experiência, o valor do "bem" que ele transgrediu, e a amargura do "mal", que ele tinha antes conhecido somente pelo nome; ou, como outros a têm entendido, que ela foi designada para ser o teste da fidelidade de Adão ao seu Criador, e, conseqüentemente, foi a árvore do conhecimento do bem e do mal, uma árvore com o propósito de saber se ele se apegaria à primeira, ou faria a escolha da segunda. A primeira dessas interpretações, eu creio, deve ser preferida, porque ela se harmoniza melhor com a totalidade da história; mas qualquer uma delas é consistente com uma interpretação literal, e não pode ser provado envolver qualquer absurdo real.

Com respeito à serpente, tem sido objetado que, tomada literalmente, ela faz o invisível tentador assumir o corpo de um animal para levar a efeito os seus desígnios; mas devemos ficar familiarizados com a natureza e as leis dos espíritos desincorporados antes de provarmos que isto é impossível, ou mesmo improvável; e como para um animal ser escolhido como o meio para abordar Eva, sem levantar suspeita, fica manifesto que, ao permitir um espírito superior ser o tentador real, foi boa política dele dirigir-se à Eva através de um animal que ela devia ter observado como um dos habitantes do jardim, antes do que abordá-la através de uma forma humana, quando ela e seu marido sabiam que eram os únicos seres humanos em existência, até então. Com a presença de tal estranho teria sido muito mais provável que ela se pusesse em guarda. Mas então é-nos dito que o animal era um réptil sagaz. Certamente não antes dele ser degradado na forma, mas, ao contrário, um dos "animais da terra", e não uma "coisa rastejante"; e também mais "sutil" mais perspicaz e sagaz "do que qualquer animal do campo que o Senhor tinha feito" – conseqüentemente, o cabeça de todos os animais inferiores em intelecto, e provavelmente não deve ter tido outro correspondente com forma bela e nobre; por isso, na verdade, é importante a sua degradação corporal. Se houve, então, política na escolha que Satanás fez de um animal como o instrumento pelo qual ele poderia fazer as suas abordagens, não houve muito gosto em sua escolha, como os alegoristas, que parecem ansiosos sobre este ponto, desejariam. O *falar* da serpente é outra pedra de tropeço; mas como o argumento não é aqui contra o infiel, mas com aqueles que professam receber o registro mosaico como divino, o falar da serpente não mais é uma razão para interpretar a relação alegoricamente, como o falar da jumenta de Balaão não o poderia ser para alegorização de todo aquele acontecimento. Que o espírito bom ou mal não tem nenhum poder para produzir sons articulados dos órgãos de um animal, nenhuma filosofia pode provar, e é um fato, portanto, que é capaz de ser substanciado racionalmente pelo testemunho. Há uma razão clara, também, para esse uso do poder de Satanás na história em si mesma. Ao dar capacidade de falar para a serpente, e ao representar isso, como pode se ver na narrativa, como uma conseqüência da própria serpente ter comido do fruto, Satanás tomou o meio mais eficaz de impressionar Eva com a noção fatal e perigosa, de que a proibição da árvore do conhecimento era uma restrição colocada sobre a alegria dela e sobre a melhora de seu intelecto, e assim sugerir pensamentos desagradáveis a respeito do Criador dela. A objeção de que Eva não manifestou *surpresa* alguma quando ela ouviu um animal falar, faculdade que ela não havia observado na serpente antes, também não tem peso, visto que a circunstância poderia ter ocorrido sem ser mencionada numa história tão breve. É ainda mais provável que Adão deva ter expressado algumas marcas de surpresa e ansiedade também, quando sua esposa lhe apresentou o fruto, embora nada disso seja mencionado.[303]

Com relação à equidade do juízo que veio sobre a serpente, Watson continua a dizer:

Uma objeção é feita à *justiça* da sentença pronunciada sobre a serpente, se a transação foi considerada real, e se aquele animal fosse apenas o instrumento inconsciente do grande sedutor. A isto a resposta é óbvia, que não poderia haver queixa justificada da serpente que a sua forma deveria ser mudada, e de que sua espécie fosse rebaixada na escala dos animais existentes. Se não tinha direito original quanto à sua posição superior anterior, apenas desfrutava do prazer do Criador. Se dores e sofrimentos especiais foram colocados sobre a serpente, não teria havido uma semelhança da plausibilidade na objeção; mas a serpente sofreu, quanto às suas responsabilidades dor e morte, não mais do que qualquer outro animal, e não foi, portanto, mais do que outra criatura irracional, contada como um ofensor responsável. Sua degradação foi evidentemente pretendida como uma lembrança para o homem, e a punição real, como veremos, caiu sobre o real transgressor que usou a serpente como seu instrumento; enquanto a inimizade entre todas as serpentes em relação à raça humana, sua esperteza e as suas qualidades venenosas, parecem ter sido sábia e graciosamente pretendidas como advertências a nós para que tomemos cuidado em relação a esse grande inimigo espiritual, que sempre está à espreita para ferir e destruir.[304]

Que não há sentença direta pronunciada sobre Satanás está em harmonia com a intenção divina evidente de preservar lugar para uma revelação mais plena e posterior nos oráculos divinos. Ninguém pode duvidar, mas um juízo perfeito e completo vem sobre Satanás eventualmente por causa de seu pecado original, por sua participação na queda do homem, e por toda a sua impiedade subseqüente. As questões reais entre Deus e Satanás pertencem a outra esfera da existência que não pode ser incorporada nos registros da história humana a esta altura, sem complicar a simplicidade da narrativa da queda do homem. Chamamos a atenção da passagem para uma insinuação velada, na maldição que veio sobre a serpente, a respeito do juízo que caiu sobre o real tentador na cruz e naqueles juízos, também, que ainda virão sobre ele em tempos futuros.

Não existe incerteza a respeito do julgamento de Satanás na palavra de Deus à serpente, quando disse: "Porei inimizade entre ti e a mulher, e entre a tua descendência e a sua descendência; este te ferirá a cabeça, e tu lhe ferirás o calcanhar" (Gn 3.15). O arcebispo William King (1650-1729) escreveu: "Como o sentido literal não exclui o místico, a maldição da serpente é um símbolo para nós, e uma promessa visível de maldição com a qual o diabo é golpeado por Deus, e por meio da qual ele se tornou a mais abominável e miserável de todas as criaturas. Mas o homem, pela ajuda da *semente da mulher*, isto é, por nosso Salvador, esmagará a sua cabeça, ferindo-o no lugar que é mais mortal, e o destruirá com ruína eterna. Enquanto isso, a inimizade e a repugnância que temos pela serpente, é uma contínua advertência para nós do perigo em que estamos com relação ao diabo, e como sinceramente devemos ter repugnância por ele e por todas as suas obras".[305]

Cinco citações dos escritos apócrifos servem para revelar a verdade de que os judeus dos tempos antigos criam no caráter literal da narrativa de Gênesis: 2 Esdras 3.4-7 diz: "Ó Senhor, tu revelaste os mandamentos, falaste no princípio, quando tu plantaste a terra, tu somente, e ordenaste ao povo, e deste um corpo a Adão sem alma, que era a obra das tuas mãos, e sopraste nele o hálito da vida, e ele foi feito um ser vivente diante de ti; e tu o levaste ao paraíso, que a tua mão direita formou e a ele tu deste mandamento para amar o teu caminho, o qual ele transgrediu, e imediatamente tu colocaste a morte nele e nos seus descendentes, dos quais surgiram nações, tribos, povos e famílias incontáveis"; 2 Esdras 7.48 registra: "Ó Adão, o que tu fizeste? Pois embora foste tu quem pecaste, não caíste sozinho, mas nós todos os que viemos de ti"; Sabedoria 2.24 afirma: "Não obstante, através da inveja do diabo entrou a morte no mundo; Sabedoria 10.1 declara: "Ela [a sabedoria] preservou o primeiro pai do mundo"; que foi criado sozinho e o tirou da sua queda"; Eclesiástico 17.1 revela: "O Senhor criou o homem da terra e fê-lo retornar a ela novamente. Ele lhe deu alguns poucos dias e um curto período de tempo, e também poder sobre todas as coisas; ele os encheu de conhecimento e entendimento e mostrou-lhe o bem e o mal".

V. A Tentação do Primeiro Homem

O registro da tentação é, de igual modo, apresentado no mais simples dos termos. Está escrito: "Ora, a serpente era o mais astuto de todos os animais do campo, que o Senhor Deus tinha feito. E esta disse à mulher: é assim que Deus disse: Não comereis de toda árvore do jardim? Respondeu a mulher à serpente: Do fruto das árvores do jardim podemos comer, mas do fruto da árvore que está no meio do jardim, disse Deus: Não comereis dele, nem nele tocareis, para que não morrais. Disse a serpente à mulher: Certamente não morrereis. Porque Deus sabe que no dia em que comerdes desse fruto, vossos olhos se abrirão, e sereis como Deus, conhecendo o bem e o mal. Então, vendo a mulher que aquela árvore era boa para se comer, e agradável aos olhos, e árvore desejável para dar entendimento, tomou do seu fruto, comeu, e deu a seu marido, e ele também comeu. Então foram abertos os olhos de ambos, e conheceram que estavam nus; pelo que coseram folhas de figueira, e fizeram para si aventais" (Gn 3.1-7).

A pergunta clara levantada por Satanás, afirmada no versículo 1, pode ter apresentado a sugestão de que houve uma injustiça na restrição divina no tocante a uma árvore. Esta questão serviu para esboçar a reação da mulher que, por sua vez, foi intrépida o suficiente para acrescentar as palavras "nem nele tocareis" ao que Deus havia dito, e isto alterou muito a ordem divina. Se um ressentimento está presente nessas palavras acrescentadas, não pode ser provado. Contudo, Satanás é mesmo ainda mais atrevido em sua resposta, quando assevera, "Certamente não morrereis", que é uma contradição clara ao decreto de Jeová. É possível que, como Satanás procurasse a lealdade de Adão e Eva em favor de sua grande causa que envolvia a sua independência de Deus, ele prometia que, pelo poder que ele exerceria, eles seriam salvos desse juízo divino. Além dessa contradição, Satanás revelou a verdade de que, pela ação independente, tal como a desobediência é, eles se tornariam como *Elohim*.

ANTROPOLOGIA

Como foi afirmado antes, a palavra *Elohim* ocorre duas vezes no versículo 5, e há tanta razão para se traduzir a palavra *Elohim* por 'deuses' tanto no primeiro caso quanto no segundo, e, ao mesmo tempo, não se justifica em nenhum dos casos essa tradução. A própria palavra não é determinante. A ambição de se tornar "semelhante ao Altíssimo" (Is 14.14) foi o pecado original desse grande anjo, e muito significado deve ser colocado sobre o fato de que ele fez com que o seu próprio pecado de independer de Deus fosse tentação para Adão e Eva e que eles adotassem a sua filosofia de vida. É mesmo mais significativo que, na tríplice tentação de Cristo – o último Adão – Satanás tenha procurado fazer com que o Cristo humano agisse fora da vontade de Deus. Assim, fica evidente que aí reside a disposição de independer de Deus e isto é o caráter essencial do pecado. Esta conclusão é confirmada pelo fato de que o ato final no empreendimento trágico de Satanás é promover e exaltar o homem do pecado, cuja identificação é sempre a sua declarada reivindicação de ser Deus. Um tratamento mais exaustivo deste grande tema, além do que já apareceu sob satanologia, ainda espera o tempo de sua consideração lógica sob o tópico da hamartiologia, ou seja, o estudo da doutrina do pecado.

Visto que Adão e Eva tinham conhecido suficientemente a diferença entre o certo e o errado, a fim de formar uma base para uma ação correta com respeito à vontade de Deus, envolvida na única proibição que o Senhor colocou sobre eles, fica evidente que o novo conhecimento do bem e do mal que veio sobre eles através de sua desobediência foi mais profundo e de um caráter diferente. Embora não houvesse algo atraente em conhecer o mal pela tristeza que a experiência dele assegura e o reconhecimento do valor do bem pela perda dele, não obstante, há um estranho gosto na livre ação. De Moisés está escrito que ele escolheu "antes ser maltratado com o povo de Deus do que ter por algum tempo o gozo do pecado" (Hb 11.25). Para a mulher, o fruto proibido pareceu como aquilo que era "bom para comer", "agradável aos olhos, e árvore desejável para dar entendimento" (cf. 1 Jo 2.16). O desejo ardente do próprio ser dela respondeu à tentação externa e ela cedeu ao mal, e assim, repudiou Deus. Que Adão a seguiu no mesmo pecado nada acrescenta à narrativa mais do que já está declarado em 1 Timóteo 2.14, e ele não foi enganado, mas pecou consciente e voluntariamente.

O raio dos testes possíveis para o Adão não-caído foi grandemente restrito. Ele não era sujeito às solicitações da avareza e cobiça, visto que ele era senhor sobre toda a criação da terra. Ele não poderia ser levado às relações sexuais imorais visto que ele estava unido em casamento com a única mulher no mundo que poderia atraí-lo. O único supremo pecado possível era o repúdio de Deus. O homem caído é suscetível de desejos pecaminosos; o homem não-caído era passível somente de desejos inocentes. Não havia um erro inerente em comer do fruto. O primeiro pecado não consistiu num erro dietético. Não foi uma questão de nutrição ou de comida estragada. A árvore e seus frutos se tornaram a base de teste com respeito à obediência da criatura ao Criador – uma questão tão extensa e tão real quanto a própria vida. O fim em vista era se a criatura permaneceria na esfera na qual ela havia sido colocada por criação, ou se ela se revoltaria contra o seu Criador.

A importância dessa árvore como um meio de testar o homem não-caído é afirmada pelo Dr. William G. T. Shedd, nas seguintes palavras: "A 'árvore do conhecimento do bem e do mal' era uma árvore real que produzia fruto no jardim. Ela poderia ter sido uma árvore qualquer, e ainda ter sido a árvore do conhecimento do bem e do mal. Porque, quando uma vez Deus escolheu uma árvore específica no jardim e por um estatuto positivo proibiu que nossos primeiros pais comessem dela, e no instante em que eles comeram dela, eles transgrediram uma mandamento divino, e eles *conheceram* consciente e amargamente o que o mal era, e quanto ele diferia do bem. Assim, a árvore se tornou 'a árvore do conhecimento do bem e do mal', não porque era uma espécie particular de árvore, mas porque ela havia sido escolhida por Deus como a árvore por meio da qual poderia testar a obediência implícita de Adão. O primeiro pecado foi singular com respeito ao estatuto quebrado por ele. O mandamento do Éden foi confinado ao Éden. Ele nunca foi dado antes ou desde então. Conseqüentemente, a primeira transgressão adâmica não pode ser repetida. Ela permanece uma transgressão solitária; aquele "um só" pecado mencionado em Romanos 5.12,15-19".[306]

A proibição imposta sobre Adão tornou-se o motivo de muitas pilhérias. Semelhantemente, a penalidade dele tem sido considerada fora de proporção em relação à aparente impiedade do pecado. Muita coisa já foi dita como resposta a insinuações tão frívolas. O bispo Joseph Butler (1692-1752) em sua *Analogy* distingue entre os preceitos que são *positivos* e os que são *morais*. Ele afirma: "Os preceitos morais são aqueles cujas razões nós vemos; os preceitos positivos são aqueles cujas razões não vemos. Os deveres morais surgem da natureza do caso em si, anteriores ao mandamento externo: os deveres positivos não surgem da natureza do caso, mas do mandamento externo; nem eles seriam deveres, não fossem tais mandamentos recebidos dele, de quem somos criaturas e súditos".[307]

Muita coisa tem sido escrita com referência à ação da vontade do homem antes da queda. O problema é difícil e psicológico em seu caráter. A influência do tentador sobre Adão não pode ser avaliada. Havia um reino do mal já no universo quando Adão foi criado. Deus permitira a queda do maior dos anjos, e ele havia conduzido, pela mesma vontade permissiva, um exército incontável de anjos à rebelião contra Deus. O problema surge mais propriamente com os próprios desejos de Adão. Se ele já cobiçava o conhecimento proibido e a independência de Deus, ele já estaria caído. A situação é excedida em complexidade somente pela queda de Satanás, em cujo caso não havia tentador nem havia qualquer impulso interior que pudesse vir de uma natureza caída. Todavia, Satanás se elevou em sua soberba (1 Tm 3.6) e tornou-se sujeito de uma ambição impura, ao desejar ir além da esfera na qual havia sido colocado por criação – uma esfera determinada pela sabedoria infinita, na qual ele poderia conhecer o benefício do poder infinito, e ser sustentado e abençoado pelo amor infinito. O mesmo pecado é restabelecido por Adão. Está escrito:

"Portanto, assim como por um só homem entrou o pecado no mundo, e pelo pecado a morte, assim também a morte passou a todos os homens, porquanto todos pecaram" (Rm 5.12).

A natureza exata do pecado não foi mudada por sua entrada no mundo. Uma causa pode ser atribuída para o pecado, mas nunca ela é racional. Sobre esta verdade Agostinho (354-430 d.C.) escreveu: "Que ninguém olhe para uma causa eficiente da vontade má; pois ela não é eficiente, mas deficiente, visto que a vontade má em si mesma não é um efeito de algo, mas um defeito. Procurar por uma causa eficiente do pecado [fora da vontade, e outra além da vontade] é igual tentar ver as trevas, ou ouvir o silêncio". Além disso, ele diz: "Deus fez o homem reto, e conseqüentemente com uma inclinação boa. A inclinação boa, então, é a obra de Deus. Mas a primeira inclinação má, que precedeu todos os atos maus do homem, foi uma espécie de abandono da boa obra de Deus em direção à sua própria obra, ao invés de ser qualquer obra positiva, a vontade de não ter Deus, mas a vontade em si mesma, como o seu fim".[308]

A ameaça de penalidade que veio sobre Adão foi a morte, e a morte em todas as suas formas – espiritual, física e eterna. No dia em que desobedeceram a Deus, morreram espiritualmente. Eles começaram a morrer fisicamente, por terem se tornado mortais, e tornaram-se imediatamente sujeitos à morte eterna, a menos que fossem redimidos dela. Como criados, Adão e Eva pareciam ter tido diante deles a possibilidade da morte, mas não eram sujeitos à morte. Ao contrário, eram sujeitos à vida com o propósito de estarem sempre mais próximos dAquele em cuja imagem e semelhança foram criados. O corpo imortal que esses seres possuíam antes de pecar era assim somente num sentido relativo. Ele era sujeito àquilo que realmente aconteceu. Tem sido sustentado por alguns que, se Adão tivesse passado no teste, ele teria sido imortal no sentido absoluto.

É alegado que ele teria um corpo espiritual; mas não há uma segurança clara de tal perspectiva. Contudo, é certo que, se o teste tivesse sido resistido, ele não teria voltado novamente. Sua pressão não era para ser uma experiência constante até que os primeiros pais pecassem. A proibição com respeito à árvore específica e seu fruto parecia não tê-los perturbado até que foi acentuado e tornado o ponto de ataque do tentador. A ênfase do momento não foi a proibição em si mesma, mas o uso que o tentador fez dela. O processo mental através do qual Eva passou é mais especificamente revelado do que aquele através do qual Adão passou. Ela observara a árvore e estava consciente da restrição divinamente imposta sobre si, mas repentinamente viu que a árvore era bela aos olhos, e que seu fruto era bom para se comer, e que oferecia uma avenida enorme para uma sabedoria maior. Essas novas impressões existiram apenas por um momento. Se elas tivessem sido resistidas, o teste teria terminado para sempre. A experiência desses dois pais não é uma norma ou padrão de tentação que atinge a humanidade caída, cuja experiência é a ênfase no cansaço incessante, com a desanimadora consciência de muitas falhas e derrotas.

Ainda permanece urgente a necessidade de considerar a grande declaração *protoevangélica* que coloca uma palavra de esperança nos lábios de Jeová na conclusão do julgamento pronunciado sobre a serpente, e além da serpente, para o próprio tentador encarnado. Um esmagamento literal da cabeça da serpente e um ferimento correspondente no calcanhar de um homem não cumpre essa expectativa profética. A serpente, nesse caso, é o próprio Satanás e a "semente da mulher" não é outro senão o Filho encarnado de Deus. Essa extensão abrupta do juízo divino nas esferas eterna e universal comunica encorajamento à crença de que tudo o que esta narrativa registra é aplicável muito além das limitações naturais que a simples história registra.

CAPÍTULO XVI

A Queda

A QUEDA, OU LAPSO, do primeiro homem deve ser estudada à luz daquilo que a precede – a inocência, o tentador, e a tentação, – e daquilo que a segue – a morte espiritual e a depravação daqueles que pecaram, a morte espiritual e a depravação da raça, e a morte física. Esses fatores que precedem a queda foram tratados nas páginas anteriores; as coisas que a seguem, ainda serão examinadas mais plenamente no estudo da hamartiologia, mas deverão ser tratadas brevemente, ao menos neste capítulo.

A doutrina estendida a respeito da morte fica imediatamente em evidência. Deus advertira aos dois pais que, no dia em que comessem do fruto proibido, certamente morreriam. A penalidade assim proposta foi executada e a morte em sua tríplice forma lhes foi imposta. (1) A morte espiritual, que é a separação da alma e espírito de Deus, veio sobre eles no momento em que pecaram; (2) A morte física começou imediatamente o seu processo de desintegração e a eventual separação da alma e espírito do corpo; e (3) eles se tornaram sujeitos à segunda morte que é o lago de fogo – a separação eterna da alma e espírito de Deus. Do lago de fogo, está escrito que ele foi preparado para o diabo e seus anjos. Ele não foi preparado para os seres humanos e eles entram nele somente pelo fato de terem repudiado Deus e participarem com Satanás e seus anjos de sua sorte. O Dr. Lindsay Alexander, em seu livro *System of Biblical Theology*, escreveu uma narrativa geral da queda do homem que está incorporada aqui:

Voltemos os nossos olhos um pouco para o efeito imediato da tentação. E aqui é interessante também observar o processo pelo qual o mal consumou o seu triunfo sobre Eva. A narrativa de Moisés, breve como é, pode ser vista como uma ilustração articulada da análise do apóstolo João em sua teoria do mal como algo que consiste da concupiscência da carne, concupiscência dos olhos e a soberba da vida. A mulher, conforme lemos, quando olhou, viu que a árvore era boa para se comer: houve uma concupiscência da carne, um desejo ardente de um apetite irregular e um desejo ilegal; e ela era agradável aos olhos: houve uma concupiscência dos olhos, um amor desordenado e um desejo daquilo que é meramente belo e atraente com o desejo ardente de posse daquilo que meramente enriquece e magnifica; e que ela era uma árvore para ser desejada e que podia tornar alguém sábio: houve a soberba da vida, o amor impuro da preeminência, a curiosidade incansável que alavancaria para aquilo que Deus havia escondido, a ambição de captar poder acima do que nos é devido, e a suposição ímpia, se não de igualdade com Deus, todavia, de um direito de nós mesmos sermos independentes de Deus. Estas três afeições são as principais fontes e ocasião do mal que predominam no mundo; e podemos ver que elas tiveram algo comum ao produzir o primeiro pecado que foi cometido na superfície da terra. Elas viram a origem do mal em nossa raça; e como participaram no início, alimentaram-no e nutriram-no; mas não perecerão totalmente até que sejam anuladas, e a natureza total do homem seja restaurada à sua condição primeira de pureza. Há uma outra afirmação do Novo Testamento que recebe uma ilustração interessante do processo pelo qual Eva trilhou o caminho pelo qual o tentador a arrastou. A "concupiscência", diz o apóstolo Tiago, "quando concebida dá à luz o pecado". Esta é a genealogia da transgressão: primeiro, há o desejo mau, e, então, por conseqüência natural, o ato mal. Assim foi com a nossa primeira mãe; ela começou com a concuspiscência e terminou com o pecado. Ela permitiu que um desejo proibido fosse nutrido em seu coração, e isto rapidamente se desenvolveu num ato proibido. Um coração enganoso a desviou do caminho; uma mente traída por Satanás, por sua vez, a traiu. E como a concupiscência conduz ao pecado, assim o pecado naturalmente tende a se propagar. Conseqüentemente, tão logo Eva pecou, ela procurou levar o seu marido para a mesma armadilha. Adão, contudo, não foi enganado como Eva havia sido. Ele seguiu o exemplo dela, mas foi com os olhos bem abertos. Se fosse mera indiferença irrefletida, ou uma afeição excessivamente concessiva por sua esposa, ou uma espécie de sentimento de cavalheirismo que ele tivesse por ela nos riscos que ela havia incorrido, que o tinham movido, não podemos dizer; mas é certo que o que ele fez, realizou-o plenamente consciente do mal que fazia e da conseqüência dele. De qualquer modo, o seu pecado foi grande. Ele preferiu uma breve indulgência às reivindicações do dever e da gratidão. Descuidado com relação a Deus e sua autoridade e lei, olhou somente para o que era belo e ouviu somente as palavras horríveis da parceira caída de sua vida. Assim ele resolveu seguir o exemplo dela e participar do pecado dela. Esta foi a primeira desobediência completa do homem. Então foi realizada a ruína da nossa raça. O pacto foi quebrado e a maldição caiu sobre nós. A imagem de Deus no homem foi manchada e deformada. Houve desarmonia entre a terra e o céu. Então os belos lugares do paraíso, que num momento antes eram a habitação da inocência sem mancha, vieram a ser o palco das cenas lamentáveis de culpa, paixão e vergonha.[309]

No livro *Paraíso Perdido*, Milton descreve a reação da natureza ao pecado do homem – não diferente da reação da natureza quando o remédio de Deus para o pecado foi operado na cruz.

A terra tremeu desde as suas entranhas, como uma dor aguda, e a natureza deu um segundo gemido; o céu mais baixo, num trovão murmurante, algumas tristes gotas derramou quando o pecado mortal foi cometido.

As grandes questões que aconteceram com o primeiro pecado do primeiro homem exigem consideração separada e atenta.

I. Morte Espiritual e Depravação

Uma investigação posterior demonstrará que tanto a morte espiritual quanto a morte física, embora diferentes em caráter e na maneira em que elas atingem a posteridade de Adão, originam-se igualmente no primeiro pecado do primeiro homem. Pessoas espiritualmente mortas podem estar fisicamente vivas. O apóstolo afirma que os crentes de Éfeso estavam, antes da salvação deles, "mortos nos seus delitos e pecados", e que naquele tempo de morte espiritual eles estavam "andando segundo o curso deste mundo [*cosmos*] segundo o príncipe das potestades do ar, do espírito que agora opera nos filhos da desobediência" (Ef 2.1-2). Igualmente, ele também afirma que "o que vive em prazeres [σπαταλῶσα, 'autogratificação'] embora viva [ζῶσα], está morto" (1 Tm 5.6).

Quando Adão cometeu o seu primeiro pecado, experimentou um total rebaixamento de nível. Ele se tornou degenerado e depravado. Ele desenvolveu dentro de si uma natureza caída que é contrária a Deus e está sempre disposta para o mal. A sua constituição foi alterada fundamentalmente e ele, assim, tornou-se um ser totalmente diferente daquele que Deus criara. Uma queda semelhante que resultou numa degeneração fora experimentada pelo mais alto dos seres angelicais e pelos anjos que se juntaram a ele em sua rebelião contra Deus. Nenhum outro ser humano além de Adão jamais se tornou um pecador por pecar. Todos os outros são pecadores por nascimento. Uma distinção deve ser feita a esta altura entre o pecado como um ato mau e o pecado como uma natureza má. Por um ato pecaminoso, Adão adquiriu uma natureza pecaminosa, enquanto que todos os membros de sua família já são nascidos com essa natureza.

Por seu pecado, Adão veio a ficar debaixo do domínio de Satanás. Ele literalmente rendeu-se ao maligno. A extensão dessa autoridade não é revelada e provavelmente não poderia ser, visto que ela envolve esferas e relacionamentos que estão além do alcance da observação humana. Atenção é dada novamente a quatro passagens do Novo Testamento: 2 Coríntios 4.3, 4, na qual é dito que aqueles que estão perdidos estão sob o poder de Satanás ao grau em que suas mentes estão cegas para o Evangelho da salvação deles; Efésios 2.1, 2, onde é afirmado que os não-salvos são energizados por Satanás; Colossenses 1.13, onde é declarado que, quando salvos, os crentes são transportados do poder das trevas para o reino do Filho do Seu amor; e 1 João 5.19, onde está revelado que a totalidade do *cosmos* "repousa" no maligno, e este relacionamento é vital e orgânico e é comparável somente à verdade de que o cristão está *em Cristo* como uma nova criatura. Estas passagens demonstram o relacionamento presente entre a humanidade não-regenerada e Satanás; mas elas certamente revelam o fato de que foi em tal relacionamento que Adão foi atraído no momento em que pecou. Poderia não ser mostrado que a família humana entrou nessa relação com Satanás em qualquer momento subseqüente na história humana.

Na verdade, pouca coisa é registrada na história de Adão que se seguiu ao pecado. A implicação é que ele viveu uma vida normal de um homem caído de sua época. A memória, contudo, serviu-lhe fielmente e, sem dúvida, exerceu uma grande influência em sua vida e em seu testemunho à sua posteridade que foi igualmente eficaz.

A mudança imediata em Adão e Eva trazida pelo pecado está revelada no registro de que eles se envergonharam, por terem descoberto que estavam nus. Este incidente na narrativa, igual ao *proto-evangelho* de Gênesis 3.15, alcança as realidades mais profundas que foram prenunciadas nessa experiência inicial da raça. Em seu uso escriturístico, a roupa é o símbolo da justiça. A vergonha que os dois primeiros pais experimentaram não foi vergonha que tiveram um do outro, mas, ao contrário, vergonha de si mesmos e de Deus. Eles não se esconderam um do outro, mas se esconderam de Deus. Eles experimentaram uma mudança na sua real constituição, que os separou de Deus. Se eles foram imediatamente expulsos do jardim, foi por causa da verdade de que haviam primeiro quebrado voluntariamente as suas relações com Deus por se esconderem de sua presença.

Qualquer que possa ter sido a consciência deles naquela altura, o registro fiel da Palavra de Deus oferece uma evidência inquestionável de que julgaram-se a si mesmos não mais dignos de encontrar Deus face a face. Na verdade, há muita coisa escondida no fato de que tentaram fazer vestes para si próprios, vestes que não tinham valor; e que Deus os vestiu com peles, que apontava para o derramamento de sangue. Assim, outra grande doutrina da Bíblia é representada neste tipo ao menos: "Sem derramamento de sangue não há remissão" (Hb 9.22), e "sendo justificados [declarados justos] gratuitamente [sem uma causa] por sua graça, através da redenção que há em Cristo Jesus" (Rm 3.24).

Posteriormente a Bíblia ensina com unanimidade que a raça permanece depravada – à parte da graça salvadora de Deus – e fica igualmente evidente que em tempo algum pode ser indicado quando isso aconteceu, além da razão já indicada da queda do homem no Jardim do Éden. A alegação de que os não-regenerados são totalmente depravados é considerada ofensiva por muitos e por falta de um entendimento correto de seu significado. Se, como é visto pelos homens, asseverado que não há algo de bom no homem, a afirmação não é verdadeira; pois, como o homem gosta de dizer, que nenhum ser humano é tão degradado que não haja algo de bom nele. Se, por outro lado, como visto por Deus, é alegado que o homem é sem mérito à Sua vista, o caso é muito diferente. A depravação, como uma doutrina, não permanece ou cai com base na avaliação que o próprio homem faz de si mesmo; ela antes reflete a avaliação que Deus faz do homem. O que a Bíblia afirma sobre o estado caído e depravado do homem, certamente não seria escrito pelo homem. Ele não teria perspectiva suficiente pela qual pudesse estabelecer uma conclusão adequada, nem ele se rebaixaria a si mesmo desse modo.

As observações finais do Dr. Shedd sobre a depravação atingem o ponto principal:

A depravação ou corrupção da natureza é total. O homem é "totalmente inclinado para o mal, e isto continuamente". O Catecismo Maior de Westminster, pergunta 25, Gênesis 6.5: "Viu o Senhor que era grande a maldade do homem na terra, e que toda a imaginação dos pensamentos de seu coração era má continuamente". Pode haver apenas uma simples inclinação dominante na vontade imediatamente e ao mesmo tempo; embora com ela possa haver os *remanescentes* de uma inclinação previamente dominante. Adão começou uma nova inclinação pecaminosa. Esta expeliu a santa inclinação anterior. Ele era, portanto, totalmente depravado, porque não havia quaisquer resíduos da primeira justiça deixados após a apostasia, como houve resíduos do pecado original deixados após a regeneração. Isto fica provado pelo fato de que não há luta entre o pecado e a santidade, no homem natural, como aquela que há no homem espiritual. No regenerado, "a carne luta contra o espírito, e o espírito contra a carne" (Gl 5.17). A santidade e o pecado estão em um conflito que causa nos regenerados o "gemer dentro deles próprios" (Rm 8.23). Mas não há tal conflito e gemido no homem natural. A apostasia foi a queda da vontade do homem, sem os remanescentes da justiça original. A regeneração é a recuperação da vontade humana, com alguns remanescentes do pecado original. A depravação total significa a ausência completa da santidade, não a mais alta intensidade do pecado. Um homem totalmente depravado não é tão mau quanto poderia ser, mas ele não possui santidade, a saber, nenhum supremo amor por Deus. Ele adora e ama a criatura ao invés do Criador (Rm 1.25).[310]

Ao seguir o registro da queda do homem, o texto da Bíblia não prossegue por muito tempo sem que a evidência da morte universal seja descoberta (cf. Gn 5.5-31), e venha a declaração solene: "Viu o Senhor que era grande a maldade do homem na terra, e que toda a imaginação dos pensamentos de seu coração era má continuamente" (Gn 6.5). Como esta afirmação contrasta com a avaliação original de Jeová! "E viu Deus tudo quanto fizera, e eis que era muito bom" (Gn 1.31). Ao escrever sob a orientação do Espírito Santo, homens santos declararam: "Quem do imundo tirará o puro? Ninguém" (Jó 14.4); "Que é o homem, para que seja puro? E o que nasce da mulher, para que fique justo?" (Jó 15.14); "Eis que eu nasci na iniqüidade, e em pecado me concebeu minha mãe" (Sl 51.5); "Pois não há homem justo sobre a terra, que faça o bem, e nunca peque... Eis que isto tão-somente achei: que Deus fez o homem reto, mas os homens buscaram muitos artifícios" (Ec 7.20, 29); "Ah, nação pecadora, povo carregado de iniqüidade, descendência de malfeitores, filhos que praticam a corrupção! Deixaram o Senhor, desprezaram o Santo de Israel, voltaram para trás. Por que seríeis ainda castigados, que persistis na rebeldia? Toda a cabeça está enferma e todo o coração fraco. Desde a planta do pé até a cabeça não há nele coisa sã; há só feridas, contusões e chagas vivas; não foram espremidas, nem atadas, nem amolecidas com óleo" (Is 1.4-6).

"Nada há fora do homem que, entrando nele, possa contaminá-lo; mas o que sai do homem, isso é que o contamina... E prosseguiu: o que sai do homem, isso é que o contamina. Pois é do interior, do coração dos homens, que procedem os maus pensamentos, as prostituições, os furtos, os homicídios, os adultérios, a cobiça, as maldades, o dolo, a libertinagem, a inveja, a blasfêmia, a soberba, a insensatez; todas estas más coisas procedem de dentro e contaminam o homem" (Mc 7.15, 20-23); "Por quê? Somos melhores do que eles: De maneira nenhuma, pois já demonstramos que, tanto judeus como gregos, todos estão debaixo do pecado; como está escrito: Não há justo, nem sequer um. Não há quem entenda; não há quem busque a Deus. Todos se extraviaram; juntamente se fizeram inúteis. Não há quem faça o bem, não há nem um só. A sua garganta é um sepulcro aberto; com as suas línguas tratam enganosamente; peçonha de áspides está debaixo dos seus lábios; a sua boca está cheia de maldição e amargura. Os seus pés são ligeiros para derramar sangue. Nos seus caminhos há destruição e miséria; e não conheceram o caminho da paz. Não há temor de Deus diante dos seus olhos" (Rm 3.9-18); "Ora, as obras da carne são manifestas, as quais são: a prostituição, a impureza, a lascívia, a idolatria, a feitiçaria, as inimizades, as contendas, os ciúmes, as iras, as facções, as dissensões, os partidos, as invejas, as bebedices, as orgias, e coisas semelhantes a estas, contra as quais vos previno, como já antes vos preveni, que os que tais coisas praticam não herdarão o reino de Deus" (Gl 5.19-21); "Ninguém, sendo tentado, diga: Sou tentado por Deus; porque Deus não pode ser tentado pelo mal e ele a ninguém tenta. Cada um, porém, é tentado, quando atraído e engodado pela sua própria concupiscência; então a concupiscência, havendo concebido, dá à luz o pecado; e o pecado, sendo consumado, gera a morte" (Tg 1.13-15).

De tal testemunho, que poderia ser muito ampliado, a doutrina da depravação do homem é *retirada*; nem podem esses textos da Escritura ser explicados de modo diferente A Bíblia tem harmonia nessa concepção da natureza pecaminosa. Foi isto que exigiu a graça salvadora de Deus em Cristo Jesus. Nenhuma palavra mais errônea ou injuriosa pode ser dada aos não-salvos do que impressioná-los de que estão perdidos somente com base nos pecados pessoais deles. Se isto é verdade, estão perdidos somente ao grau em que têm pecado. Os homens estão perdidos por natureza – "por natureza somos filhos da ira" (Ef 2.3) – e há uma significação profunda, que vai muito além das esferas dos pecados pessoais, nas palavras de Cristo: "...vós sois do diabo que é o vosso pai"

(Jo 8.44). Somente a graça de Deus, que é ofertada aos que estão sem mérito, através da cruz de Cristo e dela podem se beneficiar, e esta salvação contempla não somente o perdão de pecados cometidos, mas a comunicação de uma nova natureza divina.

A experiência do homem é um testemunho confirmado com relação à sua natureza pecaminosa. Os homens esperam pouca cousa boa deles próprios e de seus semelhantes; evitam todo relacionamento com Deus e mesmo blasfemam contra o seu santo nome; uma criança naturalmente trilha os caminhos do mal, mas deve ser disciplinada na direção correta.

Ao escrever sobre a depravação da natureza humana, o Dr. Timothy Dwight afirma: "Na verdade, nenhuma doutrina da Escritura é expressa de formas tão numerosas e variadas, ou em termos mais diretos ou menos capazes de ser entendidos erroneamente".[311] Também o Dr. Thomas Chalmers afirma: "Se é através do sangue de Cristo, o sangue da expiação, que todos que chegam ao céu são salvos, então segue-se universalmente deles que vão ao céu aqueles que estão fora do céu – inclusive toda a raça humana – porque um e todos eles pecaram".[312] Igualmente, o Dr. Pye Smith, disse: "As Escrituras apresentam a santidade de caráter em qualquer pessoa da raça humana como a *exceção*, e como devedora à *graça* que torna os homens 'novas criaturas' e 'todas as coisas novas'; enquanto que a impiedade dos homens extremamente depravados é colocada como se proporcionasse bons espécimes da natureza humana, porque é o crescimento espontâneo não verificado de nossa natureza".[313]

Observe, também, a breve afirmação do Dr. Lindsay Alexander: "O Evangelho é uma chamada para a raça, a fim de que se arrependa e retorne ao Senhor. 'Deus ordena em toda parte que todos os homens se arrependam' (At 17.30). Mas qual a necessidade de um arrependimento universal, exceto na suposição de uma pecaminosidade universal? A necessidade não é de todos, mas os doentes é que precisam de um médico; o Senhor veio para chamar os pecadores, não os justos ao arrependimento; e quando, conseqüentemente, nós o ouvimos fazer esse chamamento "a todos os homens em toda parte", não podemos duvidar que na vista do céu todos os homens são pecadores, e além disso, a menos que seja admitido e percebido, não há apreensão justa da verdadeira natureza e desígnio do cristianismo obtido".[314]

A palavra de Aristóteles é igualmente impressionante: "Parece que há alguma outra coisa além da razão natural para nós que luta contra a razão e que se opõe a ela; e exatamente como os membros do corpo quando, sob paralisia, vão para a esquerda quando deveriam ir para a direita, assim é a alma".[315] Assim também Plutarco declama: "Alguma porção do mal está misturada em tudo aquilo que é nascido; pois as sementes de nosso ser são mortais, e conseqüentemente partilham em causar isso, de onde a depravação da alma, as doenças, e as preocupações se arrastam sobre nós".[316] A afirmação de Kant é igualmente clara e vigorosa: "Que o mundo jaz na impiedade é um lamento tão antigo como a história, mas não somente isto; é tão antigo como a mais antiga das poesias. O mundo começou, é afirmado, com o bem, com uma era dourada, com uma vida no paraíso, ou com uma pessoa ainda mais feliz em comunhão com o ser celestial.

Mas essa felicidade, é admitido, desvaneceu-se como um sonho; e agora o curso do homem é mesmo com velocidade acelerada a partir do mal (moralmente mau, com o que o fisicamente mau sempre avança *pari passu*) para o pior... Uns poucos teólogos modernos têm desenvolvido uma opinião oposta, que, contudo, encontra favor somente com os filósofos, e em nosso tempo, principalmente entre os nossos pedagogos, de que o mundo tende progressivamente do ruim para o melhor, ou, ao menos, que a base disto repousa na natureza humana. Mas esta opinião certamente não é derivada da experiência, se fala da bondade moral e da maldade moral, ou da civilização; pois a história de todos os tempos fala decisivamente contra isso".[317] G. L. Hahn diz: "Observadores profundos da natureza humana em grande número, visto que Kant reconheceu a verdade da doutrina bíblica, de que a raiz da natureza humana é corrupta, de forma que cada um se sente por natureza moralmente doente e escravo, e ninguém é capaz, por sua própria força, de cumprir a lei divina, embora reconheça ser ela boa e agradável".[318]

II. Morte Física

A separação da alma e espírito do corpo, cuja experiência é chamada *morte física*, não é de modo algum comparada à *morte espiritual*, embora ambas se originem no primeiro pecado do primeiro homem. Muitos têm ficado confusos com respeito a esses aspectos da verdade muito diferentes; mas o estudo mais pleno desse tema deverá ser protelado aqui e resumido sob a seção de hamartiologia. É suficiente indicar que, embora elas se originem no mesmo ponto ou lugar, a experiência deles é, obviamente, inteiramente diversa. Os que nesta vida estão espiritualmente mortos estão vivos fisicamente, enquanto os que morreram fisicamente estão vivos espiritualmente, no sentido em que não cessam de existir. No final, a morte espiritual desta vida, se não curada pela graça redentora, imerge na interminável segunda morte, enquanto que a morte física será, todavia, afastada de todos – salvos e não-salvos. "E não haverá mais morte" (Ap 21.4), e "o último inimigo a ser destruído é a morte" (1 Co 15.26).

Conclusão

Quando examinamos o vasto campo que a antropologia bíblica apresenta, temos de considerar a origem das coisas pela criação, a constituição e as capacidades do homem, sua tentação e sua queda, assim como o que resulta da queda sobre si mesmo e sobre a raça humana. Esta, com a doutrina do pecado – a próxima a ser estudada – se torna o pano de fundo para todo o atraente tema da soteriologia.

Capítulo XVII

Introdução à Hamartiologia

Há uma justificativa para o fato de que as duas grandes doutrinas – pecado e redenção – andem de mãos dadas. É o pecado que deu origem à redenção no coração de Deus, e a redenção é a única cura para o pecado. Essas duas realidades, por sua vez, se tornam a medida uma da outra. Onde o pecado é minimizado, a redenção é automaticamente empobrecida visto que a sua necessidade é muito diminuída. A abordagem própria à doutrina do pecado é descobrir tudo o que está revelado a respeito da maldade do pecado e, então, reconhecer que o Salvador providenciado por Deus é igual em cada exigência que o pecado impõe. Um dos métodos mais eficazes de Satanás atacar a obra salvadora de Cristo é enfraquecer a voz que é colocada para proclamar o caráter mau do pecado e o efeito dele. Evidentemente nem todos que são conhecidos como professores da verdade de Cristo estão acordados para essa estratégia satânica. É muito freqüentemente suposto que é mais sábio deixar este monstro repugnante chamado pecado espreitar na escuridão e habitar nas virtudes mais atraentes da vida humana. O pecado é o que Deus diz que ele é, e aqui a opinião e a filosofia humana devem se dobrar diante do testemunho da Palavra de Deus em que Ele declara a verdadeira natureza do pecado. As opiniões auto-elogiosas dos homens são de pouco valor num assunto que pode ser determinado somente pela revelação.

O pecado, igualmente, deve ser visto como oposto à santidade. Os fatos essenciais relacionados a todas as distinções entre a santidade e o pecado são supramundanos em seu caráter. Não há algo que em si mesmo seja mais restrito à verdadeira natureza de Deus ou presa a ela do que a santidade, e o seu oposto – o mal – deriva todas as suas propriedades do único fato que é o *pecaminoso*. Há um campo de pesquisa legítimo que contempla o pecado à luz de seus efeitos experimentais, filosóficos e sociológicos, mas as feições fundamentais do mal, iguais ao de seu contraparte – a santidade – são descobertos somente quando estes recebem forma e substância em virtude de sua relação com a pessoa de Deus. O que Deus *é* e o que Deus *diz* são o material do qual todos valores morais e espirituais são derivados. Visto que Deus é revelado adequadamente somente nas Escrituras da verdade, pode haver pouca apreensão do verdadeiro caráter, seja do bem como do mal à parte daquilo que aprouve a Deus revelar na Bíblia. Toda abordagem a esse vasto tema que é extrabíblico deve ser especulativa e, portanto, de pouco valor permanente.

Na abertura do seu tratado sobre *The Christian Doctrine of Sin*, o Dr. Julius Müller escreve o seguinte sobre o caráter escuro do pecado nesta esfera humana, e a importância de conhecer a revelação que Deus concedeu:

Não se requer uma profundidade especial de reflexão, mas somente um grau moderado de sinceridade moral para induzir-nos refletidamente a pausar diante do ÚNICO GRANDE FENÔMENO da vida humana, e sempre e sem demora voltar-se para ele numa olhada escrutinadora. Eu me refiro ao fenômeno do Mal; a presença de um elemento de perturbação e discórdia numa esfera onde a exigência de harmonia e unidade é sentida com ênfase peculiar. Nós a encontramos em cada volta da história da raça humana no curso do seu desenvolvimento diante de nós; ela denuncia a sua presença de múltiplas formas quando fixamos os nossos olhos nas relações mais íntimas da sociedade; e não podemos esconder de nós mesmos a sua realidade quando olhamos para os nossos próprios corações. Ele é uma sombra negra e escura, que lança melancolia sobre cada departamento da vida humana, e continuamente penetra as suas formas melhores e mais brilhantes. Na verdade, fazem muito pouco de suas percepções filosóficas aqueles estudiosos que fantasiam que podem descartar o maior enigma do mundo, a existência do mal, simplesmente por excluí-lo dos seus pensamentos sérios. Eles falam dos descontentamentos que advêm dessas reflexões tão cuidadosamente dirigidas em relação ao lado escuro da vida; eles acham que é somente "de acordo com a natureza" que, quanto mais prontamente você fixa os seus olhos sobre as trevas, mais imensuráveis elas parecem; e esses estudiosos nos aconselham a nos desviarmos da questão do mal, porque se nos preocuparmos com ela, haveremos de trazer problemas para nós próprios, o que não será benéfico, e não evitaremos cair numa melancolia lúgubre. Quão alegremente deveríamos seguir esse conselho se somente Novalis estivesse certo em sua ousada promessa, – que expressa a mente de Carpócrates, o Gnóstico, e talvez de Fichte também, – que "se um homem repentina e completamente persuadisse a si mesmo de que ele era moral, ele realmente seria assim". Se isso fosse verdade, que se um homem com a firme resolução de safar-se dessa "antiga e dolorosa ilusão do pecado", como um sonho selvagem e vazio, ficasse livre do pecado, quem não gostaria de ser liberto dessa maneira? Mas como o artifício bem conhecido do avestruz que não o livra da arma do caçador, assim o mero fechar os olhos para a realidade do mal não o faz desvanecer-se, mas nos libera somente ao seu poder. A fim de ser conquistado, o inimigo deseja ser primeiro de tudo bem conhecido; e as queixas dos desagrados de tais reflexões testemunham fortemente sobre quão perigoso é encolher diante delas.[319]

ANTROPOLOGIA

Na investigação do assunto do pecado, duas maneiras gerais de procedimento têm sido empregadas, a saber, o *exegético* e o *especulativo*. O método exegético é uma tentativa, por indução do testemunho bíblico, de formular a doutrina completa como ela é apresentada nas Escrituras. O método especulativo é caracterizado por sua atenção à filosofia e experiência humanas. O método exegético é sem dúvida justificado, e, todavia, mesmo quando tenta formular a doutrina a partir das Escrituras, é essencial para reconhecer o funcionamento prático de cada verdade bíblica que aparece na vida humana.

Quão vasta é a soma total das sombras espirituais deste universo – as do céu e as da terra! A extensão e o caráter das sombras serão computados somente quando Ele, cujos padrões e avaliações são infinitos, tiver completado tudo o que decretou. Estas questões são imensuráveis – imensuráveis com respeito à quantidade, mas muito mais imensuráveis com respeito ao caráter odioso delas – pois o pecado é creditado como causador da tragédia infinita, tanto no céu quanto na terra. Mas, além disto tudo, o pecado deve ser identificado como aquilo que provocou o maior sacrifício divino e tornou necessário o pagamento de um resgate que custou nada menos que o sangue do Filho de Deus. Qualquer tentativa humana de avaliar um tema tão ilimitado como este será restrita, de um lado, com relação à única fonte de informação normativa – a Palavra de Deus – e expandida, por outro lado, pelo que Deus quiser conceder para iluminar a mente. Quando muito, o homem apenas reagirá fracamente à avaliação divina do pecado, e ainda mais desanimado deverá ser em sua apreciação do problema quando ele considerar a presença do pecado no universo, o qual é designado, criado, executado e consumado de acordo com a vontade livre e soberana dAquele que age sempre e unicamente na esfera do que é infinitamente santo.

O problema que o pecado cria é mais do que um mero conflito entre o bem e o mal na conduta humana; ele envolve questões atemporais e imensuráveis no conflito entre a santidade que é a substância do caráter de Deus e tudo o que é oposto a ela. O problema contempla mais do que a perda ou o dano daquele que peca. Ele se intromete na esfera dos direitos divinos que, pelo direito de propriedade do Criador, são investidos na criatura de suas mãos. O triunfo supremo da justiça sobre a injustiça é assegurado na verdadeira natureza e existência de Deus, pois uma promessa ilimitada foi feita a respeito de um vindouro novo céu e numa nova terra onde *habitará* a justiça. Essa hora longamente esperada trará o banimento final de todo mal e demonstrará a retidão de Deus tanto em sua permissão do pecado no universo quanto em cada aspecto de seu tratamento do pecado desde o começo até a sua consumação.

Há aspectos fundamentais da doutrina do pecado que, em seus excessos, estendem-se para além do raio do estudo comum deste tema. O evangelista presume corretamente que todos os homens estão arruinados na tragédia do pecado e, sem reconhecimento de questões mais extensas, ele continua a proclamar o Evangelho da graça salvadora de Deus. De um teólogo é exigido que ele penetre nos problemas mais profundos sobre a origem e o caráter essencial do pecado e trate dessa doutrina não somente em sua relação ao homem, mas com o seu começo e o seu fim, em sua relação aos anjos, e especificamente em sua relação a Deus. Embora apenas brevemente afirmada nesta introdução, e ainda será considerada mais exaustivamente, alguns dos aspectos mais profundos desta doutrina são:

I. A Natureza Essencial do Pecado

O caráter santo de Deus é o padrão único e final pelo qual os valores morais podem ser julgados com exatidão. Para aquele que desconsidera Deus, não há outros padrões morais além do costume social, ou os ditamos de consciências incertas e pervertidas. E mesmo estas, vamos ainda observar, embora indiretas, falhas, fracas, são, não obstante, reflexos dos padrões de Deus. A transgressão é pecaminosa porque ela é contrária a Deus. O *Catecismo Maior de Westminster* declara: "Pecado é qualquer falta de conformidade com a lei de Deus, ou a transgressão de qualquer lei por Ele dada como regra, à criatura racional". Contudo, visto que a lei de Deus pode não incorporar tudo o que o caráter de Deus é e visto que qualquer coisa que contradiga o caráter de Deus será pecaminosa, seja expressa em sua lei ou não, esSa definição é fortalecida quando a palavra *caráter* é substituída pelo vocábulo *lei*.

É verdade que a desobediência à lei de Deus é pecado, mas não se segue que o pecado seja restrito à desobediência da lei. Semelhantemente, o egoísmo é pecado, mas o pecado não é sempre egoísmo; e o amor ao dinheiro é a raiz de todos os males, mas todos os males não são representados no amor ao dinheiro. Assim, também, a incredulidade é pecado, mas o pecado é mais do que a incredulidade. Seja o pecado visto como a participação do indivíduo no pecado de Adão, na natureza do pecado, no estado "sob o pecado", seja o pecado pessoal com todos Os seus variados aspectos, ele ainda extrai o seu caráter essencial da pecaminosidade do fato de que ele é uma oposição a Deus.

O registro divino é dado de três maiores demonstrações da grande pecaminosidade da transgressão:

(1) A primeira demonstração é o primeiro pecado no céu, que fez com que o maior dos anjos caísse do seu estado e com ele um grande número de anjos inferiores o seguisse em sua rebelião contra Deus. EsSe anjo superior tornou-se Satanás, aquele que resiste a Deus, o deus deste mundo, e o príncipe da potestade do ar. Os anjos inferiores tornaram-se os demônios sobre quem Satanás continua a ter a sua influência determinante, e estes – Satanás e suas hostes – estão condenados sem solução ao lago de fogo para sempre. Contra qual inconcebível luz estes seres pecaram, não nos é revelado, mas não há uma redenção providenciada para eles; e, enquanto Satanás e os demônios não cessam de pecar, a queda trágica deles do céu e tudo o que se seguiu tanto no céu quanto na terra é devido ao *primeiro* pecado cometido no céu.

Antropologia

(2) O primeiro pecado do homem é a segunda demonstração da natureza muitíssimo pecaminosa da transgressão. Esse pecado fez com que o cabeça natural da raça caísse e a raça que ele representava caísse com ele. Direta ou indiretamente, esse pecado causou um sofrimento imensurável, tristeza, e morte da raça, e será consumado nos *ais* eternos de todos os que estão perdidos.

(3) Em sua morte na cruz, Cristo suportou a penalidade do pecado do mundo, e o caráter do pecado foi ali finalmente medido e a sua pecaminosidade revelada aos anjos e homens. À luz do caráter forense da morte de Cristo, fica evidente que tinha havido apenas um pecador no mundo que havia cometido apenas um pecado, e que as mesmas exigências divinas teriam sido impostas sobre Aquele que tomaria o lugar do pecador. Se Deus houvesse resolvido acabar com o pecado no mundo, imediatamente após o primeiro pecado de Adão e ali ter proporcionado uma base justa para o perdão e a justificação divinas para aquele pecador, o mesmo terrível fardo teria sido necessariamente colocado sobre o único Substituto que poderia tomar o lugar de Adão, como aconteceu com Aquele que suportou o pecado do mundo. Este fato solene é tipicamente demonstrado no derramamento de sangue que Adão poderia ser revestido.

Que o próprio Deus é a santidade transparente e que nele não há trevas, é um fato que imediatamente assegura que, embora em seu inescrutável propósito Ele tenha permitido o pecado no universo, de modo algum está envolvido na culpa dele. Deus é justo num sentido absoluto, e juiz de tudo o que é mau, e o executor da penalidade que os seus justos juízos devem impor. Pode ser assim reafirmado que Deus é, em si mesmo, o padrão de santidade e o seu caráter é o que determina a malignidade do pecado.

II. A Derivação do Pecado

Os termos *mau* e *pecado* representam idéias um tanto diferentes. O *mau* pode se referir àquilo que, embora latente ou não expresso, é sempre considerado como o oposto daquilo que é bom, enquanto que o *pecado* é aquilo que é concreto e ativamente oposto ou caráter de Deus. É difícil para a mente humana descrever um tempo quando não havia uma oposição ao bem ainda que, pela ausência de seres que fossem capazes de pecar, poderia não ter havido uma oportunidade de expressão. Mas visto que Deus não pode errar, o pecado não poderia ter vindo à existência até que uma forma de ser fosse criada; e, evidentemente, após o ato criador de Deus, o mais alto dos anjos pecou, como também o fez o homem.

Visto que a concepção do mal como uma coisa criável é muito difícil para a mente captar, o problema de sua procedência não é facilmente solúvel. Entretanto, a origem do pecado, que faz referência à primeira e real desobediência ao ideal divino, é registrada nas Escrituras e a sua culpa é ali distintamente atribuída àquele que pecou. Embora tanto o bem quanto o mal adquiram o seu caráter distinto a partir da perfeição essencial e imutável de Deus, Ele, por ser infinitamente santo, não poderia criar o mal[320], embora pudesse, por razões suficientes, permitir as suas manifestações.

III. A Permissão Divina do Pecado

A presença do pecado no universo é devido ao fato de que Deus o permite. Ele deve servir para algum propósito justificável não atingível de outro modo. Do contrário, Ele não o permitiria, e, se o permitisse, acabaria com ele sem demora. O propósito divino relativo ao pecado não foi revelado, e, sem dúvida, a mente humana não pode compreender tudo o que está envolvido. Almas devotas continuarão a crer que, embora nenhuma manifestação do pecado seja possível fora da vontade permissiva de Deus, Ele é em si mesmo sempre isento de qualquer cumplicidade com o mal que permite. Quando argumentou com Jeová a respeito de Jó, Satanás reconheceu a permissão soberana de Deus com respeito ao mal, e disse: "Mas estende agora a tua mão, e toca-lhe em tudo quanto tem, e ele blasfemará de ti na tua face!" (Jó 1.11). Como resposta a este desafio, Jeová disse a Satanás: "Eis que tudo o que ele tem está em teu poder; somente contra ele não estendas a tua mão" (Jó 1.12). Assim, debaixo de restrições soberanas Jó passou das mãos de Deus para as mãos de Satanás. Mas quando a calamidade veio sobre Jó, pela declaração: "Ele ainda retém a sua integridade, embora me incitasses contra ele, para o consumir sem causa" (Jó 2.3), Jeová repudiou qualquer responsabilidade pelo mal.

Deus não é surpreendido pelos desastres inesperados com relação aos seus santos propósitos, nem procura resgatar alguma coisa de um naufrágio imprevisto. Há um mal imensurável no mundo, mas, sem o menor alívio ou santidade dele, ele é parte da fé para que creiamos que de algum modo e em algum lugar o mal cumpre uma parte necessária do propósito supremo de Deus que, com certeza absoluta, realizará os seus objetivos que são infinitamente perfeitos. Se a imaginação do homem pudesse penetrar o passado e descrever Deus confrontado com dez milhares de planos possíveis, dos quais o plano para o presente universo com todas as suas luzes e sombras, seus triunfos e tragédias, suas satisfações e sofrimentos, seus ganhos e perdas, fosse apenas um, a voz da fé diria que o presente universo como foi planejado e como é executado, e será executado até o fim, é o melhor plano e propósito que poderia ser delineado pela sabedoria infinita, executado pelo poder infinito, e terá a sua satisfação mais plena no amor infinito.

Deus poderia não ter planejado algo mais digno de si mesmo do que aquilo que agora está em processo. Pela falta de perspectiva e de entendimento, a mente finita, no meio das trevas espirituais que a cercam e na observação delas, eliminaria toda a sombra desse quadro; mas as questões são maiores do que a

ANTROPOLOGIA

esfera da observação humana e o triunfo definitivo que ainda virá, haverá de glorificar Deus com uma glória de outro modo inatingível, e dessa glória outros irão compartilhar. Por outro lado, Deus permitiu o pecado a despeito de seu plano santo odiá-lo, e a despeito de sua previsão do fato de que ele não somente traria sofrimento indizível e ruína eterna às suas criaturas a quem Ele amou, e a despeito do fato de que isso lhe custaria o sacrifício do seu próprio Filho. Além da presente tragédia do pecado está o triunfo final do bem.

A mente devota pode simplesmente estudar o problema da permissão divina do pecado, embora a soma total de todos os seus raciocínios seja inadequada para formular uma resposta final para a questão. Deveria ser lembrado que o problema se estende às esferas angelicais e inquire sobre a razão da apostasia entre os seres celestiais ter sido permitida, assim como inquire a respeito da razão pela qual a queda veio sobre a criação terrena. Contudo, há um propósito redentor com as suas glórias insuperáveis que foram desenvolvidas por causa do pecado do homem; todavia, as Escrituras não revelam uma redenção para os anjos caídos. Deles é dito estarem sem esperança, designados para o lago de fogo (Mt 25.41; Ap 20.10); e, como a Palavra de Deus é silente a respeito do problema da permissão do pecado nas esferas angelicais, esse aspecto do assunto não oferece uma chance para discussão.

Em todo o estudo da questão da permissão divina do pecado na terra, estes dois fatos que permanecem, e para estes a mente deve se apegar sem vacilar: (1) o pecado em todo lugar é sempre maligno, e a condenação que Deus traz sobre ele nunca é diminuída, pois Ele não pode ser tolerante com o pecado; e (2) o próprio Deus é santo e perfeito em todos os seus caminhos. "Nele não há treva alguma" (1 Jo 1.5). "Deus não pode ser tentado pelo mal, e a ninguém tenta" (Tg 1.13).

As razões a seguir foram desenvolvidas para explicar a permissão divina do pecado:

1. O RECONHECIMENTO DIVINO DA LIVRE ESCOLHA DA CRIATURA. Evidentemente, o propósito de Deus é assegurar um grupo de seres para a sua eterna glória que passam a possuir pela virtude que resulta de uma vitória do livre-arbítrio sobre o mal. Na verdade, Ele terá operado neles pelo seu próprio poder tanto para querer quanto para fazer que eles realizem a sua boa vontade, mas tão certamente como a escolha do mal pelo homem se torna a base da cultura e do juízo de que Deus não compartilha, assim certamente a escolha do bem por parte daqueles que são salvos é sempre a base da recomendação e da recompensa de Deus, e eles permanecerão perante Ele eternamente identificados como aqueles que, por sua própria escolha, escolheram andar com Deus. Mas deveria ser observado, que o homem não pode fazer escolhas entre o bem e o mal, a menos que o mal exista.

2. O VALOR ESPECÍFICO DOS SERES REDIMIDOS. De acordo com as Escrituras, Deus não é revelado como Aquele que procura evitar as questões que surgem por causa da presença do pecado no universo. Ele poderia ter criado seres inocentes e não-caídos que não possuíssem uma capacidade de errar; mas se Ele deseja almas redimidas, purificadas pelo sangue sacrificial e compradas a um preço infinito, a expressão de tal amor e o exercício de tal sacrifício são possíveis somente quando o pecado está presente no mundo.

3. A Aquisição do Conhecimento Divino. As criaturas que vêm da mão de Deus devem, por um processo de aprendizado, obter aquele conhecimento que Deus possui eternamente. Eles podem aprender somente pela experiência e pela revelação. Mesmo Cristo, no seu lado humano, tornou-se perfeito através dos sofrimentos, e embora fosse Filho, todavia aprendeu a obediência pelas coisas que Ele sofreu. Não há uma sugestão em qualquer texto da Escritura de que tenha havido a mais leve mancha de pecado nele, ou que tenha necessitado aprender a profunda realidade do pecado. Por outro lado, o homem deve aprender tanto a respeito do bem quanto do mal. Ele deve perceber a malignidade do pecado, se ele quer obter em algum grau o conhecimento que Deus possui; mas ele não pode obter tal conhecimento, a menos que o pecado exista como uma realidade viva que sempre demonstra o seu caráter pecaminoso.

A esta altura é razoável inquirir: Quanto da experiência do pecado e de suas conseqüências deve a humanidade penetrar, para que o conhecimento do pecado possa ser obtido? A resposta a esta pergunta não é facilmente formulada. Fica evidente que o homem aprende sobre a realidade do pecado tanto do sofrimento que ele impinge quanto da revelação concernente aos juízos que Deus impõe sobre aqueles que pecam. Se o homem quer aprender bem a sua lição, o sofrimento não pode ser diminuído nem os julgamentos de Deus reduzidos. Concluímos, portanto, que se o homem deve obter o conhecimento do bem e do mal, deve haver o mal no mundo com todos os seus efeitos trágicos, assim como o prospecto do juízo divino por causa do pecado.

4. A Instrução dos Anjos. De certos textos da Escritura (cf. Ef 3.10; 1 Pe 1.12), é possível concluir que os anjos observam os homens sobre a terra e aprendem fatos importantes através da presente experiência dos seres humanos. Seria tão necessário para os anjos aprender a verdade com respeito ao que o pecado faz e como é para eles aprender a verdade a respeito daquilo que é o bem, mas a aquisição do conhecimento do mal através da experiência humana deve ser negada aos anjos, a menos que o mal seja permitido como um princípio ativo no universo.

5. A Demonstração do Ódio Divino ao Pecado. É evidentemente de importância imensurável para Deus demonstrar o seu ódio ao pecado. O apóstolo Paulo declara que Deus "querendo mostrar a sua ira, e dar a conhecer o seu poder" (Rm 9.22), mas nenhum julgamento, ira ou poder em relação ao pecado poderia ser revelado à parte da presença permitida do pecado ativo no mundo.

6. Os Julgamentos Justos de Todo Mal. Muito além dos meros detalhes da expressão do pecado, é essencial o fato do *princípio* do mal que, se ele deve ser julgado por Deus, deve, evidentemente, ser manifestado numa demonstração aberta de seu real caráter. Tal demonstração não poderia ser assegurada com o pecado que existe apenas como uma questão hipotética. Ele tinha de se tornar concreto e provar a sua oposição a Deus. Como já foi observado no estudo da satanologia, a proposta da criatura deve sempre ser colocada sob um teste experimental; e o propósito de Satanás de construir um *cosmos*, tal como agora existe, é ser testado até o fim para que ele seja julgado em toda a sua real impiedade. O que o julgamento e a disposição completa de toda forma de mal significará para a tranqüilidade absoluta das eras ainda futuras, está apenas parcialmente revelado na Palavra de Deus. Aquela realidade que foi prevista na mente divina nas eras do passado e que tem ocasionado tal ruína em sua demonstração experimental no tempo, pelos justos julgamentos serão banidas da presença de Deus e de sua criação para sempre.

7. A Manifestação e o Exercício da Graça Divina. Finalmente, e de maior importância, houve algo em Deus que nenhum ser criado jamais havia visto. As hostes angelicais haviam visto a sua sabedoria, o seu poder, a sua glória, mas eles nunca haviam visto a sua *graça*. Eles não tinham uma idéia da bondade de Deus aos que não a mereciam. Eles podem ter visto alguma coisa do seu amor, mas amor e graça não são a mesma coisa. Deus poderia amar pecadores a quem de forma alguma estava livre para conceder com justeza os seus benefícios, pela ausência do sacrifício redentor, reconciliador e propiciador. Por um ato maravilhoso de misericórdia no dom de seu Filho como sacrifício por pecadores, Ele abriu o caminho para o exercício de sua *graça* para com aqueles que, por causa de seus pecados, mereciam somente a sua *ira*. Mas poderia não haver um exercício da graça divina para com os pecadores com demérito até que houvesse no mundo seres sem mérito. Assim, fica declarado que a revelação da graça divina nas eras vindouras com toda a sua importância maravilhosa (Ef 2.7) exigia que houvesse objetos da graça, e isto, por sua vez, exigia a permissão do pecado no mundo. Essa mesma verdade é apresentada outra vez numa forma ligeiramente diferente e do lado humano por Cristo. Ele, quando falou a Simão a respeito da mulher que havia lavado os seus pés e os enxugado com os seus cabelos, disse: "Perdoados lhe são os pecados, que são muitos; porque ela muito amou; mas aquele a quem pouco se perdoa, pouco ama" (Lc 7.47).

Assim, embora seja impossível para a criatura entender como Deus pode permitir o pecado, seja no céu ou na terra, fica evidente que a realização de seus maiores propósitos exige a permissão do pecado. Todo o problema é ilustrado num grau limitado na experiência de um cristão que peca. Ele primeiro admite que Deus, que poderia ter impedido o pecado, não obstante o permite. Ele igualmente reconhece que ele lucra nos modos de entendimento e na experiência com o pecado; e, finalmente, ele admite que Deus, conquanto permite o pecado, de modo algum se envolve em sua culpa e impiedade.

Observações Preliminares

Ao se empreender uma investigação da doutrina do pecado como vista agora, certos aspectos incomuns deste estudo deveriam ser mencionados:

(A) O tratamento comum da doutrina do pecado, como geralmente demonstrado nos tratados teológicos, é restringir a discussão a um aspecto – o pecado pessoal – embora alguns dêem atenção ao fato da natureza do pecado.

Esta tese empreenderá uma investigação sétupla, que abrange o que é crido ser a revelação bíblica completa.

(B) Será observado que, enquanto a origem do pecado é usualmente procurada no primeiro pecado do homem, no Jardim do Éden, esta obra procura-o no pecado inicial das esferas angelicais.

(C) Uma distinção clara é feita neste estudo da doutrina entre a *natureza do pecado transmitida*, que é a morte espiritual, e o *pecado imputado*, que é a causa da morte física.

(D) A divisão toda chamada *O Estado do Homem Debaixo do Pecado* (Cap. XXI) apresenta uma linha de verdade que é totalmente estranha nas discussões teológicas. A importância deste aspecto da verdade com respeito ao mal será vista somente à luz de um entendimento correto do aspecto dispensacionalista da doutrina da graça.

(E) É reconhecidamente incomum incluir na discussão da doutrina do pecado a cura que Deus proporcionou. As discussões sobre a cura do pecado pertencem ao campo da soteriologia e sob esse tema geral essas verdades da salvação devem ainda ter um tratamento mais pleno.

(F) A ordem em que essas principais divisões da doutrina do pecado são examinadas é com a devida consideração de certas razões pelas quais elas aparecem sob uma organização diferente. É óbvio que, visto que as duas realidades – a *natureza do pecado* e o *pecado imputado* – são derivadas do pecado original de Adão, elas deveriam ser examinadas em sucessão; mas a ordem entre o tratamento da natureza do pecado e do pecado pessoal é debatível, visto que na experiência da humanidade (exceto uma pessoa), desde a queda, todos têm pecado pessoalmente como um fruto natural da natureza do pecado que lhes é inerente. Em oposição a isto, a verdade mais primitiva é a de que a natureza do pecado é em si mesma o resultado de um pecado pessoal. Este fato importante determina a ordem que deve ser seguida neste livro.

(G) Se nos sistemas de teologia que foram publicados qualquer tentativa adequada anterior foi feita para distinguir as distinções cruciais que surgem entre o método divino de tratar com os pecados dos crentes e o tratamento divino com os pecados dos não-regenerados, tais escritos não foram descobertos. Se houvesse sido dada a devida atenção a essas distinções, muitos dos conceitos errôneos das noções arminianas teriam caído no esquecimento. Pelas exigências do caso, certas verdades que são apropriadas à hamartiologia reaparecerão sob um estudo diferente onde a soteriologia vai determinar a ordem da discussão.

A divisão sétupla da doutrina do pecado a ser estudada é:
(a) O pecado pessoal e o seu remédio;
(b) A natureza pecaminosa transmitida e o seu remédio;
(c) A imputação do pecado e o seu remédio;
(d) O estado do homem "debaixo do pecado" e a sua relação com Satanás;
(e) O pecado do cristão e o seu remédio;
(f) Punição;
(g) O triunfo final sobre todo pecado.

Capítulo XVIII
O Pecado Pessoal

PELA EXPRESSÃO *pecado pessoal* está indicada aquela forma do pecado que se origina com uma pessoa e é cometido por ela. A designação inclui os pecados dos anjos assim como os dos seres humanos. Sob essa divisão da doutrina total, consideramos esse aspecto do pecado que, por causa da consciência e da experiência humana, parece ser aos homens a única base para a condenação divina da humanidade. É muito freqüentemente suposto que se o pecado pessoal é perdoado, não há algo mais a ser desejado, ao passo que é tanto razoável quanto escriturístico concluir que tratar com a raiz é mais importante do que tratar com o fruto; pois se os problemas da raiz e da árvore não forem resolvidos, certamente os frutos indesejáveis aparecerão, e, no caso da natureza do pecado, certamente aparecem. Não obstante, a doutrina do pecado pessoal é de grande importância, e ocupa a maior parte das Escrituras, mais do que todas as outras fases do pecado combinadas. Este é o tema que considera toda a experiência humana imediata, e macula as páginas da história com lágrimas e sangue. Além disso, a importância desse aspecto do pecado é vista quando é reconhecido que o primeiro pecado, do qual todas as outras formas de pecado são procedentes, foi em si mesmo um pecado pessoal. Dos seus pecados pessoais os homens devem ser salvos, e de acordo com as obras más deles, serão julgados e condenados para sempre.

Essa divisão da hamartiologia permite uma análise em oito tópicos: (a) a origem do pecado; (b) a natureza pecaminosa da transgressão; (c) definições gerais; (d) termos e classificações gerais; (e) o remédio divino para o pecado pessoal; (f) o pecado original; (g) a culpa; (h) a universalidade do pecado pessoal.

I. A Origem do Pecado

A classificação familiar entre os teólogos das teorias com respeito à origem do pecado inclui o seguinte: (a) a da *necessidade*, (b) a da filosofia da dualidade dos maniqueus; (c) a de Deus como o autor do pecado; e (d) a de que o pecado surge do abuso da liberdade moral. A teoria da *necessidade* propõe que o pecado é algo sobre o qual Deus não tem autoridade, e é sem fundamento. A doutrina dos maniqueus – desenvolvida por Mani, que nasceu cerca de 215 d.C., – é aquela de que há duas divindades, uma boa e uma má, e que, devido à influência delas, dois princípios opostos sempre têm estado presentes no universo, o que explica a luz e as trevas, alma e corpo, bem e mal. Essa teoria, igualmente, peca pela ausência de fundamento. O conceito de que Deus é o autor do pecado é uma ênfase desguarnecida da doutrina do decreto divino. Em oposição a isto está a verdade de que, por toda a Bíblia, os homens são considerados responsáveis por sua conduta má, qual possa ter sido a previsão divina a respeito de tudo o que existe no universo. Portanto, fica claro que nas esferas angelicais, como nas da humanidade, o pecado surge do abuso da liberdade moral.

Além desta classificação quádrupla temos o aspecto mais extenso e complexo da hamartiologia que reconhece três origens ou começos distintos do pecado. Eles são: (a) a sua previsão eterna na presciência de Deus; (b) a sua primeira promulgação concreta no céu por um anjo perfeito; e (c) a sua primeira promulgação concreta na terra por um ser humano perfeito.

1. A Previsão Eterna do Pecado na Presciência de Deus

Enquanto a verdade de que Deus sabia de antemão da entrada da realidade do pecado não constitui um começo do pecado, no sentido em que ele não apresenta promulgação dele, a presciência de Deus entra basicamente nesta fase da doutrina do pecado. Aquela forma de dualismo que afirma que dois princípios opostos – bem e mal – têm existido desde toda eternidade, e que eles são importantes e essenciais – tanto um quanto o outro – não pode ser aceita. A esta altura uma digressão, seja com respeito às filosofias dualísticas antigas ou mais modernas, é desnecessária. É suficiente dizer que, conquanto na vontade permissiva de Deus tem surgido um reino de trevas no qual se juntam os anjos caídos e seres humanos caídos e que esse reino se posiciona contra Deus, esse reino não existiu para sempre e o seu final está claramente predito para quando tiver realizado tudo quanto estava em vista, quando foi divinamente permitido que ele seguisse o seu curso.

Em outras palavras, a Bíblia atribui ao mal um caráter transitório – ao registrar o seu começo, o seu trajeto e o seu fim. O pecado *previsto* e o pecado *em ação* são duas idéias amplamente diferentes, e não mais podem ser afirmadas com respeito ao aspecto eterno do mal do que aquilo que Deus pré-conheceu e permitiu. Num plano muito vasto para o entendimento humano – que envolve esferas angelicais mais do que as esferas humanas – o que pode ser chamado o *princípio* do mal, recebeu a garantia de sua demonstração experimental, para que pudesse ser julgado com a finalidade que silenciaria cada voz no meio dos seres criados, e traria esses exércitos que não existiram desde sempre e que ainda não conheciam a santidade divina, em completa harmonia com o Criador deles, a menos que eles, por causa de seu repúdio a Deus, fossem banidos de sua presença para sempre.

A revelação com respeito ao santo caráter de Deus evita o pensamento de que qualquer forma de pecado poderia ter sido uma realidade ativa antes dos seres finitos serem criados e quando a divindade somente existia. A criação dos anjos e a posterior dos seres humanos, imediatamente geraram uma possibilidade para o mal se tornar um fato real; e isso aconteceu através da queda dos anjos e da do gênero humano. Em tal contingência, Deus não é surpreendido nem derrotado. A sua determinação de produzir a existência deles, e de lhes dar uma eternidade futura inclusa, assim como o seu propósito de testar e julgar as grandes questões morais, cuja consumação demonstrará a sua santidade infinita assim como a sua glória e graça. Ele, que em cada exemplificação é provado ser santo, justo e bom, pode ser implicitamente alvo de nossa confiança nas esferas que estão além da compreensão humana.

Não somente a razão afirma que Deus tanto pré-conheceu quanto designou o que programou na criação e que agora o executa, mas também claramente afirma que Deus previu toda forma de mal desde toda eternidade. Nesse sentido, e nesse somente, o mal existiu antes da criação ser concluída. Que o mal existiu na presciência de Deus é provado por aqueles textos da Escritura que indicam que a redenção estava eternamente na mente e no propósito de Deus, e nenhum texto fala tão fortemente sobre este assunto do que Apocalipse 13.8, onde está afirmado que Cristo era o Cordeiro morto desde a fundação do cosmos. Quando quer que o cosmos tenha tido o seu começo – mesmo na forma de uma previsão divina – o Cordeiro redentor foi o aspecto mais importante da intenção divina. Pode não ser a melhor maneira de se dizer isto, mas à parte das realizações do Cordeiro redentor, não teria sido permitido nenhum *cosmos*? Não é verdade que este universo, tão grande na verdade, é *centrado na redenção*? Nenhuma redenção que meramente tenha em vista o salvamento de seres caídos infelizes no pecado para o próprio bem deles. Se isso fosse tudo, a razão para a queda deles seria difícil de conceber. A redenção deles é por amor de Deus. O Senhor tem um propósito eterno, e para a sua glória pode ser dito que o seu propósito proporciona felicidade eterna para todos os que recebem alegremente a sua graça. Tal benefício, conquanto grande, não exaure tudo que está no propósito eterno de Deus.

Sob esta divisão geral deste tema, que estuda a presciência divina do mal, é lógico que devemos estudar comparativamente as realidades do bem e do mal. Nenhuma avaliação foi mais exaustiva ou esclarecedora deste tema do que a que foi feita pelo Dr. Julius Müller no seu livro *The Christian Doctrine of Sin*. Embora esta citação seja extensa, é muito valiosa para não ser inclusa aqui:

Devemos chamar a atenção especial para a suposta independência do princípio do mal em relação ao bem, pelo qual o dualismo permanece ou cai. O bem... é totalmente independente do mal; é da natureza do bem revelar-se em contraste com o mal, visto que o mal fez a sua aparição no mundo. Mas o bem não tem necessidade do mal para a sua auto-realização; o amor seria eternamente o mesmo, e sempre cônscio de sua própria natureza, embora não houvesse ódio. O mal, por outro lado, é tão dependente do bem que ele vem à existência somente em contraste a ele. Como a oposição sugere algo que é oposto, o mal pressupõe o bem, e é concebível somente como um abandono ou queda dele. Se o mal for considerado como totalmente primário e original, ele não pode em qualquer sentido verdadeiro ser chamado mal ou "aquilo que não poderia existir". Essa dependência que o mal tem do bem é ainda mais evidente quando nos lembramos de que o mal, como uma antítese, não é nada mais do que uma abstração pervertida e a separação de um elemento essencial em nossa concepção do bem moral – a elevação do amor – próprio a um princípio de ação. Não apenas o bem moral é perfeitamente inteligível por si mesmo e por meio de si mesmo, mas o mal, por outro lado, pode ser entendido somente por meio do bem; *bonum index sui et mali*, uma expressão análoga à máxima de Spinoza, *"verum, index sui et falsi"*.

Ninguém pode com justeza nos insultar aqui, ao admitir tacitamente que a concepção metafísica do bem que a nossa investigação anterior nos levou a rejeitar: Que o bem, a negação positiva que torna mau o mal, de modo algum é uma "realidade" vazia, mas é a essência mais interior do bem moral, o amor. Não podemos reconhecer o mal como o sentimos que ele é nas profundezas de nossa consciência moral – não somente alguma coisa irrazoável, vã, e sem valor, mas como temerário e repugnante, uma fonte contínua de males inumeráveis – enquanto olhamos para o ser eterno de quem o homem no mal se afasta meramente como a "substância absoluta", uma "existência real", e assim por diante. O próprio centro da doutrina do cristianismo concernente a Deus, Aquele que é a existência absoluta e que contém em Si mesmo a fonte de toda realidade, é ao mesmo tempo a PERSONALIDADE e AMOR. Ao reconhecer assim que no mal o homem se opõe ao mais santo amor pela alienação e inimizade de sua vontade, a clareza peculiar de nossa consciência moral a respeito do mal, o nosso horror profundo na contemplação dele (que está ausente somente onde a consciência é cauterizada), fica explicada adequadamente: ao menos agora o sentimento de vergonha, arrependimento e remorso de consciência encontram a sua solução adequada. Se Deus não fosse amor, na verdade poderia ter havido deficiência e indignidade, mas não poderia haver mal.

Portanto o mal, como a antítese do bem, é diretamente dependente do bem; e desta visão geral da real concepção dele, vemos como originalmente não pode em nenhum sentido ser atribuído a ele. A sua dependência do bem, contudo, tem outro aspecto, o positivo. A fim de ser realizado em nossa esfera terrena, e alcançar o alvo de seus esforços escolhidos arbitrariamente, o mal deve de algum modo ou outro ligar-se ao bem, e reconhecer e cumprir algumas de suas exigências em toda a autoridade delas. O mal não tem em si mesmo poder de união ou de concentração; ele pode somente produzir uma semelhança de cavidade interior de unidade, ou uma aparência de comunhão que sempre se desvanece. Não somente ele separa e isola os seus servos, mas os faz colidir um contra o outro pela luta contínua de interesses egoístas, de forma que, se o mal tivesse sempre um único domínio sobre a vida humana resultaria naquilo que Hobbes chama de *"bellum omnium contra omnes"*. Os poderes listados a serviço do mal poriam de lado as suas lutas interiores e unir-se-iam somente contra o bem, e quando o bem é dominado, eles voltariam novamente aos seus conflitos internos; e não é nada mais do que essa combinação a que Cristo se refere quando Ele fala do βασιλεία τοῦ σατανᾶ, em Mateus 12.25, 26. Mas o mal sempre agiria a seu próprio modo em tais circunstâncias, sua dor interior irromperia através de cada máscara da satisfação terrena, os inumeráveis *ais e opressões* pelos quais os ímpios, como os instrumentos inconscientes da punição justa de Deus, atormentam uns aos outros, ocupariam toda a sua existência, e assim a vida presente se tornaria um inferno para os pecadores. Os desejos sensórios do homem o compelem a procurar a companhia dos outros homens, embora a razão e a lei de Deus tenham perdido a sua influência sobre ele; e a fim de ter posse e de desfrutar daquilo pelo que luta no pecado, ele deve subordinar sua vontade a certos regulamentos da sociedade. Estes regulamentos em si mesmos, contudo, são a realização dos princípios da justiça nas relações humanas, e têm a sua base objetiva mais profunda no amor.

Assim descobrimos este fato notável, de que o mal em nossa vida terrena está obrigado a submeter-se, em algum grau, à lei do bem, se não quiser destruir os seus próprios súditos e instrumentos. Como a essência do mal é o egoísmo, que sugere uma separação e um isolamento, toda sociedade organizada forma um forte anteparo contra o seu poder predominante, e a pior deserção do mal tem de contribuir com alguma coisa para manter esse anteparo. Assim, todo bando de ladrões que desistiram de suas relações honestas com o restante do mundo, e declarou guerra aberta contra as leis do estado, tem em algum grau restabelecidas essas leis dentro de si, de forma que oferece alguma restrição sobre o poder destruidor do mal entre os seus membros. Assim, também, em nosso tempo, temos visto quanta rebelião demoníaca contra toda majestade celestial e terrena, quando, após adquirir domínio, exerce as suas próprias leis de arbitrariedade totalmente ilimitada contra os indivíduos, até mesmo ao usar a espada e o fogo. Levado por sua própria discórdia interna, o mal sempre dá testemunho do poder conservante do bem na sociedade; e deve, como o bem, se tornar útil ao poder da punição da desordem e do crime. Mesmo quando os ímpios se unem em declarada hostilidade ao bem, devem no princípio se submeter a certas coisas que estão inclusas em qualquer concepção adequada do bem, ainda que a mais abstrata e formal, e a obedecer à lei comum. Eu digo que o mal não tem em si mesmo poder produtivo ou formativo;

ele não dá a si mesmo qualquer realidade completa ou histórica nas formas e arranjos da vida humana peculiar a si próprio; ele não pode alcançar a supremacia em esfera alguma da sociedade, salvar por recorrer a princípios que têm a sua origem no bem. Em conexão com isso há um fenômeno, ao qual nos referimos, que é muito notável e estranho, a saber, que o mal nunca se manifesta abertamente e de maneira direta na vida humana, ele sempre tenta de um modo ou de outro se esconder (Jo 3.20). *O mal não se aventura a ser ele mesmo*; ele incessantemente afasta-se, e hipocritamente se esconde sob alguma aparência externa do bem. Esta é a ocasião comum das chamadas "mentiras brancas" nas quais a dependência que o mal tem do bem, de que temos falado, é ilustrada de maneira notável. A mentira que de modo covarde se nega a admitir-se, realmente reconhece o bem como a única coisa que é verdadeira e certa, e considera a si mesmo como aquilo que não poderia existir, que somente tem uma existência suposta. Os fundamentos morais sobre os quais toda a sociedade repousa, refreia, assim, o vilão mais confirmado que apagou a última fagulha de vergonha dentro de si, e que não mais ouve a voz interior da consciência. Mesmo o mais poderoso e o mais orgulhoso déspota vê-se compelido, a partir de considerações prudentes – contanto que o princípio de seu despotismo extravagante não tenha se tornado totalmente sem sentido e absurdo – a assumir o disfarce de não procurar os seus próprios interesses, mas o bem geral, a glória, ou talvez, o bem-estar das pessoas.

Portanto, se devemos reconhecer o poder da santidade no controle que o governo divino exerce sobre até aquilo que o resiste, e pelo qual ele se completa em suas linhas gerais em meio à discórdia de interesses e paixões egoístas, como podemos manter a noção dualista de um princípio independente do mal? Em virtude das condições às quais o propósito divino se submete na história de nossa raça, o mal pode de fato impedir e retardar a realização desse desígnio, mas ele não pode frustrá-lo totalmente. Já vimos no capítulo anterior quão completamente o poder perturbador do mal penetrou o desenvolvimento terreno da raça humana; mas não obstante tenha sido severo o conflito no qual todos nós estamos envolvidos, o triunfo final do bem está sempre presente e visível aos olhos de Deus.

Se nós examinarmos a variação interior do mal ainda mais intimamente, e a seguirmos um passo adiante, nós a verificaremos não somente na esfera mais alta da sociedade em geral, mas na vida interior do indivíduo. A paixão luta contra a paixão, uma afeição contraria outra afeição; o homem, enquanto escravo dependente de vários objetos de desejo, nunca encontra aquele descanso e satisfação que procura a serviço do pecado. Ele não pode alcançar essas coisas mesmo por uma rendição total a qualquer paixão; pois – à parte da impossibilidade de satisfazê-la plenamente – nunca pode obter perfeitamente a força

ANTROPOLOGIA

suficiente para libertá-lo das exigências de outros impulsos que lutam por uma liberdade desenfreada. As duas tendências fundamentais do pecado a que já nos referimos – o orgulho e a supremacia da luxúria carnal – são precisamente aquelas que permanecem no mais admirável contraste e hostilidade mútuos uma à outra. Seja quem for que esteja entre essas duas correntes, será incessantemente jogado de um lado para outro por elas; quando ele se liberta de uma, a outra o prende. Na condição de um cultivo maior, essa alternância a serviço do pecado se torna um jogo secreto da vontade arbitrária. O homem aprende sobre a arte miserável de ora voltar-se para um lado, e ora voltar-se para outro, ora para o orgulho, ora para a sensualidade. Os vôos arrojados nos quais ele se levanta da degradação da sensualidade servem somente para excitar e fortalecer a sua autoconsciência humilhada, e ele renuncia os prazeres da luxúria, a fim de recrear-se com os esforços do seu orgulho. Ao reconhecer corretamente o fato dessa variação interior do mal, a educação moderna, por alienar-se daquele princípio cristão nos quais repousam o verdadeiro amor-próprio e a autoconfiança, e sempre adota o plano de vencer os pecados da autodegradação e do abandono na mocidade, pelo estímulo apaixonado do orgulho e da ambição; e assim, que tristeza! Nada mais se fez além de expulsar o demônio por Belzebu, o príncipe dos demônios.

A bondade, ao contrário, está sempre em harmonia consigo mesma; suas várias partes, seus esforços múltiplos, e os atos nos quais ela se realiza, mutuamente se fortalecem e se confirmam: qualquer um que viole o ideal do bem, não pode, de acordo com o princípio impuro de que os fins santificam os meios, ser confirmado e desenvolvido por esse ideal. O mal não somente está em desacordo com o bem, mas consigo mesmo; o bem tem apenas um inimigo, o mal; mas o mal tem dois inimigos, o bem e o mal. Esta contradição do mal consigo mesmo tem, além da sua importância moral e psicológica, um aspecto metafísico peculiar. Na verdade, o mal não tem existência independente de Deus, o bem absoluto, mas luta contra si mesmo; e como já vimos, ele não é algo mais algo menos do que o abandono do Deus vivo, este anseio de independência dele. Quando a criatura se rende ao mal, ela praticamente nega a sua criação por Deus, e não quer ter a sua existência em Deus, mas quer viver, conduzir-se e satisfazer-se, como se ela tivesse vida em si mesma e fosse o seu próprio senhor. O que aconteceria se Deus permitisse o mal na criatura para alcançar os fins dela? O que aconteceria se Ele se separasse do homem, como o homem se separa dEle? Se tal momento da emancipação da criatura pecaminosa com relação a Deus fosse realizado, ela afundaria em direção à não-existência, pois ela não existiria um só momento exceto nas mãos de Deus, e como a sua *mancipium*, seja a sua vontade boa ou má. O mal não possui em si mesmo qualquer existência substancial, mas como a *Fórmula de Concórdia*, conforme Agostinho e o

A Origem do Pecado

seu oponente Flacius explicam, ele existe somente na medida em que se apega a algum ser na forma de uma natureza ou tendência depravada; e, portanto, por seus esforços após a separação de Deus (que é o verdadeiro conceito dele), ele claramente se envolve numa contradição autodestrutiva. Se tivesse sucesso, ele não somente destruiria a sua base do bem, mas se aniquilaria a si próprio. A planta parasita se esforça para extrair todo o suco do corpo orgânico da árvore, a fim de apropriar-se dele para o seu próprio desenvolvimento depravado e venenoso; mas, ao alcançar o fim de seus esforços, ele opera para a sua própria destruição.[321]

Em oposição a esta afirmação conclusiva do Dr. Muller, está outra verdade que não deve ser esquecida, a saber, que quando o pecado toma a forma de uma ocorrência ou desempenho real, ele é uma força positiva em si mesmo. O sentido em que o pecado é negativo deve ser restrito às suas relações com Deus e com a criação original. Este aspecto essencial da verdade é bem afirmado por Francis J. McConnell na *The International Standard Bible Encyclopaedia*:

Muito freqüentemente o pecado é definido como a mera ausência do bem. O homem que peca é aquele que não observa a lei. Contudo, isto dificilmente é a concepção bíblica plena. Naturalmente, o homem que não observa a lei é considerado um *pecador*, mas a idéia de transgressão é muito freqüentemente a de uma recusa positiva de guardar o mandamento e de violá-lo. Dois cursos são colocados perante os homens, um bom e outro mau. O curso mau é, em um sentido, alguma coisa positiva em si mesmo. O homem mau não fica parado; ele se movimenta como o bom se movimenta; ele se torna uma força positiva para o mal. Em todas as nossas discussões devemos manter claramente na mente a verdade de que o mal não é alguma coisa existente em si e por si mesmo. As Escrituras tratam dos homens maus, e os homens maus são tão positivos quanto as suas naturezas permitem que eles sejam. Neste sentido da palavra o pecado ruma para o curso de positiva destruição. No pensamento do escrito que descreve as condições que, em sua crença, tornou o Dilúvio necessário, temos um estado positivo do mal que contamina quase o mundo todo (Gn 6.11). Seria absurdo caracterizar o mundo, em meio ao qual Noé vivia, como meramente um mundo negativo. O mundo era positivamente voltado para o mundo. E assim, em escritos posteriores, o pensamento de Paulo a respeito da sociedade romana é o de um mundo de homens pecaminosos que se movimentam com velocidade crescente em direção à destruição deles próprios e de tudo ao redor deles através do mal que faziam. É impossível crer que Romanos 1 pense do pecado meramente em termos negativos. Repetimos, não fazemos plena justiça à idéia bíblica quando falamos do pecado em termos meramente negativos. Se nos é permitido usar uma ilustração do tempo presente, podemos dizer que na totalidade do pensamento bíblico, os homens pecadores são como forças destrutivas no mundo da natureza que devem ser removidas antes para que haja paz e saúde para a vida humana.[322]

Portanto, pode ser concluído que o mal não possuía existência alguma antes do pecado ser cometido pelas criaturas que Deus trouxe à existência, e que por seu desígnio tiveram a capacidade de pecar, ao resistir à Sua vontade. Tal capacidade necessariamente é restrita à criatura; pois se o pecado é definido como independência de Deus e algo que é contrário a Deus, segue-se que o próprio Deus não poderia pecar, como Ele se tornasse independente de Si mesmo e como Ele se contradissesse. Tais idéias não são somente absurdas, mas são totalmente estranhas Àquele em que somente a santidade infinita habita. Os fatos com os quais a Teologia Sistemática deve tratar são que alguns anjos caíram em pecado sem qualquer promessa revelada de haver redenção para eles, enquanto que outros anjos permaneceram em seu estado original e sempre progridem na realização do propósito divino que lhes foi atribuído.

Um fato adicional é o de que a humanidade em sua totalidade (exceto um) caiu em pecado e uma redenção perfeita é providenciada e é perfeitamente revelada, e que será recebida por alguns e rejeitada por outros. Assim o *mal*, e a sua manifestação, o *pecado*, tornou-se uma realidade somente quando foi cometido pelo fato da criatura ter pervertido a vontade de Deus. O mal não tem substância original em si mesmo. Ele é uma insanidade espiritual e deve, no tempo devido – como foi divinamente ordenado – ter o seu fim. Que ele existirá para sempre como uma memória como existiu para sempre na previsão divina, dificilmente poderá ser questionado.

2. O Primeiro Pecado Concreto Cometido no Céu por um Anjo Não-Caído. Como tem sido sugerido, é perceptível que a grande maioria das obras sobre Teologia Sistemática tem se contentado em delinear a origem do pecado não além da queda do homem no Éden. É verdade que o pecado humano começou no Éden, mas, embora Adão meramente restabelecesse aquele pecado que antes havia sido cometido no céu, o caráter essencial do pecado deve ser determinado, em grande medida, pelo pecado do primeiro anjo antes que por sua reprodução pelo primeiro homem.

Uma prova convincente de que a Bíblia é um livro sobrenatural é encontrada no fato de que, sem hesitação ou incerteza, ela revela condições que antedatam a história humana e muito livremente penetra e revela as eras futuras. Sua mensagem não é restrita ao campo compreendido pelas observações humanas, mas trata de outras partes do universo tão familiarmente quanto trata da terra. Entre as suas revelações concernentes às outras esferas e a um passado indefinido, uma revelação é dada daquilo que parece ser o primeiro pecado que foi cometido no universo. Esse pecado, somos informados, foi cometido no céu pelo mais elevado dos anjos, e, após ter operado os seus trágicos resultados naquelas esferas, foi sugerido que ele veio para a criação do homem no Jardim do Éden, e restabelecido pelo Adão ainda sem pecado. É afirmado em Romanos 5.12 que "assim como por um só homem entrou o pecado no mundo", e revelou assim a verdade de que o homem não foi o primeiro a pecar, mas foi antes o meio através de quem aquela forma de pecado, que já havia sido cometido no céu, entrasse na terra. Uma abordagem razoável para o entendimento da verdade concernente ao primeiro pecado cometido no céu deve considerar (a) a pessoa que primeiro pecou; e (b) a natureza do primeiro pecado.

A) A PESSOA QUE PRIMEIRO PECOU. O caráter muitíssimo pecaminoso do primeiro pecado no universo é basicamente determinado pelo caráter exaltado e pela posição do primeiro pecador. Na avaliação desse ser e as circunstâncias sob as quais ele pecou, o discernimento natural do homem não ajudará muito. É totalmente uma questão de revelação. Esta revelação distingue diferenças importantes entre o estado do homem e o dos anjos. Entre essas diferenças observamos que o método divino de assegurar uma raça humana sobre a terra era criar um homem e uma mulher a quem Deus deu instruções para que se multiplicassem e enchessem a terra, mas o método divino de assegurar os exércitos incontáveis de anjos foi através do *fiat*, de poder criador onipotente. A respeito desses seres celestiais assim criados, Jesus Cristo sugeriu que eles nunca aumentam por propagação nem são eles diminuídos pela morte.

Embora os anjos tenham sido evidentemente criados antes das coisas materiais, visto que eles parecem ter observado a obra criadora de Deus, não há uma indicação clara; na ordem dos eventos, o pecado realmente ocorreu; contudo, a pessoa e a posição exaltada do anjo que primeiro pecou, assim como a natureza precisa de seu pecado não é revelada. Esta revelação é encontrada no seguinte texto da Escritura: "Veio mais a mim a palavra do Senhor, dizendo: Filho do homem, levanta uma lamentação sobre o rei de Tiro, e dize-lhe: Assim diz o Senhor Deus: Tu eras o selo da perfeição, cheio de sabedoria e perfeito em formosura. Estiveste no Éden, jardim de Deus; cobrias-te de toda pedra preciosa: a cornalina, o topázio, o ônix, a crisólita, o berilo, o jaspe, a safira, a granada, a esmeralda e o ouro. Em ti se faziam os teus tambores e os teus pífaros; no dia em que foste criado foram preparados. Eu te coloquei com o querubim da guarda; estiveste sobre o monte santo de Deus; andaste no meio das pedras afogueadas. Perfeito eras nos teus caminhos, desde o dia em que foste criado, até que em ti se achou iniqüidade" (Ez 28.11-15).

A pessoa aqui referida como "o rei de Tiro" é evidentemente de natureza angelical, sobre-humana. Este fato é abundantemente revelado no texto. É possível que num sentido secundário essa referência seja aplicada ao rei humano de Tiro, mas como quase tudo atribuído a esse ser é sobrenatural, ninguém senão uma criação angelical poderia estar em vista aqui; e entre os anjos esta descrição peculiar poderia ser aplicada somente a um deles, aquele que, por seu pecado, se tornou Satanás. Este mais elevado dos seres aparece na Bíblia com cerca de quarenta títulos diferentes, e todos eles, como em todos os títulos nas Escrituras, reveladores de uma pessoa e de seu caráter.

Visto que o esforço supremo de Satanás, na esfera de sua relação com a humanidade em sua presente situação na terra, é colocado no homem do pecado, é significativo que essa passagem seja, no seu contexto, precedida por dez versículos que comunicam uma mensagem divina ao "príncipe de Tiro", cuja pretensão blasfema dupla é que ele reivindica ser Deus, e que ele se assenta no lugar de Deus. Há uma identificação clara aqui que relaciona esse príncipe

ANTROPOLOGIA

de Tiro com o super-homem de Satanás, o homem do pecado, que ainda está por aparecer, e de qual o apóstolo Paulo profetizou: "...e seja revelado o homem do pecado, o filho da perdição, aquele que se opõe e se levanta contra tudo o que se chama Deus ou é objeto de adoração, de sorte que se assenta no santuário de Deus, apresentando-se como Deus" (2 Ts 2.3, 4; cf. Mt 24.15; Ap 13.5-8). Que esse "iníquo" ainda não apareceu fica evidente no fato de que a sua breve carreira, quando experimentada, será destruída; assim é dito, pelo "fulgor" da vinda de Cristo, e pelo "sopro de sua boca" (2 Ts 2.8). Como um príncipe está relacionado ao rei, assim essa pessoa blasfema descrita no primeiro texto (Ez 28.1-10) está relacionada àquele que é apresentado no texto sob estudo (Ez 28.11-15).

É de grande importância observar que é Jeová quem se dirige a este ser poderoso como "o rei de Tiro", e que descreve esse ser em todas as suas características sobrenaturais. É Jeová também que aqui é descrito como o que lamenta sobre esse grande anjo. O pensamento expresso pela palavra *lamentação* é o de uma angústia extrema acompanhada de um bater no peito. Na verdade, esta é a atitude de Jeová para com esse anjo caído. Há uma compaixão infinita em cada palavra que descreve a exaltação imensurável e a honra conferida a esse anjo em vista do seu repúdio subseqüente a Jeová. Uma débil ilustração dessa lamentação por parte de Jeová sobre esse anjo deve ser vista na lamentação de Davi sobre o seu filho Absalão: "Meu filho Absalão, meu filho, meu filho Absalão! Quem me dera que eu morrera por ti, Absalão, meu filho, meu filho!" (2 Sm 18.33).

Semelhantemente, Jeová declara esse grande anjo ser "o sinete da perfeição", por ser "cheio de sabedoria e perfeito em beleza", e que ele havia "estado no Éden, o jardim de Deus", e que se cobrira de todas as pedras preciosas. Embora Satanás aparecesse no Éden descrito no Gênesis (e esse rei de Tiro não apareceu) é provável, ao considerarmos os detalhes demonstrados nesta passagem, que a referência aqui é à glória edênica primeva da terra antes dela tornar-se "sem forma e vazia". Ao continuar essa descrição, Jeová afirma que esse ser foi criado com capacidades maravilhosas, e, pelo uso dessa figura específica, sugere que ele era um diadema de louvor ao seu Criador. É também dito dele que pertence à ordem dos querubins, companhia essa de anjos que parece encarregada da proteção da santa presença de Deus (cf. Gn 3.24; Êx 25.18-22; 2 Sm 6.2); mas desse ser é revelado que ele era, como protetor, ou querubim, colocado sobre o "santo monte de Deus", que, de acordo com o simbolismo do Antigo Testamento, refere-se ao trono do governo de Deus na terra (cf. Is 2.1-4). O clímax desse texto importante é alcançado quando a declaração é feita sobre esse ser como perfeito em todos os seus caminhos desde o dia em que havia sido criado, até que iniqüidade foi achada nele. Essa passagem revela assim o caráter exaltado de um ser celestial e indica o fato do seu pecado. O contexto continua a acrescentar alguma luz a respeito do pecado em si e do julgamento de Deus que deve eventualmente acontecer.

A identificação desse ser pode bem ser assim declarada: Ele era o sinete da perfeição, a plenitude de sabedora e a perfeição de beleza. Ele havia estado no Éden, o jardim de Deus. Sua coberta era composta de pedras preciosas. Os tambores e os pífaros estavam com ele desde a sua criação. Ele era um dos querubins da guarda designado por Deus como guardião sobre o santo monte. Ele era perfeito em todos os seus caminhos desde o dia de sua criação. Assim, o mais exaltado e o mais celestial dos seres criados, é descrito, e dele é também revelado que a iniqüidade foi encontrada nele. A prova que isto se refere a Satanás, o mais elevado dos seres angelicais, é revelada no fato de que, até onde vai a revelação, essa descrição não poderia se aplicar a alguém mais.

B. A NATUREZA DO PRIMEIRO PECADO. O profeta Isaías apresenta pelo Espírito de Deus a natureza exata e os aspectos detalhados do pecado de Satanás. Lemos assim: "Como caíste do céu, ó estrela da manhã, filha da alva! Como foste lançado por terra, tu que prostravas as nações! E tu dizias no teu coração: Eu subirei ao céu; acima das estrelas de Deus exaltarei o meu trono; e no monte da congregação me assentarei, nas extremidades do norte; subirei acima das alturas das nuvens, e serei semelhante ao Altíssimo" (Is 14.12-14).

Novamente a identificação não é difícil. A menção aqui é a respeito de um que é designado como Lúcifer, estrela da manhã, título esse que o relaciona ao mais alto dos anjos, e a grandeza de seu poder é revelada no contexto. Ali está dito que ele é aquele que "prostrava as nações, que tornava o mundo um deserto, que destruía as cidades", e que "a seus cativos não deixava ir para suas casas" (cf. Is 61.1). Que Isaías tinha em vista estas realizações estupendas desse ser, a partir do fim de sua carreira, e que ele contempla o resultado final e pleno de todo o mal divinamente permitido, está indicado pelo fato de que Lúcifer é, nessa passagem, declarado ser aquele que "caiu do céu" e "lançado por terra", cujo julgamento é ainda futuro na experiência de Satanás (Ez 28.16; Jó 1.6; Lc 10.18; Ef 6.11-12; Ap 12.7-9). Fica igualmente claro que para essa hora o programa do mal permitido a Satanás, no mundo, não foi ainda realizado plenamente.

O pecado que Lúcifer cometeu inclui cinco aspectos particulares e estes são expressos sob cinco asseverações de sua proposta independência de Deus. Ele usou a frase ímpia "eu farei" em cada declaração. O caráter mal e peculiar destas palavras "eu farei" nessas circunstâncias é revelado no fato de que essas palavras pertencem primariamente à soberania. Isto está demonstrado nos grandes pactos incondicionais que Deus fez com os homens. A frase "eu farei" é, mais do que qualquer outra que a linguagem humana possa exibir, a prerrogativa única e o direito solene da divindade. Quando emitida por Deus, essa frase não é de modo algum anormal. Contudo, há um uso secundário dessa frase que pode ser sancionado – mesmo nos lábios de uma criatura.

Após ceder à vontade de Deus, é próprio dela dizer: *Eu farei* a vontade de Deus. Tal uso dessas palavras de intento soberano veio dos lábios do primeiro anjo que pecou, e nenhum elemento de submissão está expresso ou pretendido nelas. Elas apresentam uma independência suposta que essa criatura tem. Embora seja uma criatura pequena com um propósito pequeno – como acontece no caso de um e de todos aqueles que compõem a raça humana – se ela é oposta a Deus ou independente dele, a verdadeira base de todo o pecado é manifesta. Essas palavras, vindas de Lúcifer, foram muito agourentas visto que, pela grandeza de sua posição, ele pretendeu nada menos que a produção daquilo que veio a ser o *cosmos*, o sistema mundano. Esses cinco usos da frase "eu farei", que aparecem em Isaías 14.12-14, devem ser examinados cuidadosamente.

Uma exposição extensa desses versículos foi apresentada anteriormente no estudo de angelologia. A presente análise dessas afirmações vitais, portanto, será breve:

"*Eu subirei ao céu.*" Este propósito atrevido expresso nestas palavras será entendido somente à luz da verdade de que há três céus. Os anjos têm a sua legítima habitação no segundo céu. A responsabilidade de Lúcifer como guarda do trono de Deus exigia dele fazer o serviço naquela esfera mais alta onde Deus habita. A ambição de Lúcifer é, assim, vista como a mais ímpia e deliberada tentativa de morar acima da esfera que lhe foi atribuída.

"*Acima das estrelas de Deus exaltarei o meu trono.*" Essa frase expressa o propósito de Lúcifer de assegurar um domínio na esfera angelical. Pouca coisa pode ser conhecida desta questão ou da extensão desse propósito. A intenção tem sido realizada sob a permissão divina, visto que Satanás é agora o cabeça de um reino de espíritos malignos (Mt 12.26).

"*No monte da congregação me assentarei, nas extremidades do norte.*" Esta afirmação é algo obscura. Contudo, o entendimento das três palavras usadas parece lhe emprestar alguma luz. O *monte* é o trono de Deus, a *congregação* é Israel, e *as extremidades do norte* podem ser uma referência à crucificação que ocorreu no norte de Jerusalém, e à autoridade terrestre sobre Israel que pertence a Cristo como Redentor e Rei. Em tal interpretação pode ser visto que houve um propósito em Lúcifer de assegurar um trono terreno. Que tal trono agora existe é declarado em Apocalipse 2.13.

"*Subirei acima das alturas das nuvens.*" Nesta declaração há uma tentativa em vista de assegurar alguma glória divina que é simbolizada constantemente na Bíblia pelas nuvens.

"*Serei semelhante ao Altíssimo.*" Esta é a consumação de tudo o que se disse antes. Esse é o propósito supremo de Lúcifer a respeito daquilo em que os outros propósitos são apenas uma parte. Nessa afirmação a essência total do pecado se esconde. É a ação independente fora do propósito de Deus e oposta a ele. A respeito de Satanás, Cristo disse que nele "não habita a verdade" (Jo 8.44), e sugeriu que abandonar a vontade de Deus é aprovar a mentira. Em oposição a isto, a verdade consistia em que o propósito e a designação divinos para esse ser, imensuráveis em seus privilégios, em valor eterno e em glória. Lúcifer escolheu o seu próprio caminho de ação independente e determinou mover-se em direção ao terceiro céu, para ganhar autoridade sobre a terra,

A Origem do Pecado

usurpar a glória divina, e ser igual ao Altíssimo. Uma revelação posterior da Escritura mostra essa ambição satânica – no que respeita à terra – ser o presente cosmos, o sistema mundano, sobre o qual Satanás é agora o príncipe (Jo 12.31; 14.30; 16.11), e, nesta era, o seu deus (2 Co 4.4).

Deus evidentemente permitiu que o propósito de Satanás fosse colocado sob teste experimental, a fim de que ele possa ser julgado mais perfeitamente. O que Lúcifer foi, e poderia ter sido, na vontade de Deus, constituiu a *verdade* na qual ele não permaneceu. O que ele operou foi a *mentira*, e Satanás é o autor dela. Essa mentira estava escondida em seu coração desde o princípio. Os juízos futuros que virão sobre o *cosmos* são preditos claramente na Palavra de Deus, como também o trágico fim de Satanás, e de todos os que estão associados a ele, no lago de fogo. Com todas essas revelações em vista, é infantil falar de um *cosmos* convertido como seria também falar de um diabo convertido. Cada um deles chega ao seu fim determinado com toda a certeza de infinidade.

Não se pode dar uma importância demasiada à verdade de que o primeiro pecado de Lúcifer – uma ambição obstinada contra Deus que pretendia a criação do sistema mundial do cosmos – é a norma ou padrão de todo pecado. Todos os seres humanos, quando agem independentemente, que não estão preocupados em cumprir os propósitos divinos para eles, caem no mesmo pecado, e o destino deles é o mesmo do diabo e seus anjos (Ap 20.10-15), a menos que estejam debaixo da graça salvadora de Deus.

3. O Primeiro Pecado Concreto Cometido por um Ser Humano na Terra. Se um erro fosse adotado como a premissa maior numa seqüência de temas intimamente relacionados, haveria pouca esperança de que a sucessão total de pensamento não fosse caracterizada pelo desvio da verdade, ou mesmo uma contradição dela. Há outra fase incomum da revelação divina que é mais adequada ao entendimento correto de toda doutrina além da doutrina do *pecado*. Praticamente todos os sistemas heréticos de pensamento baseiam-se em conceituações errôneas do pecado, e, portanto, estas devem necessariamente ser saturadas de erro. Uma tentativa de enumerar totalmente essas conceituações errôneas seria inconsistente com o propósito deste trabalho. Contudo, nesse contexto pode ser observado que subestimar o verdadeiro caráter do pecado é (1) desconsiderar os termos explícitos empregados na Bíblia para demonstrar o caráter muitíssimo depravado do pecado, e fazer com que Deus pareça mentiroso; (2) contradizer, em maior ou menor grau, o caráter santo de Deus; (3) corromper até mesmo a concepção correta da culpa humana; (4) desconsiderar a santidade e a autoridade da Palavra de Deus; (5) fazer com que a inevitável reprovação divina do pecado pareça ser um julgamento extremo e desautorizado; (6) tornar os grandes fatos da redenção, reconciliação e propiciação parecerem ser desnecessários; e (7) não levar em consideração a única razão suficiente para a morte de Cristo.

Como foi afirmado anteriormente, é verdade que o pecado é depravado pelo fato dele ser uma oposição a Deus, e que uma coisa má fica demonstrada como tal quando comparada com o caráter santo de Deus. É igualmente verdadeiro que o

ANTROPOLOGIA

pecado exige juízo, porque é um ultraje à pessoa e lei de Deus; e, visto que Deus é infinito e a sua bondade ilimitada, o pecado é infinito e o seu caráter mau está além da computação humana. O pecado inflige não somente um prejuízo imensurável sobre aquele que peca, mas é mais especificamente caracterizado pelo prejuízo que ele inflige sobre Deus, os direitos do Criador são desconsiderados, a sua lei santa é violada, e a sua propriedade fica danificada por causa do pecado.

O efeito de longo alcance do primeiro pecado humano deve ser descoberto no seu movimento ao longo de dois canais muito diferentes – a *natureza do pecado*, e o *pecado imputado*, matérias que devem ser estudadas no seu próprio lugar e ordem. A discussão agora centra-se sobre o primeiro pecado humano. O registro do primeiro pecado humano é encontrado em Gênesis 3.1-19. Após ter proibido especificamente o comer do fruto de uma árvore e ter advertido que a penalidade de desobediência seria a morte, Deus colocou Adão e Eva sob prova. A questão foi plenamente compreendida por eles e evidentemente eles, quando deixados sós, abstiveram-se de comer do fruto que era proibido. Foi quando o tentador apareceu, que eles foram induzidos a desconsiderar Deus. Os detalhes desse pecado e as influências que o ocasionaram já foram estudadas na seção anterior de antropologia.

O fato essencial, que não pode ser reafirmado freqüentemente, é que, em sua tentação, Satanás propôs aos primeiros pais que adotassem o exato procedimento que ele próprio havia esposado e buscado, que era presumir uma independência de Deus por afastar-se da sua vontade e propósito. Uma ambição míope, duplamente danificada pelo orgulho impuro, queria alterar o estado de perfeição e o destino que o amor infinito, a sabedoria e o poder do Criador designaram, por uma batalha infeliz de uma vida autocentrada com a sua experiência de eterna agonia na morte. Evidentemente a verdade toda não foi mostrada antes diante desses seres humanos. Foi dito a eles que seriam iguais a *Elohim* (Gn 3.5), mas somente num sentido – os seus olhos seriam abertos e eles conheceriam o bem e o mal.

Eles, como seres criados, experimentaram o bem; como seres caídos, experimentariam o mal. Eles não tinham o que ganhar, mas, antes, tinham tudo a perder. A criatura, seja anjo ou homem, é por criação não somente a propriedade do Criador por direitos mais vitais do que qualquer outra, mas, como criatura, ela é totalmente dependente do Criador. Este relacionamento foi abençoado de fato antes da Queda e não gerou ofensa alguma. Ao repudiar Deus através da desobediência, Adão e Eva embarcaram num mar tempestuoso, sem praia e bússola, leme ou timão. Tal curso poderia ser conduzido somente a uma falha ignominiosa e aos julgamentos finais dAquele a quem haviam rejeitado e abjurado. A verdade de que o pecado é uma insanidade é, assim, plenamente demonstrada.

Em última análise, há apenas duas filosofias de vida. Uma é ser conformada à vontade de Deus, que é o arranjo original de Deus, a outra é abandonar o Criador e renunciar a sua autoridade e propósito. Com respeito a esta última filosofia, pode ser dito que não há provavelmente orgulho tão desprezível como aquele que se insurge contra a autoridade do Criador e presume planejar um programa

A NATUREZA PECAMINOSA DO PECADO

de vida e de realização que é um substituto para o plano e propósito originais de Deus. Uma filosofia é satânica, e este fato medonho não é mudado ainda que toda a raça humana abrace o ideal satânico. Ao aparecer no jardim, Satanás não trouxe um livro grande para explicar a sua filosofia. Após apresentar a sua vil proposição com tal estratégia como somente Satanás sabe fazer – ele apelou para os desejos naturais, ele fez o pecado parecer cousa pouca, ele atacou o caráter do Criador por insinuar que Deus não é digno de confiança, e sem amor – ele propôs uma semelhança a *Elohim*. A tradução "e sereis como deuses" não é errônea. O texto original diz: "Sereis como *Elohim*". A filosofia satânica é expressa perfeitamente nestas breves palavras e, não obstante o momento de satisfação do eu e do orgulho, conduz ao lago de fogo, e esse mesmo fim é anunciado a todos, anjos ou seres humanos, que adotam e buscam esse caminho até o seu amargo fim.

O propósito de Satanás não consistiu meramente na rejeição de Deus; ele planejava um vasto sistema *cósmico* no qual resolveu utilizar e apropriar-se indevidamente dos elementos que pertencem à criação de Deus, que, em si mesmos, são *bons*. Satanás nada cria. Nenhum passo no projeto cósmico de Satanás seria mais essencial do que assegurar a lealdade da humanidade. As questões em jogo no Jardim do Éden eram, com respeito à carreira de Satanás, ligadas a como determinar a realização de seu empreendimento total. Ele deveria ter supremacia sobre o homem ou falharia completamente. Adão e Eva pouco perceberam que, longe de obter a independência, eles se tornavam escravos do pecado e de Satanás. Daquela hora em diante Satanás estava para energizá-los e os filhos deles iriam fazer a vontade do diabo (Ef 2.1, 2; Cl 1.13; 1 Jo 5.19). De tal estado somente o poder regenerador de Deus, que se torna possível através do Redentor, poderia resgatar. Tão logo for permitido a Satanás governar como o príncipe do cosmos, é provável que a humanidade venha a experimentar algum sentido de coesão e segurança – alguma coisa vaga na verdade – mas quando Satanás foi banido e a sua autoridade chegar ao fim, o isolamento e a segregação dos seres humanos não-regenerados resultará em terror e angústia por toda a eternidade vindoura.

Não há necessidade de nenhuma investigação profunda das Escrituras para provar que o pecado originou-se nas esferas celestiais e que o homem tornou-se a avenida ou o caminho pelo qual o pecado entrou neste mundo (Rm 5.12). Deve também ser concluído que, embora o pecado humano possa manifestar o seu caráter de vários modos, ele provém de uma raiz e consiste do abandono do Deus vivo. E é este abandono que precipitou a queda do homem, e o mesmo espírito de independência permanece para amaldiçoar a raça.

II. A Natureza Pecaminosa do Pecado

Em seu caráter fundamental, o pecado é uma indisposição incansável da parte da criatura de permanecer na esfera e limitação na qual o Criador, guiado pela sabedoria infinita, a colocou. Esta indisposição pode ser expressa de muitas maneiras, e algumas vezes se pensa que sejam a natureza real do pecado. No campo geral da manifestação do pecado, o fato é que ele é uma falta de conformidade com o caráter de Deus. O primeiro pecado do homem foi pessoal, e, como foi afirmado anteriormente, resultou na natureza do pecado. Nisto a ordem da experiência humana é inversa, visto que, no caso de cada membro da posteridade de Adão, há primeiro uma natureza caída e esta gera o pecado pessoal. Assim, como já foi assinalado, a natureza do pecado e o pecado pessoal podem ser vistos como causa e efeito.

A diferença mais ampla possível existe – que atinge não menos do que o contraste entre as coisas infinitas e as finitas – quando a avaliação que Deus faz do pecado é comparada com a que o homem faz do pecado; todavia, num grau que é universal, o pecado é julgado pelos homens totalmente à parte da revelação e com base na avaliação humana natural.

Visto que o pecado é negativo no sentido de não ter padrões próprios, mas deve derivar as suas medidas daquilo que é positivo ou bom, e visto que o santo caráter de Deus é o padrão daquilo que é bom, segue-se que o pecado é tão mal como parece ser quando visto do ponto de vista da santidade de Deus. Nenhum dos seres caídos jamais pode alcançar um entendimento da santidade de Deus, e, no mesmo grau, nenhum ser humano caído pode chegar a ter uma concepção correta da natureza depravada do pecado. Quando é descoberto que os juízos divinos do pecado alcançam a eternidade, como de fato eles alcançam, o homem caído questiona esse julgamento.

III. Três Provas Principais da Grande Malignidade do Pecado Pessoal

1. A Prova Angelical. Um anjo das hostes angelicais cometeu um pecado, transgressão essa que os homens em sua própria esfera julgaram ser muito recomendável, a saber, uma *ambição ímpia*, e, como resultado desse pecado, aquele anjo caiu e tornou-se o inimigo eterno de Deus e arrastou consigo um vasto exército de seres celestiais, alguns dos quais estão presos em cadeias de trevas, e para quem não há um raio de esperança por toda a eternidade.

2. A Prova Humana. Um indivíduo, o primeiro dentre os homens criados, cometeu um pecado e esse pecado foi aparentemente inócuo, os homens tendem a ridicularizar o pensamento de que Deus o tivesse notado; todavia, aquele pecado é, de acordo com a avaliação divina, suficientemente mau que causa a degeneração e a depravação de uma pessoa não-caída que comete o pecado, e provoca o sofrimento na carne e a morte a milhões de sua posteridade, e a condenação eterna nas esferas dos *ais* na vasta maioria deles.

3. A Prova Divina. O Filho de Deus sofreu num grau infinito e morreu na cruz por causa do pecado. Não houve outro caminho melhor pelo qual a redenção pudesse ser assegurada. Contudo, se tivesse havido apenas esse único

pecado cometido neste mundo, as mesmas profundezas de sofrimento e morte teriam sido exigidas do Filho de Deus, como a base justa para o perdão divino daquele único pecado e para a justificação daquele pecador.

O estudo dos pecados pessoais daqueles cuja falha é registrada nas Escrituras vão acrescentar muita coisa para o entendimento da doutrina dos pecados pessoais. Tal estudo deve incluir os pecados de Adão, Caim, Noé, Nadabe, Abiu, Datã, Abirão, Arão, Moisés, Acã, Eli, Saul, Davi, Salomão, Pedro, Pilatos, Judas, Ananias, Safira e Saulo de Tarso.

Após construir uma máquina complicada composta de muitas peças, um homem espera que cada uma permaneça no seu lugar e cumpra as funções específicas atribuídas a ela. A ação independente e separada de uma peça vai causar a desordem da máquina. A criação é composta de muitas peças e debaixo do presente exercício das vontades opostas há uma grande confusão que somente Deus pode corrigir. Isto Ele fará em seu próprio tempo e modo.

Como não há uma explicação racional para o universo, um sistema e ordem que abranjam todos os regulamentos do movimento das estrelas até as leis que governam todas as formas de vida que existem – à parte da verdade de que Deus é o Projetista, Criador e Sustentador de tudo, de igual modo tudo que entra no caráter moral deriva os seus valores de Deus. Isto não mais deveria ser um problema de reconhecer Deus apenas como o fundamento e fonte das coisas morais, mas também das coisas físicas e intelectuais. Se realmente houvesse algo como uma estrela errante separada de todas as outras forças e atrações, ela serviria para ilustrar uma inteligência criada, adaptada para um grande propósito sustentando grandes relacionamentos, mas separada da Fonte de todo o seu ser e atrevidamente desafiando os elementos do caráter santo do qual todos os valores morais dependem e do qual todas as obrigações surgem.

Na verdade, Judas assemelha certos "homens ímpios" a "estrelas errantes, para as quais tem sido reservado para sempre o negrume de trevas" (Jd 4,13). Assim como os elementos físicos necessariamente têm de permanecer no lugar onde foram postos por um mandato do Criador, assim, num grau mais importante, necessariamente os seres morais têm de permanecer sob o mandato no lugar onde foram colocados, se eles querem conhecer a plenitude eterna da vida e experimentar o amor e sabedoria infinitos que lhes foram propostos. Fora desse curso razoável, poderá haver somente "negridão de trevas"; pois à parte de Deus não existe luz, e o homem à parte de Deus, que não tem poder de gerar luz, "é cheio de trevas".

O pecado usualmente combina um aspecto imoral com o elemento de desobediência e o que isso significa para Deus não poderia ser revelado plenamente.

Além disso, o caráter depravado do pecado é refletido nas penalidades que são justamente impostas. A condenação de Satanás, a transgressão dos homens não-regenerados, e todo o sofrimento desta vida dão testemunho deles, e pode ser crido que qualquer ato cometido por qualquer criatura

ANTROPOLOGIA

é tão depravado à vista da avaliação divina como aqueles pecados que, por causa da posição ocupada pelo pecador, trouxeram ruína a multidões incontáveis de seres.

A independência total de Deus por parte da criatura, seja anjo ou homem, é o princípio básico do mal. Ela se manifesta de várias maneiras. O profeta declara: "Todos nós andávamos desgarrados como ovelhas, cada um se desviava pelo seu caminho" (Is 53.6). O sábio disse: "Na multidão das palavras não falta transgressão" (Pv 10.19); "O que despreza ao seu vizinho peca" (Pv 14.21); "O desígnio do insensato é pecado" (Pv 24.9). E no Novo Testamento, lemos: "... tudo o que não provém da fé é pecado" (Rm 14.23); "Aquele, pois, que sabe fazer o bem e não o faz, comete pecado" (Tg 4.17); "o pecado é a transgressão da lei" (1 Jo 3.4); e "o amor do dinheiro é a raiz de todos os males" (1 Tm 6.10). Assim, as Escrituras indicam o caráter extenso e complexo da expressão do pecado, mas, em cada caso, seja doutrina ou experiência humana, o único mal original é encontrado na esfera da relação da criatura com o Criador.

IV. Definições Gerais

Ao entrar no extenso campo da definição do pecado, surge uma distinção logo no começo entre o estado do coração que impele uma pessoa a pecar e o ato manifesto do pecado em si. No caso de Adão, que pecou sem as inclinações de uma natureza pecaminosa, fica evidente que o seu ato de desobediência foi precedido e preparado por um consentimento de sua vontade, e que, quando ele assim determinou o seu procedimento, ou quando desejou desobedecer a Deus, ele já havia pecado potencialmente. Essa atitude poderia ser definida como um *estado* de pecado. Deve ser observado que, se ele tivesse sido impedido contra sua vontade de praticar um ato manifesto de desobediência, não obstante, ele teria sido condenável com base na sua intenção e disposição. No caso da posteridade de Adão, de quem todos herdam a natureza pecaminosa que incessantemente estimula o pecado, existe um constante estado de pecado que pode ser aliviado somente pelo poder preventivo do Espírito Santo que habita em nós.

O pecado é, portanto, algumas vezes definido como um estado do coração ou da mente. Muita coisa tem sido escrita sobre o assunto do pecado a partir de uma abordagem psicológica, mas tais considerações são, com freqüência, demasiadamente especulativas, e não tendem a apresentar o caráter maligno do pecado como é apresentado na Bíblia. Pode ser admitido com os ideais especulativos que o pecado é uma ação da vontade – seja uma omissão manifesta ou uma comissão – mas por detrás da vontade está o coração maligno. Cristo enfatizou isso quando disse: "O que sai do homem, isso é que o contamina. Pois é do interior, do coração dos homens, que procedem os maus pensamentos, as prostituições, os furtos, os homicídios, os adultérios, a cobiça, as maldades, o dolo, a libertinagem, a inveja, a blasfêmia, a soberba, a insensatez; todas estas más coisas procedem de dentro e contaminam o homem" (Mc 7.20-23). A natureza do homem caído é pecaminosa, expresse ela o seu verdadeiro caráter em atos manifestos ou não.

Sob o título *Modern Theories of Sin*, o Dr. W. H. Griffith Thomas apresenta quatro teorias que são citadas aqui, e, como elas são claras, nenhum comentário sobre elas é acrescentado:

(1) Teorias que remontam a origem do pecado à vontade do homem (representantes: Kant, Coleridge e Müller).

(2) Teorias que consideram o pecado como uma necessidade (representantes: Schelling, Weisse e Hegel).

(3) Teorias que procuram explicar o pecado por confiná-lo dentro dos limites da religião (representantes: Schleiermacher e Ritschl).

(4) Teorias que procuram explicar o pecado a partir de observação empírica (representantes: Pfleiderer e Tennant), (*The Principles of Theology*, p. 170).[323]

O campo geral de definição a respeito do *pecado pessoal* pode ser abrangido em dois aspectos: (a) o pecado contra Deus; e (b) o pecado contra a lei. Uma distinção patente se vê entre o pecado contra a pessoa de Deus – pecado esse que pode ser indicado pelos termos *impiedade, corrupção, egoísmo* – e o pecado contra o governo moral de Deus, que é muito propriamente expresso por termos como *transgressão, rebelião e ilegalidade*. Essa divisão dupla parece abranger o campo total da definição e a tendência total da obrigação do homem pode ser remontada ao longo dessas duas linhas de relacionamento. Essas duas formas de dever, por serem independentes, são inseparáveis. Nenhum relacionamento com Deus pode ser concebido, que não reconheça a sua vontade ou lei santa, nem pode qualquer autoridade ser descoberta em sua lei ou vontade que não se baseie em sua santa pessoa. A relação do homem com a pessoa de Deus é basicamente a de *estado*, enquanto que a sua relação com a vontade de Deus é a de *ação*. O termo geral para pecado é ἁμαρτία, e significa que uma marca ou um alvo prescrito não foi acertado. Este alvo é o caráter essencial de Deus que é conhecido do homem pela vontade revelada de Deus, ou lei de Deus. Vamos dar atenção agora a esses dois aspectos do pecado na ordem indicada acima:

1. Pecado contra a Santa Pessoa de Deus. Por muito tempo os filósofos tem debatido a questão de que se o homem é capaz de originar uma distinção consciente entre o certo e o errado, ou se ele faz as leis por si mesmo – embora feitas através do seu entendimento limitado – são uma reflexão de seus próprios ideais ou se elas são derivadas de Deus. Teoricamente, é uma questão sobre se a voz da consciência – a intuição do homem acerca do que é certo e verdadeiro – é direta ou indiretamente a voz de Deus, ou se a consciência deve ser reconhecida como um fator natural no ser humano. Atenção já foi dada a esse assunto numa seção anterior desta obra, e ali foi afirmado que a consciência parece ficar acima das outras faculdades do ser humano como uma espécie de monitor ou juiz

ANTROPOLOGIA

– uma voz fora da ação do intelecto, das sensibilidades e da vontade; todavia, uma voz que pode ser embrutecida quando não silenciada, ou, por outro lado, pode ser estimulada a um discernimento agudo.

Criou Deus um instrumento delicado que, dentro de seus próprios recursos, é capaz de lutar pelo que é certo, ou a consciência é a voz imediata de Deus, que fala na consciência interior do homem? Uma coisa é certa, isto é, que Deus é o bem original e tudo aquilo que é bom no universo é derivado dele. A idéia insustentável de que o certo é um princípio eterno ao qual Deus subscreve, ou a noção de que o certo é o que é porque Deus arbitrariamente lhe atribuiu esse caráter – que Ele poderia tão facilmente ter tornado o mal bom se Ele tivesse resolvido fazer assim – não precisa ser refutada aqui. Visto que Deus é o próprio eterno, imutável em sua santidade infinita, não subscreve princípio algum sujeito a Ele. Ele é o princípio. O que é bom e verdadeiro não é uma lei que governa Deus; Ele é a fonte dessas virtudes. Em nenhum sentido Ele é a fonte do mal e da mentira. O mal e a mentira não têm fonte original. Houve um tempo quando o mal poderia ter sido visto como uma possibilidade; mas o bem, igual a todos os atributos divinos, em sua realidade mais exaltada, tem a mesma existência eterna que pertence a Deus. Houve um tempo – se é que havia tempo – quando o mal era somente uma previsão; todavia, haverá um tempo – se é que o tempo ainda existirá – quando ele será apenas uma lembrança. Deus é imutável de eternidade a eternidade.

O efeito do pecado sobre Deus e sua atitude com o pecado é mostrada no plano pelo qual Ele salva o perdido. Na verdade, muito pouca coisa é percebida entre os muitos que tentam pregar o Evangelho, de que a graça de Deus que salva o perdido não é mera magnanimidade ou generosidade da parte de Deus. Ele poderia ter salvo almas sem o sacrifício de seu Filho, se tivesse sido o caso. A morte de seu Filho como um sacrifício é exigida somente porque Deus não pode transigir no seu caráter santo, que não pode tornar o pecado algo sem importância. É parte da real estrutura do Evangelho, Deus ser infinitamente justo em sua atitude com os pecadores, o que significa a condenação perfeita e eterna, a menos que a exigência da santidade infinita seja perfeitamente satisfeita. Em outras palavras, qualquer coisa que seja feita para salvar o perdido, deve ser realizada de tal modo que preserve imaculado o caráter de Deus.

Para alguns, isto tem parecido uma concepção digna de Deus quando apresentada tão liberal e suficientemente magnânima para abrir mão de suas exigências santas, sem perceber que afastar-se assim dos seus santos juízos seria acabar com qualquer vestígio daquele fundamento de justiça sobre o qual o seu trono repousa, que cinge o seu governo e sustenta o seu caráter imutável. Deveria Deus salvar uma alma da condenação que pesa sobre ela por causa do pecado, a fim de suavizar a condenação, ou amar tanto o pecador que abrisse mão de suas santas exigências contra o pecado, para que a alma pudesse ser salva? Nesse caso, Deus estaria perdido, o seu ser essencial arruinado por transigir com o pecado, e ele próprio necessitado de ser salvo da dissolução. Tal verdade nunca foi afirmada de modo suficientemente forte, nem pode ser assim, visto que a linguagem é incapaz

DEFINIÇÕES GERAIS

de expressar a horrível desonra a Deus que se oculta nos apelos evangélicos que oferecem a salvação baseada na caridade divina e não no sangue eficaz de Cristo.

Se os homens nunca houvessem pregado qualquer outra mensagem além daquela em que o pecado é muitíssimo depravado que pode ser perdoado somente com base no derramamento do sangue de um membro da Trindade, e que esse sacrifício ilimitado é tão requerido para a cura de um pecado de um indivíduo como para os pecados de muitos, uma percepção melhor da atitude divina para com o pecado, sem dúvida, seria obtida. O próprio Deus deve ser, e é, *justo* quando Ele justifica o ímpio que não faz algo além de *crer* em Jesus (Rm 3.26). Pregar qualquer coisa menos do que isso merece o anátema irrevogável expresso em Gálatas 1.8, 9.

O que a esta altura tem sido defendido, é com a finalidade de que a verdade mais essencial possa ser enfatizada, i.e., que o pecado é contra Deus. Ele afeta Deus imediata e diretamente; e ele atinge aquele que peca basicamente através da reação que surge por causa de sua influência primeira sobre Deus. Em sua cegueira e impiedade, a criatura pode presumir que o que ela faz não interessa a Deus, mas tal raciocínio é somente a alucinação que resulta da insanidade do pecado. A suposição de que a criatura é livre de responsabilidade em relação ao seu Criador é a pior das ilusões – seguida apenas daquela noção irracional de que Deus não é cônscio do pecado da criatura, ou que o pecado pode ser escondido de Deus. Concernente à observação divina a respeito do pecado da criatura, está escrito: "Porque os seus olhos estão sobre os caminhos de cada um, e ele vê todos os seus passos" (Jó 34.21); "porventura Deus não haveria de esquadrinhar isso? Pois ele conhece os segredos do coração" (Sl 44.21); "Diante de ti puseste as nossas iniqüidades, à luz do teu rosto os nossos pecados ocultos" (Sl 90.8); "Pelo que, ainda que te laves com salitre, e uses muito sabão, a mancha da tua iniqüidade está diante de mim, diz o Senhor Deus" (Jr 2.22).

E dois testemunhos registrados na Bíblia declaram a verdade de que o pecado é cometido diretamente contra Deus. Davi escreveu: "Contra ti, contra ti somente, pequei, e fiz o que é mau diante dos teus olhos" (Sl 51.4); "Pai, pequei contra o céu e diante de ti; já não sou digno de ser chamado teu filho" (Lc 15.21). Em adição a esta condenação que é imposta por causa da natureza pecaminosa, todo pecado pessoal deve ser, e portanto será, pesado e julgado com base na santidade divina. Totalmente diferente, contudo, é o relacionamento do cristão pecador com Deus. Ele está sujeito ao castigo, mas não a condenação.

Além da ofensa que o pecado constitui ao governo de Deus, e além do dano àquilo que é indiscutivelmente uma propriedade de Deus, por causa da sua natureza imoral, o pecado ultraja e insulta a pessoa de Deus. Ele é infinitamente puro e justo. O profeta Habacuque disse: "Tu és tão puro de olhos que não podes ver o mal, e que não podes contemplar a perversidade, por que olhas para os que procedem aleivosamente, e te calas enquanto o ímpio devora aquele que é mais justo do que ele?" (Hc 1.13) O apóstolo João escreveu: "E esta é a mensagem que dele ouvimos, e vos anunciamos: que Deus é luz, e nele não há trevas nenhumas" (1 Jo 1.5). Assim, também, o apóstolo Tiago declara:

"Ninguém, sendo tentado, diga: Sou tentado por Deus; porque Deus não pode ser tentado pelo mal e ele a ninguém tenta" (Tg 1.13). Quando a verdade é considerada à parte de todos os relacionamentos, não há argumento com respeito à santidade de Deus; todavia, esta é a verdade que mede a depravação do pecado. É o fato de Deus ser transparentemente santo que dá significado a termos como *incredulidade, corrupção e impiedade*.

Se qualquer atenção sem preconceitos foi dada a esta matéria, não será julgado irrazoável que o Ser, o qual trouxe o homem à existência, que designou tudo o que é melhor para o homem no tempo e na eternidade, que criou e arranjou tudo que vem a fazer parte do ambiente e do conforto do homem, que exerce uma providência incessante e protetora, que num custo infinito prepara um remédio para a falha e o pecado do homem, que ama o homem com amor infinito, e deseja que o homem – ainda que em pecado – seja abençoado com as suas bênçãos mais ricas, por ser Ele próprio transparentemente santo, venha a ser injuriado e ofendido pela rejeição que o homem tem para com a Sua pessoa, seja insultado em Seu caráter, e receba a rebelião contra a sua santa vontade.

Ninguém deveria se espantar que, por causa de sua justiça imutável, Ele não pode perdoar o pecado, mas que deve exigir que o preço da redenção, reconciliação e propiciação – que Ele somente pode pagar – deva ser incluído pelo homem em sua avaliação sobre o que deve fazer parte de sua salvação. Não deveria parecer estranho que a salvação fique restrita à confiança em Deus para salvar através da capacidade que Cristo tem de salvar, ou que a rejeição de Cristo como Salvador deva ser considerada como o último e o mais iníquo insulto a Deus.

A. A TEORIA DE QUE O PECADO É O EGOÍSMO. Intimamente relacionado com o aspecto do pecado contra Deus está a afirmação muito aceita de que o pecado é o egoísmo em qualquer uma de suas formas. Esta teoria foi defendida por advogados já nos dias primitivos da Igreja; foi argumentado pelo Dr. Julius Müller, cuja obra, *The Christian Doctrine of Sin*, tem sido saudada por sua erudição como mais completo e valioso tratamento desse grande tema; e tem sido defendida por teólogos posteriores, como o notável Dr. Augustus H. Strong. A questão real pode ser abordada sobre se todo pecado é egoísmo, ou se todo egoísmo é pecado. A diferença nessas proposições é óbvia e a questão não deveria passar desapercebida.

Uma argumentação extensa já foi desenvolvida nesta obra para provar que a real essência do pecado cometido pelo maior dos anjos e posteriormente pelo primeiro homem, foi tanto um ato voluntário quanto egoísta – um abandono daquilo que, por ter sido divinamente proposto, foi e sempre deve ser a verdade a Deus. Pois esta verdade foi substituída pela mentira, que incluiu não somente o repúdio de Deus, mas também a adoção de um empreendimento antideus que não é nada mais do que o cosmos, ou o sistema mundano. O começo do pecado, ou o primeiro pecado, é naturalmente o molde ou padrão de todo pecado; a saber, o que Lúcifer fez é, com respeito à sua natureza vital, um modelo de todo pecado subseqüente. Neste contexto, tem sido observado também que o último pecador do programa satânico – o homem do pecado – tentará alcançar o mesmo propósito imundo.

Dele está escrito que será tanto "aquele que se opõe e se levanta contra tudo o que se chama Deus ou é objeto de adoração" (2 Ts 2.4). Conquanto haja sempre um campo muito amplo para as múltiplas manifestações do pecado, o pecado é, em sua natureza essencial, duplo: repúdio de Deus e a promoção do eu. A oposição a Deus e a exaltação do eu sem dúvida provêm do mesmo motivo egoísta. É verdade, como é freqüentemente alegado, que o eu em todas as suas formas se constitui numa oposição ao amor sacrificial (idêntico ao amor-próprio). Sobre esta base, tem sido pensado, e por ninguém mais efetivamente do que o Dr. Müller e o Dr. Strong, que, visto que o amor é a primeira obrigação a ser cumprida na lei, como está prescrito em Mateus 22.37-40: "Respondeu-lhe Jesus: Amarás ao Senhor teu Deus de todo o teu coração, de toda a tua alma, e de todo o teu entendimento. Este é o grande e primeiro mandamento. E o segundo, semelhante a este, é: Amarás ao teu próximo como a ti mesmo. Destes dois mandamentos dependem toda lei e os profetas"; e em Romanos 13.10: "O amor não faz mal ao próximo. De modo que o amor é o cumprimento da lei" (cf. Gl 5.14; Tg 2.8).

O fracasso no amor deve ser o pecado mais abrangente. Deve surgir perplexidade, se não há reconhecimento da diferença existente entre o pecado como um estado, ou natureza, e o pecado em operação, ou manifestação. Em geral, o amor objetivo é uma manifestação; mas, mesmo se ele for considerado como um estado do coração, a pessoa não-regenerada precisa mais do que uma revolução em suas emoções. Ela deve ser regenerada. Ela não tem capacidade alguma para reverter as suas emoções. Ao invés de cumprir a lei pelo exercício do amor, ela realiza "os desejos da carne e da mente" (Ef 2.3). Contudo, se ela fosse capaz, mesmo por capacitação divina – reconhecidamente uma hipótese impossível – de exercer amor, ainda lhe faltariam aquelas grandes transformações que constituem a salvação.

Em outras palavras, se a salvação do pecado pode ser assegurada por se esposar uma vida caracterizada pelo amor – mesmo possibilitada por Deus – ainda ela é por *obras*; ela nasce no homem; e para o homem será toda a glória. Se, como é comum, o problema fica restrito aos pecados pessoais, mesmo estes são em alguns casos esvaziados do elemento do seu eu. Nenhum interesse próprio precisa estar presente na *malícia*, na *inimizade para com Deus*, ou na *incredulidade*.

Pode ser concluído que a parte de qualquer coisa nunca é o todo dela. O amor por Deus e pelo homem não é tudo que existe no caráter santo, como o amor pelo eu não é tudo o que existe a respeito do pecado. A ausência de egoísmo em Cristo não exaure as Suas virtudes, nem o egoísmo em Satanás exaure toda a sua iniqüidade. Para o cristão pode ser dito que, embora Cristo tenha enfatizado o amor num grau notável (cf. Jo 13.34, 35; 15.12), Ele não sugeriu simplesmente que o amor é tudo o que se exige. Quando ele disse: "Guarda os meus mandamentos", dificilmente teria o pensamento de se

ANTROPOLOGIA

referir a um único deles. O pecado é qualquer falta de conformidade com o caráter de Deus. É verdade que Deus é amor, mas Ele é muito mais; é a *verdade;* é a *fidelidade;* é a *justiça.* Quando a Bíblia declara que a falta de conformidade com a lei é pecado, que a falta de fé é pecado, e que a falha em fazer o que é bom é pecado, não há sugestão de que o exercício do amor corrigirá esses males.

2. O Pecado contra a Lei. Ao termo lei deve, nesta presente consideração, ser dado um sentido muito amplo, inclusive toda forma de vontade revelada de Deus, como seja: (a) as comunicações antigas preservadas pela tradição; (b) a consciência humana; (c) orientação espiritual direta; ou (d) a Palavra escrita de Deus com as aplicações para as várias dispensações. Estas formas da lei são melhor consideradas quando separadas e na ordem indicada.

A. Comunicações Primitivas Preservadas pela Tradição. Este aspecto da lei desempenha um papel importante na história humana. Aparentemente ela foi a única regra em vigor na história humana que vai de Adão a Moisés. Foi isto que determinou a distinção entre o bem e o mal com relação aos nossos primeiros pais; foi isso que separou Caim de Abel; foi com base nessa lei que os antediluvianos foram julgados e condenados; foi ela que fez com que os povos gentios subseqüentes fossem aborrecidos de Deus; e foi nela que os fiéis Enoque, Noé, Jó, Abraão, Isaque, Jacó e José moldaram as suas vidas. Jeová declarou a Isaque a respeito de seu pai Abraão, que viveu cerca de quinhentos anos antes da lei ter a sua forma escrita: "Porquanto Abraão obedeceu à minha voz, e guardou o meu mandado, os meus preceitos, os meus estatutos e as minhas leis" (Gn 26.5).

Uma expressão semelhante de que Abraão havia guardado "o caminho de Jeová" (Gn 18.19) evidentemente reconhece a verdade de que um mandado ou edito bem definido já estava em circulação naqueles séculos da história antiga. Em que grau a humanidade tem preservado essas exigências ou impressões antigas, é difícil determinar. Tal reconhecimento da conduta correta e da eqüidade como o pagão deseja, em grande medida, as manifestações desta lei de Deus que, embora ainda não escrita, já havia sido divinamente revelada.

B. Consciência Humana. A esta altura voltamos ao estudo daquela faculdade misteriosa do homem natural, ou dentro do homem natural, que se conforma não meramente àquilo que *é,* mas antes àquilo que deveria ser – uma faculdade que transcende muito, nas coisas morais, o intelecto, as sensibilidades, e a vontade, que se põe em juízo sobre eles. A consciência, embora aja como juiz, não experimenta executar os seus próprios decretos. Após declarar o que deveria ser feito com aquela clareza que é proporcional à sua competência, a consciência deve depender do espírito do homem que age através de sua vontade para executar os seus decretos. Em sua fase mais ampla, essa faculdade vital do ser humano que governa e, todavia, não executa os seus juízos, é a *lei moral.* A lei em sua forma escrita apresenta somente uma afirmação geral daquilo que, em princípio, é aplicável àqueles a quem ela é endereçada.

Ela não pode traçar as obrigações específicas que surgem em relação à circunstâncias sempre mutáveis e peculiares de um indivíduo. A consciência somente pode guiar nesses detalhes da vida. Obviamente, o que é dito se aplica ao não-regenerado; porque um relacionamento e uma responsabilidade diferentes repousam sobre os regenerados, que, por serem habitados pelo Espírito Santo, são privilegiados, ao serem conduzidos pelo Espírito. Por outro lado, Deus falou direta e particularmente aos judeus e da mesma forma aos cristãos, com a devida consideração das diferentes esferas de relacionamentos desses dois povos com Deus; mas todos são, como a voz interior da consciência, somente proclamações de uma lei moral – a que procede de Deus e é a afirmação de Sua natureza santa. Esta concepção da lei não pressupõe necessariamente o mal no indivíduo a ser corrigido; ela é principalmente um direcionamento positivo, uma indicação do caminho, para aqueles que, de modo diferente, não o conheceriam.

Mesmo as leis humanas são em grande medida baseadas na revelação divina e são comumente aceitas ou rejeitadas de acordo com a consciência, ou convicções devidas à consciência, daqueles a quem tal autoridade é dada. Tem sido verdadeiro que as autoridades humanas algumas vezes confundiram a autoridade delas de agir com o seu poder de agir, ao supor que o mero poder determinava o que era certo; mas a real resistência de tal perversão argumenta fortemente em favor da existência nos homens de uma *lei moral*, como um senso inato do que é certo em contraste com aquilo que é errado. Assim a consciência, como um aspecto da lei moral, coincide com todas as outras formas de lei e, normalmente, proclama aquilo que Deus requer. Uma violação da consciência, na medida em que a consciência assevera a sua autoridade, é pecado.

C. Orientação Espiritual Direta. Neste aspecto da vontade divina revelada, somente o cristão está em vista. É possível para um filho de Deus recusar a orientação que o Espírito lhe oferece. Uma vida carnal é uma vida vivida na carne e em oposição à mente do Espírito; todavia, a palavra *carnal* se aplica a cristãos (cf. 1 Co 3.1). Esse tema extenso deve ser reservado para o tempo e lugar próprios.

D. A Palavra Escrita de Deus com as suas Várias Aplicações para a Época. A esta altura deste trabalho, a definição mais comum para o pecado está em evidência, a saber, que o pecado é ἀνομία – uma violação da lei, ou uma *ilegalidade*. Ao usar esta palavra, o apóstolo João declara que o "pecado é a transgressão da lei" (1 Jo 3.4). A questão sobre se esta é uma definição do pecado completa ou restrita já recebeu alguma atenção anteriormente, quando se procurou esboçar uma definição própria de pecado. Foi observado que qualquer falta de conformidade com a lei revelada não é uma concepção muito ampla, pois muita coisa pode estar no caráter de Deus que não tem uma expressão específica em qualquer lei revelada, como está claramente revelado que a falta de fé é pecado; todavia, nem todo pecado é falta de fé; conhecer o bem e não praticá-lo é pecado, mas nem todo pecado é a falha em fazer o bem; e, além disso, o amor ao dinheiro é a raiz de todos os males; mas todo o mal não está incluído no amor ao dinheiro.

Do mesmo modo, a ilegalidade é pecado, mas nem todo pecado é uma violação de algum código escrito. Visto que a lei escrita representa aproximadamente a totalidade da lei divina, grande ênfase deveria ser posta sobre a verdade de que a transgressão da lei, que se dirige especificamente a alguém, é a desobediência mais específica e compara-se com a desobediência pela qual os anjos e homens caíram. A pergunta 24 do *Catecismo Maior de Westminster* tem em vista esta solene verdade a respeito do pecado e da lei. Ela diz: *O que é pecado?* e a resposta é clara e diz: "Pecado é qualquer falta de conformidade com a lei de Deus, ou a transgressão de qualquer lei por Ele dada como regra, à criatura racional".

Nenhuma discussão do pecado como algo contra a lei será verdadeira para a Bíblia, se não incorporar alguma exposição de 1 João 3.4-10. O significado mais profundo desta passagem será entendido somente quando uma distinção estiver na mente entre os pecados dos homens regenerados e os dos homens não-regenerados. Possivelmente nenhuma outra passagem da Escritura contribui mais para o tema presente do que essa. É certo que poucas partes da Escritura têm sido tão sujeitas a interpretações variadas como essa. A passagem estabelece uma distinção entre o pecado com sua fonte em Satanás, e a justiça (em conduta – não uma conduta que gera retidão como uma base de posição perante Deus, mas uma conduta que é inclinada a atos de retidão por causa da posição perfeita na justiça divina imputada a todos os que crêem) com sua fonte em Deus. Embora tenha sido feita anteriormente uma alusão na discussão geral dessa passagem, uma consideração mais detalhada dela a esta altura é essencial.

Provavelmente, a frase chave nesse contexto seja: "o pecado é a transgressão da lei" (v. 4), onde a força dela corresponde a *ser equivalente a*. Nos capítulos antecedentes deste volume, foi apresentada uma evidência para demonstrar que o pecado começou com Satanás no céu, que se tornou o pai ou o originador dele; e esse pecado é, no seu caráter essencial, um abandono ilegal do propósito e da vontade de Deus. O texto em consideração está de acordo com a característica mais distintiva do pecado, a saber, a *ilegalidade*. O apóstolo aqui inclui todo pecado, não *algum* pecado específico. É a ilegalidade contra Deus e contra tudo o que o seu caráter santo exige. Se a interpretação fosse permitida de que *alguns* pecados somente estivessem em pauta, não haveria uma explicação proposta, que alguns têm *crido* ser verdadeira, das afirmações fortes que estão no contexto.

A teologia da Igreja Católica Romana distingue aqui entre os pecados *mortais* e *veniais*. Agostinho, Lutero e Bede, em harmonia com o teor da epístola, procuraram restringir essa forma de pecado ao pecado do amor fraternal. Outros a têm restrito ao pecado *mortal*. Contudo, a passagem é clara em sua declaração. Evidentemente, ela se refere a todos os pecados que não meramente aos pecados *maus* em oposição aos pecados *bons*, e a passagem assevera que o caráter essencial do pecado (como o termo grego ἁμαρτία sugere) é ilegalidade – na verdade, aquilo que é estranho à redenção do cristão, ao novo nascimento vindo do Espírito, e apresenta a posição de estar *em Cristo*. No versículo 5, "e bem sabeis que ele se manifestou para tirar os pecados; e nele não há pecado", o apóstolo se refere incidentalmente à base de toda graça salvadora.

A declaração absoluta do versículo 6: "Todo o que permanece nele não vive pecando; todo o que vive pecando não o viu nem o conhece", não precisa ser suavizada por qualquer que seja a modificação. Quando se permanece nele, o pecado da ilegalidade é excluído. Em oposição a isto, o pecador contrário à lei não vê Cristo nem o conhece. Alguns têm introduzido aqui a explicação dessa afirmação – que aquele que peca não vê nem conhece Cristo – ao assinalar que a visão e o entendimento do cristão são entorpecidos pela prática do pecado, verdade essa que não pode ser negada por qualquer crente que, por experiência pessoal, conhece o efeito do pecado sobre o seu coração. Deve ser observado, contudo, o fato de que o contraste nesta passagem não é entre os cristãos espirituais e os não-espirituais, mas entre os filhos de Deus e os de Satanás.

A afirmação do versículo 7, dirigida aos "filhinhos", é muitíssimo vigorosa e vital. Está escrito: "Filhinhos, ninguém vos engane; quem pratica a justiça é justo, assim como ele é justo". O versículo declara que o único que pratica a justiça é pelo novo nascimento um participante da justiça imputada de Deus. Ele não somente *pratica* a justiça, mas *é* justo de acordo com a sua eterna posição em Cristo. Semelhantemente (v. 8), aquele que pratica a ilegalidade é do diabo.

A esta altura pode ficar claro o que se segue neste contexto se for feita a citação da afirmação final do versículo 10: "Nisto são manifestos os filhos de Deus, e os filhos do Diabo: quem não pratica a justiça não é de Deus, nem o que não ama a seu irmão". O versículo 9 diz: "Aquele que é nascido de Deus não peca habitualmente; porque a semente de Deus permanece nele, e não pode continuar no pecado, porque é nascido de Deus". Quaisquer que sejam as qualidades específicas que estejam em vista sob a frase "não peca habitualmente" (lit. "não peca"), elas são predicado de *todos* os que são "nascidos de Deus". Nenhuma parte desse contexto tem sido mais distorcida pela exposição deturpada do que o versículo 9; todavia, a verdade aqui revelada é somente a conclusão lógica daquilo que vem antes, a respeito de se pecar contra a lei. Não há base neste texto para a doutrina de uma perfeição em não pecar de alguns cristãos que não seja verdadeira a respeito de todos os cristãos.

Deve ser lembrado que o apóstolo advertiu aqui contra tais conclusões (1.8-10). Nem ensina a Bíblia aqui, ou em outro lugar qualquer, que os cristãos não pecam. Ela ensina, contudo, que se o cristão retém a sua natureza adâmica, a natureza carnal até o dia de sua morte, e, à parte do poder capacitador do Espírito Santo, haverá pecado na vida do cristão. Há uma diferença muito importante a ser observada entre as duas fases e as expressões *incapaz de pecar* e *capaz de não pecar*. A última somente está dentro das provisões divinas. A Bíblia também ensina que o cristão, habitado pelo Espírito Santo, possui um novo padrão do que é bom ou mau. Sua conduta entristece ou não entristece

ANTROPOLOGIA

o Espírito Santo. Há um sofrimento ilimitado do coração no caminho do filho de Deus que peca contra a lei. As Escrituras têm ilustrações abundantes desse sofrimento nas vidas dos santos cuja história ela registra.

Davi comparou esse sofrimento do coração no tempo de seu pecado ao envelhecimento dos ossos pelos seus constantes gemidos todo o dia, ao afirmar que a pesada mão de Deus estava sobre ele e que o seu vigor se tornara em sequidão de estio (Sl 32.3, 4). Paulo, por causa do seu fracasso em alcançar os ideais espirituais, testificou que ele era um "infeliz". Deve ser concluído, então, que o verdadeiro filho de Deus não pode pecar *contra a lei* sem que tenha grande sofrimento devido à presença da divina semente ou natureza nele. Esta reação da natureza divina contra o pecado no cristão, que nunca poderia ser experimentada pelos não-regenerados que não possuem o Espírito (Jd 9), constitui-se a base para a distinção entre os que são filhos de Deus e os que não são. Há outras muitas revelações encontradas na Palavra de Deus que servem para enfatizar o caráter específico do pecado do cristão. Algumas delas ainda vão aparecer a seguir.

Em certo ponto há um elemento de indefinição a respeito da lei de Deus que é expressa através da consciência e por intermédio da direção do Espírito, mas esse elemento não falta na lei de Deus, que está incorporada nas Escrituras Sagradas. A lei escrita aparece em três formas principais ou divisões de acordo com a sua aplicação em três dispensações distintas. A primeira é conhecida como o sistema mosaico, ou a Lei de Moisés que foi dirigida a Israel somente, e vigorou desde o monte Sinai até a morte de Cristo. A segunda distinção é a instrução celestial para os cristãos que, aperfeiçoados em Cristo Jesus, são chamados para andar dignos da vocação celestial. O terceiro sistema governará num reino de uma época ainda futura e, sem dúvida, será estendido como uma regra de vida para os gentios que compartilharão das bênçãos terrenas de Israel.

As diferenças entre esses princípios governantes de conduta, o tempo da aplicação deles, e as penalidades relacionadas a cada um, ainda serão estudadas de maneira mais completa no assunto de Escatologia. Quando dermos uma visão panorâmica dos tempos e dos modos como Deus trata com os homens, daremos atenção, como já foi sugerido antes, ao período entre Adão e Moisés – um período que é identificado como antes da lei (Rm 5.13; cf. Gn 26.5). Com a mesma finalidade, deveria ser observada a verdade de que Deus quase não se dirigiu diretamente aos gentios. Deles é dito que eles "não têm lei" (Rm 2.14), e o estado deles é plenamente descrito em Efésios 2.12, da seguinte forma: "...estáveis naquele tempo sem Cristo, separados da comunidade de Israel, e estranhos aos pactos da promessa, não tendo esperança, e sem Deus no mundo". Todavia, além disso, nenhuma regra de vida é endereçada aos não-salvos da presente era – judeu ou gentio. A esses Deus se dirige com advertências, como Ele faz com as nações (Sl 2.10-12), mas a sua mensagem principal aos não-salvos é o convite incorporado no Evangelho da graça divina.

DEFINIÇÕES GERAIS

Um reconhecimento claro da importante verdade e de que a lei de Deus apresenta vários sistemas que pertencem a povos específicos de diferentes eras é afirmado pelo Dr. Julius Müller:

É evidente das sugestões aqui dadas a respeito da relação da lei moral com a consciência do homem, que a sua elevação a uma clareza de convicção subjetiva sempre crescente depende do desenvolvimento progressivo do espírito humano de modo geral; e segue-se também que ela deve ser exposta à perturbação e obscurecimento nos indivíduos e nações, através da força das propensões em tendências da vida que lutam contra ela. Conseqüentemente, acontece que uma revelação positiva da lei moral – a doação da lei – devidamente encontra o seu lugar na série de revelações históricas de Deus ao homem. A Lei de Moisés, em seus preceitos morais, claramente, não é mais do que a republicação da lei moral na sua verdade intrínseca, adaptada às carências dos Israelitas; e, a fim de preservar o conhecimento dela no meio do obscurecimento e da influência pervertedora da obstinação humana e do pecado, era necessário haver o comprometimento de escrevê-la como um padrão real de apelação. Mas como a lei moral estava neste caso incorporada num código, revestida de autoridade política externa e entrelaçada com leis civis e ritualísticas, tinha de acomodar-se tanto ao caráter quanto às relações históricas dos Israelitas, e às exigências do estágio moral da cultura que a época tinha então alcançado. A exposição dela como um todo teve, portanto, de ser limitada, e os seus princípios morais são exibidos somente em esboços muito amplos. Uma consideração imparcial da Lei de Moisés obriga-nos a permitir que, enquanto ela anuncia os princípios eternos da verdadeira moralidade, e ela é sempre calculada para gerar o conhecimento do pecado e o arrependimento, há na Igreja, através do poder do padrão de santidade em Cristo e do Espírito Santo, um conhecimento muito desenvolvido e mais profundo da lei do que possivelmente tenha havido da parte dos israelitas através de Moisés.[324]

A lei escrita não serve para dar origem ao pecado. Está afirmado em Romanos 5.13 que "o pecado estava no mundo" antes da lei mosaica ter sido dada, embora naquele tempo, ou até a lei, o pecado não havia sido imputado. À luz da totalidade da Escritura, desde o período de Adão até Moisés, a afirmação de que o pecado não é levado em conta, deve ser interpretada para significar que as coisas específicas que a lei introduziu e foram assim definitivamente ordenadas, tornaram-se novos ideais, a ruptura daquilo que se tornou um ato manifesto de desobediência. Esses novos ideais, contudo, não foram prescritos antes da doação da lei e assim, naquele tempo anterior, os homens não eram acusados de desobediência aos mandamentos ainda não dados; mas o pecado estava no mundo antes desses mandamentos específicos serem dados.

A lei que é "santa, justa e boa" (Rm 7.12) desperta a reação da natureza pecaminosa e, ao fazer assim, cria discórdia na vida. Está escrito: "Mas o pecado, tomando ocasião, pelo mandamento operou em mim toda espécie de concupiscência; porquanto onde não há lei está morto o pecado" (Rm 7.8). O apóstolo Paulo também afirma: "Porque a lei opera a ira; mas onde não há lei também não há transgressão" (Rm 4.15); "mas, onde o pecado abundou, superabundou a graça" (Rm 5.20).

Dizer que o pecado é a transgressão da lei concede-lhe um campo muito amplo de aplicação para ele, se todas as formas de lei são levadas em conta; todavia, é mais extenso e completo afirmar que o pecado é qualquer falta de conformidade com o caráter de Deus.

V. Termos e Classificações Gerais

A respeito do significado exato dos termos que pertencem à doutrina do pecado, o estudante de teologia faria bem se ficasse informado. O termo *pecado* é peculiar e restrito em sua aplicação. Sobre este ponto o Dr. A. M. Fairbairn observa: "O 'pecado' é um termo religioso, inteligível somente na esfera da experiência e do pensamento religioso. O 'mal' é um termo filosófico, e denota toda condição, circunstância, ou ato que, em qualquer maneira ou grau, interfere com a perfeição completa ou com a alegria do ser, seja físico, metafísico ou moral. O 'mau hábito' é um termo ético; é o mal moral interpretado como uma ofensa contra o ideal ou contra uma lei dada na natureza do homem: é uma mancha ou nódoa deixada pelo abandono da natureza. 'Crime' é um termo legal, e denota uma violação aberta ou pública da lei que uma sociedade ou estado estruturou para a sua própria preservação e para a proteção de seus membros. Mas o pecado difere destes neste aspecto: eles podem estar bem num sistema que não reconhece Deus, mas sem Deus não pode haver pecado".[325]

Os pecados pessoais podem ser classificados de maneira mais ou menos exata pelos termos bíblicos familiares empregados em nossas versões da Escritura:

(1) Transgressão, que é o desvio para um lado, ou a ultrapassagem daqueles limites que Deus assinalou.

(2) Iniqüidade, refere-se àquilo que é totalmente errado.

(3) Erro, refere-se àquilo que desconsidera o certo ou quando erra o caminho.

(4) Pecado, o que falta com a verdade, que erra o alvo.

(5) Perversidade, a produção ou a expressão da natureza maligna, depravação.

(6) Mal, com referência àquilo que é realmente errado, ao opor-se a Deus.

(7) Crueldade, ausência de qualquer temor de Deus.

(8) Desobediência, uma indisposição de ser conduzido ou guiado nos caminhos da verdade.

(9) Incredulidade, falta de confiança em Deus. "Sem fé é impossível agradar a Deus". A incredulidade aparece como o único "pecado envolvido" que é um pecado universal. Os homens não têm pecados individuais, constantes e variados. Cada pessoa é caracterizada por sua falta de confiança em Deus (observe Hebreus 12.1,2), onde a única referência ao "pecado que tão de perto nos rodeia", que é a ausência de fé da qual Jesus é o Autor e o Consumador.

(10) REBELDIA, que consiste no desprezo persistente da lei divina e na violação de todas as restrições até que o eu fique recompensado a despeito da admoestação divina. A passagem mais iluminadora é a de 1 João 3.4-10. A discussão deste contexto desenvolve um aspecto do pecado que é a rebeldia – aquilo que está em contraste com a retidão que impele o salvo, cuja nova natureza recebida de Deus não pode andar nos caminhos do pecado de ir contra a lei. Os não-regenerados provam o estado em que estão perdidos, pela capacidade que têm de pecar rebeldemente sem dor no coração – o sofrimento ao qual Davi se referiu quando disse: "Enquanto guardei silêncio, consumiram-se os meus ossos pelo meu bramido durante o dia todo. Porque de dia e de noite a tua mão pesava sobre mim; o meu humor se tornou em sequidão de estio" (Sl 32.3, 4).

O filho de Deus, quando peca, experimenta o entristecimento do Espírito de Deus (Ef 4.30), experiência essa que o mantém afastado da negligência da alma chamada ἀνομία – *rebeldia*. Portanto, de acordo com 1 João 3.9, qualquer um nascido de Deus não se rebela contra a lei. A presença da natureza divina evita isto. Contudo, não há referência nessa passagem a uma perfeição de conduta a ponto de não pecar. Tal perfeição não poderia estar em vista aqui, pois o que está declarado é algo verdadeiro de *todos* os que são nascidos de Deus, e nenhum deles vive sem pecado, nessas presentes condições, diante de Deus. Semelhantemente, o versículo seguinte (3.10) declara que essa capacidade de pecar rebeldemente é uma característica dos filhos do diabo que os distingue dos filhos de Deus.

Além disso, os pecados pessoais podem ser classificados de acordo com os seus aspectos gerais.

(1) Quando relacionados às exigências divinas, eles são de *omissão* ou de *comissão*.

(2) Quando relacionados ao objeto, eles são contra *Deus*, o *próximo*, ou o próprio *eu*.

(3) Quando relacionados à esfera, eles são interiores são os pecados da alma – ou os *exteriores* – ligados ao corpo.

(4) Quando relacionados à responsabilidade, eles são do eu somente, ou de *outros*, como participantes neles (1 Tm 5.22). Não há provavelmente prática do pecado que seja mais difícil de divisar a responsabilidade do que aqueles que são feitos em parceria. A razão para isto é clara. Nenhum deles pode abandonar a empreitada, como poderia, se pecasse sozinho, sem aparentemente incriminar a outra pessoa, ou outras, e sem parecer ser superior à outra.

(5) Quando relacionados à intenção, eles são *voluntários*, ou *involuntários*, por ser este último devido à ignorância, paixão descontrolada ou enfermidade.

(6) Quando relacionados à pecaminosidade, eles podem ser *maiores* ou *menores*.

(7) Quando relacionados ao sujeito, eles podem ser dos *não-salvos*, ou dos *salvos*.

(8) Quando relacionados à penalidade divina, alguns pecados são ao menos parcialmente *julgados neste mundo*, enquanto que outros são *julgados no mundo vindouro*.

(9) Quando relacionados ao perdão divino, eles são *imperdoáveis e perdoáveis*. Uma forma de pecado imperdoável é vista no caso da blasfêmia contra o Espírito Santo, que foi cometido somente quando Cristo esteve aqui na terra, pecado esse que agora é impossível, tanto pelo fato de Cristo não estar aqui como estava então, quanto pelo fato dele não estar na mesma relação com o Espírito Santo, e porque tal penalidade imposta sobre tais pessoas que cometeram o pecado imperdoável constitui-se numa contradição direta da graça divina na salvação. Não pode haver um pecado imperdoável e ao mesmo tempo um Evangelho "a todo o que quiser".

(10) Quando relacionados à causa deles, eles podem ser pecados de *ignorância, imprudência, negligência, concuspiscência, malícia* ou *presunção*.

(11) Quando relacionados a Deus como o governador do Universo, os pecados clamam por sua *vingança*, ou por sua *longanimidade*.

VI. O Remédio Divino para o Pecado Pessoal

Numa discussão anterior, foi apresentado o caráter específico do pecado pessoal, e foi ali assinalado que o pecado pessoal de toda forma é somente o fruto legítimo da natureza pecaminosa. Contudo, a cura divina para o pecado pessoal – deveria ser observado – é de um caráter totalmente diferente do caráter da cura divina para a natureza pecaminosa. Por ser desde o nascimento um participante da natureza pecaminosa, não há culpa pessoal contra o indivíduo por causa dessa natureza, embora haja condenação com base na dessemelhança inerente daquela natureza em relação a Deus. Por outro lado, tanto a culpa quanto a condenação é atribuída ao indivíduo por causa do pecado pessoal. A cura divina para o pecado pessoal é dupla, a saber: (1) perdão e (2) justificação. É reconhecido que os dois temas – *perdão* e *justificação* – pertencem principalmente à soteriologia, e sob essa principal divisão eles devem ser estudados novamente. Com certa desconsideração pelos limites divisórios exatos parece propício incorporar neste trabalho alguma referência ao remédio divino para cada aspecto importante do pecado.

1. Perdão. Na abordagem da doutrina do perdão do pecado pessoal, há três impressões errôneas, na verdade muito comuns, que podem ser assinaladas – uma das quais tem a ver diretamente com este assunto; (a) No estudo sobre a doutrina total do pecado, os escritores de teologia têm freqüentemente restringido a discussão a um único tema do pecado pessoal, prática enganosa que tem colocado limitações incalculáveis à doutrina como um todo; (b) É suposto por muitos que o perdão do pecado pessoal é o equivalente à salvação pessoal. Para tais pessoas, um cristão não é mais do que um pecador perdoado, enquanto que, mais de 33 realizações divinas que juntas compõem a salvação. O perdão é apenas uma delas; (c) A distinção entre o perdão divino dos não-salvos e o do cristão deve ser reconhecida claramente, e será reconhecido neste estudo que essa fase do assunto será tratada somente quando a divisão final deste tema geral for abordada.

Como um ato de Deus, a palavra perdão é comum a ambos os testamentos, em suas várias formas, por ser uma tradução de cinco palavras hebraicas e quatro palavras gregas. Uma das palavras gregas é traduzida nove vezes em algumas versões pelo termo *remissão*. O pensamento subjacente que a palavra *perdoar* universalmente comunica, quando expressa o ato de Deus, é o de tirar o pecado e a condenação do ofensor, ou ofensores, e imputar o pecado ou impor os justos julgamentos. Ao cobrir todas as gerações da vida humana na terra, nenhuma afirmação poderia ser mais conclusiva do que esta encontrada em Hebreus 9.22: "Sem derramamento de sangue não há remissão". No período coberto pelos registros do Antigo Testamento, verificamos que a palavra perdoar é usada somente a respeito de Deus em seus tratamentos nacionais com Israel e com os prosélitos no meio de Israel.

A posição dos gentios perante Deus antes da morte de Cristo é descrita em Efésios 2.12, onde está declarado que eles estão sem Cristo, sem os privilégios da comunidade de Israel, sem as promessas do pacto, sem esperança e sem Deus no mundo. Há poucos textos da Escritura que tratam do perdão dos pecados dos gentios nos dias que precederam Cristo. Alguns gentios, é-nos dito, ofereceram sacrifícios, e o perdão deles, dessa forma, fica implícito. Para Israel, seja como nação ou como indivíduos, o perdão divino era um ato de Deus que estava baseado na oferta de sacrifícios e seguida deles (nacional – Nm 15.24, 25; e individuais – Lv 4.31), embora, por ser um povo relacionado a Deus por meio de pacto baseado em sacrifícios, eles eram tanto nacional (Nm 14.11-20) quanto individualmente (Sl 32.1-5) perdoados com base na confissão de pecado.

Quando o perdão era dado com base na confissão, como no Novo Testamento (cf. 1 Jo 1.9), era feito rigorosamente possível somente baseado no sangue do sacrifício. Aqui está a principal distinção que existe entre o perdão divino e o humano. Quando muito, o perdão humano não pode fazer algo, além de ignorar, abrir mão de penalidade (anistiar) ou abandonar qualquer e toda penalidade que possa existir. Em tal perdão, a parte prejudicada desiste de toda reivindicação com relação a qualquer forma de satisfação que deveria ser exigida ou imposta sobre o ofensor. Tal tipo de perdão, na medida em que ele existe, é somente uma gratuidade voluntária em que a parte ofendida abre mão de toda reivindicação de compensação. Por outro lado, o perdão divino nunca é estendido ao ofensor como um ato de indulgência, nem abre mão da penalidade, visto que Deus, por ser infinitamente santo e manter um governo que é fundado na justiça imutável, não pode minimizar o pecado.

O perdão divino é, portanto, estendido somente quando a última exigência ou a penalidade contra o ofensor foi paga. Visto que nenhum ser humano jamais poderia satisfazer Deus em razão de seus pecados, Deus, em misericórdia imensurável, providenciou toda a satisfação pelos pecados do ser humano, mesmo uma propiciação divina, que o pecador não poderia jamais oferecer. Isto é boa-nova! A seguinte citação do Dr. Henry C. Mabie é afirmada com correção: "O próprio Deus, como Carnegie Simpson mostrou tão firmemente em seu livro, 'O Fato de Cristo', *é a lei moral, é a ordem ética*, em um sentido que nenhum homem, nenhum pai terreno o é. Enquanto entre os homens, e particularmente os homens que são pecadores perdoados, 'o perdão aos outros é o primeiro e o mais simples dos deveres, com Deus; ele é *o mais profundo dos problemas*'. Se Ele, como o governador moral do mundo, mesmo com o mais profundo amor paterno, perdoa, deve fazê-lo de um modo que *não legitimará o pecado* de um lado, como de outro lado, *ganhará o coração* para a penitência e a fé."[326]

Na disposição do Antigo Testamento, o valor do sacrifício eficaz de Cristo, que é divinamente providenciado, foi aceito com a previsão do derramamento de sangue e simbolizado por ele. No tempo devido, Deus justificou essa expectativa, e todos os seus atos de perdão que haviam sido baseados naquelas ofertas foram provadas como justas pelo fato de Cristo ter suportado aqueles pecados que foram previamente perdoados (Rm 3.25). Como uma verificação do fato de que, na disposição antiga, os sacrifícios precederam o perdão divino do ofensor, lemos quatro vezes a seguinte afirmação no livro de Levítico: "...e o sacerdote fará expiação por eles, e eles serão perdoados" (Lv 4.20, 26, 31, 35). De modo correspondente no Novo Testamento, o perdão divino está invariavelmente baseado no único sacrifício que Cristo fez pelo pecado. Mas um texto precisa ser citado: "...em quem temos a redenção pelo seu sangue, a remissão dos nossos delitos, segundo as riquezas da sua graça" (Ef 1.7).

Se a questão levantada aqui for a respeito do fato de que antes de sua morte Cristo perdoou pecados, deveria ser lembrado que tal perdão precedeu e foi, portanto, em previsão de sua morte. Por ser ele próprio o Cordeiro sacrificial que seria escolhido para levar todo pecado, Ele disse de si mesmo: "...o Filho do homem tem sobre a terra autoridade para perdoar pecados" (Mc 2.10). Contudo, deveria ser observado que o perdão divino, por ser baseado como é na satisfação perfeita que a morte de Cristo supre, pode ser, e é, tão perfeito e completo em seu caráter como é a obra do Substituto sobre a qual ele está baseado. Assim, de acordo com Colossenses 2.13, o perdão divino é visto como o que atinge "todos os delitos" – passados, presentes e futuros – daquele que é salvo. A perfeição dessa transação e o conteúdo dela são de tal forma que o crente anda agora em paz com Deus – "Temos paz com Deus (Rm 5.1) – e "Nenhuma condenação há para os que estão em Cristo Jesus (Rm 8.1).

Tal perdão pertence somente à *posição* perfeita do cristão perante Deus, que está "em Cristo Jesus". Como uma contraparte disto, ainda resta ser considerado, como o será no Capítulo XXII, "O Pecado do Cristão e o seu Remédio", o importante método divino de tratar com aqueles pecados que o filho de Deus comete após ser salvo e o fato de que ele é totalmente perdoado pelo sangue de Cristo, por ser perfeitamente aceito no Amado.

Embora, do lado divino, a liberdade de perdoar esteja sempre assegurada, direta ou indiretamente, através do sangue de Cristo, as exigências do lado humano variam em algum grau com as diferentes eras no tempo. Durante o período entre Abel e Cristo, o perdão era concedido, do lado humano, e dependia da apresentação de um sacrifício específico. Durante a presente era, para os não-salvos, ele é dependente da fé em Cristo; mas para os salvos, que já estão debaixo do valor do sangue de Cristo, o perdão é dependente da confissão e é impelido pelo fato de que Deus já perdoou (Ef 4.32). Mas durante a era vindoura o perdão divino, do lado humano, dependerá da disposição do ofensor de perdoar aqueles que pecaram contra ele (Mt 6.14, 15). Os dois princípios – perdoar para ser perdoado, ou perdoar porque é perdoado – não podem ser harmonizados; nem tal esforço é exigido, visto que eles pertencem a diferentes épocas e representam duas administrações divinas muitíssimo diversas.

Pode ser concluído, então, que o perdão divino dos pecados em qualquer época ou debaixo de quaisquer condições, embora varie nas exigências do lado humano, é sempre baseado no sacrifício de Cristo e consiste da remoção do pecado num sentido em que ele não mais é jogado contra o pecador, mas é colocado sobre o seu Substituto. Nenhuma palavra melhor pode ser encontrada para expressar essa remoção do pecado pelo perdão do que a empregada em Romanos 11.27 a respeito do tratamento ainda futuro dos pecados com relação à nação de Israel: "...e este será o meu pacto com eles, quando eu tirar os seus pecados".

2. JUSTIFICAÇÃO. As palavras *justo* e *justificar* ocorrem na Bíblia e são normalmente relacionadas direta ou indiretamente à *justiça* como um elemento do caráter humano. De acordo com o uso da Escritura, ser justo ou justificado pode significar não mais do que ser livre da culpa ou inocente de qualquer acusação. Com respeito ao seu caráter, os santos do Antigo Testamento são descritos mais de trinta vezes como pessoas "justas", e é sob essa designação, parece-me, que eles aparecem na Jerusalém celestial (Hb 12.22-24). Ao falar daqueles que estavam sob a antiga ordem, através da parábola da ovelha perdida, Cristo refere-se a cem indivíduos dos quais 99 eram "pessoas justas", que não precisavam de arrependimento (Lc 15.3-7). De igual modo, por suas boas obras um homem pode ser justificado aos olhos dos seres humanos.

Este é o ensino distintivo de Tiago 2.14-26. Contudo, de muito maior importância é a justificação do homem por Deus, justificação essa que é baseada na justiça imputada de Deus. Dentre os santos do Antigo Testamento é dito de Abraão que ele obteve uma justiça imputada (Gn 15.6; Rm 4.1-4), e Davi declara que o homem "bem-aventurado" é aquele a quem Deus imputa a justiça sem as obras (Rm 4.6; cf. Sl 32.1, 2). As Escrituras assim registram o fato de que Abraão obteve pela fé uma justiça imputada e sugere que ele foi justificado pela fé, visto que ele não o foi pelas obras. Davi escreveu: "...à tua vista não se achará justo nenhum vivente" (Sl 143.2), e Bildade, que expressou a crença dos antigos, disse: "Como, pois, pode o homem ser justo diante de Deus...?" (Jó 25.4). Embora prevista no Antigo Testamento, a justificação divina dos homens, da forma mais plenamente revelada no Novo Testamento, é a mais alta obra final, com exceção apenas da obra de Deus para o crente que é superada somente pela glória eterna que se seguirá: "...aos que justificou, a esses também glorificou" (Rm 8.30). Embora os aspectos exatos dessa grande doutrina estejam demonstrados na Palavra de Deus direta ou indiretamente, as perversões da Igreja Romana e da crença arminiana têm ido longe demais, ao roubar de multidões de cristãos um entendimento adequado dos benefícios que essa justificação lhes concede.

A justiça imputada é assegurada por uma união vital com Cristo, enquanto que a justificação divina é um decreto judicial de Deus que está baseado na justiça imputada e no reconhecimento dela. Há uma ordem lógica – embora não cronológica, visto que todo passo é operado simultaneamente no momento em que a fé salvadora é efetivada – que conduz a essa justificação final que é pelo decreto divino. Estes passos são: (1) Pela fé o indivíduo entra real e completamente nos valores assegurados por ele pela morte de Cristo. Isto inclui a remissão de pecados; mas muito mais, na verdade, visto que a morte se tornou a base da justificação divina. A tradução exata de Romanos 4.25 é de importância insuperável quando relaciona a justificação divina com a morte antes do que com a ressurreição de Cristo. Lemos ali: "...o qual foi entregue por causa das nossas transgressões, e ressuscitado para a nossa justificação".

Ao todo, três causas para a justificação divina devem ser distinguidas: (a) uma primária – o amor soberano de Deus, (b) uma *meritória* – a morte substitutiva de Cristo, e (c) uma *instrumental* – a fé. O texto em questão está preocupado somente com a causa meritória e um dos poucos textos do Novo Testamento que trata dessa fase da verdade (cf. Rm 5.9, onde a justificação é dita ser pelo sangue de Cristo; e 2 Co 5.21, onde a justiça imputada, a base da justificação, é dita ser possível por causa do fato de que Cristo, por sua morte, foi feito pecado por nós). "Está consumado", frase essa que esteve nos lábios de Cristo quando estava para morrer, seria esvaziada de significado se ela não testemunhasse do fato de que a base da justificação divina está estabelecida para sempre. Para certo grupo de expositores, esta passagem (Rm 4.25) entendida como o propósito de que a morte de Cristo é a base do nosso perdão, enquanto que a sua ressurreição é a base para a nossa justificação.

Fica assim suposto que, como o pecado causou a morte de Cristo, assim a justificação precisou da ressurreição dEle. Ao contrário, as passagens citadas acima sugerem que a justificação divina está baseada somente na morte de Cristo, que, ao assegurar o fundamento para a justificação por sua morte, ressuscitou dos mortos, "pois não era possível que fosse retido por ela" (At 2.24). O bispo Moule afirmou da seguinte maneira: "Nós pecamos; portanto, Ele sofreu: somos justificados; portanto, Ele ressuscitou".[327] Esta interpretação preserva a forma gramatical, por ser ambas as frases da mesma construção. É óbvio que nenhuma pessoa é justificada até que creia, mas *provisionalmente* a base justa sobre a qual ela pode ser justificada, quando crê, foi assegurada de uma vez por todas por Cristo em sua morte. Portanto, por ser realizada essa obra, Ele ressuscitou dos mortos.

Em continuação da enumeração em ordem lógica dos passos que conduzem à justificação divina, observamos o seguinte: (2) que o crente, por um ministério duplo do Espírito – a saber, a regeneração, pela qual uma natureza divina é comunicada ao crente, que é a habitação de Cristo; e o batismo do Espírito, pelo qual o crente é colocado em Cristo – fica tão vital e eternamente relacionado com Cristo como substituto que tudo o que Cristo é e de tudo o que ele fez e tem, é imputado ao filho de Deus. O que Cristo é, quando considerado pelo crente, torna-se a base de sua justificação divina; o que Cristo fez, torna-se a base de seu perdão divino.

A doutrina da justificação divina sempre ficou às voltas com a suposição desautorizada de que ela é sinônima do perdão divino. Embora estejam intimamente relacionados como benefícios imensuráveis que o cristão recebe, esses benefícios, visto que apontam para direções opostas, estão muito distantes um do outro. Mesmo o *Breve Catecismo de Westminster* – comumente fidedigno por sua exatidão doutrinária – confunde esses dois empreendimentos divinos. Ele declara que "a justificação é um ato da livre graça de Deus, onde Ele perdoa todos os nossos pecados, e aceita-nos como justos à sua vista, somente pela justiça de Cristo que nos é imputada, e recebida pela fé somente". Semelhantemente, a teologia de Roma afirma: "Não a mera remissão de pecados, mas também a santificação e a renovação do homem interior".

Os arminianos vão mais longe afirmando: "A justificação é uma remissão de pecados e uma sentença de perdão". John Wesley afirmou: "A justificação é perdão – o perdão dos pecados". Isto é apenas uma ligeira melhora em relação à afirmação unitariana de que a justificação é somente uma mudança moral. É verdade que ninguém é justificado que não seja perdoado; e, com respeito a esse perdão que acompanha a salvação, ninguém é perdoado que não seja justificado. Mas o perdão divino, freqüentemente repetido na experiência do cristão, é a *subtração* daquilo que foi pecaminoso, enquanto a justificação divina definitiva torna-se possível pela *adição* daquilo que é justo. A atitude de aceitar Cristo como Salvador é *um ato*; todavia, resulta em muitos benefícios específicos, e entre estes estão o perdão e a justificação.

É igualmente essencial para um entendimento claro da doutrina da justificação que uma distinção seja observada entre a justiça imputada e a justificação divina. Que estes dois aspectos da posição dos crentes estão intimamente associados é evidenciado pelo fato de que no grego original eles são duas formas da mesma palavra. A justiça imputada, que é aquela justiça de Deus agora atribuída ao crente por causa do fato dele estar *em Cristo* – Cristo *feito* para ele a verdadeira justiça de Deus (cf Rm 3.22; 10.3, 4; 1 Co 1.30; 2 Co 5.21; Ef 1.6; 2.13) – representa o valor imutável que Cristo se torna para todos os que estão nele. É assegurada totalmente pelo lugar do crente em Cristo e existe somente em virtude desse relacionamento.

ANTROPOLOGIA

A Carta aos Romanos distingue quatro espécies de justiça, a saber: (a) o caráter do próprio Deus (3.25; 9.14); (b) o caráter humano (10.3); (c) a justiça operada interiormente, ou habilitada pelo Espírito (8.4); e (d) a justiça imputada (1.17 etc.). Esta última é a que Cristo *é* e que se torna do crente pela imputação divina, por ser, como é, o benefício legítimo que resulta automaticamente para aquele que está em Cristo. Essa justiça de Deus que Cristo é, nunca cessou de ser *de fato* da iniciativa própria de Cristo, nem se torna de fato qualquer parte do próprio caráter do crente. Como a veste nupcial não é a pessoa que a veste, assim a justiça imputada é a posição do crente, e não é antecedente à justiça própria do crente. Contudo, é verdade que o valor não diminuído da justiça imputada permanece tanto quanto o mérito de Cristo dura, sobre a qual ela está posicionada.

Por outro lado, a justificação divina é o decreto, ou reconhecimento público, da parte de Deus de que o crente a quem Ele vê aperfeiçoado com respeito à posição, por estar em Cristo, é justificado aos seus olhos. Assim, (3) o último passo na ordem lógica dos empreendimentos divinos é visto não como a criação e a concessão da justiça que é assegurada somente através da relação do crente com Cristo, mas antes com o *reconhecimento* divino oficial dessa justiça. O filho de Deus é justificado em virtude do fato de que Deus o *declarou* justo. Deus não legalizaria nem poderia legalizar uma mera ficção, muito menos uma falsidade. A justiça que é a base de Seu decreto justificador não é outro além da justiça *absoluta* de Deus tornada disponível através de Cristo e é imputada a todos os que crêem.

Com respeito ao caráter legal e reto da justiça imputada e o decreto da justificação divina, deveria ser observado que, das cinco ofertas típicas de Levítico 1 a 5 – as ofertas queimadas, que tipificam Cristo, que se oferece a si mesmo sem mancha perante Deus para fazer a vontade do Pai; as oferendas de manjares, que tipificam a igualdade, o equilíbrio e a perfeição do caráter de Cristo; as ofertas pacíficas, que tipificam Cristo como nossa paz; as ofertas pelo pecado, que tipificam Cristo como quem leva os pecados; e as ofertas pela transgressão, que tipificam Cristo em relação ao dano que o pecado provocou contra Deus e suas justas posses como Criador (cf Sl 51.4) – as primeiras três destas são classificadas como "ofertas de aroma agradável" e as duas remanescentes são classificadas como "ofertas sem aroma agradável". Está indicado que houve na morte de Cristo aquilo que foi um deleite para o seu Pai. Foi um suave cheiro ao seu Pai. E, igualmente, havia naquela morte [de Cristo], tudo que aborrecia seu Pai, e isto foi tipificado pelas duas últimas ofertas que não possuíam um cheiro agradável.

Quando consideramos estes dois grupos de ofertas típicas mais detidamente e em sua ordem reversa, observamos:

(a) que, por causa do santo caráter de Deus e da impossibilidade moral dele olhar para o pecado no menor grau de tolerância, Sua face foi desviada do portador da penalidade do pecado. Foi então que o Salvador gritou: "Deus meu, Deus meu, por que me desamparaste?" Bem pode ser inquirido *por que* a adorável segunda pessoa da Trindade foi pregada na cruz e abandonada pela primeira pessoa. Na verdade, os homens haviam desenvolvido muitas respostas para essa pergunta. A Palavra de Deus antecipa somente uma resposta, a saber, a segunda pessoa, como o Cordeiro de Deus, uma oferta no lugar de um mundo perdido. Como parte do mérito deste sacrifício a Deus, o Pai é capaz de perdoar os pecados pessoais de todos aqueles que vêm a Ele por Cristo Jesus. Baseada assim na morte de Cristo, a transação torna-se legal, pois quando é concedido o perdão ao principal dos pecadores, Deus de modo algum está ligado complexamente ao pecado, nem tolera a injustiça. Toda penalidade que o seu justo governo deve impor sobre o pecador, por ter caído sobre um Substituto, é perfeitamente satisfeita.

(b) Igualmente observamos que quando Cristo ofereceu suas próprias perfeições para o Pai, como foram tipificadas pelas ofertas de suave cheiro, uma provisão legal foi assegurada pela qual o mérito do Filho de Deus poderia ser imputado àquele a quem Ele salva. Ao referir-se ao prazer do Pai nesse aspecto da morte de seu Filho, lemos em Hebreus 10.6, 7 as palavras faladas pelo Filho ao seu Pai quando o Filho entrou no mundo (v. 5) – "não te deleitaste em holocaustos e oblações pelo pecado. E então eu disse: Eis-me aqui... para fazer, ó Deus, a tua vontade". O contraste que aqui é apresentado não deveria ser esquecido inadvertidamente. A palavra do Filho de que Ele recebeu um corpo para o sacrifício (v. 5), sugere que o seu sacrifício seria agradável ao seu Pai como as ofertas queimadas e sacrifícios (observe que Ele relaciona aqui sua morte às ofertas de suave cheiro) haviam sido no passado.

Nesse aspecto da morte de Cristo, tipificado pelas ofertas de suave cheiro, a face do Pai não se desviou, mas neste Ele encontra prazer, pois a segunda pessoa então "ofereceu-se a si mesmo sem mancha a Deus" (Hb 9.14). Se a questão for levantada sobre se segunda pessoa da Trindade bendita está na cruz e oferece suas perfeições à primeira pessoa, a resposta poderia ser: Certamente ele não fez essa oferta como uma revelação ao Pai, pois cada perfeição do Filho era conhecida do Pai por toda a eternidade. Antes, visto que o homem caído não possui mérito algum diante de Deus, o Filho, como Substituto, ofereceu o seu próprio mérito ao Pai por Ele. Assim, uma base legal é assegurada onde Deus e livre, não somente para perdoar de acordo com o tipo de oferta que não produz cheiro suave, mas é igualmente livre para imputar todas as perfeições de seu Filho, de acordo com o tipo de oferta de suave cheiro para aquele que Ele salva.

Assim, concluímos que a justificação divina não é uma mera remoção dos pecados pessoais pelo perdão, mas é antes um decreto divino que declara o pecador como eternamente vestido com a justiça de Deus; e não tem relação alguma com a ressurreição de Cristo, mas é baseada somente na sua morte. A justificação é um ato divino que é reto num grau infinito, e, embora sem conflito com a razão humana, e sobrepuja o conhecimento em sua magnitude e glória. A justificação divina é um pedaço da perfeição do céu trazida à terra. Ela é tão harmoniosa com a jurisprudência divina que Deus é tido como *justo* quando Ele justifica o ímpio que nada faz além de crer em Jesus (Rm 3.26). A justificação divina, por ser legalmente reta, será defendida por Deus por toda eternidade. Na verdade, a mesma justiça que uma vez condenou o pecado, quando esse pecador é justificado, defenderá a sua perfeita posição em Cristo para sempre.

O fim principal do homem, como foi dito, é glorificar a Deus e usufruí-lo para sempre. Isto será feito por toda criatura, pois Deus não criou um ser que não contribua para a sua eterna glória. Cada cristura demonstrará a Sua graça em todas as suas perfeições (Ef 2.7), ou exibirá a sua ira (Rm 9.22) em todas as eras vindouras. A justificação divina é um aspecto da cura divina para o pecado pessoal. Ela se estende também a todos os outros aspectos da dessemelhança que o homem tem com relação a Deus, e responde a todo desafio que poderia ser feito contra aquele que é salvo pela fé em Cristo.

VII. O Pecado Original

O termo pecado original carrega consigo ao menos duas implicações, a saber: (1) o primeiro pecado da raça e (2) o estado do homem em todas as gerações subseqüentes, estado esse que é devido ao pecado original. Este último significado do termo é atribuído em uma seção inteira desta presente divisão nesta discussão. O significado anterior do termo é a única razão para a introdução desse tópico sob a divisão *pecado pessoal*; pois o primeiro pecado de Adão, que trouxe a sua própria ruína e a da raça humana, foi um pecado *pessoal*. Muita coisa tem sido escrita a respeito da natureza específica do pecado original que não exige reafirmação, além daquele ponto que todo pecado humano é da mesma natureza do pecado original, e, se uma pessoa que peca fosse colocada como Adão foi estabelecido como o cabeça federal de uma raça, santo, o pecado mais comum na vida humana teria em si o poder de causar a queda daquele que pecou assim como a queda de toda a raça que ele representava. O efeito óbvio do primeiro pecado serve como uma das melhores medidas do caráter maligno de todo pecado.

VIII. A Culpa do Pecado

The New Standard Dictionary (edição de 1913) define culpa como "o estado daquele que conscientemente desobedeceu a Deus e está, portanto, sob a condenação divina". Do ponto de vista teológico, esta definição é defeituosa. O pecado não é uma matéria de *consciência* do mal. Por ser como é, contra Deus, e ao retirar o seu caráter maligno do fato de que ele é oposto a Deus, o pecado é um mal, se o pecado percebe-o ser mal ou não. Uma distinção surge assim entre o *merecimento da culpa*, que deve ser temperado pelas circunstâncias atenuantes, e a *culpa*, que em seu significado primário refere-se ao fato histórico de que certo pecado foi cometido por determinado indivíduo. Nenhuma ilustração melhor será encontrada sobre o alívio que pode determinar o merecimento da culpa do que a experiência do apóstolo Paulo como um perseguidor da Igreja. Ele disse: "Ainda que outrora eu era blasfemador, perseguidor, e injuriador; mas alcancei misericórdia, porque o fiz por ignorância, na incredulidade" (1 Tm 1.13). Por outro lado, a culpa e algumas vezes o merecimento da culpa pertencem ao indivíduo onde a sua avaliação de si mesmo não coincidiria. Cristo ensinou que um relance de olhos era equivalente ao adultério (Mt 5.27, 28).

Em seu aspecto histórico, a culpa do pecado cometido nunca será mudada; ela não poderia ser transferida para qualquer outra pessoa. Deus em graça pode esquecê-la e não mencioná-la jamais, uma vez que removeu toda penalidade e condenação. O registro histórico permanece inalterado. Contudo, há um aspecto da culpa, relacionado à teologia, que é considerado uma obrigação perante a lei. Este pode ser aliviado da punição sofrida ou pode ser transferido para outro que, como substituto, sofre a penalidade em lugar da pessoa culpada. Cristo levou sobre si a nossa culpa, não historicamente, que poderia significar que Ele se tornou o real feitor dos crimes dos homens, mas num sentido em que o pecado do homem é uma obrigação perante a justiça divina. Como substituto, Ele morreu, "o justo pelos injustos". Neste empreendimento, Ele nunca *se tornou* um injusto, mas como justo suportou o fardo que foi sempre a porção justa do injusto.

O problema da culpa por causa da natureza pecaminosa é o que tem dividido as duas maiores escolas de teologia: a calvinista e a arminiana. Esta fase da discussão aparece na seção a seguir.

Resta observar que a respeito da culpa, mesmo como uma obrigação perante Deus, nenhum pecador jamais poderia ser desobrigado de sua própria responsabilidade. O esforço humano ou o sofrimento nunca será proveitoso no tempo ou na eternidade. A obrigação é vasta demais. Esta verdade deve ser enfatizada constantemente. Portanto, segue-se que, à parte do alívio perfeito que é proporcionado pelos sofrimentos substitutivos e forenses de Cristo, o pecado deve permanecer culpado perante Deus em todo sentido da palavra e por toda a eternidade. Com base nesta verdade, é argumentado com justeza que, com respeito à duração, a penalidade dura para sempre, ou tão longamente quanto dura a culpa inalterável. Com respeito à causa da existência da penalidade, há uma razão para ela ser continuada – a mesma razão que determinou a sua aplicação. A mente humana sonha a respeito de um tempo quando a penalidade terá sido paga e o alívio ganho pelo pecador, mas isto é afirmar que o pecador pode pagar o preço do pecado, o que não é verdade. O *fato* da culpa e a *consciência* dela são realidades imensuráveis. Carlyle, ao escrever na sua obra *French Revolution*, (III.i.4), afirma com respeito à realidade do pecado:

A partir do propósito do crime para o ato do crime há um abismo; é maravilhoso pensar nisto. O dedo está no gatilho; mas o homem não é ainda um assassino; mais ainda, toda a sua natureza vacila diante de tal consumação, não há uma pausa confusa, ao contrário – um último instante de possibilidade para ele? Não é ainda um assassino; está a mercê de pouca luz sobre se a mais fixa idéia pode ou não se tornar mutável. Uma leve contração muscular, e o lampejo mortal irrompe; e ele é *assassino*, e o será por toda a eternidade; a terra se tornou num tártaro penal para ele; seu horizonte cercou agora não com esperança dourada, mas com as chamas vermelhas do remorso; vozes das profundezas da natureza soam: Ai, ai dele! Todos nós fomos feitos desse recheio; sobre tais minas de pólvora de culpa insondável e de criminalidade – "e se Deus não a restringisse", como se diz acertadamente – alto céu – porque ambos, céu e inferno, não foram feitos dele, feito por ele, o milagre duradouro e mistério como ele é? [328]

No meio desta terrível verdade com respeito à eternidade da culpa e suas conseqüências, grande conforto é concedido àqueles que abraçam a salvação inexaurível, imutável e perfeita que a obra substitutiva de Cristo concede. Não somente há "paz com Deus" através de nosso Senhor Jesus Cristo, e um perfeito relacionamento assegurado que não é menos que uma justificação que Deus realiza para a Sua própria satisfação, mas que Ele não mais trará sobre o salvo aqueles pecados, com a culpa deles, que Ele tomou sobre si na pessoa do seu Filho. Assim, pelo perdão e justificação mesmo o aspecto histórico da culpa é aliviado além da compreensão para aqueles que crêem.

IX. A Universalidade do Pecado

Que toda a raça, exceto uma pessoa, foi e é composta de pecadores praticantes é o ensino da Bíblia é confirmado por toda a observação sincera. Richard Watson cita cinco provas notáveis sobre a universalidade do pecado humano. Estes são os títulos dos extensos comentários que ele oferece em suas *Institutes (II, 61-66)*.

1. Que em todas as eras uma grande impiedade, mesmo as impiedades gerais, têm prevalecido entre aquelas grandes concentrações de homens que são chamadas *nações*.

2. O segundo fato a ser explicado é a força daquela tendência para a impiedade que percebemos ser generalizada.

3. O terceiro fato é que as sementes dos vícios que existem na sociedade podem ser descobertos nas crianças em sua tenra infância: egoísmo, inveja, orgulho, ressentimento, trapaça, mentira e freqüente crueldade; e este é o caso, tão explicitamente isto é reconhecido por todos, que é o principal objeto do ramo moral da educação para restringir e corrigir esses males, tanto por coação quanto por diligentemente imprimir sobre as crianças, conforme as suas faculdades se desabrocham, o mal e os danos de tais afeições e tendências.

A UNIVERSALIDADE DO PECADO

4. O quarto fato é que todo homem está consciente de uma tendência natural para os muitos males.

5. O quinto fato é que, mesmo após um desejo e uma intenção séria ter sido formada nos homens de renunciar essas opiniões, e de "viver reta, sóbria e piedosamente", como convém a criaturas feitas para glorificar a Deus, e no esforço delas pela eternidade, uma resistência forte e constante é feita pelas paixões, apetites e inclinações do coração a cada passo dessa tentativa.[329]

As Escrituras dão um testemunho simples sobre a pecaminosidade do homem; mesmo os pecados daqueles que escreveram a Bíblia são expostos. O Antigo Testamento declara: "Pois não há homem que não peque" (1 Rs 8.46); "porque à tua vista não se achará justo nenhum vivente" (Sl 143.2); "Quem pode dizer: Purifiquei o meu coração, limpo estou de meu pecado?" (Pv 20.9); "Pois não há homem justo sobre a terra, que faça o bem, e nunca peque" (Ec 7.20). Com o mesmo propósito em vista, o Novo Testamento é ainda mais enfático. A prática universal do pecado é pressuposta por Cristo (cf. Mt 4.17; Mc 1.15; 6.12; Lc 24.47; João 3.3-5). A pregação do Evangelho é em si mesmo uma sugestão de que a salvação é necessária para todos. À parte da redenção, o homem está errado diante de Deus. Aqueles que deixam de receber a graça salvadora de Deus estão em cada caso condenados.

A real universalidade da morte de Cristo indica a verdade de que Deus vê um mundo perdido de homens por quem Ele deu o seu Filho (2 Co 5.14, 15). Muitas afirmações diretas aparecem no Novo Testamento. Umas poucas precisam ser citadas: "Pois quê? Somos melhores do que eles: De maneira nenhuma, pois já demonstramos que, tanto judeus como gregos, todos estão debaixo do pecado" (Rm 3.9); "Ora, nós sabemos que tudo o que a lei diz, aos que estão debaixo da lei o diz, para que se cale toda boca e todo o mundo fique sujeito ao juízo de Deus; porquanto pelas obras da lei nenhum homem será justificado diante dele; pois o que vem pela lei é o pleno conhecimento do pecado" (Rm 3.19, 20); "Porque todos pecaram e destituídos estão da glória de Deus" (Rm 3.23); "Mas a Escritura encerrou tudo debaixo do pecado, para que a promessa pela fé em Jesus Cristo fosse dada aos que crêem" (Gl 3.22); "Se dissermos que não temos cometido pecado, fazemo-lo mentiroso, e a sua palavra não está em nós" (1 Jo 1.10).

A experiência do pecado pessoal está tão intimamente ligada ao fato da natureza pecaminosa que qualquer discussão de uma envolve a discussão da outra. Os homens têm procurado modificar os ensinos da Bíblia sobre a pecaminosidade do homem, e eles têm negado a doutrina da natureza pecaminosa; mas nenhum desde os mais sinceros filósofos pagãos até os líderes deles, tem negado a universalidade do pecado.

A verdade relativa ao pecado pessoal, embora extensa, é apenas uma parte da doutrina total do pecado; portanto, essa discussão segue-se para a transmissão da natureza pecaminosa.

CAPÍTULO XIX

A Natureza Pecaminosa Transmitida

COMO TODO EFEITO tem a sua causa, há uma causa ou razão para o fato do pecado pessoal ser universal. Essa causa é a natureza pecaminosa – algumas vezes chamada *natureza adâmica, pecado inato, pecado original,* ou *o velho homem.* Qualquer que seja o termo indicado, a referência é a uma realidade que se originou com Adão e tem sido transmitida de Adão para toda a sua raça. O efeito do primeiro pecado sobre o Adão não-caído foi uma degeneração – uma conversão inversa. Como um resultado imediato daquele primeiro pecado, Adão se tornou uma espécie diferente de ser daquele que Deus havia criado, e a lei da geração obteve aquilo que foi designado para todo ser vivo, que deveria ser "segundo a sua espécie". Da natureza adâmica que Adão conseguiu pela desobediência, João Calvino escreve em suas *Institutas da Religião Cristã,* II. ii. 12: "Visto que Deus é o autor da natureza, por que nenhuma culpa cabe a Deus se somos perdidos por natureza? Eu respondo, há uma dupla natureza: aquela produzida por Deus, e a outra é a corrupção dela. Somos nascidos como Adão era ao ser criado".[330]

A experiência de Adão foi singular, além da experiência de todos os outros membros de sua raça – exceto um. Adão tornou-se um pecador por pecar. Todo membro da raça – exceto um – peca porque ele é um pecador desde o nascimento. No caso de Adão, um pecado pessoal causou a natureza pecaminosa; no caso de todos os outros seres humanos – exceto um – a natureza pecaminosa causa os pecados pessoais. O fato de que os pecadores pecam não deveria despertar surpresa alguma; e conquanto isto seja verdade não alivie a depravação do pecado pessoal, fica claro que Deus antecipa plenamente que onde a raiz é má, o fruto será mau também. Onde a fonte é amarga a água também será amarga. A razão divina propõe tratar com a raiz que é má e com a fonte que é amarga. Imediatamente, quando este aspecto da verdade é abordado, os problemas profundos e de longo-alcance – mais ou menos metafísicos – são encontrados.

Nada poderia ser mais inútil do que são aqueles sistemas que propõem tratar com as manifestações do pecado e não com a causa delas. É tolice tratar dos sintomas sem qualquer esforço para identificar e corrigir a causa. Na revista *Expositor,* o Dr. George Matheson diz: "Há mesma diferença entre as idéias cristã e pagã sobre a oração como há entre as idéias cristã e pagã do pecado. O paganismo nada sabe a respeito do pecado; ele sabe somente a respeito de pecados; ele não tem uma concepção do princípio do mal, ele compreende somente uma sucessão de atos pecaminosos".[331] Outra tolice pode ser identificada na noção racionalista de que a natureza adâmica pode ser erradicada através de algo chamado *segunda obra da graça*. Como sempre acontece, a experiência normal é sempre de acordo com a sã doutrina bíblica. Não somente a Bíblia não sanciona essa idéia da erradicação, mas a experiência humana a contradiz totalmente.

Como o Dr. Müller bem diz a respeito de um erro semelhante: "Esta teoria não explica os fatos reais de nossa vida moral e de nossa consciência; ela lhes traz a mentira, e os fatos não se vingam tomando conhecimento por não tomarem conhecimento da teoria".[332] Esta fase deste tema geral pertence totalmente à vida e experiência cristãs e será resumida na divisão subseqüente deste estudo. Na verdade, nada pertence a essa divisão – no que respeita ao não-regenerado – além das provas gerais que estabelecem a verdade a respeito da natureza pecaminosa como uma parte vital de toda pessoa não-regenerada.

Visto que o pecado de Adão mereceu a penalidade de morte, novamente a atenção é dirigida àquela penalidade em sua forma tríplice. À parte da revelação, os homens possuem noções vagas a respeito da experiência chamada *morte*. A revelação somente explica a sua origem, a sua presente inclinação universal, e o seu término no futuro. A morte é uma intrusa na criação de Deus. Quando criado, o homem era tão imortal como os anjos. A história é escrita claramente. Deus disse a Adão a respeito do fruto proibido: "No dia em que comeres, certamente morrerás". A morte, assim, foi ameaçada e subseqüentemente executada em julgamento, abrangeu a morte espiritual, que é a separação da alma e espírito de Deus; a segunda morte, que é a forma permanente de morte espiritual ou separação eterna da alma e espírito de Deus; e a morte física, que é a separação da alma e espírito do corpo.

Por causa do repúdio de Deus a sua desobediência, Adão veio imediatamente experimentar a morte espiritual. Ele foi condenado à segunda morte, exceto se fosse redimido, e começou o processo de morte física, processo esse que no devido tempo chegou à sua expressão máxima.

Como a morte física está relacionada ao pecado imputado (ainda não examinado), a morte espiritual está relacionada à natureza pecaminosa transmitida. Esta natureza se manifesta em duas direções – inclinação para o mal, pela qual ela é usualmente identificada; e depravação, que é a incapacidade de fazer o bem de modo que seja agradável a Deus. A morte espiritual é evidenciada em ambos os aspectos, embora, visto que a morte esteja tão universalmente associada com a cessação, seja talvez mais fácil relacionar a morte espiritual com a incapacidade de fazer o bem antes que associá-la com a inclinação para o mal. A verdade a ser enfatizada pela qual muita confusão pode ser esclarecida é que a morte espiritual não é a cessação de qualquer forma de vida. Ela é antes a vida em sua medida plena separada de Deus.

O estado de morte espiritual é bem descrito com as suas atividades em Efésios 2.1-3: "Ele vos vivificou, estando vós mortos nos vossos delitos e pecados, nos quais outrora andastes, segundo o curso deste mundo, segundo o príncipe das potestades do ar, do espírito que agora opera nos filhos da desobediência, entre os quais todos nós também antes andávamos nos desejos da nossa carne, fazendo a vontade da carne e dos pensamentos: e éramos por natureza filhos da ira como também os demais", e também em Efésios 4.18,19: "...entenebrecidos no entendimento, separados da vida de Deus pela ignorância que há neles, pela dureza do seu coração; os quais, tendo-se tornado insensíveis, entregaram-se à lascívia para cometerem com avidez toda sorte de impureza".

A morte espiritual e a natureza pecaminosa são semelhantes, então, nesses aspectos em que cada uma manifesta vida em separação do conhecimento de Deus, da vida de Deus, do poder de Deus, e dos benefícios de sua graça. A morte espiritual é um estado. A natureza pecaminosa é o homem caído na tentativa de viver nesse estado.

Resta ser visto que tanto a morte espiritual quanto a natureza pecaminosa são transmitidas *mediatamente*, dos pais para os filhos, por todas as gerações. Não há uma diminuição evidente da força e do caráter dessa vida pervertida. O último filho nascido desta raça será tão afetado pela morte espiritual como será saturado da natureza pecaminosa como foi Caim que recebeu sua má tendência diretamente de seu pai, Adão.

I. O Fato da Natureza Pecaminosa

Na busca para se analisar mais especificamente o que é a natureza pecaminosa, deveria ser lembrado que ela é uma perversão da criação original de Deus e, nesse sentido, uma coisa anormal. Toda faculdade do homem é danificada pela queda, e a incapacidade de fazer o bem e a estranha predisposição para o mal surgem de uma confusão interior.

O Dr. W. G. T. Shedd escreveu extensivamente sobre o dano ao homem original feito pelo pecado e as características peculiares da natureza pecaminosa. Ele assevera:

Visto como corrupção natural, o pecado original pode ser considerado com respeito ao *entendimento*. (a) sua cegueira. Isaías 42.7: "...para abrir os olhos dos cegos"; (Lc 4.18): "...restauração de vista aos cegos"; (Ap 3.17): "...e não sabes que és um coitado, e miserável, e pobre, e cego, e nu"; (2 Co 4.4): "...o deus deste século cegou o entendimento deles". Todos os textos que falam da regeneração como "iluminando" (Sl 97.11; 2 Co 4.6; Ef 5.14; 1 Ts 5.5; etc.). Todos os textos que chamam o pecado "trevas" (Pv 4.19; Is 60.2; Ef 4.18; 5.11; Cl 1.13; 1 Ts 5.4; 1 Jo 2.11; "tendo o entendimento obscurecido"); (Rm 1.28), "mente reprovada". O pecado cega e escurece o entendimento e destrói a *consciência* das coisas divinas.

Por exemplo, a alma destituída do amor de Deus não é mais cônscia do amor; não é mais cônscia da reverência etc. O seu conhecimento de tais afeições, portanto, é do ouvir dizer, como aquela que um cego tem das cores, ou o surdo do som. Deus, o objeto dessas afeições, é naturalmente desconhecido pela mesma razão. O discernimento espiritual, de que 1 Coríntios 2.6 fala, é a consciência imediata de um homem renovado. É um conhecimento experimental. O pecado é descrito na Escritura como uma ignorância voluntária. "Pois eles de propósito ignoram isto, que pela palavra de Deus já desde a antiguidade existiram o céu e a terra" (2 Pe 3.5). Cristo diz aos judeus: "Se eu não viera e não lhes falara, não teriam pecado; agora, porém, não têm desculpa do seu pecado" (Jo 15.21, 22). Mas a ignorância, neste caso, foi voluntária. Eles desejaram ser ignorantes.

Outro efeito do pecado original sobre o entendimento incluído na consciência é: (b) Insensibilidade. Não extingue a consciência, mas a torna entorpecida. 1 Timóteo 4.2 diz: "...tendo cauterizado a própria consciência". (c) Poluição. Tito 1.15 afirma: "...tanto a razão como a consciência deles estão contaminadas", ou manchadas. Romanos 1.21 declara: "Eles se tornaram nulos em seus raciocínios", ou especulações. A poluição da razão é vista nas tolas especulações da mitologia. Os mitos do politeísmo não são pura razão. A poluição da consciência é vista no remorso. A faculdade que testemunha está manchada de culpa. Ela não mais é uma "boa consciência", da qual fala Atos 23.1; 1 Timóteo 1.5,19; Hebreus 13.18; 1 Pedro 3.16, 21; nem uma "consciência pura", mencionada em 1 Timóteo 3.9. Ela é uma "má consciência", uma consciência em necessidade de limpeza pelo sangue expiador "de obras mortas", conforme Hebreus 9.14. As obras mortas, por não serem o cumprimento da lei, deixam a consciência perturbada e sem paz.

Considerado com respeito à *vontade*, o pecado original é: (a) Inimizade (Rm 8.6). Tiago 4.4 declara: "...a amizade do mundo é inimizade contra Deus"; Deuteronômio 1.26 afirma: "...eles se rebelaram contra Deus"; (Veja Jó 34.37; Is 1.1; 30.9; 45.2; Ez 12.2). (b) Ódio. (Veja Êx 20.5; Sl 89.23; 139.21; Pv 1.25; 5.12; Jo 7.7; 15.18, 23, 24; Rm 1.29). (c) Dureza de coração, ou insensibilidade. (Veja Êx 7.14, 22; 2 Rs 17.14; Jó 9.4; Is 63.17; Dn 5.20; Jo 12.20; At 19.9; Hb 3.8,15; 4.7). (d) Aversão. (Veja Jo 5.40. "Não quereis", não tendes inclinação Ap 2.21). (e) Obstinação. (Veja Dt 31.27: "dura cerviz"; Êx 32.9; Sl 75.5; Is 26.10; 43.4; At 7.51; Rm 10.21). (f) Escravidão. (Veja Jr 13.23; Mc 3.23; Jo 6.43, 44; 8.34; Rm 5.6; 6.20; 7.9, 14, 18, 23; 8.7, 8; 9.16; 2 Pe 2.14).[333]

Ao seguir essa afirmação exaustiva com respeito à condição do entendimento e da vontade influenciados pela natureza caída, o Dr. Shedd escreve com ênfase igual sobre a questão da natureza caída e a sua culpa. Essa questão que tem dividido tanto as duas maiores escolas – a dos calvinistas e a dos arminianos – não é somente claramente afirmada pelo Dr. Shedd na defesa da visão calvinista, mas o que foi escrito serve para expor o racionalismo superficial que a noção arminiana apresenta. O Dr. Shedd declara:

O pecado original, considerado como corrupção da natureza, é pecado no sentido de *culpa*. "...Todo o pecado, tanto o original quanto o atual, por ser transgressão da justa lei de Deus e a ela contrária, torna, pela sua própria natureza, culpado o pecador e por essa culpa está ele sujeito à ira de Deus e à maldição da lei e, portanto, exposto à morte, com todas as misérias espirituais, temporais e eternas" (*Confissão de Fé de Westminster*, VI.vi). "Esta corrupção da natureza persiste, durante esta vida, naqueles que são regenerados; e, embora seja ela perdoada e mortificada por Cristo, todavia, tanto ela, quanto os seus impulsos, são real e propriamente pecado" (*Confissão de Fé de Westminster*, VI.v.). As antropologias semi-pelagiana, papal e arminiana diferem das antropologias dos agostinianos e reformados, por negar que a corrupção da natureza é culpa. Ela é uma desordem física e mental que conduz ao pecado, mas não é pecado em si mesma.

A corrupção da natureza é culpa porque: (a) As Escrituras não distinguem entre pecado próprio e impróprio. A palavra grega 'αμαρτία, que denota o princípio do pecado, tem o uso intercambiável com παράπτομα, e denota o ato do pecado, e vice-versa. Romanos 5.13, 15-17, 19, 21. (b) 'αμαρτία é o equivalente das expressões gregas que se encontram em Romanos 7.7: "...eu não conheceria a concupiscência, se a lei não dissesse: não cobiçarás". Veja Romanos 8.3,5. (c) Os remanescentes da corrupção no homem regenerado são odiados como pecado pelo próprio regenerado (Rm 7.15); e por Deus, que os mortifica por seu Espírito (Rm 8.13). (d) O mau desejo é proibido no décimo mandamento (Êx 20.17). Compare 1 João 2.16. O décimo mandamento... proíbe a luxúria interna, que é a principal característica da natureza corrupta. Ela é também proibida por Cristo em sua exposição do sétimo mandamento (Mt 5.28). 1 João 3.15 declara: "todo aquele que odeia a seu irmão é homicida". (e) A corrupção da natureza é culpa, porque ela é a inclinação da vontade. Ela é "voluntária" embora não "volitiva". É admitido que a inclinação para assassinar seja tão verdadeiramente culpável como o próprio ato de assassinar. "O desígnio do insensato é pecado" (Pv 24.9). (f) A corrupção da natureza é culpa, baseado no princípio de que a causa deve ter os mesmos predicados que seus efeitos. Se as transgressões atuais são verdadeira e propriamente pecado, então o coração maligno ou inclinação que as impulsiona devem igualmente ser pecado. Se a corrente é água amarga, a fonte deve ter sido também. Se o ato do assassino é culpa, então o ódio do assassino também o é. (g) Se a corrupção da natureza, ou a disposição pecaminosa não é culpa, então ela é uma atenuação e desculpa para as transgressões atuais. Estas últimas são menos culpáveis, se o caráter que as inclina e faz com que o impedimento delas se torne mais difícil quando não auto-determinado e culpável. (h) Se a corrupção da natureza não é culpável, é impossível de se atribuir uma razão porque o infante morto precisa de redenção pelo sangue da expiação. Cristo veio "por água e sangue"; isto é, com o sangue expiador e com o poder santificador (1 Jo 5.6). Mas se não há culpa na depravação natural, Cristo vem para o infante "por água somente", e não "por sangue"; pela santificação, e não pela justificação. A redenção do infante sugere que o infante tem culpa assim como poluição. O infante tem alma racional; esta alma tem uma vontade; esta vontade é inclinada; esta inclinação, como a do adulto, é centrada na criatura, ao invés de centrar-se no Criador. Isto é culpável e precisa de perdão. Isto também é poluição, e precisa remoção. (i) Deus perdoa o pecado original assim como a transgressão atual, quando concede a "remissão dos pecados". A "mente carnal" ou a inimizade do coração é tão grande ofensa contra a sua excelência e honra como qualquer ato particular que se origine dela. Na verdade, se há boa-vontade mútua entre as duas partes uma ofensa externa ocasional é menos séria. "Suponha", diz Thirlwall (*Letters*, 46), "que dois amigos realmente se amem mutuamente, mas que sejam propensos, ora ou outra, a uma discussão. Eles facilmente podem se perdoar nessa ofensa ocasional, porque a disposição habitual deles é a de boa-vontade mútua; mas se o caso fosse o reverso – um ódio sufocado, mas ocasionalmente transbordasse em atos hostis – quão pouco importaria conquanto eles perdoassem a ofensa particular, se a inimizade continuasse no fundo do coração". Isto ilustra a culpa do pecado como um estado do coração com relação a Deus, e a necessidade de seu perdão e remoção.[334]

Ao definir a natureza pecaminosa, Melanchton escreveu que ela é "a presente constituição perturbada da nossa natureza".[335] Ao comparar o homem caído com os animais, o Dr. W. H. Griffith Thomas afirma: "A certeza e a consciência disto no homem é uma característica dele em relação aos outros animais, pois de nenhum outro pode ser dito que eles estão em desarmonia com a lei da natureza deles".[336]

Se não fosse por um significado secundário da palavra *natureza*, não seria uma designação própria como é usada agora. Uma natureza, primariamente, é uma coisa criada por Deus, tal como a natureza santa do homem que refletia a imagem e semelhança de Deus. Em seu significado secundário, o termo *natureza* designa a perversão, com as suas disposições impuras, que a queda gerou.

Com respeito à falta de sabedoria geral de raciocínio com respeito aos aspectos metafísicos da natureza caída, o Dr. James Denney diz: "é um erro, com toda a probabilidade, na discussão dessa matéria, entrar nas suas considerações metafísicas; a questão da incapacidade do homem para qualquer bem espiritual que acompanhe a salvação é uma questão que é matéria de fato, e deve ser respondida de um modo definitivo por um apelo à experiência. Quando um homem tem sido descoberto, que foi capaz, *sem Cristo*, de se reconciliar com Deus, e de obter domínio sobre o mundo e sobre o pecado, então a doutrina da incapacidade, ou da escravidão devida ao pecado, pode ser negada; *então*, mas não *até* isso ser descoberto".[337] E, ao possuir essa mesma natureza na mente sob o termo *depravação*, o Dr. Denney assinala, também, a verdade importante de que a natureza do homem caído é uma unidade e cada parte dela é igualmente danificada.

Ele afirma: "O que isso significa não é que cada indivíduo seja tão mau quanto possa ser, uma afirmação tão transparentemente absurda que dificilmente deveria ser atribuída a qualquer um, mas que a depravação que o pecado produziu na natureza humana estende-se à totalidade dela. Não há uma parte da natureza do homem que não seja afetada por ela. A natureza do homem é um bloco, e o que afeta uma parte, afeta tudo. Quando a consciência é violada pela desobediência à vontade de Deus, o entendimento moral é obscurecido, e a vontade é debilitada. Não somos feitos de compartimentos estanques, um dos quais pode ser arruinado enquanto os outros permanecem intactos; o que nos prejudica, com a corrupção, com o toque depravado, num único ponto, afeta completamente a nossa natureza por menos real que possa estar, por um tempo, sob a consciência".[338]

Além daquelas passagens que foram citadas anteriormente como prova da universalidade do pecado pessoal – a maioria das quais se aplica mui plenamente à natureza pecaminosa – há passagens incontáveis que falam do mal moral como uma característica, ou marca distinta, não de indivíduos ou classes de homens em certas localidades, mas da natureza humana como ela é sob todas as circunstâncias – excetuando somente aqueles que são regenerados, de quem os fatos específicos são revelados como portadores daquela natureza. O homem não-regenerado é chamado homem *natural*; certamente não natural no sentido em que ele reflete o seu estado original santo, mas natural no sentido em que ele, por ser pervertido em todos os seus caminhos, está de acordo com a condição racial caída que é sempre a mesma. Somente algumas passagens ilustrativas precisam ser citadas. Estas servirão para apresentar aquilo que é o testemunho invariável da Bíblia a respeito do estado do homem caído à vista de Deus.

GÊNESIS 8.21. "Sentiu o Senhor o suave cheiro e disse em seu coração: Não tornarei mais a amaldiçoar a terra por causa do homem; porque a imaginação do coração do homem é má desde a sua meninice; nem tornarei mais a ferir todo vivente, como acabo de fazer." Estranhamente, esta avaliação direta e conclusiva do homem caído é emitida por Jeová no meio de sua promessa de misericórdia eterna. Esse estado mau ao qual Jeová se refere, não é originado em cada indivíduo por si mesmo, mas é assim desde o princípio.

SALMO 14.2,3. "O Senhor olhou do céu para os filhos dos homens, para ver se havia algum que tivesse entendimento, que buscasse a Deus. Desviaram-se todos e juntamente se fizeram imundo; não há quem faça o bem, não há sequer um." Esta passagem reveladora é citada pelo apóstolo no meio de uma extensa acusação contra toda a raça, que está registrada em Romanos 3.9-19, e a afirmação do apóstolo é de tal importância que a cito plenamente aqui: "Pois quê? Somos melhores do que eles: De maneira nenhuma, pois já demonstramos que, tanto judeus como gregos, todos estão debaixo do pecado; como está escrito: Não há justo, nem sequer um. Não há quem entenda; não há quem busque a Deus. Todos se extraviaram; juntamente se fizeram inúteis. Não há quem faça o bem, não há nem um só. A sua garganta é um sepulcro aberto; com as suas línguas tratam enganosamente; peçonha de áspides está debaixo dos seus lábios; a sua boca está cheia de maldição e amargura. Os seus pés são ligeiros para derramar sangue. Nos seus caminhos há destruição e miséria; e não conheceram o caminho da paz. Não há temor de Deus diante dos seus olhos. Ora, nós sabemos que tudo o que a lei diz, aos que estão debaixo da lei o diz, para que se cale toda boca e todo o mundo fique sujeito ao juízo de Deus". Enquanto esta e outras passagens falam a respeito das várias manifestações da natureza pecaminosa, elas também sugerem a existência dessa natureza como a fonte do mal no homem.

SALMO 51.5. "Eis que eu nasci em iniqüidade, e em pecado me concebeu minha mãe." De todos os testemunhos do Antigo Testamento, nenhum é mais convincente do que este. No versículo 3 Davi confessou o seu grande pecado. No versículo 4 ele viu que era um pecado contra Deus somente, a despeito do fato dele ter cometido um grande crime contra certos indivíduos e de ter ultrajado todo o reino de Israel. Comparado a isto, contudo, no versículo 6 ele afirma aquilo que é agradável a Deus.

JEREMIAS 17.5,9: "Assim diz Deus, o Senhor: Maldito o varão que confia no homem, e faz da carne o seu braço, e aparta o seu coração do Senhor!... Enganoso é o coração, mais do que todas as coisas, e perverso; quem o poderá conhecer?" A avaliação divina do homem caído e degenerado dificilmente poderia ser melhor descrita do que aqui. Na única passagem a declaração é feita de que o homem é, no seu caráter, oposto a Jeová. Em nenhum sentido a dependência deve ser colocada no homem. Em outra passagem, é dito diretamente que o homem não é moderadamente maligno. Como Jeová o vê, ele é "enganoso, mais do que todas as coisas, e desesperadamente ímpio". Está indicado também que, com toda a sua vaidade e presunção sem base, o homem não conhece a verdade sobre si próprio.

JOÃO 3.6. "O que é nascido da carne é carne, e o que nascido do Espírito é espírito". O que o Dr. Julius Muller escreveu como um comentário a esta passagem, é digno de menção. Ele diz:

> Com respeito ao Novo Testamento, com os teólogos mais antigos e alguns dos teólogos modernos, João 3.6 tem sido considerado como a autoridade-padrão para a doutrina da pecaminosidade inata do homem: "O que é nascido da carne é carne, e o que nascido do Espírito é espírito". Tomada em conexão com o que vem antes, esta declaração de Cristo prova claramente o fato da corrupção que está ligada à natureza humana, ao ver que Ele torna a participação no seu reino dependente da renovação completa operada pelo Espírito Santo. Essa necessidade universal de um novo nascimento (veja Jo 1.12, 13; 3.3, 5; Tt 3.5; Tg 1.18; 1 Pe 1.3, 23), esse começo e desenvolvimento de uma nova vida, implica

não somente que o pecado já está presente em cada ser humano, mas que ele atingiu suas raízes profundas da natureza que o homem herda desde o seu nascimento. Semelhantemente, o apóstolo Paulo considera a renovação em Cristo Jesus como uma lei universal da vida humana, e descreve-a como o "despir" ou a "morte" do "velho homem" (Ef 5.22; Cl 3.9, compare com o versículo 3; Rm 6.3-6). As tentativas de explicação destas passagens, que realmente nada explicam – e.g., que o velho homem é "o poder do vício confirmado pelo hábito" – não precisa de refutação.[339]

ROMANOS 1.18-8.13. Neste contexto – muito grande para ser citado aqui – que corresponde à verdade de que esta epístola apresenta a revelação central a respeito da salvação da natureza pecaminosa, assim como do pecado pessoal, a corrupção de toda a raça é descrita mais plenamente do que em outro lugar qualquer da Bíblia. Sobre essa passagem deveríamos ponderar, por termos em vista essas considerações.

1 CORÍNTIOS 7.14. Uma atenção especial é dada a este texto – particularmente porque ele contribui muito para esta linha geral de prova, e parcialmente porque ele é apenas raramente empregado neste contexto. A passagem diz: "Porque o marido incrédulo é santificado pela mulher e a mulher incrédula é santificada pelo marido crente; de outro modo, os vossos filhos seriam imundos; mas agora são santos". A imundície mencionada é claramente o estado no nascimento de cada criança, exceto pela influência de um dos pais que é crente. O pai (ou mãe) cristão não remove a natureza pecaminosa da criança, mas a criança é *separada* como diferente pelo pai (mãe) cristão. Se, contudo, o pai não pode remover a natureza caída santificada da criança, quão certamente aqueles que são imundos estão sob o poder dessa natureza!

EFÉSIOS 2.3. "Entre os quais todos nós também antes andávamos nos desejos da nossa carne, fazendo a vontade da carne e dos pensamentos; e éramos por natureza filhos da ira, como também os demais." Neste texto da Escritura não falta um testemunho direto e conclusivo. É uma questão de *natureza* que classifica toda a raça humana como "filhos da ira" – por estarem todos separados da graça redentora de Deus.

GÁLATAS 5.17-21. "Porque a carne luta contra o Espírito, e o Espírito contra a carne; e estes se opõem um ao outro, para que não façais o que quereis. Mas, se sois guiados pelo Espírito, não estais debaixo da lei. Ora, as obras da carne são manifestas, as quais são: a prostituição, a impureza, a lascívia, a idolatria, a feitiçaria, as inimizades, as contendas, os ciúmes, as iras, as facções, as dissensões, os partidos, as inveja, as bebedices, as orgias, e coisas semelhantes a estas, contra as quais vos previno, como já antes vos preveni, que os que tais coisas praticam não herdarão o reino de Deus." O apóstolo define aqui as obras da *carne*. Este termo e seu significado foram desenvolvidos anteriormente com mais detalhes e ainda devem reaparecer em outros aspectos da doutrina. O significado ético de σάρξ, como foi usado pelo apóstolo, leva-nos de volta à natureza humana e à sua corrupção. As obras da carne aqui são demonstradas em contraste com o "fruto do Espírito" (cf. v. 18 com o v. 22). As obras da carne não possuem algo que possa recomendá-las. A conclusão do assunto é que o homem é, por natureza, como Jeremias afirma: "desesperadamente corrupto".

Textos adicionais da Escritura, os quais afirmam que a natureza caída do homem, que deveriam ser examinados, são: Gênesis 6.5; Jó 11.12; 15.14, 16; Salmos 58.2-5; 94.11; 130.3; 143.2; Provérbios 21.8; Eclesiastes 7.20; 9.3; Isaías 64.6; Jeremias 13.23; 16.12; Oséias 6.7; Mateus 7.11; 12.34; 15.19; 16.23; Lucas 1.79; João 3.18, 19; 8.23; 14.17; Romanos 3.9; 6.20; 1 Coríntios 2.14; 3.3; Gálatas 3.22; Colossenses 1.13, 21; 2.13; 3.5-7; 2 Timóteo 3.2; 1 Pedro 1.18; 4.2; 2 Pedro 1.4; 1 João 1.8; 2.16; 5.19.

II. O Remédio para a Natureza Pecaminosa

O exame do remédio para a natureza pecaminosa imediatamente envolve questões que estão totalmente dentro daquele campo da verdade que pertence ao cristão e que deve, devidamente, ser reservado para essa divisão deste tema. Dos não-regenerados pode ser dito que, ao tornar-se regenerados, eles terão uma dupla provisão pela qual a natureza pecaminosa pode ser divinamente tratada. Eles podem considerar tal experiência da mesma forma que conseguem antecipar o perdão e a justificação, embora, visto que tudo que entra na composição do remédio para a natureza pecaminosa relaciona-se somente com os problemas da vida diária do cristão, o tratamento divino da natureza pecaminosa não está incluso a qualquer hora nas ofertas que o Evangelho da graça faz aos não-salvos. Por outro lado, a natureza pecaminosa entra basicamente na necessidade de salvação que é apresentada por todos os não-salvos.

Não existe uma mensagem mais errada que possa ser entregue por homens sinceros do que quando é dito aos não-salvos que eles estão perdidos por causa de seus pecados pessoais. A isto eles podem replicar que, visto que eles não são nem 1% do que eles poderiam ter sido, eles são perdidos somente 1%. Tal raciocínio naturalmente segue aquela forma de pregação que baseia o estado perdido do homem nos pecados pessoais cometidos. O homem está perdido *por natureza* – nascido com uma alma perdida, sem esperança e separado do sangue redentor de Cristo. Um apelo muito mais forte é feito quando a necessidade de salvação é dita alcançar a raiz de todo mal já praticado. O remédio duplo é (a) o juízo dos crentes por causa da natureza pecaminosa por Cristo na cruz, e (b) o dom da habitação do Espírito como Aquele que é capaz de dar vitória sobre toda disposição má. Deus julgou a natureza pecaminosa para os crentes; caso contrário, não poderia ser dito que "nenhuma condenação há para os que estão em Cristo Jesus" (Rm 8.1).

Evidentemente, pode ser reafirmado que no começo Deus declarou a respeito do homem que ele era "muito bom", mas após 1.500 anos de história humana, Jeová disse do homem que "toda imaginação dos pensamentos de seu coração era má continuamente" (Gn 6.5), e mais de dois mil anos mais tarde, ele disse: "todos estão debaixo do pecado... não há nenhum justo, nem sequer um... não há quem faça o bem, sequer um" (Rm 3.9-12). Este contraste é tão forte quanto uma linguagem poderia torná-lo. Os teólogos têm diferido em certas fases da doutrina do pecado, mas há uma concordância notável entre eles a respeito da universalidade do pecado. Esta concordância pode ser explicada com base no fato de que a Palavra de Deus é muitíssimo clara no seu testemunho com respeito à pecaminosidade do homem, e, também, no fato de que a observação humana corrobora com as Escrituras.

A doutrina da depravação é freqüentemente rejeitada por causa do entendimento errôneo. Esta doutrina não sugere que haja algum bem a ser visto nos homens quando observados por outros homens; ela antes assevera que, por causa da natureza caída, Deus não vê neles algo que os recomende a Ele. Eles são somente objetos de sua graça. É significativo que as acusações drásticas contra toda a raça que aparecem no Novo Testamento são citações do Antigo Testamento, e demonstram assim que a Bíblia é uma unidade em seu testemunho sobre a doutrina da depravação. Há privilégios e pactos especiais que são dirigidos aos judeus, mas, na questão do pecado e na questão de um remédio divinamente provido, "não há diferença alguma".

Como o Dr. Timothy Dwight afirmou, ao escrever sobre a universalidade do pecado: "Na verdade, nenhuma doutrina das Escrituras é expressa de forma mais numerosa ou mais variada; ou em termos mais diretos, ou menos capazes de serem apreendidos erroneamente".[340] Além disto, pode ser observado que o fato de a pecaminosidade humana universal e a depravação estarem implícitas na provisão de um sacrifício pelo pecado seja típico ou antitípico; na ênfase da Bíblia sobre a necessidade universal de regeneração; na revelação de que o corpo humano é danificado e, no caso dos salvos, que ele será redimido; e no fato de que "Deus... manda agora que todos os homens em todo lugar se arrependam" (At 17.30).

Desde o pecado original, como fonte causal, resultados de alcance universal foram colhidos pela posteridade de Adão. A doutrina do pecado original divide-se em dois ramos da verdade que são totalmente sem qualquer relação, a não ser pelo fato deles procederem da mesma fonte. Um ramo tem a ver com a corrupção original, que é a morte espiritual, enquanto que o outro tem a ver com a culpa original, com sua penalidade e morte física. Embora o termo *pecado original* seja mais freqüentemente usado em referência ao primeiro, ele é, também, uma designação muito própria do segundo. A primeira divisão da doutrina do pecado original, que é a corrupção original, ou morte espiritual, afirma que toda raça humana herdou de seu primeiro progenitor uma natureza pecaminosa que está sempre e incuravelmente em inimizade com Deus, por ser, à vista dEle, totalmente depravada e espiritualmente morta, e é a raiz de tudo de que, como fruto, todos os maus pensamentos, palavras e ações brotam.

O Remédio para a Natureza Pecaminosa

A doutrina afirma que Adão é o primeiro e único membro da raça que se tornou um pecador por pecar; todos os outros membros desde o primeiro ao último são pecadores e pecam, não para se *tornarem* pecadores, mas porque eles *são* pecadores. Eles não morrem espiritualmente porque pecam, mas são nascidos espiritualmente mortos. A doutrina afirma, igualmente, que esse fato da corrupção na natureza e morte espiritual é a primeira e a mais importante base para o juízo divino sobre a raça; e que as obras más, tão ímpias quanto possam ser, são apenas a manifestação lógica dessa natureza corrupta. Semelhantemente, à parte do fato da natureza corrupta, é impossível demonstrar ao perdido a necessidade da plena graça salvadora de Deus. Por outro lado, a plena graça salvadora de Deus é necessária na salvação dos perdidos porque o ser total do homem está depravado e espiritualmente morto. Não vem ao caso argumentar que o homem não deve ser acusado pela natureza recebida no nascimento. Embora nascido em pobreza e ignorância, o indivíduo é justificado em fazer o que pode ser feito para corrigir essas limitações; mas quanto mais justificado é alguém por reivindicar o alívio de Deus do estado de perdido no qual ele é nascido, quando é lembrado de que Deus, no amor infinito e com um custo infinito, providenciou esse alívio!

Este estudo não pode se preocupar com várias teorias concernentes ao estado de perdição do homem, por falta de espaço. O fato de que uma natureza caída recebida *mediatamente* de Adão (a) é estabelecido pelas Escrituras; (b) é observável em toda história; e (c) é testemunhado pela consciência do homem, deveria encerrar todo o argumento. Estas evidências podem ser consideradas em sua ordem inversa:

(A) A consciência humana da natureza ou da disposição má é praticamente universal, e estende-se aos registros mais antigos da experiência humana. Aristóteles declarou: "Parece existir outra coisa além da razão natural em nós que luta e combate contra a razão". Kant disse: "'Que o mundo jaz na impiedade' é um lamento tão antigo como a história, e não somente isto, mas tão antigo como a mais antiga poesia". O apóstolo Paulo testemunhou de si mesmo: "O bem que eu quero fazer eu não faço; o mal que não quero, esse faço". Na verdade, tal é a consciência de todos os homens ponderados com respeito a si mesmos.

(B) O registro da história que demonstra a natureza má do homem é inexaurível. "A crueldade humana para o homem", guerra, inquisição, assassinato, prostituição, escravidão, bebedice, crueldade, falsidade, avareza, cobiça, orgulho, descrença, e ódio a Deus, tudo, e muito mais, todos têm em comum na história da raça.

(C) Para aqueles que estão sujeitos à Palavra de Deus, as Escrituras são explícitas e são a autoridade final. O testemunho das Escrituras já foi citado acima.

CAPÍTULO XX

A Imputação do Pecado

O SIGNIFICADO TEOLÓGICO da palavra *imputar* é "atribuir alguma coisa a uma pessoa". Ela é usualmente vicária no sentido em que a coisa atribuída é derivada de outra pessoa. A natureza da imputação deve ser vista na palavra do apóstolo a Filemom a respeito de Onésimo: "Assim, pois, se me tens por companheiro, recebe-o como a mim mesmo. E, se te fez algum dano, ou te deve alguma coisa, lança-o na minha conta" (Fm 1.17,18). Semelhantemente, o mesmo apóstolo escreve aos gentios: "Porventura a incircuncisão não será reputada como circuncisão?" (Rm 2.26). Duas palavras originais aparecem no texto do Novo Testamento que levam a idéia de imputação – ἐλλογέω, usada apenas duas vezes (Rm 5.13; Fm 1.18), e λογίζομαι, usada 41 vezes, 16 das quais são no capítulo quatro de Romanos.

Embora seja observável um extenso campo na seleção de palavras nas versões da Bíblia, o pensamento essencial da imputação está sempre presente. No assunto da relação do homem com Deus, a Bíblia apresenta três imputações importantes: (a) a imputação do pecado de Adão à raça humana; (b) a imputação do pecado do homem ao substituto, Cristo; e (c) a imputação da justiça de Deus ao crente. A imputação pode ser *real* ou *judicial*. A que é real é a imputação a alguém daquilo que é antecedentemente seu, enquanto que a imputação judicial é a atribuição a alguém daquilo que não é antecedentemente seu. Se a transgressão mencionada em 2 Coríntios 5.19 fosse imputada àqueles mencionados – como naturalmente teria sido – ela teria sido uma imputação real. As transgressões foram deles e a atribuição daquelas transgressões a eles teria sido não mais do que a declaração oficial da responsabilidade deles. Em oposição a isto, quando o apóstolo disse: "lança-o na minha conta", ele se referia a um débito que não era antecedentemente seu.

Um julgamento apressado usualmente concluirá que cada uma das principais imputações, listadas acima, é de caráter judicial. Várias escolas de teologia não têm levado em conta esta avaliação da verdade, escolas essas que têm gerado doutrinas enganosas. Não é conveniente apresentar o tema da imputação do pecado e demorar-se nas outras duas importantes imputações, exceto para ilustrar o princípio envolvido. Essas imputações pertencem à soteriologia.

Contudo, será visto que a imputação do pecado humano a Cristo é, visto que não poderia ser sob quaisquer circunstâncias o seu próprio, um exemplo claro de imputação judicial. Igualmente, a imputação da justiça de Deus ao crente, conquanto ela proporcione uma base tão eqüitativa que se diz de Deus que Ele é justo, quando justifica aqueles que crêem em Jesus Cristo, não concede ao crente qualquer coisa que seja dele antecedentemente.

Esta imputação é também facilmente identificada como *judicial* em seu caráter. Contudo, no caso da imputação do pecado inicial de Adão a cada membro de sua raça (Cristo exceptuado em todas as imputações), há uma grande diferença de opinião da parte de várias escolas teológicas. O tema geral da imputação do pecado é sujeito a subdivisões: (a) o escopo da doutrina da imputação; (b) teorias da imputação; e (c) o remédio divino para o pecado imputado.

I. O Escopo da Doutrina da Imputação

O escopo da controvérsia da doutrina da imputação centra-se sobre um contexto mais teológico na Bíblia – Romanos 5.12-21. Este contexto é, na sua parte mais importante, uma elucidação da declaração fundamental colocada no versículo 12. Portanto, segue-se que qualquer interpretação do versículo 12 que não estiver harmoniosamente esclarecida nos versículos 13 a 21 prova-se estar errada. O estudante de teologia conceituado haverá de utilizar muito tempo com esta porção das Escrituras. Ele não se conformará simplesmente em aceitar os achados dos melhores dos homens, mas um esforço exegético diligente deverá ser feito por ele. Ao escrever sobre esse ponto, Stearns sugere: "Se você deseja saber se um homem é um teólogo, vá ao seu Novo Testamento grego, e se ele abrir espontaneamente no capítulo 5 de Romanos, e você encontrar a página ainda aquecida e usada, você seguramente o estabelece como um devoto da ciência sagrada".[341] Sobre esta passagem as maiores mentes se concentraram e com o melhor dos propósitos. Uma interpretação racionalista é perigosa aqui, como o é sempre. A questão em pauta é a da revelação, e esta somente.

Além disto, numa preparação para uma exegese correta de Romanos 5.12, é importante observar que o pecado inicial de Adão – propriamente chamado *pecado original*, no que respeita à humanidade – é o principal ponto sob discussão. Como foi afirmado anteriormente, o pecado original de Adão é a fonte da qual duas linhas amplamente diferentes de influência procedem. A tese anterior tratou da transmissão da natureza pecaminosa que é recebida *mediatamente* de geração a geração, natureza essa que está intimamente aliada à morte espiritual. O objetivo presente é traçar a outra linha de influência que surge do pecado inicial de Adão, linha essa que é a imputação do pecado, e é a única razão atribuída na Escritura para a imposição da morte física para a raça humana. A primeira linha de referência mencionada tem a ver com a *corrupção*, enquanto que a segunda, agora em vista, tem a ver com a *culpa*. Além da revelação de que a culpa é a porção de tudo, a verdade de que a penalidade – a morte física – é imposta sobre cada membro da raça *imediatamente*, isto é, diretamente de Adão a cada indivíduo sem referência a gerações intermediárias.

É como se duas pessoas existissem – Adão e qualquer outro membro da raça. Para usar uma figura moderna de linguagem, cada ser humano permanece relacionado com Adão imediata e individualmente como por uma *linha particular*. Um diagrama pode ser feito de duas linhas que partam de um ponto, ponto esse que pode representar o pecado adâmico. Uma dessas linhas é um arco que se inclina para a direita e outra inclina-se para a esquerda e ambas convergem novamente no mesmo ponto, ponto esse que pode representar o indivíduo humano em qualquer tempo ou lugar como esse duplo efeito do pecado de Adão que atinge cada membro da raça humana. Uma linha pode ser traçada para representar a natureza adâmica – análoga à morte espiritual – que alcança o indivíduo *mediatamente*, ou por transmissão de pai para filho.

Essa linha pode ser dividida em muitas seções que sugerirão gerações interpostas entre Adão e a pessoa individual. A outra linha pode ser traçada para representar o pecado adâmico imputado que alcança o mesmo indivíduo *imediatamente*, ou diretamente de Adão sem reconhecimento de gerações intermediárias. Embora esse relacionamento pessoal com Adão seja compartilhado por todos em todas as gerações, o caráter individual e isolado dele não é diminuído ou confundido em qualquer caso. A resposta da Bíblia para a questão por que cada pessoa está sujeita à morte física é que cada um tinha o seu compartilhamento no pecado que prejudicou o próprio Adão e causou-lhe morte física, e eles também compartilharam dessa penalidade. A morte física não é uma herança, muito menos uma infecção que os pais passam para os seus filhos. Ela é uma penalidade para aquela forma de desobediência impessoal, dessa junção inconsciente com Adão em tudo o que ele fez.

Muita confusão tem surgido quando a natureza adâmica e sua corrupção são confundidas com a idéia de culpa individual e de sua punição devido à participação naquele pecado. Não deve ser esquecido que a natureza pecaminosa gera uma forma de culpa, mas é aquela que surge de um *estado* de existência enquanto que a culpa da participação é devida à *ação*. Alguns escritores têm entrado nesse campo difícil, o qual a doutrina tem ensinado, com o conseqüente prejuízo da verdade vital, que a natureza pecaminosa é a causa da morte física. As Escrituras não sancionam essa opinião.

A morte espiritual está implícita em Romanos 5.12-21 (que ainda vamos examinar), mas começa com Romanos 6.1, onde a natureza pecaminosa é vista como em permanente conflito com a vida e a santificação espirituais, e a morte espiritual está inteiramente em foco. Naturalmente, a natureza pecaminosa e a morte espiritual estão intimamente ligadas aqui como sempre. Produzir fruto naquela natureza é estar no caminho ou ao lado da morte espiritual, enquanto que ser fortalecido para o bem pelo Espírito é estar no caminho da vida e paz ou do lado delas (cf. Rm 6.16, 21, 23;7.5; 8.2, 6, 13). Das centenas de referências na

Bíblia sobre a morte, apenas uma pequena fração trata da morte espiritual. Tão grande é a preponderância de textos que tratam da morte física que multidões de pessoas não estão conscientes da verdade que diz respeito à morte espiritual. A passagem central que trata da morte física – passagem que é intensamente teológica – é Romanos 5.12-21.

Este contexto, como já foi observado, consiste numa declaração importante, restrita ao versículo 12, enquanto que todos os versículos restantes – 13 a 21 – são apenas explicativos. Portanto, é razoável que consideremos primeiro o significado exato do versículo 12. Toda escola de teologia, que observa as Escrituras, procura, por sua própria interpretação dessa passagem, justificar suas alegações, ou crenças, concernentes à realidade do pecado e da morte, assim como da justiça e da vida. Poucos textos da Bíblia têm tido um tratamento tão variado desse assunto. É provável que algum grau de verdade seja encontrado em cada tentativa de interpretação, e pode haver algum erro em todas elas; mas o objetivo em cada caso é eliminar o erro e estabelecer a verdade.

O contexto desta passagem (5.12-21) é um fator importante na avaliação correta dela. A porção que antecede (3.21–5.11), com a sua mensagem, trata da justificação pela fé, e a porção que se segue (6.1–8.13), com sua mensagem, trata da santificação pela fé. Tanto a justificação como a santificação estão baseadas na morte de Cristo. A porção intermediária, que é considerada agora, é uma consumação daquilo que veio antes e uma preparação para o que vem a seguir. Nessa passagem, o quadro escuro do pecado e de sua penalidade, morte, é apresentado em contraste com as glórias maravilhosas da justificação e da vida. Os dois cabeças federais – Adão e Cristo – são colocados lado a lado em suas semelhanças e dessemelhanças. O primeiro Adão trouxe a ruína para a sua raça; o último Adão trouxe a salvação eterna e a glória ao seu povo.

Nos paralelos nos quais essas semelhanças e dessemelhanças aparecem, há muitos detalhes. Estes, embora de importância imensurável, não mudam em qualquer ponto o tema central, mas antes o fortalecem, a saber, o que foi perdido no primeiro Adão é mais do que foi reconquistado por aqueles que recebem a graça salvadora do último Adão. Obras muitíssimo valiosas, tanto expositivas como exegéticas, ainda existem. Somente uma breve investigação dessa passagem é possível aqui.

VERSÍCULO 12. Ao demonstrar que ele é uma consumação da seção precedente sobre a justificação (3.21–5.11), esta porção se inicia com uma palavra de conexão – *portanto*. O pensamento é que, visto que os fatos a respeito da justificação são o que são, segue-se que certas conclusões e verdades acrescentadas estão em seqüência. Sobre a conexão entre essas divisões da Escritura, como está sugerida pela palavra *portanto*, o Dr. W. H. Griffith Thomas escreveu:

A conexão final dessa seção com aquilo que imediatamente a precede deve ser observada cuidadosamente. A primeira palavra "portanto" significa literalmente "por causa disso", e mostra que o pensamento permanece inalterável. A justificação tem sido mostrada ser permanente (vv. 1-11), e a fundamental prova e garantia disso é Deus em Quem nos

ANTROPOLOGIA

jactamos (v. 11). Esta razão primária é agora elaborada na seção diante de nós por assinalar que como a conexão do homem com Adão o envolvia em morte certa através do pecado, assim a sua relação com Cristo lhe assegura vida sem falta. Assim, esses versículos nos dão o centro lógico da epístola. Eles são o grande ponto central para o qual tudo o que precede convergiu, e fora do qual tudo que segue fluirá. As grandes idéias do pecado, morte, e juízo são mostradas aqui para serem envolvidas na conexão da raça humana com Adão, mas em oposição a isto, temos o bendito fato de uma união com Cristo, e nesta união, justiça e vida. Este duplo conceito de cabeça da raça, em Adão e em Cristo, mostra a importância da obra da redenção para toda a humanidade.[342]

A segunda palavra – *como* –, não é menos importante visto que ela indica o primeiro de uma série de contrastes que caracterizam essa porção das Escrituras. Os dois membros dessa comparação são a justificação através de um homem em contraposição à ruína por intermédio de outro homem. O como conecta aquilo que vem antes com a idéia de pecado que surge por um só homem. Isto pode ser parafraseado: Portanto, como no caso em que a justificação é por um homem, assim o caso da ruína é também por um homem. Na verdade, tal é a substância do argumento mais detalhado que se segue no contexto.

As palavras "como por um só homem entrou o pecado no mundo" sugerem que o pecado já tinha tido a sua manifestação em outras esferas e que o único homem, Adão, tornou-se a avenida ou a porta aberta pela qual ele entrou no *cosmos*, mundo. Porém mais ainda é acrescentado, visto que o texto continua a afirmar: "e pelo pecado a morte". Embora exista uma relação próxima entre a morte espiritual e a física – ambas começam com o pecado inicial do primeiro homem e convergem igualmente em cada indivíduo da raça de Adão – a referência no versículo 12 é à morte física. É possível que alguma referência seja feita antes do final deste contexto que alcance a morte em mais alta escala e possa incluir ambas as formas de morte; mas o significado da palavra morte física não requer defesa alguma. Assim, a Escritura declara: "Está destinado aos homens morrerem uma só vez" (Hb 9.27), e não é uma mensagem diferente quando o apóstolo afirma aqui: "a morte passou a todos os homens, porque todos pecaram".

Visto que o tempo aoristo é usado na última cláusula e assim é indicado um ato histórico completo no passado, a frase melhor traduzida é "todos pecaram", ao invés de "todos têm pecado". O esforço de linguagem a esta altura é dizer que cada membro morre fisicamente por causa de sua própria participação no pecado de Adão. Visto que um ato histórico, único, completo está em foco aqui, as palavras *todos pecaram* não podem se referir à natureza que resulta daquele ato, nem pode se referir a pecados pessoais de muitos indivíduos. Não é que o homem se tornou pecaminoso. A asserção é que *todos* pecaram imediatamente e estão sob as mesmas circunstâncias. De igual modo, a penalidade – *morte* – não é por causa da contaminação, que indicaria morte espiritual, mas indica culpa, ou a participação no ato; e isto indica a morte física. A afirmação é clara, por ser a questão a que todos tinham uma parte no pecado inicial de Adão.

Uma passagem paralela em que a construção gramatical é a mesma encontrada em Romanos 3.23, que é traduzida em algumas versões americanas como "porque todos têm pecado", mas a mesma correção é indicada e pode ser melhor traduzida como *todos pecaram*. Sem autorização, essa passagem é quase universalmente interpretada como pecado pessoal. Na obra *The International Revision Commentary*, editado pelo Dr. Philip Schaff, diz o seguinte: "Um único ato histórico é indicado, a saber, o evento passado da queda de Adão, que foi ao mesmo tempo virtualmente a queda da raça humana representada por ele e contida nele... No que se refere à interpretação das palavras, pode-se insistir que "pecaram" não é equivalente a "tornaram-se pecaminosos". Permanecem duas idéias: (1) Como um fato histórico, quando Adão pecou, todos pecaram, por causa da conexão vital entre ele e sua posteridade. (2) Quando Adão pecou, todos foram declarados pecadores, por ser ele o representante da raça.

A objeção a isto é que 'pecaram' não é equivalente a 'foram considerados como pecadores'. Isto torna o paralelo entre Adão e Cristo mais próximo do que a passagem parece autorizar".[343] Jamieson, Fausset e Brown, em seu *Commentary*, afirmam a respeito desta mesma frase: "Assim a morte alcança todo indivíduo da raça humana, como a penalidade devida a *si próprio* (*in loc.*). A construção é tão exigente que os exegetas têm basicamente a mesma mente. Estranhamente, contudo, Calvino perdeu de vista a força da passagem, quando ele a restringiu ao assunto de ser nascido em pecado. Deveria ser enfatizado, também, que apenas uma interpretação conseguiria traduzir o contexto explicativo remanescente, e que, naturalmente, é a tradução adequada da afirmação importante do versículo 12. Uma imputação real do pecado adâmico é denotada pela tradução correta do texto. Se pode ser explicado ou entendido fica totalmente à parte do fato de que as palavras declaram uma imputação real com conseqüente culpa individual e penalidade de morte física".

O Dr. Charles Hodge afirma:

A doutrina da imputação é ensinada claramente nessa passagem. Essa doutrina não inclui a idéia de uma identidade misteriosa de Adão e sua raça, nem a idéia de uma transferência da depravação moral do seu pecado para os seus descendentes. Ela não ensina que a sua ofensa foi pessoal ou propriamente o pecado de todos os homens, o que o seu ato foi, em qualquer sentido misterioso, o ato de sua posteridade. Nem ela sugere, em referência à justiça de Cristo, que a sua justiça se torna pessoal e inerentemente nossa, ou que a sua excelência moral é de qualquer modo transferida dele para os crentes. O pecado de Adão, portanto, não é base de remorso para nós; e a justiça de Cristo não é base de autocomplacência naqueles a quem ela é imputada. Essa doutrina simplesmente ensina que, em virtude da união, representativa e natural, entre Adão e sua posteridade, o seu pecado é a base para a condenação deles, isto é, da sujeição deles aos males penais; e que, em virtude da união entre Cristo e seu povo, a sua justiça é a base da justificação deles. Essa doutrina é ensinada em muitas palavras, como nos versículos 12, 15, 16, 17, 18, 19.

Está bem claramente afirmado, muito repetidamente suposto, e muito formalmente provado, que muito poucos comentadores de qualquer classe falham em reconhecer, de uma forma ou de outra, que essa é a doutrina do apóstolo.[344]

Em grande parte, esta é uma declaração aceitável e iluminadora; contudo, a impressão que se poderia obter do Dr. Hodge é que não há uma responsabilidade real suficiente sobre cada membro da raça que autorize a penalidade da morte.

A dificuldade resultante em quase toda mente com respeito ao que parece ser uma mensagem evidente desse versículo, é a incapacidade universal de compreender o que está propriamente envolvido no relacionamento de um cabeça ou representante federal. Tal incapacidade é muito natural, visto que nenhum outro relacionamento existe na esfera da experiência humana em geral. Adão continha a raça em si mesmo de uma maneira que não é verdade de qualquer outro progenitor que venha depois, em sua linhagem. Nenhum outro homem foi primeiro nas gerações da humanidade nem qualquer outro recebeu uma ordem divina para exercer essa responsabilidade singular. Há uma noção menos perfeita de representação que deve ser vista no caso de Abraão como o progenitor de uma raça, Israel – a realidade é traçada somente na linhagem de Jacó.

Todavia, além disso, há uma representatividade perfeita no Cristo ressurrecto sobre a nova criação. Toda tipologia em Adão com respeito a Cristo é construída sobre o fato dos dois cabeças perfeitos. Abraão, conquanto importante em sua relação com Israel, não aparece nessa tipologia. Não obstante, o texto da Escritura mais iluminador, que trata do fato do cabeça federal, diz respeito a Abraão. A passagem não somente sugere a supremacia do cabeça, mas declara que, quando apenas produtivamente representado no cabeça federal, a descendência é divinamente contada por ter agido no cabeça federal. Uma referência é feita em Hebreus 7.9, 10, que diz: "E, por assim dizer, por meio de Abraão, até Levi que recebe dízimos, pagou dízimos, porque ele está ainda nos lombos de seu pai quando Melquisedeque saiu ao encontro deste".

Levi, que em seu próprio tempo, por ordem divina, recebeu dízimos; entretanto, pagou dízimos a Melquisedeque quando nos lombos de seu trisavô Abraão (Gn 14.20). Ninguém poderia alegar que Levi consciente ou propositalmente pagou dízimos a Melquisedeque; todavia, Deus declara que ele pagou dízimos. Tal é a avaliação divina. Igualmente, ninguém alegará que cada indivíduo na raça de Adão consciente ou propositalmente pecou em Adão; todavia, não pode haver dúvida alguma que Deus considera que cada membro da raça pecou quando Adão pecou. Em 1 Coríntios 15.22 esta afirmação aparece: "Porque como em Adão todos morrem", e isto sugere a mesma cooperação federal como afirmada nas palavras *todos pecaram*. Na verdade, Deus vê apenas dois homens e cada membro da raça humana está *em* um ou *em* outro. Os não-regenerados estão *em Adão;* os regenerados estão *em Cristo*.

Tal incapacidade de entender o funcionamento dessa linha de verdade surge da incapacidade de sondar tudo o que está afirmado, quando é dito que alguns da raça humana estão *em Adão* e alguns *em Cristo*. A mente pode captar

O Escopo da Doutrina da Imputação

os resultados específicos, mas não pode discernir a realidade profunda que entra nesse relacionamento do cabeça federal. Num desenvolvimento posterior deste contexto – Romanos 5.12-21 – será visto que, como declarado por Cristo (Jo 14.20) e elucidado pelo apóstolo Paulo, as bênçãos imensuráveis que fluem para o crente sobre a única base dele estar *em Cristo*, e por muita coisa do princípio da imputação do cabeça federal que é estabelecido e reconhecido por todos. Que o dano e o desastre – mesmo a morte – são a porção do homem natural sobre o fato dele estar simplesmente *em Adão*, no interesse da consistência, deveria ser tão livremente reconhecido por todos.

Com o mesmo propósito, e a respeito da terceira mais importante imputação – a do pecado humano a Cristo – é dito que "se um morreu por todos, logo todos morreram" (2 Co 5.14). A participação do pecador na morte do substituto é contada como se fosse a morte do próprio pecador (aqui o estudante pode observar que, embora as traduções não sejam sempre satisfatórias, certas passagens declaram que a ação de Cristo em morrer como um substituto é referida como se fosse a verdadeira ação do próprio pecador – Romanos 6.2: *Nós que morremos para o pecado*; 6.6: *Nosso velho homem foi crucificado com ele*; Cl 3.3: *Porque morrestes*; e Ef 4.22: *despojar-vos*; cf. Cl 3.9).

O princípio da imputação é visto como um em que certas realidades são atribuídas de uma pessoa para outra. A história é completa quando apresentada nas três principais imputações. A necessidade do homem é indicada na imputação de Adão à sua posteridade; a salvação do homem é assegurada na imputação do demérito do homem a Cristo; e a permanência eterna e a felicidade do homem são estabelecidas através da imputação da justiça de Deus ao homem quando ele é colocado em Cristo pelo batismo do Espírito. Se a imputação do pecado de Adão à raça é resistido, a consistência exige que tanto a salvação quanto a posição sejam também resistidas.

Reconhece-se que há ligeiras diferenças a serem observadas em certos particulares, quando essas três maiores imputações são comparadas. Estas são basicamente desenvolvidas pela verdade de que duas imputações são *judiciais* e uma é *real*. Nenhum pecador jamais disse ter agido conscientemente ou de modo diferente na imputação que flui da morte de Cristo, ou na imputação que assegura a posição de uma justiça perfeita, mas é declarado que no pecado de Adão toda a sua posteridade pecou. Este aspecto particular, que envolve algum grau de participação por parte do pecador, não é encontrado nas outras duas; apenas fortalece a realidade da imputação adâmica.

Pode ser deduzido, então, que as palavras *todos pecaram* asseveram que toda a humanidade – exceto um – é divinamente contada como participante do pecado de Adão e que a penalidade pela participação nela, em cada indivíduo, é a morte física. É natural supor que as palavras *todos pecaram* se refiram ao pecado pessoal da experiência de vida de cada indivíduo. Tão geral é essa tendência que o Espírito de Deus conduziu o apóstolo a apresentar uma prova conclusiva onde não há referência alguma aqui ao pecado pessoal. Essa prova está no dois versículos seguintes do contexto.

Versículos 13-14. "Porque antes da lei já estava o pecado no mundo, mas onde não há lei o pecado não é levado em conta. No entanto a morte reinou desde Adão até Moisés, mesmo sobre aqueles que não pecaram à semelhança da transgressão de Adão o qual é a figura daquele que havia de vir." O bispo Moule, ao escrever a respeito dos dois usos da palavra *lei* que aparecem no versículo 13, afirma: "Ambas as palavras no grego estão sem o artigo. A despeito de alguma dificuldade, devemos interpretar a primeira a respeito da Lei de Moisés, e a segunda da Lei em algum outro sentido; aqui provavelmente no sentido da vontade declarada de Deus em geral, contra a qual, num caso particular, Adão pecou, e nós 'nele'".[345]

A frase "o pecado estava no mundo" indica que o caráter de Deus era, então, como sempre, o caráter contra o qual os homens pecaram, mas como não havia uma afirmação escrita das exigências de Deus que foram dadas, os homens não foram considerados culpados de ter violado aquilo que não existia. Uma ilustração muito útil desta situação deve ser vista nas palavras de Cristo aos seus discípulos a respeito das autoridades judaicas: "Se eu não viera e não lhes falara, não teriam pecado; agora, porém, não têm desculpa do seu pecado... Se eu entre eles não tivesse feito tais obras, as quais nenhum outro fez, não teriam pecado; mas agora, não somente viram, mas também odiaram a mim como a meu Pai" (Jo 15.22,24). O apóstolo continua com as palavras: "...no entanto a morte reinou", fato esse que prova que a morte não é devido à transgressão pessoal da lei em sua forma revelada; e a morte veio, igualmente, àqueles "que não tinham pecado" contra a lei.

Alguns expositores sustentam que a prova de que o versículo 12 não se refere ao pecado pessoal é demonstrada no fato de que não havia lei contra a qual o homem poderia pecar. Outros sustentam que a evidência de que o pecado pessoal não está em vista é encontrada na verdade de que os infantes e pessoas incapacitadas morreram, assim como todas as outras; todavia, essas pessoas não haviam pecado voluntariamente como o fez Adão. Este último argumento, embora conclusivo, não é restrito à idade em questão. Provavelmente, ambas as interpretações sejam verdadeiras e a evidência é completa no sentido em que a morte física não é a penalidade pelo pecado pessoal, mas, antes, a penalidade pela participação, no sentido federativo, no pecado de Adão. O versículo 14 fecha com a declaração de que Adão é a figura ('tipo') de Cristo que estava para vir. Uns poucos fazem com que isto seja o segundo advento, sentido em que Cristo ainda está por vir. Deve ser lembrado que o primeiro advento foi a real esperança vital e no período em questão. Os rabinos criam que o último Adão seria o Messias. Sem dúvida, o apóstolo cria nisso antes de conhecer Cristo como Salvador.

Versículos 15-19. "Mas não é assim o dom gratuito como a ofensa; porque, se pela ofensa de um morreram muitos, muito mais a raça de Deus, e o dom pela graça de um só homem, Jesus Cristo, abundou para com muitos. Também não é assim o dom como a ofensa, que veio por um só que pecou; porque o juízo veio, na verdade, de uma só ofensa para condenação, mas o dom gratuito veio de muitas ofensas para justificação. Porque, se pela ofensa de um só, a morte veio a reinar por esse, muito mais os que recebem a abundância da graça, e do dom da justiça, reinarão em vida por um só, Jesus Cristo. Portanto, assim como por uma só ofensa veio o juízo sobre todos os homens para condenação, assim também por um só ato de justiça veio a graça sobre todos os homens para justificação e vida. Porque, assim como pela desobediência de um só homem muitos foram constituídos pecadores, assim também pela obediência de um muitos serão constituídos justos."

Após ter afirmado a verdade de que Adão é um tipo de Cristo, o apóstolo Paulo enumera neste trecho certos paralelos e contrastes entre eles. O Dr. W. H. Griffith Thomas fez comentários sobre estes versículos, da seguinte forma:

OFENSA E DOM (v. 15). – Não há necessidade de considerar os versículos 13 a 17 como um parêntesis. É muito mais simples e mais natural considerar os versículos 15 e 16 como os detalhes da analogia mencionada em termos gerais nos versículos 12-14, e ficará muito mais claro e mais em harmonia com o argumento adotar a forma interrogativa nestes versículos e traduzi-los assim: "Mas como a ofensa, também não será o livre dom?" Se Adão é um tipo de Cristo não haverá alguma correspondência entre a queda de um e o livre dom do outro? Certamente eles se assemelham um ao outro em seus efeitos de longo alcance, pois se pela queda de um os muitos conectados com ele foram envolvidos na morte, é muito mais fácil crer que pelo livre sacrifício de um homem, Jesus Cristo, o favor amoroso e o seu dom de justiça fossem abundantes sobre os muitos conectados com Ele.

CONDENAÇÃO E JUSTIFICAÇÃO (v. 16). – Além disso, a nossa tradução é por meio de uma pergunta: "E o dom não será mesmo como foi por aquele que pecou?" Isto quer dizer: Não há uma correspondência entre o dom de Deus e a ruína do homem pelo fato de ser causada pela agência que originou um homem? Pois de fato o livre dom que levou a uma justa absolvição do homem foi ocasionado por muitos pecados; o julgamento que levou à condenação foi ocasionado pelo único ato de um homem.

MORTE E VIDA (v. 17). – Há uma correspondência indubitável aqui, pois se pela virtude de que um único pecado de um homem, o reino da morte foi estabelecido através da agência de um homem, é muito mais fácil crer que um reino de espécie muito diferente (isto é, mais em harmonia com o coração de Deus) será estabelecido através da agência de um homem, Jesus Cristo. ...Naturalmente, há contrastes notáveis entre o pecado de Adão e a obra de Cristo, mas os reais contrastes fortalecem o argumento para a analogia que e o grande ponto que Paulo deseja enfatizar. A primeira semelhança entre Adão e Cristo é que em ambas, a *Queda* e a *Redenção*, temos os efeitos de longo alcance, pois em ambas "os muitos" estão envolvidos (v. 15). A segunda semelhança é que em ambas o resultado é introduzido através da agência de "um homem" (vv. 16,17).

OFENSA E JUSTIÇA (v. 18). – Agora diversos pontos de comparação são juntados numa conclusão. De um lado, temos como causa um pecado, e o efeito extensivo a todos os homens para condenação. Do outro lado, temos como a causa uma sentença justa de absolvição, e o efeito extensivo a todos os homens para uma justificação que leva consigo a vida. Essas diferenças, contudo, somente fortalecem o argumento das correspondências, pois a graça é mais forte que o pecado. Se "os muitos" estiveram envolvidos no pecado e na morte através da agência de um homem, Adão; "muito mais" podemos crer que "os muitos" estarão envolvidos em justificação e vida através da agência de um homem, Jesus Cristo.

Desobediência e Obediência (v. 19). – Um ponto de comparação está ainda incompleto. O pecado de Adão não foi contrastado com a obediência de Cristo, mas com a causa dessa obediência, a graça (v.15), e com o resultado dela, um dom (vv. 17, 18). Agora fica mostrado que esses efeitos foram trazidos por meio da obediência de Cristo, pois como através da desobediência de um homem, Adão, os muitos conectados com ele foram colocados na categoria do pecado, assim através da obediência de um homem, Jesus Cristo, os muitos conectados com Ele serão colocados na categoria da justiça.[346]

Versículo 20. "Sobreveio, porém, a lei para que a ofensa abundasse; mas, onde o pecado abundou, superabundou a graça."

Os dois aspectos consumados no versículo 20, a saber, a *desobediência de um homem*, e a *obediência de outro homem* (cada um sujeito à imputação como este contexto afirma), que são considerados aqui, podem levantar nos judeus a seguinte pergunta: "Se há somente uma condenação pelo pecado de Adão e uma justificação em Cristo, qual é a razão de ser da Lei?" A isto pode ser respondido, que a Lei entrou ('sobreveio', acima da verdade de que os homens já foram pecadores), que a ofensa poderia ser abundante, ou ser multiplicada. O reino da Lei começou no Sinai e terminou com a morte e ressurreição de Cristo. Foi um método *ad interim* "até que a semente viesse". É um método de trabalho temporário e nunca deveria ser tratado como o principal objetivo divino – como freqüentemente tem sido tratado. "A lei foi adicionada" (Gl 3.19).

Sobre a aparente justiça de introduzir aquilo que imediatamente aumenta a base da condenação, F. W. Grant escreve: "A lei foi adicionada para que a ofensa pudesse ser abundante: – Era isso necessário? alguém poderia perguntar: Não seria aumentar dificuldade sobre dificuldade – tornar maior a angústia que ela não podia aliviar? Assim, de fato, parecia, e não somente parecia, mas era realmente assim: a lei, como veremos plenamente no argumento do capítulo sete, por sua real oposição ao mal inato, somente o despertou para uma atividade plena e lhe comunica uma nova força: "a força do pecado é a lei" (1 Co 15.56). Esta foi de fato sua missão; e se isso fosse tudo, seria apenas um desastre – uma real ministração da morte e da condenação! (2 Co 3.7, 9); mas ela veio, disse o apóstolo, para cumprir um propósito temporário, para tornar manifesta a condição desesperada do homem à parte da graça, quando cada ordem da parte de Deus faz surgir hostilidade do coração do homem contra ela: "A lei sobreveio para que a ofensa pudesse ser abundante".[347] Mas onde o

O Escopo da Doutrina da Imputação

pecado foi assim multiplicado, a graça superabundou. A doença foi trazida para a superfície em atos manifestos. As duas palavras traduzidas como *abundar* são muito diferentes no original. O pecado foi multiplicado, mas a graça superabundou.

Versículo 21. "Para que, assim como o pecado veio a reinar na morte, assim também viesse a reinar a graça pela justiça para a vida eterna, por Jesus Cristo nosso Senhor."

Na conclusão desta discussão, o apóstolo novamente reafirma o contraste – o pecado reinou na morte; a graça reina em vida. Assim o último contraste é feito e entre a *morte* e a *vida* – a primeira através de Adão, e a última através de Cristo. Como sempre acontece na Bíblia, o quadro escuro do pecado é pintado somente para que as glórias da graça salvadora de Deus possam ser mais claramente vistas. O quadro pintado por Besse é: "*Pecado, morte, graça, justiça, vida*. Estes cinco permanecem assim: A graça surge mais alta no meio; os dois gigantes conquistadores, o pecado e a morte, à esquerda; o prêmio duplo da vitória, a justiça e vida, à direita; e sobre o nome sepultado de Adão a glória do nome de Jesus floresce".[348]

Como um comentário adicional sobre este contexto, as observações acrescidas por Jamieson, Fausset e Brown em seu *Commentary* (*in loc.*) e no final de sua exegese de Romanos 5.12-21, elas são reproduzidas plenamente aqui:

Quando revemos esta seção áurea de nossa epístola, as seguintes observações adicionais ocorrem: (1) Se esta seção não ensina que a totalidade da raça de Adão, que permanece nele como o seu cabeça federal, "pecou nele e caiu com ele em sua primeira transgressão", podemos ficar sem esperança de encontrar qualquer exposição inteligível dela. O apóstolo, após dizer que o pecado de Adão introduziu a morte no mundo, não diz "e assim a morte passou a todos os homens porque Adão "pecou" mas "porque *todos pecaram*". Assim, de acordo com o ensino do apóstolo, "a morte de todos é pelo pecado de todos"; e como isto não pode significar os pecados pessoais de cada indivíduo, mas algum pecado do qual as crianças inconscientes são culpadas como os adultos, nada pode significar além de uma "primeira transgressão" do cabeça comum deles, considerado como *o pecado de cada membro* da raça, e punido, como tal, com a morte. É debalde recuar nessa imputação da culpa do primeiro pecado de Adão, como possuidor da aparência de *injustiça*. Pois não somente todas as outras teorias são sujeitas à mesma objeção, de alguma outra forma – além de serem inconsistentes com o texto – mas os fatos reais da *natureza humana*, que ninguém discorda, e que não podem ser explicados, envolvem essencialmente as mesmas dificuldades como o grande princípio sobre o qual o apóstolo aqui lhes explica. Se admitimos esse princípio, sob a autoridade do apóstolo, uma imensidão de luz é imediatamente lançada sobre certos aspectos do procedimento divino, e de certas porções dos oráculos divinos que, de outro modo, estariam envolvidas em obscuridade; e se o próprio princípio parece difícil de digerir, ele não é mais difícil do que a *existência do mal*, que, como um fato, que não admite contestação, mas, como um aspecto da administração divina, que não admite explicação no presente estado de coisas. (2) O que é chamado *pecado original* – ou aquela tendência depravada para o mal em cada filho de Adão que vem ao mundo – não é formalmente tratado nesta seção (e mesmo no cap. 7 é antes sua natureza e operação do que sua conexão com o primeiro pecado que são tratados). Mas indiretamente, esta seção dá testemunho dele; e apresenta a única ofensa original, diferentemente de outra qualquer, como uma *vitalidade duradoura* no seio de cada filho de Adão, como um princípio de desobediência, cuja virulência tem adquirido o nome familiar de 'pecado original'. (3) Em que sentido a palavra *morte* é usada por toda esta seção? Não certamente como mera morte *temporal*, como os comentadores arminianos afirmam. Pois se Cristo veio para anular o que Adão fez, que está abrangido na palavra "morte", conseqüentemente aconteceria que Cristo meramente dissolveu a sentença pela qual a alma e o corpo são separados na morte; em outras palavras, meramente procurou a ressurreição do corpo. Mas através de todo o Novo Testamento se ensina que a salvação de Cristo é de alguma coisa muito mais abrangente do que a "morte". Mas nem a morte é aqui usada meramente no sentido de mal *penal*, i.e., "qualquer mal imposto como punição pelo pecado e para o suporte da lei" (Hodge). Isto é muito indefinido, e torna a morte uma mera figura de linguagem para denotar "o mal penal" em geral – uma idéia estranha à simplicidade da Escritura – ou ao menos torna a morte, estritamente chamada, somente uma parte da coisa significada por ela, de que não se deve lançar mão, se uma explicação mais simples e natural pode ser encontrada. Por "morte" então, nesta seção, nós entendemos a *destruição* do pecador, no único sentido em que ele é capaz dela. Mesmo a morte temporal é chamada "destruição" (Dt 7.23; 1 Sm 5.11), pois extingue tudo o que os homens consideram como vida. Mas uma destruição estende-se à *alma*, assim como ao corpo, e *num mundo futuro*, é claramente expressa em Mateus 7.13; 2 Tessalonicenses 1.9; 2 Pedro 3.16. Esta é a morte "penal" de nossa seção, e nessa visão dela nós retemos o seu sentido próprio. A Vida – como um estado de aprazimento do favor de Deus, de pura comunhão com Ele, e uma sujeição voluntária a Ele – é uma coisa maligna a partir do momento em que o pecado é encontrado no ser humano; nesse sentido, a ameaça "no dia em que comeres certamente morrerás" foi levada a efeito em morte imediata no caso de Adão quando ele caiu, que estava desde aquela altura "morto mesmo enquanto vivia". Assim acontece com toda a sua posteridade desde o nascimento. A separação da alma e corpo na morte temporal leva a "destruição" do pecador a um estágio mais adiante, e dissolve sua conexão com aquele mundo do qual ele extraiu uma existência de prazer, embora despezível, que o levou à presença do seu Juiz – primeiramente como um espírito desincorporado, mas depois no corpo também, numa condição duradoura – "para ser punido (e este é o estado final) com *destruição* eterna da presença do Senhor, e da glória do seu poder". Essa extinção final na alma e corpo de tudo o que constitui a vida, mas ainda uma consciência eterna de uma existência maligna – isto, em seu sentido mais amplo e mais terrível, é a "MORTE"! Não que Adão tenha entendido tudo isto. É suficiente que ele tenha entendido o "dia" de sua desobediência como o período do término de sua "vida" de bem-aventurança. Nesta simples idéia estava envolto todo o restante. Mas não era necessário que ele compreendesse todos os *detalhes*. Nem é necessário supor que tudo está implícito em cada texto da Escritura onde a palavra ocorre. É suficiente que tudo o que descrevemos esteja no seio da coisa, e seja realizada em tantos quantos não são os felizardos do reino da Graça. Sem dúvida, tudo isso se encontra nessa passagem sublime e abrangente: "Deus... deu o seu Filho... para que todo o que nele crê *não pereça, mas tenha a vida eterna*" (Jo 3.16). E será que os horrores indizíveis dessa "MORTE" – já reinam sobre todos os que não estão em Cristo, e se apressam para a sua consumação – aceleram o nosso vôo para "o segundo Adão", que por termos "recebido a abundância da graça e do dom da justiça, possamos reinar em VIDA por meio de um, Jesus Cristo"?[349]

II. As Teorias da Imputação

Como poderia ser esperado, o contexto – Romanos 5.12-21 – tem extraído muitas interpretações desse ensino a respeito da *imputação*. Alguns têm andado em estranhos caminhos de especulação. É essencial que o estudante esteja informado a respeito dos conceitos mais gerais que os homens têm desenvolvido. Uma breve introdução ao estudo de Romanos 5.12-21 e um sumário (condensado) desse grande campo da verdade, como foi fornecido em *The International Revision Commentary*, editado pelo Dr. Philip Schaff, e acrescentado aqui em sua forma total:

O domínio universal do pecado e da morte sobre a raça humana é um fato claramente ensinado pelo apóstolo aqui, e diariamente confirmado pela nossa experiência religiosa. Esse domínio se estende a uma linha contínua desde os nossos primeiros pais, assim como a transgressão de Adão permanece numa relação causal com a culpa e o pecado de sua posteridade. O apóstolo presume essa conexão, a fim de ilustrar a verdade bendita, de que o poder e o princípio da justiça e vida remontem a Jesus Cristo, o segundo Adão. Conquanto explicada, a existência do pecado permanece uma realidade teimosa e terrível. Menos ainda pode ser explicada pela negação do paralelo, todavia contrastados, exceto os fatos que estão proeminentes na mente do apóstolo por toda esta seção. Os pontos importantes que ele assevera, e que, portanto, devem fazer parte de qualquer teoria consistente em relação à sua visão sobre o pecado original, são: (1.) Que o pecado de Adão foi o pecado de toda a sua posteridade (veja v.12); e em que sentido isto é verdade, deve ser determinado pela passagem como um todo. (2.) Que há um paralelo e um contraste entre a conexão de Adão e sua posteridade com Cristo e seu povo (veja vv. 14-19). (3.) Que este paralelo se aplica ao ponto que foi plenamente discutido na parte anterior da epístola, a saber, que os crentes são contados como justos (veja vv. 12-18). (4.) Que a conexão com os dois cabeças representantes da raça tem resultados morais; que a culpa e o pecado, justiça e vida, estão conectados inseparavelmente (veja vv. 17-19).

As várias teorias podem ser revistas à luz destas posições:

I. A TEORIA DOS PANTEÍSTAS E DOS NECESSITARIANOS, que considera o pecado como um atributo essencial (uma limitação) do finito e destrói o antagonismo radical entre o bem e o mal, e não tem algo em comum com as idéias que Paulo tem do pecado ou da graça.

II. A HERESIA PELAGIANA dissolve a queda de Adão num ato de desobediência infantil e comparativamente trivial, que estabelece um mau exemplo. Ela sustenta que toda criança é nascida inocente e perfeita, embora tão falível como Adão quando criado. Essa idéia não explica coisa alguma, e virtualmente nega todas as asserções feitas nesta seção. Suas afinidades, lógica e historicamente, são com o socianianismo e com as variadas formas de racionalismo. Ela, e qualquer outra teoria que nega a conexão com Adão, falha em responder à grande questão com respeito à salvação daqueles que morrem na infância. Tais teorias logicamente as excluem do céu dos redimidos, seja por negar a necessidade que elas têm de salvação, seja por rejeitar o único princípio de acordo com o qual tal salvação, se necessária, seja possível, a saber, a imputação.

III. A TEORIA DE UMA QUEDA PRÉ-ADÂMICA de todos os homens, que sugere a preexistência de almas, como foi sustentado por Platão e Orígenes, é pura especulação, e inconsistente com o versículo 12, assim como com Gênesis 3. Ela é incidentalmente oposta ao capítulo 9.12.

IV. A TEORIA AGOSTINIANA OU REALISTA sustenta que a conexão entre Adão e sua posteridade era tal que por sua transgressão individual ele corrompeu a natureza humana, e a transmitiu neste estado corrupto e culpado a seus descendentes por geração física, de forma que houve uma participação impessoal e inconsciente de toda a raça humana na queda de Adão. Há esta diferença, entretanto: a transgressão individual de Adão resultou numa natureza pecaminosa; enquanto, no caso de seus descendentes, a natureza pecaminosa ou depravada resulta em transgressão individual. Esta idéia concorda de modo geral com a exegese gramatical do versículo 11, mas o próprio Agostinho incorretamente explicou "porque" como "em quem", i.e., Adão. Ela aceita, mas não explica, a relação entre o gênero e a espécie. Igual a todos os outros assuntos ligados à vida, ela nos confronta com um mistério...

V. A TEORIA FEDERAL de uma representação vicária da raça por Adão, em virtude de um pacto (*faedus*, daí "federal") feito com ele. Ele supõe um pacto (unilateral), chamado pacto das obras (em distinção do pacto da graça), para que Adão pudesse permanecer em prova moral em favor de todos os seus descendentes, de forma que o seu ato de obediência ou desobediência, com todas as suas conseqüências, pudesse ser contado como deles, exatamente como a justiça do segundo Adão é contada como se fosse do seu povo. Essa transação, porque é *unilateral*, encontra a sua base final no prazer soberano de Deus. Ele é uma parte do sistema teológico desenvolvido na Holanda, e basicamente incorporado nos padrões da Assembléia de Westminster. Todavia, aqui, também uma distinção tem de ser feita.

1. Os fundadores e principais advogados do esquema federal combinaram com a visão agostiniana de uma participação inconsciente e impessoal de toda a raça humana na queda de Adão, e assim fizeram a imputação repousar sobre bases éticas assim como legais. Esta visão, que difere muito ligeiramente do ponto IV, parece estar de melhor acordo com os quatro pontos principais desta seção, visto que ele reconhece Adão como ambos, cabeça natural e federal da raça.

2. A escola *puramente federal* sustenta que, em virtude de Adão ser o cabeça federal, com base num acerto soberano, o seu pecado e culpa são com justeza imputados direta e imediatamente à sua posteridade. Isso estabelece o paralelo exato entre Adão e Cristo, no assunto da imputação do pecado e da justiça. "Em virtude da união entre ele e seus descendentes, o seu pecado é a base judicial da condenação da raça, exatamente como a justiça de Cristo é a base judicial da justificação do seu povo." Esta visão não nega que Adão é o cabeça natural da raça, mas assevera que "sobre e além desta relação natural que existe entre um homem e sua posteridade, havia uma constituição divina especial pela qual ele foi apontado como cabeça e representante de toda a sua raça".[350]

VI. Em agudo contraste com esta última teoria, os teólogos mais recentes dos Estados Unidos rejeitaram virtualmente a teoria da imputação. Eles "sustentam que a pecaminosidade dos descendentes de Adão resulta na infalível certeza (embora não de necessidade) de sua transgressão; enquanto uma classe sustenta a depravação hereditária anterior à escolha pecaminosa, a outra classe ensina que a primeira de todas as escolhas morais é universalmente pecaminosa; todavia, com o poder de escolha contrária. Quando consistentemente sustentada, ela nega que o "todos pecaram" (versículo 12) se refere ao pecado de Adão, e toma-o como equivalente ao perfeito: "todos têm pecado", a saber, pessoalmente com o primeiro ato responsável.

VII. As Teorias Semi-Pelagiana e a congênere Arminiana, embora difiram uma da outra, concordam em admitir a unidade adâmica, e a respeito dos efeitos desastrosos da transgressão de Adão, mas consideram a corrupção hereditária como um mal ou infelicidade, não propriamente como pecado e culpa, que de si mesma nos exponha à punição. O arminianismo, contudo, sobre este ponto, inclina-se para o agostinianismo mais do que o semi-pelagianismo. Este último falha em dar força plena à linguagem do apóstolo nesta seção, e simpatiza-se com o seu profundo senso de culpa e pecaminosidade do pecado. Nenhum dos advogados dessas teorias apresenta afirmações explícitas e uniformes sobre esse ponto doutrinário.

Essas teorias que parecem manter muito próximas ao sentido gramatical das palavras do apóstolo, envolvem mistérios de fisiologia, psicologia, ética e teologia. Fora da revelação somos confrontados com o fato inegável, obstinado e terrível do domínio universal do pecado e da morte sobre toda a raça, que inclui tanto infantes quanto adultos. Nenhum sistema de filosofia explica isto; fora da redenção cristã, o mistério é totalmente de obscuridade, sem a luz do maior mistério de amor. Conseqüentemente, a sabedoria de seguir tão próximo quanto possível as palavras que revelam a cura, à medida que tentamos penetrar a escuridão que envolve a origem da enfermidade. Tanto mais quando o propósito óbvio do apóstolo aqui é destacar devidamente a pessoa e obra do segundo Adão. Aqui somente podemos encontrar qualquer solução prática para o problema a respeito do primeiro cabeça da raça; somente aqui percebemos a alegação triunfante da justiça e misericórdia de Deus. A melhor ajuda para a unidade na doutrina do pecado original será por experiências mais amplas de "muito mais" que é a nossa porção em Cristo Jesus. Somente quando formos assegurados da justiça e vida nEle, poderemos destemidamente enfrentar o fato do pecado e da morte em Adão.[351]

III. O Remédio Divino para a Imputação do Pecado

A cura divina para essa fase do pecado adâmico, que é atribuído a todos os seres humanos por uma imputação *real*, e resulta na morte física deles, aparece numa seqüência de realizações divinas que são finalmente consumadas na disposição completa da própria morte. Por ser um julgamento divino que foi imposto sobre a raça humana subseqüente à criação, a morte é estranha ao primeiro estágio do plano divino para esta terra. Como criado, o homem era tão durável quanto os anjos. Embora alguns dos anjos tenham pecado, não foi agradável para Deus impor a sentença de morte sobre eles. O julgamento deles é de outra forma. O primeiro anjo que pecou não era o cabeça federal de outros anjos, nem há entre eles qualquer procriação com o problema da hereditariedade. Portanto, não poderia haver uma experiência paralela com respeito ao julgamento de Deus, por causa do pecado, estabelecido entre a raça humana e os anjos.

Deve ser observado, contudo, que como a cura divina para o pecado humano se estende à criação da terra, a morte é agora a porção da criatura como é a porção do homem. As Escrituras predizem o dia vindouro quando a morte será banida do universo para sempre. O apóstolo Paulo declara que, como um resultado do reino milenar de Cristo sobre a terra, a morte, o último dos inimigos da criação de Deus a ser destruído, desaparecerá para sempre (1 Co 15.26). Semelhantemente, o apóstolo João, quando enumerava as coisas que – embora caracterizassem a presente ordem – estarão ausentes da ordem final e futura, escreve estas palavras enfáticas: "e a morte já não existirá" (Ap 21.4). Após aquele tempo, está implícito que nenhuma coisa viva, inclusive os indivíduos não-regenerados da raça humana, por ressuscitarem, como de fato serão, terão qualquer promessa de alívio do estado deles através da morte. Ao voltar a nossa atenção agora para os vários e progressivos aspectos do método divino de tratar com a morte física, pode ser observado:

1. A MORTE DE CRISTO. O estudante de teologia que é cuidadoso, quando examina as Escrituras, logo se torna consciente da necessidade imperativa de fazer diferença entre a morte física e a espiritual, e em nenhum aspecto deste grande tema é a mente humana mais impotente do que quando considera a morte de Cristo à luz dessas distinções. Não pode haver dúvida a respeito da morte física de Cristo, ainda que Ele, em sua humanidade, por não estar caída, de nenhum modo encontrava-se sujeito à morte; nem Ele, em sua morte, viu corrupção (Sl 16.10); nenhum dos seus ossos foi quebrado (Jo 19.36). Por outro lado, a morte de Cristo foi um julgamento completo da natureza pecaminosa por todos os que são regenerados, e Ele, como substituto, suportou uma condenação que nenhum mortal pode compreender, penalidade essa que penetrou as esferas da morte espiritual – separação de Deus (cf. Mt 27.46). Em sua morte, Ele recuou, não do sofrimento físico, nem da experiência de abrir mão do seu corpo físico, mas, quando contemplou o lugar de um portador do pecado e por causa da antecipação de ser *feito* pecado por nós, Ele pediu ao Pai para passar dEle o cálice. A morte de Cristo foi totalmente em favor de outros; todavia, enquanto ambos os aspectos da morte física e espiritual foram exigidos naquele sacrifício que Ele proporcionou, não foi dado ao homem, quando considera a morte de Cristo, separar esses dois, um do outro.

2. AS CHAVES DA MORTE. Através de sua morte e ressurreição, Cristo tornou-se possuidor das "chaves da morte". Que Ele não havia antes de sua morte lutado contra essa autoridade específica de Satanás está insinuado nestas palavras: "...para que pela morte derrotasse aquele que tinha o poder da morte, isto é, o Diabo" (Hb 2.14); contudo, após a sua ressurreição e ascensão, Ele falou do céu: "...e o que vivo; fui morto, mas eis aqui estou vivo pelos séculos

dos séculos; e tenho as chaves da morte e do Hades" (Ap 1.18). A anulação do Filho de Deus desta grande autoridade que havia sido dada a Satanás está de acordo com a palavra de Cristo de que "todo poder me é dado no céu e na terra", e representa uma transferência de autoridade que significa muita coisa para cada membro desta raça condenada à morte.

3. A Morte e os Não-Salvos. Seja o que for que esteja disponível aos não-salvos como um alívio do pecado e seus julgamentos através da graça salvadora de Deus, eles permanecem em escravidão ao pecado e sob a sentença de morte em todas as suas formas até que sejam salvos – se é que serão salvos. A respeito da morte física, e a penalidade para o homem que partilha do pecado de Adão, eles permanecem separados de Deus; com respeito à segunda morte, eles são condenados à separação eterna de Deus. Grande, de fato, é a necessidade que eles têm do Salvador!

4. A Morte e o Cristão. Este tema extenso pertence à divisão posterior deste trabalho. Pode ser dito, entretanto, que, embora a morte como o único modo de abandonar este mundo, ela continua a existir mesmo para o cristão até a vinda de Cristo, e o seu aspecto de julgamento é retirado para sempre. Dos cristãos é dito: "Já agora nenhuma condenação há para os que estão em Cristo Jesus" (Rm 8.1), e para o cristão a morte é descrita como um sono no que respeita ao corpo, e como uma ausência para estar com Cristo no que respeita à alma e espírito.

5. A Morte e o Milênio. Apenas uma passagem parece dar suporte a esta parte da doutrina da cura divina para a morte física dentro do reino de mil anos de Cristo sobre a terra. Em Isaías 65.20 está escrito e muito evidentemente fala da era vindoura do reino: "Não haverá mais nela criança de poucos dias, nem velho que não tenha cumprido os seus dias; porque o menino morrerá de cem anos; mas o pecador de cem anos será amaldiçoado". Obviamente, a morte física é muito restrita na era de glória desta terra. De igual modo, é nessa mesma época que o Messias reinante será colocado para governar com toda autoridade e todo poder. "O último inimigo a ser destruído é a morte" (1 Co 15.24-26). Assim, o reino de maldição tão terrível e de um inimigo tão mortal, embora seja permitido continuar a sua influência maligna até sobre os redimidos e por todas as eras, é finalmente banido para sempre pela autoridade e poder irresistíveis do Filho de Deus.

Conclusão

Embora ambos surjam do pecado inicial de Adão e igualmente convirjam para cada membro de sua raça, deve ser mantida uma distinção crucial entre a natureza pecaminosa transmitida que é recebida *mediatamente*, e o pecado imputado que é recebido *imediatamente*. Deve ser observado, também que tanto a natureza pecaminosa quanto o pecado imputado, são distintos do pecado pessoal. Em um caso, a natureza para pecar não é o ato de pecar, e no outro caso, embora os homens sejam contados como individualmente responsáveis e sob a penalidade da morte física, por participarem naquilo que era – na experiência de Adão, um pecado pessoal – o pecado imputado, é dito nas Escrituras ser um pecado diferente e esta diferença é demonstrada com argumento extenso. Todavia, ainda resta tratar do campo das condições universais que devem ser reconhecidas no campo total da hamartiologia, a única categoria, a saber, o estado do homem sob o pecado.

CAPÍTULO XXI

O Estado do Homem "Debaixo do Pecado" e a sua Relação com Satanás

I. O Fato

A FRASE "DEBAIXO DO PECADO" ocorre apenas três vezes no Novo Testamento: "Pois quê? Somos melhores do que eles? De maneira nenhuma, pois já demonstramos que, tanto judeus como gregos, todos estão debaixo do pecado" (Rm 3.9); "...mas eu sou carnal, vendido sob o pecado" (Rm 7.14); "Mas a Escritura encerrou tudo debaixo do pecado, para que a promessa pela fé em Jesus fosse dada aos que crêem" (Gl 3.22); e com significação de longo alcance em cada caso. Romanos 3.9 e Gálatas 3.22, por fazerem referência ao estado do não-regenerado, são adequados para esta divisão da doutrina do pecado. A força dessa frase pode bem ser vista quando comparada com as expressões similares, *sob a lei* e *debaixo da graça* (Rm 6.14). A palavra *debaixo* usada nessas passagens não sugere meramente que um sistema – pecado, lei ou graça – mantém um domínio inerente sobre o indivíduo; ela antes sugere que, em adição ao domínio, há um reconhecimento divino de que o relacionamento é verdadeiro. Em matéria de supremacia, o reconhecimento de Deus é muito mais importante do que a mera força das circunstâncias emergentes de qualquer situação.

O homem, que tem estado sob condenação por causa do pecado desde o início da humanidade, está, no presente tempo (que entremeia os dois adventos de Cristo), sob um decreto divino e específico de condenação, e esta condenação é em si mesma a base necessária para as presentes ofertas da graça divina. Cada um dos três aspectos do pecado já considerados tem sido visto como universal em seu caráter, e o estado do homem "debaixo do pecado" não é exceção. Na verdade, é esse caráter universal que proporciona a base para o entendimento do significado exato da frase.

Que o estado do homem "debaixo do pecado" é peculiar à presente era é revelado em Romanos 3.9, e pela declaração há a demonstração de que os judeus e gentios não-regenerados estão agora na mesma posição com relação a Deus, igualmente caídos e condenados debaixo do pecado. Semelhantemente, o apóstolo declara que tanto judeus quanto gentios estão agora igualmente

O FATO

debaixo da mesma oferta do Evangelho, e para que somente por esse Evangelho, eles possam ser salvos. Lemos: "Porquanto não há distinção entre judeu e grego; porque o mesmo Senhor o é de todos, rico para com todos os que o invocam. Porque: Todo aquele que invocar o nome do Senhor será salvo" (Rm 10.12, 13; cf. At 15.9; Rm 3.22). Durante o período que vai de Abraão a Cristo, que nas Escrituras é caracterizado pela história judaica, o judeu com uma convicção sempre crescente asseverou a sua posição e importância superiores sobre os gentios, e com o mais pleno testemunho divino com respeito à sua posição superior.

Os israelitas foram e são o povo escolhido de Deus acima de todos os povos da terra (Êx 19.5; Dt 7.6, 7; 10.15; Sl 135.4). Deles o apóstolo declara: "os quais são israelitas, de quem é a adoção, e a glória, e os pactos, e a promulgação da lei, e o culto, e as promessas; de quem são os patriarcas; e de quem descende o Cristo segundo a carne, o qual é sobre todas as coisas, Deus bendito eternamente. Amém" (Rm 9.4, 5); mas dos gentios ele assevera: "...estáveis naquele tempo sem Cristo, separados da comunidade de Israel, e estranhos aos pactos da promessa, não tendo esperança, e sem Deus no mundo" (Ef 2.12). Dificilmente uma linguagem poderia servir tanto para demonstrar uma diferença maior entre dois povos do que está indicado nas passagens acima. Esta, na verdade, era a diferença divinamente assinalada entre judeus e gentios nos dois mil anos entre Abraão e Cristo.

Com base em seu lugar de privilégio, os judeus, longe de serem humildes por suas bênçãos, haviam desenvolvido um orgulho nacional e uma arrogância para com os gentios que os inclinou a recusar ter qualquer contato pessoal com um gentio, ou entrar em sua casa, e chegou a chamar o gentio de *cachorro*. Talvez nenhum judeu de sua geração tenha sido mais saturado deste preconceito impuro do que Saulo de Tarso; todavia, debaixo do poder transformador e iluminador do Espírito, Saulo se tornou Paulo o "apóstolo dos gentios", e a voz de Deus a lhe declarar a mensagem – naquele tempo mais revolucionária do que jamais poderia ser em qualquer outra época – de que não há agora "nenhuma diferença entre judeu e gentio". Há profecia abundante a anunciar o fato de que na vinda da era do reino os judeus novamente e para sempre serão divinamente exaltados acima dos gentios (Is 14.1, 2; 60.12).

Portanto, segue-se que, visto que nas eras passadas os judeus, por autoridade e designação divinas, sustentaram uma posição superior aos gentios, e visto que nas eras vindouras eles novamente serão exaltados acima de todos os outros povos, esta é a era, de fato singular, quando por autoridade e providência divinas, esta declarado que não há "diferença entre judeu e gentio". Os judeus nacionais e pactuais, que permanecem diante de Deus, são, no tempo presente, colocados de lado. O judeu agora não é instado a reconhecer o seu Messias, mas é convidado a crer no Salvador crucificado e ressuscitado.

A posição comum de judeus e gentios "debaixo do pecado" pode ser definida como aquela onde eles são ambos absolutamente condenados e totalmente sem mérito diante de Deus. Ao seguir imediatamente a afirmação de Romanos 3.9 de que tanto judeus quanto gentios estão todos "debaixo do pecado", o contexto continua a definir a condição condenável da totalidade da raça. Está escrito: "Não há justo, nem sequer um. Não há quem entenda; não há quem busque a Deus. Todos se extraviaram; juntamente se fizeram inúteis. Não há quem faça o bem, não há nem um só. A sua garganta é um sepulcro aberto; com as suas línguas tratam enganosamente; peçonha de áspides está debaixo dos seus lábios; a sua boca está cheia de maldição e amargura. Os seus pés são ligeiros para derramar sangue. Nos seus caminhos há destruição e miséria; e não conheceram o caminho da paz. Não há temor de Deus diante dos seus olhos" (Rm 3.9-18).

Com a mesma abrangência, incluindo tanto judeus quanto gentios, está declarado em João 3.18: "Quem crê nele não é julgado; mas quem não crê, já está julgado; porquanto não crê no nome do unigênito Filho de Deus". Em sua vaidade, os homens estão sempre inclinados a imaginar que o estado deles perante Deus pode ainda provar que, em algum grau, eles são aceitáveis. Contudo, Deus declara que eles *já* estão condenados, fato esse que deve acontecer, ao levá-los à desgraça eterna, a menos que, através da graça, sejam salvos.

Duas passagens declaram que a posição debaixo do pecado é devida a um decreto divino. Está escrito: "Mas a Escritura encerrou tudo debaixo do pecado, para que a promessa pela fé em Jesus Cristo fosse dada aos que crêem" (Gl 3.22). Romanos 11.32 apresenta uma afirmação paralela: "Porque Deus encerrou a todos debaixo da desobediência, a fim de usar de misericórdia para com todos". Em cada uma dessas passagens a posição descrita é como pertencente ao decreto divino. Na primeira passagem são as Escrituras que concluem que tudo está debaixo do pecado, enquanto que na outra passagem é dito que Deus encerrou todos na incredulidade. A palavra συγκλείω, aqui traduzida como *encerrou*, em Lucas 5.6 é traduzida *apanharam* e em Gálatas 3.23 é traduzida como *encerrados*, no sentido de ser restrito a limitações definidas.

Essas limitações, será ainda observado, são, em cada caso em questão, divinamente impostas. Como a justificação divina é a declaração pública feita por Deus sobre o fato de que o crente fica justificado à Sua vista, já que ele alcançou a justiça de Deus, por estar em Cristo, assim estar debaixo do pecado é estar não somente sem mérito diante de Deus, mas é ser declarado assim por Deus. Em Gálatas 3.22 o homem é dito ser restrito pelo decreto divino ao estado de ser sem mérito, a fim de que a promessa que é pela fé em Cristo Jesus – salvação totalmente e somente através do mérito do Salvador – possa ser dada àqueles que têm fé; e fé indicada aqui é o antípoda das obras meritórias. Semelhantemente, em Romanos 11.32, Deus encerrou todos na incredulidade, que é o antípoda da fé, para que eles pudessem se tornar objetos simples da misericórdia divina.

Enquanto esses textos enfatizam a remoção das bênçãos especiais que antes pertenciam aos judeus, é também verdade que os gentios, iguais aos judeus, estão agora debaixo do pecado, ainda que nenhuma bênção anterior fosse deles para ser confiscada. Deus deve remover tanto dos judeus quanto dos gentios cada vestígio de suposto mérito humano do ponto em questão, a fim de que possa ser claro o modo da misericórdia agir à parte de toda complexidade que surge quando dois princípios opostos – fé e obras – estão misturados. Esse privilégio imensurável de se alcançar todas as bênçãos divinas sob o princípio da fé à parte do mérito humano pode ser a porção de todos – judeus e gentios igualmente – e todos eles estão, sem exceção, encerrados debaixo do pecado.

II. O Remédio

O remédio para este estado de sem mérito e, portanto, sem esperança, é a graça salvadora de Deus através de Cristo em toda sua magnitude e perfeições. Isto foi sugerido nos textos citados acima. As duas posições – debaixo do pecado e debaixo da graça, com tudo o que essa graça assegura – são antagonismos tão distantes um do outro como o Ocidente está para o Oriente, como a santidade está para o pecado, e como o céu está para o inferno. Todos os homens foram colocados debaixo do pecado, declaram esses textos, com o fim de que a graça de Deus possa ser exercida em favor deles sem complicação ou restrição. Embora o benefício ao homem seja um conhecimento além do entendimento (não somente o pecado é perdoado de alguém que é salvo, mas ele é justificado *livremente* sem a mais leve compensação a Deus – Rm 3.24, e para permanecer em toda perfeição de Cristo – Ef 1.6; Cl 2.10); todavia, a vantagem de Deus na salvação de uma alma é ainda maior.

Satisfazer o amor de Deus é uma realização maior do que trazer bênçãos sem medida aos homens. Assim, o objetivo supremo na morte de Cristo é revelado. Por causa do amor infinito por homens perdidos, a satisfação do santo desejo de redimir – que é comum a todas as três pessoas da Trindade – constitui a razão suprema para o sacrifício divino. Que o amor do Pai poderia ser manifesto, ao dar seu unigênito Filho para que os homens pudessem ser salvos (Jo 3.16), que o Filho poderia ver o resultado do penoso trabalho de sua alma e ficar satisfeito (Is 53.11), e que pelo Espírito muitos filhos pudessem ser trazidos à glória (Hb 2.10) – são coisas de importância imensurável! Houve em Deus aquilo que nunca antes havia sido expresso, nem agora pode ser expresso à parte de sua graça redentora. As hostes angelicais e todas as inteligências criadas poderiam ter visto o poder de Deus, a sabedoria de Deus, e a glória de Deus reveladas na criação; mas, à parte da demonstração que o pecado e a redenção têm suprido, ninguém poderia ter concebido do amor e da graça de Deus como dirigidos aos pecadores merecedores do inferno.

Assim, fica revelado que a salvação é proporcionada e os seus benefícios inestimáveis assegurados não meramente como uma vantagem para os homens, mas como um benefício ainda maior para Aquele cujo amor infinito é, por meio disso, satisfeito. Para que aquele que é salvo pudesse realmente ser conformado

ANTROPOLOGIA

à imagem de seu Filho (Rm 8.29; 1 Jo 3.2) e ser uma apresentação imaculada de sua graça (Ef 2.7), Deus reservou cada aspecto da salvação para si próprio. "A Salvação é do Senhor" (Sl 3.8; Jn 2.9). Por ser como é, sobrenatural em cada uma de suas fases, ninguém poderia realizá-la, senão Deus.

Pode ser concluído, então, que os homens são perdidos, por estarem debaixo do pecado, o que significa estar sem mérito perante Deus nas questões relacionadas à própria salvação deles, ou eles são aperfeiçoados para sempre em Cristo pela graça salvadora de Deus, salvação essa que é divinamente assegurada para todos os que crêem.

Ser sem mérito em relação à salvação é não possuir algo que possa ser creditado a favor de alguém. Está de acordo com a razão humana supor que uma pessoa culta e moral teria alguma coisa que Deus pudesse aceitar e incorporar em sua obra salvadora, mas esse não é o caso. Estar debaixo do pecado não é somente ficar condenado desesperadamente por causa do estado pecaminoso, mas estar sem mérito, ou totalmente esvaziado de qualquer bem que possa ser creditado a favor de alguém. Em Romanos 11.32 o apóstolo afirma que "Deus encerrou a todos debaixo da desobediência", desobediência essa, como já foi visto em João 3.18, que é a base da presente condenação de todos os homens. É provável que a primeira reação do coração humano a essa revelação, de que Deus agora decretou que o bem que os homens crêem que possuem não resultará no aumento da conta deles.

Isto cria um sentimento de que Deus é injusto em rejeitar mesmo o bem que uma pessoa possa possuir. O homem não se acostumou a uma posição meritória pela disciplina do lar na infância, pelo reconhecimento das qualidades pessoais em todos os campos da educação, e pelas vantagens que lhe são creditadas na sociedade e no governo por causa de uma maneira correta de vida? O texto (Rm 11.32) continua a afirmar, somente que Deus encerrou a todos na desobediência, que é a condenação, mas que isto é feito, a fim de que "ele possa encerrar todos na misericórdia". A salvação pela graça está de acordo com um plano que está totalmente dentro de Deus e, portanto, nada pode incorporar, mesmo o mérito humano, em sua execução. Ele é um todo padronizado, completo em todas as suas partes, que procede de Deus e, por ser em si mesmo infinitamente perfeito, não deixa espaço para qualquer contribuição humana.

Uma ponte pode ser condenada quando há muita coisa de valor nela, e o engenheiro pode ter de determinar se ela deve meramente ser consertada, ao colocar algum suporte para as suas partes fracas, ou se deve ser derrubada para permitir uma estrutura totalmente nova. Uma coisa é certa: se a velha ponta é derrubada, suas partes boas não são deixadas intactas para serem incorporadas na nova estrutura. O que é bom é colocado com o que é mau. A salvação pela graça é a totalidade da estrutura totalmente nova na qual nenhuma bondade humana pode ser incorporada. Deus encerrou todos na desobediência, que é a derrubada da primeira estrutura sem levar em conta a sua dignidade relativa, a fim de que a sua muitíssima misericórdia, que proporciona uma estrutura de perfeição infinita, possa estar disponível para todos. Segue-se naturalmente que se alguém persiste em exigir que o seu próprio mérito lhe seja creditado, ele não pode ser salvo pela graça, visto que Deus não faz remendo em estruturas imperfeitas.

Na salvação dos homens, Deus empreendeu dois propósitos estupendos que tornam impossível a aceitação de qualquer remendo em estruturas imperfeitas. (a) Está declarado que, através da sua graça salvadora, o crente será conformado à imagem de seu Filho. Isto exclui qualquer mera revisão da velha criação. A esta altura nem a circuncisão nem a incircuncisão vale alguma coisa, mas somente uma *nova criação.* (b) A salvação tem como seu objetivo mais importante a demonstração perante todo o universo de seres da extraordinária graça de Deus. É verdade que os homens são salvos "para as boas obras" (Ef 2.10), e que Deus os amou a ponto de dar o seu próprio Filho para que eles não perecessem, mas tivessem vida eterna (Jo 3.16); porém, o motivo divino mais elevado na salvação dos homens é que, nas eras vindouras, a graça de Deus possa ser demonstrada perante todos os seres criados.

Se a salvação incorporasse qualquer fração do mérito humano, ela seria muito imperfeita como uma demonstração da graça de Deus. Assim, além disso, o verdadeiro propósito de Deus na salvação que impede o mero remendo de uma velha estrutura ou a recuperação de qualquer parte dela. Seria tolice, na verdade, afirmar que uma boa vida não seja mais benéfica para o Estado, para a sociedade, ou para um lar do que uma vida de obras más; mas esta questão sob discussão não envolve o Estado, a sociedade, ou o lar diretamente: é uma questão de tornar os pecadores aperfeiçoados, a fim de que eles venham desfrutar da presença de Deus no céu para sempre. O homem caído está condenado desde a raiz aos ramos. Ele ficará sem o crédito de nada do bem que imagina possuir. Tal suposto bem, quando muito, não seria da mesma qualidade da perfeição de Cristo, nem seria ele requerido, visto que o mérito de Cristo supre tudo o que um pecador poderia precisar. "Pelo que, se alguém está em Cristo, nova criatura é; as coisas velhas já passaram; eis que tudo se fez novo. Mas todas as coisas provêm de Deus, que nos reconciliou consigo mesmo por Cristo, e nos confiou o ministério da reconciliação" (2 Co 5.17, 18).

Observe a força da palavra tudo em cada um de seus usos nesta passagem. Na verdade, aquele que é salvo tem uma obrigação nova e sobre-humana de viver como alguém que é perfeitamente salvo em Cristo deveria viver; mas mesmo a fidelidade cristã, embora cheia de bênção para aquele que assim vive, não pode acrescer algo à nova criação produzida por Deus.

Será observado, contudo, que, visto que Deus é em si mesmo infinitamente justo, Ele não pode aceitar qualquer coisa que não seja perfeita à sua própria vista. Ele não pode basear a salvação de um pecador numa mera ficção; Ele, portanto, a baseia no mérito de seu Filho cuja perfeição é, através da graça infinita, tornada disponível para todo pecador. O pecador, então, em última análise, é salvo com uma base meritória, mas é o mérito dAquele que foi feito justiça de Deus para ele.

Nenhum equívoco da verdade do Evangelho é mais dominante do que o sentimento de que a graça de Deus que salva o perdido é um instrumento ajustável que se adapta aos variados graus da dignidade humana – que requer menos graça para salvar o indivíduo moralmente bom do que se requer para salvar o indivíduo moralmente mau. Todas essas concepções são baseadas numa idéia totalmente errônea de que os méritos ou obras humanas se juntam com a graça divina com a finalidade de salvar uma alma. Ao resistir a essa idéia, o apóstolo declarou: "Mas se é pela graça, já não é pelas obras; de outra maneira, a graça já não é graça" (Rm 11.6); "Ora, ao que trabalha não se lhe conta a recompensa como dádiva, mas sim como dívida; porém ao que não trabalha, mas crê naquele que justifica o ímpio, a sua fé lhe é contada como justiça" (Rm 4.4,5).

Assim, pode ser observado que a frase "debaixo do pecado" se refere a um estado do homem que é constituído por um decreto divino e que não prevaleceu em outra era além dessa, visto que por ela os judeus e gentios são igualmente nivelados na posição de objetos miseráveis da graça divina, para que venham a ser salvos por um princípio totalmente diferente daquele do reconhecimento divino e da aceitação do mérito humano. Deus empreende e assegura uma *nova criação* para a glória de sua graça. Assim, ele também é visto que encerrar todos na incredulidade é uma necessidade, se todos os seres humanos vão ser colocados diante de Deus como aqueles cuja estrutura meritória tem sido retirada e que são agora qualificados para receber como um dom de Deus tudo o que faz parte da nova criação. Ninguém, exceto Deus, pode produzir uma nova criação, e Ele pode empreendê-la somente porque o Seu Filho gerou o demérito dos pecadores e ofereceu-se a si mesmo sem mácula a Deus, para que o seu mérito pudesse estar disponível para eles.

A única atitude que uma pessoa sem mérito, debaixo do pecado, pode manter com razoabilidade perante tão grande e sobrenatural salvação, é confiar num outro que é poderoso para salvar e realizar *tudo*. Esta é a fé salvadora; e nada mais do que isso é exigido de qualquer pessoa não salva. Portanto, lemos em Gálatas 3.22: "Mas a Escritura encerrou tudo debaixo do pecado, para que a promessa pela fé em Jesus Cristo fosse dada aos que crêem".

III. A Relação dos Não-salvos com Satanás

O presente relacionamento dos não-regenerados com Satanás conforme descrito na Bíblia e quando acrescido dos quatro aspectos do pecado já mencionados, formam um quadro escuro. Nenhuma referência é feita aqui ao estado eterno daqueles que morrem sem a salvação que está em Cristo. Na verdade, poucos são os não-regenerados preparados para reconhecer o presente relacionamento deles com Satanás. Satanás é descrito como aquele que engana o mundo inteiro (Ap 12.9; 20.3, 8); e a incapacidade dos não-salvos de discernir a revelação a respeito deles próprios é o resultado desse engano satânico. Embora haja muitas passagens da Escritura que tratam do presente relacionamento dos não-salvos com Satanás, quatro apresentam esse importante conjunto de verdades em seus aspectos principais:

COLOSSENSES 1.13. "...e que nos tirou do poder das trevas, e nos transportou para o reino do seu Filho amado". Neste texto da Escritura está revelado que o poder salvador de Deus é exercido com o fim de que aqueles que são salvos sejam "libertos do poder das trevas". O cetro de autoridade e domínio de Adão (Gn 1.26-28) foi evidentemente entregue a Satanás em alguma medida e tem sido exercido por ele por direito de conquista. O homem caído deve ser resgatado do poder das trevas, que é o estado de todos os que não são salvos.

EFÉSIOS 2.1, 2. Ao escrever sobre o estado anterior daqueles que agora eram salvos, o apóstolo afirma: "Ele vos vivificou, estando vós mortos nos vossos delitos e pecados, nos quais outrora andastes, segundo o curso deste mundo, segundo o príncipe das potestades do ar, do espírito que agora opera ["energiza"] nos filhos da desobediência". A classificação "filhos da desobediência" refere-se à desobediência federal de Adão e inclui todos os não-regenerados como desobedientes e energizados por Satanás (observe o uso de ἐνεργέω tanto em Efésios 2.2 quanto em Filipenses 2.13).

2 CORÍNTIOS 4.3, 4. "Mas, se ainda o nosso evangelho está encoberto, é naqueles que se perdem que está encoberto, nos quais o deus deste século cegou os entendimentos dos incrédulos, para que lhes não resplandeça a luz do evangelho da glória de Cristo, o qual é a imagem de Deus." Esta passagem revela o fato de que os não-regenerados são restringidos por Satanás em sua capacidade de entender o Evangelho de Cristo. A eficácia dessa cegueira é logo percebida pelos ganhadores de alma.

1 JOÃO 5.19. "Sabemos que somos de Deus, e que o mundo inteiro jaz no Maligno." Uma tradução mais literal desenvolve a revelação de que os não-regenerados estão agora inconscientes de sua relação com Satanás. Eles estão como aqueles que são conduzidos sonolentos nos braços do Maligno.

Finalmente, o estado do homem não-regenerado pode ser resumido: (a) como sujeito à morte em todas as suas formas, por causa da participação no pecado de Adão; (b) como nascidos na depravação ou morte espiritual e separados para sempre de Deus, a menos que sejam regenerados pelo poder salvador de Deus; (c) como culpados de pecados pessoais, por ser cada um deles visto como pecaminoso perante Deus, como o primeiro pecado de Satanás ou o primeiro pecado de Adão; (d) como está debaixo do pecado, estado esse em que tanto judeu quanto gentio são agora colocados pelo decreto divino e no qual todo merito humano é desconsiderado, para que a graça salvadora de Deus possa ser exercida para com aquele que crê; e (e) por estarem debaixo da influência de Satanás que está em autoridade sobre eles, que os energiza, que os cega com relação ao Evangelho, e que os engana com respeito à verdadeira relação deles com ele.

O problema do alívio da imensurável tragédia do pecado nunca é resolvido pela minimização de qualquer aspecto do pecado; ele é resolvido por se descobrir um Salvador cuja salvação equivale às necessidades temporais e eternas.

CAPÍTULO XXII

O Pecado do Cristão e o seu Remédio

NENHUMA DIVISÃO na doutrina bíblica do pecado é mais extensa ou vitalmente mais importante do que aquela que analisa o pecado do cristão; todavia, será observado na Teologia Sistemática, como está demonstrado nas obras-padrão e como geralmente é ensinado nos seminários, que esse aspecto da doutrina não é reconhecido. A perda do estudante de teologia é muito grande, pois, quando graduado ou ordenado para o ministério da Palavra de Deus, ele é imediatamente constituído num médico de almas e a maioria daqueles a quem ele ministra será composta de cristãos que sofrem de algum dano espiritual que o pecado impõe a eles. Na verdade, qual cristão luta, como todos os cristãos, numa batalha simultânea em três frentes – o mundo, a carne e o diabo – e que freqüentemente, senão constantemente, não estão num estado de dano espiritual?

O próprio médico de almas não escapa desse conflito e, na verdade, triste é a sua situação, se ele ignora essas verdades essenciais com respeito ao pecado do cristão e a cura divinamente providenciada, a ponto de não poder diagnosticar a sua própria situação ou aplicar a cura para o seu próprio coração ferido! Embora o pastor seja um médico de almas, a sua primeira responsabilidade para com os outros é ensinar os membros do seu rebanho a respeito da totalidade da matéria do pecado que está relacionado ao cristão, para que eles próprios possam ser capazes de diagnosticar os seus próprios problemas e aplicar inteligentemente a cura divina aos seus corações. A Bíblia não propõe uma intervenção de um sacerdote humano intermediário ou o confessionário romano para um filho de Deus. Ela não propõe um pastor instruído e um mestre ou mesmo um ministério digno de sua parte nesse campo da verdade que diz respeito ao progresso espiritual, poder e oração daqueles remidos de Deus que estão comprometidos com o cuidado espiritual para ele.

A praga do pecado na experiência e no serviço cristão é algo trágico, na verdade, mas muito mais trágico ainda quando o pastor e as pessoas igualmente são ignorantes a respeito dos aspectos elementares dos passos divinamente revelados e bem definidos que devem ser tomados na cura do pecado pelos cristãos que são danificados pelo pecado!

Na abordagem desse grande tema, talvez se verificará a tendência de clarear esse aspecto da doutrina, se a relação do cristão com cada um dos quatro principais aspectos do pecado, for considerado separadamente.

Por causa de sua dessemelhança a Deus, o pecado pessoal é sempre igualmente pecaminoso e condenável, se ele for cometido pelo salvo ou pelo não-salvo, nem mesmo que houvesse algo providenciado em cada caso para a sua cura além da eficácia do sangue todo-suficiente de Cristo. Os homens não-regenerados "têm redenção" através do sangue de Cristo; a saber, o sangue foi derramado e sua aplicação salvadora e transformadora aguarda a apropriação pela fé. Em oposição a isto está escrito a respeito do cristão que "se andarmos na luz, como ele na luz está, temos comunhão uns com os outros, e o sangue de Jesus seu Filho nos purifica de todo pecado" (1 Jo 1.7). O mais significativo na verdade é o uso aqui do tempo presente. É enquanto o cristão anda na luz que ele tem tanto comunhão (com o Pai e com o seu Filho, cf. v. 3) e uma pureza completa pelo sangue de Cristo.

A limpeza, é evidente, depende do andar – como da comunhão – mas tudo o que o andar sugere deve ser discernido, se a doutrina envolvida não vai ser distorcida. O *andar na luz* não significa andar sem pecar; isto consistiria no *tornar-se* luz. Andar na luz é responder à Luz e ser guiado por ela – e *Deus é Luz* (v. 5). Dum modo prático, significa que quando a Luz, que é Deus, brilha no coração e revela o pecado ou a escuridão que ali está, o pecado é julgado e retirado por Sua graça e poder. Esta concepção está em harmonia com o versículo 9 que diz que "se confessarmos os nossos pecados, ele é fiel e justo para nos perdoar os pecados, e nos purificar de toda injustiça". O sangue de Cristo deve ser aplicado, e ele o é quando o cristão confessa o seu pecado a Deus. Deve ser observado, contudo, que embora o pecado seja sempre muito contagioso e a sua cura seja pelo sangue de Cristo somente, a avaliação divina e o conseqüente método de cura do pecado do cristão, por causa do seu relacionamento base com Deus, é muito diferente da avaliação divina do pecado das pessoas não-regeneradas que não mantêm tal relacionamento com Deus.

O perdão divino do pecado para os homens não-regenerados está disponível somente quando ele está *incluso* na soma total de todas as coisas que entram na salvação deles. Ao menos 33 empreendimentos divinos, inclusive o perdão, são operados simultânea e instantaneamente no momento em que o indivíduo é salvo e esta realização maravilhosa representa a diferença imensurável entre aqueles que são salvos e aqueles que não o são. Estão em grande erro e em desonra a Deus aqueles cujas definições presentes apresentam o cristão como diferente meramente em seus ideais, em sua maneira de vida, ou em seus relacionamentos externos, quando, na realidade, ele é uma nova criação em Cristo Jesus. Sua nova posição, por estar em Cristo, e toda mudança que é necessária, foram operadas para conformá-lo às novas posições e posses. O perdão, então, em seu aspecto posicional (Cl 2.13), é final e completo, e pode ser dito do cristão perdoado que "não há nenhuma condenação para aqueles que estão em Cristo Jesus" (Rm 8.1).

Contudo, esta é apenas uma parte de tudo o que Deus tem realizado na salvação do pecador. Os homens não-regenerados não são encorajados a buscar o perdão do pecado somente, ou qualquer outro aspecto individual da graça salvadora. Se eles asseguram o perdão, este deve vir a eles como uma parte do empreendimento divino total e incluso nele. O perdão de pecado e a salvação não são termos sinônimos. Por outro lado, quando o pecado entra na vida de um cristão, ele se torna uma questão de pecado e pecado somente que está envolvido. Os aspectos remanescentes de sua salvação são inalterados. Esta verdade está bem ilustrada no capítulo XVIII, em que o remédio para o pecado pessoal do não-regenerado é visto tanto como perdão quanto como justificação, isto é, não somente o perdão que cancela a ofensa, mas justificação que assegura uma posição perfeita diante de Deus. Nunca está implícito que o cristão deva ser justificado novamente após ele ter sido justificado por sua fé inicial em Cristo, mas que ele deve ser perdoado cada vez que peca. Assim, os termos de cura que são divinamente impostos respectivamente sobre esses dois grupos – os salvos e os não-salvos – devem ser diferentes, como de fato eles são.

A diferença entre o método divino de tratar com os pecados dos homens regenerados e o método divino de tratar com o pecado dos membros não-salvos da raça humana é uma distinção importante na doutrina que, se confundida, não pode resultar em algo além de uma tragédia espiritual para os envolvidos. A pregação da noção arminiana de que, por ter pecado, o cristão deve ser salvo novamente, tem gerado um dano indizível a milhões; mas mesmo um desastre maior tem sido trazido pela pregação descuidada e mal-orientada sobre o arrependimento aos não-regenerados como uma exigência divina separada da fé, da confissão de pecado como essencial para a salvação, e da reforma da vida diária como a base sobre a qual uma relação correta com Deus pode ser assegurada.

As Escrituras distinguem com grande clareza o método divino de tratar com os pecados dessas duas classes. Em 1 João 2.2 lemos: "E ele é a propiciação pelos nossos pecados, e não somente pelos nossos, mas também pelos de todo o mundo". Nenhuma consideração pode ser dada aqui à interpretação desta passagem que é oferecida pelos advogados da teoria da redenção limitada. Sem dúvida, a passagem estabelece um contraste vital entre "os nossos pecados", que poderiam não se referir aos da massa dos seres humanos não-regenerados, e "aos pecados de todo o mundo [*cosmos*]", classificação essa que certamente inclui mais do que os pecados da porção regenerada da humanidade, a menos que a linguagem seja forçada além da medida no interesse de uma teoria. Essa passagem é uma grande revelação para os homens não-regenerados. Mas quem pode medir o conforto ao coração partido e sangrando de um cristão quando é descoberto àquele coração que a pena do pecado deplorável já foi assumida por Cristo, e que, em base justa, o Pai é agora *propício* para com o santo sofredor – uma propiciação tão real e verdadeira que os braços do Pai se estendem para receber o cristão que retorna e, igual ao pródigo, faz uma confissão irrestrita de seu pecado.

Será lembrado que, de acordo com a exatidão infinita das Escrituras, o pródigo é beijado pelo pai, mesmo *antes* de qualquer confissão ser feita. Assim é revelado que o Pai é propício para com o filho pecador mesmo antes desse filho ter merecido alguma coisa, seja por arrependimento, restituição ou confissão. Quão persistente é o pensamento de que o coração de Deus deve ser amaciado pelas nossas lágrimas! Todavia, quão maravilhosa é a certeza de que Cristo já é a propiciação pelos nossos pecados!

Além disso, os primeiros cinco capítulos de Romanos apresentam o fato da posição do mundo não-regenerado perante Deus e demonstram a base do Evangelho da graça salvadora de Deus, mas os capítulos seis a oito são dirigidos para os homens regenerados e têm a ver com o problema de um andar santo e das provisões divinas para tanto. O problema do pecado que diz respeito aos crentes não é abordado nos primeiros cinco capítulos de Romanos, nem é qualquer aspecto da salvação dos incrédulos encontrado em Romanos, nos capítulos seis a oito. Semelhantemente, as porções exortativas de todas as epístolas são dirigidas àqueles que são salvos. Elas não poderiam ser dirigidas aos homens não-salvos, visto que a questão entre Deus e eles não é a respeito da maneira imprópria de se viver; é antes a respeito da recepção do dom da salvação através de Jesus Cristo, dom esse que é condicionado não com base de obras humanas ou mérito humano, mas sobre a fé salvadora em Cristo somente.

No caso do cristão, em contraste com o não-regenerado, o campo do possível pecado é muito aumentado. Por ter vindo ao conhecimento da verdade, o cristão, quando peca, ofende uma luz maior. Igualmente, ele peca contra Deus na esfera daquele novo relacionamento que existe entre um filho e seu pai. Será também visto que o cristão, por ser um cidadão do céu, é normalmente chamado para andar dignamente em sua vocação (Ef 4.1). Esse alto padrão não é menor do que o ideal da semelhança a Cristo. Está escrito: "Porque para mim o viver é Cristo, e o morrer é lucro" (Fp 1.21); "Tende em vós aquele sentimento que houve também em Cristo Jesus" (Fp 2.5); "Mas vós sois a geração eleita, o sacerdócio real, a nação santa, o povo adquirido, para que anuncieis as grandezas daquele que vos chamou das trevas para a sua maravilhosa luz" (1 Pe 2.9).

Tal idéia é totalmente desconhecida daqueles que não são regenerados e que constituem este mundo (*cosmos*). É razoável que as exigências que são impossíveis à capacidade humana sejam dirigidas ao cristão visto que ele está entregue ao Espírito Santo, cujo poder está sempre disponível; mas a escala para os possíveis fracassos está aqui, como nos exemplos citados acima, e é grande realmente. Que o modo de vida que torna o filho de Deus é sobrenatural, está constantemente implícito nas Escrituras que o guiam em sua maneira de viver. Está escrito: "...derrubando raciocínios e todo baluarte que se ergue contra o conhecimento de Deus, e levando cativo todo pensamento à obediência a Cristo" (2 Co 10.5); "...para que anuncieis as grandezas daquele que vos chamou das trevas para a sua maravilhosa luz" (1 Pe 2.9); "...sempre

ANTROPOLOGIA

dando graças por tudo a Deus, o Pai, em nome de nosso Senhor Jesus Cristo" (Ef 5.20); "Rogo-vos, pois, eu, o prisioneiro no Senhor, que andeis como é digno da vocação com que fostes chamados" (Ef 4.1); "...andai na luz" (1 Jo 1.7); "...andai em amor" (Ef 5.2); "...andai no Espírito" (Gl 5.16); "...não entristeçais o Espírito Santo de Deus" (Ef 4.30); "...não apagueis o Espírito" (1 Ts 5.19).

Uma responsabilidade maior da vida diária e do serviço, devido à posição elevada que ocupa, sugere que, na experiência comum, o cristão precisará recorrer constantemente ao recurso do perdão divino e precisará ser restaurado pela graça à comunhão divina. Por reconhecer essa necessidade imperativa, a Palavra de Deus apresenta o seu extenso ensino com respeito à cura do pecado do crente – uma doutrina que não tem paralelo na verdade que pertence ao não-regenerado.

Ao continuar a examinar a ênfase que é imposta sobre o cristão por causa de sua posição e dos seus relacionamentos, certos conflitos são enfatizados na luz que é comum a todos os que são salvos. É geral e devidamente ensinado que o conflito do cristão é triplo, a saber: (a) contra o mundo; (b) contra a carne; e (c) contra o diabo. Com isto é afirmado que o apelo do cristão ao mal surgirá de qualquer uma ou de todas essas três fontes. É de suprema importância, então, que o filho de Deus esteja inteligentemente cônscio do poder de cada uma dessas influências poderosas. Somente o tratamento mais restrito dessas forças pode ser empreendido aqui, e que está à luz do fato de que muitas coisas já foram escritas anteriormente sobre esses temas gerais.

I. O Mundo

Das três palavras gregas que são traduzidas como mundo, apenas uma – κόσμος – apresenta o pensamento de uma esfera de conflito. Esta palavra significa *ordem, sistema, regulamento*, e indica que o mundo é uma ordem ou sistema, mas em cada caso – e há muitos deles – onde o aspecto moral do mundo está em foco, este *cosmos* é dito ser oposto a Deus. Está declarado que teve a sua origem – em seu plano e ordem – com Satanás. Ele o promove e é o seu príncipe e deus. Este *cosmos* sistema é basicamente caracterizado por seus ideais e entretenimentos e estes se tornam numa fascinação para o cristão que está neste *cosmos*, embora não seja parte dele. Estes aspectos do *cosmos* freqüentemente são uma imitação falsa das coisas de Deus e em lugar algum o crente precisa da orientação divina mais do que quando ele tenta traçar uma linha de separação entre as coisas de Deus e as do *cosmos* de Satanás.

Em suas vastas realidades, as coisas de Deus são totalmente sem relação alguma com as de Satanás. É na linha divisória que Satanás confunde as coisas.

É de fato verdade, como já foi afirmado, que o crente está *no* mundo, mas não é *dele*. Por terem sido retirados do sistema do mundo pelo relacionamento da nova criação, os crentes não mais são uma parte do mundo, tal como Jesus, mas Cristo os enviou ao mundo da mesma forma que o Pai o havia enviado ao mundo, não para se conformar com ele, mas para ser testemunha nele (Jo 17.18). Somente um plano é providenciado para uma vitória sobre o mundo. Está afirmado em 1 João 4.4: ..."porque todo o que é nascido de Deus vence o mundo; e esta é a vitória que vence o mundo: a nossa fé". A referência aqui não é a uma fé vacilante no presente; o tempo passado é usado para a fé que identificou o crente com Cristo.

Assim, o apóstolo continua a dizer: "Quem é o que vence o mundo, senão aquele que crê que Jesus é o Filho de Deus?" (v. 5). Embora haja uma necessidade que é alegada ser uma experiência presente, a vitória é *Cristo*, e todos em Cristo já estão equipados pela habitação do Espírito para serem mais do que vencedores. O mundo apresenta um constante perigo para o filho de Deus e a sua responsabilidade na direção daquela forma de pecado que é a mundanidade e sempre uma realidade.

II. A Carne

A repetição deste assunto em vários pontos no sistema ordenado de doutrina é necessária e indica a sua grande importância. Em sua significação moral, ela denota aquela que é a real estrutura da pessoa não regenerada. Ela permanece como uma parte vital do ser da pessoa regenerada e é a ocasião para um conflito incessante contra a habitação do Espírito enquanto há vida no corpo mortal. Já foi mostrada a prova de que a carne, em sua importância moral, é incuravelmente má à vista de Deus. Dela todas as maneiras de maus pensamentos, desejos malignos, e ações malignas se originam. É somente quando o crente experimenta o poder restringente maior do poder do Espírito de Deus que ele será capaz de viver acima dos estímulos e inclinações da carne. Foi subseqüentemente à sua experiência da regeneração que o apóstolo testificou a respeito de si mesmo: "Porque eu sei que em mim, isto é, na minha carne, não habita bem algum" (Rm 7.18).

Ele também afirmou que a carne luta contra o Espírito e o Espírito contra a carne, e que estes estão sempre contrários um ao outro (Gl 5.17). Ele também listou "as obras da carne" (Gl 5.19-21). Será observado que tudo isto é somente um alívio – "Andai pelo Espírito, e não haveis de cumprir a cobiça da carne" (Gl 5.16). A passagem não é uma instrução a pessoas não-regeneradas, nem sugere que a natureza caída, que é o princípio do mal na carne, será erradicada. Deus não está propondo a erradicação da carne mais do que do mundo ou do diabo. O método divino é o mesmo em cada um desses conflitos. A vitória é ganha pelo poder superior e dominante do Espírito.

ANTROPOLOGIA

III. O Diabo

Na verdade, os três inimigos do cristão – o mundo, a carne e o diabo, estão intimamente relacionados. Especialmente relacionados estão o mundo, ou o sistema satânico, e Satanás que é o "deus" e "príncipe" desse sistema. Contudo, o mundo e a carne são influências impessoais, enquanto Satanás, o mais sábio de todos os seres criados, é pessoal. Ele é quem exercita μεθοδεία – o *engano das ilusões, embustes* ou *artifícios* – contra os filhos de Deus. Não há conflito algum entre os homens não-regenerados e Satanás; eles são *energizados* por ele (Ef 2.2). Por outro lado, o cristão está no centro da batalha mais terrível e sobrenatural. Ela é descrita em Efésios como uma *luta*. A palavra sugere um combate de vida e morte, corpo a corpo, pessoal e decisivo. Em última instância o poder de Satanás não é inspirado por qualquer inimizade contra os regenerados. A sua inimizade é contra Deus, como já foi visto desde a sua queda nas épocas desconhecidas do passado, e contra o crente somente com base no fato dele ser participante da natureza divina. Os "dardos inflamados" do maligno têm como alvo Deus somente. Possuir a presença habitadora e sem preço da natureza divina é se tornar tão identificado com Deus que o Seu inimigo se torna inimigo daquele que é salvo.

Portanto, é solene a revelação divina de que o mais sábio de todos os seres criados, e o mais poderoso deles, não cessa de estudar a tragédia que ele pode armar na vida do filho de Deus, e, se estivesse em seu poder, ele o traria à destruição. Quão despreocupados, inconscientes e ignorantes são os cristãos! Quão ingratos eles são, por causa do seu entendimento limitado, pois a libertação divina opera em seu favor todas as horas de todos os dias! Todavia, quanta derrota, especialmente no reino espiritual, é sofrida por todos aqueles que são salvos, por causa de sua falha em travar a batalha "na força do seu poder", que é o único modo de se ter vitória, e da falha em não se "revestir de toda armadura de Deus"! Nenhuma injunção mais vital jamais foi dirigida ao cristão do que aquela que ele deve "ser fortalecido no Senhor e na força do seu poder".

Ele deve revestir-se da armadura de Deus, para que possa permanecer firme contra as ciladas do diabo (Ef 6.10, 11 – sobre o significado de *ciladas* cf. Ef 4.14). A fé, já se viu, é o único modo de se ter vitória sobre o mundo e a carne, mas é igualmente certo e de acordo com a Palavra de Deus que a fé é o único modo de se ter vitória sobre o poder de Satanás. Quão certas são as palavras "maior é aquele que está em vós do que aquele que está no mundo" (1 Jo 4.4)! Mesmo o arcanjo Miguel, quando lutou contra Satanás, não o fez em sua força nem trouxe uma acusação contra Satanás, mas disse: "O Senhor te repreenda" (Jd 9). Tiago também afirma: "Resisti ao diabo e ele fugirá de vós"; mas esta é uma palavra de admoestação àqueles que se submeteram primeiro a Deus (Tg 4.7). Igualmente, Pedro declara com referência a Satanás: "...resisti-lhe firmes na fé" (1 Pe 5.9; cf. 2 Co 10.3-5; Fp 2.13; 4.13; Jo 15.5).

Totalmente à parte da experiência ou da opinião humana que é de uma natureza contrária, deve ser concluído que, em seu tríplice conflito, não há nada senão derrota e falha no caminho do cristão, se ele não buscar o caminho da fé ou da dependência do Espírito de Deus. O filho de Deus deve "combater o bom combate da fé". A sua responsabilidade não é guerrear contra os seus inimigos com a sua própria força, mas, antes, manter a atitude de fé sempre triunfante.

IV. Uma Provisão Tríplice

Ao reconhecer o conflito do crente enquanto vive neste mundo, em sua maravilhosa graça, Deus proporcionou uma tríplice prevenção contra o pecado do cristão. Se o cristão peca, será a despeito dessas provisões. Essas grandes exigências são uma revelação encontrada no Antigo Testamento, assim como no Novo Testamento.

1. A PALAVRA DE DEUS. O Salmista afirma: "Escondi a tua palavra no meu coração, para não pecar contra ti" (Sl 119.11), e em 2 Timóteo 3.16,17 está declarado que "Toda Escritura é divinamente inspirada e proveitosa para ensinar, para repreender, para corrigir, para instruir em justiça; para que o homem de Deus seja perfeito, e perfeitamente preparado para toda boa obra". E porque Sua Palavra permanece no crente, ele consegue realização espiritual (Jo 15.7). Há pouca esperança de vitória na vida diária daqueles crentes que, por serem ignorantes da Palavra de Deus, não conhecem a natureza de seu conflito ou da libertação que Deus proporcionou. Em oposição a isto, não há uma avaliação do poder santificador da Palavra de Deus. Nosso Salvador orou: "santifica-os na verdade; a tua palavra é a verdade" (Jo 17.17).

2. A INTERCESSÃO DE CRISTO. Além disso, o Salmista registra que "o Senhor é o meu pastor, nada me faltará" (Sl 23.1), e a revelação do Novo Testamento sobre a intercessão de Cristo é também grande o suficiente para incluir o seu cuidado pastoral. Pedro conheceu pouco do teste que esteve diante dele ou de sua própria lamentável fraqueza, mas Cristo a tinha previsto. Ele pôde dizer com certeza a Pedro: "orei por ti" (Lc 22.32), como de fato, Ele ora por todos a quem salvou. É provável que a sua oração sacerdotal, registrada em João 17, seja apenas o começo de sua oração por "aqueles que tu me deste", oração que agora continua incessantemente no céu. Com base nesta intercessão incessante, o crente é assegurado de sua segurança para sempre. Em Romanos 8.34 está escrito que nenhuma condenação há, visto que existem outras forças eficazes, porque Cristo faz intercessão por nós. De igual modo, o escritor aos Hebreus revela a verdade de que Cristo como sacerdote, em contraste com os sacerdotes condenados à morte da antiga ordem, nunca será outra vez sujeito à morte.

Ele, entretanto, tem um sacerdócio imutável e eterno; e, porque permanece para sempre como um sacerdote suficiente, é capaz de salvar eternamente (ou enquanto for um sacerdote) aqueles que vierem a Deus por Ele, visto que sempre vive para fazer intercessão por eles (Hb 7.23-25). Esta garantia de permanência duradoura, baseada como é na eficácia absoluta da intercessão de Cristo, é final e completa. Mas, como já foi visto, a intercessão de Cristo é sempre uma prevenção contra o fracasso assim como uma segurança para os filhos de Deus.

3. A Habitação do Espírito. Os santos da antiga ordem foram relembrados de que não "é pela força, nem por violência, mas pelo meu Espírito, diz o Senhor dos Exércitos" (Zc 4.6). Assim, como foi indicado anteriormente, cada defesa e proteção bem como cada vitória para o cristão dependem do poder do Espírito que habita em nós.

V. O Efeito Duplo do Pecado do Cristão

Em seus efeitos, o pecado do cristão atinge duas esferas, a saber, (a) ele próprio e (b) Deus. Não poderia haver dúvida alguma a respeito da importância relativa destes dois resultados do pecado do cristão. Aquilo que é evidentemente de menor importância será considerado primeiro.

1. O Efeito do Pecado do Cristão sobre Si Mesmo. Embora incluía em suas realidades tudo o que é experimental, esta fase da doutrina do pecado do cristão é secundária, na verdade, em relação aos aspectos determinantes e cruciais da doutrina do pecado que são confrontados, quando se estuda o efeito do pecado do cristão sobre Deus. A primeira epístola de João é a porção das Escrituras que registra o efeito danoso do pecado do cristão sobre si próprio. Nessa carta, os crentes são vistos como filhos da família de Deus, e o efeito do pecado sobre o filho de Deus é visto como se fosse, não a dissolução do fato duradouro da filiação, mas antes um dano àquelas experiências normais e relacionamentos, exaltados e gloriosos, que estão totalmente dentro do círculo familiar. A inexatidão de doutrina neste ponto não pode senão impor imensuráveis conceituações errôneas da verdade, e o dano será imposto dentro da esfera da experiência do crente, onde todo sofrimento espiritual se origina e se desenvolve. O apóstolo João enumera ao menos sete penalidades experimentais aflitivas que juntamente constituem o efeito do pecado do cristão sobre si próprio.

Primeira, a luz de Deus, que em condições normais vem sobre a mente do crente e sobre o seu caminho, torna-se em trevas (1 Jo 1.6). João insiste particularmente na verdade de que o crente pode andar tanto nas trevas quanto na luz. Enquanto ele anda na luz, outras realidades são asseguradas que entram na composição de sua bênção espiritual, mas especificamente o apóstolo afirma que quando andamos na luz não há ocasião para o tropeço (2.10).

Segunda, em 1 João 1.4 está implícito que o pecado no cristão resultará na perda da alegria. Esta alegria não é nada mais do que uma alegria celestial

O Efeito Duplo do Pecado do Cristão

de Cristo que nos é comunicada (Jo 15.11; Gl 5.22). A oração de Davi no meio de sua confissão de pecado foi: "Restitui-me a alegria da tua salvação" (Sl 51.12). Não é a salvação, mas antes a sua alegria normal e celestial que é perdida quando o cristão peca.

Terceira, a perda da comunhão com o Pai e com Seu Filho é inevitável para aqueles filhos de Deus que andam nas trevas. Por outro lado, a riqueza de sua presença é a experiência daqueles que andam na luz (1.3, 6, 7).

Quarta, a perda da experiência do amor divino comunicado será a porção daqueles cristãos que não guardam a Palavra de Deus e que amam este mundo (2.5,15-17; 4.12). O aperfeiçoamento da compaixão divina dentro do filho de Deus é um dos maiores temas desta epístola e a experiência do amor aperfeiçoado é suprema no meio de todo êxtase espiritual.

Quinta, a perda da paz, de acordo com 3.4-10, é outra penalidade que o crente deve sofrer quando peca. Esta passagem, considerada anteriormente, afirma que o cristão não pode pecar impiamente sem aquela angústia de coração que é a perda total da paz. É com base nesta reação ao pecado do cristão que ele é distinto daqueles que não são regenerados, que pecam impiamente e sem problema de consciência (3.10).

Sexta, a perda da "confiança" em Deus na experiência da oração é também certa para o crente que peca (3.19-22). Isto, na verdade, é sério, e é imediatamente a experiência consciente de todos os que falham em fazer a vontade de Deus.

Sétima, a perda da "confiança" na vinda de Cristo (2.28) deve ser prevista pelos cristãos que pecam. Ter "confiança" (4.17) ou ficar "envergonhado" na sua vinda são duas experiências possíveis amplamente separadas uma da outra.

A verdade com respeito à disciplina ou ao castigo do Pai sobre o filho teimoso – uma doutrina de grande importância e o seu entendimento é vital para todo cristão – poderia ser introduzida aqui com propriedade. Ela está reservada, entretanto, para o próximo capítulo que trata da punição divina onde alguma distinção vital deve ser feita mais demoradamente entre o castigo e a punição.

Outros aspectos de poder espiritual e de bênção que são sacrificados pelo cristão quando ele peca poderiam ser listados. Todos os frutos graciosos e os ministérios do Espírito Santo são impedidos quando o Espírito Santo é entristecido por causa do pecado. Por tudo isto pode ser visto que o pecado é uma tragédia de proporções imensuráveis na experiência do cristão. A cura que é proporcionada por Deus é tanto natural – em vista dos relacionamentos do crente na família de Deus – quanto explícita.

A responsabilidade que vem sobre o homem não-regenerado que se valeria do perdão de *todas* as transgressões e ser salvo é expressa em uma única palavra – *crer*, enquanto a responsabilidade que vem sobre o homem regenerado que seria perdoado e restaurado em suas relações corretas com Deus é expressa em uma única palavra – *confessar*. Estas duas palavras são

ANTROPOLOGIA

especificamente adaptadas à situação, relacionamentos e circunstâncias com os quais elas estão associadas. Uma confusão imensa segue-se quando aos homens não-regenerados é mencionado que *confessem* para receber o perdão e a salvação, confusão essa que é igualada quando é dito aos regenerados para *crer* como condição de assegurar uma renovação das relações corretas com Deus.

A hinologia algumas vezes é confusa neste ponto. Em alguns hinos, as palavras são colocadas nos lábios dos não-salvos que os encoraja a pensarem de si mesmos como viajores que se voltam para Deus. Como matéria de fato, o homem não-regenerado nunca esteve em qualquer relação favorável com Deus. Quando, como uma parte de sua salvação, ele é perdoado, esta é até agora uma *união* não-experimentada com Deus que dura para sempre; mas quando o cristão é perdoado ele caminha para uma restauração da *comunhão* com Deus que pode ser quebrada novamente. Os santos de todas as épocas têm retornado às bênçãos de sua relação de pacto com Deus pela confissão de seus pecados. Entretanto, isto está muito longe daqueles termos pelos quais eles entraram em pacto no princípio. A perda da bênção dentro do pacto é diferente, na verdade, da perda da relação de pacto em si mesma. No caso de um crente relacionado com Deus pelo novo pacto feito em seu sangue, a restauração à comunhão, como sempre, é pela confissão do pecado a Deus.

Lemos em 1 João 1.9: "Se confessarmos os nossos pecados, ele é fiel e justo para nos perdoar os pecados e nos purificar de toda injustiça". Semelhantemente, em 1 Coríntios 11.31, 32, é afirmado que "se nós nos julgássemos a nós mesmos, não seríamos julgados; quando, porém, somos julgados pelo Senhor, somos corrigidos, para não sermos condenados com o mundo". Visto que a confissão e o autojulgamento se referem à mesma ação do crente, estas passagens enfatizam a mesma verdade importante. A confissão e o autojulgamento são a expressão exterior do arrependimento do coração; e o arrependimento, que é uma mudança de mente ou propósito, traz o cristão carregado do pecado de volta em harmonia com Deus. Enquanto praticava o pecado, ele se opunha à vontade de Deus e ao seu caráter; pelo arrependimento, expresso a Deus na confissão de pecado e no autojulgamento, ele retorna à harmonia com Deus.

"Dois não podem andar juntos se não houver entre eles acordo", nem pode o cristão ter comunhão com Deus que é Luz e ao mesmo tempo andar em trevas (1 Jo 1.6). Andar na luz não é se tornar a luz, o que seria a aquisição da santidade infinita. Deus somente é Luz. Nem andar na luz significa que alguém nunca age errado. Ao contrário, quando o facho de luz, que é Deus, penetra o coração e revela aquilo que é contrário à sua vontade, o erro assim revelado é imediatamente confessado e julgado perante Deus pelo arrependimento do coração. Uma certeza é dada ao crente de que, quando assim ajustado à luz (que é "andar na luz"), o pecado é perdoado e a sua poluição é limpa pelo sangue de Cristo. 1 João 1.8, 10 são uma espécie de parêntesis. A palavra de segurança apresentada em 1.7 é continuada no 1. 9 que afirma que "se confessarmos os nossos pecados [que é o ajustamento a Deus que é a Luz], ele é fiel para nos perdoar os pecados e nos purificar de toda injustiça".

A confissão de pecado – deveria se observado – é sempre primeiro a Deus e deve ser estendida a outros somente quando eles foram diretamente prejudicados pelo pecado. Assim, de igual modo, este perdão e limpeza divinos não são atos da misericórdia e bondade divinas, por serem operados antes com base na justiça absoluta que é tornada possível através do fato de que a penalidade que o pecado merece caiu sobre o substituto – o Cordeiro providenciado por Deus. Visto que o substituto suportou a penalidade, Deus é visto como *justo* antes do que como *misericordioso*, quando Ele justifica o ímpio que não faz algo além de "crer em Jesus" (Rm 3.26), e *justo* ao invés de *misericordioso* quando ele perdoa o cristão que pecou, com apenas a confissão de seu pecado (1 Jo 1.9).

Ao perdoar o cristão que confessa o seu pecado, Deus é "fiel" ao seu caráter e propósito eternos e é "justo" em fazer isso por causa da penalidade que Cristo suportou. A base para esta provisão pela qual o cristão pode ser perdoado e limpo na fidelidade e na justiça de Deus, é encontrada na declaração que finaliza este contexto (1 Jo 2.2), onde é dito que "ele é a propiciação pelos nossos pecados". Visto que este contexto está preocupado somente com os pecados dos cristãos, o grande aspecto da propiciação para o mundo perdido é mencionado aqui somente de um modo incidental. Não se pode colocar ênfase demasiada sobre o fato de que Cristo *é* a propiciação pelos *nossos* pecados. Por sua morte Ele tornou Deus propício e livre para perdoar e limpar o cristão que confessa o seu pecado.

É evidente que o perdão divino do crente é familiar no seu caráter. Ele considera, não o perdão dado de uma vez por todas, que é parte da salvação (Cl 2.13), mas o perdão de alguém que já é e fica assim permanentemente como um membro da família de Deus. A união vital com Deus, que é assegurada por Cristo ao crente, não foi e não pode ser rompida (Rm 8.1). Esta renovação é para a comunhão com Deus. Em ponto algum da doutrina cristã o caráter singular e específico do presente relacionamento gracioso com Deus é mais claramente visto do que no perdão familiar. O modo de Deus tratar os homens sob a graça, semelhante a qualquer maneira completa de governar, proporciona ao menos quatro aspectos essenciais: (a) uma demonstração da maneira de vida que é desejada – isto está contido nas injunções da graça do Novo Testamento; (b) uma penalidade por cometer erros – isto já foi assinalado sob as sete advertências contidas na Primeira Epístola de João; (c) uma cura para o erro com uma revelação específica de seus termos – isto foi visto como sendo um arrependimento genuíno do coração expresso na confissão de pecado e no autojuízo; e (d) um motivo para uma ação correta.

A identificação da razão divinamente concebida para a ação correta sob a economia governamental da graça é de suprema importância, visto que o princípio motivador sob a graça é diametralmente oposto aos princípios motivadores estabelecidos em todos os sistemas legais de governo. Sob um sistema legal, uma coisa é feita de modo que a posição e o mérito possam ser assegurados. O aspecto legal aparece na forma de um contrato ou de uma necessidade imposta. Sob a economia da graça, uma coisa é feita em reconhecimento do fato de que a posição perfeita ou mérito já foi assegurado por intermédio do mérito imputado de Cristo. Este motivo é gracioso em seu caráter e é destituído de todos os contratos ou necessidades. Anteriormente nesta discussão ficou demonstrado que um filho de Deus, estando em Cristo, é justificado perante Deus para sempre, ao que o mérito ou a posição humana não pode acrescentar nada. É verdade para o motivo da graça para a ação correta e de acordo com os seus relacionamentos de família, que são os relacionamentos distintivos sob a graça, que o crente está direcionado a perdoar aqueles que o prejudicam com base no fato de que Deus já o perdoou livremente. Sobre isto lemos em Efésios 4.32: "Antes sede bondosos uns para com os outros, compassivos, perdoando-vos uns aos outros, como também Deus vos perdoou em Cristo". E ainda em Colossenses 3.13: "Suportando-vos e perdoando-vos uns aos outros, se alguém tiver queixa contra outro; assim como o Senhor vos perdoou, assim fazei vós também". Isto, na verdade, está muito longe de um sistema do tratamento divino em que a bênção do perdão é tornada dependente, nos termos mais absolutos, do perdão que o ofensor concede a outros. Com relação ao aspecto de um sistema legal, lemos: "Porque, se perdoardes aos homens as suas ofensas, também vosso Pai celestial vos perdoará a vós; se, porém, não perdoardes aos homens, tampouco vosso Pai perdoará vossas ofensas" (Mt 6.14-15). É um erro quando alguém, que pela fé salvadora em Cristo e perdoado em todas as transgressões de uma vez por todas por causa de Cristo, assume a atitude diante de Deus que sugere que ele não é perdoado até que por si mesmo ou por seu mérito, ele tenha perdoado aqueles que pecaram contra ele. Sem dúvida, tanto Efésios 4.32 quanto Colossenses 3.13 não se referem ao freqüentemente repetido perdão doméstico, mas, antes, ao perdão definitivo que acompanha a salvação. Entretanto, Mateus 6.14-15, sendo a ampliação do próprio Cristo sobre uma cláusula na oração do reino que Ele ensinou a seus discípulos, é freqüentemente confundido com o perdão doméstico. Há várias distinções a serem observadas entre o aspecto do reino do perdão e perdão familiar, mas três serão mencionados aqui.

Primeira, em um caso (Mt 6.12), o perdão é dependente em algum grau do *pedido*, o que sugere que a propiciação não é completa, ou que devemos implorar a Deus e persuadi-lo a perdoar. Em outro caso (1 Jo 1.9), o perdão é dependente da confissão, o que sugere que Deus é totalmente propício e espera somente que o ajustamento à sua santa vontade seja feito pela confissão. É duvidoso, à luz de 1 João 1.9 e 2.2, se um cristão tem de pedir perdão pelos pecados atuais mais do que tem de pedir o perdão de uma vez por todas quando ele foi salvo. Quando salvo, ele foi perdoado com o fato dele *crer*, e, por ser salvo, ele será perdoado, quando *confessar*. Tanto o confessar quanto o crer são eficazes e representam a simples obrigação humana em suas esferas respectivas à parte da súplica humana, visto que Cristo "é a propiciação pelos nossos pecados; e não somente pelos nossos, mas pelos de todo o mundo" (1 Jo 2.2).

Nenhuma objeção poderia ser levantada contra a declaração que 1 João 1.1 a 2.2 é a passagem central nas Escrituras sobre o perdão familiar, e está longe de ser acidental e de ser mais do que um significado transitório que neste contexto nem por preceito, nem pelo exemplo, nem por implicação este pedido se constitui em algo que seja obrigação do crente quando necessitado de perdão.

Segunda, outra indicação que Mateus 6.14, 15 não deve ser classificado como um perdão familiar, pode ser introduzida por fazer a pergunta hipotética, abstrata e usual, a saber: Deus perdoará um cristão que primeiro não perdoa aqueles que pecaram contra esse cristão? A resposta não precisa ser complicada. O pecado não perdoado no cristão é aquele que exige confissão, e quando ele é confessado, é perdoado por Deus, porque ele *é* confessado e não porque o cristão que não perdoa mereceu o perdão do pecado por um coração auto-mudado. Na verdade, ninguém é capaz de si mesmo ordenar um espírito perdoador em seu próprio coração, que por natureza não é perdoador. A sensibilidade e a longanimidade são características divinas que são asseguradas não pelo esforço humano, mas pela fé no Espírito que em nós habita, cujo poder e fruto estão disponíveis para aqueles que, após confessar todo pecado conhecido inclusive o coração não perdoador, são capacitados a ter uma atitude correta diante de Deus.

Os princípios e as exigências demonstradas em Mateus 6.14,15 serão alcançados no reino, mas debaixo dos relacionamentos da graça, a pergunta mais profunda é levantada e respondida: Como podemos assegurar um coração compassivo? A resposta é que todo pecado deve ser primeiro confessado e que só é possível um coração perdoador, através do poder capacitador de Deus.

Terceira, o lugar e a importância do mérito humano são um aspecto que serve para demonstrar o fato de que Mateus 6.14,15 não é um perdão ou graça familiar. O perdão exigido nesta passagem precede e determina o perdão divino e é, portanto, meritório em seu caráter; enquanto 1 João 1.9 sugere uma situação em que todo suposto mérito é abandonado numa confissão miserável de fracasso, a graça reina baseada, como deve ser, na propiciação que é Cristo.

A confusão que pode surgir através do fracasso em distinguir verdades que diferem, é ilustrada no caso de certos mestres que, em um momento, sinceramente, afirmaram que, conforme Mateus 6.14, 15, nenhum cristão que não se perdoa a si mesmo será perdoado, e, em outro caso, sinceramente afirmam que o cristão, de conformidade com o padrão divino, não deve perdoar aqueles que o têm prejudicado até que eles sejam penitentes. A

ANTROPOLOGIA

lógica destas posições é óbvia: Se um cristão pode ser perdoado somente quando ele perdoa e se ele deve não perdoar até que aqueles que o prejudicaram sejam penitentes, então ele mesmo não pode ser perdoado por Deus em seus próprios pecados até que *todos* aqueles que o têm prejudicado se arrependam – uma perspectiva dúbia de fato, para dizer o mínimo.

A obrigação de um cristão para com o seu irmão em Cristo está num plano tão exaltado que ninguém poderia esperar obter, se depender de seus próprios recursos, dependência essa que é a substância da relação de mérito. Quem, na verdade, poderia pela força humana sozinha cumprir o mandamento de Cristo: "Amai-vos uns aos outros, como eu vos amei" (Jo 13.34; 15.12)? A obrigação de todo cristão em relação a outro cristão é expressa em termos como "longanimidade, suportando-vos uns aos outros em amor" (Ef 4.2); "Antes sede bondosos uns para com os outros, compassivos, perdoando-vos uns aos outros, como também Deus vos perdoou em Cristo" (Ef 4.32); "Revesti-vos pois, como eleitos de Deus, santos e amados, de coração compassivo, de benignidade, humildade, mansidão, longanimidade, suportando-vos e perdoando-vos uns aos outros, se alguém tiver queixa contra outro; assim como o Senhor vos perdoou, assim fazei vós também. E, sobre tudo isto, revesti-vos do amor, que é o vínculo da perfeição" (Cl 3.12-14).

Padrão tão alto como esse não pode ser atingido nem mantido à parte do poder do Espírito que habita em nós. Se essas coisas são operadas por Deus, elas não são baseadas em mérito, e Mateus 6.14,15, porque é baseado no mérito, à luz destes padrões, deve ser visto como estranho à administração divina debaixo da graça.

Há ainda três porções importantes das Escrituras que devem ser mencionadas, quando nos referimos ao fato de que Deus sempre tratou específica e constantemente com a corrupção de seu povo.

(A) Em Números 19.1-22, a ordenança da lei de Jeová proporcionava para o sacrifício e as ofertas queimadas um novilho vermelho e especificava que as cinzas do novilho deveriam ser preservadas, e, quando misturadas com a água, e como a ocasião poderia surgir, deveriam servir para a limpeza pela aspersão de qualquer pessoa em Israel que tivesse se tornado impura. As cinzas do novilho preservadas num vaso, servia para um longo período de tempo para a limpeza, e tornou-se um tipo de purificação perpétua do filho de Deus pelo sangue de Cristo (1 Jo 1.7,9).

(B) Em Êxodo 30.17-21, é fornecido o registro do mandamento de Jeová a Moisés, a respeito do grande vaso de bronze que, por designação de Jeová, permanecia na entrada do lugar santo e este vaso de bronze os sacerdotes lavavam suas mãos e pés antes de cada culto no lugar santo. A falha da parte do sacerdote em cumprir este estatuto tornava-o merecedor da penalidade de morte. O sacerdote, embora nascido para o ofício, por ser da casa de Arão e da tribo de Levi, e por haver sido completamente lavado cerimonialmente pelo sumo sacerdote quando introduzido em seu serviço sacerdotal, não obstante, era compelido a observar o cerimonial de lavagem de suas mãos e pés – os membros que ficavam em contato com a depravação do mundo – antes de cada culto. O sacerdote do Antigo Testamento é um tipo do crente do Novo Testamento e a constante lavagem da parte do sacerdote do Antigo Testamento tipifica a constante limpeza do crente do Novo Testamento que é nascido para a sua nova posição pelo novo nascimento, e de uma vez por todas lavado pelo lavar regenerador (Tt 3.5; cf. 1 Co 6.11).

(c) Em João 13.1-17, é dado o registro da lavagem dos pés dos discípulos feita por Jesus Cristo. Pelo uso da palavra νίπτω, Cristo distingue o lavar que ele realizava como uma lavagem *parcial* e totalmente diferente da lavagem *total*, à qual ele se refere no versículo 10, pelo uso da palavra λούω. Esta lavagem parcial sugere que esses discípulos, exceto Judas a quem Cristo despede daquela reunião, foram totalmente lavados e não tinham necessidade adicional de limpeza, exceto a lavagem dos pés. Semelhantemente, este banho parcial era para a manutenção da comunhão, como está indicado pelas palavras: "se eu te lavar os pés, não tens parte [μέρος] comigo" (v. 8).

Pode ser concluído, portanto, que tem havido uma purificação contínua em adição àquela que foi feita de uma vez por todas, a purificação inicial que Deus proporcionou e prescreveu para o seu povo em outras épocas, e que, na era presente, um verdadeiro arrependimento ou uma mudança de mente com sua expressão exterior, que é a confissão, representa a única responsabilidade humana; mas, do lado divino, o perdão e a limpeza do crente são possíveis somente através do sangue *propiciador* de Cristo.

2. O EFEITO DO PECADO DO CRISTÃO SOBRE DEUS. Muito mais profundas em sua importância são as questões relacionadas ao efeito do pecado do cristão a respeito de Deus do que aquelas relacionadas aos efeitos do pecado do cristão a respeito de si mesmo. Os sistemas racionalistas de teologia têm afirmado que, visto que Deus é infinitamente santo, o efeito do pecado do cristão a respeito de Deus deve ser que a salvação é perdida e a cura para essa situação é uma outra regeneração daquele que pecou. Visto que os chamados pecados menores são constantemente a experiência do crente, tem sido necessário atribuir somente aos pecados maiores e flagrantes o poder de fazer perder a salvação. Evidentemente, a natureza generosa e a paciência de Deus dependem dele fazer vista grossa ou de perdoar os pecados menores. Contudo, a Palavra de Deus não dá suporte algum a esta noção de que alguns pecados são bons e outros maus, ou que Deus pode perdoar à parte da obra substitutiva de Cristo.

O pecado, mesmo em sua forma inofensiva, é muitíssimo pecaminoso aos olhos de Deus e, não fora o sangue eficaz de Cristo, teria o poder de separar para sempre um cristão de Deus. Mas visto que o sacrifício de Cristo pelo pecado se estende a *todo* pecado, o poder do pecado de separar um crente de Deus é anulado, embora, como já foi visto, possa haver para o crente a trágica perda da comunhão com Deus, da alegria celestial, da confiança e da paz, por causa do seu pecado.

Ao apresentar o efeito do pecado do cristão sobre si mesmo e afirmar a responsabilidade humana na sua cura, o apóstolo João continua (em 1 João 2.1) a apresentar o fato de que há também um remédio divino para o efeito do pecado do cristão sobre Deus, mas totalmente à parte de qualquer responsabilidade ou cooperação humana. Deus somente pode resolver o Seu próprio problema que o pecado do cristão cria em sua relação com a santidade de Deus e sua autoridade governamental. A salvação que é oferecida através de Cristo é eterna, o que significa que cada aspecto da possível condenação que poderia surgir será antecipado e realizado. O cristão não pode cooperar em nenhuma esfera da provisão de uma base justa, seja para a salvação ou a segurança nela. Um único versículo (1 João 2.1) apresenta um vasto campo de doutrinas intimamente relacionadas. Lemos: "Meus filhinhos, estas coisas vos escrevo, para que não pequeis; mas, se alguém pecar, temos um advogado para com o Pai, Jesus Cristo, o justo". Cinco aspectos contributivos da verdade devem ser discernidos neste versículo:

Primeiro: "Meus filhinhos". Com esta saudação, fica evidente que a mensagem é dirigida somente aos filhos de Deus. Deve ser enfatizado que a manutenção de segurança que esta passagem revela e a operação divina com essa finalidade tem a ver somente com aqueles que são nascidos de novo. Há um grupo sempre crescente de mestres da religião que, parece-me, nunca passaram da morte para a vida. O que essa passagem revela aplica-se somente aos que são salvos.

Segundo: "Estas coisas vos escrevo, para que não pequeis". Nesta cláusula é feita provavelmente uma referência a algo que havia acontecido antes daquilo que se seguia. Como foi antecipado pelo apóstolo, o efeito dessa mensagem sobre os verdadeiros crentes seria o de impedi-los da prática do pecado. A segurança eterna para todos os que são salvos é abundantemente assegurada no Novo Testamento e em nenhum lugar mais do que nesse versículo. Todavia, a doutrina é crida por muitos como proporcional à oportunidade para pecar. Em oposição a esta noção racionalista, o apóstolo aqui apresenta o grande fato da segurança eterna como um motivo para não pecar, e o fato da eterna segurança, quando inteligentemente captado pelo crente, sempre se provou na experiência prática ser justa tal restrição.

Terceiro: "Mas, se alguém pecar". Deve haver pouca dúvida de que o apóstolo se refira ao mesmo grupo limitado daqueles que são salvos. A frase "filhinhos", que constitui a saudação, e a palavra "nós", que se segue, dão evidência suficiente de que somente pessoas salvas estão incluídas nesses benefícios. O fato de que os cristãos pecam está patente. A fonte do pecado no cristão, como já foi observado, é a natureza pecaminosa, e a força de sua tendência é vista no impulso para pecar que freqüentemente vem com toda forma de restrição. Deus providenciou três fatores restringentes: Sua

Palavra (Sl 119.11), a habitação do Seu Espírito (Gl 5.16) e a intercessão de Cristo (Lc 22.31, 32), mas Ele também revelou que o filho de Deus, se quiser persistentemente, pode desconsiderar em algum grau essas forças restringentes. Contudo, quando a vontade do crente está de acordo com a de Deus, essas forças restringentes divinamente providenciadas se tornam os reais fatores que capacitam o cristão a viver em Deus.

Quarto: "Temos um advogado para com o Pai". A designação grega Παράκλητος, é usada a respeito de ambos, o Espírito Santo (Jo 16.7) e Cristo (1 Jo 2.1). Quando Cristo referiu-se ao Espírito como "um outro" Consolador (Παράκλητος), ele sugeria que Ele próprio era, então, para os discípulos um verdadeiro ajudador. Contudo, o seu presente ministério no céu como Παράκλητος assume um aspecto legal. Como advogado, ele esposa a causa de outros na corte. Cristo *defende* aqueles que Ele salvou, ao invés de ser o promotor. A cena é a de um tribunal em funcionamento. O Pai é o juiz. Em Apocalipse 12.10 está afirmado que Satanás não cessa dia e noite de acusar os irmãos perante Deus. A questão diante do tribunal é a do pecado atual dos crentes. Visto que Deus é infinitamente santo, Ele deve agir com justiça absoluta em relação a todos os seus ofensores.

O acusador dos irmãos não apresenta acusações falsas. Deveria ser observado que, como intercessor, Cristo considera e dá apoio ao crente na esfera de suas fraquezas, imaturidade e ignorância; mas como advogado, Ele confronta a situação mais séria que pode ser levantada a respeito de um filho na família do Pai. Como advogado, Ele defende o crente quando acusado de seus pecados presentes. Isto Ele faz *enquanto* o crente peca e não algum tempo depois. A segurança é dada no sentido de que, ainda que o cristão peque, ele *tem* um advogado junto ao Pai. Poderia ser suposto por alguns que o advogado suplica ao Pai para ser indulgente para com o ofensor; mas Deus não pode ser indulgente com o pecado. Igualmente, poderia ser suposto que o advogado pede desculpas por aqueles que ele defende; mas não há desculpas para o pecado. De igual modo, poderia ser suposto que o advogado é capaz de confundir a questão e com o objetivo de distrair a atenção do curso natural do processo; mas essa idéia indigna é respondida com o próprio título que Ele tem de advogado, título esse que em nenhum outro lugar lhe é aplicado.

Quinto: "Jesus Cristo, o justo". Este é o título que Ele ganhou como advogado. Assim, fica revelado que o que o advogado faz, não somente salva o ofensor dos santos juízos de Deus, mas que a defesa é feita com base justa de que o advogado, por causa do seu exercício de advocacia, recebe o título de Jesus Cristo, *o Justo*. Este título não se refere ao próprio caráter santo de Cristo, que é justo num grau infinito; ele antes se refere à base justa sobre a qual o ofensor é liberto pelo advogado – uma libertação operada à plena vista das exigências inalteráveis de santidade e a despeito das verdadeiras acusações de Satanás. Como advogado no céu e em favor do cristão que peca, Cristo apresenta evidência de sua própria morte e prova o fato de que

Ele suportou a pena do pecado na cruz. A remoção da penalidade do crente com base no fato de que o advogado já a pagou é uma transação de eqüidade insuperável!

Não há apelo que possa ser feito ao filho de Deus para que ele refreie o seu pecado, que poderia ser mais eficiente do que o que resulta do conhecimento, mesmo que parcial, de tudo o que o pecado impõe sobre o advogado no céu. Tal conhecimento não leva à negligência, nem faz a libertação operada pelo advogado, a fim de baixar os padrões dos santos juízos de Deus. O filho de Deus preserva valor propiciador permanente da morte de Cristo. Aqui, como no caso da liberdade divina de tratar com o efeito do pecado do cristão sobre si mesmo, o efeito de seu pecado sobre Deus é também anulado pelo fato de que, como o contexto diz: "Ele é a propiciação pelos nossos pecados".

Pode ser concluído, portanto, que a cura do pecado do cristão é baseada naquele aspecto da obra propiciatória de Cristo que considera o pecado do cristão, e, com base nisso, o efeito do pecado do cristão sobre si mesmo pode ser removido somente na confissão que ele faz do pecado; e que o efeito do pecado do cristão sobre Deus, curado pela mesma obra propiciatória de Cristo, mas não nos termos humanos, visto que Cristo, como Salvador, ocupa-se não somente em salvar, mas em guardar aqueles a quem Ele salva.

Como aspecto final deste tema específico, o pecado pessoal do cristão pode ser reafirmado que o pecado é tão mau quando cometido por um cristão como quando cometido pelo não-salvo. Há um sentido em que o pecado do cristão, por ter mais luz, por ter mais intimidade com Deus, por estar numa posição mais elevada, por estar em Cristo, e por ter um padrão mais exaltado de santo viver, por pertencer à cidadania celeste, e por conhecer a manifestação do próprio caráter de Cristo, é mais odioso ainda. Está também declarado que o cristão é mais atacado do que o não-regenerado, visto que ele trava um conflito contra o mundo, a carne e o diabo. Foi também assinalado que o cristão tem uma ajuda divinamente providenciada que tem o apoio da Palavra de Deus, da intercessão de Cristo, e da habitação do Espírito Santo. E, finalmente, o pecado do cristão provoca danos espirituais, que podem ser curados pela confissão de seu pecado a Deus, e age contra Deus que, ao ser propício por causa da morte de Cristo pelo pecado do cristão, este continua como filho de Deus através da graça infinita que proporciona uma satisfação justa para cada pecado.

VI. A Natureza Pecaminosa do Cristão

Embora o *fato* da natureza pecaminosa tenha sido estudado em detalhes no Capítulo XIX, todavia, precisamos ainda considerar o remédio para essa natureza. Que não há remédio algum para ela no não-regenerado dificilmente pode ser contestado. A revelação divina total a respeito do remédio é exclusivamente uma mensagem para os crentes. Na abordagem da verdade a respeito do remédio, um breve panorama será primeiramente dado sobre a origem, caráter e a propagação dessa natureza pecaminosa.

Como uma fiel advertência, Deus disse a Adão: "No dia em que comeres, certamente morrerás" ou, *"morrendo, tu morrerás"* (Gn 2.17). Embora a morte física tenha sido retardada por séculos, Adão morreu espiritualmente no dia em que desobedeceu a Deus e o repudiou. A totalidade do seu caráter foi abruptamente mudada; não aconteceu meramente que ele foi *acusado* de ser culpado de pecado, mas que ele foi *mudado* em cada parte de seu ser. Aquele que por criação satisfazia ao seu Criador, tornou-se um degenerado e depravado em si mesmo, por causa e através do Adão caído, capaz de procriar uma raça espiritualmente morta que se propagou, e gerou pessoas mortas, que possuem suas almas e espíritos separados de Deus. Um indicativo desta grande mudança em Adão é visto quando ele se esconde de Deus, como se fosse uma confissão de sua própria mudança de coração, e, igualmente, vemos o registro de uma expulsão divina do jardim, além de outras penalidades, como uma expressão do juízo de Deus. Não mais Deus andou com Adão pela viração do dia. Esta condição de morte espiritual, que é chamada natureza adâmica ou natureza caída, é transmitida sem diminuição de pai para filho através de todas as gerações.

Que os cristãos estão habituados a pecar e que pecam é facilmente observável em toda parte. Isto é igualmente verdadeiro daqueles que, por meio de ensino errôneo, têm sido encorajados a professar que eles alcançaram uma perfeição sem pecados. Ao chegarmos ao entendimento do problema da fonte da qual o pecado procede num cristão, e as questões envolvidas na sua cura, é essencial reconhecer o significado e a força de três termos que são empregados no Novo Testamento:

1. "CARNE" (σάρξ). Sobre o significado exato deste termo, o bispo Moule escreve:

No uso do Novo Testamento, esta palavra, de um modo geral (onde o seu significado não é meramente literal) tem dois significados. Ela denota tanto (a) natureza humana condicionada pelo corpo (e.g., 9 3,5,9; 2 Co 7.5); ou (b) natureza humana condicionada pela queda, ou em outras palavras, pelo domínio do pecado, que então começou, e que opera basicamente através das condições da vida *corporal*, de modo que essas condições são identificadas com a pecaminosidade... No *primeiro* contexto "a carne" pode ter um significado neutro ou santo; (Jo 1.14); no *segundo*, significa um estado que é essencialmente mau, e que pode ser descrito com correção prática como (1) o estado do homem não-regenerado, e, (2) no regenerado, o estado daquele elemento do ser que ainda resiste à graça. Porque manifestamente (veja Gl 5.17) "a carne" é um elemento ainda presente no regenerado, não somente no sentido de condições corporais, mas no sentido de condição *pecaminosa*. Mas, no último *sentido*, eles não mais são *caracterizados* por ela; eles não são "carnais", porque o elemento *dominante* não é agora "a carne", mas a vontade renovada, energizada pelo Espírito Santo.[352]

Os impulsos e os desejos da vida são chamados "concupiscência da carne". "Andai pelo Espírito, e não haveis de cumprir a cobiça da carne" (Rm 13.14; Gl 5.16; veja também Ef 2.3; 2 Pe 2.18; 1 Jo 2.16). Que o uso bíblico da palavra *concupiscência* não está limitado a desejos desordenados está evidente do fato que o Espírito Santo "luta contra a carne", de acordo com o versículo seguinte nesse contexto (veja, também, Tiago 4.5). As Escrituras são ainda mais explícitas quanto a amplitude do significado desta palavra. É feita referência à "sabedoria carnal" (2 Co 1.12); "tábuas de carne do coração" (2 Co 3.3); e "mente carnal" (Cl 2.18, cf. Rm 8.6). O apóstolo não diz que seu corpo e sua natureza são "carnais"; mas ele diz "eu sou carnal" (Rm 7.14), e "em minha carne não habita bem nenhum" (Rm 7.18). O eu do não-regenerado, dentro de si, é um mal sem esperança e condenado; mas está sujeito ao presente controle e a uma transformação proporcionada pela graça e poder de Deus.

Uma nova natureza divina é comunicada a esse "homem natural" quando o indivíduo é salvo. A salvação é mais do que uma *mudança do coração*. É mais do que uma transformação daquilo que é antigo. É a regeneração ou criação de algo totalmente novo que é possuído com a velha natureza enquanto o filho de Deus está neste corpo. A presença de duas naturezas opostas (não duas personalidades) em um indivíduo resulta em um conflito. "Porque a carne luta contra o Espírito, e o Espírito contra a carne; e estes se opõem um ao outro, para que não façais o que quereis" (Gl 5.17). Não há sugestão alguma que esta restrição divina sobre a carne sempre será desnecessária enquanto o cristão estiver neste corpo, mas a Bíblia dá um testemunho claro de que o crente pode experimentar um contínuo "andar no Espírito", a fim de "não satisfazer a concupiscência da carne". Para assegurar isto tudo, não há a promessa de remoção da "carne". O espírito, alma e o corpo permanecem, e a vitória é ganha sobre a "carne" pelo poder do Espírito que habita no crente.

2. "VELHO HOMEM" (παλαιὸς ἄνθρωπος). Semelhantemente, o bispo Moule começa o seu estudo desta palavra em Romanos, da seguinte forma: "...para propósitos ilustrativos (7.22; 2 Co 4.16; Ef 3.16; 4.22, 24; Cl 3.9; 1 Pe 3.4). Em razão destes a palavra "eu" em seu uso popular ('o verdadeiro eu do homem') parece ser um equivalente justo para *homem* aqui. Meyer aqui dá *unser altes ich* ('seu velho ego'). Aqui o apóstolo vê o cristão antes de sua união com Cristo como (figurativamente, é óbvio) *uma outra pessoa*; tão profundamente diferente era sua posição diante de Deus, como uma pessoa não conectada com Cristo".[353]

Esse termo é usado somente três vezes no Novo Testamento. Uma vez ele tem a ver com a presente *posição* do 'velho homem", através da morte de Cristo (Rm 6.6). Nas outras duas passagens (Ef 4.22-24; Cl 3.9-10) o fato de que o "velho homem" foi despido para sempre, constituiu a base de um apelo para uma maneira santa de vida.

Em Romanos 6.6 está escrito: "Sabendo isto, que o nosso homem velho foi crucificado com ele, para que o corpo do pecado fosse desfeito, a fim de não servirmos mais ao pecado". Pode não haver aqui uma referência à *experiência* do cristão; é antes uma co-crucificação "com ele" e mais evidentemente no tempo e lugar, quando e onde Cristo foi crucificado. No contexto, essa passagem segue-se imediatamente à afirmação a respeito da transferência do indivíduo na relação federal do primeiro para o último Adão (Rm 5.12-21). O primeiro Adão, perpetuado no crente, foi julgado na crucificação de Cristo. O "velho homem", a natureza caída recebida de Adão, *foi* "crucificada com ele". Esta crucificação, será ainda visto, é da maior importância, do lado divino, pois torna possível a verdadeira libertação do poder do "velho homem".

Na segunda passagem em que o termo "velho homem" é usado, o fato de que o velho homem já está crucificado com Cristo é a base para um apelo: "...a despojar-vos, quanto ao procedimento anterior, do velho homem, que se corrompe pelas concupiscências do engano; a vos renovar no espírito da vossa mente; e a vos revestir do novo homem, que segundo Deus foi criado em verdadeira justiça e santidade" (Ef 4.22-24).

Na terceira passagem a posição sugere novamente a experiência correspondente: "...não mintais uns aos outros, pois que já vos despistes do velho homem com os seus feitos, e vos vestistes do novo, que se renova para o pleno conhecimento, segundo a imagem daquele que o criou" (Cl 3.9, 10). *Posicionalmente*, o "velho homem" foi despido para sempre. *Experimentalmente*, o "velho homem" permanece como uma força ativa na vida e pode ser controlado somente pelo poder de Deus. Não há uma base bíblica para uma distinção entre a natureza adâmica e a "natureza humana". As pessoas não-regeneradas têm apenas uma natureza, enquanto que as regeneradas têm duas naturezas. Há apenas uma natureza caída, que vem de Adão, e uma nova natureza, que vem de Deus. O "velho homem", então, que é de natureza adâmica, foi julgado na morte de Cristo. Ele ainda permanece com o cristão como um princípio ativo na sua vida, e a sua vitória experimental sobre ele será percebida somente através da confiança definitiva no Espírito que nele habita. O "velho homem" é uma parte, mas não a totalidade da "carne".

3. "Pecado" ($\dot{\alpha}\mu\alpha\rho\tau\dot{\iota}\alpha$). A terceira palavra bíblica relacionada à *fonte* do mal no filho de Deus é "pecado". Em certos textos das Escrituras, notadamente Romanos 6.1 a 8.13 e 1 João 1.1 a 2.2, há uma distinção importante entre os dois usos da palavra "pecado". Os dois significados serão óbvios se forem lembrados que a palavra algumas vezes se refere à natureza adâmica, e algumas vezes ao mal resultante dela. O pecado, como uma natureza, é a *fonte* do pecado que é cometido. O pecado é a raiz que gera o seu próprio fruto em pecado que é a conduta má. O *pecado* é o que o indivíduo é desde o nascimento, enquanto os *pecados* são as coisas que ele faz na vida.

Há um testemunho bíblico abundante do fato de que a "carne", "o velho homem", ou "o pecado", é a fonte do mal. O filho de Deus tem um "tesouro" bendito pelo fato de possuir o "novo homem" que habita nele, mas ele tem esse tesouro em vaso de barro. Esse tesouro terreno é o "corpo da nossa humilhação" (2 Co 4.7; Fp 3.21).

A personalidade – o ego – permanece a mesma individualidade através de todas as operações da graça, embora ela experimente os maiores avanços, transformação e regeneração possíveis, a partir do estado perdido em Adão para as posições e posses de um filho de Deus em Cristo. Aquilo que ele era, é dito ser perdoado, justificado, salvo, e recebe uma nova natureza que é a vida eterna. Aquilo que era, é nascido de novo e torna-se uma nova criatura em Jesus Cristo, embora permaneça a mesma personalidade que teve desde o nascimento através dos pais físicos. Igual à morte física, a natureza adâmica, que é a perpetuadora da morte espiritual, não está agora descartada, mas, no caso do redimido, ela está sujeita às provisões graciosas de Deus pelas quais os seus danos podem ser restringidos. A salvação do *poder* do pecado para o cristão, como a salvação da *penalidade* do pecado para o não-salvo, depende de dois fatores, a saber: a provisão divina e a apropriação humana.

A. A PROVISÃO DIVINA. Em cada um desses aspectos da salvação a base justa para a provisão divina é encontrada na morte de Cristo. Os homens perdidos podem ser salvos da penalidade do pecado e podem ir para a eterna glória porque "Cristo morreu pelos nossos pecados" (1 Co 15.3); que os homens regenerados podem ser salvos do poder do pecado para um andar santo, pelo fato de que Cristo "morreu para o pecado" (Rm 6.10). A morte de Cristo *pelo* pecado proporciona uma obra terminada de Deus pela qual Ele é capaz de permanecer justo enquanto Ele justifica o que crê em Cristo (Rm 3.26). A morte de Cristo *para* o pecado proporciona uma obra terminada de Deus pela qual Ele é capaz, por uma energia incessante do Seu Espírito, de desenvolver a santificação daqueles dentre os salvos que "andam no Espírito". Visto que Cristo morreu pelo pecado, não há, portanto, nenhuma condenação para aqueles que crêem, a *posição* deles e a *segurança* deles é aperfeiçoada para sempre em Cristo. Visto que Cristo morreu para o pecado, há um andar sobre um novo princípio que é tornado possível para aqueles que são salvos por meio de que o *estado* e a *santidade* presentes deles possam ser de acordo com a vontade de Deus para eles.

A nova criação, a união orgânica entre o Cristo ressuscitado e o crente, é baseada, conforme as Escrituras, na obra substitutiva de Cristo em todos os seus aspectos e é realizada pela obra regeneradora do Espírito Santo, por meio da qual Cristo é gerado no crente e pela obra batizadora do Espírito, através da qual o crente é colocado em Cristo. As palavras de Cristo: "...vós em mim, e eu em vós" (Jo 14.20), anunciam ambos os aspectos do ministério do Espírito em relação à nova criação. Essas grandes transformações são operadas pelo Espírito no momento da salvação e como parte dela. A respeito da colocação do crente em Cristo, é dito: "Pois em um só Espírito fomos todos nós batizados em um só corpo... e a todos nós foi dado beber de um só Espírito" (1 Co 12.13); e ainda: "...porque todos quantos fostes batizados em Cristo vos revestistes de Cristo" (Gl 3.27).

Quando se procura apreender o que é operado pelo ministério batizador do Espírito, é essencial determinar o significado preciso de βαπτίζω. Esta é uma das grandes palavras do Novo Testamento e é usada em relação a ambos, o batismo *real* e o *ritual* – a saber, o batismo com o Espírito e com água. Por ser assim empregada, qualquer que seja o significado atribuído a ela em um caso, deveria ser atribuído a ela no outro. Igual a βάπτω (usado apenas duas vezes em seu significado primário – *imergir* – Lucas 16.24; João 13.26, e apenas uma vez em seu significado secundário – *manchar, tingir*, seja qual for o significado – Apocalipse 19.13; cf. Isaías 63.3, onde o mesmo evento e situação são descritos), βαπτίζω é sujeito tanto ao uso primário quanto secundário, e muitos exegetas afirmam que o seu uso no Novo Testamento é restrito ao seu uso secundário.

O significado primário, de acordo praticamente com todas as autoridades, é *submergir* num invólucro físico, enquanto que o sentido secundário pode sugerir não mais do que uma pessoa, ou coisa, ou um poder que exerça uma influência transformadora ou dominante sobre o objeto que é batizado. Assim, real, é possível para alguém ser batizado em Cristo. O batismo pelo Espírito em Cristo é muito distante de um invólucro físico. βάπτω, igual ao seu equivalente em português – *imergir* –, sugere tanto o colocar dentro quanto o retirar, enquanto que βαπτίζω, igual ao seu equivalente em português – *submergir* ou *imergir* – sugere somente o colocar dentro; e, no caso de um batismo em Cristo, nenhuma remoção é desejável ou possível. Aquele que é unido a Cristo participa de tudo o que Cristo é, com respeito à posição meritória, e de tudo o que Cristo fez, com respeito à substituição – sua crucificação, morte, sepultamento e ressurreição.

Por ser Cristo a justiça de Deus, o crente, quando assim unido a Ele, é "feito" justiça de Deus nele (2 Co 5.21); portanto, "torna-se" aceito no amado (Ef 1.6), e pelo sangue de Cristo é aproximado dele (Ef 2.13). Igualmente, quando, em seu julgamento da natureza pecaminosa do crente, Cristo foi crucificado, morreu, foi sepultado e ressurgiu dos mortos, o filho de Deus, por quem Cristo fez tudo isso, é dito também ter sido crucificado, morreu, foi sepultado, e ressuscitou dos mortos em seu substituto, e tudo isso de modo completo, como se ele tivesse experimentado pessoalmente cada aspecto desse julgamento. Este contexto (Rm 6.1-14) é a passagem central sobre a santificação, que é pelo Espírito, com base na morte de Cristo para a natureza pecaminosa. Na averiguação dos fatos exatos a respeito da base sobre a qual Deus é livre para controlar a velha natureza, não se pode colocar ênfase demasiada sobre a verdade de que a velha natureza já está julgada em cada crente na morte de Cristo. O homem não-regenerado está morto *em* pecados (Ef 2.1), mas o homem regenerado está morto *para* o pecado (Rm 6.2).

A passagem começa assim: "Que diremos, pois? Permaneceremos no pecado, para que abunde a graça? De modo nenhum. Nós, que já morremos para o pecado, como viveremos ainda nele?" (Rm 6.1,2; veja também vv. 7, 8, 11; Cl 2.20; 3.3). Não é próprio do cristão, como filho de Deus que é, fazer assim, e não é necessário para ele fazer assim, visto que agora ele está "morto para o pecado". Ele não pode alegar o poder de uma tendência sobre a qual ele não tem controle. Ele ainda tem uma tendência, e ela é mais do que ele pode controlar, mas Deus proveu a possibilidade de uma libertação de seu poder, tanto por julgar a velha natureza quanto por lhe dar a presença e poder do Espírito. O crente é dependente de Deus somente na libertação pelo seu Espírito, mas ele poderia não libertar até que a natureza pecaminosa fosse retamente julgada. Esse julgamento ele realizou, e também tem dado aos cristãos o Espírito que está sempre presente e é totalmente eficaz.

Assim, a necessidade de pecar é interrompida e os salvos são livres para caminhar em outra direção e no poder de Sua vida ressuscitada. O argumento nessa passagem é baseado nessa união vital pela qual os crentes estão organicamente unidos a Cristo, através do batismo deles no Seu corpo. A passagem continua: "Ou, porventura, ignorais que todos quantos fomos batizados em Cristo Jesus fomos batizados na sua morte?" (Rm 6.3). Tão certamente como os cristãos estão nele, eles participam do *valor* de sua morte. Assim, também a passagem afirma: "Fomos, pois, sepultados com ele pelo batismo na morte" (Rm 6.4; cf. Cl 2.12). Assim, os salvos são realmente participantes de sua crucificação (v. 6), de sua morte (v.8), do seu sepultamento (v.4) e da sua ressurreição (vv. 4-5, 8), e tão essencialmente quanto participaram, eles foram crucificados, mortos, sepultados e ressuscitados.

Ser batizado em Jesus Cristo é a substância de cuja co-crucificação, co-morte, co-sepultamento e co-ressurreição, eles são *atributos*. Uma é a causa, enquanto que as outras são os efeitos. Tudo isso é para a realização de um grande propósito divino. "Como Cristo foi ressuscitado dentre os mortos pela glória do Pai, assim andemos nós também em novidade de vida" (Rm 6.4b), ou pelo princípio da nova vida. O *andar* do cristão, então, é o objetivo divino. Cristo morreu no lugar do crente. O julgamento pertencia a ele, mas Cristo se tornou o seu Substituto. O filho de Deus é assim contado como um co-participante em tudo que o Substituto fez. O que Ele fez para sempre satisfez as exigências justas do Deus contra o "velho homem" e abriu o caminho para o andar que agrada Deus (cf. 2 Co 5.15).

À medida que o texto continua, esta verdade de co-participação em Cristo é apresentada novamente com detalhe maior: "Porque se temos sido unidos [colocados juntos; a palavra é usada mas apenas uma vez no Novo Testamento] a ele na semelhança [unicidade; veja Rm 8.3; Fp 2.7] da sua morte, certamente também o seremos [agora, e para sempre] na semelhança da sua ressurreição" (Rm 6.5). Aqueles salvos já estão unidos a Cristo pelo batismo do Espírito (1 Co 12.12, 13), que os coloca posicionalmente além dos juízos do pecado e eles são, portanto, livres para entrar na experiência do poder eterno e na vitória de Sua ressurreição.

"Sabendo isto [porque nós sabemos isto], que o nosso velho homem foi crucificado com ele [o mesmo propósito divino como foi afirmado antes], para que o corpo do pecado fosse desfeito [nosso poder de expressão é através do corpo. Este fato é usado como uma figura a respeito da manifestação do pecado. O corpo não é destruído, mas o poder do pecado e o meio de sua expressão podem ser *anulados*. Veja v. 12], a fim de não servirmos mais ao [ser escravo do] pecado [o velho homem]. Pois quem está morto está justificado do pecado [aqueles que uma vez morreram para o pecado, como morremos em nosso Substituto, agora permanecemos livres de suas reivindicações legais]. Ora, se já morremos com Cristo [ou, como morremos com Cristo], cremos que também com ele viveremos [não somente no céu, mas agora. Há tanta certeza de *vida* nele como há certeza de morte nele], sabendo que [ou porque sabemos], tendo Cristo ressurgido dentre os mortos, já não morre mais; a morte não mais tem domínio sobre ele [somos por meio disso encorajados a crer o mesmo em relação a nós mesmos]. Pois quanto a ter morrido, de uma vez por todas morreu para o pecado [a natureza], mas, quanto a viver, vive para Deus [e assim o crente pode viver para Deus]" (Rm 6.6-10).

Tão certamente como esta passagem não ordena a auto-crucificação, auto-morte, auto-sepultamento ou auto-ressurreição, assim certamente ela não ordena o restabelecimento de duas das quatro dessas realizações divinas – sepultamento e ressurreição – por uma ordenança, a despeito do significado com o qual se supõe que a ordenança seja investida. A única coisa que o crente é ordenado a fazer, em razão da morte de Cristo para a natureza pecaminosa, é *reconhecer-se* morto para ela; não o reconhecimento da morte dessa natureza, mas reconhecer-se a si mesmo, por estar em Cristo e ser um participante de tudo o que Cristo operou no julgamento daquela natureza, como morto para ela. À parte desse reconhecimento, fica claramente implícito que o pecado, como uma força viva, reinará no seu corpo mortal (Rm 6.11, 12).

O fato de que a natureza pecaminosa é julgada, é uma revelação de importância suprema e fala da fidelidade de Deus em favor dos seus a quem ele salvou, mas Ele também lhes revela o conhecimento de sua provisão imensurável para a santificação e a vida diária deles. O registro a respeito da morte de Cristo para a natureza pecaminosa não é fornecido meramente para aumentar o conhecimento do indivíduo a respeito dos fatos históricos; ele é dado para que ele possa estar seguro de que há uma libertação do poder

ANTROPOLOGIA

dominante do pecado, assim como uma vez os incrédulos foram assegurados através da revelação do fato de que Cristo morreu pelos pecados deles, e de que há salvação da penalidade do pecado. A morte de Cristo *para* o pecado é a base de uma grande confiança. Assim, pode ser concluído que a provisão divina para a libertação do crente da dominação da natureza pecaminosa é dupla, a saber: (a) um julgamento legal e justo da natureza pecaminosa; e (b) o dom do Espírito que habita em nós e é vitorioso.

B. A Responsabilidade do Crente. Ao obter a libertação do poder do pecado, a responsabilidade do crente é afirmada em uma palavra – *fé* (uma fé que não somente reconhece que está morto para o pecado, mas vivo para Deus – Rm 6.11 – e que se submete a Deus – Rm 6.13). Nada mais lhe resta fazer, uma vez que, como já foi afirmado antes, Deus providenciou a base justa sobre a qual a libertação pode ser operada pelo Espírito e fez com que o mesmo Espírito vitorioso habitasse no crente para esse propósito. A exigência não é um *ato* de fé, como o que uma vez assegurou a regeneração; é uma *atitude* de fé, que é renovada e procurada a cada dia que passa. Andar por meio do Espírito e na dependência dele, é ser liberto da concupiscência da carne (Gl 5.16). Aqui, como um princípio vital de procedimento, a fé é, como sempre, oposto às obras humanas. O apóstolo testificou que o resultado de sua luta, quando lutou com as suas próprias forças para realizar os seus ideais espirituais, foi um fracasso total e ele pode somente concluir que o querer estava nele, mas o como realizar aquilo que é bom, ele não conseguia (Rm 7.18).

Antes de citar este texto de Romanos que registra a luta de Paulo, deveria ser observado que não há suposição errônea mais universal e enganosa do que aquela em que o cristão pode, por sua própria força, comandar e controlar a velha natureza. A experiência do apóstolo e a falha dessa linha de raciocínio são dadas na Escritura como uma advertência a todos os cristãos. Nenhuma menção do Espírito aparece nessa passagem. O conflito não é entre o Espírito que habita e a carne; é, antes, um conflito entre o novo "Eu" e o velho "Eu". O novo "Eu" é o homem regenerado que, por um momento, fica hipoteticamente isolado do relacionamento normal com o Espírito e da dependência dele, e é visto na força humana sem auxílio confrontando-se com a totalidade da lei, ou a vontade de Deus (v. 16), a carne contaminada (v. 18), e as exigências humanamente impossíveis de uma vida santa que são devidamente esperadas de toda pessoa regenerada (vv. 22, 23, 25).

A experiência do apóstolo responde a pergunta vital, a saber: Pode o homem regenerado, à parte da dependência do Espírito, fazer a vontade de Deus, ainda que *ele tenha prazer* nessa vontade (v. 22)? Para a verificação dos aspectos salientes do conflito e derrota do apóstolo, para a identificação mais clara dos combatentes, os dois nomes do apóstolo serão usados: Saulo, o homem da carne, e Paulo, o homem regenerado.

A passagem com alguns comentários, é a que se segue: "Pois o que faço [Saulo], não o entendo [Paulo]; porque o que quero [Paulo], isso não pratico [Saulo]; mas o que aborreço [Paulo], isso faço [Saulo]. E se faço o que não quero [Saulo], consinto com a lei [a vontade de Deus para mim], que é boa. Agora, porém, não sou mais eu que faço isto [Paulo], mas o pecado [Saulo] que habita em mim [Paulo]. Porque eu sei que em mim [Saulo], isto é, na minha carne, não habita bem algum; com o efeito o querer o bem está em mim [Paulo], mas o efetuá-lo não está [Saulo]. Pois não faço o bem que quero [Paulo], mas o mal que não quero, esse pratico [Saulo]. Ora, se eu [Saulo] faço o que não quero [Paulo], já o não faço eu, mas o pecado [Saulo] que habita em mim [Paulo]. Acho então esta lei em mim [Paulo], que, mesmo querendo eu [Paulo] fazer o bem, o mal está comigo [Saulo]. Porque, segundo o homem interior [Paulo], tenho prazer na lei de Deus; mas vejo nos meus membros outra lei guerreando contra a lei do meu entendimento [Paulo, que tem prazer na lei de Deus], e me levando cativo à lei do pecado [Saulo], que está no meus membros. Miserável [cristão] homem que eu sou! Quem me livrará do corpo desta morte?" (Rm 7.15-24).

A resposta a esta grande pergunta e o clamor de angústia com que a passagem acima termina é dada num versículo que vem logo a seguir: "Porque a lei do Espírito da vida, em Cristo Jesus, te livrou da lei do pecado e da morte" (Rm 8.2). Isto é mais do que uma libertação da Lei de Moisés: é a libertação imediata do pecado (Saulo) e da morte (os seus resultados, cf. Rm 6.23). O efeito dessa libertação é indicado pela bem-aventurança registrada no capítulo oito, em contraste à miserabilidade registrada no capítulo sete. O "Eu" desamparado e derrotado está em evidência num caso, e o "Eu" suficiente e vitorioso pelo Espírito, está em evidência no outro. O cristão, então, deve ser liberto pela "Lei [ou poder] do Espírito". Mas devemos chamar a atenção ao fato afirmado em 7.25, de que isso acontece "através de Cristo Jesus nosso Senhor". O cristão é liberto *pelo* Espírito, mas a libertação é tornada justamente possível *através de* Jesus Cristo nosso Senhor, por causa da união do crente com Ele em sua crucificação, morte, sepultamento e ressurreição.

Semelhantemente, as duas naturezas ainda estavam em evidência na experiência do apóstolo, visto que com a mente, desejava servir a lei de Deus, mas com a carne desejava servir a lei do pecado (Rm 7.25). Ele não permaneceu um cristão derrotado, pois encontrou o princípio vital da fé, e isso ele afirma em Romanos 8.4, passagem essa que, unida ao versículo 3, é uma consumação de tudo que veio antes, desde o começo do capítulo 6: "...para que a justa exigência da lei [a totalidade da lei de Deus para cada crente até o último detalhe em cada momento da vida] se cumprisse em nós". Ela nunca poderia ser cumprida *por* nós. Essa vitória, ele continua a afirmar, é somente para aqueles que andam não na dependência da carne, mas na vontade do Espírito. A libertação do poder da velha natureza, é assim descoberto, e de modo algum dependente do esforço humano, mas sim do esforço que é exigido para se manter uma atitude de *fé*. Há um "combate da fé", e nesse conflito o combatente procura, por capacitação divina, preservar somente uma confiança contínua no Espírito de Deus.

A liberdade do poder da natureza pecaminosa não é assegurada ao cristão por uma suposta erradicação daquela natureza, através de uma falsa e imaginária segunda obra da graça. Embora abraçada por uma multidão de pessoas sinceras, não possui base escriturística tanto para a noção racionalista da erradicação quanto para a suposta segunda obra da graça, argumentos extraídos quase que totalmente da mera experiência humana, que são de todo incertos. O caráter escriturístico dessas teorias é óbvio: (a) A erradicação não é o método divino de tratar com os inimigos do cristão. Não há erradicação alguma do mundo, ou da carne, ou do diabo, nem da morte física, tão intimamente relacionada com a morte espiritual, coisas essas erradicadas desta vida. Em todo caso, inclusive a natureza adâmica, o crente tem apenas um modo assegurado de libertação – dependência do Espírito que nele habita; (b) Fossem verdadeiras as alegações dos erradicacionistas, não haveria razão para a manutenção de uma posição de fé e do grande conjunto de verdade da Escritura que dirige o crente para a vitória que vem somente pela fé, e isso tudo ficaria sem sentido. As duas frases – *incapaz de pecar* e *capaz de não pecar* representam idéias vastamente divergentes.

A Palavra de Deus ensina que, pelo poder do Espírito que habita, o filho de Deus, embora sempre atacado nesta vida por más disposições, pode ser, por um dado momento e sob uma situação específica, capaz de não pecar. Na verdade, tal é o poder do Espírito que nele habita, mas nenhuma palavra na Escritura sanciona a noção de que qualquer cristão sempre consegue uma ocasião onde ele não seja capaz de pecar. A consciência de pecaminosidade, ou de uma tendência para pecar, tem sido a experiência da maioria dos santos espirituais de todas as gerações e especialmente à medida que eles vêm a ter uma comunhão mais íntima com Deus. Por ter se aproximado de Deus, Jó, o homem reto de coração, aborreceu o seu "eu"; e Daniel, contra quem nenhum pecado é registrado, sob semelhantes circunstâncias, disse: "...minha beleza foi tornada em mim corrupção". Gálatas 5.16, 17 descreve o método pelo qual a espiritualidade pode ser conseguida por qualquer membro da raça caída. Esta passagem diz: "Digo, porém: Andai pelo Espírito, e não haveis de cumprir a cobiça da carne. Porque a carne luta contra o Espírito, e o Espírito contra a carne; e estes se opõem um ao outro, para que não façais o que quereis".

O método não é o de ignorar o poder da natureza pecaminosa, e muito menos supor que ela seja erradicada; é antes a descoberta de uma contra outra agência para a vitória que é proporcionada pelo Espírito que em nós habita. "Portanto, irmãos, somos devedores, não à carne para vivermos segundo a carne; porque, se viverdes segundo a carne, haveis de morrer; mas, se pelo Espírito mortificardes as obras do corpo, vivereis" (Rm 8.12, 13). O oposto da morte espiritual é a vida eterna através de Jesus Cristo nosso Senhor. A despeito da presença da natureza pecaminosa, todo cristão é "vivo para Deus", por ter passado da morte para a vida; e, pela habitação do Espírito, todo cristão é plenamente equipado para toda boa obra.

Na sua obra *The Principles of Theology*, o Dr. W. H. Griffith Thomas, ao escrever sobre o Artigo IX dos 39 artigos e sobre a "Permanência do Pecado Original", declara:

A questão da permanência do pecado original no regenerado é importante por duas bases: (a) em sua oposição a todas as formas do que é chamado "perfeição sem pecado"; (b) por outro lado, contra qualquer entrega à derrota e sua aceitação como inevitável. Alguma coisa deve ser dita sobre cada um destes dois pontos.

(A) É importante considerar a relação do pecado à nossa natureza. A capacidade definitiva na natureza humana é a capacidade de sentir, pelas impressões vívidas, a dor e o prazer. Estas são chamadas as sensibilidades primárias e têm sido desordenadas pelo pecado, e nunca são totalmente retificadas nesta vida, embora a expiação cubra o defeito delas. Então vêm as sensibilidades secundárias, que conduzem a desejos de um lado e aversões de outro. É exatamente neste ponto que a graça divina entra. Se a vontade não consente não há pecado pessoal, mas uma desordem sob a vontade que é pecaminosa e da qual precisamos tratar. A responsabilidade pessoal diz respeito somente àquela que a vontade determina. A expiação cobre o restante, inclusive a incapacidade e a imperfeição. É também importante observar a distinção entre Adão e nós próprios. Ele teve a responsabilidade, mas não a tendência para pecar. Nós temos ambas, e a tendência é o que o artigo chama de "corrupção da natureza", "infecção da natureza", "concupiscência". A fraqueza do que é conhecido como a doutrina metodista do "Amor Perfeito" é aquela que ensina que a graça satisfaz todas as necessidades da natureza humana no sentido de erradicação. Mas isto não é assim. A Escritura continuamente distingue entre o pecado e os pecados, entre a raiz e o fruto, mas embora a raiz permaneça, como é afirmado no artigo, não há necessidade dela produzir fruto.

(B) Mas a presença da pecaminosidade inata no regenerado, conquanto real e poderosa, não é desculpa, e muito menos justificação para pecar. O apóstolo claramente ensina que a obra redentora de Jesus Cristo teve a intenção de tornar inerte ou inoperante o princípio do mal que é interior (Rm 6.6). E assim podemos dizer que, enquanto a Escritura ensina alguma coisa que está muito próximo da erradicação, a fim de que não possamos nos satisfazer com algo menos do que o mais alto tipo de vida cristã, por outro lado, ela muito claramente afirma que o princípio do mal não foi removido. Ele perde o seu poder sobre o crente, embora o crente não perca a presença dele. Com o mesmo propósito vem a palavra do apóstolo: "...considerai-vos como mortos para o pecado"

(Rm 6.11). Por meio disso, ele ensina que enquanto devemos estar mortos para o pecado, ele não está morto para nós. O pecado não está morto, mas nós devemos guardar-nos a nós mesmos de estar mortos para ele. Tal linguagem teria sido impossível se o pecado tivesse sido removido integralmente. É impossível evitar notar neste ponto a notável afinidade entre as doutrinas da Igreja Católica e as da Igreja Metodista, quando fazem com que a pecaminosidade seja inerente à vontade somente. O nosso artigo, em harmonia com as confissões protestantes do século 16, vai muito mais profundo, e mostra que o pecado afetou a natureza muito antes da vontade começar a agir.

A questão é vital para muitos dos aspectos mais práticos e importantes da vida, pois se estamos errados aqui, podemos estar sujeitos ao erro em qualquer lugar. Idéias superficiais sobre o pecado inevitavelmente tendem para idéias superficiais a respeito da obra redentora de Cristo. Portanto, devemos estar em guarda contra os dois extremos: por um lado, devemos insistir que mesmo no regenerado o princípio do mal permanece e permanecerá até o final desta vida; por outro lado, devemos ser claros de que esse princípio do mal não precisa nem deve produzir maus resultados na prática, visto que a graça de Deus foi proporcionada para confrontá-lo e vencê-lo. [354]

VII. A Relação do Cristão com a Imputação do Pecado

A morte física, como já foi observado, é a penalidade do pecado imputado, e embora o julgamento seja totalmente repelido para o cristão, a experiência da morte como o único modo de sair deste mundo é a porção de todos os crentes até o retorno de Cristo. O aspecto da penalidade ou do julgamento da morte tem sido tão perfeitamente anulado que pode ser dito a respeito dos crentes: "...agora nenhuma condenação há para os que estão em Cristo Jesus" (Rm 8.1; cf. Jo 3.18; Rm 8.38, 39; 1 Co 11.32). O apóstolo também declara: "Onde está, ó morte, a tua vitória? Onde está, ó morte, o teu aguilhão? O aguilhão da morte é o pecado, e a força do pecado é a lei. Mas graças a Deus que nos dá a vitória por nosso Senhor Jesus Cristo" (1 Co 15.55-57). Está afirmado que um poderoso triunfo foi ganho sobre a morte e a sepultura. "O aguilhão da morte é o pecado", mas o poder da morte de ferir é cancelado pela morte de Cristo. "A força do pecado é a lei", mas o sistema total de mérito é destruído por Cristo em sua morte. Ele satisfez as exigências do mérito por conceder o seu próprio mérito perfeito a todos os que crêem. A força do pecado é vista na verdade de que ele é *impiedade*; todavia, a força da lei como um meio de justiça é tornada débil por causa da fraqueza da carne (Rm 8.3). Graças, de fato, a Deus por essa vitória sobre o aspecto de juízo da morte, vitória essa que é ganha por nosso Senhor Jesus

Cristo. A única cura eficaz para a morte é a vida, e embora o salário do pecado – o primeiro pecado adâmico – é a morte, o dom de Deus é a vida eterna "através de Jesus Cristo nosso Senhor" (Rm 6.23).

VIII. A Relação do Cristão com o Estado do Homem Debaixo do Pecado

Este relacionamento é somente uma lembrança. O apóstolo, ao escrever aos crentes de Éfeso, diz a respeito disto: "Portanto, lembrai-vos" (Ef 2.11). A mudança do estado de perdido *debaixo do pecado* para o estado de salvo *debaixo da graça* não poderia ser avaliada adequadamente por qualquer mente ou plenamente descrita por qualquer língua. O que uma vez foi um demérito completo é transformado num mérito infinitamente perfeito de Cristo; um lugar no *cosmos* foi mudado para um lugar no reino do Filho do amor de Deus; e a condenação do julgamento do pecado foi mudada para uma posição imutável na graça soberana de Deus – graça que não somente é superabundante, mas que nunca cessa. Aqueles que estão debaixo do pecado são considerados como se estivessem sem Cristo, por não terem esperança alguma, sem Deus, no *cosmos* (Ef 2.12); aqueles que estão debaixo da graça são descritos com relação ao seu estado inalterável pelas palavras: "Bendito seja o Deus e Pai de nosso Senhor Jesus Cristo, o qual nos abençoou com todas as bênçãos espirituais nas regiões celestes em Cristo" (Ef 1.3).

CAPÍTULO XXIII

Punição

O TEMA CENTRAL DA PUNIÇÃO, em sua aplicação mais ampla, é dividido em *castigo, açoite e retribuição*. Destes, os dois primeiros se relacionam ao modo de Deus de tratar com os cristãos impenitentes, e o último tem a ver com o tratamento final de Deus com os não-salvos. Essas doutrinas separadas devem ser tratadas de um modo mais pleno posteriormente, nesta obra de teologia. Somente um breve esboço será fornecido aqui.

I. Castigo

A doutrina do castigo está intimamente relacionada com a do sofrimento cristão, embora nem todo sofrimento seja um castigo. Quando Deus usa o sofrimento para corrigir os seus, então se torna um castigo. Ao representar esta linha da verdade no Antigo Testamento, Davi disse: "Instruir-te-ei, e ensinar-te-ei o caminho que deves seguir; aconselhar-te-ei, tendo-te sob a minha vista. Não sejais como o cavalo, nem como a mula, que não têm entendimento, cuja boca precisa de cabresto e freio; de outra forma não se sujeitarão" (Sl 32.8, 9). O freio cortante e severo é aplicado ao obstinado; de outra maneira, ele não poderia ser guiado pelo olho de Deus. No mesmo salmo, Davi relata a sua própria experiência como um resultado da retenção de sua confissão a Deus. Ele declara: "Enquanto guardei silêncio, consumiram-se os meus ossos pelo meu bramido durante o dia todo. Porque de dia e de noite a tua mão pesava sobre mim; o meu humor se tornou em sequidão de estio" (Sl 32.3, 4).

A seguir, ele fez a sua confissão e foi restaurado. Disto ele diz: "Confessei-te o meu pecado, e a minha iniqüidade não encobri. Disse eu: Confessarei ao Senhor as minhas transgressões" (v. 5). Há uma forma de correção que pode ser evitada pela confissão. Disto está escrito: "...mas, se nós nos julgássemos a nós mesmos, não seríamos julgados; quando, porém, somos julgados pelo Senhor, somos corrigidos, para não sermos condenados com o mundo" (1 Co 11.31, 32). A confissão é autojulgamento e ela serve para remover a disciplina dolorida que deve ser imposta sobre os rebeldes para que eles não sejam condenados com o *cosmos*. Ninguém será afligido que ao mesmo tempo não esteja consciente de que resiste a Deus e da razão pela qual está sob correção. A disciplina, numa forma ou outra, é a experiência universal de todos os que são salvos; mesmo o ramo que produz fruto é podado, para que produza mais fruto ainda (Jo 15.12). O testemunho da passagem central da Bíblia sobre o castigo (Hb 12.4-15) é no sentido de que todo filho seja disciplinado.

II. Açoite

A experiência de açoitar está intimamente relacionada à do castigo, mas parece virtude um texto em que ela ocorre (Hb 12.6), ou seja, diferenciar de castigo. É possível concluir que o açoite se refere à quebra da vontade e resultado numa vida que se rende. O açoite pode acontecer apenas uma vez na vida toda do crente. Por outro lado, o castigo pode ser repetido muitas vezes antes que a obra do açoite aconteça. Deus não se satisfaz com a anarquia em Sua família.

III. Retribuição

Como toda forma de disciplina tem por objetivo a melhora ou o desenvolvimento de uma pessoa, e tem em vista a realização de propósitos santos e elevados que Deus determinou para aqueles que são salvos, não há em mente um treinamento ou instrução na retribuição dos perdidos. As duas classes são identificadas em duas das passagens já citadas. Em 1 Coríntios 11.31, 32, uma classe é preservada e a outra é condenada. Semelhantemente, em Hebreus 12.6-8, uma classe é designada "filhos", enquanto que a outra é designada "bastardos". Em cada caso, Deus é visto como o que opera para o desenvolvimento de um grupo, mas somente como condenando o outro grupo. Nenhuma melhora está prevista no tratamento de Deus com aqueles que são condenados, que são chamados de "bastardos". O julgamento vem sobre eles como uma vindicação da dignidade dAquele a quem toda criatura deve sua existência e cuja vontade tem sido revelada, mas que será ultrajada pelo pecado.

É bom lembrar que todo membro da raça humana uma vez esteve na mesma condenação e para sempre estaria lá, não fora a redenção divina. Deve ser ponderado igualmente que a oferta da graça salvadora é agora estendida à totalidade do mundo perdido. A punição do não-regenerado é imposta como uma retribuição de ofensa contra Deus, e assim se torna mais do que uma imposição das conseqüências do pecado. A ordem moral do universo deve ser, e será, sustentada; mas muito além está a vindicação da desonra feita à pessoa de Deus. Se a verdade for reconhecida de que os mais iluminados dos homens são incapazes de entender a verdadeira natureza do pecado ou do seu efeito sobre Aquele que é infinitamente santo, deverá ser admitido por todos que a vindicação da punição está além do entendimento humano. Ela está claramente revelada na Bíblia e mais ainda nos lábios de Cristo do que em qualquer outro. A revelação que existe não é somente sobre a autoridade com que a Bíblia fala, mas ela permanece também na base da verdade de que nenhum homem está na posição de questioná-la.

"Minha é a vingança, eu retribuirei, diz o Senhor" (Rm 12.19). Neste texto, Deus assevera, primeiro, a Sua própria reação ao pecado pelas palavras *minha é a vingança*; mas Ele também sugere a necessidade da penalidade quando diz: *Eu retribuirei*. A recompensa ou penalidade é mais do que um mero abandono do pecador. É verdade que a "segunda morte", que é eterna, é uma separação de Deus e que o estado eterno é uma penalidade imensurável à luz do fato de que a alma perdida deve conhecer o que a graça poderia ter operado. A penalidade é uma imposição final que sobrepassa e está acima do curso natural dos eventos – uma retribuição que corresponde à punição exigida. É tão certo como o caráter de Deus que qualquer que seja a imposição dela, ela será justa e reta, e será assim reconhecida por todos. Deus não será nisto, como não é outro empreendimento qualquer, o autor daquilo que é mau.

O castigo é uma demonstração do amor divino, mas a retribuição é uma manifestação da ira divina. Deus nunca propôs o aperfeiçoamento dos pecadores agora, nem o proporá na eternidade. Ele providenciou a custo infinito uma regeneração perfeita e uma nova criação através da fé em Cristo. Isto pode ser recebido ou rejeitado pelos homens. Não há palavra na Bíblia que corresponda à extinção. O estado do perdido é tanto de consciência quanto de algo que não termina jamais. Mesmo a morte física, da qual eles podem depender para algum alívio, será destruída e banida para sempre.

Um quadro escuro da falha e da tristeza humana é percebido somente quando as novas do Evangelho podem ser mais prontamente recebidas. Todas as revelações de Deus a respeito do destino dos perdidos são vistas como um apelo para que os homens se voltem para Ele e vivam em sua graça e favor.

Um problema que causa perplexidade surge quando a retribuição e a redenção não são devidamente distinguidas. Se o castigo é terapêutico, por que deveria haver a redenção? A essa altura os homens sinceros perderam o rumo e seguiram para as teorias racionalistas do universalismo e do restitucionismo. Duas citações enormes lançarão luz sobre este problema:

O propósito distintivo da punição divina não pode ser a melhora da pessoa punida, porque este é o objetivo da *redenção*.

Se a punição fosse o meio de se apropriar desse fim, não haveria necessidade de redenção; ao contrário, se esse objetivo é alcançado pela redenção, de que serve a severidade da punição? Devemos supor que quando a redenção se mostra ineficaz para a melhora do homem, se deve lançar mão da punição para alcançar esse objetivo: Então se seguiria que a punição é mais eficaz para a regeneração do homem do que a redenção. O conflito entre a esfera da punição e o da redenção torna tudo mais cheio de perplexidade, quando nos lembramos de que o principal aspecto da redenção é acabar com a punição através do perdão dos pecados. Se a punição é terapêutica, ela é uma gentileza para libertar o homem dela antes que ela realize a sua obra. E como é possível que a redenção, por ser a remoção eterna da punição, deva ser renovada, se a punição em si mesma também o é? E ainda a influência da punição em preservar e restabelecer o poder da bondade moral daquele que a recebe, não deve ser totalmente negada. A punição, por outro lado, age como uma barreira contra a invasão desoladora do pecado por reafirmar as ordenanças fixas da lei; e, por outro lado, ela dá testemunho ao pecador do poder esmagador por meio do qual o mal recua sobre si próprio, e o faz tremer quando se rende a si mesmo. Nesses dois modos, ele *prepara* o homem para a obra da redenção. Mas em sua própria natureza distinta, não é adaptado ou calculado para produzir uma verdadeira melhora, uma renovação interior do pecador. Ao contrário, as duas esferas, a da redenção, que sozinha pode realizar a verdadeira renovação, e a da punição, mutuamente se excluem. Onde quer que uma participação viva nas bênçãos da redenção comece, a punição, propriamente chamada – δίκη, ἐκδίκησις, τιμωρία – cessa; mas, tão logo o homem continua a ser o sujeito da punição justa de Deus, ele é excluído daquelas bênçãos (Jo 3.36).[355]

A punição não é o meio próprio para a reforma; pois a verdadeira reforma pode somente resultar da livre autodeterminação. Ela é voluntária em sua natureza. Mas uma autodeterminação que é produzida pelo medo da dor não seria moral, e da natureza da virtude Qualquer reforma efetuada, a partir de um motivo egoísta não é uma reforma genuína. Além do mais, se a verdadeira reforma pudesse ser produzida pela punição, por que os métodos legais e punitivos do Antigo Testamento não deveriam ter sido o único método? A antiga economia era cheia de ameaças e penalidade, e cheia de exemplos de sua real execução. Por que Deus enviou o seu Filho, e fez um novo pacto e economia de misericórdia? De que serve a redenção, ou a *remissão* da punição, se a punição é em si mesma curativa e terapêutica? As Escrituras nunca apresentam a punição como algo que produz reforma. A devida punição do pecado é a morte – Rm 6.23.

Como a morte temporal, que é a penalidade extrema na legislação humana, não é com o propósito de reformar o criminoso, e reinstalá-lo na sociedade humana, mas para sempre alijá-lo dela, assim a morte eterna, no ensino bíblico, não é com a finalidade de ser um meio de educar o pecador e adaptá-lo para o reino do céu, mas para sempre bani-lo e exclui-lo dele.[356]

Semelhante a esses problemas está o da atitude divina para com as multidões incontáveis que morreram e nunca ouviram o Evangelho da redenção. Novamente uma tentação surge – muito forte para alguns – e os homens afirmam que os pagãos serão salvos com base em sua ignorância ou que eles serão salvos, se viverem conforme a luz que eles possuem. Estas conclusões estão baseadas na falácia de que o homem não precisa de regeneração que está baseada no sangue eficaz. A natureza do plano de salvação é de tal modo que não incorpora uma aquiescência parcial, nem pode ser executada com base em boas intenções. O problema assume um aspecto mais profundo, quando é alegado que Deus, por ser soberano, é capaz de fazer aquilo que lhe agrada fazer. Esta idéia relaciona redenção à soberania, enquanto que ela é corretamente relacionada à justiça.

Mesmo Deus não pode redimir à parte do sangue de seu Filho. Se Ele fizesse de forma contrária, seria injusto; pois não existe outra satisfação que corresponda à impiedade das criaturas. Se é alegado que Deus é livre para salvar através de Cristo a quem Ele quer, a resposta é descoberta imediatamente na Palavra de Deus. Ali, a sua graça salvadora é sempre (à parte dos infantes que morrem) um assunto de recepção pessoal dela. O elemento de fé nunca está ausente: "Quem crê nele não é julgado; mas quem não crê, já está julgado; porquanto não crê no nome do unigênito Filho de Deus" (Jo 3.18). Se fosse verdade que os pagãos são salvos pela ignorância ou fidelidade deles à luz que possuem, não haveria uma ordem para o programa missionário. Na verdade, o verdadeiro ato de levar o Evangelho àqueles que são salvos por alguma coisa dentro deles próprio é uma imposição de proporções colossais; pois por tal empreendimento os pagãos que supostamente estão seguros em suas próprias virtudes, são transferidos a um sistema onde eles podem se perder, e provavelmente se perderão, para sempre através da rejeição do Evangelho.

Os pagãos são descritos como totalmente perdidos até que o Evangelho seja recebido por eles. Sem essa verdade, todo comissionamento registrado no Novo Testamento é um empreendimento inútil, e trará prejuízo antes que ajuda para aqueles a quem a mensagem é entregue. O Evangelho gera uma responsabilidade e torna-se para aqueles que o rejeitam "um cheiro de morte para a morte", assim como o seu recebimento um "cheiro de vida para a vida".

Na raiz dessas dificuldades repousa a noção racionalista de que todos os homens são divinamente designados para a salvação, e, se não o são, Deus falhou em seu propósito. A verdade esclarecedora é que Ele elegeu um grupo composto de todas as nações e que nenhum deles deixará de ouvir e responder positivamente ao Evangelho. O problema maior do Seu propósito em outras eras deve ser reservado para uma consideração posterior.

Capítulo XXIV

O Triunfo Final Sobre Todo Pecado

A revelação e a razão se unem no testemunho de que o mal é uma coisa temporária no universo de Deus. A razão declara que, visto que Deus é infinitamente santo e o Planejador e o Criador do universo, o mal deve ter começado sua manifestação subseqüentemente à criação por permissão dEle e para servir a um propósito compatível com a sua justiça. A razão também antecipa que, quando esse propósito for cumprido, o mal será eliminado deste universo de Deus, e que Deus, por ter se incumbido de lidar com o mal, completará a sua tarefa ao grau de perfeição que caracteriza todas as suas obras. Por outro lado, a revelação prediz uma vitória que vem sobre o mal que a mente finita sozinha não pode captar. O estudante faria bem em meditar e refletir sobre o caráter maravilhoso do livro que, com exatidão absoluta e sem hesitação, desvenda a eternidade vindoura, assim como desvenda a eternidade passada.

Este Livro incomparável é dado por inspiração divina para que o homem de Deus (e como tem servido pouco aos outros!) possa ser perfeito, tanto em conhecimento quanto em caráter, por seu poder santificador, e "perfeitamente" habilitado para toda boa obra (2 Tm 3.16,17). Algumas passagens importantes são indicadas sobre o triunfo final de Deus:

1 Coríntios 15.25-28. Este texto da Escritura, que possui o caráter de um parêntesis, está no meio de uma revelação exaustiva a respeito da ressurreição, apresenta o programa divino para a purificação do universo como uma preparação para a glória eterna. Por haver declarado que a ressurreição é comum a todos os homens e que há uma ordem ou sucessão na ressurreição – (1) Cristo, as primícias; (2) aqueles que são de Cristo na sua vinda; e (3) o fim ou a consumação da ressurreição – o apóstolo indica que a segunda ressurreição é nessa ordem, ressurreição essa que ocorrerá na segunda vinda, e que será de um grupo designado como "aqueles que são de Cristo". Essa revelação corresponde com a afirmação de 1 Tessalonicenses 4.16, que é a dos mortos em Cristo que ressurgirão primeiro, e com a declaração de Apocalipse 20.4-6, onde é indicado que aqueles sobre quem o selo divino da bênção repousa, serão ressuscitados antes dos mil anos começarem, enquanto que "o restante dos mortos" será ressuscitado após os mil anos terem terminado.

Em João 5.25-29 as próprias palavras de Cristo são registradas em que Ele afirma que há dois grupos na ressurreição, mas nenhuma menção é feita por Ele sobre o tempo que ela acontece. De acordo com Cristo, esses dois grupos são ressuscitados dentro da "hora" profética que já continua por quase dois mil anos e, de acordo com a profecia, continuará mil anos após o retorno de Cristo. A noção de que há aqui uma ressurreição geral, que inclui todos, simultânea, que acontece dentro de uma hora, é mais um produto da teologia de Roma do que uma doutrina das Escrituras.

No período entre a ressurreição de Cristo e a do grupo designado como "os que são de Cristo", deve haver a garantia do número completo daqueles, a turma dos eleitos, que compõem esse grupo. Na sua vinda, o próprio Cristo não somente leva esse grupo para si através da ressurreição e da transformação, mas Ele então termina o seu empreendimento divino específico. Semelhantemente, o período entre a ressurreição do próprio Cristo e a ressurreição "final" é caracterizado pelo exercício do poder e autoridade de Cristo. Esse período, de acordo com Apocalipse 20.4-6, é de mil anos. No final desse período e por virtude do seu reino, Cristo, é afirmado, "entregará o reino ao Deus e Pai". O reino referido aqui representa uma esfera maior da autoridade divina, pois por sua autoridade e poder "todos os inimigos" – angélicos e humanos – serão postos debaixo de seus pés. O último inimigo a ser destruído é a morte.

Por permissão divina, esse domínio maior de governo enfrenta um estado de rebelião. Um enorme grupo de anjos, que não guardaram o seu estado original, e quase a totalidade da raça humana estiveram e agora estão em inimizade contra Deus. A morte, que era estranha ao primeiro estado do homem, operou a sua malignidade sobre a terra em todas as gerações. Naquele período milenar, Cristo, somos informados, dominará toda a rebelião e restaurará a Deus o Pai um reino não-dividido. A palavra παραδίδωμι é bem traduzida por *entregar*, uma vez que não há indicação implícita de que o Filho cessará o seu próprio reino de autoridade. Isto Ele não poderia fazer à luz do fato dele ocupar eternamente o trono de Davi (Lc 1.32,33; cf. Is 9.6,7; Dn 7.14). Dificilmente deveria ser esperado daqueles que não vêem algo na profecia do futuro de Israel e que não reconhecem o reino terreno infindável de Cristo, que observem a importância dessa passagem. Esse significado exato pode ser entendido, que o apóstolo continua o aposto a afirmar que toda autoridade foi entregue ao Filho pelo Pai, com a exceção importante e razoável de que o Pai que deu a autoridade ao Filho não fique debaixo do governo universal do Filho. Assim, o Filho, por ter derrotado todos os inimigos, destruído a morte, e apresentado um Universo dominado ao Pai, continuará então como agora o seu reino eterno. Não haverá novamente uma voz de oposição no reino universal de Deus; mas Deus – Pai, Filho e Espírito Santo – como no princípio, será "tudo em todos".

Em seu uso escatológico, poucas passagens são de maior importância do que esta. Três fatos determinantes aparecem neste contexto (1 Co 15.24-28):

(a) Durante o período entre a ressurreição daqueles que são de Cristo e a ressurreição final, a grande autoridade do Filho será exercida até o fim onde todo governo opositor e toda autoridade será derrotada. Todos os inimigos serão colocados sob os pés de Cristo. Mesmo "o último inimigo" – a morte – será destruído (καταργέω, que é a mesma palavra no versículo 24 traduzida como *destruído*; cf. 2 Tm 1.10, onde pelo uso da mesma palavra é afirmado que Cristo já destruiu a morte para o crente; e Hb 2.14, onde é revelado que pela morte do Filho se destruirá aquele que tem poder sobre a morte; e 2 Co 3.13, onde, com Rm 7.4, a antiga ordem é dita ter sido *abolida* pela morte de Cristo; e Ef 2.15, onde a inimizade entre judeus e gentios é declarada ser *abolida* pela mesma morte; e, finalmente, Rm 6.6, onde é dito que com base na morte de Cristo "o corpo do pecado" pode ser *destruído*).

(b) Toda autoridade, por ser dada ao Filho pelo Pai (primeiro, como Criador – Cl 1.16 –, segundo, como Preservador – Hb 1.3; Cl 1.17 – e como Governador, por decreto divino específico – Mt 28.18 – embora o Pai reserve certos poderes para Si próprio – At 1.7), o Pai é em si mesmo excetuado como aquele que não está debaixo da autoridade que Ele mesmo deu ao Filho (cf. Hb 2.8).

(c) O Filho, por ter exercido o seu poder ao grau em que todos os inimigos da autoridade de Deus foram colocados debaixo de seus pés, continua o seu domínio, a essa altura como agora, pela autoridade irrevogável do Pai. A construção, de acordo com exegetas conceituados, não obriga a conclusão de que, ao apresentar uma ordem restaurada ao Pai (v. 24) ou que por continuar a reinar no futuro, pela autoridade do Pai, como Ele faz agora (v. 28), o Filho abrirá mão de seu governo. Isto Ele não poderia fazer à luz de muitas predições de que o seu reino seria eterno. Aquele, cuja relação com Israel e com esta terra é a de um rei com um reino eterno, na verdade reinará até que os reinos deste mundo tenham sido reinos de nosso Senhor e do seu Cristo; mas isto não é o fim, pois dele é dito que "ele reinará para sempre e sempre" (Is 9.7; Lc 1.33; Ap 11.15). Assim, através dessa importante passagem, o triunfo final de Deus sobre todo o mal é revelado.

APOCALIPSE 20.11–22.7. Das diversas passagens da Escritura que tratam do triunfo final de Deus não há uma mais importante ou exaustiva do que a que vamos considerar agora. Uma exegese palavra por palavra desse contexto inteiro é um *desideratum*, mas somente uma ligeira referência pode ser feita a esta passagem.

Quando Cristo disse: "Na casa de meu Pai há muitas moradas" (Jo 14.2), Ele fez referência ao Universo inteiro no qual há várias moradas. A passagem sob consideração indica quatro moradas: (1) o novo céu, a morada de Deus; (2) a cidade celestial, que é distintamente identificada como separada do novo céu e que desce do céu (Ap 21.2, 10); (3) a nova terra, que é habitada pelo Israel glorificado, cuja nação é sempre relacionada à esfera terrestre e cuja existência é, pelo pacto de Jeová, eterna, e com Israel sobre a terra estão "as nações daqueles que são salvos", que trazem a sua glória e honra à cidade; e (4) a morada daqueles que estão "fora", cujo caráter e estado permanecem imutáveis e separados de Deus para sempre. Dessas moradas:

(1) O novo céu, o lar do Deus Triúno, é compartilhado pela Igreja (Jo 14.3) e os santos anjos. Comparativamente, pouca coisa é revelada com respeito ao

caráter específico do novo céu que virá, e provavelmente pela razão da mente ser finita e incapaz de compreendê-lo.

(2) Entretanto, muita coisa está escrita a respeito da cidade celestial que é dita descer de Deus, do céu – seu caráter, suas dimensões, seus habitantes ou os que freqüentam os seus portais, o material que compõe a sua estrutura e a sua glória. Os patriarcas a divisaram. Abraão, o habitante de tendas, procurou pela "cidade que tem fundamentos" (Hb 11.10, 16). A cidade é cosmopolitana – um lugar freqüentado e desfrutado por aqueles de outros lugares. Na verdade, a Noiva, cujo lar é evidentemente no céu, onde Cristo estará, é definitivamente uma parte dessa cidade que leva o nome "A noiva, a esposa do Cordeiro". A presença e o privilégio da Igreja nessa cidade são também indicados pelo fato de que os seus doze fundamentos levam os nomes dos doze apóstolos do Cordeiro.

Nessa cidade também entram os anjos, Israel e os eleitos das nações; pois nos portões estão os doze anjos e suas portas têm os nomes das doze tribos de Israel. Igualmente, os provenientes das nações que são salvos trarão a sua glória e honra a ela. Essa cidade, mesmo as suas ruas, é construída de ouro puro assim como de cristal. O seu comprimento é de doze mil estádios, que, de acordo com o sistema métrico, é de aproximadamente 2.400 quilômetros. O seu cumprimento e sua largura e altura são iguais. A cidade será fulgurante com a *Shekinah*, a luz gloriosa da presença de Deus.

(3) A nova terra será o lar dos que estão debaixo da eterna aliança de Deus.

(4) E o lugar final em que os que serão redimidos habitarão.

HEBREUS 12.22-24. Novamente a cidade celestial é descrita, mas somente em relação a seus habitantes, ou aqueles que atravessam os seus portais. Será observado que, como há várias moradas na casa do Pai, há ao menos seis classificações das criaturas de Deus – os santos anjos, a Igreja, Israel, os provenientes das nações, os quais foram salvos na Grande Tribulação e no Milênio, os anjos caídos, os quais com Satanás estão designados para o fogo eterno (Mt 25.41; cf. Ap 20.10), e os não-regenerados que, por seus nomes não estarem escritos no livro da vida do Cordeiro, serão igualmente lançados no lago de fogo (Ap 20.15; 21.8; cf. 21.27). Os não-regenerados, em relação à morada daqueles que estão sob a eterna bênção de Deus, são conhecidos como os que estão "fora" (Ap 22.15).

De acordo com Apocalipse 20.11–22.7, os que estão dentro da cidade celestial são: o Pai, o Filho (mencionado sob o título sugestivo de Cordeiro), os santos anjos, a Igreja e os que foram salvos na Grande Tribulação e no Milênio – tanto de Israel quanto das nações. Em Hebreus 12.22-24, a passagem agora sob consideração, a mesma enumeração de habitantes aparece – "Deus o juiz de todos"; "Jesus o mediador da nova aliança"; "uma inumerável multidão de anjos"; "assembléia universal e igreja dos primogênitos arrolados no céu"; e "os espíritos dos justos aperfeiçoados", designação esta que pertence evidentemente aos judeus e às nações que a essa altura terão sido purificados pela graça divina com base na redenção de Cristo, provenientes da Grande Tribulação e do

ANTROPOLOGIA

Milênio, e que serão moradores na nova terra e no novo céu. O sangue redentor de Cristo está sempre em foco. Na enumeração dos habitantes fornecida no Apocalipse, Cristo aparece como o *Cordeiro*; e, na enumeração fornecida em Hebreus, Ele aparece como Mediador de uma nova aliança com o seu sangue "que fala melhor do que o de Abel". Desta ênfase evidente sobre o sangue de Cristo, pode ser concluído que tudo o que Deus fez foi com base no valor desse sangue.

2 PEDRO 3.7-13. Dois fatos essenciais são apresentados nesta passagem, a saber: (1) Tem de haver um novo céu e uma nova terra. O presente céu, em fogo, será dissolvido e os elementos da terra serão derretidos com intenso calor. Essa mesma cena está descrita em Hebreus 1.10-12, onde está escrito que os céus e a terra perecerão. Eles derreterão como panos velhos, e, como uma vestimenta, eles serão enrolados e mudados. Com respeito ao desaparecimento daquilo que é velho, está afirmado em Apocalipse 20.11 que a terra e o céu irão fugir da presença dAquele que está assentado no grande trono branco, e não mais será encontrado lugar para eles. Pedro também testifica: "Nós, porém, segundo a sua promessa, aguardamos novos céus e uma nova terra, nos quais habita a justiça" (2 Pe 3.13).

Esta expectativa pode ter sido baseada no Antigo Testamento. Em Isaías 65.17, lemos: "Pois eis que eu crio novos céus e nova terra. E não haverá lembrança das coisas passadas, nem mais se recordarão". Tão insuperável será essa nova criação que a presente ordem nunca mais será lembrada. Igualmente, em Isaías 66.22, está predito: "Pois como os novos céus e a nova terra, que hei de fazer, durarão diante de mim, diz o Senhor, assim durará a vossa posteridade e o vosso nome". De acordo com esta profecia, haverá não somente um novo céu e uma nova terra, mas Israel permanecerá para compartilhar da glória tanto quanto durar a criação.

Quando voltamos à passagem sob consideração, observamos que Pedro data o tempo dessa grande transformação como concomitante com "o dia de juízo e da perdição dos homens ímpios" (2 Pe 3.7), e isto coincide exatamente com o registro fornecido em Apocalipse 20.11-15, onde é dito que, quando os ímpios mortos são reunidos diante de Deus para o juízo final, a antiga ordem desaparece diante dAquele que se assenta no trono. Os moradores do céu e os da terra são designados por Deus para habitar na nova criação como expectadores, a fim de que observem um dos mais estupendos atos criadores de Deus: "E o que estava assentado sobre o trono disse: Eis que faço novas todas as coisas" (Ap 21.5).

Pouca coisa está registrada na Bíblia a respeito do caráter dos novos céus; muita coisa foi revelada a respeito do caráter da cidade que desce do céu. Semelhantemente, há revelações importantes, embora limitadas, a respeito da nova terra. A passagem mais extensa que trata das condições que são obtidas na nova terra, é a que se segue: "E ouvi uma grande voz, vinda do trono, que dizia: Eis que o tabernáculo de Deus está com os homens, pois com eles habitará, e eles serão o seu povo, e Deus mesmo estará com eles. Ele enxugará de seus olhos toda lágrima; e não haverá mais morte, nem haverá mais pranto, nem lamento, nem dor; porque já as primeiras coisas são passadas" (Ap 21.3, 4). Está evidente que esta é uma descrição somente das condições na nova terra, e tem um caráter duplo: (a) lágrimas, morte, tristeza, choro e dor, descritos como "as primeiras coisas", pertencem somente à velha terra e estas "passarão"; (b) Deus é visto como habitante entre os *homens*. Ali Ele faz o seu tabernáculo e eles serão o seu povo, e Ele estará com eles e será o Deus deles. Ele habitará com eles como agora habita com os santos anjos (Mt 22.30), e habitará com os santos em luz (Cl 1.12); mas maravilhosa, na verdade, é a revelação de que Deus terá uma comunhão desimpedida e ininterrupta com os moradores da terra.

A nova terra será tão santa como o novo céu. Pedro afirma que haverá "novos céus e uma nova terra, onde habita a justiça" (2 Pe 3.13). Assim, está declarado que as três esferas da glória eterna – o novo céu, a cidade celestial e a nova terra – serão individual e coletivamente puros como Deus é puro, e Ele permanece em cada uma para sempre. De igual modo, as três ordens dos seres criados – os santos anjos, a Igreja dos primogênitos, e os moradores da terra compostos de Israel e das nações dos que foram salvos na Grande Tribulação e no Milênio, terão comunhão completa e infindável com Deus. Visto que nenhuma palavra de Deus pode falhar, cada palavra da profecia será cumprida e o triunfo final de Deus sobre o mal será tão perfeito como perfeitas são todas as suas obras.

As Escrituras assim predizem um triunfo glorioso, universal e divino que ainda está por acontecer – um triunfo no plano da infinitude e inclui a disposição para o pecado como um *princípio*. Mesmo uma análise fraca, tal como a mente finita pode empreender, deve revelar o fato de que, escondida nesse aspecto da questão do pecado, está a razão mais importante que a mente humana jamais descobriu pela qual o pecado foi permitido entrar neste universo com o dano que trouxe para a criação e a imposição imensurável do sacrifício que veio sobre o Filho de Deus. É verdade que a graça de Deus não poderia ser manifesta, a não ser que houvesse criaturas caídas em existência que, por causa da corrupção do pecado, seriam objetos da graça, e que a demonstração da graça divina, a glória inestimável que é observável não no tempo, mas na eternidade (Ef 2.7), vem a se constituir numa razão óbvia para a permissão do pecado; porém, mais abrangente é o fato de que o princípio do mal, como oposto ao bem, seja apresentado da forma abstrata em que ele existia antes da criação, e, com base desse resultado concreto em e através da criação, está sujeito ao julgamento divino e a ser destruído para sempre.

Na verdade, o triunfo de Deus é incompreensível quando, através da cruz de Cristo, uma alma perdida é redimida e por seu poder salvador é transformada a ponto de aparecer no céu conformada à imagem de seu Filho; e toda vitória sobre o pecado em qualquer de suas formas deve redundar em louvor eterno ao Seu nome. Todavia, quão excedente em sua glória infinita é o julgamento e o banimento do próprio pecado! Quão transcendentemente bendita será a santa paz que ainda reinará por todo o universo de Deus! Parece que será ainda mais maravilhosa do que a paz que reinou na eternidade passada, visto que ter a experiência do julgamento do pecado em retrospectiva é mais conducente à paz do que tê-la em prospectiva. Por ser engolfada no rumor e na escuridão da fase imediata do conflito, a mente do homem não pode se desprender por si mesma dos seus danos e circunstâncias e, assim, não consegue apreender o triunfo divino assegurado que Deus determinou e que será executado com aquela perfeição que caracteriza todas as suas obras.

De todas as maravilhas da realização divina, nenhuma pode superar em glória o universo vindouro, livre do pecado em que a justiça é vista, não *combatendo* e *sofrendo* como agora, nem mesmo *reinando* como no ainda futuro reino, mas *habitando* por todo o vasto campo da criação de Deus, exceto na morada dos anjos caídos e dos homens perdidos.

Deus, por ser infinitamente santo, não pode manter relação alguma com o pecado além de julgá-lo através da chama branca de justiça que Ele é. A morte de Cristo como o Cordeiro providenciado pelo Pai não somente revela o imensurável amor de Deus por pecadores, mas abre o caminho pelo qual Deus, por causa do juízo do pecado que Cristo operou, está livre para agir sem restrição em favor do campo mais vasto do próprio universo.

Uma chave para o entendimento dos caminhos de Deus nas eras é o fato de que Ele se agradou em colocar cada desafio para um teste experimental. Este método, sem dúvida, assegurará o *desideratum* quando cada boca se calar. É razoável crer que o mal em sua forma abstrata e como um princípio de oposição, em qualquer tempo que ele comece a existir, foi em si mesmo um desafio a Deus e que, na maior escala concebível, suas alegações estão sujeitas a uma demonstração que não somente evidencia o seu caráter, mas também evidenciará o santo caráter de Deus – uma revelação de importância insuperável – e excelência da graça de Deus. Para esse fim foi necessário que o pecado assumisse uma forma concreta e seguisse o seu curso até o fim. Debaixo da vontade permissiva de Deus, o pecado tem trazido um dano imensurável às esferas angelicais.

Ele ocasionou uma ruína completa na raça humana, à parte da graça redentora. Mas o custo incalculável do pecado é o sangue do Filho de Deus que sozinho pode providenciar uma base justa para os juízos de Deus contra o mal e todos os seus aspectos, e estabelecer para sempre o seu santo caráter, e assegurar e realizar a redenção daqueles que aceitaram o plano da salvação estabelecido antes da fundação do mundo, através de quem, também, Ele pôde demonstrar as insondáveis riquezas de sua graça. Na verdade, as testemunhas oculares da morte de Cristo pouco perceberam a respeito da coisa estupenda que acontecia diante da visão deles. A cruz foi um veredicto completo contra o pecado para o crente individual; ela atinge a Israel, aos gentios, a criação, as coisas no céu, as esferas angelicais e a verdadeira raiz do próprio mal em sua dessemelhança a Deus. O triunfo de Deus será perfeito e eterno.

"Ó profundidade das riquezas, tanto da sabedoria, como da ciência de Deus! Quão insondáveis são os seus juízos, e quão inescrutáveis os seus caminhos! Pois, quem jamais conheceu a mente do Senhor? Ou quem se fez seu conselheiro? Ou quem lhe deu primeiro a ele, para que lhe seja recompensado? Porque dele, e por ele, e para ele, são todas as coisas; glória, pois, a ele eternamente. Amém" (Rm 11.33-36).

Notas

Volume 1

PROLOGÔMENOS

Pré. [1] Versão em Ingles, Vol II, parte II, p. 599

[2] Pode ser observado que as exigências divinas de justiça são de tal natureza que, em última análise, Deus nunca pode partir de uma base meritória quando trata com os homens. A graça é possível somente por causa do fato de que o mérito todo-suficiente de Deus em Cristo foi tornado disponível, e satisfaz as reivindicações de toda exigência divina para aqueles que crêem.

Cap.I [3] O comentário a seguir é do *The International Standard Bible Encyclopaedia*, vol. I, pp. 469-70: A teologia bíblica parece melhor definida como a doutrina da religião bíblica. Como tal ela trabalha com o material contido no Antigo e no Novo Testamentos, como o produto de estudo exegético. Este é o sentido técnico moderno do termo, por meio do qual ela significa uma representação sistemática da religião bíblica em sua forma primitiva... Isto não é confundir a ciência da Teologia Bíblica com a da dogmática, pois a natureza delas é muito distinta. A ciência da dogmática é uma abordagem histórico-filosófica; a da Teologia Bíblica é puramente histórica. A dogmática declara o que deve ser considerado como verdade para a fé religiosa; a Teologia Bíblica somente descobre o que os escritores do Antigo e Novo Testamentos aduzem como verdade. O último meramente apura o conteúdo das idéias colocadas adiante pelos escritores sacros, mas ela não está preocupada com a correção ou a verificação delas. É o *o que* da verdade, nessas autoridades documentárias, que a Teologia Bíblica procurar alcançar. O *por que*, ou *com que direito*, é promover como verdade, pertence à outra ciência, a da dogmática. A Teologia Bíblica é, assim, uma ciência mais objetiva; ela não precisa da dogmática; a dogmática, por outro lado, não pode existir sem a ajuda da Teologia Bíblica.... A importância da Teologia Bíblica repousa no modo como ela se dirige, corrige e frutifica toda a teologia dogmática e moral por trazê-las às fontes originais da verdade. O espírito dela é o de pesquisa histórica imparcial.

[4] *Biblical Theology*, I,1.

[5] *Systematic Theology*, I, 18.

[6] Charles Hodge. *Teologia Sistemática* (São Paulo: Hagnos, 2001), 14.

[7] *Principles of Theology*, xxi.

[8] William G.T. Shedd. *Dogmatic Theology*, vol. I, 16.

[9] Veja Shedd, *ibid.*, 18.

[10] Robert Barclay, *Apology*, 13-14.

[11] John Dick. *Lectures on Theology*, 6.

[12] John Dick. *Lectures on Theology*, 7.

NOTAS

BIBLIOLOGIA

Cap. II [13] Bispo Hampden, *Essay on the Philosophical Evidence of Christianity*, 132-33, citado por Henry Rogers, *Superhuman Origin of the Bible*, 4.

[14] "Mahomedanism", *Encyclopaedia Britannica*, citada por Henry Rogers, *Superhuman Origin of the Bible*, 5a. edição, 266.

[15] Citado por Henry Rogers, *Superhuman Origin of the Bible*, 338.

[16] Observação: Muita coisa do que aparece nesta divisão geral da introdução à Bibliologia será retomada mais plenamente em seu lugar e ordem lógica como se procede no Estudo da Sistemática. O professor e o estudante igualmente farão bem em reconhecer esse fato e adiar comentários até que esses temas sejam abordados plena e finalmente.

[17] O termo *Teologia Cristã* é visto como sendo muito restrito quando a referência é feita à Teologia Sistemática. Visto que a Palavra de Deus incorpora a verdade com referência aos anjos, gentios, judeus e cristãos, a sua teologia completa não pode estar confinada a qualquer porção dessa revelação.

[18] Citado por Dick, *Theology*, 15.

Cap. III [19] Benjamin B. Warfield. *Revelation and Inspiration*, 8.

Cap. IV [20] B. B. Warfield, *Bibliotheca Sacra*, LI, 615-16, 1894.

[21] Richard Rothe, *Zur Dogmatik*, 177 (citado por Warfield, *Revelation and Inspiration*, 184-85).

[22] Stuart, *The Principles of Christianity*, 70 (citado por Warfield, *Revelation and Inspiration*, 191).

[23] Charles Hodge, *Teologia Sistemática* (São Paulo: Hagnos, 2001), 126-128.

[24] B. B. Warfield. *Bibliotheca Sacra*, LI, 623-24, 1894.

[25] Olshausen. *Die Echtheit des N.T.*, 170 (citado por Manly, *Bible Doctrine of Inspiration*, 172).

[26] Basil Manly, *Bible Doctrine of Inspiration*, 31.

[27] Philip Schaff. *History of the Christian Church*, vol. I, 93 (citado por Manly, Ibid., 32).

[28] Basil Manly, *Bible Doctrine of Inspiration*, 90.

[29] *Analogy*, Parte II. c. 7 (citado por Manly, *Bible Doctrine of Inspiration*, 174).

[30] B. B. Warfield. *Revelation and Inspiration*, 280.

[31] Citado por Manly, *Bible Doctrine of Inspiration*, 87.

[32] *The New Testament in Greek*, II. 2 (citado por Manly, *Bible Doctrine of Inspiration*, 223).

[33] *Companion to the New Testament*, 177 (citado por Manly, *ibid.*, 224).

Cap. V [34] Mt 4.4, 7, 10; cf. Lucas 4.4, 8, 12; Lucas 4.16-27; Mt 5.17, 18, 21-43; Mt 6.29; 8.4; cf. Marcos 1.44; Lc 5.14; Mt 8.11; cf. Lc 13.28; Mt 9.13; Lc 16.29-31; Mt 10.15; cf. Mc 6.11; Mt 11.10; cf. Lc 7.26, 27; Mt 12.3-8; cf. Mc 2.24-28; Lc 6.3-5; Mt 12.40-42; Lc 11.29-32; Mt 13.14, 15; 15.1-9; cf. Mc 7.6-12; Mt 16.4; 17.11; cf. Mc 9.11-13; Mt 19.3-9; cf. Mc 10.2-12; Mt 19.18, 19; cf. Mc 10.19; Lc 10.26, 27; 18.20; 18.31; Mt 21.13-16; cf. Mc 11.17; Lc 19.46; Mt 21.42; cf. Mc 12.10, 11; Lc 20.17; Mt 22.28-33; cf. Mc 12.24-31; Lc 20.37-39; Mt 22.36-40; 22.34, 44-45; cf. Mc 12.35-37; Lc 20.41-44; Mt 23.1-3, 23, 35; cf. Lc 11.51; Mt 24.15, 16; cf.

Notas

Mc 13.14; Lc 17.26-31; Mt 24.24, 31; Mc 14.21, 27; Lc 22.37; Mt 26.53-56; Mc 14.49; Mt 27.46; cf. Mc 15.34; Lc 23.46; 24.25-32, 44-47; João 1.51; 3.14; 5.39, 45-47; 6.32, 45; 7.19-23, 38,39; 8.39,40, 44, 56-58; 10.33-36; 13.18, 26; 17.12, 17; 19.28.

[35] O Rev. C. H. Waller, o diretor do London College of Divinity, afirma: "cada coisa que um profeta ou um apóstolo escreve não é necessariamente Escritura, a menos que ele ou outro profeta pregue-a como tal... O escritor de Crônicas, o último livro do cânon do Antigo Testamento, observou a exclusão do cânon de um número de obras escritas pelos profetas, que parecem ter sido escritas antes dele. Se consideramos que "o Livro de Samuel o vidente, e as palavras de Natã, o profeta, e as palavras de Gade o vidente" (1 Cr 29.29) sobrevivem nos livros existentes de Samuel e os primeiros dois capítulos do primeiro livro de Reis, todavia o que aconteceu com "a profecia de Aias, o silonita, e às visões de Ido, o vidente, acerca de Jeroboão, filho de Nebate" (2 Cr 9.29)? Onde estão "as histórias de Semaías, o profeta, e de Ido, o vidente, na relação das genealogias" (ou o que quer que a palavra *l'hithyaches* em 2 Crônicas 12.15 possa significar)? O que aconteceu com o *Midrash* do profeta Ido (2 Cr 13.22) nos caminhos e com as palavras de Abias foi registrado? Supondo que "o livro de Jeú o filho de Hanani" foi relacionado no livro de Reis como nós o temos (2 Cr 20.34, e isto é mais do que duvidoso}, todavia "os filhos de Joás e a grandeza dos pesos caíram sobre ele", que foram escritos no *Midrash* do livro de Reis, certamente não chegaram a nós, e esse *Midrash* deve ser registrado entre os livros perdidos (2 Cr 24.27). "Quanto ao restante dos atos de Uzias, desde os primeiros até os últimos, o profeta Isaías, filho de Amoz, o escreveu" (2 Cr 26.22). Mas onde estão eles? A história daquele rei é até mais curta em Reis do que em Crônicas. O nome de Uzias é mencionado duas vezes na "visão de Isaías" e sempre em conexão com a data da profecia somente (Is 1.1 e 6.1). A oração de Manasses e os muitos outros itens de sua história, "eis que estão escritos nas crônicas dos videntes" (2 Cr 33.19). Mas eles não devem ser lidos agora. Este ao menos, e muito possivelmente outras obras que são referidas no mesmo livro da Santa Escritura, foram quase que certamente a obra de profetas. *Todavia eles não são Escrituras*. O escritor do livro canônico de Crônicas (ou possivelmente seus predecessores) deliberadamente colocou de lado, ao invés de colocar neles o selo da autoridade divina. Disto está claro que *a autoria profética não constitui de si mesma a Escritura*. A história de Jeoaquim que queimou o rolo (Jr 36) é suficiente para mostrar o que acontece quando qualquer coisa que é tomada como Escritura é destruída. Teria o escritor de Crônicas se atrevido a destruir qualquer coisa que havia sido entregue como Escritura por uma autoridade como a de Jeremias?" (*The Authoritative Inspiration of Holy Scripture*, 168-70).

Cap. VII [36] A palavra ἐρευνάω (*ereunaō*, "examinar"), usada seis vezes no Novo Testamento e sempre com importância (João 5.39; 7.52; Rm 8.27; 1 Co 2.10; 1 Pe 1.11; Ap 2.23), é três vezes relacionada a um exercício da parte de homens pelo qual eles examinam a Bíblia com cuidado extremo. Os profetas antigos "examinavam" (1 Pe 1.11), e, se a forma imperativa é aceita, Cristo assim dirigiu seus ouvintes (João 5.39).

NOTAS

Cap. X

TEONTOLOGIA

[37] *Institutes*, 1.3.3, (citado por Strong, *Systematic Theology*, 30).

[38] W. H. Griffith Thomas, *Principles of Theology*, 4-5.

[39] Samuel Harris, *The Self-Revelation of God*, 357-58.

[40] Samuel Harris, *The Philosophical Basis of Theism*, edição revisada, 82.

[41] "'Deus é um Ser, e não qualquer espécie de ser; mas uma *substância*, que é o fundamento de todos os outros seres. E não somente uma substância, mas uma substância *perfeita*. Todavia, muitos seres são perfeitos em sua espécie, todavia limitados e finitos. Mas Deus é absolutamente, plenamente e em todo modo infinitamente perfeito; e, portanto, acima dos espíritos, acima dos anjos que são perfeitos comparativamente. A perfeição infinita de Deus *inclui* todos os atributos, mesmo os mais excelentes. Ela *exclui* toda a dependência, existência emprestada, composição, corrupção, mortalidade, contingência, ignorância, injustiça, fraqueza, miséria, e todas as imperfeições quais sejam. Ela inclui a necessidade de existir, independência, unidade perfeita, simplicidade, imensidão, eternidade, imortalidade; a vida mais perfeita, conhecimento, sabedoria, integridade, poder, glória, bem-aventurança, e todas essas coisas no mais alto grau. Não podemos penetrar nos segredos de seu Ser eterno. A nossa razão compreende muito pouco dele, e quando ela não pode prosseguir mais longe, a *fé* entra, e nós cremos muito mais do que podemos entender: e esta nossa crença não é contrária à razão; mas a razão em si mesma dita-nos que devemos crer mais de Deus do que ela pode informar-nos dele' (*Theo-Politica* de Lawson). A esses podemos acrescentar uma passagem admirável de Sir Isaac Newton: 'A Palavra Deus freqüentemente significa *Senhor*; mas nem todo senhor é Deus; é o domínio de um Ser espiritual ou Senhor, que constitui Deus; verdadeiro domínio, verdadeiro Deus; supremo, o supremo; simulado, falso Deus. De tal domínio verdadeiro segue-se que o verdadeiro Deus é vivo, inteligente e poderoso; e de suas outras perfeições que Ele é supremo, ou supremamente perfeito; Ele é eterno e infinito; onipotente e onisciente; a saber, Ele dura de eternidade a eternidade; e está presente de infinidade a infinidade. Ele governa todas as coisas que existem, e conhece todas as coisas que devem ser conhecidas; Ele não é eternidade ou infinidade, mas eterno e infinito; Ele não é duração ou espaço, mas Ele dura e está presente; Ele dura para sempre, e está presente em toda parte; Ele é onipresente, não somente virtualmente, mas também substancialmente; pois o poder sem a substância não pode subsistir. Todas as coisas estão contidas nele e nele se movem; mas sem qualquer movimento mútuo; ele não sofre nada a partir dos movimentos dos corpos; nem eles oferecem qualquer resistência de sua onipresença. É confesso que Deus existe necessariamente, e pela mesma necessidade Ele existe sempre e em todo lugar. Daí também ele deve ser perfeitamente similar, todo olho, todo ouvido, todo braço, todo o poder de perceber, de entender e de agir; mas não conforme um modo corpóreo, de uma maneira diferente dos homens, de uma maneira totalmente desconhecida de nós. Ele é destituído de todo corpo, e de toda forma corpórea; e, portanto, não pode ser visto, ouvido, ou tocado;

NOTAS

nem pode Ele ser adorado sob a representação de qualquer coisa corpórea. Temos idéias dos atributos de Deus, mas não conhecemos a substância de coisa alguma: vemos somente as figuras e cores dos corpos, ouvimos somente sons, tocamos somente as superfícies exteriores, cheiramos somente odores, e provamos os sabores; e não podemos, por nenhum sentido ou ato reflexo, conhecer as substâncias interiores deles; e muito menos podemos ter qualquer noção da substância de Deus. Nós o conhecemos por suas propriedades e atributos.'" (Watson, *Institutes*, I, 268-69).

TEÍSMO

Cap. XI   [42] I. H. Fichte. *Theistische Weltansicht*; "Vorwort", S.ix, (citado por Harris, *Phisophical Basis of Theism*, rev. ed., 314).

[43] William Cooke. *The Deity*, 2ª ed., 3.

[44] Leland, *Necessity of Revelation* (citado por Watson, *Institutes*, I, 274).

[45] Charles Hodge, *Teologia Sistemática* (São Paulo: Hagnos, 2001), 157.

[46] *Ibid.*, 157.

[47] Dwight, *Theology*, I, 5 (citado por Watson, op. cit., I, 280-81).

[48] Citado por Watson, *ibid.*, I, 325-26.

[49] *Religion of Nature Delineated* (citado por William Cooke, *The Deity*, 2ª ed., 40).

[50] Citado por Watson, *op.cit.*, I, 283.

[51] Citado por Watson, *op.cit.*, I, xv.

[52] Citado por Watson, *ibid.*

[53] *Living Temple* (citado por Watson, *ibid.*, I, 281-84).

[54] Bowne, *Philosophy of Theism*, 66-69 (citado por Miley, *Systematic Theology*, I, 87-89).

[55] Paul Janet, *Final Causes*, 85 (citado por Miley, *ibid.*, 90).

[56] Ibid., I, 90.

[57] Paul Janet, *Op. Cit.* 42-43 (citado por Miley, *ibid.*, 90-91).

[58] Citado por Watson, *Institutes*, I, 304.

[59] *De Divinatione*, lib.i., cap. 13 (citado por Cooke, *The Deity*, 134-35).

[60] *Ibid.*, 136-38.

[61] A.A. Hodge, *Outlines of Theology*, 41.

[62] *Final Causes*, 149-150 (Citado por Miley, *Systematic Theology*, I, 103).

[63] Augustus H. Strong. *Systematic Theology*, 45-46.

[64] *New Standard Dictionary*, 1913.

[65] Veja Shedd, *Theology*, I, 226-27.

[66] Samuel Harris, *Self-Revelation of God*, 163-64.

[67] Milton Valentine, *Christian Theology*, I, 189.

[68] Charles Hodge, *Teologia Sistemática* (São Paulo: Hagnos, 2001), 153-54.

[69] Richard Watson, *Theological Institutes*, I, 330.

[70] John Dick, *Theology*, 83.

Cap. XII   [71] *Essays*, essay i, letter v, (Citado por Miley, *Systematic Theology*, I, 113).

[72] A. A. Hodge, *Outlines of Theology*, 46-47.

NOTAS

73 Verbete *Agnosticism*. 14ª ed.

74 George Park Fisher, *The Grounds of Theistic and Christian Belief*, 78-79.

75 Keyser, *A System of Natural Theism*, 106.

76 14 ed. VIII, 916-17.

77 Citado por Hodge, *Systematic Theology*, II, 5.

78 Miley, *Systematic Theology*, I, 135.

79 Para que não seja presumido que a doutrina da criação divina esteja confinada aos versos iniciais da Bíblia, a seguinte introdução de mais de 75 passagens – cada uma dando testemunho direto por inspiração – é apresentada. Assim, essa doutrina se encontra entretecida em todas as Escrituras, de forma que negar a criação divina é abandonar cada vestígio da revelação. A finalidade, como já foi demonstrado em toda parte, é as trevas do ateísmo ou as negações do agnosticismo. As passagens são:

Gênesis 1.1-3 (cf. 1.1-31; 2.1-25); Êxodo 20.11; 1 Samuel 2.8; Neemias 9.6; Jó 9.8, 9; 12.8-9; 26.7, 13; 28.24-26; 37.16, 18; 38.4, 7-10; Salmos 8.3; 19.1, 4; 24.1, 2; 33.6-9; 65.6; 74.16, 17; 78.69; 89.11, 12; 90.2; 95.4, 5; 102.25; 103.22; 104.2-6, 24, 30, 31; 119.90; 124.8; 136.5-9; 148.5; Provérbios 3.19; 8.26-29; 26.10; 30.4; Eclesiastes 3.11; 11.5; Isaías 40.12, 26, 28; 42.5; 44.24; 45.7-12, 18; 48.13; 51.13; 66.2; Jeremias 5.22; 10.12; 27.5; 31.35; 32.17; 33.2; 51.15, 16; Amós 4.13; 5.8; 9.6; Jonas 1.9; Zacarias 12.1; João 1.3, 10; Atos 14.15; 17.24; Romanos 4.17; 11.36; 1 Coríntios 8.6; 2 Coríntios 4.6; 5.18; Efésios 3.9; Colossenses 1.16, 17; 1 Timóteo 6.13; Hebreus 1.2, 10; 2.10; 3.4; 11.3; Apocalipse 4.11; 10.6; 14.7.

80 *New Standard Dictionary*, 1913.

81 *Outlines of Theology*, 47-48.

82 Citado por Cooke, *The Deity*, 170.

83 Citado por Cooke, *The Deity*, 171-72.

84 Citado por Cooke, Ibid., 171.

85 Citado por Cooke, ibid., 186.

86 Cooke, Ibid., 187-88.

87 Citado por Strong, *Theology*, 204.

88 *New Standard Dictionary*, 1913 ed.

89 *Ibid.*

Cap. XIII 90 *Ibid.*

91 Sermão Sobre a *Divine Predestination and Foreknowledge* (citado por Cooke, The Deity, 216).

92 W. H. Griffith Thomas, *The Principles of Theology*, 15.

93 Richard Watson, *Institutes*, cap. iv.

94 Chalmers, *Natural Theology*, I, 306.

95 Robert Hall, sermão sobre *The Spirituality of the Divine Nature*.

96 *Ap. Petav. t. iii., lib. ii.* (citado por Cooke, *op.cit.*, 219-20).

97 J. J. Van Oosterzee, *Christian Dogmatics*, I, 255.

98 Cf. Watson, *Institutes*, I, 268.

99 Citado por S. Harris, *God the Creator and Lord of All*, I, 176.

100 John Miley, *Systematic Theology*, I, 173.

NOTAS

Cap. XIV [101] Charnocke, *God´s Knowledge* (citado por Shedd, *Theology*, I, 355).
[102] *Commentary on Acts* ii (citado por Cooke, *The Deity*, 285-86).
[103] Citado por Watson, *Institutes*, I, 376.
[104] Richard Watson, *Theological Institutes*, I, 376-77.
[105] Citado por Cooke, *op.cit.*, 291.
[106] Citado por Cooke, *ibid.*, 298.
[107] *Seneca*, epist. Lxxxiii (citado por Cooke, *ibid.*, 299).
[108] *Ibid.*, 301.
[109] *Testimony of the Rocks*, 259-60 (citado por Miley, *Theology*, I, 197.
[110] *Metaphysics*, 201-2 (citado por Miley, *Theology*, 198-99).
[111] Vincent, *Word Studies*, Rom 2.12).
[112] Citado por Vincent, *loc. cit.*
[113] Citado por Watson, *Institutes*, I, 363.
[114] Richard Watson, *Institutes*, I, 360-63.
[115] Citado por Van Oosterzee, *Dogmatics*, I, 253.
[116] Citado por Watson, *Institutes*, I, 474.
[117] Samuel Harris, *God the Creator and Lord of All*, I, 123-24.
[118] Miley, *Systematic Theology*, I, 221.
[119] Strong, *Systematic Theology*, 124.
[120] Citado por Dick, *Theology*, 98.
[121] *Ibid.*, 99.
[122] Samuel Clarke, *Discourse on Being and Attributes*, 46 (Citado por Dick, *Ibid.*, 100).
[123] Dick, *Theology*, 102.
[124] *The Personality of God*, dissertação não-publicada (1933), Dallas Seminary, 174-75.

Cap. XV [125] Augustine, *Confessions*, XII, xv (citado por Shedd, *Theology*, I, 395).
[126] John Howe, *Decrees*, Lecture I (Citado por Shedd, *Theology*, I, 406-7).
[127] John Dick, *Lectures on Theology*, 186.
[128] *New Standard Dictionary*, s.v.
[129] John Dick, *Lectures on Theology*, 195.
[130] *N.T. for English Readers*, Vol. II, Part II, 599.
[131] *Word Studies*, IV, 59.
[132] *Outlines of Theology*, 262.
[133] Lange, (citado por Van Oosterzee, *Dogmatics*, I, 350).
[134] Veja página 348-349.

Cap. XVI [135] A. B. Davidson, *Theology of the Old Testament*, 34-35.
[136] W. Lindsay Alexander, *System of Biblical Theology*, I, 25.
[137] *Old Testament Theology*, 95.
[138] Veja Watson, *Institutes*, I, 468.
[139] Citado por Oehler, *op. cit.*, 88.
[140] *System of Biblical Theology*, I, 34-35.
[141] Richard Watson, *Theological Institutes*, I, 468.
[142] *Scofield Reference Bible*, 24.

NOTAS

TRINITARIANISMO

Cap. XVII [143] *System of Biblical Theology*, I, 94-95.

[144] *Christianisme Experimental* (Citado por *Crusaders of the Twentieth Century*, W. A. Rice, 228).

[145] Hermann Venema, *Institutes of Theology*, 201.

[146] Joseph Priestley, *History of Early Opinions* (citado por Watson, *Institutes*, I, 452).

[147] Citado por Watson, *Institutes*, I, 453.

[148] Cf. Watson, *Institutes*, I, 459.

[149] *Importance of the Doctrine of the Trinity* (Citado por Watson, *Institutes*, I, 458).

[150] Richard Watson, *Institutes*, I, 460-61.

[151] *Scriptural Proofs of the Trinity* (citado por Watson, *ibid.*, I, 461).

[152] Watson, *ibid.*, I, 461-62.

[153] *Ibid.*, I, 462-63.

[154] *Church History*, Vol. I, 313.

[155] Samuel Harris, *God the Creator and Lord of All*, I, 324-25, cf. p. 323 também para as citações acima.

[156] Cf. Harris, *ibid.*, 322.

[157] John Dick, *Theology* (citado por Wardlaw, *Theology*, II, 6).

[158] Strong, *Theology*, 144.

[159] Citado por Strong, *loc. cit.*

[160] Citado por Scofield, *Correspondence Course*, 558-59.

[161] Scofield, *Reference Bible*, 1044.

[162] Charles Hodge, *Teologia Sistemática* (São Paulo: Hagnos, 2001), 334-35.

[163] *Institutes*, I, 13, 2 (citado por W. L. Alexander, *Theology*, I, 99-100).

[164] *Works*, Vol. III, 434 (citado por Alexander, *ibid.*, 101).

[165] *Theology*, 277 (citado por Alexander, *ibid.*, 102).

[166] Citado por Alexander, *ibid.*, 98.

[167] Citado por Alexander, *ibid.*, 98-99.

[168] *System of Biblical Theology*, I, 104.

[169] Citado por Harris, *God the Creator and Lord of All*, 294.

[170] James Orr, *The Christian View of God and the World*, 303-4 (Citado por Harris, *ibid.*, 322).

[171] Citado por Rice, *Crusaders of the Twentieth Century*, 212-13.

[172] Robert South, *Works*, Vol. II, 184 (citado por Harris, *op. cit.*, 295).

[173] *Instituto Theologiae Christianae*, Vol. II, 333, 332 (citado por Harris, *loc. cit.*)

Cap. XVIII [174] *Christian Religion* (citado por Watson, *Institutes*, I, 449)

[175] Citado por Cooke, *The Deity*, 470.

[176] Hermann Venema, *System of Theology*, 197.

[177] *Met. Lib.*, *xiv*, *c.* 6, (citado por Cooke, *the Deity*, 476).

[178] *De Natura Deorum*, Lib. i., c.9 (citado por Cooke, *ibid.*, 493).

[179] Citado por Watson, *Institutes*, I, 470.

[180] Richard Watson, *Institutes*, I, 470-71.

[181] *System of Theology*, 210-11.

NOTAS

[182] *New Englander*, Vol. 12, nov. 1854 (citado por Harris, *God the Creator and Lord of All*, I, 406-7).

Cap. XIX [183] Van Oosterzee, *Christian Dogmatics*, I, 278-79.

[184] M'Lean's Works, vol. III, 308-309 (Citado por Wardlaw, *Systematic Theology*, II, 52-53).

[185] Citado por A. A. Hodge, *Outlines of Theology*, 116, 118.

[186] *Systematic Theology*, I, 239.

Cap. XX [187] *Remarks on the Imp.* [Unitarian] *Version* (citado por Watson, *Institutes*, I, 481).

[188] Citado por Alexander, *Theology*, I, 369).

[189] Citado por Watson, *op. cit.*, I, 482-83.

[190] *International Standard Bible Encyclopaedia*, IV, 2342-43.

[191] *Ibid.*, 2338-39.

[192] *Theological Institutes*, I, 504.

Cap. XXII [193] *God Hath Spoken*, 179-80.

[194] *Present Day Tracts. Cristology.* "The Divinity of Jesus Christ", 30.

[195] *Christology and Criticism*, 189-90.

[196] *Theological Institutes*, I, 473.

Cap. XXIII [197] *The Incarnation of the Son of God*, 7-10.

[198] Ambos os credos citados por Watson, *Institutes*, I, 617.

[199] Esta frase é surpreendente e é objetada por muitos. A aceitação dela depende do grau em que a união das duas naturezas na Pessoa de Cristo é recebida. Está evidente que Deus não pode morrer, nem tem ele, à parte desta união, sangue para derramar. É igualmente certo que a perfeita humanidade que Cristo assegurou pela encarnação era capaz de derramar sangue até à morte. Se o sangue de Cristo que foi derramado na morte era somente humano, então qualquer sacrifício humano apropriado poderia ter sido empregado. A união das duas naturezas de Cristo é tão completa que o seu sangue se torna o sangue de Deus. Somente com base nesse fato a sua eficácia pode ser encontrada.

Cap. XXIV [200] *Theological Institutes*, I, 616-17.

[201] *Lectures on Theology*, 323.

[202] *Biblical Doctrines*, 186-87.

Cap. XXV [203] B. B. Warfield, *Biblical Doctrines*, 178.

[204] *God the Creator and Lord of All*, I, 413.

[205] A. B. Bruce, *The Humiliation of Christ*, 136.

[206] A. B. Bruce, *The Humiliation of Christ*, 153.

[207] J. J. Van Oosterzee, *Christian Dogmatics*, Vol. II, 515.

[208] Strong, *Systematic Theology*, 382.

Cap. XXVI [209] B. B. Warfield, *Biblical Doctrines*, 206-7.

[210] Schaff, *Creeds of Christendom*, Vol. II, 62-63. Citado por Miley, *Theology*, II, 7.

[211] William Cunningham D. D,.., *Historical Theology*, 3ª ed., I, 313.

[212] *Systematic Theology*, II, 5-7;

[213] *Bibliotheca Sacra*, XCII, 422-23.

[214] *Christology and Criticism*, 309-10.

[215] Feinberg, *op.cit.*, XCII, 425-26.

Cap. XXVII [216] Richard Watson, *Theological Institutes*, I, 628-30.

Notas

[217] Citado por Warfield, *Biblical Doctrines*, 103.
[218] *Ibid.*, 103-4.
[219] Oehler, *Old Testament Theology*, 141.
[220] *The Expositor*, julho de 1895 (citado por Warfield, *Biblical Doctrines*, 117).
[221] *Ibid.*, 124-26.

Volume 2
Angelologia

Cap.I   [222] Cf. Gaebelein, *Angels of God*, 12.
[223] Strong, *Systematic Theology*, 221 (sexta edição).
[224] Rosseti, *Shadow of Dante*, 14-15 (citado por Strong, *ibid.*)
[225] Christian Theology, 610-11, 21-22 (quinta edição).

Cap.II   [226] Citado por Gaebelein, *The Angels of God*, 8-9.
[227] *Op. cit.*, 39-40.
[228] *Eccl. Polity*, Book I, iv. 2 (citado por Gerhart, *Institutes of the Christian Religion*, I, 644).
[229] Citado por Strong, *Systematic Theology*, 227 (sexta edição)
[230] *Op. cit.* 648-49.
[231] Martensen, *Dogmatics*, 132-33 (citado por Gerhart, *ibid*).
[232] Christian *Dogmatics*, 131 (citado por Gerhart, *op.cit.*, 642.
[233] William Cooke, *Christian Theology*, 613-14.
[234] *Op. cit.* 34-35.
[235] *Op. cit.* 614-15.
[236] *Ibid.*, 620-21.
[237] Tautologia = vício de linguagem que consiste na repetição de idéias.
[238] Gaebelein, *op. cit.* 46-47.
[239] Cooke, *op. cit.*, 622-23.
[240] Citado por Gerhart, *op. cit.*, 664.
[241] Gerhart, *ibid.*, 664-65.

Cap.III   [242] Augustine, *City of God, Book*, XI, 33 (citado por Gerhart, *Institutes*, I, 670).
[243] *Book I, iv.1* (citado por Gerhart, *ibid.*, 670-71).
[244] *Eccl. Pol.* Book I, cap. IV. 2 (citado por Gerhart, *ibid.*, 672).
[245] *Ibid.*, 688.
[246] Augustine, *City of God*, Book XII, vi (citado por Gerhart, *ibid.*, 685).

Cap.IV   [247] *Op. cit.* 709-10.
[248] *De Defect. Orac.*, 431, tomo 2, Edit. Paris, 1624 (citado por Cooke, *Christian Theology*, 628).
[249] *The International Standard Bible Encyclopaedia*, IV, 2695.

Cap.V   [250] F. C. Jennings, *Satan*, 55-56.
[251] F. C. Jennings, *op. cit.* 25-27.

NOTAS

Cap. VI   [252] *Ibid.*, 79-80.

[253] Citado por Alford, *ibid.*, 80-81.

[254] William Cooke, *Christian Theology*, 631-32.

Cap. VII   [255] *New Testament for English Readers*, new ed. Vol. II, Pt. II, 917-18.

[256] Citado por Gerhart, *Institutes*, 708.

Cap. VIII   [257] *Some Dogmas on Religion*, 220.

[258] *Christian Theology*, 5a. edição, 628.

[259] F. C. Jennings, *Satan*, 29-30.

Cap. IX   [260] Gerhart, *Institutes of the Christian Religion*, I, 697.

Cap. X   [261] Larkin, *The Spirit World*, 23-27.

ANTROPOLOGIA

Cap. XI   [262] Delitzsch, *Biblical Psychology*, 15 (*The International Standard Bible Encyclopaedia*, IV, 2494-95).

[263] Citado por Laidlaw, *Bible Doctrine of Man*, 18.

[264] Charles Lee Lewis, 98-99.

Cap. XII   [265] *Enclyclopaedia Britannica*, XIV, 758.

[266] Macdonald, *Creation and the Fall*, 326 (citado por Laidlaw, *The Bible Doctrine of Man*, 280).

[267] Citado por Laidlaw, *ibid.*, 283.

[268] John Laidlaw, *The Bible Doctrine of Man* (Cunningham Lectures, 35-37).

[269] Green, *The Pentateuch Vindicated from the Aspersions of Bishop Colenso*, 132.

[270] Miley, *Systematic Theology*, I, 359-61.

[271] Dawson, *Story of the Earth and Man*, 292-96 (citado pelo Dr. Miley, *Systematic Theology*, I, 363-65).

[272] Citado por A. A. Hodge, *Outlines of Theology*, 297.

Cap. XIII   [273] J. B. Heard, *Tripartite Nature of Man*, 58-59 (Citado por Laidlaw, *The Bible Doctrine of Man*, 303-4).

[274] Citado por Laidlaw, *ibid.*, 305.

[275] Laidlaw, *op.cit.*, 260-61.

[276] Scofield, *Reference Bible*, 1228.

Cap. XIV   [277] Citado por Watson, *Institutes*, II, 10.

[278] Richard Watson, *Theological Institutes*, II, 14-15.

[279] Citado por Watson, *ibid.*, 15.

[280] Citado por Watson, *ibid.*, 17.

[281] Ibid., 17-19.

[282] Citado por Laidlaw, *The Bible Doctrine of Man*, 135.

[283] John Laidlaw, *Ibid.*, 118.

[284] G. F. Oehler, *Old Testament Theology*, I, 211-12 (Citado por Laidlaw, *ibid*, 346).

[285] Edwards, *On the Freedom of the Will*, parte i, seção 5 (citado por Laidlaw, *ibid.*, 112).

[286] Ibid., 120-26.

[287] *Encyclopaedia Britannica*, 14a. edição, XVIII, 434.

[288] William G. T. Shedd, *History of Christian Doctrine*, II, 3a. edição, 4-5.

[289] Charles Hodge, *Teologia Sistemática* (São Paulo, Hagnos, 2001), 536-537.

NOTAS

[290] W.G.T. Shedd, *Dogmatic Theology*, II, 7-19.

[291] Oehler, *Old Testament Theology*, I, 217.

[292] J. I. Marais, *International Standard Bible Encyclopaedia*, V, 2837-38.

[293] J. I. Marais, *International Standard Bible Encyclopaedia*, V, 2841-42.

[294] Hermann Bavinck, *Ger. Dogmatiek*, II, 628 (*ibid.*, IV, 2497).

[295] Laidlaw, *ibid.*, 66-67, 70-73.

[296] *Ibid.*, 91-93.

[297] *Metamorphoses*, xv, 62-64 (citação feita por M. R. Vincent, *Word Studies*, III, 371).

[298] *Encyclopaedia Britannica*, 14a. edição, XXIII, 605.

[299] Augustus H. Strong, *Systematic Theology*, 257-58.

Cap. XV [300] J. Vondel, *Lucifer*, 269-70.

[301] Matthew Henry, *Commentary*, (Fleming H. Revell Co., Gênesis 2.15)

[302] Citado por Watson, *Theological Institutes*, II, 30.

[303] Richard Watson, *Theological Institutes*, II, 24-26.

[304] Ibid., II, 27.

[305] Citado por Watson, *ibid.*, II, 39.

[306] W. G. T. Shedd, *Dogmatic Theology*, II, 154.

[307] Citado por Watson, *op.cit.* II, 35-36.

[308] Ambas as passagens citadas por Shedd, *op. cit.* 157.

Cap. XVI [309] Lindsay Alexander, *System of Biblical Theology*, I, 195-96.

[310] Shedd, *Dogmatic Theology*, II, 257.

[311] Timothy Dwight, *Theology*, Serm. 29.

[312] Thomas Chalmers, *Institutes of Theology*, i, 385.

[313] Pye Smith, *First Lines of Theology*, 383.

[314] Lindsay Alexander, *op. cit.*, 205.

[315] Aristóteles, *Eth. Nicom.*, i. 11.

[316] Plutarco, *De Consol. ad Apoll.*

[317] Imanuel Kant, *Religion innerhalb der Grenzen der blossen Vernunft*, 1.

[318] G. L. Hahn, *Lehrbuch*, 364 (as citações acima são de Alexander, *ibid.*, 204-5, 212-13).

Cap. XVII [319] Julius Müller, The Christian Doctrine of Sin, I, 28-29.

[320] O uso da palavra *rā'* em Isaías 45.7, onde é dito que Deus cria o *mal*, é clareado quando é observado que por mais de 450 vezes essa palavra é encontrada no Antigo Testamento, mas muito poucas vezes ela se refere a Deus como a *causa* da coisa feita, e será visto também que em cada caso o mal referido consiste da justa punição que Ele impõe sobre aqueles que pecam. Não é dito que Deus *cria* o pecado deles, mas é dito que Deus traz calamidade e castigo sobre eles. Essa correção divinamente imposta é distintamente declarada pela palavra *rā'* como uma experiência do mal de Deus como uma penalidade, em contraste com o *bem* que ele concederia de outra maneira.

Cap. XVIII [321] Julius Müller, *The Christian Doctrine of Sin*, I, 412-17.

[322] Francis J. McConnell, *The International Standard Bible Encyclopaedia*, IV, 2800.

[323] W. H. Griffith Thomas, *The Principles of Theology, 170.*

[324] Julius Müller, *op. cit.*, I, 38-39.

[325] A. M. Fairbairn, *Christ in Modern Theology*, 10a. edição, 452.

NOTAS

[326] Henry C. Mabie, *The Divine Reason of the Cross*, 130.

[327] *Cambridge Bible for Schools and Colleges – Romans*, 98.

[328] Citado por W. G. T. Shedd, *Dogmatic Theology*, II, 723.

[329] Richard Watson, *Theological Institutes*, II, 61-66.

Cap. XIX [330] Citado por W. G. T. Shedd, *Dogmatic Theology*, II, 196).

[331] *Expositor* (I-IX, 21) (Citado por W. H. Griffith Thomas, em *The Principles of Theology*, 161).

[332] Müller, *The Christian Doctrine of Sin*, I, 30.

[333] W. G. T. Shedd, *Dogmatic Theology*, II, 196-98.

[334] *Ibid.*, II, 198-200.

[335] *Apologia*, Art.i, 51, 53 (citado por Müller, *op. cit.*, II, 268).

[336] W. H. Griffith Thomas, op.cit., 157.

[337] James Deeney, *Studies in Theology*, 85 (citado por W. H. Griffith Thomas, *ibid.*, 164).

[338] *Ibid.*, 83 citado por W. H. Griffith Thomas, *ibid.*, 165.

[339] Julius Müller, *op.cit.* II, 276.

[340] Timothy Dwight, *Theology*, Sermon 29.

Cap. XX [341] Stearns, *Present Day Theology*, 321 (citado por W. H. Griffith Thomas, em *Principles of Theology*, 163).

[342] W. H. Griffith Thomas, *St. Paul´s Epistle to the Romans*, I, 202.

[343] *Romans*, VI, 81-82.

[344] Charles Hodge, *Commentary on the Epistle to the Romans* (edição 1854), 167-68.

[345] Moule, *Cambridge Bible, Romans*, 105.

[346] W. H. Griffith Thomas, *St. Paul´s Epistle to the Romans*, I, 206-9.

[347] F. W. Grant, *The Numerical Bible, Acts to II Corinthians*, 223.

[348] Citado por M. B. Riddle, *Romans*, 88.

[349] Jamieson, Fausset, Brown, *Commentary*, Romanos 5.12-21.

[350] Charles Hodge, *Systematic Theology*, II, 195, 197.

[351] *The International Revision Commentary*, editado pelo Dr. Philip Schaff, 88-91.

Cap. XXII [352] Moule, *Cambridge Bible, Romans*, 140.

[353] *Ibid.*, 114.

[354] W. H. Griffith Thomas *The Principles of Theology*, 173-75.

Cap. XXIII [355] Julius Müller, *The Christian Doctrine of Sin*, I, 246.

[356] Augustus D. Twesten, *Dogmatik*, Th. II, parág. 39 (ambos os textos acima citados por W. G. T. Shedd, *Dogmatic Theology*, II, 738-39).

Sua opinião é importante para nós. Por gentileza, envie seus comentários pelo e-mail editorial@hagnos.com.br

Visite nosso site: www.hagnos.com.br

Esta obra foi composta na fonte Horley Old Style MT corpo 11. Foi impressa na imprensa da Fé. São Paulo, Brasil. Inverno de 2013

TEOLOGIA SISTEMÁTICA

Lewis Sperry Chafer

volumes 3 & 4

Lewis Sperry Chafer
D.D., Litt.D., Th.D.
Ex-presidente e professor de Teologia Sistemática no
Seminário Teológico em Dallas.

© 1948, 1976 por *Dallas Theological Seminary* Originalmente publicado por Kregel Publications
Título Original
Systematic Theology

Tradução
Heber Carlos de Campos

Revisão
Edna Batista Guimarães

Projeto gráfico
Atis Produção Editorial

Editor
Juan Carlos Martinez

Coordenador de produção
Mauro W. Terrengui

1ª edição - Março 2003
2ª edição - Fevereiro 2008
3ª edição - Junho 2013

Impressão e acabamento
Imprensa da Fé

Todos os direitos desta edição reservados à
EDITORA HAGNOS
Av. Jacinto Júlio, 27
São Paulo - SP - 04809-270 Tel/Fax: 11) 5666-1969
e-mail: hagnos@hagnos.com.br www.hagnos.com.br

Dados Internacionais de Catalogação na Publicação (CIP)
(Câmara Brasileira do Livro, SP, Brasil)

Chafer, Lewis Sperry
   Teologia Sistemática / Lewis Sperry Chafer ; (tradução Heber Carlos de Campos). --
São Paulo: Hagnos, 2003.

Título original: Systematic theology

1. Teologia - Estudo e ensino I. Título.

03-0105   CDD-230

Índices para catálogo sistemático:
1. Teologia sistemática: Cristianismo 230

ISBN 85-89320-06-5

Conteúdo da obra:

LIVRO 1:   VOL. 1 Prologômenos, Bibliologia, Teontologia
              VOL. 2 Angelologia, Antropologia
              VOL. 3 Soteriologia, Eclesiologia
              VOL. 4 Escatologia

LIVRO 2:   VOL. 5 Cristologia
              VOL. 6 Pneumatologia.
              VOL. 7 Sumário Doutrinário
              VOL. 8 Índices Biográficos

Dedicatória

Esta obra de Teologia Sistemática é dedicada com profunda afeição ao corpo discente de todas as épocas do Seminário Teológico em Dallas.

ÍNDICE

VOLUME 3

SOTERIOLOGIA — 19

CAPÍTULO I - INTRODUÇÃO À SOTERIOLOGIA — 19

O SALVADOR — 26

CAPÍTULO II - A PESSOA DO SALVADOR — 26
I.   Sete Posições de Cristo — 27
II.   Os Ofícios de Cristo — 32
III.   A Filiação de Cristo — 43
IV.   A União Hipostática — 45
        Conclusão — 46

CAPÍTULO III - INTRODUÇÃO AO SOFRIMENTO DE CRISTO — 47
I.   Sofrimento nesta Vida — 48
II.   Sofrimento na Morte — 54

CAPÍTULO IV - COISAS REALIZADAS POR CRISTO
EM SEU SOFRIMENTO E MORTE — 65
I.   A Substituição dos Pecadores — 66
II.   Cristo, o Fim do Princípio da Lei
        em Favor Daqueles Que São Salvos — 85
III.   A Redenção em Relação ao Pecado — 93
IV.   A Reconciliação em Relação ao Homem — 96
V.   A Propiciação em Relação a Deus — 99
VI.   O Julgamento da Natureza Pecaminosa — 102
VII.   A Base do Perdão e da Purificação dos Crentes — 106
VIII.   A Base da Procrastinação dos Justos Juízos Divinos — 107
IX.   A Retirada dos Pecados antes da Cruz
        Que Haviam Sido Cobertos pelo Sacrifício — 107
X.   A Salvação Nacional de Israel — 109
XI.   As Bênçãos Milenares e Eternas Sobre os Gentios — 111
XII.   O Despojamento dos Principados e Potestades — 112
XIII.   A Base da Paz — 114
XIV.   A Purificação das Coisas no Céu — 116

CAPÍTULO V - O SOFRIMENTO E A MORTE DE CRISTO NOS TIPOS — 118
I.   Os Sacrifícios Gerais no Antigo Testamento — 120
II.   Os Sacrifícios Prescritos no Antigo Testamento — 122
III.   Vários Tipos da Morte de Cristo — 125
IV.   A Morte de Cristo de Acordo com
        Vários Textos das Escrituras — 127

CAPÍTULO VI - A TERMINOLOGIA BÍBLICA RELACIONADA
AO SOFRIMENTO E MORTE DE CRISTO — 128
I.   Expiação — 128
II.   Perdão e Remissão — 128
III.   Culpa — 129
IV.   Justiça — 129

ÍNDICE

V.	Justificação	129
VI.	Penalidade	129
VII.	Propiciação	130
VIII.	Reconciliação	130
IX.	Redenção e Resgate	130
X.	Sacrifício	130
XI.	Satisfação	131
XII.	Vicário e Substitutivo	131

CAPÍTULO VII - TEORIAS FALSAS E VERDADEIRAS DO VALOR
DA MORTE DE CRISTO — 132

I.	Considerações Preliminares	132
II.	Registro Histórico	136
III.	Teorias em Geral	140
	Conclusão	156

ELEIÇÃO DIVINA — 166

CAPÍTULO VIII - O FATO DA ELEIÇÃO DIVINA — 166

I.	Os Termos Usados	168
II.	Revelação Clara	169
III.	Verdades Essenciais Abraçadas	172
IV.	Objeções à Doutrina da Eleição	175

CAPÍTULO IX - A ORDEM DOS DECRETOS ELETIVOS — 177

I.	A Ordem Apresentada pelos Supralapsarianos	178
II.	A Ordem Apresentada pelos Infralapsarianos	179
III.	A Ordem Apresentada pelos Sublapsarianos	180
IV.	A Ordem Apresentada pelos Arminianos	181
	Conclusão	181

CAPÍTULO X - POR QUEM CRISTO MORREU? — 182

I.	Classificação das Opiniões	183
II.	Pontos de Concordância e Discordância Entre as Duas Escolas do Calvinismo Moderado	184
III.	Aspectos Dispensacionalistas do Problema	187
IV.	Três Palavras Doutrinárias	189
V.	A Cruz Não É o Único Instrumento de Salvação	191
VI.	A Pregação Universal do Evangelho	192
VII.	Será Deus Derrotado, se os Homens por quem Cristo Morreu Forem Condenados?	193
VIII.	A Natureza da Substituição	196
IX.	O Testemunho das Escrituras	198
	Conclusão	201

A OBRA SALVADORA DO DEUS TRIÚNO — 203

CAPÍTULO XI - A OBRA CONSUMADA DE CRISTO — 203

CAPÍTULO XII - A OBRA CONVENCEDORA DO ESPÍRITO SANTO — 207

I.	A Necessidade da Obra do Espírito Santo	208
II.	O Fato da Obra do Espírito Santo	213
III.	Os Resultados da Obra do Espírito Santo	218

ÍNDICE

Capítulo XIII		221
As Riquezas da Graça Divina		221
I.	O Estado dos Perdidos	225
II.	O Caráter Essencial dos Empreendimentos Divinos	227
III.	As Riquezas da Graça Divina	229
	Conclusão	255

A Segurança Eterna do Crente — 256

Capítulo XIV - Introdução à Doutrina da Segurança		256
Capítulo XV - A Idéia Arminiana da Segurança		262
I.	A Idéia Arminiana das Principais Doutrinas Soteriológicas	264
II.	Ênfase Arminiana na Experiência e na Razão Humanas	273
III.	Apelo Arminiano às Escrituras	278
	Conclusão	297
Capítulo XVI - A Doutrina Calvinista da Segurança		298
I.	As Razões Que Dependem de Deus, o Pai	301
II.	As Razões Que Dependem de Deus, O Filho	308
III.	Responsabilidades Pertencentes a Deus, o Espírito Santo	316
Capítulo XVII - A Escritura Consumadora		321
I.	Liberta da Lei	323
II.	O Fato da Presença da Natureza Divina	325
III.	O Cristão, um Filho e Herdeiro de Deus	326
IV.	O Propósito Divino	327
V.	A Execução do Propósito Divino	329
VI.	A Própria Realização de Cristo	330
VII.	A Incapacidade das Coisas Celestiais e Mundanas	331
	Conclusão	333
Capítulo XVIII - Libertação do Poder Reinante do Pecado e as Limitações Humanas		334
I.	Libertação do Poder do Pecado	334
	Conclusão	338
II.	Libertação das Limitações Humanas	339
	Conclusão	341
Capítulo XIX - O Crente Apresentado sem Pecado		342
I.	Cidadania Celestial	343
II.	Uma Nova Fraternidade	343
III.	Uma Posição Aperfeiçoada para Sempre	343
IV.	Um Corpo Renovado	344
V.	Libertação da Natureza Pecaminosa	344
VI.	Ser Igual a Cristo	345
VII.	Compartilhar da Glória de Cristo	345
	Conclusão	346

Os Termos da Salvação — 349

Capítulo XX - Os Termos da Salvação		349
I.	Arrependimento e Fé	350
	Conclusão	355

ÍNDICE

II.	Crer e Confessar Cristo	356
	Conclusão	357
III.	Crer e Ser Batizado	358
	Conclusão	361
IV.	Crer e Render-se a Deus	361
	Conclusão	364
V.	Crer e Confessar o Pecado ou Fazer Restituição	364
VI.	Crer e Implorar a Deus por Salvação	365
	Epílogo	368

VOLUME 4

ECLESIOLOGIA 375

CAPÍTULO I - INTRODUÇÃO À ECLESIOLOGIA 375
I.	As Criaturas de Deus Vistas Dispensacionalmente	376
II.	A Doutrina da Escritura Vista Dispensacionalmente	384
III.	A Igreja Especificamente Considerada	396

A IGREJA COMO UM ORGANISMO 403

CAPÍTULO II - ASPECTOS GERAIS DA DOUTRINA
A RESPEITO DA IGREJA 403
I.	O Significado da Palavra *Igreja*	405
II.	O Fato de um Novo Empreendimento Divino	406
III.	Vários Termos Empregados	408
IV.	O Primeiro Uso da Palavra *Igreja*	409
V.	O Presente Propósito Divino da Igreja	410
VI.	Quatro Razões por que a Igreja Começou no Pentecostes	411
VII.	A Igreja nos Tipos e nas Profecias	412

CAPÍTULO III - CONTRASTES ENTRE ISRAEL E A IGREJA 413
I.	A Extensão da Revelação Bíblica	413
II.	O Propósito Divino	413
III.	A Semente de Abraão	414
IV.	O Nascimento	414
V.	Jesus Como Cabeça	414
VI.	Os Pactos	415
VII.	A Nacionalidade	415
VIII.	O Trato de Deus	415
IX.	As Dispensações	415
X.	O Ministério	416
XI.	A Morte de Cristo	416
XII.	O Pai	416
XIII.	Cristo	416
XIV.	O Espírito Santo	417
XV.	O Princípio Governante	417
XVI.	A Capacitação Divina	417
XVII.	Os Discursos de Despedida	417
XVIII.	A Promessa do Retorno de Cristo	418
XIX.	A Posição	418

ÍNDICE

XX.	O Reino Terreno de Cristo	418
XXI.	O Sacerdócio	418
XXII.	O Casamento	418
XXIII.	Os Juízos	419
XXIV.	A Posição na Eternidade	419
	Conclusão	419

CAPÍTULO IV - SETE FIGURAS USADAS SOBRE A IGREJA
EM SUA RELAÇÃO COM CRISTO — 420

I.	O Pastor e as Ovelhas	422
II.	A Videira e os Ramos	425
III.	A Pedra Angular e as Pedras do Edifício	427
IV.	O Sumo Sacerdote e o Reino de Sacerdotes	429
V.	O Cabeça e o Corpo com seus Muitos Membros	432

CAPÍTULO V - SETE FIGURAS USADAS SOBRE A IGREJA EM SUA
RELAÇÃO COM CRISTO: O ÚLTIMO ADÃO E A NOVA CRIAÇÃO — 442

I.	O Cristo Ressurrecto	442
II.	A Posição do Crente em Cristo	454
III.	Duas Criações Exigem Dois Dias de Comemoração	461
IV.	A Transformação Final	479
	Conclusão	483

CAPÍTULO VI - SETE FIGURAS USADAS SOBRE A IGREJA EM SUA
RELAÇÃO COM CRISTO: O NOIVO E A NOIVA — 484

I.	Contrastada com Israel	484
II.	A Delineação do Conhecimento Insuperável e do Amor de Cristo	489
III.	Uma Segurança da Autoridade do Consorte	490
IV.	Uma Revelação da Posição da Noiva Acima de Todos os Seres Criados	491
V.	A Segurança da Glória Infinita	491
VI.	Os Tipos da Noiva	492
VII.	O Significado Desta Figura	497
	Conclusão	497

A IGREJA ORGANIZADA — 499

CAPÍTULO VII - A IGREJA ORGANIZADA — 499

I.	A Igreja, uma Assembléia Local	501
II.	Um Grupo de Igrejas Locais	507
III.	A Igreja Visível sem Referência à Localidade	507

A REGRA DE VIDA DO CRENTE — 508

CAPÍTULO VIII - REGRAS DE VIDA NO PERÍODO
DO ANTIGO TESTAMENTO — 508

I.	A Economia Pré-mosaica	510
II.	A Economia Mosaica	512

CAPÍTULO IX - A ECONOMIA DO REINO FUTURO — 519

ÍNDICE

Capítulo X - A Economia da Presente Graça ... 530
I.   Três Aspectos Específicos ... 535
II.   Os Relacionamentos da Graça ... 542

Capítulo XI - Contrastes Entre a Lei e a Graça ... 549
I.   Sistemas Independentes, Suficientes e Completos
da Regra Divina na Terra ... 550
II.   A Seqüência da Bênção Divina e a Obrigação Humana ... 567
III.   Diferentes Graus de Dificuldade
e Graus Diferentes de Capacitação Divina ... 574

Capítulo XII - Os Sistemas da Lei e o Judaísmo Abolido ... 575
I.   As Reais Instruções Escritas de Ambos
os Ensinos da Lei de Moisés e do Reino São Abolidas ... 575
II.   A Lei do Pacto de Obras é Abolida ... 585
III.   O Princípio da Lei e Dependência
da Energia da Carne é Abolido ... 586
IV.   O Judaísmo é Abolido ... 586
     Conclusão ... 588

ESCATOLOGIA ... 593
Capítulo XIII - Introdução à Escatologia ... 593

ASPECTOS GERAIS DA ESCATOLOGIA ... 601
Capítulo XIV - Um Breve Panorama da História do Milenismo ... 601
I.   O Período Representado pelo Antigo Testamento ... 602
II.   O Reino Messiânico Oferecido a Israel
no Primeiro Advento ... 602
III.   O Reino Rejeitado e Posposto ... 603
IV.   As Crenças Milenistas Sustentadas pela Igreja Primitiva ... 604
V.   A Expectativa Milenista Continuada
até a Apostasia da Igreja de Roma ... 606
VI.   O Milenismo Começou a Ser Restaurado na Reforma ... 615
VII.   O Milenismo desde a Reforma ... 616

Capítulo XV - O Conceito Bíblico de Profecia ... 621
I.   O Profeta ... 621
II.   A Mensagem do Profeta ... 622
III.   O Poder dos Profetas ... 623
IV.   A Escolha dos Profetas ... 623
V.   O Cumprimento da Profecia ... 624
VI.   A História da Profecia ... 624

OS PRINCIPAIS CAMINHOS DA PROFECIA ... 631
Capítulo XVI - Profecias a Respeito doSenhor Jesus Cristo ... 631
I.   Profeta ... 633
II.   Sacerdote ... 634
III.   Rei ... 635
IV.   Semente ... 636
V.   Os Dois Adventos ... 637

ÍNDICE

CAPÍTULO **XVII** - PROFECIAS A RESPEITO DOSPACTOS COM ISRAEL 644
I.   Os Quatro Principais Pactos   647
II.   Sete Aspectos   648

CAPÍTULO **XVIII** - PROFECIAS A RESPEITO DOS GENTIOS   660

CAPÍTULO **XIX** - PROFECIAS A RESPEITO DE SATANÁS,
DO MAL E DO HOMEM DO PECADO   673
I.   Satanás   673
II.   O Mal   674
III. O Homem do Pecado   674

CAPÍTULO **XX** - PROFECIAS A RESPEITO DO CURSO
E DO FIM DA CRISTANDADE APÓSTATA   680

CAPÍTULO **XXI** - PROFECIAS A RESPEITO DA GRANDE TRIBULAÇÃO 688
I.   A Doutrina em Geral   688
II.   A Igreja e a Tribulação   691

CAPÍTULO **XXII** - PROFECIAS A RESPEITO DA IGREJA   700
I.   Os Últimos Dias para a Igreja   700
II.   A Ressurreição dos Corpos dos Santos   701
III. A Transformação dos Santos Vivos   702
IV.   O Tribunal de Cristo   702
V.   O Casamento do Cordeiro   703
VI.   O Retorno da Igreja com Cristo   703
VII. O Reinado da Igreja com Cristo   703
      Conclusão   704

CAPÍTULO **XXIII** - TEMAS PRINCIPAIS DAS PROFECIAS
DO ANTIGO TESTAMENTO   705
I.   Profecias a Respeito dos Gentios   705
II.   Profecias a Respeito da História Primitiva de Israel   707
III. Profecias a Respeito da Nação de Israel   707
IV.   Profecias a Respeito das Dispersões
      e dos Reajuntamentos de Israel   707
V.   Profecias a Respeito do Advento do Messias   708
VI.   Profecias a Respeito da Grande Tribulação   708
VII. Profecias a Respeito do Dia de Jeová e do Reino Messiânico 709
      Conclusão   709

CAPÍTULO **XXIV** - TEMAS PRINCIPAIS DA PROFECIA
DO NOVO TESTAMENTO   710
I.   A Nova Dispensação   710
II.   O Novo Propósito Divino   711
III. A Nação de Israel   712
IV.   Os Gentios   712
V.   A Grande Tribulação   713
VI.   Satanás e as Forças do Mal   713
VII. A Segunda Vinda de Cristo   713
VIII. O Reino Messiânico   714
IX.   O Estado Eterno   714
      Conclusão   714

ÍNDICE

CAPÍTULO XXV - EVENTOS PREDITOS EM SUA ORDEM 715
I.   A Predição de Noé a Respeito de seus Filhos   715
II.   A Escravidão de Israel no Egito   715
III.   O Futuro dos Filhos de Jacó   715
IV.   Israel na Terra   716
V.   Os Cativeiros de Israel   716
VI.   Os Julgamentos Sobre as Nações Vizinhas   716
VII.   Uma Restauração Parcial   716
VIII.   A Vinda e o Ministério de João Batista   717
IX.   O Nascimento de Cristo   717
X.   Os Ofícios de Cristo   717
XI.   Os Ministérios de Cristo   718
XII.   A Morte de Cristo   718
XIII.   O Sepultamento de Cristo   718
XIV.   A Ressurreição de Cristo   718
XV.   A Ascensão de Cristo   718
XVI.   A Presente Dispensação   719
XVII.   O Dia de Pentecostes   719
XVIII.   A Igreja   719
XIX.   A Destruição de Jerusalém   719
XX.   Os Últimos Dias para a Igreja   720
XXI.   A Primeira Ressurreição   720
XXII.   O Arrebatamento dos Santos Vivos   720
XXIII.   A Igreja no Céu   720
XXIV.   As Recompensas dos Crentes   721
XXV.   O Casamento do Cordeiro   721
XXVI.   A Grande Tribulação   722
XXVII.   O Aparecimento do Homem do Pecado   722
XXVIII.   Os Sofrimentos Finais de Israel   722
XXIX.   A Destruição da Babilônia Eclesiástica   723
XXX.   A Batalha do Armagedom   723
XXXI.   A Destruição da Babilônia Política e Comercial   723
XXXII.   O Dia do Senhor   723
XXXIII.   A Segunda Vinda de Cristo   724
XXXIV.   Satanás Preso e Confinado   724
XXXV.   O Reajuntamento e o Julgamento do Israel Afligido   724
XXXVI.   O Julgamento das Nações   725
XXXVII.   A Vida Humana no Reino Terrestre   725
XXXVIII.   A Soltura de Satanás e a Última Revolta   725
XXXIX.   A Condenação de Satanás   726
XL.   O Término do Presente Céu e da Presente Terra   726
XLI.   O Julgamento do Grande Trono Branco   726
XLII.   O Destino dos Ímpios   726
XLIII.   A Criação do Novo Céu e da Nova Terra   727
XLIV.   O Destino dos Salvos   727
XLV.   O Dia de Deus   727
           Conclusão   727

ÍNDICE

Capítulo **XXVI** - Os Julgamentos   728
    I.   Os Julgamentos Divinos Através da Cruz   728
    II.   O Autojulgamento do Crente e os Castigos de Deus   729
    III.   O Julgamento das Obras do Crente   730
    IV.   O Julgamento de Israel   732
    V.   O Julgamento das Nações   734
    VI.   O Julgamento dos Anjos   735
    VII.   O Julgamento do Grande Trono Branco   736
       Conclusão   736

Capítulo **XXVII** - O Estado Eterno   737
    I.   O Estado Intermediário   737
    II.   As Criaturas de Deus Que Entram no Estado Eterno   739
    III.   Várias Esferas de Existência   742
    IV.   Teorias Relativas a um Estado Futuro   743
    V.   A Nova Terra   750
    VI.   A Doutrina do Inferno   750
    VII.   A Doutrina do Céu   756
       Conclusão   760

NOTAS   762

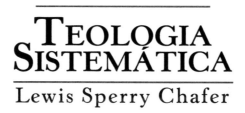

Volume 3

Soteriologia

Lewis Sperry Chafer
D.D., Litt.D., Th.D.
Ex-presidente e professor de Teologia Sistemática no
Seminário Teológico em Dallas

SOTERIOLOGIA

SOTERIOLOGIA

CAPÍTULO I

Introdução à Soteriologia

A SOTERIOLOGIA é aquela porção da Teologia Sistemática que trata da salvação. A palavra *salvação* é uma tradução do vocábulo grego σωτηρία (cf. σώζω e σωτήριος), e é derivada imediatamente da palavra σωτήρ que significa *Salvador*. Σωτηρία aparece 45 vezes no Novo Testamento. Quarenta vezes ela é traduzida como *salvação*, uma vez como *liberdade* (At 7.25), uma vez como *saúde* (At 27.34), uma vez como *salvamento* (Hb 11.7), e duas vezes como *salvos* (Lc 1.71; Rm 10.1).

Em comparação com aquilo que se obtém no Novo Testamento, a doutrina da salvação na Antiga Aliança é mais envolvente, basicamente porque ela entra na revelação do Antigo Testamento, a saber, no progresso da doutrina. Esta progressão bem pode ser afirmada nas palavras de Cristo: "...primeiro a erva, depois a espiga, e por último o grão cheio na espiga" (Mc 4.28). Parece que no Novo Testamento a palavra *salvação* apresenta uma amplidão de significado que vai desde a idéia de libertação dos inimigos até a de se ter as relações corretas com Deus. Deuteronômio 28.1-14 descreve o estado desejado por um israelita na terra, e para ele salvação consistia basicamente de libertação de tudo o que poderia impedir as bênçãos. Na verdade, tais eram os benefícios, que o próprio Jeová permanecia perante o seu povo. Uma esperança ainda maior esteve sempre diante de Israel a respeito de um triunfo espiritual do reino do pacto, que era ainda futuro. Em referência ao estado deles naquele reino, está escrito:

"E o Senhor teu Deus te trará a terra que teus pais possuíram, e a possuirás; e te fará bem, e te multiplicará mais do que a teus pais. Também o Senhor teu Deus circuncidará o teu coração, e o coração de tua descendência, a fim de que ames o Senhor teu Deus de todo o teu coração e de toda a tua alma, para que vivas" (Dt 30.5, 6); "Mas este é o pacto que farei com a casa de Israel depois daqueles dias, diz o Senhor: Porei a minha lei no seu interior, e a escreverei no seu coração; e eu serei o seu Deus e eles serão o meu povo. E não ensinarão mais cada um a seu próximo, nem cada um a seu irmão, dizendo: Conhecei ao Senhor; porque todos me conhecerão, desde o menor deles até o maior, diz o

Senhor; pois lhes perdoarei a sua iniqüidade, e não me lembrarei mais dos seus pecados" (Jr 31.33, 34); "Pois vos tirarei dentre as nações, e vos congregarei de todos os países, e vos trarei para a vossa terra. Então aspergirei água pura sobre vós, e ficareis purificados; de todas as vossas imundícies, e de todos os vossos ídolos, vos purificarei. Também vos darei um coração novo, e porei dentro de vós um espírito novo; e tirarei da vossa carne o coração de pedra, e vos darei um coração de carne. Ainda porei dentro de vós o meu Espírito, e farei que andeis nos meus estatutos, e guardeis as minhas ordenanças, e as observeis. E habitareis na terra que eu dei a vossos pais, e vós sereis o meu povo, e eu serei o vosso Deus" (Ez 36.24-28); "E assim todo o Israel será salvo, como está escrito: Virá de Sião o Libertador, e desviará de Jacó as impiedades; e este será o meu pacto com eles, quando eu tirar os seus pecados" (Rm 11.26, 27).

As Escrituras, que apresentam um grande número de promessas semelhantes, falam da nação como um todo, e predizem a restauração e a salvação daquele povo, de acordo com o propósito eterno de Jeová. Em oposição a essa expectativa nacional, as questões envolvidas eram sobre a relação que os indivíduos tinham com Deus, realidade essa que era um assunto totalmente independente daquelas grandes promessas que asseguram a salvação da nação.

Abraão teve filhos com Hagar, Sara e Quetura; mas somente "em Isaque [o filho de Sara] será chamada a tua descendência" (Rm 9.7). E, além disso, a eleição que Deus fez da nação da promessa determina que, dos filhos de Israel, "o mais velho servirá o mais moço" (Rm 9.12; cf. Is 60.12), e somente através de Jacó os pactos nacionais serão realizados. Da semente de Jacó, embora como uma nação eles sejam preservados em sua solidariedade e entidade e "ainda que o número dos filhos de Israel seja como a areia do mar, o remanescente é que será salvo" (Rm 9.27); um remanescente composto de indivíduos que estiveram em relação correta com Deus aparece em cada geração. É a este grupo que o apóstolo se refere, quando diz: "Porque nem todos os que são de Israel são israelitas" (Rm 9.6), e é deste Israel espiritual que ele também fala, quando declara: "E assim todo Israel será salvo" (Rm 11.26).

Assim, a realização final do propósito divino em favor do povo a quem pertencem os pactos terrenos, e cujo destino é o da terra (cf. Mt 5.5), é consumado tanto com respeito à nação eleita quanto cumprimento da esperança de que cada indivíduo israelita, cuja vida foi vivida num tempo particular, quando as promessas distintas para os judeus foram obtidas. A presente era deve sempre ser vista em seu caráter excepcional, a saber, que agora não há diferença entre judeu e gentio, seja com respeito ao estado de perdição deles e à necessidade de salvação pela graça (Rm 3.9), e nenhuma diferença com respeito aos termos pelos quais eles podem ser salvos (Rm 10.12; cf. At 15.9). As doutrinas distintivas do judaísmo devem ser discernidas também, tanto com referência ao caráter deles com referência à dispensação na qual eles estão em vigor. Por falta de revelação específica, a salvação do indivíduo sob o judaísmo – com respeito aos termos, tempo e caráter geral – é obscura para os homens.

Com respeito ao significado da palavra *salvação*, há uma semelhança muito grande no Antigo e Novo Testamentos. Este vocábulo comunica o pensamento de libertação, segurança, preservação, coisa sadia, restauração e cura; mas ainda que muito amplo, um alcance da experiência humana é expresso pela palavra *salvação*, e seu uso principal e específico denota uma obra de Deus em favor do homem. Quando assim empregada, ela representa o que é evidentemente a doutrina mais abrangente da Bíblia. Ela reúne em um conceito ao menos doze doutrinas extensas e vitais, a saber: redenção, reconciliação, propiciação, convicção, arrependimento, fé, regeneração, perdão, justificação, santificação, preservação e glorificação.

Pode ser observado, também, que as duas idéias fundamentais estão inerentes no significado da palavra *salvação*; de um lado, ser salvo é ser resgatado da situação de perdido, enquanto que, por outro lado, ser salvo é ser trazido para a situação de salvo, vitalmente renovado, e para ser um participante da herança dos santos em luz. A pregação do Evangelho pode seguir qualquer uma dessas idéias. Pode advertir os ímpios, para que eles fujam da ira vindoura, ou pode persuadi-los pela consideração dos benefícios que a graça infinita de Deus proporciona. O estado indesejável do qual a salvação de Deus resgata os homens tem sido parcialmente definido em porções anteriores desta obra. No estudo de satanologia, foi assinalado que os homens não-regenerados estão debaixo do poder de Satanás, energizados por ele, e que somente a libertação de Deus, que transporta do poder das trevas para o reino do Filho do seu amor (Cl 1.13), pode ser de grande proveito.

Igualmente, tanto em antropologia quanto em hamartiologia, já foi demonstrado que o homem é oriundo de uma raça caída, condenado por causa de sua participação no pecado de Adão, julgado como aquele que está debaixo do pecado, e culpado diante de Deus por causa dos seus pecados pessoais. É também afirmado que a salvação divina tem a ver com a libertação da maldição da lei (Gl 3.13), da ira (1 Ts 5.9; Jo 3.36), da morte (2 Co 7.10), e da destruição (2 Ts 1.9). Por outro lado, a salvação divina proporciona a dispensa e a remoção de toda acusação contra o pecador e o equipa com a vida eterna em lugar da morte, com o mérito perfeito de Cristo em lugar da condenação, e com o perdão e a justificação em lugar da ira.

Em sua significação mais ampla, a doutrina da salvação inclui todo empreendimento divino para o crente, a partir de sua libertação do estado de perdição, até a sua apresentação final em glória, já conformado à imagem de Cristo. Visto que o objetivo divino é abrangente dessa forma, o tema é dividido naturalmente em três tempos:

A) O cristão *foi* salvo quando creu (Lc 7.50; At 16.30, 31; 1 Co 1.18; 2 Co 2.15; Ef 2.8; 2 Tm 1.9). O aspecto do tempo passado da salvação é um fato imutável e essencial da salvação. No momento em que crê, a pessoa salva é completamente liberta do seu estado de perdição, tornando-se purificada, perdoada, justificada, nascida de Deus, vestida com o mérito de Cristo, liberta de toda condenação, e segura para sempre.

B) O crente está *sendo* salvo do domínio do pecado (Rm 6.1-14; 8.2; 2 Co 3.18; Gl 2.20; 4.19; Fp 1.19; 2.12; 2 Ts 2.13). Nesse segundo tempo da salvação, o crente está sendo divinamente preservado e santificado.

C) O crente *ainda* será salvo da presença do pecado, quando for apresentado sem pecado em glória (Rm 13.11; 1 Ts 5.8; Hb 1.14; 9.28; 1 Pe 1.3-5; 1 Jo 3.1-3). A isto podem ser acrescidas outras passagens que, por sua vez, apresentam todos os três aspectos temporais da salvação – (1 Co 1.30; Fp 1.6; Ef 5.25-27; 1 Ts 1.9, 10; Tt 2.11-13).

Semelhantemente, nenhum fato maior a respeito da salvação divina pode ser declarado do que aquilo que é afirmado em Jonas 2.9: "A salvação é de Jeová"; no Salmo 3.8: "A salvação pertence a Jeová". A verdade de que a salvação é de Jeová é mantida tanto pela revelação quanto pela razão. Com respeito à revelação, está o testemunho das Escrituras, sem exceção, de que cada aspecto da salvação do homem desde o seu princípio até a sua perfeição final no céu, é uma obra de Deus pelo homem e não uma obra do homem para Deus. Com respeito à razão, há necessidade de apenas uma consideração momentânea sobre o caráter sobrenatural de cada passo nessa grande realização, para se descobrir que o homem não poderia contribuir com nada para a sua realização. Que cada passo é pela fé tem de ser uma necessidade, visto que o homem, não tendo qualquer poder para produzir um resultado sobrenatural, deve permanecer confiante em Alguém que é capaz. Essas verdades óbvias podem ser vistas a partir de dois ângulos diferentes:

A) O que pode ser chamado de aspecto *legal* do problema da salvação de um ser pecaminoso é aquilo que satisfaz aquelas exigências infinitamente santas da justiça divina e do governo divino que são ultrajados pelo pecado em cada uma de suas formas. Nenhum homem pode fazer uma expiação por sua alma e, assim, salvar a si próprio. A penalidade por sua condição pecaminosa requer um juízo tão grande que, no final, se ele tivesse de pagar, não lhe sobraria algo para que o salvasse. Em oposição a isso, está a verdade de que Deus providenciou na morte substitutiva de Seu Filho, para que a penalidade fosse paga. Esta se torna a única esperança para o homem, mas a atitude de dependência de outra pessoa, como um princípio, está muito distante da idéia do próprio esforço do homem de salvar-se a si mesmo.

B) O que pode ser chamado de aspecto *prático* do problema da salvação de um ser pecaminoso é visto no caráter de todas as coisas que compõem o estado daquele que é salvo. Ninguém, sob quaisquer circunstâncias, poderia perdoar o seu próprio pecado, comunicar vida eterna a si mesmo, vestir-se a si mesmo com a justiça de Deus, ou escrever o seu próprio nome no céu. Assim, conclui-se que nenhuma verdade mais óbvia será encontrada nas páginas da Bíblia do que esta: que a "salvação é de Jeová". Não somente em tudo que entra na salvação no tempo passado, que foi operada por Deus imediatamente, em resposta ao simples ato de fé em Deus, com base na confiança de que Ele é capaz de salvar com justiça somente através da morte de seu Filho, mas Deus é revelado ao pecador como Aquele que deseja salvar com um anelo infinito.

Aquele que não poupou a seu próprio Filho, antes por todos nós o entregou, dificilmente poderia demonstrar mais plenamente do que demonstrou, a sua paixão em salvar os perdidos.

O maior de todos os motivos que move Deus ao exercício de sua graça salvadora é a satisfação do seu próprio infinito amor por aqueles que foram arruinados pelo pecado. Neste modo, pode ser vista a verdade de que a salvação de uma alma significa mais infinitamente para Deus do que jamais poderia significar para aquele que é salvo, sem levar em conta as realidades gloriosas que constituem essa salvação. Mas, além de satisfazer o seu amor infinito, três outros motivos divinos são revelados sobre a salvação dos perdidos:

A) Está escrito: "Porque pela graça sois salvos, por meio da fé; e isto não vem de vós, é dom de Deus, não vem das obras, para que ninguém se glorie. Porque somos feitura sua, criados em Cristo Jesus para boas obras, as quais Deus antes preparou para que andássemos nelas" (Ef 2.8-10). Mais enfática ainda é a verdade declarada de que a salvação é um empreendimento divino com base na pura graça de Deus na qual nenhuma obra ou mérito humano entra na conta. Esta salvação *para* as boas obras nunca é *pelas* boas obras; e é *para* tais boas obras que somos preordenados por Deus.

B) De igual modo, está declarado que Deus é motivado em sua salvação dos homens pela vantagem que a salvação vai ser para eles. João 3.16 afirma: "Porque Deus amou o mundo de tal maneira que deu o seu Filho unigênito, para que todo aquele que nele crê não pereça, mas tenha a vida eterna". Está claramente afirmado, neste texto familiar, que um benefício duplo resulta para todos os que crêem em Cristo – eles não perecem e de fato recebem a vida eterna. Essas vantagens são imensuravelmente grandes, tanto em seu valor intrínseco quanto em sua duração infinita. A questão que pode ser levantada é se poderia haver qualquer motivo estimulante mais elevado da parte de Deus na salvação do homem do que o benefício que o homem recebe dela. Há um objetivo no fato de Deus exercer a sua graça salvadora, que é muito mais uma realidade para Deus do que as boas obras ou o próprio benefício do homem.

C) É o fato de que a salvação do homem é pela graça divina com o fim dessa graça ter uma manifestação adequada. Sobre esta verdade está registrado: "...para mostrar nos séculos vindouros a suprema riqueza da sua graça, pela sua bondade para conosco em Cristo Jesus" (Ef 2.7). Houve alguma coisa em Deus que nenhum anjo havia visto. Eles tinham observado a sua sabedoria e poder demonstrados na criação e na sustentação de todas as coisas. Eles haviam contemplado sua glória, mas eles não haviam visto ainda a sua graça. Não poderia haver uma manifestação da graça até que houvesse criaturas pecadoras que fossem objetos dessa graça. A importância da revelação da graça infinita nas esferas celestiais não poderia ser avaliada neste mundo. Não tinha havido uma exibição do amor divino até que Deus deu o seu Filho para morrer pelos homens perdidos.

A importância dessa demonstração está além do entendimento humano. De igual modo, não poderia haver uma manifestação completa da graça divina até que pecadores fossem salvos através da morte do Filho de Deus, e a medida dessa graça também está além do entendimento finito. O pensamento transcende toda compreensão, de que mesmo um dentre a raça caída seja mudado pelo poder divino e venha satisfazer a Deus como uma exibição de sua graça infinita, e, embora os vastos espaços do céu sejam invadidos com tal graça, a demonstração não é realçada pelas apresentações multiplicadas, pois cada indivíduo será a expressão da graça superlativa de Deus.

Pela realização perfeita de Cristo em sua morte – o justo morrendo pelos injustos – o braço salvador de Deus não mais fica impedido por causa daquelas alegações justas de julgamento que o caráter ultrajado de Deus deve impor e, sendo assim livre para agir, Deus faz tudo o que o seu infinito amor dita. Nada no céu ou na terra – nada dentro da divindade ou entre as coisas criadas – poderia sobrepujar o fim que a salvação divina realiza para uma alma perdida, ou seja, a manifestação da graça divina e a satisfação do seu amor. Este resultado incompreensível e ilimitado está assegurado na promessa de que todo salvo será "conformado à imagem de seu Filho" (Rm 8.29); e o apóstolo João também testifica que "quando ele se manifestar, seremos semelhantes a ele; porque assim como é, o veremos" (1 Jo 3.2).

Isto é evidentemente o que está na mente do apóstolo quando escreve: "... e assim como trouxemos a imagem do terreno, traremos também a imagem do celestial" (1 Co 15.49). Mesmo agora Cristo está no crente como "a esperança da glória" (Cl 1.27), e este corpo será feito "semelhante ao corpo da sua glória" (Fp 3.21). Não é pequena honra para o pecador que merece o inferno, que Deus o tenha amado tanto que, tendo suportado os seus juízos, o Senhor devesse empregá-lo como o agente por quem Ele declararia eternamente ao universo o escopo exato e o caráter de sua graça ilimitada.

O pregador do Evangelho faria bem em estudar, com a finalidade de poder enfatizar corretamente as duas perfeições divinas na salvação do homem, mencionadas anteriormente, que são ganhas com base justa através da morte e ressurreição de Cristo. Uma dessas é a disponibilidade daquilo que o mal é, enquanto que a outra é a segurança daquilo que é bom. Estas duas perfeições divinas são (1) que pela morte de Cristo, todo julgamento e condenação são tão perfeitamente realizados que eles nunca mais podem ser trazidos contra o crente (Rm 8.1). Mesmo na salvação de uma alma, nenhum golpe é desferido, nenhuma crítica ou censura é feita. (2) Igualmente, e com base na mesma morte e com base na ressurreição de Cristo, toda exigência para uma eterna associação com Deus no céu é concedida – na verdade, tudo é com base no princípio simples da graça.

Na conclusão desta introdução ao estudo da Soteriologia, o estudante é obrigado a dar uma atenção especial a este grande tema, e por duas razões importantes, que são:

(1) A mensagem de Deus inclui a totalidade da família humana em alcance, e visto que a grande proporção é de não-regenerados, e visto que o Evangelho é a única palavra dirigida aos não-salvos, é razoável concluir que, num ministério bem equilibrado, a pregação do Evangelho deva ser responsável não menos

INTRODUÇÃO À SOTERIOLOGIA

do que 75% do testemunho do púlpito. O restante pode ser para a edificação daqueles que já são salvos. Permanece o fato que, se muita coisa da mensagem do pregador deve estar dentro do campo da Soteriologia, o estudo desta divisão da Teologia Sistemática tem que ser observado com grande diligência, sinceridade, em expectativa regada por oração.

(2) O pregador é um elo importante na corrente que conecta o coração de Deus com as almas dos homens perdidos. A respeito de outros elos nessa corrente, pode ser observado que não há uma deficiência nas provisões da redenção através do sacrifício de Cristo. Não há uma imperfeição no registro da redenção revelada nos oráculos de Deus. Não há uma fraqueza ou falha da parte do Espírito capacitador. Não deveria haver uma omissão, defeito ou negligência na apresentação que o pregador faz da redenção àqueles a quem ela é pregada. Quando levada a sério, a responsabilidade da pregação do Evangelho não é outra, senão solenizar o coração e ser a causa de uma dependência sempre crescente de Deus.

Não se deve admirar que o apóstolo, falando pelo Espírito Santo, tenha declarado com aquela ênfase singular que uma repetição dupla se lhe impunha: "Mas, ainda que nós mesmos ou um anjo do céu vos pregasse outro evangelho além do que já vos pregamos, seja anátema. Como antes temos dito, assim agora novamente o digo: Se alguém vos pregar outro evangelho além do que já recebestes, seja anátema" (Gl 1.8, 9). Este *anátema* nunca havia sido revogado, nem poderá ser enquanto a graça salvadora de Deus for proclamada ao mundo perdido. Do ponto de vista humano, uma apresentação errônea do Evangelho poderia orientar erradamente uma alma e o caminho da vida poderia ser perdido para sempre. Cabe ao médico de almas conhecer o remédio exato, para que Ele possa prescrever. Um médico pode, por erro, dar fim a uma vida breve aqui na terra.

O médico de almas está tratando com o destino eterno. Havendo dado o seu Filho para morrer por homens perdidos, Deus não pode senão ser exato a respeito de como os grandes benefícios podem ser apresentados, nem deveria Ele considerar injusto se Ele pronuncia um anátema sobre os que pervertem o único caminho de salvação que foi comprado a preço tão alto. Um homem sensível, quando percebe essas questões eternas, pode se retrair diante de tão grande responsabilidade, mas Deus não chamou os seus mensageiros para tal fracasso. Ele lhes ordena a "pregar a palavra", e lhes assegura de sua presença constante e poder capacitador. Provavelmente, em nenhum ponto do campo total da verdade teológica, a determinação seja mais aplicável do que quando se diz: "Procura apresentar-te diante de Deus aprovado, como obreiro que não tem de que se envergonhar, que maneja bem a palavra da verdade" (2 Tm 2.15).

O estudo da soteriologia deve ser empreendido sob as seguintes divisões principais: (1) o Salvador, (2) a eleição divina, (3) por quem Cristo morreu? (4) a obra salvadora do Deus triúno, (5) a segurança eterna do crente, (6) a libertação do poder reinante do pecado e as limitações humanas e (7) os termos da salvação.

O Salvador

Capítulo II
A Pessoa do Salvador

HÁ APENAS UM SALVADOR e somente Um que, em todos os sentidos, é qualificado para salvar. A verdade assim afirmada é o fundamento da soteriologia, e, destas duas declarações, a primeira exige uma investigação da *Pessoa* de Cristo – cuja linha de pensamento já foi considerada em muitas páginas no estudo do trinitarianismo, e ali propriamente restrito ao estudo de sua pessoa. A segunda declaração – de que Ele somente é qualificado para salvar – exige uma investigação na *obra* de Cristo na cruz, que é a base de tudo que entra na soteriologia. Assim, por sua vez, a soteriologia é a pedra de esquina da Teologia Sistemática, sendo no seu grau mais pleno, aquilo que o homem pode compreender da auto-revelação de Deus à raça caída.

O volume V desta obra sobre Teologia Sistemática é dedicado ao estudo de cristologia. Nessas páginas, será feito um estudo mais ordenado e abrangente deste grande tema. Como já foi afirmado acima, já foi feita uma abordagem específica sobre a pessoa de Cristo no estudo do Trinitarianismo. Em soteriologia (à parte da palavra introdutória), será dada uma consideração específica à obra de Cristo, enquanto sob cristologia estas duas verdades fundamentais serão consideradas juntas. Como foi sugerido antes, quando abordamos o estudo da obra de Cristo, é essencial reafirmar ou rever certos fatos relativos à sua pessoa, com o fim de que algum reconhecimento mais amplo possa ser assegurado a respeito daquilo que leva Deus a empreender tão grande salvação. Portanto, a atenção primeira aqui é dirigida à pessoa do Salvador. Que o homem é incapaz de uma compreensão da divindade, é uma verdade axiomática, e é igualmente certo que o homem seja incapaz de descrever o que não pode compreender.

Na Bíblia, Deus falou a respeito de si mesmo, e isto tem feito muito pelos homens debilitados em sua tentativa de conhecer a verdade a respeito de Deus; todavia, esta revelação – mesmo quando a mente é iluminada pelo Espírito – é vagamente apreendida. É sob tais restrições inevitáveis que um autor ou humanos podem se expressar. Indizivelmente exaltado é o tema da pessoa de Cristo; mas, para a situação presente, esta divisão da tese geral pode ser subdividida em quatro aspectos – (a) sete posições de Cristo, (b) seus ofícios, (c) suas filiações e (d) a união hipostática.

I. Sete Posições de Cristo

O campo total da cristologia abrange sete posições em que Cristo é apresentado nas Escrituras. Embora estas sejam observadas mais plenamente sob Cristologia, parece não haver uma abordagem mais esclarecedora para este vasto tema a respeito da pessoa e obra de Cristo. O propósito, neste estudo preparatório, é uma tentativa de compreender – tanto quanto possível – a grandeza infinita daquele que empreendeu realizar a salvação dos perdidos. O progresso espiritual do cristão pode ser medido pelo crescimento que ele tem "no conhecimento de nosso Senhor e Salvador Jesus Cristo" (2 Pe 3.18). É afirmado pelo próprio Cristo que a obra do Espírito no coração do crente é a de "me glorificar" (Jo 16.14). Por este texto, está indicado que a concepção que o crente tem do Cristo que o salva não deveria ser apenas estendida a proporções sobrenaturais, mas deveria aumentar com o passar do tempo. Para que Ele possa ter preeminência, essas sete posições são apresentadas aqui.

1. CRISTO PRÉ-ENCARNADO. É sem dúvida verdade que, em vista da verdade que Ele tomou sobre si a forma e a natureza humana, a mente do homem está inclinada a pensar de Cristo em termos de incapacidade finita. Uma correção certa para esta prática errônea é a meditação e a reflexão sobre a sua existência antes da encarnação. Tal consideração sempre tende à apreensão do Cristo encarnado que é livre dessas concepções errôneas. Por ter recebido cordialmente alguma coisa de sua divindade eterna, será natural dar à sua divindade o seu devido lugar quando busca a verdade a respeito de seu modo encarnado de existência.

Espera-se que o estudante esteja atento para fazer uma investigação mais extensa, sob teontologia, de passagens importantes como Isaías 7.14; 9.6, 7; Miquéias 5.2; Lucas 1.30-35; João 1.1, 2, 14; Filipenses 2.6-8; Colossenses 1.13-17; 1 Timóteo 3.16, que tratam da existência pré-encarnada de Cristo, como Um membro da Trindade. Mas um texto será considerado novamente neste contexto, a saber,

João 1.1, 2, 14. Até onde vai o registro, o Filho de Deus não aplicou a si mesmo o termo específico *logos*, mas este é usado pelo Espírito na passagem sob consideração. Esse título, com a melhor razão, pode ser usado mais do que para identificar o Filho de Deus pré-encarnado. Um nome distintivo que o relaciona à eternidade não é somente necessário, mas é assim suprido pelo Espírito, cujo uso desse título neste contexto é autoridade completa para o seu emprego, para o mesmo propósito, debaixo de todas as circunstâncias. Por seu real significado, a designação *logos* apresenta uma revelação de grande alcance, não somente de sua divindade, mas de sua relação essencial e eterna com a primeira pessoa. Sobre este nome *logos*, A. B. D. Alexander escreve:

A doutrina do *logos* tem exercido uma influência decisiva e de longo alcance sobre o pensamento cristão e o especulativo. A palavra tem uma longa história, e a evolução da idéia que ela incorpora é realmente o desdobramento do conceito que o homem tem de Deus. Compreender a relação da divindade com o mundo tem sido o alvo de toda filosofia religiosa. Enquanto posições muito divergentes quanto à manifestação divina têm sido concebidas, desde a aurora da especulação ocidental, a palavra grega *logos* tem sido empregada com certo grau de uniformidade por uma série de pensadores, para expressar e definir a natureza e o modo da revelação de Deus. *Logos* significa no grego clássico tanto "razão" quanto "palavra". Embora no grego bíblico o termo seja majoritariamente empregado no sentido de "palavra", não podemos propriamente dissociar as duas significações. Toda palavra implica num pensamento. É impossível imaginar uma vez em que Deus esteve sem pensamento. Conseqüentemente, o pensamento deve ser eterno como a divindade. A tradução "pensamento" é provavelmente a mais equivalente para o termo grego, visto que ele denota, de um lado, a faculdade da razão, ou o pensamento concebido interiormente na mente; e, por outro lado, o pensamento exteriormente expresso através do veículo da linguagem. As duas idéias, pensamento e linguagem, estão indubitavelmente combinadas no termo *logos*; e em cada emprego da palavra, na filosofia e na Escritura, ambas as noções do pensamento e sua expressão externa estão intimamente conectadas.[1]

A Segunda Pessoa, cumprindo o importante significado do título *logos*, é, e sempre foi, como sempre será, a manifestação de Deus. Isto está implícito no termo *logos*; pois Aquele que leva esse nome dentro da divindade, é para a divindade o que a linguagem é para o pensamento – a expressão dele. O Dr. W. Lindsay Alexander escreve claramente sobre isto:

A palavra carrega o seu próprio significado consigo; em outras palavras, aquela simples idéia apresentada à mente por esta palavra é tão verdadeiramente descritiva de Jesus Cristo que ela pode ser usada sem qualquer qualificação como uma designação dele, exatamente como as palavras vida, luz, maná, Páscoa, paz etc. Mas esta lança luz sobre a pergunta: Em que sentido Jesus Cristo é a Palavra? Porque deve ser permitido que o termo não abra mão tão imediatamente do seu significado como o fazem alguns daqueles outros termos com os quais o temos comparado. Ora, eu penso que a resposta mais antiga ainda é a melhor. "O Filho", diz Orígenes, "pode ser o Verbo porque Ele anuncia as coisas de seu Pai que estão escondidas"; ou como outro dos pais da Igreja diz que "Ele é o intérprete da vontade de Deus". A idéia aqui, que como uma palavra é o intérprete do espírito invisível escondido do homem, assim Jesus, vindo do seio do Pai, daquele a quem nenhum homem jamais viu, Ele nos revelou Jesus a nós. As palavras ligam o abismo entre o Espírito Santo e o espírito, e formam um meio de comunicação entre a mente divina e a mente. Elas são mensageiras aladas que sentido algum pode avistar, e através do meio do sentido comunicam a outros o conhecimento daquele poder escondido que lhes foi enviado. Elas são assim enfaticamente reveladoras do invisível, expoentes que nos são palpáveis daquilo que, exceto para eles, deve sempre ter permanecido escondido de nós, por serem supra-sensíveis. De igual modo, Jesus Cristo tornou Deus exposto e conhecido de nós. Em si mesmo Deus é totalmente muito além de nosso conhecimento; não podemos encontrá-lo através de pesquisa; e é somente quando Ele se nos revela que podemos ter apenas uma idéia dele. Mas de todas as revelações de si mesmo que Ele tem dado aos homens, nenhuma é tão plena, tão clara e tão impressionante como aquela que Ele nos deu na pessoa de seu Filho. Aqui, todos os outros raios de luz que Deus enviou para iluminar as nossas trevas são concentrados em um esplendor de glória. Aqui todas as outras palavras que Deus falou aos homens são reunidas e condensadas em uma elocução grande e abrangente, que, portanto, torna-se enfaticamente em *O Verbo* [a Palavra] – a manifestação pessoal e viva de Deus aos homens...

O leitor atento do Antigo Testamento não pode falhar em observar como examinar rapidamente os escritos que contêm uma distinção entre Deus e o que Ele é em si mesmo – escondido, invisível, insondável, incompreensível, e o Deus que está em relação com as suas criaturas – revelado, manifesto, declarado. Algumas vezes isto é um comunicado muito distinto e inconfundível como o é o próprio Jeová e, todavia, distinto de Jeová – uma representação que pode ser tornada inteligível somente na suposição de uma distinção entre Deus revelado e o Deus escondido. Em outros casos, a mesma idéia é apresentada por certas formas de expressão que a pressupõem. Por exemplo, essa é a expressão freqüentemente usada, o "nome de Deus" – uma expressão que indica algo distinto de Deus como Deus, mas ao qual, não obstante, as qualidades pessoais e divinas são atribuídas; pois os homens são ordenados a colocar a sua confiança no nome de Deus, e Deus serve os homens pelo seu nome, Deus coloca seu nome numa pessoa ou lugar, o resultado do que é aquilo que Deus é naquela pessoa ou lugar; e muitos outros usos semelhantes, que podem ser explicados satisfatoriamente somente com a suposição de que o nome de Deus é Deus, não como Ele é em si mesmo, mas como ele é revelado aos homens. Essa também é a distinção feita entre a "face de Deus", que nenhum homem pode contemplar, e as suas "costas", que a Moisés foi permitido ver, como condescendência ao seu pedido sincero. Como o semblante é o índice da alma, a parte espiritual do corpo (se é que podemos dizer isto), a face de Deus é a sua glória essencial interior, a sua essência como um Espírito; e como as costas do homem são uma parte material dele, e sujeitas ao escrutínio dos sentidos, assim isto é usado por Deus para denotar o que dele pode ser revelado, e sendo revelado pode ser conhecido por suas criaturas. Aquilo que é, Ele próprio declara expressamente quando, no mesmo contexto, em resposta ao pedido de Moisés: "Mostra-me a tua glória", Deus diz: "Eu farei a minha bondade [propriamente, *beleza, majestade*] passar diante de ti, e proclamarei o nome do Senhor diante de ti". Isto era o que Moisés poderia ver, e isto – o nome divino ou a revelação de Deus, a beleza, a perfeição manifesta de Deus – Ele faria passar diante dele; e é disso que Deus fala como suas costas, porque poderia ser tornado conhecido aos homens em contraste com a sua face, o seu ser essencial, que nenhum homem poderia ver e continuar vivo. Esses exemplos podem ser suficientes para mostrar que a idéia de uma distinção entre Deus como Ele é em si mesmo e Deus como Ele se revela às suas criaturas não poderia apenas ser familiar a um leitor atento das Escrituras dos judeus; de forma que João, ao apresentar o grande revelador de Deus que estava com Deus e que era Deus, não ultrapassaria os limites do pensamento iluminado e inteligente dos judeus.[2]

Há três verdades determinantes demonstradas por João em seu evangelho a respeito do *Logos*: (a) Ele, como um com Deus e como Deus, existe desde a eternidade (1.1, 2); (b) Ele se torna carne (1.14); e (c) Ele sempre revela a primeira pessoa (1.18). Com esta revelação abrangente, toda a Escritura está de acordo, e essa pessoa é adorável, poderosa, sábia e eterna, e veio ao mundo para ser o Salvador dos homens.

2. Cristo Encarnado. Num esforço razoável de alcançar uma avaliação digna do Redentor, esta verdade fundamental deve ficar firme na mente como a base para todas as outras realidades que fazem parte desse Ser maravilhoso e exaltado, a saber, visto que Ele combina em Si mesmo uma divindade não-diminuída e uma perfeita humanidade, não há outro comparável a Ele, seja dentro da divindade, entre os anjos, ou entre os homens. Essa pessoa teantrópica é tanto Deus quanto é o Pai ou o Espírito Santo; mas nem o Pai nem o Espírito entraram em união com aquilo que é humano. Semelhantemente, a pessoa teantrópica em todo sentido é a personificação de cada aspecto de um verdadeiro ser humano; mas nenhum outro ser humano jamais foi unido à divindade. Não há uma sugestão de que essa pessoa teantrópica seja superior ao Pai ou ao Espírito; está somente indicado que Ela difere de todos os outros no céu ou na terra naquilo em que a amplitude da esfera do seu Ser foi expandido a um ponto ao qual nenhum outro jamais atingiu ou jamais atingirá.

Ela funciona perfeita e finalmente no serviço para o qual uma pessoa teantrópica foi designada. Não haveria necessidade de outra jamais surgir. Em vista desta última consideração do todo campo da mediação, a busca deste tema fica descontinuada para o momento. Contudo, muito urgentemente a verdade enfatizada é no sentido de que, à parte de uma investigação interminável dela, de meditação nela, os aspectos peculiares dessa Pessoa teantrópica singular, não pode haver um crescimento recomendável "no conhecimento de nosso Senhor e Salvador Jesus Cristo".

3. Cristo em sua Morte. Além disso, uma discussão extensa vem pela frente sobre os sofrimentos de Cristo; todavia, a avaliação correta do Salvador está ligada, em grande medida, com sua obra sobre a cruz. Tal avaliação viera para o apóstolo quando, em adoração pessoal, ele disse de Cristo: "... que me amou e a si mesmo se entregou por mim". Grandes, de fato, são os triunfos de Cristo através da cruz – ao alcançar a transformação das coisas da terra e do céu. Um entendimento correto disso resultará num conhecimento mais rico e mais pleno daquele que é poderoso para salvar.

4. Cristo Ressuscitado. A encarnação realizou a união das duas naturezas numa pessoa teantrópica, em cuja união a sua divindade foi escondida e a sua humanidade, embora sem pecado, poderia se misturar nas experiências comuns com outros homens; mas a ressurreição realizou a revelação de sua divindade e a glorificação de sua humanidade. Através da ressurreição, Ele se tornou o que Ele sempre será e aquilo que nunca havia sido antes – um homem glorificado no céu. Dele é dito: "...aquele que possui, ele só, a imortalidade, e habita em luz inacessível; a quem nenhum dos homens tem visto nem pode ver; ao qual seja honra e poder sempiterno. Amém" (1 Tm 6.16). Por causa dos seus sofrimentos e morte, Deus, na ressurreição de Cristo, exaltou-o sobremaneira e deu-lhe um nome que está acima de todo nome. Em qualquer reconhecimento de tudo o que o Salvador é, deve haver uma reflexão sobre o seu presente estado – aquele que Ele sempre terá no céu.

5. Cristo Ascendeu ao Céu e está Assentado lá. O Salvador onipresente, embora habite em cada crente, embora presente onde dois ou três se reúnem em seu nome, e embora acompanhe cada mensageiro até o fim dos tempos, tudo isso através do Espírito Santo, não obstante, está localmente presente no céu, assentado à direita do trono do Pai e ali administra como Salvador dos perdidos, como Cabeça sobre todas as coisas à Igreja; e prepara um lugar para os filhos a quem Ele levará para a glória. Quando ainda sobre a terra, ninguém o conheceu mais intimamente do que João, o discípulo amado. Ele o viu como uma criança, em seu ministério público, na transfiguração, na morte, e na ressurreição; todavia, quando Ele o viu na glória – como está descrito em Apocalipse 1.13-18 – foi que ele se sentiu como morto aos pés do Salvador glorificado, e foi capaz de se levantar somente quando fortalecido pelo Senhor glorificado. É com esse mesmo Salvador glorificado que os cristãos serão confrontados à medida que eles entrarem no céu, e é desse Salvador que eles devem estar conscientes, se querem conhecer aquele que salva as suas almas.

6. Cristo em seu Retorno. A capacidade extrema da linguagem para expressar a glória ilimitada é abraçada por aqueles textos onde o segundo advento de Cristo é descrito (cf. Is 63.1-6; Dn 7.13, 14; Mt 24.27-31; At 15.16-18; 2 Ts 1.7-10; Ap 19.11-16), e essa concepção dessa pessoa gloriosa deve ser acrescida à soma total de tudo o que Salvador é, por quem os perdidos são salvos e por quem eles sao apresentados com sem pecado diante da presença da sua glória.

7. Cristo Reinando para Sempre. Pela autoridade do Pai, o Filho, a quem toda autoridade é dada, deve reinar sobre o trono de Davi, até que todos os inimigos sejam postos sob os seus pés. Então, pela mesma autoridade, Ele reinará para sempre e sempre, para que Deus possa ser tudo em todos (1 Co 15.24-28). Está predito que o seu reino será eterno – no trono de seu pai Davi (cf. Is 9.6-7; Ez 37.21-25; Dn 7.13, 14; Lc 1.31-33; Ap 11.15). É nele que o pecador deve confiar e é a Ele que todos os cristãos são admoestados a conhecer. A convocação para conhecer "nosso Senhor e Salvador Jesus Cristo" é uma chamada para entrar na esfera imensurável da realidade – inclusive tudo o que o Salvador é.

II. Os Ofícios de Cristo

Baseada na Escritura, a crença dos intérpretes da Bíblia, tanto daqueles que viveram no tempo do Antigo Testamento quanto os que viveram no tempo do Novo Testamento, tem sido a de que o título *Messias* do Antigo Pacto e o título *Cristo* do Novo Pacto sugerem uma responsabilidade oficial tríplice – as de Profeta, Sacerdote, e Rei. Há razão para se reter essa divisão geral da verdade, e esses ofícios devem ser considerados separadamente.

1. PROFETA. A idéia subjacente de um profeta é que ele é um canal ou meio de comunicação através de quem a mensagem de Deus pode ser entregue ao homem. Neste sentido, o serviço do profeta é o oposto do serviço sacerdotal, cuja responsabilidade é representar o homem perante Deus. Ambos os ministérios igualmente pertencem a Cristo e juntos constituem dois aspectos principais de sua obra redentora. Como Mediador, Ele permanece entre Deus e o homem e representa cada um junto ao outro.

Deve ser feita uma distinção entre o profeta do Antigo Testamento e o do Novo Testamento. Em cada caso o campo de serviço é duplo – *predição* e *proclamação*. O ministério do profeta do Antigo Testamento era basicamente o de um reformador ou patriota. Ele procurava a restauração para as bênçãos da aliança do povo que estava sob os pactos. Nenhuma ilustração melhor disto será encontrada do que aquela de João Batista – o último profeta da antiga ordem e o arauto do Messias. Dele Cristo disse: "Um profeta? Sim, eu vos digo, mais do que um profeta" (Mt 11.9); e nenhuma predição maior foi emitida por João do que a expressa nas seguintes palavras: "Eis o Cordeiro de Deus, que tira o pecado do mundo" (Jo 1.29). Tendo a atitude de um reformador e de um avivalista, o profeta do Antigo Testamento era apontado pelo Senhor para dar advertências a respeito do castigo de Deus que estava por vir ao seu povo em pecado, e, com as predições, dar testemunho de Jeová que o propósito e a fidelidade do Senhor com respeito às bênçãos definitivas de Israel jamais pudessem falhar.

Por causa de seus pecados, o povo sofreria provações, mas, no final, as bênçãos pactuais de Deus seriam experimentadas, visto que Deus não pode mudar. Com respeito a Israel, "os dons e a vocação de Deus são irretratáveis" (Rm 11.29). Sobre o profeta do Antigo Testamento, deve ser observada uma ordem de desenvolvimento. Ele foi primeiro chamado *o homem de Deus*, mais tarde, considerado *o vidente*, e finalmente foi identificado como o *profeta*. A ordem de desenvolvimento é facilmente traçada. O homem de Deus poderia ver, com base no princípio invariável de que o puro de coração verá a Deus; portanto, tornou-se conhecido como o vidente. Para aqueles que possuem visão espiritual, é apenas um passo para a capacidade de declarar tanto a predição quanto a proclamação.

No volume 1 desta obra, em Bibliologia, capítulo V, dedicado à canonicidade, foi assinalado que certas responsabilidades foram colocadas sobre as autoridades judaicas com respeito às Escrituras. A responsabilidade do povo é declarada em Deuteronômio 4.2: "Não acrescentareis à palavra que vos mando, nem diminuireis dela, para que guardeis os mandamentos do Senhor vosso Deus, que eu vos mando". A instrução para o rei no trono – embora nenhum rei tenha reinado em Israel por cinco séculos subseqüentes – foi revelada em Deuteronômio 17.18, 19: "Será também que, quando se assentar sobre o trono do seu reino, escreverá para si, num livro, uma cópia desta lei, do exemplar que está diante dos levitas sacerdotes. E o terá consigo, e nele lerá todos os dias da sua vida, para que aprenda a temer ao Senhor seu Deus, e a guardar todas as palavras desta lei, e estes estatutos, a fim de os cumprir".

O juiz interpretava a lei contida nas Escrituras; mas alguma matéria poderia ser levantada, quando os juízes eram incapazes de julgá-la. Então ela era remetida aos sacerdotes que atuavam como a corte suprema, e o ofensor que não alcançasse o perdão dos sacerdotes, era morto. Esta provisão importante está registrada em Deuteronômio 17.8-10: "Se alguma causa te for difícil demais em juízo, entre sangue e sangue, entre demanda e demanda, entre ferida e ferida, tornando-se motivo de controvérsia nas tuas portas, então te levantarás e subirás ao lugar que o Senhor teu Deus escolher; virás aos levitas sacerdotes, e ao juiz que houver nesses dias, e inquirirás; e eles te anunciarão a sentença do juízo. Depois cumprirás fielmente a sentença que te anunciarem no lugar que o Senhor escolher; e terás cuidado de fazer conforme tudo o que te ensinarem".

Aos levitas foi dada a custódia das Escrituras. Está escrito: "Tomai este livro da lei, e ponde-o ao lado da arca do pacto do Senhor vosso Deus, para que ali esteja por testemunha contra vós" (Dt 31.26). Mas ao profeta foi dada a elevada responsabilidade de receber e transmitir a Palavra de Deus. A comissão que o profeta tinha de falar por Deus e a exigência do povo de ouvir são estabelecidas na lei constituída de Israel. Sem dúvida, como muitas outras, a passagem tem o seu cumprimento final no ministério profético de Cristo. Ele é o maior de todos os profetas, o maior de todos os sacerdotes, e o maior de todos os reis. Essa instrução é uma autorização imediata dos profetas que, sob Deus, deveriam suceder Moisés. Esta passagem diz: "O Senhor teu Deus te suscitará do meio de ti, dentre teus irmãos, um profeta semelhante a mim; a ele ouvirás; ...do meio de seus irmãos lhes suscitarei um profeta semelhante a ti; e porei as minhas palavras na sua boca, e ele lhes falará tudo o que eu lhe ordenar. E de qualquer que não ouvir as minhas palavras, que ele falar em meu nome, eu exigirei contas" (Dt 18.15, 18, 19).

A verdadeira mensagem do profeta tinha de ser recebida e atendida pela totalidade da casa de Israel, desde o rei no trono até o menor no reino. Dessas mensagens, contudo, somente as porções que o Espírito de Deus determinou é que se tornaram canônicas. O verdadeiro profeta atestou a sua própria mensagem e demonstrou a sua autoridade por evidência sobrenatural. Isto não evitou que um profeta atestasse a mensagem que outro profeta houvesse recebido e transmitido com autoridade. Tal colaboração é observável, especialmente com respeito aos escritos que aparecem no cânon do Novo Testamento.

SOTERIOLOGIA

Por outro lado, os profetas do Novo Testamento – à parte dos escritos específicos do Novo Testamento – são designados mais para um ministério de proclamação do que de predição. A palavra profética está completa na Bíblia com o registro de tudo que haverá de cumprir o programa de Deus. Portanto, não há uma necessidade adicional do profeta que prediz. A classificação geral dos ministérios do Novo Testamento é encontrada em Efésios 4.11, onde está escrito a respeito do Senhor assunto ao céu: "E ele deu uns como apóstolos, e outros como profetas, e outros como evangelistas, e outros como pastores e mestres".

O apóstolo, cujo direito e título dependeram da relação imediata com Cristo enquanto Ele estava aqui no mundo, não é, naturalmente, continuado além da primeira geração da Igreja na terra.

O evangelista é o missionário pioneiro, antes do que o moderno avivalista que leva esse nome, e que tem pouco reconhecimento no Novo Testamento. O pastor e o mestre – aparentemente duas atividades de uma só pessoa – ministra para a edificação dos santos em sua obra de ministério. O serviço do profeta do Novo Testamento é bem definido em uma passagem: "Mas o que profetiza fala aos homens para edificação, exortação e consolação" (1 Co 14.3). Outros textos são de igual importância. Ao escrever a respeito da revelação do mistério, o apóstolo Paulo declara: "O qual em outras gerações não foi manifesto aos filhos dos homens, como se revelou agora no Espírito aos seus santos apóstolos e profetas" (Ef 3.5).

Semelhantemente, o benefício de homens dotados para a igreja é novamente citado pelo mesmo apóstolo em 1 Coríntios 12.10, onde a profecia é tratada como um dos dons a serem exercidos: "...a outro a operação de milagres; a outro a profecia; a outro o dom de discernir espíritos; a outro a variedade de línguas; e a outro a interpretação de línguas". De igual modo os versículos 28 e 29 são reveladores: "E a uns pôs Deus na igreja, primeiramente apóstolos, em segundo lugar profetas, em terceiro mestres, depois operadores de milagres, depois dons de curar, socorros, governos, variedades de línguas. Porventura são todos apóstolos? São todos profetas? São todos mestres? São todos operadores de milagres?" A igreja é edificada sobre os apóstolos e profetas do Novo Testamento, não sobre os profetas do Antigo Testamento (Ef 2.19, 20).

Tudo o que faz parte do ministério peculiar do profeta – seja do Antigo ou do Novo Testamento – serve somente para clarear a importante verdade de que Cristo é um profeta, e, como tal, é supremo e final nesse ofício. Ele cumpre tudo que sempre fez parte da idéia divina peculiar ao profeta. A mais antiga e importante previsão do ministério profético de Cristo, como já foi observado acima, está registrada em Deuteronômio 18.15, 18, 19. Esta apresentação prévia é distinta pelo fato de que ela diversas vezes é citada no Novo Testamento (cf. At 3.22, 23; 7.37). É asseverado neste texto que o profeta previsto falaria somente as palavras divinas que lhe seriam dadas. Cada afirmação de Cristo, a qual assevera que sua mensagem lhe foi dada pelo seu Pai (cf. Jo 7.16; 8.28; 12.49, 50; 14.10, 24; 17.8) é uma confirmação da verdade que Ele é esse profeta.

Esta grande predição em Deuteronômio 18.15-19 traz um significado secundário aplicável a todos os profetas do Antigo Testamento que falaram por Deus. O teste pragmático excedente para distinguir entre o verdadeiro e o falso profeta é demonstrado nos versículos 21 e 22: "E, se disseres no teu coração: Como conheceremos qual seja a palavra que o Senhor não falou? Quando o profeta falar em nome do Senhor e tal palavra não se cumprir, nem suceder assim, esta é palavra que o Senhor não falou; com presunção a falou o profeta; não o temerás". O significado mais profundo deste teste é que, visto que Cristo é um verdadeiro profeta, cada palavra que Ele falou certamente acontecerá.

Está também indicado que Cristo aplicou o título de *profeta* a si mesmo. Ao falar assim, Ele disse: "Um profeta não fica sem honra senão na sua terra e na sua própria casa" (Mt 13.57). Em Lucas, Ele declarou: "...importa, contudo, caminhar hoje, e no dia seguinte; porque não convém que morra um profeta fora de Jerusalém" (Lc 13.33). Deveria ser observado também que Cristo foi considerado por outros um autêntico profeta: "Vendo, pois, aqueles homens o sinal que Jesus operara, diziam: Este é verdadeiramente o profeta que havia de vir ao mundo" (Jo 6.14). Disto pode ser visto que um profeta do Antigo Testamento é identificado por obras poderosas. Neste aspecto, Cristo superou todos os outros, assim como Ele suplantou nas qualificações adicionais de mestre e profeta.

O ministério profético total de Cristo pode ser dividido em três períodos de tempo, que são:

A. O MINISTÉRIO DO PRÉ-ENCARNADO. Como *Logos*, a Segunda Pessoa foi sempre a auto-revelação de Deus. Este método específico de manifestação é talvez melhor demonstrado em João 1.18: "Ninguém jamais viu a Deus. O Deus unigênito, que está no seio do Pai, esse o deu a conhecer". Onde quer que a verdade a respeito da pessoa de Deus ou sua mensagem seja revelada – seja pelo Anjo de Jeová ou pelo Filho encarnado – a Segunda Pessoa como *Logos* é Aquela que revela.

B. O MINISTÉRIO DO ENCARNADO. Totalmente à parte dos seus ensinos, o *Logos* era Deus revelado em carne.

(1) *Seis Aspectos do Ministério do Cristo Encarnado.* Do Cristo, as Escrituras declaram: "E, sem dúvida alguma, grande é o mistério da piedade: Aquele que se manifestou em carne, foi justificado em espírito, visto dos anjos, pregado entre os gentios, crido no mundo, e recebido acima na glória" (1 Tim 3.16). Estas seis grandes afirmações são subdivisões divinamente distintas do escopo total da manifestação do Encarnado:

(a) "Deus manifesto em carne." Na Pessoa de Cristo o *Logos*, a realidade incompreensível de Deus foi traduzida em termos que a criatura humana pode compreender. A sua presença entre os homens era a presença de Deus. O que quer que Ele tenha feito foi um ato de Deus e deveria ser reconhecido como tal. Foi Deus que tomou os pequeninos em seus braços e os abençoou, que curou os enfermos, que ressuscitou mortos, e através de sua morte reconciliou o mundo consigo. Desta verdade, Cristo assim falou: "Em verdade, em verdade vos digo que o Filho de si mesmo nada pode fazer, senão o que vir o Pai fazer;

porque tudo quanto ele faz, o Filho o faz igualmente" (Jo 5.19). Além disso, o que Cristo disse, nada era senão a própria palavra de Deus.

Ele asseverou que não somente fez a vontade de seu Pai, mas as palavras que falou eram as palavras de Deus. Está escrito: "O espírito é o que vivifica, a carne para nada aproveita; as palavras que eu vos tenho dito são espírito e são vida" (Jo 6.63). Não somente o reino de Deus foi trazido para os homens pela encarnação (Lc 10.9), mas o próprio Deus foi trazido para perto de nós. Como os homens são avaliados e conhecidos por suas próprias palavras e atos, assim Deus pode ser avaliado e conhecido – na medida em que a capacidade humana, dotada pelo Espírito, possa permitir – pelas palavras e pelos atos de Cristo.

(b) "Justificado em espírito." Esta declaração indica que tudo o que Cristo empreendeu foi operado naquela perfeição que justificou tanto no céu quanto na terra, e foi realizada através do Espírito eterno. Ele foi conduzido pelo Espírito (Lc 4.1), operou no poder do Espírito (Mt 12.28), e em sua morte ofereceu-se a si mesmo pelo Espírito Eterno (Hb 9.14). É significativo, neste contexto, que a Ele o Espírito foi dado *sem medida* (Jo 3.34).

(c) "Contemplado por anjos." Nesta expressão, está indicado que em sua vida encarnada sobre a terra a totalidade das hostes angelicais estava preocupada. Do ponto de vista delas, por tê-lo conhecido desde o tempo de sua criação, como o seu Criador e Objeto de sua adoração incessante, desde a descida dele das esferas da glória infinita para tornar-se homem, foi a ocasião do interesse mais profundo dos anjos.

(d) "Pregado aos gentios." Além do raio de ação de todos os pactos anteriores, Cristo se tornou o caminho de salvação para cada membro da raça humana. A asserção não é restrita aos eleitos somente. O termo "os gentios" não poderia ser mais abrangente. A importância desse movimento dos confins de uma nação eleita – a quem Ele havia se amarrado por testamentos imutáveis – para uma redenção tão ilimitada como a raça humana, não pode ser avaliado.

(e) "Crido no mundo." Enquanto Cristo estava aqui no mundo uns poucos mantiveram relacionamento com Ele, mas eles foram o começo de um exército incontável de toda família, tribo e nação que, por intermédio dEle, alcançarão a salvação de suas almas. O que isso significa nas esferas celestiais não pode ser conhecido deste mundo.

(f) "Recebido na glória." Cristo removeu sua habitação deste *cosmos* e ascendeu ao céu onde a sua obra redentora foi aceita por seu Pai, que o havia enviado ao *cosmos*. Sua recepção em glória foi um reconhecimento público da obra que Ele realizou

Embora aparecesse posteriormente em termos de tempo, mas talvez com referência ao seu real começo, o ministério profético de Cristo foi autenticado no monte da Transfiguração por uma voz do céu, como o seu ofício sacerdotal o foi em seu batismo, e o seu ofício real quando Ele retornar (Sl 2.7). É de importância fundamental que em cada um dos três registros da transfiguração a voz não somente declara: "Este é o meu Filho amado [Mateus acrescenta aqui: "em quem me comprazo"], mas acrescenta as palavras – indicativas do ofício profético – "a ele ouvi".

(2) *Cristo proclamando e predizendo.* No sentido mais integral, Cristo cumpriu o ministério profético ao proclamar e predizer.

(a) Cristo proclamando. Com relação ao ensino e à pregação de Cristo, muita coisa foi dita em três anos e meio para aqueles que o ouviam. Somente um pequeno fragmento desse ministério foi preservado nos evangelhos. Contudo, sob a orientação do Espírito, exatamente aquilo que foi preservado era necessário para a apresentação permanente da mensagem que Ele pregou. Aqui, a tese de Roma da posse da verdade de Cristo não contida nos evangelhos é provada ser espúria, pois nenhum item da verdade não encontrada nos evangelhos foi demonstrado como de igual importância ao corpo de verdades encontrado na Bíblia. Uma análise de tudo o que saiu dos lábios de Cristo pertence a uma outra categoria das disciplinas teológicas.

É suficiente dizer que, acima e além de muitas breves conversações ou afirmações da verdade que estão registradas – tais como os capítulos 5 a 9 de João, porção essa que é fortemente apologética em sua natureza – há três discursos mais importantes, e estes serão vistos mais fielmente por todos que conhecem a importância insuperável do ministério profético de Jesus Cristo.

Mateus 5.1–7.29. Este discurso, identificado como *o Sermão do Monte*, foi feito por Cristo em seu ministério terreno e no tempo em que, no seu ministério, ele se oferecia a si mesmo a Israel como o Messias previsto deles. Esse discurso foi proferido no tempo em que era proclamado que "o reino dos céus está às portas", e quando Cristo enviava os seus discípulos com instruções explícitas para que eles não fossem aos gentios, ou aos samaritanos, mas somente às ovelhas perdidas da casa de Israel (Mt 10.5-7). O leitor mais fortuito deve se impressionar com a mudança dessas orientações como ordens posteriores dadas por Ele (cf. Mt 13.38; 28.19; At 1.8). Esse discurso apresenta o pronunciamento do próprio Rei em termos de admissão de um reino terreno ainda futuro e prescreve a maneira de vida exigida nesse reino.

Esse reino terrestre, todavia futuro, com o povo do Pacto (Israel), lhes foi primeiro oferecido; então, rejeitado por eles e, por causa disso, foi posposto aos gentios até a segunda vinda de Cristo, o que será examinado plenamente no estudo de Escatologia. A oferta do reino e a sua rejeição por Israel, que foi tornada clara na crucificação do Rei, foram predeterminados por Deus (At 2.23) como meio de realizar o sacrifício do Cordeiro, e em nenhum sentido para danificar o propósito da redenção que já estava em vista desde toda a eternidade (Ap 13.8). Não obstante, pela crucificação, não somente a redenção foi realizada, mas o pecado de rejeitar o Rei, que estava latente nos corações dos homens, tornou-se um ato concreto, um ato público e, portanto, sujeito a julgamento como tal. O monarca reinante com um governo sobre toda a terra é a predição assegurada em conexão ao Seu segundo advento.

Contudo, se o estabelecimento do reino foi posposto por intenção divina até o retorno do Rei, a aplicação daquilo que esse discurso ordena é protelado até que o reino seja estabelecido sobre a terra. O Sermão do Monte é caracterizado – dentre outros aspectos – pela ausência daqueles elementos que são distintamente cristãos – a redenção pelo sangue de Cristo, fé, regeneração, libertação do juízo, e a pessoa e obra do Espírito Santo. A ausência desses elementos vitais não pode ser senão para chamar a atenção daqueles que precisam acordar e ficar zelosos da fé que uma vez por todas foi entregue aos santos. Não obstante, esse grande discurso apresenta, como é pretendido por Deus, as relações do reino futuro com a perfeição que caracteriza toda Escritura.

Mateus 24.1-25.46. O discurso do Monte das Oliveiras, feito uns dias antes de sua morte, diz respeito primariamente a Israel e assume a forma de uma mensagem de despedida para aquela nação. Igual ao Sermão do Monte, esse discurso é parcialmente registrado por Marcos e Lucas, e em sua forma extensa é encontrado no Evangelho de Mateus. Os temas dominantes nesse discurso são a Grande Tribulação e as advertências a Israel a respeito dela (Mt 24.9-28); o aparecimento glorioso do Messias em relação a Israel (24.29–25.30), inclusive a exortação: "vigiai" (24.36–25.13), os juízos sobre Israel (24.45–25.30), e os juízos sobre as nações pelo modo como tratam Israel (25.31-46). Nenhuma referência é feita nesse discurso à igreja – o começo dela, o desenvolvimento dela, os seus ministérios, a sua saída deste mundo. Semelhantemente, nenhuma referência é feita à salvação pela graça ou à segurança daqueles que são salvos (cf. 24.50, 51; 25.30). De igual modo, nenhuma referência é feita à pessoa e obra do Espírito Santo.

João 13.1-17.26. Estes ensinos sublimes, não sugeridos nos evangelhos sinóticos, são identificados como o *Discurso do Cenáculo,* e usualmente incluem a *Oração Sacerdotal,* no capítulo 17. Essa mensagem é dada aos onze após a dispensa de Judas, pois, na sua maior parte, eles não mais se consideravam como judeus sob a lei (cf. 15.25), mas os que são "limpos" pela Palavra é que estão em vista aqui (cf. 13.10; 15.3). Com relação à aplicação, isso indica o que eles seriam após a morte de Cristo, sua ressurreição, ascensão e muito além do dia de Pentecostes. O discurso incorpora, em termos gerais, tudo o que é essencial daquele sistema de doutrina que é distintivamente cristão. Por ser dirigido a cristãos, ele não apresenta verdade que seja peculiar a Israel, e por se referir àqueles que são salvos, ele não apresenta um aspecto de salvação pela graça que vem aos homens pela morte e ressurreição de Cristo, verdade essa que está implícita. Essa porção é igual a um canteiro de semente na qual tudo é encontrado, o qual é mais tarde desenvolvido nas epístolas do Novo Testamento. Ele serve como discurso de despedida de Cristo para os crentes – aqueles que o Pai lhe havia dado do *cosmos* (17.6).

Quando esses três discursos importantes são diligentemente comparados, descobre-se que eles apresentam as diferenças mais amplas nos objetivos, assuntos e terminologia. O reconhecimento dessas variações é, naturalmente, o princípio do discernimento de doutrina muito vital. Contudo, o mesmo estudo judicioso deveria ser feito de cada palavra que Cristo declarou em seu ministério profético de proclamação.

(b) Cristo predizendo. Nesse campo da verdade, Cristo excedeu todos os outros profetas que falaram anteriormente. Quando a atenção é devidamente dada ao caráter e extensão do ministério preditivo de Cristo, não pode haver

estímulo ao temor ou ao espanto. Com referência à sua própria mensagem, Ele afirmou que o Espírito Santo não somente traria as palavras à lembrança dos discípulos, mas que lhes mostraria as coisas que haveriam de acontecer (Jo 14.26; 16.13). O ministério preditivo de Cristo incluía as ações imediatas e futuras dos indivíduos; sua própria morte, ressurreição e ascensão; o advento do Espírito; a obra do Espírito nessa dispensação; o fato e o caráter da nova dispensação; a Igreja; a remoção da Igreja deste mundo; sua segunda vinda, precedida pela Grande Tribulação; a presença do abominável da desolação de que fala o profeta Daniel; os julgamentos de Israel e seu reino de glória; o julgamento das nações e o destino delas; e o estado futuro dos salvos e dos condenados.

C. O MINISTÉRIO DO CÉU. Nesta classificação podem ser incluídos as predições e os ensinos de Cristo nos quarenta dias após a ressurreição. Nesse período, Ele falou principalmente do reino de Deus (At 1.3) e, evidentemente, de seus aspectos futuros; assim, também, dos "tempos e estações" de Israel que o Pai guardou em seu próprio poder (At 1.7). Ele, então, antecipou a proclamação mundial do Evangelho (At 1.8). Do céu, Ele falou às sete igrejas que estavam na Ásia (Ap 2–3), porção essa da Escritura que emite uma previsão profética do curso da história da Igreja através de toda essa dispensação. Muita coisa da elocução direta do Cristo glorificado é registrada no Apocalipse, livro esse que fecha com suas palavras de certeza: "Eis que venho sem demora". Há um sentido, também, em que Cristo como profeta proclama por toda essa dispensação em e através de seus mensageiros. Isto está implícito em Atos 1.1, onde a sua proclamação terrena é vista como apenas o começo daquilo que se processava. Ele, também, fala através do Espírito Santo, pois este escuta a sua voz com a intenção de reproduzi-la (Jo 16.12, 13).

2. SACERDOTE. Nenhum fato a respeito de Cristo é mais estabelecido do que o seu sacerdócio. Ele é visto em vários tipos do Antigo Testamento, e é a verdade essencial apresentada na epístola aos Hebreus. Está declarado que o Messias deve ser um sacerdote da ordem de Melquisedeque (Sl 110.4). À parte desta declaração específica, Israel poderia não ter tido o reconhecimento de um sacerdócio que não viesse por Levi e da linhagem de Arão. A consagração pública na idade de trinta anos estava prescrita por Lei de Moisés (Nm 4.3) e a maneira precisa na qual deveria ser realizada estava indicada (Nm 8.7ss.). Por sua consagração, Cristo cumpriu toda justiça e, como no monte da Transfiguração, quando o seu ofício profético foi autenticado e como será quando Ele assentar-se no trono de Davi, quando da autenticação do seu ofício real, assim como aconteceu no seu batismo, o seu ofício sacerdotal foi autenticado por uma voz do céu. Uma confirmação adicional foi dada a respeito de sua consagração sacerdotal pela descida do Espírito, em forma de pomba que desceu sobre Ele, e pelo reconhecimento de João: "Eis o Cordeiro de Deus que tira o pecado do mundo" (Jo 1.29).

Mas Cristo era da tribo de Judá, e nenhum sumo sacerdote estaria desejoso de consagrar como sacerdote alguém de outra tribo, além da de Levi.

A missão de João Batista era dupla: Ele era o que haveria de preparar o caminho do Senhor (Lc 1.17) e manifestar o Messias, a respeito do qual ele disse: "Eu não o conhecia; mas, para que ele fosse manifestado a Israel, é que vim batizando em água" (Jo 1.31). João identificou o Messias por designá-lo como o "Cordeiro de Deus que tira o pecado do mundo" (Jo 1.29), e por introduzi-lo ao seu ministério público pelo batismo. É significativo que nenhuma questão tenha sido levantada com relação a João batizar as pessoas, entre elas, Cristo. Alguma objeção seria levantada se o batismo fosse fora das exigências do sistema mosaico. É certo que Cristo é um sacerdote e como tal Ele deve ser consagrado. João era o filho de um sacerdote e ele próprio elegível para a consagração. Que João serviu de um modo específico no batismo de Jesus é muito evidente. O batismo de Cristo por João deve ser distinto do "batismo de João". Este último era para arrependimento e remissão de pecados, que era estranho no caso de Cristo. O primeiro era o cumprimento de um ritual prescrito; portanto, um cumprimento da Lei.

Fica óbvio que a expectativa do sacerdócio de Melquisedeque era livre de todas as questões tribais. Cristo é um sacerdote segundo a ordem de Melquisedeque (Hb 7.17). Em apenas um aspecto Ele se conformou como antítipo do padrão sacerdotal de Arão, a saber, Ele fez uma oferta a Deus. É verdade que a oferta era Ele próprio e, assim, tornou-se tanto o ofertante quanto a oferta. Ele foi tanto o sacerdote oficiante – segundo o modelo de Arão – e o cordeiro sacrificado. Ele "ofereceu-se a si mesmo sem mácula a Deus" (Ef 5.2; Tt 2.14; Hb 9.14; 10.12). Em um aspecto notável, Cristo não seguiu o padrão sacerdotal de Arão. Desse sumo sacerdote, como de todos os subseqüentes, era requerido que no dia da Expiação ele oferecesse um sacrifício por seus próprios pecados (cf. Lv 16.6; Hb 9.7). Que Cristo ofereceu-se a Deus não contradiz a verdade adicionada de que Ele foi oferecido pelo Pai (Is 53.10; Jo 3.16; Rm 8.32; 2 Co 9.15), ou que Ele foi oferecido pelo Espírito eterno (Hb 9.14).

Com respeito ao sacerdócio de Melquisedeque, Cristo seguiu esse padrão em três aspectos:

A. *EM SUA PESSOA*. Qualquer que possa ser a identificação de Melquisedeque – seja ele um sacerdote gentio com quem a importância típica é harmonizada, ou seja reconhecido como uma das teofanias do Antigo Testamento – ainda permanece verdade que o tipo é declarado ser um sacerdote-rei, tipo esse que encontra o seu antítipo somente no Senhor Jesus Cristo – o sacerdote do Altíssimo e o Rei da paz. Feita essa distinção dupla, que é dita daqueles que estão *nele* que eles são um "reino de sacerdotes", ou mais exatamente, reis e sacerdotes (Ap 5.10). Por essa designação, existe a união mais próxima com Cristo e a participação com Ele é afirmada. É também por essa designação que a Igreja será identificada em todas as épocas vindouras. De Israel pode ser dito que tem um sacerdócio; mas da Igreja pode ser dito que ela *é* um sacerdócio, e que ela é designada para reinar com Cristo (Ap 20.4, 6).

Semelhantemente, como havia um sumo sacerdote sobre o sacerdócio de Israel, assim, de igual modo, Cristo é o Sumo Sacerdote sobre a Igreja. Ele é o sacerdote sobre aqueles que são em si mesmos sacerdotes. Está afirmado: "Tendo, portanto, um grande sumo sacerdote, Jesus, Filho de Deus, que penetrou os céus, retenhamos firmemente a nossa confissão. Porque não temos um sumo sacerdote que não possa compadecer-se das nossas fraquezas; porém um que, como nós, em tudo foi tentado, mas sem pecado. Cheguemo-nos, pois, confiadamente ao trono da graça, para que recebamos misericórdia e achemos graça, a fim de sermos socorridos no momento oportuno" (Hb 4.14-16). Um sumário da doutrina do sacerdócio no Novo Testamento é dado por C. I. Scofield, da seguinte forma:

(1) Até a lei ter sido dada, o cabeça de cada família era o sacerdote da família (Gn 8.20; 26.25; 31.54). (2) Quando a lei foi proposta, a promessa de perfeita obediência foi que Israel deveria ser para Deus "um *reino de sacerdotes*" (Êx 19.6); mas Israel violou a lei, e Deus confinou o ofício sacerdotal à descendência de Arão, ao designar a tribo de Levi para lhes ministrar, e constituir assim o sacerdócio típico (Êx 28.1). (3) Na dispensação da graça, todos os crentes são incondicionalmente constituídos em um "reino de sacerdotes" (1 Pe 2.9; Ap 1.6), a distinção que Israel fracassou em realizar pelas obras. O sacerdócio do crente é, portanto, por direito de nascimento; exatamente como todo descendente de Arão era nascido para o sacerdócio (Hb 5.1). (4) O principal privilégio de um sacerdote é o acesso a Deus. Sob a lei, o sumo sacerdote somente poderia entrar "no lugar santíssimo", e isto apenas uma vez por ano (Hb 9.7). Mas quando Cristo morreu, o véu, tipo do corpo humano de Cristo (Hb 10.20), foi rasgado, e agora os crentes-sacerdotes, igualmente com Cristo, o Sumo Sacerdote, têm acesso a Deus no santo dos santos (Hb 10.19-22). O Sumo Sacerdote está corporalmente ali (Hb 4.14-16; 9.24; 10.19-22). (5) No exercício do seu ofício o crente-sacerdote do Novo Testamento é (1) um *sacrificador* que oferece um sacrifício tríplice: (a) seu próprio corpo vivo (Rm 12.1; Fp 2.17; 2 Tm 4.6; Tg 1.27; 1 Jo 3.16); (b) louvor a Deus, "o fruto dos lábios que fazem menção do seu nome", para ser oferecido "continuamente" (Êx 25.22; Hb 13.15; "falarei contigo de cima do propiciatório"); (c) sua substância (Rm 12.13; Gl 6.6, 10; Tt 3.14; Hb 13.2, 16; 3 Jo 5-8). (2) O sacerdote do Novo Testamento é também um *intercessor* (1 Tm 2.1; Cl 4.12).[3]

A verdade essencial permanece, em cada detalhe concebível, de que Cristo em sua pessoa é um Rei-Sacerdote, e que os crentes, embora constituídos reis e sacerdotes para Deus, são assim em virtude da união deles com Cristo.

B. POR DESIGNAÇÃO. O sacerdócio de Cristo não é auto assumido, mas é antes por designação de seu Pai. Está escrito: "Assim também Cristo não se glorificou a si mesmo, para se fazer sumo sacerdote, mas o glorificou aquele que lhe disse: Tu és meu Filho, hoje te gerei; como também em outro lugar diz: Tu és sacerdote para sempre, segundo a ordem de Melquisedeque... sendo por Deus chamado sumo sacerdote, segundo a ordem de Melquisedeque" (Hb 5.5, 6, 10). Assim, também, está escrito de Cristo no céu: "...aonde Jesus, como precursor, entrou por nós, feito sumo sacerdote para sempre, segundo a ordem de Melquisedeque" (Hb 6.20).

SOTERIOLOGIA

C. DURAÇÃO ETERNA. Em contraste com o ministério de Cristo como sacerdote segundo o padrão de Arão, está declarado do seu sacerdócio que era segundo a ordem de Melquisedeque, que é eterno e sela como tal pelo juramento de Jeová. Esta é a afirmação de ambos os Testamentos: "Jurou o Senhor, e não se arrependerá: Tu és sacerdote para sempre, segundo a ordem de Melquisedeque" (Sl 110.4); "E visto que não foi sem prestar juramento (porque, na verdade, aqueles, sem juramento, foram feitos sacerdotes, mas este com juramento daquele que lhe disse: Jurou o Senhor, e não se arrependerá: Tu és sacerdote para sempre), de tanto melhor pacto Jesus foi feito fiador. E, na verdade, aqueles foram feitos sacerdotes em grande número, porque pela morte foram impedidos de permanecer, mas este, porque permanece para sempre, tem o seu sacerdócio perpétuo. Portanto, pode também salvar perfeitamente os que por ele se chegam a Deus, porquanto vive sempre para interceder por eles. Porque nos convinha tal sumo sacerdote, santo, inocente, imaculado, separado dos pecadores, e feito mais sublime que os céus; que não necessita, como os sumos sacerdotes, de oferecer cada dia sacrifícios, primeiramente por seus próprios pecados, e depois pelos do povo; porque isto fez ele, uma vez por todas, quando se ofereceu a si mesmo. Porque a lei constitui sumos sacerdotes a homens que têm fraquezas, mas a palavra do juramento, que veio depois da lei, constitui ao Filho, para sempre aperfeiçoado" (Hb 7.20-28).

Assim é visto que, em sua duração e em seu valor imutável, o sacerdócio de Cristo segue o de Melquisedeque que era o tipo designado por Deus do sacerdócio de Cristo – por ser rei da paz, sem o registro de ter tido pai ou mãe, e sem o documento do começo ou fim de seus dias. O registro inspirado declara: "Porque este Melquisedeque, rei de Salém, sacerdote do Deus Altíssimo, que saiu ao encontro de Abraão quando este regressava da matança dos reis, e o abençoou, a quem também Abraão separou o dízimo de tudo (sendo primeiramente, por interpretação do seu nome, rei de justiça, e depois também rei de Salém, que é rei de paz; sem pai, sem mãe, sem genealogia, não tendo princípio de dias nem fim de vida, mas feito semelhante ao Filho de Deus), permanece sacerdote para sempre" (Hb 7.1-3).

3. REI. Um reconhecimento parcial do ofício de Cristo como rei já foi incluído acima. Um conjunto maior de textos da Escritura o relaciona ao trono de Davi, e assevera que Ele ainda reinará nesse trono para sempre. Um extenso tratamento da doutrina da realeza de Cristo fica posposto a esta altura, para ser estudado sob Escatologia. Todavia, uma citação de duas passagens que registram o propósito divino em seu nascimento com respeito ao trono de Davi, se segue: "Porque um menino nos nasceu, um filho se nos deu; e o governo estará sobre os seus ombros; e o seu nome será: Maravilhoso Conselheiro, Deus Forte, Pai Eterno, Príncipe da paz. Do aumento do seu governo e da paz não haverá fim, sobre o trono de Davi e no seu reino, para o estabelecer e o fortificar em retidão e em justiça, desde agora e para sempre; o zelo do Senhor dos exércitos fará isso" (Is 9.6, 7); "Eis que conceberás e darás à luz um filho, ao qual porás o nome de Jesus. Este será grande e será chamado filho do Altíssimo; o Senhor Deus lhe dará o trono de Davi, seu pai; e reinará eternamente sobre a casa de Jacó, e o seu reino não terá fim" (Lc 1.31-33). O alcance do reinado de Cristo é visto em seu nascimento: "nascido rei dos judeus" (Mt 2.2), como justo herdeiro do trono de Davi, e assim reconhecido pelo povo (Jo 12.13); Ele reivindicou ser um rei (Mt 27.11); morreu sob essa acusação(Mt 27.37); e vem novamente como "Rei dos reis, e Senhor dos senhores" (Ap 19.16).

III. A Filiação de Cristo

Como um passo além na investigação geral sobre o que é o nosso Salvador, deveríamos considerar as filiações que Ele manteve enquanto esteve aqui na terra. Elas são quatro:

1. O FILHO DE DEUS. Várias teorias afirmam que Cristo era: (a) Filho de Deus em virtude de sua encarnação – um Ser que abrange em si mesmo tanto a divindade quanto a humanidade e que não pode merecer o título como Deus somente ou como homem somente; (b) que Ele é o Filho de Deus em virtude de sua ressurreição; ou (c) que é Filho de Deus por mero título ou posição oficial, após o aparecimento do volume de testemunho bíblico que assevera que é o Filho de Deus desde toda eternidade. Não é uma questão da existência eterna da Segunda Pessoa, mas antes, o aspecto da filiação é uma realidade em toda a eternidade passada. Nem tudo que faz parte da concepção humana do pai e do relacionamento do filho é representado entre a Primeira e a Segunda Pessoas da Triindade. Em nenhum sentido a Segunda Pessoa é inferior à Primeira Pessoa.

Elas são Um só Ser com respeito à existência eterna, e em cada atributo e capacidade. É quase totalmente na esfera da manifestação – o caráter do *Logos* – que a filiação da Segunda Pessoa é exercida. É verdade que Ele, por causa dos propósitos da encarnação e da redenção, assumiu enquanto aqui na terra um lugar de sujeição à Primeira Pessoa, e que lhe agradou trabalhar no poder da Terceira Pessoa; mas esta subordinação não faz parte de modo algum da verdade de sua filiação. O termo teológico *geração eterna* sugere que sem começo e sem fim, a Segunda Pessoa é a manifestação da Trindade. É assim que o "Filho unigênito" revelou Deus ao homem (Jo 1.18). O Filho disse: "...manifestei o teu nome aos homens que do mundo me deste" (*cosmos* – Jo 17.6; cf. 1 Jo 1.2; 4.9) Ele era o unigênito na singularidade de sua geração.

De igual modo, Ele é o primogênito, por ser primeiro em questão temporal, assim como em seu Ser essencial, acima de todos os outros gerados. Deus deu ao mundo para a sua salvação aquele que sempre foi o seu Filho. Aquele que foi dado não se tornou um filho pelo processo de ser dado, mas era um filho antes de ser entregue aos homens e quando foi entregue. Isaías declara: "Um menino nos nasceu", que se refere à sua humanidade; e "um filho se nos deu", que não somente denota a sua divindade, mas sugere que, embora um filho nascido, Ele é um filho, e como tal não nascido, mas dado. Da mesma maneira é anunciado que "Deus amou ao mundo, que ele deu o seu Filho unigênito". Levando em conta o quem Ele é e o que Ele era, o Dom foi dado, a saber, o Filho de Deus.

2. O Filho do Homem. Este aspecto da filiação de Cristo, com a devida sanção, também o chama de *Filho de Adão*, ou o *Filho de Maria*. O título *Filho do homem*, usado cerca de oitenta vezes no Novo Testamento, foi a designação própria de Cristo quase universal, e o seu significado primário é o de sua humanidade. Em diversos e notáveis exemplos, a designação *Filho do homem* é usada em associação aos empreendimentos divinos, como, de igual modo, a designação *Filho de Deus* é usada poucas vezes em associação aos aspectos humanos. Uma questão interessante surge a essa altura, quando se pergunta por que Cristo colocou uma forte ênfase nesse nome para si próprio que tão claramente designa a sua humanidade. Pode ser que do ponto de vista divino – e totalmente fora do alcance das avaliações humanas – o elemento que era *novo*, e, portanto, tornado mais impressionante, era a sua humanidade. A afirmação: "E o Verbo se fez carne, e habitou entre nós" (Jo 1.14), indica o começo de uma realidade eterna em Cristo.

O que é verdadeiro a respeito da sua encarnação, é igualmente verdadeiro de sua associação ao seu povo, visto que eles, por estar nele, nunca podem encontrar-se separados dele. Então, os dois fatos, o de sua humanidade e o de sua identificação com o seu povo não podem senão exigir um reconhecimento supremo tanto na terra quanto no céu. Com a mesma finalidade será visto que a redenção que Cristo provê é tornada possível através de sua humanidade, e, embora não haja uma redenção à parte tanto de sua divindade quanto de sua humanidade, a divindade, por ser eterna, não é um tema imediato para proclamação pública. É o Filho do homem que veio buscar e salvar o que se havia perdido (Lc 19.10).

Do título *Filho do homem*, o Dr. C. I. Scofield assim escreve:

Nosso Senhor assim designa-se a si mesmo cerca de oitenta vezes. É o seu nome racial como o homem representante, conforme registra 1 Coríntios 15.45-47; como o Filho de Davi é distintivamente o seu nome judaico, e Filho de Deus o seu nome divino. Nosso Senhor constantemente usa esse termo para sugerir que a sua missão (Mt 11.19; Lc 19.10), sua morte e ressurreição (Mt 12.40; 20.18; 26.2), e sua segunda vinda (Mt 24.37-44; Lc 12.40), são transcendentes no seu escopo e resultam todas em limitações meramente judaicas. Quando Natanael confessa-o como "Rei de Israel", a resposta de nosso Senhor é: "Maiores coisas verás... os anjos de Deus subindo e descendo sobre o Filho do homem". Quando os seus mensageiros são expulsos pelos judeus, o seu pensamento se dirige para o tempo quando o Filho do homem virá, não para Israel somente, mas para a raça humana (Mt 10.5, 6, 23). É nesse nome também que o juízo universal lhe é dado (Jo 5.22, 27). É também um nome que indica que nele é cumprida a bênção prevista do Antigo Testamento através da vinda de um homem (Gn 1.26, *nota*; 3.15; 12.3; Sl 8.4; 80.17; Is 7.14; 9.6-7; 32.2; Zc 13.7).[4]

Em outro contexto, o Dr. Scofield afirma:

"Filho do homem", usado por nosso Senhor a respeito de si próprio 79 vezes, é usado por Jeová 91 vezes quando se dirige a Ezequiel. (1) No caso de nosso Senhor, o significado é claro: é o seu nome racial como o homem representante no sentido de 1 Coríntios 15.45-47. O mesmo pensamento, o qual sugere transcendência do mero judaísmo, está envolvido na frase quando aplicada a Ezequiel. Israel esquecera-se de sua missão (Gn 11.10, *nota*; Ez 5.5-8). Agora, em seu cativeiro, Jeová não se esquecerá de seu povo, mas Ele os lembrará de que são apenas uma pequena parte da raça por quem ele também se preocupa. Conseqüentemente, há uma ênfase sobre a palavra "homem". O querubim "tinha a semelhança de um *homem*" (Ez 1.5); e quando o profeta viu o trono de Deus, contemplou "a semelhança dum homem, no alto, sobre ele" (Ez 1.26). Veja Mateus 8.20, *nota*; Apocalipse 1.12, 13. (2) Como usada por Ezequiel, a expressão indica, não o que o profeta é em si mesmo, mas o que ele é para Deus: um filho do homem (a) escolhido, (b) capacitado com o Espírito, e (c) enviado de Deus. Tudo isto é verdade também de Cristo que era, além disso, o homem representante – o cabeça da humanidade regenerada.".[5]

3. O Filho de Davi. O tema da realeza de Cristo recebeu anteriormente uma consideração parcial. Uma investigação extensa no pacto davídico, com tudo o que o nome *Filho de Davi* significa, ainda vai aguardar um estudo maior sob Escatologia. Igual ao termo *Messias*, a designação *Filho de Davi* é totalmente judaica em sua importância. Como Cristo é Senhor e Cabeça sobre a Igreja, assim ele é Rei e Messias sobre Israel. Na verdade, mais tarde, Ele será Rei dos reis, mas essa autoridade suprema será exercida a partir do trono de Davi e em conexão com a sua relação imediata com Israel.

4. O Filho de Abraão. Embora a filiação davídica seja restrita à casa de Davi e ao povo de Davi, a filiação abraâmica se estende a "todas as famílias da terra", em cuja redenção elas são benditas (Gn 12.3). É significativo que a ordem da verdade no Evangelho de Mateus seja indicada no versículo de abertura: "Livro das gerações de Jesus Cristo, o filho de Davi, o filho de Abraão". Este evangelho do Rei é primariamente de sua relação com Israel (Mt 10.5-7; 15.24, 26); mas, após a sua rejeição, ele se volta para aquela obra redentora descrita nos capítulos finais desse evangelho, e nesse serviço redentor Cristo – o Filho de Abraão – obtém as bênçãos para todas as famílias da terra (Mt 28.18-20).

IV. A União Hipostática

A singularidade da pessoa incomparável que é o Salvador, como já foi indicado, é mostrada em sua união em sua única pessoa com duas naturezas. Ele é a divindade no sentido pleno e absoluto. Nisto Ele é comparável ao Pai e ao Espírito. Não obstante, Ele tomou para si uma natureza humana perfeita e completa, e neste aspecto Ele era comparável a Adão antes da queda, e a outros homens – exceto pelo dano que o pecado impõe. Então, o que separa o Deus-homem de todos os outros seres criados é essa união de duas naturezas em uma pessoa. Nenhum outro existiu com esse aspecto, nem jamais existirá; pois não há necessidade que venha a existir. Ele é a satisfação eterna de tudo que se exige em tal união.

Ao vir ao conhecimento de Cristo, como é ordenado pelo apóstolo Pedro (2 Pe 3.18), e assim se ganha convicção a respeito de quem empreende a salvação dos homens, a mente deve sempre estar alerta para reconhecer tanto a sua divindade quanto a sua humanidade. Todo pensamento sobre essa pessoa teantrópica deve ser ajustado à presença dele daquela amplitude do Ser que completa uma participação direta de Sua parte em duas esferas – divindade e humanidade. Ambas as naturezas estavam presentes em cada momento de Sua existência, ao começar com o seu nascimento através de Maria; mas fica evidente que, quando se considera qualquer ato particular ou declaração de Cristo, que isso vem tanto de sua natureza divina assim como de sua natureza humana, mas em nenhum caso tal ação ou declaração surgirá de uma ação combinada dessas duas naturezas.

É reconhecido que os teólogos diferem amplamente com respeito às crenças deles nesse ponto específico. Provavelmente, haja situações apresentadas que desafiem qualquer análise final pelas mentes finitas; todavia, muita luz deve vir sobre o leitor ponderado dos evangelhos, e essa investigação o conduzirá a um procedimento interminável de vir a conhecer o Salvador. Visto que as duas naturezas, juntas, constituem a única pessoa teantrópica, e são distintas, o Espírito de Deus, ao atrair a atenção do crente para as coisas de Cristo (Jo 16.14), se agradou em tornar o Salvador mais real para aqueles que preservam com o maior cuidado o reconhecimento dessas duas naturezas que são, em si mesmas, tão diferentes como são as coisas infinitas das finitas.

Conclusão

Por ter alcançado o término desta investigação um tanto extensa sobre o que é o Salvador, esse tese deve prosseguir no estudo do próximo tema que está sob a maior divisão da Soteriologia, a saber, *Os sofrimentos de Cristo*.

CAPÍTULO III

Introdução ao Sofrimento de Cristo

COMO MOISÉS, na presença da sarça ardente, foi ordenado remover as sandálias dos pés, visto que ele estava pisando em terra santa, assim uma abordagem deveria ser feita, com o mais alto grau de reverência santa possível para aqueles que estão sujeitos às limitações humanas, diante dessa revelação misteriosa, sublime e solene a respeito dos sofrimentos e morte de Cristo. Com a justificativa de que eles transcendem o alcance do entendimento humano, seria fácil desistir de todas as tentativas de penetrar as verdades inescrutáveis e insondáveis, não fosse o fato de que o tema apresentado na Bíblia ser tão extenso – primeiro, pelo tipo, e depois, pelo antítipo. É necessário concluir, visto que está estabelecido assim, ser o propósito divino que esses aspectos da verdade sejam buscados com zelo, e que sejam compreendidos de forma que venham a agradar ao Espírito de Deus, para lhes revelar ao coração que ansiosamente os aguarda.

O tema cobre o mais amplo campo da realidade. Por um lado, o tema dos sofrimentos e morte de Cristo consegue a solução do maior problema do universo em si, enquanto que, por outro lado, vai ao mais baixo nível entre os homens. Está também afirmado que Aquele que sofreu e morreu, aprendeu, ou experimentou, a obediência através das coisas que sofreu (Hb 5.8; Fp 2.8). Assim, também – e na verdade muito estranho – ele foi aperfeiçoado como um Salvador eficiente (Hb 2.10), e, por ter sido assim tentado, Ele é capaz de socorrer os que são tentados (Hb 2.18). O coração individual pode regozijar com alegria eterna na verdade de que as suas próprias necessidades são satisfeitas nos sofrimentos e morte de Cristo, mas é bom lembrar que a solução do problema do universo é em si mesmo uma realização muito maior em extensão do que as questões relacionadas ao indivíduo, como o universo excede os interesses de uma única pessoa.

Há aspectos em cada caso que se relacionam à infinidade, mas um excede o outro pela magnitude de conhecimento insuperável; e o que pode ser dito de tudo que há entre esses extremos dos benefícios em massa, como a redenção de Israel, ou o estabelecimento da Igreja por sangue precioso, o julgamento dos principados e potestades, e da maravilhosa realização pela qual o Deus santo e eterno é livre para satisfazer a compaixão do seu próprio coração para com o mundo perdido! O desafio desta tese inexaurível é ainda mais extenso quando lembramos que a pessoa teantrópica, que sofreu e morreu, não é outra senão o "Deus manifesto em carne". Foi Deus que sofreu e foi o sangue de Deus que foi derramado (At 20.28).

O fato de que os sofrimentos e morte de Cristo atingem o universo e a esfera restrita das necessidades imediatas de uma única vida humana é apenas uma de suas provas que impelem a mente devota a perguntar por que tão grande necessidade poderia ter sido levantada. A necessidade é evidente e sua resposta no sacrifício de Cristo é perfeita, mas por que tal necessidade surgiria num universo que Deus criou tão santo como Ele próprio e é tão santo como são todas as obras de suas mãos – um universo sobre o qual Ele reina supremo e que sempre será assim? Neste contexto, é igualmente muito desconcertante observar que a verdade de que a intrusão do pecado no universo foi para Ele, como preordenado, o custo do maior de todos os sacrifícios que o próprio Deus pôde fazer – a morte de seu Filho.

O fato de que Cristo "morreu pelos nossos pecados segundo a Escritura" (1 Co 15.3) é, na verdade, maravilhoso, mas a Bíblia não limita o propósito da morte de Jesus à necessidade de uma alma humana. Há questões mais amplas na Palavra de Deus, e para elas vamos dar uma consideração devida mais tarde. Que o mal se tornaria uma realidade e precisava ser julgado, foi claramente antecipado na mente de Deus desde toda a eternidade, pois, no propósito divino, Cristo era um Cordeiro morto desde a fundação do mundo (Ap 13.8). O pecado existia na previsão divina e era, na realidade, de tal natureza que somente os sofrimentos e morte de Cristo poderiam satisfazer as suas reivindicações. Se Deus pudesse salvar um pecador de um pecado por uma mera libertação, anistia ou indulgência, então Ele teria temporizado o problema do universo e poupado a Si mesmo do imensurável sacrifício do seu Filho; mas nem o problema de um só pecado em uma vida nem o problema de um universo poderiam ser satisfeitos à parte daquele sacrifício. Quando se entra na avaliação dos sofrimentos e morte de Cristo, é importante que esta verdade, com relação à sua necessidade, seja enfatizada.

Embora haja imensurável desigualdade na importância deles, o tema geral dos sofrimentos e morte de Cristo é dividido em (a) seus sofrimentos na vida e (b) seus sofrimentos na morte. Estes temas serão considerados nessa ordem.

I. Sofrimento nesta Vida

Muito além do mero fato dos sofrimentos de Cristo em vários modos durante o seu ministério de três anos e meio, está a importância teológica desses sofrimentos; primeiro, por causa da importância típica desses sofrimentos; e, segundo, por causa deles terem sido muito enfatizados em vários aspectos, sendo suposto que eles realizaram o que, claramente, não foi designado para eles.

No tipo, o cordeiro pascal foi provado ser sem mancha, por ser confinado – um símbolo de sofrimento – do décimo dia do mês ao décimo quarto (Êx 12.3, 6). Assim, também, os sofrimentos da vida de Cristo serviram para dar prova total do seu caráter puro, mesmo no meio de múltiplas tentações, pois Ele "em tudo foi tentado, mas sem pecado" – à parte do pecado da natureza pecaminosa (Hb 4.15). Em sua relação imediata com esse tema, deve também ser observado que os quatro dias de confinamento do cordeiro pascal tipificavam a verdade de que Cristo foi "preordenado desse antes da fundação do mundo" e foi "manifestado no fim dos tempos por amor de vós" (1 Pe 1.20).

Os sofrimentos da vida de Cristo – muito freqüentemente apresentados de forma errônea – são devidamente classificados como (a) sofrimentos devidos ao seu *caráter*, (b) sofrimentos devidos à sua *compaixão*, e (c) sofrimentos devidos à sua *antevisão* da provação de sua morte sacrificial. Contudo, antes destes três aspectos dos sofrimentos desta vida serem estudados separadamente, deveria ser observado que em nenhum deles, nem em qualquer outro traço da vida de Cristo, Ele empreendeu qualquer aspecto daquela obra da qual a salvação de uma alma depende. Somente uma confusão pavorosa de doutrina acontece quando não é admitido que, qualquer que possa ter sido a sua vida de ministério debaixo da designação divina, a *obra realizada* não começou até que Ele veio à cruz e essa obra foi consumada quando Ele morreu. O caráter distintivo e eficaz do aspecto doutrinário dos sofrimentos de Cristo na morte não pode ser livre dessa confusão, a menos que essa divisão da verdade seja observada.

1. **Sofrimento Devido ao seu Santo Caráter.** Se a alma justa de Ló ficou irritada por ver e ouvir os atos ímpios dos moradores de Sodoma (2 Pe 2.7, 8), quanto mais aflita ficou a alma pura do Filho de Deus no meio da escuridão moral e da corrupção dos homens caídos! Tal sofrimento poderia ser avaliado somente por aquele que é infinito em pureza e santidade; todavia, não há um valor salvador nesses sofrimentos. O que Ele sofreu por causa de sua santidade não encontra paralelo com os seus sofrimentos na morte. Em um caso, a pureza singular de sua natureza santa foi ofendida; todavia, preservada no meio do mal que a cercava. No outro caso, Ele assumiu o lugar do pecador e foi Ele próprio "feito pecado", mesmo não tendo conhecido o pecado (2 Co 5.21). Tudo o que os homens maus ou Satanás poderiam impor sobre Ele em sua vida aqui, Ele sofreu por causa de seu próprio santo caráter

Tivesse Ele sido um com a humanidade caída e em associação ao inimigo de Deus, não teria havido uma ocasião para Ele sofrer nesse aspecto. Esta verdade é a base de Sua advertência aos Seus que, como Ele era, estão agora neste *cosmos*. Ele lhes disse: "Se o mundo vos odeia, sabei que, primeiro do que a vós, me odiou a mim. Se fôsseis do mundo, o mundo amaria o que era seu; mas, porque não sois do mundo, antes eu vos escolhi do mundo; por isso, é que o mundo vos odeia. Lembrai-vos da palavra que eu vos disse: Não é o servo maior do que o seu senhor. Se a mim me perseguiram, também vos perseguirão a vós; se guardaram a minha palavra, guardarão também a vossa" (Jo 15.18-20). Em tempo algum no ministério terreno de Cristo poderia ficar implícito que Ele foi abandonado por seu Pai.

Mas uma vez, uma única vez, Ele gritou: "Deus meu, Deus meu, por que me desamparaste?" Somente uma desatenção presumirá que Cristo suportava o pecado como um substituto em qualquer outro tempo, além daquelas escuras horas do calvário. Ao contrário, a voz do céu, tanto do seu batismo quanto do monte da Transfiguração, declarou que nele – o Filho – havia um prazer infinito. Embora Cristo tenha sempre feito a vontade do seu Pai – mesmo na morte – nem sempre ele fez de uma alma "uma oferta pelo pecado" (Is 53.10). A linha exata de divisão entre os sofrimentos desta vida e a angústia da morte não é fácil de determinar. Em Isaías 53, tudo o que faz parte de sua morte como uma preparação imediata para ela, está incluso. Ele ali é dito ser *ferido*, *moído*, *castigado*, e sujeito as *pisaduras* pelas quais somos curados.[6]

Nas mentes daqueles que impingiram os sofrimentos de morte a Cristo, é provável que os açoites, os bofetões, as cuspidas, e a coroa de espinhos, como os pregos e a lança, foram apenas uma parte do projeto total. Se isto é verdadeiro, as pisaduras estão incluídas nos sofrimentos de morte e não haveria controvérsia de que "por suas pisaduras somos sarados".

2. Sofrimento Devido à Compaixão de Cristo. Em todo sentido Cristo era a manifestação do Pai (Jo 1.18). O salmista declara que: "...como um pai se compadece de seus filhos, assim o Senhor se compadece daqueles que o temem" (Sl 103.13), e nisto o Senhor Jesus Cristo foi uma perfeita representação do coração do Pai. Todos os seus milagres de cura e restauração foram impelidos por sua compaixão. Em Mateus 8.16, 17 está escrito: "Caída a tarde, trouxeram-lhe muitos endemoninhados; e ele com a sua palavra expulsou os espíritos, e curou todos os enfermos; para que se cumprisse o que fora dito pelo profeta Isaías: Ele tomou sobre si as nossas enfermidades, e levou as nossas doenças". Há muito erro em circulação por causa de uma forma de ensino que afirma que Cristo, quando curava, levava sobre si, como um substituto, as doenças daqueles a quem curava.

É verdade que Mateus relaciona a cura física descrita neste texto a Isaías 53, mas um exame cuidadoso deste capítulo revelará que Isaías se refere a ambos, aos sofrimentos de Cristo nesta vida (vv. 1-4), e à angústia da morte (vv. 4b-12). O principal ponto aparece no versículo 4 e está marcado pela palavra *todavia*, que traduzido do inglês, lemos: "Certamente ele suportou as nossas dores, e carregou as nossas tristezas: *todavia*, nós o reputávamos como aflito, ferido de Deus, e oprimido". Se esta divisão é aceita, o portar as enfermidades e doenças, registrada em Mateus 8.16, 17, e que está baseada em Isaías 53.4, pertence aos sofrimentos desta vida e está totalmente na esfera de sua compaixão, compaixão essa que, devido à sua perfeição infinita, estava além da medida humana. Isaías 53.4a foi cumprido por Cristo quando Ele, movido por uma compaixão sem limite, curava aqueles que vinham vê-lo.

Nem todos os sofredores daquela terra ou do mundo foram curados por Ele, nem tal oferta é estendida a eles. A compaixão naturalmente é dirigida àqueles que imediatamente o observavam. Ninguém poderia negar a realidade da cura física da parte de Deus hoje, mas ela é propriamente baseada em sua compaixão pelos seus e não nos sofrimentos de morte de Cristo.

3. Sofrimento Devido à Expectativa da Dor. A antecipação da cruz esteve constantemente perante Cristo. As palavras "mas para isto vim a esta hora" (Jo 12.27), são apenas uma amostra das sombras escuras que viriam sobre ele. As suas predições concernentes à sua própria morte (Mt 16.21; 17.12, 22, 23; Mc 9.30-32; Lc 9.31, 44 etc.), a inauguração da ceia do Senhor, a taça a ser esvaziada, e os sofrimentos do Getsêmani, tudo pertence aos seus sofrimentos por causa da antecipação deles. Sobre este aspecto dos sofrimentos de Cristo, C. H. Mackintosh em suas *Notes on Leviticus*, afirma:

Encontramos a sombra escura da cruz lançando-se sobre o seu caminho, e produzindo uma ordem de sofrimento muito aguda, que, contudo, deve ser tão claramente distinta do sofrimento expiatório como o seu sofrimento pela justiça ou seus sofrimentos de simpatia. Tomemos a passagem como prova: "Então saiu e, segundo o seu costume, foi para o monte das Oliveiras; e os discípulos o seguiram. Quando chegou àquele lugar, disse-lhes: Orai, para que não entreis em tentação. E apartou-se deles cerca de um tiro de pedra; e pondo-se de joelhos, orava, dizendo: Pai, se queres afasta de mim este cálice; todavia, não se faça a minha vontade, mas a tua. Então lhe apareceu um anjo do céu, que o confortava. E, posto em agonia, orava mais intensamente; e o seu suor tornou-se como grandes gotas de sangue, que caíam sobre o chão" (Lc 22.39-44). Além disso, lemos: "E levando consigo Pedro e os dois filhos de Zebedeu, começou a entristecer-se e a angustiar-se. Então lhes disse: A minha alma está triste até a morte; ficai aqui e vigiai comigo... retirando-se mais uma vez, orou, dizendo: Pai meu, se este cálice não pode passar sem que eu o beba, faça-se a tua vontade" (Mt 26.37-42). Desses versos, está evidente que houve algo em prospectiva que o bendito Senhor não havia enfrentado antes – houve um "cálice" cheio para Ele do qual não havia bebido ainda. Se Ele houvesse sido um portador do pecado em toda sua vida, então por que essa intensa "agonia" só pelo pensamento da vinda e do contato com o pecado e com o fato de suportar a ira de Deus, por causa do pecado? Quando foi a diferença entre Cristo no Getsêmani e no Calvário, se Ele fosse um portador do pecado toda a sua vida? Havia uma diferença material; mas é porque Ele não fora um portador do pecado toda a sua vida. Qual é a diferença? No Getsêmani, havia a dor da *antecipação* da cruz; no Calvário, Ele realmente a suportou. No Getsêmani, "apareceu um anjo do céu, que o confortava"; no Calvário, ele foi abandonado de todos. Não houve um ministério angélico. No Getsêmani, Ele se dirigiu a Deus como *"Pai"*, desfrutando assim a plena comunhão daquele relacionamento inefável; mas, no Calvário, Ele gritou: "*Deus* meu, *Deus* meu, por que me desamparaste?" Aqui, o portador do pecado contempla o trono da justiça eterna envolta em nuvens escuras, e o semblante da santidade inflexível afastava-se dele, porque Ele estava no processo de ser "feito pecado por nós".[7]

A esta altura, a ocasião exige que um retorno seja feito ao assunto do batismo de Cristo, por causa do fato de que o seu batismo é muito freqüentemente considerado ser um ato que o identifica como portador do pecado daqueles que Ele veio salvar. Esta conclusão é baseada na idéia da água batismal, pois ela significa a morte de Cristo, antes da obra batizadora e transformadora do Espírito, e que, pelo seu batismo, Cristo antecipou seus sofrimentos de morte e estava no ato do batismo, ocupando o seu lugar com os pecadores. Em harmonia com isto, é crido que Cristo recebeu "o batismo de João". É verdade que Ele foi batizado por João, mas não é verdade que recebeu o que é identificado no Novo Testamento como o *batismo de João*, que foi um batismo específico, bem definido, com relação ao arrependimento e remissão de pecado.

A seguinte citação de George Smeaton serve para ilustrar a maneira na qual essa teoria é usualmente apresentada: "A impureza, Ele não a tinha. Mas tinha verdadeiramente entrado na humanidade, e veio dentro dos laços da família humana; e, de acordo com a lei, a pessoa que tinha apenas tocado uma pessoa impura, ou havia estado em contato com ela, era impura. Conseqüentemente, submetendo-se ao batismo como Mediador numa capacidade oficial, o Senhor Jesus virtualmente disse: '...embora sem pecado num mundo de pecadores, e sem ter contraído qualquer mancha pessoal, eu vim para o batismo; porque na minha posição pública ou oficial eu sou um devedor no lugar de muitos, e trago comigo o pecado do mundo inteiro, pelo qual eu sou a propiciação'. Ele já expiava o pecado, e suportava em seu próprio corpo, visto que tomou a forma humana; e nesta capacidade mediatorial, promessas haviam sido feitas a Ele como a base de sua missão, e como a base sobre a qual a sua confiança foi exercida em cada passo".[8]

Em oposição a isto, as palavras do Dr. James W. Dale servem para revelar a fraqueza e o erro da afirmação de que Cristo foi batizado no "batismo de João".

Uma coisa é ser batizado por João e outra totalmente diferente é receber o "batismo de João". Portanto, conquanto as Escrituras nos ensinem que Jesus veio ao Jordão para ser batizado por João, elas não nos ensinam que Ele veio para receber o batismo de João. De fato, é impossível, em qualquer aspecto do caso, que Ele o tenha recebido. Qualquer coisa que envolva um absurdo deve ser impossível e inverossímil. Que um absurdo está envolvido em tal suposição é assim mostrado: "O batismo de João" era para pecadores; exigia "arrependimento", "frutos apropriados do arrependimento", e promessa de "remissão de pecados". Mas o Senhor Jesus Cristo não era um pecador, não poderia se arrepender de pecados, não poderia produzir frutos apropriados de arrependimento, nem poderia receber a remissão de pecados. Portanto, a recepção do "batismo de João" por Jesus era uma impossibilidade, era inverossímil e absurdo. Além disso: o batismo de João era "para preparar as pessoas para o Senhor". Mas dirigir tal batismo ao Senhor (a fim de preparar o Senhor para Si mesmo) é absurdo. Portanto, a recepção do batismo de João pelo Senhor Jesus é impossível, inverossímil e absurdo. É tão absurdo como supor que Ele recebeu esse batismo formal, mas não substancialmente.

Só há um batismo, quando a sua essência existe. A essência do batismo ritual de João é encontrada em seu símbolo de purificação na alma, através do arrependimento e remissão de pecado. Mas no Senhor Jesus não havia uma base para tal símbolo, e, conseqüentemente, não havia uma base para o batismo de João. A idéia de que o batismo de João poderia ser recebido representativamente é impossível de ser admitida. Para a glória de Deus nas alturas, o Senhor Jesus "suportou as nossas iniqüidades", foi "feito pecado por nós"; mas, por causa disso, Ele não era o mais qualificado para receber o batismo de João. O Senhor Jesus não representou pecadores penitentes, nem pecadores cujas iniqüidades foram remidas. Ele veio como o amigo de publicanos e pecadores, para chamar pecadores ao arrependimento, para dar arrependimento a Israel; não houve uma adaptação no batismo de João para esse portador do pecado. Ele deve cumprir um batismo para si mesmo; ele deve ser de sangue e não de água; "sem derramamento de sangue, não há remissão de pecado", e isto Ele suportou. Em seu caráter de portador do pecado de outros, Ele não tinha nem poderia ter qualquer coisa a ver com o batismo de João.[9]

Deve haver uma referência a esta altura ao batismo de Cristo somente por causa do fato de que o seu batismo é o evento que, como freqüentemente é interpretado, serve mais do que qualquer um para confundir as questões da vida e ministério de Cristo com as questões de sua morte. Deve ser reconhecido que Ele previu sua morte desde o começo de seu ministério público – como o fez João Batista (Jo 1.29); mas nenhuma contribuição foi feita para a obra redentora, reconciliadora e propiciatória pelo seu batismo. A obra eficaz que o seu Pai lhe deu, para fazer, foi inaugurada na cruz; ali, ela teve prosseguimento, e foi consumada. Se a distinção entre o que Cristo operou em sua vida e o que Ele realizou em sua morte – e muitos evidentemente não concordam com isso – não for observada, somente confusão doutrinária será o resultado disso.

Todavia, outra consideração surge, a saber, uma distinção que homens devotos têm feito entre o que é chamado obediência *ativa* de Cristo e o que é chamado obediência *passiva*. Pela palavra *ativa*, eles se referem àquela obediência na qual o Salvador manteve a sua perfeita retidão de vida, e manteve cada exigência divina em perfeição infinita. Pela palavra *passiva* eles se referem àquela obediência que Ele sofreu tanto na vida quanto na morte. Ele não somente não fez algo errado, mas cumpriu perfeitamente toda ação certa que pertencia ao homem. Mais tarde, será demonstrado que, em Sua substituição, Cristo não somente suportou a penalidade do pecado, mas também apresentou o seu próprio caráter infinitamente perfeito a Deus. Esta oferta incluiu sua vida terrena, na qual Ele cumpriu toda a vontade de Deus, no sentido de que o seu próprio caráter teria sido incompleto sem ela.

Semelhantemente, é asseverado por alguns que a sua obediência *passiva* entrou em toda privação que Ele suportou, enquanto vivia neste cosmos, e por esse aspecto de sua obediência, assim como pelos sofrimentos de sua morte, as almas são salvas. Jonathan Edwards declarou que a circuncisão do sangue de Cristo, quando Ele tinha oito dias de nascido, foi tão eficaz como aquilo que fluiu do golpe da lança. A fraqueza de tal argumentação é exposta no fato de que a Palavra de Deus não atribui qualquer poder salvador a qualquer obediência dos sofrimentos de Cristo, além daqueles conectados com a sua morte. A declaração de que Ele se tornou obediente ate à morte, e morte de cruz (Fp 2.8), sugere que uma obediência particular foi mostrada, ou peculiar em seu propósito, na cruz. É verdade que a salvação dos pecadores depende da obediência passiva de Cristo em seus sofrimentos de morte e da oferta de si mesmo sem mancha a Deus. A salvação é baseada no sangue da cruz e não no sangue da circuncisão ou mesmo no sangue que Ele derramou no jardim. Ele não proporcionou uma redenção, reconciliação ou propiciação, quando foi circuncidado ou mesmo batizado.

II. Sofrimento na Morte

A centralidade da cruz tem sido reconhecida por todas as mentes devotas, desde o começo até o presente. O não-regenerado vê nela pouco mais do que uma "pedra de tropeço" – que é para os judeus – ou uma "loucura" – que é para os gentios; mas para aqueles que são chamados, tanto judeus quanto gentios; ela é o poder de Deus – visto que pela cruz o Seu poder salvador é liberado – e a sabedoria de Deus – visto que por ela o maior problema é resolvido, isto é, como pode Deus permanecer *justo* e, ainda, justificar o ímpio que nada podia fazer, senão crer em Jesus (Rm 3.26; 4.5; 1 Co 1.23, 24)? Quando é afirmado que a cruz é *loucura* para os gentios, não está implícito que eles a ridicularizam, mas antes indica que as interpretações que eles dão à morte de Cristo são loucas no sentido dessas interpretações não serem dignas do Filho de Deus; e assim é toda interpretação, exceto aquela que está assinalada na Palavra de Deus, que é a de que o sangue sacrificial pelo pecado oferecido por um substituto que morre no lugar e em favor de pecadores. Para o apóstolo Paulo, a cruz tornou-se o tema supremo de sua jactância. Ele disse: "Mas longe esteja de mim gloriar-me a não ser na cruz de nosso Senhor Jesus Cristo, pela qual o mundo está crucificado para mim e eu para o mundo" (Gl 6.14).

No parágrafo de abertura de seu livro *The Atonement and the Modern Mind*, o Dr. James Denney assevera:

"Será admitido pela maioria dos cristãos que se a expiação, totalmente à parte das definições exatas, é algo para a mente, ela é tudo. Ela é a mais profunda de todas as verdades, e a mais criadora. Ela determina mais do que qualquer coisa mais de nossas idéias de Deus, do homem, da história, e mesmo da natureza; ela as determina; porque devemos trazê-las de algum modo em concordância com ela. Ela é a inspiração de todo pensamento, o impulso e a lei de toda ação, a chave, e o último recurso, para todo sofrimento. Se a chamamos um fato ou uma verdade, um poder ou uma doutrina, é aquilo em que a *diferença* do cristianismo, em seu caráter peculiar e exclusivo, é especificamente mostrada; ela é o foco da revelação, o ponto em que vemos mais profundamente a verdade de Deus, e ficamos mais completamente debaixo do seu poder. Para aqueles que a reconhecem, ela é o cristianismo em suma; ela se concentra como em um gérmen de poder infinito, tudo o que a sabedoria, poder e amor de Deus significam para os homens pecadores".

Uma ênfase igual foi dada pelo grande teólogo calvinista, Francis Turretin (1623-1687), quando escreveu a respeito da importância dessa morte, que ela é "a parte principal de nossa salvação, a âncora da fé, o refúgio da esperança, a regra do amor, o verdadeiro fundamento da religião cristã, e o mais rico tesouro da Igreja. Contanto que essa doutrina seja mantida em sua inteireza, o próprio cristianismo, a paz e a bem-aventurança de todos os que crêem em Cristo estão longe do alcance do perigo; mas se ela for rejeitada, ou de algum modo enfraquecida, a estrutura total da fé cristã deve se afundar em queda e ruína".[10]

Não somente o tema dos sofrimentos e morte de Cristo excedem todos os outros, como esses testemunhos apontam, e não somente Ele é o tema central da verdade bíblica, mas é eterno com respeito ao seu passado – Cristo é o Cordeiro morto antes da fundação do mundo (Ap 13.8) – e eterno com respeito ao seu futuro, e é o tema da glória vindoura: "E cantavam um cântico novo, dizendo: Digno és de tomar o livro, e de abrir os seus selos; porque foste morto, e com o teu sangue compraste para Deus homens de toda tribo, e língua, e povo e nações; para o nosso Deus os fizeste reino e sacerdotes; e eles reinarão sobre a terra. E olhei, e ouvi a voz de muitos anjos ao redor do trono e dos seres viventes e dos anciãos; e o número deles era miríades de miríades e milhares de milhares, que com grande voz diziam: Digno é o Cordeiro, que foi morto, de receber o poder, e riqueza e sabedoria, e força, e honra, e glória, e louvor" (Ap 5.9-12).

Na abordagem do tema dos sofrimentos e morte, certas verdades de importância geral a respeito de muita coisa do que tem sido entendido erroneamente, deveriam ser consideradas.

1. CONTRASTE ENTRE A CRUCIFICAÇÃO E A CRUZ. Há uma distinção a ser considerada entre a crucificação – o maior de todos os crimes – e a cruz – vista como o sinal da graça redentora de Deus, aquilo que o Dr. R. W. Dale descreve como "o momento mais sublime na história moral de Deus."[11] Poderia ser concebido um contraste maior? É possível pensar-se nos sofrimentos da morte de Cristo somente como aquilo que se originou com os homens e foi executado pelos homens? Tal concepção restrita pode resultar em raciocínio estranho. O Dr. Henry C. Mabie cita a seguinte afirmação, ilustrando esse pensamento:

Na coluna escrita pelo Rev. R. J. Campbell, de Londres, no periódico *British Weekly*, uma pessoa fez recentemente esta pergunta: "Eu tenho uma classe de estudos bíblicos; alguns dos membros dela são jovens bons e ponderados. Estamos estudando a vida de Cristo, e logo vamos chegar ao fato da crucificação. Como posso deixar claro que o ato da crucificação de Cristo *foi um crime*, enquanto ao mesmo tempo ela é a *esperança* sobre a qual os cristãos edificam?" E o Dr. Campbell, antes de começar a responder, observa: "Esta dificuldade ocorre muito mais geralmente do que eu havia pensado". É dito que certa vez o Lord Beaconsfield caricaturou a expiação nos seguintes termos: "Se os judeus não tivessem prevalecido sobre os romanos na crucificação de nosso Senhor, o que haveria de ter sido a expiação? Os imoladores foram preordenados exatamente como a vítima; e a raça santa supriu os dois. Poderia ser um crime aquilo que assegurou para toda a raça humana a alegria eterna?" Um ministro unitariano que era líder na cidade de Nova York, num sermão pregado em sua própria igreja há poucos anos, ao tocar neste assunto, usou estas palavras: "O que a expiação significa para o mundo? Ela significa que o Pai não receberá nem poderá admitir em seu coração o nosso próprio erro, confusão, filhos errantes, a menos que o unigênito Filho de Deus seja *massacrado*, e nós, como o antigo e terrível hino diz, 'somos imersos sob este oceano de sangue'". Um ministro americano supostamente evangélico, em seu recuo de certos conceitos errôneos do evangelismo, contra o qual ele protestava, certa vez foi longe demais ao dizer: "... Ele não era um suicida; Ele foi *assassinado*. Dizer que sua morte foi uma condição indispensável para a salvação humana é dizer que a graça de Deus teve que contar com a ajuda de assassinos, a fim de que pudesse encontrar um caminho para os corações humanos. Eu não estou a fim de reconhecer qualquer dívida a Judas Iscariotes pelo perdão de meus pecados".[12]

Pareceria provável que a cegueira imposta por Satanás aos não-regenerados com respeito ao Evangelho (2 Co 4.3, 4), e a iluminação que o regenerado recebe, centra-se nesse ponto crucial, sobre o significado da morte de Cristo. No único exemplo, os homens vêem somente um assassino brutal, e, visto que a vítima era inocente – um caráter louvável e admirável – há um campo para meditação em certas lições que podem ser retiradas dessa trágica morte. Para muitos, a cruz foi uma *loucura*. Em outro caso, pela iluminação que lhes foi concedida, os não-regenerados são capazes de ver na cruz o escopo geral e o plano da graça redentora. Está declarado – e muitas passagens poderiam ser citadas – que Cristo foi "anunciado" (o que é evidentemente uma referência à sua posição como uma vítima sobre a cruz), para declarar a justiça de Deus, para que "pudesse ser justo, e o justificador daqueles que crêem em Jesus" (Rm 3.25, 26).

Visto que os sofrimentos e morte de Cristo são preponderantes em toda verdade revelada e que estas coisas podem ser avaliadas muito diferentemente – de um lado, como o maior crime, e do outro, como "o momento mais sublime na história moral de Deus" – os seus sofrimentos e morte exigem uma consideração cuidadosa e regada de oração, mais do que todos os fatos do universo. Provavelmente, nenhum escrito mais fielmente descreveu esse grande contraste com tudo o que ele envolve do que o Dr. Henry C. Mabie. Embora um pouco extensa, a citação a seguir é uma contribuição necessária neste ponto da discussão:

Neste estudo, então, eu começo por assinalar que a tragédia da crucificação de Cristo em sua terrível criminalidade, e a cruz da reconciliação divina em sua majestade moral singular são totalmente distintas em seu caráter. A crucificação do lado humano foi incipiente no pecado da raça; e a reconciliação, do lado divino, visto que Deus é o que Ele é em sua santidade cheia de longanimidade, esteve sempre e eternamente no coração de Deus, na esperança de ser realizada. É verdade que naquelas últimas horas sobre a cruz, a profunda obra espiritual de reconciliação era consumada *simultaneamente* com o crime que os crucificadores de Cristo impuseram sobre Ele: em espírito, contudo, e no caráter moral, as duas realizações estavam o quanto possível longe uma da outra... Uma descrição concreta retirada da narrativa do Novo Testamento a respeito da crucificação pode deixar clara a distinção vista neste capítulo. Ao observar o registro da execução de Jesus, um leitor cuidadoso notará as várias atitudes mentais dos diversos tipos de pessoas cujas atitudes eram fundamentalmente as mesmas; a multidão comum, que "passava meneando as suas cabeças"; os governadores dos judeus que foram coniventes com a crucificação; o malfeitor rebelde que rejeitou Cristo; os soldados romanos, que não reconheciam outro deus senão César; e os supersticiosos que no grito de "Eli, Eli", pensaram que Jesus chamava por Elias. Cada uma destas cinco classes apelou igualmente para Cristo, a fim de demonstrar que Ele era realmente o Messias, para descer da cruz e salvar a sua própria vida. A multidão disse: "Ah, tu que destróis o templo e o constróis em três dias, salva-te a ti mesmo e desce da cruz" (Mc 15.29). Os principais sacerdotes disseram: "A outros salvou; a si mesmo não pode salvar; desça agora da cruz o Cristo, o rei de Israel, para que vejamos e creiamos" (Mc 15.31, 32). O malfeitor disse: "Não és tu o Cristo? Salva-te a ti mesmo e a nós" (Lc 23.39). Os soldados disseram: "Se tu és o rei dos judeus, salva-te a ti mesmo" (Lc 23.37). Os supersticiosos disseram: "Deixai, vejamos se Elias virá tirá-lo" (Mc 15.36). Cada um destes, observem, na verdade disse a Jesus: "*Salva-te a ti mesmo*". Esses todos viram principalmente a tragédia da crucificação, supuseram a cruz no sentido de ser o caráter final na vida de Jesus. A menos que Jesus usasse o seu poder miraculoso para salvar a si mesmo – e sobrenaturalmente se mantivesse vivo –, eles não creriam nele; a demonstração para as mentes deles seria completa, se Ele não fosse o que alegava ser, o Filho de Deus, o Messias de Israel, o Salvador do mundo. Agora, em oposição a essas cinco classes, há uma única exceção ilustre, de uma posição radicalmente diferente desses tipos já observados, e ele se expressa de modo diferente: O moribundo penitente era o primeiro e o único entre todos que exclamou na execução de Jesus: "*Salva-te a ti mesmo*". Ele gritou: "*Salva-me*". Ele disse "Jesus"; isto é, ele usou o nome salvador, com discernimento de quem e do que Ele realmente era. Ele, e ele somente, viu que havia algo mais profundo

SOTERIOLOGIA

que transpirava além do que os crucificadores reconheciam; que Jesus realmente permitia que o santuário do seu corpo fosse tomado, a fim de que pudesse ser reconstruído. Ele discerniu que, se Jesus salvaria outros de suas necessidades espirituais, ele não poderia "salvar-se a si mesmo"; que Ele devia suportar o que o pecado devia impor sobre o Salvador; ele viu que Jesus realmente era "o Rei de Israel", "o escolhido de Deus", "o bom pastor", dava a sua vida pelas ovelhas, mas a entregava, para depois reavê-la. Esse pecador penitente foi o primeiro e o único na crucificação que viu um reino totalmente novo que estava além da morte iminente de Jesus, do qual ele poderia se tornar um súdito. Esse reino, contudo, deveria ser construído sobre o lado divino daquilo que acontecia. Ele viu ao menos em princípio a ressurreição vindoura, e as possibilidades gloriosas que estavam envoltas nela... Sem dúvida, ele foi capacitado espiritualmente como aquele que está na fronteira do mundo celestial; e assim, ele viu ambos os lados do evento da crucificação, o lado humano e o divino. Mas ele viu especialmente com grande nitidez a realidade da reconciliação, e a viu do lado celestial, como Deus a vê – como todos nós aprenderemos a vê-la – e ele exclamou aquele modelo de oração, marcado com a sua iluminação peculiar: "Jesus, lembra-te de mim quando entrares no teu reino" (Lc 23.42); - um reino condicionado naquilo que era gerado por Cristo. Esse homem e esse somente, tanto quanto sabemos, em tudo quanto aconteceu no Calvário, apreendeu a reconciliação, ato de Deus – um ato deliberado e permissivo – a reconciliação como distinta do crime humano, na crucificação. Não houve provavelmente um discípulo que permanecesse ali, nenhuma das mulheres, nem mesmo a própria mãe do Salvador, que, se possível fosse, não na própria e completa incapacidade deles de perceber o que Deus realizava, não teriam evitado a realização do propósito de Cristo na cruz. Até agora, nenhum desses discípulos entendera como eles fizeram posteriormente à luz do Pentecostes – a cruz da redenção. Esse homem moribundo infelizmente estigmatizou no epíteto comum, "o ladrão moribundo", que é realmente o penitente ideal. Ele, e ele somente, teve a visão da cruz da reconciliação. Ele somente olhou para além dos horrores trágicos do ato crucificador. Ele foi absorvido por uma realidade maior, de que Cristo, a despeito do tratamento que os homens deram a Ele, realmente suportava os pecados do mundo, e tornava-os preparatórios para um reino espiritual que pode estar além do momento crítico de sua hora da morte. O penitente procurou tornar-se súdito daquele reino, um privilégio da graça assegurado instantaneamente pela resposta de Jesus: "Em verdade te digo que hoje estarás comigo no paraíso" (Lc 23.43).[13]

Como foi sugerido anteriormente, as pessoas não iluminadas, não-regeneradas, nada podem discernir a respeito da morte de Cristo, além da tragédia humana que ela foi, e em vão, sinceramente, elas tentam revesti-la com alguma importância espiritual. Ela é dramatizada, os crucifixos são multiplicados, as pinturas são feitas, os pregadores e os poetas debruçam-se sobre os aspectos físicos dessa morte e, muito freqüentemente, nada descobrem além da angústia física que pertencia a Jesus. Contudo, ninguém tem trazido mais confusão do que a Igreja Romana, por asseverar a transubstanciação e, por sua abordagem à idolatria, que o uso de imagens produz. A Igreja de Roma é o exemplo supremo de uma religião baseada no *crime* da crucificação, que, ao mesmo tempo, é esvaziada de qualquer conceito da glória da cruz. Houve uma tragédia na crucificação que ninguém poderia minimizar, mas ela não é a base da redenção. Deus não baseia o seu dom de amor no supremo crime acima de todos os crimes. Ele o baseia na verdade sublime de que Ele amou o mundo de tal maneira, que deu o seu único Filho para ser o Cordeiro sacrificial. Cristo era o Cordeiro de Deus – não de Pilatos. Deus providenciou o sangue remidor – não Caifás.

Como era de se esperar, não há um ponto na história humana onde a soberania divina e a responsabilidade humana, ou a vontade livre, vieram a uma justaposição tão vívida do que na crucificação de Cristo. Do lado divino, a morte de Cristo foi predeterminada de tal modo que Deus assumiu toda a responsabilidade por ela, e ele não poderia compartilhar essa realização com alguém mais. Ela foi o seu propósito desde a eternidade. Ela foi apontada por sombras através de todos os tipos que Deus mostrou. Todos os seus detalhes foram preditos pelo Espírito que capacitou os profetas. No Salmo 22, há registrado o grito do sofrimento de Jesus: "Meu Deus, meu Deus, por que me desamparaste? Por que estás afastado de me auxiliar, e das palavras do meu bramido?" (v. 1); as palavras exatas dos atormentadores soariam: "Confiou no Senhor; que ele o livre; que ele o salve, pois que nele tem prazer" (v. 8); o reconhecimento da responsabilidade divina foi o seguinte: "A minha força secou-se como um caco e a língua se me pega ao paladar; tu me puseste no pó da morte" (v. 15); sobre os pregos nas mãos e nos pés, está escrito: "transpassaram-me as mãos e os pés" (v. 16); e sobre a as vestes e sobre as sortes pelas vestes, está registrado: "Repartem entre si as minhas vestes, e sobre a minha túnica lançam sortes" (v. 18).

Com a mesma finalidade, há em Isaías, no capítulo 53, o recital da verdade de que foi Jeová que o moeu, que o colocou sob aflição, que fez de sua alma uma oferta pelo pecado (v. 10). Igualmente, a soberania de Deus é refletida em mais de 40 vezes na palavra *cumprido,* que ocorre no Novo Testamento e em referência à realização do propósito de Deus na morte de seu Filho. Do lado humano, os homens faziam e diziam exatamente o que estava predito deles; todavia, de tal modo que a responsabilidade caiu somente sobre eles. Cristo foi rejeitado pelos judeus, traído por Judas, condenado por Herodes, e crucificado sob Pôncio Pilatos. Além de tudo isso, nessa ação humana, está declarado que foi Deus que estava em Cristo, a fim de reconciliar o mundo consigo mesmo (2 Co 5.19). Está escrito que Cristo foi *feito* pecado (pelo Pai – certamente, não por Judas Iscariotes), que as almas perdidas poderiam ser feitas (pelo Pai – certamente, não por Pôncio Pilatos) a justiça de Deus nele (2 Co 5.21).

SOTERIOLOGIA

Dois fatos imensuráveis – tão distantes um do outro como o ocidente dista do oriente – foram falados por Pedro no seu sermão do Pentecostes: "...a este, que foi entregue pelo determinado conselho e presciência de Deus, vós o matastes, crucificando-o pelas mãos de iníquos" (At 2.23). Precisamente, da mesma maneira na qual não há uma gratidão devida a Judas, Herodes, ou Pôncio Pilatos, não há doutrina baseada no que eles fizeram. O poder transformador da morte de Cristo não está na tragédia humana; está na reconciliação divina. A morte e a ressurreição de Cristo são contrapartes de um empreendimento divino. Ninguém afirmará do homem que ele teve qualquer parte na ressurreição; todavia, a realização divina na cruz é tão esvaziada da cooperação humana quanto é a ressurreição.

2. QUEM FEZ CRISTO MORRER? Intimamente relacionado com o contraste entre os lados divino e humano da morte de Cristo, está a questão: Quem levou Cristo à morte? Como já foi indicado, as Escrituras atribuem tanto à responsabilidade humana quanto à divina para a morte de Cristo – não há uma cooperação ou parceria, pois cada uma é tratada, em sua própria esfera, como totalmente respondível. Ao todo, oito indivíduos ou grupos são considerados responsáveis. Quatro desses são nomeados em Atos 4.27, 28: "Porque verdadeiramente se ajuntaram, nesta cidade, contra o teu santo servo Jesus, ao qual ungiste, não só Herodes, mas também Pôncio Pilatos com os gentios e os povos de Israel; para fazerem tudo o que a tua mão e o teu conselho predeterminaram que se fizesse".

Aqui outra vez o Espírito Santo salvaguarda a importante verdade de que esses indivíduos e grupos fizeram exatamente o que a mão e o conselho de Jeová predeterminaram. O quinto indivíduo responsável foi Satanás – embora ele possa ter sido ajudado por um grupo incalculável de espíritos malignos. No grande proto-evangelho de Gênesis 3.15, está afirmado que não somente Cristo esmagaria a cabeça da serpente, mas que ela feriria o seu calcanhar. Assim, está implícito que Satanás fez o que pôde no exercício do seu poder – direta ou indiretamente, através dos agentes humanos – contra o Salvador. Há muito texto da Escritura que revela que um poderoso conflito foi travado entre Cristo e os poderes das trevas. Está escrito: "Agora é o juízo deste mundo; agora será expulso o príncipe deste mundo" (Jo 12.31); "Já não falarei muito convosco, porque vem o príncipe deste mundo, e ele nada tem em mim" (Jo 14.30); "e do juízo, porque o príncipe deste mundo já está julgado" (Jo 16.11); "e havendo riscado o escrito de dívida que havia contra nós nas suas ordenanças, o qual nos era contrário, removeu-o do meio de nós, cravando-o na cruz; e tendo despojado os principados e potestades, os exibiu publicamente e deles triunfou na mesma cruz" (Cl 2.14, 15). O que transpirava entre o Filho de Deus e Satanás na cruz está relacionado às esferas celestiais e não pode ser compreendido pelos homens.

Os três remanescentes que são considerados responsáveis pela morte de Cristo são o Pai, o Filho e o Espírito Santo. A ação do Pai é apresentada em tipos, em profecias e em declarações diretas. Está escrito: "Deus proverá para si um cordeiro" (Gn 22.8); "tu me puseste no pó da morte" (Sl 22.15); "Deus meu, Deus meu, por que me desamparaste" (Sl 22.1); "afrontas quebrantaram-me o coração" (Sl 69.20); "Todavia, foi da vontade do Senhor esmagá-lo fazendo-o enfermar" (Is 53.10); "Eis o Cordeiro de Deus (Jo 1.29); "a este, que foi entregue pelo determinado conselho e presciência de Deus" (At 2.23); "para fazerem tudo o que a tua mão e o teu conselho predeterminaram que se fizesse" (At 4.28); "Aquele que não poupou o seu próprio Filho" (Rm 8.32); e "Deus amou o mundo de tal maneira, que deu o seu Filho unigênito" (Jo 3.16).

A ação do Filho é tipificada na não-resistência de Isaque no monte Moriá; também na profecia pelas palavras: "mas tu és santo" (Sl 22.3), e "todavia, ele não abriu a sua boca" (Is 53.7); e na afirmação direta: "Ninguém ma tira de mim, mas eu de mim mesmo a dou; tenho autoridade para a dar, e tenho autoridade para retomá-la. Este mandamento recebi de meu Pai" (Jo 10.18); "Jesus clamando com grande voz, disse: Pai, nas tuas mãos entrego o meu espírito. E, havendo dito isso, expirou" (Lc 23.46); "Cristo também amou a Igreja, e deu-se a si mesmo por ela (Ef 5.25); "que me amou e a si mesmo se entregou por mim" (Gl 2.20); "que se deu a si mesmo por nós para nos remir de toda iniqüidade, e purificar para si um povo todo seu, zeloso de boas obras" (Tt 2.14); "assim como o Filho do homem não veio para ser servido, mas para servir, e para dar a sua vida em resgate de muitos" (Mt 20.28); "Nisto conhecemos o amor: que Cristo deu a sua vida por nós; e nós devemos dar a vida pelos irmãos" (1 Jo 3.16).

A prontidão do Filho nas mãos do Pai é a resposta para a afirmação de que é imoral para Deus oferecer o seu próprio Filho. Tal ato da parte de Deus, admite-se livremente, poderia ser o crime mais terrível ou a consumação mais gloriosa da graça divina. Tudo depende da questão, se o sacrifício é imposto sobre o Filho contra a sua vontade ou se Ele está de acordo e em cooperação com o seu Pai. Que Ele estava de acordo é assegurado nos versículos acima, que indicaram que Ele se ofereceu a si mesmo, e em cada passagem em que Ele é visto como o sujeito da vontade de seu Pai: "Então disse eu: Eis-me aqui (no rol do livro está escrito de mim) para fazer, ó Deus, a tua vontade" (Hb 10.7).

A ação do Espírito Santo no sofrimento e morte de Cristo está revelada num texto particular: "...quanto mais o sangue de Cristo, que pelo Espírito eterno se ofereceu a si mesmo imaculado a Deus, purificará das obras mortas a vossa consciência, para servirdes ao Deus vivo?" (Hb 9.14).

3. O que Cristo Sofreu nas Mãos dos Homens e o que Ele Sofreu nas Mãos do Pai? Ainda mais intimamente relacionado com a principal distinção entre a crucificação, como um crime, e a cruz, como a manifestação suprema da compaixão divina, está a diferença que deve ser vista entre aquilo que Cristo sofreu nas mãos dos homens e o que Ele sofreu na mão de seu Pai. As mãos dos homens podem impingir sofrimento físico e morte como qualquer vítima morreria, mas somente a mão de Deus poderia fazer uma oferta pelo pecado, ou poderia fazer cair sobre Ele a iniqüidade de outros (Is 53.6; 2 Co 5.21). Nenhuma noção mais impossível foi formada como no verso de um hino que diz: "Eu ponho os meus pecados sobre Jesus, o Cordeiro imaculado de Deus". Não está no poder de homem algum

depositar os seus pecados sobre Jesus, ou depositar os pecados de alguém sobre Jesus. Se Pilatos tivesse sido movido por compaixão pelas almas perdidas e tivesse crucificado o Salvador com essa idéia em vista, ele poderia ter feito não mais do que crucificá-lo. Deus somente poderia proporcionar um portador de penalidade e Deus somente poderia imputar pecado Àquele que Ele providenciou.

4. O Valor do Sofrimento de Cristo para o Pai. Ainda uma distinção vital – essencial, na verdade, para um entendimento claro da natureza dos sofrimentos e morte de Cristo – é aquilo que pode ser visto quando o valor dos sofrimentos e morte de Cristo, pertencente ao Pai, é comparado ao valor que pertence àqueles que são salvos por Ele. Uma contagem exata desses valores não é possível por qualquer ser humano. Aquele que é salvo não perecerá, mas está na presente posse da vida eterna. Ele é unido a Cristo, para compartilhar a sua paz e glória, e o que ele será, quando contemplar o seu Salvador, e isto tudo nunca será exatamente avaliado pelos homens. Em oposição a isto está a verdade de que, sem levar em conta o Seu amor infinito que abençoaria as criaturas de suas próprias mãos, a restrição moral sobre Deus que o pecado impõe não poderia ser removida mesmo por um decreto soberano; era necessário, à luz de caráter e governo santos, que o preço da redenção fosse requerido das mãos do ofensor ou das mãos de um substituto que morreu no lugar do ofensor.

Pela morte de Cristo no lugar dos pecadores, a restrição moral é removida e o amor de Deus torna-se livre para agir em favor daqueles que vão receber a sua graça e bênção. Nenhuma medida pode ser colocada sobre o significado dessa liberdade que a cruz assegurou para Deus. Está revelado, entretanto, que, quando desimpedido, Deus, para a satisfação de seu amor, realiza a maior coisa que Ele pode realizar, isto é, transformar o pecador que confia nele, o pecador que na glória eterna vai aparecer conformado à imagem de Cristo. Não há algo concebível que pudesse ser uma realização maior do que esta; mas ela é operada primariamente para satisfazer o amor de Deus pelo pecador. Aqueles que confiam nele não perecerão, mas terão a vida eterna. Contudo, tudo isto foi tornado possível por causa do fato de Deus ter *amado* o mundo de tal maneira que deu o seu Filho Unigênito. O que a liberdade de exercer tal amor, que é assegurada pela morte de Cristo, significa para Deus é tão incompreensível quanto o próprio amor divino.

Com o mesmo propósito, pode ser acrescentado que, como a salvação de uma alma demonstra a graça excedente de Deus, graça essa que não poderia ser exibida por outro meio qualquer, a morte de Cristo assegurou e tornou possível aquela experiência exaltada da parte de Deus do exercício de sua graça superabundante. Ainda todas as avaliações humanas são incapazes de ter qualquer conhecimento adequado do valor da morte de Cristo para Deus.

5. A Sabedoria, o Poder e o Sacrifício de Deus. Uma abordagem razoável para o estudo dos sofrimentos e morte de Cristo requer que atenção devida seja dada à sabedoria, ao poder e ao sacrifício que Deus exerceu em delinear e realizar o plano pelo qual os perdidos podem ser salvos. Como foi

SOFRIMENTO NA MORTE

anteriormente observado, a cruz é para os judeus uma pedra-de-tropeço e para os gentios uma loucura, mas para aqueles que são chamados – seja judeu ou gentio – Cristo é o poder de Deus e a sabedoria de Deus (1 Co 1.23, 24). Assim, fica afirmado que o poder de Deus é livre para agir em favor dos perdidos, e a sua sabedoria é demonstrada no plano da salvação – tudo através da cruz de Cristo. Com relação ao seu poder, é observável que, de acordo com o Salmo 8.3 – "Quando contemplo os teus céus, obra dos teus dedos" – a criação é dita ser apenas obra do dedo de Deus; mas, quando Ele salva o perdido, de acordo com Isaías 53.1 – "a quem se manifestou o braço do Senhor?" – o grande braço direito de Jeová, o símbolo de toda a sua força, é chamado à ação.

Com relação à sua sabedoria, está revelado que, pela morte do seu Filho, Ele resolveu os seus grandes problemas, a saber, como poderia Ele ser justo e ainda justificar o ímpio (Rm 3.26; 4.5). Com relação ao seu sacrifício, nenhuma imolação maior poderia ser designada além do que está indicado pelas palavras: "Aquele que não poupou ao seu próprio Filho, antes por todos nós o entregou" (Rm 8.32). Seria de fato loucura para os homens supor que está dentro da capacidade deles compreender o *poder* de Deus, a *sabedoria* de Deus, ou o *sacrifício* de Deus revelados na salvação de uma alma.

6. A AÇÃO UNIFICADA DAS TRÊS PESSOAS. Ainda outra palavra introdutória diz respeito à ação unificada das três pessoas da Trindade na salvação dos perdidos. As três pessoas são vistas como participantes da criação do universo. Para cada uma delas, essa vasta obra é creditada separadamente e com a sugestão de que cada uma tenha agido sozinha e, quando assim agiu, era totalmente suficiente e responsável. Na obra maior da redenção – especificamente os sofrimentos e morte de Cristo – é o Filho que sofre e morre, mas o Pai dá o Filho e o Filho é oferecido pelo Espírito Santo. Aqui, está revelada a ação unificada e de cooperação mais profunda. O Filho clama: "Deus meu, Deus meu, por que me desamparaste?" (Sl 22.1; Mt 27.46); todavia, é afirmado que foi o verdadeiro Deus a quem Ele gritou que estava, naquele momento exato, "em Cristo, reconciliando o mundo consigo" (2 Co 5.19).

Para as mentes finitas, tudo isto é paradoxal; todavia, serve para enfatizar mais uma vez a verdade mais profunda de que, embora haja três pessoas na Trindade, há apenas uma essência. Nem o Pai nem o Espírito se tornaram encarnados. A ação do Filho foi sempre de acordo com a vontade do Pai e nunca mais do que em sua morte (Fp 2.8). Tudo o que o Filho fez foi no poder do Espírito e nunca isso foi feito mais perfeitamente do que em sua morte. Objetivamente, não somente o Pai *deu* o Filho (Jo 3.16), mas Ele *enviou* o Filho (Jo 3.17), Ele *amou* o Filho (Jo 3.35), Ele é *glorificado* no Filho (Jo 14.13), e Ele *glorificou* o Filho (At 3.13); todavia, totalmente de acordo com essa verdade com uma realidade mais profunda, a saber, que o Pai e o Filho são um (Jo 10.30; 14.9-11; 17.21). Assim, numa revelação mais ampla, que os homens não podem compreender, o Deus triúno é o Salvador do mundo.

Negligenciar esse aspecto da verdade sempre resulta nas noções a respeito de Deus que são prejudiciais. Quando atributos específicos são designados a uma pessoa sobre as outras duas, surge uma teologia que concebe o Pai como um árbitro de justiça, o defensor da santidade, enquanto o Filho é o manifestador daquele amor divino que resgataria o pecador dos juízos que o Pai exige. O Filho não livra do Pai, mas Ele livra dos justos juízos contra o pecado; e do Salvador é dito que todo julgamento tem sido confiado a suas mãos (Jo 5.27; At 10.42; 17.31). O Pai não é o condenador do mundo. Ele foi o que enviou seu Filho ao mundo, para que o mundo fosse salvo por Ele (Jo 3.17). Ainda é verdade que o Pai deu o Filho, o Filho morreu, e o Espírito Santo aplica o valor dessa morte àqueles que crêem.

7. Dois Aspectos Principais da Soteriologia. E, finalmente, através de palavras introdutórias, há dois aspectos principais da Soteriologia – (a) a obra terminada do Salvador na cruz, e (b) a aplicação dessa obra àqueles que crêem. Cada um destes fatores é declarado ter sido determinado divinamente a partir de um passado sem data. Sobre a obra do Salvador, está escrito que Ele era o Cordeiro morto desde antes da fundação do mundo (Ap 13.8). Dos salvos é dito que eles foram "eleitos nele antes da fundação do mundo" (Ef 1.4). A estes será acrescentado em Eclesiologia um terceiro aspecto do propósito eterno, a saber, que as boas obras dos salvos são preordenadas, para que eles andassem nelas (Ef 2.10). Estes três – um Salvador preordenado, uma salvação preordenada, e um serviço preordenado – constituem os elementos essenciais nos conselhos eternos de Deus a respeito da Igreja, que é o seu corpo.

Uma espécie de confusão caracteriza freqüentemente o tratamento que os homens dão aos primeiros dois desses propósitos eternos. O Salvador terminou a obra e resta para o pecador somente *crer* e ser salvo. O que Cristo fez na cruz e o que Ele fará agora por aquele que crê são aspectos muito diferentes da verdade. De um lado, há aqueles que ensinam que é equivalente à salvação de uma alma, se Cristo morreu por aquela alma. Por outro lado, há aqueles que dirigem os não-salvos a pedirem a Deus por sua salvação. Certamente, os não-salvos não são responsabilizados por pedir que Cristo morresse por eles; e como certamente eles não apelam que Cristo aplicasse a Sua salvação a eles. A promessa não é para aqueles que pedem, mas para aqueles que *crêem*. Visto que, através da morte de Cristo, Deus é propício, os santos podem ser restaurados e os pecadores salvos sem reprovação ou punição da parte de Deus – nenhum golpe é dado e nenhuma condenação é emitida.

O Salvador morreu. Isto pode ser crido e tal crença conduz à salvação da alma; mas o que Ele fez pelo pecador dois milênios atrás não deveria ser confundido com aquela salvação que é operada agora quando o pecador crê. Hipoteticamente considerado, o Salvador poderia ter morrido, a fim de providenciar assim toda base para uma salvação perfeita, e ninguém viesse a crer, pois a cruz não compele ninguém a crer. É da eleição soberana de Deus, que fez a escolha dos homens para a salvação antes da fundação do mundo, assegurar a salvação deles. Na execução da eleição soberana, o Espírito chama, ilumina, gera a fé, e aplica todo o valor da morte de Cristo para aquele que assim crê.

CAPÍTULO IV

Coisas Realizadas por Cristo em seu Sofrimento e Morte

QUANDO FALAVA A RESPEITO DA CRUZ, Cristo disse: "Eu para isso nasci, e para isso vim ao mundo" (Jo 18.37), e ainda: "...porque o Filho do homem veio para buscar e salvar o que estava perdido" (Lc 19.10). À luz destas palavras, pode ser concluído que, como foi antes afirmado, o tema dos sofrimentos de Cristo na morte é a base de toda a doutrina correta e o fato central deste universo cósmico. Ele excede em importância ao universo material – na medida em que o universo proporciona uma esfera onde o mal pode ser testado, julgado, e banido para sempre. De tudo o que a cruz de Cristo realizou nas esferas angelicais, e para com o juízo final do mal como um princípio, alguma coisa já foi dita anteriormente sob Hamartiologia; todavia, está claro que as mentes finitas sem ajuda não podem seguir muito longe nesse vasto domínio da realidade.

Alguma revelação está registrada a respeito dessas questões imensuráveis, e para isto a atenção será dirigida no devido tempo. O tema geral de que Cristo realizou em seu sofrimento e em sua morte pode, numa tentativa de esclarecimento, ser dividido nas seguintes catorze divisões: (1) uma substituição para pecadores; (2) Cristo o fim do princípio da lei em favor daqueles que são salvos; (3) uma redenção do pecado; (4) uma reconciliação do homem; (5) uma propiciação de Deus; (6) o julgamento da natureza pecaminosa; (7) a base do perdão e da purificação do crente; (8) a base para o adiamento dos justos juízos divinos; (9) a remoção dos pecados cometidos antes da cruz, feita pelo sacrifício; (10) a salvação nacional de Israel; (11) as bênçãos mileniais e eternas sobre os gentios; (12) o despojamento dos principados e potestades; (13) a base da paz; (14) a purificação das coisas no céu. Com a finalidade de que o estudante possa ser encorajado a buscar estes temas ilimitados de um modo mais exaustivo, também um esboço introdutório ou um panorama condensado de cada um desses pontos é empreendido aqui.

SOTERIOLOGIA

I. A Substituição dos Pecadores

Embora muita coisa esteja subjacente a tudo que Cristo realizou, o seu sofrimento e morte vicários, por serem o fundamento de toda verdade a respeito da cura divinamente proporcionada para o pecado, serão tratados separadamente cinco coisas específicas, a saber: (1) as palavras que sugerem substituição; (2) o sofrimento vicário em geral; (3) mediação; (4) substituição com respeito ao julgamento do pecado; e (5) substituição nas esferas da perfeição divina.

1. As Palavras Que Sugerem Substituição. Duas preposições gregas estão envolvidas neste aspecto deste tema – ἀντί e ὑπέρ. Sobre o significado e a força destas palavras, o arcebispo R. C. Trench, escreve:

Tem sido freqüentemente alegado, e no interesse da verdade muito importante, a saber, o caráter *vicário* do sacrifício da morte de Cristo, que em passagens como Lucas 22.19, 20; João 10.15; Romanos 5.8; Gálatas 3.13; 1 Timóteo 2.6; Hebreus 2.9; 1 Pedro 2.21; 3.18; 4.1; e em tudo que de Cristo é dito ter morrido ὑπὲρ πάντων, ὑπὲρ ἡμῶν, ὑπὲρ τῶν προβάτων, e, como tal, ὑπέρ será aceito como equivalente a ἀντί. E, então, é além disso realçado que, como ἀντί é a preposição primeira de equivalência (Homero, Il. Ix. 116-117) e então da mudança (Mt 5.38; 1 Co 11.15; Hb 12.2, 16), ὑπέρ deve em todas aquelas passagens ser considerada como a mesma força. Cada uma delas, é evidente, se tornaria assim um *dictum probans* para uma verdade, em si mesma muito vital, a saber, que Cristo sofreu, não meramente em *favor de* e *para o nosso benefício*, mas também em *nosso lugar*, e levou essa penalidade de nossos pecados que, de outra forma, cairia sobre nós próprios. Ora, embora alguns tenham negado, devemos todavia aceitar como certo que ὑπέρ tem algumas vezes esse significado... mas não é menos certo que em passagens muito mais numerosas ὑπέρ significa não mais do que em *favor de*, ou *para o benefício de*; assim é em Mateus 5.44; João 13.37; 1 Timóteo 2.1, e assim por diante. Deve ser admitido que se tivéssemos na Escritura somente afirmações de que Cristo morreu ὑπὲρ ἡμῶν, que Ele provou a morte ὑπὲρ παντός, seria impossível retirar desses versículos qualquer prova irrefutável de que sua morte foi vicária, que Ele morreu em nosso lugar, e Ele próprio suportou na cruz os nossos pecados e a penalidade de nossos pecados; contudo, podemos ver, sem dúvida, isso em outro lugar (Is 53.4-6). Somente através de outras declarações, no sentido de que Cristo morreu ἀντὶ πολλῶν (Mt 20.28), deu-se a si mesmo como ἀντίλυτρον (1 Tm 2.6), e por intermédio daqueles outros para a interpretação destes, que obtemos um perfeito direito de alegar tal declaração da morte de Cristo *por nós* como também as declarações de sua morte em *nosso lugar*. E neles sem dúvida a preposição ὑπέρ é a empregada, para que ela possa abarcar ambos os significados, e expressar como Cristo morreu imediatamente *por amor de nós* (aqui ela

66

toca mais proximamente no significado de περί : Mt 26.28; Mc 14.24; 1 Pe 3.18; διά também ocorre uma vez neste contexto: 1 Co 8.11), e em nosso lugar; enquanto ἀντί somente teria expresso o último destes.[14]

Como foi sugerido pelo arcebispo Trench, não há problema conectado com a palavra ἀντί. De modo definido como uma linguagem possa ser feita para servir, esta palavra significa *substituição* – alguém que toma o lugar de outro. A palavra ὑπέρ, contudo, é mais ampla e significa em alguns casos não mais do que um benefício proporcionado ou recebido; todavia, em outros casos, ela certamente se torna o equivalente de ἀντί. O caminho, portanto, está aberto em algum grau para aqueles que querem diminuir a doutrina da *substituição* para enfatizar o uso mais geral de ὑπέρ, enquanto aqueles que sinceramente defendem essa doutrina enfatizam o seu sentido vicário. A atitude razoável é permitir à ὑπέρ a sua expansão plena ao grau em que, de acordo com o contexto, pareça expressar uma substituição real, para dar-lhe a mesma força de ἀντί.

Se por restrição de ὑπέρ à idéia de mero *benefício*, a doutrina seria eliminada, o caso seria diferente; mas contanto que ἀντί sirva ao seu propósito específico e não possa ser modificada, a verdade é somente clareada e fortalecida pelo uso mais específico e totalmente legítimo de ὑπέρ como que sugerisse uma real *substituição*. Filemom 1.13 afirma: "Eu bem quisera retê-lo comigo, para que em teu lugar me servisse nas prisões do evangelho" – e em 2 Coríntios 5.14: "Pois o amor de Cristo nos constrange, porque julgamos assim; se um morreu por todos, logo todos morreram" – podem servir para demonstrar a verdade de que ὑπέρ comunica, quando o contexto exige, o pensamento de uma substituição real. Esse duplo significado de ὑπέρ serve como vantagem real, porque Cristo morreu no lugar do pecador e para o benefício do pecador.

A palavra ἀντί aparece em declaração como: "O Filho do homem veio... para dar a sua vida em resgate por muitos" (Mt 20.28), e o caráter absoluto da *substituição* é visto em textos como em Mateus 2.22; 5.38; Lucas 11.11. Contudo, num conjunto muito maior de textos da Escritura a palavra ὑπέρ ocorre e nesses o significado mais profundo deveria ser: "Este cálice é o novo testamento no meu sangue, que é derramado por vós" (Lc 22.19, 20); "e o pão que eu darei pela vida do mundo é a minha carne" (Jo 6.51); "Ninguém tem maior amor do que este, de dar alguém a sua vida pelos seus amigos" (Jo 15.13); "Pois quando ainda éramos fracos, Cristo morreu a seu tempo pelos ímpios. Porque dificilmente haverá quem morra por um justo; pois poderá ser que pelo homem bondoso alguém ouse morrer. Mas Deus dá prova do seu amor para conosco, em que, quando éramos ainda pecadores, Cristo morreu por nós" (Rm 5.6-8); "Aquele que nem mesmo a seu próprio Filho poupou, antes o entregou por todos nós..." (Rm 8.32); "Se um morreu por todos, logo todos morreram" (2 Co 5.14, 15); "Àquele que não conheceu pecado, Deus o fez pecado por nós" (2 Co 5.21); "sendo feito maldição por nós" (Gl 3.13); "Cristo... deu-se a si mesmo por nós, como oferta e sacrifício a Deus" (Ef 5.2, 25); "Cristo Jesus homem... que deu-se em resgate por todos" (1 Tm 2.5, 6); Cristo fez o que fez "para provar a morte por todo homem" (Hb 2.9); Cristo "sofreu... o justo pelos injustos" (1 Pe 3.18).

SOTERIOLOGIA

2. SOFRIMENTO VICÁRIO EM GERAL. Como o termo *vicário* se refere a um que age no lugar de outro, assim a palavra *vigário* significa aquele que toma o lugar de outro, a fim de servir ou agir como um substituto. No caso de uma obrigação entre dois homens, a lei permite que o débito seja pago por uma terceira pessoa, contanto que não haja uma injustiça envolvida. Contudo, a permissão divina de um substituto para agir pelo homem em sua relação com Deus é uma das mais fundamentais provisões da graça salvadora. Um homem caído permanece como um ofensor perante Deus – tanto no seu cabeça federal quanto em si mesmo – contra o seu Criador e o governo divino, ele possui uma dívida que nunca pode pagar no tempo ou na eternidade. A menos que um vigário intervenha, não há esperança para qualquer membro desta raça caída.

Nenhum ser humano com pecados poderia ser o vigário de outro. O vigário deve ser sem pecado, assim como preparado para suportar os imensuráveis juízos que a santidade divina sempre impõe sobre o pecado. Em Deus, há dois atributos que estão diretamente envolvidos, quando a criatura peca. São eles justiça e misericórdia. A justiça impõe e continua a impor, o mesmo julgamento que o pecado requer. Por um instante sequer, a justiça é amaciada ou reduzida no interesse da misericórdia. Por causa do seu caráter santo, Deus não pode olhar para o pecado com o menor grau de indulgência. A verdade permanece, de que a alma que pecar, essa morrerá. Nenhum engano maior poderia ser formado contra o santo caráter de Deus e o seu governo do que a sugestão de que a sua justiça é sempre amaciada ou modificada no interesse da misericórdia.

Afirmar que Deus poderia salvar um pecador do juízo de um pecado pelo exercício da misericórdia, é acusar Deus da maior loucura que poderia ser conhecida no universo; pois se um pecado pode ser curado pela misericórdia somente, o princípio seria estabelecido pelo qual todo pecado pode ser curado e a morte sacrificial e vicária de Cristo teria se tornado desnecessária. Quando Cristo morreu nas mãos de seu Pai como uma oferta pelo pecado, fica evidente – a menos que Deus seja considerado como exemplo da tolice infinita, quando não impiedade infinita – que não havia outro modo pelo qual os pecadores podessem ser salvos. A Bíblia ensina sem desvio que Cristo, por sua morte, satisfez as exigências da justiça em favor do pecador – no lugar do pecador – e aqueles que vêm a Deus por Ele, são salvos sem a mais leve violação da santidade divina. Se alguém perguntar: "Onde a misericórdia divina aparece?" a resposta é que ela se manifesta na provisão de um Salvador, para satisfazer as exigências da justiça infinita.

Os teólogos estão acostumados a distinguir entre satisfação *pessoal* ou *vicária* com relação a Deus, por causa do pecado. Quando um pecador paga a sua própria penalidade, ele fica perdido para sempre e o pagamento de sua penalidade, embora seja um fracasso, é uma coisa que se origina nele e que ele oferece a Deus. Esta é a satisfação *pessoal* a Deus. Por outro lado, quando um pecador aceita o pagamento vicário, ele é salvo para sempre e o pagamento se origina com o Salvador e é oferecido em lugar do pecador. Esta é a satisfação *vicária* a Deus. Esses dois princípios – a satisfação pessoal e a satisfação vicária – são melhor conhecidos pelos termos *obras* e *fé*. O princípio das obras representa tudo o que o homem pode fazer por si mesmo; o princípio da fé representa tudo o que Deus faz pelo homem.

O primeiro é esvaziado de misericórdia; o segundo é a maior exibição possível de misericórdia. Um não tem qualquer promessa de bênção nele; o outro assegura todas as bênçãos espirituais em Cristo Jesus. Ninguém afirmou mais claramente o valor do sacrifício de Cristo do que Agostinho. Ele diz: "O mesmo, único e verdadeiro Mediador reconcilia-nos *com* Deus pelo sacrifício expiador, permanece um *com* Deus a quem ele o oferece, torna aqueles um em si mesmo *por* quem ele o oferece, e é ele mesmo tanto o ofertor quanto a oferta".[15] A doutrina da Bíblia é que Deus salva o seu próprio povo – aqueles que confiam nele – de sua própria ira (cf. Jó 42.7, 8; Sl 38.1; Is 60.10; Os 6.1). Sem que haja qualquer engano e sem qualquer ação contrária de um para com o outro, Deus experimenta tanto a ira quanto o amor ao mesmo tempo e cada uma delas na amplitude de seu Ser infinito.

Ezequiel descreve Jeová como o que lamenta a queda de Lúcifer que se tornou Satanás (Ez 28.12); todavia, não há uma redenção para aquele anjo e o lago de fogo para sempre espera por ele (Ap 20.10). Quão grande é a ira e a indignação de Jeová contra Israel, e isto é mostrado nos castigos que caem sobre os israelitas! Todavia, Ele os ama com um amor eterno. O cristão, igualmente, descobre que a graça, pela qual ele é salvo, é exercida para com ele pelo mesmo tribunal que o condenou. Um trono de terrível julgamento se tornou um trono da graça. Sobre estas duas características em Deus – ira e amor – o Dr. Henry C. Mabie escreve da seguinte maneira:

A totalidade da Trindade está por detrás da expiação, dentro dela, e na raiz dela. A graça é, afinal de contas, a graça de Deus. Quando o nosso pecado surgiu, ele criou uma antinomia, uma auto-oposição, digamos, em Deus. Deus, como santo, deve se opor e condenar o pecado; de outra forma, Ele não poderia ser Deus. Este lado ou polaridade do ser de Deus deve julgar e punir o pecado. Mas há outro lado, ou polaridade do ser de Deus chamado amor. E como tal ela apenas anela forte e espontaneamente perdoar e salvar. Como, então, essas polaridades opostas (que mesmo a previsão do pecado assim como a sua real ocorrência chamou ao exercício a mesma Trindade) poderiam ser reconciliadas, e, assim reconciliadas, como salvar o culpado? Respondemos imediatamente: O próprio Deus reconciliou-as por seu próprio sofrimento vicário, qualquer que tenha sido ele. Esta foi a reconciliação essencial – a realidade cósmica – a coisa divina que satisfaz ao próprio Deus. Mas Ele não poderia manifestá-la, assim como dar uma segurança necessária e ajudar o homem necessitado, exceto quando veio à revelação concreta e visual da realidade do Deus homem, em Cristo na cruz. Nem poderia o fato histórico do pecado sem ela ter satisfeito e demonstrado sobre a mesma terra onde o pecado havia ocorrido, mas por um evento histórico com resposta adequada... Assim somente e evidentemente poderia Deus ser *mostrado* como "justo e justificador daquele que crê em Jesus" (Rm 3.26). Conseqüentemente, a expiação concebida, que de qualquer modo separa o Pai da plena participação nela, é apenas uma visão parcial. A natureza do caso é algo que deve ser construído como uma expressão de *governo* – é uma função governamental – e tem referência ao governo divino unificado. A fonte da graça nunca pode ser dividida. Todavia, a Trindade não é excluída por meio disso, e ela não é um tri-Teísmo. Nas relações duais, *concordâncias* surgem em Deus como a expressão de dois pólos morais de Seu ser; e a reconciliação tornada necessária pela entrada do pecado é concebida como imanente em Deus, em sua real unidade. Assim Deus, de um lado de sua natureza, *proporciona* o que o outro lado de sua natureza *exige*. A saber, Deus pode fazer uma coisa, a fim de realizar outra coisa.[16]

Tão certo como Deus prevê e predetermina, o evento do Calvário foi sempre tão real para Ele, como o foi na hora de sua ordenação - a hora da maior de todas as realizações, a resposta de tudo o que um Deus ofendido exigiu para que Ele pudesse ser livre para o exercício do seu amor desimpedido em favor dos objetos de sua afeição. Esses opostos em Deus sempre foram reconciliados em previsão da cruz; todavia, houve a necessidade – a coisa que Ele previu – que a cruz se tornaria histórica, um feito real que não poderia ser evitado. Na verdade, se o coração de Deus pudesse ser visto como Ele é agora, e sempre foi, não somente o ódio infinito pelo mal seria descoberto, mas a mesma disposição de dar o seu Filho para morrer pelos ímpios e seus inimigos seriam discernidos.

O Calvário foi, então, a operação necessária no tempo daquilo que esteve eternamente no coração de Deus. Ele é o fato de que dentro de Deus uma reconciliação estava prevista desde a eternidade, que foi tornada real no tempo, e vai ser reconhecida por Ele em toda eternidade vindoura, que forma a base de sua graça. A graça e o amor não são a mesma coisa. O amor pode salvar, mas por causa das exigências imutáveis da justiça, ele pode ficar impotente para salvar. Por outro lado, a graça em Deus é aquilo que o amor realiza com base na verdade de que Cristo satisfez as exigências da justiça. A auto-reconciliação em Deus, que a cruz proporciona, abre um campo para a realização divina na salvação do perdido que, de outra forma, seria impossível. Sem dúvida, Deus era livre para agir com os pecadores em graça nas eras passadas com base na sua antecipação da cruz; mas com grande certeza pode ser crido que Ele é livre para agir desde a cruz.

Por seu real caráter, a graça é relacionada com o governo divino. Ela é de se ter as coisas feitas. O que quer que Deus faça em graça, Ele é livre para fazer por causa da cruz. Nas eras vindouras Ele mostrará a sua graça por meio da salvação dos pecadores que Ele realizou (Ef 2.7). Para aqueles que foram salvos, Ele diz: "Porque pela graça sois salvos, por meio da fé; e isto não vem de vós, é dom de Deus; não vem das obras, para que ninguém se glorie" (Ef 2.8, 9). Esta graça incomparável não é somente operada *por* Deus, mas ela é operada *em* Deus. Ele é "o Deus de toda graça". A paz é selada pelo Espírito Santo no coração daqueles que crêem e por causa do fato de que eles estão em boas relações com Deus e vice-versa.

3. Mediação. Na importância mais ampla do termo, *mediação* sugere ao menos duas partes, Deus e o homem, entre os quais ela atua. O lamento de Jó reflete a necessidade de um mediador, embora essa necessidade existisse no mundo antes do advento de Cristo. Jó disse: "Porque ele não é homem, como eu, para eu lhe responder, para nos encontrarmos em juízo. Não há entre nós árbitro para pôr a mão sobre nós ambos" (Jó 9.32, 33). A separação entre o justo Deus e o Jó pecador é reconhecida quando Jó disse: "Porque ele não é homem, como eu, para eu lhe responder, para nos encontrarmos em juízo"; e o caso torna-se mais sem esperança, visto que nenhum "árbitro" existia "que pudesse pôr a mão sobre nós ambos". O pensamento na mente de Jó é o de um mediador estabelecido e aceito entre Deus e o homem. O conceito de Jó, que descreve esse agente intermediário como possuidor do direito de pôr sua mão em cada uma das partes, está muitíssimo claro, e vai muito além do alcance das condições que poderiam ser levantadas entre os homens.

A colocação das mãos, que Jó visualiza, fala da qualidade inerente entre o árbitro e aquele sobre quem a mão é colocada. Visto que Jó apontou que as partes distanciadas são Deus e ele próprio, a colocação das mãos do árbitro sobre Deus requer que o árbitro seja igual a Deus, e a colocação das mãos do árbitro sobre Jó requer que o árbitro também esteja no mesmo nível de Jó, por possuir o direito inerente que pertence ao homem – um representante da mesma natureza. Assim, em termos que respiram muito a sabedoria e propósito de Deus do que é comum ao homem, Jó declarou os aspectos fundamentais que necessariamente são encontrados no Mediador teantrópico. O pecado causou uma separação entre Deus e o homem, e visto que todos pecaram, a necessidade é universal. Que Deus é ofendido pelo pecado, não precisa ser argumentado. Contudo, é menos reconhecido que o pecado endureceu o coração do homem, obscureceu a sua mente, e demonstrou-lhe que era cheio de insensatez e preconceitos. Quando Adão e Eva pecaram, eles se esconderam, não um do outro, mas de Deus.

Há um sentido *público* ou geral em que o reinado de Cristo como Rei será mediatorial em que, ao permanecer entre Deus e o homem, Ele derrubará toda autoridade e todo inimigo, e restaurará assim a paz no universo sofredor e angustiado pelo pecado (1 Co 15.25-28); mas a sua mediação *pessoal* é o funcionamento combinado de sua obra como Profeta e Sacerdote. Num deles, Ele representa Deus perante o homem, enquanto que no outro, Ele representa o homem perante Deus. No ofício sacerdotal, Ele oferece um sacrifício que satisfaz as exigências da justiça divina e a extrema necessidade do pecador condenado. Assim, Ele é o verdadeiro árbitro. Em sua relação com o pecador, a sua obra de Mediador não é outra senão a de ser substitutiva, e, para evitar repetição, o tema não precisa ser estudado separadamente a essa altura.

SOTERIOLOGIA

4. SUBSTITUIÇÃO COM RESPEITO AO JULGAMENTO DO PECADO. Um parágrafo anterior prestou-se para a consideração da força da doutrina da substituição expressa pelas palavras gregas ἀντί e ὑπέρ. Esta doutrina não é somente ensinada de uma forma clara na Bíblia, mas a sua verdade tem feito muito para gerar confiança em Deus, no perdão de pecados, do que todos os ensinos éticos de Cristo e o seu exemplo de vida combinados. É bom observar também que não é a doutrina da morte de Cristo pelo pecado, mas, antes, a morte em si que proporciona alívio para o coração carregado de fardo. O estudo das teorias empolga o estudante de teologia, mas o que o pecador carregado precisa é da verdade de que Cristo realmente morreu em seu lugar.

Talvez mais coisas tenham sido escritas sobre o tema da morte de Cristo do que qualquer outro assunto na Bíblia. Passagens têm sido classificadas e analisadas com o mais extremo cuidado. As afirmações bíblicas são convincentes e confirmam que "Cristo morreu pelos nossos pecados"; "Ele levou sobre si os nossos pecados"; "Ele foi feito pecado por nós"; "Ele foi maldito por nós". A remissão do pecado e a libertação da ira são ditas ser totalmente trazidas através de sua morte pelo pecado: "Ele deu a sua vida em resgate por muitos". Sua morte foi uma redenção, reconciliação e uma propiciação. Toda objeção que o conhecimento humano pode fazer tem sido arremessada contra essas declarações, mas sem proveito. A verdade justifica-se a si mesma, e é difícil na verdade argumentar contra o que sempre produz a bênção que dela resulta. Neste contexto, uma afirmação de William Ellery Channing (1780-1842), "o apóstolo do unitarianismo", é de grande interesse. Ele declarou:

Não temos desejo algum de esconder o fato de que uma diferença de opinião existe entre nós (os unitarianos) a respeito de um aspecto interessante da mediação de Cristo; eu quero falar a respeito da influência exata de sua morte sobre o nosso perdão. Muitos propõem que esse evento contribuiu para o nosso perdão, como ele foi um meio principal de confirmar a sua religião, e de dar a ele um poder sobre a mente; em outras palavras, que ele consegue perdão por conduzir ao arrependimento e virtude que é a grande e única condição sobre a qual o perdão é concedido. Muitos de nós estamos insatisfeitos com essa explicação, e pensamos que as Escrituras atribuem a remissão de pecados à morte de Cristo, *com uma ênfase tão peculiar que nós devemos considerar este evento como uma influência especial em remover punição*, embora as Escrituras possam não revelar o modo em que ela contribui para esse fim. Enquanto isso, contudo, diferimos na explicação da conexão entre a morte de Cristo e o perdão humano, *uma conexão que nós todos reconhecemos agradecidamente*, nós concordamos em rejeitar muitos sentimentos que prevalecem com respeito a sua mediação.[17]

O fato de que Aquele que demonstrou sua divindade, de modo que mentes sinceras não podem rejeitar, veio a este mundo e teve uma morte sacrificial – asseverando com veracidade irrepreensível que foi com a finalidade de que homens pudessem ser salvos de seus pecados, para que a satisfação pudesse ser feita a Deus, para que os homens pudessem ser perdoados e justificados com base em Sua morte, para que de nenhum outro modo o governo moral de Deus pudesse ser sustentado – imposta a um conjunto de verdades sobre o pensamento do mundo, que é calculado, para se tornar o fator mais dominante em sua filosofia de vida. Se ele falha em se tornar isso, a razão de ser buscada na esfera da negligência, ou incapacidade, ou insinceridade libertina, fica próximo da desonestidade para os homens dizer, como sempre eles fazem, que não há uma palavra na Bíblia a respeito da punição devida pelos nossos pecados que foi impingida por um Deus justo sobre o seu próprio Filho. Nem satisfaz as exigências da verdade revelada asseverar que Cristo compartilhou o pecado humano somente por simpatia pelo pecador, ou que ele tenha oferecido alguma espécie de confissão vicária pelo pecador, ou que, como um homem, Ele virtualmente tenha partilhado das conseqüências do pecado que está no mundo. Tudo isso sugere a loucura de 1 Coríntios 1.23.

Uma extensa classificação de textos que tratam daquilo que é realizado por Cristo em sua morte foi preparada em 1871 por T. J. Crawford. Esta análise é anexada aqui:

I. Passagens que falam de Cristo (1) *morrendo* pelos pecadores: Mateus 20.28; Lucas 22.19a; 22.19b; João 6.51; 10.11, 15, 18; 15.12, 13; Romanos 5.6-8; 8.32; 2 Coríntios 5.14, 15; 5.21; Gálatas 2.20; 3.13; Efésios 5.2, 25; 1 Tessalonicenses 5.9, 10; 1 Timóteo 2.5, 6; Tito 2.13, 14; Hebreus 2.9; 1 Pedro 3.18; 1 João 3.16; (2) *sofrendo* pelos pecados: Isaías 53.5, 8; Romanos 4.25; 8.3; 1 Coríntios 15.3; Gálatas 1.4; Hebreus 10.12; 1 Pedro 3.18; (3) *levando* os nossos pecados: Isaías 53.6, 11, 12; Hebreus 9.28; 1 Pedro 2.24; (4) *sendo* "feito pecado" e "feito maldição por nós": 2 Coríntios 5.21; Gálatas 3.13.

II. Passagens que atribuem à morte de Cristo (1) a *remoção* e a *remissão* de pecados, e a *libertação* de suas conseqüências penais: Mateus 26.28; Lucas 24.46, 47; João 1.29; 3.14-17; Atos 10.43; 13.38, 39; Efésios 1.6, 7; Colossenses 1.13-14; 1 Tessalonicenses 5.9, 10; Hebreus 9.26; 1 João 1.7; Apocalipse 1.5-6; (2) a *justificação*: Isaías 53.11; Romanos 5.8, 9; 3.24-26; (3) a *redenção*: Mateus 20.28; Atos 20.28; Romanos 3.23, 24; 1 Coríntios 6.19; Efésios 1.7; Colossenses 1.14; Hebreus 9.12; 1 Pedro 1.18, 19; Apocalipse 5.9; (4) a *reconciliação* com Deus: Romanos 5.10, 11; 2 Coríntios 5.18, 19; Efésios 2.16; Colossenses 1.21, 22.

III. Passagens nas quais o Senhor Jesus Cristo é apresentado (1) como a *propiciação* pelo pecado: Romanos 3.25; Hebreus 2.17; 1 João 2.2; 4.10; (2) como *sacerdote*: Salmo 110.4; Hebreus 2.17; 3.1; 4.14; 7.26; 10.21; (3) como *representante*: 1 Coríntios 15.20-22, 45-49; Romanos 5.12, 18, 19; Hebreus 5.1; 7.22.

IV. Passagens que apresentam os sofrimentos de Cristo como "sacrificais", sob este título: "Eis o Cordeiro de Deus", que deveria reaparecer. A este podem ser acrescentados: 1 Coríntios 5.7; Efésios 5.2; Hebreus 9.22-28; 10.11-14; Apocalipse 7.14, 15.

V. Passagens que conectam os sofrimentos de Nosso Senhor com a sua *intercessão*: 1 Timóteo 2.5, 6; 1 João 2.1, 2; Apocalipse 5.6; já citados, reaparecem, em Filipenses 2.8-10.

SOTERIOLOGIA

VI. Passagens que apresentam a *mediação* de Cristo, (1) que *consegue* a influência graciosa do Espírito Santo: João 7.39; 14.16, 17, 26; 15.26; 16.7; Atos 2.33; Gálatas 3.13, 14; Tito 3.5, 6; (2) que *confere* a todos os cristãos graças que são fruto do Espírito Santo: João 1.16; 15.4, 5; 1 Coríntios 1.4-7, 30; Efésios 1.3, 4; 2.10; 4.7; Colossenses 2.9, 10; (3) que nos *liberta* do domínio de Satanás: João 12.31, 32; Colossenses 2.15; Hebreus 2.14, 15; 1 João 3.8; (4) que *obtém* vida eterna para nós: João 3.14, 15; 5.24; 6.40, 47, 51; 10.27, 28; 14.2, 3; 17.1, 2; Romanos 5.20, 21; 6.23; 2 Timóteo 2.10; Hebreus 5.9; 9.15; 1 Pedro 5.10; 1 João 5.11; Judas 21.

VII. Passagens que indicam o estado da mente do Salvador na perspectiva e na duração de Seus sofrimentos: Mateus 26.36-44; 27.46; Lucas 12.50; João 10.17, 18; 12.27.

VIII. Passagens que falam da mediação de Cristo em relação (1) à *livre* chamada e oferta do Evangelho: João 14.6; Atos 4.12; 1 Coríntios 3.11; 1 Timóteo 2.5; (2) à *necessidade* de fé, a fim de se obter as bênçãos do Evangelho: João 1.12; 3.18, 36; 6.35; Atos 13.38, 39; 16.31; Romanos 1.16; 3.28; 5.12; 10.4; Gálatas 5.6; Efésios 2.8, 9.

IX. Passagens que falam da obra mediatorial e sofrimento de Cristo em relação (1) ao Seu *pacto* com o Pai: João 6.38-40, 51; (2) à Sua *união* com os salvos: João 15.4; Romanos 6.5; 2 Coríntios 4.10; Gálatas 2.20; Efésios 2.5, 6; Filipenses 3.10; Colossenses 2.12; 3.3.

X. Passagens que falam da morte de Cristo (1) como a *manifestação* do amor de Deus: João 3.16; Romanos 5.8; 8.32; 1 João 4.9, 10; como o *exemplo* de paciência e resignação: Lucas 9.23, 24; Hebreus 12.1-3; 1 Pedro 2.20, 21; como *designado* para promover a nossa santificação: João 17.19; 2 Coríntios 5.15; Gálatas 1.4; Efésios 5.25-27; Tito 2.14; Hebreus 10.10; 13.12; 1 Pedro 2.24.

É natural que muito do que tem sido escrito a respeito do primeiro advento de Cristo deva assumir que o seu objetivo em vir está exaurido no propósito de que era de ser um sacrifício pelos pecadores. Assim, deve ser alegado por muitos que todo o Seu sacrifício, mesmo o de deixar o céu, e toda privação e rejeição, foi vicário em seu caráter, isto é, foi feito em favor de outros. Sem dúvida, outros foram beneficiados; mas esse sacrifício foi em qualquer sentido uma substituição, visto que nenhum outro jamais foi apontado para o caminho que Ele seguiu. Toda sua vida foi um sacrifício, mas pelo uso bíblico universal somente aquele sacrifício, pelo qual Ele deu sua vida na cruz, é vicário e substitutivo. Será lembrado, também, que houve muita coisa cumprida no primeiro advento de Cristo, quando Ele manifestou Deus: Ele trouxe a nação de Israel sob prova, e satisfez o amor de Deus.

O pecador ganhou um privilégio, mas Deus ganhou um benefício de proporções infinitas. Semelhantemente, a morte de Cristo alcança em seus efeitos as esferas angelicais e o próprio céu. Portanto, não é suficiente presumir que a morte substitutiva de Cristo pelos pecadores contempla tudo o que os seus sofrimentos e morte realizaram. Certos títulos sugerem o amplo escopo dos interesses e empreendimentos graciosos de Cristo. Ele é o Último Adão, o Cabeça, o Sumo Sacerdote, o Marido, o Advogado, a Propiciação, o

Intercessor; mas em nenhum desses títulos Ele toma o lugar de outros como vigário ou substituto.

No meio de tão grande e complexa revelação a respeito das realizações e relacionamentos de Cristo, nenhum é tão constantemente enfatizado como o de sua substituição no sofrimento e na morte pelos pecadores. Se essa grande transação – o Pai oferece o seu Filho como o Cordeiro de Deus para tirar o pecado do mundo – fosse supremamente imoral, como alguns declaram (que não é), ela permaneceria ainda nas páginas da Bíblia mais sustentada pela repetida asserção do que quase todos os outros assuntos. Em outras palavras, a doutrina da substituição não é somente revelada ao homem por Deus como a sua solução graciosa do problema do pecado, mas é real, e deixa apenas uma obrigação para aqueles por quem o Salvador morreu, que é a deles *crerem*. Seria difícil, na verdade, explicar a agonia do Salvador no jardim e na cruz – uma agonia que vai muito além da tortura física – se é afirmado que o pecado não foi colocado sobre Ele.

Neste aspecto da verdade, Henry Rogers, em sua terceira carta sobre a expiação, escreveu: "E lembre-se, que se você insiste sobre a injustiça da imposição dos sofrimentos de Cristo da parte de Deus, pelos pecados de outros, você não pode fugir de dificuldade similar, e maior em grau, sobre o seu próprio sistema; pois, pode ser menos injusto impingir tais sofrimentos sobre Cristo *que não teve pecado algum?* Se é injusto aceitá-lo como sacrifício pela culpa, quanto mais injusto deve ser insistir no sacrifício por nada, e quando a vítima três vezes implorou em agonia que, *se fosse possível, passasse dele o cálice*".[18] A dificuldade em explicar os sofrimentos e morte de Cristo é grandemente aumentada quando é considerado que Ele próprio era o Cordeiro de Deus santo e imaculado. Nisto não há um retrocesso da verdade essencial de que Cristo se tornou o substituto legal, cujo empreendimento exigiu dele que satisfizesse os juízos devidos pelos pecados daqueles a quem representou.

Ele se tornou o Fiador, a segurança deles (Hb 7.22), pagou as dívidas de todos e proporcionou o resgate requerido. Esta é a importância exata da linguagem empregada no Texto Sagrado. Há uma distinção a ser vista entre as obrigações *pecuniárias* e *morais*; todavia, a Bíblia sugere que existe um paralelo real entre essas obrigações como se fala do sacrifico e do sangue de Cristo como um resgate e uma redenção. Um débito de obrigação a uma lei violada ou a uma autoridade ofendida pode ser tão real como um débito financeiro que é contraído por alguém. Um criminoso na prisão, ou quando executado, paga o débito que ele deve à lei ou ao governo ultrajado. A base de toda obrigação é o dever da criatura em cumprir o propósito e a vontade do Criador. Nisto, todos têm pecado e carecem da glória de Deus. Um Substituto sem pecado *comprou* a libertação dos pecadores (At 20.28), pagou o *preço* exigido (1 Co 7.23), um *resgate* (Mt 20.28), e uma *redenção* (Ef 1.7).

O aspecto legal dessa revelação é que Deus requereu que o pecador cumprisse a sua obrigação. Não poderia haver um retrocesso nessa santa exigência. O amor de Deus é visto no fato de que Cristo *voluntariamente* consentiu pagar

SOTERIOLOGIA

o débito, e no fato de que o Pai aceitou o pagamento das mãos do Substituto. Assim, o caminho da salvação para os pecadores, com base nos sofrimentos e morte do Substituto, é estabelecido; e, em adição à indiscutível realidade que essa revelação demonstra, a mesma verdade é alegada pela eficácia infalível dela na experiência daqueles que crêem. É possível descrer e rejeitar as provisões de Deus para o pecador no Substituto, mas é pueril afirmar que a Bíblia não ensina a doutrina da substituição. Deus é "tão puro de olhos que não pode contemplar o mal" (Hc 1.13).

Ele antes magnifica a lei e a torna honrada (Is 42.21), e nenhuma sustentação mais perfeita da lei do santo Ser divino poderia ser concebida melhor do que na exemplificação de um substituto qualificado que toma sobre si a obrigação de quitar a dívida do pecador. O apóstolo Paulo afirma: "Pois o amor de Cristo nos constrange, porque julgamos assim: se um morreu por todos, logo todos morreram... pois que Deus estava em Cristo reconciliando consigo o mundo, não imputando aos homens as suas transgressões; e nos encarregou da palavra da reconciliação... Àquele que não conheceu pecado, Deus o fez pecado por nós; para que nele fôssemos feitos justiça de Deus" (2 Co 5.14, 19, 21).

A importância deste e de outros textos da Escritura não é que Cristo, em um sentido comercial, suportou o pecado do mundo. Isto significaria que se tivesse havido mais um pecador no mundo, os Seus sofrimentos teriam sido aumentados muito, ou se tivesse havido um pecador a menos, os Seus sofrimentos teriam diminuído bastante. Num sentido *forense*, Cristo fez o sacrifício legal pelo pecado, o valor do qual está disponível para todos os que crêem. Se agradasse a Deus acabar com a transgressão humana imediatamente após o primeiro pecado do homem, teria havido a mesma necessidade dos mesmos sofrimentos e morte da parte do Salvador, para salvar aquele um só pecador de seu único pecado. Por outro lado, o convite é estendido ao mundo perdido, visto que Cristo suportou a penalidade judicial do pecado, para receber esses benefícios proporcionados.

Sobre esta verdade vital, o Dr. Augustus H. Strong escreve: "Exatamente como seria necessária a mesma quantia de sol e chuva, se somente um fazendeiro sobre a terra fosse beneficiado. Cristo não precisaria sofrer mais, se todos fossem salvos. Os seus sofrimentos, como já vimos, não foram o pagamento de um débito pecuniário. Por ter suportado a penalidade do pecador, a justiça permite a libertação do pecador, mas não a requer, exceto como o cumprimento de uma promessa para o seu substituto, e então somente com a condição indicada de arrependimento e fé. A *expiação* é ilimitada – toda a raça humana poderia ser salva através dela; a aplicação da expiação é limitada – somente aqueles que se arrependem e crêem são realmente salvos por ela."[19] A ilustração bíblica do sofrimento e morte forense é apresentada em tipos. Um cordeiro poderia servir para um indivíduo, como no caso de Abel; um cordeiro poderia servir para uma família, como acontecia na Páscoa; ou poderia servir para uma nação, como aconteceu no dia da expiação.

O valor do sacrifício não deve ser avaliado pela intensidade da angústia do Salvador, mas, antes, pela dignidade e valor infinito dAquele que sofreu. Ele não ofereceu mais ou menos; Ele deu-*se a Si mesmo*, mas este não foi outro senão a Segunda Pessoa da Trindade em quem residem a dignidade e a glória imensuráveis.

Intimamente relacionado ao aspecto citado da morte substitutiva de Cristo, está o que foi sustentado pelos teólogos mais antigos, a saber, que Cristo realmente se fez *pecado*, antes do que simplesmente suportou a penalidade do pecado; isto é, o estado real da Segunda Pessoa cessou de ser santo e tornou-se aquilo que um pecador caído é. O que Cristo suportou ou se tornou, não pode ser medido pelo homem, simplesmente por causa do fato que nenhum homem é capaz de avaliar essas questões do ponto de vista do Cordeiro de Deus imaculado. Não obstante, Deus não somente convida os homens a serem salvos pela fé no seu Cordeiro, mas muito fielmente declara que a salvação que Ele oferece está baseada na substituição que Cristo empreendeu – o Justo pelos injustos.

O pecado foi *colocado* sobre Ele, e Ele foi *feito* pecado, Ele *suportou* o nosso pecado, sua alma foi *feita* uma oferta pelo pecado, e Ele deu-*se a Si mesmo* por nós (cf. Is 53.6, 10-12; Rm 8.3; 2 Co 5.21; Gl 3.13; Hb 9.28; 1 Pe 2.24); assim, convém ao homem procurar conhecer *tudo* o que Deus falou, crer que Ele quer que o homem pretenda entender isso e que o homem foi grandemente honrado por tal revelação. O Dr. W. Lindsay Alexander discute este aspecto da Soteriologia em uma maneira bem própria a esta tese. Ele escreve:

> Começando com aqueles que olham para a expiação de Cristo à luz de uma satisfação legal ou expiação judicial, eu observo que todos concordam no pensamento de que a obra de Cristo deriva sua dignidade da união das naturezas divina e humana em Sua pessoa, e todos admitem que a dignidade não é somente suprema, mas infinita. Há uma diferença, entretanto, entre certas escolas ou classes deles com respeito à natureza da compensação atribuída ao governo divino e a lei em nosso favor por Cristo, Seu propósito especial e a intenção em fazer a oferta, e a extensão conseqüente à qual sua obra foi designada ser suficiente. Dessas várias opiniões observamos as seguintes: (1) *A dos hipercalvinistas* – um nome que foi dado, não por causa daqueles a quem ele é referido, que são considerados como tendo ido muito além de Calvino em sua doutrina, mas porque eles portam as idéias de Calvino neste assunto na sua extensão extrema, e as sustentam com rigidez inflexível. (a) De acordo com eles, a obra de Cristo foi da natureza de um preço pago para a libertação do homem das penalidades em que incorreu – um preço que teve uma relação fixa e exata à quantia de débito que o homem tinha incorrido por seus pecados. De acordo com essa visão, o que Ele pagou foi estritamente um *quid pro quo*; houve muita coisa de um lado como de outro; o sofrimento de obediência do Salvador é um equivalente exato pelos pecados dos salvos, e não por uma *solutio tantadem*, mas por uma *solutio ejusdem*, i.e., não por pagar alguma coisa de valor igual da mesma

espécie, mas por pagar a coisa real que era devida. Essa opinião não pode ser atribuída a Calvino, que se expressa de uma maneira muito geral com respeito à satisfação feita pelo homem por Cristo. "Quando nós dizemos", ele observa, "que o favor foi conseguido por nós pelo mérito de Cristo, nós queremos dizer isto, que pelo seu sangue nós fomos purificados, e que a sua morte foi uma expiação pelos nossos pecados". "Isto eu tomo como certo, que se Cristo satisfez pelos nossos pecados, se Ele sofreu a punição que nos era devida, se por sua obediência Ele propiciou Deus, se, Ele, o justo, sofreu pelos injustos, então a salvação foi conseguida por sua justiça para nós, que é equivalente a nós mesmos como se a tivéssemos merecido".[20] Estas afirmações são tão gerais que podem ser desenvolvidas por qualquer um que sustente a teoria da *satisfação*. Entre os seguidores de Calvino, contudo, tanto no continente quanto nas ilhas britânicas, são encontrados alguns por quem a doutrina, como está afirmada acima, foi asseverada em toda a sua rigidez. Não somente foi sustentado que Cristo se tornou "o patrocinador somente daqueles que, pela eleição eterna, lhe haviam sido dados pelo Pai... e a eles somente Ele reconciliou com Deus"[21] – que Ele não fez satisfação ou de modo algum morreu para salvar todos, mas somente aqueles a quem o Pai lhe havia dado, e que só esses são realmente salvos;[22] mas a opinião foi amplamente admitida de que houve uma transferência do pecado do eleito a Cristo, e que Ele realmente sofreu o mesmo que eles teriam sofrido, e por isso pagou pela redenção deles exatamente o que a lei exigia como penalidades devidas das ofensas deles. Assim, Owen diz da satisfação feita por Cristo: "Foi uma compensação plena e valiosa feita à justiça de Deus por todos os pecados de todos aqueles por quem Ele fez satisfação por suportar aquela mesma punição que, em razão da obrigação que estava sobre eles, que eles próprios estavam presos a suportar. Quando diz "a mesma", deseja explicar: "Eu quero dizer essencialmente o mesmo peso e pressão, embora não em todos os acidentes da duração e coisas semelhantes, pois é impossível que Ele fosse detido pela morte".[23] Mais adiante, no mesmo tratado, ele diz, em referência à imposição dos pecados sobre Cristo, que Deus "acusou-o e lhe imputou todos os pecados de todos os eleitos, e procedeu contra ele adequadamente. Ele permaneceu como a nossa *segurança*, realmente acusado de todo o nosso débito, e veio pagar as coisas mais insignificantes, que foram requeridas dele; embora não tivesse emprestado uma quantia de dinheiro, nem teve um centavo pelo qual tivesse obrigação, todavia se Ele foi condenado a uma execução, deve pagar tudo. O Senhor Jesus Cristo (se posso dizer) foi condenado pela justiça do Pai a uma execução, em resposta ao que experimentou tudo que era devido ao pecado".[24] Num outro tratado, o mesmo grande teólogo diz o seguinte como a expressão de seu pensamento a respeito da satisfação prestada por Jesus: "Cristo pagou a mesma coisa que estava na obrigação; como se nas coisas reais um amigo devesse pagar vinte libras para ele que lhe devia tanto e nenhuma outra dívida de outra espécie." ... "Eu afirmo que Ele pagou *idem*, a saber, a mesma coisa que estava na obrigação, e não *tantundem*, alguma coisa equivalente além disso em outra espécie".[25] E mais para a frente, ele diz: "A *asserção* que eu procuro manter é esta: Que a punição que nosso Salvador sofreu foi a mesma que a lei requeria de nós, Deus afrouxou sua lei com relação à pessoa que sofre, mas não com a penalidade sofrida".[26] Estas afirmações de Owen são consideradas como que se apresentassem claramente, e em poucas palavras, quais foram as idéias sustentadas pelos puritanos ingleses e os primitivos não-conformistas com respeito à natureza e extensão da expiação feita pelo pecado por Cristo. Eles criam que ela era em si mesma de valor infinito; mas eles a consideravam como limitada tanto em seu desígnio quanto no efeito aos eleitos, e como da natureza de um pagamento à lei de um *quid pro quo*, algo permanente feito por Cristo, relativo à real penalidade que eles, como pecadores, tinham merecido, a fim de assegurar a libertação deles. Por alguns o caráter comercial foi atribuído à expiação, e isso foi levado a extremos, e a idéia de uma real e exata comutação dos pecados dos homens de um lado, e a justiça de Cristo do outro, foi acolhida e defendida. O principal representante dessa escola foi o Dr. Crisp, um ministro britânico de Brinkworth, em Wiltshire, por volta da metade do século XVII; e cita os nomes de Chauncy, Saltmarsh e Gill, entre os seus aderentes. A republicação das obras do Dr. Crisp pelo seu filho no final do século conduziu às suas idéias peculiares sobre o assunto da expiação comentadas pelo Dr. Daniel Williams, um ministro presbiteriano inglês, numa obra intitulada, *Gospel-Truth Stated and Vindicated* (Londres, 1692), que passou por diversas edições, e deu surgimento a uma controvérsia violenta. Das idéias desenvolvidas pelo Dr. Crisp, um pensamento correto será obtido de suas próprias palavras, que eu cito da obra do Dr. Williams. Ao falar da colocação de nossos pecados sobre Cristo, ele diz: "É a iniqüidade em si mesma que Deus colocou sobre Cristo; não somente a nossa punição, mas o nosso real pecado... Essa transação de nossos pecados a Cristo é um ato real; os nossos pecados se tornam de Cristo, para que Ele se tornasse um pecador em nosso lugar... Para falar mais claramente: tu tens sido um idólatra, tudo tens sido um blasfemo, tu tens sido um assassino, um adúltero, um ladrão, um mentiroso, um beberrão? Se tu tens parte no Senhor, todas essas transgressões tuas se tornam realmente as transgressões de Cristo". Num outro lugar ele insiste sobre a transferência de nosso pecado a Cristo e de sua justiça a nós: "Observe bem: o próprio Cristo não tão completamente justo, mas nós somos tão justos quanto Ele é; nem somos tão completamente pecaminosos, mas Cristo se tornou, por ter sido feito pecado, tão completamente pecaminoso como nós. Não mais somos a mesma justiça, porque somos feitos justiça de Deus; com a real pecaminosidade que nós fomos, Cristo torna-se essa real pecaminosidade perante Deus. Portanto, há uma mudança direta – Cristo toma a nossa pessoa e condição e permanece em nosso lugar; nós tomamos a pessoa e condição de Cristo e permanecemos em Seu lugar". Essas passagens podem servir para comunicar uma visão clara das doutrinas sustentadas por essa escola – uma escola que, embora conte entre os seus aderentes alguns dos melhores e mais santos dos homens, tem sido a principal promotora e apoiadora do antinomianismo neste país. Essas idéias têm sido e ainda continuam a ser repudiadas por um grande grupo de ingleses não-conformistas. Bates, Howe, Alsop, com muitos outros calvinistas decididos, se juntaram para denunciá-las como extrabíblicas e perigosas; e em tempos posteriores a vigorosa pena de Andrew Fuller – para não mencionar nomes menos famosos – foi empregada na exposição delas e advoga posições calvinistas à parte dessas. Mesmo o Dr. Owen levantou a sua voz contra eles, pois em um dos seus maiores tratados, o da *Doutrina da Justificação pela Fé*, ele diz expressamente: "Nada é mais absolutamente verdadeiro, nada é mais sacra e certamente crido por nós do que simplesmente daquilo que Cristo fez ou sofreu, nada que Ele não tenha empreendido ou sofrido, feito, ou que possa constituí-lo subjetiva, inerentemente, e sobre isso pessoalmente, um pecador ou culpado de qualquer pecado que lhe fosse seu. Suportar a culpa das faltas de outros homens – ser *alienae culpae reus* – não faz do homem um pecador, a menos que ele o tenha empreendido imprudente ou irregularmente" (p. 201); e ainda: "O nosso pecado foi imputado a Cristo somente embora Ele fosse a nossa certeza por um tempo – para esse fim, que Ele pudesse ter tirado, destruído e abolido o pecado. O pecado nunca foi imputado a Ele no sentido de fazer qualquer alteração absolutamente em seu estado ou condição pessoal" (p. 203). E, por outro lado, ele fortemente sustenta que "não obstante essa satisfação plena que foi feita uma vez pelos pecados do mundo que será salvo, todavia todos os homens continuam igualmente a nascer por natureza 'filhos da ira', e enquanto eles não crêem que a ira de Deus permanece sobre eles, isto é, eles são detestáveis e ficam sob a maldição da lei" (p. 216); e ainda: "A justiça de Cristo não é transfundida a nós no sentido de ser tornada inerentemente nossa e subjetivamente nossa, como foi nele" (p. 218). Destas citações fica evidente que Owen estava longe de sustentar as posições extremas do Dr. Crisp e de sua escola. As posições de Owen foram aceitas e advogadas pelo grande teólogo americano Jonathan Edwards, que, em seu *Essay Concerning the Necessity and Reasonableness of the Christian Doctrine of Satisfaction for Sin*, usa tal linguagem como a que se segue: "Cristo sofreu a punição plena do pecado que lhe foi imputado, ou ofereceu a Deus o que era plena e completamente equivalente ao que nós devemos à justiça divina por causa dos nossos pecados" (p. 384). "A satisfação de Cristo pelo sofrimento da punição do pecado deve ser propriamente distinta como atuante em sua própria natureza, diferente do mérito de Cristo. Pois o mérito é somente alguma excelência ou valor. Mas quando consideramos os sofrimentos de Cristo meramente como a satisfação pela culpa de um outro, a excelência do ato de Cristo em sofrer não entra em consideração; mas somente estas duas coisas, a igualdade ou a equivalência à punição que o pecador merecia; e segundo, a união entre Ele e eles, ou a propriedade de Seu ser aceita no sofrimento como o representante do pecador" (p. 389).[27]

Como conclusão, pode ser observado que, em seus sofrimentos e morte, Cristo suportou mais do que a mera penalidade – embora esteja claro que Ele suportou a penalidade, porque o salário do pecado é a morte, e a maldição e condenação caíram sobre Ele. Outros textos da Escritura indicam uma identificação da parte de Cristo com o pecador e sugerem que ambos, o pecado e a penalidade, foram postos sobre Ele, mas nunca em prejuízo do Seu próprio caráter ou com o fim de que possa ser dito dele que precisou ser salvo ou perdoado. Na verdade, foi nessa hora de sua morte sacrificial, como será visto ainda, que Ele oferecia um mérito perfeito ao Pai no qual o pecador sem mérito pode ser aceito para sempre. Não há uma base para surpresa que um mistério inescrutável seja confrontado quando o Deus infinito realiza o seu maior empreendimento, e de um modo que seja consoante com as coisas eternas e celestiais.

5. SUBSTITUIÇÃO NAS ESFERAS DA PERFEIÇÃO DIVINA. As palavras que compõem este título servem para introduzir um aspecto muito negligenciado do Evangelho da graça de Deus. É seguramente verdadeiro que o justo perdão do pecador é assegurado pela substituição de Cristo como o portador do pecado; mas a salvação de uma alma envolve muito mais do que a remoção ou a subtração do pecado de um pecador que o perdão realiza. Um pecador sem os seus pecados dificilmente poderia ser contado como um cristão plenamente constituído. Na salvação de uma alma muita coisa é *acrescentada* – a vida eterna é o dom de Deus, e a justiça de Deus é imputada aos que crêem (Rm 5.17). Embora a vida eterna seja um dom soberano, Deus não mais legaliza uma ficção quando Ele imputa a justiça do que quando perdoa pecado. É admitido que não há uma questão moral envolvida no dom da vida eterna e na imputação da justiça envolvidas no perdão do pecado; mas uma base justa para tais bênçãos é imperativa.

Os dois aspectos da salvação – o dom da vida eterna e o dom da justiça – são contrapartes de um grande fato da união com Cristo. Em palavras mais simples – até onde é possível isto no vernáculo – Cristo referiu-se a estes dois fatos importantes de relacionamento quando disse: "Vós em mim, e eu em vós" (Jo 14.20). Do primeiro relacionamento – "vós em mim" – é afirmado que todas as bênçãos espirituais são asseguradas pela posição do cristão em Cristo. Está escrito: "Bendito seja o Deus e Pai de nosso Senhor Jesus Cristo, o qual nos abençoou com todas as bênçãos espirituais nas regiões celestes em Cristo" (Ef 1.3). E do segundo relacionamento – "e eu em vós" – está escrito: "Quem crê no Filho tem a vida eterna; o que, porém, desobedece ao Filho não verá a vida, mas sobre ele permanece a ira de Deus" (Jo 3.36); "E o testemunho é este: que

SOTERIOLOGIA

Deus nos deu a vida eterna; e esta vida está em seu Filho. Quem tem o Filho tem a vida; quem não tem o Filho de Deus não tem a vida" (1 Jo 5.11, 12).

Do dom de Deus que é a vida eterna pode ser dito que ele é um dos dois benefícios intimamente relacionados – o de que Cristo é dado para o crente, e o de que o crente é dado pelo Pai a Cristo (Jo 17.2, 6, 9, 11, 12, 24). Ambos os dons são a expressão do amor do Pai e são soberanamente concedidos quando, através da obra de Cristo, o caminho é claro para o exercício desse amor.

Por outro lado, a posição do crente em Cristo é assegurada com base justa através da substituição operada por Cristo na cruz. Muita coisa já foi apresentada no volume II, capítulo XVIII, na doutrina da justiça imputada e sua declaração divina, quando Deus pronuncia o justo a ser justificado eternamente. Tem sido afirmado nestas páginas que a justificação, baseada na justiça imputada, não é a legalização de uma ficção; ela é o reconhecimento de um fato, que é assegurado por provisões infinitas até o fim. Em geral essa provisão é da duas partes; primeiro, pelo batismo do Espírito para dentro do corpo Cristo.

É notável que a palavra βαπτίζω seja usada para ambos: o batismo ritual (água) e o batismo real (Espírito), e, sem referência a quaisquer convicções que possam ser nutridas a respeito do modo de batismo e no que ele significa, a verdade essencial permanece: que a mesma palavra seja usada tanto para o batismo ritual quanto para o real, e é a única variação com respeito aos significados primário e secundário. O significado primário é *submergir* – não *mergulhar*, verbo esse que sugere duas ações: a de colocar dentro e retirar. Βαπτίζω significa somente *colocar dentro*, e, quando usada para descrever o ministério do Espírito de unir o crente com Cristo, a única coisa desejada é que ele não seja retirado de Cristo novamente. O significado primário desta palavra sugere um envoltório físico – uma *intusposição*. O significado secundário – evidentemente derivado do significado primário – é que uma coisa é batizada, se for juntada intimamente com aquilo que exerce uma influência determinante sobre ela.

Na verdade, esse é o batismo para arrependimento; para a remissão dos pecados; para o Pai, o Filho, e o Espírito Santo; em Moisés, e em Cristo. Em nenhum desses casos há uma *intusposição* física; todavia, há batismos que são vitais além da medida. Por conceder o Espírito, Cristo batizou com o Espírito Santo (ἐν πνεύματι – Mt 3.11; cf. Mc 1.8; Lc 3.16; Jo 1.33; At 1.5. Semelhantemente, de Cristo foi prometido que Ele batizaria também com fogo (Lc 3.16). Em ambos os batismos, com Espírito e com fogo, pode ser obtido o significado secundário. Os crentes são batizados pelo Espírito no corpo de Cristo (Rm 6.3; 1 Co 12.13; Gl 3.27), e, como tem sido afirmado, nesse batismo não há uma *intusposição*, embora uma união vital seja assegurada, que é definida como se a pessoa estivesse *unida ao Senhor*, e *torna-se um membro de Seu corpo*.

Esta união determina aquilo que qualifica a vida em si mesma. Ser colocado *em Cristo* é ter sido retirado do primeiro Adão e de sua ruína e colocado no Último Adão e, assim, torna-se participante de tudo o que Ele é. Nenhuma mudança poderia ser mais real, nem poderia qualquer uma ser mais transformadora. É a desobediência federal do primeiro Adão que constituiu os homens pecadores, e é a obediência federal do Último Adão que constitui aqueles que "recebem a abundância da graça e o dom da justiça", justiça à vista de Deus, pela imputação que é baseada na nova relação deles com o Cabeça da nova criação – o Cristo ressuscitado (Rm 5.15-21). Cristo é a justiça de Deus e todos os que estão nele são, pela necessidade mais arbitrária, constituídos naquilo que Ele é.

Embora a cirurgia nunca tenha juntado os membros de um corpo humano[28], esta idéia é empregada no Novo Testamento como ilustração (1 Co 12.18; Ef 4.13-16). Um homem muito honrado – mesmo o presidente do país ou o seu rei – após perder uma de suas mãos, não poderia, por cirurgia, receber a mão amputada de um assassino notório, cuja mão foi manchada por crimes e cujas impressões digitais são arquivadas na polícia. Contudo, após ser unida ao novo organismo, essa mão, como um membro não somente perde sua desonra e a sua má associação anterior, mas é investida imediatamente com toda a virtude do novo organismo ao qual ela é juntada. Nenhum membro poderia ser juntado a Cristo sem participar daquilo que Cristo é – a justiça de Deus. Se surge a dificuldade quando se estuda esta maravilhosa verdade, será por causa da incapacidade de reconhecer a união absoluta a Cristo que o batismo do Espírito realiza. Todavia, tal imputação de mérito não é uma matéria de autoridade soberana à parte do direito legal de agir. A visão legal dessa ação divina deve ser encontrada, em segundo lugar, naquele aspecto da morte de Cristo que é tipificado pelo suave cheiro das ofertas.

Já foi feita referência anteriormente nesta discussão à base legal que o aspecto das ofertas que não possuem suave cheiro da morte de Cristo proporciona para o perdão de pecado, e foi observado que esse aspecto é muito freqüentemente considerado o sumo e a substância do Evangelho da graça divina. Contudo, nenhuma justificação pode ser desenvolvida para a discriminação preconcebida que revela muito naquilo que as ofertas de cheiro não suave representam na morte de Cristo, e, todavia, quase a totalidade ignora aquilo que as três ofertas de cheiro suave representam. Será verificado que o aspecto do suave cheiro da morte de Cristo assegura a mesma base legal suficiente para a concessão do mérito como acontece com o aspecto da oferta sem o suave cheiro, para a remoção do demérito. Em um caso, há a substituição do pecado através do Substituto que o tira do pecador; no outro caso, há a colocação da justiça através do Substituto que a libera e torna-a disponível, através de Sua morte.

As três ofertas de suave cheiro representam a verdade de que Cristo ofereceu-se a Si mesmo sem mácula a Deus (Hb 9.14). Tal oferta é totalmente livre do pensamento do pecado que é portado; é um suave cheiro para o Pai, visto que Ele sempre tem prazer em seu Filho e em tudo o que o seu Filho é. Numa oferta sem suave cheiro, a face do Pai é desviada e o Filho clama: "Meu Deus, Meu Deus, por que me desamparaste?" Nas ofertas de suave cheiro, a dignidade do Filho é apresentada ao Pai e nisto Ele tem prazer. Das três ofertas de suave cheiro, o Dr. C. I. Scofield escreveu em palavras breves e claras:

(a) A oferta queimada (1) tipifica Cristo que se oferece a si mesmo sem mancha a Deus com prazer de fazer a vontade de seu Pai mesmo na morte; (2) é *expiatória*, porque o crente *não* tinha esse prazer na

SOTERIOLOGIA

vontade de Deus; e (3) é *substitutiva* (Lv 1.4), porque Cristo a fez no lugar do pecador. Mas o pensamento da *penalidade* não é proeminente (Sl 40.6-8; Fp 2.8; Hb 9.11-14; 10.5-7). As palavras enfáticas (Lv 1.3-5) são "holocaustos", "voluntários", "serão aceitos por ele", e "expiação".[29]

(b) A oferenda de comida. A *farinha fina* fala da uniformidade e do equilíbrio do caráter de Cristo; daquela perfeição na qual nenhuma qualidade havia em excesso, e nenhuma faltava; *o fogo*, de Seu teste pelo sofrimento, mesmo para a morte; do *incenso*, a fragrância de Sua vida em relação a Deus (veja Êx 30.34); *ausência de fermento*, Seu caráter como "a verdade" (veja Êx 12.8, e referências); *ausência de mel*; – Não era Sua aquela mera doçura natural que pode existir totalmente à parte da graça; *óleo misturado*, Cristo como nascido do Espírito (Mt 1.18-23); *óleo sobre*, Cristo batizado com o Espírito (Jo 1.32; 6.27); *o forno*, os sofrimentos invisíveis de Cristo – suas agonias interiores (e.g. Mt 27.45-46; Hb 2.18); o *cadinho*, Seus sofrimentos mais evidentes (e.g., Mt 27.27-31); o *sal*, o forte sabor da verdade de Deus – aquilo que impede a ação do fermento.[30]

(c) As ofertas pacíficas. Toda obra de Cristo em relação à *paz* do crente está aqui em tipos. Ele *estabeleceu* a paz, Colossenses 1.20; *proclamou* a paz, Efésios 2.17; e *é* a nossa paz, Efésios 2.14. Em Cristo, Deus e o pecador se encontram em paz; Deus é propiciado, o pecador reconciliado – ambos igualmente satisfeitos com o que Cristo fez. Mas tudo isso ao custo de sangue e fogo. Os detalhes falam de comunhão. Isto traz de modo proeminente o pensamento da *comunhão* com Deus através de Cristo. Conseqüentemente, a oferta pacífica é apresentada como a que proporciona comida para os sacerdotes (Lv 7.31-34). Observe que ela é o seio (as afeições) e os ombros (força) sobre os quais os sacerdotes (1 Pe 2.9) alimentam-se em comunhão com o Pai. Isto é o que torna a oferta pacífica especialmente uma *oferta de gratidão* (Lv 7.11, 12).[31]

Se a questão for levantada – Por que a Segunda Pessoa da Trindade está numa cruz com a face da Primeira Pessoa virada contra ela? – a resposta é que ela suporta o pecado e que Deus não pode olhar para o pecado com qualquer grau de condescendência. Se a pergunta a ser levantada – Por que a Segunda Pessoa está sobre a cruz e oferece-se a si mesma com todas as suas perfeições à Primeira Pessoa? – a resposta não é que Ela possuía alguma revelação surpresa para fazer de Si mesmo ao Pai, mas é que ela liberava, ou tornava disponível, a sua própria dignidade infinita. Isto é substituição na esfera daquilo que o mais excelente da raça caída nunca poderia apresentar. Assim, quando o Pai fosse imputar ao crente a justiça de Deus que o Filho é, e toda a sua dignidade, Ele veria tudo isso disponível e legalmente proporcionado através desse aspecto da morte substitutiva que é tipificada pelo suave cheiro das ofertas.

Não é recomendável ignorar o aspecto do suave cheiro da morte de Cristo, nem é necessário presumir que a justiça imputada é ato soberano arbitrário que permanece sem base defensável. Nenhuma palavra poderia ser mais garantida;

poderia ser dita do que a que está registrada em Romanos 3.26, onde o próprio Deus é chamado de *justo* quando justifica aqueles dentre os ímpios que somente *crêem* em Jesus (cf. Rm 4.5). A realização gloriosa de todo pecado perdoado e mesmo a maior realização de uma perfeita permanência perante Deus – tão perfeito quanto Cristo – ao ser imputada, não envolve ou prejudica o caráter de Deus. Ele permanece justo quando Ele justifica, não com base em qualquer coisa que Ele vê no homem, mas com base naquilo que Cristo proporcionou para aqueles que nele crêem. Este é o escopo e a realidade da substituição que Cristo fez pelos pecadores na cruz do Calvário.

II. Cristo, o Fim do Princípio da Lei em Favor Daqueles Que São Salvos

A discussão mais extensa da lei com referência ao seu propósito, seu domínio e seu término, ainda a ser empreendidos sob o tema geral da Eclesiologia, não está em ordem aqui. A questão imediata é a verdade que, pela morte de Cristo e por aqueles que crêem, o sistema legal e meritório das obras chega ao fim. Em seus aspectos mais amplos, a lei existe como duas realidades amplamente diferentes, a saber, a lei de Moisés e a inerente.

A lei de Moisés é aquela regra de conduta que Deus deu a Israel no monte Sinai, lei essa que seguiu o seu curso por 1.500 anos e, então, foi substituída pela "graça e verdade" (Jo 1.17). Foi esse pacto que Deus fez com Israel (Êx 19.5), quando Ele "os tomou pela mão, para os tirar da terra do Egito, esse meu pacto que eles invalidaram" (Jr 31.32). A lei do pacto era estritamente um acordo condicional com bênçãos divinas condicionadas à fidelidade humana. A afirmação oficial e final desse pacto é registrada em Deuteronômio 28. À luz de novas bênçãos e relacionamentos que se seguiram na presente era da graça e que ainda acontecerão na era futura, a lei mosaica era o *ad interim*, ou seja, um trato divino com o Descendente – Cristo – que ainda viria. Ela foi o παιδαγωγός, um instrutor de infantes, ou um disciplinador, para levar os homens a Cristo. Mas em Cristo, o objeto da fé, veio, e nós "não mais estamos debaixo de um aio [παιδαγωγός]" (Gl 3.19-25).

Não obstante, embora o princípio da lei não mais esteja em vigor – e de necessidade, por causa da sua incompatibilidade com a norma de conduta que a graça proporciona – quando Israel retornar à terra sob o reinado do Messias, a lei será restabelecida. Daquelas exigências e a respeito do retorno de Israel à terra, Moisés disse: "Tu te tornarás, pois, e obedecerás à voz do Senhor, e observarás todos os seus mandamentos que eu hoje te ordeno" (Dt 30.8). Embora seja a lei a real lei que Moisés ordenou que Israel viesse a obedecer, a situação deles será alterada. Cristo reinará no trono de Davi sobre Israel e sobre toda a terra; Satanás será lançado no abismo; e essa lei, antes do que meramente dirigida a Israel formalmente, será escrita nos corações deles (Jr 31.33); mas o seu caráter legal não será mudado. É essa lei que Moisés lhes ordenou.

De passagem, é importante observar que essa regra mosaica, ou código de governo, não existia antes de ela ser proclamada por Moisés no monte Sinai; sob qualquer circunstância, ela foi dirigida aos gentios; e tão certamente como ela nunca foi designada para os cristãos, embora os cristãos e os gentios não-salvos podem, por causa da ignorância, por intermédio da vontade de Deus para com eles, assumir as obrigações desse sistema de leis. Esses são lembrados que, quando assumirem qualquer porção da lei de Moisés, eles estão debaixo do autocompromisso de guardar toda a Lei. Sendo *ad interim*, em seu caráter, a lei que Moisés ordenou, ela chegou ao seu término no tempo e sob as circunstâncias divinamente decretadas. Uma exposição deste grande conjunto de verdades, que vai justificar essas afirmações dogmáticas, será empreendida no seu lugar próprio.

A lei inerente seja talvez melhor definida como o direito do Criador sobre a criatura e, portanto, a responsabilidade da criatura perante o Criador. Em sua suposição ímpia de independência de Deus, o homem perdeu o senso dos direitos do Criador e olha para a autoridade de Deus como uma intrusão injustificável na esfera da autonomia humana. Contudo, a filosofia do autogoverno, que Satanás persuadiu Adão a adotar, embora tão indispensável ao homem caído, para que ele não possa pensar em outros termos, nunca anulou a obrigação inerente da criatura em relação ao seu Criador. "Sede santos, porque eu sou santo", é uma exigência razoável, embora drástica, e só pode ser requerida por um Deus santo. Israel foi condenado por ter fracassado em guardar os mandamentos de Moisés – "que violaram o meu pacto" – mas do homem em geral que está sob a lei inerente, é dito: "como está escrito: Não há justo, nem sequer um. Não há quem entenda; não há quem busque a Deus. Todos se extraviaram; juntamente se fizeram inúteis. Não há quem faça o bem, não há nem um só" (Rm 3.10-12).

Durante um período de mais ou menos 2.500 anos, entre Adão e Moisés, somente a lei inerente foi obtida; mas essa lei foi suficientemente definida, para que Deus julgasse os homens como ofensores e purificasse a terra com um dilúvio. Muitas coisas foram conhecidas naquele período sobre as exigências da lei inerente do que está registrado. A Palavra de Deus com respeito à obediência de Abraão, registrada em Gênesis 26.5, é mais sugestiva: "Porquanto Abraão obedeceu à minha voz, e guardou o meu mandado, os meus preceitos, os meus estatutos e as minhas leis" (cf. Gn 18.19; Rm 5.13). A exigência para o homem de agradar ao seu Criador é uma obrigação da qual ele não pode escapar.

Estas duas exigências legais – o sistema mosaico e a lei – são iguais em um aspecto: elas almejam o estabelecimento do mérito humano como base da bênção divina. Igualmente, essas obrigações legais impõem sobre o homem que somente um Deus poderia aceitar e que o homem caído nunca operou nem mesmo uma semelhança delas. O fracasso de Israel sob o sistema mosaico foi tal que a Lei, que em si mesma era "santa, justa e boa", tornou-se uma ministração de condenação e de morte (Rm 7.12; 2 Co 3.7, 9), enquanto que o fracasso da lei inerente é tal que somente a retribuição aguarda os que não estão livres dela.

Estas palavras introdutórias extensas foram escritas como uma preparação para um entendimento correto de um conjunto extenso de textos da Escritura que tratam deste tema – Cristo, o fim da lei para aqueles que crêem. A passagem central será a primeira em ordem e ela será seguida de uma série de textos que revelam a natureza exata desse aspecto da realização de Cristo em sua morte.

Romanos 10.4 registra: "Pois Cristo é o fim da lei para justificar a todo aquele que crê".

O contexto, que não leva em conta a intrusão da divisão de capítulos, começa com Romanos 9.30, e apresenta um paradoxo estranho, que é aquele em que os crentes gentios, que não seguiam a retidão, obtiveram a justiça, ao passo que Israel, que seguia a retidão, não obteve a justiça. Assim, há a introdução de dois métodos de se conseguir a justiça. Israel, pelo auto-esforço, que a lei prescrevia, e por ignorar a fé, não havia alcançado a meta da justiça. As obras da lei deles, como sempre, foram um fracasso miserável. Em oposição a isto, os gentios, que não estavam sob a lei, visto que ela nunca foi a porção deles, mas que exerceram a fé, alcançaram a meta da perfeita justiça. Uma verdade profunda a respeito do propósito divino em dar a lei a Israel é revelada aqui. Está afirmado que Deus deu a lei como "uma pedra de tropeço e rocha de ofensa", com o fim de que Ele pudesse acentuar esta verdade sob discussão, a saber, "aquele que crer não será envergonhado".

O exemplo de Abraão, que *creu* em Jeová, e isso (sua fé) foi contado como justiça (Gn 15.6), esteve sempre perante Israel, e Davi havia descrito a bênção do homem a quem Deus imputa justiça sem as obras (Rm 4.6); não obstante, Israel tropeçou na pedra-de-tropeço do mérito humano, como a humanidade sempre esteve pronta a fazer – mesmo muitos que através da fé já estão de posse da justiça infinita. O apóstolo imediatamente assinala que a dificuldade de Israel não era uma falta de zelo; pois, assevera ele, eles tinham um grande "zelo por Deus". O problema deles era a *ignorância*. Eles não conheciam a verdade de que a fé em Deus, como testemunhada por Abraão, Davi, e os profetas, produziria a graça divina, um ajuste da satisfação de Deus – uma justiça tão perfeita quanto o próprio Deus. O estudante deve se lembrar das discussões anteriores a respeito da base justa estabelecida pelo aspecto do suave cheiro da morte de Cristo pelo qual Deus é livre para imputar tudo o que Cristo é – mesmo a justiça de Deus – àqueles que *crêem*, e Ele próprio ser *justo,* quando Ele justifica o ímpio.

Infelizmente, essa devastadora ignorância a respeito da justiça imputada, que tanto prejudicou a Israel, tem caracterizado a Igreja de Cristo também. Grandes multidões daqueles que pertencem à Igreja, como seus membros, nunca conceberam qualquer relacionamento com Deus além da "lei e as obras". A repreensibilidade deles é muito maior do que a de Israel; pois, enquanto Israel tinha o testemunho de Abraão e Davi, a Igreja possuía o exemplo do fracasso de Israel e, além disso, o grande conjunto da revelação da Escritura do Novo Testamento. A noção arminiana de que as pessoas não terão existências justas, a menos que se coloquem sobre a base de obras do relacionamento com Deus, tem penetrado na Igreja em larga escala. Essa ignorância manifesta-se na Igreja pelo fato de que o maior incentivo à vida santa que o coração humano pode conhecer, é ignorado, que é: "andar dignamente na vocação em que foi chamado" (Ef 4.1).

O indivíduo que compreende que ele conseguiu pela fé, através da graça, chegar à perfeita justiça de Deus, será incitado por tão grande honra e confiança a andar mais fielmente no caminho da própria escolha de Deus do que o indivíduo que espera – contra a esperança, pois é reconhecido como uma tarefa impossível – satisfazer a um Deus santo por suas obras sempre falhas.

Mas *é* a perfeita justiça de Deus, assegurada como uma posição, como uma veste de casamento, para os que não fazem algo além de crer em Jesus? Certamente que sim, mas a ignorância de Israel e de muitos na Igreja hoje não torna nem dá lugar a essa verdade tão gloriosa. Naturalmente, não é levantada qualquer objeção à exigência de que o indivíduo deveria crer em Jesus. Seria desonrá-lo, se não fizer isso; mas o arrependimento, confissão, consagração, boas obras etc. devem ser acrescentados – é alegado – para completar o que é crido ser razoável, sem entender que o acréscimo de um só aspecto do mérito humano introduz um princípio que, necessariamente, é compreender erroneamente o caráter total daquela graça pela qual unicamente a alma é salva.

Veja a Escritura testemunhar dessa verdade: "Porque não me envergonho do evangelho, pois é o poder de Deus para a salvação de todo aquele que crê; primeiro do judeu, e também do grego. Porque no evangelho é revelada, de fé em fé, a justiça de Deus, como está escrito: Mas o justo viverá da fé" (Rm 1.16, 17); através "da justiça de Deus pela fé em Jesus Cristo para todos os que crêem; pois não há distinção... para demonstração da sua justiça nesse tempo presente, para que ele seja justo e também justificador daquele que tem fé em Jesus" (Rm 3.22, 26); "porém, ao que não trabalha, mas crê naquele que justifica o ímpio, a sua fé lhe é contada como justiça" (Rm 4.5); "porque, se pela ofensa de um só, a morte veio a reinar por esse, muito mais os que recebem a abundância da graça, e do dom da justiça, reinarão em vida por um só, Jesus Cristo" (Rm 5.17); "mas a Escritura encerrou tudo debaixo do pecado, para que a promessa pela fé em Jesus Cristo fosse dada aos que crêem" (Gl 3.22); "pois Cristo é o fim da lei para justificar a todo aquele que crê" (Rm 10.4).

Ao voltamos à passagem central – Romanos 10.4 – será visto que alguma diferença de opinião se obtém com respeito ao sentido em que Cristo é dito *ser o fim da lei*. Alguns vêem somente que Ele, por seus sofrimentos e morte, pagou a penalidade que a lei impunha e, assim, retirou a acusação contra o pecador, que está inclusa no perdão. Outros vêem que Cristo cumpre a lei, por suprir o mérito que o santo Criador exige, que está incluso na justificação. Sem dúvida, esses dois conceitos estão inerentes no versículo anterior; mas deverá ser observado que o que quer que tenha sido realizado, está feito por aqueles que crêem – sem qualquer outra exigência acrescida – e que a crença resulta na concessão da justiça de Deus. Como já foi observado, o contexto da passagem sob consideração contrasta dois princípios de procedimento muito diferentes, i.e., (1) uma tentativa de estabelecer justiça por obras zelosas, e (2) a segurança da perfeita justiça pela fé.

Um é um sistema de mérito – o inimigo mortal da graça – que oferece autojustiça a Deus, com a esperança de que Ele a aceitará, por avaliar generosamente as imperfeições; o outro é um sistema baseado totalmente na esperança para com

Deus, que recebe em Cristo Jesus a perfeita justiça de Deus, e, embora as obras sejam totalmente excluídas da base pela qual essa justiça é recebida, esse plano assegura o mais sério cuidado da parte daquele que recebe essa justiça, para que a vida diária possa estar em harmonia com a posição que lhe foi conseguida pela fé somente. Seja esse incentivo superior por uma vida santa, valorizado ou não, permanece o plano inquestionável de Deus para os que são salvos pela graça através da fé. O sistema de mérito não tem término, enquanto o sistema da fé sela o seu objetivo no momento em que o indivíduo crê.

O sistema de mérito representa o melhor que o homem pode fazer, enquanto que o sistema da fé representa o melhor que Deus pode realizar. O sistema de mérito nunca foi, nem poderá jamais ser, qualquer coisa, a não ser um fracasso ignominioso, que culmina na condenação eterna, enquanto que o sistema de fé nunca foi, nem jamais será, algo além da perfeição infinita, que culmina na glória eterna.

Quão honestamente o grande apóstolo labora para deixar clara a verdade de que estes dois sistemas – lei, obras, e mérito, de um lado, e graça, fé, e promessa, do outro – não podem coexistir! Ele declara: "Mas se é pela graça, já não é pelas obras; de outra maneira, a graça já não é graça" (Rm 11.6); "Não faço nula a graça de Deus, porque, se a justiça vem mediante a lei, logo Cristo morreu em vão" (Gl 2.21); "Pois se da lei provém a herança, já não provém mais da promessa; mas Deus, pela promessa, a deu gratuitamente a Abraão... E, se sois de Cristo, então sois descendência de Abraão, e herdeiros conforme a promessa" (Gl 3.18, 29).

É em conexão com esta última passagem citada – Gálatas 3.29 – que o apóstolo declara: "Porque todos quantos fostes batizados em Cristo vos revestistes de Cristo" (v. 27). O batismo do Espírito em Cristo resulta no "colocar em" Cristo, a bênção da *fé* abraâmica e a posição de um herdeiro, de acordo com a *promessa*, são ganhos com a base mais justa. Nenhuma base doutrinária é estabelecida em Gênesis 15.6 em defesa do ato divino de imputar justiça a Abraão, mas a imputação da justiça ao crente, como foi observado, repousa sobre a provisão absoluta assegurada pela morte substitutiva de Cristo. A palavra aos crentes a respeito de se estender a eles a bênção de Abraão, com base na fé abraâmica, é assegurada: "Ora, não é só por causa dele que está escrito que lhe foi imputado; mas também por causa de nós a quem há se ser imputado, a nós os que cremos naquele que dos mortos ressuscitou a Jesus nosso Senhor" (Rm 4.23, 24).

Outras passagens que dão o mesmo contraste com a lei, obras, ou mérito, deverão ser consideradas. São elas:

Atos 15.10: "Agora, pois, por que tentais a Deus, pondo sobre a cerviz dos discípulos um jugo que nem nossos pais nem nós pudemos suportar?"

Esse capítulo todo forma o contexto desse único versículo. A questão diante do primeiro concílio da Igreja é o da relação do sistema mosaico com aqueles que dentre os gentios são salvos. O concílio determinou que os gentios cristãos não fossem nem circuncidados nem guardassem a lei (cf. v. 24); e foi asseverado por esses judeus que estavam em autoridade sobre a Igreja que a guarda da lei como um sistema de mérito havia sido para os que estavam debaixo do seu jugo como "um jugo de escravidão" do qual os crentes estavam livres (cf. Gl 5.1).

Romanos 1.16, 17: "Porque não me envergonho do evangelho, pois é o poder de Deus para a salvação de todo aquele que crê; primeiro do judeu, e também do grego. Porque no evangelho é revelada, de fé em fé, a justiça de Deus, como está escrito: Mas o justo viverá da fé".

A contribuição notável que esse texto faz a esse grande tema é que a disponibilidade da justiça de Deus é um aspecto vital – ao menos com relação a esse texto – do evangelho da graça divina.

Romanos 3.21, 22: "Mas agora, sem lei, tem-se manifestado a justiça de Deus, que é atestada pela lei e pelos profetas; isto é, a justiça de Deus pela fé em Jesus Cristo para todos os que crêem; pois não há distinção".

Nenhum fracasso humano maior poderia ser descrito do que aquele mencionado em Romanos 1.18–3.20. A partir do pano de fundo escuro do qual o apóstolo se volta abruptamente, nas palavras "mas agora" (3.21), para a provisão mais gloriosa, que é aquela perfeita justiça, que está disponível através da simples fé em Cristo. Esta bênção está assegurada totalmente à parte de qualquer ajuda e independente de qualquer contribuição do sistema de mérito da lei. Esta justiça divinamente proporcionada está revelada a todos e vem sobre os que crêem. Duas vezes essa condição simples aparece. Ela vem através da fé em Jesus Cristo e estende-se a todos os que crêem. A linguagem não afirma mais claramente que essa é distintamente uma justiça que *procede de* Deus e é recebida pela fé, à parte de qualquer coisa que pertença ao mérito humano.

Romanos 3.31: "Anulamos, pois, a lei pela fé: De modo nenhum; antes estabelecemos a lei".

Duas interpretações dessa passagem crucial têm sido desenvolvidas: (1) que, através do poder capacitador do Espírito Santo, a justiça que a lei exige pode ser cumprida pelo crente; e (2) que os não-salvos podem estabelecer a lei, por permanecer naquele cumprimento dela que Cristo realizou. Tudo o que a lei poderia exigir, é satisfeito naquele que é aperfeiçoado em Cristo. A primeira interpretação é somente uma forma exaltada das obras humanas, que são cumpridas no crente e nunca pelo crente; todavia, essas obras são creditadas para o crente, visto que por elas, ele receberá uma recompensa. A última interpretação está em harmonia com toda a verdade revelada, mas será aceita somente por aqueles que apreenderam a doutrina da justiça imputada.

Romanos 4.5: "Porém, ao que não trabalha, mas crê naquele que justifica o ímpio, a sua fé lhe é contada como justiça".

A frase "não trabalha" não sugere despreocupação na vida diária do crente; ela antes refere-se à verdade de que ele não depende das obras meritórias. A passagem revela a importante verdade que confiar é o oposto das obras meritórias. Crer não é fazer uma obra meritória; é confiar na obra terminada de outro. Mesmo o ímpio pode ser contado como justo, com a base na fé em Cristo.

Romanos 4.11: "E recebeu o sinal da circuncisão, selo da justiça da fé que teve quando ainda não era circuncidado, para que fosse pai de todos os que crêem, estando eles na incircuncisão, a fim de que a justiça lhes seja imputada".

O que Abraão recebeu antes de ser circuncidado e séculos antes da lei ter sido dada, não pode ser dito que teve um reconhecimento divino das obras meritórias. Abraão é o padrão e, portanto, o pai de todos que recebem a justiça imputada pela fé.

Romanos 4.13-16: "Porque não foi pela lei que veio a Abraão, ou à sua descendência, a promessa de que havia de ser herdeiro do mundo, mas pela justiça da fé. Pois, se os que são da lei são herdeiros, logo a fé é vã e a promessa é anulada. Porque a lei opera a ira; mas onde não há lei também não há transgressão. Portanto, procede da fé o ser herdeiro, para que seja segundo a graça, a fim de que a promessa seja firme a toda a descendência, não somente à que é da lei, mas também à que é da fé que teve Abraão, o qual é pai de todos nós".

No caso de Abraão, como é a situação de todos os que exercitam a fé abraâmica, a promessa da justiça imputada é (1) pela *fé* (nada da parte do homem – cf. v. 5), que pode ser pela graça (tudo da parte de Deus), com a finalidade de que a promessa possa ser as*segurada*. Nada poderia ser tão inseguro como a justiça baseada no mérito humano.

Romanos 4.23, 24: "Ora, não é só por causa de nós a quem há se ser imputado, a nós os que cremos naquele que dos mortos ressuscitou a Jesus, nosso Senhor; o qual foi entregue por causa das nossas transgressões, e ressuscitado para a nossa justificação".

Reafirmemos que Abraão é o padrão de um cristão sob a graça e não de um judeu debaixo da lei. O caráter de sua fé, como definido nos versículos 17-22, é digno da mais cuidadosa consideração. Mas a justiça recebida pela fé não é somente a herança de Abraão; ela é "para nós também". Esta bendita verdade é bem expressa pelo apóstolo em Gálatas 3.7, 9: "Sabei, pois, que os que são da fé, esses são filhos de Abraão... De modo que os que são da fé são abençoados com o crente Abraão" (cf. Jo 8.37, 39).

Romanos 5.19: "Porque, assim como pela desobediência de um só homem muitos foram constituídos pecadores, assim também pela obediência de um, muitos serão constituídos justos".

Aqui, novamente, mas num contexto diferente, é apresentada a verdade antes enfatizada, de que é através da obediência, o suave cheiro da oferta de Cristo, que os muitos são contados como justos. Deveria ser observado que isto está longe da noção de que a verdadeira justiça é pelas obras e mérito humanos.

2 Coríntios 5.21: "Àquele que não conheceu pecado, Deus o fez pecado por nós; para que nele fôssemos feitos justiça de Deus".

Associado intimamente com esta passagem está o texto de Romanos 3.22. Em ambos, há uma referência clara ao fato de que há uma justiça de Deus que se *torna* a porção daqueles que não fazem outra coisa senão crer em Jesus.

Gálatas 3.8: "Ora, a Escritura, prevendo que Deus havia de justificar pela fé os gentios, anunciou previamente a boa nova a Abraão, dizendo: Em ti serão abençoadas todas as nações".

Assim, novamente, o grande benefício da justiça imputada que veio a Abraão em resposta à sua fé é declarado ser apenas as primícias daquilo que Deus, no dia do seu favor, imputa a todos os que crêem.

Gálatas 4.19-31: "Meus filhinhos, por quem de novo sinto as dores de parto, até que Cristo seja formado em vós; eu bem quisera estar presente convosco agora, e mudar o tom da minha voz; porque estou perplexo a vosso respeito. Dizei-me, os que quereis estar debaixo da lei, não ouvis vós a lei? Porque está escrito que Abraão teve dois filhos, um da escrava, e outro da livre. Todavia, o que era da escrava nasceu segundo a carne, mas, o que era da livre, por promessa. O que se entende por alegoria: pois essas mulheres são dois pactos; um do monte Sinai, que dá à luz filhos para a servidão, e que é Agar. Ora, esta Agar é o monte Sinai na Arábia e corresponde à Jerusalém atual, pois é escrava com seus filhos. Mas a Jerusalém que é de cima é livre; a qual é nossa mãe. Pois está escrito: Alegra-te, estéril, que não dás à luz; esforça-te e clama, tu que não estás de parto; porque mais são os filhos da desolada do que os da que tem marido. Ora vós, irmãos, sois filhos da promessa, como Isaque. Mas, como naquele tempo o que nasceu segundo a carne perseguia ao que nasceu segundo o Espírito, assim é também agora. Que diz, porém, a Escritura? Lança fora a escrava e seu filho, porque de modo algum o filho da escrava herdará com o filho da livre. Pelo que, irmãos, não somos filhos da escrava, mas da livre".

Esta extensa alegoria ensina o que o apóstolo afirma em Romanos 11.6, a saber, que os dois sistemas – o das obras e o da fé – não podem coexistir. A escrava, Agar, que tipifica o princípio das obras humanas, foi dispensada, porque a livre, Sara, que tipifica a promessa e a fé, não compartilhou com Agar, a escrava, nem sequer parte da herança.

Gálatas 5.1: "Para a liberdade, Cristo nos libertou; permanecei, pois, firmes e não vos dobreis novamente a um jugo de escravidão".

A liberdade inestimável do cristão, que ele é aqui ordenado a defender a qualquer custo, é a libertação que ele experimentou do sistema meritório, a lei, e as obras humanas. Se, após ser liberto, ele vier a cair em qualquer forma de observância da lei com o intento de estabelecer a sua própria justiça, ele *caiu da graça* (v. 4). Nesse grau, Cristo, o que concede uma justiça perfeita, na qual ele permanece, tornou-se sem efeito. Assim, o apóstolo declara: "Porque, se torno a edificar aquilo que destruí, constituo-me a mim mesmo transgressor" (2.18). Isto se constitui numa advertência muito séria.

Para concluir, pode ser reafirmado que, por sua morte em seu aspecto de suave cheiro, Cristo assegurou a base justa sobre a qual Deus é justo, quando Ele justifica mesmo os ímpios que não fazem algo, além de crer em Jesus. Eles são igualmente estabelecidos diante de Deus por sua união com Cristo através do batismo no Espírito Santo. Neste sentido, Cristo *é o fim da lei* – o princípio legal, obras, e mérito – para todos os que crêem. O sistema total meritório, necessariamente, é dispensado, seja a lei mosaica ou a lei inerente. Nenhuma base de apelo é deixada para as obras meritórias na vida de alguém que, por meio das riquezas da graça, é constituído como perfeito em sua posição perante

Deus, como Cristo é perfeito. As injunções da porção de graça do Novo Testamento são livres de qualquer apelo do crente com base no mérito.

Há uma base abundante de apelo para que essa gloriosa realidade da justiça imputada seja adornada por uma vida santa. Tal apelo é, na verdade, muito longe da prática dos israelitas ignorantes que procuraram estabelecer a sua própria justiça, e não sabem – a despeito de muita revelação – que há uma justiça disponível de Deus. Nenhum aspecto mais imperioso está incrustado nesse grande conjunto de verdade da Escritura do que essa maravilha da graça divina – a justiça imputada – que é recebida com a única condição de se crer em Cristo.

III. A Redenção em Relação ao Pecado

Isto está intimamente relacionado com as divisões IV, sobre a reconciliação, e V, sobre a propiciação, que se seguem. Estas são as três doutrinas nas quais o valor da morte de Cristo é reconhecido como algo que alcança os não-salvos. Outras doutrinas relacionadas ao valor da morte de Cristo para os homens – perdão, regeneração, justificação, santificação – são restritas no sentido em que elas contemplam a morte somente em sua relação aos que crêem. Contudo, a trilogia – redenção, reconciliação e propiciação – é singular no sentido em que estas partes, pelas quais ela é constituída, se estendem aos benefícios tanto para os salvos quanto para os não-salvos. Os benefícios essenciais que resultam dessas realidades para o cristãos, serão considerados à medida que as doutrinas forem estudadas separadamente.

Por outro lado, quando a verdade em cada uma dessas três doutrinas é relacionada aos não-salvos e é examinada e separada, e essas três porções separadas são combinadas em um conjunto inter-relacionado de verdade, o resultado é uma declaração de tudo que faz parte daquilo que é chamado de *a obra consumada de Cristo*. Este termo é derivado das palavras de Cristo sobre a cruz, a saber: "*está consumado*" (Jo 19.30). Não há uma referência da parte de Cristo de que essas palavras significavam que sua própria vida, serviço ou sofrimento chegavam à sua consumação. Ao contrário, um empreendimento específico entregue a Ele pelo Pai, que não poderia ter começado até que Ele estivesse na cruz, foi consumado. É verdade que o Pai lhe havia dado uma obra para fazer em seus três anos e meio de ministério. A isto é feita uma referência nas palavras: "Disse-lhes Jesus. A minha comida é fazer a vontade daquele que me enviou, e completar a sua obra" (Jo 4.34); "Mas o testemunho que eu tenho é maior do que o de João; porque as obras que o Pai me deu para realizar, as mesmas obras que faço, dão testemunho de mim que o Pai me enviou" (Jo 5.36).

Em contraste a isto, uma obra específica foi confiada ao Salvador que começou com os sofrimentos da sua cruz e terminou com a sua morte. É a isto que as palavras "está consumado" se referem. Dessda mesma obra salvadora da cruz o Salvador, em sua oração sacerdotal falou, quando disse: "completando a obra que me deste para fazer" (Jo 17.4). Que Ele podia falar assim de uma obra que não tinha ainda começado naquela altura, é explicado pelo fato de que o discurso total do Cenáculo, inclusive a oração sacerdotal, foi datado por Cristo na sua relação com a cruz, com a ressurreição, ascensão, e o advento do Espírito Santo, como se esses eventos importantes já fossem alguma coisa realizada. O que foi operado na cruz, e terminou quando Ele morreu, será descoberto somente através de uma investigação daquilo que estava incluso em sua redenção, reconciliação e propiciação.

A redenção é um aspecto da morte de Cristo sobre a cruz, que é ligado ao pecado e restrito em seu significado. Neste trabalho, a redenção será tratada nesse significado bíblico e específico e não como os modernos teólogos têm empregado o termo, como uma representação de tudo que Cristo operou em seu sofrimento e morte. A obra de Cristo sobre a cruz é muitíssimo grande para ser estudada sob qualquer ângulo dela. Essa obra em sua totalidade poderia bem ser apresentada tanto pelo ter *reconciliação* quanto *propiciação* ou *redenção*. Nenhuma dessas idéias, ou as três juntas, poderia servir para indicar em sua plenitude um tema tão vasto. Talvez, o uso livre da palavra *redenção*, para representar a obra total da salvação de Cristo, seja devido, muito freqüentemente, a uma falha em compreender tudo o que Ele operou.

Tal restrição é manifesta quando os homens falam de uma *redenção limitada*, como se a obra de Cristo sobre a cruz fosse restrita e exaurida com relação ao seu valor, e sua morte pelos eleitos que compõem a Igreja. Não somente é o valor de sua morte ilimitado para a Igreja ou mesmo para a humanidade, visto que ela alcança as esferas angelicais, mas seria tão razoável falar de sua obra como uma *reconciliação limitada*, ou uma *propiciação limitada*, ou chamá-la de *redenção limitada*. O estudante deve se precaver contra qualquer suposição de limitação relativa ao valor da morte de Cristo. Será visto que, conquanto Cristo tenha morrido pelos eleitos que compõem a Igreja – e ao menos cinco aspectos do valor de sua morte estão relacionados ao Seu corpo – é dito muito claramente que Ele morreu por Israel como um povo distinto, por um julgamento sobre os anjos caídos, por uma purificação do céu, e pelo *cosmos* todo. A falácia da chamada redenção limitada será ainda examinada em divisões posteriores desse tema geral.

A redenção é um ato de Deus ter pago, Ele próprio, um resgate pelo pecado humano que a santidade e o governo ultrajados de Deus requerem. A redenção ocupa-se da solução do problema do pecado, como a reconciliação ocupa-se da solução do problema do pecador, e a propiciação ocupa-se do problema do Deus ofendido. Todas são infinitamente importantes e todas são requisitos para a análise da totalidade da doutrina da obra consumada de Cristo – uma obra consumada, na verdade, a ponto da perfeição divina. Embora as partes de uma completem o todo, esses grandes temas nunca são tratados como sinônimos. O caráter específico de cada um é óbvio.

A redenção proporcionada para o pecador, que é oferecida a ele, é uma redenção do pecado, cujo estado, de acordo com a Bíblia, é o de servidão concernente à libertação do preço a ser pago e do poder a ser exercido na libertação do escravo. A redenção divina é pelo sangue – o preço de resgate – um tipo de escravidão ao pecado. Israel foi redimido pelo sangue do cordeiro sacrificial, e, pelo poder todo-poderoso, foi retirado da escravidão e colocado em liberdade. Esta ordem nunca é revertida no tipo ou no antítipo.

A doutrina da redenção do Antigo Testamento diz respeito, no seu uso principal, a uma nação redimida; portanto, o tema está sugerido em todas as Escrituras judaicas. Êxodo é o livro da redenção e Rute é uma descrição típica do Redentor-parente. A palavra hebraica *gā'al* serve para expressar o pensamento da redenção – o ato de libertar através de um pagamento de resgate. A coisa resgatada poderia ser uma pessoa ou uma terra (Lv 25.25, 47, 48). Certas exigências, que eram altamente típicas, foram impostas sobre aquele que redimiria:

(a) Ele deve ser um parente. Este aspecto da verdade conduz ao significado do título *Redentor-parente*, e é uma exigência básica que o Filho de Deus trouxe do céu para a terra e tornou necessária a encarnação para que Ele pudesse ser um perfeito Redentor-parente.

(b) O *gā'al* individual deve também ser capaz de redimir. O preço, em qualquer que possa ser o caso, foi pago por aquele que redimiu. Essa exigência era imperativa no tipo, assim como no antítipo. Cristo sozinho pôde pagar o preço da redenção – o sangue de um Cordeiro santo, sem mancha e sem defeito. O sangue de um homem, especialmente de uma raça caída, não seria suficiente. Ele deve ser o sangue de Deus (cf. At 20.28).

(c) O *gā'al* individual tinha de ser livre da calamidade que havia caído sobre o que estava para ser redimido. Neste particular, Cristo, o antítipo, estava livre tanto da natureza pecaminosa quanto da prática do pecado.

(d) Aquele que redimiria tinha de estar desejoso de redimir. Este aspecto Cristo cumpriu perfeitamente. Boaz no livro de Rute é assim um *gā'al* individual e o tipo de Cristo divinamente providenciado para a redenção.[32]

No Novo Testamento, três palavras gregas diferentes são usadas para traduzir *redimir* e *redenção*, e as distinções que elas estabelecem são naturalmente perdidas para o leitor da Bíblia no vernáculo dele. Essas palavras são:

(1) ἀγοράζω, que significa *comprar no mercado*. Aqui, a verdade essencial aparece, a fim de mostrar que os não-salvos são escravos do pecado – "vendidos sob o pecado" (Rm 7.14), dominados por Satanás (1 Co 12.2; Ef 2.2), condenados (Jo 3.18; Rm 3.19; Gl 3.10). Seja quem for que os redima, deve tomar o lugar do escravo, deve ser feito maldição por ele, e derramar seu sangue como preço de resgate da redenção (Mt 20.28).

2) ἐξαγοράζω, que significa comprar *no* mercado. Esse é um avanço distinto sobre ἀγοράζω, que sugere não mais do que o pagamento do preço exigido. A adição de ἐξ supre o pensamento acrescentado de *remover* ou *retirar*. Assim, uma pessoa removida [do mercado] nunca mais retornará ao lugar de escravidão e exposta junto ao lote de escravos.

(3) λυτρόω, que indica que o redimido é desatado e libertado. A redenção, em seu significado mais pleno, como é apresentado por essa palavra, é a segurança de que Cristo meramente não transferiu a escravidão de um escravo de um senhor para outro; Ele comprou com objetivo de torná-lo livre. Cristo nunca vai querer escravos indispostos como servos. Tudo isso é tipicamente

antecipado em Êxodo 21.1-6 (cf. Dt 15.16, 17). Um escravo liberto por seu senhor era totalmente liberto; mas ele podia voluntariamente permanecer com o seu senhor, a quem ele amava. O novo relacionamento voluntário era selado pelo furo que o senhor fazia na orelha do escravo. Assim, de acordo com o tipo, o cristão era liberto, mas era privilegiado de ligar-se totalmente ao que o redimira. Disto, o apóstolo disse: "Rogo-vos pois, irmãos, pela compaixão de Deus, que apresenteis os vossos corpos como um sacrifício vivo, santo e agradável a Deus, que é o vosso culto racional. E não vos conformeis com este mundo, mas transformai-vos pela renovação da vossa mente, para que experimenteis qual seja a boa, agradável, e perfeita vontade de Deus" (Rm 12.1, 2).

De igual modo, Cristo, do seu lado humano, foi o perfeito exemplo de fazer voluntariamente a vontade de outro. De acordo com o Salmo 40, citado em Hebreus 10.5-7, e considerado o selo do escravo voluntário, Cristo disse: "Sacrifício e oferta não desejas; abriste-me os ouvidos; holocausto e oferta de expiação pelo pecado não reclamaste. Então disse eu: Eis aqui venho; no rolo do livro está escrito a meu respeito: Deleito-me em fazer a tua vontade, ó Deus meu; sim, a tua lei está dentro do meu coração" (Sl 40.6-8). A frase "abriste-me os ouvidos" pode ser traduzida "meus ouvidos tu tens perfurado", e uma referência evidentemente é feita à provisão registrada em Êxodo 21.1-6. Ele é em cada aspecto – tipo e antítipo – o servo que cede.

Portanto, deve ser observado que a doutrina da redenção mostrada pelos termos usados no Novo Testamento é um cumprimento completo da verdade mostrada em sombras no Antigo Testamento, de que há um sentido em que o preço é pago, mas o escravo não é necessariamente liberto – que é o estado de todos por quem Cristo morreu que ainda não são salvos – e que, por uma realização mais profunda e abundante da redenção, o escravo pode ser solto e liberto – que é o estado de todos que são salvos. A relação dos não-salvos com a verdade de que, pela sua morte, Cristo pagou o preço do resgate, é crer no que está declarado como verdadeiro. A relação dos salvos com a verdade de que, por sua morte, Cristo os liberta, é reconhecer essa liberdade maravilhosa e, então, pela rendição de si mesmo, tornarem-se escravos voluntários do Redentor.

IV. A Reconciliação em Relação ao Homem

O aspecto da obra de Cristo na cruz com relação ao homem é chamado *reconciliação*, e é estritamente uma doutrina do Novo Testamento, ou, mais especificamente, uma realidade tornada possível pela morte de Cristo. As palavras *reconciliar* e *reconciliação* ocorrem duas vezes no Antigo Testamento (1 Sm 29.4), onde é meramente aquele que se faria agradável a outro (2 Cr 29.24), onde se refere à oferta feita. As outras passagens do Antigo Testamento assim traduzidas – Levítico 6.30; 8.15; 16.20; Ezequiel 45.15, 17, 20; Daniel 9.24 – devem ser consistentes com o original, e deveriam ser traduzidas

A Reconciliação em Relação ao Homem

como *expiação*. Semelhantemente, Hebreus 2.17 deveria ser traduzida como *propiciação*, assim como Romanos 5.11 deveria ser traduzida como *reconciliação*. A doutrina do Novo Testamento é, contudo, de grande importância. A raiz grega καταλλάσσω tem apenas um significado, a saber, *mudar completamente*. Esses duas palavras deveriam ser substituídas no texto do Novo Testamento, onde quer que as palavras *reconciliar* e *reconciliação* ocorressem (exceto Hebreus 2.17), pois a verdadeira força da passagem seria preservada.

Está escrito: "Porque se nós, quando éramos inimigos, fomos reconciliados [mudados completamente] com Deus pela morte de seu Filho, muito mais, estando já reconciliados, seremos salvos pela sua vida" (Rm 5.10); "Porque, se a sua rejeição é a reconciliação [mudança completa] do mundo, qual será a sua admissão, senão a vida dentre os mortos?" (Rm 11.15); "se, porém, se apartar, que fique sem casar, ou se reconcilie [mude completamente] com o marido; e que o marido não deixe a mulher" (1 Co 7.11); "Mas todas as coisas provêm de Deus, que nos reconciliou [mudou completamente] consigo mesmo por Cristo, e nos confiou o ministério da reconciliação [mudança completa]" (2 Co 5.18); "e pela cruz reconciliar [mudar completamente] ambos com Deus em um só corpo, tendo por ela matado a inimizade" (Ef 2.16); "e que, havendo por ele feito a paz pelo sangue da sua cruz, por meio dele reconciliasse [mudasse completamente] consigo mesmo todas as coisas, tanto as que estão na terra quanto as que estão nos céus. A vós também, que outrora éreis estranhos, e inimigos no entendimento pelas vossas obras más" (Cl 1.20, 21).

Os dois aspectos da reconciliação são melhor revelados em 2 Coríntios 5.19, 20. No versículo 19 está declarado que o mundo (κόσμος, cujo termo nunca por qualquer força de exegese deve representar os eleitos que são salvos dele, está reconciliado com Deus. Essa passagem vital apresenta a verdade que, em e através da morte de Cristo, Deus estava *mudando completamente* a posição do mundo em sua relação com Ele próprio. A Bíblia nunca assevera que Deus está reconciliado. Se fica suposto que Deus é apresentado como tendo mudado completamente a sua atitude para com o mundo por causa da morte de Cristo, deverá ser lembrado que é a sua justiça que está envolvida. Antes da morte de Cristo, a sua justiça exigia os julgamentos devidos; mas após a morte de Cristo, essa mesma justiça é livre para salvar o perdido.

A sua justiça, assim, não é mudada nem ela age diferentemente além de ser de perfeita equidade. Portanto, Deus, que vê o mundo mudado completamente em sua relação consigo pela morte de Cristo, Ele próprio não é reconciliado ou mudado. A mesma interpretação é exigida em Romanos 11.15. Não há uma necessidade de ser crítico em demasia neste ponto. Há na cruz uma aparência exterior de atitude mudada da parte de Deus; mas isto pertence antes à propiciação do que à reconciliação. A última não é mais relacionada a Deus em suas realizações objetivas do que à redenção. Certamente a redenção não é relacionada a Deus, nem, em última análise, o é a reconciliação; pois Deus é imutável. Ele é sempre justo, e bom. A propiciação, será ainda visto, não infunde compaixão em Deus; ela antes assegura a liberdade de Sua parte para exercitar a sua compaixão imutável à parte daquelas restrições que os julgamentos penais de outra forma imporiam. Há uma verdade a ser reconhecida com respeito a Deus, a de que em Seu próprio Ser e desde toda eternidade a sua santidade e o seu amor encontraram um ajuste a respeito do pecador através da morte de seu Filho; mas esta é somente outra abordagem à mesma propiciação divina.

Tem sido alegado que para Deus ajustar o mundo no seu relacionamento com o próprio Deus, da forma como é cumprido no aspecto da reconciliação da morte de Cristo, é universalismo. Assim, presume-se que a reconciliação geral é equivalente à salvação geral. Para evitar tal conclusão, é asseverado que Cristo morreu pelos eleitos somente. Eles somente foram mudados completamente na esfera da relação deles com Deus. De um modo mais convincente, o apóstolo vai para o versículo 20, a fim de afirmar que os embaixadores de Cristo, a quem é confiada a palavra da reconciliação, saem e, no lugar de Deus, rogando aos homens que, de acordo com o versículo 19, já estão divinamente reconciliados com Deus. A palavra *rogamos* sugere que eles podem ser ou não reconciliados em resposta aos embaixadores de Deus. O que é pedido que os homens façam? Simplesmente isto: Deus está satisfeito com a solução do pecado pelo que Cristo fez em sua morte, e ao pecador é solicitado que fique satisfeito com aquilo que satisfaz Deus.

Assim, o elemento de fé está presente, e nunca está ausente quando a salvação dos homens está em vista. Então, fica evidente que qualquer que seja a *mudança completa* que seja indicada – para o κόσμος, de acordo com o versículo 19, não é equivalente à salvação de qualquer pessoa – eleito ou não-eleito – que tornou possível a reconciliação do versículo 20, que é equivalente à salvação. Os não-regenerados são salvos, quando eles individualmente são eleitos para permanecer ajustados com Deus através da morte de Cristo. Esta é, de fato, uma mudança total da incredulidade e rejeição de Cristo para a crença e aceitação de Cristo. Em outras palavras, o valor da morte reconciliatória de Cristo não é aplicado ao pecador no tempo daquela morte, mas, antes, *quando* ele crê.

Esta reconciliação dupla – a do mundo e a que é operada quando o indivíduo crê – está em evidência novamente em Romanos 5.10, 11 – "Porque se nós, quando éramos inimigos, fomos reconciliados com Deus pela morte de seu Filho, muito mais, estando já reconciliados, seremos salvos pela sua vida. E não somente isso, mas também nos gloriamos em Deus por nosso Senhor Jesus Cristo, pelo qual agora temos recebido a reconciliação". No primeiro exemplo, a morte de Cristo é dita ter reconciliado "inimigos" com Deus, verdade essa que corresponde com a reconciliação do mundo; no segundo exemplo, "sendo reconciliados" por uma fé pessoal, assim como pelo fato da morte de Cristo, os salvos são mantidos salvos pela presença viva de Cristo como Advogado e Intercessor no céu.

Não pode haver uma pergunta levantada a respeito do fato de que há dois aspectos da reconciliação: um operado para todos por Deus em seu amor pelo mundo e o outro operado no indivíduo que confia quando ele aceita a Jesus.

V. A Propiciação em Relação a Deus

O valor da morte de Cristo para Deus como uma vindicação de sua justiça e de sua lei é indicado pela palavra *propiciação*. Esta doutrina complexa é apresentada nas várias formas e usos desta palavra. Nenhuma análise é mais esclarecedora dessa doutrina do que a que foi escrita pelo Dr. C. I. Scofield, que aqui está citada em parte:

A palavra *propiciação* ocorre na Bíblia apenas três vezes. Em 1 João 2.2 e 4.10, está dito que Cristo é "a propiciação pelos nossos pecados". Aqui, a palavra grega é *hilasmos*, que significa "aquilo que propicia". Em Romanos 3.25, é dito de Cristo: "ao qual Deus propôs como propiciação pela fé, no seu sangue, para demonstração da sua justiça por ter ele na sua paciência, deixado de lado os delitos outrora cometidos". Aqui, a palavra grega é *hilastērion*, significando "o lugar da propiciação". Mas em Hebreus 9.5 *hilastērion* é a palavra grega usada pelo Espírito Santo para "propiciatório", em referência ao antigo Tabernáculo de adoração de Israel: "e sobre a arca os querubins da glória, que cobriam o propiciatório (*hilastērion*)". Isto nos leva de volta ao Antigo Testamento. Em qualquer lugar que pudesse estar o propiciatório no Tabernáculo, tipicamente, era para o israelita aquilo que Cristo é, realmente, para o crente e para Deus... Antes de voltar para o Antigo Testamento, o estudante observará duas outras passagens do Novo Testamento. Hebreus 8.12 – "Porque serei misericordioso [*hileōs*, propício] para com as suas iniqüidades". Lucas 18.13 – "Ó Deus, sê propício [*hilaskomai*] a mim, o pecador". (1) O propiciatório era a tampa ou a cobertura da arca da aliança. A arca era uma caixa retangular de acácia coberta com ouro, dois cúbitos e meio de comprimento e de um e meio de altura e de largura. Nessa arca, foram colocadas, com um exemplar do maná do deserto, a vara de Arão, "as duas tábuas do testemunho, tábuas de pedra, escritas com o dedo de Deus" – os Dez Mandamentos, a santa lei de Deus (Êx 31.18). A tampa, ou o propiciatório, era feito totalmente de ouro, o símbolo da justiça divina, e em cada ponta, forjada em ouro maciço, estava uma figura com asas estendidas sobre o propiciatório, um querubim. "Os querubins estenderão as suas asas por cima do propiciatório, cobrindo-o com as asas, tendo as faces voltadas um para o outro; as faces dos querubins estão voltadas para o propiciatório" (Êx 25.20). Os querubins são apresentados no Antigo Testamento como especialmente conectados com a *glória* de Deus, e os guardiões e vindicadores do que era devido à sua glória (Ez 1.13, 14, 27, 28; Gn 3.24). (2) O propiciatório [*hilastērion*] da adoração do Tabernáculo era chamado em hebraico *kapporeth*, lugar de cobertura, e está intimamente conectada com a palavra para expiação no Antigo Testamento (heb. *Kaphar*, cobrir pecado). O sangue sacrificial que é tornado expiação... pelo pecado; o propiciatório foi o "lugar da cobertura" porque ali o sangue sacrificial era aspergido. "E [o sumo-sacerdote] porá o incenso sobre o fogo perante o Senhor, a fim de que a nuvem do incenso cubra o propiciatório, que está sobre o testemunho, para que não morra" (Lv 16.13). (3) Tipicamente, portanto, a tampa dourada da arca era o propiciatório porque, na justiça divina [ouro], ele "cobria" dos olhos do querubim a lei violada, enquanto que o sangue borrifado "cobria" os pecados do adorador. Portanto, ele tornou-se o lugar de encontro de um Deus santo com um homem pecador. "E ali *virei a ti*, e de cima do propiciatório, do meio dos dois querubins que estão sobre a arca do testemunho, *falarei contigo* a respeito de tudo o que eu te ordenar no tocante aos filhos de Israel" (Êx 25.22). "porque *aparecerei* na nuvem sobre o propiciatório" (Lv 16.2); "Quando pois Moisés entrava na tenda da revelação, para falar com o Senhor, ouvia a voz que lhe falava de cima do propiciatório, que está sobre a arca do testemunho entre os dois querubins; assim ele lhe falava" (Nm 7.89). (4) Segue-se que Cristo é a propiciação (*hilastērion*, o propiciatório, "trono da graça", Hb 4.16), porque ele é o lugar de encontro e o lugar de comunhão entre um Deus santo e um pecador, mas um crente. Encontrando Deus em Cristo, o crente pode intrepidamente dizer: "Quem intentará acusação contra os escolhidos de Deus? É Deus quem os justifica" (Rm 8.33). E Cristo é o *hilastērion*, ou propiciatório, ou lugar de misericórdia, porque Ele é o *hilasmos*, o propiciador, que "aniquila o pecado pelo sacrifício de si mesmo" (Hb 9.26); e, então, "um sacerdote dos bens já realizados, por meio do maior e mais perfeito tabernáculo, não feito por mãos, isto é, não desta criação), e não pelo sangue de bodes e novilhos, mas por seu próprio sangue, entrou uma vez por todas no santo lugar, havendo obtido uma eterna redenção" (Hb 9.11, 12). Em si mesmo Ele é o lugar de misericórdia borrifado com o seu próprio sangue precioso. (5) A pergunta ainda permanece: o que ou quem Ele propiciou pelo derramamento do seu próprio sangue? É a resposta a esta pergunta que mostra a infelicidade da palavra "propiciação", como a tradução da palavra grega *hilastērion*, ou da hebraica *kapporeth*. Pois "propiciar" significa *apaziguar*, e sugere uma noção totalmente falsa de que a ira de Deus foi apaziguada, saciada, pelo sangue do sacrifício. Mas o fato real de que o próprio Deus proporciona o lugar de misericórdia, a propiciação, deveria ter banido essa noção do pensamento humano. Deus é amor, e a santidade é o seu mais elevado atributo. Sua lei é a expressão de Sua santidade, a cruz é a expressão do seu amor. E na cruz há esse procedimento correto pela ordem moral do universo, tal reunião em favor do pecador, produto de uma exigência inflexível da lei – "a alma que pecar essa morrerá" – que o amor de Deus pode fluir desimpedido para o pecado sem nenhum comprometimento de Sua santidade. O que mais deve ter sido o lugar de julgamento, esse local se torna para o crente em Cristo, um lugar de misericórdia; um "trono de graça". A propiciação, então, diz respeito à lei e o que é devido à santidade de Deus.[33]

A oração do publicano (Lc 18.13) tem sido usada erroneamente e entendida erroneamente. A tradução de algumas versões americanas de ἱλάσκομαι como *misericordioso,* ao invés da palavra *propício,* que é a indicada, tem sido a causa de grande erro no campo do apelo evangélico. Deus não pode ser misericordioso para com o pecador no sentido de ser generoso ou leniente, e o publicano não pediu a Deus que este fizesse algo impossível. Ele pediu a Deus para ser propício. Neste contexto, deverá ser lembrado que este registro é da experiência de um homem que permaneceu com a base do Antigo Testamento, antes da morte de Cristo. Ao trazer a sua oferta – como faziam todos os que se aproximavam de Deus em oração, na busca do perdão – ele era justificado em pedir que Deus fosse propício a ele *como* pecador (grego).

O erro consiste em não reconhecer que a morte de Cristo mudou todos os relacionamentos com Deus. Para um indivíduo orar a Deus, agora para que Ele seja misericordioso para com um pecador, é tão impossível quanto era nos dias do Antigo Testamento. Para um indivíduo pedir agora, que Deus lhe seja propício, significa rejeitar a morte de Cristo e ignorar o seu valor. É o mesmo que suplicar por algo a ser feito, quando tudo já foi feito. Os homens não são salvos por persuadirem Deus em lhes dar misericórdia; mas são salvos quando eles se atrevem a crer em Deus, que foi misericordioso o suficiente para providenciar um Salvador e porque Ele *é* propício.

Como no caso da *redenção* e *reconciliação,* há dois aspectos da propiciação. Há uma propiciação que afeta Deus em suas relações com o κόσμος – sem nenhuma referência aos eleitos – e uma que afeta as suas relações com os eleitos. Esta dupla propiciação é apresentada em 1 João 2.2, que diz: "E ele é a propiciação pelos nossos pecados, e não somente pelos nossos, mas também pelos de todo o mundo". Nenhuma mensagem mais transformadora poderia ser emitida do que a proclamação da verdade de que Deus *é* propício. Com base neste evangelho de que os não-salvos são livres para vir, pela fé, cientes que não serão punidos ou reprovados, mas, antes, foram recebidos e salvos para sempre.

De igual modo, os salvos que pecaram, se confessarem seus pecados, serão livres para vir a Deus necessitados de perdão e purificação, e nunca serão rejeitados. O filho pródigo, que é uma ilustração de um filho que se volta para o Pai em busca da restauração com base na confissão antes do que na fé, foi beijado por seu pai *antes* de ele ter feito a confissão. Assim, está revelado que Deus é propício, não que a fé ou a confissão o tenham feito propício, mas por causa da morte de seu Filho. Nenhum pecador regenerado está designado para a tarefa de propiciar Deus. Cristo já realizou essa tarefa perfeitamente, e a porta para a graça já está amplamente aberta.

Quando a redenção, que é em relação ao pecado, a reconciliação, que é em relação ao homem, e a propiciação, que é em relação a – tudo isso operado por Cristo em sua morte – são consideradas no lugar específico delas em relação aos não-salvos e estas três são combinadas em uma doutrina ou conjunto de verdades, juntas elas formam o que é propriamente chamado de a *obra consumada de Cristo.*

SOTERIOLOGIA

VI. O Julgamento da Natureza Pecaminosa

Pelo sofrimento e morte, Cristo operou com igual precisão e eficácia a solução do problema dos pecados pessoais e da natureza pecaminosa. Ele "morreu pelos nossos pecados" (1 Co 15.3), e "ele morreu para o pecado" (Rm 6.10). Nas páginas anteriores, que tratam da doutrina da substituição, a morte de Cristo pelo pecado pessoal, ou "nossos pecados", já foi estudada. Neste ponto, somos confrontados com a verdade mais profunda e complexa, a saber, que Cristo morreu *para o pecado*. A luz é lançada sobre este tema, quando se observa que em Romanos 6-8, e em 1 João 1, há uma distinção indicada entre o pecado, que é uma falha pessoal ou transgressão, e o pecado, que é uma natureza. Embora o mesmo termo *pecado* seja usado, o contexto e o caráter da verdade revelada determinam onde e quando uma ou outra verdade está em foco.

Como uma ilustração dessa distinção importante, pode ser visto que 1 João 1.8: "Se dissermos que não temos pecado, enganamo-nos a nós mesmos, e a verdade não está em nós", diz respeito à natureza pecaminosa, sobre a qual excelentes pessoas podem facilmente ser auto-enganadas; não obstante, a verdade não é aquela que assevera que elas não possuem natureza pecaminosa. Em oposição a isto, e como uma tese totalmente diferente, 1 João 1.10 afirma: "Se dissermos que não temos cometido pecado, fazemo-lo mentiroso, e a sua palavra não está em nós". Nesta esfera do pecado pessoal, não pode haver um auto-engano. O Espírito entristecido (quando não a consciência) no crente o deixa afetado com a realidade de seu pecado. O crente sabe também que ele falhou em obedecer às instruções que lhe foram dadas na Palavra de Deus e que o Senhor claramente declarou que ninguém está livre de pecar à Sua vista. Declarar que alguém nunca pecou é fazer de Deus um mentiroso e resulta em não ser beneficiado por sua Palavra.

Portanto, o método divino de tratar com a natureza pecaminosa do crente é primeiro pô-la sob julgamento. Isto foi feito por Cristo quando Ele "morreu de uma vez por todas para o pecado" (Rm 6.10); mas não pode enfatizar que este julgamento consiste da natureza do pecado, que é destruída, nem que o seu poder essencial seja diminuído. Assim como Satanás foi julgado por Cristo na cruz (Jo 16.11; Cl 2.14, 15) e está, todavia, ativo – talvez, como o deus deste século, esteja mais ativo do que antes – de igual modo, a natureza pecaminosa é julgada, embora o seu poder não o seja, por causa desse julgamento, ela diminuiu. A segunda provisão no tratamento divino com a natureza pecaminosa é que ela deve ser controlada no crente pelo poder superior da habitação do Espírito Santo. É uma forma de racionalismo afirmar que a natureza pecaminosa é descartada ou erradicada de qualquer crente, enquanto ele está neste mundo.

Este erro, tão dominante em muitos setores, será analisado devidamente sob o tema maior de pneumatologia. É suficiente dizer aqui que, como os inimigos dos cristãos são três, a saber, o mundo, a carne e o diabo (a natureza pecaminosa, ou o "velho homem", é apenas uma porção de um deles) e nenhum deles jamais é removido ou erradicado, é muito contrário à Escritura e irrazoável afirmar que a natureza pecaminosa é deposta. Semelhantemente, pode haver uma semelhança de justificação, pois uma teoria de erradicação só é possível se qualquer pessoa já demonstrou tal coisa na experiência. Em oposição a todas as suposições de tal racionalismo, está a verdade de que a Palavra de Deus ensina tão claramente que o Espírito de Deus é dado ao cristão como o recurso pelo qual ele pode conquistar vitória sobre cada inimigo, inclusive a natureza pecaminosa, que a afirmação da Escritura, na medida em que ela diz respeito à natureza pecaminosa, fosse vontade de Deus a sua erradicação, essa afirmação seria sem propósito.

O julgamento perfeito que Cristo fez da natureza pecaminosa em sua morte teve em vista a provisão de uma base justa sobre a qual essa natureza pode ser totalmente controlada pelo Espírito de Deus. O problema é aquele que é ligado a Deus e a sua santidade. Por ser totalmente má, a natureza pecaminosa pode somente ser julgada diretamente por Deus, ou num Substituto de sua escolha. O Espírito de Deus, por ser santo, não poderia tratar com essa natureza má em qualquer vida a não ser trazê-la para um julgamento meritório, se não tivesse sido antes julgada. Visto que ela é perfeitamente julgada por Cristo, todo o poder do Espírito Santo é livre de restrição, para realizar a tarefa diária e constante da vitória sobre a natureza pecaminosa. Tratar somente do fruto da árvore – os pecados pessoais – e não com a raiz – a natureza pecaminosa – seria um procedimento inútil.

Deus claramente declarou o seu propósito e método de tratar com a raiz – a natureza pecaminosa – e por dar atenção a isto o cristão pode mostrar inteligência nos passos que dá em direção a uma santificação experiencial da vida diária. Como os não-regenerados podem continuar não-salvos por causa de seu erro em não crer na verdade de que Cristo morreu pelos pecados deles, de igual modo, os regenerados podem permanecer ainda presos ao mal em suas vidas por causa da falha deles em crer na verdade de que Cristo morreu pela natureza pecaminosa deles.

Romanos 6.1–8.13. A passagem central que trata do julgamento da natureza pecaminosa, ou "velho homem", pela morte de Cristo e a explicação da nova base pela qual, em vista do julgamento, a vida do crente pode ser vivida, é Romanos 6.1–8.13. Assim como Romanos 1–5 revela o caminho da salvação para a vida eterna e uma posição perfeita, mesmo a justificação eterna, para aqueles entre os não-salvos que crêem – e que por causa da obra consumada de Cristo como uma redenção (3.24), como uma reconciliação (5.10), e como uma propiciação (3.25), assim também Romanos 6.1–8.13 revela o modo de vida que honra a Deus para aquele que é salvo, e essa maneira de vida é através daquilo que pode ser chamado de *a obra consumada de Cristo para o cristão*. Pois, por um julgamento infinitamente perfeito e completo da natureza pecaminosa, o andar pelo novo princípio de vida, pelo poder capacitador do Espírito Santo (8.4), é tornado possível para o cristão, que pela fé conta-se a si mesmo como morto para a natureza pecaminosa e vivo para Deus, e se fia no poder suficiente do Espírito Santo.

É de importância insuperável que o "velho homem" seja [foi] crucificado com ele [Cristo] (6.6). Com base nisso, o corpo do pecado, ou o poder do pecado de manifestar-se, pode *ser anulado* – não *destruído*, como está traduzido em algumas versões. Embora este grande conjunto de verdades seja brevemente considerado no presente contexto em relação à morte de Cristo, ele

SOTERIOLOGIA

será considerado mais detidamente no tema geral de pneumatologia, quando relacionado à obra capacitadora do Espírito Santo.

Tanto a morte de Cristo *pelos* pecados quanto a sua morte *para* o pecado são substitutivas no seu grau mais alto, e em nenhum texto da Escritura esta substituição é tão enfatizada como em Romanos 6.1-10. Quatro passos em que o crente participa são itemizados – crucificação, morte, sepultamento e ressurreição. É significativo que um contexto mais forçoso e explícito que trata da morte de Cristo pelos não-salvos apresente os mesmos particulares, mas sem o aspecto da crucificação. O texto a seguir declara: "Ora, eu vos lembro, irmãos, o evangelho que já vos anunciei; o qual também recebestes, e no qual perseverais, pelo qual também sois salvos, se é que o conservais tal como vo-lo anunciei; se não é que crestes em vão. Porque primeiramente vos entreguei o que também recebi: que Cristo morreu por nossos pecados, segundo as Escrituras; que foi sepultado; que foi ressuscitado ao terceiro dia, segundo as Escrituras" (1 Co 15.1-4).

Em Romanos 6.1-4, que apresenta a base da santificação experimental do crente, ou o seu andar diário, no poder capacitador do Espírito Santo, está escrito: "Que diremos, pois? Permaneceremos no pecado, para que abunde a graça? De modo nenhum. Nós, que já morremos para o pecado, como viveremos ainda nele? Ou, porventura, ignorais que todos quantos fomos batizados em Cristo Jesus fomos batizados na sua morte? Fomos, pois, sepultados com ele pelo batismo na morte, para que, como Cristo foi ressuscitado dentre os mortos pela glória do Pai, assim andemos nós também em novidade de vida". E a isto é acrescentado no versículo 6: "sabendo isto, que o nosso homem velho foi crucificado com ele, para que o corpo do pecado fosse desfeito, a fim de não servirmos mais ao pecado". O contexto todo, Romanos 6.1-10, deve ser mantido em seu pensamento de substituição que uma parceria – co-crucifixão, co-morte, co-sepultamento, e co-ressurreição – está indicada.

Visto que não pode haver uma necessidade de qualquer desses aspectos ser ordenado em nome de Cristo, tudo é operado em favor daqueles cuja natureza pecaminosa Ele assim julga. Este texto tão vital, sobre o qual repousa toda a doutrina da natureza adâmica, é apenas uma ampliação de uma questão com a qual o contexto se inicia, a saber: "Nós que já morremos para o pecado, como viveremos ainda nele?" Isto significa a maneira de sua morte *para o* pecado que envolve uma participação quádrupla – co-crucificação, co-morte, co-sepultamento, e co-ressurreição. Na verdade, isto foi um julgamento divinamente operado do "velho homem" (cf. v. 6), e forma a base de uma emancipação perfeita pelo Espírito Santo do poder reinante do "velho homem" – a natureza pecaminosa.

Considerando que a afirmação clara de que esta é uma morte para o crente no sentido dele participar daquilo que Cristo operou em sua morte para o pecado, deve ser lamentado que alguns têm interpretado essa passagem como a ordenação da auto crucifixão. Semelhantemente, deveria ser lembrado que se essa passagem é aceita como o controle do assunto do batismo ritual (ou de água), como alguns a têm considerado, a verdade vital a respeito da morte de Cristo como um julgamento da natureza pecaminosa, é descartada, visto que a passagem não poderia apresentar ambas as idéias; e se a passagem determina o assunto do batismo ritual, a verdade central que proporciona a base de uma possível liberdade do "velho homem", é sacrificada. O contendor mais ardoroso da alegação de que o batismo ritual é uma representação da morte de Cristo, dificilmente desejaria relacionar essa ordenança à santificação ou à vida vitoriosa pelo Espírito Santo, mas exigiria que a ordenança fosse relacionada com a salvação do pecador, ou com a morte de Cristo por pecadores.

Neste aspecto a passagem – 1 Coríntios 15.1-4 – é uma base mais razoável para a ordenança, pois Romanos 6.1-10 é, sem dúvida, uma apresentação da morte de Cristo como a base da santificação experiencial e não da salvação dos perdidos. Nenhum batismo ritual jamais une uma pessoa a Cristo no sentido de ela partilhar vital e perfeitamente de tudo o que Cristo é e de tudo o que Ele fez, mas isto é exatamente o que o batismo com o Espírito Santo realiza. Assim, por ser batizado em Cristo pelo Espírito, é assegurada uma real participação na sua crucificação, morte, sepultamento e ressurreição.

Em seus aspectos principais, o desenvolvimento do argumento de Romanos 6.1–8.13 é o seguinte:

(1) Cristo morreu para o pecado com a finalidade de que o crente não continue em pecado. Está escrito: "Não reine, portanto, o pecado em vosso corpo mortal, para obedecerdes às suas concupiscências" (6.12). A implicação não pode ser evitada de que, se desimpedido, a natureza pecaminosa, embora julgada, afirmará o seu poder no corpo mortal. Está também implícito que o seu domínio não é uma necessidade, o que seria se ela não fosse julgada, e igualmente está implícito que a responsabilidade agora pertence ao cristão "não deixar o pecado reinar", e para isso, obviamente, ele deve usar os meios divinos e os recursos disponíveis através do Espírito Santo.

(2) O sistema todo de mérito, com seu apelo às obras e ao esforço humanos, representado nos relacionamentos da lei, não foi deixado ao cristão, e aqueles que empregam este princípio de andar na sua própria força são derrotados por causa da incapacidade deles de controlar a natureza pecaminosa (Rm 7.1-25).

(3) Há uma vitória triunfante na qual toda vontade de Deus é realizada *no* crente, mas nunca *pelo* crente. (Rm 8.1-13). Nesta divisão final deste contexto, está reafirmado que a libertação é pelo poder, ou lei, do Espírito da vida em Cristo Jesus (Rm 8.2) e com base na verdade de que um novo princípio de realização é assegurado, e é muito mais eficaz quanto o poder de Deus é maior do que o da impotente carne. A verdade toda é sumarizada em dois versículos (Rm 8.3-4) em que ambos, o julgamento da morte de Cristo com respeito à velha natureza e a energia imediata do Espírito, são apresentados: "Porquanto o que era impossível à lei, visto que se achava fraca pela carne, Deus, enviando a seu próprio Filho em semelhança da carne do pecado, e por causa do pecado, na carne condenou o pecado, para que a justa exigência da lei se cumprisse em nós, que não andamos segundo a carne, mas segundo o Espírito".

Pode ser concluído, então, que, em sua morte, e como um objetivo maior, Cristo assegurou o julgamento da natureza pecaminosa com base no Espírito Santo que com justeza pode libertar do poder dessa natureza, e o fará com todos "que não andam segundo a carne, mas segundo o Espírito" (8.4). Andar segundo o Espírito é andar numa consciência dependente do Espírito. É andar por meio do Espírito (cf. Gl 5.16).

VII. A Base do Perdão e da Purificação dos Crentes

No segundo volume e sob a divisão geral da hamartiologia a doutrina específica e singular a respeito do pecado do cristão foi considerada minuciosamente. Foi observado ali que o pecado é sempre igualmente pecaminoso por quem quer que o tenha cometido, e que ele pode ser curado somente pelo sangue de Cristo, e sua cura, no caso de um cristão, é por perdão de *família*, e que a purificação, que é assegurada pela confissão do pecado a Deus. Permanece ainda por ser indicado, como é próprio desse tema, que o perdão e a purificação do cristão são tornados possíveis somente através do sangue de Cristo que Ele derramou num sentido específico para o pecado do cristão.

1 João 1.1–2.2. Há muita coisa no Novo Testamento que trata do perdão do pecado dos não-salvos como um aspecto vital da salvação deles. Esse perdão, é assegurado, é realizado quando o pecador *crê*. A passagem central relacionada ao pecado do cristão, cujo perdão é condicionado à *confissão*, é 1 João 1.1–2.2. Neste contexto, ambos, o efeito do pecado do cristão sobre si mesmo e o efeito do seu pecado sobre Deus, são contemplados. No primeiro caso, o efeito é o da *escuridão* e o da cura é o do *andar na luz* (1.6, 7). Andar na luz em nenhum sentido tem a ver com a perfeição de andar sem pecado; isto seria o mesmo que *tornar-se luz*, que é próprio somente de Deus. Significa antes ser responsivo à luz que Deus derrama no coração. É uma atitude de voluntariedade em confessar imediatamente cada pecado tão logo ele seja reconhecido como pecado.

Tal confissão traz o cristão imediatamente a uma concordância moral com Deus. Ele partilha da denúncia que Deus faz de seu pecado e isto se torna a base de uma renovação de comunhão com Deus. A promessa é que, quando assim se anda na luz e assim se ajusta à luz, o sangue de Jesus Cristo continuamente purifica de todo o pecado. Esta verdade é ampliada no versículo 9, onde é dito: "Se confessarmos os nossos pecados, ele é fiel e justo para nos perdoar os pecados e nos purificar de toda injustiça". Assim, está revelado que tanto o perdão quanto a purificação para o cristão estão baseados no sangue de Cristo. Que nenhuma punição é imposta, que nenhum golpe é desferido, que nenhuma palavra de condenação é emitida, e que somente um perdão e uma purificação perfeitos são vindos de Deus nos termos da confissão do homem, e que são devidos à verdade de que Cristo *é* "a propiciação pelos nossos [cristãos] pecados" (2.2). Deus, através da morte de seu Filho, *é* propício a nós.

No segundo caso, a saber, o efeito do pecado do cristão sobre Deus, a cura vem através da intercessão de Cristo no céu. Como Advogado, Ele surge em favor do cristão que peca e alega, não a fraqueza do cristão, mas a suficiência do seu próprio sacrifício. O fato de Ele suportar o pecado na cruz satisfaz todo juízo divino contra o pecado, e, além disso, Deus é visto como propício. Na doutrina do Novo Testamento – exceto a salvação dos perdidos – é mais perfeitamente baseada na morte de Cristo do que é a doutrina que estabelece o perdão e purificação do cristão; e não poderia ficar sem observação que em 1 João 2.2 o pecado do cristão é designado como um objetivo específico e importante na morte propiciatória de Cristo na cruz.

VIII. A Base da Procrastinação dos Justos Juízos Divinos

Os sete objetivos precedentes realizados por Cristo em seu sofrimento e morte, embora eternos em seu caráter, por serem previstos desde toda eternidade, e com respeito a alguns de seus aspectos que continuam os seus efeitos por toda a eternidade vindoura, são *pessoais* e devem ser avaliados basicamente à luz do presente benefício deles. As sete realidades, inclusive a que está sob consideração, que ainda devem ser estudadas, são de aplicação ilimitada para outras eras, ou de outras esferas da existência além das esferas de existência desta terra.

A procrastinação dos julgamentos justos, embora muito obviamente em operação por todas as eras, não é um assunto que tenha revelação específica. Contudo, está revelado que Deus, por ser santo, não pode contemplar o pecado com o menor grau de tolerância, a menos que o pecado seja visto por Ele como julgado na morte de seu Filho. Pelo Deus eterno – aquele que "chama as coisas que não são, como se já fossem" (Rm 4.17) – todo o pecado humano, desde o primeiro até o último, é visto à luz do sacrifício de Cristo; e que nesse sacrifício e sobre um plano muito mais extenso do que o que foi empregado na salvação das almas individuais, ele é livre para eliminar aqueles santos juízos que, de outra forma, deveriam cair com terrível velocidade sobre todo pecador. Deve ser observado, também, que os juízos procrastinados não são abandonados ou rejeitados.

O dia da ira divina é inescapável e o ofensor precisa se abrigar sob o sangue redentor de Cristo. Mas a paciência de Deus – sempre fundada na base justa, que de outro modo comprometeria o santo caráter de Deus com o pecado – é estendida para com os pecadores em sua longanimidade (Rm 9.22; 1 Pe 3.20; 2 Pe 3.9, 15), e em seu esforço (Gn 6.3). O sábio escreveu: "Porquanto se não se executar logo o juízo sobre a má obra, o coração dos filhos dos homens está inteiramente disposto para praticar o mal" (Ec 8.11). A certeza do julgamento para aqueles que desprezam a paciência divina é assegurada (Mt 24.48-51; Rm 2.4, 5). Deus é sempre santo em seu caráter e justo em sua ação, seja na sua longanimidade, seja nos seus juízos.

IX. A Retirada dos Pecados antes da Cruz Que Haviam Sido Cobertos pelo Sacrifício

A economia divina com respeito à disposição de tais pecados, representados nos sacrifícios de animais durante o extenso período entre Abel e Cristo, foi a de *cobrir*, como mostra a raiz hebraica *kāphar*, traduzida como 'expiação". Antes da morte de Cristo, esta economia divina baseou a sua ação justa com respeito ao pecado na antecipação dessa morte, por ser o sacrifício animal um símbolo ou tipo da morte do Cordeiro de Deus. Pela apresentação de um sacrifício e pela imposição de mãos sobre a cabeça da vítima, o ofensor reconhecia o seu pecado perante Deus, e entrava inteligentemente num arranjo no qual um substituto morria no lugar dele. Como afirmado em Hebreus 10.4, embora seja "impossível que o sangue de touros

SOTERIOLOGIA

e de bodes tire pecados" – Deus, não obstante, proporcionou um livramento para o ofensor, mas com a expectativa, em Si mesmo, de que houvesse uma base justa para tal livramento que eventualmente fosse assegurada pela morte sacrificial de seu Filho, morte essa que era tipificada pelo sacrifício de animal.

A palavra hebraica *kāphar* expressa com exatidão divina precisamente o que aconteceu do ponto de vista de Deus na transação. O pecado foi *coberto*, mas não "retirado", pois aguardava a morte prevista de Cristo. Traduzir *kāphar* por "expiação", que etimologicamente pode significar 'expiação', poderia comunicar não mais do que o ofensor ser um com Deus por uma transação que repousava somente num simbolismo. Do lado humano, o ofensor foi perdoado; mas do lado divino a transação precisava de um único ato que pudesse fazê-la conformar-se com as exigências da santidade infinita. Duas passagens do Novo Testamento lançam luz sobre a ação restrita de Deus a respeito daqueles pecados que foram cobertos pelo sacrifício de animais. Em Romanos 3.25, o objetivo divino na morte de Cristo é declarar ser "para a remissão de pecados que são passados através da paciência de Deus".

Neste texto, a palavra πάρεσις, traduzida como *remissão* e usada apenas uma vez no Novo testamento, e num sentido muito distante com respeito ao significado de ἄφεσις (que indica um perdão pleno), sugere não mais do que a procrastinação do juízo e revela que Deus deixou de lado o pecado, em vista dos sacrifícios. Igualmente, em Atos 17.30, e com referência à mesma economia divina, lemos: "Mas Deus, não levando em conta os tempos da ignorância, manda agora que todos os homens em todo lugar se arrependam". A tradução da Authorized Version da palavra grega ὑπερεῖδον pelas palavras 'não levou em conta' (ou "fez vista grossa") hoje sugere indiferença, ou uma falta de seriedade, da parte de Deus, para com os julgamentos justos em que o pecado deve inevitavelmente incorrer, visto que o real significado de ὑπερεῖδον neste contexto são aqueles juízos inevitáveis, iminentes que foram ignorados somente temporariamente.

Uma série de contrastes vitais entre a eficácia dos sacrifícios animais da antiga dispensação e a eficácia do sacrifício definitivo de Cristo é apresentada na carta aos Hebreus. Entre eles, e por ser a consumação da série, está afirmado (Hb 10.2) que os adoradores da antiga ordem nunca receberam liberdade de uma "consciência de pecados", e retornavam ano após ano, como sempre fizeram, com os sacrifícios de animais. Isto era inevitável, afirma o escritor, "porque é impossível que o sangue de touros e de bodes tire pecados" (10.4). Cristo, é dito (10.9), retirou a velha ordem, para que Ele pudesse estabelecer a nova. Que a velha ordem é retirada, está claro em Hebreus 10.26 pelas palavras: "já não mais resta sacrifício pelos pecados". Este fato é igualmente apresentado nas seguintes palavras: "Ora, todo sacerdote se apresenta dia após dia, ministrando e oferecendo muitas vezes os mesmos sacrifícios, que nunca pode tirar pecados; mas este, havendo oferecido um único sacrifício pelos pecados, assentou-se para sempre à direita de Deus" (Hb 10.11, 12).

Desta maneira, é visto que a morte de Cristo foi uma consumação justa da antiga ordem, assim como o fundamento da nova. Visto que na antiga ordem Deus havia perdoado pecados com base no sacrifício que ainda era futuro, esse sacrifício, quando realizado, não somente *tirou*, pelo justo juízo, os pecados que

Ele antes havia perdoado, mas mostrou que Deus havia sido justo em procrastinar os seus juízos sobre aqueles pecados. Este é o testemunho de Romanos 3.25, onde, na procrastinação da morte de Cristo, está afirmado: "ao qual Deus propôs como propiciação, pela fé, no seu sangue, para demonstração da sua justiça por ter ele, na sua paciência, deixado de lado os delitos outrora cometidos". Aqui, a maneira de Deus tratar, que deixou de lado os pecados do passado, foi baseada na paciência de Deus, enquanto que o modo presente de Deus tratar com o pecado é uma transação completa que resulta na absolvição do pecador e na garantia de sua justificação com base tão justa que Deus é dito ser justo em justificar o pecador que não faz algo além de crer em Jesus (Rm 3.26).

Por não haver uma base sob a antiga ordem para uma absolvição completa do pecador, essa transação é levada a efeito e se torna uma parte do novo testamento que Cristo fez em seu sangue, e por ela os eleitos da velha ordem receberam "a promessa da eterna herança". Lemos: "E por isso é mediador de um novo pacto, para que, intervindo a morte para remissão das transgressões cometidas debaixo do primeiro pacto, os chamados recebam a promessa da herança eterna" (Hb 9.15).

A conclusão a ser tirada deste extenso conjunto de textos é que os pecados cometidos no período entre Adão e a morte de Cristo, que foram cobertos pelas ofertas sacrificiais, foram retirados e perfeitamente julgados em justiça, como o objetivo mais importante na morte de Cristo.

X. A Salvação Nacional de Israel

As Escrituras dão testemunho do fato de que Israel como nação deve ser salva de seu pecado e liberta de seus inimigos pelo Messias, quando Ele retornar à terra. É verdade que, nesta época, as ofertas presentes da graça divina são estendidas aos judeus individualmente como acontece aos gentios (Rm 10.12), e que, sem referência aos pactos imutáveis de Jeová com Israel, pactos esses que estão ainda pendentes (Mt 23.38, 39; Lc 21.24; At 15.15-18; Rm 11.25-27), o judeu, como pessoa, é agora divinamente considerado como muito carente da salvação, da mesma forma que é o gentio (Rm 3.9). Estes fatos, relacionados como estão ao propósito desta presente era – o chamamento da Igreja, que é de gentios e judeus igualmente (Ef 3.6) – que não tem algo a ver com o propósito divino para a era vindoura do reino quando, de acordo com a promessa do pacto, Israel será salvo e habitará com segurança na sua própria terra (Dt 30.3-6; Jr 28.5, 6; 33.15-17).

Na seqüência do argumento que o apóstolo apresenta na carta aos Romanos, e após ter apresentado o fato presente e o plano da salvação individualmente, para judeus e gentios, nos capítulos 1 a 8, ele começa a responde, nos capítulos. 9 a 11, a pergunta inevitável daquilo que, sob essas novas condições, resultava dos pactos irrevogáveis com Israel (Rm 11.27-29). A resposta a essa questão dificilmente poderia ser afirmada em termos mais definidos ou inteligíveis do que os que se seguem: "... que o endurecimento veio em parte sobre Israel, até que a plenitude dos gentios haja entrado; e assim todo o Israel será salvo [Israel aqui não poderia ser a Igreja, visto que ela já está salva], como está escrito: Virá de Sião o Libertador, e desviará de Jacó as impiedades; e este será o meu pacto com eles, quando eu tirar os seus pecados. Quanto ao evangelho, eles [Israel] na verdade, são inimigos por causa de vós [gentios]; mas, quanto à eleição, amados por causa dos pais. Porque os dons e a vocação de Deus [a respeito de Israel] são irretratáveis" (Rm 11.25-29).

É óbvio que Israel, como uma nação, não é salva agora, nem estão em evidência quaisquer aspectos dos pactos eternos de Jeová com esse povo – a posse final da terra deles (Gn 13.15), a entidade nacional deles (Is 66.22; Jr 31.36)[34]; o trono terreno deles (2 Sm 7.16), o Rei deles (Jr 33.15, 17, 21), e o reino deles (Dn 7.14) – mas nenhum desses aspectos poderia jamais falhar, visto que Deus é fiel naquilo que prometeu. A nação, exceto por certos rebeldes que estão para ser "separados" (Ez 20.37, 38), será salva, e pelo próprio Messias deles, quando Ele vier de Sião (cf. Is 59.20, 21; Mt 23.37-39; At 15.16). O "todo Israel" de Romanos 11.26 é evidentemente aquele Israel separado e aceito que terá passado pelos juízos divinos que estão ainda por vir àquela nação (cf. Mt 24.37–25.13). O apóstolo distingue claramente entre Israel nação e Israel espiritual (cf. Rm 9.6; 11.1-36).

Dos fatos afirmados acima, a verdade que é pertinente a este tema não é o reajuntamento futuro na terra deles nem a libertação de Israel dos seus inimigos – coisas que, de acordo com a profecia, ainda estão por acontecer – mas antes o fato de que Jeová, em conexão com o segundo advento de Cristo, "desviará de Jacó as suas impiedades". Jeová declara que este é o pacto com eles (Rm 11.27). Tem sido observado que, em épocas passadas, o tratamento de Jeová com os pecados de Israel – mesmo os pecados pelos quais os sacrifícios designados foram indicados – era somente uma cobertura temporária daqueles pecados, e que Cristo em sua morte suportou o julgamento daqueles pecados que Jeová havia deixado de lado; mas a aplicação final do valor da morte de Cristo em favor de Israel aguarda o momento de sua conversão nacional (cf. Is 66.8, uma nação nascida "de uma só vez" – *pa'am* – literalmente, como um tempo contado, "um golpe", ou "uma pisada do pé").

De acordo com o Seu pacto, Jeová "desviará" os pecados deles. Em Hebreus 10.4, é afirmado que é impossível que o sangue de touros e de bodes "tire" pecados, e em Romanos 11.27 está prometido que os pecados de Israel serão "desviados". A palavra grega ἀφαιρέω é usada em ambas as passagens, mas, com grande significação, o equivalente da forma futura da palavra aparece na última passagem a respeito da salvação nacional de Israel. O raciocínio a ser retirado desta e de outras passagens da Escritura é que Jeová ainda no futuro, numa porção muito breve de tempo, e como uma parte da salvação de Israel, desviará os pecados deles. A ninguém sobre a terra isto tem sido mais enfaticamente revelado do que a Israel: que "sem derramamento de sangue não há remissão" (Hb 9.22), e está muito claramente afirmado que nenhum sangue jamais poderia ser proveitoso para a remissão de pecados do que o sangue de Cristo. Portanto, concluímos que a nação de Israel ainda será salva e que seus pecados serão removidos para sempre através do sangue de Cristo. A palavra de Isaías é "pela transgressão do meu povo foi ele ferido" (53.8), e de Caifás é dito que ele deu conselho aos judeus, ao profetizar que "Jesus havia de morrer pela nação".

O reajuntamento completo de Israel na sua própria terra, que acontecerá no tempo da salvação da nação e em conexão com o retorno do Messias (Dt 30.3), está previsto na profecia como um dos maiores milagres em toda a história humana da terra. Em Jeremias 23.7, 8, o reajuntamento daquele povo é dito sobrepujar, como um empreendimento divino, mesmo o cruzamento do mar Vermelho. De modo semelhante, está afirmado em Mateus 24.31 que essa reunião será operada através da ministração dos anjos.

Termos específicos são empregados nas Escrituras para descrever o caráter definido da salvação, libertação e bênçãos futuras de Israel. Nenhuma dessas coisas, ainda será visto, foi cumprida na história de Israel, nem poderiam muitas dessas promessas ser aplicadas à Igreja, composta como é de judeus e gentios, sem usar princípios destrutivos de interpretação. Jeová prometeu que Ele os faria voltar do cativeiro, e que "circuncidaria" os corações deles (Dt 30.1-6), que escreveria sua lei nos corações deles, e que "não mais se lembraria dos seus pecados" (Jr 31.33, 34). Jeová também disse: "Eu serei o Deus deles, e eles serão o meu povo", e "todos me conhecerão, desde o menor ao maior" (Hb 8.10, 11). É dada segurança a essa nação, quando reunida e abençoada por Jeová, de que "seu descanso será glorioso" (Is 11.10). Eles devem ser confortados e a batalha deles será realizada (Is 40.1, 2).

Jeová alimentará o seu rebanho como faz um pastor, e juntará os cordeirinhos em seus braços, e os levará no seu seio, e gentilmente conduzirá os que ainda se amamentam, e ele os guiará mansamente (Is 40.11). Além disso, Jeová disse a Israel: "Pois o teu Criador é o teu marido... e com benignidade eterna me compadecerei de ti, diz o Senhor, o teu Redentor... Esta é a herança dos servos do Senhor, e a sua justificação que de mim procede, diz o Senhor" (Is 54.5, 8, 17). Os que foram espalhados serão reunidos novamente (Ez 34.11-14); os que foram "odiados de todas as nações" serão supremos sobre os gentios (Mt 24.9; cf. Is 60.12); os que foram cegos por uma era inteira, verão (Rm 11.25); os que foram cortados serão re-enxertados (Rm 11.13-24); e a alegria eterna estará sobre as cabeças deles, e deles fugirá a tristeza e o gemido (Is 35.10).

A antecipação de tais bênçãos para Israel é o tema de todos os profetas e, na verdade, é a salvação que aguarda aquele povo; mas Deus é exatamente livre para agir em favor de pecadores somente com base no fato de que o Cordeiro tirou os pecados deles. Um objetivo importante na morte de Cristo é, portanto, a salvação nacional de Israel.

XI. As Bênçãos Milenares e Eternas Sobre os Gentios

O Evangelho da graça de Deus agora é pregado aos judeus e gentios e as riquezas e glórias celestiais são prometidas aos que crêem em sua mensagem; contudo, essas bênçãos celestiais para a Igreja não devem ser confundidas com as bênçãos mileniais terrenas que estão asseguradas para Israel, e aos gentios que compartilham do reino com Israel. A presença de certas nações gentílicas sobre a terra durante o reino milenial é um tema da profecia do Antigo Testamento. A seleção dessas nações e a base dessa escolha são retiradas dos lábios de Cristo e registradas em Mateus 25.31-46. A posição relativa delas no reino é a de permanecer na glória refletida de Israel e para servir (Is 60.3, 12; 61.9; 62.2). Eles devem ser um povo "sobre os quais é invocado o meu nome" (At 15.17). Semelhantemente, essas mesmas nações são vistas como habitantes da nova terra que deve vir a existir e elas serão designadas como "as nações que andarão à sua luz" (Ap 21.24).

A posição dessas nações no reino, a invocação do nome de Jeová que elas farão, e a salvação delas, podem ser cumpridas somente quando Deus for livre através do sangue redentor de Cristo para abençoar pecadores. As bênçãos mileniais e eternas dos gentios são, assim, vistas como um importante objetivo da morte de Cristo.

XII. O Despojamento dos Principados e Potestades

Muito importante é a revelação de que dignitários supramundanos que estão sob controle divino exercem autoridade transcendental. Esses seres são designados como principados e potestades. O título (usado duas vezes de autoridades terrenas – Rm 13.1; Tt 3.1) não sugere necessariamente que esses seres sejam maus, embora, de acordo com o contexto, na maioria das passagens onde esses nomes aparecem, eles são maus. Parece evidente que a palavra *principados* [(ἀρχή)] comunica o fato da dignidade deles, e a palavra *potestades* [(ἐξουσία)] comunica o fato da autoridade deles. Com referência aos anjos que "abandonaram o seu estado original", pelo uso da palavra ἀρχή, Judas declara que eles abandonaram o lugar de dignidade, mas nenhuma sugestão é dada nesta passagem que eles sacrificaram qualquer aspecto de seu poder e autoridade (Jd 6).

Eles são seres criados (Cl 1.16), e o seu domicílio, embora esteja acima da esfera da humanidade (Hb 2.9), é inferior ao trono de Deus onde Cristo está agora assentado (Ef 1.21; Hb 10.12). Sobre estes e outros seres supramundanos o próprio Cristo está agora em autoridade suprema (Cl 2.10). A Igreja é agora o instrumento de Deus pelo qual Ele torna conhecido desses seres "a multiforme sabedoria de Deus" (Ef 3.10), como nas eras vindouras Ele fará conhecida pela Igreja "a suprema riqueza de sua graça" (Ef 2.7). Essas dignidades celestiais exercem agora o seu poder em conflito com os santos sobre a terra (Ef 6.12), e o apóstolo Paulo afirma que entre todas as forças de oposição, nem mesmo os principados e potestades "podem nos separar do amor de Deus que está em Cristo Jesus nosso Senhor" (Rm 8.38, 39).

Está igualmente revelado que Satanás, que toma o título de *príncipe da potestade do ar* (Ef 2.2), é a autoridade reinante sobre todos os anjos caídos (Mt 25.41; Ap 12.7-9). Está evidente que, desde o tempo de sua própria queda num passado sem data, Satanás e suas hostes celestiais têm estado em rebelião aberta contra a vontade e autoridade de Deus, e que foi o próprio Satanás que levou o primeiro homem ao desejo de ser independente de Deus. Os homens piedosos de todas as épocas têm recebido exortações e advertências divinas sobre a oposição que Satanás faz a Deus. Semelhantemente, quando tentou o Filho de Deus no deserto, Satanás revelou a sua própria antipatia pelo plano e propósito de Deus que havia sido revelado. No final, Satanás será banido para sempre; mas não até que ele e seus anjos percam a batalha contra os santos anjos (Ap 12.7), e tenham sido confinados ao abismo por mil anos (Ap 20.1-3). O seu domicílio final e eterno é "o lago de fogo" (Ap 20.10), que foi "preparado para o Diabo e seus anjos" (Mt 25.41).

Este julgamento de Satanás, como esboçado acima, foi primeiro predito; então recebeu uma sentença legal, e está ainda por ser executado. A predição é feita pelo próprio Jeová (Gn 3.15; cf. Is 14.12; Ez 28.16-19), e revela que na consumação da inimizade entre a Semente da mulher – Cristo – e Satanás, Cristo esmagaria a cabeça da serpente e que, por causa disso, Satanás feriria o calcanhar de Cristo. O conflito foi travado na cruz, e, enquanto uma sentença legal foi ganha contra Satanás, que espera ainda a sua execução futura, ou seja, o esmagamento da cabeça de Satanás, o calcanhar do Filho de Deus foi ferido quando Ele morreu na cruz.

O combate entre Cristo e Satanás, que foi travado na colina do Calvário, envolve questões e poderes pertencentes às esferas mais altas do que a terra e muito além dos limites do tempo. A mente finita não pode esperar apreender o escopo e o caráter desse encontro sem limites. Não está somente implícito que, nesse conflito, Satanás exerceu o seu poder máximo, mas que o dano impingido sobre o Filho de Deus, igualado ao ferir do seu calcanhar, foi feito por Satanás. Deveria ser observado, contudo, que Satanás não é o único ser que recebe a responsabilidade pela morte de Cristo. Quatro grupos de indivíduos são acusados (At 4.27). É provável que estes tenham sido somente instrumentos do poder de Satanás (Ef 2.2; Cl 1.13). Tudo isto que parece uma ausência de restrição é, não obstante, salvaguardado pela declaração segura de que, por ser feito por Satanás ou pelo homem, foi somente a realização do "conselho predeterminado" de Deus (At 4.28). Do lado divino, a morte de Cristo estava nas mãos do Pai (Jo 3.16; Rm 3.25; 8.32), do próprio Cristo que se ofereceu a si mesmo em sacrifício (Jo 10.18; Gl 2.20), e através do Espírito eterno (Hb 9.14).

Quando falou de sua morte, Cristo disse: "Agora é o juízo deste mundo; agora será expulso o príncipe deste mundo" (Jo 12.31); e "e do juízo, porque o príncipe deste mundo já está julgado". Semelhantemente, o apóstolo Paulo, ao referir-se à vitória que Cristo obteve sobre os principados e potestades pela cruz, afirma: "...e havendo riscado o escrito de dívida que havia contra nós nas suas ordenanças, o qual nos era contrário, removeu-o do meio de nós, cravando-o na cruz; e, tendo despojado os principados e potestades, os exibiu publicamente e deles triunfou na mesma cruz" (Cl 2.14, 15). Embora a lei, que foi administrada pelos anjos (Gl 3.19; Hb 2.2), não seja agora a regra de vida para os crentes desta geração, acordo não pode ser feito com aqueles que asseveram que é a lei como regra que foi aqui "despojada" pela morte de Cristo.

O *despojamento* é muito claramente dito como dos principados e potestades. Em adição à sentença legal direta que Cristo ganhou na cruz a vitória sobre Satanás e suas hostes – questões que estão muito acima do nosso entendimento – há ao menos dois fatores nessa vitória que podem ser apreendidos: (a) Na relação deles com a autoridade de Deus, Cristo e Satanás representam princípios opostos. Nas eras passadas Satanás emitiu cinco coisas que ele faria contra a vontade de Jeová (Is 14.13, 14), e, quando veio ao mundo, Cristo disse: "Eis-me aqui... para fazer ó Deus, a tua vontade" (Hb 10.5-7); (b) De Cristo foi profetizado que Ele abriria as portas de prisão aos presos (Is 61.1), mas de Satanás é dito que "a seus cativos não deixava ir soltos para suas casas" (Is 14.17).

Os prisioneiros são de Satanás e a libertação deles por Cristo por meio de sua morte constitui uma realização de grandes conseqüências. À parte dos meros remanescentes, cujos pecados foram cobertos pelos sacrifícios de animais no longo período entre Adão e Cristo, a grande multidão de seres humanos permaneceu ligada a Deus sob seis acusações inalteráveis registradas em Efésios 2.11, 12. Eles eram sem Deus e sem esperança, porque estavam sem Cristo, no mundo. Sem ter havido ainda um modo de abordagem de Deus por eles ou deles por Deus, Satanás evidentemente assumiu o controle sobre eles que ele não poderia fazer, com base no fato de que ele tinha tomado de Adão o cetro de autoridade. Durante aquele extenso período, se Deus tivesse abordado uma dessas almas sem uma provisão justa, ou tivesse sido prometida através de sacrifícios animais ou tivesse tornado real essa promessa pelo sangue de seu Filho, é provável que Satanás pudesse ter desafiado o Todo-Poderoso, ao acusá-lo de injustiça.

Assim, com base na pecaminosidade do homem, Satanás manteve os homens prisioneiros. Mas visto que Cristo morreu por todos os homens, como realmente aconteceu, não existe mais uma barreira entre Deus e o homem além da falta de fé no Salvador da parte da humanidade. Os prisioneiros que de outra forma estariam "sem esperança" são agora confrontados com o Evangelho da graça divina – "Todo aquele que quiser".

Assim, pode ser concluído que um dos principais objetivos na morte de Cristo foi o "despojamento dos principados e potestades".

XIII. A Base da Paz

Mas um ligeiro conceito pode ser estabelecido por mentes finitas a respeito deste tema enorme, que naturalmente recebe três divisões naturais:

(A) A paz que foi assegurada aos indivíduos que crêem está intimamente ligada a ambos, a *reconciliação* e a *propiciação* divina, mas é, não obstante, especificada como o principal objetivo na morte de Cristo. Visto que o crente é esclarecido sobre cada acusação e mesmo justificado por causa do valor da morte de Cristo – valor esse que é recebido pela fé – há uma paz assegurada e duradoura entre Deus e o homem de fé. A passagem mais esclarecedora relacionada a essa paz pessoal é a de Romanos 5.1, que diz: "Justificados, pois, pela fé, tenhamos paz com Deus, por nosso Senhor Jesus Cristo". Assim, também, a mesma verdade está afirmada em Efésios 2.13, 14a: "Mas agora, em Cristo Jesus, vós, que antes estáveis longe, já pelo sangue de Cristo chegastes perto. Por que ele é a nossa paz". E, mais ainda, em Colossenses 1.20, após declarar o alcance mais amplo na paz assegurada pelo sangue da cruz, o apóstolo continua com a aplicação mais individual e pessoal daquele sangue e da paz que ele assegura. Ele escreve: "A vós também, que outrora éreis estranhos, e inimigos no entendimento pelas vossas obras más, agora contudo vos reconciliou no corpo da sua carne, pela morte" (Cl 1.21, 22a).

(B) De grande importância, também, é que a paz que se obtém entre gentios e judeus – a despeito da duradoura inimizade entre eles e seus privilégios desproporcionais, como está afirmado a respeito dos judeus em Romanos 9.4, 5, e dos gentios em Efésios 2.11, 12 – quando estes são trazidos em graça ao único corpo de Cristo. A respeito disto o apóstolo escreve em Efésios 2.14-18: "Porque ele é a nossa paz, o qual de ambos os povos fez um; e, derrubando a parede de separação que estava no meio, na sua carne, desfez a inimizade, isto é, a lei dos mandamentos contidos em ordenanças, para criar, em si mesmo, dos dois um novo homem, assim fazendo a paz, e pela cruz reconciliar ambos com Deus em um só corpo, tendo por ela matado a inimizade; e, vindo, ele evangelizou paz a vós que estáveis longe, e paz aos que estavam perto; porque por ele ambos temos acesso ao Pai em um mesmo Espírito".

Este aspecto da paz não é somente dependente de uma mera experiência da graça, de um para com o outro; ele tem o caráter de *posição*. Por serem membros do mesmo corpo, todas as distinções são retiradas: "...onde não há grego nem judeu, circuncisão nem incircuncisão, bárbaro, cita, escravo ou livre, mas Cristo é tudo em todos" (Cl 3.11). Nos pactos, Israel já estava naquele lugar de privilégio que é chamado *perto* (Ef 2.17); mas os gentios, que por relacionamento estavam *longe*, são agora *aproximados* pelo sangue de Cristo (Ef 2.13).

(C) E, finalmente, há uma paz a ser acontecida por todo o universo – prefigurada no milênio sob o Príncipe da paz – que será estabelecida no julgamento de Satanás (Cl 2.14, 15) e de todas as forças do mal. Está escrito: "...e que, havendo por ele feito a paz pelo sangue da sua cruz, por meio dele reconciliasse consigo mesmo todas as coisas, tanto as que estão na terra como as que estão nos céus" (Cl 1.20). O programa que Cristo vai seguir está predito: primeiro, julgará as nações (Mt 25.31-46), quando esmagar a resistência delas (Sl 2.1-3, 8, 9; Is 63.1-6); segundo, derrubará todo governo e autoridade, que exigirá o Milênio e envolve a sujeição tanto das esferas humanas quanto angelicais (1 Co 15.25, 26); e, terceiro, Ele restaurará a Deus um reino universal de paz, no qual o Filho eternamente reina pela autoridade do Pai, e Deus é tudo em todos (1 Co 15.27, 28).

XIV. A Purificação das Coisas no Céu

O pecado provocou os seus efeitos trágicos tanto nas hostes angelicais quanto na raça humana, e a poluição do pecado vai além dos anjos no céu e além dos homens na terra. A sua corrupção se estendeu às "coisas" inanimadas em ambas as esferas. Está afirmado em Hebreus 9.23 que era necessário para as "coisas" celestes serem purificadas, e, em Romanos 8.21-23, que a própria criação, inclusive as criaturas da terra, foi posta em escravidão, da qual não será liberta até o tempo dos corpos dos salvos serem redimidos. Por causa dessa escravidão, a totalidade da criação geme e suporta angústias até agora. Mesmo os redimidos "gemem em si mesmos" durante o presente tempo em que esperamos a redenção de nossos corpos. O fato de que a corrupção alcançou as "coisas" no céu, assim como as "coisas" da terra é uma revelação muitíssimo importante e é, nas Escrituras, considerada totalmente à parte do efeito do pecado sobre os anjos e os homens.

Dentre os contrastes apresentados em Hebreus, capítulos 8-10, entre os cerimoniais típicos que prefiguram a morte de Cristo e a morte em si mesma, assinala-se (Hb 9.23) que, como o Tabernáculo sobre a terra era purificado pelo sangue de animais, assim as "coisas" celestes eram purificadas com base no sangue de Cristo quando Ele, como sumo sacerdote, entrou nas esferas celestiais. Assim lemos: "Mas Cristo, tendo vindo como sumo sacerdote dos bens já realizados, por meio do maior e mais perfeito tabernáculo (não feito por mãos, isto é, não desta criação), e não pelo sangue de bodes e novilhos, mas por seu próprio sangue, entrou uma vez por todas no santo lugar, havendo obtido uma eterna redenção" (Hb 9.11, 12).

E, ao referir-se ao serviço do sumo sacerdote do antigo tempo no santuário terreno, o escritor acrescenta: "Semelhantemente aspergiu com sangue também o tabernáculo e todos os vasos do serviço sagrado. E quase todas as coisas, segundo a lei, se purificam com sangue; e sem derramamento de sangue não há remissão" (Hb 9.21, 22). Assim era o tipo; mas do próprio serviço de Cristo no cumprimento do antítipo está afirmado: "Era necessário, portanto, que as figuras das coisas que estão no céu fossem purificadas com tais sacrifícios [o sangue de animais], mas as próprias coisas celestiais com sacrifícios melhores do que este. Pois Cristo não entrou num santuário feito por mãos [o velho tabernáculo], figura [$ἀντίτυπος$] do verdadeiro, mas no próprio céu, para agora comparecer por nós perante a face de Deus" (Hb 9.23, 24). Os contrastes e os paralelos estabelecidos entre o tipo e o antítipo são óbvios.

O antigo santuário foi cerimonialmente purificado pelo sangue de bodes e bezerros, mas pelo seu próprio sangue Cristo entrou no lugar santíssimo e com base nesse sangue as "coisas" celestiais foram purificadas e por "sacrifícios melhores" do que os de animais. O plural *sacrifícios* usado aqui da única oferta de Cristo, que Ele fez de si mesmo, pode ser assumido como categórico – e abrange suas muitas partes dentro daquilo que é uma categoria.

Várias teorias foram desenvolvidas para explicar por que as "coisas" no céu, isto é, na esfera do "lugar santo" que é celestial (Hb 9.23), necessitariam de purificação. Sobre este ponto Dean Alford cita F. Delitzsch, como se segue: "Se vejo corretamente, o significado do escritor é, em seu pensamento base, isto: o superno santíssimo lugar, i.e., como o versículo 24 mostra, *o próprio céu*, o céu incriado de Deus, embora em si mesmo em calma luz, todavia necessitado de uma *purificação* à medida que a luz do amor pelos homens ofuscou e obscureceu pelo fogo de ira contra o homem pecador; e o tabernáculo celestial, o lugar da revelação que Deus fez de sua majestade e graça aos anjos e homens, precisava de uma *purificação*, à medida que os homens tinham apresentado esse lugar, que lhes foi destinado desde o começo, inatingível pela razão dos seus pecados, e assim deve ser mudado para um lugar inatingível pela manifestação de um Deus gracioso aos homens".[35]

Esta explicação do problema não é sem dificuldade. Não somente Delitzsch estendeu a graça de Deus aos anjos que, como já foi observado, não está nem implícito nas Escrituras, mas fez a purificação das "coisas" que devem ser removidas da ira de Deus contra os pecadores desta terra pela reconciliação da cruz de Cristo. É verdade que "as coisas na terra e coisas no céu" são reconciliadas pela cruz, com o fim de estabelecer a paz (Cl 1.20) – fato esse que está muito distante da reconciliação divina dos moradores da terra com Deus. Embora o estudante seja confrontado por esse problema de questões supramundanas, que são muito vastas para a apreensão finita, pode não ser impróprio ser lembrado que o pecado em seu aspecto mais terrível de rebelião ímpia, pelo pecado dos anjos, entrou no céu, ou o domicílio desses seres celestiais divinamente designado como "os anjos do céu" (Mt 24.36). Com respeito aos "céus incriados" aos quais Delitzsch se refere, a Escritura parece manter silêncio.

A revelação de que "as coisas na terra e coisas no céu" são reconciliadas pela cruz, ou que as "coisas" no céu foram purificadas com base no sangue de Cristo, assim como o sangue de animais serviu para purificar os utensílios do tabernáculo terreno, não há um suporte para uma noção de "reconciliação universal". Ao contrário, as Escrituras declaram em termos exatos que todos os anjos caídos e todos os homens não-regenerados vão para os *ais* eternos.

Embora em seus aspectos essenciais ela transcenda o raio do entendimento humano, está claro que a purificação das "coisas" no céu constituiu um dos principais objetivos da morte de Cristo.

CAPÍTULO V

O Sofrimento e a Morte de Cristo nos Tipos

O DR. PATRICK FAIRBAIRN COMEÇA o seu valioso tratado sobre os tipos (*The Typology of Scripture*) com a seguinte afirmação: "A tipologia da Escritura tem sido um dos departamentos mais negligenciados da ciência teológica". Esta declaração é significativa, não somente para o reconhecimento de uma perda inestimável para a Igreja de Cristo, mas para o fato de que à tipologia é dado, por esse importante teólogo, um lugar devido na ciência da Teologia Sistemática. O Dr. Fairbairn não afirma que alguma atenção foi dada à tipologia nas gerações passadas. Ao contrário, ele mostra que desde o tempo de Orígenes, até o tempo presente, tem havido aqueles que enfatizaram esse tema, e que alguns o têm enfatizado além da razão. A afirmação é que a teologia, como uma ciência, tem negligenciado esse grande campo da revelação.

A tipologia, como a profecia, tem freqüentemente sofrido mais de seus amigos do que de seus inimigos. O fato de que os extremistas têm fracassado em distinguir entre o que é típico e o que é meramente alegórico, análogo, paralelo, uma boa ilustração, ou a semelhança podem ter desviado teólogos conservadores desse campo. Quando a verdade é torturada pelos extremistas e inovadores, uma obrigação acrescentada, portanto, é imposta à erudição conservadora, para que esta a declare em suas proporções corretas. É óbvio que negligenciar a verdade é um erro maior do que enfatizá-la exageradamente ou expô-la erroneamente; e a tipologia, quando abusada por alguns, não obstante, é notável por sua ausência das obras de Teologia Sistemática. Que a tipologia é negligenciada está evidente do fato de que das mais de vinte obras de Teologia Sistemática examinadas, apenas uma consta esse assunto em seu índice, e esse autor fez apenas uma ligeira referência a ela numa nota de rodapé.

Um tipo é uma previsão divinamente proposta que ilustra o seu antítipo. Estas duas partes de um tema estão relacionadas uma a outra pelo fato de que a mesma verdade ou princípio está incorporado em cada uma delas. Não é prerrogativa do tipo estabelecer a verdade de uma doutrina; antes, ele aumenta a força da verdade apresentada no antítipo. Por outro lado, o antítipo serve para erguer o tipo do seu lugar comum para um lugar que é inexaurível e para investi-lo com riquezas e tesouros até então não revelados. O tipo do cordeiro pascal enche a graça redentora de Cristo com riqueza de significado, enquanto a redenção em si mesma reveste o tipo do cordeiro pascal de toda sua significação maravilhosa. Enquanto é verdade que o tipo não é a realidade, como o é o antítipo, os elementos encontrados no tipo, no seu principal, devem ser observados no antítipo.

Assim, o tipo pode, como o faz freqüentemente, orientar especificamente no entendimento correto e na estrutura do antítipo. O tipo é tanto uma obra de Deus quanto o antítipo. Através do reconhecimento da relação entre o tipo e o antítipo, igual ao que há entre profecia e seu cumprimento, a continuidade sobrenatural e a inspiração plenária da totalidade da Bíblia são estabelecidas. O campo, tanto da profecia quanto da tipologia é vasto, pois há mais de cem tipos legítimos, e a metade deles está ligada ao Senhor Jesus Cristo somente, e existe mesmo um campo maior de profecia onde há mais de três centenas de predições detalhadas a respeito de Cristo, que foram cumpridas no seu primeiro advento. Há três fatores principais que servem para mostrar a unidade entre os dois testamentos: tipo e antítipo, profecia e seu cumprimento, e continuidade em progresso da narrativa e doutrina. Estes fatores, como filamentos tecidos de um Testamento a outro, ata-os não somente num tecido, mas servem para traçar um desenho que, pelo seu caráter maravilhoso, glorifica o desenhista.

As duas palavras gregas τύπος e ὑπόδειγμα servem no Novo Testamento para expressar o pensamento daquilo que é típico. Τύπος significa uma estampa que pode servir como um molde ou padrão, e aquilo que é típico no Antigo Testamento é um molde ou padrão daquilo que é antitípico no Novo Testamento. Τύπος é traduzido por oito palavras no vernáculo (*forma*, Rm 6.17; *modelo*, At 7.44; *termos*, At 23.25; *exemplo*, 1 Co 10.6, 11; Fp 3.17; 1 Ts 1.7; 2 Ts 3.9; 1 Tm 4.12; Tt 2.7; Hb 8.5; 1 Pe 5.3; *figura*, At 7.43; Rm 5.14; *sinal*, Jo 20.25). Δεῖγμα significa um espécime ou exemplar, e quando combinado com ὑπό indica aquilo que é mostrado claramente aos olhos dos homens. Ὑπόδειγμα é traduzido por duas palavras em nossa língua (*exemplo* e *modelo*, Jo 13.15; Hb 4.11; 8.5; Tg 5.10; 2 Pe 2.6; e *figuras*, Hb 9.23).

Os tipos são geralmente restritos a *pessoas* (Rm 5.14; cf. Adão, Melquisedeque, Abraão, Sara, Ismael, Isaque, Moisés, Josué, Davi, Salomão etc.); *eventos* (1 Co 10.11; cf. a preservação de Noé e seus filhos na arca, a redenção do Egito, o memorial da Páscoa, o Êxodo, a passagem do mar Vermelho, a doação do maná, a água tirada da rocha, a serpente erguida no deserto, e todos os sacrifícios típicos), *coisas* (Hb 10.20; cf. o tabernáculo, os vasos, o cordeiro sacrificial, o Jordão, uma cidade, uma nação); uma *instituição* (Hb 9.11; cf. o sábado, o sacrifício, o sacerdócio, o reino); um *cerimonial* (1 Co 5.7; cf. todas as indicações de serviço do Antigo Testamento). É impossível neste espaço listar os tipos reconhecidos encontrados no Antigo Testamento.

Em resposta à pergunta: "Como um tipo pode ser distinto de uma alegoria ou analogia?", algumas regras foram desenvolvidas. Entre elas está declarado que nada deve ser considerado típico que não seja tido como tal no Novo Testamento. Esta afirmação é sujeita a duas críticas. (a) À luz de 1 Coríntios 10.11, não há uma delimitação para o limite das palavras "todas estas coisas"; todavia, tudo o que está incluído é dito ser *típico*. (b) Há muitos tipos facilmente reconhecidos que não são diretamente sancionados como tais por um texto específico da Escritura do Novo Testamento. Igual ao problema da aplicação primária e secundária da verdade, o reconhecimento de um tipo deve ser deixado, em qualquer caso, para o discernimento de um julgamento guiado pelo Espírito.

É prerrogativa da ciência da Teologia Sistemática descobrir, classificar, exibir, e defender as doutrinas das Escrituras, e os aspectos exatos da tipologia são ainda incertos basicamente por causa do fato que os teólogos têm dado sua atenção a outras coisas; mas quem se atreveria a avaliar a restrição imposta sobre a própria vida espiritual e a bênção do estudante e, através dele, sobre todos os que ministram, quando os tipos, que são grandes descrições da verdade de Deus, são apagados de cada curso de estudo designado, a fim de prepará-lo para um ministério frutuoso e digno da Palavra de Deus! Não é suficiente dar a esses temas apenas um reconhecimento passageiro no estudo das evidências; o estudante deveria ser saturado dessas maravilhas da mensagem de Deus, que a totalidade do ser se ilumina com o brilho que nunca pode ser escurecido.

Um verdadeiro tipo é uma profecia de seu antítipo e, por ser assim designado por Deus, não deve ser calculado por muita especulação humana, mas como uma parte vital da inspiração em si mesma. Naturalmente, Cristo é o antítipo destacado, visto que o objeto supremo de ambos os testamentos é "o testemunho de Jesus".

Cerca de cinqüenta tipos bem definidos de Cristo devem ser reconhecidos no Antigo Testamento e uma porção considerável desses é de tipos de seu sofrimento e morte. Um tratado exaustivo e conservador sobre os tipos do Antigo Testamento foi um *desideratum*, mas tal obra não pode ser inclusa aqui. Ao contrário, o mais breve panorama somente dos tipos mais importantes sobre a morte de Cristo será apresentado aqui.

I. Os Sacrifícios Gerais no Antigo Testamento

1. A Oferta de Abel (Gn 4.4), que não somente merece o favor de Jeová, mas indica o fato de que a instrução divina sobre a importância e valor dos sacrifícios de sangue havia sido dada ao primeiro casal da raça humana, quando Adão e Eva foram expulsos do Jardim do Éden. Pelo seu sacrifício, Abel obteve testemunho de que era justo. Neste contexto, deveria ser dada atenção a Hebreus 11.4; 9.22b, assim como a todos os textos da Escritura que tratam da importância do sangue sacrifical. A doutrina não é de origem humana e o seu cumprimento na morte de Cristo é certamente o plano e propósito de Deus.

2. O Altar e o Sacrifício de Noé (Gn 8.20-22). A necessidade do sangue sacrifical é o mesmo da história de Abel; mas a construção de um altar é uma nova responsabilidade. O altar é um dos aspectos mais importantes da doutrina do Antigo Testamento. O homem foi ensinado por instrução divina (Êx 20.24-26), que o altar não representa uma obra de suas próprias mãos. É o sacrifício sobre o altar que é bendito de Deus para o benefício de sua alma. É muito significativo que a instrução divina com respeito à construção de um altar segue-se imediatamente à doação do Decálogo. A respeito do altar e de sua importância, C. H. Mackintosh escreve em suas *Notes on Exodus* (Notas sobre Êxodo):

É peculiarmente interessante para a mente espiritual, após tudo o que aconteceu diante de nós, observar a posição relativa de Deus e do pecador no final deste capítulo memorável. "Então disse o Senhor a Moisés: Assim dirás aos filhos de Israel: Vós tendes visto que do céu eu vos falei... Um altar de terra me farás, e sobre ele sacrificarás os teus holocaustos, e as tuas ofertas pacíficas, as tuas ovelhas e os teus bois. Em todo lugar em que eu fizer recordar o meu nome, virei a ti e te abençoarei. E se me fizeres um altar de pedras, não o construirás de pedras lavradas; pois, se sobre ele levantares o teu buril, profaná-lo-ás. Também não subirás ao meu altar por degraus, para que não seja ali exposta a tua nudez" (Êx 20.22-26). Aqui, encontramos o homem não na posição daquele que *faz alguma coisa*, mas na posição de um *adorador*; e isto, também, no final de Êxodo 20. Quão claramente isto nos ensina que a atmosfera do monte Sinai não é aquela que Deus queria que o pecador respirasse – este não é o lugar próprio de encontro entre Deus e o homem! "Em todos os lugares onde eu puser o *meu nome eu virei a ti, e te abençoarei*". Quão diferentes os terrores do monte fumegante são naquele ponto onde Jeová registra *o seu nome*, onde Ele "vem" para "abençoar" o seu povo adorador! Mas, posteriormente, Deus encontrará o pecador num altar sem as pedras lavradas ou sem degrau – um lugar de adoração que não exige alguma manufatura humana para erigir, ou esforço humano para abordar. O primeiro poderia somente poluir, e o último poderia somente mostrar a "nudez" humana. O tipo admirável do lugar de encontro, onde Deus encontra o pecador agora, mesmo a pessoa e a obra de seu Filho, Jesus Cristo, onde todas as reivindicações da lei, da justiça, e da consciência são perfeitamente satisfeitas! O homem, em cada época e em cada região, tem sido propenso, de um modo ou de outro, a "levantar a sua ferramenta" na construção do seu altar, ou para abordar também pelos degraus de sua própria obra; mas a questão de todas essas tentativas tem sido a "poluição" e a "nudez". "Nós todos somos como o imundo, e todas as nossas justiças como trapo da imundícia; e todos nós murchamos como a folha, e as nossas iniquidades, como o vento, nos arrebatam" (Is 64.6). Quem presumirá abordar Deus vestido em roupas de "trapos da imundícia"? ou quem permanecerá em adoração com a "nudez" exposta? O que pode ser mais irracional do que pensar em abordar Deus de um modo que necessariamente envolva poluição ou nudez? E ainda assim acontece cada vez em que o esforço humano é exercido para abrir o caminho do pecador a Deus. Não somente há necessidade de tal esforço, mas a corrupção e a nudez estão estampadas nele. Deus desceu tão perto do pecador, mesmo nas reais profundezas de sua ruína, que não há necessidade de se levantar a ferramenta da legalidade, ou subir os degraus da auto justiça – sim, fazer isso é apenas expor a sua imundícia e a sua nudez.[36]

Sob este título geral podem ser agrupados todos os sacrifícios do Antigo Testamento, todos os que apontam para a morte de Cristo.

II. Os Sacrifícios Prescritos no Antigo Testamento

1. O Cordeiro Pascal. A redenção permanente e nacional de Israel, assim como a segurança do primogênito de cada família, foi assegurada pelo cordeiro pascal. Tão profunda foi esta redenção que de Israel era exigido que, em reconhecimento dela, fosse restabelecida a Páscoa por todas as gerações – não como uma renovação da redenção, mas como um memorial. Os dois aspectos gerais do significado da Páscoa são bem expressos por C. H. Mackintosh:

"Tomarão do sangue do cordeiro, e pô-lo-ão em ambos os umbrais e na verga da porta, nas casas em que o comerem. E naquela noite comerão a carne assada ao fogo, com pães ázimos; com ervas amargosas a comerão. Não comereis dele cru, nem cozido em água, mas sim assado ao fogo; a sua cabeça com as suas pernas e com a sua fressura" (Êx 12.7-9). Temos de contemplar o cordeiro pascal em dois aspectos, a saber, como a base da paz, e como o centro da unidade. O sangue sobre a verga da porta assegurava a paz de Israel – "vendo eu o sangue" (v. 13). Não havia algo mais exigido, a fim de se desfrutar a paz estabelecida, em referência ao anjo da morte, do que a aplicação do sangue da aspersão. A morte tinha de fazer a sua obra em cada casa, por toda a terra do Egito. "Está destinado aos homens morrerem uma só vez" Mas Deus, em sua grande misericórdia, encontrou um substituto imaculado para Israel, sobre o qual a sentença de morte foi executada. Assim, as reivindicações de Deus e a necessidade de Israel foram satisfeitas pela mesma coisa, a saber, o sangue do cordeiro. Esse sangue derramado provou que, por causa da providência divina, *tudo* foi perfeitamente estabelecido; e, portanto, a paz perfeita reinou. Uma sombra de dúvida na vida de um israelita teria sido uma desonra mostrada à base da paz que havia sido divinamente designada – o sangue da expiação...

Consideraremos agora o segundo aspecto da Páscoa, como o centro ao redor do qual a assembléia se reunia, em comunhão pacífica, santa e feliz. Salvo pelo sangue, Israel era uma coisa; e Israel, ao alimentar-se do cordeiro, era algo totalmente diferente. Eles eram salvos *somente* pelo sangue; mas o objeto ao redor do qual eles se reuniam, manifestamente era o cordeiro assado. Esta não é, de modo algum, uma distinção sem uma diferença. O sangue do cordeiro forma o fundamento tanto de nossa conexão com Deus quanto de nossa união uns com os outros. É como aqueles que são lavados naquele sangue, que somos apresentados a Deus e um ao outro. À parte da perfeita expiação de Cristo, obviamente não poderia haver comunhão com Deus ou a Sua assembléia. Ainda devemos nos lembrar de que é para um Cristo vivo no céu que os crentes são reunidos pelo Espírito Santo. É com o Cabeça vivo que somos conectados – a uma "Pedra viva estamos conectados. Ele é o nosso centro. Por termos encontrado a paz através do seu sangue, nós o possuímos como o nosso grande ponto-de-encontro e nosso elo de conexão: "Pois onde se acham dois ou três reunidos em meu nome, aí estou eu no meio deles" (Mt 18.20). O Espírito Santo é o único Reunidor; o próprio Cristo é o único objeto junto ao qual somos reunidos; e a nossa assembléia, quando assim convocada, deve ser caracterizada pela santidade, para que o Senhor nosso Deus possa morar entre nós. O Espírito Santo pode somente unir-nos a Cristo. Ele não pode juntar-nos a um sistema, um nome, uma doutrina, ou uma ordenança. Ele nos junta a uma pessoa, e essa pessoa é o Cristo glorificado no céu. Isto deve estampar um caráter peculiar na assembléia dos que são de Deus. Os homens podem se associar em qualquer base, ficar ao redor de qualquer centro, ou podem se agradar de qualquer objeto; mas quando o Espírito Santo se associa a nós com base na redenção realizada, ao redor da pessoa de Cristo, é com a finalidade de formar um santo lugar de habitação para Deus (1 Co 3.16, 17; 6.19; Ef 2.21, 22; 1 Pe 2.4-5).[37]

As seis exigências essenciais a serem encontradas no cordeiro pascal eram: sem mancha; testado; morto; partido como alimento; seu sangue a ser aplicado; e como uma propiciação perfeita contra os juízos divinos. Dificilmente se pode duvidar que Cristo seja o antítipo em tudo isto.

2. As Cinco Ofertas (Lv 1.1–7.38). As cinco ofertas são: a queimada, a de comida, a pacífica, a pelo pecado, e a de ofensa. Essas são devidamente classificadas como ofertas de suave cheiro, grupo esse que inclui as primeiras três, e as ofertas que não são classificadas como de suave cheiro, em que se incluem as duas últimas. Foi feita referência anteriormente a estas cinco ofertas, e será suficiente, a esta altura, reafirmar que as ofertas de suave cheiro representam Cristo, que se ofereceu a si mesmo sem mácula a Deus (Hb 9.14), e que este é substitutivo ao grau em que, como o pecado é totalmente carente de mérito perante Deus (Rm 3.9; Gl 3.22), Cristo liberou e tornou disponível, com base em sua perfeita equidade, o seu próprio mérito como a prova da aceitação do crente e de sua posição diante de Deus. Por outro lado, deveria ser lembrado que as ofertas que não são de suave cheiro apresentam Cristo como um sacrifício pelo pecado, e, como tal, a face do Pai é desviada e o Salvador grita: "Meu Deus, meu Deus, por que me desamparaste?" (Sl 22.1; Mt 27.46; Mc 15.34). A base para um perdão justo e completo na morte de Cristo é, assim, prefigurada nas ofertas que não são de suave cheiro.

3. As Duas Aves (Lv 14.1-7). Como no dia da Expiação, quando os dois bodes eram requeridos para cumprir a descrição total da morte de Cristo, assim as duas aves são exigidas na purificação da lepra – o tipo do pecado. A primeira ave morta fala de Cristo "entregue pelas nossas ofensas", enquanto que a segunda ave, submersa no sangue da primeira ave e solta, fala de Cristo "ressuscitado para a nossa justificação" (Rm 4.25).

4. O Dia da Expiação. Além disso, o alcance maior e o cumprimento da morte de Cristo são demonstrados tipicamente em detalhes magníficos pelos eventos e exigências específicas do dia da Expiação. Do significado tipológico

SOTERIOLOGIA

das ofertas prescritas para o dia da Expiação – o boi para o sumo sacerdote, e os dois bodes – o Dr. C. I. Scofield afirma:

A oferenda do sumo sacerdote por si mesmo não tem antítipo em Cristo (Hb 7.26, 27). O interesse *tipológico* centra-se sobre os dois bodes e o sumo sacerdote. Tipologicamente (1) tudo é feito pelo sumo sacerdote (Hb 1.3, "por Si mesmo"), as pessoas somente trazem o sacrifício (Mt 26.47; 27.24, 25). (2) O bode morto (porção de Jeová) é aquele aspecto da morte de Cristo que vindica a santidade e a justiça de Deus expressa na lei (Rm 3.24-26), e é *expiatório*. (3) O bode vivo tipifica aquele aspecto da obra de Cristo que *retira* os nossos pecados da presença de Deus (Hb 9.26; Rm 8.33, 34). (4) O sumo sacerdote, ao entrar no lugar santíssimo, tipificava Cristo, que penetrou no "próprio céu" com "seu próprio sangue" por nós (Hb 9.11, 12). Seu sangue faz aquele ser o "trono da graça" e o "propiciatório", que também deve ter sido um trono de julgamento. (5) Para nós, os sacerdotes do Novo Pacto, há o que Israel nunca teve, um véu rasgado (Mt 27.51; Hb 10.19, 20). De modo que, para adoração e bênção, temos de entrar, em virtude do seu sangue, onde Ele está, no lugar santíssimo (Hb 4.14-16; 10.19-22). A expiação de Cristo, da forma em que foi interpretada pelos tipos sacrificiais do Antigo Testamento, tem esses elementos necessários: (1) ele é substitutivo – a oferta toma o lugar do ofertante na morte; (2) A lei não é evitada, mas honrada – toda morte sacrificial era uma execução da sentença da lei. (3) A impecabilidade de Cristo que suportou os nossos pecados é expressa em todo sacrifício animal – devia ser sem mancha. (4) O *efeito* da obra expiatória de Cristo é tipificado (a) nas promessas; "lhe será perdoado"; e (b) na oferenda pacífica, a expressão de comunhão – o mais alto privilégio do santo.[38]

Os aspectos específicos assim referidos são: o touro para o sumo sacerdote, a substituição do animal pela pessoa pecaminosa, a manutenção da lei, o caráter perfeito do sacrifício, o pecado coberto pelo sangue do primeiro bode, e a culpa retirada pela soltura do segundo bode.

5. O NOVILHO VERMELHO (Nm 19.1-22). A doutrina do Novo Testamento que trata da purificação do crente está afirmada em 1 João 1.7, 9. A depravação é removida pelo sangue de Cristo, mediante a confissão. O tipo de tal purificação, que servia também para um grande propósito na economia do sistema mosaico, é visto na ordenança do novilho vermelho. Sobre isto, J.N. Darby escreve:

O novilho era queimado completamente fora do acampamento, mesmo o seu sangue, exceto aquele que era espargido diretamente perante o Tabernáculo da congregação, isto, onde o *povo* devia encontrar-se com Deus. Ali o sangue era espargido sete vezes (porque era ali que Deus se encontrava com o seu povo), um testemunho perfeito aos olhos de Deus para a expiação feita pelo pecado. Eles tinham acesso ali de acordo com o valor desse sangue. O sacerdote atirava ao fogo madeira de cedro, hissopo, e escarlate (isto é, tudo que era do homem, e sua glória humana no mundo). "Do cedro até o hissopo" é a expressão da natureza da sua parte mais elevada até a sua mais baixa profundeza. O escarlate é a glória externa (o mundo, se lhe agrada). A totalidade era queimada no fogo que consumiu Cristo, o sacrifício pelo pecado. Então, se alguém contraía corrupção, embora fosse meramente através de negligência, ou em qualquer modo que pudesse ser, Deus tomava conta da corrupção. E este é um fato solene e importante: Deus faz os arranjos para a purificação, mas em caso algum Ele pode tolerar qualquer coisa em sua presença inadequada. Pode ser difícil um caso inevitável, alguém morrer repentinamente na tenda. Mas foi para mostrar que por *Sua* presença Deus julga aquilo que é adequado à Sua presença. O homem foi corrompido e ele poderia ir para o tabernáculo de Deus. Para limpar uma pessoa cheia de poluição, eles tomavam água corrente, na qual colocavam as cinzas do novilho, e o homem era borrifado no terceiro e no sétimo dias; então era purificado.[39]

Os aspectos essenciais desta ordenança eram: um cordeiro sem macha, a morte do animal, cada parte consumida pelo fogo, a retenção das cinzas para purificação, a mistura da cinza com a água, e a aplicação da água e cinzas para a purificação da corrupção.

III. Vários Tipos da Morte de Cristo

1. As Túnicas de Pele (Gn 3.21). Jeová fez alguma coisa importante em favor de Adão e Eva, os primeiros pecadores da raça humana. Está declarado que Ele próprio vestiu-os com peles, o que sugere que o sangue de um animal foi derramado. Antes da revelação da lei, a razão assevera que o sacrifício animal foi, então, introduzido por Deus, e foi por causa dessa ação de Jeová que Abel conheceu a verdade pela qual foi orientado na apresentação de um sacrifício que foi aceito por Deus. Poucos tipos são tão completos como este. Deus faz algo em benefício do homem, a imputação do pecado a um substituto está implícita aqui, e a proteção do pecador é revelada.

2. A Arca de Noé (Gn 6.14–8.19). A história do dilúvio é repleta de sugestões de verdades vitais. Entre elas, a segurança daqueles na arca parece ser uma indicação da certeza daqueles que estão em Cristo Jesus. O piche foi usado para revestir a arca e por ele as águas do juízo foram controladas. O vocábulo traduzido como *piche* vem da mesma palavra que em todo lugar é traduzida como *expiação*. A importância do uso desta palavra tem sido assinalada por muitos escritores.

3. O Pão e Vinho nas Mãos de Melquisedeque (Gn 14.17-24). Melquisedeque trouxe pão e vinho a Abraão, e isto sugere duas verdades

SOTERIOLOGIA

importantes, a saber: (a) Abraão, através de todas as cartas do Novo Testamento, é apresentado como um padrão de um cristão sob a graça e não como um judeu debaixo da lei. A graça da parte de Deus torna-se possível somente através da morte de Cristo, o qual disse que "Abraão viu o meu dia e se alegrou (Jo 8.56). (b) A participação do pão e vinho por Abraão pode ter sido apenas muito pouco entendida tanto por Melquisedeque quanto pelo próprio patriarca – mas, sem dúvida, tudo isso teve uma grande significação à vista de Deus.

4. A OFERTA DE ISAQUE (Gn 22.1-14). Nesta experiência memorável, Abraão aparece como o tipo do Pai, que oferece Seu Filho. Abraão foi poupado na hora final, mas, de acordo com Romanos 8.32: "Aquele que nem mesmo a seu próprio Filho poupou, antes o entregou por todos nós, como não nos dará também com ele todas as coisas?" Isaque é o tipo do Filho que é um sacrifício voluntário e obediente até a morte. O cordeiro que surgiu nos arbustos é o tipo de um substituto oferecido no lugar de outro.

5. JOSÉ (Gn 37.2–50.26). Embora José, como um tipo de Cristo, seja muitíssimo rico em sua verdade vital, somente a colocação dele na cova – um tipo de morte – e a retirada dele – um tipo de ressurreição – são apropriados a esta tese. Contudo, a isto podem ser acrescidas as verdades de que, igual a Cristo, José foi amado de seu pai e foi odiado de seus irmãos.

6. O MANÁ NO DESERTO (Êx 16.14-22). Como está escrito em João 6, Cristo fez desse uso do maná um tipo de Si próprio, e da importância tipológica referente ao maná do céu, ninguém pode duvidar. Assim, Cristo como pão que desceu do céu, deu a sua vida pelo mundo.

7. A ROCHA GOLPEADA (Êx 17.5-7; Nm 20.7-13). De acordo com 1 Coríntios 10.4, Cristo é essa rocha. Por sua morte, a água da vida é liberada; mas Ele poderia ser golpeado apenas uma vez. A segunda batida na rocha é avaliada por Deus como um grande pecado, que impediu Moisés de completar sua tarefa de fazer Israel entrar na Terra Prometida. A morte de Cristo é infinitamente suficiente e não admite uma réplica. Seria difícil descobrir a muita pecaminosidade do pecado de Moisés à parte do antítipo – Cristo em sua morte.

8. O TABERNÁCULO (Êx 25.1–40.38). Nesta estrutura com os seus detalhes, a mais extensa tipologia do Antigo Testamento é apresentada e há muita coisa que está ligada à morte de Cristo. O Tabernáculo em si é um tipo de Cristo como o único caminho a Deus; a arca da aliança borrifada com sangue é o lugar da propiciação; o pão é outro tipo de Cristo como o Pão da vida dado ao mundo; todas as referências à prata falam de redenção; o altar de bronze representa aqueles juízos contra o pecado que Cristo suportou em sua morte; o candelabro é um tipo de Cristo, a luz do mundo; o altar de ouro representa aquele aspecto da morte de Cristo que era um suave incenso a Deus; e a bacia de bronze prefigura a purificação do crente-sacerdote, por meio do sangue de Cristo (1 Jo 1.7, 9).

IV. A Morte de Cristo de Acordo com Vários Textos das Escrituras

Não deverá ser somente impressionante, mas altamente vantajoso para o estudante observar o lugar que a morte de Cristo – considerada tanto histórica como doutrinariamente – ocupa na Bíblia. Nenhuma referência necessária posterior será feita à tipologia que caracteriza as primeiras porções da Palavra de Deus, nem há ensino importante sobre este tema nos livros históricos do Antigo Testamento; e somente as passagens principais serão citadas.

1. A MORTE DE CRISTO DE ACORDO COM GÊNESIS. Gênesis 3.15 é uma indicação antecipada da morte de Cristo. Nesse texto, o fato da morte de Cristo, sua relação com as autoridades angelicais, e sua relação ao pecado e ao julgamento são sugeridos. É conveniente que um reconhecimento da cruz e do seu triunfo final deva aparecer naqueles capítulos onde todos os começos estão registrados.

2. A MORTE DE CRISTO DE ACORDO COM A PROFECIA DO ANTIGO TESTAMENTO. Os salmos que profeticamente falam da morte de Cristo são 22.1-21 e 40.6, 7. Em Isaías 52.13–53.12, ocorre a predição mais importante.

3. A MORTE DE CRISTO DE ACORDO COM OS EVANGELHOS. Nesta porção, são encontradas quatro extensas narrativas da morte de Cristo, assim como suas próprias predições a respeito de sua morte.

4. A MORTE DE CRISTO DE ACORDO COM ROMANOS, 1 E 2 CORÍNTIOS E GÁLATAS. Visto que o tema da salvação é dominante nestes livros, e visto que toda salvação repousa na morte de Cristo, a doutrina do Novo Testamento é encontrada basicamente nestas quatro epístolas. As porções a serem observadas são: Romanos 3.22-26; 4.25; 5.7-10; 6.1-15; 14.9, 15; 1 Coríntios 1.18–2.8; 15.3; 2 Coríntios 5.14-21; Gálatas 1.4; 2.20; 3.10; 6.14, 15.

5. A MORTE DE CRISTO DE ACORDO COM EFÉSIOS, FILIPENSES E COLOSSENSES. As passagens seguintes apresentam a verdade mais vital: Efésios 5.25-27; Filipenses 2.5-8; Colossenses 1.14, 20, passagens estas que se referem à reconciliação de *coisas* e não de criaturas.

6. A MORTE DE CRISTO DE ACORDO COM A CARTA AOS HEBREUS. Em grande medida, a Epístola aos Hebreus é um tratado sobre a morte de Cristo e com referência especial à verdade de que a antiga ordem com os seus sacrifícios havia sido substituída por um sacrifício da cruz. O livro de Hebreus contribui mais com respeito à morte de Cristo do que qualquer outro livro do Novo Testamento, assim como Levítico contribui mais do que todos os livros do Antigo Testamento. Observe: Hebreus 1.3; 2.9; 5.1-10; 7.25-27; 9.12-15, 16-18; 10.1-21; 12.2, 24; 13.10-13.

7. A MORTE DE CRISTO DE ACORDO COM OUTROS LIVROS DO NOVO TESTAMENTO. Nesta classificação mais geral, certas passagens devem ser observadas: Atos 17.3; 1 Tessalonicenses 4.14; 5.10; 1 Pedro 1.18-21; 2.21; 3.18; 4.1; 1 João 2.2; Apocalipse 5.6, 9, 12; 13.8.

CAPÍTULO VI

A Terminologia Bíblica Relacionada ao Sofrimento e Morte de Cristo

No campo geral da verdade a respeito do sofrimento e morte de Cristo, há algumas palavras específicas empregadas pelos escritores – algumas das quais são termos bíblicos e algumas não o são – e o significado delas é discernido pelo estudante em sua importância exata. Doze dessas palavras são consideradas aqui:

I. Expiação

Seja ela empregada exatamente ou não, o estudante vai se tornar cônscio do fato de que a palavra *expiação* (Lv 5.10) é o termo pelo qual os homens têm expressado a obra total de Cristo sobre a cruz. Que tal palavra seja extremamente necessária, não se pode duvidar. O uso quase universal de *expiação* com este propósito pode ir mais longe, para lhe dar uma aceitação normativa a despeito de sua inaptidão para o imenso serviço que lhe foi posto. Uma objeção ao uso do termo, como geralmente empregado, surge do fato de que a palavra não é um termo no Novo Testamento, e quando usada no Antigo Testamento, cerca de 77 vezes, é uma pobre tentativa interpretativa do tradutor de apresentar o significado de *kāphar*, que se propõe traduzir, palavra que originalmente significava *cobrir*. *The New Standard Dictionary* (edição de 1913) define o significado de expiação da seguinte maneira: "O significado ativo de expiar, ou de fazer reparação ou satisfação, por causa da ofensa do pecado; a remoção da culpa pelo sofrimento da punição; expiação, ou uma expiação".

II. Perdão e Remissão

Muita coisa já foi dita anteriormente nesta obra sobre a importância doutrinária destes termos, e não precisa ser acrescentado algo mais além de reafirmar que o

PENALIDADE

perdão divino dos pecados torna-se possível somente através da cruz de Cristo, e nunca é exercido à parte da expiação – seja antecipada, como o é no Antigo Testamento, seja realizada, como o é na economia do Novo Testamento.

III. Culpa

A culpa (Gn 42.21; Rm 3.19; 1 Co 11.27; Tg 2.10), que significa o culpado ofendeu o caráter e a vontade de Deus, é predicado de toda pessoa e em dois sentidos:

1. Como pessoal, a culpa, é assim relacionada ao fato histórico do pecado real. Alguma culpa é intransferível. A história e seus registros nunca podem ser mudados.

2. Como uma obrigação para com a justiça, que é o uso teológico do termo *culpa*. Esta é transferível no sentido em que uma pessoa inocente pode realizar as obrigações daquele que é culpado.

IV. Justiça

Geralmente falando, seja como é usado no Antigo ou no Novo Testamento, o termo *justiça* é um sinônimo de retidão. A conduta de uma pessoa para com outra está em vista, e especialmente a verdade de que Deus age em relação aos homens em justiça. Tão perfeito em si mesmo é o plano da salvação, através de Cristo, que Deus é dito ser justo (não misericordioso), quando Ele justifica o ímpio (Rm 3.26; 4.5). Deus é sempre justo em seus caminhos.

V. Justificação

Teologicamente considerado, o termo *justificação* significa ser declarado justo. É verdade que, por estar em Cristo, o crente é justo; mas a justificação é o reconhecimento e a declaração divinos de que aquele que está em Cristo é justo. Aquele que Deus assim declara, Ele defende. A justificação é imutável.

VI. Penalidade

Embora imensurável pela mente finita, ambas, a razão e a revelação, asseveram que a penalidade pelo pecado não é mais do que aquilo que a santidade de Deus exige. Ela é a expressa autoridade judicial de Deus. É aquilo que Cristo satisfez. O que quer que essas exigências possam ter sido, deve ser crido agora que Cristo as satisfez e, por isso, confiamos nele.

VII. Propiciação

Como já foi afirmado, a propiciação é o efeito ou valor da cruz com relação a Deus. Visto que Cristo morreu, Deus é propício. Esta verdade é o coração do Evangelho e o que deve ser crido.

VIII. Reconciliação

Semelhantemente, apenas uma breve palavra a respeito de reconciliação é acrescida aqui. Ela representa o efeito e o valor da cruz com relação aos homens. Visto que a palavra significa uma mudança completa, o termo não pode ser aplicado propriamente a Deus que é imutável, mas ele se aplica ao homem, que pela morte de Cristo é colocado numa relação de mudança para com Deus e para com os Seus juízos contra o homem. Por sua própria escolha o homem pode voltar-se ou converter-se às reivindicações justas de Deus sobre ele.

IX. Redenção e Resgate

Estes dois termos são praticamente o mesmo em significado. Redenção implica pagamento de um preço de resgate, e, na redenção que Cristo trouxe, os juízos divinos contra o pecado, por terem sido atribuídos por medição, ficam pagos pelo sacrifício voluntário de Cristo. Isto, além disso, não é algo a ser feito ainda; mas por ter sido realizado, é alguma coisa para ser crida.

X. Sacrifício

Enquanto este termo usualmente significa abandonar aquilo que alguém possui, o seu significado doutrinário é o de uma oferta a Deus. Assim, todo animal morto na economia mosaica era um sacrifício, e estes apontavam para um sacrifício final e perfeito que Cristo veio a ser pelos homens perdidos (Hb 9.26; 10.12).

XI. Satisfação

As forças do pensamento moderno, por quase um século, têm lutado contra a doutrina da satisfação. O insulto que esta doutrina causa é a alegação de que Deus, por fazer certas exigências santas contra o pecado, cujas reivindicações surgem de Sua justiça e caráter ultrajados, aceitou como satisfatório o pagamento que Cristo fez. Esta doutrina deve ser considerada em detalhes no capítulo seguinte deste trabalho.

XII. Vicário e Substitutivo

Estas duas palavras são consideradas idênticas em significado e referem-se ao sofrimento de um em lugar de outro, no sentido de que por esse sofrimento da parte de um, o outro é totalmente aliviado. Um vigário é um substituto autorizado ou aceito no ofício ou no serviço, e não meramente aquele que providencia um benefício em geral. Cristo sofreu e morreu para que os homens não mais tivessem de suportar o fardo da condenação do pecado. Rejeitar esta verdade é abandonar a doutrina mais clara da Escritura, desprezar o Evangelho, e a única base justa sobre a qual Deus pode conceder graça aos perdidos.

Capítulo VII

Teorias Falsas e Verdadeiras do Valor
da Morte de Cristo

A Teologia Sistemática não apresenta um tema mais difícil do que a tentativa de análise dos valores assegurados por Cristo em sua morte – com respeito à sua necessidade; seus efeitos sobre Deus, o homem e os anjos; e os princípios envolvidos em sua aplicação. Na abordagem deste assunto, pode ser esclarecida a principal discussão se certas verdades são afirmadas, às quais devem ser apresentadas quaisquer atenções dignas a este aspecto da doutrina.

I. Considerações Preliminares

1. FATOS GERAIS REVELADOS. De acordo com as Escrituras, a harmonia geral entre Deus e o homem, da qual Adão caiu, deve ser tratada como uma realidade fundamental. Embora Deus estivesse com o homem desde o princípio daquela plena comunhão, por causa do pecado do homem, Ele foi compelido a tirá-lo do jardim e a proclamar que "sem sangue não há remissão"; e embora o homem estivesse desde o princípio em comunhão com Deus, ele se tornou estranho a Deus e está sempre em desassossego até que, por meio das provisões divinas, ele seja restaurado à justiça de Deus. O que pode se constituir nos detalhes dessas relações renovadas, tem variado nas diferentes épocas e em harmonia com os diferentes propósitos divinos. O israelita, sob os pactos divinos, quando restaurado às relações corretas com Deus, quase que duplicou totalmente o estado do homem não caído.

O israelita estava em comunhão com Deus e era abençoado com uma longa vida de tranqüilidade sobre a terra. Por outro lado, o cristão, quando nessa relação correta com Deus que caracteriza o estado daquele que é salvo, é conformado a Cristo, o Último Adão e todas suas posses, posições, vida, e expectativa estão centradas naquela esfera onde agora está o seu Cabeça vivo. Seja restrito àquele estado que lembra o primeiro Adão, ou seja à transformação gloriosa à imagem do Último Adão, a metamorfose é uma obra de Deus pelo homem, é operada sobre uma base justa que Deus constituiu, e está disponível ao homem nos termos que Deus determinou. Pode ser avaliada como característica de ambos, Deus e homem, que Deus procura o homem – como Ele fez no Éden – e que o homem se esconde de Deus e tenta – como simbolizado por suas vestes de folhas de figueira – cobrir a sua nudez dos olhos de Deus.

Estes três aspectos da verdade – Deus é o Salvador do homem, Deus criou o plano pelo qual o homem pode ser salvo, e Deus determina os termos sobre os quais o homem pode ser salvo – são um ponto de partida razoável para o estudo do problema complexo daquelas teorias que os homens formaram a respeito do valor do que Deus realizou pela morte de Cristo e a aplicação do valor dessa morte àqueles que são estranhos de Deus.

O fato de que a Bíblia exalta tanto a importância da morte de Cristo – e torna o mundo, quando não o universo, *centrado na redenção* – com a experiência humana correspondente do único alívio e benefício nas coisas espirituais pela cruz e através dela, compeliu homens estudiosos a formular teorias a respeito do empreendimento divino total. Como a Bíblia não oferece um pronto sistema de teologia, igualmente ela não apresenta uma pronta teoria do valor da obra de Cristo na cruz; contudo, comparativamente, há pouca dificuldade a ser encontrada, quando os ensinos claros da Palavra de Deus são recebidos em simples fé. A tentativa de formular uma filosofia que se proponha a analisar Deus e todas as suas obras é cheia de problemas insuperáveis. Induções devem ser feitas e têm sido realizadas com grande cuidado, a fim de cobrir tudo o que Deus revelou desde Gênesis 3.15 ao canto de triunfo com o qual a Bíblia termina.

De tais induções certas verdades surgem e essas, quando corretamente arranjadas, podem se constituir numa teoria; mas deve ser lembrado que tal teoria assim formada, é, quando muito, caracterizada pelo elemento humano e, nesse grau, sujeita a erro. Uma teoria nunca cria um fato; ela chega à sua fruição, quando explica um fato que já existe. Os homens não deram origem a qualquer espécie de verdade a respeito do propósito e valor da morte de Cristo; eles procuraram somente traçar o significado daquilo que Deus realizou. Sobre este ponto vital, R. W. Dale escreveu:

A idéia de uma expiação objetiva inventada pelos teólogos para satisfazer as exigências dos sistemas teológicos! Seria quase tão razoável sustentar que o evidente movimento do sol foi inventado pelos astrônomos, a fim de satisfazer as exigências criadas pelas teorias da astronomia. A idéia tem perturbado e causado problemas, e dividido sucessivos sistemas de teologia. Foi exatamente porque eles fracassaram em explicá-lo que os sistemas teológicos que uma vez foram famosos e poderosos, e por causa dos quais os seus autores esperavam ter os seus nomes imortalizados, eles pereceram. Se houvesse sido possível expelir a idéia da fé da cristandade, a tarefa da teologia teria sido espantosamente mais fácil. *A história da doutrina é uma prova de que a idéia de uma expiação objetiva não foi inventada pelos teólogos...* É verdade, e a verdade tem uma grande importância, que o desejo ardente do sacrifício pelo pecado é um dos mais profundos instintos da vida religiosa. É também verdade que esse desejo ardente é satisfeito pela expiação cristã. Mas isso, à parte das declarações mais claras e enfáticas do próprio Cristo e de seus apóstolos, a Igreja deveria sempre ter suposto que a sua morte poderia ser a base sobre a qual Deus perdoa os pecados da raça, é incrível... Se Moisés tivesse perecido nas mãos de seus compatriotas inconstantes, ingratos e rebeldes, eu posso imaginar profeta após profeta insistindo em seu sofrimento e morte, a fim de inspirar o povo com a fidelidade a Deus como aquilo que foi ilustrado no martírio do grande líder deles; e a Igreja poderia ter feito um uso semelhante de Sua crucificação. Mas o que temos de explicar é o predomínio universal da idéia que, enquanto aqueles que mataram Cristo cometeram o maior dos crimes humanos, Sua morte foi a propiciação pelos pecados do mundo. Eu posso explicar a predominância dessa idéia de um modo, e somente de um modo. Ela foi um elemento grande e essencial no evangelho original que os apóstolos foram encarregados de pregar a todas as nações. A Igreja o recebeu dos apóstolos. Os apóstolos o receberam de Cristo.[40]

Primariamente, a morte de Cristo satisfaz uma necessidade e um propósito em Deus. A filosofia humana está cansada em suas tentativas de seguir as realidades majestosas relacionadas a essa morte. Obviamente, nenhuma teoria pode ser formada pelo homem a respeito da morte de Cristo, que seja completa em todas as suas partes. Quando muito, o que Deus disse deveria ser recebido e crido. Se tal procedimento não dá ao homem um orgulho intelectual de grande envergadura, talvez a verdade possa ser preservada em sua pureza e simplicidade.

2. A Morte de Cristo É Singular. Não somente a morte de Cristo é sem paralelo em toda a história humana com respeito ao modo que ela foi suportada, e a realização imensurável que é dito ter sido operada por ela, mas ela foi uma crucificação *voluntária*. Ele não ofereceu resistência alguma, pois tinha dito a respeito de sua vida: "Ninguém ma tira de mim, mas eu de mim mesmo a dou" (Jo 10.18). Está longe de ser natural para alguém, que é inocente no mais alto grau, projetar-se a si mesmo na morte como se fosse um criminoso. De nenhum outro poderia ser dito que é o Cordeiro de Deus que tira os pecados do mundo, ou que tenha agradado a Jeová moê-lo, e que Jeová fez cair "sobre ele a iniqüidade de nós todos" (Is 53.6, 10). As filosofias dos homens não são mais qualificadas para penetrar nesse mais crucial dos empreendimentos divinos do que estão preparadas para penetrar nas esferas da infinidade ou na Pessoa de Deus. Não obstante, o fardo colocado sobre o teólogo está em evidência aqui como em qualquer outro lugar. A tarefa do teólogo é sistematizar e interpretar a revelação exata que Deus deu. A mera especulação é proibida; todavia, a despeito desta óbvia verdade, muita coisa da literatura que trata do significado da morte de Cristo está permeada de conjectura humana.

3. A sua Extensão. A disposição quase universal de restringir o valor da morte de Cristo a uma verdade que é um resgate ou redenção do pecado inevitavelmente conduz a vários erros. Que a sua morte é a base da justiça e da justificação imputada, que é a base sobre a qual um cristão pode ser perdoado e andar na capacitação divina, que proporciona a bem-aventurança eterna para Israel, que é o fundamento sobre o qual a iminente eternidade sem pecado vai repousar, e que, objetivamente, significa mais para Deus do que para todos os homens e anjos juntos, parece nunca ter ocorrido para os muitos inventores das teorias a respeito do valor da morte de Cristo. Fica evidente que uma teoria que não abrange mais do que o perdão do pecado – não importa quão gloriosa essa verdade possa ser – será mais propensa ao erro do que à verdade.

4. Suas Três Direções. O problema do pecado quando restrito aos homens não-regenerados é satisfeito pela morte de Cristo e esse valor aponta objetivamente em três direções – uma redenção em relação ao pecado, uma reconciliação em relação ao homem, e uma propiciação em relação a Deus. Embora tudo se origine em Deus, todavia permanece verdadeiro de que Aquele que origina provê e recebe um resgate; Aquele que origina provê e reconhece o seu próprio Cordeiro como Aquele que tira o pecado, e proporciona assim uma reconciliação; e Aquele que originalmente provê, pela morte de Cristo, aquilo pelo qual Ele mesmo é propiciado. Embora o racionalismo considere estas verdades contraditórias, elas são o cerne da revelação divina com respeito à obra e graça salvadora de Deus. É apenas outro exemplo acrescentado aos muitos já encontrados nos quais a revelação sobrepuja a razão e que a alma devota pode conhecer pela simples fé o que, de outra forma, nunca poderia conhecer.

Dificilmente precisa ser mostrado que uma teoria, a qual se propõe a demonstrar o valor da morte de Cristo e que, todavia, omita parte ou partes desta divisão tríplice da obra de Cristo sobre a cruz, e leva somente à confusão e engano.

5. A Satisfação Divina Através da Morte de Cristo Não É Salvação Pessoal. A satisfação com respeito aos juízos divinos contra o pecado que Cristo proporcionou em sua morte não constitui em si mesma na salvação daqueles por quem Ele morreu. Os não-salvos são perdoados e justificados não no tempo da cruz dois mil anos atrás, mas quando eles crêem; e os salvos que pecam não são perdoados e purificados na data do Calvário, mas quando eles confessam. Não obstante a verdade de que a disposição de crer, em um caso, e a de confessar, no outro, seja operada no coração individual pelo Espírito Santo, e, todavia, permanece verdade que essas bênçãos transformadoras são condicionadas ao que é declarado ser da escolha eletiva dos homens. O tratamento da doutrina da satisfação que a investe daquelas provisões absolutas que obrigam a salvação daqueles por quem Cristo morreu sem levar em conta o elemento da responsabilidade humana, é apenas outra dedução racionalista que está baseada em revelação parcial, e, portanto, igual a todas as verdades parciais, está sujeita a grande erro.

SOTERIOLOGIA

6. Tipo e Antítipo. Nenhuma pessoa que aceita as Escrituras como a Palavra de Deus pode duvidar do arranjo, propósito e sanção divinos da verdade que anda paralelamente entre o tipo e o antítipo. Visto que muita tipologia pertence à morte de Cristo, a este conjunto peculiar de verdade deve ser dada a plena importância, se o pleno valor da morte de Cristo vai ser reconhecido. Que ele é praticamente omitido em todas as discussões teológicas com respeito à morte de Cristo é um fato auto-evidente e o efeito da sua negligência é óbvio.

7. Teorias Que Podem Ser Questionadas. Estritamente falando, não poderia haver uma teoria relativa ao valor da morte de Cristo. Essa morte é um *fato* e a Bíblia afirma a sua múltipla eficácia. A especulação humana é sempre ativa e a razão tem levantado as suas objeções a cada revelação divina. Que o profundo mistério está presente no maior de todos os empreendimentos divinos não deveria ser surpresa ou causa de aflição para as mentes devotas. O coração do homem – conquanto possa ser muito disciplinado – não poderia nem deveria fazer algo além de crer no registro que Deus fez a respeito de seu Filho. O estudo cuidadoso de tudo o que está revelado, com a finalidade de que a sua verdadeira mensagem pode ser compreendida, é certamente ordenado (2 Tm 2.15); mas os argumentos racionalistas que contradizem a revelação são estranhos a um verdadeiro método teológico.

II. Registro Histórico

Os conceitos múltiplos e complexos a respeito do valor da morte de Cristo que se tem obtido dentro da era cristã podem ser dividido em três períodos de tempo: (a) desde o princípio do cristianismo até Anselmo (1100 d.C.); (b) desde Anselmo até Grócio (1600 d.C.); e (c) desde Grócio até o tempo presente.

1. Do Princípio a Anselmo. Parece que nenhuma tentativa definida foi feita pelos homens da Igreja no sentido de formular uma doutrina relativa ao valor da morte de Cristo. Os ensinos de Cristo e dos apóstolos foram recebidos em simplicidade de fé. A seguinte citação da *Epístola de Barnabé* (c. vii) servirá para indicar a crença dos homens dos tempos passados: "Portanto, se o Filho de Deus, que é Senhor [de todas as coisas], que julgará os vivos e os mortos, sofreu, que o golpe que lhe sobreveio poderia dar-nos vida, creiamos que o Filho de Deus *não poderia* ter sofrido exceto por nossa causa". A isto pode ser acrescida a citação da *Epístola de Diognetus*:

Quando a nossa impiedade havia alcançado o seu auge, e havia sido mostrado que a sua recompensa, punição e morte, estavam por acontecer a nós; e quando o tempo que Deus havia de antemão designado de manifestar a sua própria amabilidade e amor, veio sobre nós – como aquele amor de Deus, através de uma grande consideração pelos homens, não nos considerou com ódio, nem nos empurrou para longe de si, nem levantou contra nós a nossa iniqüidade, mas mostrou grande longanimidade, e foi indulgente conosco – Ele próprio tomou sobre si o fardo de nossas iniqüidades, Ele deu o seu próprio Filho como um resgate por nós, o santo pelos transgressores, o inculpável pelos ímpios, o justo pelos injustos, o incorruptível pelos corruptíveis, o imortal pelos mortais. Qual outra coisa seria capaz de cobrir os nossos pecados além de Sua justiça? Por quem mais era possível que nós, ímpios e injustos, fôssemos justificados, além do único Filho de Deus? Ó, que troca maravilhosa! Ó, que operação insondável! Ó, benefícios que superam toda expectativa! Diante dessa impiedade muitos deveriam se esconder naquele simples Justo, e a justiça dAquele justificaria muitos transgressores.[41]

Contudo, foi sustentado desde os dias antigos e quase que universalmente, a despeito de vozes contrárias, que o resgate, o qual Cristo proporcionou, foi pago a Satanás. Anteriormente, foi assinalado (no Cap. IV) que a morte de Cristo efetuou o julgamento de Satanás (Jo 12.31; 16.11; Cl 2.14, 15), que Satanás é aquele poderoso inimigo, que não abriu a cela de seus prisioneiros (Is 14.17) e que foi derrotado por Cristo que, em sua morte, "abriu a prisão aos presos" (Is 61.1). Fica evidente que tais textos tiveram um lugar muito importante nos dias da Igreja Primitiva. Aqui, como é freqüentemente registrado em todos os séculos da história da Igreja, surge confusão da suposição de que Cristo operou apenas uma coisa em sua morte. Satanás e seus anjos foram julgados, mas o valor da morte de Cristo não é restrito a esta verdade; nem é dado o devido lugar a ela. Muito certamente não há base para a noção de que Cristo pagou um resgate a Satanás, pela redenção dos homens perdidos. Como uma ilustração do protesto que certos homens levantaram contra esse conceito infundado, vem a seguinte citação de Gregório de Nazianzo:

Para quem e sob a responsabilidade de quem foi o sangue derramado em nosso favor, sangue precioso e ilustre daquele que era Deus, e ambos, Sumo Sacerdote e sacrifício? Somos sustentados pelo diabo, visto que fomos vendidos como escravos debaixo do pecado, e adquirimos prazer no pecado. Ora, se o preço da redenção é dado somente àquele que tem a posse dos cativos, então eu pergunto: A quem foi pago esse resgate, e com base em que? Para o maligno? Oh, que ultraje monstruoso! Então o ladrão recebeu não meramente um resgate de Deus, mas recebeu o próprio Deus como o preço de nossa redenção! Salários magnificentes por sua tirania, pagamento que a justiça exigiu que Ele nos poupasse! Se, contudo, o resgate foi pago ao Pai, como, em primeiro lugar, pode ser isto? Pois não era Deus que tinha posse de nós. E, em segundo lugar, por qual razão deveria o sangue de seu Unigênito Filho dar qualquer satisfação ao Pai, que nem mesmo aceitou Isaque quando seu Pai [Abraão] o ofereceu, mas mudou o sacrifício de um ser racional para o de um cordeiro? Não está claro que o Pai recebeu o sacrifício, não porque Ele próprio o exigiu e o tornou necessário, mas por causa do governo divino do universo... e porque o homem deve ser santificado através da encarnação do Filho de Deus.[42]

2. DE ANSELMO A GROTIUS. O escrito de Anselmo em sua obra *Cur Deus Homo* mudou abruptamente a sua posição anterior. Anselmo afirmou que a criatura havia procedido mal contra o Criador, que tem os direitos soberanos de posse daquilo que Ele fizera, e que um resgate foi pago a Deus. A idéia circunda aproximadamente a verdade da propiciação divina, e é, além disso, uma ênfase quase exclusiva sobre um aspecto da verdade. As seguintes citações de *Cur Deus Homo* indicarão o caráter positivo do raciocínio de Anselmo, que é considerado o estruturador da doutrina da satisfação:

O pecado não é algo além do que não prestar a Deus o que lhe é devido... A vontade total de uma criatura racional deveria estar sujeita à vontade de Deus... Aquele que não prestar a Deus esta honra que lhe é devida, rouba Deus daquilo que lhe é seu, e o desonra; e isto é o que o pecado é... Cada um que peca deve pagar de volta a honra que roubou de Deus; e esta é a satisfação que cada pecador está obrigado a pagar a Deus (c. xi)... Nada é menos tolerável na ordem das coisas do que uma criatura roubar o Criador da honra que lhe é devida e não repará-lo daquilo que ela lhe roubou... Se melhor ou maior do que Deus, nada pode ser mais justo do que aquilo que preserva a Sua honra na disposição dos eventos, mesmo a justiça suprema, que não é nada mais além do que o próprio Deus (c. xiii).... Que Deus perderia a sua própria honra é impossível; nem o pecador de sua própria vontade paga aquilo que deve, nem Deus toma algo dele contra a sua vontade. Pois nem o homem de sua própria vontade livre pode mostrar essa sujeição a Deus que lhe é devida, seja por não pecar ou por fazer compensações por seu pecado, ou que Deus o sujeite a Ele próprio, para atormentá-lo contra a sua vontade, e por meio disto mostre-se ser seu Senhor, que o mesmo recusa reconhecer por vontade própria.[43]

Anselmo escreveu muita coisa sobre o caráter representativo de Cristo como o Deus-homem, que é impossível para o homem caído satisfazer a Deus, e que Cristo como o representante do homem, assim como o verdadeiro Deus, apresentou uma satisfação como substituto, e assim a satisfação foi apresentada tanto por Deus que sozinho pôde atingir tão grande exigência assim como foi apresentado pelo Homem representante.

Durante o período que começou com a influência, outros assuntos importantes e intimamente relacionados estiveram sob discussão, sendo um desses sobre se Cristo realmente tornou-se pecado de modo que suportou a soma total de todos os pecadores, ou se, num sentido, forense, Ele suportou o juízo do pecado como é prefigurado na verdade tipológica de que um cordeiro foi eficaz para um indivíduo, como no caso de Abel, ou para uma família, como na Páscoa, ou pela nação, como no caso do dia da Expiação. Martinho Lutero defendeu vigorosamente a idéia de que Cristo tornou-se pecado por todos os homens e não meramente suportou as penalidades deles. Em seu comentário sobre Gálatas 3.13, ele declara:

A doutrina do Evangelho (que de todas as outras é a mais doce e cheia de consolação singular), não fala algo de nossas obras ou das obras da lei, mas da misericórdia e amor inestimáveis de Deus concernente ao mais desgraçado e miserável dos pecadores: ter o conhecimento de que o nosso Pai misericordioso, ao ver-nos oprimidos e vencidos pela maldição da lei, e assim ser dominados por essa lei, que poderíamos nunca ser libertos dela pelo nosso próprio poder, Ele enviou seu único Filho ao mundo, e pôs sobre Ele os pecados de todos os homens, quando disse: "Sejas tu Pedro, o negador; Paulo, o perseguidor, blasfemador, e cruel opositor; Davi, aquele adúltero; Adão, aquele pecador que comeu do fruto proibido no Paraíso; aquele ladrão que foi pendurado na cruz; e, resumidamente, sejas Tu a pessoa que cometeu os pecados de todos os homens. Vê, portanto, que Tu pagas e satisfazes por eles". Aqui agora vem a lei, e diz: Vejo-o um pecador, e Ele tomou sobre Si os pecados de todos os homens, e Eu não vejo mais os pecados, exceto nele; portanto, deixe-o morrer sobre a cruz; e assim Ele o matou. Por isso, está claro que o mundo inteiro é purgado, é purificado de todos os pecados, e liberto assim da morte e de todos os males.[44]

Outro problema que recebeu muita atenção, foi um relacionado à liberdade divina envolvida na doutrina da satisfação. Se Deus deve requerer uma satisfação justa – não lhe sendo permitido perdoar o pecado como um ato de indulgência soberana – não fica a sua própria liberdade restrita e o exercício de sua misericórdia limitado? Francis Turretin (1682) argumentou que o relacionamento de Deus com o homem caído é privado; ele envolve interesses públicos que não podem ser desconsiderados, se o governo de Deus deve permanecer.

Os socianianos, na defesa de sua interpretação racionalista do valor da morte de Cristo, argumentaram que se Cristo realmente satisfez a Deus pelos homens caídos, então aqueles por quem Cristo morreu seriam automaticamente salvos por aquela morte, o que é universalismo. Uma resposta a esse desafio foi a teoria de uma redenção limitada, a qual assevera que Cristo morreu somente pelos eleitos, ou por aqueles que, de acordo com o propósito de Deus, estavam para ser salvos. Visto que esta é uma questão importante, ela deve ainda receber um tratamento mais extenso (nos Caps. VIII-X); por isso, não será estudada agora.

3. DE GROTIUS AO TEMPO PRESENTE. A teoria governamental sobre o valor da morte de Cristo foi originada por Hugo Grotius (1583-1645), de Leyden, Holanda. Esta teoria, que logo será discutida mais detalhadamente, teve uma influência enorme sobre homens de mente liberal, e tem sido, desde a sua criação, a única teoria notável que compete com a sempre honrada doutrina da satisfação, doutrina essa, embora formulada por Anselmo, que tem sido a visão aceita pelos crentes que formam a Igreja em todas as suas gerações.

SOTERIOLOGIA

III. Teorias em Geral

Certas teorias mais ou menos bem definidas ou filosofias humanas foram apresentadas numa tentativa de explicar aquilo que Cristo realizou em sua morte. Cada uma delas, por sua vez, esteve sujeita a variações e modificações, as quais correspondem à idéia de que qualquer indivíduo poderia incorporar a determinado esquema. Alguns escritores têm procurado, mesmo de forma extensa, listar essas teorias. Na *New Schaff-Herzog Encyclopaedia of Religious Knowledge*, o Dr. B. B. Warfield apresenta a seguinte quíntupla classificação dessas teorias:

(1) Teorias que concebem a obra de Cristo como *terminando sobre Satanás*, afetando-o para assegurar a soltura das almas presas em escravidão por ele. (2) Teorias que concebem a obra de Cristo como *terminando fisicamente sobre o homem*, assim afetando-o, trazendo-o através de uma operação interior e escondida sobre ele em participação com a vida de Cristo; as chamadas "teorias místicas". (3) Teorias que concebem a obra de Cristo como *terminando sobre o homem, no sentido de persuadi-lo à ação*; afetando assim o homem, conduzindo-o a um melhor conhecimento de Deus, ou a um senso mais vívido de sua real relação com Deus, ou a uma mudança voluntária do coração e da vida com relação a Deus; as chamadas "teorias de influência moral". (4) Teorias que concebem a obra de Cristo como *terminando tanto no homem quanto em Deus, mas sobre o homem primariamente e em Deus somente secundariamente...* as chamadas "teorias governamentais". (5) Teorias que concebem a obra de Cristo como *terminando primariamente em Deus e secundariamente sobre o homem...* Esta teoria supõe que o nosso Senhor, por adentrar simpaticamente em nossa condição... muito agudamente sentiu os nossos pecados como se fossem Seus, que Ele pode confessar e adequadamente se arrepender deles perante Deus; e isto é tudo o que a justiça da expiação requer... as chamadas "teorias medianas" da Expiação.[45]

Como uma preparação adicional para o entendimento correto das várias teorias a respeito do valor da morte de Cristo, certos esquemas que atribuem pouca ou nenhuma importância à obra de Cristo deveriam ser identificados por todo estudioso de Soteriologia. Entre estas, e totalmente singular em suas alegações, está o Universalismo. Com uma positividade que excede os defensores da teoria da satisfação, este sistema declara que toda a raça humana foi arruinada pela queda. Ela também alega que Cristo morreu por todos os homens, no sentido mais absoluto e que nenhum outro passo é necessário. Todos os homens são salvos pela morte de Cristo. Para alguns, esta salvação é até estendida aos anjos caídos, inclusive Satanás. Igualmente, são propostos esquemas, os quais reivindicam que os homens podem ser perdoados por um ato soberano de Deus.

Esta concepção existe nas mentes de multidões e é o resultado natural de formas descuidadas de pregação e de ensino que lançam os não-salvos diretamente na misericórdia de Deus, sem referência à verdade imperativa de que a misericórdia divina é possível somente pela morte de Cristo, e através dela, como Redentor, Reconciliador e Propiciador que Ele é. A Escritura não diz: "Crê na misericórdia de Deus e serás salvo"; antes, ela assevera: "Crê no Senhor Jesus Cristo, e serás salvo". Que os pecadores, sejam eles perdidos ou salvos, da antiga ou da nova aliança, nunca são perdoados à parte do sangue de Cristo, ou por aquilo que o tipificou, é o ensino constante da Bíblia. Está afirmado muito bem em Hebreus 9.22: "E sem derramamento de sangue não há remissão". Esta noção de perdão pela generosidade divina não é somente indiferente ao valor da morte de Cristo, mas desconsidera as questões a respeito da pessoa divina e de seu governo que a morte de Cristo tão perfeitamente protege.

Esta noção também fracassa em reconhecer que, se uma alma fosse perdoada de um pecado por um ato soberano de Deus, à parte da base justa proporcionada por Cristo em sua morte, um princípio é introduzido que tornaria possível para Deus perdoar todo pecado por um ato soberano e, assim, tornar a morte de Cristo desnecessária. É esta mesma liberdade de pensamento que presume que o amor soberano de Deus livra as almas da perdição eterna; todavia, nenhuma alma pode ser salva da perdição, à parte da obra de Cristo. Nisto os universalistas são mais consistentes do que aqueles que magnificam o perdão soberano. O texto da Escritura do qual mais dependem os defensores da idéia do perdão pela soberania é o da parábola do "filho pródigo". Nessa parábola não há um sangue eficaz, uma idéia sobre a regeneração, e um exercício da fé. Há confissão e perdão e o filho é restaurado à comunhão do Pai; todavia, esse perdão sempre repousa no sangue de Cristo (cf. 1 João 1.7, 9).

Fora da confusão da opinião humana e do ruído das vozes conflitantes, a Palavra de Deus traz uma segurança cristalina a respeito do valor da morte de Cristo. Contudo, diversas teorias devem ser consideradas especificamente e as primeiras três serão vistas de uma forma breve:

1. TEORIA DO MARTÍRIO. O apelo da teoria do martírio é que a incapacidade moral do homem é encorajada pela morte de Cristo como um mártir, e por sua ressurreição. É afirmado que Cristo morreu como um mártir, por causa da verdade que Ele ensinou e da vida que viveu; que por sua morte Ele deu a confirmação definitiva à sua doutrina; e que por sua morte Ele demonstrou sua própria sinceridade. A teoria carece de um reconhecimento da necessidade de sacrifício e pode bem ser classificada com aqueles esquemas que evitam qualquer referência à expiação objetiva. Está claramente ensinado no Novo Testamento que a morte de Cristo foi totalmente voluntária. As palavras de Cristo são uma refutação final da teoria do martírio: "Desde então começou Jesus Cristo a mostrar aos seus discípulos que era necessário que ele fosse a Jerusalém, que padecesse muitas coisas dos anciãos, dos principais sacerdotes, e dos escribas, que fosse morto, e que ao terceiro dia ressuscitasse" (Mt 16.21); "Ninguém ma tira de mim, mas eu de mim mesmo a dou; tenho autoridade para a dar, e tenho autoridade para retomá-la. Este mandamento recebi de meu Pai" (Jo 10.18).

Está também registrado que quando Cristo morreu, como o Soberano da vida, entregou o seu próprio espírito: "Jesus, clamando com grande voz, disse: Pai, nas tuas mãos entrego o meu espírito. E, havendo dito isso, expirou" (Lc 23.46). Somente o aspecto ético dos ensinos de Jesus, à medida que testemunham de sua vida e da existência futura, estão em vista nesta teoria; esses são tornados mais eficazes, é alegado, pela morte do mártir.

2. TEORIA DA INFLUÊNCIA MORAL. Este esquema de doutrina foi originado com Faustus Socinus (1539-1604) e tornou-se uma crença distinta de seus seguidores. A teoria assevera que o valor da morte de Cristo não é objetivamente em relação a Deus, mas cumpre o seu propósito na salvação humana, através da influência que essa morte exerce sobre a vida diária dos homens. Ela almeja a reforma, sem nenhum pensamento de regeneração no seu sentido bíblico. Em última instância, esse esquema seria classificado entre aqueles que não tentam um reconhecimento do valor da morte de Cristo. Tudo da vida de Cristo, seus ensinos e suas poderosas obras, sua morte, sua ressurreição, e sua ascensão, serve apenas para um propósito, a saber, o de exercer uma influência moral sobre os homens. Esta teoria conduz a uma grande variedade de idéias, mas o seu princípio essencial não se altera.

Os unitarianos modernos, por serem os representantes mais próximos da idéias socinianas, são os que mais perpetuam a teoria da influência moral nos tempos de hoje. Os advogados dessa teoria nunca se preocuparam em interpretar os ensinos da Bíblia. É reconhecido por todos os estudiosos da Escritura que a morte de Cristo tem seus efeitos sobre as vidas daqueles que são salvos. Nenhum texto declara isso tão bem quanto 2 Coríntios 5.15, que afirma: "E ele morreu por todos, para que os que vivem não vivam mais para si, mas para aquele que por eles morreu e ressuscitou".

Uma teoria intimamente relacionada à da influência moral e a de ser classificada com ela argumenta que a morte de Cristo foi uma expressão da simpatia de Deus pelo pecador. Uma ilustração usada por aqueles que pregam essa idéia é a de uma mãe que se inclina para o berço de sua criança, a qual está doente, e há mais dor manifesta na face da mãe, através da simpatia do que na face da criança que sofre; mas Cristo não morreu meramente para se tornar um companheiro dos homens que morrem. Ele morreu, para que os homens pudessem não ter de morrer. Ele não sustenta meramente a mão deles, enquanto eles sofrem os juízos de seus pecados; antes, Ele suportou a penalidade para que eles nunca pudessem ter de suportá-la.

3. TEORIA DA IDENTIFICAÇÃO. Esta avaliação do valor da morte de Cristo pode ser afirmada em poucas palavras: é declarado por aqueles que defendem esta idéia, que Cristo, ao identificar-se a Si mesmo tanto com os homens, que foi capaz de representá-los perante Deus, e assim confessar os pecados deles e se arrepender em favor deles. É óbvio que o elemento essencial da expiação não está incluído e que Deus, além disso, propôs em perdoar soberanamente aqueles que se arrependem, seja por um ato deles mesmos ou pelo ato de um outro identificado com eles.

4. TEORIA GOVERNAMENTAL. Entrando na análise da teoria governamental, é reconhecido que ela é diferente, na verdade, das teorias já mencionadas, por ser a única teoria que reconhece a necessidade de uma obra objetiva de Cristo com relação a Deus. Outras teorias não procuram mais do que a remissão do pecado humano, sem considerar as questões morais mais profundas que surgem quando é afirmado que um santo Deus perdoa o pecado à parte de qualquer penalidade do pecado. Há apenas duas teorias – a da satisfação e a governamental – que podem reivindicar a atenção de homens sinceros que respeitam o santo caráter de Deus e a revelação que Ele concedeu. Assim, e por esta razão, essas duas interpretações são colocadas uma contra a outra em cada tratamento digno deste grande tema. Será igualmente necessário sustentar esses dois sistemas em constante comparação em toda esta discussão.

A história da teoria governamental foi bem delineada anteriormente. Ali, foi assinalado que, como uma interpretação natural das Escrituras, muitos crentes, desde o seu início sustentaram a doutrina da satisfação divina, através da morte de Cristo, e, embora a doutrina da satisfação tenha sido sistematizada por Anselmo, no século XI, a doutrina foi sustentada em geral, tanto quanto qualquer outra verdade, por toda a era cristã. No século 16, foram feitos ataques contra a doutrina da satisfação pelos socinianos, que eram racionalistas, e ataques contra os textos da Escrituras sobre os quais essa doutrina repousa. Esses textos da Escritura foram interpretados erroneamente e rejeitados no interesse da razão humana. Foi então que Hugo Grócio, um jurista da Holanda e homem de intelecto formidável, empreendeu planejar um esquema de interpretação que preservaria alguma reminiscência de um valor objetivo na morte de Deus e, ainda, evitaria muita coisa da crítica racionalista que então foi lançada contra a doutrina da satisfação.

Embora os homens tenham se apartado em algum grau da filosofia de Grócio, os aspectos essenciais de sua teoria permanecem como ele os propôs. Essa teoria tem sido o refúgio dos arminianos, e é basicamente a crença dos teólogos da Europa continental, e tem sido a doutrina aceita pelos independentes da Inglaterra e dos Estados Unidos da América. Nesta última região, essa teoria tem sido defendida por homens como Joseph Bellamy, Samuel Hopkins, John Smalley, Stephen West, Jonathan Edwards Jr., Horace Bushnell, e Edwards A. Park. Este último nome afirmou que esta teoria era "a doutrina ortodoxa tradicional dos congregacionalistas americanos". Não obstante, a doutrina da satisfação tem sido, e é, sustentada por todos os calvinistas, e é aquela que aparece em todos os credos mais importantes da Igreja.

Estes dois sistemas de interpretação concordam que a morte de Cristo e o derramamento de seu sangue exercem uma parte muito importante na salvação dos homens. A doutrina da satisfação incorpora a concepção da morte de Cristo, que foi uma substituição penal que teve o propósito objetivo de proporcionar uma base justa, para que Deus pudesse perdoar os pecados daqueles por quem Cristo morreu. A equidade, afirma-se, é perfeita, visto que o Substituto suportou a penalidade. Isto está expresso nas palavras: "para que ele possa ser justo, e o justificador daquele que crê em Jesus" (Rm 3.26). A teoria governamental argumenta que em sua morte Cristo proporcionou um sofrimento vicário, mas que de modo algum foi a determinação de uma punição. Os advogados dessa teoria fazem objeção à doutrina da imputação em todas as suas formas, especialmente a de que o pecado humano tenha sido imputado a Cristo ou que a justiça de Deus tenha sido imputada àqueles que crêem.

Eles declaram que a verdadeira substituição deve ser *absoluta* e assim, por necessidade, deve automaticamente perdoar a penalidade daqueles por quem Cristo morreu. Portanto, é asseverado que, visto que Cristo morreu por todos os homens e que nem todos os homens são salvos, que a teoria da satisfação fracassa. Que houve uma substituição de caráter mais absoluto tanto com respeito ao mérito quanto ao demérito, que não se torna eficaz à parte de uma união vital com Cristo – o resultado da fé salvadora –, mas advém a todos que estão em Cristo, é rejeitado.

É admitido que há grandes dificuldades que surgem quando mentes finitas tentam reduzir o modo divino de operação com respeito à salvação dos perdidos – o maior empreendimento divino – às limitações de uma teoria humana. Crendo que a morte de Cristo de fato proporcionou uma satisfação absoluta e foi uma substituição completa e para evitar o problema que é gerado pelo fato de que multidões não são salvas, certa escola de calvinistas tem afirmado que Cristo morreu somente pelos eleitos, ou aqueles que são salvos. Alguns dos mais extremados dessa escola argumentam que, no caso dos eleitos, a fé salvadora é de importância, visto que a morte de Cristo é automaticamente eficaz. A maioria dos calvinistas, entretanto, reconhece o fato óbvio, que mesmo os eleitos não são mais salvos do que os não-eleitos, até que eles creiam em Cristo.

Julgando a partir dos seus escritos volumosos, não é fácil para os advogados da teoria governamental afirmar exatamente o que eles crêem que Cristo realizou por sua morte, e é igualmente difícil entender a exposição da teoria que eles oferecem. Dizer, como eles fazem, que os sofrimentos de Cristo foram sacrificiais, mas não punitivos, é igual afirmar que Cristo satisfez por sua morte alguma necessidade divina, além de ficar sujeito à penalidade da santidade e do governo divinos. É afirmado que o pecado do homem fez Deus sofrer e que esse sofrimento caiu sobre Cristo, embora o Pai estivesse em completa harmonia com o Filho na hora do sofrimento. Os sofrimentos são para manifestar assim a compaixão divina, antes que o julgamento penal. Quando avaliado assim, os sofrimentos não são diminuídos nem a sua eficácia diminuída. Por esse sofrimento de Cristo, Deus revela seu santo ódio pelo pecado, e, por uma real demonstração na cruz, Ele mostra o infortúnio que o pecado causa nele. Isto é permitido e acontece como um valor objetivo da morte de Cristo em relação a Deus, e é o mais próximo da propiciação que esse sistema é capaz de chegar.

O argumento daqueles que sustentam a teoria governamental é que, visto que Deus é amor e sempre o foi, não há uma ocasião para Ele ser propiciado. Todavia, a Escritura declara que os não-salvos são "filhos da ira" (Ef 2.3), e que por sua morte Cristo satisfez a Deus (1 Jo 2.2). Neste valor objetivo com relação ao homem, ou como isto afeta o pecador por quem Cristo morreu, pode significar não mais do que uma influência moral que surgiria na mente de alguém que fica impressionado pelo espetáculo da tristeza divina pelo pecado e da compaixão pelo pecador. Nesse caso, a morte de Cristo não provoca uma mudança no estado do pecador. Isto está tão próximo da reconciliação quanto a teoria pode trazer; todavia, a Bíblia declara que Deus estava em Cristo reconciliando consigo o mundo, e, por essa morte, mudou o estado dos homens a ponto dele não imputar a eles as suas transgressões (2 Co 5.19).

Semelhantemente, considerando o valor da morte de Cristo em relação ao pecado, de acordo com essa teoria, Deus está pronto, no sentido governamental, em perdoar aquele que se torna penitente pelo reconhecimento do fato da morte de Cristo; e que é tão próximo quanto o sistema pode abordar à redenção. Todavia, este Cristo, de acordo com a sua própria declaração, deu a sua vida "em resgate por muitos" (Mt 20.28; cf. Mc 10.45; 1 Tm 2.6). A teoria é exaurida por sua única reivindicação que, do lado governamental das exigências divinas, tendo pela morte de Cristo demonstrado a avaliação divina do mal e por seu sofrimento sacrificial mostrado a compaixão divina, Deus pode, com segurança para o seu governo, perdoar de um modo soberano o pecador que, por ser influenciado pelo fato da morte de Cristo, é penitente.

Pensa-se que o governo divino deve ser protegido suficientemente na manutenção dos seus santos padrões, se o perdão, como uma generosidade divina, é estendido ao penitente. Argumentos trabalhados têm sido apresentados para demonstrar que um perdão baseado numa expressão do desprazer divino a respeito do pecado – expressão essa que é aceita como uma forma de expiação pelo pecado – não é um perdão soberano, mas é firmado em base digna. Tais argumentos falham em mostrar qualquer força de convicção com aqueles que se opõem a essa teoria.

Do que foi dito acima, pode ser concluído que Grócio, como aqueles que o seguem, distinguiu entre aquilo que era *governamental* e aquilo que é *pessoal* em Deus com respeito ao Seu julgamento do pecado. A teoria propõe que Deus não pode julgar o pecado numa base pessoal ou como o que ultraja a Sua santidade, visto que Ele é amor, mas Ele deve julgar o pecado com base na sua relação governamental com os homens. Nenhuma penalidade cai sobre o substituto e o pecador penitente é perdoado como um ato da compaixão divina. Baur publicou uma avaliação da obra de Grócio no periódico teológico *Bibliotheca Sacra* (IX, 259), e uma breve citação dessa fase da teoria é dada aqui:

"O erro fundamental da posição sociniana foi encontrado por Grócio e é assim, que Socinus considerava Deus, na obra da redenção, como o que sustenta meramente o lugar de um credor, ou senhor, cuja mera vontade foi uma liberação suficiente da obrigação existente. Mas, como temos de tratar da punição e da remissão da punição, Deus não pode ser visto como um credor, ou como uma parte prejudicada, visto que o ato de infringir punição não pertence a uma parte prejudicada como tal. O direito de punir não é parte dos direitos de senhor absoluto ou de um credor, por serem estas coisas meramente pessoais em seu caráter; é direito de um governador somente. Conseqüentemente, Deus deve ser considerado como um governador, e o direito de punir pertence a Ele como tal, visto que existe, não por causa do punidor, mas para causa do bem-estar público, para manter sua ordem e para promover o bem público."[46]

Soteriologia

Desta breve análise será visto que as duas idéias principais são muito importantes nessa teoria apresentada por seus advogados, a saber, *penitência* e *perdão*, e nenhum outro aspecto do valor da morte de Cristo é reconhecido e nenhum outro aspecto da grande obra de Deus na salvação de uma alma é tão abrangente neste sistema. Deveria qualquer pergunta ser levantada a respeito da necessidade de uma penalidade que confirmaria a santidade da lei; o fato de que Cristo sofreu sacrificialmente, é considerado suficiente para satisfazer a exigência. Grócio era arminiano em sua teologia e sua teoria se encaixa bem num sistema de interpretação das Escrituras que se satisfaz com verdades modificadas e parciais.

Com relação aos métodos empregados por esses dois sistemas, pode ser observado que a doutrina da satisfação segue os ensinos óbvios da Bíblia. Ela é o resultado de um raciocínio imparcial da Palavra de Deus, quando testemunha da morte de Cristo. Por outro lado, os defensores da teoria de Grócio constróem uma filosofia que não é retirada da Escritura, e, por terem declarado as especulações e os raciocínios deles, ocupam-se em demonstrar, por vários métodos de interpretação, que as Escrituras podem ser harmonizadas com a teoria. É significativo que cristãos, os quais em muitas coisas se sujeitam à Bíblia, tenham sustentado a doutrina da satisfação por todas as gerações.

Daqueles que têm exposto e defendido a teoria governamental, ninguém nos Estados Unidos é mais erudito do que John Miley, o teólogo arminiano. Quando afirma a sua discordância da sempre honrada doutrina da satisfação, o Dr. Miley (1) faz objeção à doutrina da substituição como geralmente sustentada. É sua argumentação que o pecado do homem não é imputado a Cristo, nem a justiça de Deus imputa ao homem; e (2) se o pecado do homem é imputado a Cristo, o homem não precisa ter fé pessoal, que se apropria do perdão, visto que nada permanece para ser perdoado. Estes são os principais argumentos que Socinus desenvolveu e estes, por sua vez, foram apresentados por muitos da escola arminiana. À falácia envolvida será dada a consideração devida na divisão seguinte deste capítulo. Uma parte ao menos da defesa que o Dr. Miley faz da teoria governamental deverá ser citada aqui. Sobre a Teoria e Necessidade da Expiação, ele declara:

> *(1) Uma Resposta à Real Necessidade.* A mediação redentora de Cristo sugere uma necessidade para ela. Na consistência científica deveria haver um acordo entre a doutrina da expiação e a base de sua necessidade. A teoria moral encontra na ignorância e nas tendências más dos homens uma necessidade de verdade e de motivo mais elevados do que a razão pode proporcionar; uma necessidade de todos as verdades e todos os motivos mais elevados do Evangelho. Há tal necessidade – muito real e muito urgente. E Cristo graciosamente supriu essa ajuda tão necessária. Mas ainda não temos uma parte da necessidade para uma base objetiva de perdão. Conseqüentemente, esse esquema não satisfaz à real necessidade de uma expiação. Se a necessidade surgisse de uma justiça absoluta que deve punir o pecado, a teoria da satisfação estaria de acordo com ela, mas

sem o poder de satisfazer essa exigência, pois essa necessidade impede a expiação substitutiva. Verificamos a real necessidade nos interesses do governo moral – interesses que dizem respeito à glória e autoridade divinas, e ao bem-estar dos seres humanos. Qualquer que conserve esses fins enquanto abre o caminho do perdão, satisfaz à real necessidade no caso. Exatamente isto é feito pela expiação que nós sustentamos. Na exigência do sacrifício de Cristo como a única base do perdão, o padrão da avaliação divina do pecado é exaltado, a penalidade merecida é apresentada como certa a respeito de todos que falham em perdoar através da graça redentora. E estas são as forças morais especiais pela qual a lei divina pode restringir o pecado, proteger os direitos, manter a inocência, e assegurar o bem-estar comum. Além do mais, a doutrina que sustentamos não somente dá a essas forças salutares a potência moral mais elevada, mas também combina com estas que são ainda as forças mais elevadas do amor divino reveladas no meio maravilhoso de nossa redenção. Assim, enquanto o mais elevado bem dos seres morais é assegurado, a glória divina recebe a sua mais alta revelação. Portanto, a doutrina tem não somente o suporte derivado de uma satisfação à real necessidade de uma expiação, mas também a aprovação de um grande crescimento nas forças morais do governo divino.

(2) *Baseados na mais Profunda Necessidade*. Estamos aqui num exemplo direto da doutrina da satisfação: pois os advogados dela fazem uma alegação especial em favor dela, e urgem objeções especiais contra nós. Já temos os princípios e os fatos que devem decidir a questão. No esquema deles, a necessidade repousa na obrigação absoluta que a justiça tem de punir o pecado, e, em última análise, na disposição divina de punir. Mas já mostramos anteriormente que não existe tal necessidade. Temos sustentado uma disposição punitiva em Deus; mas também encontramos nele uma compaixão pelos pecadores a quem a sua justiça condena. E podemos razoavelmente concluir que a sua disposição de clemência encontrará a sua satisfação no perdão gratuito de todos ou que Ele não perdoará alguém, exceto na punição equivalente de um substituto. Quem pode mostrar que a disposição punitiva é a mais forte? Desafiamos a apresentação de um fato em sua expressão que seja paralelo da cruz na expressão da disposição de misericórdia. E sem necessidade alguma absoluta de punição de pecado, parece claro que apenas para as exigências da justiça governativa a compaixão triunfaria sobre a disposição de uma justiça puramente retributiva. Conseqüentemente, esta alegada necessidade absoluta de uma expiação não é realmente uma necessidade. Qual é a necessidade na teoria governamental? Ela é como aparece na honra e autoridade justas do Governador divino, e nos direitos e interesses dos seres morais sob Ele. O livre perdão dos pecados sem uma expiação seria a rendição deles. Conseqüentemente, a justiça divina em si mesma, ainda tendo toda a sua disposição punitiva, mas

infinitamente mais preocupada com esses direitos e interesses do que na mera retribuição do pecado, deve se contrapor a toda sua autoridade no fórum do mero perdão administrativo. A santidade divina e a sua bondade, infinitamente preocupadas com esses grandes fins, devem igualmente obstruir um perdão na rendição deles. A justiça, a santidade e o amor divinos devem, portanto, concordar na exigência imperativa de uma expiação em Cristo como a base necessária do perdão. Estes fatos baseiam-se na mais profunda necessidade. Os fins governamentais do governo moral são um imperativo mais profundo com a justiça em si mesma do que com a retribuição do pecado, como tal. Alguém permanece perante a lei no demérito do crime. Seu demérito torna a sua punição justa, embora não uma necessidade. Mas a proteção de outros, que sofreriam o dano através de sua impunidade, torna a sua punição uma obrigação da retidão judicial. Os mesmos princípios são válidos no governo divino. O demérito do pecado não impõe uma obrigação de punição sobre o Governador divino; mas a proteção dos direitos e interesses por meio da penalidade merecida é uma exigência da retidão judicial, exceto quando essa proteção pode ser assegurada através de algum outro meio. É verdade, portanto, que a expiação governamental está baseada na mais profunda necessidade.

(3) Valor Governamental da Penalidade. Distinguimos suficientemente entre a retribuição puramente e os ofícios governamentais da penalidade. A primeira diz respeito simplesmente ao demérito do pecado; a última, aos grandes fins a serem alcançados através do ministério da justiça e da lei. Como o demérito do pecado é a única coisa punida justamente, o elemento retributivo sempre condiciona o ofício governamental da justiça; mas o primeiro é concebível sem o último. A retribuição penal pode, portanto, ser vista como um fato distinto, e totalmente em si mesmo. Como tal, ele é simplesmente a punição do pecado por causa do seu demérito, e sem ligação com qualquer outra razão ou fim. Mas como nós surgimos para a contemplação da justiça divina em sua esfera infinitamente mais ampla, e ainda não como um atributo isolado, mas em sua associação inseparável com a santidade infinita, e sabedoria, e amor, como atributos de um Governador divino sobre os inumeráveis seres morais, devemos pensar que a sua retribuição do pecado sempre tem fins ulteriores nos interesses de seu governo moral. Portanto, nós sustentamos toda a punição divina para que se tenha uma função estritamente governamental. A punição é o recurso supremo de todo governo justo. Todo bom governador procurará assegurar obediência, e todos os outros verdadeiros fins de uma administração sábia e beneficente, através dos meios mais elevados e melhores. De nenhum outro estas coisas são tão verdadeiras como do Governador divino. Na falha de tais meios ainda há o recurso da punição que colocará em sujeição a agência danosa daquele que é incorrigível. Assim, os direitos

e os interesses são protegidos. Esta proteção é um valor governamental próprio da penalidade simplesmente como um elemento da lei. Tem valor numa espécie de poder de influência sobre a conduta humana. Uma pequena análise revelará suas forças salutares. A penalidade, em sua própria natureza, e também através das idéias morais com as quais ela está associada, mas o seu apelo a certas capacidades motoras no homem. Como encontra ali uma resposta, assim tem ali uma influência governante, e uma influência mais salutar quando a resposta é às idéias associadas mais elevadas. Primeiramente, a penalidade, como um elemento da lei, apela para um temor instintivo. A força intrínseca do apelo é determinada por sua severidade e a certeza de sua execução; mas a influência real é basicamente determinada pelo estado de nossa capacidade motriz. Alguns são aparentemente totalmente insensíveis à maior severidade e certamente à penalidade ameaçada, enquanto outros ficam profundamente tocados por isso. Na verdade, a conduta humana é assim grandemente influenciada. Isto, contudo, é o mais baixo poder da penalidade como um motivo, ainda que não seja sem valor. Muito melhor é que as tendências malignas deveriam ser restringidas, e assegurada a conformidade externa à lei, através desse temor. O principal valor governamental da penalidade, simplesmente como um elemento da lei, é através das idéias morais que ela comunica, e a resposta que ela encontra na razão moral. Como a alma responde a essas idéias nas atividades sadias da consciência e do senso mais profundo de obrigação, assim a força governante da penalidade toma a mais alta forma de excelência moral. Quando ela se torna a elocução clara da justiça em si mesma na declaração dos direitos em toda a sacralidade deles, e na reprovação do crime em todas as suas formas de insulto ou injustiça, e a profundeza da aridez da punição, assim ela comunica as lições imperativas do dever, e governa através dos princípios mais profundos da obrigação moral. Os direitos são sagrados, e os deveres são cumpridos porque eles são tais, e não pelo temor das conseqüências penais da violação ou negligência deles. Os mesmos fatos têm a aplicação mais plena à penalidade como um elemento da lei divina. Aqui, o seu valor governamental mais alto será através da mais alta revelação de Deus em seus atributos morais, como sempre ativos em toda administração moral.

(4) O Valor Governamental da Expiação. Os sofrimentos de Cristo, como um substituto apropriado para a punição, devem cumprir o ofício da penalidade nos fins obrigatórios do governo moral. A maneira do cumprimento é determinada pela natureza do serviço. Como a força governamental salutar da penalidade, como um elemento da lei, é especialmente através das idéias morais que ela revela, assim os sofrimentos vicários de Cristo devem revelar idéias morais iguais, e governar através delas. Eles nada podem fazer para substituir a penalidade, com relação à remissão, para realizar o seu alto ofício

SOTERIOLOGIA

governamental. Conseqüentemente, os sofrimentos vicários de Cristo são uma expiação pelo pecado enquanto eles revelam Deus em sua justiça, santidade, e amor, sob o aspecto da sua própria honra e sua lei; em sua preocupação pelos direitos e interesses dos seres morais, em sua reprovação do pecado como intrinsecamente mau, e totalmente hostil aos seus próprios direitos, e ao bem-estar dos seus súditos. A expiação de Cristo revela tais verdades? Respondemos que sim. Não precisamos do elemento penal impossível da teoria da satisfação como parte dessa revelação. Deus revela sua profunda preocupação pela sacralidade da sua lei, e pelos interesses que ela preserva, pelo que Ele faz pelo apoio e proteção deles. Nas formas legislativas e administrativas diretas Ele ordena sua lei, com declarações de sua sacralidade e autoridade; incorpora nela as sanções mais pesadas de recompensa e penalidade; reprova nos termos mais severos toda desconsideração das suas exigências, e todas as violações dos direitos e interesses que ela protegeria; Ele visita a transgressão com penalidades terríveis de sua justiça retributiva, embora sempre em benefício de sua compaixão. A ausência de tais fatos demonstraria uma indiferença aos grandes interesses referidos; enquanto a presença deles evidencia, na maneira mais forte possível de tais fatos, a preocupação divina por esses interesses. Os fatos, com as idéias morais que elas incorporam, dão poder, governo forte e salutar para a lei divina. A omissão do elemento penal, sem uma devida substituição governamental, deixaria a lei em fraqueza completa. Agora deixe o sacrifício de Cristo ser substituído pela necessidade primária de punição, e como a única base para o perdão. Mas deveríamos distintamente observar o que ela substitui na lei divina e onde ela pode modificar a administração divina. A lei permanece, com todos os seus preceitos e sanções. A penalidade não é anulada. Não há rendição da honra e da autoridade divinas. Os direitos e os interesses não são menos sagrados, nem mantidos em termos mais frágeis. O pecado tem a mesma reprovação; a penalidade a mesma iminência e severidade com respeito a toda a incredulidade e impenitência que persistem. A mudança total na economia divina é esta – que com base no sacrifício vicário de Cristo todos os que se arrependem e crêem podem ser perdoados e salvos. Esta é a substituição divina para a necessidade principal da punição. Portanto, enquanto todos os outros fatos na legislação e administração permanecem os mesmos, e numa expressão que não diminui das verdades dos valores e forças governamentais mais altos, esse sacrifício divino na expiação pelo pecado substitui a lição de uma necessidade principal de punição com sua própria revelação mais elevada das mesmas verdades salutares; ao contrário, acrescenta sua própria lição mais elevada à da penalidade. Como a penalidade permanece em seu lugar, remissível, na verdade, em condições próprias, todavia com execução certa em todos os casos de pecado não-arrependido, e, portanto, freqüentemente executada na verdade, a sanção penal da lei ainda proclama toda a verdade governamental que ela pode emitir. Conseqüentemente, o sacrifício de Cristo na expiação do pecado, e na declaração da justiça divina no perdão, é uma elocução infinitamente mais alta e adicional das morais mais salutares. A cruz é a mais elevada revelação de todas as verdades que incorporam as melhores forças morais do governo divino. A expiação em Cristo é tão original e singular em muitos dos seus fatos que torna muito mais difícil encontrar nos fatos humanos as analogias para ilustrá-la devidamente. Todavia, há fatos não sem utilidade aqui. Um eminente conferencista, numa recente discussão sobre a expiação, deu notoriedade à medida de Bronson Alcott no governo de sua escola. Ele substituiu o castigo pela imposição dele sobre si mesmo, e que deveria ser do aluno ofensor, recebendo a imposição da mão do ofendido. Ninguém podia pensar racionalmente em tal substituição penal, ou que o pecado do aluno foi expiado pelos vergões que o mestre sofria no lugar do ofensor. A substituição satisfez meramente os fins disciplinares da penalidade. Sem referência à teoria de Bronson Alcott ou à interpretação de Joseph Cook, nós afirmamos o caso como muito óbvio na filosofia de seus próprios fatos. Esse ofício bem poderia se realizar. E nós aceitamos o registro de resultados muito salutares, não somente como assegurados pela mais confiável autoridade, mas também como intrinsecamente digno de confiança. Ninguém na escola, na questão de ser governado por sua disciplina, poderia doravante pensar menos seriamente a respeito de qualquer ofensa contra as leis da escola. Ninguém poderia pensar que o professor considerasse com reprovação mais suave o mal de tal ofensa, ou que ele estava menos disposto a uma imposição mais rígida da obediência. Todas essas idéias devem ter sido intensificadas, e de uma maneira de dar aos alunos a influência mais sadia. O sacrifício vicário do professor se tornou um elemento moral muito poderoso e salutar na manutenção do governo na escola. Mesmo a real punição do ofensor não poderia ter assegurado obediência em nome de sua própria obrigação e excelência. Podemos também exemplificar com o caso de Zaleucus, muito familiar nas discussões sobre a expiação, embora usualmente acompanhada de tais negações de analogia, como se elas fossem inúteis para a ilustração. Ela é inútil na teoria da satisfação, mas de muito valor para a verdadeira teoria. Zaleucus era um legislador e governador dos locrianos, uma colônia grega muito antiga fundada no sul da Itália. Suas leis eram severas, e a sua administração rígida; todavia, ambas as coisas eram bem adaptadas às maneiras do seu povo. Seu próprio filho foi sentenciado por violar a lei, e foi determinada a penalidade da cegueira. O caso chegou a Zeleucus que era governador e pai do jovem. Conseqüentemente, houve um conflito em sua alma. Ele teria sido um pai desnaturado, e de tal caráter que não serviria para ser governante, se não tivesse tido um conflito de sentimentos. Seu povo implorou a sua clemência para o seu filho, mas, como um homem do Estado, ele sabia que a simpatia que o inclinava para tal pedido era apenas passageira; que na reação, ele sofreria a acusação deles de parcialidade e injustiça; que suas leis seriam desonradas e sua autoridade seria desrespeitada. Ainda havia o conflito da alma. O que deveria ele fazer para a reconciliação do governador e do pai? Nesta exigência, ele planejou uma expiação pela substituição de um de seus próprios olhos por um dos olhos de seu filho. Esta foi uma provisão acima da lei e da justiça retributiva. Não havia uma penalidade para o governador e pai por causa do pecado do filho. A substituição, portanto, não foi penal. O sofrimento vicário não foi em qualquer sentido retributivo. Ele não poderia ser assim. Todas as condições da retribuição penal estavam ausentes. Ninguém poderia racionalmente pensar que o pecado do filho, ou qualquer parte dele, fosse expiado pelo sofrimento do pai em seu lugar. A transferência do pecado como um todo é suficientemente irrazoável; mas a idéia de uma divisão dele, uma parte deixada para o real pecador e punida nele, e a outra parte transferida para um substituto e punida nele, transcende todas as capacidades do pensamento racional. A substituição, sem ser penal, satisfez o ofício governamental da penalidade. O governador protegeu plenamente a sua própria honra e autoridade. A lei ainda mantém a sua voz de comando e as sanções com força não diminuída. E o sacrifício vicário do governador sobre o altar de sua compaixão de parente, e também sobre o altar da sua administração, poderia apenas intensificar todas as idéias que poderiam controlar para ele a honra e a autoridade como governador, ou dar às suas leis um poder salutar sobre o seu povo. Portanto, este é um verdadeiro caso de expiação através de um sofrimento vicário, e em analogia bem similar à expiação divina. Em nenhum dos casos a substituição é com a finalidade de retribuição do pecado, mas em cada um deles em nome das finalidades governamentais da penalidade, e assim se constitui na base objetiva de sua capacidade de perdoar. Portanto, temos neste exemplo uma ilustração clara e poderosa do valor governamental da expiação. Mas até agora apresentamos este valor em sua natureza antes que em sua medida. Isto acontecerá no lugar próprio, no tratamento da suficiência da expiação.

(5) *Somente uma Expiação Suficiente*. Nada poderia ser mais falacioso do que a objeção de que a teoria governamental é, em qualquer sentido, implicitamente indiferente ao caráter do substituto na expiação. Na lógica inevitável de seus princípios mais profundos e determinantes, ela exclui toda a substituição inferior e exige um sacrifício divino como a única expiação suficiente. Somente tal substituição pode dar uma expressão adequada às grandes verdades que podem cumprir o ofício governamental da penalidade. O caso de Zaleucus pode ilustrar isso. Muitos outros artifícios estiveram também sob seu comando. Ele, sem dúvida, tinha dinheiro, e poderia ter ensaiado a compra da impunidade

em relação ao seu filho pela distribuição de grandes quantias. Em seu poder absoluto, ele poderia ter concedido a cegueira a alguma pessoa inferior. Mas o que teria acontecido com a importância ou com o valor governamental de tal medida? Poderia não haver uma resposta à necessidade real no caso, e deve ter estado totalmente silente a respeito das grandes verdades que imperativamente exigiam afirmação em qualquer substituição adequada. O sacrifício de um de seus próprios olhos em lugar de um olho de seu filho deu a afirmação necessária, ao passo que nada abaixo disso o poderia dar. O mesmo aconteceu na substituição de Cristo por nós. Nenhum ser inferior e nenhum sacrifício inferior poderia satisfazer, através da expressão e afirmação das grandes verdades governamentais, aos fins necessários da penalidade. E, como veremos no devido lugar, nenhuma outra teoria pode interpretar tão plenamente e se apropriar de todos os fatos no sacrifício de Cristo. Ele tem um lugar e uma necessidade para cada elemento de valor expiador em sua substituição.[47]

R. W. Dale é o expoente mais importante da teoria governamental, embora ele chegue bem mais próximo à doutrina da satisfação do que o Dr. Miley. Somente o mais cuidadoso estudo da linguagem usada por Dale vai revelar a posição que ele evidentemente sustentou. Uma breve porção de seus escritos é citada aqui:

A morte de Cristo pode ser descrita como uma expiação pelo pecado, pois ela foi um ato divino que torna a punição do pecado algo que não seja uma necessidade. Ela foi uma morte vicária. Ele morreu "por nós" e "pelos nossos pecados", "em nosso lugar". Porque o princípio de que nós merecemos sofrer foi afirmado nos Seu sofrimento, que poderia não ter de ser afirmado no nosso. Ele foi abandonado por Deus, de forma que não poderíamos ser abandonados. Ele não sofreu, para que Ele pudesse meramente compartilhar conosco das penalidades de nosso pecado, mas para que as penalidades de nosso pecado pudessem ser remidas. Foi uma morte representativa, a morte dAquele a quem os antigos teólogos estavam acostumados a descrever como o novo Cabeça Federal da raça humana, ou da Igreja. A linguagem técnica dos teólogos obscureceu e até escondeu a verdade que pretendiam expressar. O Senhor Jesus Cristo é a real verdade, pela lei original do universo, o representante da raça. Ela pode ser descrita como um resgate – um ato de Deus pelo qual somos libertos ou remidos das calamidades que nos ameaçavam, contanto que fôssemos expostos à punição do pecado, e pela qual somos também libertos ou redimidos daqueles males morais e espirituais dos quais não havia saída, exceto através da restauração da vida de Deus em nós. Ela foi uma satisfação à justiça de Deus, em qualquer sentido que possa ser falado da punição da culpa, como uma satisfação à justiça de Deus. Ela foi um sacrifício pelo pecado – um reconhecimento, tal como aquele que nunca poderíamos ter feito por nós próprios, da grandeza de nossa culpa; uma submissão real

SOTERIOLOGIA

em nosso favor à penalidade da culpa, e uma confissão de que a nossa vida havia sido uma real transgressão por causa dos nossos pecados. Ela foi uma propiciação pelo pecado – uma propiciação originada e efetuada pelo próprio Deus, através da qual somos trazidos a um novo relacionamento com Deus, a ponto de desaparecerem todas as razões morais para negar-nos a remissão de pecados. Como um ato de submissão à justiça da Lei pela qual somos condenados, um ato feito em nosso nome, e em última instância levando a nossa submissão com Ele, esse ato "tem a propriedade" – para citar a definição formal de uma propiciação feita por um de nossos próprios teólogos: "de dispor, inclinar, ou fazer a autoridade judicial *admitir* a expiação; a saber, de consentir com ela como uma razão válida para perdoar o ofensor" (Dr. Pye Smith). Ou, para afirmar o que me parece ser a completa verdade, a morte de Cristo foi uma propiciação pelos pecados dos homens, porque ela foi uma revelação da justiça de Deus com base na qual Ele pôde remir as penalidades do pecado; porque ela foi um ato de submissão à justiça daquelas penalidades em favor da raça humana, um ato em que a nossa submissão foi real e vitalmente incluída; e porque ela assegurou a destruição do pecado em todos que, através da fé, são restaurados à união com Cristo. Portanto, ela foi o argumento supremo e irresistível pelo qual podemos agora manter o nosso apelo à infinita misericórdia de Deus, para nos conceder o perdão do pecado e a libertação da ira vindoura.[48]

Como um resumo dessa discussão sobre a teoria governamental, três acusações podem ser feitas a esse sistema:

(A) Ela é uma hipótese que está baseada na razão humana, que não tem o apoio das Escrituras sobre o tema que ela tenta expor, mas afirma que as Escrituras, por interpretação especial, podem se harmonizar com ela.

(B) Ela tenta uma distinção impossível entre os sofrimentos de Cristo como *sacrificiais*, em contraste com os sofrimentos de Cristo como *penais*. A fraqueza desta distinção é bem mostrada pelas duas ilustrações do Dr. Miley, citadas acima – a do professor que foi punido em lugar do aluno e a de Zaleucus que sacrificou seu olho pelo crime de seu filho. Destas, o Dr. Miley assevera que elas não poderiam ser penais. Se ele quer dizer que elas não prestaram uma satisfação a Deus pelo pecado como Deus o viu, ninguém argumentará com ele; mas dentro da própria esfera delas, no que respeita às leis humanas e regulamentos, cada uma delas se tornou um substituto penal que não somente confirmou a lei que estava envolvida, mas deu, até onde os padrões humanos podem requerer, uma libertação justa do ofensor. Uma falácia que domina essa teoria está escondida na distinção não percebida, que existe entre os governos divino e humano.

(C) Ela restringe o escopo do valor da morte de Cristo a uma questão de perdão de pecados dos não-salvos, por ser a hipótese de que o homem caído – se, de fato, o homem é caído – nada precisa mais do que o perdão de pecado. A morte de Cristo para a natureza pecaminosa e a morte de Cristo como uma base para a justiça imputada são negligenciadas ou rejeitadas.

5. A Doutrina da Satisfação. Como já foi observado, a crença de que Cristo satisfez as justas exigências de Deus contra o pecado tem sido a visão dos verdadeiros crentes em toda a história do cristianismo, e por causa do fato de que é o testemunho claro da Palavra de Deus e a conclusão natural onde quer que seja ministrado um ensino sem preconceitos da Bíblia sobre este tema. Ela permanece, como sempre, uma crença indiscutível dos expositores, dos pregadores conservadores, e dos evangelistas.

A doutrina da satisfação está distribuída em duas classificações gerais ou escolas de interpretação – a absoluta e a moderada. Pelo termo *absoluta,* a referência é feita à escola dos teólogos que ensinam, com uma ênfase sobre a evidente razoabilidade do caso, que se Cristo prestou satisfação a Deus pelos pecados de uma pessoa, essa pessoa é, por causa disso, uma das eleitas e deve, necessariamente, ser salvavisto que a penalidade não mais existe, por ter sido perfeitamente paga pelo substituto. A interpretação *moderada* da morte de Cristo argumenta que, sob a autoridade das Escrituras, Cristo morreu pelo *cosmos* total e que nenhuma pessoa é salva ou beneficiada imediatamente pela morte de Cristo até que creia. Visto que essa fase da discussão a respeito do valor da morte de Cristo ocupa uma divisão total deste volume, prestes a ser considerada, ela não precisa ser estudada muito neste contexto. Sob essa divisão serão examinados os vários pontos de diferença entre as escolas de pensamento daqueles que sustentam a doutrina da satisfação.

Em contraste a todas as outras teorias a respeito do valor da morte de Cristo – inclusive a teoria governamental – onde o grupo inteiro restringe a obra de Cristo a um empreendimento de providenciar um caminho pelo qual o pecador possa ser perdoado, a doutrina da satisfação, por causa de sua plena realização por *todos* afirmada na Bíblia, reconhece e inclui as prefigurações tipológicas do Antigo Testamento, e está muito preocupada em acordar com estas como com os ensinos antitípicos do Novo Testamento; ela mantém a partir da Palavra de Deus, que a real substituição que Cristo fez tanto no campo da desobediência que Ele suportou ($\dot{\alpha}\nu\tau\acute{\iota}$) no lugar do pecador, e no campo da obediência que Ele ofereceu a Deus em favor daqueles que estão esvaziados dela; ela incorpora a verdade de que Cristo, por sua morte, acabou com o sistema de mérito para todos que crêem; ela diz respeito às doutrinas peculiares e importantes da redenção, reconciliação, e propiciação; ela dá uma consideração incondicional à morte de Cristo em sua relação com a natureza pecaminosa e aos pecados pessoais que fluem dela; ela explica aqueles pecados específicos cometidos pelos cristãos; ela também atinge as esferas angelicais e o próprio céu.

Comparada a tudo isso, uma teoria que não pode, por suas limitações, se expandir para além de um perdão gratuito ou soberano dos pecados pessoais

SOTERIOLOGIA

daqueles que não são salvos, e é menos do que um gesto humano onde nada, exceto o braço poderoso Daquele que é infinito, pode valer-se. Nem deveria ser negligenciado que as chamadas teorias não são somente desesperadamente inadequadas, mas elas desonram a Deus, por presumir que Ele pode desconsiderar, se não, insultar, a sua própria santidade por uma atitude de tolerância com o pecado; e, como foi afirmado, se a tolerância divina do pecado é admitida, um princípio que nega a Palavra de Deus é introduzido e, além disso, se estendido a todo pecado, tornaria a morte de Cristo uma tolice.

Em vista do fato de que a totalidade deste volume com sua exposição da Soteriologia é uma elucidação da doutrina da satisfação e que esta obra toda sobre teologia está baseada nessa sublime realidade, sua análise mais extensa aqui não é necessária.

Conclusão

Em um discurso – "Teorias Modernas da Expiação" – feito diante da Conferência Religiosa realizada no Seminário Princeton, em 13 de outubro de 1902, e publicado no *Princeton Review* de 1903, o Dr. B. B. Warfield fez a análise mais esclarecedora desse assunto, que jamais havia sido feita. Esse discurso é considerado de grande importância para todo estudante de teologia, o que justifica a sua reprodução aqui:

Podemos também confessar no começo que não há tal coisa como uma teoria moderna da expiação, no sentido em que há uma teoria moderna, digamos, da encarnação – a teoria da *kenosis* para se conhecer, que seja uma nova concepção, sobre a qual nunca se sonhou, até o século XIX, foi bem no seu curso, e igualmente, que possamos ter esperança de desaparecer com aquele século. Todas as teorias da expiação vigentes hoje prontamente se ajeitam debaixo das antigas categorias, e têm o protótipo delas mais ou menos vindo remotamente das profundezas da história da Igreja.

O fato é que as idéias que os homens formam da expiação são basicamente determinadas pelos sentimentos fundamentais de necessidade – dos quais os homens muito desejam ser libertos. E desde o princípio, três tipos bem definidos de pensamento nesse assunto são percebidos, correspondentes a três necessidades fundamentais da natureza humana, que são descobertas neste mundo de limitação. Os homens são oprimidos pela ignorância, ou pela miséria, ou pelo pecado no qual eles se sentem afundados; e, olhando para Cristo para libertá-los deste mal sob o qual especificamente laboram, estão aptos a conceber a Sua obra como predominantemente consistindo de uma revelação do conhecimento divino, ou da inauguração de um reino de alegria, ou da libertação da maldição do pecado.

Na Igreja Primitiva, a tendência intelectualista aliou-se a uma classe de fenômenos que chamamos gnosticismo. O anelo por paz e alegria, que era o resultado natural dos clamores dos males sociais da época, encontrou a sua expressão mais notável naquilo que conhecemos como quiliasma. Que nenhum grupo apresente a si mesmo para descrever a manifestação dada ao anelo de ser liberto da maldição do pecado, não significa que esse anelo fosse menos proeminente ou menos doloroso: foi exatamente o contrário. As outras idéias foram descartadas como heresias, e cada uma delas recebeu a sua designação apropriada: esse foi o ponto de vista fundamental da própria Igreja, e, como tal, encontrou expressão de inúmeros modos, alguns dos quais, sem dúvida, foram suficientemente bizarros – por exemplo, a apresentação difundida da expiação como centralizada no pagamento do resgate que Jesus fez a Satanás.

A nossa Igreja moderna, não é necessário que eu lhes diga, é muito parecida com a Igreja Primitiva em tudo isso. Todas as três tendências encontram uma representação plena no pensamento do tempo presente como em qualquer época da vida da Igreja. Talvez em nenhum outro período Cristo foi tão freqüente ou tão apaixonadamente apresentado como meramente um Salvador social. Certamente em nenhum outro período a sua obra foi tão predominantemente resumida numa mera revelação. Enquanto isso, como sempre, a esperança dos cristãos em geral continua a ser colocada sobre Ele especificamente como o Redentor do pecado.

As formas com as quais esses tipos fundamentais de pensamento estão vestidos em nossos tempos modernos, como matéria em curso, diferem grandemente daquelas que eles assumiram no princípio. Essa diferença é basicamente o resultado da história do pensamento através dos séculos que se interpõem. A assimilação das doutrinas da revelação pela Igreja foi um processo gradual; ela foi também um processo ordenado – as doutrinas diversas emergem na consciência cristã para uma discussão formal e para uma afirmação científica numa seqüência natural. Nesse processo a doutrina da expiação não surgiu para ser formulada, senão somente no século XI, quando Anselmo deu a ela o seu primeiro tratamento frutuoso, e estabeleceu para todas as épocas as linhas gerais sobre as quais a expiação deveria ser concebida, se se pensa nela como uma obra de libertação da penalidade do pecado. A influência da discussão de Anselmo não é somente verificável, mas tem sido determinante em todo pensamento subseqüente, até os dias de hoje. Não foi permitido que a doutrina da satisfação apresentada por ele ficasse sem oposição no seu trajeto. O seu oponente extremo – a concepção geral de que a obra expiatória de Cristo encontra a sua essência na revelação e tem o seu efeito principal, portanto, na libertação do erro – foi advogado nos próprios dias de Anselmo, talvez pelo mais arguto pensador dos escolásticos, Pedro Abelardo. A idéia intermediária que foi evidentemente inventada cinco séculos mais tarde pelo grande jurista holandês, Hugo Grócio, ama pensar de si mesma como tendo origem, ou gérmen ao menos, muito antes daquela data. Nos milhares de anos de conflito que tem se intensificado entre esses conceitos genéricos, cada um tem tomado muitas formas, e inumerás hipóteses mediatas ou mistas foram construídas. Mas, falando de uma forma geral, as teorias que têm dividido os votos dos homens facilmente assumem o lugar de um ou outro desses três tipos.

Há uma quarta idéia geral, para ser exato, que precisaria ser exposta, se estudássemos uma lista exaustiva. Ela é a idéia mística que olha para a obra de Cristo que se resume na encarnação; e sobre o processo salvador como consistindo de uma levedura não-observada da raça pela operação interior de um gérmen vital então plantada na massa. Mas embora nunca tenha havido uma época em que essa idéia tenha fracassado inteiramente em sua representação, ela dá certo caráter aristocrático que a tem recomendado ordinariamente somente a uns poucos, conquanto conveniente: e ela provavelmente nunca foi muito amplamente sustentada, exceto durante o breve período quando a grande genialidade de Schleiermacher ofuscou tanto a Igreja, que ela dificilmente poderia pensar em tudo exceto nas fórmulas ensinadas por ele. Ao falar de um modo geral, o campo tem sido praticamente influenciado pelas três teorias que são comumente designadas pelos nomes de Anselmo, Grócio e Abelardo; e as épocas têm diferido uma da outra somente na expressão de alteração dada a essas teorias e à dominação relativa de uma sobre as outras.

Os reformadores foram pregadores entusiastas da idéia de Anselmo – naturalmente a idéia foi corrigida, desenvolvida e enriquecida pelo pensamento e pelo *insight* mais profundo deles. Os sucessores deles ajustaram, expandiram e defenderam os seus detalhes, até que ela se salientou nas dogmáticas do século XVII em perfeição prática. Durante todo esse período, essa idéia dominou na área; as numerosas controvérsias que surgiram sobre ela foram antes juntadas aos socinianos ou aos místicos, antes que os internos ao círculo dos mestres da Igreja fossem reconhecidos. Foi no surgimento do racionalismo que uma apostasia amplamente espalhada se tornou observável. Sob esta influência maligna os homens não mais acreditaram na expiação substitutiva que é o coração da doutrina de Anselmo, e a redenção comprada com o sangue que ficou fora de moda. Os afetados sobrenaturalistas alcançaram o ápice somente da visão de Grócio, e permitiram somente uma necessidade da expiação "demonstrativa" distinta da "ontológica", e um efeito "executivo" da mesma em distinção do "judicial". Os grandes reavivamentos evangélicos dos séculos XVIII e XIX, contudo, varreram tudo isso. É provável que meio século atrás a doutrina da satisfação penal tivesse uma sustentação tão forte nas igrejas que somente o interesse acadêmico tenha se dedicado às teorias rivais.

Àquela altura, uma grande mudança começou a se estabelecer. Eu preciso somente mencionar nomes como os de Horace Bushnell, McLeod Campbell, Fredrick Dennison Maurice, Albrecht Ritschl, para sugerir a força do ataque que foi lançado contra as idéias centrais de uma expiação como pagamento dos pecados. O efeito imediato foi provocar uma defesa igualmente poderosa. Os nossos melhores tratados sobre a expiação vieram desse período; e os presbiterianos em particular podem ficar orgulhosos da parte exercida por eles na crise. Mas essa defesa somente refreou a maré; ela não teve sucesso em derrotá-la. O resultado definitivo foi que a revolta contra concepções da satisfação, propiciação, expiação, sacrifício, reforçada continuamente pelas tendências adversas à doutrina evangélica peculiar de nossos dias, cresceu prontamente, e foi mais e mais difundida, e em alguns círculos mais e mais extrema, até que produziu uma imensa confusão nessa doutrina central do Evangelho. Vozes são levantadas ao redor de nós, que proclamam uma "teoria" da expiação impossível, enquanto muitos daqueles que ensaiam uma "teoria" parecem sentir o caminho muito tortuoso deles na escuridão. Se não estou enganado, este é o estado real das coisas na Igreja moderna.

Não estou querendo sugerir que a doutrina da expiação substitutiva – que é, afinal de contas, o cerne do Evangelho – ficou perdida da consciência da Igreja. Ela não se perdeu dos corações da comunidade cristã. Está em seus termos que o cristão humilde, em toda parte ainda expressa as bases de sua esperança de salvação. O evangelista sincero em toda parte ainda pressiona as reivindicações de Cristo sobre o ouvinte não-despertado. Ela nem mesmo se perdeu nos fóruns das discussões teológicas. Ela ainda mantém advogados poderosos, onde quer que um cristianismo vital entre nos círculos acadêmicos; e, como uma regra, o mais profundo pensador, o mais claro é o que ele desfere na proclamação e na defesa dela. Mas se devemos julgar somente pela literatura popular da época – felizmente um procedimento que não é possível – a doutrina da expiação substitutiva se retirou para a obscuridade. Provavelmente, a maioria daqueles que sustentam abertamente, seja como acadêmicos ou como guias religiosos do povo, definitivamente rompeu com ela, e recomenda aos seus ouvintes alguma outra coisa; e como eles, sem dúvida crêem, há outra coisa muito melhor. Um tom de linguagem tem até crescido a respeito dela que não é somente desprezador, mas positivamente abusivo. Não há epítetos duros demais para serem aplicados a ela, nem injúrias demasiadamente intensas a serem jogadas contra ela. Um honrado bispo da Igreja Metodista Episcopal nos diz que "a teoria toda da punição substitutiva como uma base de perdão condicional como incondicional é antiética, contraditória ou auto-subversiva".[49] Ele pode corretamente reivindicar que fala nessa arrebatadora sentença com discrição acentuada e caridade incomum. Para fazer justiça ao tema odioso, parece-me, exige-se o tumulto bombástico e o discurso violento da retórica do Dr. Farrar. Certamente, se as palavras quebram ossos, a doutrina do sacrifício substitutivo do Filho de Deus pelo pecado do homem muito tempo atrás teria se tornado pó.

O que, então, vamos oferecer ao invés dela? Já insinuamos que é a confusão que reina aqui: e de qualquer modo não podemos entrar em detalhes. Contudo, podemos tentar estabelecer em poucas palavras a impressão geral que a mais recente literatura traz sobre esse assunto.

Para se obter uma visão justa da situação, penso que devemos observar, primeiro de tudo, a ampla prevalência entre os pensadores mais sadios da teoria governamental de Grócio sobre a expiação – a teoria que concebe a obra de Cristo não como suprindo a base sobre a qual Deus perdoa pecados, mas somente como suprindo a base pela qual Ele pode seguramente perdoar pecados sobre a única base de Sua compaixão. A teoria do universalismo hipotético, de acordo com a qual Cristo morreu como o substituto próprio de todos os homens sob uma condição, a saber, que eles deveriam crer – seja na forma dos remonstrantes ou na sua forma amiraldiana – no conflito das teorias desde então tem sido esmagada – o que ela, na verdade, bem mereceu. Tendo sido retirada do caminho, a teoria de Grócio veio a ser a visão arminiana ortodoxa e tem sido ensinada pelos líderes exponenciais do pensamento arminiano moderno, seja na Inglaterra ou nos Estados Unidos; e aquele que for redigir uma poderosa argumentação nesse sentido pelo falecido Dr. John Miley, diga, por exemplo, que será compelido a concordar que ela é, de fato, a mais alta forma de doutrina da expiação em harmonia com o sistema arminiano. Mas isso não somente é praticamente universal entre os arminianos wesleyanos. Ele se tornou também, debaixo da influência de mestres como os Drs. Wardlaw e Dale, e o Dr. Park, a marca também da não-conformidade ortodoxa na Inglaterra e do congregacionalismo ortodoxo nos Estados Unidos. Nem ele falhou em tomar uma fortaleza no presbiterianismo escocês: ele é especificamente advogado por homens importantes como o Dr. Marcus Dods. No continente europeu, ele é igualmente divulgado entre os mestres mais sadios: pode se notar sem surpresa, por exemplo, que ele foi ensinado pelo falecido Dr. Frederic Godet, embora se observe com satisfação que ele foi consideravelmente modificado pelo Dr. Godet, e que o seu colega, o Dr. Gretillat, foi cuidadoso em corrigi-lo. Numa palavra, onde quer os homens tenham sido indispostos a deixar desaparecer toda semelhança de uma expiação "objetiva", eles tem se refugiado nessa casa do meio do caminho que Grócio construiu para eles. Eu mesmo não olho para isso como um sinal particularmente saudável dos tempos. Eu mesmo não penso que, no fundo, haja em princípio muita coisa para escolher entre as teorias "subjetivas" e a de Grócio. Parece para mim somente uma ilusão supor que ela preserva uma expiação "objetiva". Mas entrementes ele é adotado por muitos porque eles o consideram "objetivo"; ela até aqui dá testemunho de um desejo restante de preservar uma expiação "objetiva".

Aproximamo-nos cada vez mais da real característica das teorias modernas de expiação, quando observamos que há uma forte tendência ao nosso redor que repousa no perdão dos pecados que tem somente o arrependimento como a sua única base. Em sua última análise, a teoria de Grócio em si mesma se reduz nisto. A demonstração da justiça de Deus, que é sustentada por ela como o coração da obra de Cristo e particularmente de sua morte, é suposto não ter outro efeito sobre Deus, além de deixá-lo seguro para perdoar o pecado. E isto não afeta Deus, mas, sim, os homens – a saber, por despertar neles tal sentimento doloroso do mal do pecado, assim como causar neles o ódio. Isto é apenas arrependimento. Não poderíamos desejar ilustração melhor desse aspecto da teoria do que é fornecido pela afirmação dela por um dos seus mais distintos advogados que ainda vivem, o Dr. Marcus Dods. A necessidade da expiação, ele nos diz, repousa na "necessidade de alguma demonstração da justiça de Deus, enquanto tornará possível e seguro para Ele perdoar o injusto". Qualquer que gera no pecador a verdadeira penitência e o impele à prática da justiça de tornar seguro perdoá-lo. Conseqüentemente, o Dr. Dods assevera que é inconcebível que Deus não perdoe o pecador penitente, e que a obra de Cristo esteja resumida em tal exibição da justiça e amor de Deus, enquanto produz o arrependimento adequado. "Então, por ser a fonte da penitência verdadeira e frutuosa, a morte de Cristo remove o obstáculo subjetivo radical no caminho do perdão." "A morte de Cristo, então, torna o perdão possível, porque capacita o homem a se arrepender com uma penitência adequada, e por ela manifesta justiça e prende o homem a Deus". Não há uma sugestão aqui de que o homem precisa de qualquer coisa mais para capacitá-lo a se arrepender, além da apresentação dos motivos calculados poderosamente, para induzi-lo a arrepender-se. Isto significa que não há uma sugestão aqui de uma apreciação adequada dos efeitos subjetivos do pecado no coração humano, a fim de enfraquecê-lo para o apelo dos motivos à ação correta conquanto poderosa, e exigir, portanto, uma ação interna do Espírito de Deus sobre ele e antes que possa se arrepender: ou da aquisição de tal dom do Espírito pelo sacrifício de Cristo. Há qualquer sugestão aqui da existência de qualquer sentido de justiça em Deus, que O proíbe considerar o culpado justo sem a satisfação da culpa. Tudo o que Deus requer para o perdão é o arrependimento: tudo o que um pecador necessita para o arrependimento é uma persuasão tocante. Tudo é muito simples; mas temos medo de não chegarmos à raiz do assunto apresentado, seja na Escritura ou nos espasmos do nosso coração despertado.

A tendência muito difundida que apresenta o arrependimento como o fato expiador, poderia parecer, então, ser responsável desde a extensa aceitação que foi dada à teoria governamental da expiação. Não obstante, muita coisa dela tem tido uma origem muito diferente e pode ser remontada a ensinos como aqueles do Dr. McLeod Campbell. Ele próprio não viu o fato da expiação no próprio arrependimento do homem, mas antes no arrependimento empático do Senhor pelos homens. Ele substituiu a doutrina evangélica da substituição por uma teoria de identificação empática, e a doutrina evangélica do pagamento da penalidade expiatória por uma teoria de arrependimento empático. Cristo entra plena e empaticamente em nosso caso, era a sua idéia, para que seja capaz de oferecer a Deus um arrependimento adequado por nossos pecados, e o Pai diz: É suficiente! O homem aqui é ainda considerado como necessitado de um Salvador, e Cristo é visto como esse Salvador, e é olhado como O que apresenta ao homem aquilo que o ser humano não pode fazer por si mesmo. Mas a gravitação dessa teoria está distintamente em declínio, e ela sempre foi tendente a encontrar o seu nível mais baixo. Portanto, há numerosas teorias de transição prevalentes – algumas delas muito complicadas, algumas delas muito sutis – que a conectam por uma série de estágios insensíveis com a proclamação do arrependimento humano como a única expiação exigida. Embora típica destes, podemos tomar a teoria elaborada (que, igual ao próprio homem, pode ser dito ser medrosa e maravilhosamente feita), apresentada pelos teólogos modernos de Andover. Isto torna o fato expiatório em harmonia com o arrependimento empático de Jesus Cristo pelo homem e do próprio arrependimento do homem sob a impressão causada sobre ele pela obra de Cristo em seu favor – não em um sem o outro, mas nos dois em uníssono. Uma combinação similar do arrependimento revolucionário do homem induzido por Cristo e o arrependimento empático de Cristo pelo homem nos coloca junto ao recente

SOTERIOLOGIA

teórico alemão, por exemplo, no ensino de Häring. Esse ensino é algumas vezes vestido de uma linguagem "sacrificial" e elaborado para portar uma aparência até de "substituição". Ele é apenas o arrependimento de Cristo; contudo, é erroneamente chamado de Seu "sacrifício", e o nosso arrependimento empático com Ele, que é chamado: a nossa participação em Seu "sacrifício"; e é cuidadosamente explicado que, embora tenha havido "uma substituição no calvário", não foi uma substituição de um Cristo sem pecado por uma raça pecadora, mas a substituição da humanidade *mais* Cristo pela humanidade *menos* Cristo. Tudo isso parece apenas um modo confuso de dizer que o fato da expiação consiste num arrependimento revolucionário do homem, induzido pelo espetáculo do arrependimento empático de Cristo pelo homem.

A ênfase essencial em todas essas teorias de transição cai obviamente no arrependimento do próprio homem, e não em Cristo. Portanto, este último abandona-nos facilmente e deixa-nos com o arrependimento humano somente como o único fato expiador – a total reparação que Deus pede ou pode pedir pelo pecado. Nem os homens hesitam hoje em proclamar isto aberta e atrevidamente. Grande número de vozes se levanta ao redor de nós, a fim de apresentá-lo não somente com clareza, mas com paixão. Mesmo aqueles que ainda sentem-se obrigados a atribuir a reconciliação com Deus de algum modo à obra de Cristo, são freqüentemente cuidadosos para explicar que eles querem dizer somente isso no final das contas, e somente porque eles atribuem de um modo ou outro o surgimento do arrependimento no homem à obra de Cristo, que é a base imediata do perdão. Assim, Dean Fremantle diz-nos que são o "arrependimento e fé" que "mudam para nós a face de Deus". E então ele acrescenta, sem dúvida, como uma concessão aos hábitos arraigados, embora crescidos demais, do pensamento: "Se, então, a morte de Cristo, vista como o ponto culminante de sal da vida, e o meio destinado de arrependimento para o mundo todo, podemos dizer, também, que ele é o meio de assegurar a misericórdia e favor de Deus, de se alcançar o perdão dos pecados". E o Dr. Forsyth, cujo fervente discurso sobre a expiação numa grande reunião de congregacionais, alguns anos atrás, que cativou totalmente os corações de todo aquele lugar, parece realmente ensinar pouca coisa mais do que isto. Cristo empaticamente entra em nossa condição; Ele nos diz e dá expressão a um sentido adequado de pecado. Nós, ao percebermos o efeito disso, permitimos Sua entrada em nossa atmosfera, ficamos impressionados com o horror do julgamento que o nosso pecado trouxe-lhe. Este horror gera em nós um arrependimento adequado do pecado: Deus aceita esse arrependimento como suficiente, e perdoa o nosso pecado. Assim, o perdão repousa aproximadamente somente no nosso arrependimento como sua base, mas o nosso arrependimento é produzido somente pelos sofrimentos de Cristo: e daí, diz-nos o Dr. Forsyth, o sofrimento de Cristo pode ser considerado a base última do nosso perdão.

Está suficientemente claro que a função usada pelo sofrimento e morte de Cristo nessa construção é de alguma forma remota. Portanto, eles muito prontamente decaem juntos. Parece muito natural que eles deviam fazer assim com aqueles cuja herança doutrinária vem de Horace Bushnell, ou de teorização sociniana da escola de Ritschl. Não nos surpreendemos em saber, por exemplo, que com Harnack o sofrimento e morte de Cristo não exercem uma parte interessante. Com ele o ato expiador total parece consistir de uma remoção de uma falsa concepção de Deus que está na mente dos homens. Os homens, porque são pecadores, estão inclinados a olhar para Deus como um juiz irado. Ao contrário, Ele é apenas amor. Como pode o juízo errôneo do pecador ser corrigido? Pela impressão causada nele pela vida de Jesus, com as chaves para o conceito da paternidade divina. Já estamos familiarizados o bastante com tudo isto. Mas dificilmente estamos preparados para a extremidade da linguagem que alguns permitem a si mesmos, ao expressar essas coisas. "A dificuldade total", um recente escritor dessa classe declara, "não é induzir ou capacitar Deus a perdoar, mas é mover os homens a aborrecer o pecado e a desejar o perdão". Mesmo diante dessa dificuldade, contudo, somos assegurados que ela pode ser removida: e o que é necessário para a sua remoção é somente uma devida instrução. O "cristianismo", diz o nosso escritor, "era uma revelação, não uma criação". Mesmo esta falsa antítese ainda não o satisfaz. Ele vai além dela para o auge de sua paixão. "Não tivesse havido um evangelho", ele retoricamente exige – como se ninguém pudesse se aventurar a dizer-lhe algo – "não teria havido algum evangelho, se Cristo não tivesse morrido?" Assim, "o sangue de Cristo" sobre o qual colocam todo o processo expiador, não mais é crido como necessário: o evangelho de Paulo, que consistia não somente em Cristo, mas especificamente em "Cristo e este crucificado", é desprezado. Somos agora capazes de caminhar sem essas coisas.

Por esse caminho fomos trazidos por um evangelho dominante do amor indiscriminado de Deus. Pois é aqui que colocamos o nosso dedo na raiz da totalidade do ataque moderno à doutrina de uma expiação de pagamento de pecados. Na tentativa de produzir resultado para o conceito do amor indiscriminado e indiscriminador como o fato fundamental da religião, todo o ensino bíblico relacionado à expiação tem sido cruelmente dilacerado. Se Deus é amor e nada além de amor, qual possível necessidade pode haver para uma expiação? Certamente tal Deus não tem necessidade de ser propiciado. Não é Ele o Todo-Pai? Não anela Ele por seus filhos com uma avidez incondicionada e incondicionante que exclui todo o pensamento de "obstáculos ao perdão"? O que Ele quer senão apenas Seus filhos? Os nossos teóricos modernos nunca estão cansados das mudanças retumbantes dessa simples idéia fundamental. Deus não exige ser movido ao perdão; ou a ser capacitado a perdoar; ou mesmo ser capacitado a perdoar seguramente. Ele não levanta uma pergunta sobre se pode perdoar, ou se seria seguro para Ele perdoar. Esse não é o caminho do amor. O amor é corajoso suficiente para varrer todas essas questões deprimentes para fora do seu caminho. A dificuldade toda é induzir os homens a permitir-se a si mesmos ser perdoados. Deus continuamente estende os seus anelantes braços dos céus para os homens. Oh, se os homens somente permitissem ser juntados ao desejoso coração do Pai! É absurdo, nos dizem – não somente isto, mas os ímpios – blasfemos com terríveis blasfêmias – falarem de uma propiciação tal que um Deus como esse, de reconciliá-los, de fazer satisfação para Ele. O amor não precisa de satisfação, de reconciliação, de propiciação; mais ainda, não tem algo a ver com tais coisas. Em sua verdadeira natureza, ele flui sem que seja comprado, sem que seja propiciado, de um modo instintivo e incondicional para o seu objeto. E Deus é amor!

Certamente, Deus *é* amor. E nós O louvamos, pois temos melhor autoridade para dizer às nossas almas esta verdade gloriosa do que a asserção apaixonada desses teóricos um tanto grosseiros. Deus *é* amor! Mas não se segue ao menos que Ele não seja algo apenas amor. Deus *é* amor: mas o amor não é Deus e a fórmula "amor" deve, portanto, sempre ser inadequada para expressar Deus. Ela pode bem ser – para nós pecadores, perdidos em nosso pecado e miséria, mas deve ser, por isso – a revelação coroadora do cristianismo que Deus é amor. Mas não é da revelação cristã que nós aprendemos a pensar de Cristo como nada além do amor. Que Deus é o Pai de todos os homens em um sentido verdadeiro e importante, não deveríamos duvidar. Mas este termo "Todo-Pai" – não é dos lábios de um profeta hebreu ou de um apóstolo cristão que nós tiramos. E o benevolencismo indiscriminado que tem tornado cativa tanta gente ao pensamento religioso de nosso tempo, que não é um conceito nativo ao cristianismo, mas de qualidade distintamente pagã. À medida que alguém lê as páginas da literatura religiosa popular, cheia como ela é de asserções doentiamente consideradas a respeito da paternidade de Deus, tem um sentimento estranho de transporte de volta para uma atmosfera de um paganismo decadente do quarto e quinto séculos, quando os deuses estavam morrendo, e havia deixado para aqueles que se contentariam em se apegar aos antigos modos pouco além de um senso um tanto entristecido da *benignitas numinis*. Quão enfeitadas ficam as páginas daqueles velhos e geniais pagãos com essa expressão; quão cheia a vida reprimida deles está da convicção de que a espécie de divindade que mora acima certamente não será difícil de se compreender para os homens que trabalham duro aqui embaixo! Quão chocados eles estão diante da justiça severa do Deus dos cristãos, que apareceu diante dos olhos esbugalhados deles como surge diante do poeta moderno sem nenhuma outra luz além do "duro Deus que habita em Jerusalém"! Certamente a grande divindade é amplamente boa para marcar os pecadinhos do pobre e insignificante homem; certamente eles são os objetos de Sua diversão compassiva, ao invés de Sua violenta reprovação. Como na obra de Omar Khayyam, eles foram convencidos, diante de todas essas coisas, de que o Criador deles é um bom camarada e que tudo ficará bem.

A questão não pode ajudar a fazer subir para a superfície de nossas mentes se o nosso benevolencismo indiscriminado vai muito mais fundo do que isso. Toda esta proclamação unilateral da paternidade universal de Deus importa mais do que a pagã *benignitas numinis*? Quando tomamos aquelas benditas palavras, "Deus é amor", em nossos lábios, estamos certos de que queremos dizer e expressar muito mais do que queremos crer que Deus reterá o homem para qualquer explicação de seu pecado? Em uma palavra, nestes tempos modernos, somos nós tão sublimes em direção a uma apreensão mais adequada da verdade transcendente de que Deus é amor, assim como apaixonadamente protestamos contra sermos nós mesmos tratados e marcados como pecadores merecedores da ira? Certamente é impossível colocar qualquer coisa igual ao real conteúdo nestas grandes palavras: "Deus é amor", exceto quando elas são jogadas contra o pano de fundo daquelas outras idéias de igual imponência como "Deus é luz", "Deus é justiça", "Deus é santidade", "Deus é fogo consumidor". O amor de Deus não pode ser compreendido em seu comprimento, altura, largura e profundidade – tudo isso está além do entendimento – exceto quando ele é apreendido como o amor de um Deus que se volta da visão do pecado com repugnância inexpressível, e arde-se contra ela com indignação inextinguível. A infinitude de seu amor seria ilustrada não pela generosidade de seu favor para com os pecadores, sem exigir uma expiação do pecado – através de tal santidade e através de tal justiça como não pode senão gritar com repugnância e indignação infinitas – mas por Seu amor tão grande aos pecadores é que Ele proporciona uma satisfação pelos pecados deles que seja adequada a estas tremendas exigências. É uma característica distintiva do cristianismo, afinal de contas, não que ele prega um Deus de amor, mas que prega um Deus de consciência.

Um crítico um tanto impertinente, ao contemplar a religião de Israel, nos disse, como indicativo de sua admiração pelo que ele encontrou ali, que "um Deus honesto é a mais nobre obra do homem". Há uma profunda verdade espreitada nesta observação. Somente parece que a obra foi nobre demais para o homem; e provavelmente ele nunca a compreendeu. Um Deus benevolente, sim: os homens têm estruturado um Deus benevolente para si próprios. Mas um Deus completamente, talvez nunca. Este tem sido deixado para que a revelação do próprio Deus nos dê. E esta é a característica realmente distintiva do Deus da revelação: Ele é um Deus totalmente honesto, e um Deus totalmente consciencioso – um Deus que trata honesta e conscientemente consigo mesmo e conosco. E um Deus consciencioso, podemos estar seguros; não é um Deus que pode tratar com pecadores como se eles não fossem pecadores. Talvez, nesse fato repouse a base mais profunda da necessidade de uma expiação como pagamento de pecados.

E é nesse fato também que repousa a base mais profunda da falha crescente do mundo moderno, em apreciar a necessidade de uma expiação de pagamento de pecado. O escrúpulo recomenda-se a si mesmo somente para a consciência despertada; e muita coisa da consciência teologizada recente não parece especialmente ativa. Na verdade, nada é mais surpreendente na estrutura das recentes teorias da expiação, do que o evidente senso de desaparecimento do pecado que os subjaz. Certamente, é somente onde o senso de culpa do pecado tem crescido muito timidamente, que os homens podem supor que o arrependimento é tudo o que é necessário para o purificar. Certamente, é somente onde o senso do poder do pecado tem caído profundamente é que os homens podem imaginar que eles podem expulsá-lo de si num "arrependimento revolucionário". Certamente, é somente onde o senso de hediondez do pecado tem praticamente desaparecido, que o homem pode imaginar que o Deus santo e justo pode tratar com ele de uma forma muito leve. Se não temos muita coisa do que ser salvos, certamente, uma pequena expiação será suficiente para as nossas necessidades. Afinal de contas, é somente para o pecador que se exige um Salvador. Mas se somos pecadores, e apreciamos o que significa ser pecadores, teremos de clamar por esse Salvador que somente após ter sido aperfeiçoado pelo sofrimento, é que pode se tornar o Autor da salvação eterna.[50]

ELEIÇÃO DIVINA

CAPÍTULO VIII

O Fato da Eleição Divina

No ESTUDO DESTE TEMA, a eleição divina, propomos um tratamento limitado, em razão da consideração extensa que já fizemos desta matéria no Capítulo. XV, do Volume I. Somente a subdivisão da doutrina dos decretos, a saber, a eleição divina, está diretamente ligada ao campo mais restrito da Soteriologia.

Embora a doutrina da eleição divina apresente dificuldades que são insolúveis para a mente finita, o fato da eleição divina não está limitado à escolha que Deus faz de alguns dentre os muitos para a eterna glória; ela é observável em qualquer parte do universo. Há uma variedade em toda a criação de Deus. Há classificações entre os anjos. É dito que uma estrela difere de outra em glória. Os homens não são nascidos da mesma raça, com as mesmas vantagens, nem com as mesmas capacidades naturais. Essas variações nas condições dos homens não podem ser explicadas com base na eficácia do livre-arbítrio do homem. Os homens não escolhem nascer na sua própria raça, não escolhem as condições de vida, seja na civilização ou no paganismo, nem escolhem os seus dons naturais.

Por outro lado, está tão claramente revelado àqueles que vão receber a revelação, que a atitude de Deus para com a família humana toda é de compaixão infinita e de um amor sacrificial sem limites. Embora os dois fatos revelados – a eleição divina e a universalidade do amor divino – não possam ser reconciliados dentro da esfera do entendimento humano, aqui, como em qualquer outro lugar, Deus pode ser honrado, por *crermos* e por *descansarmos* nele. Portanto, a Deus seja toda a glória! E a Ele seja dada a primeira importância! Aqueles sistemas de pensamento religioso, os quais exigem que a doutrina de Deus se conforme à noção da supremacia do homem, que comece com o homem, que defenda o homem, e glorifique o homem, estão fundamentalmente errados e, portanto, produzem o erro que desonra a Deus. A ordem da verdade é estabelecida para sempre pela primeira frase da Bíblia: "No princípio criou Deus".

Ele é quem planejou, executa, e vai realizar num grau infinito *tudo* o que propôs fazer. Ele nunca será derrotado ou ficará desapontado. O verdadeiro sistema do pensamento religioso começa com Deus, defende Deus, e glorifica Deus; e a criatura é conformada ao plano e propósito do Criador. A queda do homem somente pode explicar a impiedade do coração humano que resiste à supremacia divina.

Após declarar que o crente é abençoado "com toda sorte de bênçãos espirituais nos lugares celestiais em Cristo" (Ef 1.3), o apóstolo continua a enumerar algumas das posses e posições imensas em Cristo; e o que poderia ser mais cheio de ordem do que o estudo do tratamento de Deus com o homem que começa com uma declaração da soberania de Deus na eleição? Qualquer coisa que Deus possa conceder às suas criaturas deve, de necessidade, ser absoluta em sua natureza. Ele nada vê no homem caído, além de um objeto de sua graça superabundante. O primeiro homem, Adão, permanecia perante Deus com base em sua perfeição natural, por ser a verdadeira representação do propósito criador de Deus; mas Adão caiu do estado de perfeição natural e, desde aquele tempo, tanto para Adão quanto para sua posteridade, somente a graça regeneradora poderia recomendar qualquer ser humano a Deus.

Nenhuma obrigação repousa sobre Deus no exercício de sua graça. Ele pode escolher e escolhe a quem quer. Ele nunca vê, nem vê antecipadamente, qualquer bem no homem que possa formar uma base para as suas bênçãos. Qualquer bem que seja encontrado no homem redimido é operado nele pela graça divina. Deus designa para aqueles a quem escolhe, que sejam "santos e sem mácula perante ele"; mas isto é o resultado que é operado por Deus em graça, e nunca é operado pelo homem. Certamente, o homem não escolheu Deus. Cristo enfatizou isto quando disse: "Vós não me escolhestes a mim mas eu vos escolhi a vós" (Jo 15.16). Mesmo o primeiro homem, quando ainda não caído e totalmente livre para escolher, não escolheu Deus; quanto mais é certo que o homem caído por si mesmo não escolherá Deus! Portanto, a provisão da base da redenção não é suficiente em si mesma; a vontade pervertida do homem deve ser movida divinamente.

O coração não-regenerado deve se entregar voluntariamente quando for transformado no seu caráter essencial. Tudo isso Deus empreende e realiza em graça soberana. Ele elege, chama, inclina o coração, redime, regenera, preserva, e apresenta sem pecado diante de sua glória todos os que são objetos de sua graça soberana. Por outro lado, emprega meios para a realização de seu propósito. Do lado divino, as terríveis exigências do pecado devem ser satisfeitas pelo sacrifício de seu Filho unigênito. Não é suficiente que o pecado seja *declarado* ser pecaminoso, é exigido que a sua maldição seja *suportada* pelo Cordeiro de Deus, que a vontade do homem seja movida, e que a regeneração seja operada pelo Espírito Santo, e toda bênção celestial e espiritual seja assegurada pelo estabelecimento de uma real união com Cristo. Do lado humano, quando a oposição do homem a Deus é divinamente rompida, ele então crê para a salvação de sua alma.

Assim, por serem tão exigentes e reais os meios divinos para a salvação do perdido, é requerido do homem que creia e assim seja eleito para ser salvo pela graça divina, através da real redenção que foi operada por Cristo na cruz do Calvário. Na esfera da experiência humana, o homem é apenas conscientizado de seu poder de escolher, ou de rejeitar a salvação que está em Cristo; e, por

SOTERIOLOGIA

causa da realidade dessa escolha humana, ele é salvo ou perdido de acordo com a sua fé, ou incredulidade, em Cristo como seu Salvador.

Conquanto haja muita coisa na doutrina da eleição divina que transcende as limitações do entendimento divino, é verdade que o homem nada origina – nem mesmo o pecado, visto que o pecado começou com os anjos de Deus. É Deus quem escolheu os seus eleitos; e conquanto esta seleção seja soberana e final, não obstante nenhum ser humano que deseja ser salvo e que se compraz nos termos necessários do Evangelho, jamais será perdido.

A impiedade do homem caído é revelada em sua disposição natural de se recusar a dar ao seu Criador a honra e a obediência que lhe são devidas como criatura. A incapacidade do homem em reconhecer as medidas do estado no qual ele foi colocado por criação, ou de se satisfazer com isso é uma evidência primária da queda. Na verdade, nada surgirá no homem natural que possa ser uma base do favor divino. Tal base deve se originar na graça soberana de Deus, e aquilo que assim faz é perfeito e digno de Deus.

O tratamento da doutrina da eleição se divide em duas partes principais, a saber, (a) o fato da eleição divina e (b) a ordem dos decretos eletivos.

Esse estudo do fato da eleição divina pode ser subdividido em quatro aspectos, que são (a) os termos usados, (b) uma revelação clara, (c) verdades essenciais abrangidas, e (d) objeções à doutrina da eleição.

I. Os Termos Usados

1. Uso Bíblico. No uso bíblico, a palavra *eleição* designa o propósito soberano divino formulado para ser independente do mérito, pendor ou cooperação do homem. A doutrina total está em harmonia com a verdade, previamente observada, que, na criação de Deus, tanto a variedade quanto a seleção estão presentes em qualquer lugar. O termo é usado a respeito de Israel (Is 65.9, 22), da Igreja (Rm 8.33; Cl 3.12; 1 Ts 1.4; 2 Tm 2.10; 1 Pe 5.13), e de Cristo (Is 42.1; 1 Pe 2.6).

2. Escolhidos. Este vocábulo é apenas um sinônimo da palavra *eleição*. Aqueles eleitos de Deus são escolhidos por Ele desde toda a eternidade. Igual *eleição*, o termo é aplicado a Israel (Is 44.1), à Igreja (Ef 1.4; 2 Ts 2.13; 1 Pe 2.9), e é também usado a respeito dos apóstolos (Jo 6.70; 13.18; At 1.2).

3. Atraídos. Há uma atração geral mencionada em João 12.32: "E eu, quando for levantado da terra, todos atrairei a mim"; e há uma atração irresistível que Cristo mencionou: "Ninguém pode vir a mim, se o Pai que me enviou não o trouxer; e eu o ressuscitarei no último dia" (Jo 6.44).

4. Chamados. Este aspecto da atividade divina é semelhante ao de atrair. Nenhum texto da Escritura define o chamamento divino, com tudo o que ele significa em sua eficácia, melhor do que o texto de Romanos 8.30: "E aos que predestinou, a estes também chamou; e aos que chamou, a estes também justificou; e aos que justificou, a estes também glorificou".

168

5. Propósito Divino. Além disso, aquilo que é intimamente parecido com a eleição é sugerido pela palavra *propósito*. Está escrito: "...fazendo-nos conhecer o mistério da sua vontade, segundo o seu beneplácito, que nele propôs" (Ef 1.9); "segundo o eterno propósito que fez em Cristo Jesus nosso Senhor" (Ef 3.11).

6. Presciência. Este termo específico significa meramente que Deus conhece de antemão. Ele é usado a respeito de Israel (Rm 11.2) e da Igreja (Rm 8.29).

7. Preordenação e Predestinação. Estas palavras, sinônimos quase completos, são usadas no Novo Testamento para declarar a verdade de que Deus determina o que vai acontecer antes que aconteça. Essas palavras são mais relacionadas ao que os homens são divinamente apontados do que eles mesmos. A preordenação e a predestinação precedem toda a história. Como a presciência reconhece a certeza dos eventos futuros, a preordenação e a predestinação tornam esses eventos certos. As duas atividades divinas de prever e preordenar, não poderiam funcionar separadamente. Elas não ocorrem em sucessão, mas são dependentes uma da outra ou uma é impossível sem a outra.

II. Revelação Clara

Qualquer que seja a reação ao fato da eleição divina, pode ser registrado pela mente humana, que a doutrina coloca-se como uma revelação inequívoca. Isto não significa dizer que ela seja livre de qualquer complexidade, ou que haja problemas envolvidos na doutrina que sejam insuperáveis; e, como foi observado anteriormente sob circunstâncias semelhantes, onde a apreensão humana alcança o seu limite máximo, a fé é ainda o fator orientador. Uns poucos momentos de reflexão sem preconceitos ajudarão muito, para que uma simples proposição possa ser aceita, isto é, a de que este é o universo de Deus; todas as inteligências criadas são obra de Suas mãos e, portanto, devem ser dispostas como Ele as escolhe. Somente resta descobrir o que é igualmente verdadeiro, que o que Ele determina está dirigido pelo entendimento infinito, executado pelo poder infinito, e é a manifestação de amor infinito.

Quão terrível poderia ser o estado da criatura, onde ela estivesse nas mãos de um insano, um déspota perverso! Quão universal, também, é a confiança na mente do homem de que Deus é bom! Por que não deveria ser assim? Mas por que, quando a Sua bondade é mesmo vagamente reconhecida, ela não é uma base de descanso e confiança? Não está claro para todos que questionar o plano eletivo de Deus é o mesmo que questionar a verdadeira sabedoria e dignidade de Deus? Os anjos, que conhecem muito mais do Ser de Deus não cessam de adorá-lo por todas as épocas. Fazer menos que isso seria, para eles, descer ao nível da infâmia satânica. Em vista da verdade que Deus designou, criou e executou tudo que existe, e que caminha para a consumação que Ele preordenou, não seria considerado estranho ou irrazoável que Ele determine o curso e o destino da história humana.

Os homens escolhem o seu curso pelo que lhes parece uma vontade livre e eles se gloriam no fato de que são sábios o suficiente para se ajustarem às circunstâncias, mas Deus é o autor das circunstâncias. O homem responde cegamente às emoções de seu coração, mas Deus sonda o coração do homem e é capaz de criar e controlar cada sentimento que agita as mentes dos homens. Nenhum jogo igual de competição por supremacia existe entre Deus e o homem. Quando toda a presunção vã do homem está em sua manifestação superlativa, ele ainda é a criatura que funciona como Deus a criou para funcionar. É razão comum dar a Deus o lugar de direito e reconhecer o seu propósito eletivo soberano em tudo o que Ele fez com que existisse. A Bíblia é ajustada à verdade de que Deus é supremo, com a autoridade e direito soberanos na criação que normalmente pertencem ao Criador. Ele pode dar extensão aos homens, mas a esfera de liberdade deles nunca exorbita a esfera maior de Seu propósito eterno. Certos textos da Escritura bem podem ser citados, pois assinalam a autoridade inflexível de Deus.

Nenhum exemplo mais notável da eleição poderia ser encontrado do que o que foi asseverado por Jeová, quando Ele proclama os Seus sete "Eu farei" que formam o pacto incondicional feito com Abraão: "Eu te abençoarei, *farei* de ti uma grande nação, e em ti serão benditas todas as famílias da terra". Estes propósitos, centrados em um homem à parte de quaisquer condições humanas a serem cumpridas, atingem toda a terra e sugerem a ascendência e jurisdição divinas não sobre o destino humano somente, mas sobre os governos e nações até o fim dos tempos. À luz disto não será difícil observar que a eleição de uma pessoa é uma questão muito pequena quando comparada ao alcance de tal pacto, e que Abraão é o eleito de Deus por essa distinção.

Atenção deverá ser dada à predição, que nunca falhou em ser executada, na qual Jeová declarou a Abraão: "Eu abençoarei os que te abençoarem, e amaldiçoarei aquele que te amaldiçoar". Aos habitantes das nações que deverão comparecer diante do trono da glória de Cristo, para serem julgados (Mt 25.31-46), o Rei dirá àqueles que estiverem à sua direita: "Vinde, benditos", e para aqueles que estiverem à sua esquerda: "Apartai-vos de mim malditos". Contudo, deve ser observado que na predestinação um reino está preparado desde a fundação do mundo para aqueles que estão à mão direita; mas nenhuma preparação específica está indicada para aqueles que estão à esquerda. Eles vão para o lago de fogo preparado para o diabo e seus anjos.

Os homens não têm direito algum naquele destino, mas somente quando participam da mesma sorte com os inimigos de Deus e, como Satanás, repudiam a autoridade do Criador. Multidões de homens viveram na geração de Abraão, mas Deus preparou e falou-lhe somente. Seria racionalístico argumentar com Jeová por causa do fato dEle não ter feito exatamente a mesma coisa com todas as pessoas como fez com Abraão, e por causa do fato de que o que fez foi feito em graça soberana, à parte de qualquer consideração de mérito ou demérito da parte de Abraão.

No começo do seu ministério, Cristo asseverou a verdade indesejável da eleição divina, quando disse: "Em verdade vos digo que muitas viúvas havia em Israel nos dias de Elias, quando o céu se fechou por três anos e seis meses, de sorte que houve grande fome por toda a terra; e a nenhuma delas foi enviado Elias, senão a uma viúva em Sarepta de Sidom. Também muitos leprosos havia em Israel no tempo do profeta Eliseu, mas nenhum deles foi purificado senão Naamã, o sírio" (Lc 4.25-27).

Porque, na verdade, uma mulher desconhecida foi escolhida para ser a mãe do Redentor? Não havia uma multidão para ressentir-se disto com base numa aparente parcialidade? Todavia, o anjo disse a Maria: "Salve, agraciada; o Senhor é contigo" (Lc 1.28).

Foram certos homens escolhidos para serem apóstolos, ao acaso? Cristo pegou os primeiros homens que Ele encontrou após ter determinado associar homens a si mesmo, ou foram esses homens escolhidos nos conselhos divinos da eternidade? Foi uma mera coincidência que Saulo de Tarso foi preparado educacionalmente e chamado para a maior de todas as tarefas humanas – a formação da doutrina cristã? Deus poderia dizer a Faraó: "Para isto mesmo te levantei: para em ti mostrar o meu poder, e para que seja anunciado o meu nome em toda a terra" (Rm 9.17). Assim, está revelado que um propósito poderoso é cumprido através de Faraó; todavia, ele não entendeu isso. Sem dúvida, considerou-se digno de todo o crédito pelo que ele era, por ser tanto auto centrado quanto qualquer outro homem que se faz a si mesmo.

O caso de Ciro é igualmente instrutivo. Deus chamou-o pelo nome quando este ainda não havia nascido. Esse rei poderoso foi chamado, para que pudesse saber que Jeová é o Deus de Israel, e para que pudesse conhecê-lo. O profeta declara: "Assim diz o Senhor ao seu ungido, a Ciro, a quem toma pela mão direita, para abater nações diante de sua face, e descingir os lombos dos reis; para abrir diante dele as portas, e as portas não se fecharão; eu irei adiante de ti, e tornarei planos os lugares escabrosos; quebrarei as portas de bronze, e despedaçarei os ferrolhos de ferro. Dar-te-ei os tesouros das trevas, e as riquezas encobertas, para que saibas que eu sou o Senhor, o Deus de Israel, que te chamo pelo teu nome. Por amor de meu servo Jacó, e de Israel, meu escolhido, eu te chamo pelo teu nome; ponho-te o teu sobrenome, ainda que não me conheças" (Is 45.1-4).

Por que, na verdade, dos dois maiores reis da terra – Faraó e Ciro – a serem eleitos assim, deveria um ter o coração endurecido e o outro deveria conhecer Jeová? As Escrituras não deixam espaço para uma sugestão de que esses destinos foram de acordo com os desígnios humanos ou com as peculiaridades deles; o testemunho em cada caso é o de que Jeová fez exatamente conforme Ele quis. Deus não pede para ser eximido de tal responsabilidade. Por que deveria Deus eleger Jacó e rejeitar Esaú? Por que deveria a descendência santa proceder de Isaque e não de Ismael? Somente porque Deus quis que fosse assim. E não havia uma razão digna para essa seleção feita por Deus? Deveria ser dito que não há uma razão para qualquer das ações de Deus na eleição e isto somente por causa do fato de que os homens, talvez, não as entendam? Há alguma vida que tenha vivido – seja no caso de Faraó ou no de um apóstolo – que não cumpra o propósito de seu Criador? Não é verdadeiro que nem mesmo dois seres humanos semelhantes quando vistos por Deus e que nenhum poderia

SOTERIOLOGIA

servir como um substituto do outro; ou poderia o propósito divino para um ser estendido para outros, como querem os homens?

É racional, ao menos, ao dizer que cada pessoa entre alegremente na vontade de Deus para si mesma e especialmente visto que, dentro do propósito eterno, Ele estende o convite gracioso: "Aquele que quiser vir". Não se deve esperar que os não-salvos aceitem a verdade a respeito da soberania divina na eleição. A mente energizada por Satanás (Ef 2.2) não fará qualquer concessão no que diz respeito à autoridade de Deus. O tema total diz respeito somente àqueles que são regenerados e esse tema nunca deveria ser apresentado aos não-salvos, ou mesmo discutido na presença deles.

III. Verdades Essenciais Abraçadas

1. DEUS, POR ELEIÇÃO, ESCOLHEU ALGUNS PARA A SALVAÇÃO, MAS NÃO TODOS. Esta verdade, muito freqüentemente resistida pela falta de um entendimento da natureza de Deus, ou da posição que Ele ocupa em relação às suas criaturas, é razoável, mas ela é distintamente uma revelação. Isto, como já foi afirmado antes, não pode ser duvidado por aqueles que são sensíveis à Palavra de Deus. Está revelado a respeito de indivíduos que eles foram escolhidos no Senhor (Rm 16.13), escolhidos para a salvação (2 Ts 2.13), escolhidos em Cristo antes da fundação do mundo (Ef 1.4), predestinados para a adoção de filhos (Ef 1.5), eleitos de acordo com a presciência de Deus (1 Pe 1.2), vasos de misericórdia que de antemão preparou para a sua glória (Rm 9.23). Não pode haver uma dúvida levantada exceto que estas passagens contemplam um ato de Deus pelo qual alguns são escolhidos, mas não todos.

A idéia de eleição, ou seleção, não pode ser aplicada a toda raça como desconectados uns dos outros. Escondida na palavra *eleição* está a verdade implícita, que é inevitavelmente uma parte dela, que os outros não sejam escolhidos, ou deixados de lado. Isto sugere novamente a distinção, já particularizada quando se discutiu os decretos divinos, de que a predestinação aponta para a eleição ou a retribuição, e que a eleição não pode ser entendida por qualquer outra luz que os outros – os não-eleitos – são deixados de lado. O pensamento expresso pela palavra *eleição* não pode ser modificado. Ele assevera uma intenção expressa da parte de Deus para conferir salvação a certas pessoas, mas não a todas. Não é um mero propósito dar salvação àqueles que possam crer; ela antes determina quem vai crer.

2. A ELEIÇÃO DIVINA FOI REALIZADA NA ETERNIDADE PASSADA. Todas as coisas que se relacionaram à história humana foram determinadas nos conselhos eternos de Deus antes do homem ter sido criado. Três passagens servem para afirmar esta verdade: "...como também nos elegeu nele antes da fundação do mundo, para sermos santos e irrepreensíveis diante dele em amor" (Ef 1.4); "...que nos salvou, e chamou com uma santa vocação, não segundo as

nossas obras, mas segundo o seu próprio propósito e a graça que nos foi dada em Cristo Jesus antes dos tempos eternos" (2 Tm 1.9); "...diz o Senhor que faz estas coisas, que são conhecidas desde a antiguidade" (At 15.18). Alguns têm sustentado que a eleição acontece no tempo e que foi o envio do Evangelho aos homens que Deus propôs nessas eras.

Reivindica-se somente que os homens são eleitos, quando eles exercem a sua própria vontade em aceitar as ofertas da graça divina. Para tal, uma passagem da Escritura proporciona uma correção: "Mas nós devemos sempre dar graças a Deus por vós, irmãos, amados do Senhor, porque Deus vos escolheu desde o princípio para a salvação, mediante a santificação do Espírito e a fé na verdade, e para isso vos chamou pelo nosso evangelho, para alcançardes a glória de nosso Senhor Jesus Cristo" (2 Ts 2.13, 14). Assim, é dito que a eleição para a salvação é "desde o princípio", que corresponde ao que está citado em João 1.1. É dito que o Evangelho é a chamada que cumpriu a eleição eterna para a salvação.

3. A ELEIÇÃO NÃO REPOUSA MERAMENTE NA PRESCIÊNCIA. A distinção óbvia entre a presciência e a preordenação, ou predestinação, deu ocasião para muita discussão, pois há os que asseveram que Deus, por sua presciência, discriminou entre os que por sua própria escolha haveriam de aceitar a salvação e os que a rejeitariam, e, por assim informado, Deus foi capaz de predestinar os que Ele sabia que iriam crer. O caráter superficial desta noção é vista (1) no fato de que a presciência e a preordenação, ou predestinação, não poderiam ser colocadas numa seqüência. Nada poderia ser pré-conhecido como certo que tivesse sido tornado certo pela preordenação, nem poderia qualquer coisa ser preordenada, que não tivesse sido conhecida de antemão. Das três passagens que tratam do relacionamento entre essas duas atividades divinas, duas mencionam a presciência como a primeira na ordem, enquanto que outras revertem este arranjo.

Em Romanos 8.29 está escrito: "Porque os que dantes conheceu, também os predestinou para serem conformes à imagem de seu Filho, a fim de que seja o primogênito entre muitos irmãos"; e em 1 Pedro 1.2 os crentes são mencionados como "eleitos de acordo com a presciência de Deus". Mas em Atos 2.23, onde o propósito divino na morte de Cristo está em vista, está escrito: "...a este que foi entregue pelo determinado conselho e presciência de Deus". (2) As Escrituras declaram que o que vem a acontecer é preordenado por Deus e não meramente pré-conhecido por Ele. A salvação é pela graça à parte das obras. Os homens não são salvos por causa das boas obras que sejam antecipadas ou realizadas. A eleição é de acordo com a graça e não de acordo com as obras. Se a salvação é pela graça, ela não mais é pelas obras, e se ela é pelas obras, ela não mais é pela graça (Rm 11.5, 6).

À luz desta revelação, é impossível construir uma estrutura prevista de obras como a base da salvação de qualquer pessoa. Semelhantemente, há uma autoridade divina para negar que a fé e a santidade pessoal, mesmo previstas, determinam a eleição divina. A Bíblia reverte essa ordem por declarar que a eleição é para a fé e a santificação. Não é um erro pequeno confundir essas questões e tornar a fé e a santidade a causa e a eleição, o efeito. A fé pode servir a um propósito não maior do que o de ser o meio pelo qual aquilo que

Deus determinou possa ser realizado. Ao reportarmos novamente à passagem já citada, será visto que Deus escolheu desde o princípio aqueles para serem salvos, e predestinou-os para "a fé na verdade" (2 Ts 2.13); e Ele escolheu alguns antes da fundação do mundo, para que eles sejam santos e irrepreensíveis perante Ele em amor (Ef 1.4).

Assim, está revelado que os homens não são primeiro santos e, então, eleitos; mas eles são primeiro eleitos e que a eleição é para a santificação. Como uma ilustração dessa ordem na verdade, o apóstolo se refere à escolha que Deus fez de Jacó, e não de Esaú, antes deles terem nascido, e antes que tivessem feito qualquer coisa boa ou má. Tudo isto, é dito, é com a finalidade de que a eleição divina pudesse prevalecer, não por obras, mas por aquele que chama (Rm 9.10, 13). Pode ser acrescentado que as obras e as qualidades aceitáveis não residem em qualquer ser humano caído, exceto que essas características são operadas no coração humano pela energia divina. Portanto, seria tolice esperar que Deus previsse nos homens o que poderia nunca ter existido. Sem dúvida, multidões de pessoas se agarram a uma eleição condicional para que não sejam forçadas a reconhecer a depravação do homem.

4. A Eleição Divina É Imutável. Não somente o que foi determinado nas épocas passadas será realizado, mas será imutavelmente realizado. É alegado, por aqueles que dão uma ênfase indevida à capacidade da vontade humana, que o propósito de Deus na salvação pode ser frustrado, que o eleito de hoje pode, por causa da determinação humana, se tornar o não-eleito de amanhã. Está implícito que Deus não pode fazer mais do que ajustar-se à vontade do homem, e Sua determinação a respeito de Suas criaturas pode mudar. Em resposta a esta idéia, pode ser observado que Deus nunca criou uma vontade humana como um instrumento para derrotar o seu próprio propósito. Ele as cria para que elas possam servir à sua vontade imutável. Visto que Deus é o Criador de todas as coisas, é absurdo supor que aquele que cria não pode determinar a escolha e o destino daquilo que Ele operou.

Ao referir-se àqueles que haviam errado e, pela incredulidade deles, haviam "pervertido a fé a alguns", o apóstolo declara em termos seguros: "Todavia, o firme fundamento de Deus permanece, tendo este selo: O Senhor conhece os seus, e: Aparte-se da injustiça todo aquele que profere o nome do Senhor" (2 Tm 2.18, 19). A linguagem humana não pode expressar uma afirmação mais positiva do que a que aparece em Romanos 8.30: "...e aos que predestinou, a estes também chamou; e aos que chamou, a estes também justificou; e aos que justificou, a estes também glorificou". O texto, em harmonia com a totalidade da Bíblia, afirma que *todos* os que são predestinados são chamados, que *todos* os que são chamados são justificados, e que *todos* os que são justificados são glorificados. Não poderia haver um a mais ou um a menos, pois, se isso acontecesse, Deus teria fracassado na consecução de seu beneplácito.

5. A Eleição em Relação à Mediação de Cristo. Na investigação teológica, surge um problema que não tem uma relação com a vida e o serviço diário do crente, mas que se relaciona à ordem dos decretos eletivos – a ser considerado no capítulo IX –, se Cristo morreu pelos homens por causa da eleição deles para a salvação, ou se eles são eleitos porque Cristo morreu por eles. A questão nada apresenta de cronológico. Ela tem a ver com o que é lógico, ou com a matéria de causa e efeito na mente de Deus. Em outras palavras, visto que é tão evidente que Deus não foi influenciado em sua escolha eletiva pela fé e obediência previstas do eleito, foi Ele influenciado pela relação prevista do eleito com o Salvador? Isto pode ser conhecido: Havia algo em Deus que o moveu a dar o seu Filho ao mundo (Jo 3.16). A partir deste e de outros textos das Escrituras, pode ser concluído que, embora o Cordeiro tenha sido morto desde a fundação do mundo (Ap 13.8), a eleição de alguns para a salvação, através da morte do Cordeiro, estabeleceu a necessidade daquela morte.

Por esta interpretação, a eleição vem primeiro na ordem não influenciada por outras questões, e ela é assim distintamente uma eleição de acordo com a sua graça. O tema total é muitíssimo difícil de ser compreendido, e Romanos 11.34 pode bem ser lembrado aqui: "Pois, quem jamais conheceu a mente do Senhor? Ou quem se fez seu conselheiro?" Se o melhor dos homens fosse delinear um programa para o Todo-poderoso, é provável que ele não incluísse de forma alguma a eleição, e é mais do que certo que o esquema dele não começaria com a eleição da graça soberana à parte de todos os valores do mérito humano.

A doutrina da eleição não se apresenta sem dificuldades – como, na verdade, são normais quando a mente finita tenta traçar os caminhos daquilo que é infinito. Dentro de sua própria consciência, o homem reconhece pouca coisa fora de seu próprio poder de determinação; contudo, no fim, e a despeito dos meios pelos quais o homem atinge o seu destino, será aquele destino que foi não somente previsto, mas que também foi divinamente designado. Tal deve ser a convicção de toda alma devota que contempla a verdade óbvia de que o Criador está tão animado na execução de seus propósitos, como esteve na formulação deles.

IV. Objeções à Doutrina da Eleição

Em sua *Systematic Theology*, o Dr. Augustus H. Strong apresentou as objeções comuns à eleição e as refutou de uma maneira tão breve e, todavia, tão conclusiva que me parece bom reafirmar esse material aqui. Uma parte somente de seu argumento em cada caso é citada aqui:

(A) É injusta para aqueles que não estão incluídos nesse propósito de salvação.

– Resposta: A eleição trata não simplesmente com as criaturas, mas com criaturas pecaminosas, culpadas, e condenadas. Que qualquer pessoa deveria ser salva, é matéria de pura graça, e aqueles que não estão incluídos nesse propósito de salvação recebem somente a devida recompensa de seus atos. Portanto, não há injustiça na eleição divina. Nós precisamos louvar a Deus porque Ele salva alguns, ao invés de acusá-lo de injustiça porque Ele salva tão poucos...

(B) Ela apresenta Deus como parcial em seus tratamentos com o homem e que faz acepção de pessoas.

– Resposta: Visto que nada há nos homens que determine a escolha que Deus faz de um antes que de outro, a objeção é inválida. Igualmente se aplicaria à seleção que Deus faz de certas nações, como Israel, e de certos indivíduos, como Ciro, serem recipientes de dons especiais temporais. Se Deus não deve ser considerado como parcial em não providenciar a salvação para os anjos caídos, Ele não pode ser considerado como parcial em não providenciar as influências regeneradoras de seu Espírito para toda a raça de homens caídos...

(C) Ela apresenta Deus como arbitrário.

– Resposta: Ela apresenta Deus, não como arbitrário, mas como exercendo a livre escolha de uma vontade soberana e sábia, através de modos e razões que nos são inescrutáveis. Negar a possibilidade de tal escolha é negar a personalidade de Deus. Negar que Deus tem razões para a sua escolha é negar a sua sabedoria. A doutrina da eleição encontra estas razões, não nos homens, mas em Deus...

(D) Ela tende à imoralidade, por apresentar a salvação dos homens como independente da própria obediência deles.

– Resposta: A objeção ignora o fato de que a salvação dos crentes é ordenada somente em conexão com a regeneração e a santificação deles, como meios; e que a certeza do triunfo final é o mais forte motivo para o conflito vigoroso contra o pecado...

(E) Ela inspira orgulho naqueles que pensam de si mesmos como eleitos.

– Resposta: Isto é possível somente no caso daqueles que pervertem a doutrina. Do contrário, a própria influência da doutrina é humilhar os homens. Aqueles que se exaltam a si mesmos acima dos outros, com base no fato deles serem pessoas especiais e favoritas de Deus, têm razão em serem questionados em sua eleição...

(F) Ela desencoraja o esforço para a salvação dos impenitentes, seja da própria parte deles ou da parte de outros.

– Resposta: Visto que ela é um decreto secreto, ela não pode impedir ou desencorajar tal esforço. Por outro lado, ela é uma base de encorajamento, e assim um estímulo para o esforço; pois, sem eleição, é certo que tudo estaria perdido (cf. At 18.10). Enquanto ela humilha o pecador, assim que ele grita por misericórdia, ela o encoraja também por mostrar-lhe que alguns serão salvos, e (visto que a eleição e fé estão inseparavelmente conectadas) que ele será salvo, se ele somente crer...

(G) O Decreto da eleição implica decreto da reprovação.

– Resposta: O decreto da reprovação não é um decreto positivo, igual ao da eleição, mas um decreto permissivo de deixar o pecador à rebelião da sua própria escolha e entregue às conseqüências da punição.

Capítulo IX

A Ordem dos Decretos Eletivos

D E TODOS OS DECRETOS DE DEUS, que atingem as coisas da infinidade, cinco deles estão diretamente relacionados com o propósito de Deus na eleição, assim como pertencem àqueles que abrangem a Igreja, o Corpo de Cristo. O problema que se apresenta à mente dos homens devotos e ponderados, é com respeito à ordem que estes cinco decretos estão colocados na mente de Deus. A ordem, por ser lógica antes que cronológica, é algo especulativo e, todavia, grandes coisas estão envolvidas. Pelo termo *lógica* quero dizer que, embora o programa total seja como apenas um pensamento na mente de Deus, o princípio de causa e efeito está evidentemente envolvido. Isto é, uma questão pode preparar o caminho para outra e assim se tornar a causa da outra. Esses decretos específicos estão listados abaixo, mas sem levar em conta a esta altura a ordem correta mantida entre eles.

(1) O decreto de eleger alguns para a salvação e deixar outros entregues à justa condenação deles.

(2) O decreto de criar todos os homens.

(3) O decreto de permitir a queda.

(4) O decreto de providenciar salvação para os homens.

(5) O decreto de aplicar a salvação aos homens.

Quatro escolas de interpretação são reconhecidas, cada uma em defesa de uma ordem específica na ordenação desses decretos eletivos. Estas escolas são: a *supralapsariana*, a *infralapsariana*, a *sublapsariana* e a *arminiana;* as primeiras três classificadas são calvinistas. Embora a defesa dessas ordens variadas diga respeito principalmente a um assunto – a eleição de alguns para serem salvos e a de deixar outros à sua justa condenação – os títulos pelos quais três dessas escolas são identificadas as relaciona à queda do homem. A palavra *lapsariano* se refere àquele que crê na doutrina de que o homem é um ser caído. Desta linha particular de investigação, o Dr. Charles Hodge escreve estas palavras explicativas: "É preciso ter em mente que o objetivo dessas especulações não é intrometer-se na operação da mente divina, mas simplesmente certificar-se e exibir a relação que as várias verdades reveladas na Escritura concernentes ao plano da redenção mantêm entre si".[51] Uma consideração mais detalhada de cada uma dessas alegações desenvolvidas em cada escola é apresentada aqui:

SOTERIOLOGIA

I. A Ordem Apresentada pelos Supralapsarianos

Este grupo é algumas vezes chamado de *hipercalvinistas* ou *ultracalvinistas*. A questão principal na ordem proposta por essa escola de intérpretes é que o decreto de eleger alguns e o de reprovar todos os outros permanece em primeiro lugar na ordem dos decretos, e por essa disposição Deus é declarado como aquele que elegeu homens para o destino deles antes de eles mesmos terem sido criados e antes da queda. Na realidade, por este sistema, os homens estão destinados à perdição antes de eles pecarem e sem uma causa, exceto a vontade soberana de Deus. É verdade que Deus, como a Primeira Causa, efetuou a existência dos homens ciente que os reprovaria, mas essa responsabilidade, como a da presença do pecado no mundo, nunca é contada como vinda da criatura de volta para Deus. Anteriormente a essa discussão imediata, foi concluído que a eleição divina precede a determinação de providenciar um Salvador. A presente questão é com respeito à ordem que se tem entre o decreto de eleger e o de permitir a queda.

A ordem defendida pelos supralapsarianos é:

(1) Decretar a eleição de alguns para serem salvos e reprovar todos os outros.
(2) Decretar a criação dos homens, eleitos e não-eleitos.
(3) Decretar a permissão da queda.
(4) Decretar a providência da salvação para os eleitos.
(5) Decretar a aplicação da salvação aos eleitos.

Sobre essa idéia sustentada pelos supralapsarianos, o Dr. Wm. G. T. Shedd observa:

A teoria supralapsariana coloca, na ordem dos decretos, o decreto da eleição e da preterição antes da queda, ao invés de colocar após a queda. Ela supõe que Deus começa decretando que certo número de homens seja eleito, e outro reprovado. Esse decreto é anterior mesmo ao da criação, na ordem lógica... As objeções a essa posição são as seguintes: (a) O decreto da eleição e da preterição tem referência a coisas não existentes. O homem é contemplado como criável, não como criado. Conseqüentemente, o decreto da eleição e da preterição não tem um objeto real... O homem é somente idealmente existente, uma concepção abstrata; e, portanto, qualquer determinação divina a respeito dele, é determinação concernente a algo que não existe nem na idéia. Mas o decreto de Deus da eleição e reprovação supõe ser realmente criado, em que possa selecionar ou rejeitar. "Portanto, tem misericórdia de quem quer, e a quem quer endurece" (Rm 9.18). O primeiro decreto, na ordem da natureza, deve, portanto, ser o decreto de criar. Deus deve primeiro trazer o homem à existência, antes de ele poder decidir o que o homem fará ou experimentará. Não há uma réplica a fazer, que o homem é criado na idéia divina, embora não na realidade, quando o decreto da predestinação foi feito. É igualmente verdadeiro que ele é caído na idéia divina, quando esse decreto é feito. E a pergunta é: Qual é a ordem lógica, *na idéia divina*, da criação e da queda? (b) As Escrituras apresentam o eleito e o não-eleito, respectivamente, como retirados da agregação já existente de seres (Jo 15.19: "...eu vos escolhi a vós do mundo"). (c) Os eleitos são escolhidos para a justificação e a santificação (Ef 1.4-6; 1 Pe 1.2). Portanto, eles devem já ter sido caídos, e, conseqüentemente, criados. Deus justifica "o ímpio" (Rm 4.5) e santifica o impuro. (d) A reprovação supralapsariana é um ato divino que não pode pressupor pecado, porque ela não pressupõe existência. Mas as Escrituras apresentam os não-eleitos como criaturas pecaminosas. Em Judas 4, os que "desde há muito estavam destinados para esse juízo" são "homens ímpios, que convertem em dissolução a graça de nosso Deus". Adequadamente, a *Confissão de Fé de Westminster* afirma (em III.7) que Deus passa por cima dos não-eleitos, e "os ordena para a desonra e ira, por seus *pecados*, para o louvor de sua justiça gloriosa". O supralapsariano cita Romanos 9.11, como prova de sua asserção de que a eleição e a preterição são anteriores à criação do homem: "...pois não tendo os gêmeos ainda nascido, nem tendo praticado bem ou mal, para que o propósito de Deus segundo a eleição permanecesse firme, não por causa das obras, mas por aquele que chama". Jacó foi escolhido e Esaú foi deixado de lado. Esta é uma interpretação errônea. O nascimento não é sinônimo de criação. Os pais não são os criadores de seus filhos. O homem existe antes dele ser nascido no mundo. Ele existe no ventre; e ele existia em Adão.[52]

II. A Ordem Apresentada pelos Infralapsarianos

De acordo com esta escola – propriamente chamada de calvinistas *moderados* – a questão distintiva é a de que o decreto de eleger alguns e deixar outros na retribuição, segue a queda, e a ordem que eles defendem é a seguinte:
(1) Decretar a criação de todos os homens
(2) Decretar a permissão da queda.
(3) Decretar a providência da salvação para os homens.
(4) Decretar a eleição daqueles que vão crer e deixar na justa condenação todos os que não crêem
(5) Decretar a aplicação da salvação àqueles que crêem.
O Dr. Charles Hodge, entre muitos, é um que não faz distinção alguma entre as visões infralapsariana e sublapsariana, por não mencionar esta última. O que ele escreve, entretanto, combina estes dois pensamentos em alguma medida. Dos infralapsarianos, ele diz:

Esta teoria é coerente e harmoniosa. Como todos os decretos de Deus constituem um propósito inclusivo, não se pode admitir um ponto de vista da relação dos detalhes que abraçam esse propósito que não possa ser reduzido a uma unidade. Em todo grande mecanismo, seja qual for a quantidade ou complexidade das partes que o constituem, é preciso haver unidade de desígnio. Cada parte tem uma relação determinada com as outras, e faz-se necessária a percepção dessa relação para a compreensão adequada do

SOTERIOLOGIA

todo. Além disso, como os decretos de Deus são eternos e imutáveis, nenhum conceito sobre o seu plano de ação, o qual suponha que primeiramente ele propôs uma coisa e em seguida outra, pode ser coerente com a natureza desses decretos. E como Deus é absolutamente soberano e independente, todos os seus propósitos hão de ser determinados de dentro, ou conforme o conselho de sua própria vontade. Não se pode presumir que eles sejam contingentes ou suspensos com base na ação de suas criaturas, nem com base em coisa alguma externa a ele mesmo. O esquema infralapsariano, tal como o mantém a maioria dos agostinianos, cumpre todas as condições. Todos os particulares constituem um todo inclusivo. Todos seguem uma ordem que não pressupõe uma mudança de propósito. Todos dependem da vontade infinitamente sábia, santa e justa de Deus. É para este fim que Ele cria o mundo, que permite a queda; dentre todos os homens, Ele elege alguns para a vida eterna e deixa o restante entregue à justa retribuição que merecem os seus pecados. Aos que elege, Ele os chama, justifica e glorifica. Esta é a cadeia de ouro cujos elos não podem ser quebrados nem transpostos. Esta é a forma na qual o esquema da redenção aparecia na mente do apóstolo, tal como ele nos ensina em Romanos 8.29, 30.[53]

III. A Ordem Apresentada pelos Sublapsarianos

Este arranjo, sustentado por um grupo que também é chamado de calvinistas *moderados*, difere apenas ligeiramente da ordem proposta pelos infralapsarianos. Tecnicamente, os infralapsarianos colocam a eleição após o decreto de providenciar salvação, embora o Dr. Hodge, citado acima, não reconheça esse aspecto, quando lista a ordem dos decretos proposta pelos infralapsarianos. Os sublapsarianos são identificados por colocar o decreto da eleição depois do decreto da permissão da queda. Em geral, a ordem sublapsariana é uma refutação da ordem supralapsariana. A posição teológica do Dr. Hodge coloca-o mais próximo dessa escola. A distinção entre o infralapsariano e o sublapsariano é que a escola infralapsariana coloca o decreto da providência da salvação antes do decreto da eleição, enquanto que a sublapsariana coloca o decreto da eleição antes do decreto da providência da salvação. A ordem infralapsariana, que coloca o decreto da providência da salvação antes do decreto da eleição, permite possivelmente a argumentação de que Cristo operou uma redenção ilimitada, enquanto que a ordem sublapsariana, que coloca o decreto da eleição antes do decreto da providência da salvação, favorece a teoria de uma redenção limitada. A ordem prescrita pelos sublapsarianos é:

(1) Decretar a criação de todos os homens
(2) Decretar a permissão da queda
(3) Decretar a eleição daqueles que crêem e deixar na justa condenação aqueles que não crêem
(4) Decretar a providência da salvação para os homens
(5) Decretar a aplicação da salvação àqueles que crêem.

IV. A Ordem Apresentada pelos Arminianos

Aqui, a ordem é idêntica à apresentada pela visão infralapsariana, com uma única exceção: A visão arminiana da eleição, que eles fazem seguir o decreto da providência da salvação, é dependente das virtudes humanas previstas, a fé e a obediência, enquanto que a visão infralapsariana da eleição é investida da escolha soberana à parte de qualquer mérito previsto da parte do homem.

Ao refutar a idéia arminiana da eleição, o Dr. Shedd expõe a posição de Richard Watson – o principal dos teólogos arminianos – da seguinte maneira:

A respeito da eleição, Watson (*Institutes*, II. 338) observa o seguinte: "Ser eleito é ser separado do mundo ('Eu vos escolhi do mundo'), e ser santificado pelo Espírito ('eleitos para a obediência'). Segue-se, então, que a eleição não é somente um ato de Deus *no tempo*, mas também que ele é *subseqüente* à administração dos meios de salvação. A real eleição não pode ser eterna, porque desde a eternidade os eleitos não foram realmente escolhidos do mundo, e não poderiam ser realmente santificados para a obediência". Esta explicação faz a eleição ser a santificação em si mesma, ao invés de ser a causa dela. "Ser eleito, é ser separado do mundo, e ser santificado." O termo "separado" é usado aqui por Watson não como o apóstolo Paulo o usa, para denotar eleição, quando ele diz que "Deus desde o ventre de minha mãe me separou" (Gl 1.15); mas no sentido de santificação, quando o mesmo apóstolo o emprega em 2 Coríntios 6.17: "Separai-vos, diz o Senhor; e não toqueis coisa imunda". Por esta interpretação, a eleição é feita para ser a mesma coisa que santificação, ao invés de ser um ato de Deus que a produz; como é ensinado em Efésios 1.4: "...nos elegeu nele antes da fundação do mundo, para sermos santos e irrepreensíveis", e em 1 Pedro 1.2: "eleitos para a obediência".[54]

Conclusão

Será observado, do que veio antes que as diferenças apresentadas nessas várias ordens dos decretos, embora possam parecer altamente especulativas para alguns, que elas apresentam uma doutrina vital em seu fundamento. As três escolas calvinistas argumentam igualmente que a eleição divina é a escolha soberana de Deus que expressa a sua graça à parte de qualquer forma de obras humanas previstas ou reais; e que a escola arminiana, por tornar a eleição não mais do que o conhecimento antecipado do mérito humano, assevera que, no final, o homem se elege a si mesmo por sua fé e obediência. As escolas calvinistas são o resultado de uma indução fiel da Palavra de Deus relacionada com os decretos eletivos, enquanto que a escola arminiana é uma intrusão da razão humana.

CAPÍTULO X

Por quem Cristo Morreu?

ESTE CAPÍTULO EMPREENDE A DISCUSSÃO de uma questão que por muitos séculos tem dividido, e ainda divide, alguns dos teólogos mais ortodoxos e eruditos. De um lado, aqueles que, de acordo com o uso teológico, são conhecidos como os defensores da *redenção limitada*, que argumentam que Cristo morreu somente por aquele grupo de eleitos que em todas as dispensações foram predeterminados por Deus, para serem salvos; e, do outro lado, estão aqueles que, de acordo com o mesmo uso teológico, são conhecidos como defensores da *redenção ilimitada*, que argumentam que Cristo morreu por todos os homens que vivem no tempo presente, época essa que está entre as duas vindas de Cristo, e que a sua morte tem outros valores e propósitos específicos em sua relação com os tempos passados, assim como com as épocas vindouras.

A questão é bem definida, e homens de lealdade sincera à Palavra de Deus e que possuem verdadeira erudição são encontrados em ambos os lados da controvérsia. É verdade que a doutrina de uma redenção limitada é um dos cinco pontos do calvinismo, mas nem todos os que são corretamente classificados como calvinistas aceitam este aspecto daquele sistema. É igualmente verdadeiro que todos os arminianos aceitam a redenção ilimitada, mas aceitar a redenção ilimitada não faz necessariamente um arminiano. Nada há de incongruente no fato de que muitos defensores da redenção ilimitada creiam, em harmonia com todos os calvinistas, no decreto inalterável e eterno de Deus pelo qual todas as coisas foram determinadas por sua própria vontade; e na eleição soberana de alguns para serem salvos, mas nem todos; e na predestinação divina daqueles que são salvos para a glória celestial preparada para eles.

Sem a mais leve inconsistência, os que crêem na redenção ilimitada podem crer na eleição de acordo com a graça soberana, de que *ninguém* além dos eleitos será salvo, e que *todos* os eleitos serão salvos, e que os eleitos são, por capacitação divina somente, chamados do estado de morte espiritual na qual eles são impotentes, até para dar um passo em direção à sua própria salvação. O texto: "Ninguém pode vir a mim, se o Pai que me enviou não o trouxer" (Jo 6.44), é tanto parte de um sistema de doutrina quanto é do outro.

182

Não é fácil discordar de homens sábios e mui respeitados, Contudo, como eles aparecem em ambos os lados dessa questão, é impossível alimentar a convicção e não se opor àqueles que possuem uma posição contrária. A discordância agora em discussão não é entre homens ortodoxos e heterodoxos; ela está dentro da companhia daqueles que têm muito mais coisas em comum e que precisam do suporte e encorajamento e da confiança um no outro. Poucos temas têm provocado investigação tão sincera e erudita.

I. Classificação das Opiniões

Quando reconhecemos mais especificamente as divisões do pensamento teológico a respeito da extensão do valor da morte de Cristo, podemos verificar que os defensores da redenção limitada estão divididos em dois grupos gerais, e que os defensores da redenção ilimitada estão igualmente divididos em dois grupos gerais, e formam ao todo quatro divisões ou partidos em relação a essa questão. A posição sustentada por eles pode ser definida brevemente da seguinte maneira:

1. A REDENÇÃO LIMITADA DOS CALVINISTAS EXTREMISTAS. Este grupo é algumas vezes chamado de Hipercalvinistas ou Ultracalvinistas. Ele inclui os supralapsarianos que, como já foi visto, asseveram que o decreto da eleição divina é o primeiro na ordem dos decretos eletivos – antes do decreto da criação dos homens, antes do decreto da permissão da queda, e antes do decreto da providência da salvação. Tal posição não poderia dar lugar a uma redenção ilimitada, nem poderia encorajar a pregação do Evangelho àqueles que, eles afirmam, foram reprovados desde o princípio.

2. A REDENÇÃO LIMITADA DOS CALVINISTAS MODERADOS. O designativo calvinista moderado, neste caso, é baseado na crença deles de que o decreto da eleição é precedido pelo decreto da criação e do decreto da permissão da queda. Embora pugnem por uma redenção limitada, eles dão lugar para uma pregação mundial do Evangelho e fazem certas concessões não possíveis aos calvinistas extremistas.

3. A REDENÇÃO ILIMITADA DOS CALVINISTAS MODERADOS. Os homens que pertencem a esta escola de interpretação defendem todos os cinco pontos do calvinismo, exceto um, a saber, o da "expiação limitada", ou o que tem sido chamado de "o mais fraco ponto do sistema calvinista de doutrina". Esta forma de calvinismo moderado é mais a crença dos expositores da Bíblia do que dos teólogos, fato esse que é sem dúvida devido à verdade de que a Bíblia, tomada em sua terminologia natural e à parte daquelas interpretações forçadas, que lhes exige defender uma teoria, parece ensinar uma redenção ilimitada. Os homens deste grupo crêem que Cristo real e plenamente morreu por todos os homens desta era igualmente, e que Deus ordenou que o Evangelho fosse pregado a todos por quem Cristo morreu, e que através da proclamação do Evangelho, Ele exerceria o seu poder soberano de salvar os seus eleitos.

Este grupo crê na depravação absoluta do homem e em sua incapacidade total de crer à parte do poder capacitador do Espírito, e que a morte de Cristo, por ser forense, é uma base suficiente para qualquer e todo homem ser salvo, se o Espírito Santo resolver atraí-lo. Eles defendem que a morte de Cristo de si mesma não salva, real ou potencialmente, mas que torna todos os homens *passíveis de serem salvos*; que a salvação é operada somente por Deus, e nos indivíduos que crêem.

4. A Redenção Ilimitada dos Arminianos. Um estudo exaustivo da posição arminiana não é exigido aqui, por ser ela uma consideração daquelas variações que se obtêm entre os calvinistas. Será apresentado o suficiente se é observado que os arminianos sustentam que a morte de Cristo foi por todos igualmente, e que ela assegura para todos uma medida de graça comum pela qual todos são capazes de crer, se quiserem. Os homens são, de acordo com esta posição, sujeitos ao juízo divino somente com base na rejeição voluntária da salvação de Cristo.

Além disso, deve ser feita menção de uma teoria desenvolvida por F. W. Grant, que sustenta que a morte de Cristo é uma *propiciação* por todo o mundo e uma *substituição* para os eleitos; mas Grand fracassou em revelar como Deus poderia ser propício para com o mundo à parte do aspecto substitutivo da morte de Cristo. Grant, sem dúvida, procura distinguir entre o que é *potencial* para toda a raça humana e o que foi *consumado* nos eleitos e *aplicado* nesses eleitos que são salvos.

II. Pontos de Concordância e Discordância Entre as Duas Escolas do Calvinismo Moderado

Primeiro, é uma crença comum a de que todos os homens não são salvos. Ambas as escolas se uniriam numa rejeição de qualquer forma de universalismo ou restitucionismo. Um grupo muito grande vai ser salvo e um número também muito grande vai ser condenado.

Segundo, é uma crença comum que a morte de Cristo seja apropriada no sentido de que ela satisfaria a necessidade de cada homem caído.

Terceiro, é uma crença comum a de que os homens não poderiam ser salvos por outros meios, a não ser pela morte e ressurreição de Cristo.

Quarto, o Evangelho deve ser pregado a todos, mas a liberdade subjacente de pregar o Evangelho é diferente dentro de um grupo em relação ao outro.

Quinto, a fé deve ser operada nos não-salvos pelo Espírito Santo.

Sexto, somente os eleitos serão salvos.

Sétimo, o que quer que Cristo tenha feito, seja para o eleito ou não-eleito, é suspenso na espera da aquiescência da parte dos não-salvos com as condições divinamente impostas. Nenhuma pessoa nascida é perdoada ou justificada.

Oitavo, a crença de um grupo é a de que Deus proporciona salvação para os eleitos, a fim de que eles possam ser salvos. A crença do outro grupo é a de que Deus providenciou salvação para todos os homens, a fim de que os eleitos possam ser salvos. Ambas as escolas apelam para as Escrituras, embora a primeira seja forçada, por causa de sua natureza restritiva, ao fazer interpretações forçadas das chamadas passagens universais. Será feita referência a essas interpretações forçadas à medida que o capítulo se desenvolve.

Não são requeridas concessões da parte dos que defendem a redenção ilimitada. O sistema deles não é complicado ou confuso. O sistema da redenção limitada admite que o que Cristo fez seria suficiente para salvar os não-eleitos, se eles cressem; mas os ultracalvinistas jamais poderiam admitir que os eleitos seriam perdidos se eles não cressem, visto que sob esse sistema a morte de Cristo por uma alma torna certa para ela em tal grau que não pode ser perdida.

Neste contexto, é bom observar que a salvação é muito maior do que o perdão dos pecados. Não é difícil demonstrar que os pecados são explicados pelo fato de que Cristo os suportou na cruz, mas asseverar que o suportar o pecado seja equivalente à salvação daquele por quem Cristo sofreu, é outra coisa totalmente diferente. Certos aspectos da salvação do homem através de Cristo estão diretamente assegurados através da cruz de Cristo – perdão, vida eterna, justificação, todas as suas posições em Cristo, e alguns aspectos da santificação. Contudo, outros aspectos da salvação – um lugar na família de Deus, adoção, cidadania celestial, acesso a Deus, liberdade sob a graça do sistema meritório – são operados por Deus como a expressão da benevolência divina e estão relacionados com a morte de Cristo somente, embora Deus seja livre, através da morte de Cristo, para agir em favor daqueles que crêem.

Portanto, não somente não é bíblico como também errôneo, sugerir que não há uma distinção a ser vista entre aquele aspecto particular da obra salvadora de Deus na providência de um Salvador, e a obra salvadora de Deus em que as transformações poderosas, que constituem um cristão no que ele é, são realizadas. Nenhuma responsabilidade de fé é colocada sobre o pecador para proporcionar os valores da morte de Cristo, mas a salvação em si mesma é somente realizada na resposta da fé salvadora. Nada há de inconsistente, se Deus assim deseja, nunca há uma circunstância que deixe mesmo os eleitos num estado de perdidos até que eles creiam; nem há qualquer inconsistência se alguém, por quem Cristo morreu, seja deixado no estado de perdido para sempre. O defensor da redenção limitada considera a morte de Cristo como real para os eleitos e de nenhum benefício para os não-eleitos, enquanto que o defensor da redenção ilimitada considera a morte de Cristo como real para os eleitos e potencial e provisória para os não-eleitos. A noção sem fundamento é a que presume que uma coisa é menos real, porque a sua aceitação pode ser incerta ou condicional.

A avaliação humana do valor imensurável da morte de Cristo em favor dos homens perdidos é de nenhum modo diminuída ou desacreditada pela crença de que o seu valor é recebido no tempo em que a fé salvadora é exercida, ao invés de ser no tempo da morte do Salvador. O defensor da redenção ilimitada de nenhum modo é forçado, por causa de sua crença, a tomar um segundo lugar na magnificação da obra gloriosa e salvadora do Senhor Jesus Cristo.

O caminho da eleição divina é totalmente à parte do percurso da redenção. Com respeito à eleição, está declarado que "aos que predestinou, a estes também chamou; e aos que chamou, a estes também justificou; e aos que justificou, a estes também glorificou" (Rm 8.30), e nesta grande certeza todo crente pode se regozijar. Com relação à redenção, está escrito que Cristo morreu por homens caídos e que a salvação, baseada nessa morte, é oferecida a todos os que crêem; e que a condenação cai sobre aqueles que não crêem, e com base em que eles recusam aquilo que lhes foi proporcionado. Pareceria desnecessário assinalar que os homens não podem rejeitar o que nem mesmo existe, e se Cristo não morreu pelos não-eleitos, eles não podem ser condenados pela incredulidade (cf. João 3.18). Tanto a salvação quanto a condenação são condicionadas à reação dos indivíduos a uma e a mesma coisa, a saber, a graça salvadora de Deus, tornada possível através da morte de Cristo.

No contexto anterior, a extensão do alcance da morte de Cristo foi considerada. Ao todo, catorze imensuráveis realizações divinas foram listadas. Somente uma porção restrita dessas realizações está envolvida nesta discussão. À luz da obra grande e complexa de Cristo, que alcança as épocas passadas e as vindouras, à nação inteira dos eleitos, a anulação do sistema total meritório, as esferas angelicais, ao próprio céu, o julgamento da natureza pecaminosa, a propiciação pelos pecados do cristão, e o retardamento dos justos juízos contra todo o pecado, a questão de se Ele morreu pelos eleitos ou pelo mundo inteiro é reduzida, comparativamente, a uma questão muito pequena. Os defensores da redenção limitada admitem, com os seus oponentes, que os juízos divinos são pospostos com base numa coisa universal que Cristo realizou em sua morte; mas, o princípio de um valor universal em sua morte é reconhecido e o passo é, de fato, ainda insignificante desta posição para a ocupada pelos defensores da redenção universal.

Dentro do raio da ação humana, surge um problema que tem sido o ponto de ataque contra os calvinistas pelos socinianos e arminianos – que se Cristo suporta o pecado de cada pessoa, ela deveria beneficiar-se desse sacrifício divino e ser livre do julgamento que o Salvador suportou. Para evitar este problema, os defensores da redenção limitada argumentam que Cristo morreu somente pelos eleitos. Os defensores da redenção ilimitada crêem que, conquanto Cristo tenha morrido provisoriamente por todos os homens, o benefício é aplicado quando a condição de fé pessoal é satisfeita. Os defensores da redenção limitada da escola moderada crêem com seus oponentes que ninguém é perdoado, até que creia, mas falham em resolver o problema para o que o seu sistema foi originado. Para o defensor da redenção ilimitada, a aparente injustiça de um julgamento cair sobre uma pessoa após Cristo ter suportado aquele julgamento no lugar dela é apenas mais um mistério que a mente finita não pode entender.

O defensor da redenção ilimitada reconhece duas revelações que são igualmente claras – a de que Cristo morreu pelo *cosmos*, e a de que a sua morte é a base da salvação para os que crêem e a base da condenação para os que não crêem. Que os homens são salvos sob a condição de fé pessoal e que os homens são condenados por ausência dessa fé, são ensinos claros do Novo Testamento. É igualmente tão grande mistério aquele que está intimamente relacionado ao problema presente que, embora a fé seja divinamente operada no coração humano, os homens são tratados como se a fé se originasse neles. São abençoados eternamente aqueles que possuem essa fé, e são condenados eternamente aqueles que não a possuem. A alma devota deve reconhecer as suas próprias limitações e aqui, como em qualquer outro lugar, ficar satisfeita em receber como verdadeiro o que Deus falou.

Muitas das verdades incorporadas nestas observações introdutórias serão tratadas mais plenamente nas páginas a seguir. A discussão proposta dessa questão que divide as duas escolas de calvinistas moderados seguirá a seguinte ordem: (a) aspectos dispensacionalistas do problema; (b) três palavras doutrinárias; (c) a cruz não é o único instrumento de salvação; (d) a pregação universal do Evangelho; (e) será Deus derrotado, se os homens por quem Cristo morreu forem condenados? (f) a natureza da substituição; (g) o testemunho das Escrituras.

III. Aspectos Dispensacionalistas do Problema

Ao julgar pelos seus escritos, os defensores da redenção limitada freqüentemente ignoram as distinções das dispensações, e reconhecem, como usualmente o fazem, apenas um propósito eletivo de Deus, no qual eles incluem todos dentro da família humana, desde Adão até a presente geração que experimentaram qualquer favor divino. Por esse método de interpretação, os patriarcas pré-israelitas, os israelitas, e a Igreja são cridos ser apenas uma sucessão contínua. Sem hesitação, eles retiram material para o seu argumento dos relacionamentos do Antigo Testamento, e presumem que o que quer que possa ser verdade nas dispensações anteriores, é comparável e aplicável à era presente, enquanto que os defensores da redenção ilimitada reconhecem aspectos dispensacionalistas dos tratamentos divinos com os homens, e argumentam que o aspecto universal do valor da morte de Cristo pode se aplicar somente à era presente dos eleitos-chamados que compreendem a Igreja, que é o Corpo de Cristo – uma época diferente de todas as outras em muitos aspectos, notavelmente no sentido em que o Evangelho é pregado universalmente, onde todas as distinções entre judeus e gentios são derrubadas (Rm 3,9; 10,12; Ef 3,6), e onde tremendas mudanças são operadas pela morte e ressurreição de Cristo, que coloca as pessoas de sua época numa posição de responsabilidade para com Deus dantes desconhecida.

Deveria ser reconhecido que Israel é uma *nação* eleita, na qual cada uma de suas sucessivas gerações entrou pelo nascimento físico, e que não há uma base no fato da eleição *nacional* de Israel a ser comparada com a Igreja, que é composta de *indivíduos* eleitos, tanto de judeus de gentios, onde cada um é predestinado, chamado, justificado e glorificado (Rm 8.30), e comissionado para proclamar mundialmente o Evangelho, responsabilidade essa que foi

SOTERIOLOGIA

totalmente desconhecida nas épocas anteriores. É verdade que uma porta foi aberta para os prosélitos entrarem na nação judaica; mas quaisquer que possam ter sido os fatos, nada é dito deles sendo preordenados a fazer isso, ou que eles tenham exercido fé salvadora, ou que tenham sido regenerados como os homens são agora regenerados, ou que um evangelho lhes tenha sido pregado.

A capacidade notável de ver as distinções e propósitos divinos a respeito da humanidade é revelada no panfleto, *The Redeemed, Who Are They?*, escrito pelo Rev. James Mortimer Sanger. Ao defender a opinião de que em todas as épocas houve apenas duas classes de pessoas no mundo – os bons e os maus – este autor alega que Gênesis 3.15 antecipa duas linhas de descendência, e que Cristo morreu pela semente da mulher, mas não pela semente de Satanás. Infelizmente, por esta teoria a descendência da mulher é o próprio Cristo, e ninguém pode duvidar de Efésios 2.1, 2 de que a salvação chegou a alguns, ao menos, que estiveram original e vitalmente relacionados a Satanás tão plenamente como qualquer regenerado também esteve.

A eleição nacional, muito freqüentemente confundida com a eleição individual (observe a advertência do apóstolo à nação de Israel sobre este ponto no registro de Romanos 9.4-13), antecipa não mais do que as bênçãos definitivas de Israel como uma nação e a sua preservação nacional até o fim. Acabe e Jezabel, com Abraão e Sara, são igualmente participantes da eleição nacional de Israel. Contudo, um dia de julgamento para Israel está predito quando as multidões forem rejeitadas (Ez 20.33-44; Dn 12.1-3). Não obstante, há um reconhecimento na Bíblia de um remanescente espiritual em todas as gerações de Israel; mas esse grupo espiritual não compartilhou dos pactos adicionais, por ser a distinção deles devida à disposição de serem mais fiéis em suas relações com Jeová, que foram os privilégios estendidos a todos em Israel.

O remanescente de Israel nessa época é "um remanescente de acordo com a eleição da graça" (Rm 11.5), e é composto daqueles que são salvos pela fé em Cristo, e, portanto, participantes da vocação celestial que pertence à Igreja. Somente quando o Libertador vier de Sião, é que Israel será salvo (Rm 11.27), e essa salvação não somente será o cumprimento de todos os pactos nacionais e terrenos deles, mas também para retirar os pecados deles (cf. Jr 31.34). No tempo presente, como foi afirmado acima, somente um remanescente de Israel é salvo como *indivíduos*, o que está de acordo com a eleição divina em graça e para a glória celestial da Igreja. Não há certeza de que todos os gentios serão salvos nessa dispensação. Deus antes visita os gentios para fazer deles um povo para o Seu nome (At 15.14).

Eventualmente bênçãos universais serão experimentadas pelos gentios (At 15.18), mas não até que o Prometido retorne e reconstrua o Tabernáculo de Davi que está caído (At 15.16, 17). Portanto, as questões relativas à redenção limitada ou ilimitada deverão ser confinadas à era presente com o seu propósito divino na chamada da Igreja, ou resultará numa confusão desesperadora – tal como prevalece em alto grau no tempo presente. Os problemas relativos aos modos de Deus tratar os povos de outras épocas são importantes no seu devido lugar, mas não são adequados nesta discussão.

IV. Três Palavras Doutrinárias

Embora comuns no uso teológico, os termos *redenção limitada* e *redenção ilimitada* são inadequados para expressar a totalidade do problema que ora é estudado. Há três aspectos importantes da verdade apresentados na doutrina do Novo Testamento com benefícios imensuráveis que são proporcionados para os não-salvos através da morte de Cristo; e redenção é apenas uma das três. Cada um destes aspectos da verdade é, por sua vez, expresso por uma palavra, cercado como cada palavra é de um grupo de derivados ou sinônimos dessa palavra. Estas palavras são: ἀπολύτρωσις, traduzida como *redenção*; καταλλαγή, traduzida como *reconciliação*, e ἱλασμός, traduzida como *propiciação*. As riquezas da graça divina que estas palavras apresentam transcendem todo pensamento ou linguagem humanos; mas essas verdades devem ser declaradas em termos humanos, se realmente forem declaradas.

Como é necessário ter quatro evangelhos, visto que é impossível para um, dois, ou mesmo três, apresentar a plena verdade a respeito de nosso Senhor Jesus Cristo, assim as Escrituras abordam o grande benefício da morte de Cristo para os não-salvos a partir de três ângulos, a fim de que o que possa faltar em um seja suprido nos outros. Há, ao menos, outras quatro grandes palavras – *perdão, regeneração, justificação* e *santificação* – que apresentam bênçãos espirituais asseguradas pela morte de Cristo; mas estas devem ser distintas das três mencionadas anteriormente num particular muito importante, a saber, que essas quatro palavras se referem a aspectos da verdade que pertencem somente àqueles que são salvos. Em oposição a estas, as três palavras – *redenção, reconciliação* e *propiciação* – embora incorporem no bojo do significado delas as verdades vitais que pertencem ao estado dos salvos, elas se referem especificamente àquilo que Cristo operou pelos não-salvos em sua morte na cruz.

O que é chamado *obra consumada de Cristo* pode ser definido como a soma total de tudo que essas três palavras conotam quando restritas aos aspectos do significado delas que se aplicam somente aos não-salvos. A *redenção* está dentro da esfera do relacionamento que existe entre o pecador e seus pecados, e essa palavra, com as agrupadas a ela, contempla o pecado como uma escravidão, o pecador como um escravo, e a liberdade a ser assegurada somente através da redenção, ou resgate, que está em Cristo Jesus (Jo 8.32-36; Rm 6.17-20; 8.21; Gl 5.1; 2 Pe 2.19). A *reconciliação* está dentro da esfera do relacionamento que existe entre o pecador e Deus, e contempla o pecador como um inimigo de Deus, e Cristo como o pacificador entre Deus e o homem (Rm 5.10; 8.7; 2 Co 5.19; Tg 4.4).

A *propiciação* está também dentro da esfera do relacionamento que existe entre Deus e o pecador, mas a *propiciação* contempla a necessidade mais ampla de Deus ser justo quando Ele justifica o pecador, e de Cristo como uma Oferta, um Sacrifício, um Cordeiro morto, que, por satisfazer toda exigência da santidade de Deus contra o ofensor, considera Deus *propício* para com o ofensor

(Rm 3.25; 1 Jo 2.2; 4.10). Assim, pode ser visto que a redenção é o aspecto da cruz *em relação ao pecado*, a reconciliação é o aspecto da cruz *em relação ao homem*, e a propiciação é o aspecto da cruz *em relação a Deus*, e que essas três grandes doutrinas, nos melhores termos possíveis aos homens, combinam na declaração de apenas um empreendimento divino.

Daquilo que foi dito anteriormente, será visto que o problema em questão entre os defensores da redenção limitada e os da ilimitada é uma questão de reconciliação limitada ou ilimitada, de propiciação limitada ou ilimitada, como o é de redenção limitada ou ilimitada. Por ter feito um estudo cuidadoso dessas três grandes palavras e do grupo de palavras que deve ser incluído em cada uma delas, dificilmente alguém poderia negar que há uma aplicação dupla da verdade apresentada em cada uma delas.

Há o aspecto da redenção que é apresentado pela palavra ἀγοράζω, traduzida como *redimir*, que significa *comprar no mercado*; e, conquanto seja usada para expressar o tema geral da redenção, o seu sentido técnico sugere somente a *compra* do escravo, mas não necessariamente comunica o pensamento de sua *libertação* da escravidão. A palavra ἐξαγοράζω, também traduzida como *redimir*, sugere muito mais, porque ἐξ, que significa fora de, é combinado com ἀγοράζω e, assim, indica que o escravo *é comprado para fora do mercado* (observe aqui, também, que os termos mais fortes λυτρόω e ἀπολύτρωσις significam *libertar* e *libertação*). Há, então, uma redenção que *paga o preço*, mas que necessariamente não liberta o escravo, assim como a redenção que é para a *liberdade permanente*. É provável que a referência à redenção em VIII, 6 e VIII, 8 da *Confissão de Fé de Westminster*, tem a redenção eficaz em vista, que é concretizada naqueles que são salvos.

De acordo com 2 Coríntios 5.19, há uma reconciliação declarada ser universal e operada totalmente por Deus; todavia, no versículo que se segue no contexto, está indicado que o pecador individual tem a responsabilidade, em adição à reconciliação universal operada por Deus, de se reconciliar com Deus. O que Deus realizou mudou tanto o mundo em sua relação com Deus que Ele, de acordo com as demandas da infinita justiça, se satisfaz com a morte de Cristo como uma solução da questão do pecado para cada um. O *desideratum* não é alcançado, contudo, até que o indivíduo, já incluso na reconciliação do mundo, em si mesmo tenha satisfeito com aquela mesma obra de Cristo que satisfez a Deus como a solução de seu próprio problema do pecado. Assim, há uma reconciliação que de si mesma não salva, mas que é uma base para a reconciliação de qualquer e de todos que vêm a crer. Quando eles crêem, são reconciliados experimental e eternamente, e se tornam filhos de Deus através das riquezas de sua graça.

Num versículo curto, 1 João 2.2, Deus declara que há uma propiciação para os nossos (dos crentes) pecados, e não somente pelos nossos, mas também pelos do mundo inteiro. Conquanto venha a ser dado mais tarde o devido reconhecimento à interpretação dessa e de outras passagens semelhantes, oferecida pelos defensores da redenção limitada, é óbvio que o mesmo duplo aspecto da verdade – que é aplicável aos não-salvos e aos salvos – seja indicado a respeito da propiciação como é indicado no caso tanto da redenção quanto da reconciliação.

A partir da breve consideração dessas três grandes palavras doutrinárias, pode ser visto que os defensores da redenção ilimitada crêem na reconciliação ilimitada, na propiciação ilimitada assim como crêem na redenção ilimitada. Por outro lado, os defensores da redenção limitada raramente incluem as doutrinas da reconciliação e propiciação especificamente na sua discussão dessa questão.

V. A Cruz Não É o Único Instrumento de Salvação

Um dos pontos de que mais dependem os defensores da redenção limitada é reivindicar que a redenção, se operada, *torna necessária* a salvação daqueles assim favorecidos. De acordo com essa visão, se o preço da redenção é pago por Cristo, ele deve ser ἐξαγοράζω ou ἀπολύτρωσις, ao invés de ἀγοράζω, em cada caso. É sustentado com toda confiança por todos os calvinistas que os eleitos, no tempo e no modo de Deus, cada um deles, será salvo, e que os não-regenerados crêem somente quando eles são capacitados pelo Espírito de Deus; mas a questão aqui é se o sacrifício de Cristo é a única instrumentalidade divina pela qual Deus *realmente* salva o eleito, ou se esse sacrifício é uma obra divina, consumada, na verdade, com respeito ao seu escopo e propósito, que torna todos os homens *passíveis de serem salvos*, mas aplicada em graça soberana pela Palavra de Deus e pelo Espírito Santo somente quando o indivíduo crê.

Certamente, a morte de Cristo em si mesma não perdoa o pecador, nem torna necessária a obra regeneradora do Espírito Santo. Qualquer um dos eleitos, cuja salvação é predeterminada, e por quem Cristo morreu, pode viver a maior parte de sua vida em rebelião aberta contra Deus e, durante esse tempo, manifestar todo aspecto de sua depravação e morte espiritual. Isto somente provaria que os homens não são salvos pelo ato de Cristo em sua morte, mas antes, que eles são salvos somente pela *aplicação* divina daquele valor quando eles crêem. O sangue do cordeiro pascal se tornou eficaz somente quando foi aplicado aos umbrais das portas. O fato de que o eleito vive em algum tempo de sua vida em inimizade contra Deus e num estado em que ele é tão perdido como qualquer pessoa não-regenerada, indica conclusivamente que Cristo deve não somente ter morrido para proporcionar uma base justa para a salvação daquela alma, mas que aquele valor deve ser *aplicado* a ela num determinado tempo da vida dela como Deus decretou, tempo esse, na presente geração, que é quase dois mil anos depois da morte de Cristo. Por isso, fica provado que o valor sem preço da morte de Cristo não salva os eleitos, nem os impede de rejeitar as misericórdias de Deus naquele período de suas vidas que precede a salvação deles.

Os defensores da redenção ilimitada alegam que o valor da morte de Cristo é estendido a todos os homens, mas que somente os eleitos vêm, por graça divina operada pela chamada eficaz, à sua fruição, enquanto que os não-eleitos não são chamados, mas são deixados de lado. Eles sustentam que Deus indica quem são os eleitos, não na cruz, mas pela chamada eficaz e no tempo da regeneração. É também crido pelos defensores da redenção ilimitada que agradou a Deus colocar o mundo inteiro numa posição de obrigação infinita em relação a Ele próprio, através do sacrifício de Cristo, e embora o mistério da condenação pessoal pelo pecado da incredulidade daquele que não foi movido à fé pelo Espírito não possa ser resolvido neste mundo, os não-regenerados, eleitos ou não, são definitivamente condenados por sua incredulidade enquanto permanecem nesse estado (Jo 3.18).

Nada há mais esclarecedor em conexão com esta longa discussão do que o reconhecimento do fato de que, enquanto eles estão em seu estado de não-regenerados, nenhuma distinção vital entre o eleito e o não-eleito é reconhecida nas Escrituras (1 Coríntios 1.24 e Hebreus 1.14 podem sugerir essa distinção em linhas de comparação que não são importantes para esta discussão). Certamente, essa forma de doutrina, que faria a redenção equivalente à salvação, não é determinável quando os homens são vistos em seu estado de não-regenerados, e que a salvação, a qual é retardada por alguns anos no caso de uma pessoa eleita, poderia ser desacelerada para sempre no caso de uma pessoa não-eleita cujo coração Deus nunca move. Foi o objetivo na morte de Cristo *tornar possível* a salvação de todos os homens, ou foi a salvação dos eleitos *tornada certa*? Alguma luz é obtida nessa questão quando é lembrado que os decretos divinos consumados na salvação de um indivíduo são operados quando ele crê em Cristo, e não antes dele aceitar.

VI. A Pregação Universal do Evangelho

Uma situação muito difícil surge para os defensores da redenção limitada, quando eles se confrontam com as grandes comissões que ordenam a pregação do Evangelho a *toda* criatura. Pode ser perguntado: Como pode um evangelho universal ser pregado, se não há uma provisão universal? Isto significa dizer, ao mesmo tempo, que Cristo não morreu para os não-eleitos, mas que a sua morte é a base sobre a qual a salvação é oferecida a todos os homens, o que perigosamente se aproxima de uma contradição. Seria mental e espiritualmente impossível para um defensor da redenção limitada, se for leal às suas convicções, urgir com sinceridade aqueles que são conhecidos como não-eleitos a aceitar Cristo. Felizmente, Deus não revelou algo pelo qual o eleito possa ser distinto do não-eleito, enquanto ambas as classes estejam no estado de não-regenerados.

Contudo, o sincero pregador do Evangelho, se ele nutre dúvida a respeito da base para a sua mensagem, no caso de mesmo alguém, a quem ele prega, enfrentar um real problema na execução da comissão de pregar o evangelho a toda criatura. Crer que alguns são eleitos e outros não são eleitos não cria um problema para o ganhador de almas, conquanto ele esteja livre em suas convicções para declarar que Cristo morreu por toda pessoa a quem ele prega. Ele sabe que os não-eleitos não aceitarão a mensagem. Ele sabe, também, que mesmo uma pessoa eleita pode resisti-la até próximo ao dia de sua própria morte. Mas se o pregador crê que qualquer porção de seus ouvintes é destituída de qualquer base de salvação, que não compartilha nos valores da morte de Cristo, não é mais uma questão em sua mente de se eles aceitarão ou rejeitarão; torna-se antes uma questão de *veracidade* na declaração da mensagem.

O Dr. W. Lindsay assinala: "Sobre esta suposição [a de uma expiação limitada], os convites gerais e promessas do Evangelho são sem uma base adequada, e parecem com uma mera zombaria, uma oferta, em resumo, daquilo que não foi providenciado. Não se dirá, como resposta a isso, que embora esses convites sejam realmente feitos, nós estejamos habilitados com a autoridade da Palavra de Deus para incitá-los e justificá-los a aceitá-los; pois isto é mera evasão".[55] Ao apresentar o outro lado da questão, outro inglês, ao escrever por volta de 1919, declara: "Ai da loucura consumada dos pretensos teólogos que possuem bíblias; todavia, para sempre harpejam sobre meras frases como: "Quem quer vir?"; "Todo aquele que quiser!" Quase todo teólogo tem discutido em seus escritos a questão da redenção limitada ou ilimitada, e esclarece citações que poderiam ser multiplicadas indefinidamente, se lhes fosse dado o devido espaço. Sobre a questão das crenças dos sinceros pregadores do Evangelho, caberia ao leitor investigar quão universalmente todos os grandes evangelistas e missionários têm abraçado a doutrina da redenção ilimitada, e quantos a têm tornado a estrutura subjacente de seus apelos convincentes.

VII. Será Deus Derrotado, se os Homens por quem Cristo Morreu Forem Condenados?

De volta a esta fase deste assunto, está a convicção freqüentemente expressa pelos defensores da redenção limitada: Se Cristo morreu por aqueles que nunca serão salvos, Deus experimentará uma derrota. Naturalmente, deve ser admitido que se a obra consumada é uma *garantia* de salvação para aqueles por quem Cristo morreu, há então uma derrota muito evidente, se alguém falha em ser salvo. Mas está meramente *suposto* que a redenção é uma garantia de salvação. Cristo se torna a certeza da salvação quando alguém crê. A morte de Cristo é uma transação consumada, o valor da qual Deus nem sempre tem aplicado a qualquer alma, até que esta passe da morte para a vida. Ela é *real* em sua disponibilidade, mas *potencial* em sua aplicação. Afirmar que o valor da morte de Cristo é suspenso até a hora da regeneração, não é insinuar que o seu valor seja algo menos do que o seria se fosse aplicado em outra hora.

Há razões que estão baseadas nas Escrituras por que Deus poderia providenciar uma redenção para *todos*, quando Ele meramente propôs salvar *alguns*. Ele é justificado em colocar o mundo todo numa relação particular consigo mesmo, para que o Evangelho pudesse ser pregado com toda sinceridade a todos os homens, e que, do lado humano, os homens pudessem ficar sem desculpa, por serem julgados, como realmente são, por sua rejeição daquilo que lhes foi oferecido. Os homens dessa dispensação são condenados por sua incredulidade. Isto está expressamente declarado em João 3.18 e implícito em João 16.7-11, e cujo último contexto o Espírito é visto em sua obra de convencer o mundo de apenas um pecado, a saber, que "eles não crêem em mim". Mas rejeitar Cristo e sua redenção, como todo incrédulo faz, é equivalente à exigência de sua parte que a grande transação do Calvário venha a ser reversa e que o seu pecado, que foi colocado sobre Cristo, venha a ser retido por ele próprio com todo o seu poder de condenar.

Não é asseverado aqui que o pecado é assim sempre retido pelo pecador. Está afirmado, contudo, que, visto que Deus não aplica o valor da morte de Cristo ao pecador até que o pecador seja salvo, Deus ficaria moralmente livre para manter o pecador que rejeita Cristo, como responsável pelos seus pecados, e a este fardo imensurável seria acrescentada toda a condenação que segue o pecado da incredulidade. Neste contexto, a referência é feita pelos defensores da redenção limitada às três passagens onde é argumentado que os homens impenitentes morrem com seus pecados sobre si e, portanto, é asseverado, Cristo não poderia ter levado os seus pecados. Estas passagens são:

João 8.24: "Se não crerdes quem eu sou, morrereis em vossos pecados". Esta é uma afirmação clara que exige pouca exposição. É o caso de crer em Cristo ou de morrer na condenação do pecado. Não é somente ao único pecado de incredulidade, mas "vossos pecados" aos quais Cristo se refere. Há oportunidade para algum reconhecimento do fato de que Cristo falou essas palavras *antes* de sua morte e, que também requer que eles creiam que Ele é o EU SOU – Jeová. Estes fatos são de importância em qualquer consideração específica deste texto; mas pode ser dito o suficiente, se é assinalado que a questão é um problema para um lado desta discussão quanto para outro.

Se é alegado pelos defensores da redenção limitada que essas pessoas a quem Cristo falou morreriam em seus pecados, porque elas eram não-eleitas, e, portanto, seus pecados não foram levados por Cristo, poderia ser respondido: (1) que a condição indicada por Cristo sobre a qual eles poderiam evitar morrer em seus pecados não é baseada no fato de Ele não morrer por eles, mas, antes, no fato da *crença* deles nele, e (2) fosse verdadeiro que eles morrem em seus pecados por causa de sua posição como não-eleitos por quem Cristo não morreu, seria igualmente verdadeiro que aqueles dentre eles que eram dos eleitos (cf. v. 30) e cujos pecados foram colocados sobre Cristo, não teriam necessidade de ser salvos de um estado de perdição.

Em outras palavras, essa importante passagem ensina que o valor da morte de Cristo, tão maravilhosa e completa como ela é, não é aplicada ao não-regenerado até que ele *creia*. É a chamada eficaz do Espírito que indica o eleito de Deus e não alguma discriminação parcial, não-identificada, e suposta, operada na morte de Cristo.

Efésios 5.6: "Porque por estas coisas vem a ira de Deus sobre os filhos da desobediência". A designação *filhos da desobediência* não se refere a uma desobediência pessoal de qualquer indivíduo nesta categoria, mas antes ao fato de que todas as pessoas não-regeneradas são desobedientes no cabeça natural, Adão. Isto inclui os eleitos e não-eleitos em seu estado de não-salvos; mas deveria ser observado que aqueles eleitos salvos a quem o apóstolo se refere, eram, até que foram salvos, não somente filhos da desobediência, mas estavam debaixo do poder energizante de Satanás, pois se encontravam no estado de morte espiritual (Ef 2.1, 2). Assim, além disso, está provado que o valor da morte de Cristo é aplicado aos eleitos, não na cruz, mas quando eles crêem.

Apocalipse 20.12: "...e os mortos foram julgados pelas coisas que estavam escritas nos livros, segundo as suas obras". Esta cena está relacionada ao grande trono branco de julgamento de todos os não-renegerados de todas as épocas, e deveria ser observado que, em outras gerações, os homens eram colocados mais sobre o pacto das obras do que estão agora. A soma total do pecado na presente época é a *incredulidade* (Jo 16.9), assim como a soma total da responsabilidade para com Deus em assegurar um relacionamento correto com Deus, é a *fé* (Jo 6.29). É muito possível que aqueles desse vasto grupo que foram dessa dispensação podem ser julgados pelo único pecado abrangente da incredulidade, enquanto que aqueles das outras épocas podem ser julgados pelos muitos e específicos pecados; mas das provas antecedentes fica evidente que não é de modo algum não-escriturístico reconhecer que os impenitentes desta era são julgados de acordo com os seus próprios pecados específicos, visto que o valor da morte de Cristo não é aplicado a eles ou aceito por eles até que creiam, e todos esses, evidentemente, nunca creram.

Até esta altura, e neste contexto, é apropriado considerar o desafio que os defensores da redenção limitada universalmente desenvolvem – que se Cristo suportou os pecados dos não-eleitos, eles não poderiam se perder; pois é alegado que mesmo o pecado condenatório da incredulidade seria, assim, pago e, portanto, perdeu o seu poder de condenar. Por este desafio, a importante questão levantada é se Cristo suportou todos os pecados dos indivíduos exceto a *incredulidade*.

Sobre esse aspecto do tema, John Owen escreveu cerca de três séculos atrás: "Deus impôs a sua ira a todos os pecadores, e Cristo suportou as dores do inferno por todos os pecados deles, ou todos os pecados de alguns homens, ou alguns pecados de todos os homens. Se diz respeito ao último, alguns pecados de todos os homens, então todos os homens têm alguns pecados pelos quais vai responder, e assim nenhum homem será salvo... Se é o segundo caso, que é o que afirmamos, de que Cristo no lugar deles sofreu por todos os pecados de todos os eleitos no mundo. Se é o primeiro [de que Cristo morreu por todos os pecados de todos os homens], então por que não são todos libertos da punição de todos os pecados deles? Você dirá: Por causa da incredulidade deles; eles não crerão. Mas essa incredulidade, é um pecado ou não? Se não, por que deveriam eles ser punidos por ele? Se é, então Cristo suportou a punição devida a ele ou não. Se Ele sofreu, por que deve este impedir, mais do que os outros pecados deles pelos quais Ele morreu, de participar do fruto de sua morte? Se não, então Ele não morreu por todos os pecados deles".[56]

A isto podemos responder que o pecado da incredulidade assume uma qualidade específica, em que é a resposta do homem àquilo que Cristo operou e terminou por ele quando suportou os seus pecados na cruz. Sem dúvida, há a liberdade divina assegurada pela morte de Cristo pela qual Deus pode perdoar o pecado da incredulidade, visto que Ele livremente perdoa *todas* as transgressões (Cl 2.13), e não há agora, portanto, nenhuma condenação para aqueles que estão em Cristo Jesus (Rm 8.1). O pecado da incredulidade, por ser particular em seu caráter, é evidentemente tratado como tal nas Escrituras. Além disso, se Cristo suportou o pecado da incredulidade com os outros pecados dos eleitos, então nenhum pecador eleito em seu estado não-regenerado está sujeito a qualquer condenação, e não exige que ele seja perdoado ou justificado à vista de Deus.

Se é perguntado a esta altura, como freqüentemente acontece, se a vocação geral de Deus (Jo 12.32) poderia ser sincera em cada caso, visto que Ele não designa a salvação dos não-eleitos, pode ser asseverado que, visto que a incapacidade dos não-eleitos de receber o Evangelho é devida ao pecado humano, de Seu próprio ponto de vista, Deus é justificado em estender o convite a eles. Neste contexto há uma distinção importante a ser observada entre o *propósito* soberano de Deus e seus *desejos*. Por razões específicas e dignas, Deus, como qualquer outro ser, pode propor fazer mais ou menos do que aquilo que deseja. Seu desejo é evidentemente para com todo o mundo (Jo 3.16), mas o seu propósito é muito claramente revelado no sentido de ser para com os eleitos. Na importante passagem, "o qual deseja que todos os homens sejam salvos" (1 Tm 2.4), esta distinção é vista numa forma passiva antes da forma ativa do verbo *salvar* ser usado.

VIII. A Natureza da Substituição

Os defensores da redenção limitada sinceramente crêem que a substituição que Cristo fez por uma alma perdida *torna necessária* a salvação daquela alma. Outro argumento de John Owen, é o que se segue: "Para quem Cristo morreu, Ele morreu como o fiador deles, no lugar deles, para que Ele pudesse libertá-los da culpa e do deserto da morte (Is 53.5, 6; Rm 5.6-8; 2 Co 5.21; Gl 3.13). Evidentemente, Ele trocou de lugar conosco, para que nós pudéssemos ser feitos justiça de Deus nele... Cristo morreu pelos homens, ao realizar a satisfação pelos pecados deles, para que eles pudessem não morrer. Ora, por quais pecados fez

Ele satisfação, pois neles a justiça de Deus é satisfeita; o que certamente não é feito pelos pecados dos reprovados, porque Ele justamente os puniu para a eternidade neles próprios" (Mt 5.26).[57] Esta é uma questão justa e há alguma luz disponível através da consideração cuidadosa da natureza exata da própria substituição.

O homem não descobriu primeiro a necessidade de um substituto para morrer em seu lugar; essa necessidade estava no coração de Deus desde toda a eternidade. Quem pode realmente declarar o que o pecado é à vista da retidão infinita? Quem ousará medir o preço do resgate que Deus deve requerer do pecador? Quem pode afirmar quais foram os julgamentos justos da santidade ultrajada, que foram exigidos pelo Pai e prestados pelo Filho? Ou quem pode declarar o custo para Deus da disposição do próprio pecado, de Sua presença para sempre?

Duas preposições gregas estão envolvidas na doutrina da substituição: (1) Ὑπέρ (traduzida como *por*), palavra essa que é ampla no seu escopo e pode significar não mais do que aquilo que uma coisa realizada, que se torna um benefício para outros. Neste aspecto seria declarado por esta palavra que a morte de Cristo se tornou um benefício num maior ou menor grau para aqueles por quem Ele morreu. Esta palavra é, contudo, às vezes, investida com o significado mais absoluto de substituição (cf. Tt 2.14; Hb 2.9; 1 Pe 2.21; 3.18; 4.1). (2) Ἀντί (também traduzida como *por*), palavra essa que comunica o pensamento de uma substituição completa de uma coisa ou pessoa no lugar de outra. Os homens da ortodoxia, seja de uma escola ou de outra, afirmariam igualmente que a morte de Cristo foi *por* homens no sentido mais definido.

Contudo, a substituição pode ser *absoluta* ou *condicional*, e no caso da morte de Cristo pelo pecado, ela foi tanto absoluta quanto condicional. Marshall Randles, em seu livro *Substituition*, página 10, afirma esse aspecto duplo da verdade, da seguinte maneira:

"A substituição pode ser absoluta em alguns aspectos, e condicional em outros, e.g., um filantropo pode pagar o preço do resgate de uma família escravizada, de forma que os filhos sejam incondicionalmente libertos, e os pais somente com a condição do reconhecimento apropriado de sua amabilidade. Semelhantemente, a substituição de Cristo foi parcialmente absoluta, e parcialmente condicional, na proporção da capacidade de escolha e de resposta do homem. Sua morte beneficiou o resgate dos infantes da raça caída; a justificação deles, como a sua condenação, por ser independente do conhecimento e da vontade deles, e a despeito de qualquer condição que poderia prestar o benefício contingente. Mas para o benefício adicional de salvar homens que pecaram pessoal e voluntariamente, a morte de Cristo beneficia potencialmente, por ter o seu efeito da completa salvação deles, se eles o aceitarem com verdadeira fé."

Isto não é uma questão de caráter perfeito da substituição de Cristo; sua substituição é tão completa, se aplicada num tempo ou outro, ou mesmo se nunca ela é aplicada. Não é uma questão de capacidade ou incapacidade do pecador de crer à parte da capacitação divina. É antes uma questão de se o pleno valor da morte de Cristo poderia ser proporcionado *potencialmente* para o não-eleito, ainda que eles nunca se beneficiem dela, mas são julgados somente por causa dela. Os defensores da redenção limitada, pode ser reafirmado, crêem que os eleitos são salvos porque é *necessário* para eles serem salvos em razão do fato de Cristo ter morrido por eles.

Os defensores da redenção ilimitada crêem que a morte substitutiva de Cristo cumpriu com perfeição infinita tudo o que a santidade divina poderia exigir para cada alma perdida nesta era; que os eleitos são salvos com base na morte de Cristo por eles através da chamada eficaz e da capacitação divina do Espírito; que o valor da morte de Cristo é rejeitado mesmo pelos eleitos até que eles creiam; e que esse valor é rejeitado pelos não eleitos para sempre, e por essa rejeição eles serão julgados.

Tem sido objetado nesse ponto que a crença dos defensores da redenção ilimitada resulta finalmente no fato do homem ser o seu próprio salvador; isto é, ele é salvo ou perdido de acordo com suas obras. A questão de se crer em Cristo é uma obra salvadora já estudada neste livro. Uma passagem da Escritura será suficiente para esclarecer. Em Romanos 4.5, está escrito: "Porém ao que não trabalha, mas crê naquele que justifica o ímpio, a sua fé lhe é contada como justiça". Aqui o pensamento não é que o candidato à salvação não apresente uma obra *exceto* a fé, mas antes, que, por crer ele, se volta de todas as obras feitas por si mesmo, das quais ele poderia depender, e confiar em outro para fazer aquilo que nenhuma obra humana jamais poderia realizar.

A determinação repousa sobre o homem, embora seja reconhecido que nenhum ser humano possua a fé salvadora à parte de uma capacitação divina para esse fim. O reconhecimento deve ser dado por todos ao fato – que será explicado mais detalhadamente mais tarde – de que a maneira peculiar na qual Deus ilumina a mente e move o coração dos não-salvos, para que eles alegremente aceitem Cristo como Salvador, de modo algum é uma coerção da vontade; ao contrário, a volição humana é fortalecida e a sua determinação é a mais enfática. É fútil tentar desconsiderar o elemento da responsabilidade humana a partir dos grandes textos dos ensinamentos do Novo Testamento.

É tanto razoável quanto escriturístico concluir que uma substituição perfeita beneficia aqueles que são salvos: no caso dos eleitos, ela é retardada em sua aplicação, até que eles creiam e, no caso dos não-eleitos, ela nunca é aplicada.

IX. O Testemunho das Escrituras

No progresso da discussão entre os defensores da redenção limitada e os da redenção ilimitada, muitos textos da Escritura são citados por ambas as partes, naturalmente, num esforço feito para cada grupo de harmonizar o que poderia ser visto como conflitante entre essas linhas de raciocínio. Algumas das passagens citadas pelos defensores da redenção limitada são:

João 10.15: "Assim como o Pai me conhece e eu conheço o Pai; e dou a minha vida pelas ovelhas". Essa orientação é clara, Cristo deu sua vida por seu povo eleito; entretanto, é para ser observado que a eleição de Israel e da Igreja estão referidas neste texto (v. 16).

João 15.13: "Ninguém tem maior amor do que este, de dar alguém a sua vida pelos seus amigos".

João 17.2, 6, 9, 20, 24. Neste texto muito importante da Escritura Cristo declara que Ele dá a vida eterna a todos os que são dados a Ele pelo Pai; que um grupo de eleitos lhe foi dado; que Ele ora agora somente pelo seu grupo de eleitos; e que Ele deseja que este grupo de eleitos possa estar com Ele na glória.

Romanos 4.25: "...o qual foi entregue por causa das *nossas* [a dos eleitos] transgressões, e ressuscitado para a *nossa* [a dos eleitos] justificação".

Efésios 1.3-7: Nesta extensa passagem o fato de que Cristo é o Redentor do seu povo eleito, é declarado com certeza absoluta.

Efésios 5.25-27: Passagem esta em que Cristo é revelado como o que ama a sua Igreja e entregou-se por ela, para que pudesse fazê-la infinitamente pura e gloriosa, em sua própria posse e habitação.

Ao contemplar essas passagens, e muitas outras do mesmo caráter específico, os defensores da redenção ilimitada asseveram que o propósito principal de Cristo é trazer muitos filhos à glória e que Ele nunca perdeu de vista esse desejo; que isso o moveu em todo o seu sofrimento e morte é sem dúvida, e que o seu coração está centrado naqueles que lhe são dados pelo Pai. Contudo, nenhuma dessas passagens exclui a verdade, igualmente enfatizada nas Escrituras, de que Ele morreu pelo mundo inteiro. Há uma diferença a ser observada entre o *fato* de sua morte e o *motivo* dela. Ele facilmente pode ter morrido por todos os homens com a visão de dar segurança aos seus eleitos. Em tal caso, Cristo teria sido movido por dois grandes propósitos: um, pagar o preço do resgate forense por todo o mundo; o outro, garantir o seu povo eleito, o Corpo e Noiva.

O primeiro desses propósitos parece estar implícito em textos como Lucas 19.10: "Porque o Filho do homem veio para buscar e salvar o que estava perdido"; e João 3.17: "Porque Deus enviou o seu Filho ao mundo, não para que julgasse o mundo, mas para que o mundo fosse salvo por ele", enquanto que mais tarde parece estar implícito em passagens como João 10.15 que diz: "...assim como o Pai me conhece e eu conheço o Pai; e dou a minha vida pelas ovelhas". As Escrituras nem sempre incluem toda a verdade envolvida no tema apresentado, num determinado lugar. Semelhantemente, se o fato de que qualquer referência ao mundo não-eleito é omitida dessas passagens (que se referem somente aos eleitos) é uma base suficiente para a argumentação de que Cristo morreu somente pelos eleitos, então poderia ser argumentado com lógica inexorável que Cristo morreu somente por Israel (cf. Is 53.8; Jo 11.51); e que Ele morreu somente pelo apóstolo Paulo, pois Paulo declara: "...que me amou, e a si mesmo se entregou por mim" (Gl 2.20).

Assim como poderia ser afirmado que Cristo restringiu as suas orações a Pedro, por causa do fato de ter dito a ele: "Mas eu orei por ti" (Lc 22.32). Para os defensores da redenção ilimitada, esses textos não apresentam sequer uma pequena dificuldade. Eles interpretam estas grandes passagens exatamente como fazem os seus oponentes. Eles crêem na eleição soberana de Deus e no único propósito celestial de juntar todo o povo redimido para a glória celeste. Contudo, os defensores da redenção ilimitada não são capazes de tratar facilmente com as passagens que falam da redenção ilimitada. As passagens importantes podem ser agrupadas da seguinte maneira:

1. PASSAGENS QUE DECLARAM A MORTE DE CRISTO PELO MUNDO INTEIRO (Jo 3.16; 2 Co 5.19; Hb 2.9; 1 Jo 2.2). Os defensores da redenção limitada afirmam que o uso da palavra *mundo* nestes e em outros textos semelhantes é restrito a mundo dos eleitos, e baseiam o argumento no fato de que a palavra *mundo* pode às vezes ser restrita ao grau do seu escopo e significado. Eles alegam que essas passagens universais estão em harmonia com a revelação de que Cristo morreu por um grupo de eleitos, e que devem ser restritas aos eleitos. De acordo com esta interpretação, João 3.16 seria assim: "Deus amou ao mundo de tal maneira que deu o seu Filho unigênito, para que todo o que nele crê [os eleitos], não pereça, mas tenha a vida eterna". O texto de 2 Coríntios 5.19 seria lido assim: "Pois que Deus estava em Cristo reconciliando consigo o mundo [os eleitos], não imputando aos homens as suas transgressões; e nos encarregou da palavra da reconciliação". Hebreus 2.9 seria lido assim: "...para que, pela graça de Deus, provasse a morte por todos [daqueles que são eleitos]". 1 João 2.2 seria lido assim: "...e ele é a propiciação pelos nossos pecados, e não somente pelos nossos, mas também pelos de todo o mundo [dos eleitos]". João 1.29 seria lido assim: "Eis o Cordeiro de Deus que tira do pecado do mundo [eleitos]".

Um estudo da palavra *cosmos* já foi apresentado no volume II. Ali foi visto que usualmente essa palavra se refere a um sistema satânico que é antideus em seu caráter, embora em alguns poucos exemplos ela se refira a pessoas não-regeneradas que estão no *cosmos*. Três passagens servem para enfatizar a antipatia que se obtém entre os salvos que são "escolhidos do mundo", e o mundo em si mesmo: "Se o mundo vos odeia, sabei que, primeiro do que a vós, me odiou a mim. Se fôsseis do mundo, o mundo amaria o que era seu; mas, porque não sois do mundo, antes eu vos escolhi do mundo, por isso é que o mundo vos odeia" (Jo 15.18, 19); "Eles não são do mundo, assim como eu não sou do mundo" (Jo 17.16); "Sabemos que somos de Deus, e que o mundo inteiro jaz no Maligno" (1 Jo 5.19). Todavia, em apoio de uma teoria, é alegado que os eleitos, que o mundo odeia e do qual eles têm sido salvos, é o "mundo".

O Dr. Shedd assinala certas passagens específicas: "Algumas vezes ele é o mundo dos crentes, a Igreja. Exemplos deste uso são: João 6.33, 51: 'Porque o pão de Deus é aquele que desce do céu e dá vida ao mundo [dos crentes]'; Romanos 4.13: "Abraão é o herdeiro do mundo [dos redimidos]; Romanos 11.12: '...ora, se o tropeço deles é a riqueza do mundo'; Romanos 11.15: '...porque, se a sua rejeição é a reconciliação do mundo'. Nestes textos, 'igreja' pode ser substituída por 'mundo'".[58] É uma suposição, totalmente estranha ao Dr. Shedd, declarar que a palavra *ecclesia* – chamados – deveria ser substituída pelo termo *cosmos* nessas passagens. Nenhuma delas exige essa consideração além do sentido normal que lhe é dado a não ser o sistema satânico.

2. PASSAGENS QUE SÃO ABRANGENTES EM SEU ESCOPO (Rm 5.6; 2 Co 5.14; 1 Tm 2.6; 4.10; Tt 2.11). Além disso, os defensores da redenção limitada assinalam em várias passagens que a palavra *todos* é restrita aos eleitos. Na verdade, tais passagens devem ser restritas, se a causa dos defensores da redenção limitada deve prevalecer – mas são elas propriamente assim restritas? Pela interpretação dos defensores da redenção limitada, 2 Coríntios 5.14 seria lido: "Se um morreu pelos eleitos, então todos os eleitos morreram". 1 Timóteo 2.6 seria lido: "...que deu-se a si mesmo em resgate pelos eleitos, deve ser testificado no tempo devido". 1 Timóteo 4.10 seria lido: "...que é o Salvador dos eleitos, especialmente daqueles que crêem". Tito 2.11 seria lido: "A graça de Deus se manifestou salvadora aos eleitos". Romanos 5.6 seria lido: "Pois, quando ainda éramos fracos, Cristo morreu a seu tempo pelos eleitos".

3. Passagens Que Oferecem um Evangelho Universal aos Homens (Jo 3.16; At 10.43; Ap 22.17 etc.). As palavras *quem quer que* (ou *aquele que quiser*) são usadas ao menos 110 vezes no Novo Testamento, e sempre com significado irrestrito.

4. Uma Passagem Especial (2 Pe 2.1), onde o falso ensino ímpio dos últimos dias traria repentina destruição sobre aqueles que "negam o Senhor que os resgatou". Os homens são mencionados como resgatados e que negam a verdadeira base da salvação e que são destinados para a destruição.

Duas afirmações podem ser feitas, a fim de concluir esta parte da discussão:

(A) A interpretação de João 3.16, que os defensores da redenção limitada oferecem, tende a restringir o amor de Deus àqueles que não são regenerados, em favor dos que são eleitos. Em apoio a isso, são citadas passagens que declaram o amor peculiar de Deus pelo povo salvo. Não há uma questão sobre haver "muito mais" expressão do amor de Deus pelos homens, após terem sido salvos do que antes (Rm 5.8-10), embora o Seu amor pelos não-salvos esteja além da medida; mas asseverar que Deus ama os eleitos em seu estado de não-regenerados mais do que os não-eleitos, é uma suposição sem prova na Escritura. Alguns defensores da redenção limitada têm sido atrevidos em dizer que Deus não ama os não-eleitos de forma alguma.

(B) O que aconteceria se Deus desse o seu Filho para morrer por todos os homens dessa dispensação num sentido igual, a fim de que todos pudessem ser legitimamente convidados para os privilégios do Evangelho? Poderia Ele, se movido por tal propósito, usar uma linguagem mais explícita do que usou para expressar tal intenção?

Conclusão

Seja dito uma vez mais que discordar de mestres bons e dignos não é algo desejável, para dizer o mínimo; mas quando esses mestres aparecem nos dois lados de um problema, como na presente discussão, parece não haver alternativa. Por uma inclinação interior da mente, alguns homens tendem naturalmente a acentuar os valores imensuráveis da morte de Cristo, enquanto outros tendem a acentuar os resultados gloriosos da aplicação desses valores na salvação imediata dos perdidos. O Evangelho deve ser entendido por

SOTERIOLOGIA

aqueles a quem ele é pregado; e é totalmente impossível para os defensores da redenção limitada, quando apresenta o Evangelho, esconder com perfeição a sua convicção de que a morte de Cristo é somente para os eleitos. E nada poderia ser mais confuso para as pessoas não-salvas do que serem retiradas de consideração da graça salvadora de Deus em Cristo, quando se estuda a questão se elas são eleitas ou não.

Quem pode provar que elas são da eleição? Se o pregador crê que alguns a quem ele dirige sua mensagem poderiam não ser salvos debaixo de quaisquer circunstâncias, essas pessoas têm o direito de saber o que o pregador crê e logo vão saber. Igualmente, não é totalmente sincero evitar a questão, ao dizer que o pregador não sabe se os não-eleitos estão presentes. Estão eles ausentes de toda pregação? Não é razoável supor que eles estão usualmente presentes quando a vasta maioria da humanidade provavelmente nunca será salva? Nesta discussão deste e de outros problemas a respeito do valor da morte de Cristo, nenhum grande erro poderia ser imposto além do da contemplação filosófica das verdades que são palpitadas de glória, luz, bênção e fervor evangelístico de mesmo um que seja chamado para pregar o Evangelho através de Cristo aos homens perdidos e que seja refreado.

Possa o Deus, que amou o mundo perdido a ponto dele ter dado o seu próprio Filho por este mundo, sempre comunicar essa paixão de almas àqueles que empreendem a comunicação da mensagem desse amor imensurável aos homens!

A Obra Salvadora do Deus Triúno

CAPÍTULO XI

A Obra Consumada de Cristo

COM RESPEITO AO TEMA SOB CONSIDERAÇÃO AGORA, nenhuma palavra da Escritura descreve mais exata e completamente a verdade determinante de que Deus é o Autor, Executor e Consumador da salvação do homem, do que os textos de Jonas 2.9 e Salmo 3.8. Estes textos afirmam que "a Salvação é de Jeová" e que a "salvação pertence a Jeová". Embora as referências, iguais a todas do Antigo Testamento, apresentem aqueles aspectos da salvação que são peculiares à antiga ordem – que freqüentemente não se estende além do que sugerir que as pessoas do pacto de Deus foram libertas de seus inimigos – estas declarações simples e conclusivas servem também para apresentar a verdade a respeito de um campo mais amplo do empreendimento divino na salvação do homem, que está registrada no Novo Testamento.

O pregador do Evangelho deveria sempre estar atento, para que ele, como uma inferência ou alegação, não viole ou contradiga a revelação transcendente de que a salvação é de Jeová. Nem mesmo a mais leve insinuação deveria jamais ser desenvolvida, a qual sugira que o homem possa contribuir com ou partilhar da consumação final na eterna glória. Além disso, tanto a razão quanto a revelação podem servir para orientar a mente; pois, será visto, cada passo do caminho da eleição divina desde a fundação do mundo (Ef 1.4) até a apresentação imaculada de perfeição em glória é supra-humano e, portanto, deve ser operada por outra pessoa que é poderosa para salvar. Em ponto algum o arminianismo e com ele todas as outras formas de racionalismo errou mais completamente do que a respeito da verdade de que a salvação é de Jeová, por ser mal orientado – freqüentemente em real sinceridade – pelo fato totalmente irrelevante de que Deus instrui aquele que é salvo a respeito de sua maneira de viver.

Confusão e contradição surgem quando se permite que estas posteriores responsabilidades de vida sejam consideradas como parte das exigências humanas na salvação. É alegado por tais professores que o homem é salvo pelo poder de Deus, através da fé, conquanto ele continue pelas boas obras a adornar a doutrina que professa. Não menos subversivo para a verdade da graça divina é aquela disposição de exigir dos não-salvos alguma forma de obras meritórias como parte do passo humano no estágio inicial da salvação. Que a salvação

SOTERIOLOGIA

desde o seu início até o seu fim é tudo uma obra de Deus em resposta à fé salvífica, por qualquer forma de mérito humano, virtude, ou obras, é a pedra de toque em toda a estrutura da Soteriologia. É verdade que uma pessoa salva pode fazer muitas coisas para Deus; mas a realidade de sua salvação é devida unicamente à verdade de que Deus fez muitas coisas por ela.

Muito freqüentemente esse aspecto essencial da salvação é reconhecido como uma teoria e, então, pela ausência de consideração devida ou de consistência, tais exigências humanas são impostas aos não-salvos como a condição da salvação deles, a ponto de negar a verdade fundamental de que a salvação é pela fé somente. Nesta palavra introdutória, somente uma referência rápida a essas questões pode ser feita, cujas questões devem ser consideradas mais tarde (Cap. XX), onde deverão ser consideradas com maior atenção.

Com a mesma finalidade de que o esclarecimento prevaleça, é essencial reconhecer que a "salvação [que] é de Jeová" inclui as três Pessoas da Trindade como ativamente engajadas na realização desse empreendimento estupendo. Foi apresentado nas páginas anteriores que a verdade central da Soteriologia é o fato de que a Segunda Pessoa se tornou encarnada e teve uma morte sacrificial; contudo, quando a salvação é vista nos seus aspectos mais amplos, ela é contemplada como operada plenamente pela Primeira e a Terceira Pessoas da Trindade. Em todo aspecto da graça salvadora, as três pessoas estão presentes. Mesmo quando pendurado na cruz, o Filho não estava só nessa grande realização. Era Deus que estava em Cristo, a fim de reconciliar consigo o mundo; o Pai ofereceu o seu Cordeiro; e este sacrifício foi apresentado através do Espírito eterno (Hb 9.14).

O escopo total do empreendimento divino, pelo qual uma pessoa pode ser salva e apresentada sem mácula diante da presença de Sua glória, deve ser visto aqui – e sem referência a essa eleição divina que foi antes do tempo – sob sete divisões gerais, a saber: (1) a obra completada de Cristo; (2) a obra convencedora do Espírito Santo (Cap. XII); (3) as riquezas da graça divina (Cap. XIII); (4) a doutrina da segurança (Caps. XIV-XVII); (5) libertação do poder do pecado; (6) libertação das limitações humanas (Cap. XVIII); e (7) o crente apresentado sem mancha (Cap. XIX).

Nenhuma apologia deve ser feita para a renovação da discussão da obra completada de Cristo. Ela é inseparável como um fator essencial do tema presente. O estudo dela novamente é além do mais seguro para o estudante, visto que é fundamental para um entendimento correto do Evangelho da graça divina, e deve sustentar toda apresentação digna dela.

Tem sido observado que o que é chamado *a obra consumada de Cristo* inclui uma contemplação tríplice do valor da morte de Cristo relacionada aos não-salvos. Essa morte é uma redenção em relação ao pecado, uma reconciliação em relação ao homem, e uma propiciação em relação a Deus. Nem um, nem mesmo dois, desses aspectos da morte de Cristo para os não-salvos apresentarão uma exibição plena dessa fase específica de sua morte. Todos os três são exigidos; mas os três juntos formam um aspecto total que é propriamente chamado de *a obra consumada de Cristo.* Nenhum aspecto do problema do pecado pode ser concebido, que não encontre a sua solução nessa realização tríplice. Com um estudo suficiente desses três aspectos da doutrina, o estudo facilmente chegará ao ponto onde o uso teológico pelo qual tudo o que Cristo operou em sua morte é referido como *redenção,* será julgado como uma orientação errônea, e a mente exigirá um reconhecimento tão claro dos fatos da *reconciliação* e *propiciação* como da *redenção.*

Ele certamente abandonará a tradição teológica de que esses são termos sinônimos que se relacionam com uma e a mesma coisa. Visto que esses três aspectos da realização do sacrifício de Cristo em sua morte são tão fundamentais para todos os aspectos da Soteriologia, deve ser feita referência a eles em discussão subseqüente, da mesma forma que foram considerados nas discussões anteriores.

Não poderia ser levantado qualquer argumento contra a verdade de que a obra consumada de Cristo é justa e somente uma obra de Deus pelo homem ao qual este não faz contribuição alguma. Os homens, na verdade, tiveram sua parte na crucificação de Cristo (At 4.27, 28), mas somente como os perpetradores do maior crime do universo. Esses fatores eficazes na morte de Cristo pelos não-salvos não estão nem mesmo remotamente dentro da esfera da cooperação humana. Em relação a essa tríplice obra de Cristo, o homem não pode ter parte alguma além de *crer,* o que lhe traz lucro. Para aqueles que crêem, o valor total da obra consumada de Cristo é contado e, por causa disso, eles permanecem imediatamente redimidos da condenação do pecado, reconciliados com respeito às suas próprias relações com Deus, e abrigados perfeitamente sob a satisfação que Cristo ofereceu à santidade ultrajada.

Aquele que crê para sempre tem paz com Deus (Rm 5.1). Esses benefícios imensuráveis são incompreensíveis para o homem caído; mas, embora a soma total de todas as bênçãos divinas que são ganhas através da morte de Cristo seja acrescida a uma enorme quantidade, esta poderosa soma é na verdade pequena, se comparada ao valor para Deus daquilo que Cristo operou por sua morte sobre a cruz.

Como um propósito designado, a salvação dos homens teve a sua origem em Deus e realiza um objetivo que satisfaz o intento divino com aquela infinidade de perfeição que caracteriza toda obra do Senhor. A respeito da importância relativa, a realização do alvo divino não é somente a principal meta em vista, mas é a totalidade desse alvo. O fato dos homens serem resgatados da miséria eterna é apenas um aspecto integral do objetivo total; pois não deverá ser deixado de lado que nem a criação do universo, inclusive todos os seres morais, nem a queda do homem foram impostas a Deus como uma necessidade. Não é difícil deduzir isto do supremo pronunciamento divino – em Colossenses 1.15-19: "...o qual é a imagem do Deus invisível, o primogênito de toda a criação; porque nele foram criadas todas as coisas nos céus e na terra, as visíveis e as invisíveis, sejam tronos, sejam dominações, sejam principados, sejam potestades; tudo foi criado por ele e para ele. Ele é antes de todas as coisas, e nele subsistem todas as

SOTERIOLOGIA

coisas; também ele é a cabeça do corpo, da igreja; é o princípio, o primogênito dentre os mortos, para que em tudo tenha a preeminência, porque aprouve a Deus que nele habitasse toda a plenitude".

A criação, inclusive anjos e homens, foi operada pela Segunda Pessoa, o Salvador do mundo, e para Ele, e toda adesão pela qual o universo se sustenta e toda progressão na marcha do tempo é devida à sua presença imediata, suporte e poder. Supremo acima de tudo está o seu senhorio em relação à Igreja, e por ela toda plenitude de satisfação é assegurada a Deus; pois há na Igreja aquilo que corresponde às "riquezas da glória de sua herança nos santos". Do lado divino, a salvação dos homens não é meramente uma expedição ou heroísmo do resgatador. É de importância insuperável para os homens caídos que eles possam ser salvos; mas por detrás daquilo há um projeto divino de realização daquilo que em si mesmo é importante o suficiente para justificar a criação de um universo, da encarnação da Segunda Pessoa, e de sua morte sacrificial.

Segue-se que o trazer de muitos filhos à glória (Hb 2.10) realiza mais para Aquele por quem é designada a operação, do que para os filhos que são glorificados. Cada passo que Deus dá nesta grande realização contribui permanentemente para o que vai lhe trazer glória desde agora e para sempre.

Pode ser concluído que, pela morte de Cristo como uma redenção em relação ao pecado, uma reconciliação em relação ao homem, e uma propiciação em relação a Deus, uma moralidade mais elevada é desenvolvida pela qual o Santo, que não pode contemplar o pecado com o menor grau de permissão, é capaz de ser justo, enquanto justifica o ímpio que nada faz, além de crer em Jesus Cristo (Rm 3.26; 4.5).

Capítulo XII

A Obra Convencedora do Espírito Santo

O QUE SERÁ APRESENTADO NESTA DIVISÃO geral está baseado na verdade de que há duas necessidades subjacentes à salvação de uma alma, a saber: (1) um tratamento justo do problema do pecado humano – e isto Deus consumou no dom de seu Filho como Cordeiro que tira o pecado do mundo – e (2) uma livre escolha da salvação pelo homem e, em vista do fato de que Deus reconhece a vontade livre do homem para a qual Ele criou, para que assim agisse. É razoável concluir que, como o homem por um ato de sua vontade rejeitou Deus no princípio, de igual modo ele, por um ato de sua própria vontade, deve retornar a Deus. Nada importa a esta altura que o homem não possa de si mesmo voltar-se para Deus e que ele deve ser capacitado para fazer isso. No final, embora capacitado, ele age por sua própria vontade e esta verdade é enfatizada em cada página onde a salvação do homem é atribuída à sua vontade: "Quem quiser vir, virá".

O presente capítulo objetiva assinalar esse aspecto da obra salvadora de Deus pela qual Ele, pelo Espírito, exerce uma influência sobre os não-salvos pela qual podem fazer uma aceitação inteligente de Cristo como Salvador e pela qual são levados a desejar a salvação que Cristo proporciona. Está afirmado definitivamente que, à parte de sua influência divina, nenhuma pessoa não-regenerada jamais se voltará para Deus. A partir disto, será visto que, junto a uma apresentação exata e fiel do Evangelho da graça salvadora, nenhuma verdade é mais determinante com respeito a todas as formas de evangelização do que esta. É neste contexto que essa obra capacitadora específica do Espírito Santo é manifesta. O Evangelho deve ser pregado a todos, mas nem todos responderão positivamente a ele. Por causa do fato de nem todos responderem ao Evangelho, pregadores e evangelistas sinceros têm freqüentemente ficado aflitos, na suposição de que apelos mais fortes, argumentos mais poderosos, e influência pessoal maior poderiam trazer aqueles que são indiferentes a Cristo como Salvador, e ignoram assim essa obra preliminar e determinante do Espírito, pela qual as pessoas não-regeneradas podem crer.

Ações externas têm sido enfatizadas na tarefa de se ganhar almas – ações que podem ser realizadas à parte de qualquer aceitação sincera de Cristo como Salvador. Essas profissões exteriores têm sido freqüentemente contadas como salvação. Por causa do fato de que tais confissões superficiais se provam espúrias, as doutrinas têm permitido a possibilidade de capitulação à fé salvadora. Visto que está claramente indicado que 100% dos predestinados são chamados, e que 100% dos chamados são justificados, e que 100% dos justificados são glorificados (Rm 8.30), o evangelista faz bem em considerar a importância do chamamento divino, pelo qual o coração é inclinado e suficientemente iluminado para agir inteligentemente por sua própria conta e por sua própria volição, na alegre aceitação de Cristo como Salvador.

Somente confusão e trevas espirituais podem resultar quando, à parte dessa chamada divina iluminadora, os não-salvos são forçados pela pressão humana a fazer profissões que não têm origem no próprio coração. Nenhuma base é encontrada na Bíblia para a noção arminiana de uma concessão geral da graça pela qual todos os homens são capazes de responder ao apelo do Evangelho; todavia, tal crença, com o erro de que os que foram salvos podem se tornar perdidos novamente, tem encorajado aos ganhadores de almas a fazer pressão sobre os não-salvos a suposições e expressões exteriores que não têm uma profundidade de convicção por detrás delas. Tal tipo de profissão deve acabar em fracasso; mas pouca consideração tem sido dada ao dano que é feito para a alma que tenta tais profissões impelidas pelo homem e as vê em fracasso.

Qualquer método ou apelo que encoraja os homens a fazer outra coisa, além de *crer* em Cristo, é cheio de perigos que são infinitos e eternos. É verdade que somente o eleito será salvo; mas uma apresentação falsa da verdade e um insulto à fidelidade de Deus são gerados quando, por causa da doutrina errônea e dos apelos enganosos, uma teoria é proposta e defendida, quando ela contradiz o pacto incondicional de Deus de que os que são predestinados serão chamados, justificados e glorificados.

A verdade estendida, relacionada à obra do Espírito no coração humano, que precede a salvação e que torna possível a salvação, será considerada sob três divisões, a saber: (1) a necessidade da obra do Espírito Santo; (2) o fato da obra do Espírito Santo; e (3) o resultado da obra do Espírito Santo.

I. A Necessidade da Obra do Espírito Santo

O Dr. A. A. Hodge distingue três significados na palavra *incapacidade*, quando aplicada aos homens – ela é *absoluta*, *natural* e *moral*. Ele escreve:

Ela é *absoluta* no sentido próprio desse termo. Nenhum homem não-regenerado tem poder, seja direta ou indiretamente, para fazer o que é exigido dele nesse aspecto, nem para mudar a sua própria natureza ou mesmo para aumentar o seu poder, nem para *preparar*-se a si mesmo para a graça, nem em *primeira instância* cooperar com a graça, até o ato da regeneração de Deus mudar a sua natureza e lhe dar, através da graça, a capacidade graciosa de agir graciosamente na constante dependência da graça. Ela é *natural* no sentido de que ela não é acidental ou casual, mas inata, e em que ela pertence à nossa natureza caída propagada pela lei natural dos pais aos filhos desde a queda. Ela *não* é natural em *um* sentido, porque ela não pertence à natureza do homem como criatura. O homem foi criado com a capacidade plena de fazer tudo o que foi exigido dele, e a posse de tal capacidade é sempre requisito da perfeição moral de sua natureza. Ele pode ser um homem real sem ela, mas pode ser um homem perfeito somente com ela. A capacidade concedida graciosamente ao homem na regeneração não é uma capacidade extranatural, mas consiste na restauração de sua natureza, em parte, à sua condição de primitiva integridade. Ela *não* é natural num outro sentido, porque ela não resulta no mínimo de qualquer deficiência constitucional na natureza humana na forma em que ela existe agora com as suas faculdades racionais e morais da alma. Essa incapacidade é puramente *moral*, porque enquanto o homem responsável possui todas as faculdades morais assim como as intelectuais, exigidas para uma ação correta, o *estado* moral de suas faculdades em tal ação correta é impossível. Sua *essência* está na incapacidade da alma de conhecer, amar, ou escolher o bem espiritual, e a sua *base* existe naquela corrupção moral da alma pela qual ela é cega, insensível, e totalmente contrária a tudo que é espiritualmente bom.[59]

E o Dr. W. Lindsay Alexander também afirma:

A incapacidade do homem de libertar-se da culpa e da condenação surge da ausência de poder para fazer o que é necessário para a obtenção do objeto; a incapacidade do homem de ser bom e santo surge de uma ausência de vontade ou inclinação, para fazer o que ele tem o poder fisicamente para fazer. Estritamente falando, a incapacidade neste último caso é simplesmente a indisposição confirmada de fazer o que é certo, surgindo da cegueira e da depravação espiritual. O homem não perdeu a capacidade de ser santo; ele não perdeu a livre agência, escolhendo o que prefere, e determina os seus próprios atos. A incapacidade espiritual sob a qual ele vive é a de uma mente indisposta com Deus, destituída do princípio de vitalidade e atividade espiritual, através da carnalidade, da mundanidade e da indulgência pecaminosa incapaz de discernir a beleza da santidade, sendo rodeada e permeada pelo egoísmo, de forma que todo o verdadeiro amor a Deus é excluído dela. Esta é uma incapacidade real, porquanto ela evita e impede que o homem seja santo, embora ela não destrua a sua capacidade de ser santo.[60]

Contudo, o objetivo na discussão imediata não é demonstrar a incapacidade geral do homem caído – fato a que as Escrituras dão prova abundante – mas deixar evidente a verdade mais específica de que os não-regenerados não são capazes de dar um só passo, à parte do poder capacitador do Espírito, em direção à salvação deles. O erro arminiano assevera que uma graça geral e universal é dada a todos os homens pela qual eles, se desejam, podem se voltar para Deus. Isto é condenado por um grande conjunto de passagens da Escritura, e nenhum texto sustenta esse erro. Diversas dessas passagens vitais podem ser consideradas a esta altura:

Romanos 3.10-18: "Como está escrito: Não há justo, nem sequer um. Não há quem entenda; não há quem busque a Deus. Todos se extraviaram; juntamente se fizeram inúteis. Não há quem faça o bem, não há nem um só. A sua garganta é um sepulcro aberto; com as suas línguas tratam enganosamente; peçonha de áspides está debaixo dos seus lábios; a sua boca está cheia de maldição e amargura. Os seus pés são ligeiros para derramar sangue. Nos seus caminhos há destruição e miséria; e não conheceram o caminho da paz. Não há temor de Deus diante dos seus olhos".

Seguindo a revelação mostrada em Romanos 3.9, da verdade que caracteriza essa era em que judeus e gentios são igualmente contados como "debaixo do pecado", que significa que eles estão sem mérito a respeito da própria salvação deles, uma condenação completa, afirmada nos versículos 10-18, é dito vir sobre todos os homens. Das várias afirmações deste contexto, uma diretamente impede a idéia de que os não-regenerados desta era têm a capacidade em si mesmos de se voltar para Deus. O versículo afirma: 'Não há quem busque a Deus'. A despeito desta afirmação ampla, os homens têm sido muito freqüentemente instados a "buscar ao Senhor enquanto se pode achar" (Is 55.6), e não descobrem a larga diferença entre a restauração do povo do pacto e o estado presente da raça humana – judeus e gentios igualmente – "debaixo do pecado".

Nesta presente época, há apenas um que está à procura dos perdidos. Lucas 19.10 registra as próprias palavras de Cristo: "Porque o Filho do homem veio para buscar e salvar o que se havia perdido". Assim, é visto que pela iniciativa divina somente que quaisquer dentre os perdidos, nesta era, são trazidos para o lugar onde eles abraçam a salvação que está em Jesus Cristo. Uma porção desta passagem de Romanos, será visto, é citada no salmo 14.1-3; todavia, está claro que, enquanto o salmo exibe a impiedade natural do homem, tão comum a todas as épocas e uma revelação distinta do Antigo Testamento, ele omite a declaração *específica* de que ninguém busca Deus, mas talvez para sugerir que a incapacidade de buscar não é somente verdadeira, mas possui uma manifestação particular na presente era da graça.

1 Coríntios 2.14: "Ora, o homem natural não aceita as coisas do Espírito de Deus, porque para ele são loucura; e não pode entendê-las, porque elas se discernem espiritualmente".

As "coisas do Espírito de Deus" que o não-regenerado é incapaz de receber incluem um vasto campo da revelação, mas nenhum mais em evidência do que o texto da Escritura que convida os homens para virem a Deus e que lhes estende as muitas promessas maravilhosas. Para os não-salvos, esse texto da Escritura é "loucura", e, por causa da sua incapacidade, eles são privados de conhecer ou receber essas coisas de Deus. Romanos 8.7 dá testemunho a respeito dessa mesma incapacidade: "Porquanto a inclinação da carne é inimizade contra Deus, pois não é sujeita à lei de Deus, nem em verdade o poder ser". Igualmente, Romanos 1.21 assevera que, após terem rejeitado Deus no princípio da história humana, os homens "nas suas especulações se desvaneceram, e o seu coração insensato se obscureceu". Aqui, como antes, está mostrado muito mais do que a depravação. É a incapacidade do homem em se voltar para Deus, à parte da capacitação divina, que está revelada.

2 Coríntios 4.3, 4: "Mas, se ainda o nosso evangelho está encoberto, é naqueles que se perdem que está encoberto, nos quais o deus deste século cegou os entendimentos dos incrédulos, para que lhes não resplandeça a luz do evangelho da glória de Cristo, o qual é a imagem de Deus".

Isto será concluído imediatamente, para ser a passagem mais direta e decisiva, que trata sobre a questão sobre se os não-salvos têm qualquer poder, à parte da iluminação divina imediata, para se voltar para Deus em fé salvadora. É o evangelho – pelo qual somente os homens podem ser salvos – que tem sido escondido por Satanás com a finalidade de que a verdade não os alcance. Os homens não se tornam cegos com respeito à moral, educação e aquelas coisas que os tornam requintados. Sobre esses temas e outros similares, todos podem desempenhar sem dificuldade e dentro da esfera de sua capacidade natural. Por outro lado, como todos os ganhadores de alma experimentados devem reconhecer, os não-salvos permanecem indiferentes com relação ao caminho da salvação, até que sejam acordados pelo Espírito, e, quando despertados, a resposta e o entusiasmo deles é uma maravilha de se observar!

Essa cegueira é operada por Satanás, e fica sugerido que ela é uma das estratégias na execução de seu propósito de derrotar Deus em sua graça em relação aos perdidos. Esse esforço satânico de derrotar Deus deve ser esperado de tudo o que tem transpirado entre Deus e Satanás nas eras passadas, e à luz do fato de que uma alma, quando salva, é transportada "do poder das trevas" (Cl 1.13) e se torna uma testemunha contra Satanás nessa esfera de atividade. A mesma verdade de que a mente do não-salvo torna-se cega encontra-se em Efésios 4.18: "Entenebrecidos no entendimento, separados da vida de Deus pela ignorância que há neles, pela dureza do seu coração". À luz deste texto da Escritura, fica pouca base sobre a qual a noção possa repousar, e assevera que o homem pode ser capaz, à parte da capacitação divina imediata, de voltar-se para Deus em fé salvadora.

Efésios 2.1-3: "Ele vos vivificou, estando vós mortos nos vossos delitos e pecados, nos quais outrora andastes, segundo o curso deste mundo, segundo o príncipe das potestades do ar, do espírito que agora opera nos filhos da desobediência, entre os quais todos nós também antes andávamos nos desejos da nossa carne, fazendo a vontade da carne e dos pensamentos: e éramos por natureza filhos da ira como também os demais".

O estado de morte espiritual, conforme o apóstolo, é o que caracteriza todos os "filhos da desobediência"; e visto que esta desobediência se refere ao primeiro pecado do cabeça federal da raça humana, o termo *filhos da desobediência* inclui todos os que não são salvos – aqueles que não estão ainda unidos ao Cristo ressurrecto, e não estão sob as bênçãos que se tornam possíveis através da obediência a Cristo (Fp 2.8). O estado de morte espiritual é universal, e não mais deveria ser esperado de uma pessoa espiritualmente morta, além daquilo que ela é capaz de produzir. Como essa passagem afirma, por estar sob o controle de

Satanás, nenhuma volta revolucionária ou independente para Deus será permitida. Aqueles sob o poder de Satanás se voltarão para Deus somente quando Aquele que é maior em poder de Satanás os mover, para que se voltem.

Semelhante a essa revelação específica está aquela escrita em 1 João 5.19: "Sabemos que somos de Deus, e que o mundo inteiro jaz no Maligno". Exige-se mais entendimento a respeito das realidades angelicais do que os seres humanos possuem para compreender o significado da palavra κεῖμαι, aqui traduzida como *jaz*, que implica numa união vital, quando não orgânica, entre os não-salvos e Satanás. Fora de tal relacionamento nenhum indivíduo pode esperar ser liberto à parte da libertação divina.

João 3.3: "Respondeu-lhe Jesus: Em verdade, em verdade te digo que se alguém não nascer de novo, não pode ver o reino de Deus".

De acordo com esta passagem, a incapacidade dos não-salvos é enfatizada por Cristo numa extensão bastante observável. O reino de Deus é aquela esfera espiritual na qual alguém pode entrar somente por um nascimento que vem do alto, e que, embora infinitamente real e rico em sua essência, não pode ser visto ou compreendido pelos homens não-regenerados. Há uma força especial nesta asserção absoluta feita por Cristo, em vista do fato de que ela foi dirigida a um dos mais fiéis e religiosos dos homens de seu tempo. A verdade de que o mais consciencioso homem do judaísmo precisava de um novo nascimento, de que evidentemente ele pouco entendia, não deve ser deixado de lado. Nenhum descrédito aqui é sugerido a respeito dos grandes fatores e bênçãos que o judaísmo assegurava; mas está claramente demonstrado aqui, como em todo lugar em que essa verdade aparece, que uma realidade nova e maravilhosa é apresentada pela morte e ressurreição de Cristo e pelo advento do Espírito Santo. É no raio de ação dessas novas e imensuráveis bênçãos que a incapacidade dos não-salvos de "ver o reino de Deus" é demonstrada.

João 6.44: "Ninguém pode vir a mim, se o Pai que me enviou não o trouxer; e eu o ressuscitarei no último dia".

A passagem correlata – "Ninguém vem ao Pai senão por mim" (Jo 14.6) – declara a verdade de que há apenas um modo para o perdido ser salvo (cf. At 4.12; Hb 7.25); mas a passagem sob este estudo revela a verdade de que ninguém virá ao Salvador, à parte do poder imediato de atração de Deus. A afirmação é completa e final. A mensagem apresentada é tão importante que o Salvador diz: Está escrito nos profetas: "E serão todos ensinados por Deus. Portanto todo aquele que do Pai ouviu e aprendeu vem a mim" (Jo 6.45).

A presente discussão envolve a doutrina total da vocação divina. Há uma atração geral que é exercida onde e quando Cristo é pregado como Salvador (Jo 12.32), mas isto não deveria ser confundido com a atração específica e irresistível, cuja referência é feita em João 6.44. De todos os que são atraídos dessa forma, o Salvador poderia dizer com certeza total: "E eu o ressuscitarei no último dia". Igualmente, há uma chamada geral que pode ser sentida onde quer que o Evangelho seja pregado, e ela também pode ser resistida, como freqüentemente acontece; mas em oposição a isto está a chamada eficaz de

Romanos 8.30. Nesta passagem, como já foi observado antes, é assegurado que cada pessoa que Deus predestina é chamada, e o grupo numérico exato, além disso, daqueles chamados são justificados, e que o mesmo grupo – nem mais nem menos – deve ser glorificado. Nada é falado dos perdidos aqui, ou em outro lugar, que origina seus próprios passos em direção a Deus; antes, tudo acontece como a soberania de Deus determina.

Efésios 2.8, 9: "Porque pela graça sois salvos, por meio da fé; e isto não vem de vós, é dom de Deus; não vem das obras, para que ninguém se glorie".

Esta passagem é tão conclusiva a respeito da incapacidade do homem no campo da fé salvadora, que muita coisa tem sido tentada na exegese em que ela propõe fazer da salvação o dom de Deus, antes do que a fé que a recebe. Quando assim interpretada, a frase "mediante a fé" é praticamente eliminada e não serve para propósito algum. O contraste que a passagem estabelece entre a fé e as obras torna-se um contraste entre a salvação e as obras, para a qual não há uma base na Escritura ou na razão. Se esta fosse a única passagem na Palavra de Deus, que declara uma não proposta em outro lugar, alguma razão poderia ser dada a tal tentativa exegética, que negue o contexto do seu significado assegurado; mas, quando corretamente interpretada, ela se distingue como uma entre as muitas do mesmo caráter geral.

Embora muitos textos da Escritura de uma natureza indireta pudessem ser citados, o suficiente foi apresentado para estabelecer a doutrina da incapacidade natural do homem em exercer a fé salvadora. Se os homens fossem capazes de se moverem em direção a Deus, não haveria necessidade de uma provisão de Deus. O fato de que tal capacitação é proporcionada, argumenta em favor da incapacidade do homem. É muito freqüentemente suposto que a única restrição colocada sobre os não-regenerados na esfera da capacidade deles de se voltar para Deus, é o preconceito natural e a falta de inclinação. O erro arminiano, a respeito de uma graça universal, é basicamente responsável por tais suposições. Se os obreiros cristãos não podem retirar os não-salvos do poder de Satanás pelo argumento e pela persuasão, um modo muito mais eficaz é aberto e este é a oração. É provável que Deus tenha incluído a oração como um dos meios ordenados por Ele, para chamar e salvar o seu povo eleito. A oração não é uma provisão pela qual os homens podem se assegurar de algo fora da vontade eletiva de Deus; ela é antes parte dos passos ordenados por Deus na realização de sua vontade.

II. O Fato da Obra do Espírito Santo

Uma passagem, que registra as palavras de Cristo no cenáculo e que antecipa os aspectos peculiares da presente era, declara especificamente o fato de que o Espírito Santo empreende uma obra nos corações dos não-regenerados que evidentemente não é a regeneração deles, mas pode ser definida como uma preparação da mente com a finalidade de que possa ser feita uma escolha inteligente de Cristo como Salvador. À luz dos textos da Escritura até agora considerados, não haveria uma esperança de salvação de qualquer indivíduo nesta época, à parte desse ministério particular do Espírito Santo. A passagem que se sustenta sozinha a respeito dessa obra do Espírito Santo, é a seguinte: "Todavia, digo-vos a verdade, convém-vos que eu vá; pois se eu não for, o Ajudador não virá a vós; mas, se eu for, vo-lo enviarei. E quando ele vier, convencerá o mundo do pecado, da justiça e do juízo: do pecado, porque não crêem em mim; da justiça, porque vou para meu Pai, e não me vereis mais, e do juízo, porque o príncipe deste mundo já está julgado" (Jo 16.7-11).

Evidentemente, essa obra específica é operada em favor do *cosmos*, mas, de necessidade, ela é dirigida, não ao *cosmos* como um todo, mas ao indivíduo. Tudo o que o Espírito Santo empreende nesse ministério é indicado pela palavra ἐλέγχω, que tem sido variadamente traduzida como *reprovar*, *convencer* etc. A palavra determina muito a esta altura que ela não deve ser vista apenas ligeiramente.

O pensamento expresso por ἐλέγχω não é de forma alguma a respeito da criação da tristeza no coração, mas antes de uma iluminação a respeito de certos aspectos da verdade que o Senhor foi muito cuidadoso em especificar; isto é, a iluminação será de três linhas – do "pecado, porque não crêem em mim"; "da justiça, porque vou para o Pai, e vós não me vereis mais"; e "do juízo, porque o príncipe deste mundo já está julgado". Este ministério completa-se no próprio coração, pelo qual todo ser responde às realidades que não haviam sido anteriormente reconhecidas. Em contraste com esse ministério aos não-salvos, uma iluminação, ou ensino, o ministério é empreendido numa escala muito mais ampla no coração daquele que é salvo. Esse ministério mais amplo é descrito e definido nos versículos que se seguem no mesmo contexto (Jo 16.12-15).

Estes três aspectos da revelação ora sob estudo – pecado, justiça, e juízo – definidos em seu escopo pelo Senhor, constituem a essência do Evangelho da graça divina.

1. "DO PECADO." Em razão de uma obra consumada por Cristo, onde o pecado é pago e todas as bênçãos são asseguradas, a falha imensurável para o indivíduo por quem Cristo morreu é quando ele não *crê* nele. É perceptível, ainda que, contrário à opinião geral, o Espírito Santo não ilumina a mente com respeito a todos os pecados que o indivíduo cometeu. Não é uma matéria de criar vergonha ou remorso com respeito ao pecado, nem se trata de se lembrar do pecado que foi cometido – embora nada haja, de outro lado, para evitar tristeza ou consciência do pecado; é antes que, visto que o pecado foi levado por Cristo, permanece ali uma grande e única responsabilidade da atitude de uma pessoa em relação ao Salvador que levou o pecado. Essa incredulidade o Senhor declarou que é a base da condenação final, quando disse: "Quem crê nele não é julgado; mas quem não crê, já está julgado; porquanto não crê no nome do unigênito Filho de Deus" (Jo 3.18).

Para fazer o não-salvo perceber isto, é uma tarefa grande demais para o pregador; ela deve ser realizada pelo Espírito Santo, e Ele assim revelará essa verdade específica aos não-salvos, dentro do propósito divino eletivo, como o Evangelho que lhes é pregado. O fato indicado neste texto, que a única base de condenação, é a falha em *crer* em Cristo como Salvador, confirma a verdade, reafirmada mais de uma centena de vezes no Novo Testamento, de que a única condição de salvação é a fé em Cristo como Salvador. Somente os eleitos crerão e, mesmo estes, farão isso através do ministério de iluminação do Espírito Santo somente. Contudo, nenhuma explicação completa é dada de todas as coisas envolvidas; aqueles que não crêem, como é mostrado em João 3.18, são considerados responsáveis por não crer. Os homens escolhidos não experimentariam dificuldade alguma nas esferas da fé; e visto que a sua presente incapacidade é tão basicamente verdadeira, devido à separação original de Deus que o primeiro pecado trouxe, possivelmente haja uma solução parcial para esse problema que esses textos estabelecem.

O testemunho dessa porção da verdade é, então, que ela é a obra do Espírito Santo, de iluminar os não-salvos com respeito a determinado pecado, de que eles não crêem em Cristo.

2. "DA JUSTIÇA." Visto que a justiça imputada é a única forma de justiça inclusa na salvação pela graça, e visto que este contexto apresenta somente as verdades mais vitais relacionadas à salvação do homem que o Espírito Santo revela, fica claro que a referência aqui é à justiça imputada – aquela perfeita justiça de Deus que Cristo é e que o crente se torna quando está em Cristo. A questão toda é a de uma posição perfeita diante de Deus – na verdade muito mais do que a remoção do pecado pelo perdão. É aquilo que Deus concede "àquele que não trabalha" (Rm 4.5); e de maior importância é a verdade de que aquele que fosse salvo viria a saber que ele não entra no acordo do mérito, que exigiria dele que ele produzisse a sua própria justiça como uma base de aceitação perante Deus.

A pregação do Evangelho fez muito da remissão do pecado através da redenção que está em Cristo Jesus, e não mais do que deveria fazer; mas uma negligência deplorável tem sido acordada em que uma verdade igualmente necessária de que uma posição perfeita seja imputada também àquele que crê. A verdade do Evangelho, esboçada em João 16.7-11, é apresentada numa perfeição total. Onde ela excede o discernimento restrito que o homem tem do Evangelho, apenas servirá para demonstrar a desatenção dos homens com esse tema supremo. Em oposição a essa noção descuidada de que qualquer espécie de afirmação servirá como uma mensagem do Evangelho, deveria ser dada atenção ao anátema oculto de Gálatas 1.8, 9. Na verdade, tão pequeno é o fato e também o valor da justiça imputada compreendida – devido à grande negligência dela – que não é fácil desenvolver essa verdade no mesmo nível de percepção a que a verdade mais acentuada do perdão de pecado chegou.

Nenhuma dúvida pode haver de que as duas idéias – a justiça imputada e a remissão do pecado – são incomparáveis, como um desafio para o entendimento

SOTERIOLOGIA

humano, basicamente devidas ao fato óbvio de que a remissão de pecado é uma experiência mais ou menos comum nas relações humanas, enquanto que a imputação da justiça não possui paralelo na experiência humana, fora daquela que está demonstrada no Evangelho. Entretanto, se essas coisas fossem comparadas, o que é construtivo e positivo, como a justiça imputada o é, será colocado numa consideração mais elevada por aqueles que a entendem do que a remissão de pecados, que é somente negativo no seu caráter. O que poderia contribuir mais para a paz da mente e do coração do que a consciência de que alguém se tornou o recipiente assegurado de uma posição perfeita e eterna diante de Deus?

Desde que a grande verdade da justiça imputada é estranha à experiência humana e ela está baseada numa pessoa invisível no céu, antes do que sobre o eu ou qualquer capacidade ou aspecto humano, nesse grau a sua apresentação para as mentes não-regeneradas e obscurecidas deve ser sobrenaturalmente operada pelo Espírito Santo. Isto é exatamente o que Ele faz quando convence da justiça. Não é afirmado que o indivíduo não-salvo deve entender a doutrina complexa da justiça imputada, antes que ele possa ser salvo; ela é antes mantida para que a verdade de que uma posição e uma aceitação completa perante Deus, que torna desnecessária toda obra de mérito humano, será compreendida e que essa posição perfeita procede de Cristo e está baseada numa união nova e vital estabelecida entre Cristo e aquele que crê. Aqui é introduzido um aspecto sobrenatural do Evangelho. O perdão divino do pecado é também uma realização sobrenatural quando baseado na morte de Cristo; mas muito freqüentemente o perdão do pecado é computado como não mais do que uma benevolência ou generosidade divina.

Uma distinção marcante deve ser observada entre aquela forma de justiça que o homem produz e propõe-se a oferecer a Deus como a base de sua aceitação, e aquela forma de justiça que Deus tornou disponível e apresenta ao homem. No plano da salvação de Deus, o homem cessa de fazer as suas próprias obras e entra no descanso; pois ali permanece um repouso sabático infindável de todas as obras de mérito para aqueles que crêem (Hb 4.9, 10). No que diz respeito aos não-salvos, as exigências são satisfeitas quando pela iluminação específica do Espírito Santo, eles reconhecem que Cristo como Salvador satisfaz toda necessidade do coração humano no tempo e na eternidade. Esta é uma proposta muito diferente daquela proposição de que o pecado pode ser perdoado.

Ela se estende a um fato construtivo mais amplo do que uma justiça perfeita que é imputada a todos que crêem. O fato essencial de que o Espírito Santo é visto como o que ilumina a mente do não-salvo, a respeito da justiça imputada, indica conclusivamente que esta grande verdade será incluída como um fator importante em toda pregação do Evangelho aos não-salvos. O estudante ambicioso, inclinado a distinguir-se como um pregador eficaz do Evangelho, faria bem em aprender – mesmo por esforço incansável – a grande doutrina da justiça imputada.

3. "Do Juízo." Nenhuma referência é feita nesta frase ao julgamento vindouro; a referência é antes ao maior de todos os juízos, que agora é passado e que foi realizado por Cristo como Substituto, quando Ele morreu, o Justo pelos injustos, quando os imensuráveis vagalhões do ódio que Deus tem pelo pecado vieram sobre Aquele que havia se tornado uma oferta pelo pecado àqueles por quem morreu. Este juízo, que aqui é revelado, diz respeito a Satanás, o príncipe deste mundo, mas num sentido muito mais profundo do que um mero juízo da pessoa desse grande ser. O juízo conseguiu resultados infinitos para os não-salvos e desses resultados, um deles seria a iluminação deles pelo Espírito Santo.

A mente humana não pode conceber nada mais desesperador ou inútil do que um ser humano caído por quem Cristo não morreu. Tal era, num grau não-revelado, o estado da humanidade antes da cruz – com exceção daqueles membros da única nação com quem os pactos foram feitos e que tinham a vantagem dos sacrifícios de animais que antecipavam os valores da morte de Cristo. É verdade que o privilégio dos sacrifícios de animais era estendido à humanidade antes da nação israelita começar a sua história; mas o valor preciso desses sacrifícios não foi revelado e as pessoas não reivindicaram os benefícios deles (Rm 1.21). Evidentemente, o fato real de que nenhum sacrifício foi oferecido por essas multidões, tornou-se a base sobre a qual as pessoas foram reivindicadas por Satanás como súditos dele.

Em Isaías 14.17, entre os estupendos empreendimentos de Satanás ali enumerados, está afirmado que ele "a seus cativos não deixava ir soltos para as suas casas". Se estava no poder de Satanás soltá-los, a essa altura, é uma pergunta sem importância. É suficiente saber que estavam sem esperança sob o poder de Satanás. Essas pessoas, com respeito à sua desesperança, não eram diferentes dos anjos caídos em favor de quem nenhum sacrifício foi feito, pelo menos até onde a Escritura revela. Na descrição das realidades poderosas que Cristo realizaria em seu primeiro advento e que Ele próprio asseverou que seriam cumpridas quando viesse pela primeira vez; está dito que Ele veio "proclamar liberdade aos cativos, e a abertura de prisão aos presos" (Is 61.1; cf. Lc 4.16-21).

A mesma verdade – de que Satanás possuía um grande poder sobre os homens e que essa autoridade foi anulada por Cristo em sua morte – está registrada em Colossenses 2.14, 15, da seguinte maneira: "...tendo riscado o escrito de dívida que havia contra nós nas suas ordenanças, o qual nos era contrário, removeu o do meio de nós, cravando-o na cruz; e, tendo despojado os principados e potestades, os exibiu publicamente e deles triunfou na mesma cruz" Aqui, como em João 16.11, é ensinado que foi pela cruz e através dela que Cristo triunfou sobre Satanás e sobre seus anjos caídos. A passagem (de João 16.11) dificilmente declara que os homens são redimidos pelo triunfo de Cristo sobre Satanás e seus anjos; antes, está afirmado que os homens são redimidos pela mesma morte que serviu como um julgamento de Satanás e de seus anjos, e por essa morte são libertos do poder que Satanás exercia sobre eles – como está indicado em Colossenses 1.13 – "e que nos tirou do poder das trevas, e nos transportou para o reino do seu Filho amado", e em 1 João 5.19 está escrito: "Sabemos que somos de Deus, e que o mundo inteiro jaz no Maligno".

SOTERIOLOGIA

Está indicado que o Espírito Santo iluminará os não-salvos com respeito ao juízo – tanto os pecados deles são julgados quanto é julgado aquele que, por causa de sua autoridade assumida sobre os não-salvos, os mantém sob o seu poder. Uma verdade central do Evangelho é que Cristo em sua morte como Substituto suportou os pecados daqueles que são perdidos, e não há uma verdade que mais precise de iluminação do Espírito Santo, se ela deve ser revelada às mentes cegadas por Satanás. Essa iluminação é de uma obra que já foi consumada, à qual nada precisa ser acrescentado e à qual nada poderia ser acrescentado. É uma obra consumada como uma redenção em relação ao pecado, uma reconciliação em relação ao pecador, e uma propiciação em relação a Deus. A obra não é algo onde o pecador deve persuadir Deus a fazer, mas é algo perfeitamente realizado, com a qual os não-salvos não podem manter um relacionamento além de crer que Deus a operou em favor deles próprios.

Assim, pode ser deduzido que João 16.7-11 apresente uma verdade de importância imensurável – uma obra tríplice do Espírito Santo em favor dos não-salvos que não deve ser confundida com os seus ministérios mais amplos quando, como uma parte da salvação dos homens, Ele regenera, habita, batiza, e sela; nem nesse ministério específico do Espírito Santo de iluminar os não-salvos deve ser confundido com o Seu serviço àqueles que são salvos quando Ele produz fruto neles, produz o exercício dos dons, ensina a Palavra de Deus, e intercede por eles. Quando o Espírito ilumina a mente cegada por Satanás com respeito ao pecado, justiça e juízo, que de outra forma a mente cegada está ao mesmo tempo mais do que normalmente capacitada a entender as três grandes verdades fundamentais de que o pecado foi julgado, que a justiça está disponível em e através de Cristo, e o pecado condenador é a falha em crer naquilo que Deus agora oferece ao pecador, a saber, uma salvação perfeita em e através de Cristo o Salvador.

Nenhuma alma pode ser salva à parte dessa iluminação, pois nenhum outro poder é suficiente para romper a cegueira que Satanás impôs sobre as mentes daqueles que são perdidos. Portanto, segue-se que a evangelização, que é ajustada à Palavra de Deus, dará um grande espaço para essa obra preliminar do Espírito e reconhecerá que, em resposta à oração somente, as almas dos perdidos podem ser movidas a crer em Cristo.

III. Os Resultados da Obra do Espírito Santo

Até o ponto que não permite exceção alguma, as Escrituras afirmam a incapacidade sobrenatural dos homens caídos, para se voltarem a Deus em fé salvadora, à parte do desvendamento sobrenatural da mente que Satanás obscureceu. É igualmente verdadeiro que essa iluminação divina resulta na capacidade de entender o Evangelho, capacidade essa que é aumentada além daquilo que é a competência natural do indivíduo assim abençoado. Aqueles que são favorecidos dessa forma entram nas riquezas da graça divina por uma fé que Deus gera. Essa fé é declarada ser "não [vinda] de vós mesmos: é dom de Deus" (Ef 2.8). Tal fé comunicada ou operada interiormente conduz a uma transação pessoal com Cristo – aquele comprometimento específico sem o qual nenhum adulto ou pessoa responsável será salva. Nessa iluminação, as faculdades naturais de ver e de ouvir são também aumentadas.

Os cegos recebem a sua visão e podem dizer: "Eu era cego e agora posso ver", e os surdos podem ouvir. De modo semelhante, esse era o significado espiritual daqueles milagres em que Cristo deu vista aos cegos e abriu os ouvidos aos surdos. A estas realidades, Ele se referiu quando disse: "E a vontade do que me enviou é esta: Que eu não perca nenhum de todos aqueles que me deu, mas que eu o ressuscite no último dia. Porquanto esta é a vontade de meu Pai: Que todo aquele que vê o Filho e crê nele, tenha a vida eterna; e eu o ressuscitarei no último dia... Está escrito nos profetas: E serão todos ensinados por Deus. Portanto todo aquele que do Pai ouviu e aprendeu vem a mim" (Jo 6.39, 40, 45). Estas passagens mostram a soberania de Deus, e nenhum texto da Escritura é mais absoluto a respeito da determinação divina do que o versículo 44 nesse mesmo contexto: "Ninguém pode vir a mim, se o Pai que me enviou não o trouxer; e eu o ressuscitarei no último dia".

É aqui, na esfera da vocação eficaz, que a eleição divina é realizada. Ela não é determinada com base numa teoria de que há um número selecionado unicamente por quem Cristo morreu, nem são esses homens salvos por causa de alguma coisa boa – real ou prevista – neles. Em graça soberana, Deus predestinou e aqueles que Ele predestinou, Ele também chamou – nem mais nem menos – e a quem Ele chamou, Ele justificou – nem mais nem menos – e a quem Ele justificou, glorificou – nem mais nem menos. A prática arminiana de introduzir nessa passagem o elemento humano por frases como "se eles ouvirem a chamada" ou "se eles permanecerem fiéis" etc., merece a repreensão que pertence àqueles que distorcem a Palavra de Deus, por acrescentar algo a ela. Por essas quatro ações – predestinar, chamar, justificar e glorificar – a escolha eletiva de Deus é revelada.

Nenhuma delas é tão relacionada à morte de Cristo, que possa ser reivindicado que é por Sua morte que Deus marca aqueles a quem Ele escolheu para a sua eterna glória. Os eleitos, e ninguém mais, serão chamados, justificados, e glorificados, e a evangelização faria bem em se conformar a essa revelação e não buscar os enganos arminianos, os quais propõem que pelos métodos de incorporação das obras de mérito, qualquer pessoa pode, se quiser, responder ao Evangelho da graça divina.

Deve ser ainda observado que a pessoa não-regenerada precisa crer por si mesma. A recepção de Cristo como Salvador deve ser por uma escolha que surge no centro de seu próprio ser e é uma reflexão de sua própria preferência inteligente. Muito freqüentemente métodos têm sido empregados de forma que exigem meras ações exteriores que, embora sinceras, podem não indicar uma experiência do coração; e essas ações exteriores podem ser motivadas pelo apelo sincero de pessoas queridas e amigos amados que, por serem eles mesmos salvos, apreciam a importância de uma decisão por Cristo. A pressão dessas influências externas tem sido, em muitos casos, a principal dependência do evangelista para o seu evidente sucesso em sua obra. É freqüentemente reconhecido que o evangelista, para ter sucesso, deve possuir uma personalidade dominante e irresistível.

Esta, com outras influências psicológicas que são empregadas habilidosamente, produz um efeito quase irresistível. Toda essa gama de influência pode ser focada sobre o indivíduo não-salvo para compeli-lo a fazer alguma coisa que casualmente não é a sua própria escolha, nem tem um vestígio de virtude na esfera daquilo que constitui uma decisão por Cristo. Uns poucos "convertidos" têm permanecido e isto tem justificado os métodos usados sem a devida consideração aos efeitos desastrosos sobre a alma daquele que, sob tais influências irrelevantes, tem feito profissão e tomado posição que não tem real relação com a verdadeira aceitação de Cristo como Salvador. Os perdidos são salvos quando eles ouvem o Evangelho debaixo da iluminação divina, isto é, quando eles ouvem e crêem. "Logo a fé é pelo ouvir, e o ouvir pela palavra de Cristo" (Rm 10.17).

Tão certamente como isso é verdadeiro, é a parte do pregador esperar que as almas salvas sejam salvas *enquanto* ele prega, antes do que após ele ter pregado, e ter dado aos não-salvos alguma coisa, para que eles possam fazer, a fim de que sejam salvos. Há um testemunho público da parte daqueles que são salvos; mas isto não deveria ser confundido com a simples exigência, para que os perdidos possam ser salvos por fé pessoal em Cristo como Salvador. O apelo do ganhador de almas é de valor, pois agradou a Deus confiar a proclamação do Evangelho àqueles que são designados para pregar as alegres novas!

CAPÍTULO XIII

As Riquezas da Graça Divina

ESTE ASPECTO DA OBRA SALVADORA DO DEUS TRIÚNO, embora restrita àquelas transformações que são divinamente operadas para o indivíduo no momento em que ele crê, é não somente supremamente importante, visto que ele define o caráter da salvação, mas é quase ilimitado em sua extensão. As restrições impostas exigem que seja feita uma distinção clara entre aquilo que foi divinamente empreendido pela preparação para a salvação de uma alma, e a salvação em si mesma. Inclusas na esfera da preparação estão as realizações consumadas como a obra consumada de Cristo, a obra iluminadora do Espírito Santo, e as outras influências que proporcionam a base justa sobre a qual uma alma perdida pode ser salva. Não é um pequeno empreendimento lidar com a questão do pecado, a ponto de haver uma liberdade infinita de harmonia em Deus na salvação dos perdidos; nem é um esforço pequeno mover o indivíduo cegado por Satanás para que ele aja por sua própria escolha em receber Cristo como seu Salvador.

Esses dois problemas, deve ser lembrado com relação às afirmações anteriores, formam o total daquilo que impede a salvação dos homens caídos. Para satisfazer as exigências divinas, são requeridas uma redenção, reconciliação e propiciação perfeitas, enquanto o problema do lado humano é que a agência moral livre do homem e a necessidade de tais influências assegurem a escolha certa da vontade humana. Uma distinção clara é também exigida entre a obra divina na salvação imediata da alma e aquelas responsabilidades e atividades que pertencem à vida e serviço do cristão. Muitas novas realidades são criadas pela regeneração e todos os aspectos da experiência humana são afetados pela poderosa transformação que a salvação assegura. Com respeito à distinção entre a salvação em si mesma e as responsabilidades da vida que se seguem, o arminianismo novamente trouxe confusão por causa dos seus entendimentos errôneos, e presume, como esse sistema sempre faz, que a salvação imediata – qualquer que seja a concepção que se tenha dela – é experimental e, portanto, com referência à sua permanência, dependente da vida santa e da fidelidade.

Ninguém negaria que uma vida santa perfaz um cristão em vista do fato de que é um filho de Deus e também em vista da verdade de que é um membro

SOTERIOLOGIA

do Corpo de Cristo; mas tornar a filiação, que por sua natureza é interminável e é uma posição diante de Deus, que resulta totalmente do mérito de Cristo, condicionada pela dignidade humana e dependente dela, é contradizer a ordem total da graça divina e fazer com que o homem debilitado venha a ser, no final das contas, o seu próprio salvador.

A frase significativa, as "coisas melhores que acompanham a salvação" (Hb 6.9), pode ser interpretada como referência àquelas posições e posses poderosas que são operadas instantânea e simultaneamente por Deus, no instante em que o indivíduo exerce fé salvadora em Cristo. Quando registrada em detalhes – como ainda vão ser – será visto que há ao menos 33 dessas realizações divinas estupendas e sobrenaturais, e que a soma total dessas realizações é a medida da diferença entre o que é salvo e o que é perdido. O fato essencial e auto determinante de que essas realizações divinas são operadas instantânea e simultaneamente e que nunca estão numa ordem ou seqüência progressiva, estabelece a verdade de que todos os seres humanos podem ser, num dado momento, classificados como completamente perdidos – por Deus não ter operado um desses aspectos da salvação neles – ou completamente salvos – por Deus ter operado completa e finalmente tudo o que faz parte da salvação imediata de uma alma.

Não há estados intermediários. De nenhum ser humano poderia ser dito que ele é parcialmente salvo e perdido. De conformidade com o Novo Testamento, deve ser mantido que todas as pessoas civilizadas, refinadas, educadas, morais e religiosas – independentemente de suas profissões – que não foram salvas por uma fé pessoal em Cristo, estão perdidas, e tão completamente perdidas como perdidas seriam se não tivessem uma dessas características que, na conta deles, são de grande valor. Pode ser um problema se um indivíduo entrou na graça salvadora através de Cristo – e aqui há uma necessidade de uma apreensão clara da evidência bíblica de tão grande transformação (cf. 2 Co 13.5; 1 Jo 5.13) – mas poderia não haver problema algum envolvido com respeito à verdade essencial de que, até que seja salva pela obra infinita de Deus, a alma está completamente perdida.

Semelhantemente, as mensagens a serem pregadas a essas duas classes – os que estão completamente perdidos e os totalmente salvos – são necessariamente diferentes em cada particular. Deve ser duvidado se qualquer texto da Escritura seja aplicável a ambas as classes igualmente. Para os não-salvos, Deus não faz um apelo com respeito à maneira de vida deles; nenhuma melhora ou reforma é requerida deles. As sociedades e os governos civis podem até pressionar os não-regenerados como também os regenerados, para que os ideais prescritos possam ser realizados, mas este fato – à medida que se alcança isso – não deve ser confundido com a atitude inflexível de Deus em sua relação com essas classes. Ele exige dos não-salvos que ouçam e atendam ao Evangelho somente. Em oposição a isso, toda prescrição divina a respeito da fidelidade que honra a Deus é dirigida ao cristão desde o momento em que ele é salvo.

Não há quaisquer exigências elementares reduzidas ou diminuídas que sejam mais moderadas para aqueles que iniciam na grande responsabilidade da vida cristã. A Escritura reconhece as "crianças em Cristo", mas elas não são assim por causa da imaturidade; eles são crianças por causa da carnalidade (1 Co 3.2), e essa forma de carnalidade pode ser mostrada por aqueles que têm sido cristãos por décadas.

Próximo da delinqüência de expor erroneamente o Evangelho com a sua penalidade imensurável (Gl 1.8, 9), está a prática dominante por parte de pregadores de apresentar a verdade da vida cristã aos não-salvos sem adverti-los de que tal verdade não é dirigida a eles. Por essa atitude, toda sugestão que possa surgir na mente dos não-salvos de que uma diferença vital possa existir entre eles e os cristãos é obliterada, e os não-salvos são encorajados a crer que um cristão é aquele que meramente age de um certo modo e que tais ações são tudo o que Deus requer de cada pessoa. Não importa quão importante possa parecer para o pregador, ele não pode jamais dirigir-se aos cristãos a respeito dos deveres específicos deles e não lembrar aos não-salvos, se estiverem presentes, que a palavra falada pode não ter uma aplicação para eles. Tal discriminação fiel terá o efeito, ao menos, de criar uma consciência nas mentes dos não-regenerados de que eles são perdidos.

As 33 realizações divinas na salvação de uma alma, que são designadas como *as riquezas da graça*, apresentam tudo o que Deus pode fazer para satisfazer o Seu próprio infinito amor pelo pecador. Se a primeira consideração dessa afirmação parece ser extrema, ela, no tempo devido, será demonstrado ser verdadeira. Como foi afirmado anteriormente no estudo da Soteriologia, o motivo principal que move Deus na salvação do perdido é a satisfação de Seu próprio amor. Com a finalidade de que o amor infinito possa ser gratificado, Ele realiza transformações infinitas. Comparado a isto, o pensamento de que os homens são resgatados de sua triste condição, embora uma realização que transcende todo entendimento humano e naturalmente apela para a mente do homem, é secundário à medida que o homem é secundário para Deus.

A verdade que a salvação dos homens dá uma oportunidade para Deus de satisfazer o seu amor infinito por suas criaturas, é um tema que tem sido muito freqüentemente negligenciado. Sempre deverá ser lembrado que, por causa do caráter divino de sua santidade, Deus nada pode fazer pelos pecadores, até que a satisfação dos pecados deles tenha sido assegurada – isto é realizado na obra consumada de Cristo – e que, por causa do reconhecimento que Deus tem da ação moral e livre do homem, nada pode fazer à parte da própria escolha que o homem faz de Cristo como Salvador – ainda que essa escolha seja gerada no coração do homem pela iluminação do Espírito. Mas quando essas condições fundamentais são satisfeitas, toda barreira é removida e o amor infinito instantaneamente responde generosamente ao homem que exerce fé salvadora com a medida total do benefício divino, ou seja, as riquezas da graça em Cristo.

Será visto que essa é nada menos do que a maior coisa que o Deus Todo-poderoso pode fazer. Uma única consideração servirá para demonstrar essa verdade, a saber, que o salvo está destinado a ser feito conforme à imagem de Cristo. A infinidade nada pode conceber além dessa realidade exaltada, nem pode a onipotência fazer algo maior. Ser conformado à imagem de Cristo, ser purificado à perfeição infinita pelo sangue da purificação, ter recebido o dom da vida eterna, ser revestido com a justiça de Deus, e ter sido constituído um cidadão do céu, é praticamente tudo o que a humanidade caída não tem. Essa grande transformação é bem descrita pelas seguintes palavras: "O Pai que vos fez idôneos para participar da herança dos santos na luz" (Cl 1.12); todavia, de todas essas maravilhas, nenhuma poderia ser maior do que a de ser conformado à imagem de Cristo (Rm 8.29; 1 Jo 3.2).

Outra revelação, que tão perfeitamente demonstra a verdade de que a salvação em seu aspecto imediato é uma realização divina suprema, é registrada em Efésios 2.7. Na preparação para esta declaração, o apóstolo mencionou uma dentre todas as posses do crente, a saber, o dom da vida eterna – anunciado pelas palavras "e nos ressuscitou juntamente com ele" – e de todas as posições do crente, uma, a saber, "em Cristo Jesus", e estas duas representam a grande realidade da salvação eterna. A resposta à pergunta: "Por que Deus deveria empreender o benefício imensurável pelos quais essas posses e posições representativas permanecem?" é que, por causa da tão grande salvação, Deus pode manifestar o atributo da graça, que não poderia ser manifesto de outro modo. Efésios 2.7 declara: "...para mostrar nos séculos vindouros a suprema riqueza da sua graça, pela sua bondade para conosco em Cristo Jesus".

Havia algo em Deus que nenhum ser criado jamais contemplara. Eles haviam visto a sua glória, sua majestade, sua sabedoria, e o seu poder; mas nenhum anjo ou homem havia presenciado a sua graça. Outros atributos poderiam estar sujeitos a uma séria de demonstrações; mas a manifestação da graça é restrita ao que Deus pode fazer por aqueles dentre os homens que, a despeito do fato deles merecerem os seus juízos, são objetos de sua graça. Como todos os outros atributos ou capacidades de Deus devem ter o seu exercício e exibição perfeitos – até mesmo para a Sua própria satisfação – de igual modo a sua graça deve também ter a sua revelação infinitamente perfeita dentro das realizações restritas pelas quais Ele salva os perdidos. Dizer que um pecador é salvo pela graça é declarar que, com base na morte de um Substituto e em resposta à fé nesse Salvador, Deus operou uma obra tão perfeita em sua inteireza e tão livre da cooperação de outros seres que ela é uma demonstração completa de sua graça, de modo que satisfaz em tudo a Deus.

Uma afirmação dessa espécie pode ser feita tão facilmente como as palavras podem formar uma sentença; mas quem na terra ou no céu é capaz de compreender a infinidade de tal salvação? Essa demonstração, deveria ser acrescentado, pela verdadeira natureza do caso, terá o seu esplendor na vida de cada indivíduo que é salvo. Pode ser presumido que, se tivesse apenas um de toda a família humana sido selecionado para a suprema honra de exibir, eternamente diante de todas as coisas criadas, a infinidade da graça soberana, a salvação dessa única pessoa não seria diferente da salvação de qualquer um da multidão inumerável de pessoas de toda tribo, língua, povo e nação que são salvas pela graça.

O Estado dos Perdidos

Muito freqüentemente é crido que a graça divina na salvação é uma disposição da parte de Deus de completar na vida de cada pessoa o que, porventura, falta quando o próprio mérito do indivíduo foi devidamente avaliado. Há o pensamento de que, por causa da virtude e fidelidade de caráter, alguns possuem mais dignidade do que outros; então, menos graça é requerida para essas pessoas que têm um suposto mérito, ao passo que outros carecem de mais graça, porque possuem pouco ou nenhum mérito. A verdade, já apresentada em detalhes no volume II, é a de que todos os homens são agora divinamente contados e declarados como se estivessem "debaixo do pecado" – um estado em que nenhum mérito do homem é aceito por Deus – para que a graça seja um padrão, totalmente completo em si mesmo, e possa ser concedida a todos igualmente.

Se aos homens fosse permitido contribuir com a menor fração para a própria salvação deles, cessaria de ser uma manifestação da graça e tornar-se-ia uma exibição imperfeita de um dos atributos mais gloriosos de Deus. Nenhuma pessoa ponderada poderá concluir que um ser caído poderia, debaixo de quaisquer circunstâncias ou em qualquer grau, fazer com que um atributo divino se torne uma realidade experimentada. O homem pode se tornar o recipiente da graça, mas ele não pode contribuir para ela, no sentido em que ele a capacita a ser o que ela é. Nenhuma apresentação mais conclusiva desta verdade sublime será encontrada, além do que está registrado em Romanos 4.16: "Portanto, procede da fé [não da parte do homem] o ser herdeiro, para que seja segundo a graça [tudo da parte de Deus], a fim de que a promessa seja firme a toda a descendência [abraâmica]" (aquela que é da carne, Israel, e aquela que é do Espírito, os eleitos dentre os gentios). Em que outra base, além da fé da parte do homem e a graça da parte de Deus, poderia qualquer promessa ou propósito divino ser *seguro*?

Concluindo estas palavras introdutórias, pode ser reafirmado que a graça salvadora é aquela em que Deus realiza com base na morte de Cristo – realizada e proporcionada como uma responsabilidade divina – e em resposta à fé dos indivíduos em Cristo – uma responsabilidade humana. Esta divisão geral deste tema será apresentada em três partes: (1) O estado do perdido; (2) O caráter essencial dos empreendimentos divinos; e (3) As riquezas da graça divina.

I. O Estado dos Perdidos

A palavra *perdidos* é usada no Novo Testamento de dois modos amplamente diferentes. Um objeto pode estar perdido no sentido de que ele precisa ser achado. Este uso da palavra não sugere que uma mudança na estrutura ou no caráter do objeto perdido seja indicada. Ele está perdido no grau em que ele está fora do seu lugar correto. O Israel que se apartava de seus pactos foi chamado por Cristo de "as ovelhas perdidas da casa de Israel" (Mt 10.6). Semelhantemente, um cristão que está fora da comunhão com Deus, por causa do pecado está fora do seu lugar; todavia, ele permanece inalterável com respeito às realidades essenciais que fazem dele um filho de Deus – vida eterna, justiça imputada e união com Deus.

SOTERIOLOGIA

A ilustração dada por Deus dessa verdade maravilhosa está declarada na tríplice parábola de Lucas 15. Uma ovelha está perdida e é "encontrada". Ela foi uma ovelha o tempo todo, mas estava fora de seu lugar. Uma moeda está perdida fora de seu lugar e é "encontrada". Ela era a mesma moeda o tempo todo. Um filho que estava perdido é "achado". E ele era um filho em cada passo de seus atos errantes. Por outro lado, uma pessoa pode estar perdida, de tal modo que ela necessita ser *salva*. "O Filho do homem veio buscar e salvar o que estava perdido" (Lc 19.10). É por causa do fato de que na salvação as mudanças estruturais são de tal monta que exige as provisões e os poderes criadores divinos, que a transição do estado de perdido para o estado de salvo pode ser operada somente por Deus.

O conjunto de verdades que está em consideração agora tem ao menos quatro razões pelas quais aqueles que são desta raça caída são perdidos:

1. A alma perdida não alcançou uma dessas realidades eternas que tornam o cristão aquilo que ele é. Tudo o que pode ser dito do não-salvo é *negativo*. Nenhum texto da Escritura torna esta verdade mais clara do que Efésios 2.12, na qual aqueles cristãos são lembrados do estado de perdido do qual eles foram salvos: "Estáveis naquele tempo sem Cristo, separados da comunidade de Israel, e estranhos aos pactos da promessa, não tendo esperança, e sem Deus no mundo".

2. Os indivíduos estão perdidos, também, por causa do fato de eles serem nascidos com uma natureza caída e pecaminosa. Este é, sem dúvida, o aspecto mais condenatório do estado de perdido do homem. Quando Adão pecou, ele experimentou uma reversão. Ele se tornou uma espécie totalmente diferente de ser. Após a queda, poderia propagar-se somente "conforme a sua semelhança", e o seu primeiro filho foi um assassino. Adão – com quem Eva é contada como um – é o único ser humano que se tornou um pecador, por pecar. Todos os outros membros da raça humana cometeram pecados, porque já eram nascidos pecadores. Embora essa natureza má permaneça no cristão enquanto ele vive neste mundo, ela foi julgada por Cristo na cruz (Rm 6.10), e a sua condenação removida. A morte de Cristo para a natureza pecaminosa é também a base da libertação do crente pelo Espírito Santo, do poder do pecado congênito.

É verdade que os homens são perdidos por causa de seus pecados pessoais; mas, visto que os pecados pessoais são o resultado normal da natureza pecaminosa, eles nunca deveriam ser considerados como a única base importante pela qual uma alma é perdida. Em resposta à alegação de que o homem é perdido por causa do pecado pessoal, uma pessoa não-regenerada poderia facilmente asseverar que ela nunca havia sido 1% má como poderia ter sido; portanto, ela está perdida somente 1%. O estado de perdido consiste primariamente numa natureza caída, que é 100% má. Um esforço de ser boa ou de formar um caráter digno é um pobre remédio para uma natureza caída. Somente a graça de Deus agindo com base na morte de Cristo poderá ser benéfica.

3. Além disso, os homens são perdidos por causa de um decreto que Deus promulgou a respeito de todos os que vivem nesta terra – judeus e gentios igualmente – na presente era, que é cercada pelos dois adventos de Cristo. Está escrito: "Pois quê? Somos melhores do que eles? De maneira nenhuma, pois já demonstramos que, tanto judeus como gregos, todos estão debaixo do pecado" (Rm 3.9); "Mas a Escritura encerrou tudo debaixo do pecado, para que a promessa pela fé em Jesus Cristo fosse dada aos que crêem" (Gl 3.22). A frase "debaixo do pecado" significa, como foi afirmado acima, que Deus não aceitará o mérito de ninguém como um fator contribuinte para a salvação do homem. Esse decreto, que elimina todo mérito humano, é essencial se a salvação deve ser pela graça. Isto não significa que uma boa vida não seja de valor; mas a questão sob consideração é o problema de como um santo Deus pode salvar *completamente* aqueles que, à Sua vista, estão *completamente* perdidos.

Ele desconsidera que aqueles homens julgam-se a si mesmos bons – e alguns possuem mais dessas bondades do que outros – que Ele possa substituí-la com a perfeição de Cristo. Por um momento, o que parece ser uma perda completa, assim no final se torna um ganho infinito. Visto que, pelo modo real em que Ele salva os perdidos, Deus prepara o material para uma demonstração celestial das insondáveis riquezas de sua graça (Ef 2.7); portanto, é impossível a inclusão de qualquer elemento humano nessa salvação.

4. Semelhante e finalmente, os homens são perdidos por causa do fato de eles estarem sob o poder de Satanás. Somente a Palavra de Deus pode falar com autoridade sobre este tema. Apenas quatro textos precisam ser citados:

2 Coríntios 4.3, 4. Este texto declara que os não-salvos são cegados em suas mentes por Satanás, para que o Evangelho salvador de Cristo não brilhe neles.

Efésios 2.1-3. O testemunho neste lugar é que os não-salvos são "filhos da desobediência" – por estarem na chefia da desobediência Adão – e que todos são energizados por Satanás. Em contraste, seria bom observar Filipenses 2.13, onde, pelo uso da mesma palavra, o cristão é dito ser energizado por Deus.

Colossenses 1.13. Este texto aponta para o fato espantoso de que uma alma quando salva é transportada do império das trevas, nas quais ela naturalmente habita.

1 João 5.19. O cosmos, é asseverado, inclusive os não-regenerados (como parte dele), "jaz" no maligno. A expressão *"jaz no"* é muitíssimo sugestiva, e indica que em alguma medida os não-salvos estão *em Satanás*, enquanto os cristãos estão *em Cristo*.

Há uma sugestão muito forte com respeito à condenação que vem sobre os não-salvos nas Escrituras, que asseveram que quando são salvos, estão libertos do sal da maldição da lei (Gl 3.13), da ira (Jo 3.36; 1 Ts 5.9), da morte (2 Co 7.10), e da destruição (2 Ts 1.9).

II. O Caráter Essencial dos Empreendimentos Divinos

Antes de entrar na lista das 33 realizações divinas que constituem as riquezas da graça, é importante observar alguma coisa do caráter essencial dessas riquezas. Destas, sete singularidades vitais aparecem: (a) elas não são experimentadas; (b) elas não são progressivas; (c) elas não estão relacionadas com o mérito humano; (d) elas não são eternas em seu caráter; (e) elas são conhecidas somente pela revelação; (f) elas são operadas somente por Deus; (g) elas não são operadas pelo homem.

1. ELAS NÃO SÃO EXPERIMENTADAS. Isto não significa sugerir que essas riquezas não sejam reais; é antes para assinalar que elas não manifestam as realidades delas à natureza emocional ou através dos meios do sistema nervoso. Nenhuma ilustração melhor desse fato será encontrada, além do que foi fornecido pelo empreendimento divino da justificação; porque, obviamente, a justificação não é sentida. Não há uma sensação que dê uma evidência corroborativa de que o crente é justificado; ela repousa totalmente no testemunho de Deus. Assim, igualmente, acontece com todas essas riquezas. Elas não são de forma que a experiência humana possa identificar.

2. ELAS NÃO SÃO PROGRESSIVAS. Este aspecto dessas riquezas é de grande importância. Visto que este é o modo de quase toda experiência humana, é natural concluir que o que quer que Deus possa empreender, começará com imaturidade e progredirá em graus a uma eventual perfeição. Contudo, no caso dessas riquezas, será descoberto que o processo é diferente. Todo empreendimento divino é instantaneamente operado ao grau de perfeição infinita, que será exibido nas eternas eras vindouras. A filiação ilustra essa verdade. Há muitos aspectos da relação entre pai e filho que estão sujeitos a um progresso e a mudanças; mas a filiação em si não experimenta um avanço ou desenvolvimento. Um filho é um filho tanto no nascimento quanto em qualquer ponto subseqüente em sua existência. Assim acontece com toda a realização divina que faz parte da salvação imediata dos homens.

3. ELAS NÃO SÃO RELACIONADAS COM O MÉRITO HUMANO. Sob esta verdade, que é estranha a todos os processos da vida e experiência humana, está o propósito soberano de Deus de fazer tudo o que faz de acordo com o seu beneplácito, e isto Ele é livre para fazer, porque o crente é visto como sendo – e na realidade ele o é – um membro do Corpo de Cristo; portanto, é abençoado com toda sorte de bênçãos espirituais em Cristo Jesus. Qualquer coisa que foi permitida ao Filho de Deus, será concedida a um membro do seu Corpo. É assim que essas riquezas da graça são construídas unicamente sobre os méritos do Filho de Deus e, por esta razão, são tão permanentes como o mérito sobre os quais elas repousam.

4. ELAS SÃO ETERNAS EM SEU CARÁTER. Como foi afirmado acima, a obra de Deus pelo crente está baseada na perfeição duradoura de Cristo, e não está, portanto, sujeita às variações que caracterizam a vacilante experiência humana. Como no caso da justiça imputada, onde não pode ser incluído um traço de dignidade humana, toda obra de Deus na salvação imediata do perdido é divinamente sustentada e conseqüentemente eterna em sua natureza. O dom da vida eterna é de tal natureza divina que sempre existiu desde toda eternidade e existirá para sempre. A eleição dos crentes feita por Deus nunca é uma casualidade.

5. ELAS SÃO CONHECIDAS SOMENTE PELA REVELAÇÃO. A imaginação e a especulação humanas não podem servir em grau algum para obter o conhecimento de tudo o que Deus realiza quando o seu amor é liberado pela morte de Seu Filho e pela fé do pecador. Nenhum registro terreno jamais computou tais tesouros. A bem-aventurança deles, que ultrapassa o conhecimento, pode ser abordada somente quando elas são consideradas uma a uma à luz de tudo o que Deus declarou a respeito delas.

6. ELAS SÃO PRODUZIDAS SOMENTE POR DEUS. Por sua verdadeira natureza, as riquezas da graça são necessariamente a obra de Deus para o homem. Quem poderia salvar-se a si mesmo, a ponto de andar em paz com Deus, e justificado eternamente? Quem poderia transportar-se a si mesmo do poder das trevas para o reino do Filho do seu amor? Quem poderia constituir-se a si mesmo um cidadão do céu, ou escrever o seu nome ali? Deus somente é capaz de salvar, de acordo com aquelas maravilhas que Ele declara que são a porção de todos os que põem a sua confiança nEle.

7. ELAS NÃO SÃO PRODUZIDAS PELO HOMEM. Em certos aspectos, esta declaração é apenas o lado negativo da asserção anterior; contudo, pode ser observado que aquele que é um pecador não pode dar um passo em direção de sua própria redenção. Aquele que está aqui na terra não pode delinear algo para si mesmo no céu. Aquele que é somente uma criatura não pode conformar-se a si mesmo à semelhança de seu Criador. Aquele que é deste tempo não pode designar e executar algo para a eternidade. A salvação é mais do que a existência continuada de um bom homem; ela proporciona as transformações mais radicais, a aquisição das posses infinitas, e a entrada nas posições que estão na esfera do céu e de Deus. "Tendes a vossa plenitude nele" (Cl 2.10).

III. As Riquezas da Graça Divina

Enquanto as 33 obras estupendas de Deus, que compõem a salvação de uma alma, são apresentadas agora, os fatos essenciais, já mencionados, a respeito dessas grandes realidades deveriam estar em mente. Elas são operadas por Deus; elas são operadas instantaneamente; elas são operadas simultaneamente; elas são baseadas nos méritos de Cristo; e, por estarem baseadas nos méritos de Cristo, são eternas. Segue-se que cada pessoa da raça humana num dado momento é completamente salva, por ser o recipiente de toda bênção espiritual em Cristo Jesus, ou completamente perdida, por não possuir qualquer uma dessas bênçãos espirituais – no estado daqueles que são condenados, por causa de uma natureza pecaminosa, por causa dos pecados pessoais, por causa de um estado sob o pecado, e por causa deles estarem em tal grau debaixo do poder de Satanás. Estas são as 33 riquezas da graça:

1. NO PLANO ETERNO DE DEUS. Encontrar-se no plano eterno de Deus é estar numa posição de importância insuperável tanto com respeito à realidade em si quanto no seu caráter atemporal. A mente humana não pode captar o que significa estar no propósito divino desde toda eternidade, nem o que está indicado quando é declarado que o mesmo propósito divino estende-se à eternidade vindoura – "aos

que predestinou... a esses glorificou". O que quer que possa ser exigido como passos intermediários entre a predestinação e a glória, estará debaixo do controle absoluto de Deus e operado por Deus, sem levar em conta o elemento humano que necessariamente faz parte dela. Nenhuma vontade humana jamais foi criada para derrotar a vontade de Deus; mas, antes, a vontade humana é um dos instrumentos pelo qual Deus realiza os seus propósitos para a humanidade.

Sempre tem sido assim e deve ser assim necessariamente, visto que Deus é o que Ele é. O estudante que medita na pessoa de Deus, na eternidade dele, na onipotência de Deus, na soberania de Deus como Criador de todas as coisas e governador sobre elas, e no propósito eletivo de Deus, será fortalecido contra essa forma de racionalismo – discreto no seu caráter e natural ao coração humano – o qual imagina que, em Sua criação, Deus involuntariamente atou suas próprias mãos que Ele não pode, com esse poder absoluto que pertence à infinidade, realizar o seu propósito eterno.

Cinco termos são empregados no Novo Testamento, para apresentar os aspectos da verdade com respeito ao propósito soberano de Deus.

Pré-conhecidos. Embora difícil quanto pode ser para um ser finito captar esse pensamento, todavia permanece verdadeiro que Deus tinha um conhecimento prévio desde toda a eternidade de cada passo no programa total deste universo, mesmo nos seus menores detalhes. A doutrina da presciência divina é devidamente restrita, visto que ela está fora do alcance daquilo em Deus que faz as coisas acontecerem. É justo o que o termo sugere e nada mais – meramente que Deus sabe de antemão. Bem próximo à presciência está a *preordenação* (At 2.23; 1 Pe 1.2, 20).

Predestinados. Da forma em que é usada no Novo Testamento, esta grande palavra doutrinária declara que Deus determina de antemão tudo o que vem a acontecer. O destino é determinado. Em seu uso no Novo Testamento, ela se refere somente ao que Deus predeterminou para os seus eleitos. Portanto, ela não deveria ser usada em referência aos não-eleitos e seu destino, embora não haja dúvida de que, em modos que estão além do entendimento humano, o destino dos não-eleitos está na mente de Deus desde toda a eternidade. A questão, se num determinando ponto do tempo, a presciência precede a predestinação, ou se a predestinação precede a presciência, não é somente uma questão sem utilidade, mas também não exigida. Deus poderia não predestinar o que Ele não conheceu de antemão. Nem poderia Ele conhecer de antemão que alguma coisa aconteceria com certeza se Ele não a tivesse tornado certa pela predestinação.

Três passagens estão em evidência e em duas delas a presciência aparece primeiro: "Porque aos que dantes conheceu, também os predestinou para serem conformes à imagem do seu Filho, a fim de que ele seja o primogênito entre muitos irmãos" (Rm 8.29); "...eleitos segundo a presciência de Deus Pai, na santificação do Espírito, para a obediência e aspersão do sangue de Jesus" (1 Pe 1.2); "...a este que foi entregue pelo determinado conselho e presciência de Deus, vós matastes, crucificando-o pelas mãos de iníquos" (At 2.23). As duas idéias que essas palavras apresentam devem necessariamente ser afirmadas em seqüência; mas não pode haver uma seqüência na relação que uma tem com as outras. Portanto, é mensagem de Deus para todo crente que tem sido pré-conhecido na predestinação e predestina através da presciência de uma realização infindável de todas as riquezas da graça de Deus.

Eleitos de Deus. O termo *eleitos*, quando relacionado aos cristãos, é distintivo em que ele designa aqueles que são predestinados, mas com somente uma implicação relativa ao destino. Eles são os eleitos na época presente e manifestarão a graça de Deus nas eras futuras (cf. Rm 8.33; Cl 3.12; 1 Ts 1.4; Tt 1.1; 1 Pe 1.2).

Escolhidos. Novamente um aspecto importante da verdade está indicado por uma palavra específica. O termo *escolhido*, quando se refere àquilo que Deus operou em favor dos salvos, enfatiza o ato peculiar de Deus que separa para Si mesmo os eleitos que são pré-conhecidos e predestinados. O cristão porta a elevada distinção de que foi escolhido em Cristo antes da fundação do mundo (Ef 1.4).

Chamados. Com relação ao uso que o Novo Testamento faz das palavras *predestinação, eleitos* e *escolhidos*, elas não são usadas a respeito daqueles a quem Deus selecionou para a salvação, até que sejam regenerados. A palavra *chamados*, contudo, pode incluir na amplidão do seu significado aqueles que, num determinado tempo, são regenerados, mas que no propósito divino vão se tornar regenerados. Os anjos não são somente espíritos ministradores em favor dos que já são salvos, mas dos que também vão herdar a salvação (Hb 1.14). "Fiel é o que vos chama, e ele também o fará" (1 Ts 5.24). A referência em toda essa discussão é à *chamada eficaz*, tal como está indicada em Romanos 8.30, e sugere que Deus não somente faz um convite, mas inclina o coração a aceitá-lo alegremente.

Quão grande, então, é essa obra que tão bem caracteriza essa posição distinta! E quão imensurável a abundância de alguém que está incluído no propósito eterno de Deus!

2. REDIMIDOS. A redenção, como uma doutrina e algo obtido nesta presente época, é devidamente subdividida em três partes: (1) ela é universal no sentido em que inclui o mundo inteiro e proporciona uma base suficiente de justiça sobre a qual Deus pode salvar aqueles que estão perdidos; (2) ela é específica quando contemplada como a posição na qual os salvos foram trazidos. Eles são comprados no mercado de escravos e libertos com aquela liberdade que é a justa porção dos filhos de Deus (Gl 5.1). Não é uma posição a ser buscada ou assegurada pela fidelidade; é aquela que tem operado em favor de toda pessoa regenerada. O exercício da graça divina – mesmo com a finalidade de justificação – é dito ser "através da redenção que está em Cristo Jesus" (Rm 3.24). Está em conexão com a redenção de que o crente tem "o perdão de pecados", e isto é "de acordo com as riquezas da graça" e parte dela (Ef 1.7); (3) há ainda uma redenção do corpo do crente e por essa redenção que o cristão espera (Rm 8.23). O pensamento aqui, como em todas as riquezas da graça, é o de que a redenção é uma posição de uma realidade transformadora e é a posse de todos os que são salvos.

SOTERIOLOGIA

3. RECONCILIADOS. Além disso, uma reconciliação especial está em vista aqui, aquela que alcança muito além daquele aspecto dela que contempla o mundo todo. É a reconciliação do crente com Deus apresentada em 2 Coríntios 5.20. Há uma diferença a ser reconhecida entre a reconciliação do mundo – declarada em 5.19 – e a reconciliação do indivíduo – declarada em 5.20, 21. A reconciliação do mundo não torna óbvia a reconciliação do indivíduo. Esta última é aquela forma de reconciliação que é aplicada ao coração do crente e resulta numa paz perfeita e infindável entre Deus e o crente reconciliado. Ser perfeitamente reconciliado com Deus com base no mérito de Cristo, como é verdadeiro a respeito de cada filho de Deus, é uma posição de bem-aventurança, na verdade, e é uma das riquezas da graça divina.

4. RELACIONADOS A DEUS ATRAVÉS DA PROPICIAÇÃO. A verdade central contida nesta doutrina – e mais sedutora do que qualquer outro aspecto dela – é o fato permanente de que Deus é propício. Ele foi liberado em relação aos pecadores pela morte de seu Filho por eles. Aquilo que constitui o problema divino na salvação dos pecadores, a saber, a solução do problema do pecado, foi resolvido completamente. No caso dos não-salvos, aquilo que permanece é a responsabilidade humana da fé salvadora. A verdade de que tudo o que entra na responsabilidade divina já foi realizado perfeitamente e indica que Deus é propício para com os pecadores; mas Ele é também propício para com o filho comprado por sangue que pecou, pecado esse que Cristo pagou na cruz. A verdade de maior importância é a de que Ele "é a propiciação pelos nossos pecados" (1 Jo 2.2). A verdade sempre recorrente do ajustamento entre o cristão e seu Pai é possível com base na verdade de que o Pai é propício. Estar nessa relação com Deus em que Ele é propício para com os pecados específicos do filho de Deus é um benefício da graça infinita. É uma posição mais vantajosa do que o coração ou a mente pode compreender.

5. TODAS AS TRANSGRESSÕES PERDOADAS. No sentido em que nenhuma condenação há agora para os que estão em Cristo Jesus, os crentes são perdoados em todas as suas transgressões. A declaração de Colossenses 2.13: "perdoando-nos todos os delitos" – cobre todas as transgressões, passadas, presentes e futuras (cf. Ef 1.7; 4.32; Cl 1.14; 3.13). De nenhum outro modo, além de ser totalmente absolvido diante de Deus, pode um cristão andar em paz duradoura com Deus ou pode ele, como realmente é, ser justificado para sempre.

O tratamento que Deus dá ao pecado é, sem dúvida, difícil para a mente humana captar, especialmente os pecados que ainda não foram cometidos. Contudo, deve ser lembrado que todo pecado dessa época, era ainda futuro quando Cristo morreu. O seu poder de condenar é anulado para sempre. Neste contexto, o Espírito Santo pergunta: "Quem intentará acusação contra os escolhidos de Deus?" e "Quem os condenará?" As respostas inspiradas são conclusivas: Deus justifica, ao invés de acusar o pecado; e a condenação caiu sobre outro, que morreu, ressuscitou e está agora à direita de Deus por nós, e que faz intercessão por nós (Rm 8.33, 34). Este capítulo de Romanos começa com "nenhuma condenação há" e termina com "nenhuma separação há"; mas um perdão tão completo é possível somente com base na obra de Cristo, que levou o pecado e liberou o Seu mérito para aqueles que são salvos através de Sua mediação e estão nele.

Os homens permanecem nos seus méritos ou nos méritos de Cristo. Se permanecerem em seus próprios méritos – a única concepção que está dentro do alcance da razão e que é advogada pelo sistema arminiano – há somente condenação para todo indivíduo perante Deus; mas se eles permanecerem nos méritos de Cristo, por estarem nele – compreendam a base disto tudo ou não – permanecem ali sem valor, mas continuam em união com Deus e, portanto, não há condenação nem separação para eles.

A esta altura é exigida uma atenção entre esse perdão judicial permanente e o perdão freqüentemente repetido dentro da família de Deus. O aparente paradoxo de que alguém é perdoado e, todavia, deve ainda ser perdoado, é explicado com base na verdade de que há duas esferas totais e desconectadas de relacionamento entre o crente e Deus. Com respeito a essa *posição*, que é igual à sua filiação, que é imutável, visto que ela é assegurada por seu lugar em Cristo, ele não está sujeito à condenação e sempre será justificado e nunca separado de Deus. Com respeito ao seu *estado*, que é igual à conduta diária de um filho, é mutável e está totalmente dentro do relacionamento de família; ele deve ser tanto perdoado quanto purificado (1 Jo 1.9). O escritor aos Hebreus declara que, tivesse a antiga ordem sido tão eficaz como o sacrifício de Cristo, aquelas apresentações de sacrifícios de animais pelos pecados deles "nunca mais teriam consciência de pecado" (Hb 10.2).

Por outro lado, a porção do crente é ser livre do senso da condenação do pecado – ele nunca pensa de si mesmo como uma alma perdida, se instruído na Palavra de Deus; contudo, isto não significa dizer que o cristão não venha a ser consciente dos pecados que comete. O pecado, para o crente, é mais aborrecedor do que jamais poderia ter sido antes dele ser salvo; mas, quando peca, não rompe o fato duradouro de sua união com Deus, embora prejudique a sua comunhão com Deus. Dentro da relação de família – relação essa que não pode ser rompida – ele pode pecar como filho (sem cessar de ser um filho) e ser perdoado, e restaurado de volta à comunhão do Pai com base em sua própria confissão de seu pecado e da verdade mais profunda de que Cristo suportou o pecado que, de outra forma, o condenaria.

Nenhuma das posições do crente perante Deus, quando corretamente apreendida, é mais bênção para o coração do que o fato de que toda condenação é removida para sempre, Ele, por causa do que Cristo fez, tem perdoado todas as transgressões.

6. Vitalmente Unidos a Cristo pelo Julgamento do Velho Homem "para um Novo Andar". A doutrina essencial da união com Cristo aparece como a base de muitas dessas riquezas da graça divina. No presente aspecto da verdade, somente aquilo que tem a ver com a morte de Cristo para a natureza pecaminosa está em foco, e a passagem central que declara esta verdade é a de Romanos 6.1-10. Este importante texto da Escritura aparecerá em vários lugares nesta obra de teologia, mas sempre será assinalado que não se refere ao autojulgamento pela autocrucificação nem a um modo ritual de batismo.

Se a passagem não contempla mais do que essas interpretações sugerem, uma das verdades mais vitais do Novo Testamento é privada de sua afirmação mais importante. A morte de Cristo, totalmente à parte de sua realização como um tratamento final com os pecados, é um julgamento da natureza pecaminosa, julgamento esse que não significa que essa natureza é tornada incapaz de ação ou que seja muda em seu caráter; não significa que um julgamento completo seja ganho em oposição a ela e que Deus seja com justeza livre para tratar dessa natureza como uma coisa julgada.

O caráter mau dessa natureza, após ela ser julgada, não refreia o Espírito Santo de controlar o seu poder por nós. Assim, pela fé no Espírito Santo que habita em nós, o crente pode ser liberto do domínio do poder do pecado e com base na morte de Cristo, como um julgamento da natureza pecaminosa. Este aspecto da morte de Cristo é substitutivo no seu grau mais elevado. A passagem central assevera que a morte de Cristo é tão definitivamente um ato em favor do crente, que ela é uma co-crucifixão, uma co-morte, e uma co-ressurreição (cf. Cl 2.12). A aplicação dessa verdade não é uma prescrição para decretar tudo ou parte dela; é antes algo a respeito de si mesmo que o Cristo deve crer ou ter como verdadeiro, por ser, como é, a base sobre a qual ele pode, por uma fé inteligente, reivindicar libertação do poder da natureza pecaminosa congênita.

Ser colocado, assim, permanentemente, perante Deus como alguém por quem Cristo morreu, um julgamento de morte contra a natureza pecaminosa, é uma posição de privilégio de bem-aventurança infinita.

7. LIVRES DA LEI. Como considerada agora, a lei é mais do que um código ou um conjunto de regras que governam a conduta. Muito freqüentemente pensa-se que ser livre da lei é ser desculpado de fazer as coisas que a lei prescreve, e, porque a lei é "santa, justa, e boa", é difícil para muitos aceitar o ensino do Novo Testamento de que a lei não é a regra de vida prescrita para o crente. Na verdade, pergunta-se: Por que deveria o crente fazer outra coisa além de buscar aquilo que é santo, justo e bom? Em oposição a esta idéia está a advertência intransigente para o cristão de que, pela morte de Cristo, ele está livre da lei (cf. Jo 1.17; At 15.24-29; Rm 6.14; 7.2-6; 2 Co 3.6-13; Gl 5.18). Em uma passagem somente – Romanos 6.14 – do filho de Deus é dito que ele está tanto morto para a lei quanto liberto da lei.

Visto que cada ideal ou princípio da lei, exceto o quarto mandamento, é levado adiante e reafirmado e incorporado numa maneira graciosa de vida, e dificilmente parece razoável argumentar que o crente deva ser advertido positivamente contra fazer as coisas contidas na lei. A solução do problema deve ser encontrada no fato de que a lei é um sistema que exige o mérito humano, enquanto que as prescrições dirigidas ao cristão sob a graça não estão relacionadas ao mérito humano. Visto que o filho de Deus já é aceito no Amado e permanece para sempre no mérito de Cristo, a aplicação do sistema de mérito a ele é tanto sem inteligência quanto sem base na Escritura. Quando os princípios contidos no sistema de mérito reaparecem nas prescrições graciosas, é sempre com essa mudança vital no caráter. Uma coisa é fazer o que está contido na lei, a fim de que alguém possa ser aceito ou abençoado; é uma coisa totalmente diferente fazer aquelas mesmas coisas por alguém que é aceito e abençoado. A liberdade daquela obrigação de mérito é aquela "liberdade" que é referida em Gálatas 5.1. Não é liberdade para fazer o mal; mas é um alívio completo do fardo esmagador – o jugo da escravidão (At 15.10) – das obras de mérito.

Ser "livre da lei" (Rm 8.2), ser "morto para a lei" (Rm 7.4), e ser "liberto da lei" (Rm 7.6; cf. Rm 6.14; 2 Co 3.11; Gl 3.25), são expressões que descrevem uma posição em graça perante Deus, que é rica e cheia das bênçãos eternas.

8. FILHOS DE DEUS. Ser nascido de novo pelo poder regenerador do Espírito Santo num relacionamento em que Deus, a Primeira Pessoa, se torna um Pai legítimo e os salvos se tornam filhos legítimos, é uma posição que é apenas vagamente apreendida por qualquer ser humano neste mundo. Essa extensa realidade é mais uma matéria de valores celestiais do que terrestres. Não obstante, essa regeneração é uma das realidades fundamentais de cada pessoa que creu em Cristo como Salvador. Esse nascimento do alto realiza uma transformação imensurável. Ser nascido num lar terreno de caráter notável é de grande vantagem, mas ser nascido de Deus com todo direito e título pertencente a essa posição – um herdeiro de Deus e co-herdeiro de Jesus Cristo – está além do limite do entendimento humano. Essa nova existência não é só intensamente real, mas ela, igual a toda vida gerada, é eterna em sua verdadeira natureza. O tema é tão vasto que inclui outras posições e posses que, por sua vez, serão mencionadas à medida que esta análise se desenvolve.

Termos variados são usados no Novo Testamento para identificar esse novo nascimento. Cada um deles é distinto em si mesmo e revelador.

Nascido de novo. Este assunto é mais do que de importância passageira que o Senhor Jesus Cristo escolheu Nicodemos, o homem ideal e mais religioso do judaísmo de seu tempo, a quem Ele disse que era necessário nascer de novo. A palavra ἄνωθεν é traduzida como "de novo", e sua implicação é que ela não é somente um nascimento real, mas é novo no sentido em que ele não é parte daquele primeiro nascimento que vem da carne. Não é a reordenação ou a revisão do nascimento da carne. É novo no sentido em que ele é completo em si mesmo e não produto da carne. Desta distinção Cristo disse: "O que nascido da carne é carne, e o que é nascido do Espírito é espírito" (Jo 3.6). Outras passagens que confirmam essa verdade são João 1.12, 13 e 1 Pedro 1.23.

Regenerado. Este termo expressivo, que aparece em Tito 3.5: "...mediante o lavar da regeneração" – comunica a mesma idéia de um renascimento. A passagem diz respeito a uma purificação para esse nascimento, mas o nascimento não consiste de uma mera purificação do velho homem; antes, essa limpeza, igual ao perdão, acompanha a regeneração.

Despertado. A palavra *despertado* expressa o pensamento de um objeto que é tornado vivo e que não possuía vida antes. Através da regeneração pelo Espírito, como no caso da carne, há uma comunicação de vida. A regeneração comunica a natureza divina. Será dada atenção também a Efésios 2.1 e Colossenses 2.13.

Filhos de Deus. Este título, usado muitas vezes (cf. 2 Co 6.18; Gl 3.26; 1 Jo 3.2), mostra o verdadeiro relacionamento entre Deus e aqueles que são salvos. Eles são filhos de Deus, não por um mero título ou pretensão, mas pela real geração da semente de Deus. A realidade que o título designa não pode ser tomada literalmente.

Uma Nova Criação. Assim novamente, e por uma linguagem apropriada e enfática, a poderosíssima força criadora de Deus é vista como estando engajada na salvação dos homens. No que diz respeito à salvação deles é dito que são sua feitura, criados em Cristo Jesus. Essa nova criação exaltada não é somente uma obra direta de Deus, mas deve tudo à sua relação vital com Cristo Jesus.

9. Adotados. A posição peculiar daquele que é adotado é um aspecto importante das riquezas da graça divina. O seu lugar singular no texto a seguir indica a sua grande importância: "...como também nos elegeu nele antes da fundação do mundo, para sermos santos e irrepreensíveis diante dele em amor; e nos predestinou para sermos filhos de adoção por Jesus Cristo, para si mesmo, segundo o beneplácito de sua vontade" (Ef 1.4, 5). Tentando descobrir que posição realmente é, torna-se indispensável reconhecer que a adoção divina não tem quase nada em comum com aquela forma de ela ser aceita e praticada entre os homens. De acordo com o costume humano, a adoção é um meio pelo qual um forasteiro pode se tornar membro de uma família. Este é o modo legal de criar um relacionamento de pai e filho como um substituto do pai e filho reais.

Por outro lado, a adoção divina, enquanto se refere tanto ao parentesco de Israel com Deus (Rm 9.4) quanto à redenção do corpo dos crentes (Rm 8.23), é primariamente um ato divino pelo qual alguém já filho pelo nascimento real através do Espírito Santo é colocado como um filho adulto em sua relação com Deus. No momento da regeneração, o crente, por ter nascido de Deus e, portanto, uma descendência legítima de Deus, é desenvolvido no relacionamento e na responsabilidade na posição de um filho adulto. Todos os anos de infância e de adolescência, que são normais na experiência humana, são excluídos da filiação espiritual e o crente nascido de novo está imediatamente na posse da liberdade dos tutores e governadores – que simbolizam o princípio da lei – e é responsável por viver a vida espiritual plena de um filho adulto na família do Pai.

Nenhum período de infância sem responsabilidade é reconhecido. Não há um conjunto de textos da Escritura que empreenda dirigir a conduta dos iniciantes na vida cristã em distinção daqueles que são maduros. O que Deus diz para o crente mais antigo, declara a todo crente – inclusive aqueles que foram regenerados recentemente. Não deveria haver um entendimento errôneo a respeito das "crianças em Cristo", mencionadas em 1 Coríntios 3.1, que são bebês por causa da carnalidade e não por causa da imaturidade de anos na vida cristã. Na experiência humana, o nascimento legítimo e a adoção nunca se misturam na mesma pessoa. Não há uma ocasião para um pai adotar o seu próprio filho. Na esfera da adoção divina, todo filho nascido de Deus é adotado no momento em que ele é nascido. Ele é colocado diante de Deus como um filho maduro e responsável. Assim, a adoção se torna um dos empreendimentos divinos mais importantes na salvação dos homens e é uma posição de grande significação.

10. ACEITOS POR DEUS EM CRISTO. Como uma posição diante de Deus, nada poderia ser mais elevado ou realizador do que um crente ser "aceito no amado" (Ef 1.6) e "aceitável a Deus por Jesus Cristo" (1 Pe 2.5). Tal estado está intimamente ligado ao que já mencionamos, onde não há uma condenação, e aquele que ainda vai ser considerado, o da justificação; mas este aspecto da verdade não somente anuncia o fato maravilhoso de que o cristão é aceito, mas baseia essa aceitação na posição que ele mantém em Cristo. Tão definitivamente como qualquer membro físico que pode ser unido a um corpo humano participaria de tudo o que a pessoa é – honra e posição – assim perfeita e corretamente um membro unido a Cristo pelo batismo do Espírito participa de tudo o que Cristo é. Com respeito a essa união com Cristo e aquilo que ela proporciona, são feitas declarações maravilhosas:

A. TORNADOS JUSTOS. A referência aqui não é a qualquer mérito ou boas obras da parte do crente, nem tem a mais leve referência à verdade inquestionável de que o próprio Deus é um Ser justo. A referência aqui é a uma posição ou qualidade que Cristo libera por sua morte de acordo com o aspecto do suave cheiro dela, e que corretamente se torna na porção do crente através de sua união vital com Cristo. É a justiça imputada ao crente com a única condição dele ter crido em Cristo como seu Salvador. As duas realidades principais que constituem um cristão são: vida eterna comunicada (Jo 20.31) e justiça imputada (2 Co 5.21).

Dos dois grandes livros sobre a salvação no Novo Testamento, pode ser dito do Evangelho de João que ele enfatiza o dom da vida eterna, e pode ser dito da carta aos Romanos que ela enfatiza a justiça imputada. A vida eterna é definida como "Cristo em vós, a esperança da glória" (Cl 1.27), e a justiça imputada é baseada na verdade de que o crente está em Cristo. Estas duas verdades supremas são condensadas por Cristo em sete breves e simples palavras, quando diz: "...vós em mim, e eu em vós" (Jo 14.20). Seja a recepção da vida eterna ou da justiça imputada, apenas uma condição é imposta ao lado humano: crer em Cristo como Salvador (Jo 3.16; Rm 3.22).

Num estudo anterior desse tema, os aspectos essenciais da justiça imputada foram registrados e um extenso conjunto de textos da Escritura sobre essa doutrina também já foi citado. O crente é "aceitável a Deus", apesar de ser Ele infinitamente santo, visto que o crente *foi* aceito no Amado; e isto se constitui num aspecto transformador das riquezas da graça divina.

B. SANTIFICADOS POSICIONALMENTE. Uma santificação *posicional* existente, que é assegurada pela união com Cristo, tem sido freqüentemente deixada de lado, e, por causa dessa negligência, as teorias de uma suposta perfeição sem pecado na vida diária têm sido inferidas de alguns textos da Escritura, os quais asseveram que o crente já foi "aperfeiçoado para sempre", através de sua santificação. O ponto do entendimento errôneo é a respeito do *desígnio* da santificação, que pode ser definido como a separação de uma pessoa ou coisa, uma espécie de distinção das outras pessoas ou coisas para um uso especial. É assim que Cristo santificou-se a Si mesmo por se tornar o Salvador dos perdidos, inclusive todas as coisas que estão envolvidas nessa função (Jo 17.19), santificação essa que certamente não poderia sugerir qualquer melhora no caráter moral de Jesus Cristo.

Igualmente, a santificação de um objeto inanimado, tal como o ouro do templo ou o sacrifício do altar (Mt 23.17, 19), indica que uma mudança moral na coisa santificada não é exigida. Assim, no caso da santificação de alguém, a mudança moral na vida dessa pessoa pode não ser o resultado da santificação, mas nenhuma pessoa ou coisa é santificada sem ser separada por meio disso. Cristo foi feito para nós "santificação" (1 Co 1.30), e os coríntios – mesmo quando eram corrigidos por práticas errôneas – foram assegurados de que não somente foram "lavados", "justificados", mas que haviam sido também "santificados" (1 Co 6.11). Tal santificação não dizia respeito ao estado daqueles crentes nem ela se referia à transformação definitiva que haveriam de ter em glória (Ef 5.27; 1 Jo 3.2). Ela evidentemente indicava que a maior de todas as classificações, que resultou na permanência e posição de cada crente quando ele passa para a nova criação através da união com Cristo e passa a participar de tudo que Cristo é. Essa verdade é declarada na frase a seguir,

C. APERFEIÇOADOS PARA SEMPRE. Esta frase com tom apoteótico aparece em Hebreus 10.14 e aplica-se igualmente a todo crente. Ela também diz respeito à permanência e posição do cristão em Cristo. Tal união com Cristo assegura a perfeição do Filho de Deus para os filhos de Deus.

D. TORNADOS ACEITOS NO AMADO. O estudante faria bem em observar a força da palavra *tornado*, como ela aparece num grande número de textos, onde indica que a coisa realizada não é operada pelo crente para si mesmo, mas é a obra de Deus por ele. Se ele é tornado alguma coisa que não era antes, é evidentemente a obra de uma pessoa a seu favor. Neste caso, o crente é *tornado aceito*. Ele é aceito da parte de Deus que, por causa de sua santidade infinita, pode aceitar alguém não menos perfeito do que Ele próprio. Tudo isto é proporcionado como base da verdade de que o crente é tornado aceito "no Amado" (Ef 1.6). Sem a mais leve pressão sobre a Sua santidade, Deus aceita aqueles que estão em união com o seu Filho; e este fato glorioso, de aquele que é salvo é aceito, se constitui num aspecto imensurável da graça divina.

E. TORNADOS APTOS. Aqui a palavra feitos aparece com toda a sua importância, mas com respeito àquela exigência que deve ser requerida de todos que compareçem na presença de Deus no céu. O texto em que essa frase ocorre está em Colossenses 1.12, e assevera que o crente é, mesmo agora, aprontado para essa glória celestial: "...dando graças ao Pai que vos fez idôneos para participar da herança dos santos na luz". Não é uma suposição pretensiosa ou atrevida a que está indicada nessa passagem. O menor dos crentes, em Cristo, é *feito idôneo* para ser um participante da herança dos santos em luz. Portanto, não é uma arrogância ou vanglória aceitar essa afirmação da Palavra de Deus como verdadeira, e é tão verdadeira desde o momento que uma pessoa crê em Cristo como Salvador.

Ser aceito por Deus através de Jesus Cristo (1 Pe 2.5), é uma realidade em cada aspecto dela e essa verdade, incompreensível como é, se constitui num item importante no campo total das riquezas da graça em Cristo Jesus.

11. JUSTIFICADOS. Nenhuma presente posição na qual o crente é colocado, é mais exaltada e apoteótica do que a de ser justificado por Deus. Pela justificação, o salvo é elevado muito acima da posição de alguém que depende da generosidade e da magnanimidade, ao estado de alguém a quem Deus declarou justificado para sempre, estado esse em que a santa justiça de Deus está comprometida a defender como sempre aquela santa justiça que antes era comprometida a condenar. As definições teológicas a respeito da justificação são mais tradicionais do que a bíblica. Somente uma desatenção com a Escritura pode explicar a confusão da justificação com o perdão divino do pecado. É verdade que cada um desses é um ato de Deus em resposta à fé salvadora, que ninguém é perdoado que não seja justificado, e que ninguém é justificado que não seja perdoado; mas em nenhum aspecto particular essas grandes realizações divinas se misturam.

Igualmente, embora sejam traduzidos da mesma raiz grega, os termos *justiça* (imputada) e *justificação* representam conceitos totalmente diferentes. O crente é constituído justo em virtude de sua posição em Cristo, mas ele é justificado por um decreto declarativo de Deus. A justiça imputada é um fato permanente, e a justificação é um reconhecimento divino do fato. Em outras considerações da doutrina da justificação incorporadas nesta obra geral, um tratamento mais exaustivo será dado, inclusive o escopo desse empreendimento divino em que Deus justifica o ímpio (Rm 4.5) sem uma causa (Rm 3.24), e em base muito digna, louvável, e sem mácula que Ele próprio permanece justo quando ele justifica. Ele reserva cada aspecto desse benefício imensurável para Si próprio, pois a única obrigação humana é a de *crer* em Jesus (Rm 3.26). É direito do cristão confiar nessa obra feita e dizer, como em Romanos 5.1: "Portanto, sendo justificados pela fé...". Embora a linguagem possa descrevê-la, somente o Espírito de Deus pode fazer a mente perceber essa posição essencial tão elevada e tão glorificada.

12. APROXIMADOS. O salvo, de acordo com Efésios 2.13, é aproximado. Assim diz o texto: "Mas agora, em Cristo Jesus, vós, que estáveis longe, já pelo sangue de Cristo chegastes perto". Como foi visto anteriormente, a mesma idéia de alguém vir a ser o que não era antes. Vários termos são empregados no Novo Testamento, para descrever a relação íntima que é estabelecida e que existe entre Deus e o crente. Ser "aproximado" não é somente uma obra de Deus, mas é ser trazido para uma relação com Deus que é de perfeição infinita e inclui a idéia de totalidade. Nada pode ser acrescentado a ela no tempo ou na eternidade. O que tal aproximação pode significar para o cristão, quando ele está presente com o Senhor, não pode ser avaliada devidamente nesta vida; não obstante, a realidade que esta palavra *aproximados* conota é uma aquisição tão irresistível no começo da salvação do crente, como será em qualquer ponto da eternidade.

As posições operadas divinamente são freqüentemente acompanhadas de uma experiência cristã correspondente. Isto é parte do assunto que estamos estudando. Como tem sido afirmado, conquanto essa posição que seja descrita

SOTERIOLOGIA

como aproximados de Deus é em si mesma completa e final, aquele que está aproximado é exortado a se achegar a Deus. Está escrito: "Chegai-vos para Deus, e ele se chegará para vós. Limpai as mãos, pecadores; e, vós de espírito vacilante, purificai os corações" (Tg 4.8); "cheguemo-nos com verdadeiro coração, em inteira certeza de fé; tendo o coração purificado de má consciência, e o corpo lavado com água limpa" (Hb 10.22). Estas exortações pertencem totalmente à esfera da experiência cristã, esferas nas quais pode haver uma consciência, mais ou menos real, de uma comunhão pessoal com o Pai e com o Filho (1 Jo 1.3).

O processo pelo qual um crente pode se achegar – como foi requerido por Tiago e em resposta à qual Deus se achegará ao crente – é o da confissão de pecado e do ajustamento da vida do crente à vontade de Deus. Em oposição a isto será observado que, seja na comunhão ou na ausência de comunhão com respeito à experiência consciente, o cristão, por causa de sua posição em Cristo, é sempre aproximado.

13. Libertos do Poder das Trevas. Como está declarado em Colossenses 1.13, essa posição especial, descrita nesta passagem, pode se tornar representativa de toda a orientação das Escrituras sobre a libertação do cristão do poder de Satanás e de seus espíritos malignos. Anteriormente, certas passagens foram citadas relativas ao poder de Satanás sobre os não-salvos. Uma passagem, 2 Coríntios 4.3, 4, revela o poder de cegar que Satanás tem sobre a mente das pessoas não-regeneradas com respeito ao Evangelho. Efésios 2.1, 2 declara o grupo total dos perdidos – chamados "filhos da desobediência" (desobedientes no cabeça que é o desobediente Adão) – que são energizados por Satanás. 1 João 5.19 afirma que o *cosmos*, em contraste com os crentes que são de Deus, "jaz" no Maligno. A passagem sob estudo – Colossenses 1.13 – diz: "...e que nos tirou do poder das trevas, e nos transportou para o reino do seu Filho amado".

Será observado que todas essas passagens, a que fizemos referência, asseveram que os não-salvos estão debaixo do poder de Satanás e que o crente é liberto desse poder, embora ele deva continuar a travar uma batalha contra esses poderes das trevas; e o apóstolo assegura o cristão da vitória que foi tornada possível por uma atitude de fé no Senhor (Ef 6.10-12). O mesmo apóstolo, quando em relação à sua própria comissão divina, menciona certo resultado do seu ministério, a saber, que os não-salvos foram tirados "das trevas para a luz, e do poder de Satanás para Deus" (At 26.18).

Ser assim liberto é uma grande realidade e constitui-se numa das principais posições às quais o crente é trazido pela graça divina.

14. Transportados para o Reino do Filho de seu Amor. Como Dean Alford assinala em sua exposição de Colossenses 1.13[61], a tradução "para o reino" é "estritamente local"; a saber, ela acontece *agora*; quando a fé salvadora é exercida, e a entrada é para essa presente forma do reino de Deus e de Cristo. Duas outras passagens lançam luz sobre essa grande mudança que é experimentada por todos os que passam do estado de perdição para o estado de salvação: "...que andásseis de um modo digno de Deus, o qual vos chama ao seu reino e glória" (1 Ts 2.12); "Porque assim vos será amplamente concedida a entrada no reino eterno do nosso Senhor e Salvador Jesus Cristo" (2 Pe 1.11). Em Colossenses 1.13, o termo "transportou" evidentemente se refere à remoção da esfera do domínio de Satanás para o poder de Cristo. O reino é o de Deus, que pode ser considerado também o reino do Filho do seu amor. A entrada no reino de Deus é pelo novo nascimento (Jo 3.5). Tal posição é muito mais do que meramente ser liberto das trevas, conquanto muita vantagem possa haver nisso; significa também ser alistado e estabelecido no reino do Filho do Seu amor.

15. SOBRE A ROCHA, CRISTO JESUS. Na consideração da graça divina exercida em favor dos perdidos, é essencial, como em todos os assuntos de importância similar, distinguir entre o fundamento e a estrutura superior. Na parábola das duas casas – uma construída sobre a rocha e a outra sobre a areia (Mt 7.24-27) – Cristo não fez uma referência à estrutura superior, do alicerce, mas antes enfatizou a importância do alicerce. O menor edifício construído sobre a rocha passará nos testes que testam os alicerces, e somente por causa da rocha é que ele permanece. Em oposição a isto, escreve o apóstolo Paulo (1 Co 3.9-15) a respeito da estrutura superior que é construída sobre a rocha, estrutura essa que deve ser testada pelo fogo. A referência feita não é à salvação, mas às obras nas quais o cristão se envolve. Ela não tem o caráter de construção, mas de serviço cristão.

Novamente há duas classes gerais de superestrutura construídas sobre Cristo, a Rocha, e estas são assemelhadas ao ouro, prata, e pedras preciosas, de um lado, e à madeira, feno e palha, de outro. Como o ouro e a prata são refinados pelo fogo, e a madeira e feno e a palha são consumidos por ele, assim o julgamento do serviço cristão é assemelhado ao fogo em que o ouro e a prata permanecem após o texto e recebem uma recompensa, enquanto que o que corresponde à madeira, feno e palha sofrerá perda. Está declarado, portanto, que o crente que sofre a perda com respeito à sua recompensa de serviço ainda será salvo, embora passe através do fogo que destrói o seu indigno serviço.

A verdade importante a ser reconhecida nesse ponto é que, enquanto o não-salvo constrói sobre a areia, todos os cristãos permanecem e constroem sobre a Rocha, Jesus Cristo. Assim, eles são seguros a respeito da salvação através dos méritos de Cristo, à parte de sua própria dignidade ou fidelidade. Enquanto essa figura usada por Cristo não serve para um desenvolvimento literal em todos os seus detalhes, está claramente afirmado por essa lição objetiva que Cristo é o Fundamento sobre o qual o cristão permanece e sobre o qual Ele constrói. Ser tirado do fundamento de areia e ser colocado sobre a Rocha permanente que é Cristo constitui-se num dos mais ricos tesouros da graça divina.

16. UM DOM DE DEUS PAI A CRISTO. Nenhum momento na história dos santos poderia ser mais carregado da realidade do que no tempo quando, como uma consumação de sua missão redentora – prevista desde toda eternidade e em si mesmo um fator determinante no caráter de todas as eras vindouras – o Senhor Jesus Cristo pediu em oração ao Pai aquelas coisas que Ele havia realizado por seu advento a este *cosmos*. Pretendeu totalmente para os Seus que

SOTERIOLOGIA

estavam neste mundo que ouvissem o que Ele dizia naquela oração incomparável (Jo 17.13). As mentes devotas haveriam de ponderar ansiosamente sobre cada palavra falada a respeito de si mesmos sob circunstâncias tão augustas e solenes. Na verdade, qual seria a designação pelas quais os crentes serão identificados pelo Filho? Qual nome é próprio em tal conversa? Qual cognome responde ao mais alto ideal e conceito na mente da Trindade com respeito aos cristãos?

Certamente, o título superlativo, seja qual for, seria empregado pelo Filho, quando Ele apresenta formalmente os Seus, e pede ao Pai em favor deles. Sete vezes nessa oração, de uma forma ou de outra, e de um modo totalmente exclusivo, os seus salvos são mencionados como *aqueles que me deste*. Nada, exceto a ignorância da grande transação que está indicada nesse título, explicará a desatenção dos cristãos para esse nome descritivo. Quando é considerado, e visto que no fundo há duas grandes e importantes doutrinas envolvidas, a saber, a doutrina de que todas as criaturas pertencem inerentemente ao Criador delas e, conseqüentemente, que na eleição soberana Ele determinou nas eras passadas um grupo definido para ser o tesouro particular de seu Filho; mas o título em si mesmo nos diz a sua própria história de interesse e de importância insuperáveis, isto é, que o Pai deu cada um desses crentes ao Filho. Este não é o único caso em que o Pai dá um grupo de pessoa ao Filho.

No Salmo 2.6-9 está predito que, em sua segunda vinda e quando estiver assentado sobre o trono de Davi, as então nações rebeldes e ferozes seriam dadas por Jeová ao Messias. A imaginação não irá longe demais se ela descreve uma situação na eternidade passada quando o Pai apresenta os crentes individuais separadamente ao Filho – cada um com um valor e uma importância particulares não apresentados por outro. Quais jóias em uma caixa, colecionadas uma a uma, e totalmente diversas, esses dons de amor se apresentam diante dos olhos do Filho de Deus. Se um deles faltasse, o Filho, o Salvador, ficaria extremamente empobrecido. As riquezas imensuráveis e desconhecidas da graça estão latentes naquela designação superlativa, *aqueles que Tu me deste*.

O comentário do Dr. C. I. Scofield sobre essa verdade é claro e vigoroso: "Sete vezes Jesus fala dos crentes como concedidos a Ele pelo Pai (vv. 2, 6 [duas vezes], 9, 11, 12, 24). Jesus Cristo é o dom do amor de Deus ao mundo (Jo 3.16), e os crentes são o dom do amor do Pai a Jesus Cristo. É Cristo que confia os crentes ao Pai para guardá-los, de modo que a segurança dos crentes repousa na fidelidade do Pai ao seu Filho Jesus Cristo".[62]

17. CIRCUNCIDADOS EM CRISTO. Uma das tríplices divisões da humanidade que o apóstolo faz é a "incircuncisão", com referência aos gentios não-regenerados; "a circuncisão na carne feita pelas mãos", com referência a Israel; e a "circuncisão feita sem mãos", com referência aos cristãos (Ef 2.11; Cl 2.11). Entretanto, a verdade importante de que o crente foi circuncidado com uma circuncisão feita sem mãos e totalmente à parte da carne, é a posição da graça que está agora em pauta. Na passagem de Colossenses 2.11, a circuncisão espiritual do cristão é dita ser "o despojamento do corpo da carne, a saber, a circuncisão de Cristo". Duas palavras intimamente relacionadas ocorrem nessa passagem, a saber, *corpo* ($\sigma\tilde{\omega}\mu\alpha$)

e *carne* (σάρξ). O corpo físico não se envolve com o pecado, exceto quando ele é dominado pela carne – essa carne inclui a alma e o espírito, e manifesta aquela natureza caída que todos possuem, salvos e não-salvos igualmente.

O corpo físico não é despojado num sentido literal, mas, por ser o instrumento ou esfera da manifestação do pecado, a carne com o seu "corpo do pecado" pode ser anulada (Rm 6.6), ou tornar-se inoperante nessas circunstâncias. Como a natureza pecaminosa foi julgada por Cristo em sua morte, assim o crente, por causa de seu lugar vital em Cristo, participa desse "despojamento" que Cristo realizou, e que veio como uma circuncisão sobre Ele e se torna uma circuncisão espiritual para aquele a quem Cristo substituiu. É uma circuncisão feita "sem mãos". Permanecer assim perante Deus como aquele cuja natureza pecaminosa, ou carne, foi julgada e por quem um caminho de libertação do domínio do pecado foi assegurado, é uma posição que a graça providenciou, e é, na verdade, algo abençoado.

18. Participantes do Sacerdócio Real e Santo. Em sua primeira carta, Pedro declara que os crentes formam um sacerdócio santo (2.5) e um sacerdócio real (2.9), e a realeza deles é novamente asseverada por João quando em Apocalipse 1.6, eles são chamados de "um reino, sacerdotes para Deus". A verdade de que Cristo é um rei-sacerdote é refletida aqui. O crente deriva todas as suas posições e posses de Cristo. O filho de Deus é, portanto, um sacerdote agora por causa de sua relação com Cristo, o sumo sacerdote, e ele ainda reinará com Cristo mil anos – quando Cristo assentar no trono terrestre (Ap 5.10; cf. 2 Tm 2.12).

O sacerdócio passou por certos estágios ou aspectos bem definidos. Os patriarcas foram sacerdotes sobre as suas famílias. Mais tarde, a Israel foi oferecido o privilégio de se tornar um reino de sacerdotes (Êx 19.6); mas ele foi condicional e Israel fracassou na realização dessa bênção, e o sacerdócio ficou restrito a uma tribo ou família. Com base na graça, na qual Deus empreende através do mérito de seu Filho, no Novo Testamento é introduzida a realização final de um reino de sacerdotes. Cada pessoa salva na presente era é um sacerdote para Deus. Israel teve um sacerdócio; a Igreja é um sacerdócio. Ser um sacerdote para Deus, com a certeza de um domínio real, é uma posição à qual aquele que crê em Cristo é trazido através da graça salvadora de Deus.

19. Geração Eleita, Nação Santa e Povo Peculiar. Todas estas três designações (1 Pe 2.9) se referem a uma e a mesma idéia geral, a saber, ao grupo de crentes desta era – dos individualmente chamados dentre judeus e gentios que são atingidos pelos 33 milagres maravilhosos que os transforma. Eles são uma *geração*, não no sentido em que são restritos a um espaço de tempo na vida humana, mas no sentido deles serem descendência de Deus. Eles são uma *nação* no sentido de que são separados, um grupo distinto entre os povos da terra. Eles são **um povo de propriedade exclusiva** no sentido em que são nascidos de Deus e não são, portanto, deste *cosmos*. Eles não são juntados para ser um povo peculiar; quaisquer pessoas neste mundo que são cidadãs do céu, aperfeiçoadas em Cristo, e designadas para viver no poder de Deus e para a glória dele, não podem ser senão propriedade exclusiva.

SOTERIOLOGIA

Essas três designações representam posições permanentes às quais os crentes foram trazidos e elas, igualmente, fazem uma grande contribuição para a soma total de todas as riquezas da graça divina.

20. Cidadãos do Céu. Sob esta consideração agora estão os privilégios da comunidade, ou o aquilo que é melhor conhecido como *cidadania*. Ao escrever a respeito do estado dos Efésios, que haviam sido gentios antes de serem salvos, o apóstolo afirma que eles estavam "separados da comunidade de Israel". A cidadania de Israel, embora terrena, era conhecida especificamente por Deus como separada de todos os outros povos. Para essa posição, nenhum gentio poderia vir, exceto como um prosélito. Assim, é dito que os gentios, embora estranhos à comunidade de Israel, não tinham muito reconhecimento da parte de Deus; todavia, imensuravelmente distante, mais acima do que os altos céus, está a cidadania do cristão nos céus. Dos cristãos está escrito: "...pois a nossa cidade está nos céus" (Fp 3.20); os seus nomes estão escritos no céu (Lc 10.20), e é dito deles que "tendo chegado ao monte Sião, e à cidade do Deus vivo, à Jerusalém celestial, a miríades de anjos" (Hb 12.22).

Para reforçar a mesma verdade, o apóstolo escreve: "Assim, pois, não sois mais estrangeiros, nem forasteiros, antes sois concidadãos dos santos e membros da família de Deus" (Ef 2.19). A presença real no céu é uma experiência assegurada para todos os que são salvos (2 Co 5.8); mas a cidadania em si mesma – seja realizada no presente momento ou não – é uma posição permanente acordada para todos os que crêem. Na verdade, a ocupação dessa cidadania, por uma remoção instantânea dessa esfera, seria a experiência normal para cada cristão quando é salvo. Permanecer aqui, após a cidadania ter sido adquirida no céu, cria uma situação peculiar. Como reconhecimento dessa situação anormal, o filho de Deus é chamado de "estrangeiro e peregrino" (1 Pe 2.11; cf. Hb 11.13), quando relacionado ao sistema deste *cosmos*. De igual modo, o cristão é tido como um "embaixador" de Cristo (2 Co 5.20). Permanecer aqui como uma testemunha, um estrangeiro, um peregrino e um embaixador, é apenas uma experiência passageira; a cidadania celestial será desfrutada para sempre. É o aspecto glorioso das riquezas da graça divina.

21. Da Família de Deus. Intimamente ligadas à cidadania e ainda mais restrito à sua amplitude, estão as posições que é dito que os cristãos ocupam na família de Deus. Como já foi observado, há várias relações de paternidade que Deus mantém; mas nenhuma em relação às suas criaturas é tão perfeita, tão enriquecedora, ou tão duradoura como aquela em que tem com a família dos santos. Uma mudança muito grande foi operada no estado daqueles que são salvos com relação ao seu parentesco com Deus, do qual está escrito: "Assim, pois, não sois mais estrangeiros, nem forasteiros, antes sois concidadãos dos santos e membros da família de Deus" (Ef 2.19). Com essa posição surge uma obrigação que estabelece as suas reivindicações sobre cada membro da família. Dessa reivindicação, o apóstolo escreve: "Então, enquanto temos oportunidade, façamos bem a todos, mas principalmente aos domésticos da fé" (Gl 6.10).

No presente relacionamento humano sustentado no cosmos, há necessariamente apenas uma diferença limitada observável entre os salvos e os não-salvos; todavia, aqueles que compõem a família da fé são completamente separados para Deus, e nessa família ninguém pode entrar que não mantenha uma relação com Deus como seu Pai. As organizações humanas, inclusive a Igreja visível, podem incluir muitas coisas misturadas, mas "o firme fundamento de Deus permanece, tendo este selo: O senhor conhece os seus, e: aparte-se da injustiça todo aquele que profere o nome do Senhor" (2 Tm 2.19). Numa grande casa há alguns vasos para honra e alguns para desonra, alguns de ouro e de prata, e alguns de madeira e de barro. Se um homem se purifica dessas coisas, será vaso para honra, santificado e útil ao Senhor, preparado para toda boa obra (2 Tm 2.20, 21). Esta descrição dos relacionamentos da família de Deus não implica que haja aqueles na família de Deus que não sejam salvos; a verdade demonstrada é que nem todos os crentes são, em sua vida diária, entregues a Deus como poderiam ser, e que por dedicação de si mesmos eles podem passar da posição de vasos de desonra – de madeira ou de barro — para a posição e substância dos vasos de honra – de ouro ou de prata.

Igual à cidadania no céu, uma participação na família de Deus é uma posição exaltada e tão elevada como o próprio céu, e aquilo que é honrável pode chegar ao grau do infinito. Assim, há uma correspondência com todos os outros aspectos das riquezas da graça divina.

22. Na Companhia dos Santos. Uma cidadania cristã pertence a uma relação com o céu, e como a família pertence a Deus, de modo que a comunhão dos santos refere-se a relação que eles têm uns para com os outros. O fato desse parentesco e da obrigação que ele gera é enfatizado no Novo Testamento. O fato do parentesco atinge realidades incomparáveis. Através do batismo no Espírito Santo – pelo qual os crentes são, no tempo em que são salvos, unidos ao Senhor como membros em seu corpo – uma afinidade é criada que responde a oração de Cristo, quando Ele pediu ao Pai que os crentes fossem todos um. Por serem gerados do mesmo Pai, o laço de família é de grande importância, mas ser membro no corpo de Cristo supera todas as outras concepções. Ser gerado de Deus resulta em filiação; mas estar em Cristo resulta em permanecer como exaltado como o é o Filho de Deus.

Ser participante nessa posição acrescida à irmandade causada pela regeneração, constitui-se naquele relacionamento exaltado pelo qual Cristo orou quando disse: "...a fim de que eles sejam um; como tu és ó Pai em mim e eu em ti" (Jo 17.21). Uma repetição de qualquer afirmação, como isso ocorre na Bíblia, é para a ênfase. Poderia parecer, entretanto, que, quando se fala ao seu Pai, havia pouca oportunidade para reiteração; todavia, naquela única oração sacerdotal Cristo pede quatro vezes direta e separadamente para que os crentes pudessem ser *um*, e uma vez para que pudessem ser *um* em relação com o Pai e com o próprio Cristo (Jo 17.11, 21-23). Com tudo isso em mente, deve ser admitido que poucas verdades são tão enfatizadas na Palavra de Deus como a unidade dos crentes. Essa oração de Cristo começou a ser respondida no dia de Pentecostes quando aqueles, então salvos, foram colocados em um Corpo, e essa oração tem sido respondida continuamente à medida que, no momento da fé, os salvos são unidos ao Corpo de Cristo pela mesma operação do Espírito.

Uma unidade, que não é possível conhecer, existe entre o Pai e o Filho. Ela diz respeito ao próprio mistério da Trindade; todavia, é nesse nível que Cristo pediu que os crentes pudessem permanecer em sua relação de uns para com os outros – "para que eles sejam um; como tu és ó Pai em mim e eu em ti"... para que sejam aperfeiçoados na unidade" (Jo 17.21-23). Essa oração, como todas as que Jesus faz, é respondida, e o fato da unidade entre os santos de Deus é uma verdade presente sem levar em conta que alguém a entenda neste mundo ou não.

Essa maravilhosa unidade entre os crentes se torna a base lógica para toda ação cristã, uma para com a outra. Tal ação deveria ser consistente com a unidade que existe. Nunca os cristãos são exortados a *criar* uma unidade por organizações ou associações; eles são antes exortados a *preservar* a unidade que Deus pelo seu Espírito já criou (Ef 4.1-3). Isto pode ser feito apenas de um modo, a saber, pelo reconhecimento e pelo recebimento, assim como pelo amor e pela honra, que cada filho de Deus tem pelo outro. O espírito de separação, de exclusão de um para com o outro é um pecado que pode ser medido somente à luz dessa união indizível que a separação e a exclusão desconsideram.

Estar na comunhão dos santos é uma posição em graça tão exaltada e dignificada demais para o mero entendimento humano.

23. Associação Celestial. O que é chamado "os lugares celestiais" é uma frase que é peculiar à carta aos Efésios e não faz referência ao céu como um lugar ou lugares específicos de privilégio espiritual aqui na terra; mas ela se refere à esfera presente da associação com Cristo, associação essa que é o direito inerente de todos aqueles que estão em Cristo Jesus. A associação é uma parceria com Cristo que incorpora ao menos sete esferas de interesse e de empreendimento comum.

A. Participantes com Cristo na Vida. O Novo Testamento declara não somente que o crente tem participado de uma nova vida, mas assevera que a vida é Cristo que habita nele. Em Colossenses 1.27, um mistério é revelado: "Cristo em vós, a esperança da glória"; em Colossenses 3.4 é também dito que "Cristo, que é a nossa vida"; igualmente em 1 João 5.11, 12 está escrito: "E o testemunho é este: que Deus nos deu a vida eterna; e esta vida está em seu Filho. Quem tem o Filho tem a vida; quem não tem o Filho de Deus não tem a vida". Esta verdade aparece mais de oitenta vezes no Novo Testamento, e entre os principais aspectos que caracterizam um cristão está a comunicação da nova vida que vem de Deus. Assim, uma parceria singular na vida é estabelecida entre Cristo e todos os que crêem, que consiste tanto de posições quanto de posses.

B. Participantes na Posição. Com essa posição incomparável, o cristão é ressuscitado com Cristo (Cl 3.1), e assentado com Cristo em associação celestial. Esta verdade é revelada claramente em Efésios 2.6, que diz: "...e nos ressuscitou juntamente com ele, e nos fez sentar nas regiões celestes em Cristo Jesus". Ser ressuscitado com Cristo e estar assentado com Cristo é uma parceria em posição que é real e duradoura. Sua contribuição para o fato total da associação do crente com Cristo é suficiente para caracterizar o todo. A honra e a glória dela são de um conhecimento insuperável.

C. PARTICIPANTES COM CRISTO NO SERVIÇO. Um grande número de textos está unido no testemunho de que o serviço do cristão é de co-participação com Cristo. Destes, nenhum é mais direto ou mais convincente do que 1 Coríntios 1.9, que diz: "Fiel é Deus, pelo qual fostes chamados para a comunhão de seu Filho Jesus Cristo nosso Senhor". A palavra grega κοινωνία, que é traduzida como comunhão (como em 2 Co 6.14), dá realmente a idéia de acordo ou parceria, e está em harmonia com a mensagem do serviço cristão, que é o tema que caracteriza essa epístola, e a idéia de um empreendimento conjunto pode ser lida nessa passagem. Alguns, como Meyer e Alford, vêem aqui um compartilhamento na glória vindoura de Cristo; mas como essa epístola é quase totalmente um parêntesis que começa com o versículo seguinte a esse texto notável e termina em 15.57, é importante observar o versículo seguinte no curso direto da mensagem, a saber, 15.58.

Com a tradução de κοινωνία por *parceria*, os dois versículos dominantes e conectadores poderiam ser traduzidos: "Fiel é Deus, pelo qual fostes chamados à parceria de seu Filho Jesus Cristo nosso Senhor... Portanto, meus amados irmãos, sede firmes e constantes, sempre abundantes na obra do Senhor, sabendo que o vosso trabalho não é vão no Senhor."(1 Co 1.9; 15.58). A mesma epístola afirma: "...porque nós somos cooperadores de Deus" (3.9); e 2 Coríntios 6.1 designa os crentes como "cooperando com ele" – no mesmo contexto eles são ditos ser "ministros de Deus" (v. 4) e "ministros da nova aliança" (3.6). Ser assim, parceiro com Cristo é uma posição de responsabilidade ilimitada, e uma honra exaltada.

D. PARTICIPANTES COM CRISTO NO SOFRIMENTO. **No campo total** da doutrina do sofrimento humano, está um aspecto bem definido dessa experiência que é *o sofrimento com Cristo:* "Se perseveramos, com ele reinaremos"(2 Tm 2.12). Igualmente, "pois vos foi concedido, por amor de Cristo, não somente o crer nele, mas também o padecer por ele" (Fp 1.29); e ainda: "Amados, não estranheis a ardente provação que vem sobre vós para vos experimentar, como se coisa estranha vos acontecesse; mas regozijai-vos por serdes participantes das aflições de Cristo; para que também na revelação da sua glória vos regozijeis e exulteis" (1 P e 4.12, 13). O apóstolo testificou de si mesmo: "Agora me regozijo no meio dos meus sofrimentos por vós, e cumpro na minha carne o que resta das aflições de Cristo, por amor do seu corpo, que é a igreja" (Cl 1.24); "Pois tenho para mim que as aflições deste tempo presente não se podem comparar com a glória que em nós há de ser revelada" (Rm 8.18); semelhantemente, "para que ninguém seja abalado por estas tribulações; porque vós mesmos sabeis que para isto fomos destinados" (1 Ts 3.3).

Enquanto o filho de Deus pode sofrer o opróbrio de Cristo, que é uma forma definida de co-participação de sofrimento com Cristo, a forma de comunhão no sofrimento que é mais próxima ao coração do Salvador é compartilhar com Ele o seu fardo pelas almas perdidas – aqueles por quem Ele morreu. Tais anelos não são naturais a qualquer natureza humana, mas são gerados no coração pelo Espírito Santo, que faz o crente ansioso por experimentar a compaixão de Deus. Está escrito: "...o fruto do Espírito é amor" (Gl 5.22) e, "o amor de Deus é

SOTERIOLOGIA

derramado em nossos corações pelo Espírito Santo que nos foi dado" (Rm 5.5). Como uma ilustração dessa capacidade do crente, de experimentar a compaixão de Cristo, o apóstolo testifica de si mesmo, da seguinte maneira: "Digo a verdade em Cristo, não minto, dando testemunho comigo a minha consciência no Espírito Santo, que tenho grande tristeza e incessante dor no meu coração. Porque eu mesmo desejaria ser separado de Cristo, por amor de meus irmãos, que são meus parentes segundo a carne" (Rm 9.1-3). Parceria com Cristo no sofrimento é real e reflete o fato de que o cristão ocupa uma posição de distinção incalculável.

E. Participantes com Cristo na Oração. O real ato de orar em nome de Cristo é em si mesmo uma suposição que Ele também faz petição ao Pai por aquelas coisas que estão na vontade de Deus e pelas quais o cristão ora. A passagem central que ensina sobre este aspecto da parceria é João 14.12-14: "Em verdade, em verdade vos digo: Aquele que crê em mim, esse também fará as obras que eu faço, e as fará maiores do que estas; porque eu vou para o Pai; e tudo quanto pedirdes em meu nome, eu o farei, para que o Pai seja glorificado no Filho. Se me pedirdes alguma coisa em meu nome, eu a farei". A expressão "maiores obras" devem ser feitas pelo Filho de Deus em resposta à oração do crente em Seu nome. A parceria na responsabilidade é assim definida: "Se pedirdes... eu farei".

F. Participantes com Cristo no Noivado. Estar ligado a uma pessoa pelo noivado é uma posição tanto definida quanto exigente. Isso também é uma parceria. A Igreja está ligada a Cristo como uma noiva ao seu noivo. O dia do casamento é o de Seu retorno para recebê-la para Si. Foi o desejo do apóstolo Paulo que ele pudesse apresentar os crentes como uma virgem pura perante Cristo (2 Co 11.2); e o texto de Efésios 5.25-27 deve ser entendido que Cristo ama a Igreja como o noivo deveria amar a noiva e que Ele se deu a si mesmo pela noiva.

G. Participantes na Esperança. A "bem-aventurada esperança" (Tt 2.13) é sempre a expectativa do cristão instruído; pois a vinda de Cristo será o momento de liberação dessas limitações para a plenitude de glória, e o momento de vê-lo, que é o centro de toda realidade para o crente. Mas Cristo, também, está agora "esperando" (Hb 10.13), e os seus anelos de reivindicar sua noiva são tão grandes como a sua disposição de morrer por ela.

Todas as parcerias nas relações humanas criam as suas posições e posses correspondentes; de igual modo essa parceria sétupla que o filho de Deus mantém com Cristo cria posições e posses, e essas são riquezas da graça divina.

24. Ter Acesso a Deus. Se qualquer ser humano pudesse ter apenas uma visão breve da glória, majestade e santidade de Deus, daquele tempo em diante – ainda aquele que não é caído – ele poderia ter acesso a Deus; todavia, através de Cristo como Mediador, os pecadores são presenteados com uma porta aberta para a presença de Deus. Na tentativa de entender no que está envolvido nesse acesso a Deus, seria bom buscar certas verdades reveladas em uma ordem intencional.

A. Acesso para sua Graça. A graça divina em ação é aquela realização em que Deus é livre para empreender por causa da satisfação com respeito ao pecado que Cristo proporcionou por sua morte e ressurreição; portanto, o acesso à graça de Deus é acesso ao valor de sua obra consumada. Essa porta está aberta a todos; mas somente aqueles que creram entraram nela. Dessa posição que Cristo obteve, está escrito: "por quem obtivemos também nosso acesso pela fé a esta graça, na qual estamos firmes" Rm 5.2). O crente não é somente *salvo* pela graça (Ef 2.8), mas ele *permanece* firme na graça. Ele está inserido nessa graça. A mesma graça que o salvou o sustém. O mesmo princípio sobre o qual ele é salvo quando ele crê, lhe é continuamente aplicado para preservá-lo por toda a sua peregrinação terrena. Dessa graça na qual ele está inserido, Pedro escreveu estas palavras: "Antes crescei na graça e no conhecimento de nosso Senhor e Salvador Jesus Cristo" (2 Pe 3.18).

O pensamento parece ser o de que o cristão, que está na graça, é designado para crescer no conhecimento de Cristo. Certamente ninguém que não tenha encontrado a entrada para a graça divina através da fé, haverá de crescer. Não é uma questão de crescimento mais gracioso, mas de vir a conhecer Cristo, conhecimento esse que é possível visto que o crente entrou na esfera da graça (cf. 2 Co 3.18).

B. Acesso para o Pai. Deste acesso específico está escrito: "Porque por ele ambos temos acesso ao Pai em um mesmo Espírito" (Ef 2.18). Todas as três pessoas da Trindade aparecem nesse breve texto. Ele declara que ambos, judeus e gentios, por serem salvos, têm acesso através de Cristo e pelo Espírito ao Pai. A parte essencial que Cristo realizou foi considerada em detalhes, mas há também uma parte que o Espírito Santo empreende. A apreensão do cristão (1 Co 2.10), a comunhão (2 Co 13.14), e muita coisa de sua qualificação para a presença divina (1 Co 12.13), são diretamente uma obra do Espírito Santo. A verdade mais importante – tão maravilhosa que está além da compreensão – é a que cada crente tem um acesso perfeito e imutável ao Pai.

C. O Acesso é Tranquilizador. Na verdade, esta admissão à divina presença e favor do Pai é tão perfeita que o cristão é instado a vir *intrepidamente*. Nesse caso, a intrepidez fica bem no crente, visto que todo obstáculo foi removido. Duas passagens, ambas na carta aos Hebreus, ordenam a intrepidez: "Cheguemo-nos, pois, confiadamente, ao trono da graça, para que recebamos misericórdia e achemos graça, a fim de sermos socorridos no momento oportuno" (Hb 4.16); "Tendo pois, irmãos, ousadia para entrarmos no santíssimo lugar, pelo sangue de Jesus, pelo caminho que ele nos inaugurou, caminho novo e vivo, através do véu, isto é, da sua carne" (Hb 10.19, 20).

Ser uma pessoa a quem o acesso irrestrito à presença de Deus é combinado com a posição de ocupar um privilégio superior e firmeza, seja ela medida pelos padrões do céu ou da terra.

25. Dentro de um Cuidado Muito Maior de Deus. Deverá ser admitido por todos que estão acordados para a revelação divina que o amor de Deus pelos não-salvos é tão imensurável quanto infinito; todavia, há uma revelação clara de que a expressão do amor divino por aqueles que são salvos é mesmo muito maior. O argumento é que, se Deus amou pecadores e inimigos o bastante para dar Seu Filho para morrer por eles, a Sua atitude será "muito mais" para com eles, quando estão reconciliados e justificados. O apóstolo afirma:

SOTERIOLOGIA

"Mas Deus dá prova do seu amor para conosco, em que, quando éramos ainda pecadores, Cristo morreu por nós. Logo muito mais, sendo agora justificados pelo seu sangue, seremos por ele salvos da ira. Porque se nós, quando éramos inimigos, fomos reconciliados com Deus pela morte de seu Filho, muito mais, estando já reconciliados, seremos salvos pela sua vida" (Rm 5.8-10). Esta devoção inconcebível da parte de Deus por aqueles que Ele salvou resulta em várias bênçãos para todos os salvos.

A. OBJETOS DE SEU AMOR. O amor imutável de Deus subjaz tudo o que Ele empreende. Foi o seu amor que originou o caminho da salvação através de Cristo e, assim, pela graça infinita. É verdade que Deus é propício; isto é, Ele é capaz, através da morte de Cristo, de receber o pecador com um favor irrestrito. A morte de Cristo não fez Deus amar os pecadores; foi o seu amor que proporcionou essa propiciação em e através de Cristo (Jo 3.16; Rm 5.8; 1 Jo 3.16). A satisfação que Cristo prestou, liberou o amor de Deus daquela exigência que a santidade ultrajada impôs sobre o pecador. O amor de Deus não conhece variações. Ele não experimenta altos e baixos, ou oscilações emocionais. É o amor daquele que é imutável em todo o seu caráter e caminhos.

B. OBJETOS DE SUA GRAÇA. Os homens não são salvos num estado de prova, mas numa esfera de graça infinita – uma esfera na qual Deus trata com eles como aqueles por quem Cristo morreu, e cujos pecados são já pagos por um substituto. Essa graça contempla:

(1) Salvação. Assim está escrito: "...para mostrar nos séculos vindouros a suprema riqueza da sua graça, pela sua bondade para conosco em Cristo Jesus. Porque pela graça sois salvos, por meio da fé; e isto não vem de vós, é dom de Deus; não vem das obras, para que ninguém se glorie" (Ef 2.7-9).

(2) Segurança. Como a Escritura declara: "Por quem obtivemos também nosso acesso pela fé a esta graça, na qual estamos firmes, e gloriemo-nos na esperança da glória de Deus" (Rm 5.2).

(3) Serviço. Disto está dito: "Assim como tu me enviaste ao mundo, também eu os enviei ao mundo" (Jo 17.18); "Mas a cada um de nós foi dada a graça conforme a medida do dom de Cristo" (Ef 4.7).

(4) Instrução. Também está afirmado: "...ensinando-nos, para que, renunciando à impiedade e às paixões mundanas, vivamos no presente mundo sóbria, e justa, e piamente, aguardando a bem-aventurada esperança e o aparecimento da glória do nosso grande Deus e Salvador Cristo Jesus" (Tt 2.12, 13).

C. OBJETOS DE SEU PODER. Uma indução plena de todas as passagens em que Deus é dito ser *capaz* de operar em favor daqueles que confiam nele será de grande ajuda para o estudante. Será visto que o poder infinito está sempre envolvido no apoio e na defesa do crente. Está escrito: "...e qual a suprema grandeza do seu poder para conosco, os que cremos, segundo a operação da força do seu poder" (Ef 1.19); "...porque Deus é o que opera em vós tanto o querer como o efetuar, segundo a sua boa vontade" (Fp 2.13).

D. OBJETOS DE SUA FIDELIDADE. Um conforto ilimitado é proporcionado para aqueles que reconhecem a fidelidade de Deus. Está dito: "Não te deixarei, nem te desampararei" (Hb 13.5); "...tendo por certo isto mesmo, que aquele que em vós começou a boa obra, a aperfeiçoará até o dia de Cristo Jesus" (Fp 1.6); "Fiel é o que vos chama, e ele também o fará" (1 Ts 5.24).

E. Objetos de sua Paz. Não somente é aquela paz *com* Deus (Rm 5.1) que é devida ao fato de que toda a condenação é removida, mas a paz comunicada e experimental é também prometida: "Deixo-vos a paz, a minha paz vos dou; eu não vo-la dou como o mundo a dá. Não se turbe o vosso coração, nem se atemorize" (Jo 14.27); "E a paz de Cristo, para a qual também fostes chamados em um corpo, domine em vossos corações; e sede agradecidos" (Cl 3.15), e "o fruto do Espírito é... paz" (Gl 5.22).

F. Objetos de sua Consolação. A respeito da consolação divina está escrito: "E o próprio Senhor nosso, Jesus Cristo, e Deus nosso Pai que nos amou e pela graça nos deu uma eterna consolação e boa esperança, console os vossos corações e os confirme em toda boa obra e palavra" (2 Ts 2.16, 17).

G. Objetos de sua Intercessão. Enquanto está revelado que o Espírito Santo faz intercessão pelos santos de acordo com a vontade de Deus (Rm 8.26) e que eles são ordenados a orar "no Espírito" (Ef 6.18; Jd 20), está também indicado que um dos presentes ministérios de Cristo no céu é Sua incessante intercessão pelos santos. Em sua oração sacerdotal, Ele disse que oraria não pelo *mundo*, mas por aqueles que o Pai lhe havia dado; e é provável que a sua presente intercessão, igual à sua oração sacerdotal, seja restrita aos Seus que estão no mundo. Três passagens asseveram essa intercessão celestial: "Quem os condenará? Cristo Jesus é quem morreu, ou antes quem ressurgiu dentre os mortos, o qual está à direita de Deus, e também intercede por nós" (Rm 8.34); "Portanto, pode também salvar perfeitamente os que por ele se chegam a Deus, porquanto vive sempre para interceder por eles" (Hb 7.25); "Pois Cristo não entrou num santuário feito por mãos, figura do verdadeiro, mas no próprio céu, para agora comparecer por nós perante a face de Deus" (Hb 9.24).

Estar incluso assim nesse amor e cuidado muito maior de Deus se torna uma posição na graça divina que é de valor insuperável.

26. Sua Herança. Uma antecipação parcial desta posição em graça foi expressa na divisão anterior, a qual anunciou que cada cristão é um dom do Pai ao Filho; contudo, além do tesouro que ele é para Cristo como um dom do Pai, Efésios 1.18 assevera que o crente é também a herança do Pai. Esta verdade elevada é assunto da oração do apóstolo. Como se, à parte da revelação sobrenatural do Espírito Santo, eles não pudessem entender, Paulo ora "os olhos do vosso entendimento sejam iluminados, para que saibais qual seja a esperança da sua vocação, e quais as riquezas da glória da sua herança nos santos" (Ef 1.18). Muita coisa é prometida para o crente a respeito do seu futuro lugar em glória. Está escrito: "E eu lhes dei a glória que a mim me deste, para que sejam um, como nós somos um" (Jo 17.22); "e aos que predestinou, a estes também chamou; e aos que chamou, a estes também justificou; e aos que justificou, a estes também glorificou" (Rm 8.30); "Quando Cristo, que é a nossa vida, se manifestar, então também vós vos manifestareis com ele em glória" (Cl 3.4). É somente por tais mudanças que Ele operou nos pecadores caídos, que Deus será glorificado. Eles refletirão a "glória da sua graça" (Ef 1.6). Cada filho de Deus servirá como um meio ou material pelo qual a *Shekinah* (glória) de Deus será vista.

27. A Herança dos Santos. Muito mais fácil de compreender do que acabamos de considerar é a verdade de que o crente tem uma herança em Deus. A herança do crente é o próprio Deus e tudo o que Deus concede. Isto está afirmado por Pedro, da seguinte maneira: "...para uma herança incorruptível, incontaminável e imarcescível, reservada nos céus para vós" (1 Pe 1.4). As presentes bênçãos que o Espírito traz para o coração e a vida do cristão são assemelhadas a um sincero e comparativamente pequeno pagamento de tudo o que ainda está por ser concedido. O apóstolo escreve: "...o qual é o penhor da nossa herança, para redenção da possessão de Deus, para o louvor da sua glória" (Ef 1.14); "...sabendo que do Senhor recebereis como recompensa a herança; servi a Cristo, o Senhor" (Cl 3.24). A eterna herança (Hb 9.15) é uma possessão sob a graça; suas especificações são desconhecidas até que elas sejam reivindicadas no céu.

28. Luz no Senhor. Da forma como está apresentado nas Escrituras com seu significado simbólico, um conjunto extenso de verdade está relacionado ao tema geral da luz. Acima de tudo e suprema está a revelação de que "Deus é luz" (1 Jo 1.5). O significado do termo assim aplicado a Deus é que Ele é transparentemente santo e nele não há quaisquer trevas morais. Essa luz santa que Deus é, tem a sua manifestação na face de Cristo (2 Co 4.6). O crente, por divina graça, tem se tornado luz (Ef 5.8) – não meramente essa luz divina brilha sobre ele, mas é luz no Senhor. Essa grande realidade não dispensa a verdade de que o crente é ordenado a "andar na luz" (1 Jo 1.7), a luz que Deus é. Ambas as verdades alcançam e geram a sua própria obrigação. Andar na luz não é se tornar luz; antes, é estar totalmente sujeito à mente e vontade de Deus e ajustado ao santo caráter de Deus.

A este respeito, a Bíblia é uma lâmpada para os pés e luz para os nossos caminhos (Sl 119.105). Contudo, com respeito à luz que o crente é, pode ser observado que ter recebido a luz é o mesmo que ter a posse, e ser a luz no Senhor é o mesmo que ter uma posição. Nenhuma pessoa pode se tornar a luz por tentar brilhar; antes, por ter se tornado luz no Senhor e isto como uma realização divina, ela é designada para brilhar como a luz num mundo escuro. É razoável concluir que a luz, a qual o crente é, pode ser identificada como a natureza divina habitando nele, e que essa luz é às vezes encoberta neste mundo, mas terá a sua manifestação em glória.

29. Vitalmente Unidos ao Pai, Filho e Espírito Santo. Tão perplexo como possa ser para a mente humana, as Escrituras desenvolvem seis revelações distintas com respeito às relações entre a Trindade e o crente, e essas relações representam realidades que não possuem comparação na esfera das relações humanas. É dito (1) que o crente está em Deus, o Pai (1 Ts 1.1); (2) que Deus o Pai está no crente (Ef 4.6); (3) que o crente está no Filho (Rm 8.1); (4) que o Filho está no crente (Jo 14.20); (5) que o crente está no Espírito (Rm 8.9); e (6) que o Espírito está no crente (1 Co 2.12). A força dessas estupendas declarações é centrada na intensidade de significado que deve ser atribuído à palavra *em,* conforme é usada em cada uma dessas seis declarações. É evidente que, para estar no Pai, ou no Filho, ou no Espírito significa uma posição; e para o Pai, o Filho, ou o Espírito Santo estar no crente constitui-se numa posse.

Uma verdade correspondente brota de tudo isso, que é o resultado dela, a saber, que os crentes são um na relação de um para com os outros, como o Pai está no Filho e o Filho está no Pai (Jo 17.21). Visto que o corpo físico do crente é uma entidade associada, não é tão difícil pensar desse corpo como um domicílio; e o corpo é chamado de templo do Espírito Santo (1 Co 6.19). Por outro lado, é muitíssimo difícil entender a verdade asseverada de que o crente está no Pai, no Filho, e no Espírito. Esse relacionamento peculiar ao Filho é ampliado por uma declaração sétupla ou sob sete figuras: (1) o crente é um membro no corpo de Cristo (1 Co 12.13); (2) o crente está para Cristo como o ramo está para a videira (Jo 15.5); (3) o crente está para Cristo como uma pedra na construção está para Cristo que é a Pedra Angular (Ef 2.19-22); (4) o crente é para Cristo como uma ovelha no seu rebanho (Jo 10.27-29); (5) o crente é uma parte dessa companhia que forma a Noiva de Cristo (Ef 5.25-27); (6) o crente é um sacerdote num reino de sacerdotes sobre o qual Cristo é o Sumo Sacerdote para sempre (1 Pe 2.5, 9); e (7) o crente é uma parte da nova criação sobre a qual Cristo como último Adão é o cabeça (2 Co 5.17). Em João 14.20: "Naquele dia conhecereis que estou em meu Pai, e vós em mim, e eu em vós". Estas três verdades são declaradas como aquelas que o crente deve conhecer especificamente nesta época, a saber: (1) Cristo está no Pai, (2) o crente está em Cristo, e (3) Cristo está no crente.

Semelhantemente, há muita coisa no Novo Testamento a respeito do relacionamento que se obtém entre o Espírito Santo e o crente, que ainda será estudado mais plenamente no volume VI.

As verdades declaradas e distintas sob esse título representam não somente as posições e as posses mais vitais que a graça infinita pode criar, mas são o coração do cristianismo, e nunca foram sequer insinuadas no Antigo Testamento.

30. As Primícias do Espírito Santo. Como foi sugerido anteriormente, as bênçãos imensuráveis que vêm ao filho de Deus por causa de sua relação com o Espírito Santo são como comparativamente pequenos penhores que asseguram os dons maiores na glória do céu. O presente ministério do Espírito é dito ser "o penhor" (2 Co 1.22; Ef 1.14) e as "primícias" (Rm 8.23) do Espírito. Há cinco dessas riquezas presentes: (1) o crente é *nascido* do Espírito (Jo 3.6), pelo qual Cristo é gerado naquele que exercita fé salvadora. (2) O crente é *batizado* pelo Espírito (1 Co 12.13), que é uma obra do Espírito Santo pela qual o crente é unido ao Corpo de Cristo e vem a estar em Cristo, e, portanto, um participante de tudo o que Cristo é. (3) O crente é *habitado* ou *ungido* pelo Espírito (Jo 7.39; Rm 5.5; 8.9; 2 Co 1.21; Gl 4.6; 1 Jo 2.27; 3.24), e por essa presença, o crente é equipado para todo conflito e serviço. (4) O crente é *selado* com o Espírito (2 Co 1.22; Ef 4.30), que é a obra de Deus, o Espírito Santo, pelo qual os filhos de Deus são assegurados para o dia da redenção. (5) O crente pode ser cheio do Espírito (Ef 5.18), ministério esse que libera o poder do Espírito e a sua eficácia no coração em que Ele habita.

A obra do Espírito *em* e *através* do cristão resulta tanto em posições quanto em posses que são em si mesmas realidades maravilhosas das riquezas da graça divina, e todas elas juntas formam apenas um antegozo da glória que está assegurada no céu.

31. Glorificados. O que Deus determinou, embora seja ainda futuro, é propriamente visto como suficientemente certo para ser considerado uma realidade presente. Ele é Aquele que "chama as coisas que não são, como se já fossem" (Rm 4.17). Aguardar o filho de Deus é uma glória celestial excelente – é como participar da glória infinita que pertence à Trindade. Sobre isto está escrito: "Pois tenho para mim que as aflições deste tempo presente não se podem comparar com a glória que em nós há de ser revelada" (Rm 8.18); "Quando Cristo, que é a nossa vida, se manifestar, então também vós vos manifestareis com ele em glória" (Cl 3.4). Não deve ser concluído que há uma glória presente e uma futura que não estejam relacionadas entre si. A presente glória é a avaliação divina da glória futura a ser igualada com a realidade presente.

Nenhuma passagem assevera de modo mais claro esse fato do que a de Romanos 8.30, que afirma: "Aos que predestinou, a esses também chamou; e aos que chamou a estes justificou; e aos que justificou a estes glorificou".

Ser um santo glorificado é uma posição na graça divina de imensuráveis riquezas e, na certeza do propósito divino, ela se torna uma posse.

32. Completos nEle. Com o tema que se segue, isto serve como uma conclusão daquilo que foi dito antes na tentativa de registrar as riquezas da graça divina; todavia, essas são revelações específicas de tudo que faz parte da sobreexcelente graça de Deus. O que pode ser incluído na palavra *completos* é o que o apóstolo Paulo diz: "Porque nele habita corporalmente toda a plenitude da divindade, e tendes a vossa plenitude nele, que é a cabeça de todo principado e potestade" (Cl 2.9, 10). Isto está além do alcance do entendimento humano. Nenhum uso negligente dos termos será descoberto em qualquer texto das Escrituras, e essa passagem apresenta a voz do Espírito Santo, a qual declara que, na medida em que Deus valoriza as coisas e de acordo com os padrões que Deus emprega, o filho de Deus é completo; mas tão grande transformação é devida ao fato determinante de que ele está em Cristo.

A verdade, assim, uma vez mais apresentada, é a de que, por causa de sua união vital com Cristo, o crente participa de tudo o que Cristo é. O Pai encontra prazer infinito no Filho, e nem pode Ele encontrar prazer naquilo que é menos do que a perfeição do Filho. Enquanto muitos podem estar perante o Pai como feituras de sua mão, aqueles que são salvos são, mesmo agora, aperfeiçoados à Sua vista por sua relação vital com o Filho e através dele. Assim, um princípio é introduzido e este princípio está muito distante do costume humano ou da prática humana e, naturalmente, além do entendimento humano, mas não além da esfera da aceitação ou da crença humana, visto que está declarado na Palavra de Deus. Ser completo em Cristo é uma realidade gloriosa e é uma porção da graça que é estendida a todos os que crêem.

33. Possuindo Toda Bênção Espiritual. Nenhum texto da Escritura explica tão perfeitamente *todas* as riquezas da graça do que Efésios 1.3, que diz: "Bendito seja o Deus e Pai de nosso Senhor Jesus Cristo, o qual nos abençoou com todas as bênçãos espirituais nas regiões celestes em Cristo". Todas as riquezas da graça mostradas nos 32 pontos anteriores devem ser incluídas neste termo de alcance amplo – "todas as bênçãos espirituais". Estas são finalmente declaradas que serão realizadas com base na relação do crente com Cristo. Assim, todas as posições e posses que juntas mensuram as riquezas da graça divina são planejadas para o lugar do crente em Cristo. Elas estão designadas para aquele que crê em Cristo para a salvação de sua alma.

Conclusão

Dificilmente seria impróprio reafirmar a verdade de que a salvação é uma obra de Deus para o homem e não uma obra do homem para Deus. É o que o amor de Deus O impele a fazer e não um mero ato de compaixão que resgata as criaturas de sua miséria. Para realizar a satisfação de Seu amor, Deus teve de querer remover, por um sacrifício infinito, o impedimento insuperável que o pecado impôs; Ele, igualmente, vence a oposição ímpia à sua graça que a vontade ímpia dos homens caídos faz, quando Ele inclina os seus eleitos ao exercício da fé salvadora em Cristo. Quando o caminho se torna claro, Deus fica livre para fazer tudo o que o seu amor infinito dita. Nada menos que transformações infinitas haverão de satisfazer o amor infinito. Um registro inadequado dessas riquezas da graça que juntamente apresentam a infinidade da graça salvadora foi apresentado; mas ainda permanece verdadeiro que "a metade jamais foi contada".

O estudante que tem desejos de ser exato na pregação do evangelho não somente observará a verdade, mas lutará por ela, para que todas essas riquezas sejam puramente uma obra de Deus, e que, para assegurá-las, o indivíduo nada pode fazer, senão receber da mão de Deus o que Ele livremente dá em Cristo e através dele. Aqueles que crêem em Cristo, no sentido de recebê-lo (Jo 1.12) como o seu Salvador, entram instantaneamente em todas as coisas que o amor divino proporciona. Estas 33 posições e posses não são concedidas sucessivamente, mas simultaneamente. Elas não exigem um período de tempo para a sua execução, mas são operadas instantaneamente. Elas medem a diferença presente que existe entre o que é salvo e o que não o é.

> "Oh, quão grande devedor à
> Graça diariamente sou constrangido a ser!
> Faze tua bondade, igual a um grilhão,
> Amarrar o meu errante coração a Ti."

A Segurança Eterna do Crente

Capítulo XIV
Introdução à Doutrina da Segurança

ESTE ASPECTO DA SOTERIOLOGIA, comumente chamado pelos teólogos mais antigos de *perseverança dos santos*, ensina que nenhum indivíduo, que uma vez tenha recebido a graça salvadora de Deus, jamais cairá total ou finalmente desse estado, mas que ele será "guardado pelo poder de Deus, mediante a fé, para a salvação" (1 Pe 1.5). A doutrina da segurança é um dos cinco pontos do sistema calvinista, mas é mais distinto pelo fato de que ele é demonstrado no Novo Testamento nos termos mais absolutos e tem sido considerado como um aspecto indivisível que Deus empreende quando uma alma é salva. Essa doutrina importante está bem afirmada na *Confissão de Fé de Westminster*, que declara: "Os que Deus aceitou em seu Bem-amado, os que Ele chamou eficazmente e santificou pelo seu Espírito, não podem decair do estado da graça, nem total, nem finalmente; mas, com toda a certeza hão de perseverar nesse estado até o fim e serão eternamente salvos" (XVII.1).

Que a Escritura exige desse tema uma exposição cuidadosa, a fim de que este assunto não possa ser contraditado, admite-se prontamente, e esse aspecto dessa verdade não será deixado de lado. Em tal consideração, o uso da expressão "em verdade, em verdade" não deveria ser contra-ordenado por um "se". As palavras de certeza devem permanecer como elas aparecem nas páginas sagradas.

O sistema calvinista, que aqui é tanto sustentado quanto defendido como o mais próximo do sistema de Paulo do que outro qualquer, é construído sobre o reconhecimento de quatro verdades básicas, cada uma das quais deveria ser compreendida em seu caráter básico. Essas verdades são: (1) *Depravação*, termo esse que significa que nada há no homem caído que possa recomendá-lo a Deus. Ele é o objeto da graça divina. (2) *Graça Eficaz*, termo esse que significa que o homem caído, e ao ser salvo, essa salvação é operada totalmente por Deus – mesmo a fé que ele exerce em sua salvação é um "dom de Deus" (Ef 2.8). (3) *Eleição Soberana e Eterna*, expressão essa que significa que, aqueles que pela graça eficaz são salvos do estado de depravação, o são porque foram escolhidos de Deus para essa bênção, desde a fundação do mundo (Rm 8.30; Ef 1.4). (4) *Segurança Eterna*, expressão que significa que aqueles que são escolhidos de Deus e salvos pela graça são, necessariamente, preservados para a realização do desígnio de Deus. Visto que a eleição soberana propõe isso e a soberana graça a realiza, as Escrituras – por serem infinitamente verdadeiras – não poderiam fazer outra coisa senão declarar a segurança do cristão sem reserva. Isto as Escrituras declaram com certeza.

O racionalismo em suas formas variadas e o arminianismo em particular desafiam essas verdades soberanas. Para o arminiano, o efeito limitador da depravação é anulado em grande escala pela suposta concessão de uma espécie de "graça preveniente" a todos os homens que lhes proporciona a capacidade de se voltarem para Cristo. De acordo com essa crença, os homens são salvos pela graça divina numa relação momentânea correta com Deus da qual eles podem cair. A continuação nessa relação correta com Deus – independente do fato de que ela é a consecução do propósito divino – no ponto de vista arminiano, é dependente do mérito humano e da conduta humana. Semelhantemente, a eleição soberana é, para o arminiano, não mais do que a presciência pela qual Deus é capaz de fazer escolha daqueles que vão agir com justeza a respeito de Suas ofertas da graça – uma previsão e um reconhecimento conseqüente do mérito humano, reconhecimento esse que contradiz a doutrina da graça soberana (Rm 11.6).

De todas as doutrinas do Novo Testamento duas delas – eleição soberana e graça soberana – estão muito claramente relacionadas à doutrina da segurança eterna. Isto é óbvio. A eleição pessoal, que é aquela forma dela que sozinha está envolvida nas realidades eternas que, de necessidade, podem ser percebidas somente pela segurança da fruição final de tudo que está incluído na eleição. Semelhantemente, deve ser visto que a base na qual a graça soberana provê um santo Deus com o requisito da liberdade, não meramente para salvar aqueles que são indignos, mas para preservá-los após serem salvos – e mesmo quando eles são indignos, e todos o são realmente. É nesse campo mais amplo de operação da graça divina, quando não compreendido, que as noções arminianas da insegurança surgem.

Portanto, se Deus na eleição soberana determinou nas eras eternas passadas que alguns devam estar "perante Ele" em glória (Ef 1.4) e estes são predestinados para essa glória (Rm 8.30), e se Deus em graça soberana removeu toda barreira, para que o propósito que o pecado e a vontade humana impõem, a segurança é afirmada, e negá-la é sustentar que a eleição soberana ou a graça soberana (ou ambas) é impotente. Por essa linha de raciocínio indiscutível, conclui-se que a doutrina da segurança é um aspecto indispensável da teologia paulina e calvinista.

Sobre a importância vital desse aspecto da verdade em sua relação com o entendimento correto da doutrina bíblica, Cunningham em sua *Historical Theology*, escreve:

> Se é verdadeiro que Deus, desde a eternidade, escolheu absoluta e incondicionalmente alguns homens, certas pessoas, para a vida eterna, esses homens certa e infalivelmente serão salvos. Se é também verdade que Ele fez arranjo para que nenhum homem seja salvo, a menos que sobre a terra trouxesse um estado de graça, a menos que os homens se arrependam e creiam, e perseverem em fé e santidade, e infalivelmente se

SOTERIOLOGIA

assegurem de perseverarem até o fim. E como é ensinado pelos calvinistas, que Deus produz em alguns fé e conversão na execução do seu decreto eletivo, exatamente porque Ele decretou salvar *esses* homens – e assim faz com o propósito de salvá-los – a totalidade do que eles ensinam sob o assunto da perseverança é assim eficazmente proporcionado e plenamente estabelecido – fé e regeneração nunca produzidas em alguém, exceto naqueles cuja salvação suprema foi assegurada, e cuja perseverança, portanto, em fé e santidade devem ser certas e infalíveis. Tudo isso é muito claro para exigir qualquer ilustração; e os calvinistas devem naturalmente, e em consistência, tomar a responsabilidade de manter a perseverança certa de todos os crentes – de todos em quem a fé e a santidade foi uma vez produzida.

A isto pode ser acrescentado o testemunho do Dr. Ralph Wardlaw, que escreve:

A respeito dessa doutrina, podemos observar em geral que ela existe como uma conseqüência necessária da doutrina da eleição pessoal que acabamos de nos esforçar para ilustrar em seu significado escriturístico, e de estabelecer a base de sua autoridade nas Escrituras. A eleição é eleição para a salvação, não meramente para privilégios, ou para desfrutar os meios de salvação, mas, através desses meios, desfrutar a própria salvação. Se essa é a doutrina bíblica, então segue-se inevitavelmente que todos os que são eleitos para a salvação obterão a salvação. Sustentar a primeira, e questionar a última, seria autocontraditório. A perseverança é uma conseqüência da eleição, e está envolvida nela. Não pode haver propriamente uma eleição pessoal para a salvação, sem ela. Uma doutrina é necessária para a integridade da outra. Ao invés de serem doutrinas distintas, elas são partes integrantes da mesma doutrina. Supor que qualquer um dos eleitos venha a falhar com respeito à salvação final, é tornar a eleição totalmente sem valor. Portanto, os argumentos sobre esses dois dos cinco pontos são claramente recíprocos; isto é, cada prova da eleição é uma prova da perseverança, e cada prova da perseverança é uma prova da eleição.[63]

Enquanto os cristãos e seus credos são divididos em dois grupos – calvinistas com sua certeza e segurança e arminianos com suas dúvidas e perigos imaginários – verificar-se-á que a crença e a descrença na segurança é pessoal e individual, e depende do grau de entendimento da Palavra de Deus e da conformidade à Palavra que o indivíduo possui. Muitos membros de igrejas calvinistas são, por falta de conhecimento da doutrina, incapazes de se sobrepor ao racionalismo da visão arminiana, enquanto que uns poucos que estão arrolados como arminianos têm descoberto a realidade graciosa da segurança eterna. O fato significativo falará por si mesmo, que grandes multidões com a instrução correta se voltam do arminianismo para o calvinismo, enquanto que, por outro lado, não se sabe de alguém que tenha sido um calvinista instruído e inteligente, e tenha vindo para o arminianismo.

Ao menos três crenças excepcionais que estão fora do alcance tanto do calvinismo quanto do arminianismo, deveriam ser observadas:

(1) Agostinho sustentava que alguns poderiam ser salvos, os quais não fossem eleitos e que estes poderiam cair. Sua posição nunca obteve uma seqüência digna. A respeito dessa posição de Agostinho, Cunningham escreveu:

Agostinho parece ter pensado que os homens que foram crentes verdadeiros, e que foram regenerados, de forma que realmente estiveram sob a influência da verdade divina e dos princípios religiosos, poderiam cair e finalmente perecer; mas a essa altura ele não pensava que aquelas pessoas que poderiam cair, assim cair e perecer, pertencessem ao número daqueles que haviam sido predestinados, ou eleitos, para a vida. Ele sustentava que todos aqueles que foram eleitos para a vida deviam, e o fizeram, perseverar, e assim obter a salvação. Naturalmente estava muito evidente que, se Deus escolheu alguns homens, de forma absoluta e incondicional, para a vida eterna – e isto Agostinho acreditava firmemente – essas pessoas deveriam ser salvas, e certamente o foram. Se pessoas que não haviam sido predestinadas para a vida poderiam crer e ser regeneradas, e que, em conseqüência, poderiam cair, e, portanto, falhar em obter a salvação, é uma questão distinta; e sobre essa questão as idéias de Agostinho parecem ter sido obscuras e pervertidas pelas noções que, então, geralmente prevaleceram a respeito dos objetos e efeitos das ordenanças externas, e especialmente por algo como a doutrina da regeneração batismal, que talvez tenha sido uma causa poderosa e ampla do erro mortal como acontece com qualquer doutrina que Satanás tenha inventado. O erro de Agostinho, então, jaz na suposição de que os homens podem crer e ser regenerados sem que sejam eleitos para a vida, e que podem conseqüentemente cair de forma final de sua salvação; mas ele nunca abraçou, nem poderia, qualquer noção tão irracional e inconseqüente de que Deus tenha absolutamente escolhido alguns para a vida, e então permitido que eles caíssem e perecessem; e a negação dessa noção, que Agostinho nunca sustentou, constitui-se na soma e na substância daquilo que os calvinistas têm ensinado sobre o assunto da perseverança.[64]

(2) Armínio, por mais que os seus seguidores tenham abraçado uma verdade parcial ou mesmo o erro, ele próprio não renunciou à crença na segurança. Cunningham disse:

Armínio nunca renunciou totalmente à doutrina de certa perseverança de todos os crentes, mesmo após ele ter abandonado todos os outros princípios do calvinismo, mas falou deste como um ponto sobre o qual ele não tinha plenamente desistido em sua mente, e que, ele pensava, exigia uma investigação posterior – assim virtualmente dava testemunho da dificuldade de abrir mão dessa evidência da Escritura sobre a qual essa doutrina repousa. Os seus seguidores imediatos, igualmente, professaram por um tempo alguma hesitação nesse ponto; mas os oponentes contemporâneos deles não parecem ter-lhes dado muito

SOTERIOLOGIA

crédito pela sinceridade nas dúvidas que eles professaram alimentar com respeito a ela, porque, embora por algum tempo direta e explicitamente eles não deram apoio a uma conclusão negativa, a totalidade de todas as afirmações e argumentos deles parecia claramente indicar suficientemente que eles já haviam renunciado à doutrina geralmente recebida das igrejas reformadas sobre esse assunto. Muito rapidamente, mesmo antes do Sínodo de Dort, eles abertamente renunciaram à doutrina da perseverança dos santos, com as outras doutrinas do calvinismo; e eu não estou cônscio de que qualquer caso tenha ocorrido em que qualquer calvinista tenha hesitado em sustentar esta doutrina, ou que qualquer arminiano tenha hesitado em negá-la.[65]

(3) Certos luteranos têm argumentado que uma pessoa uma vez salva poderia cair, mas que tal pessoa, com absoluta certeza, seria restaurada e salva no final. Esta concepção, também, não teve seqüência.

Ela dificilmente parece necessária para assinalar que essa discussão diga respeito somente àqueles que são salvos no significado que o Novo Testamento dá a essa palavra. Obviamente, há aqueles que são meros professantes que possuem toda aparência externa – batismo, filiação à igreja, simpatia, e serviço – a quem faltam aspectos que realmente identificam uma pessoa salva. É assegurado que meros professantes "caem fora" eventualmente da comunhão dos crentes. O apóstolo João afirma a respeito de meros professantes que "saíram dentre nós, mas não eram dos nossos; porque, se fossem dos nossos, teriam permanecido conosco; mas todos eles saíram para que se manifestasse que não são dos nossos" (1 Jo 2.19).

Nas palavras "saíram dentre nós", há um relacionamento superficial reconhecido. Semelhantemente, nas palavras "mas não eram dos nossos", outro relacionamento é reconhecido. O primeiro significa não mais do que uma mera profissão, enquanto que o último sugere a existência de laços eternos que aqueles que saíram não partilhavam. Deus não erra em discernir a verdadeira classificação dos homens. Está escrito de Deus: "Todavia o firme fundamento de Deus permanece, tendo este selo: O Senhor conhece os seus, e: Aparte-se da injustiça todo aquele que profere o nome do Senhor" (2 Tm 2.19). Ninguém poderia abandonar a companhia dos crentes que não tivesse estado antes com eles; e aqueles que estiveram com eles, de quem poderia ser dito que não eram do grupo dos crentes, poderiam estar *com* eles somente no sentido em que eram meros professantes (cf. Mt 13.3-7).

A manutenção do poder de Deus é concedida somente àqueles que são salvos. Quando os arminianos asseveram que supostos cristãos cessaram de funcionar como salvos, é bom recordar a mudança de processo que está descrita pelas palavras: "eles saíram dentre nós... para que se manifestasse que não são dos nossos".

Concluindo esta palavra introdutória, pode ser útil ser assinalado que (1) a verdade da segurança eterna é inerente à própria natureza da salvação. De um modo antecipado, esse fato se tornará claro na discussão que se segue, como tem sido tornado claro pela análise da graça divina que se fez anteriormente.

Se a salvação não é mais do que uma moeda que uma pessoa tem na mão e é segura somente em virtude de um frágil aperto de mão, ela poderia fácil e quase que certamente, ser perdida. Por outro lado, se a salvação é a criação de um novo ser composto de elementos imutáveis e imperecíveis, e cada aspecto dela é dependente do mérito perfeito e imutável do Filho de Deus, não pode haver a perda dela. Na verdade, o que pode haver, e freqüentemente há, é o pecado pessoal daquele que é salvo; mas, como tem sido visto, isto é explicado pela satisfação infinita da santidade de Deus com base absolutamente suficiente no que outro apresentou. (2) Realmente, não há bases próprias para se estabelecer uma distinção entre a salvação e a segurança, embora para propósitos práticos tal distinção possa ser feita.

A conclusão da discussão precedente sobre aquilo que Deus empreende quando Ele salva uma alma, demonstra a veracidade da asserção de que Deus não oferece uma salvação aos homens que não seja eterna em sua natureza; e a despeito de toda experiência humana, que é muito freqüentemente citada como um fator determinante, é verdade que nenhuma alma que uma vez foi salva ou que será salva venha a estar perdida novamente. Dúvidas a respeito da segurança daqueles que são salvos podem ser vistas quase que universalmente por uma falha de compreensão da realidade daquilo que Deus realiza em graça soberana.

Essas declarações, confessadamente dogmáticas, serão defendidas nas páginas seguintes. Esta tese seguirá a uma análise dupla nos próximos dois capítulos, a saber: (1) a visão arminiana e (2) a visão calvinista.

CAPÍTULO XV

A Idéia Arminiana da Segurança

EMBORA POUCA REFERÊNCIA TENHA SIDO FEITA NESTA OBRA A UM DELES, três sistemas de teologia têm florescido que oferecem discussões variadas no campo da Soteriologia. Esses sistemas são o socinianismo, arminianismo e calvinismo. O socinianismo e o calvinismo são muito distantes entre si como a meia-noite do meio-dia. O socinianismo em seu tempo negou quase todos os aspectos da doutrina cristã, enquanto que o calvinismo se apega rigidamente à revelação que Deus concedeu. É o calvinismo que procura honrar a Deus – Pai, Filho e Espírito Santo – através de suas idéias sobre a depravação, culpa humana, e desesperança humana, e estas coisas à luz da soberania divina, da supremacia divina e da suficiência da graça divina. Por outro lado, o arminianismo sustenta uma base intermediária entre o racionalismo do socinianismo e o caráter resolutamente bíblico do calvinismo.

Certo grupo de arminianos que se inclinaram para o socianianismo e foram seus advogados consistentes, à semelhança dos socinianos, negariam a obra de Cristo e muita coisa da obra do Espírito Santo. Os arminianos mais conservadores – como o próprio Armínio – embora inconsistentes consigo mesmos e impregnados do racionalismo sociniano em sua abordagem a cada verdade soteriológica, de fato evidenciam um grau de receptibilidade à Palavra de Deus e às doutrinas que essa Palavra revela.

Há verdades, tais como a do estado de perdição do homem por causa do pecado e da sua necessidade de salvação, que são comuns a arminianos e calvinistas igualmente. Com base nessas crenças comuns, certo grau de esforço unido na evangelização tem sido possível entre esses representantes desses dois sistemas. A controvérsia real entre os dois, contudo, não foi abandonada, nem poderia sê-lo. Será verificado que no caso de cada tema principal relacionado à Soteriologia, a posição arminiana e fraca é inexata e, num certo grau, errônea. O pregador e o professor instruídos pugnarão pelo significado preciso das Escrituras. O que pode ser ignorado nos interesses da harmonia no serviço unido dos cristãos não pode ser ignorado quando uma declaração valiosa da verdade é exigida. Com isso, deveria ser assinalado – e a história verificará a asserção – que o estudo mantido, estendido e sem preconceito do Texto Sagrado deve conduzir, portanto, à posição calvinista.

É hipoteticamente concebível que ambos, arminianismo e calvinismo, estejam errados, mas é impossível que ambos estejam certos. A Bíblia não oferece contradições. Se um sistema está correto, o outro está errado. Não há uma transigência possível. Por meio de um estudo extensivo, multidões incontáveis têm saído do arminianismo para o calvinismo; mas a história oferece poucos exemplos, se é que os há, de pessoas que atuaram no sentido inverso.

Será lembrado que, afinal de contas, as designações *arminianismo* e *calvinismo* não são mais do que nomes convenientes para sistemas gerais e que em cada um desses sistemas há uma ampla variação de doutrina que é sustentada. Como já foi indicado, o próprio Armínio não sustentou posições extremadas que alguns de seus seguidores vieram a desenvolver; todavia, eles mantiveram o nome arminianos. De igual modo, o real fato de que há ao menos duas escolas de calvinismo evita a possibilidade de que o próprio Calvino seja o promotor de toda forma de doutrina que aparece com o seu nome. Sob outras disciplinas, o estudante faria bem se lesse atentamente a extensa história que cobre o desenvolvimento de cada um desses sistemas.

A respeito da verdade da segurança eterna, será observado, como faremos com outras principais doutrinas, que é impossível estar de acordo com todos os homens sinceros. À luz da discordância que se obtém, o estudante nada pode fazer, além de ser receptível à Palavra de Deus. As duas alegações – a de que o cristão está seguro e a de que ele não está seguro – apresentam uma contradição completa e não há um meio-termo possível que possa ser encontrado.

Embora a doutrina da segurança possa não representar a diferença mais importante que existe entre esses dois sistemas teológicos, a alegação a respeito da segurança e a alegação a respeito da insegurança não podem ser mantidas à parte do esforço de harmonizar cada um deles com o conjunto total da verdade soteriológica. Dificilmente podem ser evitadas as amarguras entre os advogados desses sistemas divergentes, quando não há um caminho de reconciliação entre eles; e essa controvérsia é grandemente estimulada pela importância imensurável dessa questão. A questão suprema é se a obra salvadora de Cristo na cruz inclui a segurança daqueles que confiam nele, ou não. Esta é a questão central e exata na controvérsia. Se Cristo fez o suficiente por sua morte a respeito dos pecados do crente, que pode ser dito dele que "não há mais condenação para os que estão em Cristo Jesus" (embora não seja dito que não haja castigo), ou Cristo não fez o suficiente.

Além disso, se Cristo fez o suficiente em sua morte e ressurreição para cumprir o tipo do suave cheiro, que pode ser dito que o crente possui a vida eterna e a posição perfeita do Filho de Deus, se estiver nele, ou se Cristo não fez o suficiente para isso. Se não há base suficiente para a remoção da condenação e não há base suficiente para a comunicação da vida eterna e da imputação dos méritos de Cristo, então os ensinos mais vitais do Novo Testamento são considerados esvaziados. Esses aspectos tão constrangedores da verdade são evidentes por sua ausência dos escritos arminianos. Os teólogos arminianos são um produto dos ensinos limitados que são apresentados em suas escolas, geração após geração, e, portanto, as realidades mais profundas não são conhecidas por eles. Conhecer essas realidades é abraçá-las, pois elas constituem o fundamento e a textura do evangelho ensinado por Paulo.

A visão arminiana pode ser dividida por conveniência em três aspectos gerais: (1) a visão arminiana das doutrinas soteriológicas mais importantes; (2) a ênfase arminiana sobre a experiência humana e a razão; e (3) o apelo arminiano às Escrituras.

I. A Idéia Arminiana das Principais Doutrinas Soteriológicas

Nesta discussão, o campo é propriamente restrito aos problemas da doutrina soteriológica. A consideração da visão arminiana do valor da morte de Cristo não vai entrar aqui, devido ao fato de que ela já foi tratada extensivamente numa porção anterior desta obra. As doutrinas a serem estudadas são: (a) a visão arminiana do pecado original; (b) a visão arminiana da chamada universal e eficaz; (c) a visão arminiana dos decretos divinos; (d) a visão arminiana da queda; (e) a visão arminiana da onisciência; (f) a visão arminiana da soberania divina; e (g) a visão arminiana da graça soberana.

1. Visão Arminiana do Pecado Original. É muitíssimo difícil para um sistema de doutrina, que constrói muita coisa sobre a liberdade da vontade humana e afirma que todos os homens são, em virtude da graça comum, capacitados a agir sem a limitação natural ou sobrenatural no assunto da própria salvação deles, defender incondicionalmente a doutrina da depravação total. É observável que o arminianismo tem colocado pouca ênfase no ensino a respeito da incapacidade, que é a natureza e a essência do pecado original. A noção arminiana da depravação, seja ela suposta estar em sua forma original, é basicamente dominada [assim é crido] por uma graça comum que se imagina que o homem receba. Contudo, no funcionamento desse esquema, uma das inconsistências arminianas – a retirada com a mão aquilo que é posto com outra – é exibida.

É demais supor que uma graça comum – de si mesma sem justificação bíblica – seja um corretivo completo para a depravação total; e não será sem explicação, ao menos em parte, começando com tal premissa como a idéia que eles têm de que a graça comum proporciona, os arminianos ficam à deriva com suas noções sem base na Escritura a respeito da santificação e da perfeição sem pecado. Naturalmente, a vontade do homem, que é crida ser emancipada pela graça comum, pode derrotar eficazmente a realização daquilo que é melhor. É certo que, quando existe uma liberdade irrestrita de volição, que essa volição nem sempre se voltará para a direção correta ou para Deus. Ela pode prontamente apartar-se de Deus, mesmo após anos [assim se crê] de vida e de experiência num estado de regeneração.

Em oposição a esse racionalismo falacioso – essa teoria sem base e por ser uma deificação do homem – as Escrituras asseveram, e de acordo com isso os calvinistas também ensinam, que o homem é totalmente depravado, que Deus deve mover-se e na verdade o faz em favor do homem caído para a sua salvação – mesmo gerando nele fé salvadora – e que a salvação, por ser distintamente uma obra de Deus, é, igual a todas as outras obras, incapaz de ser frustrada. Fica assim demonstrado que a exaltação errônea da capacidade humana no princípio se torna a anulação eficaz do homem no final das contas. Contra isto, o homem que é totalmente incapaz, ao cair nas mãos de Deus, que age em graça soberana, é salvo e seguro para sempre. Em tal realização a glória não deve ser compartilhada pelo homem caído, mas ela é totalmente devida unicamente a Deus.

2. VISÃO ARMINIANA DA VOCAÇÃO EFICAZ E UNIVERSAL. Sem referência a uma redenção limitada ou ilimitada – tema esse que alguns teólogos estão determinados a envolver na discussão de uma chamada eficaz e que é crido ter uma relação remota com o assunto em pauta – como afirma o arminiano, a questão real é se a influência divina sobre os homens pela qual eles são capacitados a receber o Evangelho e a ser salvos, é que a graça comum que o arminiano reivindica é concedida a todos os homens, ou se essa capacitação divina, como declaram os calvinistas, é uma chamada específica e pessoal do indivíduo pela qual o Espírito Santo move uma pessoa a entender e a inteligentemente aceitar a graça salvadora de Deus em Jesus Cristo. Se a argumentação do arminiano é verdadeira – a de que Deus não dá mais do que a capacitação a um do que a outro – o fato de que, quando o Evangelho é pregado igualmente a cada um, um é salvo e outro não o é, se torna uma matéria da vontade humana [assim se crê], seja em aceitar ou em rejeitar o convite gracioso.

Tal raciocínio poderia parecer plausível, se não fosse pelo conjunto de textos da Escritura já considerado num outro lugar, que declara que o homem não tem poder para mover-se em direção a Deus. O Novo Testamento não somente não dá apoio à noção arminiana da graça comum, mas definitivamente ensina que os homens estão desamparados em seu estado de caídos (cf. Rm 3.11; 1 Co 2.14; 2 Co 4.3, 4; Ef 2.8, 9). Por outro lado, o calvinista afirma que, quando Deus pelo seu Espírito inclina alguém a receber a Cristo, essa pessoa, ao fazer assim, age somente na consciência de sua própria escolha. Fica óbvio que apresentar um argumento convincente para uma pessoa que a faz tomar, não significa uma coerção da vontade. Em tal caso, cada função da vontade é preservada e, em relação ao Evangelho, permanece verdadeira expressão "aquele que quiser vir"; todavia, por detrás dessa verdade está uma revelação mais profunda de que nenhum homem caído deseja aceitar Cristo até que seja iluminado pelo Espírito Santo (Jo 16.7-11).

Cunningham escreve sobre esse problema geral, da seguinte maneira:

> É importante fixar em nossas mentes uma concepção clara das *alternativas* na explicação dessa matéria, de acordo com a doutrina calvinista ou arminiana sobre o assunto. A coisa a ser explicada é – a produção positiva da fé e da regeneração em alguns homens; enquanto outros continuam, sob os mesmos chamamentos e privilégios, em seu estado natural de impenitência e incredulidade. Aqui está virtualmente a

questão: Quem fez aqueles que passaram da morte para a vida, e que agora avançam em direção ao céu, diferirem daqueles que ainda estão andando no caminho largo? É Deus? ou eles mesmos? Os calvinistas sustentam que é Deus quem faz a diferença; os arminianos – conquanto tentem esconder isso, por afirmações gerais sobre a graça de Deus e assistência do Espírito – virtual e praticamente atribuem a diferença aos próprios crentes. Deus tem dado uma graça – tudo que é necessário para produzir o resultado – a outros assim como a eles mesmos. Não há diferença na chamada que lhes é dirigida, ou na graça que lhes é concedida. Isto é igual e semelhante em todos. Há uma diferença no resultado; e da suficiência e da igualdade substancial conseqüente da graça universal concedida, essa diferença no resultado deve necessariamente ser atribuída, com respeito à sua adequada causa real, a algo neles próprios – não à graça de Deus, não ao que Ele graciosamente lhes concedeu, mas ao que eles próprios foram capazes de fazer, e fizeram, no uso daquilo que Deus lhes comunicou. Se a graça suficiente é comunicada a todos que são chamados exteriormente, então não mais do que suficiente é comunicado àqueles que realmente se arrependem e crêem; pois, asseverar isto, é virtualmente negar ou desdizer a posição de que o que foi comunicado àqueles que continuam impenitentes e incrédulos, foi *suficiente* ou *adequado*, e, assim, contradizer a doutrina fundamental deles sobre toda essa matéria. E quando o verdadeiro estado da questão, e as alternativas reais envolvidas são assim trazidas à baila, não há dificuldade em ver e provar que a doutrina arminiana é inconsistente com o claro ensino da Escritura, – em relação aos grandes princípios que regulam ou determinam o caráter espiritual e o destino eterno dos homens – a verdadeira fonte e origem de tudo o que é espiritualmente bom neles – a real natureza da fé e da regeneração como se sugerisse mudanças que os homens são totalmente incapazes de produzir, ou mesmo de cooperar, no primeiro caso, em dar origem; e como não somente a obra de Deus nos homens – o dom de Deus aos homens – mas, também, e mais particularmente, como em cada caso o resultado de uma operação especial do Espírito Santo – uma operação apresentada como totalmente peculiar e distinta – concedida a alguns e não a outros, de acordo com o conselho da própria vontade de Deus, e *certa* ou infalivelmente eficaz, onde quer que sejam concedidas todas aquelas coisas que acompanham a salvação.[66]

Além disso, será visto que a exaltação arminiana da vontade humana no assunto da salvação pessoal encoraja aqueles mesmos arminianos a afirmar, como realmente eles fazem, que a mesma vontade livre pela qual o indivíduo aceita Cristo é em si mesma capaz de apartar-se de Deus após ter sido salvo. Para tais conclusões racionalistas, a Palavra de Deus, que assevera a incapacidade humana de voltar-se para Deus, não dá suporte algum. Ao contrário, está revelado que, em matéria de salvação, "Deus é quem opera tanto o querer quanto o realizar segundo a sua boa vontade" (Fp 2.13). Essa inclinação contínua do Espírito Santo na volição do cristão não representa de forma alguma uma coerção da vontade humana.

3. Visão Arminiana dos Decretos Divinos. Debaixo deste aspecto do tema geral, essa verdade solene a respeito de Deus é abordada novamente. Ninguém, exceto a vontade mais desatenta, fracassará em reconhecer que o sujeito dos decretos divinos, com suas doutrinas correspondentes da predestinação, eleição e reprovação, envolve o estudo dos temas mais insondáveis, inacessíveis e misteriosos que podem ser dirigidos à mente humana. Compreender esse vasto assunto seria equivalente a entender a mente de Deus. Esta dificuldade que surge na mente do homem, quando reflete em tão grande assunto, deve ser esperada, visto que não poderia ser diferente. Semelhantemente, é geralmente admitido que esse tópico em todos os seus aspectos – filosófico, teológico e prático – tem sido mais considerado do que qualquer outro; todavia, os mistérios envolvidos devem permanecer inescrutáveis até que uma luz maior de outro mundo irrompa sobre a mente humana.

Em sua forma simples, a questão em pauta agora pode ser afirmada assim: Teve Deus um plano na eternidade que Ele executa no tempo? As duas posições extremas – socinianismo e calvinismo – bem podem ser comparadas nesse ponto. A primeira sustentava que todos os eventos futuros que dependem de causas secundárias, tais como a vontade humana, são necessariamente desconhecidos até mesmo por Deus, enquanto que os calvinistas sustentam que Deus não somente ordenou tudo o que vem a acontecer, mas Ele executa essas mesmas coisas através de sua providência. Um caminho mediano entre essas duas posições divergentes é a posição dos arminianos – uma posição em que idéias conflitantes aparecem. Os arminianos não têm estado propensos a negar a presciência de Deus com os socinianos; nem têm estado propensos a aceitar aquela avaliação de Deus que lhe acorda a autoridade incondicional de agir, o poder de realizar, e o propósito de governar, em tudo que vem a acontecer.

Portanto, as doutrinas dos decretos divinos, da predestinação, da eleição soberana, e da retribuição são diretamente negadas pelos arminianos ou explicadas de maneira muito diferente com o uso do raciocínio racionalista. Às vezes, as afirmações claras das Escrituras têm sido distorcidas nesse esforço. Eles reivindicam que Deus não tinha outro decreto a respeito da salvação dos homens, além do de salvar aqueles que crêem, e condenar e reprovar aqueles que não crêem. Além disto, o homem é responsável à parte de qualquer relacionamento divino. Por ter enviado seu Filho ao mundo, para remover o obstáculo insuperável do pecado e por ter removido a incapacidade do homem pela concessão de uma suposta graça comum, o homem é deixado livre para fazer a sua própria escolha, embora, naturalmente, o Evangelho lhe deva ser pregado.

De acordo com esse plano, Deus nada determina, nada concede à parte da remoção da incapacidade, e nada assegura. Certos indivíduos são escolhidos de Deus somente no sentido de que Ele previu a fé e as boas obras deles – fé e boas obras que surgem neles mesmos e não são operadas divinamente. No final das

SOTERIOLOGIA

contas, de acordo com esse sistema, o homem é o seu próprio salvador. Uma salvação que se origina em tais incertezas, constrói sobre a mera presciência do mérito humano, e exalta a vontade humana, que a coloca na posição de soberania, não pode dar lugar à doutrina da segurança, visto que a segurança eterna daqueles que são salvos depende dos empreendimentos soberanos de Deus.

4. Visão Arminiana da Queda. Um retorno a uma plena discussão da queda do homem, já analisada detalhadamente no volume II, não é necessário aqui. O que foi escrito antes deve servir como base para esta breve referência a um tema tão extenso e misterioso.

Muito mais do que é percebido, a doutrina da queda do homem está intimamente relacionada à totalidade do esquema bíblico da predestinação. À parte da queda com a sua completa ruína da raça humana, não poderia haver base suficiente para a doutrina da graça soberana com sua desconsideração total pelo mérito humano, nem para uma defesa contra a noção de que a eleição soberana representa um aspecto das qualidades pessoais no homem da parte de Deus. Os arminianos da antiga escola não negaram a queda do homem, ou a extensão dessa queda. Eles supõem, contudo, não importa quão completa seja a queda, que ela é anulada pela concessão da graça comum. A partir do momento em que essa graça é concedida, a situação do homem se torna diferente. A capacidade da parte do homem de agir por Deus ou contra a sua vontade se torna o fundamento da estrutura soteriológica arminiana.

A suposta capacidade de rejeitar Deus não somente condiciona ou torna contingente a salvação dos homens ao grau em que Deus nada tem além da presciência daquilo que o homem vai fazer, mas essa suposta capacidade também sobrevive após a regeneração e torna possível para o redimido degenerar-se de volta para o seu estado de originalmente perdido. Os calvinistas sustentam que os homens são totalmente incapazes de livrar-se por si mesmos ou dar um passo em direção à sua própria salvação, que os homens não podem reivindicar mérito algum em sua salvação, e que a salvação dos homens é um empreendimento divino com uma base justa que não somente proporciona um santo Deus com liberdade de salvar homens sem mérito, mas proporciona também a mesma justa liberdade da parte de Deus pela qual Ele pode mantê-los salvos para sempre.

Quando esse arranjo divinamente operado para a salvação dos homens através da graça é abandonado e um sistema de mérito vem como substituto, como os aminianos resolveram fazer, eles se encontram a si mesmos assaltados pelos temores, apostasia, e falhas que não têm reconhecimento algum no Novo Testamento. Uma questão séria surge no sistema arminiano, a saber, se os homens que tiveram impressas em suas almas as noções de que eles são os salvadores e os mantenedores de sua própria salvação, terão descanso e paz que é a porção daqueles que cessaram de confiar em suas próprias obras e se lançaram totalmente nas mãos de Deus.

5. Visão Arminiana da Onisciência. Nenhuma ligeira dificuldade surge para o sistema arminiano vinda do fato óbvio de que Deus não poderia conhecer de antemão algo como certo no futuro, a menos que Ele próprio tornasse certo pela preordenação. Nem poderia a presciência funcionar à parte da preordenação, nem a preordenação à parte da presciência. Meramente conhecer de antemão o que será determinado por causas secundárias, deixa o programa total dos eventos à deriva sem mapa ou bússola. De acordo com a Sua Palavra, Deus certamente conhece de antemão, preordena e executa. Cada predição da Bíblia incorpora esses elementos, e em nenhum lugar mais conclusivamente do que nos eventos conectados com a morte de Cristo. Deus sabia de antemão que o Seu Filho morreria numa cruz, mas Ele fez mais do que simplesmente conhecer de antemão.

Pedro declara que Cristo, como o Cordeiro, foi "conhecido com efeito antes da fundação do mundo" (1 Pe 1.20); e tão grande evento não poderia ser deixado às incertezas das vontades dos homens. "Mãos ímpias" crucificaram o Filho de Deus, mas isto estava de acordo com "o determinado desígnio e presciência de Deus" (At 2.23). A salvação de todo indivíduo que crê em Cristo não é mais um acidente da determinação humana do que é a morte de Cristo. A idéia arminiana da eleição para a eterna glória por parte de alguns é aquela que inclui aqueles que crêem em Cristo, perseveram e morrem em fé, enquanto que as Escrituras ensinam que certos homens crêem, perseveram, e morrem em fé por causa do fato serem eleitos e destinados para a eterna glória. Quando a um homem é dada a responsabilidade de operar o seu próprio destino eterno, como os arminianos esperam que aconteça, deverá ser lembrado que tudo isso pode ser feito efetivamente, Deus sabendo de antemão ou não.

A segurança, de acordo com a idéia arminiana, é aquela que Deus conhece de antemão o que os homens fariam em favor de si próprios e, visto que o elemento humano aumenta grandemente nesse empreendimento, a chegada real de uma alma na glória do céu é mais ou menos acidental – certamente não predeterminada e nem executada por Deus.

6. Visão Arminiana da Soberania Divina. É admitido por todos que possuem uma mente piedosa que Deus é o supremo governador do universo e que Ele exerce sua autoridade e poder para esse fim. Que Ele efetua exatamente o que designou de antemão, não criaria preconceito algum como uma proposição em si mesma, não fosse o fato de que tal admissão conduz a uma posição calvinista a respeito da predestinação, justificação e glorificação de todos aqueles que Ele escolheu para a salvação eterna. Os calvinistas afirmam que Deus age em sua razão perfeita, mas num nível muito mais alto do que pode ser compreendido pelo entendimento humano; e, portanto, eles não presumem atribuir uma razão para todos os caminhos de Deus no universo e com relação aos homens. Os arminianos, contudo, procuram atribuir uma razão para o modo de Deus tratar os homens e o fazem pela negação de Sua soberania.

É uma atitude digna crer que Deus governa todas as coisas, e executa exatamente a sua própria vontade e propósito, e que, ao fazer isto, Ele age sempre dentro das limitações que seus atributos admiráveis impõem. Segue-se, também, que, por causa de sua onipotência, Deus poderia ter evitado qualquer e toda forma de mal, e que, como o mal está presente, ele serve para o propósito que é digno de Deus e que, no final, será reconhecido como digno por todas as inteligências. Os arminianos tendem a desacreditar a soberania de Deus, por presumir que os eventos não devem ser considerados necessariamente como possuidores de um lugar ou parte na vontade divina. Os arminianos estão acostumados a distinguir uma vontade antecedente de uma vontade conseqüente em Deus. A primeira move-O a salvar todos os homens, enquanto que a última é condicionada pela conduta dos homens.

A vontade antecedente não é uma vontade soberana; ela, também, é restrita pela ação humana. Tal concepção está muito longe do ensino calvinista a respeito da vontade eficaz de Deus – aquela que não somente escolhe salvar alguns, mas que realmente os salva e os preserva, por ter previsto todas as coisas necessárias para esse fim e ter providenciado aquelas coisas necessárias. Como foi afirmado anteriormente, os dois impedimentos ou barreiras que permaneciam no caminho eram o pecado e a liberdade da vontade humana. Na morte sacrificial de seu Filho, Deus tratou finalmente com o obstáculo que o pecado gera. Por mover os corações dos homens a desejar a sua graça salvadora (cujos atos não têm a lembrança de coerção), Ele remove a obstrução que a vontade livre do homem poderia impor. Os dois sistemas – arminianismo e calvinismo – são consistentes nesse ponto dentro de si mesmos.

O arminiano afirma que o homem é supremo e que Deus é compelido a ajustar-se ao esquema das coisas. O calvinista afirma que Deus é supremo e que o homem é chamado para se conformar a essa revelação. O arminiano é privado da bênção exaltada que é a porção daqueles que crêem nos fatos sublimes da predestinação, eleição e soberania de Deus, porque ele hesita em adotá-los em sua realidade plena. Por ter incorporado em seu esquema o elemento humano finito, toda certeza a respeito do futuro é para o arminiano nublada com muitas dúvidas. Por ter feito o propósito de Deus contingente, a execução daquele propósito deve ser contingente. Em grande medida esse arranjo divino e glorioso, pelo qual o ímpio pode ir para o céu, é substituído por um mero programa moral no qual somente as pessoas boas podem ter uma esperança.

7. Visão Arminiana da Graça Soberana. Tão certo como há duas formas amplamente separadas e divergentes de religião no mundo – numa, Deus salva o homem e na outra, o homem se salva – assim definitivamente também o calvinismo e o arminianismo estão separados um do outro. Todas as formas de religião que os homens apreciam estão, com apenas uma exceção, na classe que é identificada pela obrigação que recai sobre o homem de salvar-se a si mesmo; e, nesse grupo, por causa de sua insistência de que o elemento do mérito humano deve ser reconhecido, o sistema arminiano é colocado. E fica sozinho e isolado pelo seu comprometimento com a doutrina da pura e firme graça, a verdadeira fé cristã, apresentada pelo apóstolo Paulo e posteriormente defendida por Calvino e por um número incontável de teólogos antes e depois de sua época; é um sistema de Soteriologia caracterizado por seu aspecto fundamental de que Deus, para sua própria glória imutável, que Ele não compartilha com alguém, origina, executa e realiza a salvação do homem.

A única exigência que Deus faz para o homem é que este receba o que Ele tem para dar. Está revelado que o homem faz isso quando crê em Cristo como seu Salvador. O arminianismo distorce esse empreendimento sublime de Deus pela intromissão de aspectos humanos em cada passo no caminho. Não pode haver uma interpretação mais estranha da Palavra de Deus com respeito à eleição soberana do que reivindicar que ela consiste na ação da presciência divina pela qual ele prevê que os homens haverão de crer, de viver em santidade e em constância. Essa interpretação não somente reverte a ordem da verdade – as Escrituras declaram que os homens são eleitos para a santidade e não por causa da santidade vista como futura – mas introduz bem no começo do programa divino da salvação o elemento do mérito humano que destrói a idéia de graça.

No assunto da condição de crer em Cristo para a salvação, os arminianos têm acrescentado constantemente várias exigências para aquele que é divinamente designado, e todos eles infringem o aspecto essencial da pura graça, por causa da intromissão das obras humanas. Semelhantemente, na esfera da segurança, que é declarada ser totalmente uma obra de Deus, o arminianismo torna a segurança contingente da conduta humana. Os arminianos parecem estranhamente cegos no assunto da compreensão do plano divino pelo qual, à parte de todos os aspectos do mérito humano, os pecadores são eleitos nas épocas passadas sem levar em conta a dignidade futura, salvos no tempo presente com a única condição de fé em Cristo, e guardados nas eras vindouras, através do poder de Deus com base que não mantém relação alguma com a conduta humana.

Na realidade, afirmar muita coisa é declarar que os arminianos estão cegos para o verdadeiro Evangelho da graça divina, que é a verdade central do cristianismo – a saber, se a revelação de Paulo deve ser levada em conta. Em oposição a isto e de conformidade com o Novo Testamento, os calvinistas asseveram que a eleição não tem base em nenhum mérito humano previsto naqueles a quem Deus escolheu, que a presente salvação é pela fé somente, e que aqueles salvos são guardados totalmente pela graça divina sem qualquer referência à dignidade humana.

Pareceria totalmente desnecessário lembrar o estudante novamente que há um importante conjunto de verdades que condicionam a vida diária do crente após ele ser salvo, e que a sua vida é motivada, não por uma exigência de que as obras de mérito devem ser acrescentadas ao empreendimento perfeito de Deus, que é feito em graça salvadora, mas é motivada pela mais razoável obrigação de "andar de modo digno da vocação em que foi chamado" (Ef 4.1). Portar se bem como um filho é muito diferente em princípio da idéia de portar-se bem para tornar-se um filho. É a influência negativa da soteriologia arminiana, que parece incapaz de reconhecer essa distinção e, portanto, não dá lugar para uma ação da pura graça na consecução do propósito soberano de Deus, através de uma salvação perfeita e de uma segurança eterna à parte de toda forma de mérito ou cooperação humanos.

Embora muita coisa possa ser dita desse tema em outros contextos, uma palavra é própria aqui neste ponto a respeito do significado do termo *graça soberana* – um termo empregado pelos calvinistas com satisfação genuína, mas rejeitado e evitado pelos arminianos. A graça soberana origina e é ao mesmo

SOTERIOLOGIA

tempo uma realidade completa na mente de Deus quando Ele, antes da fundação do mundo, elege um grupo que, pelo Seu poder ilimitado, é apresentado em glória e conformado à imagem de seu Filho. Eles são para todas as inteligências o meio pelo qual Deus manifesta a suprema riqueza de sua graça (Ef 2.7). Essa manifestação corresponderá à sua infinidade e o satisfará perfeitamente como a medida final e abrangente dos atributos de sua graça. Dois obstáculos, que existem por permissão divina, devem ser vencidos – o pecado e a vontade do homem. Para que a Sua graça possa ser manifesta e a sua demonstração acentuada, Ele empreende por Si mesmo – porque ninguém poderia compartilhar em sua realização – vencer o obstáculo do pecado. Que este obstáculo é vencido está declarado em muitos textos das Escrituras. Dois podem ser citados aqui: "No dia seguinte João viu a Jesus, que vinha para ele, e disse: Eis o Cordeiro de Deus, que tira o pecado do mundo" (Jo 1.29); "Pois que Deus estava em Cristo reconciliando consigo o mundo, não imputando aos homens as suas transgressões; e nos encarregou da palavra da reconciliação" (2 Co 5.19).

Portanto, permanece apenas um obstáculo: o da vontade humana. Por ter designado que o homem como criatura seria possuidor de uma vontade independente, nenhum passo poderia ser tomado na realização do seu propósito soberano que pudesse vir a coagir a volição humana. Ele não desperta a mente do homem para as coisas espirituais sadias nem traz para o homem o desejo de salvação através de Cristo. Se, pelo seu poder, Deus cria novas visões da realidade do pecado e da bênção de Cristo como Salvador, e sob isto os homens iluminados escolhem ser salvos, as vontades deles não são coagidas nem são eles privados da ação em qualquer parte de seu ser. É uma objeção absurda dos arminianos dizer que a vontade humana é anulada pela eleição soberana. Sobre este ponto importante Cunningham escreve:

Os arminianos usualmente fazem objeção a essas idéias a respeito da certa eficácia ou invencibilidade da graça de Deus na conversão, ao afirmar que elas são inconsistentes com a natureza da vontade humana, e com as qualidades que estão ligadas a ela. Eles usualmente apresentam a nossa doutrina, e sugerem que os homens são forçados a crer e se voltar para Deus contra a vontade deles, ou se eles vão fazer isso ou não. Esta é uma apresentação errônea da doutrina. Os calvinistas não sustentam essa opinião; não pode ser mostrado que a doutrina deles exige que se sustente essa opinião. Na verdade, a plena afirmação da doutrina deles sobre o assunto a exclui ou a contradiz. A nossa Confissão de Fé, após dar uma narrativa da vocação eficaz, que sugere principalmente que a graça de Deus na conversão é um exercício da onipotência, e não pode ser resistida com sucesso, acrescenta: "Todavia de modo que eles vêm mui livremente, por serem predispostos para isso por sua graça". Essa operação especial do Espírito, que não pode ser vencida ou frustrada, é apenas a renovação da vontade em si mesma, pela qual um poder de vontade que é espiritualmente bom – um poder que não tem de si mesmo em sua condição natural, e que não pode receber de qualquer fonte exceto pela agência divina e todopoderosa – é comunicada a ela. No exercício desse novo poder, os homens são capazes de cooperar com o Espírito de Deus, que os orienta e dirige; e eles fazem isto, e o fazem não forçados, mas desejosamente, – por serem levados, sob a influência das novas referentes a Cristo, ao caminho da salvação que Ele abriu para eles e que os impressionou, e os motivos que estas idéias sugerem, para receber Cristo, e escolher aquela melhor parte que nunca lhes será tirada. No início do processo, eles não são agentes; eles são totalmente passivos, – os objetos de uma operação divina. É a partir do tempo em que eles começam a agir, ou que realmente *fazem* alguma coisa, eles agem livre e voluntariamente, guiados por motivos racionais, derivados das verdades que os seus olhos são abertos para ver, e que, humanamente falando, poderiam ter sido conduzidos mais rapidamente a se voltarem para Deus, não tiveram uma impotência moral de suas vontades para fazer qualquer coisa espiritualmente boa, e impedir este resultado. Certamente, nada há em tudo isto para autorizar a apresentação que, sobre os princípios calvinistas, os homens sejam forçados a se arrepender e a crer contra a vontade deles.[67]

Afinal de contas, embora a vontade humana seja preservada em sua liberdade normal, através de todo o processo pelo qual os homens são trazidos à eterna glória, o fator mais importante nesse empreendimento é a vontade de Deus. A afirmação arminiana de que a vontade da criatura pode derrotar a vontade do Criador, tanto desonra a Deus quanto é uma deificação do homem. É quase pueril afirmar que Aquele que cria todos os anjos, todas as coisas materiais, todos os seres humanos pela Palavra do seu poder, Aquele que preserva todas as coisas e por quem todas as coisas existem, Aquele que pode prometer a Abraão que através dele todas as nações seriam abençoadas, e a Davi que um reino seria a sua porção para sempre, Aquele que fez predições inumeráveis a respeito dos Seus propósitos nos tempos futuros que exigem a direção imediata das vidas de seres sem conta, Esse não pode guiar o destino de uma alma por meio de Sua escolha.

Nenhum arminiano tem questionado que Deus deseja guardar aqueles a quem Ele salvou, através de Cristo; a esfera de dúvida deles é simplesmente que Deus *não pode* fazer o que deseja, ainda que tenha removido todo obstáculo que poderia impedi lo.

Fica assim demonstrado que a visão arminiana das sete principais doutrinas soteriológicas tende a desonrar a Deus, a perverter e distorcer a doutrina da graça divina, e que ela mostra incredulidade para com a revelação que Deus concedeu.

II. Ênfase Arminiana na Experiência e na Razão Humanas

Embora as Escrituras sejam citadas pelos arminianos para defender a afirmação deles de que o cristão não está seguro – e esses textos das Escrituras devem ainda ser considerados – o apelo deles é usualmente mais à experiência e à razão do que ao testemunho da Bíblia. Quando se voltam assim para a experiência, é freqüentemente relatado que indivíduos haviam sido primeiro cristãos e, então, mais tarde, deixaram de ser salvos; mas em cada caso duas suposições insustentáveis aparecem. Não poderia ser demonstrado de forma cabal que essas pessoas nomeadas foram salvas em primeiro lugar, nem poderia ser estabelecido que não foram salvas, em segundo lugar. Se Demas é citado, porque ele abandonou o apóstolo Paulo (2 Tm 4.10), deve ser lembrado que isto está muito longe da idéia de Deus tê-lo abandonado.

Semelhantemente, se é observado que Judas – um dos doze – foi para o seu próprio lugar, está também claramente afirmado por Cristo que ele era "o filho da perdição" (Jo 17.12), sem nenhuma sugestão de que havia sido salvo. Sobre a questão que Judas produz o Dr. Wardlaw observa:

(1) Não há evidência de qualquer graça verdadeira em Judas, mas evidência contrária (Jo 6.64). A única coisa que pode ser vista quanto a isso é a passagem em que ele parece ser referido como um daqueles que foram dados a Cristo (Jo 17.12). Isto me leva a observar: (2) Que no contexto dessas palavras, Jesus diz coisas a respeito "daqueles dados a Ele", que não poderiam possivelmente se referir a Judas (Jo 17.2, 6, 9, 11, 12). Certamente, se Judas havia sido "guardado" como o restante foi, ele não poderia ter sido o "filho da perdição". Segue-se que ele não estava entre os "dados" e os "guardados". (3) É verdade que nessa passagem a frase usada denota uma exceção: "...nenhum deles se perdeu, exceto..." (εἰ μή). Pode se observado, contudo, que há casos em que εἰ μή é usado, não como exceção, mas de modo adversativo, no mesmo sentido de ἀλλά (Gl 1.7; Ap 9.4; 21.27). Esta explicação pode ser confirmada pela consideração de que, interpretar de um modo diferente, é fazer com que o Salvador seja visto em contradição consigo mesmo (Jo 6.39). Se Judas foi um daqueles dados a Ele e pereceu, o que Jesus disse não é verdadeiro. (4) É verdade que Judas é mencionado como um escolhido (Jo 6.70, 71). Contudo, fica óbvio que essa escolha diz respeito exclusivamente ao ofício. Os termos reais dos versículos citados podem ser suficientes para mostrar isso. Com respeito à razão pela qual Jesus escolheu tal personagem para ser um dos doze, o que é uma questão totalmente diferente, nada tem a ver com a nossa presente questão. Temos prova adicional de que a escolha não foi pessoal, mas uma questão de ofício (Jo 13.10, 11, 16). Destes versículos, parece que Judas não era um dos seus escolhidos; diferentemente dos outros, ele não havia sido purificado pelo Espírito Santo. Quando distinguimos entre os dois significados de "escolhidos", tudo isso se torna claro. (5) Sobre o princípio tão repetidamente aludido, de que as pessoas são vistas como de acordo com a profissão, com a aparência e associação, Judas parecia entre os doze como um deles; e poderia ser incluído sob designações gerais com eles, embora não espiritualmente, ou no sentido estrito da linguagem, pertencente àqueles dados a Ele pelo Pai (Mt 15.13; Jo 15.2).[68]

Nesse ponto, a doutrina extensa do Novo Testamento, relativa ao fato do pecado do cristão e à provisão divina para aquele pecado, através da morte de Cristo e sobre a condição da confissão do pecado, é introduzida logicamente – uma doutrina muito negligenciada especialmente pelo teólogo arminiano. Um reconhecimento da verdade sublime de que, por suportar todo o pecado na cruz, Cristo assegurou uma atitude propícia da parte de Deus Pai, em relação aos "nossos pecados" (os pecados do cristão) e aos "pecados do mundo inteiro" (os pecados dos não-salvos), está ausente no modo de pensar do arminiano. Essa ausência é vista na réplica quase universal que é feita à questão sobre o poder ou agência que poderia servir para tornar um verdadeiro filho de Deus caído novamente.

A resposta é que *o pecado* faz com que o cristão perca a sua salvação – não os pequenos pecados que todos os cristãos cometem constantemente, mas os pecados grandes e terríveis – mas se isso fosse verdade, então há pecados que o cristão pode cometer que Cristo não suportou na cruz, e estes ainda têm o poder condenatório sobre o crente que esteve abrigado sob as provisões da cruz. Com relação a isto as Escrituras declaram: "Quem crê nele não é julgado; mas quem não crê, já está julgado; porquanto não crê no nome do unigênito Filho de Deus" (Jo 3.18); "Em verdade, em verdade vos digo que quem ouve a minha palavra, e crê naquele que me enviou, tem a vida eterna e não entra em juízo, mas já passou da morte para a vida" (Jo 5.24); "Portanto, agora nenhuma condenação há para os que estão em Cristo Jesus" (Rm 8.1); "Quem os condenará? Cristo Jesus é quem morreu, ou antes quem ressurgiu dentre os mortos, o qual está à direita de Deus, e também intercede por nós" (Rm 8.34); "Mas, se nós nos julgássemos a nós mesmos, não seríamos julgados; quando, porém, somos julgados pelo Senhor, somos corrigidos, para não sermos condenados com o mundo" (1 Co 11.31, 32).

Há pactos positivos e incondicionais, os quais dão a certeza de que o crente nunca será condenado. É certo, da última das passagens acima, que o cristão que peca será castigado, e, na verdade, Deus é um disciplinador fiel e o Seu filho em sua casa não escapará da correção, se ele peca; mas a correção e a condenação são sem qualquer relação. Assim, também, o contraste correspondente está novamente em evidência neste ponto. A união, que depende totalmente do mérito que é assegurado por estarmos em Cristo, é muito longe do caráter essencial da comunhão que depende do crente observar toda a vontade de Deus. A união com Cristo, por ser baseada no mérito imutável de Cristo – Ele é o mesmo ontem, e hoje e eternamente – deve e vai continuar para sempre, e todos os problemas a respeito da vida diária do crente são necessariamente tratados numa base totalmente diferente.

Basear a continuidade do cristão no estado de salvo em sua vida diária, é exigir dele aquilo que nenhum cristão jamais experimentou neste mundo – uma perfeição sem pecado. Manter sobre os cristãos a exigência de viver sem pecado como a única esperança de segurança – como fazem os arminianos – é trazer à tona aquela forma peculiar de despreocupação e desencorajamento que é a reação de toda pessoa séria quando confrontada com uma impossibilidade. Tudo se torna numa outra abordagem à mesma compreensão errônea que é a tônica dessa forma de racionalismo que não pode compreender o evangelho da graça divina. Tal racionalismo planeja isso, para que as pessoas boas possam ser salvas, para que possam ser mantidas salvas por causa de suas qualidades pessoais, e para que possam ser recebidas no céu com base no próprio mérito delas.

O evangelho da graça divina planeja as coisas de forma que pessoas más – que descreve o que as pessoas são na terra – podem ser salvas, mantidas salvas como foram salvas através da obra salvadora e dos méritos de Cristo, e serem recebidas no céu, não como espécimes da perfeição humana, mas como objetos da graça infinita. O arminianismo, com sua ênfase na experiência humana, no mérito humano e na razão humana, certamente tem pouca ou mesmo nenhuma compreensão da revelação de que a salvação é pela graça somente, através da fé.

Poucos arminianos têm sido consistentes no assunto do efeito do pecado sobre o filho de Deus. Eles parecem não conhecer muitos textos da Escritura que revelam a verdade total do pecado e sua cura quando relacionado ao crente, mas, se forem lógicos, devem exigir tantas regenerações quantos forem os pecados individuais. Os arminianos não são consistentes neste ponto; ao serem confrontados com o fato óbvio e indiscutível de que os cristãos permanecem salvos e de que são confessamente imperfeitos, eles desenvolvem a noção, anteriormente citada, de que somente formas extremas de impiedade são capazes de fazer o crente perder a salvação. Deus declara de Si mesmo que Ele não pode contemplar o pecado e em sua própria santidade não há muita sombra de retorno, e inferir que Ele não se perturba com os pecados menores, não somente é contrário à verdade, mas também é um flagrante insulto a ele.

O calvinismo, porque segue a verdade contida na revelação divina, não impõe tal ultraje à santidade divina, mas antes segue o ajuste divino pelo qual todos os pecados, tanto os cometidos antes quanto depois da conversão, são devidamente tratados, e para a glória de Deus crêem na eterna salvação do crente. Afinal de contas, em razão das exigências da santidade divina, há apenas duas alternativas, a saber, seja permanecer na perfeição de Cristo ou na suposta impecabilidade do homem. Esta última é impossível de existir à parte da intervenção salvadora do Filho de Deus; a primeira é possível para todos e é oferecida a todos com base unicamente na fé no Salvador que Deus providenciou. A salvação através de Cristo é a essência do cristianismo, enquanto que a salvação através da dignidade pessoal não é melhor do que qualquer filosofia pagã, e é dessa noção tão estranha à revelação do Novo Testamento que o arminianismo compartilha.

Outra consideração experimental do arminiano é a alegação de que, como o calvinista ensina e certamente é demonstrado pelo Novo Testamento, o crente não se perderá por causa do pecado, o efeito dessa doutrina é liberar o salvo para pecar, e tende assim ao antinomianismo. Em outras palavras, Deus não tem outro jeito de assegurar que o crente viva uma maneira fiel de vida, além da única proposição impossível de que ele venha a se perder, a menos que seja fiel. Como alguém declarou: "Se eu pudesse crer que estou seguro como um cristão, eu imediatamente me comprometeria com a alegria mais plena possível do pecado". Este sentimento será reconhecido como a mente de uma pessoa não-regenerada. A resposta de uma pessoa salva à pergunta: "Continuaremos no pecado, para que a graça seja abundante?", é: "De forma alguma".

Isto significa que, embora a mente carnal ainda esteja presente no cristão e ele tenha uma tendência para o mal, ele também tem a mente do Espírito Santo e essa voz nunca fica totalmente silente. A segurança não significa, como supõe o arminiano, que Deus meramente mantém impuras as pessoas salvas independentemente do que elas fazem. Ele fez provisões divinas imensuráveis, a respeito da vida diária do cristão, a saber, a Palavra de Deus que pode estar guardada no coração, e fortalece o salvo para não pecar contra Deus, a presença do Espírito vitorioso como o poder libertador na vida de todo crente, e o poder sustentador incomparável pela oração incessante de Cristo por aqueles a quem Ele salvou. Se alguém que professou ser salvo, mais tarde vem a abandonar o caminho da verdade e não evidencia o desejo de uma vida santa, ele não apresenta certeza alguma de que havia sido salvo antes e seria uma exceção e não uma amostra do que significa ser um verdadeiro cristão.

Nenhum sistema teológico pode jactar-se de que o seu esquema doutrinário garante que aqueles que são salvos nunca haverão de pecar novamente. Seria difícil provar, embora os arminianos constantemente afirmem, que aqueles (como os puritanos), os quais crêem que estão seguros em Cristo, foram e são maiores pecadores do que os arminianos partidários que não fazem tal alegação. Pode ser repetido que o maior incentivo na vida de qualquer pessoa é aquele que corretamente impele um verdadeiro crente (e que nenhum arminiano tem dado uma prova digna em sua própria vida), a saber, honrar a Deus em sua vida porque ele crê que é salvo e está seguro na graça redentora de Deus, ao invés de tentar honrar a Deus porque ele espera ser salvo e estar seguro. Nunca um pecador foi salvo por fazer as coisas corretamente nem jamais isso preservou um crente; mas é verdade que uma pessoa salva divinamente e preservada divinamente tem a obrigação de fazer as coisas corretamente.

Em conclusão, pode ser reafirmado que, em relação à experiência humana que o arminiano às vezes crê ser uma prova de que uma pessoa salva pode vir a perder-se novamente, não pode ser provado, pois tal caso jamais existiu. Ao contrário, a revelação define de tal forma poder salvador e guardador de Deus, que pode ser dito com toda segurança que nenhum daqueles que foram verdadeiramente regenerados jamais foi perdido ou pode vir a perder-se. Com relação à razão humana, que os arminianos empregam contra a doutrina da segurança, precisa somente ser assinalado que nenhuma razão humana é capaz de traçar o empreendimento divino que proporciona tanto a salvação quanto a segurança, com base no sacrifício e no mérito imputado do Filho de Deus, e na exigência sobre o pecador de crer em Cristo como seu Salvador. O que Deus realiza, está de acordo com a razão, mas é aquela razão muito mais elevada que caracteriza todo empreendimento divino.

SOTERIOLOGIA

III. Apelo Arminiano às Escrituras

De todas as alegações oferecidas pelos arminianos, o apelo deles às Escrituras é o aspecto mais digno de sincera consideração, pois será admitido por todos que tentam expor a Palavra de Deus que há diversas passagens que, quando entendidas superficialmente em seu significado, realmente parecem sugerir que uma pessoa uma vez salva poderia vir a ser perdida novamente. O desafio é a respeito do significado exato das porções da Escritura envolvidas e como atuam na mente divina, visto que a Palavra de Deus não pode se contradizer, elas devem ser harmonizadas com um conjunto maior de testemunho das Escrituras – um conjunto de verdades que os arminianos raramente ensaiam discutir – que não permitem várias interpretações e que dogmaticamente asseveram a segurança eterna do verdadeiro filho de Deus.

O desafio é também como essas passagens de uma suposta insegurança podem ser harmonizadas com a verdade de que a posição dos crentes tanto com respeito ao propósito eletivo de Deus, como um objeto da graça soberana, quanto a respeito do corpo de Cristo com tudo que essa filiação assegura. Será visto, também, que não há peso colocado sobre aqueles textos das Escrituras, quando interpretados de tal modo que se harmonizam com as passagens que declaram a segurança dos crentes. Em oposição a isto, as passagens que afirmam a segurança, com as exigências das doutrinas da eleição soberana e da graça soberana, podem ser interpretadas de um modo apenas, a menos que grande violência seja feita a eles por tirar deles ou acrescentar a eles alguma coisa que seja produto das opiniões humanas. Que os arminianos não os discutem, é um fato significativo em si mesmo.

Com respeito ao lugar que a doutrina da segurança ocupa em sua relação a outras grandes doutrinas, um estudante observador dos ensinos da Bíblia reconhecerá o fato de que a alegação arminiana não amplia a plena contemplação das doutrinas da eleição soberana e da graça soberana. A doutrina arminiana se satisfaz em apresentar um estudo parcial da doutrina da segurança; e, todavia, tanto a eleição soberana, com o seu propósito inalterável de trazer aqueles que Deus predestinou à eterna glória, quanto a graça soberana, que satisfaz qualquer exigência que está envolvida e satisfaz cada ponto da perfeição infinita e cada questão que possa surgir no processo de trazer um pecador perdido a essa glória, são repreensivelmente negligenciadas. Essas duas doutrinas são supremas e, comparativamente, a doutrina da segurança não é mais do que um pouco de palha que flutua na superfície das profundezas desconhecidas da realidade divina – a *eleição soberana* e a *graça soberana*.

Em qualquer consideração devida dessas grandes doutrinas, uma pessoa sem preconceito admitirá que se Deus fosse falhar em seu propósito eterno com relação a uma só alma, após ter realizado cada provisão em graça para eliminar todo obstáculo existente, Ele se tornaria uma falha colossal. A razão para essa ênfase desproporcional da parte dos arminianos em relação à doutrina da segurança não é difícil de ser percebida. A questão superficial de se o cristão continuará a ser salvo é facilmente apreendida, enquanto que os temas da eleição e da graça soberanas são complicados demais para certos tipos de mentes.

Bons homens podem ser citados como autoridades em ambos os lados da controvérsia e qualquer um deles pode estar enganado; mas a Palavra de Deus não erra, nem se contradiz a si mesma. Ela não apresenta sistemas alternativos de teologia dentre os quais os homens podem escolher. A eleição divina é soberana e, portanto, tão inalterável como o caráter de Deus, ou não. A graça salvadora e sustentadora é infinitamente capaz de apresentar o principal dos pecadores como sem pecado perante a presença divina, ou não é. Aquele em quem Deus começou, pela regeneração, a boa obra terá de completá-la até o dia de Cristo Jesus (Fp 1.6), ou não. As posições intermediárias ou comprometedoras nessas grandes proposições são impossíveis. Deus é supremo, com tudo o que tal afirmação implica, ou não é; e aqueles que duvidam de sua supremacia, bem podem examinar-se a si mesmos, para ver se eles estão em fé (2 Co 13.5). Uma coleção de meras negativas sustentadas pelas adivinhações humanas não tem reivindicação alguma do título *sistema de teologia cristã*.

Para a clareza e a conveniência dos textos – mesmos aqueles obviamente entendidos de forma errônea – que os arminianos apresentam em defesa de suas alegações de insegurança, estão aqui agrupados em várias classificações com a implicação de que o que é verdadeiro de uma passagem num grupo é mais ou menos verdadeiro de todos naquela classificação. Entrando na consideração dessas passagens, certos fatos subjacentes deveriam ser reafirmados, a saber: (1) que as questões não dizem respeito meramente a qualquer pessoa que professe nominalmente a fé que não seja realmente regenerada, conforme o modo apresentado no Novo Testamento; (2) que uma passagem duvidosa – uma a respeito da qual os expositores conceituados discordem – não servirá para anular uma afirmação positiva da Escritura sobre a qual, em seu significado pretendido, nenhuma questão possa surgir; e (3) todo recurso para a experiência humana ou mesmo para a razão humana, valioso tanto quanto possa ser em seu lugar, não pode ser permitido servir como uma contradição, ou mesmo uma qualificação, das declarações diretas da revelação.

As passagens envolvidas neste aspecto da discussão são:

1. As Escrituras Aplicadas Erroneamente pelos Dispensacionalistas. Como a expressão "o amor do dinheiro", a falha em manejar corretamente a palavra da verdade é uma raiz de um mal doutrinário. Sob esta presente divisão, é basicamente uma falha distinguir a aplicação secundária da aplicação primária de um texto.

Mateus 24.13: "Mas quem perseverar até o fim, esse será salvo". O contexto é totalmente o da tribulação vindoura (cf. vv. 21, 22) e é dirigido a Israel. A identificação deles como aqueles a quem Cristo está falando aparece em várias partes do discurso no monte das Oliveiras, mas em nenhum lugar mais claramente do que no versículo 9, onde está predito: "...e sereis odiados de todas as nações por causa do meu nome". A passagem em foco concorda com a totalidade das Escrituras que trata da experiência de Israel na tribulação vindoura. Israel será salvo dela (Jr 30.7). A respeito desse tempo o Salvador disse aos judeus a quem Ele se dirigia: "Aquele que perseverar até o fim será salvo". Em oposição a isto, deve ser lembrado que o cristão é *agora* salvo quando ele crê (Jo 3.36; 5.24). Se a passagem tivesse sido dirigida aos cristãos, ela, para se alinhar com a doutrina cristã, seria lida assim: *Aquele que é salvo perseverará até o fim* (cf. Jo 3.16; 10.28).

Mateus 18.23-35. Esta passagem extensa apresenta a lei do perdão, a saber, que aquele que é perdoado deverá também perdoar. Fazer o que é distintamente dito do Rei em relação ao reino do céu (v. 23) e aplicar à Igreja, é uma confusão da verdade, para o que não há desculpa. Também, fazer o mero ato de perdão ser equivalente à salvação eterna é igualmente tudo, exceto imperdoável. Se a salvação do Rei é igual à salvação daqueles perdoados, a obrigação deles é salvar os seus devedores, perdoando-os. Um cristão em Cristo e sob a proteção da graça infinita não será entregue aos exatores até que ele pague o débito que Cristo já pagou.

Ezequiel 33.7, 8: "Quanto a ti, pois, ó filho do homem, eu te constitui por atalaia sobre a casa de Israel; portanto, ouve da minha boca a palavra, e da minha parte dá-lhes aviso. Se eu disser ao ímpio: Ó ímpio, certamente morrerás; e tu não falares para dissuadir o ímpio do seu caminho, morrerá esse ímpio na sua iniquidade, mas o seu sangue eu o requererei da tua mão".

Pareceria totalmente irrelevante trazer uma passagem que é tão claramente uma advertência e instrução dirigidas a Israel através do profeta no tempo da sua dispersão; todavia, esse texto, igual ao de Ezequiel 18.20-26, é constantemente usado pelos arminianos como evidência de que o cristão pode sofrer as terríveis consequências de ter o sangue de alguma alma perdida requerido. Passagens adicionais dessa categoria são o salmo 51.11 e 2 Tessalonicenses 2.3.

2. Passagens Relacionadas aos Falsos Mestres dos Últimos Dias. O período identificado como os "últimos dias" para a Igreja, embora muitíssimo breve, quando comparado com outras épocas ou dispensações, ocupa um lugar desproporcional no Novo Testamento. O tempo é exatamente no final da era cristã, e imediatamente precedente à remoção da Igreja da terra e à introdução da tribulação no mundo. Esses "últimos dias" são caracterizados pelos falsos mestres. Desses mestres, nunca é dito que são salvos, mas, por causa do caráter singular de sua impiedade, eles trazem imediata destruição sobre si mesmos. Eles aparecem somente nos "últimos dias" e não são, portanto, uma parte da era como um todo. Três passagens estão especialmente em evidência:

1 Timóteo 4.1, 2: "Mas o Espírito expressamente diz que em tempos posteriores alguns apostatarão da fé, dando ouvidos a espíritos enganadores, e a doutrinas de demônios, pela hipocrisia de homens que falam mentiras e têm a sua própria consciência cauterizada".

Nem todo o contexto está citado, mas é apresentado o suficiente para indicar que, por uma inspiração peculiar e inequívoca, é dito que homens de autoridade na Igreja, em tempos posteriores, se voltarão de um sistema de doutrina que é chamado *a fé*, e o substituirão pelas doutrinas de demônios. Alguns supõem, sem autorização, que esses mestres são crentes que se tornam apóstatas irrecuperáveis. A passagem, em harmonia com outros textos das Escrituras que tratam da mesma verdade geral, assevera não mais do que essas pessoas importantes, que têm tido algum entendimento da "fé" (cf. Jd 3), a rejeitam a ponto deles a abandonarem e abraçarem em seu lugar as doutrinas de demônios. A noção de que uma vez salvo pode se perder novamente, não recebe suporte desse texto das Escrituras.

2 Pedro 2.1-22. Esta passagem, muito extensa para ser transcrita, é basicamente uma identificação dos mestres dos últimos dias. É dito que eles produzem heresias, desprezam os juízos anteriores de Deus, rejeitam os anjos e os governos divinos, e que abandonaram o caminho reto. Esses, após escaparem da contaminação do *cosmos*, através do conhecimento do Senhor e Salvador Jesus Cristo – não através da aceitação de Cristo como Salvador mas por terem dívidas para com Cristo por muita coisa da verdade, verdade essa que eles abandonam e pervertem – abandonam aquilo que conheceram. Ao invés de serem abençoados e salvos pela verdade, eles se voltam para as heresias. A eles – talvez como ministros ordenados – foram confiados "o caminho da justiça" e os "santos mandamentos"; todavia, eles se voltaram para aquilo que os marca como falsos mestres.

Eles são assemelhados a um cão e a uma porca. No tempo presente não deveria haver hesitação alguma no reconhecimento de ministros ordenados que não são regenerados. Sobre essa passagem, Burt L. Matthew, num tratado que é uma réplica a outro escrito por Millard a respeito da segurança (p. 23), escreve:

Se o escritor tivesse considerado o versículo 22, teria entendido o que citara. Está escrito assim: "Volta o cão ao seu vômito, e a porca lavada volta a revolver-se no lamaçal". Isto é verdadeiro do cão mais treinado, e da porca mais cheirosa e enfeitada, porque as naturezas deles permanecem inalteradas. É igualmente verdadeiro daqueles que conhecem o caminho da justiça, mas se portam de acordo com a sua natureza inalterada com respeito às cousas santas. Eles nunca foram nascidos de novo, e nunca receberam uma nova natureza, e nunca se tornaram uma nova criação em Cristo. Consultando o versículo 20, pergunta-se: Como muitas pessoas têm escapado da contaminação do mundo através do conhecimento do Senhor e Salvador Jesus Cristo, por serem nascidas num lar cristão e numa nação onde a ética de Cristo tem elevado a moral de vida, e nunca reconheceram o seu débito pela aceitação pessoal de Jesus Cristo como Salvador? Como muitos têm se voltado para as contaminações das nações que não conhecem Deus, e quantos pioram em seu estado, que melhor fora se nunca tivessem conhecido o caminho da justiça? A luz e o conhecimento aumentam a responsabilidade.

Judas 3-19. O texto em questão excede os limites razoáveis de uma transcrição. Como esse texto é igual a uma segunda testemunha da verdade que o apóstolo Pedro apresenta na passagem acima, há uma similaridade a ser observada. A identificação específica que Judas faz dos falsos mestres é revelada nos versículos 4 e 16-19, que diz: "Porque se introduziram furtivamente certos homens, que já desde há muito estavam destinados para este juízo, homens ímpios, que convertem em dissolução a graça de nosso Deus, e negam o nosso único Soberano e Senhor, Jesus Cristo... Estes são murmuradores, queixosos, andando segundo as suas concupiscências; e a sua boca diz coisas muito arrogantes, adulando pessoas por causa do interesse. Mas vós, amados, lembrai-vos das palavras que foram preditas pelos apóstolos de nosso Senhor Jesus Cristo; os quais vos diziam: Nos últimos tempos haverá escarnecedores, andando segundo as suas ímpias concupiscências. Este são os que causam divisões; são sensuais, e não têm o Espírito".

Pouco valor é dado a esta e outras passagens relacionadas aos falsos mestres dos últimos dias, quando é alegado que, por causa do curso buscado por esses falsos mestres com respeito à verdade de Deus, pois espera-se que cristãos possam apostatar. Admitindo por um momento que isto não seja verdadeiro, a saber, que esses são crentes degenerados, será visto que não há alegação alguma a ser estabelecida a respeito de crentes que não vivem nos últimos dias, e que não há referência alguma a pessoas daquele período em geral, mas somente dos próprios falsos mestres.

3. Uma Mera Reforma ou Profissão Externa. Uma ampla variação da experiência humana é explicada sob esta divisão desse tema. Se tem de haver qualquer entendimento claro dos fatos envolvidos, é essencial que exatamente o que faz parte da salvação seja mantido em mente. Quatro passagens demandam uma consideração especial:

Lucas 11.24-26: "Ora, havendo o espírito imundo saído do homem, anda por lugares áridos, buscando repouso; e não o encontrando, diz: Voltarei para minha casa, donde saí. E chegando, acha-a varrida e adornada. Então vai, e leva consigo outros sete espíritos piores do que ele e, entrando, habitam ali; e o último estado desse homem vem a ser pior do que o primeiro".

O Salvador apresenta aqui uma fase da verdade relacionada à demonologia que nem mesmo está remotamente relacionada à salvação pela graça. Um demônio que sai de uma pessoa, e deixa aquele domicílio anterior livre de tal inquilino impuro, pode retornar, e trazer consigo outros demônios piores em caráter do que o primeiro inquilino. A falácia do uso desse texto da Escritura para ensinar a insegurança é vista no fato de que a remoção de um demônio não é o equivalente da salvação, em cuja salvação a natureza divina é comunicada. Igualmente, a presença da natureza divina em qualquer indivíduo é uma garantia certa de que nenhum demônio pode entrar (1 Jo 4.4). Este incidente pode representar uma reforma ou melhora no caso de uma pessoa que sofre esse mal, mas nada contribui para a questão dela, ao ser salva, poder ser perdida novamente.

Mateus 13.1-8. Esta parábola sem dúvida antecipa as condições que são vistas nesta presente época, e uma advertência é dada de que haverá profissão externa sem a posse por parte de muitos. Qualquer aparente realidade pode ser ligada à experiência daqueles que são representados por aquelas sementes que caíram para fora do caminho, ou pela semente que caiu em lugar rochoso, ou pela semente que caiu entre espinhos, o teste determinante é que esses não amadureceram a ponto de serem *trigo*, como aconteceu com a semente que caiu em boa terra. Os três fracassos não representam três classes de pessoas, mas antes o efeito da Palavra de Deus em várias pessoas. Essa Palavra move muitos superficialmente, mas aqueles que são salvos por ela são comparados ao trigo. Os três fracassos não representam aqueles que primeiro se tornaram trigo e depois foram reduzidos a cinza.

1 Coríntios 15.1, 2. "Ora, eu vos lembro, irmãos, o evangelho que já vos anunciei; o qual também recebestes, e no qual perseverais, pelo qual também sois salvos, se é que o conservais tal como vo-lo anunciei; se não é que crestes em vão".

O apóstolo Paulo não sugere que alguns dos crentes de Corinto se perderam pela ausência de fé; antes, é que a fé que eles tinham nunca havia sido suficiente para a salvação (cf. 2 Co 13.5).

Hebreus 3.6, 14: "Mas Cristo é como Filho sobre a casa de Deus; a qual casa somos nós, se tão-somente conservarmos firmes até o fim a nossa confiança e a glória da esperança... porque nos temos tornado participantes de Cristo, se é que guardamos firme até o fim a nossa confiança inicial".

Em ambos os versículos, apenas um pensamento sobre a segurança pode ser obtido, a saber, que o genuíno dura e aquilo que falha – exceto seja explicado de maneira diferente – é provado ser falso.

O campo total da profissão é reconhecido no Novo Testamento e com esse conjunto de verdades à mão há pouca desculpa para um entendimento errôneo. O tema geral da profissão aparece direta ou indiretamente em mais de uma dessas divisões do assunto geral. É importante observar novamente a discriminação divina e a disposição final daquilo que Deus classifica como mera profissão. O fato da perspicácia divina é publicado em 2 Timóteo 2.19: "Todavia, o firme fundamento de Deus permanece, tendo este selo: O Senhor conhece os seus, e: Aparte-se da injustiça todo aquele que profere o nome do Senhor". E a disposição final da profissão é anunciada em 1 João 2.19: "Saíram dentre nós, mas não eram dos nossos; porque, se fossem dos nossos, teriam permanecido conosco; mas todos eles saíram para que se manifestasse que não são dos nossos". A "saída" indica que aqueles que saíram "não eram dos nossos", e eles saíram, para que esse fato tão importante possa ser "manifesto".

4. UMA VERDADEIRA SALVAÇÃO É PROVADA POR SEUS FRUTOS. Na parábola considerada acima a respeito do trigo, o pensamento dos frutos representa a realidade que o cristão é. No campo da presente discussão, o fruto descreve a experiência normal de uma regeneração genuína – um teste razoável dessa regeneração. Será lembrado, contudo, que há uma condição possível em que o cristão que, por um tempo, pode estar fora da comunhão com Cristo. Em tal estado não haverá sequer um fruto produzido. Tal situação é excepcional antes que normal quando o teste da salvação pelos seus frutos é feito. Ambas as linhas de verdade – que a salvação deve ser testada por seus frutos, e a de que o crente pode por um tempo estar sem comunhão com seu Senhor – são abundantemente sustentadas no texto do Novo Testamento.

João 8.31: "Dizia, pois, Jesus aos judeus que nele creram: Se vós permanecerdes na minha palavra, verdadeiramente sois meus discípulos".

Não há sugestão alguma a ser admitida aqui de que esses judeus têm a obrigação de manter-se a si mesmos no lugar de discípulo; antes, o que está dito é que se eles são verdadeiros discípulos, permanecerão nas palavras de Cristo. Deveria ser observado, também, que Cristo indicou não mais do que esses judeus para que fossem *discípulos,* o que poderia significar simplesmente que eles eram *aprendizes.* Contudo, o mesmo princípio se aplica quer no caso de um verdadeiro cristão ou num mero aprendiz – aquilo que é genuíno continua.

Tiago 2.17, 18, 24, 26: "Assim também a fé, se não tiver obras, é morta em si mesma. Mas dirá alguém: Tu tens fé, e eu tenho obras; mostra-me a tua fé sem as obras, e eu te mostrarei a minha fé pelas minhas obras... Vedes então que é pelas obras que o homem é justificado, e não somente pela fé... Porque, assim como o corpo sem o espírito está morto, assim também a fé sem obras é morta".

O contexto total, Tiago 2.14-26, deve ser reconhecido como a passagem central que trata da argumentação bíblica geral de que a regeneração verdadeira é demonstrada por seus frutos. O apóstolo Paulo revela a verdade em Romanos 5.1, de que a exigência do lado humano para a justificação diante de Deus é a *fé;* mas o apóstolo Tiago declara que a exigência do lado humano para a justificação diante dos homens são as *boas obras.* É uma realização suprema de Deus por um pecador ser justificado eternamente perante Deus, que não pode ser reconhecida nem entendida pelo *cosmos;* e é de tal natureza que alguém que é objeto dessa justificação não pode manter outra relação com ela além de recebê-la, com todas as outras riquezas divinas, da mão de Deus através do princípio da fé. O limite extremo do discernimento daqueles que são deste mundo consiste na exigência racional silente, que aquele que professa ser salvo viverá num plano que corresponda à profissão que faz.

Deve ser esperado que o mundo julgue e rejeite a profissão que não satisfaz os próprios ideais deles a respeito do que um cristão deveria ser, a saber, o que ele aspira ser. Os ideais do mundo estão muito abaixo daqueles que Deus estipula para o Seu filho; mas sobre isto, como o fato da justificação pela fé, o mundo nada sabe. Não obstante, na esfera do testemunho do cristão, as Escrituras enfatizam a reação do mundo à profissão do cristão como de uma importância vital. O crente é designado para "andar em sabedoria para com os que são de fora" (fora da família de Deus – Cl 4.5). A segurança do crente não está nas mãos do cosmos, mas, igual à justificação, está totalmente na mão graciosa de Deus. Essa passagem de Tiago não oferece apoio algum à alegação arminiana de que os crentes não estão em segurança.

João 15.6: "Quem não permanece em mim é lançado fora, como a vara, e seca; tais varas são recolhidas, lançadas no fogo e queimadas".

Os escritores arminianos geralmente olham para João 15.6 como o testemunho bíblico mais formidável em favor de suas alegações no campo da insegurança do cristão. A passagem merece consideração e, igual a muitas outras, exige que seja dada atenção ao seu contexto. A questão real em debate, a respeito da passagem, é se Cristo, pelo uso que faz da figura da vinha e dos ramos e sua exigência de vida permanente, refere-se à *união* do cristão ou à *comunhão* do cristão com Cristo. A menos que esta distinção doutrinária seja apreendida, não pode haver base para um entendimento correto do texto em estudo. A idéia de permanecer em Cristo como um ramo numa videira pode servir como uma ilustração quer da união quer da comunhão com Ele. É facilmente discernível que Ele empregou essa figura para representar comunhão consigo mesmo.

A união com Cristo é um resultado do batismo com o Espírito Santo, operação divina pela qual os crentes são unidos ao Senhor (cf. 1 Co 6.17; 12.13; Gl 3.27). Que tal união eterna com Cristo não depende nem pode depender do esforço ou do mérito humano, é uma verdade fundamental. Por outro lado, a comunhão com Cristo não depende da fidelidade e do ajustamento do cristão a Deus. João declara que "se andarmos na luz, como ele na luz está, temos comunhão uns com os outros" – isto é, o crente tem comunhão com Cristo (1 Jo 1.7). O termo *andar* se refere à vida diária do cristão. Como podia ser esperado com respeito a uma matéria tão vital e, todavia, tão facilmente entendida de forma errada, Cristo define exatamente o uso que Ele faz do termo *permanecer* – quer seja a *união* dependente da suficiência divina, quer seja a *comunhão* dependente da fidelidade humana, Cristo removeu toda incerteza quando disse: "Se guardardes os meus mandamentos, permanecereis no meu amor; do mesmo modo que eu tenho guardado os mandamentos de meu Pai, e permaneço no seu amor" (Jo 15.10).

Guardar os mandamentos de Cristo é uma responsabilidade humana – equivalente ao andar na luz. Como um paralelo, cita o fato de que Ele permanecia no amor de seu Pai, ou comunhão, por fazer a vontade de seu Pai. É certo que Cristo não tentava preservar a *união* com seu Pai – o fato da Trindade eterna – pela obediência; diferentemente dos homens, Cristo não tentava manter-se salvo.

Ainda outra declaração de Cristo no mesmo contexto – igualmente conclusiva – é encontrada nas seguintes palavras: "Toda vara em mim que não dá fruto, ele a corta; e toda vara que dá fruto, ele a limpa, para que dê mais fruto" (v. 2). É distintamente uma vara *nEle*, que é a união com Ele, que não produza fruto. Certamente, se a união com Cristo dependesse da produção de frutos, poucos passariam no teste. A vara infrutífera que é "cortada" – literalmente, arrancada do seu lugar – é uma referência à remoção dessa vida que Deus reserva o direito de realizar para aquele que persistentemente é infiel (cf. 1 Co 11.30; 1 Jo 5.16). A palavra grega αἴρω, aqui traduzida como "elevar", ocorre muitas vezes no Novo Testamento e quase universalmente significa a remoção de um lugar (ou posição) para outro.

Significativo, na verdade, é o seu uso com o prefixo ἐπί em Atos 1.9, onde é dito que o Senhor foi elevado para longe da vista deles (cf. Jo 17.15; At 8.33). Não se segue que a morte de qualquer cristão possa ser identificada como uma remoção divina, por causa da ausência de frutos. Se, como sem dúvida é verdade, nenhuma pessoa conhece tal caso, o fato somente confirma a verdade de que o assunto é uma responsabilidade divina, que não diz respeito a outros cristãos, mesmo no grau mais insignificante. Se é alegado que um cristão sem frutos não deveria ir para o céu, deve ser lembrado que a segurança do céu não depende da comunhão, ou da produção de frutos, mas da união com Cristo. Deve também ser considerado que todo sucesso ou fracasso do cristão deve ser julgado no *bema* – o tribunal de Cristo no céu – e que o cristão sem fruto deve, assim, ir para o céu, antes que ele apareça perante aquele tribunal. Se a entrada no céu não é devido ao empreendimento divino em favor de todos que estão em união com Cristo e à parte de todo aspecto do mérito humano, há pouca esperança para alguém desta terra.

Pode ser concluído, então, que neste contexto Cristo trata com a comunhão do cristão consigo, comunhão essa que depende da fidelidade humana. É também importante observar que é a falta dessa real fidelidade que é condenada pelo mundo.

Com o pano de fundo do que foi estudado antes, pode ser feita uma abordagem de João 15.6, em que a verdade declarada é a de que se um homem não permanece em Cristo, ele estará debaixo do julgamento condenatório dos homens. O testemunho do crente ao mundo se torna como uma vara "lançada fora" e se torna "seca". O julgamento do mundo sobre o crente é descrito nos termos mais severos: "tais varas são recolhidas, lançadas no fogo e queimadas". Ler nessa passagem a idéia que Deus as lança fora e que Deus as queima, é desconsiderar uma linguagem importante, e contradizer as grandes verdades que pertencem à salvação pela graça somente. Se for perguntado como na experiência prática os homens queimam uns aos outros, deve ser visto que essa linguagem é altamente figurativa, pois os homens não podem literalmente queimar uns aos outros; mas eles de fato aborrecem e repelem uma confissão inconsistente. Essa passagem e seu contexto testemunham da verdade de que a comunhão, que depende do crente, pode faltar, mas não declara que a união, que depende de Cristo, tenha alguma vez falhado ou que alguma vez venha a falhar.

2 Pedro 1.10, 11: "Portanto, irmãos, procurai mais diligentemente fazer firme a vossa vocação e eleição; porque, fazendo isto, nunca jamais tropeçareis. Porque assim vos será amplamente concedida a entrada no reino eterno do nosso Senhor e Salvador Jesus Cristo".

A princípio, é importante observar que a palavra grega πταίω, aqui traduzida como *queda*, é propriamente traduzida como *tropeço* (cf. Rm 11.11; Jd 24), e que uma entrada abundante no reino eterno é mais do que uma mera entrada, não obstante a glória dessa entrada. É uma recompensa pela fidelidade acrescida à entrada nesse reino. Tanto a vocação quanto a eleição estão totalmente dentro da soberania de Deus. A estes empreendimentos o homem nada pode acrescentar. Todavia, dentro da esfera de um testemunho que é consistente e especialmente como uma demonstração de uma vida exterior daquela que é eternamente operada interiormente, o crente pode acrescentar o elemento de certeza que uma vida santa proporciona.

O Dr. John Dick escreveu o seguinte:

A eleição, por ser o propósito que Deus determinou em si mesmo, por ser um ato intrínseco da mente divina, permanece desconhecida até que seja manifesta em sua execução. Nenhum homem pode ler o seu próprio nome, ou o de outra pessoa, no Livro da Vida. É um livro selado, que nenhum mortal pode abrir. Somos assegurados de que há tal decreto, pelo testemunho expresso da Escritura; mas das pessoas incluídas nele, nada é conhecido ou que possa ser conjeturado, até que evidência seja mostrada no caráter pessoal e na conduta deles. Um apóstolo assinala o único meio pelo qual esse ponto importante pode ser averiguado, quando ele exorta os cristãos "a procurar mais diligentemente fazer firme a vocação e eleição deles". Fazer firme, significa nesse lugar, certificar-se, tornar uma coisa certa à mente. Ora, a ordem de procedimento é, primeiro, tornar certa a nossa vocação, ou nos certificar se fomos realmente convertidos a Deus, e assim a nossa eleição será certa, ou manifesta a nós próprios. É a mesma espécie de raciocínio que empregamos em reportarmos à causa pelo efeito. A operação da graça divina na regeneração da alma é uma prova de que o homem em quem essa mudança é operada, foi um objeto do favor divino desde a eternidade.[69]

Uma condição habilitadora surge em conexão com esse tema, que o Dr. Dick não mencionou, que é aquela onde um crente colhido pelo pecado não mostrará a experiência que é normal, mas ele mostrará outra evidência de sua regeneração que se torna manifesta sob tais circunstâncias – tal como um fardo, por causa de seus pecados, que nenhuma pessoa não-regenerada jamais conhece (cf. Sl 32.3-5; 1 Jo 3.4-10). Portanto, é designado por Deus que, mesmo no estado de um pecado inconfesso, o crente terá uma evidência – se porventura ele conhece o seu próprio coração – de que ele é salvo e essa evidência, para ele ao menos, demonstrará que a sua vocação e eleição são certas.

1 João 3.10: "Nisto são manifestos os filhos de Deus, e os filhos do Diabo: quem não pratica a justiça não é de Deus, nem o que não ama a seu irmão".

Novamente, aqui o contexto todo (vv. 4-10) está envolvido. O pecado de um verdadeiro cristão não é um pecado *sem lei* – exatamente como esse termo é usado nesse texto da Escritura. Por causa da presença do Espírito, que habita em nós, o crente não pode pecar e permanecer indiferente a ele. A tristeza do Espírito é uma realidade experimental, e é bem ilustrada no caso de Davi, registrado no salmo 32.3, 4. Em oposição a isto, os não-salvos são capazes de pecar sem autocondenação, além do surgimento de uma consciência que acusa. O versículo 9 desse contexto declara que aqueles que são nascidos de Deus não podem pecar sem lei, e o versículo 10 assevera que essa reação pessoal do coração para pecar é um teste final entre os que são salvos e os que não o são. A conclusão é que quem quer que seja que peque sem lei, ou sem auto-repreensão, não é de Deus. Não está dito que um cristão que peca não seja de Deus; do contrário, a Escritura toda falaria do fato do pecado do cristão e da sua cura específica, através da confissão como se fosse uma contradição.

Outros textos da Escritura a serem incluídos nesta classificação são: Mateus 5.13; 6.23; 7.16, 18, 19, passagens essas que bem poderiam ser listadas como as que são indevidamente aplicadas dispensacionalmente; 2 Timóteo 2.12, em que o elemento do reconhecimento divino com respeito ao reinar com Cristo está em foco, e não a salvação ou o lugar do crente em Cristo Jesus; 2 Pedro 3.17, onde um perigo de queda da firmeza é sugerido; todavia, freqüentemente confundido pelos arminianos como equivalente à queda da própria salvação; Atos 13.43; 14.22, onde uma verdadeira salvação será demonstrada pela permanência *na* fé – não a fé pessoal, mas a continuação firme no conjunto de verdade distintivo da doutrina cristã; 1 Timóteo 2.14, 15, que é uma outra advertência específica de que somente permanece o que é genuíno. Observe, também, 1 Tessalonicenses 3.5 e 1 Timóteo 1.19 (cf. 1 Jo 2.19).

5. ADVERTÊNCIAS AOS JUDEUS. Três passagens importantes foram colocadas sob este título; e, conquanto a verdade que eles comunicam seja dirigida primariamente a Israel, há, em duas delas, uma aplicação secundária aos gentios.

Mateus 25.1-13. O discurso total do monte das Oliveiras, em que essa porção aparece, é a palavra de despedida de Cristo a Israel. Após ter dito a respeito da tribulação que eles haveriam de enfrentar, que deveria terminar com a sua aparição gloriosa, eles foram advertidos em todo o contexto desde 24.36 a 25.13 a serem vigilantes, à espera do retorno do Messias. Esse retorno não é iminente agora, mas será no final da própria dispensação deles, que terminará na tribulação. Em 25.1-13 os judeus são especificamente advertidos de que quando o Rei deles retornar com a sua Noiva (cf. Lc 12.35, 36), eles serão julgados e separados, e somente uma porção deles entrará no reino. Esse julgamento próximo de Israel é a mensagem da parábola das virgens (cf. Sl 45.14, 15). A idéia de cinco virgens excluídas desse reino terrestre está de acordo com muitos textos do Antigo Testamento (cf. Ez 20.33, 34), mas não há referência alguma a uma suposta insegurança daqueles de todas as nações que estão em Cristo.

Hebreus 6.4-9: "Porque é impossível que os que uma vez foram iluminados, e provaram o dom celestial, e se fizeram participantes do Espírito Santo, e provaram a boa palavra de Deus, e os poderes do mundo vindouro, e depois caíram, sejam outra vez renovados para arrependimento; visto que, quanto a eles, estão crucificando de novo o Filho de Deus, e o expondo ao vitupério. Pois a terra que embebe a chuva, que cai muitas vezes sobre ela, e produz erva proveitosa para aqueles por quem é lavrada, recebe a bênção da parte de Deus; mas se produz espinhos e abrolhos, é rejeitada, e perto está da maldição; o seu fim é ser queimada. Mas de vós, ó amados, esperamos coisas melhores, e que acompanham a salvação, ainda que assim falamos".

O Dr. C. I. Scofield, numa nota sobre esta passagem, declara:

"Hebreus 6.4-8 apresenta o caso dos crentes professos dentre os judeus que tiveram uma carência de fé em Cristo, após terem avançado para o verdadeiro limiar da salvação, mesmo 'andando com' o Espírito Santo em sua obra de iluminação e convicção (Jo 16.8-10). Não é dito que eles tinham fé. Esta suposta pessoa é igual aos espias em Cades-

Barnéia (Dt 1.19-26) que viram a terra e tiveram o verdadeiro fruto em suas mãos e, todavia, recuaram."[70]

Tem sido suposto que os cinco itens que aparecem nos versíuculos 4 e 5 são uma descrição de uma pessoa salva e, portanto, é possível para um cristão "cair" do seu estado de salvação. Sem dúvida, essas cinco coisas são autênticas de um verdadeiro filho de Deus, mas muito mais é autêntico do que está indicado aqui de que essas cinco coisas são vistas como totalmente inadequadas para descrever o verdadeiro filho de Deus. Quando comparado aos que "uma vez foram iluminados", o crente é "luz no Senhor", e é um filho da luz (Ef 5.8). Comparado ao "provaram o dom celestial", o cristão *recebeu* a vida eterna e a ele a justiça foi imputada. Quando comparado ao "ser feito participante do Espírito Santo", como uma pessoa não-salva, e quando é iluminada com respeito ao pecado, a justiça e o juízo (Jo 16.8-11), o cristão é nascido do Espírito, batizado no Espírito, habitado e selado pelo Espírito.

Quando comparado com aqueles que "provaram a boa palavra de Deus", o filho de Deus creu na Palavra para a salvação. Quando comparado com aqueles que meramente provaram "os poderes do mundo vindouro", o crente experimenta esse poder transformador que operou em Cristo, para ressuscitá-lo dentre os mortos (Ef 1.19). A ilustração que se segue nos versículos 7 e 8 é esclarecedora. A luz do sol e a chuva que caem sobre a terra que fazem a erva crescer trazem bênção, enquanto as mesmas coisas que caem sobre a terra também produzem espinhos e abrolhos, que são maldição. De igual modo, o apelo dirigido aos judeus pode (ou até mesmo não pode) resultar em salvação. A controvérsia sobre essa passagem é determinada no versículo 9: "Mas de vós, ó amados [um termo usado somente a respeito dos cristãos], esperamos coisas melhores, e que acompanham a salvação, ainda que assim falamos".

Evidentemente, então, as cinco coisas precedentes não foram pretendidas pelo escritor, para se referir àqueles que são salvos. Pode ser acrescentado que a impossibilidade de arrependimento não é devido a uma retirada da parte de Deus da oferta da salvação, mas é devida à rejeição da pessoa não-salva do único caminho que está aberto a ela. Se em qualquer tempo ela aceita o caminho colocado diante dela, ela será salva; pois "todo o que quiser pode vir".

Hebreus 10.26-29: "Porque se voluntariamente continuarmos no pecado, depois de termos recebido o pleno conhecimento da verdade, já não resta mais sacrifício pelos pecados, mas uma expectação terrível de juízo, e um ardor de fogo que há de devorar os adversários Havendo alguém rejeitado a lei de Moisés, morrem sem misericórdia, pela palavra de duas ou três testemunhas; de quanto maior castigo cuidais vós será julgado merecedor aquele que pisar o Filho de Deus, e tiver por profano o sangue do pacto, com que foi santificado, e ultrajar ao Espírito da graça?"

O caráter peculiar dessas passagens na epístola aos Hebreus é evidente nesse contexto. O escritor está preocupado com as condições que eles viviam – pouco apreciadas hoje. Esse apelo foi muito bem descrito por Tiago, quando disse a Paulo, quando este retornava a Jerusalém, procedente dos anos de ministério

SOTERIOLOGIA

entre os gentios: "Bem vês, irmão, quantos milhares μυριάδες, literalmente, *miríades* – cf. Hb 12.22; Ap 5.11] há entre os judeus que têm crido, e todos são zelosos da lei" (At 21.20). O escritor aos Hebreus dirige-se a judeus que estão interessados em Cristo e, num sentido, creram; mas não ao grau de receber a morte de Cristo como o cumprimento e o término dos sacrifícios judaicos. A confusão da lei e graça é sempre aflitiva, mas nenhuma situação como essa havia existido antes. Essas circunstâncias explicam essas exortações que eram dirigidas a judeus que, quaisquer que tenham sido as suas experiências religiosas, não eram ainda salvos.

Há sete vezes a condicional "se" nessa epístola, que condiciona esse tipo de judeus. O escritor, naturalmente, por ser um judeu, como um reconhecimento da unidade judaica, emprega o pronome *nós*. Essas passagens condicionais são: "Como escaparemos nós, se descuidarmos de tão grande salvação?" (2.3); "a qual casa somos nós, se tão-somente conservarmos firmes até o fim a nossa confiança e a glória da esperança" (3.6); "porque nos temos tornado participantes de Cristo, se é que guardamos firme até o fim a nossa confiança inicial" (3.14); "E isso faremos, se Deus o permitir. Porque é impossível que os que uma vez foram iluminados... e depois caíram, sejam outra vez renovados para arrependimento" (6.3, 4, 6); "porque se voluntariamente continuarmos no pecado, depois de termos recebido o pleno conhecimento da verdade, já não resta mais sacrifício pelos pecados" (10.26); "Mas o meu justo viverá da fé; e se ele recuar, a minha alma não tem prazer nele" (10.38); "muito menos escaparemos nós, se nos desviarmos daquele que nos adverte lá dos céus" (12.25).

Esta passagem específica (Hb 10.26-29) é parentética. Ela não é uma continuação do tema apresentado no versículo anterior. Aqueles que foram ordenados no versículo 25 são crentes, enquanto que aqueles a quem o texto se dirige são judeus hesitantes, que se demoram a definir uma relação correta com Cristo. Pecar voluntariamente significa aquela forma de pecado que é reconhecida no Antigo Testamento como se não fosse um pecado de ignorância. O pecado voluntário exige o perdão divino baseado no sangue sacrificial. Essa advertência lembra o judeu da nova situação em que os sacrifícios mosaicos não mais trazem benefício, e é, portanto, uma escolha entre o sacrifício de Cristo e o julgamento. Pecar agora, após Cristo ter morrido, é mais sério. O pecado não é mais um insulto ao caráter e ao governo de Deus somente, mas ele se torna uma rejeição direta de Cristo.

À medida que Cristo morreu pelos homens, eles são colocados à parte, como aqueles por quem Ele morreu, que é a santificação de acordo com o seu verdadeiro significado. Nenhum texto do Novo Testamento descreve mais claramente a pecaminosidade do pecado nesta época do que esse; mas não é uma advertência a cristãos, nem sugere a insegurança deles. O Dr. James H. Brookes escreveu esta descrição da passagem mencionada (Hb 6.4-6):

Talvez não haja uma passagem nas Sagradas Escrituras que tenha causado maior aflição aos reais cristãos do que essa declaração surpreendente. Eles estão prontos a se perguntarem a si mesmos: É possível afinal de contas a nossa salvação ser uma coisa incerta? Podemos apostatar de maneira cabal, e ficar para sempre perdidos? Podem todas as certezas do presente e a perfeita segurança, todas as promessas de vida eterna, dirigidas aos crentes, não darem em nada? Não disse o Senhor vivo que Ele daria às suas ovelhas a vida eterna, e que nunca pereceriam, nem seriam arrancadas de sua mão? Como, então, é aqui apresentado que há perigo da destruição deles? Para a consciência sensível e o coração cheio de ansiedade do verdadeiro filho de Deus, a advertência do apóstolo soa como uma voz de condenação; e, todavia, não é a tal pessoa que essa fiel admoestação é enviada. Deve ser lembrado que a epístola foi escrita a mestres hebreus do andar cristão, e a hebreus que se tornaram "envolvidos novamente com o jugo da escravidão".[71]

Deverá ser lembrado que há uma cegueira peculiar sobre Israel com respeito ao Evangelho. Dessa cegueira, Cristo disse: "Eu vim a esse mundo para juízo, a fim de que os que não vêem vejam, e os que vêem se tornem cegos" (Jo 9.39), e essa cegueira foi predita pelo profeta Isaías: "Disse, pois, ele: Vai, e dize a este povo: Ouvis, de fato, e não entendeis, e vedes, em verdade, mas não percebeis. Engorda o coração deste povo, e endurece-lhe os ouvidos, e fecha-lhe os olhos; para que ele não veja com os olhos, e ouça com os ouvidos, e entenda com o coração, e se converta, e seja sarado" (Is 6.9, 10). O apóstolo se refere a isto novamente em 2 Coríntios 3.14-16. Não é estranho, portanto, que deva haver dificuldade e hesitação da parte dos judeus não-regenerados.

6. ADVERTÊNCIAS A TODOS OS HOMENS. Estas advertências incluem dois temas gerais:

Apocalipse 22.19: "E se alguém tirar qualquer coisa das palavras do livro desta profecia, Deus lhe tirará a sua parte da árvore da vida, e da cidade santa, que estão descritas neste livro".

Somente a João 15.6 esta passagem é assemelhada em importância na argumentação arminiana. O significado preciso da passagem deve ser determinado. Em primeiro lugar, a advertência é a respeito de um pecado somente que é o de acrescer ou de tirar alguma coisa da profecia desse livro – evidência de uma proteção divina peculiar sobre esse livro. A advertência nada prova com respeito à possibilidade de um cristão estar perdido por causa de qualquer outro pecado. Além disso, fica evidente, visto que o livro permanece inalterado, que ninguém jamais cometeu tal pecado. Que um Deus soberano teria o poder de destruir uma criatura, não pode se negado, mas não quando ele entra em um pacto com seu Filho a respeito daqueles por quem deu o seu Filho, para que eles estivessem com Ele e para que vissem a sua glória; nem poderia Deus quebrar o seu pacto com os crentes, como está esboçado em Romanos 8.30. Deus não pode retirar essa terrível advertência, mas não pode permitir nem tem permitido, à luz de seus pactos, que nenhum crente cometa esse pecado ou mereça essa punição. Essa proteção específica é uma garantia de segurança.

1 João 5.4, 5. "Porque todo o que é nascido de Deus vence o mundo; e esta é a vitória que vence o mundo: a nossa fé. Quem é o que vence o mundo, senão aquele que crê que Jesus é o Filho de Deus?"

Em outras palavras, cada pessoa, que é nascida de Deus sem exceção, por esse nascimento vence o mundo, por ser salva dele. Por crer, alguém se torna um vencedor, pois um vencedor significa simplesmente a mesma distinção geral que está em vista, quando o termo *cristão* é empregado. Há uma vitória na vida diária descrita em Apocalipse 12.11; mas o uso mais amplo desse termo específico é encontrado nas sete cartas às sete igrejas da Ásia (cf. Ap 2.7, 11, 17, 26; 3.5, 12, 21). Se o pensamento "daqueles que são salvos" é lido em cada uma dessas cartas, o significado torna-se claro.

7. Os Gentios Podem Ser Separados Corporativamente. Apenas uma passagem aparece nesta classificação:

Romanos 11.21: "Porque, se Deus não poupou os ramos naturais, não te poupará a ti".

Como Deus não poupou a nação de Israel, que são os "ramos naturais", pelo que a porta pode ser aberta para os gentios ouvirem o Evangelho nessa dispensação, de igual modo, Ele também não poupará os gentios, quando o dia da graça deles terminar. A separação tanto de judeus quanto de gentios, num sentido corporativo, não proporciona base alguma para se presumir que Deus cortará um cristão de sua posição em Cristo Jesus.

8. Os Crentes Podem Perder sua Recompensa e Ser Reprovados. Anteriormente, já fizemos referência à doutrina das recompensas. Contudo, duas passagens importantes exigem consideração e merecem uma exposição mais detalhada:

Colossenses 1.21-23: "A vós também, que outrora éreis estranhos, e inimigos no entendimento pelas vossas obras más, agora contudo vos reconciliou no corpo da sua carne, pela morte, a fim de perante ele vos apresentar santos, sem defeito e irrepreensíveis, se é que permaneceis na fé, fundados e firmes, não vos deixando apartar da esperança do evangelho que ouvistes, e que foi pregado a toda criatura que há debaixo do céu, e do qual eu, Paulo, fui constituído ministro".

Duas questões aparecem nesse contexto: o da obra de Deus pelo homem e o da obra do homem para Deus. Na verdade, o contraste entre a responsabilidade divina e a responsabilidade humana aparece muitas vezes na carta aos Colossenses. Nenhum final de desordem doutrinária foi gerado pelo desacordo dessas idéias tão amplamente diferentes. Um estudante aplicado não vai descansar até que consiga traçar o seu caminho através dessas duas linhas da verdade. O arminianismo continuou basicamente em sua falha de reconhecer a vasta diferença entre a obra de Deus pelo homem, pela qual o homem é salvo, fortalecido, guardado, e apresentado inculpável perante Deus em glória – empreendimentos que estão muito além do alcance dos recursos humanos até mesmo para cooperar – e a obra do homem para Deus, pela qual o homem presta devoção, serviço a Deus, e experimenta o exercício dos dons espirituais – tudo do que, embora divinamente creditado ao homem e, portanto, uma promessa de recompensa, pode ser operado pelo homem somente quando ele é capacitado pelo Espírito Santo.

O apóstolo declara que teria os crentes, a quem escreveu, perante Deus "santos, sem defeito e irrepreensíveis" (v. 22). Embora o cristão seja capacitado pelo Espírito em tudo o que ele faz, todavia, essas são palavras que sugerem uma responsabilidade e uma fidelidade humana. Segue-se naturalmente que, à luz dessa responsabilidade, que tudo depende daqueles crentes. Esse aspecto do contexto é aumentado por uma declaração posterior: "...se é que permaneceis na fé [doutrina cristã], fundados e firmes, não vos deixando apartar da esperança do evangelho que ouvistes" (v. 23). Em oposição a esta afirmação da responsabilidade humana, esse contexto começa com uma referência à obra de Deus pelos homens: "A vós também, que outrora éreis estranhos e inimigos no entendimento pelas vossas obras más, agora contudo vos reconciliou no corpo da sua carne, pela morte" (vv. 21, 22).

Por causa de uma pontuação enganosa, que introduz somente uma vírgula após a palavra *morte*, as duas linhas de pensamento têm sido não somente conectadas, mas a obra de Deus pelo homem tem sido crida como dependente da obra do homem para Deus. Esta seria a doutrina arminiana aceitável, mas não é o significado do texto. Sem nenhuma pontuação no texto original, é permitido colocar um ponto após a palavra *morte* (v. 22) e começar uma nova parte da sentença com a palavra "para", que vem a seguir. Esta combinação, sem alterar quaisquer palavras, divide apropriadamente os dois aspectos da verdade que não estão totalmente relacionados no sentido em que eles não são interdependentes. Assim, o texto é resgatado da sugestão de que ele torna a obra de Deus dependente da obra do homem. Tal idéia se constituiria numa contradição completa de todo o ensino do Novo Testamento a respeito da salvação através da graça de Deus somente. Nenhuma afirmação mais completa da obra de Deus pelo homem será encontrada além desta de Colossenses 2.10: "...e tendes a vossa plenitude nele, que é a cabeça de todo principado e potestade".

1 Coríntios 9.27: "Antes subjugo o meu corpo, e o reduzo à submissão, para que, depois de pregar a outros, eu mesmo não venha a ficar reprovado".

Outra vez a distinção entre as recompensas pelo serviço cristão e a salvação está em foco. O assunto é introduzido, até onde diz respeito a esse contexto, com a pergunta do apóstolo. "Logo, qual é a minha recompensa?" (v. 18). E esta pergunta é precedida e seguida por um testemunho extenso da parte do apóstolo relativo ao seu serviço fiel. Já em 3 9-15, ele distinguiu entre a salvação e as recompensas; mas nessa passagem ele considera somente a sua recompensa. Nesse testemunho, ele iguala o serviço do cristão a uma competição na qual todos os crentes são participantes e em relação a qual eles devem lutar conforme as normas, e serem controlados em todas as coisas. Essa referência ao serviço como uma competição é seguida pelo testemunho imediato no qual ele declara que põe o seu corpo em submissão "para que, depois de pregar a outros, eu mesmo não venha a ficar reprovado".

SOTERIOLOGIA

A tradução de άδόκιμος pela palavra *reprovado* não é sustentada por todos. Esta palavra grega é somente a forma negativa de δόκιμος, que certamente significa ser *aprovado* ou *aceito*. Com relação à sua posição perante Deus o crente já é aceito (Ef 1.6) e justificado (Rm 5.1). Com relação ao seu serviço, ou aquilo que o homem pode fazer para Deus, ele deve ainda comparecer perante o tribunal de Cristo, onde as recompensas serão conferidas e a falha no serviço será queimada (cf. 1 Co 3.15; 2 Co 5.9, 10). O significado exato de δόκιμος é visto em 2 Timóteo 2.15: "Procura apresentar-te diante de Deus aprovado, como obreiro que não tem de que se envergonhar, que maneja bem a palavra da verdade". Esta injunção não sugere que a salvação dependa de um estudo fiel; ela assevera antes que aqueles que são salvos deveriam estudar, para que não fossem reprovados e que é exatamente o significado que o apóstolo dá no texto em discussão.

O desejo do apóstolo é ficar livre da maneira frívola, irresoluta e de coração dividido, ao pregar que o Senhor nunca perdoaria, e é um desejo digno de um grande servo de Deus, e bem pode ser tomado ardentemente por todos os que são chamados para pregar a Palavra de Deus. Como poderia o homem que escreve os oito primeiros capítulos de Romanos estar temeroso com receio de ser separado de Deus? Ou como poderia o Espírito Santo que tinha dito: "Eles jamais perecerão eternamente", agora sugerir que eles poderiam perecer?

Outros textos da Escritura pertencentes a essa classificação são Romanos 8.17, Apocalipse 2.10, e todas as referências a recompensas por todo o Novo Testamento.

9. Os Crentes Podem Experimentar a Perda de Comunhão. Esta questão tem a ver com o presente, como as recompensas têm a ver com o futuro, na experiência do crente. Algumas passagens vitais estão envolvidas a esta altura.

João 13.8: "Se eu não te lavar, não tens parte comigo". Estas são palavras de Cristo a Pedro, quando este fez objeção à intenção de Cristo de lhe lavar os pés. A palavra *lavar* (νίπτω) representa um banho parcial e está em contraste aqui a *banhou* (λούω), usado no versículo 10, onde o significado é o de um banho total. Tudo isto é simbólico de uma limpeza espiritual. Há um banho completo (v. 10) que corresponde ao "lavar regenerador" que acontece uma vez por todas, e um banho parcial como está prometido em 1 João 1.9. O banho parcial é freqüentemente repetido na vida do crente, quando ele confessa o seu pecado. Cristo disse a Pedro que não "teria parte" com Ele a menos que fosse parcialmente lavado. A palavra "não ter parte" (μέρος) não sugere uma parte total; isto é, Pedro ficaria carente da plena comunhão com Cristo, a menos que fosse limpo. Isto é igualmente verdadeiro de todo cristão. É após a confissão de pecado que há a limpeza e a comunhão; mas a questão de segurança com respeito à salvação não está envolvida nessa doutrina.

João 15.2: "Toda vara em mim que não dá fruto, ele a corta". Como foi indicado anteriormente, isto diz respeito a um ramo em Cristo que está sem fruto, e o corte dele é evidentemente a remoção desta vida. Deus reserva para si o direito de remover um ramo infrutífero, e isto não precisa ser questionado; mas a remoção não é da salvação, como uma interpretação superficial arminiana sugeriria. As mesmas condições que governam a produção de fruto administram também a comunhão com Cristo.

1 Coríntios 11.29-32: "Porque quem come e bebe, come e bebe para sua própria condenação, se não discernir o corpo do Senhor. Por causa disto há entre vós muitos fracos e enfermos, e muitos que dormem. Mas, se nós nos julgássemos a nós mesmos, não seríamos julgados; quando, porém, somos julgados pelo Senhor, somos corrigidos, para não sermos condenados com o mundo".

É adequado que essa passagem, a qual conclui a seção da carnalidade dessa epístola, apresente tanto o efeito quanto a cura da carnalidade. Certos pecados são especificados nessa passagem como os que conduzem à doença e à morte físicas. Contudo, todo pecado conduz à morte física (Rm 8.6, 13), mas isto está muito distinto da morte espiritual. A cura, mostrada em 1 João 1.3-9, é o autojulgamento; mas se o cristão que peca não se julga a si mesmo, ele está sujeito ao castigo e que, no final, nunca será condenado com o mundo. Embora essa disciplina possa assumir a forma extrema de "dormir" ou a remoção deste mundo, não há base para o pensamento de que isto signifique morte espiritual.

1 João 5.16: "Se alguém vir seu irmão cometer um pecado que não é para morte, pedirá, e Deus lhe dará a vida para aqueles que não pecam para morte. Há pecado para morte, e por esse não digo que ore".

Esse texto é explícito. Ele se refere a um "irmão", termo esse que nunca é usado a respeito do não-regenerado, e declara definitivamente que um cristão pode pecar de tal modo que o castigo da morte possa vir sobre ele. Se o pecado não fosse para morte, a oração poderia ser-lhe útil. Além disso, não há evidência alguma de que o "irmão" cessa de ser o que é em sua relação com Deus, ou que essa morte seja espiritual e o conduza à segunda morte. A possibilidade de castigo é também vista em João 5.14.

10. Os Cristãos Podem Cair da Graça. Pelo uso popular, a idéia de cair da graça, embora mencionada apenas uma vez na Bíblia, tem sido usada para incluir todos que, como é crido, se tornam perdidos após terem sido salvos.

Gálatas 5.4: "Separados estais de Cristo, vós os que vos justificais pela lei; da graça decaístes".

Os cristãos podem cair da graça, mas isto não acontece pelo pecar. Eles haverão de cair da graça quando eles, por terem sido libertos da lei com o seu sistema de mérito, voltam de novo ao sistema de mérito novamente. É seguro dizer que nenhuma pessoa que ganhou ao menos um ligeiro entendimento do que significa ser aperfeiçoado em Cristo, além da necessidade de quaisquer obras humanas para completar essa perfeição, jamais voltou para o sistema de mérito da lei. As pessoas que confiam em Cristo como Salvador são aperfeiçoadas nele, percebam eles ou não, e aqueles que não percebem isso podem ser influenciados pelos legalistas para voltarem ao sistema de mérito do qual eles foram libertos. Além disso, o contexto da passagem é o guia para a interpretação correta da passagem em questão.

Na carta aos Gálatas, o apóstolo declara duas verdades importantes, a saber: (1) que o sistema da lei não é um meio de salvação; e (2) que o sistema da lei não

SOTERIOLOGIA

proporciona a regra de vida para aqueles que são salvos pela graça de Deus. A lei por sua verdadeira natureza supõe que a quem ela é dirigida precisa estabelecer o mérito pessoal diante de Deus. Portanto, não poderia haver aplicação alguma àquele que, por estar em Cristo, tem o perfeito mérito do Filho de Deus. A liberdade à qual o apóstolo se refere e pela qual ele exorta o cristão a permanecer firme (Gl 5.1) é essa verdadeira liberdade de um jugo insuportável de obrigação de mérito. Voltar das bênçãos da provisão da graça para a suposição de que o mérito deve ser assegurado pelas obras humanas, é cair da graça. Cristo não serve para nada, ao grau em que o seu mérito perfeito que a graça proporciona é ignorantemente abandonado por aquilo que é uma escravidão a um intolerável sistema de mérito.

Deus seja louvado, porque é impossível para um verdadeiro crente realmente cair da graça. O seu abandono da graça é somente na esfera de sua própria avaliação de sua responsabilidade como uma pessoa salva. Ele pode assim sacrificar a sua alegria e paz, mas não há sugestão alguma de que a sua salvação seja sacrificada. Se, porventura, os homens não sabem qual seja a posição do crente em graça – e os arminianos não evidenciam tal entendimento – há pouca esperança de que eles sejam capazes de compreender o que está envolvido na idéia de cair da graça.

11. VÁRIAS PASSAGENS. Diversos textos que não são facilmente classificados com outros deveriam ser mencionados, se esta lista se propõe a ser exaustiva: 1 Timóteo 5.8, onde *a* fé novamente é mencionada e a verdade de que a falha em preocupar-se com a família de alguém é uma negação da fé e se constitui num erro que os incrédulos são cuidadosos em evitar; 1 Timóteo 5.12, onde as jovens viúvas são condenadas por quebrar um compromisso; 1 Timóteo 6.10, onde *a* fé é mencionada novamente, e não é a fé pessoal; 2 Timóteo 2.18 assevera que a fé que alguns têm a respeito da doutrina específica da ressurreição foi destruída. Em Apocalipse 21.8, 27, de certas pessoas identificadas como mentirosas, é dito que serão excluídas do céu. Neste contexto, pode ser observado que um filho de Deus, que disse uma mentira, não é um mentiroso no sentido em que a palavra é usada para classificar os incrédulos – um cristão que mentiu, do ponto de vista bíblico, não é a mesma coisa que um mentiroso não-regenerado.

Essa distinção aplica-se igualmente a outros pecados pelos quais os não-salvos são identificados, e asseverar isto nem mesmo sugere que um pecado é menos pecado, quando cometido por um cristão. A intrusão total das obras de mérito na esfera da graça é a base da interpretação errônea de várias passagens. Filipenses 2.12, por exemplo, onde o crente deve desenvolver, não produzir a sua salvação. Ele deve dar expressão exteriormente daquilo que Deus realiza interiormente. Semelhantemente, em alguns poucos exemplos, o Evangelho é apresentado como algo a ser *obedecido* – observe Atos 5.32; Hebreus 5.8, 9. Não há insinuação alguma de que os homens são salvos por serem obedientes em sua vida diária; é uma matéria de obediência ao apelo divino que o Evangelho da graça apresenta.

Conclusão

Antes de voltar para a consideração da doutrina calvinista da segurança, uma reafirmação é feita que nem na esfera da eleição soberana, nem na esfera da graça soberana, nem na esfera da experiência humana, nem na esfera da interpretação bíblica o arminiano advoga suas alegações estabelecidas, e a insuficiência da posição delas será revelada posteriormente, à medida que essa discussão volta-se do negativo para o positivo. Pode bem ser assinalado que os arminianos não têm tomado as passagens sobre a segurança com imparcialidade e com uma tentativa de reconciliá-las com a argumentação da insegurança que eles pregam. Contudo, o aspecto mais importante deste trabalho está preocupado com o lado construtivo da questão e vai passar agora por um exame minucioso.

CAPÍTULO XVI

A Doutrina Calvinista da Segurança

INEVITAVELMENTE, MUITA COISA que faz parte da doutrina calvinista da segurança já foi mencionada por meio de contraste ou de comparação na análise anterior da posição arminiana. Talvez tenha sido apresentado o suficiente da visão calvinista das doutrinas do pecado original, da vocação eficaz, dos decretos, do fato e do caráter da queda, da onisciência divina, da soberania divina, da graça soberana, embora possa seguramente ser reafirmado aquilo que é chamado calvinismo – basicamente pela ausência de um cognome mais abrangente – tanto quanto homens devotos têm sido capazes de compreendê-lo, a teologia essencial de Paulo, especialmente em seus aspectos soteriológicos. Afinal de contas, a Teologia Sistemática é a tentativa da parte dos homens de afirmar um arranjo ordenado do que Deus revelou na Bíblia.

A Palavra de Deus é consistente consigo mesma e é lamentável que bons homens não concordem entre si mesmos a respeito da interpretação. Na busca de uma razão, ou razões, por esta falta de unidade, certas sugestões podem ser desenvolvidas. Primeira, Deus se agradou em embutir a verdade na Bíblia de que somente aqueles que estudam incessantemente e que são qualificados para a tarefa por motivo educacional, tudo isto casado com a visão espiritual, são capazes de discernir com algum grau de exatidão sua revelação em comprimento e largura, a altura e profundidade. Homens com pouca ou nenhuma conformidade a essas exigências educacionais têm fornecido opiniões superficiais, que estão baseadas na mera razão humana e reivindicam ser finais. Esse dogmatismo superficial tem arrastado multidões que pensam muito pouco a respeito de cultos e movimentos religiosos esporádicos.

Tem sido reconhecido de longa data que o homem, que é menos qualificado para falar com autoridade, será mui freqüentemente, o mais dogmático. Uma segunda explicação do desacordo na interpretação da Bíblia é a conformidade sem independência aos líderes humanos. Esta tendência pode facilmente atacar o melhor dos intérpretes. Cada seita sente-se chamada para sustentar as suas escolas teológicas e para buscar o seu ponto de vista peculiar. A teologia delas é publicada e defendida por aqueles que estão dentro de seus moldes específicos. À luz do fato de que há apenas um conjunto de verdades revelado, que apresenta apenas um sistema, aquele que Deus nos concedeu, o desacordo que se vê entre os homens sinceros e educacionalmente disciplinados pode ser explicado com base nessa tendência de abrir caminho para as autoridades humanas identificadas com determinada seita.

O credo da denominação é mais para ser defendido do que a própria Palavra de Deus. No tempo presente, há apenas pouca indignação quando as Escrituras são desacreditadas, mas há uma forte oposição experimentada, quando a posição ocupada pela denominação é questionada. Raramente, os homens mudam as suas opiniões preconcebidas, sejam boas ou más. A formação anterior deles e a disciplina teológica servem como um molde do qual o indivíduo raramente se liberta. Tal escravidão aos líderes e credos humanos pode trazer dificuldade tanto para calvinistas quanto para arminianos. Será reconhecido por todos, contudo, que os calvinistas, como um grupo, a julgar por seus escritos, estão mais preocupados em se conformar à Bíblia do que qualquer outro grupo que é sustentado por crenças teológicas comuns. A ignorância, intolerância, indocilidade, e devoção escrava aos líderes humanos são as raízes da confusão doutrinária com os males observados que essa confusão gera.

Os nomes *calvinismo* e *arminianismo* poderiam bem ser descartados, se somente um entendimento claro da Palavra de Deus fosse ganho. Contudo, esses nomes representam, no seu aspecto principal, duas escolas conflitantes de pensamento teológico, e é o propósito deste trabalho defender a Palavra de Deus; e o calvinismo é favorecido somente por que ele, por sua vez, está do lado da verdade escriturística. As interpretações calvinistas, especialmente com respeito à segurança, são naturais e mostram uma submissão à Palavra de Deus. As grandes doutrinas da Escritura que tratam sobre a segurança – depravação universal, vocação eficaz, decretos, queda, onisciência, soberania divina, e graça soberana – são consideradas pelos calvinistas no seu significado mais claro e natural que pode ser retirado do Texto Sagrado. Não é alegado que não haja verdades que sejam profundas demais para o entendimento humano; mas estas, quando recebidas no sentido natural da linguagem das Escrituras, se não plenamente entendidas, são vistas em harmonia com o plano revelado e com o propósito de Deus.

Foi demonstrado nos capítulos anteriores deste trabalho que os textos da Escritura dos quais os arminianos dependem, pois os textos para os quais eles apelam para provar a insegurança do crente, não dão apoio cabal a opinião deles. A interpretação deles dessas porções da Palavra de Deus é bem descrita pelo texto: "...como também em todas as suas epístolas, nelas falando acerca destas coisas, nas quais há pontos difíceis de entender, que os indoutos e inconstantes torcem, como o fazem também com as outras Escrituras, para sua própria perdição" (2 Pe 3.16). Em oposição a essas passagens, das quais os arminianos lançam mão, é uma declaração positiva, construtiva e consistente de incontáveis passagens do Novo Testamento que em termos absolutos asseveram que o crente está seguro. Acrescentadas a essas asserções positivas da Palavra de Deus estão aquelas deduções a serem tiradas de toda doutrina que está em relação com uma soteriologia completa.

Nenhum arminiano empreende demonstrar que as passagens positivas são incertas em seu significado. O único recurso deles é alegar que a responsabilidade humana deve ser vista nessas passagens, a fim de harmonizá-las com a interpretação que eles deram aos chamados textos que apelam para a insegurança. João 5.24 deveria dizer: "Em verdade, em verdade vos digo que quem ouve a minha palavra, e crê naquele que me enviou, tem a vida eterna e não entra em juízo, mas já passou da morte para a vida – a saber, *se ele assim permanece até o fim*". Romanos 8.30, deveria dizer: "Além disso, aos que predestinou pela presciência da fé e das obras que eles deverão produzir, a eles também chamou, contanto que eles tenham desejado ser chamados; e aos que chamou, a esses também justificou, contanto que não tenham caído de sua própria firmeza". É uma grande responsabilidade acrescentar ou tirar qualquer coisa da Palavra de Deus (Ap 22.18, 19), ou manusear essa Palavra enganosamente (2 Co 4.2).

Após discutir previamente as crenças calvinistas a respeito das grandes doutrinas soteriológicas, resta agora considerar o desdobramento direto e positivo da segurança eterna da forma como está apresentada no Novo Testamento.

Conquanto haja inúmeras declarações secundárias e inferências a respeito da segurança do verdadeiro cristão, este capítulo apresentará doze razões importantes, declaradas no Novo Testamento, por que os crentes uma vez salvos nunca vêm a se tornar perdidos. Deve ser alegada uma liberdade em conexão com cada uma dessas razões, para assinalar o que a negação racionalista da verdade em questão envolve. Essas doze razões, que serão encontradas, são igualmente divididas em sua relação com as três pessoas da Trindade – quatro são de responsabilidade do Pai; quatro, do Filho; e quatro, do Espírito Santo. Este tríplice fato eleva imediatamente este tema ao nível de uma doutrina principal da soteriologia. Dessas doze razões, pode ser dito que qualquer uma delas é em si mesma uma base final e suficiente para a confiança de que o filho de Deus será preservado para a glória do céu.

Quando as doze razões, cada uma delas completa e conclusiva em si mesma, são estudadas, a evidência é preponderante. Em geral, o Novo Testamento apresenta o Pai como o que determina, chama, justifica, e glorifica aqueles que crêem em Cristo; o Filho é apresentado como o que se encarna para que possa ser o Redentor, como o que padece uma morte substitutiva e eficaz; ressurge, para ser um Salvador vivo como Advogado e Intercessor; e como o Cabeça sobre todas as coisas, que é dado à Igreja; o Espírito Santo é apresentado como o que administra e executa os propósitos do Pai e a redenção que o Filho operou. É razoável, então, que todas as três pessoas da Trindade devam compartilhar individualmente em preservar a consecução daquilo que Deus determinou.

I. As Razões Que Dependem de Deus, o Pai

As quatro razões para a segurança do crente atribuídas ao Pai são: (1) o propósito soberano de Deus; (2) o poder infinito do Pai liberado; (3) o amor infinito de Deus; e (4) a influência da oração do Filho sobre o Pai.

1. O PROPÓSITO SOBERANO DE DEUS. Por nenhum processo de raciocínio aceitável e certamente por nenhuma palavra de revelação pode ser concluído que Aquele que criou todas as coisas, de acordo com o seu propósito soberano – propósito esse que se estende para a eternidade vindoura e abrange todos os detalhes que certamente virão a acontecer – será derrotado na concretização de todas as suas intenções; nem deveria haver qualquer fracasso em se aceitar a verdade de que o trazer dos redimidos para a glória do céu seja um propósito divino importante por detrás de todo o seu empreendimento criador. É infundada e vã a suposição que declara que a salvação de almas e o chamamento da Igreja sejam um detalhe sem importância que, se não tiver sucesso, por causa de sua insignificância, não possua importância alguma no objetivo divino principal.

É verdade que, do lado humano, o homem exerce a sua vontade, quando age de acordo com os seus desejos e o seu melhor julgamento. É também verdade e de importância maior que Deus molda aqueles desejos e ilumina o julgamento humano. É natural para os homens concluírem que, visto que no raio de sua própria experiência, a aceitação que eles têm de Cristo é opcional, a salvação de uma alma e sua chegada à glória do céu são um assunto de indiferença ou de incerteza na mente de Deus. O fracasso no fato de uma alma não ser salva e de não alcançar a glória que Deus ordenou para aquele fim, significa o rompimento da realidade total da soberania divina. Se Deus pudesse falhar num aspecto, por pequeno que fosse, Ele poderia falhar em tudo. Se Deus pode falhar em qualquer coisa, Ele cessa de ser Deus e o universo fica à deriva do destino a respeito do qual o próprio Deus não sabe nada.

Ninguém duvidaria que a encarnação e morte de Cristo foram aspectos importantes no propósito de Deus; mas tudo isso (que está revelado) é com o propósito de trazer muitos filhos à glória. Está escrito: "...vemos, porém, aquele que foi feito um pouco menor que os anjos, Jesus, coroado de glória e honra, por causa da paixão da morte, para que, pela graça de Deus, provasse a morte por todos. Porque convinha que aquele, para quem são todas as coisas, e por meio de quem tudo existe, em trazendo muitos filhos à glória, aperfeiçoasse pelos sofrimentos o autor da salvação deles" (Hb 2.9, 10). Deus não deu o seu Filho como uma aventura fortuita, sem a certeza de que um remanescente de seu propósito seria realizado. Toda mente devota ficaria chocada apenas pela menção de tais insinuações que desonram Deus; todavia, cada aspecto dessa seqüência ímpia é inevitavelmente admitido, se fosse permitido Deus falhar na concretização de seus propósitos, mesmo no caso de uma só alma.

Efésios 1.11, 12 é uma declaração própria com relação a esse propósito divino: "...nele, digo, no qual também fomos feitos herança, havendo sido predestinados conforme o propósito daquele que faz todas as coisas segundo

SOTERIOLOGIA

o conselho da sua vontade, com o fim de sermos para o louvor da sua glória, nós, os que antes havíamos esperado em Cristo". E, embora freqüentemente tenha sido referido a isso antecipadamente, Romanos 8.28-30 proclama a mesma imutável intenção divina, com segurança plena de que o propósito soberano de Deus será realizado. A passagem diz: "E sabemos que todas as coisas concorrem para o bem daqueles que amam a Deus, daqueles que são chamados segundo o seu propósito. Porque aos que dantes conheceu, também os predestinou para serem conformes à imagem de seu Filho, a fim de que ele seja o primogênito entre muitos irmãos; e aos que predestinou, a estes também chamou; e aos que chamou, a estes também justificou; e aos que justificou, a estes também glorificou".

O pronunciamento primário desta passagem é que "todas as coisas concorrem para o bem daqueles que amam a Deus [uma referência aos que são salvos], daqueles que são chamados segundo o seu propósito". Esse programa total centra-se no Seu *propósito*, que começou com a predestinação e a presciência, que agem numa eficácia combinada. Para que esse intento, o qual foi previsto e predeterminado, pudesse ser realizado, Ele chama, justifica e glorifica. Esse propósito é para cada indivíduo que é salvo. Se for perguntado se o indivíduo deve crer pela ação de sua própria vontade, deverá ser lembrado que a chamada divina consiste no mover da vontade humana – não por coerção, mas por persuasão – e que a única responsabilidade humana – a de crer, que é de importância mensurável – é garantida. Tudo o que Deus propôs em favor daqueles que são salvos, Ele prometeu em um pacto incondicional, e o seu pacto não pode ser quebrado; do contrário, o caráter santo de Deus é difamado.

Algum indivíduo piedoso asseveraria que Deus poderia prometer e não cumprir? Todavia, através da revelação de seu intento soberano, Deus prometeu uma preservação completa daqueles que são salvos. Ele não hesita em incluir o elemento humano da fé nesse grande empreendimento. Quando esse elemento é assim incluído, não significa a introdução de uma incerteza, como é comumente suposto. Não há incerteza alguma, quando Ele é o autor da fé. Quando Deus diz que salvará aqueles que crêem, fica entendido por outros textos da Escritura que os seus eleitos, sob uma persuasão que não pode falhar, certamente crerão. A capacidade que Deus tem de estabelecer pactos incondicionais na realização de seu propósito soberano é demonstrada nos pactos feitos com Abraão e Davi. A única responsabilidade em cada um desses pactos está contida no "Eu farei" de Jeová.

Ambos os pactos chegam à sua realização nas eras futuras. Por causa da duração deles, se não por outra razão, esses pactos não podem repousar na fidelidade de nenhum dos homens envolvidos. O curto período de suas vidas dificilmente marcou o começo da realização de tudo o que Deus prometeu nesses pactos. É de interesse peculiar observar que, no caso de Davi – e pode ser desconcertante para os arminianos – Deus declarou que os pecados dos filhos de Davi, através de quem esse pacto haveria de ser perpetuado, de forma alguma iriam anular o pacto, embora deva ser observado que Deus tenha reservado para si o direito de castigar aqueles da linhagem de Davi que pecaram (2 Sm 7.8-16; Sl 89.20-37).

As Razões Que Dependem de Deus, o Pai

A palavra *promessa* da forma como é empregada por Paulo (cf. Rm 4.13, 14, 16, 20; Gl 3.17-19, 22, 29; 4.23, 28), embora muito negligenciada em estudos doutrinários, representa exatamente a forma de promessa incondicional que Deus fez a Abraão – não a promessa da mesma coisa, mas aqueles que em cada situação é incondicional e, portanto, uma expressão da soberania divina. A promessa feita ao crente desta era não é somente a respeito de objetivos diferentes, mas alcança as esferas não reveladas a Abraão. Deus não entrou em pacto com Abraão, em que este pudesse se apresentar irrepreensível perante a presença de Sua glória (Jd 24); nem Ele prometeu que Abraão seria aceito no Amado (Ef 1.6). Debaixo do presente relacionamento, a palavra *promessa* representa tudo o que Deus em graça soberana designa para o crente.

Abraão é o padrão divinamente determinado da salvação pela promessa (Gn 15.6; Rm 4.3, 20-25); mas o escopo da promessa agora é amplamente diferente no caso do crente, quando comparado com aquela que foi dirigida a Abraão. A força desse princípio divinamente ordenado de fazer um pacto soberano de promessa e de executá-lo à parte de qualquer condição humana, é visto em Romanos 4.16, onde está escrito: "Portanto procede da fé [não da parte do homem] o ser herdeiro, para que seja segundo a graça [tudo da parte de Deus], a fim de que a promessa seja firme e toda a descendência, não somente à que é da lei, mas também à que é da fé que teve Abraão, o que é pai de todos nós". Se o fim em vista dependesse de qualquer ponto dos recursos ou fatores humanos, a promessa poderia não ser *segura*; mas, por ser uma promessa incondicional, uma obra soberana de Deus, o resultado é tão certo como a existência do Deus eterno.

Semelhantemente, em Gálatas 3.22, está escrito que "a Escritura encerrou tudo [judeus e gentios igualmente] debaixo do pecado", o que significa que Deus não aceita mérito algum do homem que possa ser creditado em sua conta para a sua salvação. Isto é assim, a fim de que "a promessa", que é cumprida pela fé em Jesus Cristo, "pudesse ser dada aos que crêem" – querendo dizer com isso que eles não fazem algo além de crer. O apóstolo Paulo é cuidadoso em assinalar que, no caso de Abraão, ele foi declarado justo por crer. Isto não poderia vir da observância da lei, visto que a lei não foi dada senão cinco séculos mais tarde; nem poderia ter sido merecida pela circuncisão, visto que Abraão não havia ainda sido circuncidado (Rm 4.9-16). Assim, a promessa da graça, com tudo o que ela inclui, é dirigida ao crente à parte do sistema de mérito que a lei imporia, e à parte de todas as cerimônias. É o supremo propósito do Deus soberano, que é cumprido com perfeição infinita através da graça soberana, como a única condição da fé em Cristo como Salvador.

O arminiano insiste que o mérito humano é essencial para a segurança e ele nega que o propósito eterno na salvação deva ser realizado por uma graça soberana incondicional. Para ele, a promessa não é segura, e nega que Deus encerrou todos debaixo do pecado, por causa do real intento de que o elemento humano deveria ser repudiado para sempre. O evangelho que ele prega está perigosamente próximo de ser "um outro evangelho", aquele que merece receber o irrevogável anátema de Gálatas 1.8, 9.

O pacto divino incondicional da promessa é a substância de um enorme conjunto de textos da Escritura. Ele faz parte de toda passagem em que a salvação e a segurança são ditas depender da fé em Cristo. Os textos a seguir servem como ilustração: "Porque Deus amou o mundo de tal maneira que deu o seu Filho unigênito, para que todo aquele que nele crê não pereça, mas tenha a vida eterna" (Jo 3.16); "Em verdade, em verdade vos digo que vem a hora, e agora é, em que os mortos ouvirão a voz do Filho de Deus, e os que a ouvirem, viverão" (Jo 5.24); "Todo o que o Pai me dá virá a mim; e o que vem a mim de maneira nenhuma o lançarei fora" (Jo 6.37); "E eu lhes dou a vida eterna, e jamais perecerão; e ninguém as arrebatará da minha mão" (Jo 10.28); "E aos que predestinou, a estes também chamou; e aos que chamou, a estes também justificou; e aos que justificou, a estes também glorificou" (Rm 8.30).

2. O Poder Infinito do Pai de Libertar. O problema relacionado ao exercício do poder divino na segurança do crente é mais complexo do que seria, se não houvesse aspectos morais envolvidos. Ao admitir que Deus é onipotente, e todas as almas piedosas admitem isso, não seria difícil imaginar uma situação em que Deus pudesse preservar um indivíduo cristão por Seu domínio arbitrário, ou uma situação em que Ele pudesse cercar o crente com influências que o salvaguardariam por todos os dias de sua vida; mas os cristãos pecam e são imperfeitos, fato esse que introduz um problema moral quando a segurança deles é considerada. Sem dúvida, é esse problema moral que é o obstáculo formidável para a segurança na mente do arminiano. Essa questão será discutida mais plenamente no Capítulo XVIII.

O arminiano prontamente revela a sua mente, quando lhe é perguntado: O que bastaria para tornar o cristão não-salvo? Sua resposta, naturalmente, seria: O *pecado* – mas não os pecados pequenos, como os que todos os crentes cometem; do contrário, nenhum cristão permaneceria e evidentemente eles perseveram; mesmo os cristãos de fé arminiana perseveram em alguma medida, e alguns alcançam o céu finalmente. Nenhum arminiano afirmaria que aqueles dentre eles que alcançam o céu o fazem com base numa vida sem pecado. A argumentação é, ao contrário, que aqueles assim favorecidos não cometeram pecados suficientemente ímpios, para levá-los à condição de não-salvos. Como todos irão admitir, uma alegação racionalista e sem base na Escritura fica introduzida, quando se distingue entre os pecados grandes e os pequenos.

Todavia, mesmo se atrevendo ainda mais em sua incredulidade, uma confissão óbvia está envolvida, a que assevera que o pecado pode levar um crente salvo à condenação, mesmo após Cristo ter morrido por essa transgressão. As Escrituras declaram que Cristo, por sua morte, tornou-se propiciação pelos *nossos* pecados (1 Jo 2.2), o que certamente significa que as transgressões do crente, em contraste com "os pecados do mundo inteiro", tiveram o julgamento perfeito realizado por Cristo em sua morte – um julgamento tão perfeito, que o Pai se tornou infinitamente propício ao crente. Poderia parecer desnecessário afirmar aqui a verdade maravilhosa de que, embora o pecado do cristão não supere a propiciação, que é originada para cancelar o seu poder, ele leva consigo outras penalidades, e uma das mais importantes é o castigo do Pai, caso o cristão pecador continue a transgredir, sem arrependimento e confissão (1 Co 11.31, 32).

O ponto especial que esta divisão do tema almeja estabelecer é que Deus o Pai não somente é capaz, por causa da onipotência, de guardar os Seus, mas que Ele é *liberado* através da morte de seu Filho a guardá-los, a despeito do problema moral que a imperfeição de cada cristão gera. O Novo Testamento dá um testemunho abundante da capacidade irrestrita de Deus, de guardar aqueles a quem salvou através de Cristo.

Está escrito: "Meu Pai, que mas deu, é maior do que todos; e ninguém pode arrebatá-las da mão de meu Pai" (Jo 10.29); "...e estando certíssimo de que o que Deus tinha prometido, também era poderoso para o fazer" (Rm 4.21); "Que diremos, pois, a estas coisas? Se Deus é por nós, quem será contra nós? ... Porque estou certo de que, nem a morte, nem a vida, nem anjos, nem principados, nem coisas presentes, nem futuras, nem potestades, nem a altura, nem a profundidade, nem qualquer outra criatura nos poderá separar do amor de Deus, que está em Cristo Jesus nosso Senhor" (Rm 8.31, 38, 39); "Quem és tu, que julgas o servo alheio? Para seu próprio senhor ele está em pé ou cai; mas estará firme, porque poderoso é o Senhor para o firmar" (Rm 14.4); "Ora, àquele que é poderoso para fazer tudo muito mais abundantemente além daquilo que pedimos ou pensamos, segundo o poder que em nós opera" (Ef 3.20); "...que transformará o corpo da nossa humilhação, para ser conforme o corpo da sua glória, segundo o seu eficaz poder de até sujeitar a si todas as coisas" (Fp 3.21); "Por esta razão sofro também estas coisas, mas não me envergonho; porque eu sei em quem tenho crido, e estou certo de que ele é poderoso para guardar o meu depósito até aquele dia" (2 Tm 1.12); "Portanto, pode também salvar perfeitamente os que por ele se chegam a Deus, porquanto vive sempre para interceder por eles" (Hb 7.25); "Ora, àquele que é poderoso para vos guardar de tropeçar, e apresentar-vos ante a sua glória imaculados e jubilosos" (Jd 24).

A isto tudo pode ser acrescentado a revelação específica de Efésios 1.19-21, onde está revelado que o real poder que operou em Cristo para ressuscitá-lo dentre os mortos – o supremo poder – é um "poder para convosco". Quem, na verdade, é capaz de avaliar a vantagem de um filho de Deus, em vista desse imensurável poder?

Para sustentar essa posição, o arminiano deve inserir as suas próprias qualificações desautorizadas em cada uma dessas declarações divinas e deve negar que o poder de Deus é livre para agir na preservação dos crentes. A negação arminiana da revelação de que Deus é propício para com os pecados do crente é equivalente à negação de tudo que faz parte da doutrina da graça soberana.

3. O Amor Infinito de Deus. O que moveu Deus desde toda eternidade em sua escolha eletiva daqueles a quem Ele haveria de trazer para a glória foi o seu amor por eles. Se, como muitos eruditos crêem, as palavras *em amor*, que estão no final de Efésios 1.4, devem ser a abertura para as palavras que se seguem no versículo 5, uma grande luz cai sobre essa importante revelação a respeito do motivo de Deus. Sob essa perspectiva, a passagem deveria ser lida e entendida:

SOTERIOLOGIA

"em amor nos predestinou". O amor é um dos atributos de Deus. "Deus é amor", o que significa que Ele nunca adquiriu amor, que Ele não o mantém por qualquer esforço, nem que o seu amor depende de quaisquer condições; pois Ele é o Autor de todas as condições. Deus amou antes de qualquer ser ter sido criado, e mesmo o próprio tempo – quando nada existia; nada, além do próprio Ser triúno. Ele amou a si mesmo supremamente, mas num plano muito superior ao da mera autocomplacência.

Seu amor é tão eterno e imutável quanto a Sua própria existência, e foi nesse passado incompreensível que Ele também amou os seres que ainda seriam criados. Embora expresso supremamente pela morte de Cristo num momento definido do tempo, e embora visto na preservação dos redimidos e na sua providência para eles, o Seu amor é um amor de um passado atemporal e a sua continuação é tão imutável quanto a predestinação o planeja. Longe de ser uma predeterminação dura e terrível de Deus, a predestinação é um empreendimento supremo de Deus e de sua compaixão infinita.

Num ponto anterior deste trabalho, foi chamada a atenção para a verdade de que a salvação não provém da miséria dos homens que Deus, em misericórdia, resolveu aliviar; mas provém do amor que Deus tem por suas criaturas, amor esse que não pode ser satisfeito por nada que não esteja na conformidade dessas criaturas com Cristo em Sua presença eterna. É estima imutável que o estudante dessa doutrina deve contemplar e, à luz dela, deve tirar as suas conclusões. Nessa contemplação, ele não deve investir na compaixão divina com a justiça e capricho que caracterizam o amor humano, como se Deus amasse suas criaturas porque elas são boas, mas que retira o seu amor quando elas se tornam más. Embora incompreensível, o fato é que Deus amou os homens o suficiente para dar o seu Filho para morrer por eles, mesmo quando eram ainda inimigos e pecadores (Rm 5.7-10).

Ele não ficou meramente chocado pela indignidade deles e, assim, providenciou algum alívio para eles; Ele realmente morreu por eles na pessoa de Seu Filho. É neste contexto – e em Romanos 5 – que as palavras "muito mais" ocorrem duas vezes e quando contrasta a produção do amor de Deus pelos não-salvos com a produção do amor de Deus pelos salvos. Não está sugerido que Ele ame mais, embora o indivíduo salvo por sua graça seja mais louvável do que quando ainda não era regenerado; a oportunidade foi criada para que, através da salvação, o seu amor tivesse a oportunidade de ser manifesto naqueles que são salvos. "Logo muito mais, sendo agora justificados pelo seu sangue, seremos por ele salvos da ira. Porque se nós, quando éramos inimigos, fomos reconciliados com Deus pela morte de seu Filho, muito mais, estando já reconciliados, seremos salvos pela sua vida" (Rm 5.9, 10).

A preservação declarada no final desta passagem não é devida ao Cristo que habita, que é a vida eterna (Cl 1.27), mas é devido ao fato essencial da própria vida de Deus e de tudo que Ele, o Filho ressurrecto de Deus, é para o crente.

Se essa verdade a respeito do amor imensurável e imutável de Deus pelos crentes é reconhecida, será visto que, por causa desse motivo inalterável, Deus concluirá perfeitamente o que Ele começou – aquilo que Ele predestinou com certeza infinita. O amor removeu toda barreira que o pecado havia levantado e o amor guardará, por uma manifestação mesmo maior do que a que foi exibida no calvário, a todos a quem Ele escolheu em Cristo, antes da fundação do mundo.

Na verdade, os arminianos dão pouca atenção em seu sistema a esse amor inalterável e invencível de Deus por aqueles a quem Ele salvou. Negar esse amor em sua plena manifestação e satisfação, como é revelado pelo próprio Deus, é tentar enfraquecer, ou mesmo negar, a realidade essencial de um dos atributos mais gloriosos de Deus.

4. A Influência da Oração do Filho Sobre o Pai. Muitos cognomes são usados no Novo Testamento para designar aqueles dentre os judeus e gentios que são salvos – cristãos, crentes, irmãos, filhos de Deus, família da fé, família de Deus, "minhas ovelhas", reino de sacerdotes, Seu Corpo, santos – e cada um desses nomes, aos quais outros ainda podem ser acrescentados, porta um significado específico e sugere um relacionamento peculiar. Contudo, há um título que, por causa dAquele que o usou e da circunstância sob a qual ele foi empregado, supera em exaltação santificada todas as outras designações juntas. O próprio Senhor a usou exclusivamente naquela hora suprema, quando Ele deixava este mundo e retornava ao Pai – uma hora em que Ele prestava contas ao Pai a respeito da conclusão de sua missão incomparável neste mundo. Assim, o tempo e as circunstâncias marcaram o clímax de tudo o que Ele havia operado enquanto esteve neste mundo.

Qualquer termo que o Salvador possa empregar a qualquer hora seria da maior importância, mas acima de tudo e dos céus mais exaltados está aquela designação que Ele emprega quando está em conversa familiar santa com seu Pai no céu. Imediatamente, a mente devota tem a sua atenção despertada para captar a terminologia que é corrente no diálogo entre o Pai e o Filho. Então, é em sua oração sacerdotal que o Salvador refere-se sete vezes aos que são salvos como "aqueles que tu me deste" (Jo 17.2, 6, 9, 11, 12, 24). Esse grupo tão exaltado inclui todos os que crêem nele em toda as épocas (Jo 17.20). Este título imediatamente sugere um evento de importância imensurável nas eras passadas a respeito da qual pouca coisa pode ser conhecida. É razoável crer que cada indivíduo que foi salvo pela graça de Deus, através do Salvador Jesus Cristo, nas gerações passadas, foi individualmente apresentado como um dom particular de amor que o Pai deu ao Filho; que cada indivíduo representa um pensamento que jamais poderia ser duplicado; e que se uma dessas jóias se perdesse desse grupo, o Senhor ficaria despojado e sua infinidade ficaria prejudicada pelas imperfeições.

Quando se refere aos crentes como "aqueles que tu me deste", o Filho faz ao Pai esta petição definida: "Pai Santo, guarda-os no teu nome, o que me deste, para que eles sejam um, assim como nós" (Jo 17.11). A oração, para que eles pudessem ser *um*, sem dúvida se refere à unidade orgânica de todos os crentes, que é ilustrada pela figura de um corpo e em sua relação com a cabeça. A sugestão é que nenhum membro esteja ausente. Mas, indo mais ao ponto focal, é o fato e a força da oração direta do Filho ao Pai, em que o Filho faz um pedido, para que o Pai guarde em Seu nome aqueles que Ele havia dado ao Filho. Naturalmente, a questão que surge é se essa oração do Filho será respondida.

Os arminianos hesitam em crer que ela será respondida no caso de todo crente, enquanto que os calvinistas asseveram que a oração será respondida e apontam para o fato de que nenhuma oração de Cristo ficou sem resposta, nem poderia ficar. O Filho pede ao Pai para guardar aqueles salvos que o Pai lhe havia dado. Se pudesse ser demonstrado – mas não pode – que o Pai não tem interesse algum nos Seus desse povo eleito, pode ser observado que Ele, por causa do Filho, a quem nada é negado, deve empregar os seus recursos infinitos para realizar plenamente o que o Filho pediu. É assim que a oração do Filho de Deus ao Pai se torna um dos principais fatores na segurança do crente. Negar a segurança do crente é sugerir que a oração do Filho de Deus não será respondida.

II. As Razões Que Dependem de Deus, O Filho

Enquanto as quatro razões para a segurança do cristão, que dependem de Deus, o Filho, são discutidas separadamente em vários lugares do Novo Testamento, elas todas aparecem juntas num versículo e como uma resposta quádrupla à pergunta desafiadora sobre se o filho de Deus está seguro. A passagem é a seguinte: "Quem os condenará? Cristo Jesus é quem morreu, ou antes, quem ressurgiu dentre os mortos, o qual está à direita de Deus, e também intercede por nós" (Rm 8.34).

A pergunta com a qual este versículo se inicia é precedida por uma pergunta semelhante: "Quem intentará acusação contra os eleitos de Deus?" – pergunta essa que atrai a resposta firme: "É Deus quem os justifica". O argumento é que se Deus já justificou, que é o caso com todo aquele que crê em Jesus (cf. Rm 3.26; 8.30), como pode Ele apresentar qualquer coisa para acusar aquele a quem Ele justificou? Não se trata, de modo algum, do problema comum de uma pessoa descobrir imperfeições ou pecado numa outra pessoa. Em tal tarefa, Deus, acima de todos os outros, poderia identificar as falhas do cristão. Ele nunca fechou os seus olhos para essas falhas, nem Ele falha em tratá-las com justa consideração. A justificação do crente é assegurada com base no mérito imputado do Filho de Deus e é legalmente sua, quando ele está em Cristo Jesus. Não poderia haver tal coisa como uma justificação perante Deus, que estivesse baseada na dignidade humana.

Por outro lado, uma justificação que não está sujeita ao mérito humano dificilmente poderia estar sujeita ao demérito humano. Como nos relacionamentos humanos, onde há caminhos pelos quais um pai terreno pode corrigir seu filho transgressor sem romper sua filiação ou posição familiar, de igual modo Deus como Pai mantém a perfeita posição – mesmo a justificação completa e eterna – de seu filho, exatamente no momento que é necessário para Ele corrigir esse filho. Portanto, permanece a verdade de que, tendo justificado o ímpio (Rm 4.5), Deus não pode nem se contradirá a si mesmo por acusar seus filhos de mal, acusação essa que conta para o reverso da justificação deles. Do lado desta verdade, Dean Alford cita Crisóstomo dizendo: "Ele não diz, 'Deus que remiste pecado', mas que é muito mais, 'Deus que justifica'. Por que, quando o voto do próprio juiz absolve, e de um Juiz como esse, de qual peso é o acusador?"[72] A eqüidade absoluta desse arranjo deve ser compreendida, do contrário o estudante nunca entenderá esse tipo de salvação que é operada pela graça soberana e que ele é chamado para pregar.

A segunda pergunta e a única que extrai a resposta quádrupla sob consideração agora: "Quem os condenará?" é muito similar à pergunta que a precede, embora um conjunto diferente de verdade seja citado para servir como resposta. Aqui, como em todo o Novo Testamento, a pergunta sobre se o crente está seguro incondicionalmente para sempre pelas provisões da graça infinita é respondida afirmativamente. A respeito da resposta completa a essa segunda pergunta, De Wette observa: "Todos os grandes pontos de nossa redenção estão agrupados, desde a morte de Cristo até a sua intercessão permanente, como razões para refutar a pergunta acima".[73]

Uma atenção sincera a esta pergunta e sua resposta quádrupla é exigida, com o fim de haver um entendimento digno da verdade assumida neste tema particular que ocupa um lugar tão importante na soteriologia. Essa interrogação sobre se o verdadeiro crente vai ser condenado é proposta e respondida pelo Espírito Santo. Essas são as palavras de Deus e não as palavras de um homem somente. É como se o autor divino antecipasse a confusão doutrinária que estava para surgir e, com isto em mente, provocou essas perguntas momentâneas que foram registradas com respostas inequívocas. Não obstante, tais perguntas diretas e tais respostas conclusivas não impedem uma forma de descrença racionalista, que se apresentam como piedosas e sadias, de negar a revelação total.

As quatro respostas à pergunta: "Quem os condenará?" são aqui tomadas separadamente e em sua ordem, visto que elas constituem as quatro razões para a segurança do crente que pertencem, por sua realização, ao Filho de Deus. Estas respostas são: (1) Cristo morreu; (2) Cristo ressuscitou; (3) Cristo advoga; e (4) Cristo intercede.

1. Cristo Morreu. A primeira resposta à pergunta "Quem os condenará?" é uma citação do fato de que Cristo morreu, e visto que a morte é uma base importante para a segurança de que o crente não pode ser condenado. A um certo grau, que é completo e final, o próprio Cristo leva a condenação que, de outra forma, cairia sobre o cristão que pecou. Nenhum princípio novo é, assim, introduzido. Foi com base na eficácia da morte de Cristo pelos seus pecados que o crente foi salvo em primeiro lugar e à parte de toda penalidade ou punição, um santo Deus assim liberou, para perdoar com justeza todo pecado que já foi cometido e que ainda será cometido, com respeito ao seu poder de condenar (Rm 8.1). É a mesma liberdade divina, baseada no fato de que Cristo morreu pelos pecados do cristão (1 Jo 2.2), que cria a liberdade de Deus de perdoar com justeza o pecado – agora dentro da esfera da comunhão com Deus – do crente que confessa esse pecado (1 Jo 1.9).

SOTERIOLOGIA

A solução do problema da salvação da pessoa não-regenerada e da preservação daqueles que são salvos, é idêntica. Essa solução divinamente produzida não é somente imparcial e legal, mas é prática e aceitável. Embora as mentes cegadas por Satanás não vejam essa verdade, até que elas sejam iluminadas, o fato de que o Substituto suportou a penalidade é o mais simples dos métodos pelo qual um problema, de outra maneira impossível de ser solucionado, pode ser totalmente solucionado. Embora Deus reserve para si o direito de corrigir e castigar os seus filhos, Ele nunca permitiu uma sugestão por sua autoridade de que seus filhos fossem condenados.

Em defesa de sua posição, o arminiano deve negar que a morte de Cristo seja um modo de Deus tratar com o pecado e, portanto, o crente pode ser rejeitado por causa dos pecados que Cristo suportou, ou que ele deva abandonar o testemunho completo da Bíblia e concluir que Cristo não morreu eficazmente por ninguém. Tais conclusões são deduções inevitáveis da posição arminiana com respeito à doutrina da substituição. Naturalmente, não há base alguma intermediária. Ou o crente deve ser condenado por todo e qualquer pecado – que é a afirmação lógica do arminianismo – ou os seus pecados não são de forma alguma uma base de julgamento; o julgamento deles tendo sido suportado por outro. Não há dúvida nenhuma sobre o que a Bíblia ensina a respeito dessas duas proposições, nem sobre aquela que ela favorece.

2. CRISTO RESSUSCITOU. A verdade gloriosa da ressurreição de Cristo torna-se imediatamente a base sobre a qual duas razões conclusivas para a segurança do filho de Deus repousam: (a) O crente participou da ressurreição, para a vida do Filho de Deus; e (b) o crente é uma parte da nova criação sobre a qual o Cristo ressurrecto é o Cabeça totalmente suficiente. A última destas duas razões será discutida sob os aspectos da segurança, que são uma responsabilidade do Espírito Santo. A primeira, agora em consideração, é que o filho de Deus participa da vida ressurrecta do Filho de Deus. Uma afirmação muitíssimo importante da verdade aparece nos capítulos 2 e 3, de Colossenses. Isto é o resultado de o cristão já estar na esfera da ressurreição, em virtude do fato de ele estar em Cristo ressuscitado.

No capítulo 2, o apóstolo Paulo assevera diretamente que o cristão está ressuscitado com Cristo (v. 12). Esta realidade não é um mero simbolismo ou figura; ela é tão real como a própria ressurreição de Cristo, em que ela compartilha. Ser "despertado" é ser tornado vivo pelo receber da vida ressurrecta de Cristo. É dito agora que o cristão foi ressuscitado com Cristo e tomou assento com Ele nos lugares celestiais (Ef 2.6). Estar no Cristo ressurrecto e ter o Cristo ressurrecto interiormente constitui-se numa ressurreição espiritual que, em relação ao ser total do crente, será completa no devido tempo pela ressurreição do corpo ou por sua transformação, quando for trasladado.

Com essa realidade espiritual na mente, Paulo escreve em Colossenses 3.1-4 e também com respeito à vida diária do crente: "Se, pois, fostes ressuscitados juntamente com Cristo, buscai as coisas que são de cima, onde Cristo está, assentado à destra de Deus. Pensai nas coisas que são de cima, e não nas que são da terra; porque morrestes, e a vossa vida está escondida com Cristo em

Deus. Quando Cristo, que é a nossa vida, se manifestar, então também vós vos manifestareis com ele em glória".

A vida que o crente recebe na regeneração é a vida de Cristo na ressurreição. Essa vida não pode diminuir ou perecer. É reivindicação comum do arminiano que, qualquer coisa que a vida eterna possa ser, ela pode ser perdida, e, em muitos casos, ela é perdida. Alguns têm dito que a vida ressurrecta, que é eterna enquanto possuída, mas que o cristão pode ficar privado dela. Mas essa vida não é algo separado que pode entrar e sair. Ela é uma natureza assegurada pela regeneração divina e, igual a qualquer natureza que é possuída, ela não pode ser separada ou descartada. Parece haver um laço peculiar de relacionamento entre estas duas realidades – "vida eterna" e "não perecerá" – quando estas duas são usadas juntas por Cristo (Jo 3.16; 10.28).

A negação da segurança eterna para o filho de Deus – o que receber a vida ressurrecta de Cristo como uma natureza comunicada – deve negar tanto a realidade desta vida ou negar o seu caráter imperecível e permanente.

3. Cristo Advoga. Em 1 João 1.1–2.2, duas perguntas importantes são respondidas, a saber: Qual o efeito do pecado que o cristão tem sobre si mesmo e qual é a sua cura, e qual o efeito do pecado que o cristão tem sobre Deus e qual a sua cura. Na seção anterior desta obra, esse ministério específico de Cristo recebeu uma atenção mais completa. A esta altura, contudo, a questão é crucial em seu tratamento sobre a segurança daqueles que são salvos. Voltando um momento para o efeito do pecado do cristão sobre si próprio, será visto que em 1 João somente há ao menos sete conseqüências danosas que resultam desse pecado; todavia, não está imediatamente sugerido que o crente se perderá novamente. Uma dessas penalidades é a da perda da comunhão com Deus, o Pai e o Filho, e a cura – na verdade muito longe de ser uma regeneração – é uma simples confissão do pecado a Deus por um coração penitente (1 Jo 1.3-9).

Já chamamos a atenção, no capítulo XIII, aos 33 empreendimentos divinos que juntos constituem a salvação de uma alma. Entre eles, está a verdade de que todo pecado é perdoado. Nenhuma dessas 33 transformações poderia ser reivindicada sozinha ou separada do todo, nem poderiam 32 ser selecionadas com a omissão intencional de uma delas. Elas constituem um todo indivisível; nem uma só dessas está sujeita a uma segunda experiência de recepção. Mesmo o perdão de pecados – que é decorrente da união com Cristo e para um estado onde não há condenação alguma – nunca é repetido. O perdão do cristão na família e no retorno à comunhão com o Pai e o Filho é uma coisa totalmente diferente; todavia, também ela está baseada na mesma morte substitutiva de Cristo. A remoção do efeito sobre si mesmo, do pecado do cristão, é, através da graça divina, perfeita e completa quando o requisito da confissão é exigido. A provisão é específica e suficiente por meio da qual o pecado é perdoado e extirpado (1 Jo 1.9).

Por outro lado, o efeito do pecado do cristão sobre o seu santo Deus é mais sério, na verdade. É asseverado com toda ênfase possível que o menor pecado – como aqueles que os crentes habitualmente cometem, por serem comissões ou omissões – têm o poder em si mesmos de retirar o crente de sua posição exaltada e levá-lo para a perdição, não fosse pelo que Cristo tivesse feito. É aqui que a forma de racionalismo que caracteriza o arminianismo se declara. À parte da revelação, é natural concluir que Deus não pode caminhar com aquele que peca, ainda que essa pessoa seja Seu filho pela regeneração; mas se é descoberto que Deus não pode concordar com os que são imperfeitos, então o problema da segurança do crente está resolvido à medida que o pecado do cristão afeta Deus.

A passagem central, 1 João 2.1, começa com a expressão "filhinhos", que é uma completa evidência de que esta declaração – e é verdadeira de toda essa epístola – é dirigida àqueles que são nascidos de Deus (Jo 1.12, 13). "As coisas" das quais o apóstolo escreve são, sem dúvida, a doutrina específica do perdão e da purificação para o cristão, revelada no capítulo 1, e que, também, é aquela que se segue imediatamente nesse versículo, onde é revelado o modo divino de tratar com o pecado do cristão. O efeito dessas verdades sobre o crente – totalmente contrário às reivindicações dos arminianos – é dissuadi-lo de pecar. O homem natural ou o não-regenerado, que tem prazer em pecar, abraçará essa doutrina que suspende a penalidade do pecado. E a esta altura os arminianos não parecem capazes de compreender, além da visão do homem natural.

Eles fracassam em reconhecer que há maiores incentivos à pureza, santidade, e fidelidade do que o mero temor da punição. Ao menos em seus escritos, não fazem menção alguma desses motivos mais elevados. Tudo isso é basicamente devido ao fato de que não podem, por causa das crenças que professam, olhar para eles mesmos como aceitos e selados em Cristo. Se eles se vissem em tal relação com Deus, tanto a razão quanto a revelação deveriam lembrá-los da obrigação correspondente de viver como pessoas aceitas e seladas devem viver. Assim, viver é o maior motivo que pode impulsionar a vida humana. Transcende em muito em sua eficácia o mero temor de uma lei ou da punição que, afinal de contas, todos desrespeitam em todos os aspectos. Sobre a acusação antinomianista contra os calvinistas que os arminianos universalmente fazem, o Dr. Charles Hodge escreve:

> O antinomianismo nunca teve qualquer forte influência nas igrejas da Reforma. Não há conexão lógica entre a negligência dos deveres morais, e o sistema que ensina que Cristo é um Salvador do poder do pecado, assim como da penalidade do pecado; essa fé é o ato pelo qual a alma recebe e repousa nEle para a santificação, assim como para a justificação; e tal é a natureza da união com Cristo pela fé e pela habitação do Espírito, que ninguém é ou pode ser participante do benefício de sua morte, que não seja também participante do poder de sua vida; que sustente a autoridade da Escritura que declara que sem santidade nenhum homem verá o Senhor (Hb 12.14); e que, na linguagem do grande advogado da salvação pela graça, advirta a todos que se chamam a si mesmos cristãos: "Não vos enganeis: nem os devassos, nem os idólatras, nem os adúlteros, nem os efeminados, nem os sodomitas, nem os ladrões, nem os avarentos, nem os bêbedos, nem os maldizentes, nem os roubadores herdarão o reino de Deus" (1 Co 6.9, 10). Não é o sistema que considera

o pecado como tão grande mal que exige o sangue do Filho de Deus para a sua expiação, e a lei como tão imutável que exige a perfeita justiça de Cristo para a justificação do pecador, que conduz a visões frouxas da obrigação moral; estas coisas são alcançadas pelo sistema que ensina que as demandas da lei foram rebaixadas, que elas podem ser mais do que satisfeitas pela obediência imperfeita dos homens caídos, e que o pecado pode ser perdoado pela intervenção sacerdotal. Isto é o que a lógica e a história igualmente ensinam.[74]

Evidentemente, o apóstolo João prevê que o poder da verdade, que ele revela, tenderá a uma separação do pecado. Esta é a força das palavras "para que não pequeis". A frase que se segue: "se alguém pecar", se refere aos cristãos exclusivamente. Ela não poderia incluir os não-salvos com os salvos. Ela se refere a *qualquer homem* dentro da comunhão cristã. Um uso semelhante, entre os diversos no Novo Testamento, é encontrado em 1 Coríntios 3.12-15, onde a qualificação restrita está igualmente evidente. O termo *se alguém* corresponde numericamente ao pronome "nós" que se segue imediatamente aqui. A provisão suficiente para o cristão que peca é indicada pelas palavras "temos um advogado junto ao Pai". A cena se passa na mais alta corte celeste com o Pai como Juiz sobre o trono (incidentalmente, deveria ser observado que, embora o filho de Deus tenha pecado, Deus é ainda seu Pai).

O acusador está presente também. O registro de sua atividade como acusador é encontrado em Apocalipse 12.10, que diz: "Então ouvi uma grande voz no céu, que dizia: Agora é chegada a salvação, e o poder, e o reino do nosso Deus, e a autoridade do seu Cristo; porque já foi lançado fora o acusador de nossos irmãos, o qual diante do nosso Deus os acusava dia e noite". Se qualquer voz acusadora fosse necessária, essa necessidade seria suprida pelo próprio Satanás. A pergunta "Quem os condenará?" facilmente inclui na esfera de suas possibilidades muito mais do que as acusações que algum ser humano poderia proferir contra outro. Mas mesmo a acusação feita por Satanás não pode ser de proveito, pois há um Advogado, um Defensor. O que isto significa a cada momento para o crente nunca será conhecido nesta vida. A verdade a respeito da defesa de Cristo está em foco nestas declarações: "...o qual está à direita de Deus" (Rm 8.34) e "comparece por nós perante a face de Deus" (Hb 9.24).

Se for feita uma pergunta a respeito de qual influência o Advogado exerce sobre o Pai, pela qual o crente é livre da condenação, alguns poderiam se aventurar na opinião de que Ele está dando desculpas; mas não há desculpas. Outro poderia sugerir que Ele suplica ao Pai por indulgência; mas o Pai, por ser santo, não pode, e, portanto, não é indulgente com o pecado. Ainda outro poderia propor que este Advogado é um advogado inteligente que é capaz de criar um caso onde nenhum caso existe; mas – e grande é a força dele – a essa altura e em conexão com a obra específica de libertar o cristão pecador da condenação, o Advogado ganha um título exaltado que Ele obtém por nenhum outro serviço, a saber, *Jesus Cristo, o Justo*. A reivindicação para este título singular é provavelmente dupla:

SOTERIOLOGIA

(1) Ele apresenta a evidência de seu próprio sacrifício pelo pecado em questão – a verdade de que Ele o suportou plenamente na cruz. Assim, quando o Pai retém a condenação, Sua base ao fazer isso é *justa*, visto que o Salvador morreu. Está em linha direta com esse aspecto da obra do Advogado que este contexto diga: "...e Ele é a propiciação pelos nossos pecados". Pela morte do seu Filho pelo pecado do cristão, o Pai torna-se propício.

(2) Cristo é feito *justiça* para o crente (1 Co 1.30; 2 Co 5.21), e Ele, como a Fonte dessa justiça imputada, é Aquele por quem o cristão é salvo e em quem ele permanece para sempre.

Fica evidente então, que, enquanto a disciplina paternal for exercida pelo Pai sobre o Seu filho errante de acordo com Seu beneplácito (Hb 12.3-15), esse filho não será condenado, visto que Cristo, que suportou o pecado do cristão, aparece no céu por ele e Cristo é a verdadeira justiça pela qual o cristão é aceito diante de Deus.

4. Cristo Intercede. Entre as doutrinas negligenciadas – e há muitas – é aquela que traz a presente intercessão de Cristo em favor de todos os que são salvos. O fato de que Ele assim intercede sugere o perigo que assalta o crente nesta terra do inimigo, e a necessidade da oração de Cristo em seu favor. A estranha desatenção que se obtém com respeito a esse ministério de Cristo pode ser devida a várias causas e nenhuma provavelmente seja maior do que a influência e o poder de Satanás, que roubaria a vantagem e o conforto do crente que essa intercessão assegura. Como uma experiência prática, os crentes estão sem o conhecimento dessa intercessão em favor deles e, portanto, privados da ajuda e da força que esse conhecimento propicia. A negligência não pode ser atribuída à falta de revelação, pois ela se salienta mais do que a clareza usual nas páginas sagradas. Quatro passagens importantes aparecem e a elas deveria ser dada uma atenção cuidadosa. Será visto que o propósito divino na intercessão de Cristo, mostrado nestas passagens, é a segurança de todos aqueles por quem Ele intercede.

João 17.1-26. Uma citação ou uma reprodução do texto deste capítulo supremo não é necessária. A passagem incorpora a oração de Cristo e a conclusão justa é que ela é a norma ou padrão da oração que Cristo continua a fazer no céu. Se foi conveniente para Ele interceder pelos seus que estavam então no *cosmos* (mundo), é conveniente que ore por aqueles que estão agora no *cosmos* (mundo). Nessa oração a sua solicitude por todos que estão no cosmos é muito clara, assim também é clara a sua dependência do Pai para que este os guarde do maligno. Como foi indicado anteriormente, o pedido do Filho em favor da guarda daqueles que são salvos, pode ser recusado pelo Pai somente na suposição de que a oração de Cristo possa não ser respondida positivamente; ou que esteja além do poder da Infinidade, ainda que o Pai esteja livre de toda obrigação moral pela morte de Cristo pelo pecado. Esta última posição – a de que preservar o crente está além do poder de Deus, mesmo quando o pecado em questão está eliminado – os arminianos não têm hesitado em assumir. Não obstante, o Salvador não cessa de interceder em favor daqueles que Ele salvou e com a finalidade de que eles venham a ser preservados para sempre.

Romanos 8.34: "Quem os condenará? Cristo Jesus é quem morreu, ou antes quem ressurgiu dentre os mortos, o qual está à direita de Deus, e também intercede por nós".

Nesse texto está declarado que não há condenação alguma para o filho de Deus por causa da verdade, considerada entre outras, de que o Salvador "intercede por nós". Do lado divino do problema da segurança eterna do cristão, há evidentemente uma dependência definida na oração do Filho de Deus.

Lucas 22.31-34: "Simão, Simão, eis que Satanás vos pediu para vos cirandar como trigo; mas eu roguei por ti, para que a tua fé não desfaleça; e tu, quando te converteres, fortalece teus irmãos. Respondeu-lhe Pedro: Senhor, estou pronto a ir contigo tanto para a prisão como para a morte. Tornou-lhe Jesus: Digo-te, Pedro, que não cantará hoje o galo antes que três vezes tenhas negado que me conheces".

Conquanto isto seja o registro da oração de Cristo por um homem apenas e que estava para negar o seu Senhor, é justo presumir que Cristo mantém essa mesma solicitude e preocupação com cada crente individual. Sem dúvida, Ele poderia dizer a cada crente muitas vezes no dia: "Eu roguei por ti". A petição que Cristo apresentou por Pedro estava assegurada. Ele orou para que a fé de Pedro não desfalecesse, e ela não desfaleceu, embora através de toda essa experiência, Pedro tenha manifestado os traços de um crente que está fora de comunhão com seu Senhor. Não há insinuação alguma de que Pedro tenha perdido a salvação, ou que tenha sido salvo pela segunda vez. A doutrina a respeito da restauração de Pedro à comunhão com Deus – confundida pelos arminianos com a salvação – é aquela que Pedro ilustra. E finalmente o texto de:

Hebreus 7.23-25: "E, na verdade, aqueles foram feitos sacerdotes em grande número, porque pela morte foram impedidos de permanecer, mas este, porque permanece para sempre, tem o seu sacerdócio perpétuo. Portanto, pode também salvar perfeitamente os que por ele se chegam a Deus, porquanto vive sempre para interceder por eles".

Não existe declaração mais direta e absoluta a respeito da segurança eterna do crente do que esta no Novo Testamento, e essa segurança aqui torna-se dependente totalmente da intercessão de Cristo; a saber, do crente é dito estar seguro no sentido mais absoluto porque Cristo ora por ele – qualquer outra linguagem cessa de ser um meio seguro para a comunicação do pensamento.

Em seu sacerdócio sobre os crentes, Cristo difere amplamente dos sacerdotes da antiga ordem e especialmente num particular: eles eram sujeitos à morte e pela morte o ministério deles foi interrompido; mas o sacerdócio de Cristo é interminável. Ele teve um sacerdócio imutável ou inalterável, e isto corresponde a uma verdade igualmente importante de que Ele vive para sempre. Por quê? Porque ele vive para sempre e, com base nisso, o seu ministério como Sacerdote não tem fim. Ele é capaz de salvar o cristão – alguns dizem para a "perfeição"; outros dizem "para sempre" ou "eternamente" (εἰς τὸ παντελές sustentará ambas as idéias; pois aquele que é salvo para a perfeição é salvo sem fim – todos aqueles que vêm a Deus por Ele; a saber, aqueles que confiam no Salvador).

SOTERIOLOGIA

Esta certeza está baseada na capacidade interminável e permanente do Salvador como Sacerdote, de originar a segurança eterna. A afirmação é absoluta e a garantia divina inequívoca é tornada dependente direta e unicamente, no que diz respeito a essa passagem, do poder dominante da intercessão de Cristo. Tão grande é o poder eficaz e a realidade infinita dele, que não pode ser compreendido pela mente do homem; e negar o seu poder supremo, como negam todos os que descrêem na segurança absoluta do filho de Deus, é entrar na esfera de uma suposição desautorizada.

A intercessão de Cristo, é bom observar, é mais do que o mero exercício da oração. Cristo é um pastor e bispo para aqueles a quem Ele salva. Ele leva os seus para longe das armadilhas e das ciladas de Satanás. O cristão não poderia saber nesta vida o que ele deve ao Pastor intercessor que o sustém em cada hora de sua vida. Davi obteve a mesma confiança segura a respeito de sua própria relação com Jeová quando disse: "o Senhor é o meu pastor, e nada me faltará" (Sl 23.1). Davi não testificou meramente que ele não tinha falta de nada naquele momento, mas ele corajosamente declara que o seu futuro é tão certo como o pastoreio que Jeová poderia realizar.

Voltando por um instante ao texto de Romanos 8.34, em que todas as quatro razões para a segurança do crente que dependem do filho estão expressas, pode ser reafirmado que, por Sua obra substitutiva, Cristo proporciona para o Pai a liberdade justa de empreender a bem-aventurança eterna para aqueles que crêem. Por sua ressurreição, Cristo provê para o cristão a vida ressurrecta imperecível. Pelo exercício da sua defesa (como Advogado), ele satisfaz o efeito condenador da cada pecado do cristão, que é visto do céu pelo Juiz. E por sua intercessão, ele toma o poder infinito de Deus – inclusive o Seu próprio pastoreio – em favor daqueles que crêem. Cada passo desse serviço incompreensível do Salvador é em si mesmo totalmente suficiente para realizar o fim em vista; todavia, cada passo é desafiado e desonrado pelo racionalismo arminiano.

O que o Salvador empreende – especialmente como Advogado e Intercessor – é algo que Ele mesmo resolve. Ele salva e guarda simplesmente por causa da verdade de que a sua salvação é eterna por sua própria natureza. Segue-se, então, que nunca se deveria implorar a Ele para advogar ou interceder, embora as ações de graça incessantes deviam ascender a Ele por essas realizações.

III. Responsabilidades Pertencentes a Deus, o Espírito Santo

Na verdade, muita coisa é diretamente empreendida pelo Espírito Santo, com o fim de que o filho de Deus esteja seguro para sempre. Sob o arranjo presente de Deus, Ele é o Executor de muita coisa que a Trindade empreende; contudo, como no caso do Pai e do Filho, quatro realizações distintas são operadas pela Terceira Pessoa e estas exigem reconhecimento.

1. O Espírito Santo Regenera. A difundida ênfase arminiana sobre o mérito humano tem tendido a obscurecer uma das realidades principais de um verdadeiro cristão, cuja realidade é assegurada, não por mérito, mas por graça divina, em resposta à crença salvadora em Cristo. Essa realidade é que o crente é regenerado e, assim, introduzido num novo estado, numa nova existência, num novo relacionamento que é bem definido como uma nova criação. Em 2 Coríntios 5.17, está escrito: "Pelo que, se alguém está em Cristo, nova criatura é; as coisas velhas já passaram; eis que tudo se fez novo". O apóstolo igualmente declara que "somos feitura de Deus, criados em Cristo Jesus" (Ef 2.10). Esta passagem revela a verdade que, como um resultado da feitura divina, o cristão não é menos que uma criação divina – uma forma de ser que não existia antes.

É dito que esse novo ser participa da "natureza divina", que sugere que ela é tão duradoura como o Deus eterno. Semelhantemente, o apóstolo Paulo escreve: "Pois nem a circuncisão nem a incircuncisão é coisa alguma, mas sim o ser uma nova criatura" (Gl 6.15). Sobre este aspecto específico da verdade, o Senhor colocou a maior ênfase quando falou a Nicodemos. É significativo que, quando declarado sobre a necessidade do nascimento do alto, Cristo não tenha selecionado um caráter dissoluto, mas Ele escolheu um que tinha a classificação mais alta no judaísmo, e cujo caráter estava acima de qualquer reprovação. Foi uma mensagem pessoal que Ele entregou a Nicodemos: "Necessário vos é nascer de novo", e o mistério disso, que é universalmente reconhecido, não deve diminuir a realidade ou a necessidade dessa regeneração da parte de Deus.

No caso da geração humana, um ser que não existia antes se origina e passa a existir para sempre. Igualmente, na regeneração espiritual, um ser se origina, o qual não havia sido identificado antes, e esse novo ser passa a existir para sempre. Por qual lei de raciocínio pode ser assegurado que a existência eterna pertence a uma forma de existência que exteriormente parece ser temporal, e não a uma forma de existência que, por causa de sua fonte e caráter essencial, não é temporal, mas é eterna? Um pai terreno comunica uma natureza a seu filho pela geração humana, e essa natureza é imutável. Assim, e num grau muito mais elevado, o Espírito Santo forma uma nova criação que é imutável. Um pai terreno poderia deserdar e abandonar totalmente a seu filho, mas ele não pode impedir que o filho seja uma lembrança dele, e a razão é óbvia.

A dificuldade do arminiano é inicial. Para ele, a salvação em si é mais do que um estado de mente, uma boa intenção, uma resolução, ou uma maneira exterior de vida. Tais verdades transientes ou passageiras como essas estão muito distantes da criação divina e inviolável que Cristo colocou sobre Nicodemos e que está apresentada em cada referência do Novo Testamento a esse tema. Pode ser afirmado com segurança que a regeneração, como apresentada nas Escrituras, é uma realidade permanente e aquele que questiona a continuação eterna do filho de Deus, questiona o processo (e o seu resultado) pelo qual ele se torna um filho de Deus. Quando é declarado que Deus é o Pai de todos os que crêem, não é feita referência a uma semelhança moral enfraquecida que uma boa vida poderia sugerir; é uma referência a uma paternidade legítima e a uma filiação legítima, baseada numa real regeneração feita pelo Espírito Santo.

SOTERIOLOGIA

2. O ESPÍRITO SANTO HABITA. Bem próximo à verdade a respeito da obra regeneradora do Espírito Santo, está o fato de que Ele habita em todo verdadeiro filho de Deus. Além disso, há um testemunho distinto e extenso nas Escrituras a respeito dessa verdade específica da habitação do Espírito Santo. A indução mais completa, que trata desse tema, aparecerá no estudo da Pneumatologia. Numa formidável lista de textos que tratam deste tema particular, um deles declara especificamente que o Espírito Santo continua para sempre. Esse texto registra as palavras de Cristo e relata a sua oração a respeito da vinda do Espírito Santo ao mundo. Estas são as palavras do Salvador: "E eu rogarei ao Pai, e ele vos dará outro Ajudador, para que fique convosco para sempre, a saber, o Espírito da verdade, o qual o mundo não pode receber; porque não o vê nem o conhece; mas vós o conheceis, porque ele habita convosco, e estará em vós" (Jo 14.16, 17).

Assim, é dada certeza de que o Espírito santo habita no crente e que a sua presença é permanente. Ele pode entristecer-se, mas nunca será entristecido, a ponto de ser afugentado pela tristeza. Ele pode apagar-se – que traz consigo a idéia de resistência – mas não pode ser extinto. Ele nunca abandona o cristão, a menos que a palavra de Cristo seja mentirosa e a sua oração não respondida. O apóstolo escreve: "...mas se alguém não tem o Espírito de Cristo, esse tal não é dele" (Rm 8.9). Esta grande declaração não é uma advertência para o crente de que ele pode perder o Espírito e se perder novamente; é uma afirmação direta de que, se o Espírito Santo não está presente no coração, esse alguém nunca foi salvo. O apóstolo João assinala (1 Jo 2.27) que o Espírito é identificado, entre outras características de sua presença interior, como Aquele que *permanece* para sempre. Esse texto determinante diz: "...a unção que dele recebestes fica em vós, e não tendes necessidade de que alguém vos ensine; mas, como a sua unção vos ensina a respeito de todas as coisas, e é verdadeira, e não é mentira, como vos ensinou ela, assim nele permanecei" (1 Jo 2.27).

Além disso, a posição arminiana pode ser sustentada somente pela negação da verdade apresentada naqueles textos notáveis da Escritura que não somente afirmam que o Espírito habita em cada crente, mas que Ele permanece para sempre.

3. O ESPÍRITO SANTO BATIZA. Poucas doutrinas do Novo Testamento são entendidas tão erroneamente quanto a do batismo no Espírito Santo; e poucos entendimentos errôneos poderiam ser mais confusos do que este, porque sobre o direito de apreensão daquilo que está envolvido nesse empreendimento divino depende do discernimento que o crente tem de suas posses e de suas posições, e o conhecimento disto constitui-se no verdadeiro incentivo para uma vida diária que venha trazer honra a Deus. O significado pleno desse ministério do Espírito Santo e de sua importância como o fundamento de outras doutrinas, deve ser reservado para um volume posterior (Vol. VI). Como uma base sobre a qual repousa a certeza da segurança eterna, o batismo no Espírito Santo deveria ser reconhecido como aquela operação pela qual o crente individual é trazido a uma união orgânica com Cristo. Pela regeneração do Espírito, Cristo reside no crente, e pelo batismo no Espírito, o crente está em Cristo.

Essa união está ilustrada na Palavra de Deus por várias figuras – notadamente, os membros de um corpo em sua relação à cabeça. Essa união é também dita

318

ser uma nova criação da humanidade em sua relação com o novo e santo último Adão, Jesus Cristo. Seria suficiente assinalar aqui que o glorioso Corpo de Cristo não será arruinado ou mutilado, por causa dos membros amputados, e que não haverá queda alguma no último Adão; mas os membros do Corpo de Cristo são constituídos da forma em que são, com base na verdade de que o mérito de Cristo é a posição deles, mérito esse que não é retirado nem fracassa em sua potencialidade. Igualmente, o Cabeça da nova criação garante a mesma perfeita posição. Não fosse pelo fato de que as mentes parecem estar obscurecidas sobre esse ponto, seria desnecessário reafirmar a verdade óbvia de que Deus empreende, em bases adequadas e totalmente diferentes, governar no assunto das irregularidades que aparecem na vida do cristão, e totalmente à parte de colocar sobre eles a ameaça de que uma separação impossível do Cabeça da Nova Criação venha a acontecer por causa de um pecado cometido.

Seria simples, na verdade, projetar um esquema pelo qual os seres humanos não-caídos e sem pecado possam alcançar o céu, com base em sua própria dignidade; mas Deus empreende trazer os seres pecaminosos e caídos para a glória, e o plano que Ele fez necessariamente não pode levar em conta o mérito ou o demérito humano. A graça imensurável é manifesta na provisão de um caminho justo pelo qual os caídos podem ser trasladados do estado de ruína para o de uma nova criatura; mas, após a trasladação, não há o vai e volta de um estado para outro, do mérito para o demérito, que o sistema arminiano parece exigir.

Fica reafirmado que, pelo batismo que o Espírito Santo realiza, o crente é vitalmente unido ao Senhor. Estando em Cristo, ele é um participante da justiça de Deus, que Cristo é. Ele é assim aperfeiçoado a ponto de satisfazer a santidade infinita, e em nenhuma outra base Deus o declara justificado à sua própria vista. Embora Ele possa disciplinar o justificado, Deus, por ter justificado, consistentemente não pode admitir acusação alguma contra os seus eleitos (Rm 8.33).

Para o arminiano, a salvação não é mais do que uma bênção divina indefinida sobre uma vida que é digna dela, bênção essa que permanece enquanto a dignidade pessoal continua. Para o calvinista, a salvação é uma realização divina que não está relacionada ao mérito humano, que assegura o perdão de pecados, o dom da vida eterna, a justiça imputada, a justificação, a aceitação e a permanência em Cristo, e a conformidade final a Cristo na glória eterna.

4. O Espírito Santo Sela. A última das doze razões pelas quais o crente está seguro, a ser nomeada nesse contexto, é que ele está selado pelo Espírito Santo. O Espírito que habita como uma unção é em si mesmo o Selo. Sua presença no cristão indica uma transação completada, uma possessão divina, uma segurança eterna. O crente é o templo do Espírito Santo (1 Co 6.19); e, embora infelizmente não reconhecido e não apreciado pelo melhor dos homens, o fato da habitação é, evidentemente, a realidade mais distintiva na avaliação de Deus. É um fato que caracteriza esta época (Rm 7.6; 2 Co 3.6). Três referências a este selo do Espírito Santo são encontradas no Novo Testamento.

(1) 2 Coríntios 1.21, 22: "Mas aquele que nos confirma convosco em Cristo, e nos ungiu, é Deus, o qual também nos selou e nos deu como penhor o Espírito

SOTERIOLOGIA

em nossos corações". Cada uma das quatro partes neste texto fala de segurança, e a verdade afirmada é a da presença do Espírito Santo no coração do crente como um antegozo da experiência de conhecimento insuperável da bênção divina que ainda será desfrutada na glória. O texto não passa sugestão alguma de incerteza, seja das bênçãos presentes ou a respeito da consumação futura.

(2) Efésios 1.13, 14: "...e tendo nele também crido, fostes selados com o Espírito Santo da promessa, o qual é o penhor da nossa herança, para redenção da possessão de Deus, para o louvor da sua glória". Mais corretamente, a passagem começa: "no qual crendo, vós fostes selados". Aqui, além disso, o pensamento sobre o penhor da herança futura, Ele é também as "primícias" dela (Rm 8.23).

(3) Efésios 4.30: "E não entristeçais o Espírito Santo de Deus, no qual fostes selados para o dia da redenção". Este texto declara que o crente é selado para o dia da redenção. A redenção referida aqui é no seu aspecto final, quando o corpo é mudado a ponto de se tornar igual ao corpo de Cristo (Rm 8.23), e o selado é perfeito para sempre – e torna-se conforme à imagem de Cristo em glória. Igual a qualquer outra declaração a respeito da segurança, esta não apresenta condição humana alguma, mas é apresentada como uma obra de Deus, e em base tão justa e tão independente da cooperação humana que nenhuma responsabilidade humana poderia ser incluída como um fator nessa realização sublime da graça através de Cristo.

Concluindo esta divisão deste estudo da doutrina da segurança, pode ser reafirmado que dessas doze principais razões pelas quais o verdadeiro crente está seguro, qualquer uma delas isoladamente seria suficiente para acabar com toda dúvida e terminar toda controvérsia para o indivíduo que dá uma atenção sem preconceitos à Palavra de Deus. Essas razões cobrem um raio de ação incompreensível da verdade que o arminianismo não atinge; pois esse sistema, se consistente consigo mesmo, deve negar cada uma dessas doze razões, ou mesmo corrompê-las, por colocar nelas o elemento humano que Deus, necessariamente e para a sua glória, deixou fora. Alguns dentre os arminianos podem não compreender esse conjunto imensurável de verdades; outros preferem evitar assumir uma atitude de rejeição atrevida desses textos do Novo Testamento. De qualquer forma e por qualquer razão, o arminiano não tenta nem mesmo uma exposição frágil daqueles textos que são classificados como textos que atestam da segurança.

CAPÍTULO XVII

A Escritura Consumadora

COMO A CARTA AOS ROMANOS é designada para fornecer o plano e o escopo da salvação *por* e *através* da graça de Deus, que se tornou possível pela morte de Cristo, deve ser esperado que essa carta apresente a verdade essencial de que aquele, que é salvo, esteja seguro por toda a eternidade. Essa epístola é dividida em três partes, a saber: (1) salvação, capítulos 1–8; (2) dispensação, capítulos 9–11; e (3) exortação, capítulos 12–16. A primeira seção, sobre a salvação, pode ser dividida em três partes. Por haver declarado o estado perdido do homem em sua forma peculiar na era presente, o apóstolo Paulo apresenta: (1) a salvação para o não-regenerado, que é consumada na justificação (3.21–5.21); (2) a salvação para o crente, do poder do pecado, ou para a santificação (6.1–8.17); e (3) a segurança para os que são salvos (8.1-39).

Deste esboço, será visto que a porção de 8.1-17 serve para um propósito duplo, como se vê em duas dessas divisões. A presente tese diz respeito à porção da segurança (Rm 8.1-39), que é construída sobre a revelação da salvação total e termina com um argumento pela segurança que é tanto claro quanto conclusivo. Este argumento fecha com a confissão que o apóstolo faz de sua própria crença a respeito da segurança daqueles que são salvos. Com respeito a isto, como em muitos outros, o arminianismo não pode alegar ser paulino. O estudante haverá de reconhecer que, após ter demonstrado o caráter essencial da salvação em seus dois aspectos importantes, o apóstolo Paulo deve responder à questão pertinente sobre se tal salvação, que não está relacionada ao mérito humano, será duradoura.

Esse grande capítulo – superado em importância apenas por João 17 – começa com uma proclamação incrível que serve como uma afirmação primária, a verdade que é provada por sete argumentos importantes e estes ocupam todo o texto do capítulo. Esta asserção espantosa e absoluta que Deus se agradou em registrar e fortificar com provas infalíveis, é a seguinte: "Portanto, agora nenhuma condenação há para os que estão em Cristo Jesus" (Rm 8.1). As palavras acrescentadas "que não andam na carne, mas no Espírito", encontradas na *Authorized Version*, não são reconhecidas por todos os estudiosos devotos, como parte desse texto em sua forma original, mas foram acrescentadas, talvez por aqueles que não poderiam tolerar ou sustentar uma afirmação tão clara e cheia de segurança.

Esse elemento pretendido de dignidade humana não é somente estranho ao texto original, mas é uma contradição de toda verdade anteriormente apresentada nessa epístola e daquilo que se segue nela. De igual modo, essa intrusão tende a interromper toda revelação a respeito da salvação pela graça que se encontra no Novo Testamento. Esta frase acrescentada – "que não andam na carne, mas no Espírito" – não pertence propriamente ao versículo 4, onde a responsabilidade do crente está em vista. Quando desafiados pela afirmação absoluta: "Portanto, agora nenhuma condenação há para os que estão em Cristo Jesus", o texto é confrontado com a pergunta sobre se isto é literal e irrevogavelmente verdadeiro. Se é verdadeiro, ela garante um estado de bem-aventurança tão grande como o céu em si mesmo e tão extensa quanto a eternidade que ela inclui.

Que base maior de paz poderia ser apresentada além daquela em que o ser caído, amaldiçoado por causa do pecado e com a sua ruína, deveria entrar na esfera do relacionamento com Deus, onde agora nenhuma condenação há, ou mesmo na eternidade vindoura. Se a resposta dada é de que a promessa é para o presente e não para o futuro, será visto que o apóstolo, quando argumenta no contexto seguinte a respeito dessa afirmação maravilhosa, trata em cada caso, e fala da duração eterna dela; a saber, por sua própria interpretação, ela alcança a idéia da eternidade. Embora alguma reformulação possa estar envolvida, deve se prestar atenção à verdade de que essa bem-aventurança não depende, nessa declaração, da dignidade humana, mas do fato de uma pessoa ser abençoada em Cristo Jesus.

Será lembrado que, com base justa, proporcionada por Cristo no aspecto do suave cheio de sua morte, e com base no fato de que o crente é trasladado para um novo líder, onde ele participa de tudo o que Cristo é – mesmo a justiça de Deus – não mais permanece qualquer vestígio do sistema legal de mérito que poderia lançar sua sombra de dúvida sobre a perfeição da manifestação que Deus faz de sua graça soberana. A aceitação de Deus é selada para sempre, e com uma base que é justa em todos os aspectos, para que Deus seja declarado ser justo, e não meramente misericordioso, quando ele justifica eternamente o ímpio que nada faz além de "crer em Jesus" (Rm 3.26; 4.5). Entretanto, isto se torna uma realização simples da parte de Deus. Os arminianos estão acostumados em replicar outra coisa além de "ser bom demais para ser verdade", e que eles gostariam de crer se pudessem.

Não obstante, essa revelação maravilhosa é o coração da mensagem do Novo Testamento a respeito da graça soberana e essas grandes declarações não permitem outra interpretação. Não é uma mera compaixão pela miséria do homem que impulsiona Deus a realizar um empreendimento tão grande; Ele propõe exercer e demonstrar o seu atributo da graça como algo que não pode ser manifesto de outra forma. Esse conjunto todo de verdade relativo à posição do crente em Cristo, e através da graça soberana, repousa nas palavras: "Portanto, agora nenhuma condenação há, para os que estão em Cristo Jesus", e aquele que é atrevido o suficiente para desafiar a veracidade que este texto assevera é, pela lógica inexorável, compelido a negar cada aspecto que compõe a doutrina da graça soberana.

A argumentação arminiana, de que a salvação de um pecador é uma questão de cooperação com alguma responsabilidade que cai sobre Deus e alguma sobre o pecador – uma argumentação importante, se a dignidade do pecador deve ser preservada – não é somente estranho à revelação divina, mas é uma contradição do real princípio que essa revelação apresenta. Os homens estão completamente perdidos no primeiro Adão, ou completamente salvos no último Adão, e não há um meio-termo e não há transigência; portanto, toda e qualquer modificação da doutrina da graça soberana fica derrubada para sempre. Passar de um Adão para o outro não é um empreendimento humano. Somente Deus pode fazer tal coisa, e a relação do pecado a isso não é nada além de crer em Cristo, fazer isso ao modo de Cristo, e através de Cristo Jesus. Nessas coisas, nenhum homem pode jactar-se (Ef 2.9).

De importância suprema na consideração do capítulo 8 de Romanos são os fatos indiscutíveis de que este livro ordenado por Deus para a apresentação do plano total da salvação pela graça, serve como a consumação da estrutura doutrinária desta epístola.

Visto que a afirmação de abertura do capítulo 8 de Romanos é tão inequívoca, o apóstolo procede no oferecimento de sete provas de sua veracidade. Na abordagem delas, inevitavelmente alguma repetição daquela linha de argumentação, já apresentada, poderá ocorrer.

I. Liberta da Lei

"Porque a lei do Espírito da vida, em Cristo Jesus, me livrou da lei do pecado e da morte. Porquanto o que era impossível à lei, visto que se achava fraca pela carne, Deus, enviando a seu próprio Filho em semelhança de carne do pecado, e por causa do pecado, na carne condenou o pecado, para que a justa exigência da lei se cumprisse em nós, que não andamos segundo a carne, mas segundo o Espírito. Pois os que são segundo a carne inclinam-se para as coisas da carne; mas os que são segundo o Espírito para as coisas do Espírito. Porque a inclinação da carne é morte; mas a inclinação do Espírito é vida e paz. Porquanto a inclinação da carne é inimizade contra Deus, pois não é sujeita à lei de Deus, nem em verdade o podem ser; e os que estão na carne não podem agradar a Deus" (Rm 8.2-8).

Neste contexto, a lei permanece como a representação do sistema de mérito – aquele arranjo divino que, de acordo com o Novo Testamento, é sustentado como o antípoda do plano que Deus fez da salvação pela graça. Além da verdade de que ambos os sistemas são ordenados por Deus, para aplicação em tais eras, como Ele resolveu fazer, eles estabelecem um contraste em cada ponto. O fato de que, sob a nova ordem, o princípio da lei é afastado como não possuidor de algo a contribuir, para a realização do princípio da graça (cf. Rm 11.6; 4.4, 5; Gl 5.4), não deveria criar a impressão de que a lei não se originou com Deus;

SOTERIOLOGIA

que ela não seja santa, justa e boa; ou que ela não tenha a Sua sanção. Sobre este ponto o apóstolo Paulo é muito enfático. Quando argumenta sobre o poder da lei designada por Deus, ele disse: "Que diremos, pois? É a lei pecado? De modo nenhum" (Rm 7.7); "De modo que a lei é santa, e o mandamento santo, justo e bom... Porque bem sabemos que a lei é espiritual; mas eu sou carnal, vendido sob o pecado" (Rm 7.12, 14); "Logo, para que é a lei? Foi acrescentada por causa das transgressões, até que viesse o descendente a quem a promessa tinha sido feita; e foi ordenada por meio de anjos, pela mão de um mediador" (Gl 3.19).

Embora santa, justa e boa, a lei incumbiu-se não mais do que servir como uma regra de vida para as pessoas já em relação correta com Deus pelos Seus pactos com elas. Contudo, com relação às suas santas exigências, de modo nenhum deve ser comparada com a maneira de vida que está estabelecida para o cristão sob a graça. Em oposição a isto, o sistema celestial de conduta sob a graça, conquanto exige uma maneira de vida sobrenatural (cf. Jo 13.34; 2 Co 10.3-5; Ef 4.30), ele provê uma capacitação divina, a saber, pela presença do Espírito que habita no crente, este é capaz de fazer aquilo que esses altos padrões exigem. Portanto, essa verdade deve ser observada, porque, mesmo exigindo muito menos, o sistema da lei falhou; todavia, conquanto apresente aquele sistema celestial na vida diária que pertence ao relacionamento da graça, há uma expectativa de que esses padrões sejam realizados.

É bom estudar a gloriosa verdade que, no que diz respeito à posição do crente em Cristo, os ideais celestiais são alcançados numa perfeição infinita. Somente na esfera dos conflitos diários do crente, é que a graça ideal às vezes não é realizada. Muito freqüentemente é suposto que a realização da graça é restrita ao andar e à conversação do cristão, e o real triunfo da graça – o aperfeiçoamento do filho de Deus para sempre – não é reconhecido. Não importa quanto desproporcionais essas questões se tornem sob a influência arminiana, deve ser lembrado que o andar digno da vocação celestial – embora de grande importância – não deve ser comparado no momento com a vocação celestial em si mesma. O crente pode freqüentemente falhar em seu conflito com o mundo, a carne, e o diabo; mas isto não deveria cegar uma pessoa para as realizações divinas imensuráveis que já uniram o crente a Cristo e por meio disso o constituiu como perfeito à vista de Deus como seu Salvador.

É esta posição inculpável em Cristo que condiciona o andar do crente; nunca o andar do crente condiciona a sua posição. Está exatamente aqui mais do que em qualquer outro lugar, que a diferença essencial entre o arminianismo e o calvinismo é demonstrada. Os apoiadores do sistema arminiano nunca evidenciaram a capacidade de compreender a verdade a respeito de uma posição perfeita em Cristo, que é tão duradoura como o Filho de Deus. Para o arminiano, a posição diante de Deus é apenas o que um crente fraco faz por sua vida diária. Sob essas condições, o cristão pode falhar e se perder novamente. Por um momento, parece ser esquecido que todo crente mantém uma vida diária imperfeita e, portanto, com base nisso, todos devem estar perdidos para sempre.

O Novo Testamento ensina que aqueles que crêem são salvos do sistema de mérito, por terem todas as suas demandas satisfeitas em Cristo, e assim o crente permanece para sempre. No sistema arminiano, Deus se torna uma falha colossal, incapaz de realizar os Seus propósitos graciosos; no sistema calvinista, Deus nunca falha, mesmo nas coisas mínimas.

A frase importante no contexto que agora é avaliado (Rm 8.2-4), no que diz respeito ao texto em estudo , diz o seguinte: "Porquanto o que era impossível à lei, visto que se achava fraca pela carne". Por estas palavras o apóstolo Paulo explica a falha do sistema da lei (cf. Rm 9.30-32). Ele não sugere que a lei era, ou é, fraca em si mesma; ela era sem poder, por causa da carne à qual ela foi dirigida e da qual ela dependia, para ter uma resposta. Ela era muito fraca para aquiescer com os seus mandamentos. Segue-se que, se Deus trouxesse seres aperfeiçoados em glória no meio dessa fraqueza, Ele deveria adotar outro plano mais eficaz do que aquele que o sistema de mérito apresenta. O novo plano adotado, como visto nos capítulos anteriores de Romanos, assegura um triunfo da graça divina, mesmo a justificação eterna daquele que crê em Cristo.

Portanto, a discussão no momento centra-se no problema da vida diária do justificado. Este problema é grandemente aumentado pelo fato do "pecado na carne", ou a natureza adâmica. Esse contexto assevera que a natureza adâmica foi "condenada" – isto é, *julgada* – a fim de que o Espírito pudesse ser livre com justeza, para controlar essa natureza. O alvo de toda essa provisão divina a respeito da vida diária é que "a lei" – que significa a vontade total de Deus para cada momento da vida do crente – "pudesse ser cumprida em nós". A palavra crucial aqui é ἐν, que neste caso está muitíssimo longe da idéia de que a vontade de Deus é cumprida *pelo* crente. O contraste estabelecido é entre o que o Espírito Santo pode fazer no crente quando comparado àquilo que o crente, sob o sistema de mérito, pode fazer por Deus.

Contudo, ele pode valer-se do poder do Espírito Santo nos problemas da vida diária, e lhe é dito para "não andar na carne, mas no Espírito". A conclusão do assunto é que "portanto, agora nenhuma condenação há para os que estão em Cristo Jesus", por causa do fato de eles serem libertos do sistema da lei ou do mérito.

II. O Fato da Presença da Natureza Divina

"Vós, porém, não estais na carne, mas no Espírito, se é que o Espírito de Deus habita em vós. Mas, se alguém não tem o Espírito de Cristo, esse tal não é dele. Ora, se Cristo está em vós, o corpo, na verdade, está morto por causa do pecado, mas o espírito vive por causa da justiça. E, se o Espírito daquele que dos mortos ressuscitou a Jesus habita em vós, aquele que dos mortos ressuscitou a Cristo Jesus há de vivificar também os vossos corpos mortais, pelo seu Espírito que em vós habita. Portanto, irmãos, somos devedores, não à carne para vivermos segundo a carne; porque, se viverdes segundo a carne, haveis de morrer, mas, se pelo Espírito mortificardes as obras do corpo, vivereis" (Rm 8.9-13).

Por ter assinalado que a carne é oposta a Deus e que o andar na carne é o caminho da morte espiritual, como o andar no Espírito é caminho da vida e paz, o apóstolo declara que o cristão – com referência à posição – não está na carne, embora a carne esteja no cristão. O cristão está "no Espírito". Contudo, o Espírito está também no cristão, pois ele afirma: "Mas, se alguém não tem o Espírito de Cristo [o Espírito Santo], esse tal não é dele". Esta realidade que habita no crente é novamente afirmada pelas palavras "se Cristo está em vós", e "se o Espírito daquele que dos mortos ressuscitou a Jesus habita em vós". Este que habita despertará o corpo mortal daquele em quem Ele habita. Isto não é uma referência à presente energização do corpo pelo Espírito, mas antes ao fato de que o Espírito Santo despertará aquele corpo na ressurreição dos mortos.

A presença do Espírito Santo, que habita, garante a permanência do crente – mesmo que o seu corpo mortal esteja sob o pacto divino que assegura a sua presença na glória. Nenhuma incerteza arminiana é admitida nessa declaração inalterável. Contudo, o apóstolo se refere novamente à vida diária do crente e assevera de novo a advertência de que andar na carne é seguir o caminho da morte espiritual, e que andar no Espírito é seguir o caminho da vida e paz. Por ter recebido a natureza divina "portanto, agora [com a plena consideração de um andar imperfeito] nenhuma condenação há para os que estão em Cristo Jesus".

III. O Cristão, um Filho e Herdeiro de Deus

"Pois todos os que são guiados pelo Espírito de Deus, esses são filhos de Deus. Porque não recebestes o espírito de escravidão, para outra vez estardes com temor, mas recebestes o espírito de adoção, pelo qual clamamos: Aba, Pai! O Espírito mesmo testifica com o nosso espírito que somos filhos de Deus; e, se filhos, também herdeiros, herdeiros de Deus e co-herdeiros de Cristo; se é certo que com ele padecemos para que também com ele sejamos glorificados" (Rm 8.14-17).

É certo que "o fundamento de Deus permanece, tendo este selo: O Senhor conhece os que lhe pertencem" (2 Tm 2.19); e é impossível, impensável, e – o que é mais importante – não-escriturístico, que Deus perca aquele que Ele gerou numa filiação real. Alguns podem ter "saído de nós, mas não eram dos nossos" (1 Jo 2.19); a implicação é que aqueles "que são dos nossos" nunca saem. Deus reserva-se o direito de castigar um filho que erra, como Ele fez aos filhos de Davi (cf. 2 Sm 7.14; Sl 89.30-33), mas o castigo do filho de Deus tem o propósito supremo dele "não ser condenado com o mundo" (1 Co 11.31, 32). "Todo o que é nascido de Deus", declara o apóstolo João, permanece; pois "a sua semente permanece nele" (1 Jo 3.9).

Igualmente, ser um filho de Deus é ser um herdeiro de Deus, e até um co-herdeiro de Cristo. Aqui todas as riquezas de Deus estão em vista. Cristo disse que "todas as coisas que o Pai tem são minhas" (Jo 16.15). O propósito de um testamento feito para herdeiros específicos, é para que eles infalivelmente recebam o benefício. Ninguém afirmaria que há o perigo de tudo o que o Pai legou como herança a Cristo não seja liberado; nem deveria ser insinuado que o testamento do "co-herdeiro" vá falhar em conceder a porção dele. A verdade revelada de que Deus legou como herança suas riquezas aos seus "co-herdeiros com Cristo" significa que eles vão receber o benefício, ou que Deus falha. Como Cristo disse: "...onde eu estou, estejam comigo também aqueles que me tens dado" (Jo 17.24), de igual modo o Pai deixou aos seus herdeiros todas as suas riquezas em glória; e alegar que não vão receber a porção deles é assumir que Deus é um derrotado.

Há um compartilhamento comum de interesses entre o Pai e o Filho. Isto está indicado pelas palavras de Cristo: "Todas as minhas coisas são tuas, e as tuas são minhas" (Jo 17.10). Fica assim demonstrado que, por causa da verdade de que os crentes são filhos e herdeiros de Deus, "portanto, agora nenhuma condenação há para os que estão em Cristo Jesus".

IV. O Propósito Divino

"E sabemos que todas as coisas concorrem para o bem daqueles que amam a Deus, daqueles que são chamados segundo o seu propósito. Porque os que dantes conheceu, também os predestinou para serem conformes à imagem de seu Filho, a fim de que ele seja o primogênito entre muitos irmãos" (Rm 8.28, 29).

Nada poderia ser mais fundamental ou mais determinante neste universo, do que o propósito de Deus. Comparável ao texto acima é o texto de Efésios 1.4-12. Naquele contexto, afirmações muito decisivas como as que se seguem, são encontradas: "escolheu nele" (v. 4); "e nos predestinou" (v. 5); "segundo o beneplácito de sua vontade" (v. 5); "o mistério da sua vontade, segundo o seu beneplácito, que nele propôs" (v. 9); "havendo sido predestinados conforme o propósito daquele que faz todas as coisas segundo o conselho da sua vontade" (v. 11); o objetivo divino é dito ser "para sermos santos e irrepreensíveis diante dele" (v. 4); "para o louvor da glória de sua graça" (v. 6); "para a dispensação da plenitude dos tempos, de fazer convergir em Cristo todas as coisas, tanto as que estão nos céus como as que estão na terra" (v. 10); e, "com o fim de sermos para o louvor da sua glória" (v. 12).

A partir destas declarações, uma pessoa devota com justeza concluirá que atrás de todas as causas secundárias, que podem ser divinamente estabelecidas para a cooperação na realização do propósito de Deus, há uma intenção soberana – aquela que moveu Deus na criação e continua a impulsioná-lo na providência e na preservação – e quando o homem desveste-se a si mesmo de preconceito autocentrado, e é movido pelo senso comum, ele concluirá que este universo pertence a Deus por título absoluto e que Ele, portanto, tem direitos inerentes e liberdade inquestionável de executar todas as coisas conforme o conselho de sua própria vontade. Nesse reconhecimento da autoridade divina é também reconhecido que o homem é apenas uma criatura e que o seu destino mais elevado será realizado, não em oposição a Deus, mas em completa conformidade com Ele.

O texto citado – Romanos 8.28, 29 – afirma que há aqueles que "são chamados segundo o seu propósito" (é dito que eles "amam a Deus" e isto implica que Ele se lhes revelou), e que para eles é que Deus está empreendendo para que todas as coisas concorram para o bem em favor deles. É comum a idéia de que "todas as coisas" aqui mencionadas devem ser observadas nos detalhes mínimos da experiência de vida de um crente. Tal cuidado divino é uma realização, e isso deveria ser reconhecido; mas as questões importantes que são itemizadas nesse contexto elevam o específico "todas as coisas" às esferas mais elevadas da realização divina. O salvo que Ele conheceu de antemão, predestinou, chamou, justificou e glorificou. Tal seqüência de bênçãos é corretamente classificada como aquilo que é "bom", pois concorrem para "o bem".

Não há ocasião alguma real para reabrir a esta altura a discussão da relação que existe entre a presciência e a predestinação divinas. O arminiano argumenta que Deus predestina somente aquilo que Ele conhece de antemão; o calvinista argumenta que Deus conhece de antemão porque Ele predestina, isto é, o calvinista crê que nada poderia ser conhecido de antemão, a menos que Deus a tenha tornado certo pela predestinação ou preordenação. Tentativas de harmonizar estas duas grandes operações divinas numa seqüência estão fadadas a falhar, visto que elas não são independentes, mas são ações interdependentes da vontade divina. Deus não poderia conhecer de antemão aquilo que não predeterminou, como não poderia predeterminar aquilo que não conheceu de antemão.

Essa porção da Escritura assinala a verdade de que certas pessoas são chamadas de acordo com o propósito de Deus e são os objetos tanto da sua presciência quanto da sua predestinação. Sobre este fundamento, o contexto continua a declarar que aqueles assim designados alcançarão o destino divinamente proposto. Deus realiza todas as coisas que juntas concorrem para um fim. Se elas falhassem em alcançar esse fim, do lado humano a questão seria comparativamente pequena; mas do lado divino, a questão seria tão grande quanto a falha do Deus criador. Isto não nos leva a concluir, como fazem os arminianos, que Deus deixou todo o assunto de seu propósito soberano, quando isto se aplica ao grupo de eleitos, à determinação deles próprios. Ele não precisa de um álibi em caso de falha, visto que não haverá falha alguma.

Homens piedosos nunca desafiaram a Trindade tão violentamente do que quando sugeriram que a realização do propósito soberano deve estar condicionada pelas causas secundárias. Deus, assim degradado e desonrado, não se torna Deus, na mente dos homens, de forma alguma. Ainda permanece verdadeiro, embora todos os homens vacilem na incredulidade (Rm 4.20), que "agora, pois, nenhuma condenação há para os que estão em Cristo Jesus".

V. A Execução do Propósito Divino

"E aos que predestinou, a estes também chamou; e aos que chamou, a estes também justificou; e aos que justificou, a estes também glorificou. Que diremos, pois, a estas coisas? Se Deus é por nós, quem será contra nós? Aquele que nem mesmo a seu próprio Filho poupou, antes o entregou por todos nós, como não nos dará também com ele todas as coisas? Quem intentará acusação contra os escolhidos de Deus? É Deus quem os justifica" (Rm 8.30-33).

É certo que, no grande alcance da criação, Deus tem propósitos múltiplos e não haverá questão alguma sobre se a sua vontade é feita em outras esferas. É somente dentro da esfera restrita de certos seres humanos que é gerada uma dúvida relativa à soberania de Deus; e é significativo que tal dúvida surja de homens e não de Deus. Sua Palavra pode se tornar uma declaração daquilo que Ele julga ser verdadeiro, e Ele assevera a sua própria soberania sem qualquer condição ou qualificação. Afinal de contas, as opiniões dos homens, que são impregnadas de preconceitos, onde os homens se exaltam a si mesmos, e são afligidas com a independência de Deus, que é de origem satânica, não são de valor algum. O tema total da predestinação está fora do horizonte humano. Nos versículos citados acima, o Espírito Santo, seu divino autor, assevera que exatamente o que Deus determina, Ele realiza gloriosamente.

Através de passos específicos e de meios totalmente adequados, Deus realiza o que Ele determina. Aqueles a quem Deus predestina, Ele chama; aqueles a quem chama, Ele justifica; aqueles a quem justifica, Ele glorifica. Estas estão entre as coisas que "concorrem juntamente para o bem" daqueles que são chamados segundo o propósito de Deus. Muita coisa tem sido escrita anteriormente a respeito da chamada divina, chamada essa que não somente convida com o apelo do Evangelho, mas que inclina a mente e o coração daquele que é chamado a aceitar a graça divina. Aqui, a vontade humana – a causa secundária – é reconhecida. A vontade do homem é guiada pelo que ele conhece e pelo que deseja. O método divino de alcançar a vontade é pelo aumento do conhecimento do homem e pelo estímulo de seus desejos, enquanto que do lado divino desse método não permanece à sombra de uma possível falha.

O fim é tão certo como qualquer realidade eterna em Deus. Do lado humano, o homem está consciente de fazer somente o que ele realmente faz: ele escolheu como um ato de sua própria volição receber a graça que Deus oferece em Jesus Cristo. É um problema para a mente do homem como Deus pode predeterminar e realizar a salvação eterna de um número exato que nenhum ser humano jamais contou, e garantir que nenhum deles falhará em crer, e, todavia, a cada um desse grupo é permitido o exercício de sua própria vontade, e ela pode, se assim foi determinado, rejeitar toda oferta da graça divina. Por persuasão e iluminação, Deus realiza o seu propósito numa perfeição completa; todavia, nenhuma vontade humana foi coagida, nem nunca será. A chamada de Deus é *eficaz*, porque todos os que são chamados são justificados e glorificados.

SOTERIOLOGIA

Tudo o que entra no problema da qualificação de um pecador para as santas associações do céu é aperfeiçoado na justificação, e a consumação de tudo o que faz parte da salvação, tanto o demérito quanto a provisão do mérito infinito perante Deus – é o real mérito de Cristo. Como uma realização divina, a justificação, que é assegurada sem referência a qualquer causa humana (Rm 3.24), incorpora, como essencial a ela, não somente o valor da morte e ressurreição de Cristo, mas cada passo que faz parte da salvação divina pela graça. Na verdade, é o verdadeiro escopo daquilo que a justificação incorpora que conduz o apóstolo a declarar, como o faz nos versículos 31 e 32, que Deus é "por nós". Esta é uma verdade maravilhosa e Sua atitude de amor é demonstrada pelo fato de não poupar o dom supremo de seu Filho, mas entregou-o por nós todos.

Por ter dado o dom supremo, todas as outras coisas estarão fácil e naturalmente incluídas. Deus dá uma certeza absoluta de que Ele justifica a todos os que Ele predestina e Ele baseia essa justificação na morte e ressurreição de Cristo, cuja base lhe confere imediatamente um ato divino totalmente justo em si mesmo – a ponto de ser infinito. Maravilhe-se da resposta do Espírito a Sua própria pergunta: "Quem intentará acusação contra os escolhidos de Deus?" É "Deus que os justifica". Isto é, a coisa que serviria como uma acusação contra o crente, já foi tratada de modo que não pode se reconhecer nenhuma acusação. Do ponto de vista da santidade infinita, nenhuma realização para Deus de justificar eternamente o inimigo ímpio que não faz algo, além de crer em Jesus, e de fazer isto de tal modo que protege Aquele que justifica de toda complicação que a mera tolerância com o pecado e a indignidade poderiam gerar.

Isto não é uma discordância humana, onde um crente acusa outro crente de alguma coisa má; é uma questão de proporções muito maiores. É Deus que é desafiado a levar em consideração o pecado dos seus eleitos. O arminiano contende que Deus deve julgar e condenar aquele que Ele salvou, se há acusação contra ele. Em oposição a esta noção, noção essa que parece nunca ter compreendido as obras da graça divina, é a asserção clara de que Deus já justificou aquele que deu prova de sua eleição por crer em Cristo, e isto a despeito não de um pecado de que o acusam, mas a despeito de todos os pecados – passados, presentes e futuros.

A despeito de toda dúvida humana, de todo entendimento errôneo e da cegueira, permanece verdadeiro que o propósito de Deus para os seus eleitos é executado com uma base tão justa e que alcança um grau de perfeição infinita, que "agora, pois, nenhuma condenação há para os que estão em Cristo Jesus".

VI. A Própria Realização de Cristo

"Quem os condenará? Cristo Jesus é quem morreu, ou antes quem ressurgiu dentre os mortos, o qual está à direita de Deus, e também intercede por nós" (Rm 8.34).

Visto que um estudo extenso dos quatro aspectos do empreendimento de Cristo em favor do crente, como demonstrado nesse versículo, já foi feito no capítulo anterior, a verdade que o texto apresenta precisa somente ser mencionada aqui. Por sua morte substitutiva, Cristo suportou a condenação do pecado daqueles a quem o valor de sua morte foi aplicado, em resposta à fé salvadora. Porque o valor de sua morte foi aplicado, nenhuma condenação pode retornar sobre essa pessoa. A ressurreição de Cristo proporcionou o dom da vida eterna ressurrecta, que não pode morrer. O aparecimento de Cristo como Advogado na corte celeste, em favor do cristão pecador, garante que o real lugar onde a insegurança poderia achar guarida, o próprio Senhor advoga perante o Pai, e apresenta o fato de seu próprio e suficiente sacrifício pelo pecado, para preservar o perdão, com base tão indiscutível, que o Advogado ganha o título de "Jesus Cristo, o justo".

E, por último, o Salvador intercede e por sua intercessão é capaz de salvar completamente a todos aqueles que se chegam a Deus por Ele (Hb 7.25).

Qualquer uma dessas quatro realizações do Filho de Deus é suficiente para responder a argumentação arminiana e, como está apresentado no Novo Testamento, elas são designadas para servir como base para a segurança do crente por toda a eternidade. Portanto, segue-se que a expressão "agora nenhuma condenação há para os que estão em Cristo Jesus", é totalmente verdadeira e isso é completamente proporcionado pelo próprio Salvador.

VII. A Incapacidade das Coisas Celestiais e Mundanas

"Quem nos separará do amor de Cristo? A tribulação, ou a angústia, ou a perseguição, ou a fome, ou a nudez, ou o perigo, ou a espada? Como está escrito: Por amor de ti somos entregues à morte o dia todo; fomos considerados como ovelhas para o matadouro. Mas em todas estas coisas somos mais que vencedores, por aquele que nos amou. Porque estou certo de que, nem a morte, nem a vida, nem anjos, nem principados, nem coisas presentes, nem futuras, nem potestades, nem a altura, nem a profundidade, nem qualquer outra criatura nos poderá separar do amor de Deus, que está em Cristo Jesus nosso Senhor" (Rm 8.35-39).

Até aqui, os argumentos que sustentam a doutrina da segurança eterna, retirados das Escrituras, foram baseados naqueles recursos infinitos que as pessoas da Trindade garantem. Essa porção final de Romanos 8 aborda o fato da segurança de um lado negativo – pondo de lado aquilo que as outras forças, tanto celestiais quanto mundanas, efetuam. Com relação à primeira categoria, que enumera as coisas mundanas (v. 35), elas são ordenadas para a experiência do crente no mundo e sobre elas, por capacitação divina, ele deve ser vitorioso. Pela autoridade de Deus, o crente deve reconhecer a força dessas coisas e prevalecer a despeito delas. Com relação à segunda categoria, que é a das realidades celestiais (vv. 38 e 39), o apóstolo Paulo pode dizer: "Eu estou

SOTERIOLOGIA

certo" de que essas coisas não serão capazes "de separar-nos do amor de Deus, que está em Cristo Jesus nosso Senhor".

Esta frase, "Eu estou certo", é distintiva, por ser usada apenas duas vezes pelo apóstolo Paulo, e apenas três vezes no Texto Sagrado; e em dois destes casos – Romanos 8.38; 2 Timóteo 1.12 – é feita referência diretamente à segurança do filho de Deus. No caso presente – Romanos 8.38 – ele inclui todos os crentes; no segundo caso – 2 Timóteo 1.12 – ele dá um testemunho pessoal, nestas palavras: "Por esta razão sofro também estas coisas, mas não me envergonho, porque eu sei em quem tenho crido, e estou certo de que ele é poderoso para guardar o meu depósito até aquele dia". É uma grande distinção e encorajamento para alguém que crê que o verdadeiro filho de Deus está seguro eternamente; que ele, neste aspecto particular, está em harmonia completa com o grande apóstolo; isto é especialmente verdadeiro à luz do fato de que a afirmação do apóstolo é dada por inspiração.

Por outro lado, é um grande descrédito e delinqüência da parte daquele que nega a doutrina da segurança eterna que ele, na tentativa de manter a sua argumentação, deve impugnar o testemunho inspirado daquele que, acima de todos os homens, foi escolhido por Deus para receber e transmitir este verdadeiro Evangelho da graça divina. Sem levar em conta a sinceridade reconhecida, os arminianos não são paulinos na essência de sua teologia. Para eles as hesitações doutrinárias de um expoente arminiano são mais dignas de serem adotadas e promovidas do que são os ensinos qualificados e inspirados do apóstolo Paulo. Essa atitude de incredulidade é exibida pelos arminianos no tratamento – usualmente uma negligência horrível – que eles dão de todas declarações absolutas do Novo Testamento com respeito à verdade da segurança, e nenhuma afirmação mais comum do que o tratamento que eles dão às palavras de Cristo, registradas em João 10.28, 29.

Neste contexto, o Salvador declara: "...eu lhes dou a vida eterna, e jamais perecerão; e ninguém as arrebatará da minha mão. Meu Pai, que mas deu, é maior do que todos; e ninguém pode arrebatá-las da mão de meu Pai". É interpretação ou evasão arminiana dizer que nenhum poder pode "arrancar" o crente da mão de Cristo ou do Pai, exceto o próprio crente que [é afirmado] é capaz, por causa da soberania da vontade humana, de retirar-se a si mesmo dessa segurança. O Senhor pareceu antecipar tal evidência de perigo da parte daqueles que "torceriam a Escritura para a própria destruição deles", e propositadamente inseririam uma frase, a saber, "e eles jamais perecerão", que os arminianos pecam em não receber em seu devido valor.

Deve ser observado que de todas as coisas celestiais e mundanas que o apóstolo Paulo enumera como forças que são poderosas em suas esferas, todavia impotentes para lançar muita sombra de dúvida sobre a grande verdade da segurança do crente, nenhuma menção é feita de dois assuntos – a vontade humana e o pecado humano – que são os pontos de perigo, de acordo com a teologia arminiana. Sem o estudo do escopo do argumento desse grande capítulo, o arminiano pode supor, contrariamente aos fatos, que os dois aspectos

– a vontade e o pecado – são omitidos dessas categorias, porque o apóstolo cria que eles de fato têm o poder de separar o cristão de Cristo. Será verificado, ao contrário, que esses dois fatores são omitidos, por causa da verdade de que eles foram explicados nas porções anteriores deste contexto.

A vontade humana foi colocada em harmonia com o propósito divino pela vocação eficaz (v. 30), e o Filho de Deus, por sua intercessão, guarda o crente das armadilhas e, por sua defesa, Ele livra da condenação, no caso de um mal real. Assim, também, o pecado do cristão foi julgado por Cristo em sua morte substitutiva, e assim, igual à questão da vontade, por ter sido disposta como mostra o argumento anterior do capítulo, esses assuntos não estão inclusos nesta categoria final.

Portanto, permanece o fato da afirmação absoluta de que "agora nenhuma condenação há para os que estão em Cristo Jesus" é verdadeira, por ser sustentada por ao menos sete provas importantes, e a prova que conclui as sete serve para que todas as forças poderosas celestiais e terrestres não sejam capazes de separar o filho de Deus "do amor de Deus, que está em Cristo Jesus nosso Senhor" – um amor liberado eternamente, para realizar todo seu desejo em relação aos pecadores sem mérito, e com base na redenção que está em Cristo.

Conclusão

Aqui está afirmado, dogmaticamente, e com base em provas da Palavra de Deus que foram apresentadas neste volume, que não há um texto que, quando corretamente interpretado, insinuará que um cristão possa se perder; que não há uma salvação agora oferecida aos não-salvos que não seja eterna em sua natureza; que nenhuma alma uma vez salva tenha se perdido para sempre; e que o Novo Testamento declara em termos múltiplos e absolutos que o crente, embora possa estar sujeito à correção e castigo, seja eternamente livre de toda condenação.

"Tendo por certo isto mesmo, que aquele que em vós começou a boa obra a aperfeiçoará até o dia de Cristo Jesus" (Fp 1.6).

"Bendito seja o Deus e pai de nosso Senhor Jesus Cristo, que, segundo a sua grande misericórdia, nos regenerou para uma viva esperança, pela ressurreição de Jesus Cristo dentre os mortos, para uma herança incorruptível, incontaminável e imarcescível, reservada nos céus para vós, que pelo poder de Deus sois guardados, mediante a fé, para a salvação que está preparada, para se revelar no último tempo" (1 Pe 1.3-5).

CAPÍTULO XVIII

Libertação do Poder Reinante do Pecado e as Limitações Humanas

I. Libertação do Poder do Pecado

EM CONTINUAÇÃO AO ESTUDO dos sete aspectos da salvação, este, o quinto, tem a ver com as provisões divinas para o triunfo do crente em seu conflito diário com o mundo, a carne e o diabo. Algum adiantamento deste tema geral já foi incorporado em discussões anteriores que fazem parte deste livro, e o tema deve reaparecer para um estudo mais exaustivo em Eclesiologia e Pneumatologia. Embora praticamente desconhecida dos cursos e obras que tratam da Teologia Sistemática, esta parte da salvação que assegura libertação da fonte tríplice do mal – atribuída ao presente capítulo – e que é a parte da salvação que assegura capacidade de avançar para um estado da mente e do coração que honra a Deus e para a realização de toda boa obra divinamente designada – atribuída à última metade desse mesmo capítulo – são requisitos para uma apreensão completa de tudo o que Deus realiza em seu propósito soberano de "trazer muitos filhos à glória".

O problema da vida diária do crente é vital em vários modos de abordagem, e nenhum é mais importante do que aquele que diz respeito à segurança do crente. A avaliação superficial que o sistema arminiano faz daquilo que constitui a salvação leva seus advogados a avaliar uma pessoa salva, embora perdoada de seus pecados cometidos antes de ter sido salva, como alguém que não foi transformado numa nova criatura, habitada pelo Espírito, ou sujeita a novos ideais pelos quais pode viver para a glória de Deus. Se essas grandes provisões fossem reconhecidas e incorporadas nesse sistema, os seus promotores poderiam evidenciar um entendimento mais abrangente de tudo o que faz parte da relação que a vida diária do crente e sua conduta tem com a sua salvação perfeita e com a segurança eterna em Cristo.

É bom lembrar que Deus conhece de antemão toda situação que vai surgir na vida de qualquer crente. Nenhum pecado é uma surpresa para Deus, e, todavia, Ele não hesita em salvar aqueles que sabe que não andarão em perfeição perante Ele. Ao prever o que vai atacar o cristão, Ele providencia não somente que o cristão não seja condenado por causa do pecado, mas que possa reivindicar um poder sobrenatural através do Espírito que nele habita, para derrotar todo inimigo. Essa provisão de poder significa um fortalecimento para a doutrina da segurança, e como a certeza de que Deus não fecha os olhos para o pecado, nem fracassa em seu plano ou propósito. A maior importância deve ser atribuída ao fato de que Deus compromete-se com o cristão na esfera de seu estado ou em sua vida diária, como Ele se compromete com o cristão na esfera de sua posição, ou de aceitação perfeita, para sempre em Cristo.

Ao ter assegurado para o crente uma união perfeita com Cristo, uma posição perfeita, e uma aceitação perfeita em Cristo, com uma base de equidade infinita que Deus permanece justo, quando justifica o ímpio, resta somente o problema da comunhão, e o andar que é agradável a Deus. Como um filho pode estar na comunhão ou fora da comunhão de seu pai terreno sem afetar o fato imutável da filiação, de igual modo o filho de Deus pode estar no relacionamento ou na comunhão ou fora da comunhão e sem relacionamento com o seu Pai celestial sem perturbar o fato imutável da filiação em relação a Deus. A filiação não fica isolada no campo das realidades imutáveis que são trazidas à existência pelo poder de Deus com base nos méritos de Cristo. Todas essas coisas, baseadas no mérito de Cristo, são independentes das questões que fazem parte da vida diária do crente, não importa quão importantes essas coisas possam ser em sua própria esfera.

Como foi afirmado anteriormente, qualquer pessoa normal pode delinear um plano pelo qual indivíduos perfeitos e sem pecado possam ir para o céu, e, em tal plano, não necessitaria da morte de Cristo. É uma coisa muitíssimo diferente tomar homens caídos com toda a pecaminosidade deles e levá-los para o céu. Somente Deus pode delinear tal plano. Isto é o que Ele fez, e no arranjo que Deus fez, providenciou um sacrifício perfeito pelo pecado e uma posição perfeita para aquele que crê. Ao ter realizado tudo isto numa medida que satisfaz todas as exigências de sua própria santidade, torna-se uma suposição importante da parte de Deus, quando Ele declara o cristão salvo e seguro em Cristo para sempre. O calvinista reconhece essa verdade, crê nela, e a proclama com toda a devida consideração do plano totalmente diferente e independente que Deus faz pelo qual o crente pode ser capacitado a andar de modo digno de sua posição perfeita em Cristo.

Por outro lado, os arminianos sempre têm evidenciado uma cegueira repreensível – não diferente da dos não-regenerados – a respeito dessas distinções vitais. O erro de confusão do arminiano no campo da Soteriologia é que ele persiste na tentativa de construir a posição do crente sobre a sua frágil e vacilante vida diária, ao invés de construí-la sobre o mérito suficiente e imutável de Cristo. A Soteriologia Arminiana se torna pouco mais do que um sistema de conduta humana; porque, embora a idéia de regeneração seja incorporada, ela é, na idéia que o arminiano tem dela, sem valor permanente algum, por estar apoiada somente em uma suposta virtude humana.

Na tentativa de apresentar a esta altura as questões da vida diária do cristão, é com o entendimento de que essas questões, conquanto significativas e pretensiosas que elas julgam ser, são tratadas por Deus numa base separada que

SOTERIOLOGIA

é totalmente independente do arranjo perfeito pelo qual o crente é tanto salvo por Cristo quanto eternamente seguro nele.

É geralmente reconhecido que o cristão enfrenta três forças contrárias que são fontes do mal – o mundo, a carne e o diabo – e que, quando ele estava no estado de não-regenerado, essas forças de nenhum modo lutavam contra ele; pois, a essa altura, era uma parte do mundo [*cosmos*], restrito em seu ser à carne, e sob o domínio de Satanás. A consciência e os ideais sociais podem ter colocado as suas exigências débeis sobre ele, mas conhecia pouco, se é que conhecia, do conflito incessante que ataca o filho de Deus. Em outras palavras, o crente em seu problema da vida diária, por causa de novos inimigos e novos padrões de santo viver que com justeza se impõem sobre ele, é muito menos capaz de viver a vida colocada diante dele, agora do que foi capaz de viver com mais ou menos virtudes na esfera do homem não-regenerado.

Segue-se, então, que se o crente deve manter a sua salvação através de uma maneira correta de viver, como defende o arminiano, ele, por causa das exigências celestiais impossíveis e devido aos inimigos sobrenaturais, está incondicionalmente derrotado antes mesmo de começar sua caminhada celestial. A pregação do arminiano, de seus ideais, tem sido tolerada somente por causa de uma incapacidade, se não por uma indisposição de sua parte, de enfrentar as grandes questões envolvidas. Ela soa prática, simples, e serve para a estima inerente que o homem tem de si próprio, para propor uma salvação que permanece com base no mérito humano. Em tal esquema, há pouca necessidade da graça sustentadora de Deus. Ele pode ser chamado para perdoar onde o homem falhou no seu próprio programa de auto-salvação. Como a água estabelece o seu nível, o arminianismo, em sua forma moderna, abandonou a sua alegação original da verdade da ortodoxia e pela razão [entre outras] de que os defensores desse sistema nunca se fiaram nas forças sobrenaturais para a consecução do esquema soteriológico deles.

Visto que os três inimigos do cristão – o mundo, a carne e o diabo – já foram estudados detalhadamente no volume II desta obra, e vão ainda reaparecer nas páginas finais, somente uma menção breve desses inimigos será feita aqui. Contudo, o verdadeiro caráter deles não deve ser suprimido do entendimento do verdadeiro caráter da libertação divina desses inimigos, libertação essa que é o objetivo imediato no presente volume, não terá noção alguma suficiente da realidade.

1. O MUNDO. Das quatro raízes gregas – αἰών, οἰκουμένη, γῆ, є κόσμος que freqüentemente são traduzidas como *mundo* na *Authorized Version*, somente a última é apresentada como se estivesse em conflito com o crente. Um estudo dos 187 usos dessa palavra no Novo Testamento, como já foi assinalado, revela a verdade de que *cosmos* é um vasto sistema e ordem sobre o qual Satanás é o príncipe (Jo 12.31; 14.30; 16.11), e com o qual toda a humanidade não-regenerada é pactuada com seus programas educacionais e de entretenimento, seus governos, armamentos, e suas guerras. Quando salvo, o crente é resgatado deste *mundo* (Jo 15.19; Cl 1.13; 1 Jo 5.19), e é preservado no meio dele, embora ele, como uma testemunha, deva permanecer nele.

A sua padronização da vida humana aos seus próprios ideais, suas fascinações, o seu controle das necessidades da vida, a proteção que ele oferece em seu governo, a sua zombaria da verdadeira piedade, e os seus conceitos errôneos, tornam o *cosmos* um inimigo complexo, sutil e terrível, que luta contra o filho de Deus. Ele pode manter uma dupla relação com o *cosmos* – a de um habitante no cosmos e a de testemunha a ele – somente pelo poder sobrenatural. As palavras de Cristo "no mundo tereis tribulações; mas tende bom ânimo, eu venci o mundo [*cosmos*]" (Jo 16.33), são cheias de significado profundo – profundo demais, na verdade, para o entendimento humano. Visto que Cristo por sua morte venceu o *cosmos*, está declarado do crente que ele também venceu o *cosmos*.

Em 1 João 5.4, 5 está escrito: "Porque todo o que é nascido de Deus vence o mundo; e esta é a vitória que vence o mundo: a nossa fé. Quem é o que vence o mundo, senão aquele que crê que Jesus é o Filho de Deus?" Muito freqüentemente esta passagem é entendida como uma exortação para o cristão vencer o *cosmos*; mas, claramente, está declarado aqui que, por ter crido, o filho de Deus, em sua nova relação com Cristo, já venceu o *cosmos*. Num sentido primário, o crente participa de tudo o que Cristo é e de tudo o que Ele fez. Seria impossível estar em Cristo e não estar fora do *cosmos*. Não obstante, conquanto tudo isto seja verdade com referência à posição, todavia o cristão deve reivindicar uma vitória experimental em sua vida diária sobre o apelo que o *cosmos* sempre lhe faz.

De importância insuperável, contudo, é a verdade de que, na avaliação do Espírito, de quem o crente deve depender para a sua libertação diária, o *cosmos* já está judicialmente vencido. A verdade de que Cristo venceu o *cosmos* e de que o crente participa dessa realidade, desde o momento em que é salvo, é a base legal suficiente sobre a qual o crente pode, pelo Espírito, ser preservado do *cosmos*, embora permaneça aqui como uma testemunha para ele.

2. A CARNE. Quando se aborda este tema, deve ser feita uma distinção entre σῶμα e σάρξ. A primeira palavra representa o corpo físico, enquanto que a última, embora algumas vezes usada para designar o corpo físico, representa uma realidade viva que inclui nela uma natureza caída com todas as suas forças e relacionamentos inerentes – uma natureza caída que não é erradicada, mas continua com o crente enquanto ele vive neste mundo e que é vencida somente mediante uma apropriação incessante do poder do Espírito que nele habita. Está escrito que, se o crente anda na dependência do Espírito, não satisfará os desejos da carne (Gl 5.16). Não obstante, deve haver uma base legal sobre a qual o Espírito Santo pode controlar a carne com a sua natureza adâmica. Está escrito que, para esse fim, Cristo morreu como um julgamento da velha natureza (Rm 6.1-10) e da carne (Rm 8.3).

Este julgamento da carne feito por Cristo não faz a carne morrer; ele antes proporciona uma base justa e legal sobre a qual o Espírito de Deus serve como Libertador. Além disso, esta verdade de que o crente pode ser salvo do poder dominante do pecado, sob o princípio da fé, é enfatizada. Deus, assim, se compromete com o crente em sua vida diária, e ninguém pode duvidar que

Deus tem um propósito definido de capacitar na esfera do andar daquele que Ele salvou com uma salvação eterna. Nenhuma maneira de andar, conquanto perfeita, tenderá mesmo a preservar o filho de Deus. Ele está seguro totalmente por outra provisão, a saber, o fato dele estar no Cristo ressurrecto. No assunto de uma vida consistente, que glorifica Aquele que o salva, o crente pode reivindicar todo o poder sobrenatural do Espírito que nele habita.

3. O Diabo. O conflito do cristão com Satanás, e sua necessidade de libertação sobrenatural daquele inimigo, é amplamente publicado no Novo Testamento. O estudante, que busca essas páginas, terá de ler muita coisa sobre esse tema específico. Aquilo que exige reafirmação no presente capítulo é o fato duplo de que Satanás foi julgado por Cristo em sua morte, e que há libertação do poder de Satanás que é tornada possível pelo Espírito que habita no crente. Que há um conflito com Satanás, não precisa ser argumentado. Uma passagem dentre muitas servirá para mostrar esta verdade: "Pois não é contra carne e sangue que temos que lutar, mas, sim, contra os principados, contra as potestades, contra os príncipes do mundo destas trevas, contra as hostes espirituais da iniqüidade nas regiões celestes" (Ef 6.12).

O julgamento de Satanás é anunciado em vários textos do Novo Testamento. Está escrito: "...do juízo, porque o príncipe deste mundo já está julgado" (Jo 16.11); "...e havendo riscado o escrito de dívida que havia contra nós nas suas ordenanças, o qual nos era contrário, removeu-o do meio de nós, cravando-o na cruz; e, tendo despojado os principados e potestades, os exibiu publicamente e deles triunfou na mesma cruz" (Cl 2.14, 15). Como um criminoso, que foi sentenciado para morrer e espera o dia de sua execução, assim Satanás já foi julgado e espera o dia da administração de sua sentença. A verdade de que uma completa libertação do poder de Satanás é ensinada nos termos mais claros: "Finalmente, fortalecei-vos no Senhor e na força do seu poder. Revesti-vos de toda a armadura de Deus, para poderdes permanecer firmes contra as ciladas do Diabo" (Ef 6.10, 11); "Filhinhos, vós sois de Deus, e já os tendes vencido; porque maior é aquele que está em vós do que aquele que está no mundo" (1 Jo 4.4).

Esta verdade não deve ser desprezada, a saber, que é possível para o Espírito Santo defender o crente e libertá-lo do poder de Satanás com base no fato de que Satanás já foi julgado por Cristo em sua morte. Embora julgado, Satanás está ainda vivo e poderoso, e deve ser resistido pela fé inabalável do cristão (1 Pe 5.8, 9).

Conclusão

Assim, é revelado que, com respeito a todo pecado ou disposição que seja contrária a Deus, o crente está destinado a encontrar libertação ou salvação dessas coisas pelo poder do Espírito que nele habita, que age em perfeita liberdade, por causa dos juízos específicos operados por Cristo na cruz contra o mundo, a carne, e o diabo. Tal libertação é uma forma de salvação e acontece na obra total de salvação operada por Deus.

A verdade a respeito da conseqüência do pecado do cristão é, todavia, declarada novamente. Deve ser observado que Deus vê antecipadamente o pecado no crente. Este fato não o torna o autor do pecado; somente revela que o Seu próprio plano não contempla nem espera uma perfeição sem pecado da parte daqueles a quem Ele salva e guarda. A maravilha nunca diminui na mente dos crentes devotos, de que o plano de Deus incorpora um modo pelo qual os santos imperfeitos são levados para a glória do céu. A antecipação que Deus tem do pecado do cristão é vista na provisão que Deus faz para ele. Está escrito em 1 João 1.6-9 que o pecado do crente pode ser curado, em seus efeitos sobre si mesmo, pela confissão do pecado a Deus. Isto não é outra regeneração.

O filho de Deus está ainda em união, embora não em comunhão, com Deus, quando peca. Os não-salvos são salvos por crer e os salvos são perdoados e purificados pela confissão. Em nenhum dos casos há qualquer julgamento penal colocado sobre aquele que pecou. Isso não poderia acontecer, visto que esse julgamento foi colocado sobre o Substituto.

Portanto, permanece verdadeiro que Deus não somente providencia um caminho pelo qual o crente pode ser livre de pecar, mas também estabelece um caminho pelo qual o crente pode ser preservado como Seu filho e trazido de volta à comunhão com Ele, quando peca.

II. Libertação das Limitações Humanas

Ser liberto do mal, a fim de que Deus possa ser honrado, que é o Salvador daqueles que crêem, não é a realização completa do ideal divino. Além de tal libertação, está a necessidade que o filho de Deus tem de ser *capacitado* para toda boa obra, tão como está preordenado (Ef 2.10), e assim acontece com aqueles que são salvos e designados para a elevada tarefa de representar Deus neste *cosmos*. Como foi ensinado de forma mais ampla neste capítulo, os cristãos são ordenados a evitar o mal, e caso o mal seja introduzido, devem ser salvos dele. Como está escrito: "Porque a graça de Deus se manifestou, trazendo salvação a todos os homens, ensinando-nos, para que, renunciando à impiedade e às paixões mundanas, vivamos no presente mundo sóbria, e justa, e piamente, aguardando a bem-aventurada esperança e o aparecimento da glória do nosso grande Deus e Salvador Cristo Jesus, que se deu a si mesmo por nós para nos remir de toda iniqüidade, e purificar para si um povo todo seu, zeloso de boas obras" (Tt 2.11-14).

A salvação, que é da graça de Deus, "não vem de obras". Nunca poderia ser trazida à existência pelas obras humanas. Ela é uma obra de Deus; todavia, é "para as boas obras" que o crente é criado, e essas são possíveis somente quando alguém é nova criatura em Cristo Jesus e é munido com uma eficácia sobrenatural. O grande conjunto de verdades que demonstram o ministério energizador do Espírito, para uma vida e serviço que honram a Deus, será analisado resumidamente.

1. O Espírito Produz o Caráter Cristão. O *cosmos* tem o seu esquema de "construir o caráter". Muito freqüentemente isto não é caráter, mas somente reputação. É sempre o produto do esforço humano e, naturalmente, resulta na glória humana. Em oposição a isto está o plano divino para o caráter cristão que consiste naquelas realidades que são operadas no coração pelo Espírito Santo, que habita no cristão. Tal caráter é melhor descrito por nove palavras que apresentam "o fruto do Espírito". "Mas o fruto do Espírito é: o amor, o gozo, a paz, a longanimidade, a benignidade, a bondade, a fidelidade, a mansidão, o domínio próprio; contra estas coisas não há lei" (Gl 5.22, 23). Estas nove graças não são somente declaradas como uma produção direta do Espírito Santo em e através do crente, mas elas são sustentadas, neste contexto, em oposição às obras da carne.

As obras da carne estão enumeradas nos versículos 19-21. Cada palavra da lista, que apresenta o fruto do Espírito, indica uma característica divina que é gerada diretamente pelo Espírito Santo que habita no crente. Esta ação do Espírito é a experiência normal do filho de Deus, e será sua porção, a menos que impedimentos sejam permitidos acontecer na vida do crente perante Deus.

2. O Espírito Capacita para o Serviço Cristão. Este aspecto da obra do Espírito no cristão introduz imediatamente a doutrina dos dons energizados pelo Espírito. Um dom no sentido da palavra do Novo Testamento é algo que o Espírito Santo faz, e usa o crente para fazê-lo. Não é de forma alguma um esforço humano ajudado pelo Espírito. O dom é uma "manifestação do Espírito" (1 Co 12.7). Assim, também, para cada crente, algum dom é atribuído; a saber, o crente é designado para uma tarefa específica e capacitado para realizá-la. Se esta provisão divina não é realizada, é devido a uma falta de ajustamento. É também dito que há diversidade de dons, embora, em cada caso, eles sejam operados pelo mesmo Espírito.

O importante texto da Escritura, que trata desse tema, é o que se segue: "Ora, há diversidade de dons, mas o Espírito é o mesmo. E há diversidade de ministérios, mas o Senhor é o mesmo. E há diversidade de operações, mas é o mesmo Deus que opera tudo em todos. A cada um, porém, é dada a manifestação do Espírito para o proveito comum. Porque a um, pelo Espírito, é dada a palavra da sabedoria; a outro, pelo mesmo Espírito, a palavra da ciência; a outro, pelo mesmo Espírito, a fé; a outro, pelo mesmo Espírito, os dons de curar; a outro a operação de milagres; a outro a profecia; a outro o dom de discernir espíritos; a outro a variedade de línguas; e a outro a interpretação de línguas. Mas um só e o mesmo Espírito opera todas estas coisas, distribuindo particularmente a cada um como quer" (1 Co 12.4-11; cf. Rm 12.3-8; Ef 4.11; 1 Pe 4.10, 11).

A essas realidades, que são geradas na vida do crente pelo Espírito – o fruto do Espírito e os dons do Espírito – pode ser acrescentada a revelação de que o Espírito Santo ensina a Palavra de Deus ao crente (Jo 16.12-15; 1 Co 2.9–3.1;

1 Jo 2.27); inspira louvor e ação de graças (Ef 5.19, 20); guia o filho de Deus (Rm 8.14; Gl 5.18); impulsiona o que é recebido pela fé (Rm 8.16); e intercede pelos cristãos (Rm 8.26, 27).

Conclusão

Por este estudo restrito da obra do Espírito Santo na capacitação do filho de Deus para um santo caráter e o serviço cristão, que se torna aperfeiçoado em Cristo, é novamente visto que Deus se compromete com o crente na esfera da vida diária dele, e, à parte da noção de que essas manifestações do Espírito acrescentarão alguma coisa à posição perfeita do crente em Cristo, é observado que é intento divino que os salvos sejam libertos das fraquezas e limitações que desonram a Deus e fazem o cristão falhar em adornar a doutrina que professa.

CAPÍTULO XIX

O Crente Apresentado sem Pecado

A EXPERIÊNCIA APERFEIÇOADORA para o pecador a quem Deus salva é a sua apresentação em glória. Sobre isto, o apóstolo Judas escreve: "Ora, àquele que é poderoso para vos guardar de tropeçar, e apresentar-vos ante a sua glória, imaculados e jubilosos" (Jd 24). Nesta passagem, a palavra "tropeçar" é muito propícia, e deveria ser observado que "jubilosos" são os que vencem, através dAquele que concebe, constrói e completa todo esse empreendimento. O empreendimento total é estritamente dEle. Semelhantemente, quando escreve aos crentes de Corinto, o apóstolo Paulo declara o que é verdade a respeito de todos os crentes – o Corpo e a Noiva de Cristo: "Porque estou zeloso de vós com zelo de Deus; pois vos desposei com um só Esposo, Cristo, para *vos* apresentar a ele *como* virgem pura" (2 Co 11.2).

Aqui, novamente a força do texto é descoberta, quando as palavras em itálico *"vos... como"* são omitidas; porque o apóstolo não desejou meramente apresentar os crentes *como* virgens puras, mas o seu propósito era apresentar uma virgem pura a Cristo. De igual modo, foi o desejo supremo de Cristo em sua morte sacrificial; que Ele pudesse reivindicar uma Noiva aperfeiçoada. Sobre isto está revelado: "Vós, maridos, amai a vossas mulheres, como também Cristo amou a igreja, e a si mesmo se entregou por ela, a fim de a santificar, tendo-a purificado com a lavagem da água, pela palavra, para apresentá-la a si mesmo igreja gloriosa, sem mácula, nem ruga, nem qualquer coisa semelhante, mas santa e irrepreensível" (Ef 5.25-27).

A verdade de que o crente será apresentado irrepreensível diante da presença majestosa de Deus é revelada no Novo Testamento em detalhes magnificentes. As mudanças a serem operadas são incompreensíveis; mas, em tudo, elas indicam que a transformação, tão extensa, é calculada para impedir qualquer vestígio daqueles elementos que juntamente constituem a humanidade em sua presente existência. Ser reconstruído até ser completamente adaptado à esfera celestial e satisfazer as exigências dela, é uma distinção exaltada que é garantida pela capacidade infinita e mantida pela intenção soberana. Esta é porção de todo crente, que não é variada de acordo com os graus do mérito humano; pois ela é a realização divina padronizada em favor de todos os que crêem.

342

Algumas das mudanças que fazem parte dessa transformação imensurável, uma porção que já está incorporada no presente estado do crente, estão listadas aqui:

I. Cidadania Celestial

O fato de que a cidadania celestial começa nesta vida e no momento que a pessoa crê, não altera o caráter permanente dela, embora um desenvolvimento muito grande da presente ordem para aquela que vai se seguir, deve acontecer. Embora essa cidadania seja possuída agora com respeito ao que é certo e ao direito de posse, não obstante, ela ainda não foi ocupada e, portanto, ainda não foi experimentada. A vantagem imensurável e a ascendência esperam o tempo devido, para se chegar àquele estado exaltado.

II. Uma Nova Fraternidade

Este aspecto da felicidade vindoura abrange um vasto campo das realidades eternas. Ele começa com o novo nascimento, numa filiação real e legítima com relação a Deus, que, por sua vez, gera a extensão total da família e do relacionamento de família. Não somente a filiação a Deus é operada, mas um nobre parentesco com todos os santos de todas as gerações e, evidentemente, com todas as hostes celestiais não-caídas. Esses laços são perfeitamente estabelecidos, enquanto neste mundo; todavia, a experiência mais ampla e jubilosa deles aguarda a reunião total de todos os que são de Cristo com Ele em glória.

III. Uma Posição Aperfeiçoada para Sempre

Uma perfeita posição em Cristo não é que somente começou nesta vida, mas o seu valor incalculável deve ser demonstrado e experimentado por toda a eternidade. A mente humana pode captar pouca coisa da tranqüilidade vindoura e da bem-aventurança da consciência de que a posição está assegurada, e as qualidades instituídas e divinamente aprovadas, que são devidamente exigidas na esfera da santidade e da pureza infinitas. Veja a seguir os versos do poeta Thomas Binney (1826):

Luz Eterna! Luz Eterna!
Quão pura a alma deve ser,
Quando colocada dentro de Tua visão aguda,
Ela não se encolhe, mas, com calmo deleite,
Pode viver, e olhar para Ti!

Ó! Como eu, cuja esfera nativa é escura,
cuja mente é sombria,
aparecerei diante do Inefável,
e sobre o meu espírito nu portarei
aquele feixe de luz incriado?

Há um caminho para o homem se levantar
Para aquela habitação sublime: –
Uma oferta e um sacrifício,
As energias de um Espírito Santo,
Um Advogado junto a Deus: –

Estes, estes nos preparam
Para a visão da Santidade acima:
Os filhos da ignorância e da noite
Podem morar na Luz Eterna,
Através do Amor eterno!

IV. Um Corpo Renovado

Mas pouca coisa pode ser antecipada a respeito do prazer vindouro, da satisfação e do conforto de um corpo renovado que se assemelhará ao corpo glorioso de Cristo (Fp 3.21). Uma ampla distinção deve ser observada entre a *posse* da vida eterna e a experiência dela, que ainda vai acontecer. A presente experiência da vida humana num corpo condenado à morte é insignificante, ao ser comparada com a experiência da vida eterna num corpo renovado que corresponde ao corpo ressurrecto de Cristo – aquele que, a ponto do infinito, é adaptado às necessidades eternas da segunda pessoa da Trindade. Ao descrever essa mudança extraordinária, o apóstolo declara (em 1 Co 15.42-57) que este corpo de corrupção se revestirá de incorrupção; este corpo mortal se revestirá de imortalidade; este corpo de "desonra" se revestirá de glória; este corpo de fraqueza se revestirá de poder inconcebível; este corpo que é "natural" – adaptado à alma – se tornará um corpo espiritual – adaptado ao espírito.

V. Libertação da Natureza Pecaminosa

Além disso, todos os poderes humanos de antecipação são totalmente inadequados. A natureza pecaminosa está tão impregnada na estrutura desta presente existência com todas as suas exigências impuras e suas contrariedades ao Espírito que habita no crente (Gl 5.17), que nenhuma imaginação pode fazer a previsão da hora da libertação, para que se possa descrevê-la.

VI. Ser Igual a Cristo

Se o destino do crente não fosse tão claramente asseverado, não poderia ser aceito por alguém neste mundo. O testemunho das Escrituras, entretanto, não pode ser minimizado: "E sabemos que todas as coisas concorrem para o bem daqueles que amam a Deus, daqueles que são chamados segundo o seu propósito" (Rm 8.28); "E, assim como trouxemos a imagem do terreno, traremos também a imagem do celestial" (1 Co 15.49); "Amados, agora somos filhos de Deus, e ainda não é manifesto o que havemos de ser. Mas sabemos que, quando ele se manifestar, seremos semelhantes a ele, porque assim como é, o veremos" (1 Jo 3.2). Embora essas afirmações pareçam alcançar muito além do alcance das coisas possíveis, esse destino exaltado concorda com o que é exigido no real propósito de Deus. Será lembrado que a salvação é operada com o fim de que a graça de Deus possa ser revelada.

A graça de Deus é infinita e, portanto, requer que os empreendimentos que medem essa graça se estenderão às esferas infinitas. Igualmente, a salvação é operada para satisfazer o amor infinito de Deus, e, na satisfação desse amor, Deus deve fazer o seu máximo para aqueles que são objetos de sua afeição – por quem Ele é livre para agir. A conformidade com a imagem de Cristo é a realidade suprema no universo, e o amor divino não se contenta com menos do que a medida de sua realização. Em geral, a semelhança a Cristo inclui todos os outros aspectos indicados nessa lista das realidades celestiais.

VII. Compartilhar da Glória de Cristo

Exatamente o que Cristo incluiu quando orou: "Pai, desejo que onde eu estou, estejam comigo também aqueles que me tens dado, para verem a minha glória, a qual me deste; pois que me amaste antes da fundação do mundo" (Jo 17.24), as mentes finitas não podem conhecer neste mundo.

Assim, igualmente, o que está registrado em João 17.22: "...e eu lhes dei a glória que a mim me deste, para que sejam um, como nós somos um", não pode ser rompido. Conseqüentemente, está escrito: "Mas todos nós, com rosto descoberto, refletindo como um espelho a glória do Senhor, somos transformados de glória em glória na mesma imagem, como pelo Espírito do Senhor" (2 Co 3.18); "Porque a nossa leve e momentânea tribulação produz para nós cada vez mais abundantemente um eterno peso de glória" (1 Co 4.17); "Semeia-se em ignomínia, é ressuscitado em glória. Semeia-se em fraqueza, é ressuscitado em poder" (1 Co 15.43); "Quando Cristo, que é a nossa vida, se manifestar, então também vós vos manifestareis com ele em glória" (Cl 3.4); "Porque convinha que aquele, para quem são todas as coisas, e por meio de quem tudo existe, em trazendo muitos filhos à glória, aperfeiçoasse pelos sofrimentos o autor da salvação deles" (Hb 2.10); "E o Deus de toda a graça, que em Cristo vos chamou à sua eterna glória, depois de haverdes sofrido por um pouco, ele mesmo vos há de aperfeiçoar, confirmar e fortalecer" (1 Pe 5.10).

Acrescentada a isto está a glória que é o resultado do sofrimento com Cristo – a recompensa pelo fardo que o crente pode experimentar pelas almas perdidas: "...pois tenho para mim que as aflições deste tempo presente não se podem comparar com a glória que em nós há de ser revelada" (Rm 8.18); "se perseveramos, com ele também reinaremos" (2 Tm 2.12).

Por tudo isto será visto que a salvação de uma alma, como proposta por Deus, contempla a fruição desse propósito. A quem Ele predestina, Ele glorifica, e "aquele que em vós começou a boa obra a aperfeiçoará até o dia de Cristo Jesus" (Fp 1.6). É impossível haver falha em Deus. Por causa disso, os escritores do Novo Testamento são muitíssimo atrevidos em declarar a certeza da glória vindoura para todo aquele que crê. Que nenhuma sugestão de possível falha é mencionada, é devido à verdade de que o fim é tão certo como a capacidade da infinidade de realizá-la. Os arminianos lançam dúvidas sobre a suprema capacidade de Deus de fazer acontecer o que Ele determinou, e sobre a veracidade e o caráter confiável das palavras que registram o propósito e a capacidade divina; mas tais esforços para enfraquecer o testemunho de Deus a respeito de Si mesmo não podem trazer proveito algum.

Observe as palavras de Balaão, a respeito de Israel: "Deus não é homem, para que minta; nem filho do homem, para que se arrependa. Porventura, tendo ele dito, não o fará? Ou, havendo falado, não o cumprirá? Eis que recebi mandado de abençoar; pois ele tem abençoado, e eu não o posso revogar. Não se observa iniquidade em Jacó, nem se vê maldade em Israel; o Senhor seu Deus é com ele, no meio dele se ouve a aclamação dum rei. É Deus que os vem tirando do Egito; as suas forças são como as do boi selvagem contra Jacó, pois, não há encantamento, nem adivinhação contra Israel. Agora se dirá de Jacó e de Israel: Que coisas Deus tem feito!" (Nm 23.19-23). Da atitude de Jeová para com este povo eleito, está dito: "Porque os dons e a vocação de Deus são irrevogáveis" (Rm 11.29). Se é possível que Deus, por causa da eleição soberana, nunca venha a mudar o seu propósito para com o povo terrestre e não veja "iniquidade em Jacó" ou qualquer "perseverança em Israel", se ele nunca revogar qualquer dom ou vocação daquela nação, é considerada uma impossibilidade que Ele seja capaz de preservar o Corpo e a Noiva de seu Filho por quem é dito que Cristo morreu num sentido muito específico (Ef 5.25-27)?

Conclusão

Ao rever este extenso trabalho, que teve como alvo apresentar os sete aspectos da obra salvadora de Deus, será visto que a salvação é de Jeová, seja na esfera da obra terminada, na obra de iluminação, na obra salvadora, na obra de proteger, ou na obra presente. Em cada aspecto e em cada passo de seu progresso majestoso, há uma obra de Deus somente – uma obra que é operada a despeito do pecado daqueles a quem Ele salva e a despeito de qualquer dano que a vontade do homem possa gerar. Deus é soberano sobre tudo e tanto livre quanto capaz de realizar tudo o que Ele determinou fazer.

Como foi observado anteriormente, a salvação de um pecador é, à medida que a revelação se descortina, o único exercício de um dos atributos mais conspícuos de Deus, a saber, a sua graça. Não somente a salvação deve proporcionar um escopo adequado para o exercício desse atributo – que mede a sua amplitude completamente – mas deve satisfazer a Deus num grau infinito. Com relação à amplitude, o empreendimento divino começa com aquilo que está real e totalmente perdido. Sobre este assunto, a humanidade não poderia ter opiniões adequadas. Para eles, na pior das hipóteses, o homem está necessitado da muita consideração da parte de Deus. Eles não podem abordar no pensamento a realidade insondável do perdido e do estado de condenação do homem. Tais palavras escritas em Romanos 3.9-19 são raramente aceitas pelos homens no significado que eles pretendem.

Estar perdido é estar totalmente condenado por Deus, estar unido a Satanás, e ser entregue com Satanás ao lago de fogo. Tal julgamento não é pronunciado em razão de alguma falha trivial do homem. O real fato de que o julgamento extremo deve ser imposto sobre ele revela em termos inconfundíveis a profundidade do significado que Deus atribui ao estado de perdido do homem. Em oposição a isto, a salvação eleva o salvo às alturas do céu – com referência à habitação eterna – e transforma o salvo, conformando-o à imagem de Cristo. Fazer alguém ser igual a Cristo é o empreendimento mais importante no universo. Ele representa o limite ao qual a infinidade pode caminhar. É esta distância entre as profundidades abissais do estado do perdido e a conformidade com Cristo no céu, que não somente exerce o atributo divino da graça, mas mede-o completamente.

Com relação à satisfação divina, a razão sozinha dita que, visto que Deus não pode fracassar em qualquer propósito, Suas medições de sua graça na salvação de uma alma O satisfará de forma infinita. Assim é a demonstração completa da graça demonstrada em cada indivíduo salvo que, fosse apenas um salvo pela graça, esse um satisfaria plenamente a expectativa divina e serviria como uma prova conclusiva perante todas as inteligências da graça de Deus, que é muitíssimo abundante; não pelas obras, para que nenhum homem venha a jactar-se.

Se fosse suficiente para Deus revelar o fato de que Ele pretende trazer muitos filhos à glória, mas Ele não se satisfez com uma revelação limitada. Deus, antes, honra os homens por colocar perante eles o espanto e o prazer que têm nos passos que Deus dá e por causa da base justa sobre a qual tudo o que Ele empreende é realizado. Está na esfera das realidades eternas as coisas serem operadas pela capacidade irrestrita e infinita; e a mente devota, após tomar conhecimento desses fatos, bem pode hesitar negar a Deus a autoridade, o poder e a liberdade através de Cristo, de fazer toda a sua adorável e santa vontade. A oração do apóstolo Paulo é a seguinte: "Para que o Deus de nosso

Senhor Jesus Cristo, o Pai da glória, vos dê o espírito de sabedoria e de revelação no pleno conhecimento dele; sendo iluminados os olhos do vosso coração, para que saibais qual seja a esperança da sua vocação, e quais as riquezas da glória da sua herança nos santos, e qual a suprema grandeza do seu poder para conosco, os que cremos, segundo a operação da força do seu poder, que operou em Cristo, ressuscitando-o dentre os mortos e fazendo-o sentar-se à sua direita nos céus, muito acima de todo principado, e autoridade, e poder, e domínio, e de todo nome que se nomeia, não só neste século, mas também no vindouro" (Ef 1.17-21).

Minha esperança é construída em nada menos
Do que o sangue e a justiça de Jesus;
Eu não me atrevo a confiar na mais doce organização,
Mas totalmente dependo do Nome de Jesus.
Sobre Cristo, a Rocha segura, eu permaneço;
Toda outra base é areia movediça.

Os Termos da Salvação

Capítulo XX
Os Termos da Salvação

FORA DAS DOUTRINAS relacionadas com a pessoa e obra de Cristo, não há verdade mais impressionante em suas implicações e nenhum fato a ser defendido além daquela salvação em toda a sua magnitude ilimitada que é assegurada, no que diz respeito à responsabilidade humana, de crer em Cristo como Salvador. A essa única exigência não deve ser acrescentada outra obrigação sem fazer violência às Escrituras e ao rompimento total da doutrina essencial da salvação pela graça somente. Somente a ignorância ou a desatenção repreensível à estrutura de uma Soteriologia correta tentará introduzir alguma forma de obra humana com o seu suposto mérito naquilo que, se feito, deve, pela real natureza do caso, ser operado por Deus somente e sobre o princípio da graça soberana.

Na verdade, poucos parecem jamais compreender a doutrina da graça soberana, e seria generoso, ao menos, voltar a esse fato como a explicação da disposição praticamente universal de confundir as questões vitais envolvidas. É o propósito desta seleção demonstrar que as glórias eternas que são operadas pela graça soberana são condicionadas, do lado humano, pela fé unicamente. O significado prático dessa verdade deve necessariamente fazer reivindicações drásticas sobre o pregador e se tornar uma influência habilitadora nos métodos de ganhar almas que são empregados. O estudante faria bem em trazer sua mensagem e seus métodos em concordância total com as operações da graça divina, antes do que tentar conformar essa verdade inalterável aos ideais humanos.

A salvação, que é pela fé, começa com aquelas transformações poderosas que juntamente fazem o cristão ser o que ele é; ela garante a segurança do cristão, e o leva ao céu conformado à imagem de Cristo. O pregador ou o ganhador de almas, que é capaz de traçar até essas realidades ilimitadas e de preservá-las de se tornarem dependentes em qualquer grau da responsabilidade humana, além da fé em Jesus Cristo, merece o elevado título de "bom ministro de Cristo Jesus, nutrido pelas palavras da fé e da boa doutrina" (1 Tm 4.6). Uma ligeira atenção aos empreendimentos transformadores de Deus que fazem parte da salvação do perdido pode trazer uma pessoa à percepção da verdade de que cada aspecto envolvido apresenta uma tarefa que é sobre-humana, e, portanto, se for realizada, deve ser operada por Deus somente.

Tal descoberta vai preparar a mente para a recepção da verdade, de que a única relação que o homem pode manter com esse grande empreendimento deve depender totalmente de Deus para que ele seja realizado. Esta é a simplicidade da fé. Contudo, visto que questões morais estão envolvidas, que foram divinamente resolvidas por Cristo em sua morte, Ele se tornou o único Salvador qualificado, e a fé salvadora é, dessa forma, dirigida a Ele. "Todo aquele que nele crê não perece, mas tem a vida eterna". Mas mesmo quando o caráter sobrenatural da salvação é reconhecido, é possível dificultar a responsabilidade humana com várias complicações, e assim conferir ao empreendimento total da graça um elevado grau de ineficácia. Essas asseverações conduzem naturalmente a uma consideração detalhada dos aspectos mais comuns da responsabilidade humana, que muito freqüentemente são erroneamente acrescentados à única exigência – a da *fé*.

I. Arrependimento e Fé

Visto que o arrependimento – concebido como um ato separado – é quase universalmente acrescentado à fé como uma exigência do lado humano para a salvação, um estudo do significado bíblico do arrependimento é muito importante. Este estudo pode ser delineado da seguinte maneira: (1) o significado da palavra; (2) a relação do arrependimento com a fé; (3) a relação do arrependimento com o povo do pacto; (4) a ausência de exigência para arrependimento da salvação nas Escrituras; e (5) a significação do arrependimento em passagens específicas.

1. O SIGNIFICADO DA PALAVRA. A palavra grega μετάνοια em cada caso é traduzida como *arrependimento*. A palavra significa uma *mudança de mente*. A prática comum de ler nesta palavra o pensamento de tristeza e angústia de coração é responsável por muita confusão no campo da Soteriologia. Não há razão pela qual a tristeza não deva acompanhar o arrependimento ou conduzir ao arrependimento, mas a tristeza, qualquer que possa ser, não é arrependimento. Em 2 Coríntios 7.10, está afirmado que "a tristeza segundo Deus opera arrependimento", isto é, ela conduz ao arrependimento; mas a tristeza não deve ser confundida com uma mudança de mente, mas pode servir para produzi-la. O filho citado por Cristo, conforme o registro de Mateus 21.28, 29, que primeiro havia dito: "Eu não vou"; após ter se arrependido foi, é um exemplo do significado exato da palavra.

A chamada do Novo Testamento para o arrependimento não é uma instigação à autocondenação, mas é uma convocação à mudança de mente que promove uma mudança no curso que está em processo de busca. A definição dessa palavra usada no Novo Testamento é fundamental. Pouco progresso, ou mesmo nenhum, pode ser feito num raciocínio correto da Palavra de Deus sobre esse tema, a menos que o significado verdadeiro e exato da palavra seja descoberto e defendido.

2. A Relação do Arrependimento com a Fé. Muito freqüentemente, quando ele é asseverado – como é o caso aqui – esse arrependimento não deve ser acrescentado à fé como uma exigência separada para a salvação, e é suposto que o arrependimento *não* seja necessário para a salvação. Entretanto, está afirmado tão dogmaticamente quanto uma linguagem pode declarar, que o arrependimento é essencial para a salvação e que ninguém poderia ser salvo à parte do arrependimento, mas ele está incluso no crer e não poderia estar separado da fé. A discussão está restrita a esta altura ao problema que a salvação das pessoas não-regeneradas desenvolve; e é seguro dizer que poucos erros têm causado tanto impedimento à salvação do perdido quanto a prática da exigência delas em ter uma angústia de alma antes da fé em Cristo poder ser exercida.

Visto que tais emoções não podem ser produzidas na vontade, o caminho da salvação tem se tornado impossível para todos os que não experimentam essa angústia exigida. Este erro resulta numa outra direção errada dos não-salvos, a saber, aquela em que eles são encorajados a olhar para dentro de si mesmos e não para Cristo como Salvador. A salvação é feita para estar condicionada aos sentimentos e não sobre a fé. Igualmente, as pessoas são levadas por este erro a medir a validade da salvação delas pela intensidade de angústia que precedeu ou que a seguiu. É nesta maneira que a tristeza de coração se torna na forma mais sutil de obra meritória e, num certo modo, uma contradição com a graça. Subjacente a toda essa suposição de que as lágrimas e a angústia são necessárias está a noção mais séria de que Deus *não* é propício, mas que Ele deve ser amaciado, para ter piedade da angústia penitente.

A Bíblia declara que Deus *é* propício por causa da morte de Cristo pelo pecado que causa a tristeza humana. Não há ocasião alguma para se derreter ou amaciar o coração de Deus. Sua atitude em relação ao pecado é um assunto da revelação. Sugerir, como fazem geralmente os pregadores, que Deus deve ser abrandado e tolerante por causa da agonia humana, é uma forma desesperada de incredulidade. O não-salvo tem um evangelho de boas novas para *crer*, que certamente não é mera noção de que Deus deve ser adulado para ter uma atitude salvadora em sua mente; Cristo é que morreu e a graça é estendida a partir dAquele que é propício infinitamente. O coração humano está inclinado a imaginar que há alguma forma de expiação pelo pecado através da tristeza que se sente por ele. Qualquer que possa ser o lugar da tristeza pelo pecado na restauração de um cristão que é transgressor, não pode ser determinado com excessiva ênfase que para os não-salvos – judeus ou gentios – não haja uma oportunidade para propiciar Deus ou para proporcionar qualquer forma de satisfação pela miséria ou pela angústia de alma.

Com patente inconsistência, aqueles que têm pregado que os não-salvos devem experimentar um sofrimento mental antes deles serem salvos, têm falhado totalmente em informar aos seus ouvintes a respeito de como tal tortura exigida pode ser assegurada. Deveria ser reafirmado que, visto que a genuína tristeza de mente não pode ser produzida na vontade, e visto que muitas pessoas não possuem essa depressão de espírito, exigir que uma aflição de mente seja

SOTERIOLOGIA

autoproduzida preceda a salvação pela fé se torna numa forma de fatalismo e é responsável pela condução de multidões incontáveis ao desespero. Entretanto, é verdade que, do ponto de vista dos arminianos, nenhuma heresia maior poderia ser desenvolvida do que essa afirmação de que o suposto mérito do sofrimento humano em virtude dos pecados pessoais deva ser excluído dos termos pelos quais uma alma pode ser salva.

Como foi afirmado anteriormente, o arrependimento, que é uma mudança de mente, está incluído no crer. Nenhum indivíduo pode se voltar para Cristo sem uma mudança de mente, e que, deveria ser observado, um indivíduo espiritualmente morto jamais pode apresentar o arrependimento. Esta mudança de mente é obra do Espírito (Ef 2.8). Será considerado, também, por aqueles que são submissos à Palavra de Deus, que a preparação essencial do coração que o Espírito Santo realiza nos não-salvos para predispô-los a uma aceitação inteligente e voluntária de Cristo como Salvador – definidos em João 16.8-11 – não é uma tristeza pelo pecado. Os não-salvos que recebem essa divina influência são iluminados – recebem um entendimento claro – a respeito de *um* pecado apenas, a saber, que "eles creram não em mim".

Crer em Cristo é um ato, não obstante os múltiplos resultados que ele assegura. Não é voltar-se *de* alguma coisa *para* alguma coisa; mas antes, voltar-se *para* algo *a partir de* algo. Se esta terminologia parece um mero jogo de palavras, será descoberto, por investigação muito cuidadosa, que essa é uma distinção vital. Voltar-se do mal pode facilmente ser um ato completo em si mesmo, visto que a ação pode ser terminada nesse ponto. Voltar-se para Cristo é um ato solitário, também, e junção desses dois atos separados corresponde à noção de que os dois atos – arrependimento e fé – sejam exigidos para a salvação. Por outro lado, voltar-se para Cristo a partir de todas as outras convicções é um ato, e esse ato de arrependimento, que é uma mudança de mente, já está incluso.

O apóstolo Paulo afirma essa distinção em termos exatos quando diz aos Tessalonicenses: "...vos convertestes dos ídolos a Deus, para servirdes ao Deus vivo e verdadeiro" (1 Ts 1.9). Este texto não proporciona conforto algum para aqueles que afirmam que as pessoas devem primeiro, em contrição real, abandonar os ídolos – que poderia terminar nesse ponto – e após, como um segundo ato separado, voltar-se para Deus. O texto reconhece apenas um ato – "vos convertestes dos ídolos a Deus" – e este é um ato de fé somente.

Os que enfatizam o arrependimento como uma segunda exigência com a fé, inadvertidamente revelam que, na concepção deles, o problema do pecado pessoal é tudo o que faz parte da salvação. A natureza pecaminosa deve também ser tratada; todavia, este não é o sujeito legítimo do arrependimento. A salvação contempla muitas grandes questões e o ajustamento da questão do pecado pessoal, embora incluso, é apenas uma pequena porção do todo. O texto de Atos 26.18, algumas vezes recrutado como prova da idéia de que o não-salvo deve fazer várias coisas a fim de ser salvo, enumera ao contrário várias coisas que são operadas nele pelo poder salvador de Deus.

352

3. A Relação do Arrependimento com o Povo do Pacto. O termo *povo do pacto* é amplo em sua aplicação. Ele inclui Israel, que está sob pactos inalteráveis de Jeová e, todavia, os israelitas são os objetos de outro pacto, o novo pacto (Jr 31.31-34), e a Igreja, que é composta de todos os crentes da presente dispensação, que são agora objetos do novo pacto feito no sangue de Cristo (Mt 26.28; 1 Co 11.25). Um pacto implica num relacionamento, porque ele assegura uma relação correta com Deus em assuntos pertencentes aos limites de um pacto. Um pacto que é incondicional, como os mencionados acima, não é afetado por quaisquer elementos humanos, nem é mudado nem mesmo pelo próprio Deus. Entretanto, o *fato* de um pacto e a experiência de suas bênçãos são coisas diferentes. É possível estar sob as provisões de um pacto incondicional e falhar por algum tempo em desfrutar suas bênçãos por causa do pecado.

Quando o pecado causou uma limitação no desfrutar de um pacto e o pacto, por ser mutável, ainda permanece, a questão se torna, não no restabelecimento do pacto, mas a única questão do pecado que descaracteriza o relacionamento. Segue-se, portanto, que, para o povo do pacto, há uma necessidade de um tratamento divino com o pecado específico e um arrependimento separado e desconectado com relação a esse pecado. Esse arrependimento é expresso pela confissão a Deus. Por ter confessado o seu pecado, Davi não orou para sua salvação ser restaurada; ele antes orou pela restauração da "alegria" da salvação (Sl 51.12). De igual modo, é a alegria e a comunhão que a confissão restaura para o crente (1 Jo 1.3-9).

Quando Cristo ofereceu-se a si mesmo para Israel como o seu Messias e anunciou que o seu reino estava próximo, Ele, com João e os apóstolos, chamaram o povo ao arrependimento na preparação para o reino anunciado. Não houve apelo algum a respeito da salvação ou para o estabelecimento de pactos; foi a restauração do povo para uma mudança de mente que os levou a abandonar os seus pecados (Mt 10.6ss). A aplicação desses apelos, que foram feitos aos judeus do pacto a respeito do ajustamento deles dentro dos pactos, aos indivíduos gentios não-regenerados, que são "estranhos aos pactos" (Ef 2.12), na verdade é um erro sério. De igual modo, um cristão pode se arrepender como um ato separado (2 Co 7.8-10). A conclusão do assunto é que, conquanto o povo do pacto é designado para o acerto nacional e pessoal com Deus pelo arrependimento como um ato separado, não há base alguma na razão nem na revelação para a exigência de que uma pessoa não-regenerada nesta era deva acrescentar o arrependimento de uma pessoa do pacto à fé, a fim de ser salva.

4. A Ausência da Exigência de Arrependimento nos Textos sobre a Salvação. Mais de 115 textos do Novo Testamento condicionam a salvação ao *crer*, enquanto 35 passagens condicionam a salvação à *fé*, por ser esta última, neste uso, um sinônimo exato da primeira. Essas porções da Escritura, que totalizam cerca de 150, incluem praticamente tudo o que o Novo Testamento declara sobre o assunto da responsabilidade humana na salvação; todavia, cada um desses textos omite qualquer referência ao arrependimento como um ato

SOTERIOLOGIA

separado. Este fato, facilmente verificável, não pode senão ter um peso enorme em qualquer mente sincera. De igual modo, o Evangelho de João, que foi escrito para apresentar Cristo como o objeto da fé para a vida eterna, nenhuma vez emprega a palavra *arrependimento*.

Semelhantemente, a epístola aos Romanos, que é a análise completa de tudo o que faz parte do plano total da salvação pela graça, não usa a palavra *arrependimento* em conexão com a salvação de uma alma, exceto em 2.4, onde o arrependimento é equivalente à própria salvação. Quando o apóstolo Paulo e seu companheiro Silas responderam ao carcereiro de Filipos a respeito do que ele deveria fazer para ser salvo, eles disseram: "Crê no Senhor Jesus Cristo, e serás salvo" (At 16.31). Esta resposta, está evidente, não reconhece a necessidade de arrependimento em adição ao crer. Com esse conjunto esmagador de evidência irrefutável fica claro que o Novo Testamento não impõe o arrependimento ao não-salvo como uma condição de salvação. O Evangelho de João, com suas palavras diretas dos lábios de Cristo; a epístola aos Romanos, com o seu tratamento exaustivo do tema em questão; o apóstolo Paulo, e o conjunto todo de 150 passagens do Novo Testamento, que são a totalidade da instrução divina, estão incompletos e são confusos se ao arrependimento deve ser dado um lugar separado e independente da fé.

Nenhuma pessoa ponderada tentaria defender tal noção nesta querela, e aqueles que têm tentado isso, sem dúvida, o fizeram sem o peso da evidência ou sem considerar a posição insustentável que eles assumiram.

5. O SIGNIFICADO DO ARREPENDIMENTO EM PASSAGENS ESPECÍFICAS. Ao entrar nesta fase do estudo, é necessário primeiro eliminar todas as porções do Novo Testamento, que apresentam a palavra *arrependimento* em sua relação com o povo do pacto. Igualmente, há passagens que empregam a palavra *arrependimento* como um sinônimo de crer (cf. At 17.30; Rm 2.4; 2 Tm 2.25; 2 Pe 3.9). Também, há passagens que se referem a uma mudança de mente (At 8.22; 11.18; Hb 6.1, 6; 12.17; Ap 9.20 etc.). Todavia, além disso, deve-se estar de acordo que três passagens relacionadas a Israel são freqüentemente aplicadas de modo errôneo (At 2.38; 3.19; 5.31). Há referências ao batismo de João, que era para arrependimento, que estão fora dos evangelhos sinóticos (At 13.24; 19.4).

Quatro passagens merecem uma consideração especial, a saber:

Lucas 24.47. "E que em seu nome se pregasse o arrependimento para remissão dos pecados, a todas as nações, começando por Jerusalém".

Será visto que o arrependimento não é em si mesmo equivalente a crer (ou fé), embora, esteja incluso no crer, e é usado aqui como um sinônimo da palavra *crer*. Igualmente, deve ser reconhecido que "remissão de pecados" não é tudo que é oferecido na salvação, embora a frase possa servir para esse propósito neste caso. Acima de tudo, a passagem não exige obrigações humanas a respeito da salvação. O arrependimento, que aqui representa o crer, conduz à remissão de pecado.

Atos 11.18. "Ouvindo eles estas coisas, apaziguaram-se e glorificaram a Deus, dizendo: Assim, pois, Deus concedeu também aos gentios o arrependimento para a vida".

Novamente o arrependimento, que está incluso no crer, serve como um sinônimo da palavra *crença*. Os gentios, como sempre, alcançam a vida espiritual pela fé, a mudança de mente que é importante e essencial. É também verdade que a passagem não atribui duas coisas que são necessárias para a salvação (cf. v. 17).

Atos 20.21: "Testificando, tanto a judeus como a gregos, o arrependimento para com Deus e a fé em nosso Senhor Jesus".

Primeiro, embora desconectado do curso desse argumento, é importante observar que o apóstolo aqui coloca os judeus no mesmo nível dos gentios, e ambos são objetos da graça divina. O judeu com o seu bojo religioso incomparável ou o gentio com a sua ignorância pagã, cada um deles, deve experimentar uma mudança de mente com relação a Deus. Até que estejam cônscios do propósito gracioso de Deus, não pode haver a recepção da idéia da fé salvadora. É muito possível reconhecer o propósito de Deus, como muitos o fazem, e não receber a Cristo como Salvador. Em outras palavras, o arrependimento para com Deus não pode em si mesmo constituir, neste caso, o equivalente a "fé para com nosso Senhor Jesus Cristo", embora possa preparar para essa fé. A introdução de duas pessoas da Trindade é significativa, e que Cristo seja o único objeto da fé é também muito vital. Aqueles que insistem que há aqui duas obrigações humanas para a salvação devem ser lembrados novamente dos 150 textos nos quais essa exigência dupla é omitida.

Atos 26.20. "Antes anunciei primeiramente aos que estão em Damasco, e depois em Jerusalém, e por toda a terra da Judéia e também aos gentios, que se arrependessem e se convertessem a Deus, praticando obras dignas de arrependimento".

Além disso, ambos, judeus e gentios, são tratados no mesmo pé de igualdade perante Deus. Duas obrigações estão listadas aqui, a fim de que os resultados espirituais possam ser assegurados – "que se arrependam e se convertam a Deus". A passagem sustentaria a visão arminiana, se o arrependimento fosse, como eles asseveram, uma tristeza pelo pecado; mas se à palavra é dado um significado correto, a saber, *uma mudança de mente,* não há dificuldade alguma. A exigência é por uma mudança de mente que se volta para Deus. Essa passagem, também, tem o seu equivalente em 1 Tessalonicenses 1.9: "convertestes dos ídolos a Deus".

Conclusao

Naquilo que precedeu, foi feita uma tentativa de demonstrar que a doutrina bíblica do arrependimento não oferece objeção alguma à verdade de que a salvação é pela graça através da fé à parte de qualquer sugestão de obras ou mérito humano. Está asseverado que o arrependimento, que é uma mudança de mente, está incluso na necessidade do real ato de crer em Cristo, visto que uma pessoa não pode voltar-se para Cristo, procedente de outros objetos de fé sem essa mudança de mente.

Mais de 150 textos - inclusive todos os maiores convites do Evangelho – limitam a responsabilidade humana na salvação a crer ou a ter fé. A esta simples exigência nada pode ser acrescentado se as glórias da graça devem ser preservadas.

II. Crer e Confessar Cristo

A ambição de assegurar resultados aparentes e o desejo sincero de fazer decisões finais por Cristo têm inclinado os pregadores, em seus apelos gerais, a insistir na confissão pública de Cristo por aqueles que estão para ser salvos. Para todos os propósitos práticos e na maioria dos casos essas confissões são, nas mentes dos não-salvos, combinadas com a fé salvadora e parecem, quando apresentadas, ser de importância igual à da fé. Esta exigência sobre os não-salvos é justificada, se é que há justificativa, em dois textos da Escritura que exigem uma consideração maior:

1. A Escritura Admite uma Confissão de Cristo. *Mateus 10.32.* "Portanto, todo aquele que me confessar diante dos homens, também eu o confessarei diante de meu Pai, que está nos céus."

Este versículo, que ocorre no meio dos ensinos de Cristo sobre o reino e como uma parte de Suas instruções aos seus discípulos a quem Ele envia uma mensagem restrita a Israel (cf. vv.5-7) e que devia ser acompanhada de milagres estupendos (cf. v. 8), tais como nunca foi permitido a pregadores desta época, aplica-se, primariamente, a esses próprios discípulos com respeito à fidelidade deles na entrega da proclamação do reino, e poderia ser estendido em seu apelo somente aos israelitas a quem eles foram enviados. A negligência que presume que esse texto apresenta uma condição de salvação a judeus ou gentios na presente era é, na verdade, deplorável.

Romanos 10.9-10. "Porque, se com a tua boca confessares a Jesus como Senhor, e em teu coração creres que Deus o ressuscitou dentre os mortos, serás salvo; pois é com o coração que se crê para a justiça, e com a boca se faz confissão para a salvação."

Esta mensagem, que cai dentro da esfera dos ensinos específicos que pertencem primariamente ao caminho da salvação pela graça, é digna de maior consideração. A força da afirmação positiva do versículo 9: "...se com a tua boca confessares a Jesus como Senhor, e em teu coração creres que Deus o ressuscitou dentre os mortos, serás salvo", é explicada no versículo 10: "...pois é com o coração que se crê para a justiça, e com a boca se faz confissão para a salvação". Neste último versículo está sugerido o verdadeiro significado e uso da palavra "confessar". Sobre esta palavra nessa mesma passagem, o falecido Dr. Arthur T. Pierson escreveu: "Essa palavra significa falar de uma natureza semelhante a outra pessoa. Eu creio e recebo o amor de Deus. Ao receber o Seu amor, recebo a Sua vida; e ao receber Sua vida, recebo a Sua natureza, e Sua natureza em mim naturalmente se expressa de acordo com a Sua vontade. Isto é confissão".

Alexander Maclaren disse: 'Os homens não acendem uma candeia e a colocam no alqueire, porque a vela se apagaria ou queimaria o alqueire'. Você deve ter ventilação para a vida, luz, e amor, do contrário como eles permanecerão? E uma confissão de Cristo Jesus como Senhor é a resposta da nova vida recebida de Deus. Ao receber o amor, você é nascido de Deus, e, por ter nascido de Deus, você exclama: 'Abba, Pai', que é apenas a palavra aramaica para 'papai' – sílabas que podem ser pronunciadas antes mesmo de haver dentes, porque a pronúncia delas é feita com os lábios – a primeira palavra de uma alma nascida de novo, nascida de Deus, que conhece a Deus, e da mesma forma que Deus fala na linguagem de uma criança".

As duas atividades mencionadas nesses versículos são expandidas com relação ao significado delas num contexto imediato ao que se segue. Dos que crêem é dito: "Porque a Escritura diz: Ninguém que nele crê será confundido" (Rm 10.11). A salvação é prometida tanto a judeus como a gregos (gentios) sob a mesma condição de crer (v. 12). Na verdade, não serão envergonhados. Dessa confissão é dito: "Porquanto não há distinção entre judeu e grego; porque o mesmo Senhor o é de todos, rico para com todos os que o invocam. Porque: Todo aquele que invocar o nome do Senhor será salvo" (Rm 10.12, 13). Deve ser observado que na confissão dos versículos 9 e 10 está declarado ser a invocação do nome do Senhor. Em outras palavras, essa confissão é que aquele reconhecimento inevitável de Deus da parte daquele que exerce fé salvadora, aquele que aceita Cristo como seu Salvador. Como Abraão aceitou a promessa de Deus – não um mero crer apático (Gn 15.6; Rm 4.3), assim a alma confiante responde à promessa que Deus oferece de salvação através de Cristo.

2. Duas Razões Conclusivas. Há duas razões convincentes por que o texto sob consideração não apresenta duas responsabilidades humanas em relação à salvação pela graça.

A. Alegar que a confissão pública de Cristo como Salvador é exigida em adição à fé em Cristo, é argumentar que os 150 textos nos quais somente o crer aparece são incompletos e num certo grau enganosos. Certo tipo de mente, contudo, parece capaz de construir toda sua confiança numa interpretação errônea de uma passagem e de ser influenciada pelo impressionante conjunto de textos que contradiz essa interpretação.

B. Exigir uma confissão pública de Cristo como um pré-requisito para a salvação pela graça, é desacreditar a salvação de um número grande de pessoas que foram salvas sob circunstâncias que impediam qualquer ação pública.

Conclusão

A confissão de Cristo é um privilégio e um dever do cristão e pode ser feita no momento em que alguém é salvo, mas não é uma condição de salvação pela graça; do contrário, as obras de mérito se intrometem onde somente a obra de Deus reina.

SOTERIOLOGIA

III. Crer e Ser Batizado

Em qualquer discussão a respeito da palavra βαπτίζω deve ser reconhecido que este termo é usado no Novo Testamento para apresentar duas coisas diferentes – um batismo real pelo Espírito de Deus, pelo qual o crente é unido a Cristo e está em Cristo, e um batismo ritual com água. João Batista distinguiu estas coisas quando disse: "Eu, na verdade, vos batizo em água, na base do arrependimento; mas aquele que vem após mim é mais poderoso do que eu, que nem sou digno de levar-lhe as alparcas; ele vos batizará no Espírito Santo, e em fogo" (Mt 3.11). Embora essa palavra mantenha um sentido primário e outro secundário e estas são idéias intimamente relacionadas, o fato de que palavra idêntica é usada para ambos os batismos, o real e o ritual, sugere uma associação entre as duas idéias com as quais esse termo está associado.

Na verdade, Efésios 4.5 declara que há apenas um batismo. A consideração desses fatos, a respeito dessa palavra, é essencial para um entendimento correto do tema sob discussão. Naturalmente, a questão surge quando é afirmado que alguém deve crer e ser batizado, seja o batismo real ou o ritual que esteja em vista. Há duas passagens que exigem atenção:

Marcos 16.15, 16. "E disse-lhes: Ide por todo o mundo, e pregai o evangelho a toda criatura. Quem crer e for batizado será salvo; mas quem não crer será condenado."

Uma estranha negligência para a evidência que serve como prova que a referência é feita neste texto ao batismo real pelo Espírito, e isso tem caracterizado a interpretação da passagem. Essa evidência ao menos deveria ser julgada por tudo o que ela é. Deveria ser provado no exame que a referência feita é ao batismo real, batismo esse que é essencial para a salvação. A dificuldade de um suposto batismo regenerador é imediatamente descartada. O Dr. James W. Dale discutiu essa questão vital num argumento extenso. Ele escreve:

Até onde estou consciente, todos os que interpretam a linguagem do evangelista como se indicasse um batismo ritual, o fazem sem ter examinado a questão – "Pode este não ser o batismo *real* pelo Espírito Santo e não ser o batismo *ritual* com água?" Esta questão vital tem sido suposta sem investigação, e determinado contra o batismo real das Escrituras, sem haver pesquisa. Tal suposição não é baseada nem em necessidade nem na autorização das Escrituras, seja julgada em seu ensino geral ou no ensino dessa passagem específica. Que não há necessidade de limitar o batismo desta passagem a um rito, é óbvio, porque as Escrituras fornecem-nos um real batismo pelo Espírito, assim como com o seu símbolo, o batismo ritual, e dos quais devemos fazer a escolha. Não há autorização da Escritura no ensino geral da Bíblia para identificar um *rito* com salvação; nem pode tal autorização ser assumida nessa passagem específica (que de fato identifica *batismo* e salvação), porque não há evidência que mostre nessa passagem que o batismo é ritual com água, ao invés do real batismo pelo Espírito. Estes pontos devem ser universalmente admitidos: 1. A passagem não declara um batismo ritual por afirmação expressa; 2. Ela não contém afirmação alguma que envolva um batismo ritual como uma inferência necessária; 3. As Escrituras apresentam um batismo real e um ritual, por um ou por outro, para satisfazer as exigências de qualquer batismo afirmado elipticamente; 4. Esse batismo que satisfaz, em sua natureza e poder escrituristicamente definidos, as exigências de qualquer passagem particular, deve ser o batismo designado por tal passagem. Nós rejeitamos o batismo ritual de toda conexão direta com essa passagem, em geral, porque a passagem trata da salvação e suas condições (crença e batismo). De todas as coisas que a Igreja Católica Romana admite, esse batismo ritual não tem a mesma tolerância com a crença como uma condição de salvação, e são, portanto, compelidos a introduzir exceções pelas quais nenhuma provisão é feita nos termos dessa passagem. Nós aceitamos o batismo real pelo Espírito Santo como o único batismo diretamente contemplado por essa passagem, em geral, porque, ela satisfaz na maneira mais absoluta e ilimitada como *uma condição de salvação* as exigências óbvias nessa passagem, por ter a mesma liberalidade com a crença, e universalmente presente em cada caso de salvação. Nós aceitamos esta idéia em particular: Porque o texto torna harmonioso o uso de "batizados" com os termos associados, "crer" e "salvo". O uso desses termos, assim como o de "batizado", é elíptico. "Crer" tem no Novo Testamento um uso duplo; um é limitado à ação do intelecto, como no caso dos "demônios que crêem e estremecem"; o outro abrange e controla as afeições do coração, como "com o coração se crê para a justiça". É a mais alta forma de "crença" que é universalmente reconhecida como pertencente a essa passagem. "Salvo, também, é usado no Novo Testamento, com uma aplicação dupla; com relação ao corpo, "dissipou-se, afinal, toda a esperança de salvamento"; quanto à alma, "Ele salvará o seu povo dos pecados deles". Além disso, é essa salvação que é aceita sem qualquer dúvida. Assim, "batizados" é usado num significado mais baixo e num mais alto; aplicado num caso ao corpo, como "eu vos batizo com água"; e no outro caso aplicado à alma, como "Ele vos batizará com o Espírito Santo". Por qual raciocínio justo, agora, podem o "crer" e o "salvo" ser tomados no seu sentido mais elevado, e "batizado", na mesma sentença e na mesma construção, ser entendido no seu sentido menos elevado? Objetamos a tal diversidade de interpretação como sem natureza e sem qualquer base justa. O único suprimento sustentável da elipse deve ser: "aquele que crer" (em Cristo com o coração), "e for batizado" (pelo Espírito Santo em Cristo), "será salvo" (pela redenção de Cristo). A construção permite e o caso requer que uma relação de dependência e de unidade subsista entre "crer" e "batizado". Há evidentemente algum *vínculo* de amarração nessas palavras e nas idéias que elas apresentam, juntamente. Middleton (Artigo grego, *in loco*) diz: "No [manuscrito] *Complutensiano*,

SOTERIOLOGIA

o segundo particípio tem o artigo, que materialmente alteraria o sentido. Isto implicaria que aquele que crê assim como o que é batizado, será salvo, enquanto a redação do manuscrito insiste no cumprimento de ambas as condições em cada indivíduo". Isto é verdade, mas não toda a verdade. Essa fé e esse batismo não devem somente não ser separados por serem atribuídos a diferentes pessoas, mas eles não devem ser separados por serem atribuídos a diferentes esferas, um à espiritual e outro à física; e por ser associados, em igual natureza espiritual, e satisfazer simultaneamente na mesma pessoa, a verdade total exige que eles sejam reconhecidos não como duas coisas distintas que existam harmoniosamente juntas, mas como possuidoras de uma com a outra numa relação íntima e essencial de causa e efeito, a saber, o batismo é uma conseqüência que provém da crença.[75]

O crer tem uma influência sobre a alma, através do poder de Deus, de acordo com a sua promessa no evangelho de trazer aquele que crê ao estado de salvação com todos os seus valores que são recebidos de Cristo. A nova relação, de estar em Cristo, é operada pelo batismo no Espírito Santo, e não poderia estar ausente no caso de qualquer verdadeira salvação. Por outro lado, todos os que foram salvos, o foram totalmente à parte do batismo ritual. A forma de linguagem que esse texto apresenta é comum na Bíblia, a saber, que da passagem do assunto principal para um dos aspectos pertencentes àquele assunto, como "e eis que ficarás mudo, e não falarás" (Lc 1.20). A palavra *mudo* é amplificada pelos termos *não falarás*. No texto em questão, a palavra *crer* é amplificada pelos termos *e for batizado*, e com referência ao batismo real, que é uma parte integral da salvação.

Atos 2.38. "Pedro então lhes respondeu: Arrependei-vos, e cada um seja batizado em nome de Jesus Cristo, para remissão de vossos pecados; e recebereis o dom do Espírito Santo".

A real impressão geral conseguida entre os estudiosos do Texto Sagrado é a de que a tradução dessa passagem é prejudicada pela tradução de duas preposições ἐπί e εἰς pelas palavras *em* e *por* em algumas versões. Que ἐπί é melhor traduzido como *para*, e εἰς é melhor traduzido como *em*, dificilmente poderá ser contestado. A isto deve ser incluída a exigência de alguns eruditos respeitáveis de que a palavra *crer* deveria ser acrescentada, o que daria a seguinte tradução: "Arrependei-vos e cada um seja batizado, [crendo] em nome de Jesus para a remissão de pecados". Esta passagem se harmoniza muito com todos os outros textos da Escritura que, do ponto de vista do intérprete, é imperativo (2 Pe 1.20); e a remissão de pecados – aqui equivalente à salvação pessoal – não se torna dependente do arrependimento ou do batismo.

O Dr. J. W. Dale convenceu-se que o que está mencionado aqui é o real batismo no Espírito Santo e o mesmo acontece no versículo 41. Ele propôs que os mesmos argumentos que desenvolveu para provar que Marcos 16.15, 16 se refere ao batismo real pelo Espírito, servem como evidência válida em Atos 2.38, 41. Ele sentiu um alívio particular de que não há necessidade, de acordo com essa interpretação, de defender a idéia de que 3.000 pessoas foram batizadas pelo batismo ritual, o que levaria mais de meio dia, e não haveria tempo para as preparações serem feitas, tanto para os candidatos quanto para os administradores. O Dr. Dale argumenta e considera que esse batismo foi real e que aquilo que inevitavelmente faz parte da salvação de cada alma e não segue depois como um simples testemunho, enfrenta dificuldade não insuperável. Ele assinala que a maior parte da interpretação dessa passagem é resgatada da interpretação errônea que exalta o batismo ritual, a ponto de ser tudo menos essencial para a salvação.

É significativo que o apóstolo Pedro siga essa exortação contida em Atos 2.38, com uma promessa a respeito da recepção do Espírito Santo. Na ênfase desproporcional que tem sido dada ao batismo ritual – sem dúvida, estimulada pela discordância sobre o modo de batismo – o grande empreendimento do Espírito no batismo real que condiciona a posição do crente perante Deus e gera o verdadeiro motivo para o caráter e o serviço cristão, tem sido esquecido, a ponto de muitos evidentemente não terem consciência de sua existência. Tal situação não é sem precedente. Em Éfeso, o apóstolo Paulo encontrou certos homens que colocavam a sua confiança no "batismo de João", que confessaram: "Nem sequer ouvimos que haja o Espírito Santo" (At 19.1-3). Em outras palavras, o estudante faria bem em observar que a verdade com respeito ao batismo com o Espírito Santo é em si mesma mais importante do que o batismo público, ensinado pelos mestres sectários, que o supõem aqui.

Conclusão

O exame das duas passagens acima, sobre as quais a idéia da regeneração batismal repousa, procurou demonstrar que o batismo ritual, conquanto administrado, não é uma condição que deve ser acrescentada ao crer, como um passo necessário à salvação.

IV. Crer e Render-se a Deus

Por causa de sua sutileza devida ao seu caráter pio, nenhuma intrusão confusa na doutrina de que a salvação é condicionada somente sobre a fé é mais eficaz do que a exigência acrescentada de que os não-salvos devem se dedicar a fazer a vontade de Deus em suas vidas diárias, assim como devem crer em Cristo. O desejo de uma dedicação a Deus por parte de cada crente é óbvio, e é tão enfatizado no Texto Sagrado que muitas pessoas sinceras que estão desatentas à doutrina são facilmente levadas a supor que esta mesma dedicação, que é *voluntária* no caso do crente, seja *imperativa* no caso dos não-salvos. Este aspecto desse tema geral pode ser abordado sob três considerações: (1) a incapacidade dos não-salvos; (2) o que está envolvido; e (3) a responsabilidade do pregador.

1. A INCAPACIDADE DOS NÃO-SALVOS. A noção arminiana de que, através da recepção da graça comum, qualquer pessoa se torna capaz de aceitar Cristo como

SOTERIOLOGIA

Salvador, se quiser fazê-lo, é uma suposição muito fraca, se comparada com a idéia de que a pessoa não-regenerada, sem qualquer graça comum ou incomum oferecida, seja capaz de dedicar sua vida a Deus. Muita coisa tem sido escrita nas páginas anteriores com respeito ao testemunho espantoso da Bíblia sobre a incapacidade total e a morte espiritual dos não-salvos. Eles se tornam calados diante da mensagem de que Cristo é o Salvador deles; e eles não podem aceitá-lo, a Palavra de Deus declara, a menos que sejam iluminados para esse fim pelo Espírito Santo. A fé salvadora não é uma propriedade de todos os homens, mas ela é comunicada especificamente aos que realmente crêem (Ef 2.8). Como tudo isto é verdade, segue-se que impor uma necessidade de render a vida a Deus, como uma condição acrescida para a salvação, é algo sem fundamento.

A chamada de Deus para os não-salvos nunca é dita ser para o senhorio de Cristo; ela é para a Sua graça salvadora. Com a recepção da natureza divina, através da obra regeneradora do Espírito, um novo entendimento e uma nova capacidade de responder à autoridade de Cristo são ganhos. Aqueles que observam estas questões de modos práticos estão cônscios de que a autodedicação impõe o limite da capacidade, mesmo do crente mais devoto. O erro de impor o senhorio de Cristo aos não-salvos é desastroso, ainda que eles não sejam inteligentemente capazes de ressentir-se ou de lembrar o pregador do fato de que ele, ao chamar as pessoas para dedicar as suas vidas, exige delas o que não têm capacidade de fazer.

Uma heresia destrutiva tem sido espalhada sob o nome de "O Movimento de Oxford", que se especializa nesse erro que se difunde, exceto que os promotores do movimento omitem totalmente a idéia de crer em Cristo para a salvação e promovem exclusivamente a obrigação das pessoas se renderem a Deus. Eles substituem a conversão pela consagração, a fé pela fidelidade, e a crença na vida eterna pela beleza da vida diária. Pode se ver facilmente o plano desse movimento, que é ignorar a necessidade da morte de Cristo como a base da regeneração e do perdão, e promover a infeliz heresia de que não importa se alguém crê a respeito da obra salvadora de Cristo, contanto que a vida diária dessa pessoa seja dedicada ao serviço de Deus. Uma pseudo autodedicação a Deus é um raro freio da religião com o qual os não-salvos podem se encantar. A tragédia é que, de tal engano, os que o abraçam nunca estão libertos para possuir uma verdadeira fé em Cristo como Salvador. Nenhum exemplo mais completo poderia ser encontrado hoje de um "cego guiando outro cego" do que esse que o referido movimento apresenta.

2. O Que Está Envolvido. A forma mais sutil e auto-satisfatória das obras meritórias, afinal de contas, é encontrada no aspecto atraente dessa prática de aplicar aos incrédulos o senhorio de Cristo. O que mais poderia Deus esperar do que aquilo que as criaturas, feituras de Sua mão, supostamente são capazes de obedecer-lhe? Em tal idealismo, a mente obscurecida dos não-salvos, sem dúvida, vê vagamente alguma possível vantagem em submeter suas vidas à orientação de um ser supremo – de quem eles nada conhecem. Tais noções são somente ajustes humanos com relação a Deus e de nenhum modo lembram os termos do ajustamento divino, que condena o homem e rejeita todos os supostos méritos dele, e então oferece uma salvação perfeita e eterna para o pecador debilitado, em termos que não vão além de crer em Cristo como seu Salvador.

Se a questão real da autodedicação a Deus é afirmada em sua forma legítima, mas extrema, a possibilidade de martírio é a primeira em evidência. Aquele que é fiel a Deus, é ordenado a ser fiel até à morte (Ap 2.10). Na verdade, esse desafio é glorioso para o crente devoto e milhões aceitaram esse desafio e sofreram a morte de um mártir; mas qualquer advogado zeloso da idéia de que o senhorio de Cristo deve ser aplicado aos não-salvos como uma condição de salvação, se atreveria a propor aos não-salvos que eles deveriam não somente crer em Cristo, mas também deveriam estar desejosos de padecer a morte de um mártir? O propósito de tal pergunta serve somente para demonstrar a falta de sabedoria e de consideração pela verdade revelada que este erro exibe.

A pessoa não-regenerada, por causa de sua condição de morte espiritual, não tem capacidade de desejar as coisas de Deus (1 Co 2.14), ou de antecipar qual a sua perspectiva de vida após ser salva. Portanto, é um erro de primeira grandeza desviar a frágil capacidade do não-salvo para exercitar a fé salvadora dada por Deus nas esferas desconhecidas e complexas da autodedicação, dedicação essa que é o maior problema do próprio cristão.

3. A Responsabilidade do Pregador. É responsabilidade do pregador não somente preservar sua mensagem aos não-salvos de ser distorcida por outras questões que não a simples fé em Cristo, mas, quando falar aos cristãos na presença dos não-salvos a respeito do caráter, conduta e serviço do cristão, ele deve declarar claramente que a verdade apresentada não tem aplicação para aqueles que não são salvos. Tal lembrete, se repetido freqüentemente, não somente livrará os indivíduos não-regenerados que estiverem presentes da suposição mortal de que Deus procura melhorar a maneira de vida deles, ao invés de realizar a salvação da alma deles, mas também criará na mente deles a impressão muitíssimo importante de que eles estão, à vista de Deus, completamente sem esperança e condenados à parte do Cristo como Salvador.

Deus somente pode tratar de tal situação onde uma enorme porcentagem de membros da igreja é composta de não-salvos, e que habitualmente são tratados como se fossem salvos e sem base alguma além de pertencerem àquela congregação. Na verdade, é surpreendente que qualquer pessoa não-salva jamais obtém qualquer impressão correta a respeito de sua real relação com Deus, quando lhe é permitido crer que está inclusa em todos os apelos que são feitos aos cristãos a respeito da vida diária deles. Se a importância de atenção a esta ampla diferença entre o salvo e o não-salvo não é apreciada e respeitada pelo pregador, a sua falta é quase imperdoável, visto que os resultados podem facilmente impedir a salvação de muitas almas. Exceto a própria sã doutrina, nenhuma obrigação mais importante está sobre o pregador além daquela de pregar o senhorio de Cristo aos cristãos exclusivamente, e a capacidade de salvação de Cristo para aqueles que ainda não são salvos.

Conclusão

A sugestão gerada neste tema é que na pregação do Evangelho toda referência à vida a ser vivida depois da regeneração deveria ser evitada tanto quanto possível. Atender a isto não é um engano ou uma suspensão da verdade daqueles a quem ela se aplica. É o simples ajustamento à limitação e condição real daqueles a quem o Evangelho é dirigido. Entre os não-salvos que, por causa da fraqueza e da incapacidade que eles observam em si mesmos, têm medo de não se "sustentar" como cristãos, é desejável lembrar-lhes que, numa nova relação com Cristo, que existirá quando eles o receberem, novas capacidades eles possuirão pelas quais poderão viver para a glória de Deus. Tal certeza oferecida está muito longe de ser a prática de introduzir obrigações que são exclusivamente cristãs em seu caráter e como alguma coisa a que eles devem consentir, a fim de serem salvos.

Multidões de pessoas não-salvas têm sido desviadas da questão da aceitação delas de Cristo como Salvador para outros questionamentos a respeito de diversões e outros modos de vida. Como uma pessoa não-salva não tem motivo algum ou luz espiritual pelo qual enfrenta tais problemas, essa pessoa pode somente ficar desnorteada por essas questões. O seu problema não é uma questão de desistir do seu estado de perdido, o que lhe parece normal; é um problema de receber o Salvador com a totalidade de Sua salvação.

V. Crer e Confessar o Pecado ou Fazer Restituição

Precisamos dedicar um tempo a este erro que prevalece entre certos grupos de pessoas zelosas. O texto da Escritura empregado pelos advogados deste erro é um que se aplica somente a cristãos. A passagem é a seguinte: "Se confessarmos os nossos pecados, ele é fiel e justo para nos perdoar os pecados e nos purificar de toda injustiça" (1 Jo 1.9). Esta declaração, como já foi visto, é dirigida aos crentes que pecaram e apresenta a base sobre a qual muita coisa pode ser restaurada à comunhão com Deus. A noção de que a restituição deve ser feita antes de alguém ser salvo é baseada numa teoria que desonra Deus de que a salvação é somente para boas pessoas, e de que o pecado deve desviar-se daquilo que é mau antes dele ser salvo. Em outras palavras, Deus não é propício ao pecado; Ele é propício somente àqueles que se prepararam a si mesmos para Sua presença e comunhão.

Em oposição a isto, a verdade ignorada é a de que a pessoa não-regenerada não pode melhorar a sua condição caída e, se pudesse, ela traria mérito a Deus, para quem o mérito é totalmente excluído, a fim de que a graça possa ser abundante e magnificada por toda a eternidade. O pregador sempre deve ficar atento para desencorajar a tendência do homem natural de mover-se em direção das linhas da reforma dele, ao invés de mover-se na linha da regeneração. Aqueles que são sérios na consideração de seu próprio estado de perdição são melhor ajudados pelo conjunto de verdades que declaram que Deus, através de

Cristo, deve salvar e salvará de todo o pecado; que Ele deve tratar e que tratará de fato com a natureza pecaminosa que faz o homem pecar; e que Ele deve resgatar e que resgatará os homens de seu estado debaixo do pecado.

Há vários caminhos pelos quais o homem natural propõe para ser salvo e, todavia, mantêm o seu merecimento e a sua suposta dignidade, e um desses percursos é a argumentação de que o pecado deve ser confessado e a restituição feita como uma exigência humana na salvação. É Deus que justifica o ímpio (Rm 4.5); enquanto os homens eram "inimigos, pecadores e sem força" foi que Cristo morreu por eles (Rm 5.6-10); e toda a indignidade deles é explicada por Cristo em sua morte. Há um dever pertencente somente aos cristãos – fazer as coisas certas depois de salvos – e não deveria haver negligência nessa responsabilidade. Portanto, permanece verdadeiro que os que são salvos, são salvos pela única condição de crer em Cristo.

VI. Crer e Implorar a Deus por Salvação

Dos erros que estão em consideração, nenhum parece mais razoável do que este, e nenhum deles aplica um sopro tão mortal no fundamento da graça divina como este. O erro inclui a alegação de que o pecador deve "buscar o Senhor", ou que ele deve suplicar a Deus, para que seja misericordioso. Estas duas concepções, embora idênticas, devem ser consideradas separadamente.

1. "BUSCAI O SENHOR." Esta frase, citada de Isaías 55.6, apresenta o convite de Jeová ao povo do pacto, Israel, que se desviou do lugar de suas bênçãos sob os pactos, a fim de que retornasse para Ele. Foi designado para que o povo "buscasse o Senhor enquanto ele pode ser achado" e que o "invocasse enquanto estivesse perto"; mas o evangelho da graça de Deus na era presente declara igualmente a judeus e gentios que "não há quem busque a Deus" (Rm 3.11), e que o "Filho do homem veio buscar e salvar o que se havia perdido" (Lc 19.10). Esta declaração de que nesta época não há quem busque ao Senhor, concorda com o testemunho do Novo Testamento com relação à incapacidade daqueles que estão perdidos, de se voltarem para Deus. À parte do novo nascimento, o não-salvo "não podem ver o reino de Deus" (Jo 3.3); as suas mentes estão cegadas por Satanás (2 Co 4.3, 4), e eles podem exercer a fé em relação a Deus somente quando estiverem capacitados para fazê-lo pelo Espírito Santo (Ef 2.8).

À luz destas revelações, há pouca base para a esperança de que os não-salvos haverão de buscar o Senhor, e, o que é muito mais essencial para o entendimento correto do caminho da salvação pela graça, os não-salvos não são ordenados a buscar o Senhor. Se isto é verdadeiro, os não-salvos nunca seriam colocados na posição dos que devem descobrir Deus ou prevalecer sobre Ele, para que seja gracioso.

2. CRER E ORAR. A questão que se levanta a esta altura é se Deus é propício. Se Ele é propício, não há uma oportunidade para os não-salvos tentar encontrá-lo, esperar até que Ele esteja disposto a estender a mão, ou a implorar que Ele salve.

SOTERIOLOGIA

Ele é propício num grau infinito e o problema que a mente humana confronta é o do ajustamento a essa revelação. O efeito transformador da verdade de que Deus é propício penetra cada fase da Soteriologia. Suas muitas bênçãos – todas impelidas pelo amor infinito – esperam, não que sejam imploradas, a fim de prevalecer o apelo que poderia mover Deus a ser gracioso; mas antes elas esperam a simples disposição da parte dos homens de *receberem* o que Ele já providenciou e está livre para conceder em seu Filho Salvador e através dele.

Devemos chamar a atenção para uma discussão anterior sobre o fato de que a salvação começa no coração de Deus e é exatamente o que o seu amor infinito exige e ordena. O escopo total e a extensão dela são o reflexo desse amor imensurável. Ela abarca tudo o que a infinidade pode produzir. O apelo do pecador é sério, na verdade, e os benefícios que ele recebe da graça salvadora não podem ser avaliados; mas todas essas coisas juntas são secundárias, comparadas com a satisfação que o grande amor de Deus exige. Como foi afirmado anteriormente, apenas dois obstáculos poderiam impedir a satisfação do amor divino – o pecado da criatura que Ele ama e a vontade dessa criatura. Como o criador de todas as coisas, esses mesmos obstáculos ocorrem no decreto divino, o qual ordenou que todas as coisas existissem.

Não obstante, como o Único que poderia fazê-lo, Deus removeu pelo sacrifício de seu Filho o obstáculo que o pecado impôs, e Ele, também, assegura a alegre cooperação da vontade humana. O efeito da morte de seu Filho é fazer Deus livre para agir por aqueles a quem Ele ama, e essa liberdade de amor para agir é propiciação. Portanto, deve ser afirmado novamente que Deus é propício. É o amor infinito que agora convida o pecador para as glórias eternas, e é o amor infinito que espera a resposta do pecador a esse convite.

Com esta revelação maravilhosa em vista, não há lugar para a idéia de que o pecador deve "buscar ao Senhor", ou que o pecador deva apelar para Deus, a fim de que Ele seja misericordioso e amável. Nenhum fardo de persuadir Deus, para que Ele seja bom, repousa sobre os não-salvos; o desafio do Evangelho é para os não-salvos crerem que Deus é bom. Visto que estas verdades são reveladas somente na Palavra de Deus, os não-salvos são ordenados a crer na Palavra de Deus, e as Escrituras têm uma grande parte no empreendimento divino de trazer os homens à salvação (Jo 3.5). Contudo, é comum para alguns que, com grande paixão de alma, tentam pregar o Evangelho, mas falham na apreensão da propiciação divina, a qual sugere que a salvação é assegurada pela súplica a Deus, e em muito o valor da mediação de Cristo em favor do pecador é anulado.

O exemplo da oração do publicano é usualmente citado como a melhor das razões para instar os não-salvos a suplicar a Deus por Sua misericórdia e salvação. Pergunta-se: O que poderia ser mais apropriado do que aquilo que os não-salvos orarem como fez o publicano: "Deus, sê propício a mim, pecador" (Lc 18.13)? O apelo por parte do publicano é suposto ser a norma para todos os pecadores, embora, na realidade, isso contradiz a real verdade do Evangelho da graça divina. O incidente deve ser examinado cuidadosamente. É essencial observar que o publicano – um judeu da ordem do Antigo Testamento e a oração no templo de acordo com as exigências de um judeu no templo – não usou a palavra *misericordioso* – termo esse que é devidamente associado com a idéia de amabilidade, bondade, tolerância e generosidade.

De acordo com o texto original, o publicano disse: "Sê propício a mim pecador". A palavra grega ἱλάσκομαι, que significa "fazer propiciação", aparece no texto. Há uma ampla diferença entre a palavra *misericordioso* com todas as suas implicações e a palavra *propiciação*. Pelo uso da palavra *misericordioso,* a impressão comunicada é a de que o publicano suplicava, para que Deus fosse magnânimo. Pelo uso da palavra *propiciação* – se devidamente compreendida – a impressão passada é a de que o publicano pediu a Deus para cobrir os seus pecados, de tal modo que dispusesse deles; todavia, ao mesmo tempo, ao fazer isso de tal modo, que protegesse a Sua própria santidade de cumplicidade com os pecados dele. Se o publicano fez como os judeus estavam acostumados a realizar no seu tempo, quando iam ao templo para orar, ele deve ter deixado um sacrifício no altar.

É provável que ele pudesse ver a fumaça daquele sacrifício subir ao tempo que ele orava. O que ele disse na oração foi estritamente próprio que um judeu de seu tempo diria sob aquelas circunstâncias. Entretanto, a sua oração seria inadequada no tocante a esse lado da cruz de Cristo. Com referência à palavra *misericordioso*, ela não esteve na oração do publicano nem seria uma palavra própria para um pecador penitente usar, em qualquer um dos lados da cruz. Deus não pode ser misericordioso ao pecado no sentido em que Ele o trata com suavidade, seja numa dispensação ou noutra. Mas com referência à palavra *propiciação* e suas implicações, essa palavra foi justificada no período antes de Cristo ter morrido e quando o pecado era coberto pelos sacrifícios que o pecador oferecia. Foi apropriado para o publicano ter oferecido o seu próprio sacrifício e pedir que o seu holocausto fosse aceito e ele fosse absolvido.

Contudo, deste lado da cruz, quando Cristo morreu e assegurou propiciação e ela está estabelecida perfeitamente e para sempre, nada poderia ser mais ultrajante do que a verdade inestimável sobre a qual o Evangelho repousa do que implorar a Deus, para que Ele seja propício. Tais orações podem ser ordenadas por ignorância, mas o erro é imensurável. Quando essa oração é feita, para que Deus seja propício, há uma direta suposição expressa de que Deus *não* é propício, e nesse âmbito o suplicante pede a Deus que Ele faça alguma coisa mais efetiva do que a que fez, ao dar o seu Filho como um sacrifício pelo pecado. Uma consideração mesmo momentânea revelaria o imensurável erro que é cometido, quando se pede a Deus que Ele seja propício, quando, no custo infinito da morte do seu Filho, Ele já é propício.

A verdade de que Deus é propício constitui-se no âmago do Evangelho da graça divina, e aquele que não reconhece isto e não vê impropriedade no uso da oração do publicano hoje, tem de compreender ainda qual é o primeiro princípio no plano da salvação, através de Cristo. Os homens não são salvos por pedir que Deus seja bom, ou misericordioso ou propício; eles são salvos quando crêem que Deus foi bom e misericordioso o suficiente para providenciar um Salvador propiciador. O pecador é salvo, não porque ele prevalece sobre Deus, a fim de o impedir de impingir julgamento que o homem merece pelo seu pecado, mas porque ele crê que o julgamento caiu sobre o seu Substituto. Se alguém pensa que tudo isso é apenas uma mera distinção teológica e que, afinal de contas, Deus é amor e o pecador será tratado em amor, deveria ser dada atenção ao fato de que foi o real propósito de providenciar uma base justa para salvação dos pecadores que o Filho de Deus se encarnou, morreu, e ressuscitou dos mortos. Sugerir que tudo isto – e que não há salvação à parte disto – é somente uma especulação teológica, e rejeitar o plano de salvação total realizado por Deus através de um Salvador e é presumir permanecer diante de Deus, que é fogo consumidor, sem abrigo, proteção ou segurança.

Ao terminar esta parte sobre os termos humanos que condicionam a salvação de uma alma, pode ser reafirmado:

A. Cada aspecto da salvação do homem, desde a eleição divina nas gerações passadas, e através de passos sucessivos – o sacrifício do Salvador, a iluminação do Espírito Santo, a obra salvadora imediata de Deus em suas múltiplas realizações, a obra mantenedora do Pai, Filho e Espírito Santo, a obra libertadora do Espírito, a obra capacitadora do Espírito, e o aperfeiçoamento final e a apresentação em glória – é tudo uma obra tão sobrenatural que Deus somente pode efetuá-la, e, portanto, a única relação que o homem pode manter com ela é confiar em Deus que a faz. Tal dependência não é somente razoável, mas é tudo e a única coisa que Deus requer do lado humano, para a salvação eterna de sua alma. Esta confiança humana reconhece que, de acordo com a revelação, Deus pode tratar com justeza com os pecadores com base na morte de seu Filho por eles. O pecador deve assim confiar na capacidade salvadora de Cristo.

B. Tem sido afirmado que o principal propósito divino em salvar uma alma é a satisfação do infinito amor divino por essa alma e o exercício do atributo da graça soberana. Se a mais desprezível obra meritória humana fosse permitida entremeter-se nesse grande empreendimento divino, o propósito da manifestação da graça divina seria simplesmente destruído. Portanto, segue-se que os homens são salvos necessariamente à parte de qualquer forma de dignidade humana.

C. Nas páginas anteriores, foi assinalado que o Novo Testamento declara diretamente e sem complicação nos 150 textos que os homens são salvos sobre o único princípio da fé; e, nesse contexto, foi demonstrado que isto não é uma matéria de crer e se arrepender, de crer e confessar Cristo, de crer e ser batizado, de crer e render-se a Deus, de crer e confessar o pecado, ou de crer e suplicar a Deus por salvação, mas de crer unicamente. Tal crença é à parte das obras (Rm 4.5), e é uma confiança de uma pessoa em Cristo (2 Tm 1.12), e é uma volta definitiva – um ato da vontade – a Deus da confiança que ela possuía em outras coisas (1 Ts 1.9). "Crê no Senhor Jesus Cristo, e serás salvo."

Epílogo

Muita coisa foi exigida e muita coisa foi empreendida nesta análise das particularidades que fazem parte da provisão, do plano e do propósito do Deus triúno, para a salvação dos homens caídos. A totalidade da Palavra de Deus faz a sua contribuição para este vasto tema; todavia, agradou a Deus colocar toda essa revelação divina num dito conciso a respeito da Soteriologia. Esse dito é a mensagem do texto mais familiar na Bíblia e é universalmente reconhecido como transcendente pelas pessoas de todas as nações e línguas onde a Palavra de Deus chegou. Tal avaliação universal de uma elocução bíblica se torna uma evidência decisiva de que esse texto satisfaz mais completa e perfeitamente o coração humano do que quaisquer outras necessidades e desejos dele.

Está escrito:

"Porque Deus amou o mundo de tal maneira que deu o seu Filho unigênito, para que todo aquele que nele crê não pereça, mas tenha a vida eterna".

Será observado que cada aspecto principal da Soteriologia está presente neste texto incomparável e que ele é propriamente colocado como um texto-prova em favor de cada uma dessas doutrinas.

(A) "Porque Deus amou o mundo." Imediatamente e com propriedade sublime toda empreitada de salvar homens está declarada que surgiu no amor de Deus. Na verdade, é o *cosmos* arruinado que ele ama; mas esta verdade somente realça o caráter imponente, mas gracioso, desse amor. Este não é um amor pelo grupo dos eleitos somente – como se o título, *cosmos*, pudesse ser aplicado ao grupo dos eleitos que são salvos dele e a quem o *cosmos* odeia (Jo 15.18) – mas é um amor pelo *cosmos* que *odeia*, que *está perdido*, e que *precisa* ser salvo (cf. 1 Tm 2.4; 2 Pe 3.9). Na verdade, o que seria da presente infelicidade e do desespero futuro de todos os homens, se não fosse a suprema revelação de que "Deus é amor"?

(B) "de tal maneira que deu o seu Filho unigênito." Nestas várias palavras podemos encontrar o "dom inefável" do Pai, o sacrifício imensurável do Filho, através do Espírito eterno, e o benefício ilimitado para o pecador. Resumida nessa frase está a história toda da morte substitutiva – com relação ao mérito e ao demérito – e todas as outras realizações do Salvador em seu sacrifício sobre a cruz. A frase abrange a Sua humilhação, humanidade, morte, ressurreição e Sua identificação eterna com a família humana; assim, também, essa frase fala de todos os benefícios que Ele se tornou para o mundo perdido e os redimidos.

(C) "Para que todo aquele que nele crê." Por esta declaração significativa, fica sugerido que nem todos crerão e que há um grupo de eleitos em vista. É igualmente afirmado que a salvação é através de Cristo somente, e que ela é assegurada, do lado humano, pela fé somente sem quaisquer obras meritórias.

(D) "Não pereça." O estado de perdição está implícito e não há importância alguma significativa a ser atribuída ao fato de que essa sugestão, com toda a sua segurança de aflição eterna, venha dos lábios do Filho de Deus, em cujas mãos está todo o julgamento futuro.

(E) "Mas tenha a vida eterna." Novamente, o caráter e a extensão eterna da salvação são revelados, e essa vida eterna, igual a cada aspecto da graça divina, é um dom de Deus.

SOTERIOLOGIA

Assim, fica revelado que neste texto incomparável estão inclusos ao menos nove das grandes doutrinas da Soteriologia, a saber: o amor infinito, o sacrifício infinito pelos pecadores, a eleição soberana, a graça soberana, a redenção ilimitada, a salvação como uma obra de Deus, a salvação da perdição, a segurança eterna, e a salvação pela graça através da fé somente.

Ó Cristo, que fardos pesam sobre Tua cabeça!
Nossa carga foi colocada sobre Ti;
Tu permaneceste no lugar do pecador,
Suportaste toda enfermidade por mim.
Uma Vítima conduzida, Teu sangue foi derramado;
Agora já não há fardo sobre mim.

A morte e a maldição eram o nosso cálice –
Ó Cristo, ele estava cheio para Ti;
Mas Tu o tens consumido até a última gota escura –
Ele está vazio agora para mim.
Esse cálice amargo – o amor o sorveu;
Agora os goles de bênção [são] para mim.

Jeová ergueu a Sua vara –
Ó Cristo, ela caiu sobre Ti!
Tua era a ferida feita por Teu Deus;
Não há nenhum golpe para mim.
Tuas lágrimas e Teu sangue verteram
Tua ferida me curou.

A terrível voz da tempestade foi ouvida –
Ó Cristo, ela caiu sobre Ti!
Teu peito aberto era a minha proteção,
Ele enfrentou a tempestade por mim.
Tua forma ficou marcada, Teu rosto desfigurado;
Agora [vem] uma paz transparente para mim.

Jeová levantou a sua espada –
Ó Cristo, ela veio contra Ti!
Teu sangue deve atenuar a lâmina flamejante;
Teu coração deve ser a bainha dela –
Tudo por minha causa, para operar a minha paz;
Agora essa espada descansa com relação a mim.

Para mim, Senhor Jesus, Tu morreste,
E eu morri em Ti;
Tu ressuscitaste: minhas ataduras estão soltas,
E agora Tu vives em mim.
Quando [eu for] purificado, alvejado, e provado,
Tua glória, então, [será] para mim!

TEOLOGIA SISTEMÁTICA
Lewis Sperry Chafer

Volume 4

Eclesiologia - Escatologia

Lewis Sperry Chafer
D.D., Litt.D., Th.D.
Ex-presidente e professor de Teologia Sistemática no
Seminário Teológico em Dallas

ECLESIOLOGIA

ECLESIOLOGIA

Capítulo I

Introdução à Eclesiologia

ESTA SEXTA PRINCIPAL divisão da Teologia Sistemática contempla a doutrina do Novo Testamento sobre a Igreja. Por causa da intrusão permitida de transigências com o mundo pagão e com o senhorio do eclesiasticismo que vieram no terceiro e quarto séculos, as coisas que haviam continuado em algum grau até a hora presente, esta extensa introdução que ensaia esclarecer um número de distinções é necessária. Nesta palavra preliminar, faremos referência apenas a alguns aspectos, parcialmente, para depois fazermos uma consideração mais completa na tese principal da Eclesiologia.

Duas revelações separadas, diferentes e inconfundíveis, foram dadas pelo apóstolo Paulo, a saber:

(1) Que, através da morte e ressurreição de Cristo, uma salvação perfeita e eterna para o estado celestial é proporcionada e oferecida tanto a judeus quanto a gentios, e sob a única condição da fé salvadora no Senhor Jesus Cristo. Sobre essa revelação, o apóstolo escreve: "Mas faço-vos saber, irmãos, que o evangelho que por mim foi anunciado não é segundo os homens; porque não o recebi de homem algum, nem me foi ensinado; mas o recebi por revelação de Jesus Cristo" (Gl 1.11, 12). A importância deste Evangelho revelado é refletida nas advertências a respeito do juízo que deve vir sobre aqueles que afirmam erroneamente a Palavra de Deus. Tais advertências deveriam ocasionar consternação nas mentes de todos os que se aventuram como pregadores do Evangelho.

Está escrito: "Mas, ainda que nós mesmos ou um anjo do céu vos pregasse outro evangelho além do que já vos pregamos, seja anátema. Como antes temos dito, assim agora novamente o digo: Se alguém vos pregar outro evangelho além do que já recebestes, seja anátema" (Gl 1.8, 9). O caráter singular e incomparável do Evangelho está diretamente declarado pelo apóstolo Paulo, quando ele diz por inspiração que é uma revelação específica, e está sugerido nas advertências que exigem a preservação de sua pureza por aqueles que o proclamam. Esse Evangelho da graça divina foi perdido de vista durante os séculos de trevas nos quais a corrupção de Roma foi irrestrita. Foi dada a Martinho, com seus companheiros, a tarefa de restaurar os principais aspectos desse Evangelho e esses aspectos têm sido as grandes possessões dos protestantes, desde os dias da Reforma.

(2) Como uma segunda revelação tão definitiva quanto sobrenatural foi dada ao apóstolo Paulo e essa revelação diz respeito ao propósito divino na presente época. Esta é a substância da Eclesiologia. Ele escreve: "Por esta razão eu, Paulo, o prisioneiro de Cristo Jesus por amor de vós gentios... Se é que tendes ouvido a dispensação da graça de Deus, que para convosco me foi dada; como pela revelação me foi manifestado o mistério, conforme acima em poucas palavras vos escrevi, pelo que, quando ledes, podeis perceber a minha compreensão do mistério de Cristo, o qual em outras gerações não foi manifestado aos filhos dos homens, como se revelou agora no Espírito aos seus santos apóstolos e profetas, a saber, que os gentios são co-herdeiros e membros do mesmo corpo e co-participantes da promessa em Cristo Jesus por meio do evangelho" (Ef 3.1-6).

Sobre esta passagem, o Dr. C. I. Scofield publica a seguinte observação: "Que os gentios estavam para ser *salvos*, não era um mistério (Rm 9.24-33; 10.19-21). O mistério "escondido em Deus" era o propósito divino de fazer dos judeus e gentios uma coisa totalmente nova – 'a igreja, que é o seu [de Cristo] corpo', formada pelo batismo com o Espírito Santo (1 Co 12.12, 13) e na qual a distinção terrena entre judeus e gentios desaparece (Ef 2.14, 15; Cl 3.10, 11). A revelação deste mistério, que foi predita mas não explicada por Cristo (Mt 16.18), foi atribuída a Paulo. Em seus escritos, somente encontramos a doutrina, posição, o andamento e o destino da Igreja".[76]

Um conceito escriturístico da verdade a respeito da Igreja exige o pano de fundo de um entendimento exato das distinções importantes a respeito das criaturas de Deus, a respeito dos tempos e das estações de Deus, assim como um entendimento correto do caráter exato da Igreja em si.

I. As Criaturas de Deus Vistas Dispensacionalmente

A Bíblia é o único livro de Deus. Nele, Ele revela fatos da eternidade, assim como do tempo; do céu e do inferno, assim como da terra; de Si mesmo, assim como de suas criaturas e de seus propósitos em toda a criação. O leitor das Escrituras deveria estar preparado para perceber a revelação que, às vezes, trata de outros seres e do destino deles à parte totalmente de si mesmo. A Bíblia apresenta a origem, o estado presente, e o destino de quatro principais classes de seres racionais no universo, a saber, os anjos, os gentios, os judeus, e os cristãos. Nada poderia ser mais adequado à verdadeira interpretação bíblica do que a observância desse fato, de que essas divisões de seres racionais continuam a ser o que elas sempre foram através de toda a história. O programa divino revelado para cada um desses grupos será aqui analisado de forma breve.

1. Os Anjos. Os anjos são seres criados (Sl 148.2-5; Cl 1.16); a morada deles é no céu (Mt 24.36); a atividade deles é tanto na terra quanto no céu (Sl 103.20; Lc 15.10; Hb 1.14); e o destino deles é na cidade celestial (Hb 12.22; Ap 21.12). Eles permanecem anjos por toda a sua existência. Eles não se propagam nem morrem. Não há razão para confundir os anjos com quaisquer outras criaturas no universo de Deus. Ainda que alguns tenham caído, como é o caso de Satanás e seus seguidores, eles são ainda classificados como anjos (Mt 25.41).

2. Os Gentios. Com respeito à sua linhagem racial, os gentios tiveram a sua origem em Adão e este é o cabeça federal deles. Eles participaram da queda, e, embora sejam os sujeitos da profecia que prediz que ainda compartilharão, como um povo subordinado, com Israel na vinda do reino de glória (Is 2.4; 60.3, 5, 12; 62.2; At 15.17), eles, com respeito ao seu estado no período de Adão a Cristo, estão debaixo de uma acusação quíntupla, a saber: "...estáveis sem Cristo, separados da comunidade de Israel, estranhos aos pactos da promessa, não tendo esperança, e sem Deus no mundo" (Ef 2.12). Com a morte, ressurreição e ascensão de Cristo, e com a descida do Espírito Santo, a porta do privilégio do Evangelho foi aberta aos gentios (At 10.45; 11.17, 18; 13.47, 48), e deles Deus chama um grupo de eleitos (At 15.14).

As bênçãos que lhes foram oferecidas nessa época não consistem na permissão deles compartilharem com Israel dos pactos terrestres, que mesmo Israel não desfruta agora; mas antes, através das riquezas da graça em Cristo Jesus, eles têm o privilégio de serem participantes da cidadania celestial e da glória. Está revelado que a maioria dos gentios nessa época não entrará pela fé nessas riquezas celestiais. Portanto, esse povo, designado como "as nações", continua até o final da administração dos governadores terrenos, que é o término do "tempo dos gentios" (Lc 21.24; cf. Dn 2.36-44), e os daquela geração, no final da Grande Tribulação (cf. Mt 24.8-31 com 25.31-46), serão chamados para comparecer perante o Messias e Rei, sentado no trono de sua glória (Mt 25.31, 32), aqui na terra.

Naquele tempo, alguns, que são encontrados à esquerda e designados como "os bodes", serão lançados no "fogo eterno, preparado para o diabo e seus anjos"; mas aqueles que forem encontrados à sua direita, que são designados como "ovelhas", serão introduzidos "no reino" preparado desde a fundação do mundo (Mt 25.31-46). A base deste julgamento e a disposição de cada um desses grupos, que juntamente representam a soma total daquela geração de nações gentílicas, será meritório no grau mais elevado. As "ovelhas" entram no reino e os "bodes" no lago de fogo e tudo isso em relação ao tratamento deles a um terceiro grupo que Ele chama de "meus irmãos". Este contexto não defende a interpretação de que essa é uma descrição de um julgamento final, quando todos os salvos de todas as gerações são introduzidos no céu; pois os salvos, cada um e todos eles, quando partirem deste mundo, estarão imediatamente na presença do Senhor no céu (At 7.55, 56; 2 Co 5.8; Fp 1.23); e quem, de acordo com tal interpretação, corresponderia a "meus irmãos"?

A cena é a do término da Grande Tribulação (Mt 24.21), após a remoção da Igreja da terra, e num tempo quando as nações estarão divididas sobre a questão semítica. A questão é sobre quais nações serão escolhidas para entrar no reino messiânico de Israel aqui na terra. O destino dos gentios é revelado depois, quando é declarado a respeito da cidade que, após a criação do novo céu e da nova terra, desce dos céus, da parte de Deus (Ap 3.12; 21.2, 10), e as nações "andarão à sua luz; e os reis da terra trarão para ela a sua glória... e a ela trarão a sua glória e a honra das nações" (Ap 21.24-26). A expressão "as nações deles que são salvas"[77] não pode se referir à Igreja, porque o destino dela não é terreno, nem mesmo é a Igreja chamada "as nações", nem ela inclui os reis da terra em seu rol. Nesse mesmo contexto, a própria cidade é dita ser "a noiva, a esposa do Cordeiro", que é a Igreja (Ap 21.2, 9, 10).

Assim, está revelado que – a despeito do fato da dispensação do governo mundial ser entregue a eles, e que nessa época o Evangelho lhes será pregado com as suas ofertas de glória celestial, que na era vindoura eles compartilharão as bênçãos do reino com Israel, e que eles aparecem nas épocas futuras – eles permanecem gentios, em contraste à nação de Israel, até o fim dos acontecimentos; e não há base defensável para desviar ou aplicar erroneamente esse grande conjunto de textos aos gentios.

3. Os Judeus. Não importa a que nacionalidade Abraão tenha pertencido, antes de ser chamado por Deus; o fato é que Deus o separou e através dele assegurou uma raça tão distinta em sua individualidade, que desde o tempo do Êxodo até o fim do registro da história deles são tidos como antípoda de todas as outras nações combinadas. Quaisquer que tenham sido as características distintivas físicas de Abraão, é certo que as suas características espirituais estavam muito distantes daquelas dos idólatras pagãos dos quais ele procedeu, e a raça que se proliferou dele através de Isaque e Jacó foi sempre singular, tanto com respeito aos valores espirituais quanto na aparência física.

Observando os primeiros onze capítulos de Gênesis, onde a primeira terça-parte da história humana está registrada e que diz respeito ao período quando houve apenas uma divisão na raça humana sobre a terra, o registro entra na segunda terça-parte da história humana, período esse que se estende desde Abraão até Cristo. Numa edição usual da Bíblia, que totaliza, em média, 1.351 páginas, 1.132 delas tratam quase que exclusivamente desse segundo período, e dizem respeito à semente física de Abraão através de Isaque e Jacó. Durante esse extenso período, há duas divisões na raça humana sobre a terra, mas o gentio é, então, considerado somente à luz de sua relação com Israel. Israel é separada como uma nação eleita. Os favores divinos específicos para ela são enumerados da seguinte forma: "Os quais são israelitas, de quem é a adoção, e a glória, e os pactos, e a promulgação da lei, e o culto, e as promessas; de quem são os patriarcas; e de quem descende o Cristo segundo a carne, o qual é sobre todas as coisas, Deus bendito eternamente. Amém" (Rm 9.4, 5).

Dos pactos que Jeová fez com Israel, cinco aspectos eternos são dominantes: A entidade nacional (Jr 31.36); uma terra em perpetuidade (Gn 13.15); um trono (2 Sm 7.16; Sl 89.36); um rei (Jr 33.21); e um reino (Dn 7.14). Embora

Jeová reserve para si o direito de castigar até à possibilidade de destruir o seu povo através de todas as nações, a terra deles pisada pelos gentios e o trono vago por determinado tempo, todavia, os propósitos eternos de Deus não podem falhar. Esse povo deve ser reunido e a terra deve ser possuída para sempre (Dt 30.1-6; Jr 23.5-8;; Ez 37.21-25). O reto Rei deles, o Filho de Davi, ocupará o trono davídico *para sempre* (Sl 89.34-37; Is 9.6, 7; Jr 33. 17; Lc 1.31-33; Ap 11.15). Cada uma das duas passagens importantes sobre o nascimento virginal de Cristo – uma no Antigo Testamento (Is 7.14; cf. Is 9.6, 7) e uma no Novo Testamento (Lc 1.31-33) – registra a predição, em adição ao nascimento virginal, que Cristo ocupará o trono davídico para sempre.

De acordo com muitas profecias, o Messias predito viria como um leão irresistível e como um cordeiro sacrificial. Pedro testifica da perplexidade dos profetas a respeito desse aparente paradoxo (1 Pe 1.10, 11). Isaías mistura os eventos conectados com os dois adventos em uma grande e abrangente expectativa (Is 61.1-5); e mesmo ao anjo Gabriel não foi permitido revelar o fato dos dois eventos separados pela época presente, mas refere-se aos eventos de ambos adventos como se eles pertencessem a um programa sem interrupção (Lc 1.31-33). Contudo, para Davi foram dadas duas revelações importantes, a saber: (a) que o Filho eterno de Deus morreria uma morte sacrificial (Sl 22.1-21; 69.20, 21); e (b) que Ele ocuparia o trono de Davi para sempre (2 Sm 7.16-29; Sl 89.34-37).

Davi raciocinou que se o Filho de Deus estava para ocupar o trono para sempre, Ele deveria primeiro morrer e ressuscitar dos mortos e, assim, fosse livre, a fim de reinar para sempre. Esta conclusão da parte de Davi foi um dos aspectos mais vitais do sermão de Pedro em Pentecostes (At 2.25-36), no qual ele prova que o Senhor Jesus é, a despeito de sua morte, o Messias eterno para Israel. Assim, foi revelado que o Filho de Davi primeiro morreria e, então, ressuscitaria, para que a promessa davídica de um ocupante eterno do trono de Davi pudesse ser cumprida. Contudo, foi tão claramente predito que Cristo no seu primeiro advento ofereceria a si mesmo a Israel como o seu Rei, não no papel de um monarca conquistador irresistível, como ainda Ele se manifestará (Ap 19.15, 16), mas "manso" e "humilde" (Zc 9.9; cf. Mt 21.5).

Todavia, a despeito da predição de que Cristo faria uma oferta de si mesmo a Israel como seu Rei, vindo com "aparência mansa", os antidispensacionalistas se referem à crença dos dispensacionalistas – de que Cristo ofereceu o reino a Israel e que o reino foi rejeitado e posposto – como uma teoria caracterizada por complexidades e impossível de realizar-se. Eles afirmam que essa teoria minimiza seriamente o valor e a centralidade da cruz na revelação bíblica. Esses homens são calvinistas; todavia, eles estão perturbados pelo aparente conflito entre a soberania divina e a vontade humana. Se a base da objeção deles à teoria da posposição permanece, então não há segurança de que haveria uma nação judaica até Abraão fazer a sua decisão de obedecer a Deus; não havia certeza de que Cristo nasceria, até Maria dar o seu consentimento; não havia certeza de que Cristo morreria sob Pôncio Pilatos.

À luz de dois fatos determinantes, a saber, que o Cordeiro de Jeová era o propósito redentor morto desde antes da fundação do mundo e que se Adão *não* tivesse pecado, não poderia ter havido necessidade de um redentor, por que Jeová disse para Adão *não* pecar? E o que teria acontecido ao propósito redentor, se Adão tivesse obedecido a Deus? Estas objeções da chamada teoria da posposição não levam em consideração o fato do texto divinamente determinado e a posposição necessária, resultante da falha sob teste, a falha que em si mesma foi antecipada. Estes são evidentemente problemas sérios para alguns calvinistas enfrentarem. Se é alegado que o nascimento e a morte de Cristo foram preditos e, portanto, tornados certos, é igualmente verdadeiro que a oferta de um reino messiânico terreno a Israel por seu Messias nos dias de seu "aparecimento manso" foi também tornada certa por *predição*.

Foi igualmente tornado certo por predição que Cristo seria crucificado; que foi a rejeição oficial de Israel de seu Rei (Sl 118.22.24; cf. 1 Pe 2.6-8; Mt 21.42-45; Lc 19.14, 27; At 4.10-12); que haveria a ressurreição dos mortos (Sl 16.8-10); e por último, Ele se sentaria no trono terreno de Davi e reinaria sobre a casa de Jacó para sempre (Is 9.6, 7; Mt 2.6; Lc 1.31-33). O profeta declarou de Cristo, que Ele seria "desprezado e rejeitado pelos homens", e João afirma que "ele veio para os seus [Israel], mas os seus não o receberam" (Jo 1.11). A verdade apresentada nesta última passagem é de importância suprema. A "rejeição" da parte da nação de Israel não foi a rejeição pessoal do Salvador crucificado e ressuscitado, pois dessa forma Ele continua a ser rejeitado hoje, quando o Evangelho é pregado. Foi uma nação a quem o Messias Rei foi prometido, que rejeitou o seu Rei. Eles não disseram: "Nós não rejeitamos esse Salvador para salvar as nossas almas", mas o que eles disseram foi: "Não queremos que este homem reine sobre nós". Esta distinção é importante visto que ela determina o caráter exato do pecado deles.

Dois anos após a saída deles do Egito, Deus ofereceu a Israel uma entrada na terra deles, em Cades-Barnéia. Eles rejeitaram a oferta. Deus sabia que a rejeitariam; todavia, foi uma oferta de boa-fé que Deus lhes fez. Foi resultado do conselho divino que eles vieram a rejeitar, porque se tornaram culpados daquele pecado específico e, como punição, peregrinariam mais 38 anos na experiência do deserto. Após isso, eles foram levados à terra pela mão soberana de Deus, sem levar em conta os desejos deles. Visto que Ele havia operado nos corações deles para realizar o Seu beneplácito, eles entoaram cânticos de regozijo. Essa história é alegórica, se não típica. Os dois anos de experiência no deserto que precederam a oferta em Cades-Barnéia são tipos dos 400 anos que Israel estava sem o reino deles quando Cristo veio.

A rejeição da oferta divina em Cades-Barnéia é típica da rejeição de Cristo. Uma possível entrada na Terra Prometida era uma oferta de boa-fé a Israel, feita por Jeová no pleno conhecimento de que eles a rejeitariam, e a despeito do fato de que o Seu propósito eterno requeria a rejeição da oferta da parte deles, eles peregrinaram mais 38 anos sob prova. Tivesse a salvação do mundo dependido dos anos acrescidos de provação após Cades-Barnéia, os calvinistas hesitantes recuariam na admissão de que a oferta de Cades-Barnéia tenha sido feita, ou, se feita, que tenha sido genuína. Tudo seria estigmatizado como uma teoria caracterizada por complexidade e impossibilidade. Os 38 anos acrescidos são típicos da presente condição de Israel; todavia, privada de sua terra e das bênçãos de seus pactos.

A entrada de Israel na terra pelo poder soberano, é típica da restauração final dessa nação à sua herança que Jeová tratou com eles como uma possessão eterna (Gn 13.14-17). Que Israel ainda será reunido em sua própria terra, é o propósito de cerca de vinte predições do Antigo Testamento, a partir de Deuteronômio 30.3. A morte de Cristo não é incidental, acidental, nem fortuita. Ela é a verdade central da Bíblia e o fato central do universo. Estava também no propósito de Deus que a morte de Cristo devesse ser cumprida por Israel como o ato de rejeição do seu próprio Rei. É também verdade que eles não rejeitaram nem poderiam rejeitar o que primeiro não lhes foi oferecido. Na presente dispensação, que era imprevista – que está ligada por dois adventos de Cristo e propriamente chamada inserida, no sentido em que não foi prevista no programa divino para os judeus, como está refletido nas profecias a respeito deles, e não está explicada no programa gentílico das monarquias sucessivas simbolizadas pela imagem grandiosa do sonho de Nabucodonosor – os judeus que, como os gentios individuais, têm as suas bocas fechadas para a mensagem do Evangelho da graça salvadora através da fé em Cristo.

A vantagem duradoura dos judeus por causa da eleição divina é, por uma época, colocada de lado e o apóstolo declara: "não há diferença". Eles estão como indivíduos, igualmente "debaixo do pecado" (Rm 3.9), e como indivíduos igualmente, estão sob Deus que é rico em misericórdia para com todos os que o invocam (Rm 10.12). Esta é uma nova mensagem aos gentios e igualmente nova para os judeus. O favor divino oferecido aos gentios não consiste em ofertar-lhes um compartilhamento nas bênçãos nacionais de Israel, nem Ele proporciona um caminho pelo qual o judeu pode perceber os aspectos específicos de seus pactos nacionais. Embora a presente salvação seja para o reino de Deus (Jo 3.3), nenhum reino terreno é agora oferecido a qualquer povo. Colossenses 1.13 não é exceção. A rainha atual da Inglaterra tivesse se casado com um homem de outra nação, ela o traria para o seu reino, não como um súdito, mas como um esposo.

O presente propósito divino é a chamada de ambos, judeus e gentios, para formar os que compõem a Noiva de Cristo, que são, portanto, os que vão partilhar de sua posição perante Ele, estando nele, para serem iguais a Ele, e para reinar com Ele sobre a terra (Ap 20.4, 6; 22.5). Para a nação de Israel, Cristo é Messias, Emanuel e Rei; para a Igreja, Ele é o Cabeça, o Noivo e o Senhor, e esta é última designativa de sua autoridade soberana sobre a Igreja. Essas afirmações, reconhecidamente dogmáticas, são facilmente verificadas.

No fim dessa dispensação, Israel deverá passar pela Grande Tribulação, que é especialmente caracterizada como "o tempo das angústias de Jacó" (Jr 30.4-7; Dn 12.1; Mt 24.21); e, antes de entrar no seu reino, Israel deve comparecer perante o seu Rei em juízo. Desse evento, Ezequiel escreve: "E vos tirarei dentre os povos, e vos congregarei dos países nos quais fostes espalhados... também vos farei passar debaixo da vara, e vos farei entrar no vínculo do pacto; e separarei dentre vós os rebeldes, e os que transgridem contra mim" (Ez 20.34-38). O contexto todo deveria ser considerado (caps. 33 – 34; cf. Sl 50.1-7; Is 1.24-26; Ml 3.2-5; 4.1, 2). Os julgamentos de Israel são igualmente descritos por Cristo em Mateus 24.15–25.30. Que este texto se refere a Israel, é certo, do fato de que a Igreja não entra em juízo (Jo 3.18; 5.24; Rm 8.1, 38, 39), e que a descrição do julgamento das nações não começa, senão no versículo 31.

Portanto, segue-se que os julgamentos de Israel estão em foco nessa passagem em questão. A tribulação incomparável termina com o retorno glorioso de Cristo à terra (Sl 2.1-9; Is 63.1-6; Mt 24.27-31; 2 Ts 2.3-12; Ap 19.11-21); aos julgamentos de Israel, de acordo com o contexto de Mateus 24.30–25.30, segue-se a aparição gloriosa de Cristo; e o julgamento das nações ocorre, quando Ele se assenta no trono da sua glória (Mt 25.31, 32).

O Dia de Jeová, o extenso período que ocupa uma parte muito grande da profecia do Antigo Testamento, começa com os julgamentos que Deus faz na terra, acima mencionados, e continua no retorno de Cristo à terra e em toda a glória milenária para Israel e os gentios. Zacarias 14.1-21 prediz o começo daquele longo período, enquanto que 2 Pedro 3.4-15 (observe, neste contexto, que ele declara "um dia é como mil anos e mil anos como um dia") e Apocalipse 20.7-15 descrevem o fim daquele período. Todo aquele extenso "dia" é caracterizado pela presença de Cristo, que reina sobre a terra com sua Noiva, por Satanás estar preso no abismo, e pela percepção em parte de Israel de toda a glória e bem-aventurança prometida conforme os pactos de Jeová com eles.

Mais espaço do que esta introdução seria exigido mesmo para citar as profecias que tratam deste tema (cf. Sl 45.8-17; 72.1-20; Is 11.1–12.6; 54.1–55.13; 60.1–66.24; Jr 23.5-8; 31.1-40; 33.1-26; Ez 34.11-31; 36.16-38; 37.1-14; 40.1–48.35; Dn 2.44, 45; 7.13, 14; Zc 14.1-21; Ml 4.1-6). Estas promessas são todas a respeito da glória terrestre e dizem respeito à terra que Jeová deu como uma possessão eterna ao seu povo eleito, Israel, a quem ele disse: "Com amor eterno te amei" (Jr 31.3). Na verdade, pouca consideração tem sido dada à confusão ou às inconsistências que surgem quando, sob um método espiritualizante de interpretação, essas bênçãos, que são dirigidas à nação eleita e relacionadas à terra deles e ao Rei, são aplicadas ao povo celestial eleito chamado de todas as nações a quem nenhuma terra jamais foi dada, e que não estão agora ou em qualquer tempo futuro como súditos do Rei.

Não há razão erudita para aplicar os textos que relacionam o passado, o presente ou o futuro de Israel com qualquer outro povo além dessa nação de quem as Escrituras falam. A real unidade da Bíblia é preservada somente por aqueles que observam com cuidado o programa divino para os gentios, os judeus e os cristãos, em sua continuidade individual e imutável.

4. Os Cristãos. A terceira e a atual terça-parte da história humana, que se estende desde o primeiro advento de Cristo até o tempo presente, é caracterizada por três classes muito diferentes de pessoas que vivem juntas na terra. Na dispensação anterior, todo o propósito divino estava centrado nos judeus, e os gentios estiveram em evidência somente quando se encontravam relacionados com os judeus, assim, nessa dispensação o propósito divino centra-se num novo grupo que está presente, e os judeus e gentios são vistos somente como aqueles a quem o Evangelho deve ser pregado igualmente e de quem esse novo grupo de eleitos é chamado por um nascimento espiritual de cada indivíduo que crê para a salvação de sua alma. Os textos dirigidos especificamente a esse grupo são: O evangelho de João, especialmente o discurso do Cenáculo; Atos e as Epístolas.

Os evangelhos sinóticos, embora na superfície apresentem uma narrativa simples, são, não obstante, um estudo cuidadoso e judicioso da parte do verdadeiro expositor. Nestes evangelhos, Cristo é visto como leal à lei vindicadora da legislação mosaica sob a qual Ele vivia; Ele também antecipa a dispensação do reino em conexão com a oferta de Si mesmo como Rei de Israel; e, quando a sua rejeição é indicada, Ele anuncia sua morte e ressurreição e a expectativa a respeito de um povo celestial (Mt 16.18), por quem Ele se deu em amor de redenção (Ef 5.25-27). Um grande grupo de textos declara direta ou indiretamente que a presente dispensação não foi prevista e que foi inserida em seu caráter, e nela a nova humanidade aparece na terra com um novo senhorio incomparável no Cristo ressurrecto, grupo esse que é formado pelo poder regenerador do Espírito.

Está igualmente revelado que agora não há "nenhuma diferença" entre judeus e gentios de modo geral, seja com respeito à necessidade que eles têm de salvação (Rm 3.9) ou à mensagem específica a lhes ser pregada (Rm 10.12). É visto também que esse novo corpo, onde os judeus e gentios são unidos pela comum salvação, o muro de separação – que por muito tempo evidenciou a inimizade entre judeu e gentio – foi derrubado por Cristo na cruz, e estabeleceu assim a paz (Ef 2.14-18). Na verdade, todas as distinções anteriores estão perdidas, e aqueles que assim salvos, estão sobre uma nova base onde não há judeu nem gentio, mas onde Cristo é tudo, e está em todos (Gl 3.28; Cl 3.11). O Novo Testamento também registra que o cristão individual, por ser habitado por Cristo, agora possui vida eterna e sua esperança de glória (Cl 1.27), e, por estar em Cristo, é enriquecido com a sua perfeita posição em Cristo, visto que tudo o que Cristo é – mesmo a justiça de Deus – lhe é imputado.

O cristão já é assim constituído um cidadão celestial (Fp 3.20) e, por ter ressuscitado com Cristo (Cl 3.1-3), e assentado com Cristo (Ef 2.6), pertence a outra esfera; de modo definitivo, na verdade, Cristo pode dizer do cristão: "...vós não sois do mundo como eu deste mundo não sou" (João 17.14, 16; cf. 15.18, 19). Deve ser igualmente observado que, visto que esse nascimento espiritual e a posição celestial em Cristo são sobrenaturais, eles são necessariamente operados por Deus somente, e que a cooperação humana está excluída, por ser a única responsabilidade imposta sobre os homens de fé que confiam naquele Único que é capaz de salvar. A esse povo celestial, que é parte da nova criação de Deus (2 Co 5.17; Gl 6.15), está entregue, não em qualquer sentido corporativo, mas somente como indivíduos, uma responsabilidade dupla, a

ECLESIOLOGIA

saber: (a) adornar pela vida parecida com Cristo a doutrina que eles apresentam pela verdadeira natureza da sua salvação; e (b) ser testemunha de Cristo nas partes mais longínquas da terra.

É semelhantemente crido que os textos que se dirigem ao cristão em seu andar e serviço santos são adaptados ao fato de que ele não luta para assegurar uma posição com Deus, mas que já está aceito no Amado (Ef 1.6), e que já alcançou todas as bênçãos espirituais (Ef 1.3; Cl 2.10). Fica evidente que nenhum recurso humano poderia capacitar qualquer pessoa ao cumprimento dessas responsabilidades altamente celestiais e que Deus, ao prever a incapacidade do crente de andar dignamente da vocação em que foi chamado, já concedeu livremente o Espírito capacitador para morar em todo aquele que está salvo. Desse mesmo grupo celestial está declarado que eles, quando o número de eleitos dele se tornar completo, serão removidos desta terra. Os corpos daqueles que morreram serão ressuscitados e os santos vivos serão transformados (1 Co 15.20-57; 1 Ts 4.13-17).

Na glória, os indivíduos que compõem esse grupo serão julgados com relação às suas recompensas pelo serviço prestado (1 Co 3.9-15; 9.18-27; 2 Co 5.10, 11), se casarão com Cristo (Ap 19.7-9), e, então, retornarão *com* Ele para compartilhar como Sua esposa em Seu reino (Lc 12.35, 36; cf. Jd 14, 15; Ap 19.11-16). Esse povo da nova criação, igual aos anjos, Israel e os gentios, poderá ser visto na eternidade vindoura (Hb 12.22-24; Ap 21.1–22.5). Mas deverá ser lembrado que o cristão não possui terra alguma (Êx 20.12; Mt 5.5); nem casa (Mt 23.38; At 15.16), embora seja da família de Deus, e não possui cidade ou capital (Is 2.1-4; Sl 137.5, 6); nem trono terrestre (Lc 1.31-33); nem reino terrestre (At 1.6-7); nem rei a quem ele esteja sujeito (Mt 2.2), embora os cristãos possam falar de Cristo como 'o Rei" (1 Tm 1.7; 6.15); e nenhum altar, além da cruz de Cristo (Hb 13.10-14).

II. A Doutrina da Escritura Vista Dispensacionalmente

Uma verdadeira religião consiste num relacionamento específico, com suas responsabilidades correspondentes, divinamente estabelecidas entre Deus e o homem. Não há revelação de qualquer relação distintiva, por ter sido estabelecida entre Deus e os anjos ou entre Deus e os gentios, que participe do caráter de uma verdadeira religião, mas Deus entrou em relação com os judeus, que resultou no judaísmo, ou naquilo que o apóstolo identifica como a religião dos judeus (At 26.5; Gl 1.13; cf. Tg 1.26, 27), e com o cristão, que resultou no cristianismo, ou naquilo que os escritores do Novo Testamento chamam de "a fé" (Jd 3) e "o caminho" (At 9.2; 22.4; cf. 18.26; 2 Pe 2.2). O judaísmo e o cristianismo têm muita coisa em comum; cada um deles é ordenado por Deus, para servir a um propósito específico. Eles incorporam aspectos semelhantes – Deus, homem, justiça, pecado, redenção, salvação, responsabilidade humana, e destino humano – mas estas similaridades não estabelecem identidade, visto que as dissimilaridades, a serem enumeradas parcialmente mais tarde, excedem as similaridades. Há pontos notáveis de semelhança entre as leis da Inglaterra e dos Estados Unidos, mas este fato não constitui estas duas nações numa nação.

Um sistema religioso completo proporciona ao menos sete aspectos distintivos, e todos eles estão presentes tanto no judaísmo quanto no cristianismo. Estes aspectos são: (1) uma posição aceitável da parte do homem perante Deus; (2) uma maneira de vida consistente com essa posição; (3) um serviço divinamente designado; (4) uma base justa onde Deus possa graciosamente perdoar e purificar os que pecam; (5) uma revelação clara da responsabilidade humana sobre a qual o perdão e a purificação divinos possam ser assegurados; (6) uma base efetiva sobre a qual Deus pode ser adorado e suplicado em oração; e (7) uma esperança futura.

1. Uma Posição Aceitável da Parte do Homem Diante de Deus. Qualquer que tenha sido o método divino de tratar com os indivíduos antes da chamada de Abraão e a promulgação da Lei por Moisés, fica evidente que, com a chamada de Abraão e a promulgação da Lei e de tudo o que se seguiu, há duas provisões divinas amplamente diferentes e padronizadas, pelas quais o homem, que está totalmente caído, pode permanecer no favor de Deus.

A. A Graça Divina Sobre Israel. À parte do privilégio concedido aos prosélitos de se unirem à congregação de Israel – que pareceu produzir pouco resultado – a entrada no direito de compartilhar das bênçãos pactuadas designadas para o povo terreno era e é por nascimento *físico*. Não há jactância vã quando Paulo declarou-se que era "da linhagem de Israel" (Fp 3.5), nem há qualquer generalização incerta na afirmação de que Cristo "era ministro da circuncisão... para confirmar as promessas feitas aos pais" (Rm 15.8). As bênçãos nacionais de Israel são registradas da seguinte maneira: "...os quais são israelitas, de quem é a adoção, e a glória, e os pactos, e a promulgação da lei, e o culto, e as promessas; de quem são os patriarcas; e de quem descende o Cristo segundo a carne, o qual é sobre todas as coisas, Deus bendito eternamente. Amém" (Rm 9.4, 5).

Embora eles [os hebreus] tivessem descido ao Egito como uma família, saíram dali como uma nação e Jeová os redimiu como uma nação para Si pelo sangue e pelo seu poder. Não foi uma redenção individual, visto que ela não foi restrita àquela geração; mas Israel permanece uma nação redimida por toda a sua história. Do lado humano, o cordeiro pascal salvou a vida física dos primogênitos de Israel. Do lado divino, através do cordeiro, como uma antecipação do perfeito Cordeiro de Deus, Jeová deu liberdade para redimir uma nação para sempre. Que Israel já estava no favor de Deus, está revelado em Êxodo 8.23; 9.6, 26; 10.23. A nação redimida se tornou o tesouro permanente de Jeová (Êx 19.5; Dt 4.32-40; Sl 135.4). O que Jeová pactuou com a sua nação eleita é uma coisa, e o que Ele pactua com os indivíduos dentro dessa nação, é outra totalmente diferente.

A entidade nacional foi e será preservada para sempre, de acordo com a promessa do pacto (Gn 17.7, 8; Is 66.22; Jr 31.35-37). O israelita, por outro lado, estava sujeito a uma conduta prescrita e regulada que ocasionou uma penalidade de julgamento individual para cada falha (Dt 28.58-62; Ez 20.33, 44; Mt 24.51; 25.12, 30). A posição nacional (mas não necessariamente o estado espiritual) de cada israelita foi assegurada pelo nascimento físico. Alguns dessa nação, pela fidelidade, obtiveram mais bênção pessoal do que outros israelitas (cf. Lc 2.25, 37), e alguns se gloriaram em sua relação tribal (cf. Fp 3.5); mas essas coisas nada acrescentaram aos seus direitos dentro dos pactos estabelecidos com eles, direitos esses que foram assegurados para todo judeu igualmente pelo nascimento físico.

B. A Graça Divina Sobre os Cristãos. O povo celestial, seja ele tomado individualmente dentre os judeus ou de linha gentílica, entra imediatamente pela fé numa posição tão perfeita como a de Cristo, posição essa que é assegurada pelo nascimento *espiritual* e todas as operações salvadoras de Deus que a acompanham. Eles são individualmente redimidos pelo sangue de Cristo; nascidos do Espírito para um relacionamento, em que Deus se torna o Pai deles e eles se tornam seus filhos legítimos e seus herdeiros – co-herdeiros com Cristo. Através da obra regeneradora do Espírito, eles têm Cristo gerado neles (Cl 1.27), e recebem a natureza divina, que é a vida eterna (Rm 6.23). Eles têm perdoadas todas as transgressões, a ponto de nunca mais serem condenados (Jo 3.18; Rm 8.1; Cl 2.13), e são justificados para sempre (Rm 3.21–5.11). Eles morreram a morte de Cristo (Rm 6.1-10); ressuscitaram a ressurreição de Cristo (Cl 3.1-3); e estão sentados com Cristo nos lugares celestiais (Ef 2.6).

Pela obra batizadora do Espírito Santo, eles são "unidos ao Senhor" (Rm 6.1-7; 1 Co 12.13; Gl 3.27) e, por estarem assim em Cristo, a posição deles perante Deus não é menos do que a perfeição de Cristo em quem eles são aceitos (2 Co 5.21; Ef 1.6). Por estarem em Cristo, eles se encontram em união mística entre si, que é incomparável e incompreensível – uma unidade igual a que existe na Trindade (Jo 17.21-23). Eles já são constituídos cidadãos do céu (Fp 3.20). Essas bênçãos não são somente exaltadas e espirituais, como o céu em si mesmo é eterno, mas elas são asseguradas à parte de qualquer mérito humano, no instante em que alguém crê em Cristo para a salvação de sua alma. Qualquer estudante da Bíblia pode verificar a asserção que é feita aqui de que nenhuma dessas características distintivas de um cristão, e a lista aqui apresentada poderia ser muito aumentada, é dita pertencer a Israel, seja como indivíduos ou nação; e quase nenhuma dessas bênçãos espirituais é atribuída a qualquer indivíduo, antes da morte e ressurreição de Cristo. O discurso do Cenáculo (Jo 13.1–17.26), embora enunciado antes da morte de Cristo, é, não obstante, um registro antecipado de tudo que aconteceria após sua morte e mesmo depois do Pentecostes.

2. Uma Maneira Divinamente Especificada de Vida. Totalmente à parte da vontade revelada de Deus, registrada nas dispensações anteriores, a Bíblia apresenta finalmente três regras divinas distintas e completas que

governam a ação humana. Nenhuma dessas regras é dada aos anjos ou aos gentios como tal. Duas são dirigidas a Israel – uma na dispensação passada, conhecida como a Lei Mosaica, e a outra que demonstra os termos de admissão ao reino messiânico, e a conduta requerida nele, reino esse que se estabelece na terra. A terceira regra é dirigida aos cristãos e proporciona uma orientação divina nessa dispensação para o povo celestial que já está aperfeiçoado, com respeito à posição deles, em Cristo Jesus. Visto que a Bíblia é o livro de Deus para todas as gerações, não deveria ser difícil reconhecer suas referências às épocas futuras, além de reconhecer suas referências às dispensações passadas.

Essas três regras de vida representam três economias amplamente diferentes. Isto está evidente nas características distintivas apresentadas na Palavra de Deus e na real natureza do caso. Com respeito à natureza do caso, pode ser dito que a administração divina na terra não poderia ser a mesma após a morte de Cristo, sua ressurreição, sua ascensão e inauguração do seu presente ministério, o advento do Espírito Santo no dia de Pentecostes, e a anulação provisória do judaísmo, como era antes desses eventos. Nem poderia a administração divina ser a mesma após a remoção da Igreja desta terra, a reunião de Israel e da restauração do judaísmo, o julgamento das nações, a prisão de Satanás e o assentar-se de Cristo, no segundo advento, no trono de Davi para governar sobre toda a terra, como é agora, antes desses eventos ocorrerem.

Visto que a fé que alguns têm não pode ser estendida a ponto de visualizar a profecia no cumprimento da realidade, poderia ser a parte de sabedoria restringir este argumento ao primeiro grupo de eventos, a saber, aqueles que formam uma ruptura entre a passada e a presente dispensação. Por causa do fato de que esses eventos são história agora (embora numa época tenham sido uma profecia preditiva), a realidade deles dificilmente é questionada mesmo pelos não-regenerados. Não obstante, um segundo grupo de eventos, que separam a presente dispensação da era vindoura, são as chaves para o entendimento dos propósitos do reino de Deus na terra, e sem essas chaves o leitor fortuito é deixado com pouca coisa além da queda na ficção de Roma, de uma Igreja que domina o mundo sob uma suposta supremacia de um reino irresistível de Deus sobre a terra.

Nenhuma dúvida será levantada por qualquer cristão inteligente a respeito da verdade que está dentro do alcance do poder divino, de transformar a sociedade nesta era, ou em qualquer outro tempo. A questão é realmente se a transformação do mundo é o propósito divino para essa dispensação; e até aquele que crê, que este é o propósito divino, tem feito uma exposição razoável e uma disposição em harmonia com suas idéias do grande conjunto de textos da Bíblia que revelam a confusão e a impiedade com que esta era é dita terminar; há pouca coisa a ser ganha em acusar aqueles que crêem nos propósitos presentes de Deus, de chamar a Igreja de "desonrar o Espírito de Deus" ou de "minimizar o valor da cruz". Esta acusação é especialmente sem força quando se sabe que os acusados crêem que todo o triunfo de Deus nesta e em todas as eras será somente em virtude daquela cruz.

ECLESIOLOGIA

O sistema mosaico foi designado para governar Israel na terra e foi uma forma *ad interim* do governo divino entre aquela administração graciosa descrita em Êxodo 19.4, e a vinda de Cristo (Jo 1.17; Rm 4.9-16; Gl 3.19-25). Foi em três partes, a saber: (a) "os mandamentos", que governavam a vida moral de Israel (Êx 20.1-17); (b) "os juízos", que governavam a vida cívica de Israel (Êx 21.1–24.11); e (c) "as ordenanças", que governavam a vida religiosa de Israel (Êx 24.12–31.18). Estas provisões eram santas, justas e boas (Rm 7.12, 14), mas levavam consigo uma penalidade (Dt 28.58-62) e, porque não foram observadas por Israel, elas se tornaram numa "ministração de morte" (Rm 7.10; 2 Co 3.7). A lei não era de fé, mas de obras (Gl 3.12). Ela foi ordenada para a vida (Rm 7.10), mas, por causa da fraqueza da carne daqueles a quem ela fazia o apelo (Rm 8.3), não houve, como resultado prático, uma lei dada que pudesse dar vida (Gl 3.21).

Contudo, a lei serviu como o παιδαγωγός, ou preceptor dos filhos, para conduzir a Cristo – tanto imediatamente, quanto Cristo foi prefigurado nos sacrifícios, como dispensacionalmente, como descrito em Gálatas 3.23-25. Embora quase todo valor intrínseco esteja contido no sistema, a lei foi transportada para o sistema presente da graça e incorporada nele, e ainda permanece verdade que ela, como um sistema *ad interim*, chegou ao seu final e uma nova economia divina a substituiu. Nenhuma linguagem decisiva poderia ser empregada neste ponto, além da que se encontra em João 1.17; Romanos 6.14; 7.2-6; 10.4; 2 Coríntios 3.6-13; Gálatas 3.23-25; 5.18. Estes textos não seriam desprezados, como freqüentemente o são, por aqueles que querem impor o sistema de lei sobre o povo celestial. É inútil alegar que os juízos e as ordenanças de Deus foram abolidos e que os mandamentos ainda permanecem, visto que é aquilo que estava "escrito e esculpido em pedras" que é dito ter sido "abolido" (2 Co 3.11, 13). E a situação não é aliviada por aqueles que reivindicam que a lei cessou como um meio de justificação; pois ela nunca fez isso, nem o poderia fazer (Gl 3.11).

O povo celestial, pelo caráter exaltado de sua salvação estabelecida em toda a perfeição de Cristo (Rm 3.22; 5.1; 8.1; 10.4; 2 Co 5.21; Gl 3.22; Ef 1.6), não possuidora de algum fardo sobre eles, do estabelecimento do mérito pessoal diante de Deus, visto que eles são aperfeiçoados para sempre em Cristo (Hb 10.9-14); mas eles realmente têm uma nova responsabilidade de "andar dignamente" na grande vocação do chamamento deles (Rm 12.1, 2; Ef 4.1-3; Cl 3.1-3). Nenhum sistema meritório, tal como foi o da lei, poderia possivelmente ser aplicado ao povo que, pelas riquezas da graça divina, obteve uma posição perfeita, mesmo todas as bênçãos espirituais em Cristo Jesus (Ef 1.3; Cl 2.10). Deve ser esperado que as injunções dirigidas a um povo celestial aperfeiçoado devam ser tão exaltadas quanto o próprio céu, e elas o são (cf. Jo 13.34; Rm 6.11-13; 2 Co 10.3-5; Gl 5.16; Ef 4.30; 5.18).

Semelhantemente, como essas exigências são sobre-humanas e a sua prática é ainda mais essencial, Deus providenciou que cada indivíduo assim salvo venha ser habitado pelo Espírito Santo, a fim de que possa, pela dependência do Espírito e pelo poder do Espírito, viver uma vida sobrenatural que honre a Deus – na verdade, não *para ser* aceito, mas porque *é* aceito. Aqueles que introduzem o sistema meritório mosaico nessa administração divina e celestial de graça superabundante, ou não têm idéia alguma do caráter que o mérito da lei exigia, ou não têm compreensão das glórias da graça divina.

A terceira administração que está contida na Bíblia é aquela que é designada para governar o povo terrestre em relação à entrada dele nesse reino. Está explícito também com respeito às exigências que devem ser impostas sobre aqueles que entram nesse reino. Esse conjunto de textos é encontrado em porções do Antigo Testamento, que antecipam o reino messiânico e, em grandes porções, nos evangelhos sinóticos. Os elementos essenciais de uma administração da graça – fé como a única base de aceitação com Deus, uma aceitação imerecida através de uma posição perfeita em Cristo, a presente posse da vida eterna, uma segurança absoluta de toda condenação, e o poder capacitador do Espírito que habita no crente – não são encontrados na administração do reino.

Por outro lado, isto é declarado ser o cumprimento da "lei e dos profetas" (Mt 5.17, 18; 7.12), e é visto como a extensão da lei mosaica nas esferas da busca do mérito que destrói e faz enfraquecer como o sistema mosaico nunca poderia executar (Mt 5.20-48). Estas injunções do reino, embora adaptadas às condições que então serão obtidas, não poderiam aperfeiçoar alguém como os homens em Cristo são aperfeiçoados, nem são elas adaptadas como uma regra de vida para aqueles que já estão completos em Cristo Jesus.

Esses sistemas de fato estabelecem princípios conflitantes e opostos; mas visto que essas dificuldades aparecem somente quando é feita uma tentativa de misturar os sistemas, os elementos e princípios que Deus separou, os conflitos realmente não existem fora desses esforços desautorizados de uni-los; na verdade eles antes demonstram a necessidade de um reconhecimento devido de todas as administrações diferentes e distintas que Deus faz. A verdadeira unidade das Escrituras não é descoberta quando alguém cegamente procura fundir esses princípios opostos em um sistema, mas antes ela é encontrada quando as diferenciações claras de Deus são observadas. O dispensacionalista não cria essas diferenças como algumas vezes ele é acusado de fazer. Os princípios conflitantes, no texto da Escritura, são observáveis a todos os que penetram fundo o suficiente para reconhecer os aspectos essenciais da administração divina.

Ao invés de criar os problemas, o dispensacionalista é aquele que tem a solução para eles. Se os ideais de um povo terrestre de ter uma longa vida na terra que Deus lhe deu (Êz 20.12; Sl 37.3, 11, 34; Mt 5.5) não se articulam com os ideais de um povo celestial que, com respeito à terra, são "estrangeiros e peregrinos" e são ordenados a procurar e amar o aparecimento iminente de Cristo, o problema é facilmente solucionado por aquele cujo sistema de interpretação é testado, ao invés de ficar angustiado por tais distinções. Um plano de interpretação – que, em defesa de uma unidade ideal à Bíblia, luta por um único propósito divino, ignora as contradições drásticas, e é sustentado somente por similaridades ocasionais e acidentais – está condenado à confusão, quando confrontado com os muitos problemas que tal sistema impõe sobre o texto da Escritura, problemas esses que são reconhecidos pelo dispensacionalista somente à medida que ele os observa no sistema que os cria.

Toda Escritura é "proveitosa para ensinar, para repreender, para corrigir, para instruir em justiça" (2 Tm 3.16), mas nem toda Escritura serve para aplicação primária a uma pessoa específica ou a uma classe de pessoas que a Bíblia designa como tal. Toda Escritura não foi escrita a respeito dos anjos, nem dos gentios. De igual modo, nem toda Escritura é dirigida ao judeu, nem ao cristão. Estas são verdades óbvias e o plano de interpretação do dispensacionalista não é outro senão uma tentativa de ser consistente em seguir essas distinções numa aplicação primária da Escritura, na medida em que a Bíblia o faz, e não além disso. Contudo, toda Escritura é proveitosa, a saber, ela tem a sua aplicação moral, espiritual ou secundária.

Vejamos uma ilustração disto: Muita verdade valiosa pode ser obtida do grande conjunto de textos que tratam do sábado judaico; mas se esse conjunto de textos tem uma aplicação primária à igreja, então a igreja não tem base bíblica para a observância do primeiro dia da semana (que ela certamente tem) e ela não poderia oferecer desculpa alguma para a sua desobediência, e pela de seus membros individuais, e igual a toda quebra do sábado, deveria trazer o apedrejamento até a morte (Nm 15.32-36).

De igual modo, se todo texto da Escritura possui uma aplicação primária aos crentes dessa dispensação, então eles estão em perigo do inferno (Mt 5.29, 30), de pragas indizíveis, doenças, enfermidades, e, em razão disto, a Igreja se tornaria bem diminuída (Dt 28.58-62), e teria o sangue das almas perdidas requerido de suas mãos (Ez 3.17, 18). As lições morais e espirituais devem ser extraídas do tratamento de Deus com os israelitas, totalmente à parte da necessidade de serem impostas aos cristãos de se sujeitar à aplicação primária que os textos especificamente dirigidos a Israel exigiriam. Do crente dessa dispensação, está dito que "não entrarão em juízo" (Jo 5.24), e "portanto, agora, nenhuma condenação há para os que estão em Cristo Jesus" (Rm 8.1).

Estas últimas promessas são anuladas por declarações diametralmente opostas, se toda a Escritura se aplica primariamente aos cristãos. O arminianismo é a expressão legítima dessa confusão e o pretenso calvinista que ignora as distinções claras da Bíblia não possui defesa contra as alegações arminianas.

3. Um Serviço Divinamente Designado. O serviço a Deus é um aspecto essencial da autêntica religião. No caso do judaísmo, o serviço consistia na manutenção do Tabernáculo e no ritual do templo, e todos os dízimos e ofertas eram para dar suporte ao sacerdócio e ao ministério dele. No caso do cristianismo, o culto possui um aspecto que se exterioriza na sua comissão de pregar o Evangelho a toda criatura e inclui a edificação dos santos.

4. Uma Base Justa Sobre a Qual Deus Pode Graciosamente Perdoar e Purificar o Pecador. Qualquer economia religiosa que quer a sua continuação deve proporcionar uma base sobre a qual Deus é, com justeza, livre para

A DOUTRINA DA ESCRITURA VISTA DISPENSACIONALMENTE

perdoar e restaurar aqueles que pecam. Por ser possuidores – como todos o são – de uma natureza caída, não há possibilidade alguma de alguém continuar num relacionamento correto com Deus, que não seja sempre renovado e restaurado pelo poder gracioso de Deus. No caso do judaísmo, Deus perdoava o pecado e renovava a sua comunhão com eles, com base em sua certeza de que um sacrifício suficiente seria feito no tempo devido por seu Cordeiro. No caso do cristão, está dito que Deus é propício a respeito de "nossos pecados" (1 Jo 2.2), e isto por causa do fato de que o seu Filho já suportou a penalidade (1 Co 15.3), e por causa do fato de que Cristo como Advogado agora comparece por nós quando pecamos (1 Jo 2.1). Nenhuma verdade mais confortante pode vir ao coração do cristão do que a segurança de que Deus é agora propício em relação aos "nossos pecados".

5. UMA REVELAÇÃO CLARA DA RESPONSABILIDADE DO LADO HUMANO SOBRE A QUAL O PERDÃO E A PURIFICAÇÃO DIVINOS PODEM SER ASSEGURADOS. Este aspecto deste tema oferece oportunidade para diversos entendimentos errôneos. De um modo geral, será reconhecido por todos que a exigência do lado humano era, no Antigo Testamento, a oferta de um sacrifício de animal, enquanto, no Novo Testamento, seguindo a morte de Cristo – evento este que encerrou todos os sacrifícios – o perdão divino para o crente é condicionado à confissão de pecado, confissão essa que é a expressão externa de um arrependimento interno. Tudo isso é natural e razoável. Entretanto, certas complicações surgem quando esses fatos óbvios são considerados em sua relação com outras fases da verdade.

É importante observar que nas eras do Antigo Testamento nenhuma providência foi tomada, no que diz respeito ao que a Escritura registra, para as necessidades dos gentios. Reconhecemos que Abel, Noé, Jó e Melquisedeque ofereceram sacrifícios pelo pecado; todavia, nenhuma forma de doutrina é revelada com respeito a essas oferendas. Por outro lado, os judeus, por serem o povo do pacto, quando prejudicados pelo pecado, receberam os sacrifícios como uma base para o perdão divino e um modo de voltar às bênçãos e aos relacionamentos que pertenciam aos pactos deles. Deve ser observado que os sacrifícios nunca se constituíram numa base para a entrada nos pactos, base essa que já havia sido assegurada pelo nascimento físico deles, nem qualquer sacrifício foi a base da salvação pessoal deles.

Ao contrário, os sacrifícios para Israel serviram para proporcionar uma base ao perdão e restauração do povo do pacto. O paralelo no cristianismo olha para o sacrifício, que é a provisão através da morte de Cristo pela qual o cristão pode ser perdoado e purificado. O judaísmo exigia um sacrifício animal; o cristianismo olha de volta para o sacrifício já realizado. O único paralelo no judaísmo da presente salvação de uma pessoa regenerada é o fato de que o judeu foi fisicamente *nascido* em suas relações de pacto. A salvação pessoal de um judeu na antiga ordem é um tema que ainda vai ser considerado.

6. UMA BASE EFETIVA SOBRE A QUAL DEUS PODE SER ADORADO E SOLICITADO NA ORAÇÃO. Sob este subtítulo deve ser observado que a base do apelo sobre o qual os santos do Antigo Testamento oravam, era a dos pactos deles.

Um estudo das orações que foram registradas revela o fato de que eles suplicavam a Jeová para observar e fazer o que Ele havia prometido que realizaria. A base da oração no Novo Testamento após a morte, ressurreição e ascensão de Cristo, e a descida do Espírito Santo, é tal que a nova abordagem a Deus é em *nome* de Cristo. Por estar em Cristo, a oração do crente se dirige ao Pai como se fosse a voz de Cristo, e é respondida por causa de Cristo. Que isto é uma coisa nova, está indicado pela palavra de Cristo, quando disse: "...até agora nada pedistes em meu nome" (Jo 16.24). Por esta afirmação, todas as formas e apelos prévios são colocados de lado e o novo apelo é estabelecido, que é tão imensurável quanto a própria infinidade. Lemos: "...tudo quanto pedirdes ao Pai, ele vo-lo concederá em meu nome" (Jo 16.23).

7. **Uma Esperança Futura.** O judaísmo tem a sua escatologia, que atinge a eternidade com pactos e promessas, que são para sempre. Por outro lado, o cristianismo tem a sua escatologia que é diferente em cada parte. Alguns desses contrastes são:

A. O Futuro Desta Vida. No caso de Israel, a coisa a ser desejada era uma vida longa "sobre a terra que o Senhor teu Deus te dá", enquanto que a esperança do cristão é o propósito da vinda iminente de Cristo, para retirar a sua Igreja da terra. O cristão é ensinado a esperar pelo aparecimento de Cristo e também que ele deve amar essa vinda. Ele não tem terra, nem tem qualquer promessa de coisas terrenas, além de suas necessidades pessoais. Naqueles textos que advertem Israel da vinda futura de seu Messias, é dito que eles devem *esperar* sua vinda como o Messias, visto que a sua chegada será repentina (Mt 24.36-51; 25.13). Em oposição a isto e pela mesma razão, ao cristão é dito que ele *espere* pelo Senhor que vem do céu (1 Ts 1.9, 10).

B. O Estado Intermediário. Uma passagem que registra as palavras de Cristo é tudo o que o judaísmo revela sobre o estado intermediário. Isto se encontra em Lucas 16.19-31. O rico está no tormento, enquanto o mendigo encontra-se no "seio de Abraão". Esta última referência é uma concepção fortemente judaica e está em contraste com a revelação de que quando o cristão sai desta vida, vai estar "com Cristo", o que é incomparavelmente melhor (Fp 1.23; cf. 2 Co 5.8).

C. A Ressurreição. O judaísmo contemplava uma ressurreição para Israel. Em Daniel 12.1-3 lemos que, depois da Grande Tribulação, o povo de Daniel será levantado dos mortos. Alguns serão ressuscitados para a vida eterna e outros para vergonha e horror eternos. Recompensas são também prometidas, porque "os que forem sábios, pois, resplandecerão como o fulgor do firmamento; e os que converterem a muitos para a justiça, como as estrelas sempre e eternamente". Que isto se refere ao povo de Daniel, está claramente indicado no contexto. Marta, ao expressar a esperança judaica, declarou que o seu irmão haveria de ressurgir no último dia (Jo 11.24). E em Hebreus 6.1, 2, onde os aspectos do judaísmo são listados, a ressurreição dos mortos está incluída.

A doutrina da ressurreição para o cristão é dividida em duas partes: (a) Ele já foi ressuscitado e assentado (Ef 2.6), e, por ter participado da vida ressurrecta de Cristo e estar posicionalmente no valor de tudo o que Cristo fez, é dito que ele já foi ressuscitado dos mortos (Cl 3.1-3), e (b) ele, ao morrer fisicamente, seu corpo será ressuscitado, e isto acontecerá na vinda de Cristo para os seus (1 Co 15.23; 1 Ts 4.16-17). Os crentes serão também recompensados por sua fidelidade no serviço.

D. A Vida Eterna. Os santos do Antigo Testamento estavam numa relação correta e aceitável com Deus, mas não poderia ser dito que eles se encontravam numa relação federal do Cristo ressurrecto, nem que as vidas deles estivessem "ocultas em Cristo" (Cl 3.1-3). O apóstolo Paulo escreve: "Mas, antes que viesse a fé, estávamos guardados debaixo da lei, encerrados para aquela fé que se havia de revelar" (Gl 3.23). Com relação ao estado do judeu na antiga dispensação, pode ser observado:

(a) Eles foram nascidos nas relações pactuais com Deus, onde não havia limitações impostas sobre a fé que eles tinham ou sobre a comunhão deles com Ele. Este fato foi em si mesmo uma demonstração da graça superabundante.

(b) No caso da falha em satisfazer as obrigações morais e espirituais que caía sobre eles, por causa da posição pactual deles, os sacrifícios foram proporcionados como uma base justa de restauração dos privilégios pactuais deles, fato esse que é outra demonstração da graça imensurável.

(c) O judeu poderia então falhar em sua conduta e negligenciar tanto os sacrifícios, e no final, ser recusado por Deus e lançado fora (Gn 17.14; Dt 28.58-61; Ez 3.18; Mt 10.32, 33; 24.50-51; 25.11, 12, 29, 30).

(d) A salvação nacional e o perdão de Israel são ainda uma esperança futura e é prometida para ocorrer, quando o Libertador vier de Sião (Rm 11.26, 27). Quem poderá não reconhecer a eterna graça de Deus revelada em Isaías 60.1–62.12 para com Israel em todas as eras vindouras? Se qualquer clareza deve ser obtida sobre a diferença entre os privilégios de Israel sob o sistema mosaico e os presentes privilégios da Igreja, deve ser feita uma distinção entre a lei como uma *regra de vida* que ninguém é capaz de guardar perfeitamente, e a lei como um *sistema* que não somente apresenta as exigências elevadas e santas de conduta pessoal, mas também propiciou um perdão divino completo através dos sacrifícios. A posição final de qualquer judeu perante Deus não era baseada na observância da lei somente, mas contemplava o judeu à luz dos sacrifícios que ele apresentava em favor de si próprio.

Toda a consideração da doutrina da vida eterna, seja nesta era ou em outra, deve distinguir entre uma mera existência sem fim e a comunicação com a vida de Deus, que é tão eterna em cada aspecto dela como é o próprio Autor dela. Nenhum ser humano pode cessar de existir; mesmo a morte, que parece terminar com a vida, no devido tempo será extinta para sempre (1 Co 15.26; Ap 21.4). Totalmente à parte do fato indiscutível do caráter interminável da existência humana, é a concessão graciosa da vida eterna por Deus, vida essa que é uma parte vital da escatologia judaica, assim como é uma parte vital da soteriologia cristã. Um conjunto de textos da Escritura muito claro e abrangente fala sobre a vida eterna relacionada ao judaísmo. Contudo, ela é aqui contemplada como uma *herança*. A doutrina relacionada ao judaísmo é encontrada em passagens fáceis de serem identificadas:

ECLESIOLOGIA

(1) Isaías 55.3 (cf. Dt 30.6), em cujo contexto o profeta convoca o povo do pacto para entrar plenamente nas bênçãos que os pactos de Jeová asseguram. No meio destes, está uma promessa de que "tua alma viverá".

(2) Daniel 12.2, onde o contexto, como foi visto acima, diz respeito à ressurreição daqueles que são do judaísmo; alguns destes devem ser ressuscitados para a "vida eterna", e alguns para a "vergonha e horror eterno". A "vida" não é mais a possessão que eles têm nesta presente existência, do que é a "vergonha e o horror".

(3) Mateus 7.13, 14, passagem essa que é encontrada naquela porção da Escritura que define os termos de admissão ao reino messiânico terrestre e as condições de vida nele, reino esse que ocupa um lugar de honra na escatologia judaica. A passagem impõe o esforço humano mais drástico como essencial, se alguém entrar pela porta estreita que conduz à vida. A vida está no *final* do caminho e o seu preço é bem definido pela palavra grega ἀγωνίζομαι (melhor traduzido como *agonizar*), usada por Lucas (13.24), onde este dito de Cristo, que é registrado por ele.

(4) Lucas 10.25-29, em cuja passagem o advogado pergunta como ele pode herdar a vida eterna e lhe é dito por Cristo, nos termos mais absolutos, que a vida eterna é ganha pela observância do que está contido na Lei de Moisés.

(5) Lucas 18.18-27, onde está igualmente registrado que um jovem fez a mesma pergunta, a saber: "Que me é necessário fazer para herdar a vida eterna?" e a este homem sincero nosso Senhor citou os mandamentos mosaicos; mas quando o jovem declarou que essas coisas ele havia observado, desde a juventude, Cristo não o repreendeu por falsidade, mas tomou-o como a base da rendição completa de tudo o que ele era e de tudo o que ele tinha como o estado daquele que Cristo chamou de perfeito (Mt 19.21).

(6) Mateus 18.8, 9, é uma passagem que apresenta a alternativa de entrada na vida – uma experiência futura – deformada ou parada, ou que entra para o "fogo eterno" ou no "inferno de fogo". O cristão, possuidor da vida eterna e aperfeiçoado em Cristo, não pode entrar no céu com deformações, ou mutilado, porque o seu corpo deve ser igual ao corpo glorioso de Cristo, nem pode ir para o inferno de fogo, após Cristo ter dito que ele não entraria em juízo e jamais pereceria. Essas coisas são óbvias, de fato. Em oposição a esse extenso conjunto de textos sobre esse assunto particular, há, todavia, uma forma futura de vida eterna que, por ser um aspecto do judaísmo, está relacionada com o reino terrestre; há outro conjunto de textos muito mais extensos que declaram que a vida eterna para o cristão é uma comunicação de Deus e dom de Deus (Jo 10.28; Rm 6.23); uma possessão presente (Jo 3.36; 5.24; 6.54; 20.31; 1 Jo 5.11-13); e nenhum outro nos garantiu este direito, além de Cristo que habita (Cl 1.27) e a natureza divina comunicada (2 Pe 1.4).

A recepção da vida eterna será para os israelitas, como é no caso do cristão, um aspecto da salvação em si mesma; e a salvação para Israel é, em Romanos 11.26-32, declarada como proveniente após o propósito da presente era da plenitude dos gentios, que agora é acompanhada pela cegueira espiritual de

A Doutrina da Escritura Vista Dispensacionalmente

Israel (v. 25), e quando "de Sião vier o Libertador", que "afastará a impiedade de Jacó". "Isto", diz Jeová, "é o meu pacto com eles, quando eu lhes tirar os seus pecados". Isaías antecipa o mesmo grande momento da salvação de Israel, quando prediz que uma nação nascerá "imediatamente". As palavras hebraicas *"pa'am 'eḥāth"*, das quais a palavra *imediatamente* é traduzida e significa uma medida de tempo, *a pisada de um pé*. Por outro lado, o cristão é salvo quando ele crê, e essa salvação está relacionada somente ao primeiro advento de Cristo.

E. O Pacto do Reino Davídico. Este, o aspecto mais extenso e importante da escatologia judaica, ocupa um lugar muito grande na discussão que esta introdução toda apresenta, e não precisa ser mencionada mais do que registramos aqui. Essa forma de interpretação, que se apóia em similaridades ocasionais e se omite nas diferenças vitais, é mostrado por aqueles que argumentam que o reino do céu, referido em Mateus, deve ser o mesmo reino de Deus, visto que algumas parábolas a respeito do reino do céu são registradas em Marcos e Lucas sob a designação de *reino de Deus*. Nenhuma tentativa é feita por esses expositores para explicar por que o termo *reino do céu* é usado por Mateus somente, nem parecem eles reconhecer o fato de que a real diferença entre aquilo que essas designações representam deve ser descoberto em conexão com os casos onde eles não são nem podem ser usados permutavelmente, ao invés dos casos onde eles são permutáveis.

Certos aspectos são comuns, tanto ao reino do céu quanto ao reino de Deus, e em tais casos a troca de termos é justificada. Uma atenção mais dedicada revelará que o reino do céu é sempre terrestre, enquanto o reino de Deus é tão amplo como o universo e inclui tanto as coisas terrestres quanto as que são próprias a ela. Igualmente, o reino do céu é caracterizado pela justiça que excede em muito a justiça dos escribas e fariseus (Mt 5.20), enquanto se entra no reino de Deus pelo novo nascimento (Jo 3.1-16). Assim, além disso, o reino do céu satisfaz a esperança de Israel e dos gentios, enquanto que o reino de Deus satisfaz o propósito de Deus, que é eterno e abrange tudo. Para ser mais explícito, veja que Mateus 5.20 declara a condição sobre a qual um judeu pode esperar entrar no reino do céu. Mateus 8.12; 24.50, 51; 25.28-30 indicam que os filhos do reino do céu são lançados fora. Nenhuma dessas verdades pode ser aplicada ao reino de Deus.

Além disso, as parábolas do trigo e do joio, em Mateus 13.24-30, 36-43, e a parábola dos peixes bons e ruins, em Mateus 13.47-50, falam somente do reino do céu. Contudo, a parábola do fermento é ligada a ambas as esferas do governo divino; o fermento, que representa a má doutrina antes que as pessoas más, pode corromper, como o faz, a verdade relativa aos dois reinos. Tais contrastes podem ser citados em grande medida, mas o objetivo principal foi atingido, se ficou claro que há uma escatologia judaica e uma escatologia cristã, e que cada uma delas, embora totalmente diferente nos detalhes, tem o seu alcance na eternidade. Um dos grandes fardos da profecia preditiva é a antecipação das glórias de Israel numa terra transformada sob o reino do Filho de Davi, o Senhor Jesus Cristo, o Filho de Deus. Há igualmente muita predição que antecipa as glórias dos redimidos no céu.

395

III. A Igreja Especificamente Considerada

A Eclesiologia, ou a doutrina da Igreja, é naturalmente subdividida em três partes: (1) a revelação paulina ou uma nova ordem ou espécie de humanidade, a saber, um grupo redimido composto tanto de judeus quanto de gentios, e, com o Cristo ressurrecto, formam uma nova criação, que é o seu Corpo e a sua Noiva; (2) a Igreja exterior ou visível, a assembléia daqueles em qualquer lugar em que se reúnem em nome de Cristo; e (3) o andar e o servir daqueles que são salvos.

A primeira divisão principal da Eclesiologia apresenta um conjunto de verdade de importância insuperável. À parte do entendimento correto desta matéria, não pode haver concepção do propósito celestial de Deus na Igreja, e através dela, em contraste com o seu propósito terrestre relativo a Israel; não pode haver conceito do propósito divino na presente dispensação, nem uma base para uma avaliação verdadeira de todas as novas realidades e relacionamentos que se tornaram possíveis e estabelecidos através da morte e ressurreição de Cristo, nem compreensão correta dos presentes ministérios do Espírito de Deus, nem base suficiente de apelo para uma vida e um serviço do crente que honrem a Deus.

A verdadeira Igreja mantém uma relação com a primeira pessoa da Trindade, que é o *Pai*, com tudo o que isso implica; uma relação com a segunda pessoa da Trindade, demonstrada nas seguintes sete figuras: o Pastor e as ovelhas, a Videira e os ramos, a Pedra angular e as pedras da construção, o Sumo Sacerdote e o reino de sacerdotes, o Último Adão e a nova criação, o Cabeça e o Corpo, o Noivo e a Noiva; e uma relação quádrupla à terceira pessoa da Trindade, porque eles são nascidos do Espírito, habitados pelo Espírito, batizados pelo Espírito e selados pelo Espírito. O conteúdo do conjunto de verdade relacionado à verdadeira Igreja pode ser indicado no fato de que a doutrina total da ressurreição de Cristo é propriamente introduzida neste ponto, e que o seu escopo total de realização é somente um aspecto de um dos relacionamentos que existem entre Cristo e a Igreja – o Último Adão e a nova criação – e que uma parte principal da porção doutrinária do Novo Testamento ensina direta ou indiretamente, sobre o tema ilimitado da nova criação em Cristo Jesus.

Além dos relacionamentos que a Igreja mantém com o Deus triúno, há outros relacionamentos importantes a serem considerados, inclusive o relacionamento dela com o reino de Deus, o reino do céu, os anjos, o mundo, os cantos de outras dispensações, a nação de Israel, o serviço e o julgamento.

A segunda divisão da Eclesiologia diz respeito à sua assembléia exterior, organizada ou reconhecida que, embora seja uma na conta de Deus, tem sido dividida e subdividida em muitos grupos sectários. O Novo Testamento apresenta instruções claras com respeito à Igreja visível e suas organizações, com menção específica daqueles que exercem autoridade, e das ordenanças dela, sua ordem, seus dons e ministérios.

A terceira principal divisão da Eclesiologia contempla a vida e o serviço diário daqueles que são salvos. Ao averiguar sobre por qual regra o cristão deveria andar, deve ser dado um reconhecimento a três sistemas de governo independentes e completos apresentados na Bíblia, citados acima, que são designados por sua vez para regular a conduta humana: o primeiro, dado por Moisés e dirigido a Israel; o segundo, composto dos ensinos da graça e dirigidos à Igreja; o terceiro, que incorpora a regra de vida que se obterá no futuro reino messiânico sobre a terra. Não somente o crente desta época é liberto da responsabilidade legal e meritória que caracteriza o primeiro e o terceiro desses três sistemas, mas ele foi liberto também do fardo da lei *inerente*, que não é outra senão a obrigação normal e meritória que repousa sobre cada criatura moral de ser igual ao seu Criador.

Cristo, por ter munido os salvos com todo o mérito que a santidade infinita pode exigir, faz com que o cristão não tenha outra obrigação do que andar de modo digno da vocação com que foi chamado. A posição perfeita do crente é assumida em todas as porções exortativas das epístolas do Novo Testamento e estas injunções são dirigidas somente aos filhos de Deus sob a graça. Uma compreensão clara desse sistema da graça, que somente dirige à conduta cristã, é mais essencial, se o filho de Deus for inteligente em sua vida e no seu serviço a Deus. A esta altura, a provisão total de Deus, que é uma maneira sobrenatural de vida, é introduzida, indicada pelo fato de que essas injunções são, no seu princípio, sobrenaturais em seu caráter.

Essa terceira subdivisão da Eclesiologia conclui com o reconhecimento das posições e posses do crente em Cristo, suas associações, sua vida, seus contatos e ações, sua guerra contra o mundo, a carne, e o diabo, suas controvérsias e os seus testemunhos.

Embora de profunda importância, a primeira e a terceira dessas divisões praticamente nunca são tratadas nas obras de Teologia Sistemática, enquanto que a segunda, se mencionada, é usualmente restrita a aspectos peculiares de alguma seita ou ramo da Igreja visível, com referência específica à organização e ordenanças.

O livro de Atos e as epístolas introduzem o fato de uma nova classificação da humanidade chamada *Igreja*, grupo esse que é também designado propriamente como uma parte da *nova criação*, visto que cada indivíduo dentro do grupo tem experimentado o poder regenerador do Espírito Santo (2 Co 5.17; Gl 6.15). Os dois termos, *Igreja* e *nova criação*, não são sinônimos. No primeiro caso, um grupo de pessoas redimidas está em vista e relacionado a Cristo, mas concebido como separado dele, como um corpo que está relacionado ao seu cabeça, mas distinto dele. No segundo caso, é feita referência a uma unidade orgânica, que é formada pelo batismo com o Espírito Santo, onde o mesmo grupo idêntico de redimidos é unido ao Cristo ressurrecto como seu Cabeça Federal, e estes dois elementos – os redimidos e o Cristo ressurrecto – combinam para formar a Nova Criação.

Nenhuma verdade mais profunda poderia ser ensinada do que aquilo que está expresso nas palavras de Cristo: "Vós em mim [pelo batismo do Espírito], e Eu em vós [pela regeneração do Espírito]". Fica óbvio que esta e todas as outras verdades semelhantes são totalmente estranhas ao ensino do Antigo Testamento.

As obras de Teologia Sistemática geralmente têm reconhecido o povo redimido dessa dispensação, mas somente como uma seqüência suposta ou uma continuação do progresso do propósito divino em Israel. Elas se referem à "Igreja do Antigo Testamento" e à "Igreja do Novo Testamento" como juntas,

ECLESIOLOGIA

que constituem partes componentes de um só projeto divino, e não reconhecem as distinções entre Israel e a Igreja que, por serem tão radicais em seu caráter, servem para indicar as diferenças mais amplas possíveis entre elas – diferença na origem, no caráter, na responsabilidade e no destino. Há ao menos 24 distinções importantes a serem observadas ainda entre Israel e a Igreja, enquanto há cerca de doze aspectos importantes que são comuns a ambos; mas as similaridades óbvias não colocam de lado as diferenças.

O fato de que a revelação a respeito de Israel e da Igreja inclui a verdade a respeito de Deus, santidade, pecado, e redenção pelo sangue, não elimina um conjunto de verdade muito maior em que está revelado que os israelitas se tornam israelitas pelo nascimento natural, enquanto que os cristãos se tornam cristãos pelo nascimento espiritual; que os israelitas foram designados para viver e servir sob um sistema legal e meritório, enquanto que os cristãos vivem e servem sob um sistema gracioso; que os israelitas, como uma nação, têm a sua cidadania agora e o destino futuro deles centrado somente na terra, que alcança a nova terra que ainda está para ser estabelecida, enquanto que os cristãos têm a sua cidadania e o seu destino futuro centrados somente no céu, que se estendem ao novo céu que ainda será estabelecido (para ambas as bênçãos, terrestres e celestiais; veja Ap 21.1–22.7; 2 Pe 3.10–13; Hb 1.10–12; Is 65.17; 66.22).

O pacto quíntuplo de Jeová com Israel é eterno em todos os seus aspectos: (1) a entidade nacional (Jr 31.36); (2) uma terra em perpetuidade (Gn 13.15); (3) um trono (2 Sm 7.16; Sl 89.36); (4) um rei (Jr 33.21); e (5) um reino (Dn 7.14). Estas promessas terrestres são confirmadas pelo juramento de Jeová e estendido *para sempre*, e a linguagem cessa de ser um meio fidedigno para a expressão da verdade.

Assim, é visto que a presente dispensação é caracterizada somente pela presença na terra de um terceiro grupo de seres humanos – a Igreja. Não somente Cristo antevê este grupo de pessoas (Mt 16.18), mas eles aparecem com Israel como (1) co-participantes no propósito de sua encarnação; (2) como os sujeitos do seu ministério; (3) como os objetos de sua morte e ressurreição; (4) como os beneficiários de seu segundo advento; e (5) como relacionados a Ele em seu reino. Destes aspectos da verdade, algumas coisas podem ser observadas:

1. Os Dois Propósitos Independentes e Amplamente Diferentes na Encarnação.

(a) Do lado messiânico e na relação de seu ofício como Rei de Israel, Cristo nasceu de uma virgem e veio para este relacionamento humano com direitos reais indiscutíveis, a fim de que pudesse cumprir o pacto davídico (2 Sm 7.8-18; Sl 89.20-37; Jr 33.21, 22, 25, 26). Para a virgem Maria, o anjo disse: "Não temas, Maria; pois achaste graça diante de Deus. Eis que conceberás e darás à luz um filho, ao qual porás o nome de JESUS. Este será grande e será chamado filho do Altíssimo; o Senhor Deus lhe dará o trono de Davi, seu pai; e reinará eternamente sobre a casa de Jacó, e o seu reino não terá fim" (Lc 1.31-33); e como herdeiro legítimo, através de linhagem humana, Ele será o ocupante eterno do trono terreno de Davi, e reinará sobre a casa de Jacó para sempre (Is 9.6, 7; Lc 1.33).

A Igreja Especificamente Considerada

(b) Sobre o lado mediatorial e redentor, e para cumprir o pacto abraâmico, é igualmente verdadeiro que, pela encarnação, o Mediador entre Deus e o homem é providenciado com todas as bênçãos inexauríveis que o Mediador teantrópico assegura; e através do nascimento virginal o Redentor-parente é visto [e nisto Ele é tipificado por Boaz] e qualificado para redimir da condição de perdição e reivindicar sua Noiva celestial – a Igreja.

Conquanto esses dois objetivos muitíssimo diferentes sejam obtidos na encarnação, os fatos gerais concernentes à encarnação são comuns a ambos. Quando se avalia o propósito celestial na Igreja ou o propósito terrestre em Israel, deveria ser observado que: (i) não foi outra pessoa, além da segunda pessoa da Trindade que veio para esse relacionamento humano; (ii) para fazer isto, Ele esvaziou-se a si mesmo, e tornou-se obediente, para fazer a vontade de seu Pai; (iii) Ele assumiu uma natureza humana, com corpo, alma e espírito; e (iv) a união assim formada entre as naturezas divina e humana resultou na pessoa teantrópica, que é incomparável.

2. Cristo Revelou Duas Linhas Distintas de Verdade. Numa delas, Ele se apresentou como o Messias de Israel e chamou essa nação para um arrependimento nacional longamente predito, no qual Ele também declarou o caráter da regra do seu reino terrestre e Ele próprio como o cumpridor dos grandes propósitos messiânicos. Àquela altura, Ele disse de si mesmo: "Não fui enviado senão às ovelhas perdidas da casa de Israel" (Mt 15.24). Ao enviar os seus discípulos, Ele lhes ordenou: "Não ireis aos gentios, nem entrareis em cidade de samaritanos; mas ide antes às ovelhas perdidas da casa de Israel" (Mt 10.5, 6). Na segunda verdade, quando a rejeição de Israel se tornou patente, Ele começou a falar de sua partida e do segundo advento, e a respeito de uma época até agora não anunciada que apareceria, na qual o Evangelho deveria ser pregado a todo mundo, a judeus e gentios igualmente; e seus discípulos, cuja mensagem antes havia sido restrita a Israel somente, foram comissionados a declarar as boas novas a toda criatura.

Uma ligeira comparação de seu discurso de despedida a Israel – o "odiado de todas as nações" (Mt 23.37–25.46) – com a sua palavra de despedida para aqueles que haviam crido nele para a salvação de suas almas (Jo 13.1–17.26), vai revelar as distinções mais evidentes entre Israel e a Igreja. Tais contrastes podem ser vistos nos evangelhos de um modo quase infinito, e sem essas distinções em mente, somente a perplexidade pode caracterizar aquele que lê com atenção.

3. Em sua Morte e Ressurreição, os Mesmos Dois Objetos Amplamente Diferentes São Discerníveis. Para Israel, a morte de Jesus foi uma pedra de tropeço (1 Co 1.23), e sua morte não foi parte de seu ofício como Rei sobre Israel – "vive o Rei para sempre!"; todavia, em sua morte, Israel teve a sua parte ao grau em que Ele lidou finamente com os pecados cometidos anteriormente, pecados esses que haviam sido somente cobertos de acordo com as provisões da expiação do Antigo Testamento (Rm 3.25). Por sua morte, o caminho foi preparado para qualquer judeu individual ser salvo através da fé nele; e por sua morte, uma base suficiente foi assegurada sobre a qual Deus ainda "tiraria" os pecados daquela nação no tempo em que Israel "fosse salvo" (Rm 11.27). Contudo, a nação de Israel não mantém relação alguma com a ressurreição de Cristo, além daquela que Davi previu, a saber, que se Cristo morreu, Ele deve ressurgir novamente dos mortos, a fim de que possa se assentar no trono de Davi (Sl 16.10; At 2.25-31).

Em oposição a isto, está revelado que Cristo amou a Igreja e deu-se a si mesmo por ela (Ef 5.25-27), e que a sua ressurreição é o começo da nova criação de Deus, que inclui os muitos filhos a quem Ele traz para a glória (Hb 2.10). Nesse relacionamento da nova criação, o crente está *no* Cristo ressurrecto e o Cristo ressurrecto está *no* crente. Esta unidade dupla estabelece uma identidade de relacionamento que sobrepassa o entendimento humano. Ela é mesmo assemelhada por Cristo à unidade que existe entre as pessoas da Trindade (Jo 17.21-23). Pelo recebimento do Espírito Santo, operado quando uma pessoa crê (1 Co 12.13), o salvo é unido ao Senhor (1 Co 6.17; Gl 3.27), e por essa união com o Cristo ressurrecto, ele se torna um participante de sua vida ressuscitada (Cl 1.27); ele é transportado do poder das trevas para o reino do Filho do seu amor (Cl 1.13); é crucificado, morto e sepultado com Cristo, e é ressuscitado para andar em novidade de vida (Rm 6.2-4; Cl 3.1); está agora assentado com Cristo nos lugares celestiais (Ef 2.6); é um cidadão do céu (Fp 3.20); é perdoado em todos os seus pecados (Cl 2.13); é justificado (Rm 5.1); e abençoado com toda sorte de bênçãos espirituais (Ef 1.3).

Este grande conjunto de verdades, que estão apenas ligeiramente indicadas aqui, não são encontradas no Antigo Testamento, nem aos crentes do Antigo Testamento foi dito que eles estavam relacionados ao Cristo ressurrecto. É impossível encaixar essas grandes descobertas num sistema teológico que não distinga o caráter celestial da Igreja em contrariedade com o caráter terrestre de Israel. Esta falha da parte desses sistemas teológicos em discernir o caráter da verdadeira Igreja, totalmente relacionado ao Cristo ressurrecto, explica a omissão comum desses escritos teológicos de qualquer tratamento extenso da doutrina da ressurreição de Cristo e de todas as doutrinas relacionadas.

4. Eventos Preditos para o Fechamento da Presente Era. Os grandes eventos preditos para o término da presente era incluem o Dia de Cristo, quando a Igreja será arrebatada para estar para sempre com o Senhor – alguns pela ressurreição e outros pela transformação (1 Co 15.35-53; 1 Ts 4.13-17) – e o Dia do Senhor, quando a nação de Israel será juntada novamente, julgada, e com o privilégio de experimentar o cumprimento de todos os seus pactos terrestres na terra que lhe foi dada por juramento de Jeová, juramento esse que não pode ser quebrado (Dt 30.3-5; 2 Sm 7.16; Sl 89.34-37; Jr 23.5, 6; 31.35-37; 33.25, 26).

5. Distinções entre Israel e a Igreja no Reino Vindouro. No reino vindouro do Messias, a distinção entre Israel e a Igreja é ainda mais óbvia. Israel, como uma nação, é vista através da visão profética como sobre a terra no estado de súdita do reino e em seu reino de glória, enquanto que a Igreja é vista como governante com Cristo (Ap 20.6). Como sua Noiva e Consorte, é legítimo que a Igreja participe desse reino.

A Igreja Especificamente Considerada

Duas revelações foram dadas ao apóstolo Paulo: (1) aquela da salvação para a perfeição infinita ao judeu e gentio igualmente, através da fé em Cristo e com base na morte e ressurreição dele (Gl 1.11, 12). Que esta salvação é um exercício da graça que sobrepõe em muito qualquer coisa até aqui não experimentada no Antigo Testamento, está claramente revelada em 1 Pedro 1.10, 11, onde está afirmado: "...desta salvação inquiriram e indagaram diligentemente os profetas que profetizaram da graça que para vós era destinada"; (2) aquela do novo propósito divino no chamamento da Igreja (Ef 3.6). Este novo propósito não é meramente de que os gentios vão ser abençoados. A profecia do Antigo Testamento há muito tinha predito as bênçãos aos gentios. O propósito consiste no fato de que um novo grupo da humanidade estava para ser formado de judeus e gentios, um relacionamento no qual não há posição retida de judeu nem de gentio, mas onde Cristo é tudo e em todos (Gl 3.28; Cl 3.11).

Com a mesma distinção fundamental em vista, o apóstolo Paulo faz uma lista separada de judeus, gentios, e da Igreja de Deus (1 Co 10.32); e, além disso, em Efésios 2.11, ele se refere aos gentios como a *incircuncisão*, e aos judeus como a *circuncisão feita com mãos*; mas em Colossenses 2.11, ele se refere à *circuncisão feita sem mãos*. Esta última designação indica a posição e o caráter separado daqueles que fazem parte do Corpo de Cristo.

Embora em seu tempo estabelecido e imposto por Jeová, o judaísmo não se misturou com o cristianismo, nem proporciona agora a mais leve vantagem para o judeu que se torna cristão. Com referência ao cristianismo, os judeus e gentios estão agora, igualmente, "debaixo do pecado". Eles precisam igualmente da graça de Deus (Rm 3.9), e esta graça lhes é oferecida exatamente nos mesmos termos (Rm 10.12). A Nicodemos, que aparentemente era um espécime perfeito do judaísmo, foi dito por Cristo que *ele* deveria nascer de novo, e o apóstolo Paulo orou para que os israelitas que tinham "um zelo por Deus" pudessem ser salvos. Eles estavam em falta nisto, após os privilégios novos e ilimitados na graça terem vindo através de Cristo (Jo 1.17), eles ainda se agarravam aos antigos aspectos meritórios do judaísmo, "estabelecendo a própria justiça deles" e não se submetendo à justiça imputada de Deus (Rm 10.1-3).

Aquele que não pode reconhecer que a Igreja é um propósito novo e celestial de Deus, absolutamente dissociado tanto dos judeus quanto dos gentios (Gl 3.28; Cl 3.11), mas vê a Igreja somente como um grupo de remidos cada vez mais crescente que se reúnem desde todas as épocas da história humana, talvez faria bem se ponderasse sobre as seguintes perguntas:

Por que o véu foi rasgado? Por que existiu o dia de Pentecostes? Por que houve a mensagem distintiva das epístolas? Por que existem as coisas "superiores" do livro de Hebreus? Por que os ramos judaicos foram cortados? Por que existem o senhorio e ministério de Cristo no céu? Por que há a presente visitação aos gentios e não antes? Por que existe a presente habitação do Espírito Santo em todos os que crêem? Por que há o batismo do Espírito – singular ao Novo Testamento? Por que há dois grupos de redimidos na nova Jerusalém? Por que existem somente promessas terrestres a Israel e somente promessas celestiais à

ECLESIOLOGIA

Igreja? Por que a regra de vida divinamente dada deveria ser mudada da lei para a graça? Por que é Israel igualado ao repudiado e, todavia, virá a ser restaurado como a esposa de Jeová, e a Igreja assemelhada à Noiva esposada por Cristo?

Por que existem os dois objetivos na encarnação e na ressurreição? Por que há o novo dia – o Dia de Cristo – com o seu arrebatamento e a ressurreição dos crentes e com as suas recompensas pelo serviço e sofrimento – um dia nunca antes mencionado no Antigo Testamento? Por que existem os "mistérios" do Novo Testamento, inclusive o Corpo de Cristo? Por que a nova criação, que compõe todos aqueles que pelo Espírito Santo são unidos ao Senhor e estão para sempre em Cristo? Como poderia haver uma Igreja, construída como é, até a morte de Cristo, a ressurreição de Cristo, a ascensão de Cristo, e o dia do Pentecostes? Como poderia a Igreja, na qual não pode haver judeu nem gentio, ser qualquer parte de Israel nesta época ou em outra qualquer?

Semelhantemente à doutrina da ressurreição de Cristo, a doutrina da verdadeira Igreja com a sua posição sobrenatural e exaltada e seu destino celestial é basicamente omitida nos escritos teológicos somente porque esses aspectos da verdade não podem ser encaixados num sistema judaizado com o qual a Teologia Sistemática tem freqüentemente se comprometido. A estupenda perda espiritual de tal omissão é somente ligeiramente refletida na falha por parte de crentes em entender a vocação celestial deles com os seus incentivos correspondentes designados por Deus para uma vida santa.

Como foi indicado anteriormente, a Eclesiologia divide-se propriamente em três seções: (1) a Igreja como um organismo, (2) a Igreja organizada, e (3) a regra de vida do crente.

A Igreja Como um Organismo

Capítulo II
Aspectos Gerais da Doutrina a Respeito da Igreja

ESTA PRIMEIRA DIVISÃO PRINCIPAL da Eclesiologia tem em vista a Igreja Universal, a saber, a que inclui todos os que creram em Cristo para a salvação de suas almas, desde que ela começou a existir, e incluirá todos os que ainda vão crer, antes que essa multidão inumerável seja removida da terra. A grande maioria desse glorioso grupo já alcançou o céu e está agora com Cristo, o seu Salvador. Esta verdade importante é algumas vezes esquecida na correria desta vida com seus conflitos que vêm sobre aqueles crentes que estão agora neste mundo. Essa porção da Igreja, que foi estar com Cristo, é algumas vezes chamada de "Igreja Triunfante"; mas esses desse grupo são ainda identificados como a parte invisível de um grupo específico que, por serem celestiais em seu caráter – estejam realmente no céu ou na terra – cumprem o propósito mais elevado de Deus em todas as épocas.

Visto que a mesma palavra é usada para uma assembléia local com relação à verdadeira Igreja, a distinção aqui é feita entre a Igreja organizada no mundo e o organismo. Esta última é aquele grupo total que foi salvo e que forma o organismo, pelo fato de estar em Cristo. O primeiro grupo é constituído, quando qualquer congregação de crentes se reúne numa localidade.

Um reconhecimento claro daquilo que, através da graça divina, a Igreja é, do lugar supremo que ela ocupa como o Corpo de Cristo, e da glória e exaltação que ela espera como Noiva do Cordeiro, é indispensável, se desejamos obter uma perspectiva correta do plano e do propósito de Deus. A desconsideração geral que os teólogos têm para com a revelação paulina a respeito da Igreja tem gerado confusão e dano num grau imensurável. Dois fatores servem como causas supremas dessa negligência deplorável, a saber: (a) a Reforma não recuperou essa verdade que anteriormente foi sustentada pela Igreja Primitiva, e (b) a atitude dos teólogos, por serem presos e confinados dentro das limitações da verdade da Reforma, tem sido a de evitar o que para eles parece novo.

Nenhuma teologia poderia ser completa, mesmo vista pelos reformadores, que não exaltasse a primeira revelação de Paulo sobre o Evangelho. Contudo, é verdade, à luz das Escrituras, que nenhuma teologia é completa, se não reconhecer e elevar a um lugar transcendente a segunda revelação de Paulo a respeito da Igreja. As duas revelações são interdependentes e, portanto, inseparáveis num elevado grau. Juntas, elas formam um corpo de verdade maior que o apóstolo Paulo chama de "meu evangelho".

Conquanto haja referências ocasionais à Igreja Universal na literatura teológica pós-Reforma, somente na metade do século XIX que este extenso e importante conjunto de ensinos foi posto numa declaração doutrinária. Coube a J. N. Darby, da Inglaterra, realizar esse distinto ministério. Dos ensinos de Darby e seus associados, o que é conhecido como o Movimento dos Irmãos, este ensinamento emergiu; e esses homens altamente treinados têm produzido uma literatura expositiva, que cobre a totalidade do Texto Sagrado, que não somente é ortodoxo e livre de conceitos errôneos e de ênfase desproporcional, mas tenta interpretar fielmente o campo total da doutrina bíblica – aquela cuja teologia confinada à Reforma falhou em fazer. Ao mesmo tempo, outros homens nos Estados Unidos e em outros países foram despertados para o fato de que a Bíblia apresenta um raio de ação muito mais amplo com respeito à doutrina do que aquele lançado pelos reformadores, e, como resultado, um movimento muito difundido de exposição bíblica se desenvolveu, e incorporou tudo o que a Reforma restaurou e muito mais.

Então, há uma divisão no tempo de hoje nas fileiras dos chamados ortodoxos. De um lado, há aqueles que, por serem treinados a reconhecer não mais do que aquilo que fez parte da teologia da Reforma, e que são restritos ao ponto de vista doutrinário deles e que olham para qualquer verdade acrescentada como um abandono das idéias padrões e, portanto, perigosas. Por outro lado, há aqueles que, conquanto zelosos por preservar a pureza da revelação divina, constroem um sistema de teologia completo, e que encontraram o caminho para a plena harmonia da verdade e o campo ilimitado da doutrina bíblica.

A primeira divisão importante da Eclesiologia, que contempla a segunda revelação de Paulo, estará sujeita agora a um tratamento tríplice: (1) aspectos gerais da doutrina a respeito da Igreja; (2) contrastes entre Israel e a Igreja; e (3) sete figuras usadas sobre a Igreja em sua relação com Cristo (Caps. IV-VI).

No princípio, há uma necessidade de que o estudante, por atenção especial, venha a perceber que a palavra *igreja*, empregada no Novo Testamento, pode se referir a não mais do que a reunião de pessoas de uma geração e sem a garantia de que cada pessoa ali reunida seja salva. Por outro lado, a palavra *igreja* pode significar o grupo total dos redimidos de todas as gerações entre o Pentecostes e o Arrebatamento, e nesse grupo não há um só que não seja salvo. Dr. C. I. Scofield sumariza o caráter da verdadeira Igreja, da seguinte maneira: "A verdadeira Igreja, composta do número total de pessoas regeneradas desde o Pentecostes até a primeira ressurreição

O Significado da palavra *Igreja*

(1 Co 15.52), pessoas reunidas e unidas a Cristo pelo recebimento do Espírito Santo (1 Co 12.12, 13), é o corpo de Cristo do qual Ele é a Cabeça (Ef 1.22, 23). Como tal, ela é o templo para a habitação de Deus, através do Espírito Santo (Ef 2.21, 22); é 'uma carne' com Cristo (Ef 5.30, 31); e esposada a Ele como uma virgem casta a um marido (2 Co 11.2-4)".[78]

Os aspectos gerais dessa doutrina, que devem ser observados são: (a) o significado da palavra *igreja;* (b) o fato de um novo empreendimento divino; (c) vários termos empregados; (d) o primeiro uso da palavra *igreja;* (e) a Igreja do presente propósito divino; (f) quatro razões por que a Igreja começou no Pentecostes e (g) a Igreja em tipos e profecias.

I. O Significado da Palavra *Igreja*

Visto que muita coisa depende do significado da palavra *igreja*, os expositores têm se sentido na obrigação de se concentrar nela. Em sua extensa análise desta palavra, que remonta a sua origem pagã, o arcebispo Trench escreve à guisa de introdução:

"Há palavras cuja história é peculiarmente interessante de se observar, como elas atingem um significado mais profundo, e recebem uma nova consagração na Igreja; palavras que a Igreja não inventou, mas tem presumido em seu serviço, e as tem empregado num sentido muito mais elevado do que qualquer outro que o mundo já usou antes. A própria palavra pela qual a Igreja é chamada é em si mesma um exemplo – uma mais ilustre que raramente pode ser encontrada – desse enobrecimento progressivo de uma palavra. Pois temos a palavra grega ἐκκλησία em três estágios distintos de significado – o pagão, o judaico e o cristão. ...Igual a algumas outras palavras, esta não passou imediatamente e num simples passo do mundo pagão para a Igreja: mas aqui, como freqüentemente acontece, a Septuaginta [LXX] supre o elo de conexão, o ponto de transição, e a palavra é ali preparada para o mais elevado dos seus significados."[79]

Ao comentar Mateus 16.18, o Dr. Marvin Vincent dá o seguinte significado dessa palavra:

Igreja (ἐκκλησίαν), ἐκ, *fora*, καλέω, chamar ou *convocar*. Esta é a primeira ocorrência desta palavra no Novo Testamento, originalmente *uma assembléia de cidadãos, regularmente convocada.* Assim acontece no Novo Testamento, em Atos 19.39. A Septuaginta usa a palavra para a congregação de Israel, seja convocada para um propósito definido (1 Rs 8.65), ou para a comunidade de Israel coletivamente, considerada como uma congregação (Gn 28.3), onde *assembléia* é designada como *multidão* na margem. No Novo Testamento, da congregação de Israel (At 7.38); mas para isto há um termo mais comumente empregado συναγωγή, do qual *sinagoga* é uma transcrição; σύν, juntos, ἄγω, trazer (At 13.43). Nas palavras de Cristo a Pedro a palavra ἐκκλησία adquire uma ênfase especial a partir da oposição implícita nela à sinagoga. A comunidade cristã no meio de Israel seria designada como ἐκκλησία, sem ser confundida com a συναγωγή, a comunidade judaica... Tanto o uso hebraico quanto o uso do Novo Testamento ἐκκλησία sugerem mais do que uma unidade coletiva ou nacional; antes, uma comunidade baseada numa idéia religiosa especial e estabelecida de um modo especial. No Novo Testamento, o termo é usado também num sentido mais estrito de uma simples igreja, ou uma igreja confinada a um lugar particular. Assim é com a igreja na casa de Áquila e Priscila (Rm 16.5); a igreja em Corinto, as igrejas na Judéia, a igreja em Jerusalém etc.[80]

Qualquer que seja o uso da palavra *igreja* no Novo Testamento, uma idéia está inerente, a saber, um povo segregado ou chamado dentre a massa para ser um grupo distinto em si mesmo. Se nada mais deve ser afirmado do que certo grupo reunido num lugar, esse grupo se torna uma igreja. Como foi afirmado num outro lugar, a multidão no teatro de Éfeso (At 19.32) é uma igreja num teatro. Igualmente Israel no deserto (At 7.38); mas não há uma sugestão aqui de que Israel ou a multidão de Éfeso compartilhe das glórias da Igreja que é o corpo de Cristo. A verdade mais ampla e que causa mais impressão é que, quando dentre os judeus ou gentios, alguns são chamados para o corpo celestial, a palavra *igreja* não somente é um termo próprio para ser usado, mas é a palavra que o Novo Testamento emprega. Que o seu uso é, sob essas circunstâncias, avançado para o propósito mais alto possível, não pode ser duvidado. Pelo chamamento divino, que é eficaz (Rm 8.30), a Igreja, como um grupo eleito, está sendo reunida.

Essa realização, que ainda será vista, é a intenção suprema de Deus nessa dispensação. Provavelmente, nenhuma passagem mais iluminadora será encontrada no Novo Testamento, quando se trata do chamamento da Igreja além de Atos 15.14: "Simão relatou como primeiramente Deus visitou os gentios para tomar dentre eles um povo para o seu nome". Visto que o Evangelho havia saltado para fora dos limites judaicos, a igreja em Jerusalém tinha se encontrado para considerar o problema do que havia acontecido com os pactos e promessas distintivos dos judeus. A conclusão é clara: Deus visitava os gentios, para tomar dentre eles (não todos eles) um povo para o seu nome. Que os judeus já haviam sido visitados e haviam sido salvos, ninguém duvidava (cf. Ef 3.6).

II. O Fato de um Novo Empreendimento Divino

Para aqueles acostumados com a ordem religiosa que se adquiriu por 19 séculos, a capacidade de visualizar a inovação transformadora que o arremesso de um projeto divino totalmente novo e imprevisto representa, é essencial. Até aquele tempo o judaísmo não somente havia ocupado o campo, mas havia sido gerado, promovido por Deus e abençoado por Ele. Era a vontade de Deus para o seu povo no mundo. Os beneficiários do judaísmo estavam tão entrincheirados em sua posição e convicções religiosas e eram tão sustentados pelas sanções divinas como a maioria

O FATO DE UM NOVO EMPREENDIMENTO DIVINO

dos crentes ortodoxos de hoje. O novo propósito de Deus intencionalmente não havia sido revelado antes de sua inauguração. Portanto, ele veio não somente com grande subitaneidade, mas totalmente sem a revelação do Antigo Testamento.

O caso seria quase paralelo, se um novo projeto de Deus, e não esperado, aparecesse de um modo forçado para substituir o cristianismo. O preconceito inflexível e a resistência violenta que surgiram na mente judaica eram em razão direta da sinceridade com que o judeu apreciava seus privilégios de longa data. Acrescentado a tudo isto e para tornar o novo e múltiplo empreendimento divino mais difícil, houve o anúncio intrépido de que os desprezados gentios seriam colocados em pé de igualdade com os judeus. Visto somente do ponto de vista humano, não haveria possibilidade de que um movimento desse caráter pudesse ser introduzido de forma alguma. Nada além do poder do Todo-Poderoso poderia realizar esses empreendimentos. Entre todos aqueles cujo preconceito e resistência chegaram a ponto de matar Estêvão, estava Saulo de Tarso, que era evidentemente o mais zeloso de todos os seus compatriotas, pela verdade sustentada pelos judeus sob a autoridade divina; todavia, Deus operou uma mudança tal naquele fariseu desafiador, que ele se tornou o campeão de uma nova causa.

Nenhuma palavra mais revolucionária jamais foi dita do que a que esse homem pronunciou, quando disse: "Portanto, não há distinção entre judeu e grego; porque o mesmo Senhor o é de todos, rico para com todos os que o invocam" (Rm 10.12; cf. 3.9).

Assim o primeiro concílio da Igreja chegou à conclusão de que um novo propósito divino havia sido introduzido e que, quando esse propósito fosse completado, Deus levantaria novamente o programa judaico e o levaria à sua consumação já predita. O registro da decisão desse notável conclave é dado em Atos 15.13-18, que declara: "Depois que se calaram, Tiago, tomando a palavra, disse: Irmãos, ouvi-me: Simão relatou como primeiramente Deus visitou os gentios para tomar dentre eles um povo para o seu nome. E com isto concordam as palavras dos profetas; como está escrito: Depois disto voltarei, e reedificarei o tabernáculo de Davi, que está caído; reedificarei as suas ruínas, e tornarei a levantá-lo; para que o resto dos homens busque ao Senhor, sim, todos os gentios, sobre os quais é invocado o meu nome, diz o Senhor que faz estas coisas, que são conhecidas desde a antiguidade".

O amor cristao, gerado pela habitação do Espírito Santo, havia se apoderado dos corações daqueles que tinham crido – de ambos, judeus e gentios – e aquele muro de separação duradouro foi derrubado (Ef 2.14); portanto, o novo propósito de Deus foi saudado por aqueles que eram salvos e sua mensagem de conhecimento superou as riquezas proclamadas aos judeus e gentios, igualmente. Quão claramente o apóstolo Pedro havia sido transformado, fica revelado em sua palavra a esse mesmo concílio de Jerusalém, quando disse que Deus em seu tratamento dos gentios "não fez distinção alguma entre eles e nós, purificando os seus corações pela fé" (At 15.9). Na verdade, o novo propósito de Deus, até então não revelado no chamamento de um povo celestial dentre os judeus e gentios, é tão divergente com respeito ao propósito divino em relação a Israel, propósito esse que o precedeu e que o seguirá, que o termo *parentético*, comumente empregado para descrever o novo propósito da dispensação, é inexato.

Uma porção parentética mantém alguma relação direta ou indireta do que vem antes com aquilo que vem depois; mas o propósito da dispensação presente não é assim relacionado e, portanto, deve ser mais propriamente chamado de uma *intercalação*. A propriedade desta palavra será vista no fato de que, como uma interpolação é formada por se inserir uma palavra ou frase num contexto, assim uma intercalação é formada pela introdução de um dia ou um período de tempo num calendário. A presente dispensação da Igreja é uma intercalação num calendário revelado ou programa de Deus, programa esse que foi previsto pelos profetas do Antigo Testamento. Na verdade, esse é o caráter exato dessa presente dispensação.

Esses dois sistemas separados de interpretação da Bíblia são impingidos sobre a veracidade ou a falsidade da argumentação de que essa dispensação é uma intercalação, e isto não pode deixar de ser observado. Se o objetivo divino na Igreja não é nada novo, por ser somente o florescimento do botão judaico ou o segundo e o último capítulo de uma história continuada, então todos os esforços do Novo Testamento em declarar o caráter distintivo do propósito celestial na nova criação, são em vão. Por outro lado, se o objetivo divino é novo, então toda a Escritura está harmonizada e nenhuma palavra que Deus falou é sem significado. Isto não significa dizer que não haja tipos ou predições no Antigo Testamento que, com a luz acrescida da presente revelação, não possam ser reconhecidos como prefiguração do presente propósito divino na Igreja; nem está sugerido por essa distinção que não haja uma continuidade por todo o Texto Sagrado. Contudo, essa dispensação e o seu propósito não foram vistos pelos profetas do Antigo Testamento (1 Pe 1.10, 11).

III. Vários Termos Empregados

Igual ao Senhor em quem ela crê, em quem ela permanece, e em quem ela é aceita, a Igreja é identificada por muitos nomes e designações descritivas. O próprio Senhor referiu-se a ela como "minha igreja", "minhas ovelhas", "aqueles que me deste" (cf. Ef 5.25-27). Eles são conhecidos como "cristãos, santos, crentes, eleitos, corpo de Cristo, irmãos, os seus, testemunhas, embaixadores, estrangeiros e peregrinos, família da fé, filhos de Deus" etc. Cada nome, será observado, sustenta alguma sugestão relativa ao caráter distintivo do grupo celestial; mas nenhum é mais doutrinariamente completo do que o título *igreja*. Dificilmente pareceria necessário afirmar aquilo que é geralmente conhecido como filiação de igreja ou organização da igreja. Estas coisas não serão estudadas sob o cognome "igreja".

Foi declarado anteriormente que essa designação inclui somente aqueles que são salvos, embora ela se estenda a todas as gerações entre o Pentecostes e o Arrebatamento. É peculiarmente vantajoso para o estudante que se torne claro em sua mente o fato de que a verdadeira Igreja não deve ser confundida com qualquer multidão mista que pode compor a filiação de uma igreja na terra. Nesta obra, a Igreja, organismo ou organização, é sempre indicada pelo uso da letra inicial maiúscula, enquanto que a referência à igreja local sempre aparece com a letra inicial minúscula.

Dentre todas as designações aplicadas à verdadeira Igreja, a declaração de que ela é uma nova criação é de grande importância. Não somente esse título revela o fato fundamental de que esse grupo foi criado pela recriação de cada indivíduo dentro dela, mas esse título indica que essa nova humanidade celestial está relacionada a Cristo como uma raça está relacionada ao seu patriarca. Essa nova criação incorpora Cristo scom todos os crentes em sua identidade única. A este respeito, o termo *igreja* é algo diferente no sentido em que, como um corpo pode ser estudado à parte de sua cabeça, assim a Igreja pode ser verificada como separada de Cristo, embora intimamente identificada com Ele.

IV. O Primeiro Uso da Palavra *Igreja*

A regra usualmente dirá que, se há mais de um significado para um termo bíblico, o primeiro uso dele no Texto Sagrado será o seu significado mais importante. Esta sugestão é mantida, ao menos, no caso da palavra *igreja*. O termo aparece pela primeira vez quando o próprio Cristo o pronunciou e está registrado em Mateus 16.18: "Eu edificarei a minha igreja". Cada uma destas cinco palavras está carregada de importância doutrinária. Se a frase for repetida cinco vezes, a fim de enfatizar cada palavra diferente, a contribuição que cada palavra faz ao todo poderá ser observada. Quando a ênfase cai sobre a palavra "Eu", está indicado que todo o empreendimento pertence a Cristo e é empreendido por Ele somente. Ele é quem chama, salva, e aperfeiçoa esse grupo específico. Quando a ênfase cai sobre a futuridade da ação de Cristo, o aspecto profético é introduzido e o leitor é relembrado de que a Igreja não existia no momento em que Cristo falava, mas que ela deveria aparecer no futuro.

Este é um aspecto difícil da verdade para aqueles que argumentam que a Igreja já existia por todo o período do Antigo Testamento, ou em parte dele. Nada exceto escravidão à tradição – especialmente de origem romana – pode explicar tal argumentação. Quando a ênfase cai sobre a palavra *edificar*, uma verdade importante é desenvolvida a respeito da maneira pela qual esse grupo será construído. A palavra *edificar* sugere um processo longo e lento; e isso tem sido provado ser assim. Que a Igreja está *sendo edificada* é uma tradução literal de Efésios 2.20. Assim, além disso, em Hebreus 3.6, que diz: "...mas Cristo o é como Filho sobre a casa de Deus; a qual casa somos nós". Quando a ênfase cai sobre a palavra *minha,* a realidade mais bendita é proclamada.

ECLESIOLOGIA

Esse grupo é, acima de tudo mais, "a igreja de Deus, que ele comprou com o seu próprio sangue" (At 20.28); e, igualmente, Cristo amou a Igreja, e entregou-se a si mesmo por ela" (Ef 5.25). Qualquer que possa ser a reação do coração de um indivíduo a respeito dessa possessão de Cristo, a verdade permanece inalterável – a Igreja é a propriedade de Cristo, e Ele ainda a apresentará a Si próprio. Não haverá uma contestação do Seu direito de posse e aqueles que estão dentro da Igreja, longe de serem vítimas relutantes de autoridade arbitrária, se regozijarão pelo fato deles pertencerem a Ele e de amarem Aquele que os amou primeiro. Quando a ênfase cai sobre a palavra *igreja*, há o estabelecimento imediato da distinção que existe entre este grupo celestial e todas as outras classificações dos seres humanos. Pelo fato de Jeová dizer a Israel: "...eu te amei com amor eterno" (Jr 31.3), não complica a verdade de que a Igreja é também amada num grau infinito (Jo 13.1; Ef 5.25).

V. O Presente Propósito Divino da Igreja

O leitor atento está consciente do fato de que o Antigo Testamento termina sem a realização de qualquer uma daquelas expectativas imensuráveis que os profetas haviam apresentado. De igual modo, é visto que aquelas expectativas, embora tenham sido possibilitadas pelo primeiro advento do Rei, não obstante, não foram efetuadas naquela época. O Rei foi rejeitado e crucificado; mas como resultado da própria rejeição e da crucificação, a porta foi aberta para assegurar o aparecimento da Noiva para o Cordeiro. No tempo devido, e como foi estipulado, toda a expectativa do Antigo Testamento foi realizada. Contudo, é certo que o propósito da presente dispensação é o ajuntamento da Igreja e não o tempo das bênçãos de Israel. Israel é ainda "cortada, odiada, espalhada e desvestida". Deus não trata agora com uma nação, mas inclui gentios em Suas provisões graciosas; e Ele não oferece um reino a alguém.

Em Mateus 13, são dadas pelo próprio Cristo, sob sete parábolas, as características dessa dispensação. Nesse texto, essa época é em si mesma declarada como um mistério, ou segredo sagrado (13.11), e as parábolas desenvolvem a verdade de três aspectos principais presentes por toda essa dispensação, a saber: (a) aquilo que é aceitável – o trigo, a pérola e o peixe bom; (b) aquilo que representa o Israel cego (vv. 14, 15), que são os tesouros escondidos no campo – o campo é o mundo – e (c) a presença do mal – o joio, os maus pássaros, o fermento e os peixes ruins. Deveria ser observado que, no Novo Testamento, cada um desses três fatores é em si mesmo declarado ser um mistério, ou um segredo sagrado: (a) a Igreja composta de judeus e gentios em um Corpo (Ef 3.4-6); (b) Israel tornou-se cego até que a Igreja se complete (Rm 11.25; cf. Atos 15.13-18); e (c) a presença e o caráter do mal nessa dispensação (2 Ts 2.7).

A cegueira de Israel como um mistério é dita continuar *até que* a Igreja seja retirada do mundo. O mal como um mistério também continua *até que* o Restringidor seja retirado – a retirada do Espírito Santo do seu papel de morador

410

no mundo e a remoção da Igreja que não pode ser separada dEle (Jo 14.17). Assim, segue-se que destes três fatores que caracterizam esta dispensação, dois deles – a demora para Israel, produto de sua cegueira, e a presença do mal – têm um tempo determinado, não para o que poderia ser o propósito deles, mas cada um deles deve esperar *até que* a Igreja seja edificada e removida da terra. Assim, fica demonstrado que a plenitude da Igreja é objetivo primário de Deus nesta dispensação.

Mas mais conclusiva ainda é a afirmação direta em Éfeso 2.7, a qual assevera que o propósito divino mais importante é que nas eras vindouras Deus pode fazer uma plena manifestação das riquezas de sua graça, por meio da salvação que Ele agora realiza em todos os que crêem.

VI. Quatro Razões por que a Igreja Começou no Pentecostes

Aparentemente, por falta da consideração devida de tudo que faz parte do caso, alguns teólogos têm sustentado a idéia de que aquelas coisas que caracterizam a revelação do Antigo Testamento são transportadas sem alteração para o Novo Testamento. A necessidade de observar as distinções das dispensações surge em conexão com o abandono abrupto dos aspectos existentes e da introdução de novos aspectos que marcam a transição de uma dispensação a outra. Esta linha de demarcação é especialmente clara entre a presente era e a que precede, e entre a presente época e a que vai se seguir. Certos eventos que servem para produzir essas mudanças são propriamente chamados de *era de transformação*. As coisas não podem ser as mesmas nessa dispensação como foram na passada, após a morte, ressurreição e ascensão de Cristo, e o advento do Espírito Santo no Pentecostes.

De igual modo, as coisas não poderão ser as mesmas na era vindoura como elas são nesta dispensação, após ter havido o segundo advento de Cristo para reinar na terra, a prisão de Satanás, a remoção da Igreja e a restauração de Israel. Aqueles que não vêem força nesta declaração dificilmente consideraram o significado imensurável dessas ocorrências da era de transformação. À luz dessas questões determinantes, pode ser visto (a) que não poderia haver a Igreja no mundo constituída como ela é agora e distintiva em todos os seus aspectos – até a morte de Cristo; porque a relação dela com essa morte não é a de uma mera antecipação, mas é baseada totalmente em Sua obra consumada e ela deve ser purificada por Seu sangue precioso; (b) não poderia haver a Igreja, até que Cristo ressuscitasse dentre os mortos, para dar a ela uma vida ressurrecta; (c) não poderia haver a Igreja até que Ele ascendesse às alturas para tornar-se o Seu Cabeça; porque ela é uma nova criação com um novo comando federal no Cristo ressurrecto. Ele é, igualmente para ela como a cabeça é para o corpo. Nem poderia a Igreja sobreviver por um só momento, se não fosse pela intercessão e defesa dEle no céu; (d) não poderia haver a Igreja na terra até o advento do Espírito Santo; porque a realidade mais básica e fundamental a respeito da Igreja é que ela é um templo para a habitação de Deus, através do Espírito.

Ela é regenerada, batizada, e selada pelo Espírito. Se é argumentado que estas condições poderiam ter existido antes do Pentecostes, é facilmente provado que a Escritura não declara que esses relacionamentos foram obtidos senão *após* o Pentecostes (cf. Jo 14.37). Uma Igreja sem a obra terminada sobre a qual ela permanece; uma Igreja sem a posição de ressurreição ou a vida; uma Igreja que é uma nova humanidade, mas sem um cabeça federal; e uma Igreja sem o Pentecostes e tudo aquilo com que ele contribui, é somente uma ficção da fantasia teológica e totalmente estranha ao Novo Testamento.

VII. A Igreja nos Tipos e nas Profecias

A afirmação, como costumeiramente é feita, de que a Igreja não está no Antigo Testamento, é uma declaração da verdade de que ela não estava, então, em sua existência real e que a partir de qualquer tipo ou predição, nenhuma delineação clara da Igreja pode ter sido formada. Com relação aos tipos, está evidente que todo sacrifício da antiga ordem foi uma prefiguração do padecimento de Cristo, de cuja morte a Igreja participa em grande medida. O significado antitípico das ofertas no livro de Levítico e ao menos quatro das sete festas de Jeová convergem sobre a Igreja. Algumas das noivas do Antigo Testamento são tipos da Noiva de Cristo. A profecia concernente à Igreja está basicamente dentro do Novo Testamento. Dela, como tem sido dito, Cristo não declarou que Ele a edificaria como Sua, mas que "as portas do inferno" não prevaleceriam contra ela. Essas portas têm prevalecido constantemente contra a Igreja organizada que está no mundo; mas elas nunca prevaleceram contra a Igreja que é o Seu corpo. Cada membro dessa Igreja tem sido e sempre será preservado até o Seu reino celestial.

Como o arcebispo Trench escreveu, o termo *igreja* tinha o seu uso pagão, o seu uso no Antigo Testamento – empregado pela LXX – e o seu significado neotestamentário. Não temos o propósito de demonstrar, como alguns têm procurado fazer, que a Igreja é definida pelo uso do termo na Septuaginta. A palavra é desenvolvida no Novo Testamento ao seu grau mais alto de exaltação e de representação honrável, e as revelações sobre a Igreja no Novo Testamento são sem complicação ou confusão.

Capítulo III

Contrastes entre Israel e a Igreja

EMBORA MUITA COISA já tenha sido apresentada na introdução geral à Eclesiologia sobre as distinções que existem entre Israel e a Igreja, um sumário parcial deste campo inexaurível de investigação está incluído nesse capítulo. Vinte e quatro contrastes devem ser indicados com brevidade e isto será seguido de um reconhecimento das similaridades que estão presentes entre esses dois importantes agrupamentos da humanidade.

I. A Extensão da Revelação Bíblica

Com respeito à aplicação primária, Israel ocupa aproximadamente 4/5 do texto da Escritura, enquanto que a Igreja, um pouco mais do que 1/5.

II. O Propósito Divino

Por causa de uma estranha desatenção da parte de muitos, precisa ser afirmado que há dois propósitos divinos principais, ambos totalmente à parte daquilo que diz respeito aos anjos ou aos gentios. A distinção entre o propósito para Israel e o propósito para a Igreja é tão importante quanto aquele que existe entre os dois testamentos. Pacto, promessa e provisão para Israel são terrestres, e Israel será uma nação respeitada na terra, quando ela for recriada. Todo pacto ou promessa para a Igreja é para uma realidade celestial, e ela continuará na cidadania celestial quando os céus forem recriados.

III. A Semente de Abraão

Em razão do fato de Abraão ser não somente o progenitor da nação da promessa, mas também o padrão de um cristão sob a graça, é significativo que haja duas figuras empregadas por Jeová a respeito da descendência de Abraão – o pó da terra (Gn 13.16), e as estrelas do céu (Gn 15.5; cf. Hb 11.12). A extensão deste pacto abraâmico é vista em Romanos 4.16: "Portanto procede da fé o ser herdeiro, para que seja segundo a graça, a fim de que a promessa seja firme e toda a descendência, não somente à que é da lei, mas também à que é da fé que teve Abraão, o que é pai de todos nós". À parte da linhagem de Israel e dos filhos de Quetura, a respeito de quem não há um propósito divino revelado, os filhos de Jacó, ou Israel, e sem referência a Esaú, são contados como a descendência física (cf. Gn 22.2; Hb 11.17) de Abraão; porque com esses Deus fez pactos a respeito dos privilégios terrestres deles.

De modo contrário, a descendência celestial de Abraão não é gerada por Abraão, mas por Deus sobre o princípio eficaz da fé; e, por causa da verdade de que essa fé foi exercida especificamente por Abraão (Gn 15.6; Rm 4.1-3, 17-24), aqueles que possuem semelhante fé são descendência espiritual de Abraão. Está escrito: "De modo que os que são da fé são abençoados com o crente Abraão" (Gl 3.9). Uma distinção vital é feita pelo apóstolo Paulo entre o Israel da carne e aquela porção de Israel dentro da Israel que é salva. Aqueles que são salvos são chamados "o Israel de Deus" (Gl 6.16), e a afirmação de que "nem todos os que são de Israel são israelitas" (Rm 9.6) é uma referência à mesma distinção. O uso dessas passagens, para provar que Israel e a Igreja são a mesma coisa, é deplorável à luz da verdade que esses textos declaram.

IV. O Nascimento

Os israelitas se tornam o que são pelo nascimento físico. Eles são, cada um deles, gerados de pais humanos e a herança deles é transmitida por geração humana. Os cristãos se tornam o que são pelo nascimento espiritual. Eles são gerados diretamente por Deus e são, portanto, Sua descendência legítima. A herança deles é imediata e cada um é um filho de Deus.

V. Jesus Como Cabeça

Abraão é o cabeça da raça judaica, e eles são devidamente designados como "a descendência de Abraão". Embora nascido em origem gentílica, Abraão foi separado por Deus para a elevada honra de ser o progenitor de um povo eleito sobre a terra. Em oposição a isto, pode ser dito dos cristãos, embora, quando se magnifica o elemento da fé, eles sejam chamados "descendência de Abraão" (Gl 3.29); Deus é o Pai deles e pelo Espírito se tornam unidos a Cristo e Ele, o Senhor ressurrecto, é o novo Cabeça federal deles.

VI. Os Pactos

Deus fez pactos incondicionais com o seu povo terrestre. Ele ainda fará um novo pacto com eles, quando entrarem no reino deles. Esse novo pacto governará a conduta deles e substituirá o pacto mosaico da Lei (cf. Dt 30.8; Jr 31.31-33). Esse novo pacto para Israel será feito em quatro partes, mas esses quatro aspectos são as bênçãos presentes da Igreja. Esse povo celestial está abrigado sob um novo pacto feito em Seu sangue. Ele é individual em sua aplicação e é eterno. Ele garante cada bênção divina sobre os que crêem em Cristo como Salvador.

VII. A Nacionalidade

Israel pertence à terra e ao sistema do mundo. Embora acima de todas as nações na conta de Jeová, eles estão ainda no mundo como uma de suas nações. Em oposição a isto e formando o contraste mais forte, está o fato de que a Igreja é composta de todas as nações, inclusive Israel, e não mantém uma cidadania aqui, mas, ao contrário, os crentes são estrangeiros e peregrinos.

VIII. O Trato de Deus

O fato de que, na presente dispensação, os israelitas, igualmente os gentios, são colocados à sua responsabilidade pessoal a respeito das reivindicações do Evangelho, sem dúvida, confunde aqueles que não consideram o amplo alcance da história humana que a Bíblia registra. Eles falham em perceber que o presente arranjo de Deus é excepcional e que Deus em outras épocas tratou com nações – especialmente Israel – como um todo. O presente arranjo é restrito a uma era na qual a responsabilidade é totalmente pessoal.

IX. As Dispensações

O povo terrestre, embora o seu estado possa variar, está presente na terra em todas as eras, desde o seu começo, em Abraão, e por toda a eternidade vindoura; enquanto que a Igreja, como foi afirmado anteriormente, está restrita à presente dispensação. A dispensação agora em vigor é caracterizada por sua presença no mundo. Ela foi introduzida por causa de Israel; e é, portanto, sem qualquer relação com o que aconteceu antes ou com o que se seguirá depois.

X. O Ministério

Israel foi designado para exercer uma influência sobre as nações da terra (cf. Sl 67.1-7), e isto ela ainda fará de um modo perfeito na era vindoura; não obstante, não há um empreendimento missionário e um evangelho proclamado. Israel manteve uma adoração centrada em si mesma. Ela encarou interiormente a idéia do tabernáculo ou templo e toda a sua benevolência foi esgotada em sua própria adoração. Contudo, imediatamente após a sua formação, a Igreja tornou-se uma sociedade missionária para todo o mundo. É sua obrigação encarar externamente e todos os membros dela têm a tarefa de evangelizar as pessoas da terra em cada geração.

XI. A Morte de Cristo

A nação que exigiu a morte de Cristo e que disse pelos seus oficiais: "...seu sangue caia sobre nós e sobre os nossos filhos", é culpada dessa morte; todavia, eles serão salvos como uma nação com base nesse sacrifício. Por outro lado, a salvação presente e perfeita para o louvor de Deus, é a porção que cabe à Igreja através da oferta do Cordeiro de Deus.

XII. O Pai

Para Israel, Deus é conhecido por seus títulos principais, mas não como o Pai do israelita, particularmente. De forma distinta, o cristão é realmente gerado de Deus e tem todo o direito de dirigir-se a Ele como Pai.

XIII. Cristo

Para Israel, Cristo é o Messias, Emanuel, e Rei com tudo o que esses nomes implicam. Para a Igreja, Cristo é Salvador, Senhor, Noivo e Cabeça.

XIV. O Espírito Santo

Somente em casos excepcionais, e para um serviço incomum, o Espírito Santo manifestava-se sobre um israelita, e retirava-se tão livremente como veio, quando o propósito era cumprido. O mais forte contraste deve ser visto aqui, em que o cristão é habitado pelo Espírito; na verdade, ele não é salvo à parte dessa relação com o Espírito Santo (Rm 8.9).

XV. O Princípio Governante

Por quinze séculos, a Lei de Moisés foi a regra de vida diária para Israel. Está escrito: "Mas é de eternidade a eternidade a benignidade do Senhor sobre aqueles que o temem, e a sua justiça sobre os filhos dos filhos, sobre aqueles que guardam o seu pacto, e sobre os que se lembram dos seus preceitos para os cumprirem" (Sl 103.17, 18). Diferentemente disto, os membros do Corpo de Cristo, totalmente aperfeiçoados nele, estão sob as orientações que a graça proporciona.

XVI. A Capacitação Divina

O sistema de lei proporcionado não tem poder capacitador para a sua realização. Foi declarado que esse sistema falhou, por causa da fraqueza "da carne" à qual ele foi evidentemente endereçado (Rm 8.3). Para a Igreja, contudo, tão certamente quanto as exigências sobre-humanas são colocadas sob os ombros de seus membros, tão certamente um poder sobrenatural lhes é proporcionado para cada exigência. É por conta disso que o apóstolo Paulo foi capaz de dizer: "...o pecado não terá domínio sobre vós". A razão, naturalmente, é que "não estais debaixo da lei, mas debaixo da graça" (Rm 6.14).

XVII. Os Discursos de Despedida

Vários dias antes de sua partida deste mundo, Cristo fez um discurso de despedida para a nação de Israel onde contemplou o futuro dela e isto em sua relação com o Seu retorno (Mt 23.37–25.46). Totalmente distante disso e diferente em todos os seus aspectos, Cristo, na noite anterior em que foi morto, fez a sua mensagem de despedida aos cristãos. Quando esses dois discursos são vistos lado a lado, é notório que as distinções mais amplas entre Israel e a Igreja são indicadas.

ECLESIOLOGIA

XVIII. A Promessa do Retorno de Cristo

Como é visto em Suas palavras especificamente dirigidas a Israel, Cristo retorna a Israel como seu Rei em poder e grande glória, em cujo tempo ela será reunida de todas as partes da terra pela ministração angelical e colocada na sua própria terra (Dt 30.1-8; Jr 23.7-8; Mt 24.31). Em oposição a esses grandes eventos prometidos a Israel, está o retorno de Cristo para a sua Noiva, quando Ele a toma consigo para a glória celestial (Jo 14.1-3). Os contrastes entre essas duas situações podem ser vistos em grande medida e igualmente com grande proveito.

XIX. A Posição

Isaías declara: "Mas tu, Israel, és meu servo" (Is 41.8). Embora os indivíduos em Israel alcançassem grande serventia, como aconteceu com os profetas, sacerdotes e reis; todavia, eles nunca chegaram a uma distinção mais alta além de terem sido *servos* de Jeová. Em sentido oposto, os indivíduos que compõem a Igreja estão para sempre em Cristo e são membros da família de Deus.

XX. O Reino Terreno de Cristo

Aqueles da nação eleita são designados para serem súditos do Rei em seu reino terrestre (Ez 37.21-28), enquanto que aqueles que compõem a Igreja devem reinar com o Rei, como seu Consorte naquele reino (Ap 20.6).

XXI. O Sacerdócio

A nação de Israel *tinha* um sacerdócio. A Igreja *é* um sacerdócio.

XXII. O Casamento

Como uma nação, Israel é assemelhado por Jeová como sua esposa – uma esposa infiel e que vai ser restaurada (Is 54.1-17; Jr 3.1, 14, 20; Ez 16.1-59; Os 2.1-23; cf. Gl 4.27). Em distinção acentuada a essa situação com respeito a Israel, está a revelação de que a Igreja é para Cristo como alguém esposado e a ser casado no céu (2 Co 11.2; Ap 19.7-9).

XXIII. Os Juízos

Está claramente predito que Israel deve vir a julgamento (Ez 20.33-44; Mt 25.1-13); mas está também claramente declarado que a Igreja não entrará em julgamento (Jo 5.24; Rm 8.1).

XXIV. A Posição na Eternidade

Em sua contagem dos habitantes da nova Jerusalém, o escritor aos Hebreus assevera que haverá aqueles presentes que são identificados como "os espíritos dos justos aperfeiçoados". Isto pode facilmente se referir aos santos do Antigo Testamento que, enquanto nesta vida, foram chamados de *justos*. Esta designação ocorre mais de trinta vezes no Antigo Testamento e sempre com referência àqueles que estiveram em relação correta com Deus. Na mesma contagem dos habitantes da nova Jerusalém, há reconhecimento também da "igreja dos primogênitos" (Hb 12.22-24).

Conclusão

Concluindo esta série extensa de contrastes entre Israel e a Igreja, deveria ser observado que, em certos aspectos, há similaridades entre esses dois grupos de pessoas eleitas. Cada um, por sua vez, tem a sua relação peculiar com Deus, com a justiça, o pecado, a redenção, a salvação, a responsabilidade humana e o destino. Eles são todos testemunhas da Palavra de Deus; cada um pode reivindicar o mesmo Pastor; eles têm doutrinas em comum; a morte de Cristo tem proveito a seu próprio modo para cada um; eles são igualmente amados com um amor eterno; e cada um, como determinado por Deus, será glorificado.

CAPÍTULO IV

Sete Figuras Usadas Sobre a Igreja em sua Relação com Cristo

A VERDADEIRA IGREJA, embora vista sob muitos cognomes, é o tema central desta porção maior do Novo Testamento que vigora na presente dispensação. Ela é o propósito de Deus na presente época e o propósito supremo de Deus no universo. A presente negligência da extensa doutrina da Igreja não é somente censurável, mas tem conduzido a um grande número de erros perniciosos. O sectarianismo, com sua ofensa contra toda revelação específica a respeito de um Corpo de Cristo, não é o menor desses pecados. Se a instrução teológica do passado tivesse dado mesmo uma pequena proporção de reconhecimento a esse tema que justamente lhe pertence, a cristandade poderia ter sido poupada dessa situação presente, onde ela tem sido comparada a um campo de facções em guerra.

Evidentemente, a única coisa sagrada que é honrada neste tempo é a seita. Os ataques são tolerados contra as doutrinas mais básicas e indispensáveis, sem que haja lamentação, mas uma deslealdade a uma seita é ressentida. A cura não está nos movimentos de massa; ela repousa na responsabilidade pessoal de cada crente de "preservar a unidade do Espírito" (Ef 4.3) pelo amor e companheirismo com todo filho de Deus. Somente os Estados Unidos conhecem ao menos trezentas distinções de seitas; cada uma delas está satisfeita consigo mesma e proclamam lealdade à Igreja, todas das quais, interpretadas, significam fidelidade sectária e reverência. É verdade que Cristo disse: "...amai-vos uns aos outros como eu vos amei"; mas esta instrução deve ser restrita no seu escopo, para incluir somente aqueles do grupo ao qual se pertence. Em oposição a isto – embora para muitos ela não pareça existir – está a doutrina de um Corpo de Cristo, a única família de Deus. Na verdade, feliz é o indivíduo que pode ajustar a sua vida e atividades a essa realidade do Novo Testamento.

Muita verdade a respeito da Igreja deve ser descoberta nos três agrupamentos de sete nos quais ela aparece, a saber, as sete parábolas de Mateus 13, as sete cartas às sete igrejas na Ásia, em Apocalipse 2 e 3, e as sete figuras usadas em referência à Igreja em sua relação com Cristo. Os primeiros dois desses grupos de sete merecem ao menos uma breve consideração, enquanto que o terceiro é o tema de toda esta divisão da Eclesiologia.

(A) Sem uma identificação exata da sua natureza precisa e de seu nome, as sete parábolas de Mateus 13 apresentam um grupo específico que inclui a Igreja, de acordo com o propósito divino nessa dispensação, e revelam os fatos a respeito de outros acontecimentos e influências que surgiram e têm acontecido, ambas presentes e eqüidistantes da Igreja nesta época. Por um processo de semear a semente a muitas pessoas, um resíduo daquilo que é chamado trigo seria, e tem sido, assegurado; a semente falsa e destrutiva seria, e tem sido, semeada por Satanás; uma estrutura de profissão que está fora de qualquer proporção com relação ao seu pequeno começo e que dá guarida às aves más que comem as sementes, seria, e tem sido, desenvolvido; o fermento, símbolo da má doutrina, seria, e tem sido, injetado no próprio grupo dos eleitos; Israel, assemelhado a um tesouro, seria, e tem sido, escondido no campo – o *cosmos* [mundo] – a Igreja, assemelhada a uma pérola de grande preço, pela qual Cristo vendeu tudo para que pudesse possuí-la, seria, e tem sido, assegurada através da redenção; e a dispensação terminará com uma divisão dos peixes bons e ruins, como também com a separação do trigo e do joio.

No final, o trigo será ajuntado no Seu celeiro e os bons peixes nos cestos. Na conclusão dessas parábolas, Cristo disse: "Assim será no fim do mundo: sairão os anjos, e separarão os maus dentre os justos e os lançarão na fornalha de fogo; ali haverá choro e ranger de dentes" (Mt 13.49, 50).

(B) Numa extensa e acurada exposição das sete cartas às sete igrejas, apresentada em suas *Lectures on the Book of Revelation*, o Dr. H. A. Ironside escreve o seguinte:

Antes de começar o nosso estudo das "coisas que são", deixe-me lhe apresentar essa parábola. Certo tempo atrás, fazendo uma busca minuciosa num antigo castelo, algumas pessoas viram um estranho e antigo cadeado que trancava aquela porta robusta. Eles sacudiram a porta e tentaram abri-la, mas sem sucesso. Eles tentaram vários modos para remover o cadeado, mas não conseguiram. Mais tarde alguém pegou um molho de chaves antigas de um entulho no chão e essa pessoa disse: "Talvez eu possa abrir o cadeado." Ele tentou uma chave e não resultou em nada; tentou uma outra e nada; e assim por diante, mas nenhuma poderia abrir o cadeado. Por último, ele pegou uma chave velha e peculiar. Ele a girou no cadeado, deu uma volta, e o cadeado foi aberto. Eles disseram: "Sem dúvida, esta chave foi feita para este cadeado".

Você vai entender a minha parábola, se eu chamar a sua atenção para o fato de que, no versículo 20 desse primeiro capítulo, é-nos dito que havia um mistério conectado com os sete candeeiros. É dito que os sete candeeiros simbolizam as sete igrejas da Ásia, mas havia um mistério conectado com eles. Enquanto alguns têm tentado uma chave e outros têm tentado outra (e tem havido muitas espécies de esforços feitos para interpretar esse mistério), nenhuma solução foi encontrada até que alguns estudantes dedicados da Escritura, ao ponderar sobre este texto disseram: "Não poderia acontecer que, visto que essa seção do livro apresenta 'as coisas que são', Deus tenha se agradado em nos dar aqui uma história profética da Igreja para toda a dispensação?" Mas essa chave abriria o cadeado? Eles compararam a primeira parte da história da Igreja com a carta a Éfeso. Aqui tudo se encaixou perfeitamente. Eles continuaram e compararam a carta a Esmirna com a segunda parte da história da Igreja, e a harmonia foi marcante. Eles continuaram a fazer isso até o final, e quando chegaram a Laodicéia eles verificaram que o que estava escrito na carta àquela igreja responde exatamente à condição da Igreja professante nos dias em que vivemos, e eles disseram: "O mistério está solucionado. O cadeado foi aberto; portanto, temos a chave certa."[81]

É óbvio que essas sete cartas foram escritas para as igrejas existentes e que elas se aplicam numa maneira específica aos crentes a quem elas se dirigem. Deve igualmente ser observado que essas mensagens são dirigidas a todos os crentes e a todas as igrejas de Deus em toda parte e em qualquer época. A frase, "quem tem ouvidos, ouça o que o Espírito diz à igrejas" – com que cada carta termina – é prova da aplicação universal dessas mensagens feitas após a ascensão de Cristo. Todavia, além disso, e mesmo de uma maneira mais vital, e como o Dr. Ironside assinala, essas cartas antecipam – e assim tem sido cumprido – o curso da história da Igreja visível nesta era. Conquanto esse conjunto de verdades pertença principalmente à divisão da Eclesiologia, que contempla a Igreja organizada no mundo, a verdadeira Igreja, na sua maior parte, está dentro desse grupo e, portanto, o que está declarado a respeito de um grupo envolve, em algum grau, o outro.

(c) A revelação sobremodo importante a respeito da verdadeira Igreja está contida nos sete relacionamentos que ela mantém com Cristo, que são: (1) o Pastor e as ovelhas; (2) a Videira e os ramos; (3) a Pedra Angular e as pedras do edifício; (4) o Sumo Sacerdote e o reino de sacerdotes; (5) o Cabeça e o Corpo com seus muitos membros; (6) o Último Adão e a nova criação; e (7) o Noivo e a Noiva. Será dada agora atenção a isto na ordem proposta.

I. O Pastor e as Ovelhas

O termo *ovelhas* aplicado na Bíblia a homens é amplo em sua importância. Com propriedade total, ele é usado a respeito de Israel, e das nações que, todavia, vão permanecer à direita do Rei, e mais tarde entrarão no reino preparado para eles (Mt 25.34). A designação, então, em seu escopo mais amplo, é de qualquer povo que foi favorecido de Deus. Contudo, o uso da palavra *ovelhas* na figura sob consideração é restrito aos crentes da presente dispensação. O desamparo total de uma ovelha torna esse animal uma boa ilustração do cristão.

Como o evangelho escrito por João foi registrado, para que o leitor pudesse crer que Jesus é o Cristo e, crendo, poderia ter vida em seu nome (Jo 20.31), é essencial reconhecer também, com exceção dos capítulos 13-17, que as palavras de Cristo contidas nesse evangelho foram dirigidas aos judeus. Não há sugestão aqui de que a verdade pertencia absolutamente ao judaísmo; ao contrário, essas extensas porções demonstram a verdade de que o Evangelho da graça de Deus é dirigido a judeus como o é aos gentios, e nos mesmos termos da fé no Salvador. O povo de Israel era composto de "ovelhas do seu pastoreio" (Sl 74.1; 79.13; 95.7; 100.3; Jr 23.1). O empreendimento divino que está descrito em João 10, sob a figura do pastor e as ovelhas, é, primeiramente, sobre a vinda do Salvador, o Bom Pastor, que entra pela porta, que é a Porta, que dá sua vida pelas ovelhas, que as conduz para fora, e a quem elas intuitivamente seguem.

As ovelhas não são ditas aqui como se conduzidas ao aprisco, mas antes elas conduzidas para fora dele, a fim de encontrar salvação, liberdade e pastagem (v. 9). A referência é àquelas que, através da fé em Cristo, são conduzidas para fora do judaísmo, do aprisco de Israel; e estas com as outras ovelhas – crentes gentios que não são do aprisco dos judeus – formarão um só rebanho sob um Pastor (a tradução de ποίμνη no v. 16 pelo termo *aprisco* é errônea: a palavra significa *rebanho*; cf. Mt 26.31; Lc 2.8; 1 Co 9.7). O *rebanho* que foi antecipado por Cristo é a Igreja composta tanto de judeus quanto de gentios.

O Dr. A. C. Gaebelein escreve de maneira muito clara sobre esse grande tema:

O ensino deste capítulo está intimamente ligado com o evento precedente. Tem se tornado evidente que as verdadeiras ovelhas de Cristo, pertencentes ao seu rebanho, seriam lançadas para fora do aprisco judaico. O homem curado havia sido lançado fora e se tornado uma de Suas ovelhas. Entretanto, Ele ensina agora mais plenamente a respeito de Si mesmo como o Pastor e sobre as suas ovelhas. O Antigo Testamento fala freqüentemente de Israel como as ovelhas de Jeová, e de Jeová como Pastor (Sl 23.1; 80.1; 95.7; Ez 34; Zc 11.7-9; 13.7). O verdadeiro Pastor tinha entrado pela porta designada no aprisco, que está diante de Israel. Ele é o Único, e o porteiro (o Espírito Santo) abriu para Ele. Ele veio e chamou as suas próprias ovelhas pelo nome, a fim de conduzi-las para fora. E as ovelhas ouvem a sua voz e o seguem. Todos são judeus. Ele veio, o verdadeiro Pastor, ao aprisco, a fim de conduzi-las para fora, e torná-las Seu rebanho. O que Ele falou nos primeiros versículos era uma parábola, mas eles não a entenderam. O que se segue é uma revelação mais plena de Si mesmo como o Bom Pastor, e das ovelhas que pertencem ao seu rebanho. O judaísmo é um aprisco para fora do qual o pastor conduz o Seu rebanho. Ele é a Porta das ovelhas. Ele é o meio para se ingressar no rebanho, como uma porta é o meio para se entrar numa casa. Através dele todas as suas ovelhas devem entrar pela fé para o rebanho. Não há outra porta e outro caminho. "Eu sou a porta; se alguém entrar por mim, será salvo; entrará e sairá, e achará pastagens." Esta é a promessa mais bendita. Ele é a porta. Qualquer homem, não importa quem ele

ECLESIOLOGIA

seja, qualquer homem pode entrar por Ele e, então, após entrar por Ele, aquele que creu nele, Ele promete salvação, liberdade e comida. Estas três coisas são concedidas para todos aqueles que crêem nele. A salvação está nele e é uma salvação presente e perfeita; liberdade da escravidão da lei que condenava o pecador; Ele próprio é a comida, uma comida perfeita. Tudo o que é encontrado fora do aprisco, o aprisco do judaísmo, está em Cristo. Ele veio para que eles pudessem ter vida e pudessem tê-la em abundância. A vida abundante da qual Ele fala aqui é a vida que procede de sua morte e ressurreição. O Bom Pastor tinha de dar a sua vida pelas ovelhas. Quão diferente isso é do mercenário, aquele que abandona e não tem cuidado de suas ovelhas. Os mercenários eram os pastores infiéis (Ez 34.1-6). Além disso, Ele disse: "Eu dou a minha vida pelas ovelhas". No versículo16, nosso Senhor fala de outras ovelhas, que não são deste aprisco; então há outras ovelhas a quem Ele trará e estas ouvirão a sua voz. O resultado será um só rebanho e um só Pastor. A *Authorized Version* está incorreta em usar a palavra "aprisco". O judaísmo era um aprisco, a igreja não. Os apriscos eclesiásticos em que a cristandade está dividida foram produzidos pela judaização da Igreja. O aprisco não mais existe. Há um rebanho como há um Pastor; um corpo, e há um Senhor. Todos que ouviram a sua voz, creram nele, e entraram através dele, são membros de um rebanho.[82]

Com o mesmo propósito, as notas de F. W. Grant são da mesma forma convincentes:

Ele veio para dar vida: como o Bom Pastor, ele deu a sua vida pelos seus: todavia, não é muita coisa de doutrina que está aqui, mas a insistência de um amor provado a qualquer custo. O mercenário preocupa-se somente com o seu salário: as ovelhas não lhe pertencem, e ele não está pessoalmente preocupado com elas: quando o lobo aparece, ele deixa as ovelhas e foge; este caso não é uma suposição, mas o que tem sido visto abundantemente na história. O lobo, como conseqüência, o adversário frontal, as pega e as dispersa. O mercenário age de acordo com a sua natureza: nada melhor poderia ser esperado dele. Ao contrário, entre o Bom Pastor e os Seus existe um lado da mais doce intimidade. "Eu conheço as minhas ovelhas, e elas me conhecem, assim como o Pai me conhece e eu conheço o Pai; e dou a minha vida pelas ovelhas"; "O mundo não te conheceu". Havia uma estranheza resultante das naturezas contrastadas. As Suas ovelhas o conheciam, porque elas haviam recebido a Sua vida e a Sua natureza, e isto produzia comunhão; e essa mesma espécie de conhecimento que existe (conquanto muito mais perfeito) entre o Pai e o Filho. O amor implícito nEle é manifesto nisto, que Ele dá a sua vida pelas ovelhas. Mas as Suas ovelhas assim definidas não têm mais qualquer relacionamento com o aprisco judaico, ainda menos pode ser limitado àquelas que têm tal relacionamento. A Lei não poderia dar esse dom da vida eterna, nem poderia ter, portanto, qualquer controle sobre ela. No próprio aprisco, tem havido aqueles que não eram Seus; e há ovelhas dele que não são desse aprisco, mas de origem gentílica, o suficiente para serem aproximadas e prontas para ouvir a

Sua voz. Então, haverá um *rebanho*, e um Pastor. Não há mais *aprisco*: o aprisco era judaico e legal, e este se foi. Em Cristo, não há judeu ou gentio.[83]

Os aspectos salientes que a figura de Cristo, como Pastor, e a Igreja, como o rebanho, contribuíram para a doutrina total da verdadeira Igreja são: (a) que Cristo entrou pela porta, que é o caminho designado; (b) que Ele é um *verdadeiro* pastor, que vai adiante de suas ovelhas, e a nenhuma outra voz elas devem ouvir; (c) que Ele próprio é a porta das ovelhas – para fora do estado anterior delas para o da Sua graça salvadora, e como a Porta de segurança, também, que se fecha após elas (Jo 10.28, 29); (d) que a salvação, a liberdade de uma obrigação de mérito, e comida para a nova vida, são todas essas coisas proporcionadas pelo Pastor; (e) que todos os outros pastores são mercenários quando muito: nenhum deles deu, nem poderia dar, a sua vida pelas ovelhas como o Bom Pastor deu; (f) que há uma comunhão de entendimento dentro da família de Deus – as ovelhas conhecem o Pastor, como o Pai conhece o Filho e o Filho conhece o Pai; e (g) que há apenas um rebanho, pois a graça salvadora foi trazida a cada ovelha individualmente, a despeito de sua condição anterior, e adquiriram a mesma posição perfeita em Cristo Jesus.

Deveria ser observado, então, que através do Salvador providenciado por Deus, há vida, liberdade e sustento; que este Salvador é eficaz porque Ele deu a sua vida pelas ovelhas; que há um relacionamento perfeito estabelecido entre o Pastor e as ovelhas para a eternidade; e que há apenas um rebanho.

A doutrina toda do pastoreio de Cristo é devidamente introduzida neste contexto – a Sua intercessão, defesa e a comunicação ininterrupta de si mesmo como comida espiritual e vitalidade espiritual. "O Senhor é o meu pastor, e nada me faltará." Se esta grande realidade foi verdadeira a respeito de Davi dentro das provisões do judaísmo, muito mais é autêntica para o crente sob a graça!

II. A Videira e os Ramos

Esta figura, totalmente em contraste com a do Pastor e das ovelhas que foi dita aos israelitas, é dirigida aos crentes (Jo 15). Este é o caráter peculiar do discurso no Cenáculo (Jo 13 17) que considera as condições que seriam obtidas após a morte, ressureição e ascensão de Cristo, e após o Pentecostes. Esse discurso, mais do que qualquer outra porção das Escrituras, é a mais clara e amada mensagem aos crentes nessa dispensação. Portanto, segue-se que esta figura, ao cair dentro dos limites dessa porção específica das Escrituras, é diretamente aplicável aos cristãos. Não está dito deles aqui que eles foram conduzidos para fora do judaísmo, nem há qualquer referência a um estado anterior deles. Embora de significado real em seu lugar, pouca importância deve ser dada a esse ponto da verdade de que Israel era a videira de Jeová (Is 5.1-7; Jr 2.21; Os 10.1; Lc 20.9-16).

Há pouca dúvida de que a frase "Eu sou a videira verdadeira", foi com a intenção de fazer contraste com a videira israelita. Essa videira era sem fruto; mas a verdadeira

Videira deve ser frutuosa e o será. O próprio Senhor fará com que isso aconteça; mas, do lado humano, a frutuosidade depende do permanecer em Cristo – um relacionamento que os crentes como ramos são ordenados a manter.

Discussão sobre o significado dessa figura já se deu bem antes desta obra, e já se dedicou atenção para a distinção que existe entre a *união* e a *comunhão* com Cristo. Já foi demonstrado que o propósito dessa figura é desenvolver a verdade subjacente a respeito da *comunhão* com Cristo, e que a *união* com Cristo é suposta – como está evidenciado pelas palavras "todo ramo em mim" (v. 2). Em tempo algum, aqui ou em qualquer parte do Novo Testamento, está declarado que a *união* com Cristo é uma responsabilidade ou realização humana, nem está implícito que ela poderia ser mantida por qualquer virtude ou esforço humano. Estar em Cristo é a mais alta das posições e está declarado muito distintamente ser o resultado que é produzido pelo batismo com o Espírito Santo (1 Co 12.13). Permanecer em Cristo significa não quebrar a comunhão com Ele. "Se guardardes os meus mandamentos, permanecereis no meu amor; do mesmo modo que eu tenho guardado os mandamentos de meu Pai, e permaneço no seu amor" (Jo 15.10).

Semelhantemente, os mandamentos do próprio Senhor estão contidos em Sua Palavra escrita. Portanto, é dito que "se permanecerdes em mim, e as minhas palavras permanecerem em vós" (v. 7); assim, ao encontrar a Sua vontade na Sua Palavra e fazer essa vontade, a responsabilidade do cristão se torna simples, se ele permanecer em Cristo. "Aquele que diz estar nele, também deve andar como ele andou" (1 Jo 2.6). A observação do Dr. C. I. Scofield sobre a permanência em Cristo é conclusiva:

> "Permanecer em Cristo é, de um lado, não ter qualquer pecado conhecido inconfesso e não julgado, nenhum interesse naquilo em que Ele não participe, nenhum tipo de vida que Ele não possa compartilhar. Por outro lado, a permanência faz com que alguém lance todos os fardos sobre Ele, e atraia toda sabedoria, vida e força dEle. Não é uma *consciência* interminável dessas coisas, e dEle, mas isso não é permitido de modo algum na vida que separa dEle".[84]

Bem pode ser reafirmado que os resultados da permanência em Cristo, como indicado em João 15, são: poder (v. 2); oração eficaz (v. 7); alegria celestial (v. 11); e fruto permanente (v. 16). Nenhum dos aspectos da vida cristã é mais vital do que estes: crescimento e aumento através da disciplina, da eficácia imensurável na oração, aquela alegria que é devida a uma comunhão inquebrável com Cristo (cf. 1 Jo 1.3, 4), e o fruto duradouro para a glória de Deus. O fruto é visto aqui como o produto da videira cuja vitalidade é transmitida ao galho. Após isto escorrer nada de real valor pode ser feito (v. 5). O fruto é produzido pelo Espírito Santo (Gl 5.22, 23). O próprio propósito da união com Cristo é aquele que o crente pode "dar fruto para Deus" (Rm 7.4). A frutuosidade dos crentes é o fator mais importante no plano e propósito divino para esta dispensação. A Igreja é desafiada pelo testemunho e ministério dos membros do Corpo de Cristo. É o ministério dos santos que agora completa o corpo de Cristo.

Esta verdade é asseverada pelo apóstolo Paulo, da seguinte forma: "...tendo em vista o aperfeiçoamento dos santos, para a obra do ministério, para a edificação do corpo de Cristo; até que todos cheguemos à unidade da fé e do pleno conhecimento do Filho de Deus, ao estado de homem feito, à medida da estatura da plenitude de Cristo; para que não mais sejamos meninos, inconstantes, levados ao redor por todo vento de doutrina, pela fraudulência dos homens, pela astúcia tendente à maquinação do erro; antes, seguindo a verdade em amor, cresçamos em tudo naquele que é a cabeça, Cristo, do qual o corpo inteiro bem ajustado, e ligado pelo auxílio de todas as juntas, segundo a justa cooperação de cada parte, efetua o seu crescimento para edificação de si mesmo em amor" (Ef 4.12-16). De igual modo, a respeito da verdadeira Igreja, está dito dela, quando for apresentada ao seu Senhor: "Regozijemo-nos, e exultemos, e demos-lhe a glória; porque são chegadas as bodas do Cordeiro, e já a sua noiva se preparou" (Ap 19.7). É uma grande coisa desta realização saber que "já a sua noiva se preparou".

A contribuição que a figura da Videira e seus ramos faz para a doutrina da Igreja é particularmente aquela que, pela comunhão não interrompida do crente com o seu Senhor, o poder capacitador de Deus repousa sobre ele tanto por sua experiência inestimável de alegre comunhão quanto pela frutuosidade, através da oração e do testemunho, para que o Corpo de Cristo se torne completo. A videira e os ramos participam de uma vida comum. Isto também é verdadeiro de Cristo e de sua Igreja.

III. A Pedra Angular e as Pedras do Edifício

Outra distinção grande está indicada na declaração de que Israel tinha um templo (Êx 25.8) e de que a Igreja é um templo (Ef 2.21). A figura de um templo ou edifício que é agora a habitação de Deus na terra – um templo purificado e santificado através do mérito de Cristo – é apresentado em Efésios 2.19-22: "Assim, pois, não sois mais estrangeiros, nem forasteiros, antes sois concidadãos dos santos e membros da família de Deus, edificados sobre o fundamento dos apóstolos e dos profetas, sendo o próprio Cristo Jesus a principal pedra da esquina; no qual todo o edifício bem ajustado cresce para templo santo no Senhor, no qual também vós juntamente sois edificados para morada de Deus no Espírito". Deste conceito Cristo falou, quando disse: "Sobre esta pedra edificarei a minha igreja" (Mt 16.18). De igual modo, Pedro, a quem Cristo falou a respeito do seu propósito de edificar a sua Igreja, disse: "...vós também quais pedras vivas, sois edificados como casa espiritual para serdes sacerdócio santo, a fim de oferecerdes sacrifícios espirituais, aceitáveis a Deus por Jesus Cristo" (1 Pe 2.5). Referência é feita a "Cristo como Filho sobre a casa de Deus" (Hb 3.6); também é dito que "vós sois edifício de Deus" (1 Co 3.9).

ECLESIOLOGIA

O simbolismo de Cristo como uma pedra deve ser visto em vários aspectos: (a) em relação aos gentios, Ele é a Pedra cortada no julgamento final deles (Dn 2.34); (b) em relação a Israel, Sua vinda como um Servo antes que como um Rei tornou-se uma pedra de tropeço para eles e uma rocha de ofensa (Is 8.14, 15; 1 Co 1.23; 1 Pe 2.8); (c) em relação à Igreja, Cristo é a Pedra fundamental (1 Co 3.11), e a Pedra principal (Ef 2.20-22; 1 Pe 2.4-5). A exaltação de Cristo como principal Pedra angular foi cumprida por sua ressurreição (Ele não estava lá antes), e foi cumprida a despeito da oposição à Pedra e à rejeição dela, pelos "construtores" – Israel. No Salmo 118.22-24, está declarado: "A pedra que os edificadores rejeitaram, essa foi posta como pedra angular. Foi o Senhor que fez isto, e é maravilhoso aos nossos olhos; Este é o dia que o Senhor fez; regozijemo-nos, e alegremo-nos nele".

Ao falar da ressurreição de Cristo, Pedro assevera que "Ele é a pedra que foi rejeitada por vós, os edificadores, a qual foi posta como pedra angular" (At 4.11). Cristo cita a mesma predição do Antigo Testamento e prevê que o reino de Deus será tirado de Israel e dado a um povo que produza os seus frutos. Esta predição prevê a transição iminente desde o propósito divino anterior em Israel para o presente propósito divino na Igreja. Além do mais, Ele antecipa o fato de que Israel tropeçaria sobre Ele como a "rocha de ofensa", e que os gentios serão "reduzidos a pó" sob o juízo da mesma Pedra cortada. A passagem afirma: "Disse-lhes Jesus: Nunca lestes nas Escrituras: A Pedra que os edificadores rejeitaram, essa foi posta como pedra angular; pelo Senhor foi feito isso, e é maravilhoso aos nossos olhos? Portanto, eu vos digo que vos será tirado o reino de Deus, e será dado a um povo que dê os seus frutos. E quem cair sobre esta pedra será despedaçado; mas aquele sobre quem ela cair será reduzido a pó" (Mt 21.42-44). Assim, como Pedra, Cristo se torna a destruição da autoridade gentílica (cf. Sl 2.7-9; Is 63.1-6; Ap 19.15), a Pedra de tropeço para Israel, e a Pedra fundamental e a Pedra principal angular para a Igreja.

Um edifício está em construção, que tem três distinções específicas, a saber: (a) que cada pedra no edifício é em si mesma uma pedra viva; isto é, ela participa da natureza divina (1 Pe 2.5); (b) sua principal pedra angular, igual ao seu fundamento, é Cristo (1 Co 3.11; Ef 2.20-22; 1 Pe 2.6); e (c) a estrutura total é em si mesma "uma habitação de Deus no Espírito" (Ef 2.22).

Após recordar aos gentios crentes em Éfeso (Ef 2.19, 20) que eles não mais são "estrangeiros e peregrinos", como eram antes (Ef 2.12), o apóstolo Paulo declara que agora são "concidadãos dos santos e membros da família de Deus" – uma bênção que, deveria ser observado, é muito mais elevada do que os privilégios da comunidade do pacto de Israel, assim como o céu se alteia acima da terra. Conquanto de uma vez por todas, excluídos da Jerusalém terrestre, os gentios são agora saudados com as boas-vindas da graça pela Jerusalém celestial (Hb 12.22-24), uma cidade em que o judeu não-regenerado, com toda a sua preferência nacional e título relacionado a Jerusalém terrestre, é um estrangeiro. A frase "concidadãos com os santos" deve ser recebida em seu significado restrito como também o fato de que esta estrutura espiritual é construída sobre "o fundamento dos apóstolos e profetas [do Novo Testamento]".

Deus tem tido os seus santos em todas as dispensações, mas aqueles das dispensações passadas não se tornaram parte da Igreja. Os santos são santificados e separados para Deus. Que os santos do Novo Testamento são evoluídos a uma posição mais elevada do que os santos do Antigo Testamento (embora não necessariamente para ter mais fé e mais piedade), está revelado em Hebreus 10.10, onde lemos: "É nessa vontade dele que temos sido santificados pela oferta do corpo de Jesus Cristo, feita uma vez para sempre". Esta santificação não poderia ser realizada até que Cristo morresse e ressuscitasse, pois ela é caracterizada pela posição nEle, posição essa que poderia ser harmonizada somente para os que são unidos ao Cristo ressurrecto pelo Espírito Santo.

É verdade que todos os santos de todas as épocas serão eventualmente reunidos diante de Deus no novo céu e na nova terra (Hb 11.39, 40; 12.22-24); mas os santos do Antigo Testamento não farão parte da nova criação em Cristo, pois não foram edificados sobre o fundamento dos apóstolos e dos profetas do Novo Testamento. Nessa passagem de Efésios está declarado que a Igreja, igual a uma construção, é edificada sobre o fundamento dos apóstolos e dos profetas do Novo Testamento, onde o próprio Jesus Cristo é a principal Pedra angular. É nEle que toda a construção está adequadamente estruturada e, assim, "crescendo" para ser um santo templo no Senhor. Nele, os vários membros separados são edificados conjuntamente, para uma habitação de Deus no Espírito Santo. Durante a dispensação passada, a habitação de Deus era o tabernáculo, e mais tarde o templo – um santuário terreno ou um lugar santo feito por mãos (cf. Hb 8.2; 9.1, 2, 24) – que, embora mantido em antítese com o santuário celestial no qual Cristo agora entrou, era, não obstante, um tipo da presente habitação espiritual de Deus num templo de pedras vivas.

Contudo, nesse ponto o apóstolo Paulo não discorre sobre a verdade que diz respeito ao crente individualmente, mas antes, sobre aquilo que tem a ver com a totalidade do Corpo de Cristo; e a sua declaração é a de que a Igreja, como agora é formada no mundo, é edificada como uma habitação de Deus no Espírito. Repitamos novamente: Israel *tinha* uma construção na qual Deus se agradou em visitar; a Igreja *é* uma construção na qual Deus se agradou em habitar.

A contribuição feita para a doutrina da Igreja pela figura da principal Pedra angular e pelas pedras da construção é aquela da interdependência de cada pessoa salva em relação a outra pessoa salva, como um edifício é enfraquecido no processo de dissolução pela remoção de uma pedra estrutural; o edifício todo é construído sobre Cristo e, assim, depende totalmente dele; e, por último e de importância suprema, esse edifício, igual a cada pedra na estrutura, é um templo de Deus no Espírito. O fato da habitação do Espírito é um aspecto característico da Igreja que recebe uma ênfase suprema na revelação da Escritura.

IV. O Sumo Sacerdote e o Reino de Sacerdotes

O sacerdócio de Cristo é tipificado pelo sumo sacerdote do Antigo Testamento, ou seja, por Arão e Melquisedeque. Este extenso campo da

ECLESIOLOGIA

tipologia é apresentado em seu significado antitípico na carta aos Hebreus (cf. 5.1-10; 6.13–8.6). No seu serviço de Sumo Sacerdote, Cristo está sobre a hierarquia dos sacerdotes que constituem a Igreja e como o Designador e Diretor do serviço deles. Em seu ministério aaraônico, Cristo ofereceu um holocausto a Deus. O sacrifício foi Ele próprio, e era uma oferta sem mácula. Nesse seu empreendimento, Ele era o que oferecia o holocausto e o próprio sacrifício; mas o padrão aaraônico não poderia ir mais longe do que ser o Ofertante. Em seu sacerdócio segundo a ordem de Melquisedeque, Ele é o Rei-sacerdote. Melquisedeque era de Salém, que significa *paz* (Is 11.6-9); conforme o escritor aos Hebreus registra, ele não tinha começo nem fim de dias, não tinha pais humanos; e era um sumo sacerdote por autoridade divina (Sl 110.4).

O cristão é um rei-sacerdote para Deus. Seu serviço como rei será procrastinado na dispensação vindoura, quando ele reinará com Cristo (Ap 20.6); mas o seu serviço sacerdotal está em vigor no tempo presente. Há um aspecto futuro do sacerdócio do crente declarado em Apocalipse 20.6: "...mas serão sacerdotes de Deus e de Cristo, e reinarão com ele durante os mil anos". Israel foi primeiramente designado para uma posição semelhante (cf. Êx 19.6); mas nisto eles falharam. A presente posição de rei-sacerdote da Igreja, pelo fato de ser sustentada por Deus, não pode falhar.

Na ordem do Antigo Testamento, o sacerdócio tinha autoridade sobre a nação e em seu serviço os sacerdotes eram submissos ao sumo sacerdote. Na ordem do Novo Testamento, cada crente é um sacerdote para Deus (1 Pe 2.5-9; Ap 1.6) e o grupo ministrador dos sacerdotes do Novo Testamento está sob a autoridade de Cristo, que é o verdadeiro Sumo Sacerdote, de quem todos os outros sumo sacerdotes foram apenas tipos. Portanto, de acordo com a ordem do Novo Testamento, o serviço é atribuído a todos os crentes igualmente e a relação sacerdotal deles tem base em Deus. Como não havia um evangelho a ser pregado às nações da terra, o serviço, no período coberto pelo Antigo Testamento, consistia somente na apresentação feita pelos sacerdotes do ritual designado por Deus no Tabernáculo ou no templo. Em contraste a esse procedimento, o ministério sacerdotal do Novo Testamento é muito mais amplo em seu escopo, e inclui não somente um serviço a Deus e aos crentes, mas a todos os homens em toda parte.

1. O SERVIÇO DO SACRIFÍCIO. A esta altura, há uma notável semelhança a ser observada. O sacerdote do Antigo Testamento era santificado ou separado tanto pelo fato de que ele era nascido na família sacerdotal de Levi quanto pelo fato de que ele, com a devida cerimônia, era iniciado no ofício sacerdotal, cuja designação continuava enquanto ele vivia. Igualmente, no começo de seu ministério, ele era cerimonialmente purificado pela lavagem feita de uma vez por todas (Êx 29.4). No cumprimento do antítipo, o crente sacerdote é purificado de uma vez por todas e totalmente, no momento de sua salvação (Cl 2.13; Tt 3.5), e, em virtude de sua salvação, é separado para Deus. Assim, também, ele é separado pelo novo nascimento na família de Deus. Em adição a tudo isto, é peculiarmente requerido do sacerdote do Novo Testamento que ele se dedique a si mesmo *desejosamente* a Deus.

A respeito desta dedicação de si mesmo, lemos: "Rogo-vos, pois, irmãos, pela compaixão de Deus, que apresenteis os vossos corpos como um sacrifício vivo, santo e agradável a Deus, que é o vosso culto racional" (Rm 12.1). A frase, *as misericórdias de Deus*, refere-se aos grandes fatos da salvação que foram apresentados nos capítulos precedentes do livro de Romanos, em cujas misericórdias cada crente entra no momento em que é salvo, enquanto que a apresentação do corpo como um sacrifício vivo é a dedicação de si mesmo à vontade de Deus e de tudo o que ele é e tem. Aquilo que é feito desse modo Deus aceita e coloca onde Ele quer no campo do serviço (Ef 2.10). De acordo com as Escrituras, esse ato divino, de aceitar e de colocar, é a consagração.

Portanto, o crente sacerdote pode dedicar-se a si mesmo, mas nunca pode se *consagrar a si mesmo*, a Deus. Em relação ao ato divino da consagração, deveria ser observado que a presente obra de Cristo como Sumo Sacerdote – de designar, dirigir e administrar o serviço dos crentes – cumpre aquilo que era tipificado no ministério dos sacerdotes do Antigo Testamento, na consagração dos filhos de Levi. Por ter se rendido a Deus e não mais se conformado com este mundo, o crente sacerdote experimentará uma vida transfigurada pelo poder do Espírito que nele habita, e, por esse poder, ele dará prova total de que "a vontade de Deus é perfeita, boa e agradável" (Rm 12.2).

De acordo com a ordem do Novo Testamento, o serviço sacerdotal no sacrifício para com Deus é tríplice: (a) a dedicação do eu, que é dita ser "um culto racional" (Rm 12.1), ou, mais literalmente, "uma adoração espiritual". Como Cristo em si mesmo era tanto o Sacrificador quanto o Sacrifício, assim o crente pode glorificar a Deus pela oferta total do seu corpo como um sacrifício vivo a Deus; (b) o sacrifício dos lábios, que é a voz de louvor, e deve ser oferecido continuamente (Hb 13.15); (c) o sacrifício da substância (Fp 4.18).

Referindo-se à purificação dos sacerdotes, deveria ser observado novamente que o sacerdote do Antigo Testamento, ao adentrar o seu santo ofício, era de uma vez por todas purificado pelo banho *total*, banho esse que lhe era administrado por outra pessoa (Êx 29.4); entretanto, depois, embora lavado de maneira total, era requerido que ele fosse purificado repetidamente por banhos *parciais* na bacia de bronze, e isto antes de empreender qualquer serviço sacerdotal. Ao cumprir a importância típica disto, o sacerdote do Novo Testamento, embora totalmente limpo e perdoado quando salvo, todas as vezes é exigido dele que confesse todo pecado conhecido, a fim de que possa ser limpo e qualificado para a comunhão com Deus (1 Jo 1.9). Como o sacerdote do Antigo Testamento era designado para a totalidade da vida dele, assim o sacerdote do Novo Testamento é designado como um sacerdote para Deus, eternamente.

2. O Serviço do Culto. Como a adoração era uma parte do serviço de todo sacerdote da antiga ordem, assim cada crente é agora designado para a adoração. De igual modo, como os utensílios do lugar santo simbolizavam a adoração do sacerdote da ordem do Antigo Testamento e cada aspecto e utensílio daquele lugar falava de Cristo, assim a adoração do crente é por Cristo e através dele somente. Além disso, no serviço a Deus, a adoração do

ECLESIOLOGIA

crente pode ser a oferta de si mesmo a Deus (Rm 12.1); a atribuição de louvor e ação de graças a Deus vinda do coração (Hb 13.15); ou os dons sacrificais que são oferecidos a Ele. Em conexão com a adoração dos sacerdotes do Antigo Testamento, havia duas proibições registradas, e estas também possuem um significado típico. Nenhum incenso "estranho" devia ser queimado (Êx 30.9) – que fala tipicamente da mera formalidade no serviço a Deus; e nenhum fogo "estranho" era permitido (Lv 10.1) – que simboliza a substituição de emoções carnais em nosso serviço para uma verdadeira devoção a Cristo pelo Espírito, ou o amor a coisas menos importantes com a exclusão do amor por Cristo (1 Co 1.11-13; Cl 2.8, 16-19).

3. O SERVIÇO DA INTERCESSÃO. Como o profeta é o representante de Deus enviado ao povo, assim o sacerdote é o representante do povo enviado a Deus, e visto que o sacerdócio é uma designação divina, o acesso necessário a Deus é sempre providenciado; contudo, a nenhum sacerdote da antiga dispensação era permitido entrar no santo dos santos, além do sumo sacerdote, e isto apenas uma vez ao ano com base no sangue sacrificial (Hb 9.7). Com relação a esta dispensação, em adição ao fato de que Cristo como Sumo Sacerdote entrou com o seu próprio sangue no santuário celestial (Hb 4.14-16; 9.24; 10.19-22) e agora intercede pelos Seus que estão no mundo (Rm 8.34; Hb 7.25), quando Cristo morreu, o véu do templo rasgou-se – o que significa que o caminho ao lugar santíssimo está aberto agora, não ao mundo, mas a todos que se chegam a Deus com base no sangue derramado de Cristo (Hb 10.19-22). Por ter desimpedido o acesso a Deus com base no sangue de Cristo, o sacerdote do Novo Testamento é assim privilegiado para ministrar como intercessor (Rm 8.26, 27; Cl 4.12; 1 Tm 2.1; Hb 10.19-22).

A contribuição que é feita à doutrina da Igreja pela figura do sumo sacerdote e o reino de sacerdotes é que, nesta vida, o crente não está somente associado a Cristo posicionalmente, por estar nele, mas ele está intimamente associado àquelas atividades que Ele empreende no plano da infinidade e que podem ser estendidas, por Sua graça, à esfera das coisas finitas. Como já foi visto, estas atividades são: serviço, sacrifício e intercessão. Além disso, está claro que é dado aos membros do seu corpo compartilharem na grande realização do chamamento e aperfeiçoamento da Igreja de Cristo. O Salvador tem uma glória que lhe cabe por causa de sua grande realização, mas os Seus, que estão no mundo, são Seus instrumentos que compartilharão com Ele em sua glória merecida. Eles não possuem meramente uma glória que é um benefício, mas uma glória que é devida a um usufruto de parceria.

V. O Cabeça e o Corpo com seus Muitos Membros

Em contraste com Israel, não essa que era uma organização ou comunidade (Ef 2.12), e em contraste com a Igreja visível, que é meramente uma sistematização humana, a verdadeira Igreja é um *organismo*. O termo *organismo* indica que a coisa especificada está saturada em todas as suas partes com uma vida comum. É a mesma vida na raiz e na estrutura superior de uma árvore. É a mesma vida que está em cada membro de um corpo humano. Semelhantemente, é a mesma vida que está na Igreja. Cada indivíduo nesse grupo não somente foi batizado num Corpo, mas a cada um foi dado beber de um Espírito (1 Co 12.13). A figura da cabeça e do corpo com seus muitos membros é empregada no Texto Sagrado mais do que qualquer outra e serve para indicar certos fatos essenciais a respeito da Igreja, a saber: (a) que a Igreja é um corpo que se autodesenvolve; (b) que os membros deste corpo são designados para serviços específicos; e (c) que este corpo é um.

1. A Igreja e o Corpo Que se Autodesenvolvem. O texto central que trata deste aspecto da atividade daqueles que compõem a Igreja é Efésios 4.11-16. Nesta passagem – seguindo a listagem dos dons nesta dispensação da Igreja, a saber, apóstolos, profetas, evangelistas, pastores e mestres – o escritor declara que o ministério desses homens dotados, especialmente o de pastor e mestre, é para o aperfeiçoamento dos santos e o desempenho do serviço *deles*. Nessa dispensação, como em nenhuma outra, há uma mensagem específica a ser pregada a toda criatura e, conquanto haja homens na liderança que são dons de Deus à Igreja, a obrigação de testemunhar recai sobre cada cristão igualmente. Não se pode dar um reconhecimento demasiado às multidões incontáveis de fiéis testemunhas que se desincumbem de suas funções como professores de Escola Dominical, obreiros missionários, ganhadores de almas e expoentes vivos da graça de Deus. Esta é a evangelização designada por Deus no Novo Testamento.

As forças evangelísticas latentes de uma congregação de crentes estão além da avaliação humana; mas eles precisam ser treinados para a sua tarefa, e Deus prescreveu de um modo definido que eles deveriam ser treinados. Como poderiam eles ser exatos e habilidosos mesmo em sua esfera limitada de serviço? Que eles devem ser treinados está claro em Efésios 4.11, 12. A revelação aqui não é somente sobre o fato de que os santos têm um serviço de testemunho a desempenhar, mas também que devem ser *equipados* para esse serviço pelos homens dotados por Deus, que colocou sobre eles como seus líderes. A palavra grega καταρτισμός, aqui traduzida como *aperfeiçoamento*, é um substantivo que é usado apenas uma vez no Novo Testamento e significa *equipamento*, e assim refere-se àquela preparação que todos os santos deveriam ter para que pudessem ser testemunhas eficazes de Cristo.

A forma verbal dessa palavra é encontrada em outro lugar no Novo Testamento, e com um sentido bastante significativo. De acordo com esta passagem (Ef 4.11, 12), o pastor e o mestre são responsáveis pelo *equipamento* daqueles que lhe foram dados ao seu cuidado. Embora esse equipamento envolva métodos de trabalho, ele inclui muito mais, a saber, um conhecimento exato da verdade.

Mas o pastor e mestre deve ser treinado para a sua tarefa de liderança. Debaixo das condições existentes, essa preparação é atribuída aos professores de um seminário teológico. A responsabilidade deles é maior do que a dos outros homens, visto que as coisas celestiais transcendem as coisas terrestres. Observe essa corrente que flui de sua fonte: qualquer que seja a verdade e os ideais que o professor comunica aos alunos no treinamento deles, por sua vez, mais tarde comunicarão a grupos maiores sobre os quais eles têm liderança espiritual. Se uma congregação não está ativamente envolvida na obra missionária e na obra de ganhar almas, é usualmente por causa do fato de que eles foram privados da liderança pretendida por Deus para esse fim. Se o pastor não tem paixão por ganhar almas, não tem visão missionária, é limitado em sua proficiência, e um expositor inexato da Palavra de Deus; sua falha nessas coisas pode geralmente ser remontada ao fato de que ele foi privado desse treino vital e espiritual pretendido por Deus no seminário.

Portanto, pode ser reafirmado que a responsabilidade do professor de seminário não é menos que sobre-humana. Se isto for verdade, nenhum homem é apto para servir como professor num seminário que em si mesmo não seja despertado para a sua responsabilidade e, em adição ao que não tenha um treinamento avançado e uma exatidão na verdade que a sua posição exige, seja em si mesmo um exemplo digno de zelo missionário, paixão evangelística e de um esforço incansável de ganhar almas. Quais fogos de reavivamento que deveriam queimar e quais forças espirituais liberadas, assim deveria a Igreja exigir a purificação e a perfeição de suas fontes de ensino doutrinário, assim como a ilustração da vitalidade e da paixão pelas almas na vida e ministério daqueles que moldam o caráter dos líderes da Igreja, designados por Deus!

Isto não é um apelo para o rebaixamento dos padrões de erudição. A noção muito dominante de que a erudição e a paixão espiritual não podem coexistir juntamente na mesma pessoa, já foi respondida de uma vez por todas no começo da era cristã, no caso do apóstolo Paulo, para não dizer dos milhares de grandes pregadores do passado que alcançaram uma erudição invejável, sem restringir as suas vidas espirituais ou restringir a paixão por almas que eles tiveram.

O objetivo neste testemunho geral por parte do grupo total dos crentes é realizar uma tarefa específica num tempo prescrito: "...até que todos cheguemos à unidade da fé e do pleno conhecimento do Filho de Deus, ao estado de homem feito, à medida da estatura da plenitude de Cristo" (Ef 4.13). O "homem perfeito" aqui mencionado não deve ser interpretado com o significado da perfeição deles; é o complemento do Corpo de Cristo pela adição a isso de todos os que são seu povo eleito nessa dispensação. Os perigos que atacam os crentes que são privados do ensino, aquilo que foi referido no versículo anterior, são descritos no versículo 14: "...para que não mais sejamos meninos, inconstantes, levados ao redor por todo vento de doutrina, pela fraudulência dos homens, pela astúcia tendente à maquinação do erro".

Em oposição a isto, aquele que é ensinado "seguirá a verdade em amor". A palavra no versículo 15 traduzida como "seguindo" é melhor apresentada como "sustentando". A verdade deve ser sustentada como possessão de controle. Tal pessoa crescerá em Cristo em todas as coisas. Para concluir esta afirmação a respeito do desenvolvimento do corpo de Cristo, o apóstolo Paulo escreve:

"...do qual o corpo inteiro bem ajustado, e ligado pelo auxílio de todas as juntas, segundo a justa operação de cada parte, efetua o seu crescimento para edificação de si mesmo em amor" (v. 16).

Do que foi dito acima, será visto que a Igreja, igual a um corpo humano, se autodesenvolve. Os membros dela, como agências evangelizadoras, são designados para dar segurança a outros membros. É expectativa do Novo Testamento que os crentes prestem um serviço inteligente como ganhadores de almas.

2. Os Membros São Designados para um Serviço Específico. Esta porção extensa da verdade que assemelha o cristão a um membro no corpo humano e com uma especial função a ser apresentada, está centrada em 1 Coríntios 12, e, como essas funções representam o exercício dos dons espirituais, o contexto continua nos capítulos 13 e 14. Uma passagem semelhante e muitíssimo importante a respeito dos membros do Corpo e do serviço deles é encontrada em Romanos 12.3-8. Todavia, além disso, o que contribui com uma parte vital para a doutrina geral dos dons que os membros do Corpo apresentam, é 1 Pedro 4.7-11. Deve ser visto, também, que o tema total do recebimento do Espírito Santo e as coisas que Ele realiza estão muito relacionados com a figura em questão, visto que é por esse intermédio que cada indivíduo se torna um membro do Corpo de Cristo e, assim, é unido a Cristo (1 Co 6.17).

É em 1 Coríntios 12.12 que a unidade do Corpo em sua relação ao Cabeça está afirmada. A passagem diz: "Porque, assim como o corpo é um, e tem muitos membros, e todos os membros do corpo, embora muitos, formam um só corpo, assim também é Cristo". Neste contexto deve ser lembrado que em Efésios 4.4 o apóstolo Paulo faz uma afirmação simples: "há um corpo"; e é em 1 Coríntios 12.13 que ele define a maneira em que os membros são unidos a Cristo. Ele afirma: "Pois em um só Espírito fomos todos nós batizados em um só corpo, quer judeus, quer gregos, quer escravos quer livres; e a todos nós foi dado beber de um só Espírito" (cf. 6.17; Gl 3.27). Todos os crentes pertencem a um só Corpo: "Ora, vós sois corpo de Cristo, e individualmente seus membros" (1 Co 12.27); "porque somos membros do seu corpo" (Ef 5.30).

Apesar da fraqueza humana, a possibilidade de que possa haver ciúme e contenda entre os membros do Corpo deveria ser evitada primeiramente pelo fato de que cada membro do Corpo é ali colocado pela vontade soberana de Deus. Desta soberania o apóstolo Paulo escreve com afirmações fortes: "...distribuindo particularmente a cada um como quer" (1 Co 12.11); e "mas agora Deus colocou os membros no corpo, cada um deles como quis" (v. 18). Igualmente, em Romanos 12.3, o mesmo propósito soberano é reconhecido com respeito àqueles dons que são manifestações da atividade específica de cada membro no Corpo. Está escrito: "Porque pela graça que me foi dada, digo a cada um dentre vós que não tenha de si mesmo mais alto conceito do que convém; mas que pense de si sobriamente, conforme a medida da fé que Deus repartiu a cada um".

Quando trata do ciúme e da contenda, Paulo relembra aos membros do corpo de Cristo que a honra perante Deus é a mesma, não importando a posição que se ocupa no Corpo, ou qualquer coisa que os ideais humanos possam sugerir. Todos os membros são necessários e todos serão igualmente recompensados, de acordo com a sua frutuosidade.

3. O Corpo É um Só. A amplitude deste tema deve ser vista no fato de que ele forma a própria estrutura sobre a qual está elaborada a mais alta revelação a respeito da Igreja – que está registrada na carta aos Efésios (1.23; 2.15, 16; 3. 6; 4.12-16; 5. 30). O argumento relativo a um Corpo, após a introdução do tema no capítulo 1, começa no capítulo 2. Está definido no capítulo 3, reforçado no capítulo 4, e concluído no capítulo 5.

No capítulo 1, a afirmação direta feita é a de que o Salvador que ascendeu ao céu é o Cabeça sobre a Igreja e que a Igreja é a plenitude – um complemento a respeito do desejo – dEle que enche todas as coisas. O texto diz: "...e sujeitou todas as coisas debaixo dos seus pés, e para ser cabeça sobre todas as coisas o deu à igreja, que é o seu corpo, o complemento daquele que cumpre tudo em todas as coisas" (Ef 1.22, 23).

O capítulo 2 é basicamente a revelação do fato de que, embora houvesse em todas as gerações uma grande diferença entre judeus e gentios, a colocação dos judeus e gentios em um Corpo irrompeu-se, dentro da Igreja onde eles estão unidos, o muro de separação que os mantinha afastados caiu, e a inimizade entre eles foi destruída. Após vinte séculos em que os privilégios que faziam a distinção entre gentios e judeus terem sido divinamente colocados de lado, é difícil no tempo presente para alguém perceber a diferença que prevaleceu entre esses dois povos no começo da presente dispensação. Dois fatos subjacentes deveriam ser observados:

(A) Deus, conquanto não tenha liberado o seu poder e soberania sobre as nações, não obstante, declarou o seu favor para com Israel somente, um povo formado e reconhecido como herança de Deus. Na verdade, havia uma acolhida aos estrangeiros que resolviam se aliar a Israel; mas eram estrangeiros todos os que não eram de Israel. Não havia outra nação ou povo que fosse escolhido de Jeová (Dt 7.6-11), com quem Ele havia se casado (Jr 3.14), a quem somente Ele escolheu dentre as famílias da terra (Am 3.2), e a quem Ele havia redimido do Egito por sangue e pelo seu poder (2 Sm 7.23). Provavelmente, nenhuma passagem da Escritura descreve o estado peculiar de Israel diante de Deus, de um modo mais completo do que Romanos 9.4, 5. Está escrito: "...os quais são israelitas, de quem é a adoção, e a glória, e os pactos, e a promulgação da lei, e o culto, e as promessas; de quem são os patriarcas; e de quem descende o Cristo segundo a carne, o que é sobre todas as coisas, Deus bendito eternamente. Amém". Certamente, Israel teria sido repreensível, se tivesse falhado em reconhecer ou em responder à eleição divina. Contudo, a distinção foi nacional e não proporcionou base alguma para o farisaísmo que veio a prevalecer na atitude dos judeus com relação aos gentios, individualmente.

(B) O preconceito do judeu em relação ao gentio, baseado no favor divino, veio a ser nada menos que ódio e desprezo. Para o judeu, o gentio era um "cachorro", e era contrário ao costume para um judeu ficar junto a um gentio, ou que entrasse sozinho na casa de um gentio. Somente a ordem divina pôde persuadir Pedro a entrar na casa de Cornélio (At 10.20). Provavelmente, nenhum outro texto da Escritura descreve o estado real do gentio perante Deus de um modo mais completo do que Efésios 2.12. Enquanto o estado de perdição do indivíduo foi revelado nos versículos 1-3 deste capítulo, a posição nacional dos gentios, que era igualmente verdadeira do indivíduo, está descrita no versículo 12. Além disso, está escrito: "...estáveis naquele tempo sem Cristo, separados da comunidade de Israel, e estranhos aos pactos da promessa, não tendo esperança, e sem Deus no mundo".

Cinco acusações desqualificadoras são aqui apresentadas. Os gentios estavam "sem Cristo", não somente sem Cristo de uma maneira pessoal, como os não-salvos estão, mas não possuíam uma esperança messiânica nacional; eles estavam separados da comunidade de Israel, a única organização divinamente reconhecida; eles eram "estranhos aos pactos da promessa" – isto não nega que Deus havia predito grandes bênçãos terrestres para os gentios na vinda da dispensação do reino (Dn 7.13, 14; Mq 4.2); está asseverado, ao contrário, que Ele não tinha feito um pacto com eles como fizera com Israel – os gentios não tinham "nenhuma esperança", visto que nenhum pacto de promessa tinha sido acordado com eles; e eles estavam sem Deus no mundo. Assim, eles não podiam fazer uma reivindicação com relação ao Seu propósito ou favor, e compunham aquela porção da humanidade que estava debaixo da maldição e condenada à destruição.

O mundo hoje sabe pouco a respeito da condição de desesperança e da condição de estar sem Deus que os gentios possuíam nos dias referidos aqui. É dito que, no estado mais elevado da cultura grega sob Alexandre, o Grande, era comumente sustentado que a melhor coisa era não ser nascido, e próximo a isso era morrer, e isso refletia plenamente a experiência do coração humano em relação ao seu desconhecimento de Deus.

Em meio a essas distinções entre judeus e gentios que foram estabelecidas por Deus, devidas a Deus, e acentuadas pelo ódio e preconceito humanos, um novo propósito divino foi introduzido, que se tornou possível com base na morte e ressurreição de Cristo e no advento do Espírito Santo no dia de Pentecostes. Esse propósito divino não é menos do que a formação de um novo Corpo do povo celestial, composto de judeus e gentios, e cada indivíduo nesse Corpo é aperfeiçoado em Cristo, e o grupo total é destinado ser para "o louvor da glória de sua graça". Entretanto, porque é para a glória de sua graça, cada indivíduo nesse grupo, seja judeu ou gentio, é chamado e salvo por ter como base aquele distinto princípio de seleção – a graça soberana de Deus, à parte de todo mérito humano.

Como uma base para esse exercício da graça soberana à parte do mérito humano, o decreto divino mais surpreendente foi anunciado, surpreendente na verdade porque nunca dantes havia sido ouvido no mundo, e porque é tão contrário ao que até aqui havia sido divinamente sancionado – a exaltação de Israel sobre os gentios. Esse decreto declara que agora não há "nenhuma diferença" entre judeus e gentios: todos eles estão encerrados *debaixo do pecado* (Rm 3.9). Assim, além disso, não há "nenhuma diferença" entre judeu e gentio "porque o mesmo Senhor o é de todos, rico para com todos os que o invocam" (Rm 10.12). Há pouca coisa para o gentio aprender de modo diferente em

ECLESIOLOGIA

conexão com esse propósito dessa nova dispensação e com o plano de salvação. Ele não possuía uma base para ter esperança antes, e o Evangelho da salvação pela graça tornou-se para ele como vida dentre os mortos.

Mas o judeu tropeçou no caminho da salvação através da cruz, e somente uns poucos, embora a preferência nacional deles esteja de lado nessa dispensação (Rm 11.1-36), foram capazes de abandonar a posição nacional assumida com Deus, para aceitar a extraordinária graça de Deus em Cristo.

Pelas palavras "mas agora" no começo de 2.13, um contraste agudo é visto entre o primeiro estado desses gentios de Éfeso descrito no versículo 12, e a nova posição deles em Cristo. Aqui é dito que eles, como gentios, que num tempo anterior estavam "separados" de Deus, daí por diante, por causa de sua nova posição em Cristo, foram "aproximados", não pelas ordenanças externas ou por virtude humana, mas pelo sangue de Cristo. Ser aproximado de Deus é uma das posições mais exaltadas à qual cada crente é trazido no momento em que ele é salvo. A perfeição dessa posição é vista no fato de que alguém não poderia estar mais perto de Deus no tempo ou na eternidade do que ele está quando se encontra em Cristo. Tão perfeita é a eficácia do sangue de Cristo na providência de uma base justa para a graça divina, para que todo desejo da parte de Deus, embora motivado por amor infinito, possa ser agora satisfeito completamente em favor daqueles que crêem em Cristo.

O versículo 13 está intimamente relacionado ao versículo 17 (cf. Is 59.17). No anterior, somente os gentios estão em foco; mas no último, tanto judeus quanto gentios são vistos. Os gentios são identificados como aqueles que, sem ser por causa de qualquer pacto anterior com Deus, foram "separados", enquanto que os judeus, por causa de seus pactos, foram "aproximados", mas não no mesmo grau em que os judeus e os gentios salvos estão agora, por se encontrarem *em* Cristo e redimidos pelo seu precioso sangue.

No versículo 14, Cristo é declarado ser a "nossa paz", e como aquele que derrubou o muro de separação entre os gentios e judeus. O muro de separação, que aqui é dito ser derrubado, foi estabelecido pelo arranjo divino no mesmo tempo em que Deus entrava em relação de pacto com Abraão; mas agora uma coisa nova é introduzida ("nova" como um testemunho declarado e um empreendimento real, mas, no propósito e na promessa, é mais velho do que o universo criado – cf. 1.4). Por salvar judeus e gentios igualmente, sobre a mesma base, e para a mesma glória celestial, Cristo se torna a Paz deles, no sentido mais pleno; e, por reconciliar ambos os povos com Deus, Ele se torna por meio disso a mais efetiva das agências de reconciliação. Toda distinção é perdida nessa gloriosa unidade em Cristo. Nem judeu nem gentio podem com justeza reivindicar superioridade sobre o outro visto que eles são aperfeiçoados para sempre em Cristo (Hb 10.14).

Assim, igualmente, em adição ao fato de que Cristo estabelece uma paz perfeita entre judeus e gentios, e por ser ambos unidos a Ele pela fé, Ele derruba o muro de separação entre eles. A revelação de que os judeus estavam sob a legislação divina que não foi imposta sobre os gentios – um fato tipificado pelo muro que separava o pátio dos gentios no templo daquela área restrita somente para os judeus – se tornou um muro de separação entre essas duas classes de pessoas. Pela morte de Cristo o muro foi derrubado. O gentio não foi elevado ao nível do privilégio judaico; mas o judeu foi rebaixado ao nível da desesperança gentílica, pelo fato de que tanto judeu quanto gentio poderiam ser salvos através da graça somente através de uma posição e glória celestiais.

Na Sua carne, Cristo aboliu a inimizade, "mesmo a lei dos mandamentos" (v. 15), e todo aspecto da lei que, por causa do seu caráter meritório, poderia parecer proporcionar uma base para a responsabilidade do homem perante Deus, e colocou dessa forma o filho de Deus, seja judeu ou gentio, sob uma nova obrigação – não uma obrigação de lutar para estabelecer o mérito, mas, antes, de viver em toda devoção para Ele, cujo mérito perfeito é concedido a todos os que crêem. Essa nova obrigação é em outro lugar chamada "a lei de Cristo" (Gl 6.2; cf. 1 Co 9.21). A remoção de ambas, da inimizade e da separação, entre os judeus e gentios é divinamente realizada através da criação de "um novo homem", não pela renovação dos homens individualmente, mas pela formação de um novo Corpo – a Igreja – da qual Cristo é o Cabeça. Assim, na Igreja (v. 16), Ele reconciliou ambos com Deus, judeus e gentios "em um só corpo, tendo por ela matado a inimizade", separados como estavam, pelos relacionamentos diferentes que eles mantinham com Deus.

É através de Cristo (v. 18) que ambos, judeus e gentios, têm acesso por um Espírito ao Pai. Esta declaração prova uma evidência indiscutível que os crentes agora têm paz; e quão maravilhosa é essa paz, quando ela é a porção daqueles que estavam não somente em inimizade entre si mesmos, com uma divisão divinamente estabelecida pelo próprio Deus, mas também eram inimigos de Deus (Rm 5.10).

O capítulo 3 de Efésios define a Igreja como um segredo sagrado, até aqui não revelado, que provê para a formação de um novo Corpo, que torna os gentios "co-herdeiros e membros do mesmo corpo, e co-participantes da promessa em Cristo Jesus por meio do evangelho" (Ef 3.6). Não há uma base para a argumentação a respeito de se a "promessa em Cristo pelo evangelho" é uma nota que nunca antes foi soada. Isto foi como alguma coisa *nova* tanto para o judeu quanto para o gentio.

De acordo com o versículo 5, essa revelação de Paulo é o desvendamento de um mistério, ou o segredo sagrado, "que em outras gerações não foi manifestado aos filhos dos homens, como se revelou agora no Espírito aos seus santos apóstolos e profetas". Nenhuma definição melhor de um mistério do Novo Testamento será encontrada, além da que foi apresentada neste contexto. Um mistério no Novo Testamento é uma verdade até então não-revelada, "oculta em Deus" (v. 9), mas agora foi revelado. A soma total de todos os mistérios no Novo Testamento representa o conjunto total da verdade acrescentada, encontrada no Novo Testamento, que não está revelada no Antigo Testamento. Por outro lado, o mistério do Novo Testamento deve ser distinto do mistério dos cultos da Babilônia e Roma, cujos segredos foram selados e guardados sob pena de morte; por que o mistério do Novo Testamento, quando é revelado, deve ser declarado até os confins da terra (v. 9), e é restrito somente ao grau de limitação do homem natural (1 Co 2.14).

Se, pela entrada prévia de outros propósitos divinos de uma natureza terrestre, foi necessário empregar "homens santos da parte de Deus [para] falarem movidos pelo Espírito Santo" (2 Pe 1.21), quão razoável é a declaração de que "santos apóstolos e profetas" foram usados pelo Senhor para a presente entrada da revelação do propósito celestial! Sob estas condições, é alguém justificado na suposição que os apóstolos e profetas do Novo Testamento, que, através de uma revelação posterior, fossem um pouquinho menos honrados por Deus, como meio da verdade divina do que os "filhos de Deus" – os "homens santos da parte de Deus" – que proclamaram uma revelação anterior? O reino do Messias ocupava a visão dos profetas do Antigo Testamento. Eles não conheciam o mistério de que um "novo homem" (2.15), que porta coletivamente o nome *Cristo* (1 Co 12.12).

Na verdade, o Messias deveria padecer uma morte sacrifical. Este fato não havia sido tipificado, mas fora solenemente prometido em cada sacrifício judaico. Por outro lado, pouca coisa foi revelada a respeito do valor que resultaria de Sua ressurreição. Este evento particular, por ser mais relacionado à nova criação do que à antiga, era, em algum grau, crido, por ser como uma parte do "mistério".

O que, então, é o "mistério"? Ele está afirmado aqui no versículo 6 na mais simples das formas: "a saber, que os gentios são co-herdeiros e membros do mesmo corpo, e co-participantes da promessa em Cristo Jesus por meio do evangelho". Esta declaração não deve ser tratada superficialmente. Que os gentios deveriam ser co-herdeiros do mesmo corpo, não é um reconhecimento da predição do Antigo Testamento que, durante a glória do reino vindouro de Israel, os gentios serão levantados para uma participação subordinada naquelas bênçãos do pacto (Is 60.12). Aquelas predições pertenciam a uma vocação terrestre, e, por serem reveladas na própria profecia do Antigo Testamento, não poderiam fazer parte da vocação celestial – "o mistério... oculto em Deus". Este mistério é o da presente união de judeus e gentios num Corpo – um novo propósito divino, e, portanto, em nenhum sentido a perpetuação de qualquer coisa que aconteceu antes.

Que a Igreja é um novo propósito de Deus, não pode ser afirmado mais claramente do que nos versículos 3-9. Todavia, certas escolas de teologia argumentam que a Igreja em sua forma presente é apenas uma continuação daquele mesmo propósito de Deus, desde o começo da raça humana. Elas falam de uma "igreja do Antigo Testamento" e procuram relacionar isto ao único Corpo que constitui a revelação do Novo Testamento. O fato de que os judeus são agora convidados ao um co-relacionamento em um corpo com os gentios, não é autorização para a crença de que os santos do Antigo Testamento estão incluídos nesse novo propósito divino. Os argumentos para uma igreja no Antigo Testamento são usualmente baseados (1) no fato de que os sacrifícios do Antigo Testamento apontam em direção a Cristo; (2) no fato de que Israel era uma nação santificada; (3) no fato de que havia um remanescente fiel em cada uma das gerações de Israel; (4) no fato de que a Septuaginta traduz a palavra que indica uma assembléia ou reunião de pessoas pela palavra ἐκκλησία; e (5) no fato de que, visto que todos os santos vão para o céu, eles devem, por causa desse fato, constituir um grupo. Estes argumentos são insuficientes em cada ponto.

Nos versículos 7, 8 e 9, o apóstolo argumenta em favor de sua posição singular da nova mensagem a respeito do mistério de Cristo (v. 4). No versículo 10, ele declara que é através da Igreja que as hostes angelicais *agora* conhecem a *multiforme sabedoria de Deus*, como, em 2.7, os anjos virão, nas eras vindouras, a conhecer pela Igreja as *excelentes riquezas da graça de Deus*. Toda esta revelação concernente à Igreja, e o presente ministério dela entre os principados e potestades como uma revelação da sabedoria de Deus, estão, igualmente, (cf. 1.9), de acordo com o propósito eterno que Ele propôs em Cristo Jesus, nosso Senhor (v. 11). Foi dado às hostes angelicais observar que, através de nossa fé em Cristo, os cristãos têm intrepidez, intimidade livre com Deus e introdução na sua comunhão bendita; mas quão grande é o privilégio concedido aos que experimentam essa intimidade e comunhão!

O capítulo 4, que reforça a verdade de que há *um corpo*, se inicia com a chamada de todos os crentes, para que reconheçam e observem a obrigação que decorre da doutrina dessa unidade que foi criada pelo Espírito de Deus – uma unidade estabelecida por sete particularidades, a saber: "um corpo... um Espírito... uma só esperança da vossa vocação; um só Senhor, uma só fé, um só batismo, um só Deus e Pai". Sobre esse princípio assegurado de que as epístolas tomam e expandem as verdades germes que constituem a substância do discurso do Cenáculo feito por Cristo, a posição primitiva de Efésios 4 é evidentemente uma amplificação da petição na oração de Cristo: "...para que eles sejam um; como tu, ó Pai, és em mim, e eu em Ti, a fim de que eles sejam um em nós" (Jo 17.21). Como este ponto é o tema central da próxima divisão desta discussão, sua consideração é protelada a esta altura.

A contribuição diversificada que a figura do Cabeça e o Corpo com seus muitos membros faz para a doutrina da Igreja já foi observada acima, a saber, que o Corpo de Cristo desenvolve-se pelo crescimento de si mesmo; que os membros prestam um serviço específico sob a direção do Cabeça; e que o Corpo é *um* no sentido em que ele é um organismo habitado por um princípio de vida.

CAPÍTULO V

Sete Figuras Usadas Sobre a Igreja em sua Relação com Cristo: O Último Adão e a Nova Criação

ESTA DIVISÃO DA ECLESIOLOGIA, que estuda a verdadeira Igreja como uma nova criação com o Cristo ressurrecto como o seu Cabeça federal, introduz um corpo de verdades insuperável tanto em sua importância quanto em sua exaltação transcendente. Naturalmente, diversos temas estão debaixo deste conceito: (a) o Cristo ressuscitado; (b) a nova criação; (c) duas criações que exigem dois dias de comemoração; e (d) a transformação final. Como foi indicado anteriormente, a nova criação, como uma designação da verdadeira Igreja, inclui mais do que está abrangido na idéia da Igreja como Corpo de Cristo. Na realidade da nova criação, Cristo é visto como a parte mais importante dela, enquanto que, na figura do Corpo, essa entidade é vista como algo a ser completado em si mesmo e separado do Cabeça, mas ainda a ser unido a Ele.

O Corpo é uma unidade total em si mesmo, que está vitalmente relacionado com Cristo. Em oposição a isto, a nova criação é uma unidade que incorpora o Cristo ressurrecto e não pode ser o que é à parte daquela principal contribuição – a Fonte de toda verdade que faz parte dela. A quádrupla divisão indicada acima segue-se agora:

I. O Cristo Ressurrecto

O estudante que examina as obras existentes na Teologia Sistemática descobrirá que o assunto da ressurreição de Cristo está quase totalmente ausente desses escritos. Um estudo extenso está harmonizado com o tema geral da morte de Cristo; mas não mais do que uma breve referência é feita, se na verdade é feita, à ressurreição de Cristo. No estudo desses escritores, a ressurreição de Cristo, no máximo, não é mais do que o reverso de sua morte, uma mera escapada do estado de morte, visto que Ele não poderia nem deveria ser preso por ela (At 2.24). Que Cristo ressurgiu numa nova esfera da realidade que incorpora a seu corpo humano glorificado; que Ele se tornou um tipo de Ser que havia existido antes; e que Ele se tornou o padrão daquilo que glorificou os santos no céu, são temas aparentemente desvalorizados pelos teólogos do passado.

Há uma razão suficiente para essa negligência. Ela repousa no fato de que o significado total da ressurreição está incorporado na doutrina da nova criação e no fato de que a teologia, quase sem exceção, tem considerado a Igreja como tendo existido por todo o período coberto pelo Antigo Testamento, e continuado sem mudança apreciável no Novo Testamento. Sob esta idéia, não há uma oportunidade para um novo Cabeça federal visto que, presume-se, não há uma nova criação que exija essa função do Cabeça. Em outras palavras, a ressurreição de Cristo é desprezada nos cursos teológicos, simplesmente porque o sistema da forma em que é apresentado – originado nas fontes de Roma – não exige uma ressurreição que vá além do fato do Salvador dos homens possa viver para sempre.

É apenas mais uma evidência da confusão que surge quando o campo total da Eclesiologia bíblica de Paulo não é levado em consideração. É certo que esses grandes escritores da Teologia Sistemática – que de fato são poderosos em certos aspectos da verdade divina – não têm pretendido negligenciar a Palavra de Deus; todavia, por causa do sistema que eles herdaram, não podem dar lugar a um novo começo. Se a Igreja começou com Adão ou Abraão, por que deveria haver um novo começo?

Longe de ser algo não-essencial, como alguns escritores evangélicos, por seu silêncio, implicam que ela seja, a ressurreição de Cristo é um dos sete maiores empreendimentos de Deus. Esses empreendimentos são: (1) a criação dos anjos; (2) a criação das coisas materiais, inclusive o homem; (3) a encarnação; (4) a morte do Filho de Deus; (5) a ressurreição do Filho de Deus; (6) o retorno de Cristo, para reinar eternamente; e (7) a criação do novo céu e da nova terra. Estas são realizações estupendas e, quando entendida corretamente, a ressurreição de Cristo não deve ser classificada como a menor delas.

Está evidente que a doutrina da ressurreição de Cristo tem o seu lugar muitíssimo importante na Eclesiologia, e mesmo nesse caso, ela está restrita àquela parte da Eclesiologia que trata da nova criação. Poderia ser esperado que a doutrina fosse negligenciada naquelas obras de teologia que não dão uma devida consideração à Eclesiologia, e até mesmo mais negligenciada por aqueles que não fazem menção alguma da nova criação, mas, antes, que tentaram exaltar e perpetuar a velha criação em Adão. Portanto, segue-se que alguma análise geral desse tema importante deve ser introduzida a esta altura. A tese completa sobre esse tema inclui duas divisões, a saber: a ressurreição de Cristo e a ressurreição daqueles que estão em Cristo. A primeira pertence à presente consideração, enquanto que a última, embora anteriormente apresentada no Volume III, está relacionada à divisão deste tema que se segue. A ressurreição de Cristo será observada sob sete aspectos gerais da doutrina:

ECLESIOLOGIA

1. A RESSURREIÇÃO DE CRISTO ESTÁ SUJEITA A PROVAS INCONTESTÁVEIS.
Tem sido dito, com verdade, que nenhum evento da história é mais substanciado do que a ressurreição de Cristo dentre os mortos. O evento está totalmente fora do alcance do curso natural das coisas e é, portanto, rejeitado por certa classe de cientistas, que não permitem que uma realidade esteja centrada na esfera dos espíritos. Das coisas que fazem parte dessa esfera, eles nada podem conhecer à parte da revelação, e, por terem sujeitado a revelação ao julgamento humano, tudo o que é sobrenatural é descartado por eles. A questão reverte para a idéia mais simples, a saber, que Deus não existe, nem, ao menos, como Aquele que poderia se manifestar aos homens. É presumido por esses cientistas que o homem pode agir livremente, mas Deus não pode.

Certas provas da ressurreição de Cristo têm sido apresentadas por vários escritores:

A. A VERACIDADE DO PRÓPRIO CRISTO. O Salvador não somente predisse a sua própria ressurreição, antes de sua morte (cf. Mt 12.38-40; 16.21; 17.9, 23; 20.19; 27.63; Mc 8.31; 9.9, 31; 10.34; 14.58; Lc 9.22; 18.33; Jo 2.19-21), mas apresentou-se como ressuscitado dentre os mortos após a ocorrência do evento. Ele não foi enganado por si mesmo nem foi Ele um impostor. Sua exibição de um conhecimento perfeito de todas as coisas e o seu caráter impecável exige credencial em seu próprio testemunho.

B. A TUMBA VAZIA. Poucos negariam que o Salvador morreu numa cruz, ou que Ele tenha sido sepultado, ou que a tumba estava vazia no terceiro dia. Teorias de que Ele desmaiou e foi ressuscitado são impossíveis e têm sido abandonadas, geralmente, mesmo por aqueles que dariam boas-vindas a alguma explicação natural do evento. Igualmente impossível é a noção de que os seus seguidores removeram o corpo. Três obstáculos, ao menos, ficaram no caminho – a guarda romana, a pedra selada e as roupas da sepultura que foram deixadas para trás, retendo a forma que elas tinham quando Ele as usou. Assim, também, é totalmente irrazoável argumentar que os inimigos de Cristo pudessem ter removido o corpo. Eles poderiam não ter arranjado o sepulcro como ele estava, e, quando confrontados por Pedro no dia de Pentecostes com o fato da ressurreição, eles, naturalmente, teriam trazido o corpo como um meio de refutar esse milagre, se o corpo lhes estivesse disponível. É igualmente demonstrado por sua aparição física em que Ele chamou atenção para sua carne e seus ossos, suas feridas, para não dizer do fato dEle ter comido perante várias testemunhas.

C. A EXPERIÊNCIA DOS SEGUIDORES DE CRISTO. As emoções mais naturais são registradas a respeito daqueles que eram crentes; primeiramente, a espantosa tristeza e depressão; e, depois, a superabundante alegria no reconhecimento da ressurreição do Senhor. Estas emoções não somente demonstram o fato de sua ressurreição, mas indicam, também, que esses crentes não tiveram parte em qualquer tentativa de remover o corpo da tumba.

D. O FATO DA IGREJA. É verdade que no final da dispensação da Lei, a Igreja Primitiva foi sustentada pelo fato da ressurreição e a magnificou acima de todas as coisas. A influência daquele grande evento é vista na mudança de parte dos judeus salvos da celebração do sétimo dia para a celebração do primeiro dia da semana – o dia da ressurreição. O grande poder com que os apóstolos testemunharam da ressurreição no Pentecostes, e mesmo depois, sozinho pode explicar o fato de que milhares, inclusive um grande grupo de sacerdotes, creram no Evangelho.

E. As Testemunhas Oculares. O registro em 1 Coríntios 15.4-8 – de que Ele ressurgiu ao terceiro dia, que foi visto por Cefas, então pelos doze, após ter sido visto por mais de quinhentos irmãos, por Tiago, por todos os apóstolos, e por Paulo – é familiar; mas a testemunha mais importante é o deste apóstolo, pois a totalidade de sua carreira é baseada na visão do Cristo ressuscitado. Sobre esse aspecto particular de evidência, o Dr. W. H. Griffith Thomas escreve:

É bem conhecido o capítulo (1 Coríntios 15) onde ele se preocupa em provar (não a ressurreição de Cristo, mas) a ressurreição dos cristãos; ele naturalmente apresenta a ressurreição de Cristo como a sua maior evidência, e assim dá uma lista de várias aparições de Cristo, e termina com a aparição a ele próprio, que ele coloca num nível exato com os outros: "e por derradeiro de todos apareceu a mim". Ora, é essencial dar atenção especial à natureza, e particularmente a esse testemunho. "Porque primeiramente vos entreguei o que também recebi: que Cristo morreu por nossos pecados, segundo as Escrituras, que foi sepultado; que foi ressuscitado ao terceiro dia, segundo as Escrituras" (1 Co 15.3, 4). Como tem sido assinalado, esta é a nossa autoridade mais antiga para os aparecimentos de Cristo após a ressurreição, e data certa de trinta anos do evento em si. Mas há muito mais do que isso: "Ele afirma que em cinco anos da crucificação de Jesus ele foi ensinado que 'Cristo morreu por nossos pecados segundo as Escrituras; e que ele foi sepultado, e que ele ressuscitou ao terceiro dia, segundo as Escrituras" (Kennett, *Interpreter*, V, 267)... Além disso, nós achamos que essa narrativa inclui uma afirmação pequena, mas significativa, que imediatamente recorda um aspecto bem definido da tradição do Evangelho – a menção do "terceiro dia". Uma referência à passagem nos evangelhos, onde Jesus Cristo falou de sua ressurreição, mostrará quão proeminente e persistente era essa observação com respeito ao tempo. Por que, então, Paulo a teria introduzido em sua afirmação? Era ela parte do ensino que ele havia "recebido"? Qual é a importância desta ênfase clara sobre a *data* da ressurreição? Não significa que ela dá um testemunho absoluto da tumba vazia? De tudo isto pode ser argumentado que Paulo cria na história da tumba vazia na data quando a lembrança estava ainda recente, quando ele foi capaz de examiná-la por si mesmo, quando foi capaz de fazer uma pesquisa mais apurada com outros, e quando os temores e oposições dos inimigos teriam tornado impossível para os aderentes de Jesus Cristo fazer qualquer afirmação que não fosse absolutamente verdadeira. "Certamente, o senso comum exige de nós que creiamos que aquilo pelo que ele tanto sofreu foi em seus olhos estabelecido além da possibilidade da dúvida" (Kennett, *op. cit.* V, 271). Portanto, da visão do testemunho pessoal de Paulo de sua própria conversão, suas entrevistas com aqueles que haviam visto Jesus Cristo sobre a terra antes de sua ressurreição, e a proeminência dada à ressurreição no próprio ensino do apóstolo, podemos desafiar uma nova atenção para essa evidência da ressurreição. É bem conhecido o fato de que Lord Lyttelton e seu amigo Gilbert West deixaram a Universidade de Oxford no final de um ano acadêmico, cada um deles determinado a dar atenção respectivamente durante as longas férias à conversão de Paulo e à ressurreição de Cristo, a fim de provar a falta de base de ambas. Eles se encontraram novamente no outono e compararam as experiências. Lord Lyttelton havia se tornado convencido da verdade da conversão de Paulo, e Gilbert West da ressurreição de Jesus Cristo. Portanto, se os 25 anos de sofrimento e serviço por Cristo foram uma realidade, a sua conversão foi verdadeira, pois tudo começou com essa mudança repentina. E se a sua conversão foi verdadeira, Jesus Cristo ressuscitou dos mortos, pois tudo que Paulo era e fez ele atribuiu à visão do Cristo ressuscitado.[85]

F. A Afirmação Direta da Bíblia. A Bíblia declara com toda clareza, tanto com referência ao evento, quanto com referência ao seu efeito sobre os homens, que Cristo ressurgiu dos mortos. Uma questão a respeito da ressurreição é, portanto, algo relativo à veracidade da Palavra de Deus. Este fato estupendo é muito freqüentemente ignorado.

G. A Ressurreição e o Programa Divino. Não somente a ressurreição de Cristo foi predita no Antigo Testamento – uma verdade ainda não examinada – mas é um passo essencial na realização do programa divino no mundo. O advento de Cristo ao mundo tornou possível a morte dEle; esse advento também tornou possível a sua ressurreição. Havia grandes objetivos em vista, que se tornariam abortivos, se esse programa não houvesse sido seguido com exatidão. Assim, além disso, questionar a ressurreição de Cristo é questionar a totalidade do empreendimento de Cristo.

2. A Ressurreição de Cristo É Razoável. Se as declarações das Escrituras são aceitas – as que asseveram que, para cumprir os propósitos da redenção, a segunda pessoa da Trindade se encarnou, sofreu e morreu na cruz, e que Ela está designada para assentar-se eternamente no trono de Davi – a ressurreição é não somente razoável em si mesma, mas é exigida. Para uma mente que exclui tudo o que é sobrenatural, a pessoa teantrópica está excluída, assim como os empreendimentos que lhe são atribuídos. Morrer é uma experiência humana dentro da esfera de observação humana; por esta razão a morte de Cristo é admitida por muitos que não podem aceitar a ressurreição, visto que ela não está dentro do alcance da presente observação e experiência humanas. Na verdade, e como será ainda visto, a experiência da ressurreição ainda deverá ser a experiência de cada pessoa que tiver vivido sobre a terra e que passou pela morte. Ao olhar para trás, a partir das eras vindouras, a ressurreição deve ser reconhecida como universal, assim como a morte tem sido.

Cristo é a fonte da vida. Ele declarou, num contexto de sua ressurreição dos mortos: "Em verdade, em verdade vos digo que vem a hora, e agora é, em que os mortos ouvirão a voz do Filho de Deus, e os que a ouvirem viverão. Pois assim como o Pai tem vida em si mesmo, assim também deu ao Filho ter vida em si mesmo" (Jo 5.25, 26). Ele também disse: "Eu vim para que tenham vida, e a tenham em abundância" (Jo 10.10). No mesmo contexto, Ele também afirmou: "Ninguém ma tira de mim, mas eu de mim mesmo a dou; tenho autoridade para a dar, e tenho autoridade para retomá-la. Este mandamento recebi de meu Pai" (Jo 10.18). É significativo que Ele, como nenhum outro homem seria capaz de fazê-lo, tinha o poder de reaver sua vida novamente após a sua morte. Ao menos 24 passagens afirmam que Ele foi levantado pelo Pai (cf. At 2.24).

Adão foi a pessoa que recebeu vida, mas o último Adão é o Espírito que dá vida (1 Co 15.45). Pelo primeiro Adão veio a morte; pelo último, veio a vida (1 Co 15.22). Todo este testemunho converge para uma verdade importante, isto é, que a morte ainda que possível dentro da esfera de Sua humanidade, era totalmente estranha ao Filho de Deus. A morte foi permitida entrar somente para que a redenção pudesse ser consumada. Quando esse propósito foi cumprido, Aquele que é por natureza sem a morte retornou ao seu estado normal. Não era possível que a morte pudesse retê-lo (At 2.24). Esse é o testemunho das Escrituras de que a ressurreição de Cristo é razoável.

3. A Profecia a Respeito da Ressurreição. Na profecia do Antigo Testamento, a ressurreição de Cristo está prevista especificamente nos salmos 16 e 118, e cada uma dessas passagens é interpretada no livro de Atos. No salmo 16, Davi declara: "Tenho posto o Senhor continuamente diante de mim; porquanto ele está à minha mão direita, não serei abalado. Portanto, está alegre o meu coração e se regozija a minha alma; também a minha carne habitará com segurança. Pois não deixarás a minha alma no Seol, nem permitirás que o teu Santo veja corrupção" (Sl 16.8-10). Este texto é aplicado a Cristo pelo apóstolo Pedro, conforme está registrado em Atos 2.25-31. Ao assinalar que Davi já estava morto e as palavras do salmo não poderiam se referir a ele. Pedro afirma: "...prevendo isto, Davi falou da ressurreição de Cristo, que a sua alma não foi deixada no *hades*, nem a sua carne viu a corrupção. Ora, a este Jesus, Deus ressuscitou, do que todos nós somos testemunhas" (At 2.30, 31).

Semelhantemente, no salmo 118.22-24, o salmista declara: "A pedra que os edificadores rejeitaram, essa foi posta como pedra angular. Foi o Senhor que fez isto, e é maravilhoso aos nossos olhos. Este é o dia que o Senhor fez; regozijemo-nos, e alegremo-nos nele". E outra vez o mesmo apóstolo, quando se dirigia ao Sinédrio – aquele grupo que determinou a morte de Cristo – disse: "Seja conhecido de vós todos, e de todo o povo de Israel, que em nome de Jesus Cristo, o nazareno, aquele a quem vós crucificastes e a quem Deus ressuscitou dentre os mortos, nesse nome está este aqui, diante de vós. Ele é a pedra que foi rejeitada por vós, os edificadores, a qual foi posta como pedra angular" (At 4.10, 11). Nesta declaração, Pedro fala daqueles judeus como "vós, os edificadores", acusa-os da crucificação de Cristo, e afirma que Deus o ressuscitou dentre os mortos.

Assim a pedra – Cristo – que o Sinédrio rejeitou pela crucificação, tornou-se, pela ressurreição que Deus realizou, a principal pedra angular. Esta é uma realização de Jeová e, portanto, "maravilhosa aos nossos olhos". Este dia – o dia da ressurreição – é "o dia que o Senhor fez". É assim que o dia da ressurreição se tornou o Dia do Senhor. Ele o fez por sua ressurreição.

No Novo Testamento, a profecia concernente à ressurreição foi feita somente por Cristo. Nenhum dos seus discípulos podia acreditar que Ele devia morrer ou ressuscitar dos mortos. As predições de Jesus foram claras, como citadas acima. A força da predição divina está por detrás da doutrina da ressurreição e não poderia falhar no seu cumprimento, visto que nenhuma palavra de Deus pode falhar.

4. Sete Razões para a Ressurreição. Foi indicado no Capítulo 4 do Volume III que há pelo menos catorze razões reveladas para a morte de Cristo e, aparentemente, há metade de razões para a ressurreição de Cristo. Ao listá-las, uma anotação completa é desejável, independentemente da consideração da reafirmação das verdades já apresentadas.

A. Por causa de quem Cristo É. Neste contexto, chamamos a atenção novamente para a verdade sublime de que o Salvador que morreu e ressuscitou não é menos do que um membro da Trindade, e, como tal, Ele é de eternidade a eternidade (Mq 5.2), o Pai da eternidade (Is 9.6). Sua morte foi, portanto, extrínseca a tudo que pertence à Trindade. Um empreendimento muito especial e excepcional foi necessário, empreendimento esse que foi sem precedente no passado, e que nunca poderá ocorrer novamente. Está escrito: "Sabendo que, tendo Cristo ressurgido dentre os mortos, já não morre mais; a morte não mais tem domínio sobre ele" (Rm 6.9); "Jesus Cristo é o mesmo, ontem, e hoje, e eternamente" (Hb 13.8). Esta digressão voluntária para as esferas da morte – morte que é em si mesma o julgamento divino sobre o pecado (Gn 2.17) – foi uma exigência imensurável de cada pessoa da Trindade.

O Pai "deu" e "não poupou" o seu próprio Filho; o Filho "suportou a cruz, não fazendo caso da ignomínia"; e foi através do Espírito eterno, que o sacrifício incompreensível foi feito. Assim, segue-se que o Filho eterno não permaneceria nem poderia permanecer na esfera de Sua própria maldição, e não houve julgamento sobre o seu pecado em nenhum momento, além do tempo necessário que foi divinamente designado e exigido pela satisfação com respeito ao pecado da humanidade. Esse tempo foi antecipado em tipo (Jn 1.17; cf. Mt 12.40) e, medido na história, foram "três dias e três noites". Portanto, permanece verdadeiro que a ressurreição de Cristo foi exigida pela própria natureza do caso, pois, ao ser Ele o que é, não poderia ser seguro pela morte (At 2.24).

B. Para Cumprir Profecia. Sob esta divisão do tema, a linha de raciocínio é que, visto que grandes possibilidades foram atribuídas a Cristo e que foram cumpridas em sua morte, a necessidade de reviver da morte foi colocada sobre

Ele, para que as expectativas pudessem ser realizadas. Esta atribuição que lhe coube, de ser operada por Ele após a sua morte, inclui tudo o que Ele faz como Cabeça e Sumo Sacerdote da Igreja; mas as predições estão basicamente centradas no trono davídico e no seu reino. Como no caso da encarnação, em que em cada uma de duas passagens que são especificamente diretas e específicas, Cristo é dito ter se encarnado com a finalidade dEle poder sentar-se no trono de Davi (Is 9.6, 7; Lc 1.31-33), assim, com respeito à sua ressureição, está escrito: "Pois não deixarás a minha alma no Seol, nem permitirás que o teu Santo veja corrupção" (Sl 16.10).

Como já foi dito, esta é uma predição da ressurreição de Cristo (cf. At 2.25-31). Assim, está revelado que, no campo da profecia, o principal objetivo na ressurreição de Cristo era para que Ele pudesse sentar-se no trono de Davi. Duas revelações foram feitas a Davi: (1) que a sua linhagem real durasse para sempre e isto eventualmente seria realizado no Messias que reinaria eternamente; e (2) que o Messias se tornasse um sacrifício na morte (Sl 22.1-21). Davi raciocinou pelo Espírito que, se o Messias deveria reinar para sempre, Ele precisaria primeiro morrer e ser ressuscitado para esse fim.

C. PARA SE TORNAR O CONCESSIONÁRIO DA VIDA. Conforme 1 Coríntios 15.45, Cristo, em sua ressurreição, é declarado ser um Espírito que doa vida. Em contraste com isso, Adão é dito ter sido o recebedor da vida. A verdade de que o Cristo ressurrecto é agora um doador da vida ressurrecta já foi considerada anteriormente. Em João 20.22, está registrado que Cristo, imediatamente após a sua ressurreição, soprou sobre os seus discípulos e disse: "Recebei o Espírito Santo". Isto foi como se Ele tivesse prometido, quando antes de sua morte disse com referência à relação deles com o Espírito Santo: "Ele habita convosco, e estará em vós".

No sentido em que o crente é agora o recipiente da vida ressurrecta, está dito que ele é tanto ressuscitado posicionalmente em ressurreição de Cristo quanto o possuidor dessa vida. Ao escrever aos Colossenses, o apóstolo Paulo diz: "fostes ressuscitados com ele" (Cl 2.12). Nesta passagem, a verdade que é apresentada, é que, por estar em Cristo pelo recebimento do Espírito, o crente participa do valor da morte e da ressurreição de Cristo tão plenamente como se ele próprio tivesse morrido e ressuscitado dos mortos. Na verdade, a razão central para a morte e ressurreição de Cristo é que Ele poderia substituir aqueles a quem estava para salvar. Esta é a "operação de Deus", na qual a fé do cristão deve repousar.

Ao continuar o pensamento da co-ressurreição com Cristo, o apóstolo Paulo também diz: "Se, pois, fostes ressuscitados juntamente com Cristo, buscai as coisas que são de cima, onde Cristo está, assentado à destra de Deus. Pensai nas coisas que são de cima, e não nas que são da terra; porque morrestes, e a vossa vida está escondida com Cristo em Deus. Quando Cristo, que é a nossa vida, se manifestar, então também vós vos manifestareis com ele em glória" (Cl 3.1-4). Além de tudo isso, e como uma parte indivisível dela, está a verdade de que o corpo do crente ainda será ressuscitado, no retorno de Cristo (1 Ts 4.13-18).

D. PARA COMUNICAR PODER. Aquele que disse, quando estava para deixar este mundo: "todo poder me é dado", é um suprimento constante de vida e poder para o crente, como a seiva é a vitalidade para os ramos da videira. Como o recebimento do Espírito tornou o filho de Deus num co-participante na morte e sepultamento de Cristo, assim, também, Cristo é ressuscitado, para que o salvo nEle possa andar num novo princípio de vida, a saber, pelo poder do Cristo ressurrecto. Sobre isto está escrito: "Ou, porventura, ignorais que todos quantos fomos batizados em Cristo Jesus fomos batizados na sua morte? Fomos, pois, sepultados com ele pelo batismo na morte, para que, como Cristo foi ressuscitado dentre os mortos pela glória do Pai, assim andemos nós também em novidade de vida" (Rm 6.3, 4). Sobre esta verdade, o apóstolo testificou: "...tudo posso naquele que me fortalece" (Fp 4.13); e o próprio Cristo asseverou mui claramente que "sem [à parte de] mim nada podereis fazer" (Jo 15.5).

E. PARA SER O CABEÇA DO CORPO, A IGREJA. Por ser este um propósito específico do Pai ressuscitar o Filho dentre os mortos, está afirmado em Efésios 1.20-23: "...que operou em Cristo, ressuscitando-o dentre os mortos e fazendo-o sentar-se à sua direita nos céus, muito acima de todo principado, e autoridade, e poder, e domínio, e de todo nome que se nomeia, não só neste século, mas também no vindouro; e sujeitou todas as coisas debaixo dos seus pés, e para ser cabeça sobre todas as coisas o deu à igreja, que é o seu corpo, o complemento daquele que cumpre tudo em todas as coisas". Por este texto, será visto que Cristo é muito exaltado e elevado, como Ele deveria ser, acima de todos os principados e potestades e poderes e domínio, e sobre todo nome neste mundo ou naquele que é vindouro.

Desta exaltação, também está escrito: "Pelo que também Deus o exaltou soberanamente, e lhe deu o nome que é sobre todo nome; para que ao nome de Jesus se dobre todo joelho dos que estão nos céus, e na terra, e debaixo da terra, e toda língua confesse que Jesus Cristo é Senhor, para glória de Deus Pai" (Fp 2.9-11). Todavia, a mais alta e completa autoridade e glória são ditas ser as de que Ele é o "cabeça sobre todas as coisas da igreja, que é o seu corpo" (Ef 1.22, 23). Ele está para a Igreja como a cabeça está para o corpo. A figura sugere um grande número de realidades vitais de relacionamento.

F. RESSURREIÇÃO E JUSTIFICAÇÃO. Por causa de uma tradução complicada que a Authorized Version faz de Romanos 4.25, a impressão em circulação é a de que, de algum modo não bem definido, Cristo foi entregue à morte por nossos pecados, mas ressuscitado, para que os crentes pudessem ser justificados. Contudo, a justificação não depende da ressurreição de Cristo, mas de sua morte; e esse texto particular realmente assevera uma idéia totalmente diferente. O texto da Authorized Version [e da versão que usamos] diz: "...o qual foi entregue por causa das nossas transgressões, e ressuscitado para a nossa justificação" (Rm 4.25). Romanos 3.24 afirma que a justificação é "mediante a redenção que há em Cristo Jesus"; e, além disso, "justificados pelo seu sangue" (Rm 5.9). O sentido de Romanos 4.25 é que, por ser providenciada a base para a justificação por sua morte, o Senhor ressuscitou da sepultura. O bispo Moule escreve sobre este versículo:

Literalmente, *por causa de nossa justificação*. A construção é idêntica [i.e., nesta e na frase correspondente anterior]. Esta e o equilíbrio das cláusulas parecem exigir a exposição: "Ele ressuscitou, *porque a nossa justificação foi efetuada*"; não, "*a fim de dar-nos* justificação", como muitos a interpretam. O paralelo é completo: "Nós pecamos, portanto Ele sofreu; nós somos justificados, portanto Ele ressuscitou". – A isto objeta-se que o pensamento não é doutrinariamente verdadeiro; por ser a justificação para todo crente *datada* não na morte do Senhor, mas no tempo da fé (veja capítulo V. 1). Mas a resposta é óbvia: o apóstolo aqui afirma o Ideal da matéria; ele não fala das justificações individuais, mas da Obra que assegurou para sempre a Justificação à Igreja. Um paralelo bem próximo é o "Está Consumado" (Jo 19.30). (Veja também a linguagem *ideal* em 8.30; e os paralelos instrutivos em Hebreus 1.3 e 10.14). Na Idéia divina, cada futuro crente era declarado ser justificado, através de uma propiciação realizada, quando Jesus ressuscitou. Sua ressurreição provou Sua aceitação como nosso Substituto, e, portanto, a nossa aceitação nEle. Sem dúvida, a outra interpretação é verdadeira com relação ao *fato*: Ele foi ressuscitado para que, através do Evangelho (que apenas por sua ressurreição nunca teria sido pregado), pudéssemos receber justificação. Mas a construção grega e o equilíbrio das cláusulas estão certamente a favor do que agora dissemos."[86]

Com o mesmo propósito, F. Godet escreve: "No mesmo modo, como Jesus morreu por causa de nossas ofensas, que é a nossa condenação (merecida), Ele *foi ressuscitado por causa de nossa justificação* (realizada). O nosso pecado o havia matado; a nossa justificação fê-lo ressurgir. Como assim? A expiação de nossas transgressões, uma vez realizada por sua morte, e o direito da justiça de Deus provada de fato, Ele pôde pronunciar libertação coletiva dos futuros crentes, e fez isso... Enquanto a segurança esteve na prisão, o débito não foi pago; o *efeito* imediato do pagamento seria a sua liberação. Semelhantemente, se Jesus não fosse ressuscitado, Ele seria mais do que um ignorante sobre se o pagamento do nosso débito foi pago: nós podemos estar certos de que isso não aconteceu. A sua ressurreição é a *prova* de nossa justificação, somente porque ela é o efeito necessário dela".[87]

G. Cristo, o Padrão ou as Primícias. Em nenhum lugar está mais claramente afirmado do que nessa fase da verdade, a de que uma coisa totalmente nova foi trazida à existência através da ressurreição de Cristo, e que essa coisa nova é o padrão da existência eterna do crente em glória. Na pessoa do Cristo ressurrecto, as hostes angelicais têm diante de si a visão da representação daquela multidão inumerável de crentes glorificados, que está para ser elevada para as vastas esferas do céu. A Escritura declara que esses crentes serão conformados à imagem de Cristo. Está dito: "Porque os que dantes conheceu, também os predestinou para serem conformes à imagem de seu Filho, a fim de que ele seja o primogênito entre muitos irmãos" (Rm 8.29); "Mas a nossa pátria está nos céus, donde também aguardamos um Salvador, o Senhor Jesus Cristo, que transformará o corpo da nossa humilhação, para ser conforme ao corpo da sua glória, segundo o seu eficaz poder de até sujeitar a si todas as coisas"

(Fp 3.20, 21); "Amados, agora somos filhos de Deus, e ainda não é manifesto o que havemos de ser; Mas sabemos que, quando ele se manifestar, seremos semelhantes a ele..." (1 Jo 3.2).

O título *primícias* assegura o seu significado desta realidade sublime. A designação aparece em 1 Coríntios 15.20, 23: "Mas na realidade Cristo foi ressuscitado dentre os mortos, sendo ele as primícias dos que dormem... Cada um, porém, na sua ordem: Cristo as primícias, depois os que são de Cristo, na sua vinda".

5. TRÊS PADRÕES DE PODER. As três dispensações – a que é passada, a que é presente, e a que é futura – sugerem, cada uma por sua vez, um padrão ou medida do poder divino. "Não te esqueças do Senhor, que te tirou da terra do Egito, da casa da servidão" (Dt 6.12) é a declaração freqüentemente repetida a Israel por Jeová. Essa libertação da escravidão do Egito e a divisão das águas no mar servem como uma indicação do grande poder de Jeová. Assim, também, o dia virá quando Israel, agora espalhado por toda a terra, será reunido em sua própria terra e abençoado na realização de todos os seus pactos. É então nessa ainda futura dispensação que um novo padrão do poder divino será estabelecido pela reunião – em si mesma uma ministração angelical – de Israel, que está espalhada por toda a terra, na sua própria terra.

Jeremias escreve a respeito desse evento: "Portanto, eis que vêm dias, diz o Senhor, em que nunca mais dirão: Vive o Senhor, que tirou os filhos de Israel da terra do Egito; mas: Vive o Senhor, que tirou e que trouxe a linhagem da casa de Israel da terra do norte, e de todas as terras para onde os tinha arrojado; e eles habitarão na sua terra" (Jr 23.7, 8). E Cristo descreveu esse evento da seguinte maneira: "E ele enviará os seus anjos com grande clangor de trombeta, os quais lhe ajuntarão os escolhidos desde os quatro ventos, de uma à outra extremidade dos céus" (Mt 24.31). Contudo, a manifestação suprema do poder divino não está na libertação de Israel do Egito ou na reunião desse povo em sua própria terra, mas, antes, ele está exibido na ressurreição de Cristo dentre os mortos, e esse empreendimento mede o poder de Deus para a presente dispensação.

Deste poder está escrito em Efésios 1.19-21: "...e qual a suprema grandeza do seu poder para conosco, os que cremos, segundo a operação da força do seu poder, que operou em Cristo, ressuscitando-o dentre os mortos e fazendo-o sentar-se à sua direita nos céus, muito acima de todo principado, e autoridade, e poder, e domínio, e de todo nome que se nomeia, não só neste século, mas também no vindouro". Assim, a ressurreição de Cristo é a demonstração da "suprema grandeza" do Seu poder. E este é o poder que está envolvido em favor do crente.

6. FOI UMA RESSURREIÇÃO REAL. Há pouca oportunidade para assinalar a falha total das teorias que incrédulos têm desenvolvido como uma explicação do fato indiscutível que, de acordo com a Escritura, Cristo tanto morreu quanto ressuscitou. Foi uma morte física completa e uma ressurreição completa. Neste contexto, pode ser observado que as ilustrações comumente empregadas para representar a ressurreição de Cristo são enganosas – a incubação de um ovo, o rompimento de um casulo, ou o crescimento de um bulbo. Nenhum ovo jamais

O Cristo Ressurrecto

incubou que não tivesse em si o germe da vida, nenhum casulo jamais liberou a sua borboleta que não fosse uma coisa viva, e realmente nenhum bulbo morto jamais emergiria para a vida.

Em oposição a isto, não havia uma vida na tumba; e deve ser duvidado se a natureza poderia produzir um símbolo digno da ressurreição de Cristo. Foi Deus o Pai que ressuscitou o seu Filho dos mortos, embora também seja afirmado que o Filho exerceu o seu próprio poder ao reaver a sua própria vida, e isto pelo Espírito eterno. Para qual propósito tudo isso está disposto pelo poder infinito das três pessoas da Trindade se, porventura, o Filho de Deus realmente não morreu?

7. A Ressurreição de Cristo é para uma Nova Ordem. À parte de uma investigação cuidadosa no ensino do Novo Testamento, seria natural presumir que a ressurreição de Cristo foi, igual a outras experiências registradas na Bíblia, somente uma reversão da morte. Todas as ressurreições que o Texto Sagrado registra são apenas uma restauração. Aquele que morria retornava à mesma esfera de existência que ocupava antes, e, eventualmente, morria novamente. Não há um paralelo nesses incidentes com a ressurreição de Cristo. Ele não retornou a um estado de condenação de morte, nem estava Ele na mesma ordem de Existência na ressurreição em que Ele estivera antes. Ele não é somente a pessoa teantrópica incomparável, mas experimentou uma transformação maravilhosa com respeito à natureza, estrutura e mutabilidade do corpo que Ele morreu. Ele é agora um "corpo glorioso" em sua natureza, um corpo de carne e ossos (mas sem sangue) em sua estrutura, e imortal e, portanto, imutável em sua duração.

É um corpo adaptado tanto ao céu quanto à eternidade. Nenhum outro ser humano ainda experimentou tal mudança. Está escrito de Cristo: "...ele só possui a imortalidade, e habita em luz inacessível; a quem nenhum dos homens tem visto nem pode ver" (1 Tm 6.16). É necessário lembrar que, a despeito dos termos incorretos que os homens empregam descuidadamente, a palavra *imortalidade* refere-se somente ao corpo físico e não à alma. Cristo morreu, mas Ele não viu corrupção (Sl 16.10; At 2.27); Ele passou do mortal para o imortal ainda que tenha morrido e tenha estado nas esferas da dissolução por três dias e três noites (cf. Jo 11.39). Aqueles crentes que morreram viram corrupção e eles devem ainda ser colocados na incorrupção; isto é, eles ainda não receberam os seus corpos na ressurreição. Com a mesma certeza, pode ser declarado, e sob a autoridade da Palavra de Deus, que nenhuma pessoa de toda a humanidade foi colocada "na imortalidade", experiência que acontecerá no momento da transformação, que se dará com os que estiverem vivos na vinda do Senhor (1 Ts 4.17).

Portanto, deve ser aceito como verdade que Cristo somente tem imortalidade. Ele somente apresenta essa mudança maravilhosa que o corpo físico do cristão vai experimentar; e nada mais efetivo poderia ser dito deles com respeito aos seus corpos do que está afirmado pelo apóstolo Paulo, quando disse: "Mas a nossa pátria está nos céus, donde também aguardamos um Salvador, o Senhor Jesus Cristo, que transformará o corpo da nossa humilhação, para ser conforme ao corpo da sua glória, segundo o seu eficaz poder de até sujeitar a si todas as coisas" (Fp 3.20, 21); "Porque é necessário que isto que é corruptível se revista da incorruptibilidade e que isto que é mortal se revista da imortalidade" (1 Co 15.53).

Com certeza, muita coisa depende do reconhecimento preciso e inerrante da verdade que, em sua ressurreição, Cristo se tornou o Ser incomparável, o Cabeça de uma nova raça da humanidade que não somente partilha de Sua vida ressurrecta desde o momento em que os homens são salvos, e são destinados a ser iguais a Ele – mesmo com respeito a um corpo glorioso – e a ser como Ele é, adaptado para o céu e a eternidade.

II. A Posição do Crente em Cristo

Na verdade, é de grande alcance o escopo e o grau de mudança do estado do cristão, que o apóstolo descreve pelas palavras: "...que nos tirou do poder das trevas, e nos transportou para o reino do seu Filho amado" (Cl 1.13). A magnitude desta mudança não é manifesta neste mundo, mas deve ser em sua realidade suprema na glória. Na verdade, o indivíduo crente passa por tão grande mudança que, como será situado de um modo definitivo, não pode ser classificado em tudo como o ser que era no tempo em que nasceu da carne. Ele é nascido de Deus na família de Deus e ocupa o lugar de um filho adotivo; é transferido de sob a autoridade caída de Adão para a autoridade exaltada e infinita do último Adão; é qualificado pelo mérito imputado de Cristo, para ser um participante da herança dos santos na luz; por estar em Cristo, possui toda bênção espiritual e torna-se perfeito, mesmo para a satisfação de Deus; é justificado para sempre; sua cidadania é mudada da terra para o céu; ainda será liberto da natureza adâmica; e receberá um corpo glorioso igual ao corpo ressurrecto de Jesus.

Com base nessas grandes transformações, fica reafirmado o estado final do filho de Deus nada retém do seu caráter terrestre. Apesar de ser a mesma pessoa, tudo mais é mudado. Dos itens de mudança enumerados acima, os últimos três – a entrada na cidadania celestial, a deposição da natureza adâmica e o recebimento de um corpo glorificado – são coisas ainda a ser realizadas na vinda de Cristo (cf. Ef 5.27; 1 Jo 3.2; Jd 24).

É uma grande ordem para qualquer pessoa declarar o que será o estado do crente em glória; pois, é provável, que "metade nunca foi ainda contado". Estas glórias foram enumeradas novamente, com o fim de que a mente possa ser ajudada em seu esforço de reconhecer de modo final e para a sua perfeição infinita de que o crente é uma nova criatura em Cristo Jesus (2 Co 5.17).

A totalidade da nova criação incorpora dois fatores, a saber: o Cristo ressurrecto, e aquele grupo total de crentes que são identificados como a verdadeira Igreja que está vitalmente unida a Cristo – a nova humanidade.

1. O Cristo Ressurrecto. Foi feito anteriormente um esforço para esclarecer a verdade de que Cristo, em si mesmo, através de sua ressurreição, entrou na esfera da existência que o universo nunca conhecera antes. Quando sobre a terra e antes de sua morte, Ele foi o "Deus manifesto em carne"; mas agora é Deus manifesto no corpo ressurrecto, de perfeição e glória infinitas. Não há sugestão alguma de que Cristo, em qualquer sentido, seja uma criação de Deus, mas aquele que Ele se tornou através da encarnação foi "altamente exaltado". O apóstolo João tinha visto o Senhor possivelmente em sua infância, na sua idade adulta, na transfiguração, na morte e na forma em que Ele apareceu na ressurreição, quando ali permaneceu durante quarenta dias; mas quando João viu o Cristo glorificado – conforme descrito em Apocalipse 1.12-18 – ele caiu por terra como morto.

Esta descrição do Cristo glorificado chama a atenção por parte daqueles que são Seus, como também toda referência nos evangelhos ao seu corpo ressurrecto, visto que esse corpo glorificado é o padrão do corpo que todo crente possuirá. É desta glória que o crente compartilhará (Cl 3.4). Os cristãos não somente se unirão aos seres celestiais, mas constitucionalmente serão adaptados para aquela esfera e comunhão. Tudo isto, será visto, depende totalmente do Salvador e do que Ele "fez" pelo crente – a grande redenção através da sua morte, a grande transformação através de sua ressurreição, e a participação de sua exaltação, que vai além do conhecimento, no céu. Cristo é agora o Senhor da glória, o legítimo Cabeça da nova humanidade que Ele junta para Si.

2. A Nova Humanidade. Erros incontáveis têm sido gerados no ensino teológico pela falha em compreender esse caráter distintivo, não-relacionado, e supremamente exaltado da verdadeira Igreja. Nenhuma qualidade diferenciadora nesta eminente humanidade deve ser mais glorificada do que a verdade de que, pelo recebimento do Espírito Santo, cada indivíduo desse grupo está vitalmente unido a Cristo numa união que é absoluta, e que estabelece a identidade entre Cristo e o crente e cria a base sobre a qual tudo o que Cristo é pode ser imputado àquele que está nEle. Sem dúvida, numa ordem lógica, o perdão divino e a regeneração divinamente operada através da operação do Espírito Santo, servem como uma preparação qualificadora para esse estado elevado. A obra regeneradora do Espírito é uma ação criadora de Deus; mas o que é chamado uma nova criação é evidentemente o que resulta da união com Cristo, que é realizada pelo recebimento do Espírito Santo. Certos textos do Novo Testamento são um guia nessa importante questão:

2 Coríntios 5.17, 18: "Pelo que, se alguém está em Cristo, nova criatura é; as coisas velhas já passaram; eis que tudo se fez novo. Mas todas as coisas provêm de Deus, que nos reconciliou consigo mesmo por Cristo, e nos confiou o ministério da reconciliação".

Está afirmado nessa passagem que estar em Cristo é se tornar uma nova criação em que as coisas velhas – relativas à posição antes do que à experiência – já passaram, e estas novas coisas são, todas elas, operadas por Deus.

Gálatas 3.27, 28: "Porque todos quantos fostes batizados em Cristo vos revestistes de Cristo. Não há judeu nem grego; não há escravo nem livre; não há homem nem mulher; porque todos vós sois um em Cristo Jesus".

Assim, além disso, ser unido a Cristo é ser colocado em Cristo, e esse relacionamento resulta numa unidade, visto que aqueles unidos a Cristo "são todos um em Cristo Jesus".

Gálatas 6.15: "Pois nem a circuncisão nem a incircuncisão é coisa alguma, mas, sim, o ser uma nova criatura".

A verdade asseverada é de que as obras meritórias não são de proveito algum para aquele que está em Cristo Jesus. Tudo o que conta – e quão imensurável é esse valor! – é uma nova criação que é assegurada pela união vital com o Senhor da glória.

Efésios 2.10: "Porque somos feitura sua, criados em Cristo Jesus para boas obras, as quais Deus antes preparou para que andássemos nelas".

No que diz respeito à sua influência na vida diária do crente, a posição da nova criação para o crente é, incidentalmente, "para as boas obras"; mas a realidade maior é reconhecida nas palavras "criados em Cristo Jesus", qualquer que possa ser a sua vida diária.

Efésios 2.15: "...isto é, a lei dos mandamentos contidos em ordenanças, para criar, em si mesmo, dos dois um novo homem, assim fazendo a paz".

Embora este texto enfatize a verdade de que judeu e gentio encontram paz num Corpo, o propósito é fazer nEle um "novo homem" – não novos homens individualmente, mas uma unidade completa composta de Cristo e a Igreja.

Efésios 4.21-24: "Se é que ouvistes, e nele fostes instruídos, conforme é a verdade em Jesus, a despojar-vos, quanto ao procedimento anterior, do velho homem, que se corrompe pelas concupiscências do engano; a vos renovar no espírito da vossa mente; e a vos revestir do novo homem, que segundo Deus foi criado em verdadeira justiça e santidade".

Os efésios foram ensinados por Cristo (através do apóstolo Paulo) sobre a verdade a respeito da posição em Cristo: "que vós [quando salvos] vos desvestistes do velho homem". A forma do verbo coloca esse despojar como uma ação completa no passado. Vocês foram ensinados, diz o apóstolo, na verdade sobre estar em Cristo e que, por isso, o seu "velho homem" foi colocado de lado. A posição adâmica anterior está em vista aqui, e com as suas práticas corruptas que não mais devem vigorar. Àquela altura, também, vocês se revestiram do novo homem – o último Adão – que segundo Deus (ao responder o Seu propósito eterno) é criado em justiça e santidade verdadeira. Enquanto essa passagem apresenta um desafio para o estudante fazer uma exegese cuidadosa, a sua contribuição para este ponto é vista na declaração de que o crente foi transferido do primeiro para o último Adão. O termo *velho homem*, usado aqui, não é equivalente à carne, ou à natureza adâmica. A posição em Adão é terminada com a salvação, enquanto que a carne e a natureza continuam (cf. Gl 5.16, 17).

Colossenses 3.9, 10: "Não mintais uns aos outros, pois que já vos despistes do homem velho com os seus feitos, e vos vestistes do novo, que se renova para o pleno conhecimento, segundo a imagem daquele que o criou".

Sobre este texto igualmente importante, o bispo Moule escreve: "O *despir-se* e o *vestir-se* aqui podem ser explicados com o significado de praticamente "sua conexão quebrada" (da culpa e da desesperança) com o primeiro Adão, e a 'conexão formada (de aceitação e devida) com o último Adão'...'O velho homem' é o pai do 'engano do pecado' em todas as suas fases; a conexão com 'o novo homem' é o golpe mortal para ele, como a consciência aflita é colocada em repouso, a relação do crente com Deus totalmente alterada, e uma força espiritual que não é sua é dada a ele... Pela união com Cristo seus membros se tornam (isto é dito com referência e cuidado) meras repetições dele, o Arquétipo glorioso. Vir a estar 'nele' é "vestir-se (dele como) do novo homem', e compartilhar Sua aceitação e vida, e Seu poder".[88]

Destas sete passagens, citadas acima, a verdade estabelecida é a de que há uma nova criação que é gerada diretamente pela união orgânica com Cristo. Uma disposição completa da existência anterior no primeiro Adão foi completada. Ela foi encerrada pela co-crucificação, co-morte, co-sepultamento com Cristo. Sobre este término está escrito: "Nós, que já morremos para o pecado, como viveremos ainda nele? Ou, porventura, ignorais que todos quantos fomos batizados em Cristo Jesus fomos batizados na sua morte: Fomos, pois, sepultados com ele pelo batismo na morte, para que, como Cristo foi ressuscitado dentre os mortos pela glória do Pai, assim andemos nós também em novidade de vida" (Rm 6.2-4). Nesse caso, as palavras de Efésios 4.22 e Colossenses 3.9 – "desvestir-se" – estão novamente em evidência (cf. Cl 2.12, 13, 20).

Na mesma maneira, há agora uma união vital perfeita com Cristo da parte de todos os que estão em Cristo. Está escrito: "Se, pois, fostes ressuscitados juntamente com Cristo, buscai as coisas que são de cima, onde Cristo está, assentado à destra de Deus. Pensai nas coisas que são de cima, e não nas que são da terra; porque morrestes, e a vossa vida está escondida com Cristo em Deus. Quando Cristo, que é a nossa vida, se manifestar, então também vós vos manifestareis com ele em glória" (Cl 3.1-4). Semelhantemente, Romanos 6.5: "Porque, se temos sido unidos a ele na semelhança da sua morte, certamente também o seremos na semelhança da sua ressurreição". Aqui o filho de Deus é assegurado tão certamente quanto ele compartilhou da morte de Cristo, também certamente compartilha da ressurreição de Cristo. É assim, pela ressurreição de Cristo, que o cristão é qualificado para a entrada na nova criação.

Cristo não morreu, nem ressurgiu dos mortos, em favor de Si mesmo; tudo foi substitutivo e representativo. O cristão foi verdadeiramente ressuscitado na ressurreição de Cristo. Este é o significado mais profundo das palavras de Cristo: "Eu sou a ressurreição e a vida" (Jo 11.25). Não foi feita referência por Cristo à verdade de que Ele mesmo ressurgiria dos mortos, ou que faria os mortos ressuscitar no último dia (cf. Jo 5.21, 25, 28, 29); mas ao presente aspecto da verdade de que todos os que estão nele são, em virtude do lugar deles na Sua ressurreição, ressuscitados nEle. Esta verdade posicional a respeito do filho de Deus é asseverada em dois textos:

(a) Efésios 2.4-6: "Mas Deus, sendo rico em misericórdia, pelo seu muito amor com que nos amou, estando nós ainda mortos em nossos delitos, nos vivificou juntamente com Cristo (pela graça sois salvos), e nos ressuscitou juntamente com ele, e com ele nos fez sentar nas regiões celestes em Cristo Jesus". Tanto com respeito à ressurreição quanto ao assentar-se nas regiões celestiais, o crente está agora vitalmente unido a Cristo. A palavra *juntamente*, duas vezes usada no versículo 6, diz respeito a Cristo, não à comunhão dos santos como em 1 Tessalonicenses 4.17, mas ao Cristo ressuscitado e glorificado. O apóstolo está justificado na confiança de que o leitor não se esquecerá de demonstrar a ressurreição e a exaltação gloriosas de Cristo nos versículos imediatamente precedentes (1.20-23), e que ele entendera, em alguma medida, a realidade e a glória celestial insuperável que pertencem àquele que, por causa de sua união com Cristo, está agora ressuscitado e assentado com Cristo Jesus, muito acima de toda comparação terrestre ou celestial (1.21).

Estar em Cristo, que é a porção de todos os que são salvos, é participar de tudo o que Cristo fez, de tudo o que Ele é, e de tudo o que Ele ainda será. É ter morrido a sua morte, ter sido sepultado em seu sepultamento, ter sido ressuscitado em sua ressurreição, ter ascendido em sua ascensão, e estar assentado agora *com Ele* (porque ele está *nEle*) em glória. Tal é a presente posição do crente em Cristo Jesus. Em oposição a tudo isto, e de nenhum modo ser confuso com ele, está o fato experimental de que o corpo ressurrecto e a real exaltação celestial ainda esperam todos aqueles que "dormem em Cristo"; e uma transformação corporal e uma exaltação celestial ainda esperam todos aqueles que "estiverem vivos na vida do Senhor", o fato presente e inalterável da posição do crente em Cristo, que é a garantia de uma experiência ainda futura.

(b) "Se, pois, fostes ressuscitados juntamente com Cristo, buscai as coisas que são de cima, onde Cristo está, assentado à destra de Deus. Pensai nas coisas que são de cima, e não nas que são da terra; porque morrestes, e a vossa vida está escondida com Cristo em Deus. Quando Cristo, que é a nossa vida, se manifestar, então também vós vos manifestareis com ele em glória" (Cl 3.1-4). À parte da exortação para um modo digno de viver, que esta passagem reforça, o fato essencial é novamente revelado de que o crente não somente morreu na morte de Cristo, mas agora está realmente ressuscitado nEle.

Geralmente falando, tudo que faz parte da realidade que constitui a salvação – já analisado, contando ao menos 33 posições e posses – contribui direta ou indiretamente para o fato da nova criação. Contudo, como os textos citados acima demonstram, a nova criação é especificamente o resultado da posição do crente em Cristo.

Provavelmente, não haja uma palavra na Escritura que mais claramente defina o fato essencial a respeito do cristão do que a frase *em Cristo*; e como o cristão é o fato mais importante de toda a criação, nunca houve uma palavra proferida que fosse de tão grande alcance em sua implicação, ou que fosse repleta de significado maior para a humanidade do que a frase *em Cristo*. Esta frase, com seus equivalentes, "em Cristo Jesus, nele, no amado, por ele, através dele, por ele, e com ele", aparece nos ensinos graciosos do Novo Testamento não menos do que 130 vezes. Essa ênfase incomum sobre uma verdade particular é impressionante, e a sua importância não deve ser desprezada. Em oposição a essa ênfase que é dada a esta verdade nos ensinos da graça, está o fato correspondente de que não há uma sugestão de uma possível posição em Cristo em qualquer ensino da Lei ou do reino.

A presente posição do crente em Cristo não foi vista mesmo nos tipos ou nas profecias. Nas dispensações passadas isto foi um segredo oculto na mente e no coração de Deus. Aquele que "nos tem abençoado" com toda sorte de bênçãos espirituais em Cristo, "nos elegeu antes da fundação do mundo, para sermos santos e irrepreensíveis diante dele em amor; e nos predestinou para sermos filhos de adoção por Jesus Cristo, para si mesmo, segundo o beneplácito da sua vontade, para o louvor da glória da sua graça, a qual nos deu gratuitamente no Amado; em quem temos a redenção pelo seu sangue, a remissão dos nossos delitos, segundo as riquezas da sua graça, que ele fez abundar para conosco em toda a sabedoria e prudência, fazendo-nos conhecer o mistério da sua vontade, segundo o seu beneplácito, que nele propôs para a dispensação da plenitude dos tempos, de fazer convergir em Cristo todas as coisas, tanto as que estão nos céus como as que estão na terra, nele, digo, no qual também fomos feitos herança, havendo sido predestinados conforme o propósito daquele que faz todas as coisas segundo o conselho de sua vontade, com o fim de sermos para o louvor da sua glória, nós, os que antes havíamos esperado em Cristo" (Ef 1.3-12).

Quem pode compreender o escopo pleno destas maravilhas eternas? Conhecedor da limitação do coração humano, neste ponto o apóstolo prorrompe numa oração: "...no qual também vós, tendo ouvido a palavra da verdade, o evangelho da vossa salvação, e tendo nele também crido, fostes selados com o Espírito Santo da promessa, o qual é o penhor da nossa herança, para redenção da possessão de Deus, para o louvor da sua glória. Por isso também eu, tendo ouvido falar da fé que entre vós há no Senhor Jesus e do vosso amor para com todos os santos, não cesso de dar graças por vós, lembrando-me de vós nas minhas orações, para que o Deus de nosso Senhor Jesus Cristo, o Pai da glória, vos dê o espírito de sabedoria e de revelação no pleno conhecimento dele; sendo iluminados os olhos do vosso coração, para que saibais qual seja a esperança da sua vocação, e quais as riquezas da glória da sua herança nos santos" (Ef 1.13-18).

Por ter assim orado, para que o cristão possa *conhecer* pela iluminação divina a esperança do seu chamamento e as riquezas da glória da herança que Deus agora tem nos santos, ele continua a orar para que todos possam também conhecer pela mesma revelação divina "qual a suprema grandeza do seu poder para conosco, os que cremos, segundo a operação da força do seu poder, que operou em Cristo, ressuscitando-o dentre os mortos e fazendo-o sentar-se à sua direita nos céus, muito acima de todo principado, e autoridade, e poder, e domínio, e de todo nome que se nomeia, não só neste século, mas também no vindouro; e sujeitou todas as coisas debaixo dos seus pés, e para ser cabeça sobre todas as coisas o deu à igreja, que é o seu corpo, o complemento daquele que cumpre tudo em todas as coisas" (Ef 1.19-23).

Como resultado deste glorioso relacionamento em Cristo, a mais natural responsabilidade é andar de maneira digna da vocação; mas as questões de uma vida diária e o caráter da conduta que faria parte dela, embora importante em seu devido lugar, estão perdidas e esquecidas no fulgor da glória eterna da graça imutável que trouxe o crente à nova criação em Cristo Jesus. Estar em Cristo é estar na esfera de sua própria pessoa infinita, de seu poder e glória. Ele envolve, protege, separa de tudo o mais, e habita naquele que nEle está. Ele também supre em Si próprio *tudo* o que uma alma vai precisar no tempo ou na eternidade. A união que é formada em Cristo é mais profunda do que qualquer relacionamento que a mente humana já pôde conceber. Em sua oração sacerdotal, em que deu os primeiros passos para a base da ressurreição, e onde contemplou a glória de sua obra consumada como algo que já havia sido realizado (cf. Jo 17.11), Cristo falou de três unidades dentro da esfera de um relacionamento: (1) a unidade dentro das pessoas da Trindade; (2) a unidade entre as pessoas da Trindade e todos os crentes; e (3) a unidade entre os próprios crentes, visto que eles estão nEle.

Lemos: "E rogo não somente por estes, mas também por aqueles que pela sua palavra hão de crer em mim; para que todos sejam um; assim como tu, ó Pai, és em mim, e eu em ti, que também eles sejam um em nós; para que o mundo creia que tu me enviaste... e eu neles, e tu em mim, para que eles sejam perfeitos em unidade, a fim de que o mundo conheça que tu me enviaste, e que os amaste a eles, assim como me amaste a mim" (Jo 17.20-23). Quem pode sondar as profundezas da revelação de que o crente está relacionado com Cristo no próprio plano daquela unidade que existe entre o Pai e o Filho?

Além disso, como foi afirmado antes, Cristo assemelha a união que existe entre Ele próprio e o crente à relação vital e orgânica que existe entre a videira e os ramos vivos. O ramo está *na* videira e a vida da videira está *nos* ramos; mas o ramo não possui uma vida independente em si mesmo. Ela não pode existir à parte da videira. Uma criança humana amadurece na dependência de seus pais e, por sua vez, pode dar suporte e sustentá-los, mas o ramo nunca pode tornar-se independente da videira. De igual modo, o fruto de toda manifestação de vida no ramo é devido ao influxo incessante da vitalidade da videira. O fruto é tanto fruto da videira quanto é do ramo (cf. Jo 15.5; Rm 7.4; Gl 5.22, 23). Assim, é com aquele que está em Cristo. Ao considerar o mesmo fato da unidade, o apóstolo Paulo assemelha Cristo à cabeça e os crentes aos membros de um corpo. Esta figura ilustra o mesmo relacionamento vital e de dependência. O membro no corpo partilha do mérito e da honra da cabeça, e a vida e poder da cabeça é comunicada ao membro. Tão perfeita é esta unidade entre o Cabeça e os membros do Corpo, que é provável que Cristo nunca será visto em glória à parte de Seu Corpo, e o Corpo nunca será visto à parte da Cabeça (1 Co 12.12).

Destes textos ilustrativos será observado que a unidade entre Cristo e o crente é dupla: O crente está em Cristo, e Cristo está no crente. O crente está em Cristo com respeito às posses, posições, segurança e associação; e Cristo está no crente como aquele que dá vida, caráter e dinâmica para a conduta.

Já foi assinalado que a conversa do Cenáculo, registrada em João 13–16, apresenta os ensinos graciosos de Cristo, e é o *gérmen* de toda verdade que é encontrada nas epístolas, que, por sua vez, contêm a revelação do fato essencial da nova criação e a obrigação resultante na vida diária. A verdade doutrinária das epístolas, que é a verdade doutrinária da graça, está sujeita à mesma divisão dupla – o que o salvo é em Cristo, e o caráter e o poder da vida diária que será experimentada quando a energia vitoriosa for comunicada por parte do Cristo que nele habita. Num ponto no meio do discurso do Cenáculo, Cristo resumiu a totalidade da estrutura doutrinária da graça numa frase curta. Essa frase é notável porque ela é a chave de todos os fatos e relacionamentos sob a graça, e por causa de sua simplicidade e brevidade de linguagem: "Vós em mim, e eu em vós" (Jo 14.20).

III. Duas Criações Exigem Dois Dias de Comemoração

A distinção entre o reino da lei e o reino da graça em nenhum lugar é tão agudamente mostrado como na questão da observância do sétimo dia e no primeiro dia da semana; pois esses dois dias são simbólicos das dispensações às quais eles estão ligados. Igualmente, em nenhum lugar o preconceito religioso pessoal, que é nascido nos primeiros tempos da educação e do sentimento, é mais afirmativo do que na questão do sábado. Foi o Seu ensino liberal sobre a observância do sábado que, mais do que outra coisa qualquer, provocou a ira dos líderes judeus contra Cristo; e, pode ser observado, não há um assunto religioso hoje que cause tanta instigação de convicções e opiniões pessoais. A razão está evidente. Poucos realmente têm compreendido o caráter exato e o princípio da graça. Para muitos, o cristianismo é um sistema de obras humanas e da edificação do caráter dos quais o mérito provém. E a observância do dia do Sábado apresenta oportunidades extraordinárias para o exercício de obras meritórias.

A questão é muito mais profunda do que a observância, ou a maneira de observância de um dia. A questão fundamental é se a graça deve reinar suprema no lugar da lei, ou se deve ser misturada com a lei. As raízes deste problema chegam à questão basilar que forma a própria estrutura dos dois princípios opostos da pura lei e da pura graça. Para sua solução, a questão exige mais do que uma opinião superficial. Na verdade, a escolha de um dia especial e a maneira de sua observância, são um teste a respeito do ajustamento inteligente do indivíduo à totalidade da revelação da graça. Como não pode haver uma mistura do reino da lei com o reino da graça, não pode haver a mistura própria dos elementos que, de acordo com as Escrituras, são os aspectos essenciais desses dois dias amplamente diferentes.

Um "sábado cristão" é uma designação incorreta; e o próprio uso do termo indica uma desatenção indesculpável aos termos bíblicos, e uma inconteste liberdade de mente e de coração, que é desejar sacrificar os mais ricos tesouros da graça por misturá-los com a lei. Não se trata de um problema de interpretação; é uma questão de se o sentimento pessoal, o preconceito ou a ignorância vão sobrepujar cegamente o próprio fundamento das divisões corretas da Escritura. Esses dois dias, típicos de dois princípios governantes opostos e duas grandes dispensações, são absolutamente sem conexão. Da totalidade do Decálogo, o dia de sábado é o único mandamento que *não* é transportado de maneira alguma em direção ao reino da graça; nem poderia sê-lo.

A falha em basear essa distinção entre esses dias representativos de eras sobre o caráter essencial de seus respectivos relacionamentos – é resultante de uma confusão universal de mente sobre o assunto entre cristãos, e isto, por sua vez, proporciona a oportunidade para os legalistas do tempo presente a promover as suas heresias de rejeição a Cristo. A compreensão inteligente da pura lei é esclarecedora para a mente, pois sua própria oposição à pura graça assegura uma compreensão clara da graça. Por outro lado, o maior inimigo de tal compreensão clara da pura graça e suas questões é a mistura confusa, destruidora da alma, e ainda não bíblica desses dois princípios opostos. Esta mistura é danosa em cada ponto; mas em ponto algum ela é mais destrutiva das distinções escriturísticas do que na confusão de um sábado judaico com o dia do cristão – o dia do Senhor, ou domingo.

Poderia ser dada uma consideração mais demorada às muitas diferenças vitais entre as obrigações da lei e os deveres sob a graça, como circuncisão, dízimo e sacrifícios; mas diferentemente da questão do sábado, estas questões ajustam-se por si mesmas, quando a glória da graça é compreendida em alguma medida. Para muitos, por outro lado, a questão do sábado se avoluma da forma mais abrangente como um aspecto essencial da religião judaica. Portanto, ela exige uma consideração especial. As razões para essa discussão são quatro: (1) Ela determina vitalmente o conceito que o indivíduo tem de bênção e de graça; (2) ela, necessariamente, determina o caráter da conduta do crente e da medida de compreensão de sua obrigação escriturística para com Deus; (3) ela é a questão central de uma heresia enganosa; e (4) ela é agora estimulada como uma reforma nacional, na qual é proposta mais ou menos para reforçar o sábado judaico num mundo que rejeita Cristo. Ao passo em que um apelo sincero pode ser de proveito, implora-se ao leitor a deixar o preconceito para trás, e a permanecer no determinado: "Assim diz o Senhor".

Os dois aspectos principais desse assunto são aqui considerados: (1) O testemunho bíblico a respeito do sábado judaico; e (2) o testemunho bíblico a respeito do "dia do Senhor".

1. O Testemunho Bíblico a Respeito do Sábado Judaico. Este tema deve ser tomado em subdivisões nas quais o sábado judaico é considerado em relação a vários períodos de tempo:

A. O Período de Adão a Moisés. Duas teorias tratam da questão da observância do sábado durante esse período. Há aqueles que defendem que o sábado foi entregue ao homem no Éden, e há os que afirmam que o sábado foi dado a Israel somente, pela mão de Moisés. A primeira teoria é usualmente desenvolvida com a idéia de aplicar a instituição do sábado a *todos* os homens, antes mesmo da Lei ter sido dada, a fim de que a lei do sábado possa ser tratada como agora, aplicável a *todos* os homens, mesmo após o término da lei mosaica na cruz. Esta forma de argumento não está restrita aos legalistas do sétimo dia; ela é empregada por muitos escritores e líderes religiosos que tentam transferir a autoridade bíblica a respeito do sábado judaico para a observância do dia do Senhor.

Estes, na tentativa de judaizar o cristianismo, obscurecem a verdade a respeito da graça. Quando é alegado que o sábado vem de Adão a Moisés é dito: "O sábado foi divinamente santificado na criação". Esta santificação, é verdade, está claramente afirmada em Gênesis 2.1-3: "Assim foram acabados os céus e a terra, com todo o seu exército. Ora, havendo Deus completado no dia sétimo a obra que tinha feito, descansou nesse dia de toda a obra que fizera. Abençoou Deus o sétimo dia, e o santificou; porque nele descansou de toda a sua obra que criara e fizera". Quando é assumido que o sábado foi imposto ao homem no Éden, isto é baseado na suposição de que esta passagem ensina exatamente isso; que, contudo, a passagem não necessariamente sugere. Deveria também ser lembrado que Gênesis não foi escrito até o tempo de Moisés; e, quando se procura uma evidência bíblica a respeito da observância do sétimo dia antes do período de Moisés, verifica-se que, diferentemente das outras atividades religiosas, como a oração, circuncisão (cf. Jo 7.22) e os sacrifícios, a observância que está registrada nesse período, não há menção alguma de uma observância do sábado desde a criação até Moisés.

É incrível que essa grande instituição do sábado pudesse ter existido durante todos esses séculos e não ter havido menção alguma dela nas Escrituras que tratam desse período. As palavras de Jó, que viveu mais de quinhentos anos antes de Moisés, oferecem uma ilustração. Sua experiência revela a vida espiritual de um santo pré-mosaico, quando não existia Escritura alguma registrada, e lutava para conhecer o seu dever total perante Deus. Jó e seus amigos se referem à criação, ao dilúvio, e muitos outros detalhes do dever humano para com Deus, mas nenhuma menção há do sábado. Além disso, é impossível que essa grande instituição, com tudo o que ela contemplou do relacionamento entre Deus e o homem, pudesse ter existido naquele tempo e não ser mencionada em porção alguma do argumento do livro de Jó.

Há pouca força na argumentação de que a semana de sete dias tenha sido reconhecida já no tempo de Jacó, e, portanto, um dia de sábado deve ter existido que encerrasse a semana. A semana de sete dias é a quarta parte natural do mês lunar e não exige necessariamente um dia de sábado com significação religiosa para o seu padrão. Igualmente, há pouca força na sugestão que a história chinesa sugere na observância de um dia sagrado em cada semana. Tal argumento, mesmo se verdadeiro, não deveria ser colocado contra o testemunho positivo das Escrituras.

Há uma passagem que determina essa questão além de toda dúvida. A seguinte citação da confissão dos sacerdotes e levitas sob Neemias, definitivamente fixa o tempo da instituição do sábado: "Desceste sobre o monte Sinai, do céu falaste com eles, e lhes deste juízos retos e leis verdadeiras, bons estatutos e mandamentos; o teu santo sábado lhes fizeste conhecer; e lhes ordenaste mandamentos e estatutos e uma lei, por intermédio de teu servo Moisés" (Ne 9.13, 14). O sábado, dado a Israel como um *sinal* (Êx 31.12-17), nunca foi dado aos gentios. Não há registro de que os gentios jamais tenham reconhecido o sábado, seja desde Adão até Moisés, seja desde Moisés a Cristo. O sábado é da lei; mas a lei não começou a vigorar até o tempo de Moisés (Rm 5.12-14). Ezequiel 20.10-12 é igualmente importante na fixação do tempo exato quando o sábado foi imposto. Lemos: "Assim os tirei da terra do Egito, e os levei ao deserto. E dei-lhes os meus estatutos, e lhes mostrei as minhas ordenanças, pelas quais o homem viverá, se as cumprir. Demais lhes dei também os meus sábados, para servirem de sinal entre mim e eles; a fim de que soubessem que eu sou o Senhor que os santifica".

Igualmente, da narrativa histórica dada em Êxodo 16, será visto que o dia que era de sete dias, ou uma semana total, anterior àquele sábado que, segundo o registro da Escritura, foi primeiramente observado pelo homem, não foi guardado como um Sábado, segundo a lei de Moisés; pois naquele dia, que foram sete dias anteriores ao primeiro sábado registrado, os filhos de Israel viajaram de Elim ao deserto de Sim – uma distância de mais de vinte milhas. Deve ser concluído, então, que o sábado foi imposto sobre Israel somente como uma parte da lei dada por Moisés.

B. O PERÍODO DE MOISÉS A CRISTO. O sábado começou a ser observado por Israel desde o tempo de sua instituição através de Moisés. Investido com um caráter de um sinal entre Jeová e a nação de Israel, em nenhum sentido ele foi estendido aos gentios. Estes fatos estão revelados no seguinte texto: "Disse mais o Senhor a Moisés: Falarás também aos filhos de Israel, dizendo: Certamente guardareis os meus sábados; porquanto isso é um sinal entre mim e vós pelas vossas gerações; para que saibais que eu sou o Senhor, que vos santifica. Portanto guardareis o sábado, porque santo é para vós; aquele que o profanar certamente será morto; porque qualquer que nele fizer algum trabalho, aquela alma será exterminada do meio do seu povo. Seis dias se trabalhará, mas o sétimo dia será o sábado de descanso solene, santo ao Senhor; qualquer que no dia de sábado fizer algum trabalho, certamente será morto. Guardarão, pois, o sábado os filhos de Israel, celebrando-o nas suas gerações como pacto perpétuo. Entre mim e os filhos de Israel será ele um sinal para sempre; porque em seis dias fez o Senhor o céu e a terra, e ao sétimo dia descansou, e achou refrigério" Êx 31.12-17).

Nada além de um preconceito cego poderia aplicar isto, ou qualquer outro texto do Antigo Testamento concernente ao sábado, aos gentios. O sábado era uma parte da lei de Israel, e era a possessão dessa lei que distinguia aquela nação de todos os outros povos da terra. É igualmente errôneo insistir que o sábado sempre foi celebrado no último dia da semana. O sábado, apenas para exceções necessárias, era o sétimo numa série de sete, seja de dias ou de anos. De necessidade, ele freqüentemente caía em outros dias da semana assim como no sábado. Houve ao menos quinze sábados que eram datas fixas em seus meses determinados, e esses sábados caíram naquelas datas específicas sem levar em conta o dia da semana.[89]

Em um caso, os sete sábados foram contados "desde o dia depois do sábado, isto é, desde o dia em que houverdes trazido o molho da oferta de movimento", e o dia seguinte àquele último sábado de sete, era o Pentecostes (Lv 23.15, 16). Este sete sábados, fica evidente, tornaram-se datas predeterminadas pela contagem arbitrária do primeiro sábado. Assim, igualmente, o dia que Cristo esteve na tumba era um sábado fixo. Era o décimo quinto dia de abibe, que, por determinação divina naquele ano específico, caiu no sábado. Que este era um sábado fixo, fica provado pelo fato de que o dia anterior era o dia da "preparação" (Mc 15.42), dia esse determinado pelo catorze daquele mês (Êx 12.2, 6). Além disso, certos dias normais de trabalho eram dias estabelecidos. O cordeiro deveria ser tomado no décimo dia do primeiro mês e ser morto, assado com fogo, e comido no décimo quarto dia do mês.

Igualmente, a festa das Primícias não poderia de modo algum ter sido um sábado, pois aquela data era designada como o início da colheita (Dt 16.9; cf. Lv 23.15). Todos esses trabalhos teriam sido uma violação direta da lei do sábado; todavia, essas cerimônias foram designadas para certas datas predeterminadas, e de tempo em tempo devia inevitavelmente ter estado em conflito com os sábados predeterminados. Por isto tudo fica evidente que o caráter sagrado do dia pertencia ao seu lugar relativo numa série de sete dias, e não a um dia particular da semana.

Durante o período que vai desde Moisés até Cristo, em que o sábado ficou debaixo da sanção direta de Deus, ele foi, como a palavra *sabbath* indica, um dia de descanso físico. Ele estava ligado a toda nação de Israel, e a morte era a penalidade para a sua violação. Nenhum fogo deveria ser aceso, nenhuma comida preparada, nenhuma viagem empreendida, nenhuma compra ou venda permitida, e nenhum peso deveria ser carregado. Mesmo a terra deveria ter os seus sábados (Êx 16.22-26; 31.12-17; 35.3; Lv 25.4; 2 Cr 36.21; Ne 10.31; 13.15-21). A lei do sábado, igual a toda outra lei, era tão pobremente observada que Jeová finalmente levou a nação ao cativeiro, com o propósito declarado de que a terra desfrutasse os seus sábados.

O sábado estava inter-relacionado com a lei, exatamente como ele está incrustado no coração do Decálogo. A maneira exata de sua observância está revelada somente nos ensinos de Moisés, e visto que a lei era um pacto de obras humanas, o sábado foi a provisão divina para o restante sob o pacto. O conceito moderno de um sábado, isolado das leis que o governa, e adaptado à dispensação cristã como o dia da atividade religiosa, das reuniões públicas, do serviço cristão, e da adoração, está inteiramente fora de harmonia com cada texto da Escritura que trata do sábado. É ensinado por alguns que, embora as leis que condicionaram a maneira da observância do sábado cessaram, o reconhecimento do dia, seja no sábado ou domingo, permanece como obrigatório. O resultado de tal ensino é a imposição da observância de um dia sem qualquer instrução exata a respeito da maneira de tal observância. Esse ensino é tanto inconsistente quanto sem base escriturística. Além disso, a inconsistência sem base na Escritura é grandemente aumentada, quando a celebração do sábado é mudada do sábado para o domingo, e é imposta sobre os gentios.

O sábado era uma instituição vital sob o reino da lei. Ele dependeu do sistema total da lei para a sua própria observância, e o sistema de lei dependia do sábado para a sua ação normal. O sistema legal completo ou permanece ou cai. O período mosaico foi transferido para um funcionamento simples da totalidade do sistema da lei; mas essa era, e tudo que a caracterizou, foi, quando Cristo morreu, substituída pelo reino da graça.

C. O Período Representado pelos Evangelhos. Muita confusão a respeito do sábado é devido à falha em reconhecer o caráter peculiar do período representado pelos evangelhos. Deveria ser lembrado que Cristo foi o primeiro "ministro da circuncisão"; foi "colocado debaixo da lei"; e viveu e operou sob a lei. A lei não acabou com o seu nascimento. Ela acabou em sua morte. Durante os dias de seu ministério, Ele reconheceu, guardou e fez cumprir o sábado como uma parte integral da totalidade do sistema mosaico. Ele insistiu, é verdade, que o sistema mosaico, e o sábado em particular, fosse liberto dos ensinos incrustados dos homens que haviam sido sobrepostos sobre a Lei de Moisés. Essas adições à lei feitas pelo homem foram retidas pelos judeus como atadas e sagradas, semelhante a própria Palavra de Deus. Porque ignorou tudo mais, exceto a Palavra de Deus, Cristo apareceu como um liberal sobre as questões do sábado.

Ele também alegou ser "Senhor do sábado", o que realmente era, e, em virtude dessa posição, tinha autoridade para mudar o sábado, ou, se decidisse, de aboli-lo para sempre. Um maior do que Moisés, através de quem a lei veio, está no meio dela. É certo que propôs resgatar o sábado de ser uma instituição escravizadora e restaurar suas funções como um benefício para o homem. Isto anunciou quando disse: "O sábado foi feito por causa do homem, e não o homem por causa do sábado". Isto é, o homem não foi feito para ser sacrificado por um dia; mas o dia foi feito para a bênção do homem.

Antes de Sua morte, o sábado era uma das questões mais importantes na experiência e ministério de Cristo. Contudo, é óbvio e sugestivo que Ele nunca tenha mencionado esse dia no discurso do Cenáculo, nem esse dia é mencionado uma só vez como uma obrigação em todo o seu ministério pós-ressurreição. É inconcebível que o sábado, que era uma parte tão vital do sistema mosaico, deveria ser omitido desses grandes ensinos de Cristo que caracterizaram essa dispensação, se fosse o propósito de Deus que esse dia judaico devesse ter qualquer lugar no presente reino da graça.

Tem sido também alegado que Cristo estendeu a obrigação da guarda do sábado para todos os homens, quando disse: "O sábado foi feito para o homem, e não o homem para o sábado". Esta questão volta-se para o significado exato da palavra *homem* usado aqui. Cristo quis dizer por esta afirmação que o sábado judaico foi, por sua autoridade, estendido aqui a *todos* os homens? Ou usou a palavra *homem* em seu sentido mais limitado como aplicando-a somente à nação de Israel? Dois fatos determinam a resposta: (1) O sábado *nunca* é aplicado aos gentios por qualquer texto subseqüente; e (2) a palavra *homem* é usada no Antigo Testamento não menos do que 336 vezes, para referir-se a Israel somente, e muitas vezes no Novo Testamento para referir-se somente aos cristãos.

Está escrito: "O cabeça de todo homem é Cristo"; a manifestação do Espírito "é dada a cada um"; "se qualquer homem edifica sobre este fundamento"; "todo homem louvará"; "para que apresentemos todo homem perfeito em Cristo Jesus". Em todos esses textos da Escritura, a palavra *homem* tem somente o significado limitado. Portanto, fica evidente que Cristo disse, em harmonia com toda a Escritura, que o sábado foi feito para Israel; pois não há uma evidência bíblica de que Cristo tenha imposto o sábado judaico, seja aos gentios ou aos cristãos, mas, de acordo com a lei, reconheceu o seu lugar importante e obrigação em relação à Israel, até que o reino da lei terminasse através de sua morte.

D. O Período Representado pelos Atos dos Apóstolos e as Cartas. Na consideração da questão do sábado, grande importância deve ser atribuída ao caráter exato daqueles ensinos do Novo Testamento, que aparecem após a fundação do cristianismo, através da morte e ressurreição de Cristo, e pelo advento do Espírito Santo no Pentecostes. Deveria ser observado primeiro que a lei, como uma regra de conduta, não é uma só e vem aplicada ao cristão, e que esses textos das Escrituras, por uma revelação impressionante, asseveram que a lei acabou, através da morte de Cristo. Eles asseveram que a lei cessou como um meio de justificação e uma regra de vida para aquele que é justificado (Jo 1.16, 17; Rm 6.14; 7.1-6; 2 Co 3.1-18; Ef 2.15; Cl 2.14; Gl 3.19-25). Se é alegado que o Decálogo, em que o sábado está incrustado, não era da lei, e, portanto, não terminou com a morte de Cristo, esta argumentação fica completamente descartada pela referência feita em Romanos 7.7-14, para o último dos mandamentos, em cujo texto esse mandamento está explicitamente mencionado como *a lei*.

Assim, também, de acordo com 2 Coríntios 3.7-14, aquilo que foi "escrito e gravado nas pedras" – o Decálogo, inclusive o dia de sábado – está *encerrado e abolido*. Deveria ser observado a seguir que, se uma questão tão vital como foi o sábado sob a lei é imposta sobre a Igreja, é incrível (a) que os primitivos cristãos não foram informados como dispensados em algum tempo das obrigações pessoais deles com relação ao sábado; ou (b) que a necessidade de reconhecer o sábado não seria em algum lugar incorporada nos novos ensinos da graça.

Ao voltarmos para os textos da Escritura, descobrimos:

(1) O sábado no livro de Atos. A palavra *sábado* é usada nove vezes em Atos, e onde quer que seja referida como um dia que deve ser observado, está afirmado somente para os judeus incrédulos, que, como se esperaria, perpetuado – e que ainda perpetua a observância do dia de sábado. Nem uma só vez neste livro está afirmado, ou mesmo implícito, que os cristãos guardavam o dia de sábado. Está dito que o apóstolo Paulo foi a uma sinagoga dos judeus e discutia com eles todos os sábados, mas isto nada sugere, além de ter tirado vantagem do fato de eles estarem reunidos naquele dia, a fim de que pudesse lhes pregar. Tal pode ser a experiência de qualquer missionário aos judeus, hoje.

(2) O sábado nas epístolas. Voltando às epístolas, será visto nesta porção das Escrituras, como no livro de Atos, que nenhum cristão é mencionado como observador do dia de sábado. É altamente provável que alguns na Igreja Primitiva, que lidavam com a observância da lei, estavam confusos com as questões da guarda do sábado, mas o Espírito de Deus atua em cada incidente semelhante a esse das páginas da Escritura. Assim, o registro inspirado não revela o embaraço de um crente com o sábado judaico, mesmo quando num erro de conduta, nem são chamados pecadores os violadores do sábado.

No exame das injunções diretas e dos ensinos doutrinários das epístolas, é descoberto que a palavra *sábado* é usada apenas uma vez, o termo *sétimo* dia mencionado em uma passagem somente, e a observância legalista de um *dia* é referido apenas uma vez. Estas passagens merecem atenção especial:

Colossenses 2.16, 17. No contexto em que este texto é encontrado, o apóstolo adverte os crentes contra qualquer cumplicidade com a lei, ou pacto de obras, visto que eles foram transferidos para uma posição sob a graça. A passagem afirma que eles foram feitos "completos" em Cristo, estado esse em que nada mais pode ser acrescentado; daí, para aquele que está em Cristo, o objetivo de todas as obras meritórias já está ganho, e a obrigação legal de fazer boas obras é satisfeita para sempre (v. 10). O crente é também dito ser "circuncidado com a circuncisão não feita por mãos no despojar do corpo da carne, a saber, a circuncisão de Cristo". Portanto, visto que a carne – a única coisa que a lei propôs controlar – é, à vista de Deus, colocada de lado, e não há necessidade da lei.

A criança judaica era circuncidada no oitavo dia, que era o primeiro dia de uma nova semana, após o percurso de uma semana completa. A circuncisão ao oitavo dia, ou o primeiro dia de uma nova semana, tipificava a libertação da antiga criação, que seria realizada para o crente através da ressurreição de Cristo dos mortos; pois nessa morte, Ele suportou toda a maldição da antiga criação. Por esta razão, o crente sob a graça não é chamado para celebrar qualquer aspecto da antiga criação, que foi representada pelo sábado (v. 11). Aquele que é salvo foi "sepultado com ele no batismo, no qual também fostes ressuscitados pela fé no poder de Deus, que o ressuscitou dentre os mortos". O uso do tempo aoristo em conexão com a referência ao sepultamento com Ele no batismo, faz com que o sepultamento seja contemporâneo da circuncisão mencionada.

Portanto, fica evidente que o recebimento do Espírito Santo, que vitalmente relaciona o crente com Cristo, está em vista aqui (1 Co 12.13; cf. Gl 3.27). Nesse recebimento, como em nenhum outro, o cristão participa de tudo o que Cristo é, e de tudo o que fez. Ele compartilha na crucificação de Cristo, em sua morte, sepultamento e ressurreição (Rm 6.1-10). Com a antiga criação assim sepultada na tumba de Cristo, o crente de modo algum é obrigado a qualquer observância relacionada com a antiga criação (Col 2.12). Além disso, o crente foi liberto da lei por nada mais nada menos do que o encravamento das ordenanças da lei na cruz. Após essa grande transação, como pode o filho de Deus reconhecer razoavelmente a lei em qualquer que seja o aspecto (v. 14)? Àquele que está assim completo em Cristo, circuncidado em Cristo, sepultado com Cristo, e liberto da autoridade de todas as ordenanças, o apóstolo diz: "Ninguém, pois, vos julgue pelo comer, ou pelo beber, ou por causa de dias de festa, ou de lua nova, ou de sábados, que são sombras das coisas vindouras; mas o corpo é de Cristo" (Col 2.16, 17).

Todos estes foram aspectos essenciais da lei (1 Cr 23.31; 2 Cr 2.4; 31.3), e, como tal, deveriam cessar na presente era do castigo de Israel (Os 2.11), e devem ser restabelecidos no reino vindouro (Ez 45.17). Eles eram apenas sombras da Substância – Cristo. Por ter a Substância, o crente é advertido novamente a voltar-se para a mera sombra. De acordo com esse texto, a lei, que incluía o dia de sábado, é abolida. Se é objetado que a referência nessa passagem é aos sábados extracerimoniais, a argumentação não pode ser mantida; pois a palavra usada aqui é σάββατα, que é o termo exato invariavelmente usado para designar o sábado regular judaico. É significativo, então, que em todas as epístolas onde a obrigação do crente sob a graça é apresentar o único uso da palavra *sábado* está sob proibição absoluta a respeito de sua observância, e que ela é aí sustentada para estar em conflito com os elementos mais vitais e substituintes da graça.

Hebreus 4.4. Nesta passagem, a única referência em todas as epístolas ao *sétimo dia* é encontrada. Lemos: "...pois em certo lugar disse ele assim do sétimo dia: E descansou Deus, no sétimo dia, de todas as suas obras". Como anteriormente, a ocasião desta referência ao sétimo dia é explícita no contexto. Em toda a passagem (Hb 4.1-13), os cristãos hebreus são advertidos no sentido de que, como seus pais falharam em entrar no descanso sob Josué (v. 8), eles próprios falhariam em entrar, experimentalmente, no descanso proporcionado pela obra consumada de Cristo, de quem Josué era apenas um tipo. Na aplicação dessa passagem, pode ser observado que o descanso sob Cristo não é para um dia na semana, nem é aquele descanso sabático que era devido após um sexto dia de esforço de obras meritórias. É antes o descanso permanente da fé em um outro que, como Substituto, realizou todas as "obras de Deus".

Este descanso bendito está prometido "àquele que não trabalha". Igualmente, ele não é em sentido algum o descanso da morte. É antes o descanso da comunicação da vida ressurrecta de Cristo, e dessa vida que é incessantemente ativa. A extensão e o caráter da atividade da nova vida em Cristo são uma violação de cada mandamento que desfruta o dia de sábado como descanso.

Gálatas 4.9, 10. Neste ponto desta epístola, o apóstolo repreende os gálatas, por observarem *dias* que são emprestados da lei, e lhes diz que pela guarda do sábado, eles se voltaram da graça para a lei: "Agora, porém, que já conheceis a Deus, ou, melhor, sendo conhecidos por Deus, como tornais outra vez a esses rudimentos fracos e pobres, aos quais de novo quereis servir? Guardais dias, e meses, e tempos, e anos". A frase, *rudimentos fracos e pobres*, é uma descrição do caráter da lei. Como um meio de segurança moral e conduta espiritual, a lei era "fraca" visto que a sua observância correta era impossível através da "fraqueza da carne" (Rm 8.3). Como uma fonte de bênção para o coração, a lei era "pobre" (lit. cheia de pobreza) quando comparada às riquezas da graça em Cristo Jesus.

Da consideração das passagens que descrevem e definem a vida do crente após a cruz, é observável que nesses textos não há exemplo algum de observância de um dia de sábado por qualquer crente, e injunção alguma de tal observância. Por outro lado, há o ensino mais decisivo a respeito do término completo da lei pela morte de Cristo, e a das mais fiéis advertências, para que o crente não venha a se tornar seduzido pela cumplicidade com a observância do dia de sábado.

E. O SÁBADO NA PROFECIA. Há dois aspectos distintos do sábado na profecia: (1) com respeito à sua cessação nessa era do castigo de Israel e (2) com respeito ao seu restabelecimento, quando o propósito presente na Igreja é realizado.

(1) A cessação do sábado. Está claro de Oséias 2.11 que o castigo, o qual veio sobre Israel, e que ele experimenta agora, seria caracterizado pela cessação de todas as suas festas solenes e sábados: "Também farei cessar todo o seu gozo, as suas festas, as suas luas novas, e os seus sábados, e todas as suas assembléias solenes". Tal é o decreto inalterável de Deus, que se uma palavra dessa profecia tivesse falhado, Ele teria sido provado como inverídico. Estas observâncias judaicas, que deviam cessar, incluíam *todos* os sábados de Israel. Eles cessaram no começo desta era da graça, no que diz respeito a qualquer reconhecimento de Deus. De outra forma, quando esta profecia será cumprida? Pessoas não instruídas podem impor uma festa solene, ou um sábado judaico, sobre si mesmas; mas isto nada cumpriria mais do que a criação de uma consciência anormal que acusa ou se desculpa, mas que nunca satisfaz o coração. Tal é o efeito invariável da lei imposta sobre si mesmo (cf. Rm 2.14, 15).

(2) O restabelecimento do sábado. Na conclusão do presente propósito divino na Igreja, os sábados de Israel serão restabelecidos. Isto está assegurado tanto pela Grande Tribulação, que deve preceder a vinda gloriosa de Cristo, quanto pela era do reino que se segue a essa vinda. A respeito da Grande Tribulação, está escrito: "Orai para que a vossa fuga não suceda no inverno nem no sábado" (Mt 24.20). Nenhum cristão jamais foi inclinado a fazer esta oração. O tempo de seu cumprimento não diz respeito a ele, nem tem ele qualquer relação com um dia de sábado. No tempo da angústia de Jacó, e nos sábados de Israel, é que ele será observado outra vez. A respeito da era do reino, lemos: "E acontecerá que desde uma lua nova até a outra, e desde um sábado até o outro, virá toda a carne a adorar perante mim, diz o Senhor" (Is 66.23); "Assim diz o Senhor Deus: a porta do átrio interior, que dá para o oriente, estará fechada durante os seis dias que são de trabalho; mas no dia de sábado ela se abrirá; também no dia da lua nova se abrirá" (Ez 46.1).

Isto está de acordo com toda profecia concernente ao reino. É só então que Israel "observará todos os seus mandamentos", inclusive o sábado (Dt 30.8). O sábado deve ser reinstalado; pois ele é um "pacto perpétuo" e um sinal entre Jeová e Israel, exceto pelo tempo que Ele fizer cessar o seu castigo daquele povo (Êx 31.16).

F. O DIA EXATO. A suposição de que uma continuação exata dos sábados semanais está agora em manutenção por todos os que observam o sétimo dia, é sem fundamento. Deveria ser observado:

(a) Nenhum dia é santo em si mesmo. Do ponto de vista natural, todos os dias são iguais e são igualmente sujeitos às mesmas condições físicas. Um dia é santo pelo decreto divino, e este decreto está sujeito a mudanças pela determinação de Deus. De modo algum, o dia sempre cai no sábado, nem foram os sábados sempre separados por seis dias úteis de trabalho.

(b) O sábado devia começar no pôr-do-sol e terminar com o pôr do sol. Isto era simples bastante quando ordenado para Israel nos pequenos limites geográficos da Palestina. É muito diferente quando aplicado à totalidade da terra, e, como alguns se atrevem a alegar, ao céu também. Não é possível uma uniformidade da observância de um dia exato em toda a terra. Enquanto alguns guardam o sábado num hemisfério, outros guardam o domingo (como sábado) no outro. Se duas pessoas começassem de determinado ponto a circundar a terra em direções opostas, e ambos observassem cada sábado do pôr-do-sol a pôr-do-sol, ao retorno deles no ponto de partida, um observaria a sexta-feira e o outro o domingo. A questão de observar um dia exato a partir do pôr-do-sol é ainda mais complicado nas regiões nórdicas. Lá o sol se põe apenas uma vez em cada seis meses. Nessa região, para ser exato e bíblico, deve haver um sábado de doze meses e uma semana de sete anos.

(c) O dia exato em que Deus terminou a criação e descansou é totalmente desconhecido. Ele descansou no sétimo dia; mas dificilmente poderia ser provado que o pôr-do-sol na noite de sexta-feira num determinado lugar da terra é a perpetuação do exato momento quando Deus começou a descansar de sua obra da criação. Quem pode traçar o momento exato, dia, ou ano, através do Éden, do dilúvio, da escravidão no Egito, e do período das trevas? Todavia, à parte da segurança de que o sábado num determinado lugar sobre a terra é o dia exato na rotação das semanas da criação, não há base alguma para a alegação da sacralidade do tempo exato a ser observado. Pessoas ignorantes são muito freqüentemente encorajadas na crença de que elas realmente celebram o descanso de Deus na criação, quando observam as horas do sábado na localidade onde eles vivem.

Portanto, é a *maneira* da observância do dia, e não o tempo exato, que está em questão. Será o sétimo ou o primeiro dia? Deve ser um ou o outro; pois nada há mais irrazoável, ilógico, e não bíblico do que a observância do sétimo dia com a confusão das questões cristãs de adoração e serviço, que é a prática de todo sabatista; ou a observância do primeiro dia com a confusão da lei do sábado, que é a prática presente da cristandade. Haveria pouco espaço para a discussão da questão, se as simples distinções entre lei e graça fossem reconhecidas.

2. O Testemunho Bíblico a Respeito do Dia do Senhor. Mesmo uma leitura superficial daquelas porções da Escritura que condicionam a vida diária do cristão revelará o fato de que, enquanto qualquer outro princípio fundamental de justiça encontrado no Decálogo é reafirmado nos ensinos da graça, o sábado não é uma só vez imposto sobre o crente. Ao contrário, como mostrado anteriormente, há uma advertência explícita contra a observância do dia de sábado. Este é um

ECLESIOLOGIA

fato da revelação que não deveria ser deixado de lado. Através de toda a história da igreja, um novo dia tem sido observado, que substituiu o sábado judaico, e esta mudança de dias não foi contrária aos ensinos das Escrituras, como alguns insistem; ela, ao contrário, tem estado em harmonia com o plano revelado e com o propósito de Deus. Há certas razões bíblicas para essa mudança:

A. O SISTEMA MOSAICO CESSOU. Todo o sistema mosaico, inclusive o seu dia de sábado, deu lugar ao reino da graça. Para esta verdade importante, uma prova suficiente já foi apresentada; mas, a despeito da afirmação bíblica mais clara sobre esse assunto, há dois grupos de cristãos professos que evidentemente não recebem esse testemunho divino: (a) aqueles que persistem na observância do sétimo dia; e (b) aqueles que observam o primeiro dia, mas que o investem de um caráter de sábado judaico, e o observam com a autoridade da lei que foi dada a Israel por Moisés. A posição desses dois grupos deveria ser considerada separadamente:

Primeiro, aqueles que persistem na observância do sétimo dia, o fazem com a alegação de que, enquanto a lei terminou com a morte de Cristo, o Decálogo não é uma parte da lei e, portanto ela, com o seu dia de sábado, não foi abolida. A resposta a este argumento sutil é clara e conclusiva. Não somente está o Decálogo incluso e incrustado na afirmação da lei do Antigo Testamento, mas, no Novo Testamento, o Decálogo, como já foi mostrado, está dito que é "a lei". Em Romanos 7.7, o apóstolo Paulo escreveu sobre a tendência de seu próprio coração para o pecado. Ele afirma: "eu não conheci o pecado senão pela lei; porque eu não conheceria a concupiscência, se a lei não dissesse: Não cobiçarás". Assim, ele se refere ao décimo mandamento como "a lei". Além do mais, é impossível agora para qualquer judeu ou gentio guardar a lei cerimonial de Moisés, e, assim, fica evidente que as advertências do Novo Testamento contra a observância da lei não poderiam ser uma advertência contra uma observância da lei cerimonial.

A lei cerimonial requeria para sua observância a presença de Jeová no lugar santíssimo, um altar, um sacerdócio e um templo em Jerusalém. Todos esses pré-requisitos para a observância da lei cerimonial foram retirados no começo da dispensação presente. A Igreja de Roma, e sua tentativa de continuar o sistema da lei, propôs satisfazer essa dificuldade, ao criar o seu próprio altar, serviço do templo e sacerdócio, e alega que o Senhor está presente no pão consagrado. As advertências que são encontradas sob a graça contra a guarda da lei são necessariamente aplicáveis somente ao Decálogo, e não à lei cerimonial. A lei cerimonial governava a maneira exata da observância do sábado e há grande exagero, com a conseqüente confusão, quando uma tentativa é feita agora de guardar o sábado judaico à parte da lei cerimonial.

A classe de legalistas que agora tentam observar o sétimo dia, por não terem modo algum de introduzir a lei cerimonial, emprestam os aspectos do novo dia da graça. Eles mantêm serviços, cultos e fazem muita obra religiosa no sétimo dia, que, por ser estritamente um dia de descanso, nunca foi designado para ser um dia de atividade religiosa ou outra qualquer, nem tal atividade jamais foi permitida nesse dia durante o regime da lei.

Segundo, há uma inconsistência ainda maior na posição daqueles que reconhecem o primeiro dia da semana, mas revestem esse dia com o caráter do sábado, e guardam esse dia com a autoridade da lei de Moisés. Não somente todo o sistema mosaico cessou com o seu sábado, e toda exigência relacionada a esse dia, mas não poderia haver uma consistência em emprestar mesmo um dos aspectos do sábado judaico. Este erro de emprestar certos aspectos do sábado judaico é cometido por ambas as classes de legalistas. A lei de Moisés nunca foi sujeita a uma observância *parcial*. Ela é uma unidade; pois "tudo o que a lei diz, ela o diz aos que estão sob a lei"; e "o homem que pratica essas coisas por elas viverá"; e além disso, "maldito é todo aquele que não continua em todas as coisas que estão escritas no livro da lei para praticá-las".

Não há uma garantia escriturística para uma aceitação parcial da lei, ou um reconhecimento parcial de seu dia de sábado. A observância do dia com todas as suas exigências deve ser *perfeitamente* guardada, ou nada é válido. O mais leve reconhecimento do menor de todos os aspectos do sábado compromete uma pessoa que tenta guardar toda a lei. Portanto, segue-se que o cristão que, conquanto guarde o primeiro dia da semana, está influenciado no menor grau pela Lei de Moisés com respeito ao dia de sábado, está, tanto pela Escritura quanto pela razão, comprometido a guardar cada aspecto do sábado judaico, assim como da totalidade do sistema mosaico. Por exemplo, a pessoa que adota um aspecto da observância do sábado com base na ordenação da lei, está presa pela mesma lei do sábado a apedrejar até a morte qualquer pessoa que falha em guardar qualquer aspecto dessa lei.

Na verdade, se ela própria havia sido culpada com relação à observância do primeiro dia da semana, ao invés do sétimo, deve sujeitar-se à pena de morte, como uma vindicação dos justos juízos de Deus. Esta pena de morte é a provisão intransigente feita pela Palavra de Deus para os violadores do sábado.

A heresia original da Igreja foi a tentativa de misturar os ensinos da lei com os da graça. Esta é uma das heresias mais destrutivas da presente hora, e em nenhum ponto de contato os princípios opostos da lei e da graça se tornam mais claramente cristalizados do que na questão do dia exato que deve ser observado. Não há um *sábado cristão*. O novo dia que pertence à graça de modo algum está relacionado com o sábado. A observância deve ser de um dia ou de outro. Misturá-los, como faz o legalista, é frustrar a graça.

B. Um Novo Dia Está Divinamente Designado sob a Graça. Esse novo dia é também um dia particular da semana e lhe foi dado um nome que está de acordo com o seu caráter. Sua designação divina está primeiro registrada numa mensagem profética: "A pedra que os edificadores rejeitaram, essa foi posta como pedra angular. Foi o Senhor que fez isto, e é maravilhoso aos nossos olhos. Este é o dia que o Senhor fez; regozijemo-nos e alegremo-nos nele" (Sl 118.22-24). Neste texto da Escritura, tanto a morte quanto a ressurreição de Cristo estão em vista. Ele era a Pedra rejeitada, e seu Pai, através da ressurreição, o fez a Pedra principal de esquina. A ressurreição foi designada para acontecer num certo dia que o Senhor havia determinado, e esse dia, pela intervenção divina, devia ser celebrado com alegria e contentamento.

ECLESIOLOGIA

O comentário divino sobre esta passagem é feito através do apóstolo Pedro, conforme registra Atos 4.10, 11: "Seja conhecido de vós todos, e de todo o povo de Israel, que em nome de Jesus Cristo, o nazareno, aquele a quem vós crucificastes e a quem Deus ressuscitou dentre os mortos, nesse nome está este aqui, curado diante de vós. Ele é a pedra que foi rejeitada por vós, os edificadores, a qual foi posta como pedra angular". Portanto, o dia que o Senhor fez, quando a Pedra rejeitada se tornou a principal Pedra angular, é o dia da ressurreição. Este é o "dia que o Senhor fez". Portanto, é o dia do Senhor. Nesse dia, os homens devem se regozijar e se alegrar.

O dia do Senhor não deveria ser de forma alguma confundido com o "Dia do Senhor". Um deles é o primeiro dia da semana, que é observado como uma comemoração da ressurreição de Cristo. O outro é um período profético, que ainda é futuro, e que diz respeito a Israel e à totalidade da criação.

O primeiro dia do Senhor foi o padrão de todos os dias do Senhor que deveriam se seguir. Ele começou numa manhã bem cedinho, quando o Senhor ressurrecto saudou os seus discípulos e lhes disse: "Paz seja convosco". Daquela manhã até o final do dia era um dia de adoração, atividade e alegria. O sábado, por outro lado, com não menos significação simbólica, começava com o declinar do dia, que falava da completa cessação da atividade e do perfeito descanso.

O cristão tem um dia imutável. Ele pode estender a sua observância para todos os dias, mas ele não pode mudar aquele dia, que foi divinamente designado, assim como Israel, ou outro qualquer, não pode mudar o sétimo dia divinamente designado. Uma mudança do primeiro dia para outro rompe o significado simbólico do dia que representa as verdadeiras relações sob a graça. Isso resulta em roubar Cristo daquela glória que é dEle somente. Este é um dos erros cometidos por todos aqueles que persistem na observância do sétimo dia. Os dois dias não apresentam uma escolha opcional para o cristão. A escolha entre esses dias faz com que haja a rejeição ou a aceitação dos relacionamentos mais vitais entre Cristo e o crente sob a graça.

C. Um Novo Dia é Indicado por Eventos Importantes. Começando com a ressurreição, e seguindo-a, cada evento registrado no Novo Testamento, que trouxe significação religiosa importante, aconteceu no primeiro dia da semana, ou no dia do Senhor. Nenhuma ênfase maior através dos eventos poderia ser dada a esse novo dia, além do que é encontrado nos ensinos da graça, e, acrescentado a isto, está o fato de que nesses mesmos textos das Escrituras, o dia de sábado é totalmente deixado de lado. Se for alegado que não há um mandamento direto para se guardar o dia do Senhor, deveria ser observado que há uma ordem explícita *contra* a observância do dia de sábado, e que a ausência de mandamentos com respeito ao dia do Senhor está tanto de acordo com o caráter do novo dia, e com a ordem total da graça que ele representa e à qual ele está relacionado. Deveria ser feita menção dos grandes eventos que aconteceram no primeiro dia da semana.

DUAS CRIAÇÕES EXIGEM DOIS DIAS DE COMEMORAÇÃO

No primeiro dia da semana, Cristo ressuscitou dos mortos. Sua ressurreição está vitalmente relacionada às dispensações passadas, ao cumprimento de toda profecia, aos valores de sua morte, para a Igreja, Israel, a criação e os propósitos de Deus em graça, que têm um alcance muito além das eras vindouras, e para a glória eterna de Deus. O cumprimento dos propósitos eternos relacionados a todos esses eventos dependia da ressurreição do Filho de Deus daquela tumba. Ele ressurgiu dos mortos, e a grandiosidade desse evento é indicada pela importância do seu lugar na doutrina cristã. Se Cristo não houvesse ressuscitado – Ele, por quem todas as coisas foram criadas, tanto as que estão no céu, quanto as que estão na terra, as coisas visíveis e as invisíveis, sejam elas tronos, ou domínios, ou principados, ou poderes, Ele, que é antes de todas as coisas, e por quem todas as coisas consistem (ou são mantidas juntas) – todo propósito divino e toda bênção teriam falhado; sim, o próprio universo e o trono de Deus teriam sido cancelados e teriam sido rejeitados para sempre.

Toda vida, luz e esperança teriam cessado. A morte, as trevas e o desespero teriam reinado. Embora os poderes espirituais das trevas possam ter continuado, a última esperança para um mundo arruinado teria sido banida para sempre. É impossível para a mente captar as questões maravilhosas que estiveram em jogo naquele momento, quando Cristo ressurgiu da tumba. Naquele momento do tempo, contudo, todas essas grandes questões estiveram em perigo. A consumação de Sua ressurreição foi certa, pois o poder onipotente estava comprometido em fazê-la acontecer. Cada aspecto da salvação do cristão, da sua posição e da sua esperança, dependia da ressurreição de seu Senhor. Tudo dependia da morte de Cristo, mas cada valor daquela morte teria sido em vão à parte da ressurreição.

Quando Cristo ressurgiu dos mortos, a cristandade nasceu, e a nova criação foi trazida à existência. Nada há na velha ordem para o crente. Ele permanece com base na ressurreição. Ele pertence somente à nova criação. Deus é fiel para todos que Ele entregou a Cristo e Ele, de acordo com a sua Palavra, não permitirá que um seu filho recue e celebre o começo da criação velha e caída da qual ele foi salvo, através das riquezas infinitas da graça. Se os filhos da graça persistem em ligar-se a si mesmos à velha criação pela observância do sábado, é a evidência da limitação que eles possuem no conhecimento da Palavra e da vontade de Deus; significa cair da graça.

Visto que o dia da ressurreição de Cristo é o dia em que a nova criação foi formada, e que tudo que faz parte da vida e da esperança do cristão foi trazido à existência, tanto de acordo com a Escritura quanto de acordo com a razão, o cristão não pode celebrar outro dia, além do dia do Senhor.

No primeiro dia da semana, Cristo encontrou seus discípulos num novo poder e comunhão de sua vida ressurrecta.

No primeiro dia da semana, Cristo simbolizou a nova comunhão da ressurreição, por partir o pão com seus discípulos.

No primeiro dia da semana, Ele lhes deu instruções em seu novo ministério da ressurreição e vida por Ele.

No primeiro dia da semana, Ele ordenou aos discípulos que pregassem a nova mensagem a todo o mundo.

No primeiro dia da semana, Cristo ascendeu ao céu como "o molho movido". No cumprimento do tipo do Antigo Testamento e do eterno propósito de Deus, era necessário que Ele aparecesse no céu como o penhor da colheita poderosa de almas que Ele havia redimido e que vieram da tumba com Ele para partilhar de sua vida eterna e de sua glória. Assim, também, ao cumprir o sacrifício pelo pecado da humanidade, Ele deve apresentar o seu próprio sangue no céu (Lv 16.1-34; Hb 9.16-28). Por ter ainda ascendido, Ele disse a Maria: "Deixa de me tocar, porque ainda não subi ao Pai; mas vai a meus irmãos e dize-lhes que eu subo para meu Pai e vosso Pai, meu Deus e vosso Deus" (Jo 20.17). Esta passagem de Cristo foi pouco entendida naquela época, e quão pouco entendida ela é hoje! Que Ele subiu naquele dia, está evidente, pois Ele lhes disse na noite daquele dia: "Olhai as minhas mãos e os meus pés, que sou eu mesmo; apalpai-me e vede" (Lc 24.39). Ele havia ascendido ao céu, e realizou sua obra lá, e retornou à terra, para completar o seu ministério pós-ressurreição.

No primeiro dia da semana, Ele soprou e transmitiu o Espírito Santo aos seus discípulos.

No primeiro dia da semana, o Espírito Santo desceu para exercer os seus ministérios que caracterizaram essa dispensação, no mundo.

No primeiro dia da semana, o apóstolo Paulo pregou para os crentes reunidos em Troas. O Espírito de Deus tem enfatizado com distinção o fato de que o apóstolo estava em Troas sete dias. Necessariamente, então, a permanência naquela cidade incluía tanto o sétimo quanto o primeiro dia da semana. O apóstolo estava, assim, livre para escolher qualquer dia para o seu ministério público aos santos reunidos. O registro diz: "E nós... onde nos detivemos sete dias. No primeiro dia da semana, tendo-nos reunido a fim de partir o pão, Paulo que havia de sair no dia seguinte, falava com eles, e prolongou o discurso até a meia-noite" (At 20.6, 7).

O apóstolo ordenou aos crentes de Corinto para fazerem o depósito da coleta "no primeiro dia da semana", conforme haviam prosperado (1 Co 16.2).

D. O Novo Dia Tipifica a Nova Criação. O rito da circuncisão, por ser realizado no oitavo dia, era uma sugestão da circuncisão espiritual da carne, que Cristo operou por sua morte e ressurreição. O oitavo dia era o primeiro dia que se seguia a uma semana completa. É assim uma descrição daquela nova ordem que veio através da morte e ressurreição de Cristo. O apóstolo escreve: "...no qual também fostes circuncidados com a circuncisão não feita por mãos no despojar do corpo da carne, a saber, a circuncisão de Cristo" (Cl 2.11). Não somente a velha natureza havia sido julgada na crucificação, morte e sepultamento do Filho de Deus, e a nova vitória na vida ressurrecta de Cristo havia sido tornada possível, mas, para o crente, a velha criação foi para aquela tumba e uma nova criação com seu poder e glória celestiais saíram daquela mesma tumba. A velha criação foi abolida e com ela o sábado que a comemorava. Somente uma nova posição no Cristo ressurrecto permanece e isto exige e proporciona um novo dia. Este novo dia é o oitavo, ou o primeiro dia que sucede a velha criação.

E. O Novo Dia é Típico da Graça Imerecida. O primeiro dia da semana é um tipo dos fatos e relacionamentos que estão sob a graça, enquanto que o sétimo dia é um tipo dos fatos e relacionamentos que estão sob a lei. No sétimo dia, o homem descansava de toda a sua obra. Isto está em harmonia com a lei do pacto das obras, o qual requeria que o homem fizesse o bem, a fim de que pudesse receber a bênção de Deus. Sob a lei, seis dias de trabalho fiel são seguidos por um dia de repouso absoluto. Por outro lado, a observância do primeiro dia da semana é típica da posição do crente sob uma graça imerecida. Ele começa com um dia de bênçãos, antes que quaisquer obras sejam feitas, e então é esperado que viva os seis dias subseqüentes no poder e nas bênçãos que recebeu naquele dia. Esta é a ordem do pacto da graça da fé, em que toda a graça salvadora é primeiramente concedida como um dom de Deus, e é então seguida por uma vida que é vivida no poder do novo relacionamento com Deus.

Um dia de descanso pertencia a um povo que esteve relacionado com Deus pelas obras que deveriam ser realizadas. Um dia de adoração incessante e serviço pertence a um povo que está relacionado com Deus pela obra consumada de Cristo. O sétimo dia era governado por uma lei firme que não fazia concessão. O primeiro dia é caracterizado pela amplidão e liberdade pertencentes à graça. O sétimo dia era observado com a esperança de que por ele alguém poderia ser aceito por Deus. O primeiro dia é observado com a segurança de que alguém já foi aceito por Deus. A guarda do sétimo dia foi operada pela carne. A guarda do primeiro dia é operada pelo Espírito Santo que habita no cristão.

F. O Novo Dia Começou a Ser Observado com a Ressurreição de Cristo. É alegado por um certo número de sabatistas que o sábado era guardado pela Igreja Primitiva até o tempo que foi mudado pelo imperador Constantino, em 321 d.C., ou mesmo mais tarde por um dos papas de Roma. Não há base para este ensino errôneo e enganoso. O sábado nunca foi mudado. Nem o poderia ser. Um dia novo e muito diferente em importância, que poderia pertencer somente a essa dispensação da graça, o substituiu. Quando essa dispensação for completada e a lei reinar novamente na terra, o sábado será observado; mas de modo algum o homem terá mudado o dia. Há uma evidência conclusiva de que o primeiro dia da semana foi observado pela Igreja desde a própria ressurreição de Cristo. Esta evidência é encontrada tanto (a) nas Escrituras, quanto (b) nos escritos dos pais da Igreja.

Ao observar-se as epístolas do Novo Testamento, onde a vida do crente está condicionada à graça, descobre-se que há uma proibição contra a observância do dia de sábado, e que não há registro algum de que qualquer cristão tenha guardado o sábado, mesmo cometendo um erro. Por outro lado, há uma

ECLESIOLOGIA

abundante evidência, como já foi visto, de que o primeiro dia da semana era observado de maneira consistente com a sua importância.

O testemunho dos pais da Igreja também é conclusivo:

Eusébio (315 d.C.) diz: "As igrejas, através do restante do mundo, observam a prática que tem prevalecido desde a tradição apostólica até o tempo presente de forma que não seria próprio terminar o nosso jejum em qualquer outro dia, senão no dia da ressurreição de nosso Salvador. Daí, houve sínodos e convocações de nossos bispos sobre esta questão e todos unanimemente esboçaram um decreto eclesiástico que eles comunicaram às igrejas em todos os lugares – que o mistério da ressurreição do Senhor não deveria ser celebrado em outro dia, além do dia do Senhor".

Pedro, bispo de Alexandria (300 d.C.), afirma: "Nós guardamos o dia do Senhor como um dia de alegria, por causa daquele que ressuscitou".

Cipriano, bispo de Cartago (253 d.C.), declara: "O dia do Senhor é tanto o primeiro quanto o oitavo dia".

Tertuliano, de Cartago (200 d.C.), diz, ao falar dos "adoradores do sol": "Embora compartilhemos com eles o domingo [em inglês *sunday* – "dia do sol"], não estamos apreensivos em parecermos ser pagãos".

Clemente de Alexandria (194 d.C.) afirma: "O antigo dia de sábado se tornou nada mais além de um dia útil de trabalho [para os cristãos]".

Irineu, bispo de Lyon (178 d.C.), diz: "O mistério da ressurreição do Senhor não pode ser celebrado em qualquer outro dia, além do dia do Senhor".

Bardesanes (180 d.C.) declara: "Onde quer que estejamos, todos nós somos chamados pelo nome do Messias, a saber, cristãos, e, nesse dia, que é o primeiro dia da semana, nós nos reunimos todos juntos e nos dias designados nos abstemos da comida".

Justino Mártir (135 d.C.) afirma: "Reunimo-nos no dia do sol por ser o primeiro dia da semana, dia em que Deus, ao afugentar as trevas e o caos [*matéria*], criou o mundo. Nesse dia também nosso Senhor Jesus Cristo ressuscitou dentre os mortos". "No dia denominado de dia do sol há uma reunião de todos aqueles que vivem tanto nas cidades quanto no campo. Ali, se faz a leitura das memórias dos apóstolos ou das Escrituras dos profetas, até onde o tempo permite. " No Dia do Senhor todos os cristãos na cidade ou no país se reunirão porque esse é o dia da ressurreição de nosso Senhor; e então veremos os apótolos e profetas. Terminada a leitura, o presidente faz uso da palavra, para nos admoestar e nos exortar à imitação e prática dessas coisas admiráveis. Logo nos levantamos e oramos juntos. Terminada a oração, do modo como foi dito, traz-se pão e vinho com água. O presidente dirige a Deus orações e ações de graça. O povo aquiesce com a aclamação: Amém. E se procede a distribuição dos elementos eucarísticos entre todos".[90]

Inácio, bispo de Antioquia (110 d.C.), diz: "Aqueles que andaram nas antigas práticas e chegam a uma novidade de esperança, não mais observam os sábados, mas amoldam suas vidas conforme o dia do Senhor, no qual também a nossa vida ressurgiu através dele, para que pudéssemos ser feitos discípulos de Jesus Cristo, nosso único mestre".

Barnabé, um dos apóstolos dos gentios (70 d.C.), declara: "Finalmente, Ele diz: 'Os vossos presentes sábados não são aceitáveis a mim. Eu farei um novo começo do oitavo dia, que é o começo de outra ordem do mundo', motivo pelo qual também guardamos o dia do Senhor com regozijo, o dia também no qual Jesus ressuscitou dentre os mortos".

Também, o "Didaquê dos Apóstolos" (140 [talvez 70] d.C.), diz: "No próprio dia do Senhor vós mesmos vos reunis e partis o pão e dais graças".

Por essa linha de testemunho ininterrupta de testemunhos, a evidência a respeito da observância do dia do Senhor remonta os dias dos escritos do Novo Testamento. É totalmente verdade que imperadores e papas tenham feito decretos com respeito ao primeiro dia da semana. Tudo foi feito, para que se pudesse perseguir os judeus, a fim de abolir as práticas judaicas; mas o sábado judaico passou, e o novo dia veio a existir, não pelo decreto do homem, mas pela ressurreição de Cristo, a qual trouxe tudo o que o dia do Senhor significa.

G. O NOVO DIA FOI ABENÇOADO POR DEUS. Os cristãos têm observado o dia do Senhor sob as evidentes bênçãos de Deus, por cerca de 2.000 anos. Entre eles há os crentes dedicados, os mártires, os missionários e uma multidão incontável daqueles que passaram por provações ou perseguições, para conhecer e por fazer a vontade de Deus. É uma acusação muito séria dizer que todos esses santos fiéis tenham sido desobedientes, ou como alguns sabatistas agora chamam todos os cristãos que não guardam o Sábado: "heréticos, enganadores, possuidores da marca da Besta e cegados por Satanás". O Evangelho da graça é substituído por essas pessoas por "um outro evangelho", o qual diz que somente os que guardam o sábado serão salvos; e eles também ensinam que Deus "desamparou Sua Igreja" e que ela está "entregue a Satanás que a governa".

A despeito do fato de que Deus nunca impôs o sábado sobre essa dispensação da graça, eles tornam a pregação do sábado o tema mais importante, e, com aparência de amargura, não hesitam em impedir as boas obras de todos os que amam e guardam o dia do Senhor. Com o erro de pregar a lei em lugar do Evangelho, esses sabatistas sustentam e ensinam outras heresias enganosas e doutrinas antibíblicas. Por encontrar-se em erro a respeito de muitas doutrinas fundamentais da Bíblia, não é estranho que persistam no legalismo do sábado.

As razões de guardar o dia do Senhor, ou o primeiro dia da semana, são claras e suficientes para aqueles que vão receber os ensinos da Palavra de Deus sem preconceito.

IV. A Transformação Final

Como foi afirmado acima, muita coisa daquilo que compõe a realidade da nova criação já é um fato realizado no crente. Cada aspecto de sua salvação é uma qualidade distintiva na nova ordem de existência daquilo que ele próprio já é, especialmente a nova posição em Cristo. Contudo, há ao menos três grandes benefícios que, embora

ECLESIOLOGIA

assegurados por toda a fidelidade do Infinito, são ainda postergados. Embora mencionados acima, devemos dar mais atenção a esses detalhes.

1. LIBERTAÇÃO DA NATUREZA PECAMINOSA. No final desta viagem de peregrinação, há uma libertação para o crente, do conflito que durou a vida inteira contra a natureza pecaminosa. Ele terá mantido uma batalha contra o cosmos e contra Satanás, mas estas são forças de fora cuja pressão será retirada para sempre. A libertação da natureza pecaminosa envolve uma mudança constitucional – a remoção de uma força que está dentro do homem, que tem sido uma parte integral do crente em todos os seus dias. O grande apóstolo incluiu a si mesmo – e isto foi verdadeiro dele mesmo, no tempo de seu mais profundo desenvolvimento espiritual – quando disse: "Porque a carne luta contra o Espírito, e o Espírito contra a carne; e estes se opõem um ao outro, para que não façais o que quereis" (Gl 5.17).

O final desse conflito foi previsto por ele quando escreveu no testemunho final de sua vida: "Quanto a mim, já estou sendo derramado como libação, e o tempo da minha partida está próximo. Combati o bom combate, acabei a carreira, guardei a fé. Desde agora, a coroa da justiça me está guardada, a qual o Senhor, justo juiz, me dará naquele dia; e não somente a mim, mas também a todos os que amarem a sua vinda" (2 Tm 4.6-8).

2. A REAL OCUPAÇÃO DA CIDADANIA CELESTIAL. Neste aspecto da libertação do cristão, há uma transferência dessa esfera de embaixadores que somos, desta existência como estrangeiros e peregrinos, para aquele lar de glória que tem sido sustentado por direito e posição, embora ainda não ocupado, desde o momento da salvação através de Cristo. Nenhuma imaginação pode retratar nem linguagem alguma pode descrever essa mudança estupenda dessa transferência da terra para o céu, do conhecimento parcial para o conhecimento total, do ver através de espelho, obscuramente, para um contemplar face a face, da associação com a humanidade caída à comunhão com os santos glorificados e anjos, de um corpo condenado à morte para um corpo glorioso e eterno, das choupanas terrestres para as mansões que Ele foi preparar, e de uma existência que é definida como "ausência do Senhor", para aquilo que é caracterizado por Sua presença imediata.

O apóstolo João afirma:

Não se turbe o vosso coração; credes em Deus, crede também em mim. Na casa de meu Pai há muitas moradas; se não fosse assim, eu vo-lo teria dito; vou preparar-vos lugar. E, se eu for e vos preparar lugar, virei outra vez, e vos tomarei para mim mesmo, para que onde eu estiver estejais vós também (Jo 14.1-3); Então vi uns tronos; e aos que se assentaram sobre eles foi dado o poder de julgar; e vi as almas daqueles que foram degolados por causa do testemunho de Jesus e da palavra de Deus, e que não adoraram a besta nem a sua imagem, e não receberam o sinal na fronte nem nas mãos; e reviveram, e reinaram com Cristo durante mil anos (Ap 20.4); E mostrou-me o rio da água da vida, claro como cristal, que procedia do trono de Deus e do Cordeiro. No meio da sua praça, e de ambos os lados do rio, estava a árvore da vida, que produz

A Transformação Final

doze frutos, dando seu fruto de mês em mês; e as folhas da árvore são para a cura das nações. Ali não haverá jamais maldição. Nela, estará o trono de Deus e do Cordeiro, e os seus servos o servirão, e verão a sua face; e nas suas frontes estará o seu nome" (Ap 22.1-4).

3. A POSSE DE UM CORPO TRANSFORMADO. O terceiro aspecto postergado da salvação a ser realizado no final desta vida e que dá a sua contribuição para a soma total daquilo que constitui ao cristão uma nova criação, é a recepção e a ocupação de um corpo transformado. Com respeito à parte física ou material do crente, uma metamorfose estupenda o aguarda. Embora duas possibilidades de processo sejam colocadas diante dele, o fim é o mesmo em cada um deles. Ele pode acontecer pelo caminho da morte e ressurreição, ou pode acontecer pela transformação; todavia, uma realidade padronizada o espera. Ele terá um corpo semelhante ao corpo glorioso de Cristo (Fp 3.20, 21).

Como deve ser esperado, há uma porção central e exaustiva da Escritura que trata desse tema tão importante, como a ressurreição do corpo dos crentes; e esse texto é 1 Coríntios 15.20-23, 35-57. Na primeira parte – 15.20-23 – a ressurreição do corpo do crente é vista em sua ordem como precedida pela ressurreição de Cristo, por estar o presente período entre o primeiro e o segundo adventos, e seguido da ressurreição de toda a humanidade – ressurreição essa que é chamada a ressurreição "final", ou a última na ordem das ressurreições (cf. Ap 20.12-15) – e separada da ressurreição do crente por reinado e autoridade de Cristo, que deve continuar até que todos os inimigos estejam sob os seus pés. Esse período é determinado com respeito à sua duração pelo testemunho de Apocalipse 20, e é declarado ser de mil anos (cf. 2 Pe 3.7-10). Nesse tempo, a Igreja, por ter sido arrebatada, estará reinando com Cristo (Ap 20.4).

A segunda seção dessa passagem central apresenta os fatos essenciais relacionados à ressurreição dos corpos daqueles que são de Cristo. Se a pergunta – de fato natural – for feita: "Como os mortos ressuscitam? E com que corpo eles vêm?" (1 Co 15.35), a resposta é que, como há uma grande variedade de formas e corpos na criação de Deus, não é estranho que Deus dê ao crente um corpo transformado na ressurreição ou na transformação. Com respeito à transformação que vem pela ressurreição, existem quatro contrastes: (a) há o corpo semeado – observe esse sinônimo significativo da palavra *sepultamento* – em corrupção e é ressuscitado em incorrupção; (b) há o corpo semeado em desonra, ou humilhação, que é ressuscitado em glória; (c) há o corpo que é semeado em fraqueza e ressuscitado num corpo de poder; e (d) há o corpo que é semeado como um corpo natural – adaptado à alma – que é ressuscitado como um corpo espiritual, i.e., adaptado ao espírito humano. Este aspecto da verdade é concluído com as seguintes palavras: "E assim como trouxemos a imagem do terreno, traremos também a imagem do celestial" (v. 49).

Em oposição a isto está a verdade atraente de que alguns não morrerão, ou "dormirão", mas serão transformados quando ainda vivos. Eles não irão para o céu sobrecarregados e restritos por este corpo de limitações. Eles, por serem mortais – vivos na carne – serão revestidos de imortalidade. A mudança é repentina e completa. Ela é operada "num momento, num abrir e fechar de olhos". A trombeta soará e os mortos em Cristo ressuscitarão incorruptíveis, mas os que estiverem vivos – e o apóstolo, além disso, inclui corretamente a si mesmo como um daqueles que nutria essa esperança bendita – serão transformados. O decreto e o propósito de Deus não podem falhar: "Porque é necessário que isto que é corruptível se revista da incorruptibilidade, e isto que é mortal se revista da imortalidade".

Tudo isso (e a transformação, é muito melhor do que ter de morrer primeiro) está afirmado pelo apóstolo, quando diz: "Eis que vos digo um mistério: Nem todos dormiremos mas todos seremos transformados, num momento, num abrir e fechar de olhos, ao som da última trombeta; porque a trombeta soará, e os mortos serão ressuscitados incorruptíveis, e nós seremos transformados. Porque é necessário que isto que é corruptível se revista da incorruptibilidade e isto que é mortal se revista da imortalidade" (1 Co 15.51-53).

Embora Ele não tenha visto corrupção (Sl 16.10; At 2.27, 31), o presente corpo de Cristo é o padrão para o corpo ressurrecto dos crentes. Pode ser reafirmado aqui que a ressureição de Cristo foi muitíssimo mais do que uma mera reversão da morte; e, na verdade, este será o caráter do corpo glorificado do crente. As Escrituras registram restaurações da morte para a presente esfera, a fim de morrerem novamente (cf. 2 Rs 4.32-35; 13.21; Mt 9.25; Lc 7.12-15; Jo 11.43; At 9.36-41; 14.19, 20). Há que se considerar as quatro mudanças listadas acima que estão registradas em 1 Coríntios 15.42-44, para que seja assegurado que uma forma diferente de ressureição aguarda o corpo do filho de Deus, que morreu, a qual é totalmente diversa de qualquer corpo ressurrecto que se tenha realizado na história humana. O corpo transformado e ressurrecto será ilimitado em poder, infinito em glória, eterno na duração e adaptado ao espírito. Tal é a glória particular, que cada indivíduo contribuirá para a totalidade da nova criação.

Tudo isso está assegurado pela promessa infalível e pelos direitos incompreensíveis, através da identificação com o Salvador glorificado. Por estar assim em Cristo e, portanto, possuir todos os valores de sua morte e ressureição tão plenamente, quanto aqueles valores seriam possuídos, se alguém tivesse realmente morrido na morte de Cristo e ressuscitado em Sua ressureição, nada há irrazoável na revelação de que o corpo, ainda a ser ressuscitado e transformado, possa ser igual ao corpo glorioso de Cristo (Fp 3.20, 21).

O apóstolo escreve em Romanos 8.23 sobre a "redenção do nosso corpo". Esta frase evidentemente abrange a metamorfose que é operada, para tornar-se incorruptível ou imortal. Esta verdade a respeito da redenção do corpo está intimamente paralela à doutrina da ressureição; pois os santos são redimidos neste presente estado, e ainda os seus corpos deverão ser redimidos – o que é similar ao fato de que, embora eles já estejam ressuscitados com Cristo, os seus corpos ainda serão ressuscitados ou transformados.

Conclusão

Ao concluirmos esta sexta figura do relacionamento entre Cristo e a Igreja, pode ser dito que um grande espaço foi reivindicado para esse aspecto da verdade, em vista do fato de que ele incorpora a doutrina da posição do crente em Cristo como o novo Cabeça federal, a doutrina da ressurreição de Cristo, e a doutrina da ressurreição ou transformação de todos os que estão em Cristo. Estes são os grandes e distintivos princípios cristãos que logicamente aparecem neste ponto, num sistema ordenado de teologia.

Capítulo VI

Sete Figuras Usadas Sobre a Igreja em sua Relação com Cristo: o Noivo e a Noiva

ESTA, A ÚLTIMA DAS SETE FIGURAS que fala do relacionamento entre Cristo e a Igreja, é distintiva em certos aspectos, e pode ser desenvolvida pela observação dos seguintes pontos: (1) o tipo contrastado com Israel; (2) como uma delineação do amor que sobrepõe o conhecimento de Deus; (3) como uma segurança da autoridade do Consorte; (4) como uma revelação da posição da Noiva acima de todos os seres criados; (5) como uma certeza da glória infinita; (6) os tipos da Noiva; e (7) o significado desta figura.

Está evidente que a maioria destas distinções é a antecipação das realidades a serem desfrutadas nas épocas vindouras. Neste sentido, essa figura serve a um propósito específico e introduz contemplações nas quais nenhum homem pode entrar plenamente, seja no entendimento ou na expressão delas.

Esta discussão pode bem seguir a ordem geral dos tópicos indicados acima.

I. Contrastada com Israel

A fonte constante de erro doutrinário por causa da confusão da verdade a respeito de Israel com relação à Igreja não é menos evidente nesta figura do que na anterior. Uma das imprecisões daquele estudante e erudito incansável, o Dr. Ethelbert W. Bullinger – de cuja imprecisão, com outros, ele se retratou antes de sua morte – foi a teoria de que Israel é a Noiva de Cristo, enquanto que a Igreja é o seu Corpo. Este argumento supostamente convincente, é que a Igreja não poderia ser ambos, o Corpo e a Noiva, ao mesmo tempo; ao passo que a igreja, como já foi visto, está relacionada a Cristo por sete simbolismos, todos eles não somente verdadeiros, mas exigidos, se a extensão desse relacionamento está para ser revelada. Foi mostrado, também, que há no relacionamento de Israel com Jeová, uma verdade que se iguala ao que possa ser revelado a respeito de Cristo e a Igreja.

CONTRASTADA CO ISRAEL

A figura do Noivo e da Noiva não é uma exceção. Mesmo um escritor e mestre tão claro – usualmente livre de enganos – como Sir Robert Anderson, tentou manter a teoria de Israel como Noiva. Numa nota de rodapé na página 200 de seu livro *The Coming Prince* (2ª edição), ele escreveu: "Na Escritura, a Igreja dessa dispensação é simbolizada pelo Corpo de Cristo, nunca como a Noiva. Desde o final do ministério de João Batista, a Noiva nunca é mencionada, até que ela aparece no Apocalipse (Jo 3.29; Ap 21.2, 9). A força de 'todavia', em Efésios 5.33, depende do fato de a Igreja ser o *Corpo*, não a Noiva. O relacionamento terrestre é reajustado por um padrão celestial. Homem e esposa *não* são um corpo, mas Cristo e Sua Igreja são um corpo; portanto, um homem deve amar a sua esposa *como a si mesmo*".

Cada um desses argumentos é facilmente refutado: (1) Se Israel é a noiva, então Israel deve ocupar o céu antes do que a terra e superar a Igreja em exaltação sem nenhuma infra-estrutura doutrinária, tal como está revelado a respeito da nova criação, para manter aquela posição superior. (2) Não é estranho que a Igreja não seja referida mais freqüentemente como a Noiva, visto que ela não se torna a Noiva senão quando em glória; e certamente nenhum texto chama Israel como Noiva agora ou nunca. (3) Que o marido e mulher são "uma só carne" é o equivalente – dentro da amplitude de um símbolo – da idéia de um corpo.

Um paralelo entre a Igreja como a Noiva e a relação de Israel com Jeová é vista no fato de que Israel é dita ser a esposa apóstata de Jeová, que ainda vai ser restaurada. Certamente uma ampla distinção pode se obter entre a virgem desposada (2 Co 11.2) e a esposa repudiada. As Escrituras, que falam de Israel como a esposa de Jeová, dizem: "Pois o teu Criador é o teu marido; o Senhor dos exércitos é o seu nome; e o Santo de Israel é o teu Redentor, que é chamado o Deus de toda a terra" (Is 54.5); "Eles dizem: Se um homem despedir sua mulher, e ela se desligar dele, e se ajuntar a outro homem, porventura tornará ele mais para ela? Não se poluiria de todo aquela terra? Ora, tu te maculaste com muitos amantes; mas ainda assim, torna para mim, diz o Senhor... Voltai, ó filhos pérfidos, diz o Senhor; porque eu sou como esposo para vós; e vos tomarei, a um de uma cidade, e a dois de uma família; e vos levarei a Sião... Deveras, como a mulher se aparta aleivosamente do seu marido, assim aleivosamente te houveste comigo, ó casa de Israel, diz o Senhor" (Jr 3.1, 14, 20); "Pois está escrito: Alegra-te, estéril, que não dás à luz; esforça-te e clama, tu que não estás de parto; porque mais são os filhos da desolada do que os da que tem marido" (Gl 4.27).

Acrescidos a estes, há duas passagens que são muito longas para serem citadas aqui, a saber, Ezequiel 16.1-59 e Oséias 2.1-23. A primeira destas passagens é o repúdio severo que Jeová faz da nação com quem Ele entrou num pacto e a quem Ele os tornou Seus (vv. 8 e 59); todavia, Israel será restaurado (vv. 60-63). Semelhantemente, em Oséias 2.1-23, o repúdio de Israel da parte de Jeová é novamente descrito e o profeta é designado para desempenhar em sua própria casa o papel de Jeová em relação à sua esposa apóstata, e como

ECLESIOLOGIA

uma lição objetiva para Israel. Essas passagens não deveriam ser desprezadas. Diversos textos do Novo Testamento merecem uma consideração específica:

João 3.29: "Aquele que tem a noiva é o noivo; mas o amigo do noivo, que está presente e o ouve, regozija-se muito com a voz do noivo. Assim, pois, este meu gozo está completo".

Tal é o testemunho de João Batista, o maior de todos os profetas e o mais próximo em relação pessoal a Cristo; todavia, ele renuncia um lugar na Noiva de Cristo. O que ele reivindicou está bem afirmado pelo Dr. Marvin Vicent, da seguinte maneira: "O amigo do Noivo. O termo é apropriado para a Judéia, pois não é costumeiro esse amigo do noivo na Galiléia. Veja Mateus 9.15, onde a palavra *convidados* é usada (cf. Mc 2.19). Na Judéia, havia dois amigos do noivo, um para o noivo e um para a sua noiva. Antes do casamento eles agiam como intermediários entre o casal; no casamento, eles ofereciam presentes, esperavam pela noiva e o noivo, e os conduziam à câmara nupcial. Era o dever do amigo do noivo apresentar o noivo à noiva, e, após o casamento, manter os termos devidos entre as partes, e especialmente defender a boa fama da noiva... João Batista apresenta-se como o amigo do noivo, para esse relacionamento com Jesus".[91]

Romanos 7.4: "Assim também vós, meus irmãos, fostes mortos quanto à lei mediante o corpo de Cristo, para pertencerdes a outro, àquele que ressurgiu dentre os mortos a fim de que demos fruto para Deus".

Enquanto esta passagem se refere somente ao indivíduo em sua primeira aplicação, ela ensina uma verdade essencial de uma união entre Cristo e os crentes que compõem a Igreja.

2 Coríntios 11.2: "Porque estou zeloso de vós com zelo de Deus; pois vos desposei com um só Esposo, Cristo, para vos apresentar a ele como virgem pura".

A força desse texto é de alguma forma enfraquecida pela inserção da palavra "vos", que os tradutores admitem que é uma adição que fizeram. A afirmação direta feita pelo apóstolo é: *para apresentar a ele como virgem pura.* Certamente, ele não inclui Israel.

Gálatas 4.19-31: Aqui, o apóstolo distingue entre os filhos de Agar e os de Sara. Os últimos foram trazidos pela promessa e, portanto, são livres. É verdade que os reais filhos de Agar não apresentam um propósito divino, além do que foi dito a Abraão (Gn 17.20), e que os filhos de Israel são da linhagem de Sara; mas como uma ilustração dos dois grupos – essas duas mulheres são simbólicas. Esse raciocínio é retirado do fato de que Agar era uma escrava e, assim, representa os israelitas sob a Lei. Sara era livre e representa aqueles que, através de Cristo, são livres (cf. Gl 5.1-4). Israel está sempre debaixo da lei, quando o assunto é tratado nacionalmente com Jeová, mesmo no estabelecimento do reino (cf. Dt 30.8). A esposa de um monarca não está debaixo de leis governamentais, assim como o rei. Tornar Israel a Noiva é elevar Agar ao lugar que Sara ocupa. A Igreja somente foi liberta da lei.

Efésios 5.25-33: "Vós, maridos, amai a vossas mulheres, como também Cristo amou a igreja, e a si mesmo se entregou por ela, a fim de a santificar, tendo-a purificado com a lavagem da água, pela palavra, para apresentá-la a si mesmo igreja gloriosa, sem mácula, nem ruga, nem qualquer coisa semelhante, mas santa e irrepreensível. Assim devem os maridos amar a suas próprias mulheres, como a seus próprios corpos. Quem ama a sua mulher, ama-se a si mesmo. Pois nunca ninguém aborreceu a sua própria carne, antes a nutre e preza, como também Cristo à igreja; porque somos membros do seu corpo. Por isso deixará o homem a seu pai e a sua mãe, e se unirá à sua mulher, e serão os dois uma só carne. Grande é este mistério, mas eu falo em referência a Cristo e à igreja. Todavia também vós, cada um de per si, assim ame a sua própria mulher como a si mesmo, e a mulher reverencie a seu marido".

Sem dúvida, a discussão da teoria de Israel como noiva centra-se mais neste texto da Escritura do que em outro qualquer. Sir Robert Anderson, citado acima, assevera que "a força de 'todavia', em Efésios 5.33, depende do fato de que a Igreja é o Corpo, não a Noiva"; mas cada sentença nesse extenso contexto se refere à relação que existe entre o marido e a esposa, a fim de ilustrar a união entre Cristo e a Igreja. A abertura do tema, onde o assunto naturalmente seria anunciado, é dos maridos que amam suas esposas como Cristo ama a Igreja que ele trata (v. 25). Um leitor sem preconceito, dificilmente se impressionaria com a alegação de que este texto se refere à relação sugerida pelo cabeça e o corpo. O Dr. C. I. Scofield provê uma nota esclarecedora em sua *Reference Bible*: "Os versículos 30 e 31 são citados de Gênesis 2. 23 e 24, e excluem a interpretação que a referência é à Igreja, meramente como o Corpo de Cristo.

Eva, retirada do corpo de Adão, era verdadeiramente 'osso de seus ossos e carne da sua carne', mas ela era também sua esposa, unida a ele numa relação que torna o par "uma só carne" (Mt 19.5, 6), e um tipo claro da Igreja como noiva de Cristo".[92] A única referência nesse contexto ao corpo é desenvolvida com a idéia de afirmar o fato de que como um homem naturalmente – como todos fazem – ama o seu próprio corpo, de igual modo, deveria ele amar sua esposa que pela união do casamento tornou-se parte de sua carne. É significativo que os comentadores eminentes, quase sem exceção, têm interpretado essa passagem como um desenvolvimento para a grande plenitude da verdade de que Cristo é o Noivo e a Igreja, a Noiva.

Apocalipse 19.7, 8: "Regozijemo-nos, e exultemos, e demos-lhe a glória; porque são chegadas as bodas do Cordeiro, e já a sua noiva se preparou, e foi-lhe permitido vestir-se de linho fino, resplandecente e puro; pois o linho fino são as obras justas dos santos".

Esta cena se passa no céu – após a remoção da Igreja desta terra – quando acontece o casamento. A Noiva por seu próprio ministério de ganhar almas aprontou-se a si mesma. Ela está vestida de branco e é constituída de *justos*. Israel, como uma nação, nunca é vista no céu, nem é ele como um povo, como é verdade a respeito da Igreja, constituído de justos. Embora chamada "nação santa", esta santidade é relativa, antes do que absoluta.

Apocalipse 21.1–22.7 e Hebreus 12.22-24. Estes textos extensos são citados neste ponto somente para que o testemunho deles esteja incluso com respeito à Jerusalém e seus habitantes. O fato de que esta cidade maravilhosa "descia de Deus e do céu" – três vezes afirmada (Ap 3.12; 21.2, 10) – pode bem indicar que a cidade não é o céu do qual ela procede. Seus habitantes estão listados em Hebreus 12.22-24. Entre estes, está um exército incontável de anjos, a Igreja dos primogênitos, os espíritos dos justos aperfeiçoados, o Pai, e o Filho. A cidade é assim vista como cosmopolita num alto grau e, evidentemente, é mais caracterizada pela Igreja do que pelos outros grupos criados que ali aparecem. Ela é chamada "a noiva, a esposa do Cordeiro". Se as pessoas desta terra, como tais, estão presentes, elas são indicadas pela frase: "os espíritos dos justos aperfeiçoados".

Mateus 25.1-13. Este contexto familiar, que apresenta a própria narrativa de Cristo dos juízos de Israel sob a figura das dez virgens, entra diretamente na questão a respeito de Israel como a Noiva de Cristo. A cena se passa na terra e o tempo é o retorno do Messias deles em poder e grande glória, para assumir o reino davídico, conquistar e julgar as nações (Sl 2.7-9; Is 63.1-6; Mt 25.31-46; Ap 19.11-16). É aí, então, que a nação de Israel será julgada com relação à dignidade deles de entrar no reino do pacto sobre a terra. Visto que a realização dessas bênçãos do pacto no reino foi mantida como um incentivo a esse povo em todas as suas gerações, é razoável crer que todo Israel será levantado e passará por todo esse grande julgamento. O julgamento de Israel é previsto em muitas predições do Antigo Testamento, notadamente as de Ezequiel 20.33, 44 e Malaquias 3.1-6.

A primeira destas passagens prevê esse grande julgamento designado por Deus e indica que ele ocorrerá no próprio deserto no qual Israel foi detido em julgamento, quando retornava do Egito (v. 35). É nesse julgamento que Israel será purificado pela eliminação dos rebeldes (v. 38). A segunda passagem – Malaquias 3.1-6 – anuncia o mesmo julgamento final, mas declara-o ser no tempo do segundo advento de Cristo e em conexão com ele. Ambos os adventos estão em vista neste texto e, como todo o Antigo Testamento prevê, eles são vistos como um grande empreendimento divino. Essa profecia prevê João Batista, e ainda o julgamento real vindo com o segundo advento (cf Sl 50.1-7; Ml 4.1, 2).

A passagem central, que trata sobre o julgamento de Israel, vem dos lábios de Cristo e encontra-se no discurso do monte das Oliveiras, Mateus 24.37–25.30. Por haver predito a vindoura tribulação (24.9-28), que diz respeito a Israel, o Salvador descreve o seu segundo advento com poder e grande glória (24.29-31). Esta porção é seguida de grandes advertências a Israel e predições a respeito do julgamento dele que acontecerá, quando houver o retorno do Rei. A passagem que relata a parábola das dez virgens (Mt 25.1-13) abre com a seguinte declaração: "Então o reino dos céus será semelhante a dez virgens que, tomando as suas lâmpadas, saíram ao encontro do noivo" (v. 1). Os antigos manuscritos – especialmente a Vulgata – acrescentam as palavras *e da noiva*. Isto é, as dez virgens foram se encontrar com o Noivo e com a Noiva.

Semelhantemente, o versículo 10, que diz: "E, tendo elas ido comprá-lo, chegou o noivo; e as que estavam preparadas entraram com ele para as bodas, e fechou-se a porta", deveria acrescentar – como na *Revised Version*, e todas as traduções corrigidas – a palavra *festa*. Na verdade, aquelas que estavam prontas foram para a festa de casamento – não para se casar, o que já terá acontecido no céu (cf. a ceia de casamento do Cordeiro – Ap 19.9). As palavras do Salvador sobre este mesmo tema, registradas em Lucas 12.35, 36, esclarecem toda essa situação: "Estejam cingidos os vossos lombos e acesas as vossas candeias e sede semelhantes a homens que esperam o seu senhor, quando houver de voltar das bodas, para que, quando vier e bater, logo possam abrir-lhe".

Que Israel está indicado pelo termo *virgens* não está confinado a este contexto. Os 144.000 de Apocalipse 14.1-5 são, no versículo 4, ditos ser virgens; e no salmo 45.8-17, uma descrição profética é retirada do palácio milenial, e o anúncio é feito a respeito daqueles que vão ter o direito de estar nele. Estes incluem o Rei, e à sua mão direita a rainha – a Igreja – e por falar na rainha e suas damas de companhia, o escritor diz: "Em vestidos de cores brilhantes será conduzida ao rei; as virgens, suas companheiras que a seguem, serão trazidas à tua presença. Com alegria e regozijo serão trazidas; elas entrarão no palácio do rei" (Sl 45.14, 15). É significativo que as virgens sejam apresentadas ao Rei e à rainha e que, para este fim, elas "entrem no palácio do rei". Como Israel sobre a terra, está indicado na parábola das virgens, e que essas pessoas serão achadas dignas, elas entrarão no palácio, e de igual modo Israel é visto no salmo 45 – não como a rainha ou Noiva – mas como as companheiras, que são as convidadas de honra no reino.

O termo *virgens* pode ser aplicado com propriedade a pessoas que estão agora em castigo por sua infidelidade, somente no sentido em que elas são uma nação redimida e sob o propósito inalterável de Deus (cf. Rm 11.29).

Nesses textos, a evidência é conclusiva de que a Igreja é a Noiva de Cristo e que Israel terá o seu lugar de honra no reino como companheiras da Noiva.

II. A Delineação do Conhecimento Insuperável e do Amor de Cristo

O apóstolo orou, para que os santos de Éfeso pudessem ser capazes de compreender com todos os santos a largura, o comprimento, a profundidade e a altura, e conhecer o amor de Cristo, que excede todo entendimento (Ef 3.18, 19). Para ele, estava claro que somente por iluminação divina tal conhecimento seria obtido. Ele havia prefaciado essa petição com o pedido para que eles pudessem ser "radicados e alicerçados em amor". O amor no qual eles poderiam estar radicados e alicerçados, não é aquele amor frágil que esses crentes poderiam experimentar para com Deus, mas é o amor de Deus para com eles – o amor que os escolheu, os predestinou, os adotou, os tornou aceitos no Amado, os redimiu, lhes providenciou uma herança para eles, os selou com o Espírito Santo, os despertou, os ressuscitou e os fez assentar nos lugares celestiais, em Cristo Jesus.

Ser radicados e alicerçados em tal amor é ter entrado com simpatia e entendimento na revelação imensurável desse amor. Assim, também, com essa experiência do entendimento do amor divino em geral, deve haver uma compreensão do amor de Cristo, que supera o entendimento em particular. Esta linguagem aqui empregada é gráfica e atribui a esse amor particular as dimensões do espaço – largura, comprimento, profundidade e altura – mas estas são dimensões que são infinitas.

Duas vezes em Efésios 5, o apóstolo cita o sacrifício infinito de Cristo como a expressão de amor infinito: "...e andai em amor, como Cristo também vos amou, e se entregou a si mesmo por nós, como oferta e sacrifício a Deus, em cheiro suave" (v. 2); "Vós, maridos, amai a vossas mulheres, como também Cristo amou a igreja, e a si mesmo se entregou por ela, a fim de a santificar, tendo-a purificado com a lavagem de água, pela palavra, para apresentá-la a si mesmo igreja gloriosa, sem mácula, nem ruga, nem qualquer coisa semelhante, mas santa e irrepreensível" (Ef 5.25-27). É o Bom Pastor que dá sua vida pelas ovelhas, e é o privilégio de cada crente vir à consciência do caráter pessoal e ilimitado do amor de Cristo. O apóstolo Paulo poderia dizer: "que me amou, e a si mesmo se entregou por mim" (Gl 2.20). O apóstolo João não poderia pensar numa distinção maior pela qual ele próprio poderia ser identificado como aquele discípulo a quem Jesus amava.

Quando Jesus chorou na tumba de Lázaro, os judeus disseram: "Vede como ele o amava!" (Jo 11.36). A própria palavra *amado*, usada freqüentemente no Novo Testamento – como "irmãos amados pelo Senhor" (2 Ts 2.13) – pode ser considerada como uma injunção, a saber: *seja o objeto do Seu amor*. Como uma criança num lar normal não é considerada responsável em matéria de fazer pagamentos das despesas que a sua presença cria, é apenas o cumprimento do seu mais alto propósito como o objeto do amor de seus pais, assim o crente é "o amado do Senhor". É verdade que esse amor "constrangerá" aquele que é assim amado com amor sacrificial (2 Co 5.14) e o crente deveria amar a Jesus por quem ele foi primeiro amado, mas tais manifestações são somente subprodutos ou reflexos do amor infinito de Cristo – um amor infindável e imutável; pois "tendo amado os seus que estavam no mundo, amou-os até o fim" (Jo 13.1); mas, nesse relacionamento, não há fim, e, como conseqüência, o seu amor não cessa.

Aqui, o cântico de Salomão entra como a prefiguração do amor que existirá para sempre entre Cristo e a Igreja. É desse amor incompreensível do qual o filho de Deus nunca pode ser separado. O apóstolo Paulo escreve: "Porque eu estou certo de que, nem a morte, nem a vida, nem anjos, nem principados, nem coisas presentes, nem futuras, nem potestades, nem a altura, nem a profundidade, nem qualquer outra criatura nos poderá separar do amor de Deus, que está em Cristo Jesus nosso Senhor" (Rm 8.38, 39).

III. Uma Segurança da Autoridade do Consorte

Como a palavra *consorte* sugere, a Igreja compartilha do reino de Cristo. Nenhuma responsabilidade real pode ser alocada a ela, mas o fato permanece que ela também governará, ao invés de ser governada. Esta distinção se torna importante, quando a vemos em relação ao Rei dos reis e Seu Consorte, a Igreja. Como a designação Rei-sacerdote indica que Cristo reinará assim como exercerá as suas funções sacerdotais, assim o título "sacerdócio real" aplicado à Igreja (1 Pe 2.9) classifica o grupo daqueles que reinam conjuntamente e isto está claramente afirmado em Apocalipse 20.4-6: "...e viveram e reinaram com Cristo mil anos... mas serão sacerdotes de Deus e de Cristo, e reinarão com ele durante os mil anos".

IV. Uma Revelação da Posição da Noiva Acima de Todos os Seres Criados

A Igreja, como Noiva do Cordeiro – a segunda pessoa da Trindade – alcança uma posição exaltada, em virtude de sua majestade infinita que não poderia ser conseguida por outra criatura qualquer. O próprio Senhor falou dessa exaltação sublime quando disse: "E, se eu for e vos preparar lugar, virei outra vez, e vos tomarei para mim mesmo, para que onde eu estiver estejais vós também" (Jo 14.3); "Pai, desejo que onde eu estou, estejam comigo também aqueles que me tens dado, para verem a minha glória, a qual me deste; pois me amaste antes da fundação do mundo" (Jo 17.24). O próprio lugar ao qual Ele se refere está preparado especialmente, como se nenhuma esfera de glória existente pudesse ser digna de Sua Noiva. Uma meditação momentânea sobre a exaltação do Filho de Deus e sobre a realidade incomparável dela em relação ao tempo e à eternidade, à terra e ao céu, e aos homens e anjos, de que a Igreja terá sido chamada e preparada sem mancha ou ruga ou qualquer coisa semelhante, obrigará a conclusão de que a exaltação da Igreja é, igual à do seu Noivo, e muito acima dos principados e potestades.

Desta exaltação, está dito: "que operou em Cristo, ressuscitando-o dentre os mortos e fazendo-o sentar-se à sua direita nos céus, muito acima de todo principado, e autoridade, e poder, e domínio, e de todo nome que se nomeia, não só neste século, mas também no vindouro" (Ef 1.20, 21).

V. A Segurança da Glória Infinita

Intimamente relacionada à posição elevada e santa que, como Noiva do Cordeiro, é conferida à Igreja, está a verdade correspondente de que ela será glorificada com Ele em Sua glória. Uma olhadela na concordância integral vai revelar o fato de que há um grande conjunto de textos que dizem respeito à glória vindoura. Mais de 180 vezes essa palavra é usada no Novo Testamento, e a principal porção de referência diz respeito à glória de Cristo. Uma consideração devida deveria ser dada à glória que Ele tinha como Pai, antes da existência do mundo (Jo 17.5), a glória que João testifica e que foi manifesta na encarnação, a glória da transfiguração, a glória da ressurreição, e a glória que Ele agora tem no céu (Ap 1.13-18). Quando toda essa glória for avaliada, não será difícil entender por que Ele é chamado de *o Senhor da Glória*, ou o que significa quando é dito que, quando Ele vier outra vez, será com poder e grande glória.

Não obstante, Aquele que é coroado com glória e honra conduz muitos filhos à glória (Hb 2.9, 10). A própria petição de Cristo é para que os crentes possam ver a sua glória (Jo 17.24); e que eles haverão de compartilhar essa glória é afirmado pelo apóstolo Paulo quando ele escreveu: "...se é certo que com ele padecemos, para que também com ele sejamos glorificados" (Rm 8.17), e: "Quando Cristo, que é a nossa vida, se manifestar, então também vós vos manifestareis com ele em glória" (Cl 3.4). O corpo do crente deve ser mudado de um corpo de limitações para um corpo de glória (1 Co 15.43), e mesmo igual ao Seu corpo glorioso (Fp 3.21).

VI. Os Tipos da Noiva

Se eles são designados tipos ou somente incidentes análogos, é de pouca importância, comparados com o fato de que certos casamentos do Antigo Testamento são, quando piamente analisados, quase prefigurações inexauríveis da união entre Cristo e Sua Igreja. Para o discernimento natural, os registros de várias noivas do Antigo Testamento são narrativas simples do amor humano; todavia, para a mente iluminada – e isto é verdadeiro de toda tipologia – eles são cheios de significado espiritual. A história humana é em si mesma bela; mas a sua projeção típica tende a revelar as realidades mais profundas da graça divina à medida que essa graça pode ser vista na união entre Cristo e Sua Igreja. O grande campo da tipologia e seu lugar na revelação divina, não podem ser introduzidos aqui, mas isto está reservado para uma consideração posterior.

Pode ser observado, contudo, que um tipo é uma antecipação divinamente proposta, que ilustra o seu antítipo. Não é prerrogativa do tipo estabelecer a verdade. Esta função pertence ao antítipo. Por outro lado, é o propósito do tipo realçar, como uma ilustração, a força da verdade pertencente ao antítipo. O tipo do cordeiro pascal inunda a graça redentora de Cristo com o mais rico significado, enquanto que a redenção em si mesma se reveste do tipo com tesouros da verdade com os quais não se poderia sonhar. Em seu escopo, o tipo é uma predição do antítipo, e, por ser designado por Deus, não deve ser considerado como uma mera especulação. Ele é um aspecto vital da inspiração. É distintamente um arranjo e uma intenção divina. Aquele que declara qualquer coisa como um tipo, fica imediatamente obrigado a demonstrar que as similaridades são mais do que acidentais, que eles revelam um propósito divino. Tais comparações vitais são antecipadas no campo da verdade, indicada em 1 Coríntios 10.11 (no grego).

Das várias uniões do Antigo Testamento, que os homens têm defendido como típicas da Igreja em sua relação com Cristo, somente duas serão consideradas em detalhes, aqui. É razoável supor que quando é dada uma narrativa do casamento de qualquer homem do Antigo Testamento, que é em si mesmo um tipo de Cristo, esse casamento pode ter significação típica. Moisés é um tipo de Cristo como Libertador; assim Zípora, sua esposa, tomada dentre os gentios, enquanto ele estava longe de seus irmãos, é uma sugestão da vocação da Igreja durante o período entre os dois adventos de Cristo. Davi é um tipo de Cristo, e, de todas as suas esposas, Abigail serve melhor para ilustrar a verdadeira Noiva. Ela deixou tudo, para se unir a Davi. Boaz, também, é um tipo de Cristo como Redentor-parente; e Rute, a pobre moabita, ao descobrir que Boaz não descansaria enquanto não terminasse a redenção que a colocaria como co-herdeira de toda sua posição e riqueza, deu-se a si mesma a ele como a um amado.

Salomão é também um tipo de Cristo, e, a despeito de suas falhas, permanece como aquele filho de Davi a quem o reino foi dado. De todas as uniões de casamento nas quais Salomão entrou, a sulamita do Cântico dos Cânticos, de Salomão é uma que mais expressa o amor por seu noivo. A "filha" do salmo 45 não é um tipo, mas é antes a visão antecipada da Igreja "toda gloriosa", como ela vai ficar junto ao Rei no palácio milenial. As duas noivas que merecem uma atenção específica são:

1. Eva. Nenhuma discussão aqui diz respeito ao fato de que Adão é um tipo de Cristo, embora, à parte da verdade que cada um deles é o cabeça de uma criação de Deus, todas as outras coisas entre os dois estão em contraste. Três passagens são especificamente importantes, a saber: Romanos 5.12-21; 1 Coríntios 15.21, 22; e 45-49. O primeiro destes textos esboça um contraste entre a ruína que veio à primeira criação pelo pecado de Adão e a bênção exaltada que vem para a nova criação pela morte e ressurreição de Cristo, o último Adão. A segunda passagem – 1 Coríntios 15.21, 22 – contrasta a morte com a vida. "Porque como em Adão todos morrem, do mesmo modo em Cristo todos serão vivificados". Esta é uma referência, evidentemente, à universalidade da ressurreição anunciada por Cristo em João 5.25-28, visto que no texto de 1 Coríntios, o apóstolo nomeia diretamente a sucessão das ressurreições que inclui todos os que viveram sobre a terra.

A terceira passagem, 1 Coríntios 15.45-49, contrasta o presente corpo – adaptado à alma – com o corpo glorioso que haverá – adaptado ao espírito. Nada mais poderia ser dito do primeiro Adão, além de dizer que ele *recebeu vida*, enquanto que o último Adão é a Fonte de toda a vida. Os aspectos destacados desse tipo são: (a) o da derivação e (b) o da identidade.

(a) Eva foi formada da costela de Adão, quando Deus o fez cair num profundo sono (Gn 2.21, 22), que tipicamente sugere o fato de que a Igreja surgiu, através do sangue de Cristo que fluiu do seu lado, em sua morte. A essa altura, a legitimidade do símbolo da pérola como uma representação da Igreja (Mt 13.45, 46) é vista. Como a pérola é formada na concha da ostra por acréscimo – uma formação vital de uma coisa viva – e provavelmente de uma ferida causada pela presença de uma substância estranha que irrita,

assim a Igreja deve sua existência àquele sangue que o Salvador derramou. Igualmente, embora a pérola seja formada na tríplice escuridão da lama, na qual a concha está incrustada, a escuridão da concha em si, e a escuridão da profundeza do mar, sem ainda a aparência de pedra preciosa, quando trazida à luz do sol, tem o poder de captar a glória multicor daquela luz e refletir o seu esplendor. É assim que a Igreja, embora formada nas trevas do mundo, quando introduzida em Sua presença, refletirá a glória insuperável que pertence a Cristo somente.

(b) Como Adão reconheceu que Eva era uma parte viva de si próprio – "ossos dos meus ossos, e carne da minha carne" (Gn 2.23) – assim a verdade prefigurada é a de que a Igreja está em Cristo e não tem existência à parte dele. Cada crente se torna um membro desse novo Cabeça e não tem identidade à parte desse relacionamento.

No livro, *The Brides of Scripture*, J. Denham Smith escreve:

Deixa-me sugerir de passagem que a questão da unidade da Igreja com Cristo envolve as conseqüências mais importantes, não somente em nosso julgamento espiritual, mas também em nossos sentimentos morais e na vida externa; pois, a menos que conheçamos o que nós somos e o que temos, não podemos saber como viver. Após tudo que é dito por aqueles que professam crer nela, é, eu sugiro, mas pouco entendo. Isso vai além de toda bem-aventurança humana e angelical. Estava no propósito de Deus antes de todas as dispensações e parece que continuará quando as dispensações tiverem cessado para sempre (Ef 3.21). Em sua natureza, a Igreja é como Cristo é. Pode qualquer coisa ser mais maravilhosa? Ela nos coloca, como diz Paulo, "muito acima de todo principado, e poder, e autoridade, e domínio, e todo nome não somente nesta era, mas também nas eras vindouras". Eu sei que pode haver uma espécie de interesse, um desejo ardente do coração no pensamento de um *reino*, ou na idéia de uma *noiva*, nos quais podem espreitar muita coisa da natureza. O reino e a noiva são, na verdade, muito importantes para Cristo – a conquista de sua morte. Mas na verdade da unidade, tudo mais está perdido no próprio Cristo; a Igreja é como Cristo. Nós seremos como Eva foi com Adão, como duas pessoas sem perder a identidade delas contados como se fosse uma pessoa; assim que mesmo após ser tomada dele, e quando ressuscitada com ele, o Senhor chamou os seus nomes ADÃO, exatamente como Cristo e seus membros são ditos ser "O CRISTO", que eles são – O CRISTO MÍSTICO. Eu creio que há poucos que vêem assim. O caminho da sabedoria a respeito disso é um caminho estreito. O que nós desejamos aqui muito especialmente é manejar corretamente a Palavra da Verdade. Reflitamos por um momento no pensamento maravilhoso de que estamos em Cristo; sim, de estar com Ele desde toda eternidade; e sobre todas aquelas ricas bênçãos em João 17, e em Colossenses e Efésios, que a linguagem falha em descrever; e então pensar do que aquele reino é. Um reino não é um com ele que está sobre ele; mas a Igreja como Cristo é, sim, uma com Cristo, reinará com Ele sobre ele.[93]

2. Rebeca. Em contraste com o tipo que Eva proporciona, concernente à origem da Igreja e sua união com Cristo, o tipo que é visto em Rebeca retrata a chamada divina da Igreja e a consumação divina dela. Isaque é um tipo inconfundível de Cristo. Ele representa o Filho unigênito (Gn 22.2; Hb 11.17), o Filho do amor do Pai que foi obediente até a morte, e a quem o Pai não poupou (Jo 3.16; Rm 8.32), e que foi recebido da morte (Hb 11.19). Numa outra conexão e ainda totalmente diferente, Isaque é também um tipo dos filhos espirituais de Abraão (Gn 15.5; Gl 4.28, 29). O tipo que Rebeca provê pode ser visto em sete detalhes:

A. O Pai Empreende em Favor de seu Filho. O Pai, tipificado por Abraão, propõe assegurar uma noiva para o Seu Filho, como em Mateus 22.2, onde está afirmado que certo rei fez um casamento para o seu filho. Esse poder determinante de Deus é visto em João 6.44, onde está escrito: "Ninguém pode vir a mim, se o Pai que me enviou não o trouxer; e eu o ressuscitarei no último dia".

B. O Pai Envia o Servo Confiável. Em vista do fato de que nenhum nome do Espírito Santo, além de outros títulos descritivos, é revelado na Bíblia, é significativo que o nome do servo de Abraão, que fez a jornada para assegurar a noiva para Isaque, não é dado naquela altura. A tarefa designada para esse servo era de proporções majestosas. Não somente ela envolvia a perigosa jornada de muitas semanas, mas a responsabilidade também de escolher uma noiva para um príncipe. Se guiado pela sabedoria humana, os resultados, na melhor das hipóteses, não poderiam ser mais do que acidentais. O serviço de confiança tipifica o Espírito Santo agora no mundo, que com sabedoria infinita prepara a Noiva do Cordeiro.

C. A Eleição é Vista na Escolhida Especial. Muitas donzelas aparecem para retirar água (Gn 24.13), mas somente uma é escolhida, e essa uma é indicada com respeito à plena vontade dela no assunto (Gn 24.5-8). Não poderia haver um erro no assegurar de Rebeca como noiva de Isaque. O programa total de Deus para Israel está envolvido; todavia, ela não é coagida em nada e ela é escolhida exatamente como foi determinado por Deus.

D. A Fé de Rebeca. Secundada apenas pela fé de Abraão que fez essa mesma jornada, quando ele, na vocação de Deus, deixou a sua terra natal, esta é a Fé sublime dessa donzela. Nenhuma proposta tão sem atrativos poderia ser feita do que pedir a essa donzela para deixar a sua própria casa, e nunca mais retornar, e ir com um servo que ela não conhecia, e se casar com um homem que ela nunca havia visto. Um evangelho foi pregado a ela pelo servo que descrevia o príncipe Isaque com toda a sua riqueza. Diante disso, ela respondeu: "Eu irei" (Gn 24.58), e antecipou o significado das palavras de Pedro: "...a quem, sem o terdes visto, amais" (1 Pe 1.8). Que perfeição está revelada em Gênesis 24.16!

E. O Antegozo das Riquezas de Isaque. Os ornamentos de ouro (Gn 24.22, 30, 47) são apenas um antegosto das riquezas de Isaque, riquezas essas que ela estava para partilhar plenamente. Assim, aquelas bênçãos do

Espírito Santo que o crente agora recebe são ditas ser um penhor da glória que está por vir (2 Co 1.22; Ef 1.14).

F. A VIAGEM. Há um caminho de peregrinação para todo filho de Deus seguir, que se estende desde o ponto da fé salvadora em Cristo, até o momento do encontro com Ele nos ares. A morte não é a experiência normal, embora ela possa ser a experiência usual e mesmo a experiência universal até o tempo presente. A esperança do cristão é que ele possa sem a morte encontrar o seu Senhor nos ares (1 Co 15.51, 52; 1 Ts 4.13-18). Sobre essa peregrinação está a obra do Espírito Santo para revelar as coisas de Cristo aos santos que estão atentos (Jo 16.13-15; 1 Co 2.9-13). Tudo isso, sem dúvida, foi a experiência de Rebeca. Longos dias e semanas foram exigidos nessa jornada, mas essas foram horas maravilhosas para aquela que ouviu a verdade a respeito de um príncipe a quem o servo fiel descreveu.

G. A UNIÃO. Não há uma mera chance no fato de que Isaque esteja andando no campo em meditação ou que Rebeca levante seus olhos e exclame: "Que homem é esse que está andando no campo para nos encontrar?" ou que o servo tenha dito: "é meu senhor". Tal coisa seria o testemunho climático do Espírito Santo no coração do crente, quando ele visse o seu Senhor: "É o meu Senhor" (Gn 24.62-67). Cito novamente J. Denham Smith:

Mas o que dizer de Isaque? Ele havia estado o tempo todo simplesmente passivo – esperando o resultado; igual ao nosso Senhor que está por vir, que durante todos esses séculos tem estado na presença do Pai esperando o resultado. Quando o Eliezer divino, o Espírito que é o grande ganhador de almas, tiver feito a sua presente obra, Cristo virá. Isto agora é onde a nossa narrativa divina fica mais profunda em interesse; pois o "dia rompe, e as sombras fogem". Isaque chegou; ele é livre, no mais doce prazer simplesmente meditando. Não foi em sua casa que ele primeiro a encontrou, nem foi na casa que ela havia deixado. O lugar de encontro deles foi num campo sossegado, e numa hora tranqüila que combinava com a cena. Isaque tinha vindo do poço de Lahai-roi, que é, "a presença dEle que vive e vê". Ele veio sozinho, com uma alegria imperturbável no encontro com ela, que ele sabia que tinha deixado tudo por ele. Ele veio na noite, mas para ela era como se fosse uma manhã de alegria. Ela possuía um véu, e se cobrira – a coberta de si mesma na presença de Cristo. E agora vê! Ela desce do camelo. Você entende: não há mais nenhuma aspereza do deserto agora! Não há mais passos perigosos e caminhos fatigantes agora! O tempo de alegria e de descanso para ela chegou; o momento pelo qual ela tanto esperava aconteceu. Que encontro! Que encantamento para ambos! Pois Isaque agora "tomou Rebeca, e ela se tornou sua esposa; e ele a amou; e Isaque foi confortado após a morte de sua mãe". Quão sugestivo é isto tudo! Pois é a noite do mundo agora, mas a nossa "noite é finda, e o dia já raiou" – "porque a nossa salvação está agora mais perto de nós do que quando nos tornamos crentes" (Rm 13.11). E que realidade ela dá para as nossas esperanças, quando sabemos que Aquele que foi uma vez o Salvador por nós aqui, virá novamente para nós – como Ele disse: "...e virei outra vez, e vos tomarei para mim mesmo, para que, onde eu estou estejais vós também" (Jo 14.3). Que volta para o lar será essa! Ele então não será visto, em seu próprio Lar, ou aqui no deserto onde estamos agora, mas nesses céus mais baixos como a Estrela da Manhã, para anunciar o desaparecimento dessa longa noite de nossa separação e morte. A Estrela da Manhã é aquela luminária pacífica que sempre precede o nascer do sol; o seu aparecimento é exatamente acima do horizonte, mas abaixo dos céus mais elevados. Assim, de igual modo, o Senhor, quando vier, descerá do céu para os ares, e nós, os que estivermos vivos e permanecermos, com aqueles que dormiram em Jesus, seremos arrebatados para o encontro com Ele nos ares. Então, Ele nos levará para a casa do Pai, para então reinar novamente sobre o seu reino. Estaremos para sempre com o Senhor. E então também descansaremos de todas as nossas preocupações, de todo o nosso sofrimento, e do pecado; e de nós próprios, porque temos dentro de nós esse presente mal enraizado do pecado, e esse coração mau de incredulidade. Nós descansaremos dessa última angústia, da última dor, e da última tristeza.[94]

VII. O Significado Desta Figura

O simbolismo do Noivo e da Noiva, que apresenta Cristo em sua relação com a Igreja, fala desse amor eterno que sobrepõe todo entendimento, da unidade entre Ele e a Igreja, e da autoridade e posição a ser conferida à Igreja nas eras vindouras. Os principais aspectos da verdade são tipificados no relacionamento da Noiva que não poderiam ser apresentados de outro modo. Muita coisa da bênção divina é determinada para Israel e tudo isso está previsto nos pactos e nas profecias; mas nenhum pacto ou profecia traz essa nação à cidadania celestial ou para uma união de casamento com Cristo.

Conclusão

Terminando esta análise da doutrina de Paulo sobre a Igreja – aquela que devidamente aparece como o aspecto principal de uma Eclesiologia Bíblica – pode ser reafirmado que, como já foi demonstrado, há três divisões na família humana nessa presente dispensação: os gentios, os judeus e os cristãos; que há um propósito terrestre distinto para os cristãos – a Igreja – que o cristianismo revela; que a Igreja está relacionada com Cristo de vários modos e estes estão sumariados em sete figuras, das quais duas são supremas, a saber, o senhorio da nova criação no Cristo ressurrecto, e o Noivo e a Noiva. A Igreja é um grupo de eleitos chamados dentre judeus e gentios e deve estar para sempre com Cristo em sua mais alta glória.

> Da Igreja o fundamento é Cristo, o Salvador!
> Em seu poder descansa e é forte em seu amor.
> Pois nele, alicerçada, segura e firme está,
> E sobre a Rocha eterna, jamais se abalará.
> A pedra preciosa que Deus predestinou
> Sustenta pedras vivas que a graça trabalhou.
> E quando o monumento surgir em plena luz,
> A glória do Edifício será do rei Jesus!
> Neste edifício santo que visa o teu louvor,
> Esteja a tua bênção, rogamos-te, Senhor!
> Que muitos pecadores aqui, em contrição,
> Se tornem templos santos de tua habitação.[95]

A Igreja Organizada

CAPÍTULO VII

A Igreja Organizada

A MANEIRA NA QUAL o povo de todas as gerações tem se associado nos relacionamentos da Igreja, com suas perseguições, seus conflitos, e seus benefícios, constitui-se num capítulo da história dos últimos dois mil anos, secundada em importância somente pelo progresso do governo na terra. Na verdade, por volta do quarto século, a Igreja tinha se apropriado tanto dos ideais israelitas do Antigo Testamento, de um mundo conquistado com o governo do Messias se tornando universal, que os seus oficiais sonharam com um Estado governamental sob a autoridade dela; e Roma perpetua esse ideal até hoje. Uma modificação desse ideal de autoridade governamental foi introduzida pelo protestantismo na forma da teoria pós-milenista. Esta teoria propunha um governo mundial pela Igreja, mas exercido pelas influências espirituais, e concluía que após o milênio de tal triunfo cristão sobre as forças do mal, o Senhor retornaria.

O progresso dessa suposta transformação mundial pela influência espiritual da Igreja tem visto o seu lado reverso e ficou provado que ela não tem chance de sucesso, e que a noção pós-milenista está morta, pois existe sem uma defesa viva e existe somente numa literatura escassa que ela criou. A grande falha da Igreja em converter, ou mesmo convencer, o mundo, é suficientemente evidente para sugerir a qualquer mente sadia que Deus nunca designou a Igreja para salvar o mundo, mas antes para ser uma testemunha ao mundo com a finalidade de que os eleitos pudessem ser chamados. Certo tipo de liderança da Igreja tem manifestado uma inconsistência patente por argumentar que Cristo morreu somente pelos eleitos e que ninguém poderia ser salvo fora desse grupo restrito, mas que a Igreja, não obstante, estava ao mesmo tempo comissionada para salvar o mundo, até o seu último habitante.

Não será feito muito progresso no estudo da Eclesiologia, a menos que a Igreja, que é um organismo, seja distinguida da Igreja, que é uma organização. Um organismo é assim por causa do fato de que ela possui um princípio vital em todas as suas partes – assim é o corpo humano – mas uma organização pode não ser mais do que uma coordenação de partes totalmente independentes para uma ação unida. A Igreja organizada no máximo é restrita a pessoas vivas de

ECLESIOLOGIA

sua própria geração, sem qualquer força agregadora maior, além dos artigos de concordância ou certos tópicos religiosos e sem nenhuma certeza de que todos dentro do grupo sejam salvos, enquanto que a Igreja, que é um organismo, inclui todos os crentes – não mais nem menos – de todas as gerações na presente era, e cada uma delas, por ser salva, é aperfeiçoada para sempre.

Nenhuma prática mais confusa no campo geral da Eclesiologia é mais ampla do que a aplicação à Igreja organizada, Igreja visível, daquelas passagens que pertencem à verdadeira Igreja, a Noiva de Cristo. Esta imprecisão é evidente quando tal passagem, como a de Efésios 5.25-27, é aplicada à Igreja visível com sua surpreendente porcentagem de pessoas não-regeneradas em seu redil. Este erro é facilmente cometido por homens que não têm uma compreensão do grande conjunto de verdades a respeito da Igreja, que é o Corpo de Cristo.

A igreja organizada é reconhecida no Novo Testamento. Uma igreja existia, onde um grupo de crentes se encontrava reunido nos laços da comunhão. Esse encontro de cristãos satisfazia o significado fundamental do nome *igreja*, pelo qual eles eram identificados. Eles eram uma assembléia de chamados. Havia vantagens notáveis naquela época, assim como agora, na convocação dos crentes. O escritor a Hebreus exorta: "...não abandonando a nossa congregação, como é costume de alguns" (Hb 10.25).

Evidentemente, algum tipo de organização da Igreja foi pretendido por Deus, visto que os oficiais são designados e os seus deveres definidos. Esses eram escolhidos cuidadosamente dentre aqueles homens de boa reputação em assuntos espirituais. Contudo, não há registro de um arrolamento de membros da igreja, nem há qualquer exemplo no Novo Testamento de uma pessoa que se uniu à igreja. Por outro lado, a filiação da igreja, como considerada agora, não é proibida. Naturalmente, muita coisa depende das condições existentes num determinado tempo ou lugar; mas a grande ênfase do presente tempo sobre a filiação da igreja – quase igual à própria salvação – não tem o apoio das Escrituras. Feliz ou infelizmente, não há um registro de qualquer situação nos dias da Igreja Primitiva, onde os crentes se tornavam tão numerosos numa localidade que mais de uma assembléia era exigida.

Isto poderia facilmente ter sido verdade em Jerusalém, onde tais grandes multidões foram salvas; mas, se dois centros de reunião tivessem sido exigidos, é impensável que os crentes tivessem feito do seu grupo particular o centro da afeição deles ou que eles tivessem sido censurados por outros por falta de lealdade à igreja se eles, se encontrassem com aqueles membros de outro grupo. A comunhão restrita que excluía crentes da assembléia é aquele pecado sectário, que foi reservado para os dias iluminados do fim da era.

Em geral, a verdade relativa à Igreja organizada pode ser dividida assim: (a) a igreja, uma assembléia local; (b) um grupo de igrejas locais; e (c) a igreja visível, sem referência à localidade.

I. A Igreja, uma Assembléia Local

É neste ponto a respeito da igreja local que os escritores de teologia estendem os seus ensinos. Para eles, a igreja local, organizada, constitui a sua principal parte, quando não o tema total da Eclesiologia, e muito freqüentemente com tendências sectárias. Deverá ser reconhecido que a igreja local preenche um campo muitíssimo limitado deste estudo, quando comparada com a grande realidade da verdadeira Igreja; mas, a despeito do seu caráter restrito, a igreja local, quase universalmente hoje, se constitui na soma e na substância da Eclesiologia da cristandade professante.

Em sua concepção mais simples, a igreja local não é mais do que a assembléia de crentes professos de uma localidade. Pode não ser imponente e ser "como a igreja que está em sua casa" (1 Co 16.19), ou pode ser a reunião de grandes multidões numa enorme catedral construída para esse propósito. Simples designações são empregadas para ela – "a igreja que estava em Jerusalém" (At 8.1); "a igreja que está em Cencréia" (Rm 16.1), ou "a igreja dos tessalonicenses" (1 Ts 1.1). Uma leitura atenta dos textos que se referem à igreja local – menos de cinqüenta ao todo – dará uma base legítima para um entendimento correto da importância bíblica desse aspecto da Eclesiologia (cf. Mt 18.17; At 8.1, 3; 11.22, 26; 12.1, 5; 14.23, 27; 15.3, 4, 22; 18.22; 20.17, 28; Rm 16.1, 5; 1 Co 1.2; 4.17; 6.4; 11.18, 22; 14.4, 5, 12, 19, 23; 16.19; 2 Co 1.1; Fp 4.15; Cl 4.15, 16; 1 Ts 1.1; 2 Ts 1.1; 1 Tm 5.16; Fm 1.2; Tg 5.14; 3 Jo 1.6, 9, 10; Ap 2.1, 8, 12, 18; 3.1, 7, 14).

A essa concepção simples da Igreja, os homens têm acrescido as tradições deles – não diferentes daquelas impostas pelos governadores de Israel sobre o sistema mosaico (cf. Mt 15.2, 3, 6; Mc 7.3, 5, 8, 9, 13). Conquanto simples possa ter sido a idéia da Igreja no começo, ela agora foi expandida para incluir enormes organizações e, como no caso de Roma e do Concílio Federal das Igrejas de Cristo na América, há uma intenção admitida de moldar o governo civil.

Os aspectos importantes pertencentes à igreja local podem ser estudados sob cinco pontos: (1) a igreja e sua doutrina; (2) a igreja e seu serviço; (3) a igreja e sua organização; (4) a igreja e suas ordenanças; e (5) a igreja e sua ordem.

1. A Igreja e sua Doutrina. A discordância na doutrina tem sido quase a única causa de divisões sectárias com as suas trágicas representações errôneas de que o Corpo, do qual Cristo é o Cabeça, e que é apenas debilmente refletido na Igreja visível e à parte da qual a Igreja visível não tem razão de sua existência. Muita coisa da presente confusão sectária e de pecado poderia ter sido evitada, se tivesse havido uma ênfase clara e fundamental sobre a doutrina que Paulo ensina da verdadeira Igreja. Isso não pode ser determinado. O Novo Testamento exorta à unidade, à comunhão contínua, e ao amor fraternal; mas estas coisas têm sido negligenciadas e rejeitadas. A obrigação de permanecer em comunhão, mesmo quando a controvérsia surge, tem sido abandonada e freqüentemente por questões muitíssimo pequenas.

Essas diferenças poderiam ser eliminadas pela oração e consideração devida dos direitos dos outros; pois todas as separações por causa de doutrina são devidas à inconsistência de um grupo que reivindica o direito de interpretar a Bíblia de acordo com as suas próprias idéias; todavia, nega aos outros o mesmo direito inerente. Naturalmente, se é uma negação de uma verdade fundamental, o Novo Testamento direciona no sentido de expelir tal pessoa da assembléia; mas o grande grupo de denominações ortodoxas não se divide por questões heréticas. As questões entre calvinistas e arminianos margeiam os fatores vitais da graça divina; mas os calvinistas estão divididos sobre a quantia de água no batismo, o cântico de salmos ou o cântico de hinos compostos pelos homens, tudo isso a despeito da ênfase sobre o espírito sectário que se coloca sobre essas questões, e isto não deveria ser usado para romper a comunhão dos crentes.

Aqueles que promovem tais divisões cometem o pecado sectário de dividir o Corpo de Cristo. A enormidade desse pecado aparecerá, quando os crentes estiverem reunidos como um corpo na presença do Senhor, onde tais divisões não serão sequer sonhadas e onde as mentes dos crentes estarão centradas sobre coisas de valor eterno. Excluir um crente porque ele não é propriamente batizado ou porque ele não restringe o seu louvor ao cântico de salmos de Davi, é excluir o ladrão da cruz, a quem Cristo aceitou, e, com respeito ao registro a respeito do batismo, é excluir os doze apóstolos do Cordeiro. Não será agradável descobrir que enquanto se tem a preocupação com coisas pequenas em doutrina, se engole o camelo de uma unidade rompida, ou enquanto se descobre um cisco no olho de um irmão a respeito de um modo de ordenança, percebe-se que se falhou na retirada de uma trave do olho daquele que nega Cristo na resposta à Sua oração: "a fim de que eles sejam um; como tu, ó Pai, és em mim, e eu em ti" (Jo 17.21).

Há apenas um corpo de verdade revelado, que quando corretamente entendido, ensina apenas um sistema de doutrina. Quando os homens discordam sobre doutrina, é porque um deles ou ambos estão errados. Em oposição a isto, Deus enviou o seu Espírito aos corações dos crentes, para guiá-los a toda verdade (Jo 16.13); e se os homens tivessem se preocupado em conhecer a mente do Espírito Santo em relação à verdade apresentada nos oráculos de Deus, teria havido apenas uma mente, e essa seria a mente do Espírito; todavia, centenas de seitas em guerra têm vindo à existência mais ou menos por causa do preconceito denominacional ou da auto-satisfação. É uma manifestação de fraqueza humana ficar satisfeito em discordar de outros crentes. Mesmo o movimento dos Irmãos de Plymouth, que começou com ideais altamente bíblicos e com o mais pleno reconhecimento dos grandes fatores unificadores, especialmente o de um só corpo de Cristo, não foi capaz de livrar-se de muitas infelizes divisões com constantes amarguradas lutas; nem estão esses irmãos inclinados a se reunir, quando se tornam conscientes do seu grande erro nas separações.

A razão para todas as divisões não pode ser encontrada numa falha da parte de Deus, em proporcionar um testemunho bíblico claro, ou na falha de

A IGREJA, UMA ASSEMBLÉIA LOCAL

providenciar o ministério de ensino do Espírito; nem pode ser encontrado no fato da fraqueza inerente do homem: deve antes ser encontrado no fato de que há vida não-espiritual entre o povo de Deus – uma falha em andar humilde e submissamente ao Espírito de Deus. Quão penetrantes são as palavras de Filipenses 2.3: "...nada façais por contenda ou por vanglória, mas com humildade cada um considere os outros superiores a si mesmo", e as palavras "olha por ti mesmo" (Gl 6.1)! O verdadeiro amor fraternal – tal como é a insígnia da unidade cristã (Jo 13.35) – não sofrerá separações; e quando os homens são desunidos, e asseguram-se de que lutam por uma causa justa, deixe-os contemplar a injustiça mais ampla do pecado do sectarismo. Os crentes não estão designados para a separação, mas para preservar a unidade do Espírito no vínculo da paz (Ef 4.3).

Os hinos da igreja têm usualmente proclamado a fé do povo. Dois homens que escreveram por volta da mesma época apresentaram o que parece ser uma contradição. Sabine Baring-Gould (1865) escreveu sobre a Igreja:

"... Não estamos divididos,
Somos todos um corpo,
Somos um na esperança e na doutrina,
Um em amor."

Em 1866 Samuel J. Stone escreveu sobre a mesma Igreja:

"Embora com um espanto zombeteiro
os homens vêem-na oprimida pela dor,
pelos cismas lacerada,
pelas heresias angustiada...".

Permanece o fato de que ambas as declarações são verdadeiras. A verdadeira Igreja não está dividida, nem poderia estar; todavia, a Igreja visível é uma tentativa arruinada e danificada na manifestação de um ideal da Escritura.

A cura de uma igreja dividida não deve ser feita pela mera união de organizações, embora tal união possa apresentar uma aparência melhor para o mundo. A cura repousa na atitude do crente individualmente, em seu amor por todos os outros crentes, independentemente de conexões eclesiásticas ou de raça. Tal é a afeição normal de alguém que anda no Espírito. O apóstolo João declara: "Nós sabemos que já passamos da morte para a vida, porque amamos os irmãos. Quem não ama permanece na morte" (1 Jo 3.14), e "Amados, amemo-nos uns aos outros porque o amor é de Deus; e todo o que ama é nascido de Deus e conhece a Deus. Aquele que não ama não conhece a Deus; porque Deus é amor. Nisto se manifestou o amor de Deus para conosco: em que Deus enviou seu Filho unigênito ao mundo, para que por meio dele vivamos. Nisto está o amor: não em que nós tenhamos amado a Deus, mas em que ele nos amou a nós, e enviou seu Filho como propiciação pelos nossos pecados" (1 Jo 4.7-10).

2. A IGREJA E SEU SERVIÇO. Nenhuma responsabilidade ou serviço é imposto sobre a Igreja de per si. O serviço, igual aos dons do Espírito Santo, por quem o serviço é operado, é individual. Não poderia ser de outra forma. A frase comum, "a tarefa da igreja", é, entretanto, sem base ou fundamento bíblico.

ECLESIOLOGIA

Somente quando os indivíduos percebem a responsabilidade pessoal deles e a sua capacitação divina pessoal, é que o serviço cristão é feito. Por outro lado, não há uma palavra escrita que, por implicação, impeça os crentes de estarem associados numa causa comum que pode ser, para conveniência, considerada à luz de um resultado combinado.

Com relação à missão da Igreja visível, o Dr. C. I. Scofield escreve: "Muita coisa é dita a respeito da Igreja. A Igreja que é seu corpo tem por missão edificar-se até que o corpo esteja completo (Ef 4.11-16; Cl 2.19), mas a Igreja visível, *como tal*, não é encarregada de missão alguma. A comissão de evangelizar o mundo é pessoal, e não corporativa (Mt 28.16-20; Mc 16.14-16; Lc 24.47, 48; At 1.8). Enquanto a história caminha, a obra de evangelização é feita por indivíduos chamados diretamente pelo Espírito Santo para essa obra (At 8.5, 26, 27, 39; 13.2 etc.). Igrejas (Fp 4.15) e indivíduos (At 16.14, 15; Rm 16.6, 23; 2 Tm 1.16, 17) ajudaram na obra desses homens, mas não há um traço de qualquer responsabilidade corporativa ligada à 'Igreja'. Sem dúvida, a igreja local pode ser chamada pelo Espírito, a fim de 'separar' indivíduos para essa obra, como aconteceu em Antioquia" (At 13.1-3).[96]

3. A IGREJA E SUA ORGANIZAÇÃO. Há três princípios gerais de governo, seja igreja ou Estado, e no campo do governo eclesiástico. Há o (1) o governo episcopal, apresentado pelos episcopais e membros de denominações conhecidas como metodistas episcopais; (2) a forma de governo representativo, apresentada pelas igrejas reformadas, que são governadas por presbíteros eleitos; e (3) o governo congregacional, classificação essa que inclui todas as igrejas denominacionais e independentes que são governadas diretamente pela congregação. Esta última classe é representada pelas igrejas congregacionais, cristãs e batistas.

Toda a autorização para o governo de uma igreja deve ser encontrada nas epístolas do Novo Testamento e toda forma existente de governo de igreja reivindicará o seu procedimento, justificando-se nas Escrituras. Este fato serve para enfatizar a verdade que o governo de uma denominação é uma mera conveniência que serve a um propósito limitado. O erro danoso surge quando pela liderança de seus ministros a filiação começa a considerar a organização ou seita, de ser de importância fundamental na vida da igreja. A impressão criada é a de que a lealdade a uma igreja específica é de importância suprema, que excede em importância as questões de sã doutrina ou de uma vida dedicada a Cristo. Cada seita deve publicar a sua própria literatura, conduzir suas próprias missões, verificar que seus membros não recebam uma informação com respeito da obra cristã no país ou no exterior, além do que é relatado pela própria denominação, educar e ordenar os seus próprios ministros, e chamar para os seus púlpitos somente homens treinados nas doutrinas peculiares que dão ao grupo o seu caráter distintivo.

Fora dessa vantagem limitada, que pode ser reivindicada por esse procedimento geral, há, não obstante, um constante desenvolvimento do pecado do sectarismo e uma negligência sempre presente da verdade gloriosa da unidade e comunhão do Corpo de Cristo, quando não há resistência a ela.

A organização é o primeiro passo da sabedoria de pessoas que se associam numa causa comum; mas a organização é para um propósito e, portanto, não é um propósito em si. O sectarismo tende a uma negligência do propósito – aquele que impulsiona toda Igreja notável – e magnificar a organização.

4. A Igreja e suas Ordenanças. É geralmente acordado que duas ordenanças específicas são atribuídas aos crentes que mantêm o relacionamento com a Igreja – o batismo ritual e a ceia do Senhor. Como cada um desses temas tem uma consideração extensa num sumário posterior da doutrina com as doutrinas semelhantes da Igreja sobre a ordenação, imposição de mãos, manifestação de dons, e casamento, elas não vão ser discutidas a esta altura.

5. A Igreja e sua Ordem. Na sua *Bible Correspondence Course*, o Dr. C. I. Scofield descreve de maneira detalhada as funções de uma igreja organizada:

A história do desenvolvimento da igreja local é obtida por inferência do livro de Atos e das epístolas. Assim coletados, os dois erros de homens com respeito à ordem da igreja são imediatamente refutados. O primeiro é a noção de que as igrejas locais apostólicas eram modeladas na organização das sinagogas. Sem dúvida, há semelhanças que podem ser vistas, como as sinagogas em si são semelhanças com sombras de coisas da antiga nação de Israel. Mas a organização da sinagoga era perfeitamente familiar à igreja em Jerusalém, e todavia, aquela igreja consistia de milhares de crentes, antes mesmo que ela tivesse uma organização rudimentar; quando, finalmente, a obra da administração da caridade da igreja tornou-se um fardo, além do limite para os apóstolos, eles resolveram "escolher sete homens de boa reputação", não com a analogia da sinagoga, mas com o raciocínio sobre o assunto (At 6.1-4). O segundo erro é que Atos e as epístolas contêm uma preocupação doutrinária com respeito à organização eclesiástica que se mostra numa regra de amarração, um Levítico novo e rígido. Um corpo de crentes, por exemplo, faz uma afirmação de que discípulos em Troas vieram no primeiro dia da semana para o partir do pão, numa lei em que todos os discípulos em toda parte deveriam se encontrar todo dia do Senhor para aquele propósito. Certamente, uma generalização ampla de um exemplo! O que parece claro de um estudo de todas essas passagens, é que gradualmente a organização da igreja local normal incluía presbíteros e diáconos. "Bispos" e presbíteros parecem idênticos (Tt 1.5; cf v. 7). Deveria ser acrescentado que tanto o presbiterato quanto o diaconato nas igrejas apostólicas eram plurais. Não há um exemplo de um presbítero numa igreja local. As funções dos presbíteros eram (1) governar (1 Tm 3.4, 5; 5.17); (2) manter o corpo das verdades reveladas, preservando-o do erro e da perversão (Tt 1.9); (3) supervisionar a igreja como um pastor faz com o seu rebanho (At 20.28, onde "apascentar" é literalmente "pastorear"; Jo 21.16; Hb 13.17; 1 Pe 5.2). Os presbíteros eram (1) ordenados (grego, *cheirotoneo*, que pode também significar "criar ou designar por voto", ou "eleger, designar, criar", *Thayer*) pelos

ECLESIOLOGIA

apóstolos (At 14.23); ou (2) eram assim "ordenados" por homens designados pelos apóstolos (Tt 1.5); ou (3) eram tornados supervisores pelo Espírito Santo (At 20.28), uma expressão que não é explicada, a menos que essa explicação esteja na frase de Pedro (1 Pe 5.2), "pastoreai o rebanho de Deus"; nesse caso poderia significar que os presbíteros de Éfeso estavam evidentemente de posse do dom de governo (1 Co 12.28), e das qualificações posteriormente definidas nas epístolas a Timóteo e a Tito, que sem a designação apostólica eles "tomaram" a supervisão etc. Isto parece forçado como interpretação, e está aberto à objeção de que tal prática preenchesse o presbiterato com as pessoas tão inoportunas e presunçosas nas igrejas. Os diáconos pareciam ter estado preocupados com os ofícios de conforto e caridade, antes do que com aqueles de supervisão, e foram escolhidos pelo povo da igreja (At 6.1-6; 1 Tm 3.8-13). Deveria ser acrescentado que a designação para o ofício na Igreja Primitiva era com a imposição de mãos dos apóstolos (At 6.6; 13.3; 2 Tm 1.6) ou do corpo de presbíteros (1 Tm 4.14). Mas uma distinção de grande importância para o entendimento correto da igreja local do Novo Testamento é aquela entre o *ofício* e o *ministério*. O ofício era por designação, e o ministério, por dom do Espírito. Filipe, um dos sete primeiros diáconos da igreja em Jerusalém, é uma ilustração suficiente dessa distinção. Pelo *ofício*, ele era um diácono; pelo *dom*, um evangelista (At 6.5; 21.8). Sem dúvida, a designação para o ofício era, dependendo da espiritualidade das igrejas, o reconhecimento de dons espirituais e de graças nos homens designados, mas nada é mais extraordinário do que aquilo que acontecia no ministério das igrejas do Novo Testamento, que era absolutamente livre. Os dons ministeriais permanentes são enumerados em Efésios 4.11: "E ele deu uns como apóstolos, e outros como profetas, e outros como evangelistas, e outros como pastores e mestres". Deveria ser observado que esses homens, com dons concedidos pelo Espírito, como em 1 Coríntios 12, foram dados *à igreja*. Eles pertencem à totalidade da Igreja, "que é o seu corpo". Nenhum exemplo é encontrado sobre a ordenação de um profeta, ou de um evangelista, ou de um pastor e mestre em qualquer igreja local, embora igrejas locais tenham sido ministradas por eles (At 11.19-28), e freqüentemente por anos a fio. A imposição de mãos era para a comunicação de dom espiritual (1 Tm 4.14; 2 Tm 1.6), ou para separar a um ofício (At 6.6). Deveria ser observado também que, como o ministério era do Espírito Santo, e era livre, assim a disposição do lugar, tempo e método no serviço estava guardado sob a autoridade livre do Espírito Santo (At 13.1-4; 16.6-10). Resta acrescentar que o Novo Testamento nada diz de um sacerdócio além do sacerdócio de todos os crentes sob o Sumo Sacerdócio de Cristo; nada diz de um "clero" que forma um corpo distinto do "laicato"; nada diz de certos homens separados para batizar e administrar a ceia do Senhor, embora sem dúvida estivesse dentro da liberdade do Novo Testamento designar um ou mais para esses propósitos.[97]

506

II. Um Grupo de Igrejas Locais

Um número limitado de passagens do Novo Testamento se refere a igrejas locais (cf. At 9.31; 15.41; 16.5; Rm 16.4; 1 Co 11.16; 14.34; 16.1, 19; 2 Co 8.1, 18, 19, 23, 24; 12.13; Gl 1.2, 22; 1 Ts 2.14; Ap 1.4, 11, 20; 2.7, 11, 17, 23; 3.6, 13, 22; 22.16). Contudo, em passagem alguma há uma sugestão de que essas igrejas fossem federadas ou sob a autoridade de um supergoverno. Por outro lado, nada é dito contra a federação de igrejas, contanto que isto não impeça a liderança direta e imediata do Espírito Santo na igreja local. Essa liderança divina é uma realidade inestimável, se a igreja local deseja tirar dividendos disso; todavia, autoridades não-espirituais muito freqüentemente dominam a igreja local com a exclusão de toda a experiência em matéria da orientação do Espírito Santo. Com respeito aos detalhes na vida do crente sob a graça, estes são deixados para a condução do Espírito Santo (Gl 5.18), assim como os detalhes da vida da igreja local são acordados na mesma latitude graciosa.

III. A Igreja Visível sem Referência à Localidade

Esta distinção é apresentada pelo uso do Texto Sagrado; contudo, não mais do que uma referência passageira precisa ser feita aqui (cf. At 12.1; Rm 16.16; 1 Co 4.17; 7.17; 11.16; 14.33, 34; 15.9; 2 Co 11.28; 12.13; Gl 1.13; Fp 3.6; 2 Ts 1.4). Esta foi a igreja que Paulo perseguiu. Ela, também, é um tema de profecia (cf. 2 Ts 2.3; 1 Tm 4.1-3; 2 Tm 3.1-8; 4.3, 4; 2 Pe 2.1–3.18; Ap 2.1–3.22).

A REGRA DE VIDA DO CRENTE

CAPÍTULO VIII

Regras de Vida no Período do Antigo Testamento

SOB ESTA DIVISÃO DA ECLESIOLOGIA, é feita uma abordagem ao que geralmente é designado como o aspecto prático da verdade revelada. Isto abarca a totalidade do campo da conduta humana. A arte de viver uma vida diária que agrada a Deus é a coisa mais importante depois da salvação da alma; todavia, exceto alguns poucos teólogos que não podem ver algo adicional, além de impor o Decálogo sobre os crentes aperfeiçoados em Cristo, com a suposição de que aquele instrumento prescreve o dever total das pessoas em todas as épocas, esse grande conjunto de verdades reveladas, com todas as suas distinções óbvias, está ausente nas obras de Teologia Sistemática. O problema de viver para Deus não somente confronta o próprio pregador, mas é a questão principal nas vidas daqueles redimidos a quem ele ministra; contudo, até onde vai a instrução teológica, os ministros supostamente treinados assumem essa grande responsabilidade totalmente despreparados para uma de suas maiores exigências.

Tão certamente quanto a economia mosaica não deveria ser considerada como o sumo e a substância da responsabilidade humana, e exatamente como nenhuma outra regra de conduta deveria ser julgada como a representação da totalidade do campo da obrigação humana, que legitimamente faz parte da Teologia Sistemática. Por ser uma tentativa de estabelecer uma ordem em tudo o que é encontrado nas Escrituras, a Teologia Sistemática deveria atingir em seu estudo tudo o que foi obtido nas outras épocas e em todas elas – particularmente na era mosaica, agora passada, na era do reino ainda por vir, e na presente era. Visto que o homem é um ser moral designado para viver sua vida diante da infinidade do santo Criador, o problema da conduta humana correta tem permanecido o mais importante em todas as dispensações.

Começou no jardim do Éden, mesmo antes da queda, e foi intensificado além da medida pelo pecado do homem. Tão real é essa obrigação da conduta correta para todos os homens, que a maioria pode reconhecer pouca coisa e, assim, concluir que, por suas obras, eles podem permanecer ou cair diante de Deus. Permanecer numa conduta digna é o princípio para se atingir na vida familiar, escolar e cívica. Os bons são honrados e os maus, disciplinados. É natural, então, para um indivíduo, que desde a infância ficou sujeito a esses princípios de dignidade pessoal, concluir que a relação do homem com Deus é também meritória. À luz da realidade momentânea da responsabilidade moral, que sempre é ditada pela consciência e mantida pelos altos ideais, e à luz das exigências incessantes sobre a mente e vontade do homem em cada momento de sua vida diária, a Teologia Sistemática não pode oferecer uma desculpa válida para a sua falha em entrar plenamente na análise e exposição desse vasto conjunto de verdades.

Embora a santidade do Criador tenha sempre feito as suas exigências razoáveis sobre a criatura humana, tem havido situações e condições variadas que o estudante deve reconhecer. Nada é mais evidente no Texto Sagrado do que aquilo que as exigências que Jeová colocou a respeito da conduta de Israel, exigências que outras nações não tiveram. A lei mosaica não foi dada até que a história humana tivesse continuado pelo menos 2.500 anos (Rm 5.13; Gl 3.19). Está escrito: "Desceste sobre o monte Sinai, do céu falaste com eles, e lhes deste juízos retos e leis verdadeiras, bons estatutos e mandamentos; o seu santo sábado lhes fizeste conhecer; e lhes ordenaste mandamentos e estatutos e uma lei, por intermédio de teu servo Moisés" (Ne 9.13, 14); "Assim os tirei da terra do Egito, e os levei ao deserto. E dei-lhes os meus estatutos, e lhes mostrei as minhas ordenanças, pelas quais o homem viverá, se as cumprir. Demais, lhes dei também os meus sábados, para servirem de sinal entre mim e eles; a fim de que soubessem que eu sou o Senhor que os santifica" (Ez 20.10-12).

Semelhantemente, é evidente que o sistema mosaico foi substituído por um novo relacionamento que os crentes mantêm com Cristo e, através da graça, uma nova exigência e mais elevada foi estabelecida para a vida diária (Jo 1.16, 17; Rm 6.14; 7.2-6; 2 Co 3.1-18; Gl 3.19-25; Ef 2.15; Cl 2.14); e isto, por sua vez, ainda deve ser substituído por uma regra de vida do reino que, em si mesmo, é uma reversão ao princípio legal da era passada mosaica, e transcende num grau imensurável as exigências do sistema mosaico (Mt 5.19-48). Fica evidente que há diversas responsabilidades, tanto com respeito ao caráter quanto ao detalhe que a santidade de Deus deve requerer.

Das três dispensações mais importantes – a passada, a presente e a futura – a passada e a futura não apresentam grandes complicações; mas a presente é complexa, visto que a maneira peculiar de vida pertencente a ela não surge nos relacionamentos legais, mas, antes, na perfeita posição dos salvos, individualmente, em Cristo. O objetivo não é alcançar um lugar de aceitação com Deus, mas adornar a posição já alcançada pela fé em Cristo. Esta distinção apresenta princípios e motivos muito distantes um do outro, como o Oriente está distante do Ocidente ou a luz das trevas.

Igualmente, apenas uma dessas três economias divinas proporciona direta e propositalmente capacitação divina para toda a exigência que ela faz ao indivíduo; isto é, nenhuma menção é feita em duas dessas três economias a respeito de uma provisão de capacitação divina para o seu cumprimento. Contudo, na presente economia, tanto os padrões sobrenaturais de ação são anunciados quanto a capacitação completa pelo Espírito é proporcionada para o seu cumprimento.

Pouca referência tem sido feita nesta obra ao erro essencial da Teologia do Pacto. Pode ser mencionado, a esta altura, somente como ela trata da responsabilidade humana diante de Deus. Os termos teológicos, *Pacto das Obras* e *Pacto da Graça*, não ocorrem no Texto Sagrado. Se devem ser mantidos, eles o são à parte da autoridade bíblica. O que é conhecido como Teologia do Pacto tem a sua estrutura construída nestes dois pactos e é, ao menos, um reconhecimento – embora inadequado – da verdade de que a criatura tem responsabilidade para com o seu Criador. A Teologia do Pacto tem Cocceius (1603-1669) como o seu principal expoente. "Ele ensinou que, antes da queda, assim como após a ela, a relação entre Deus e o homem foi a de um pacto. O primeiro foi um 'Pacto de Obras'. Pois este foi substituído, após a queda, pelo 'Pacto da Graça', para cumprir o que a vinda de Jesus Cristo estabeleceria".[98]

Sobre essa invenção humana de dois pactos, a Teologia do Pacto foi basicamente edificada. Ela contempla a verdade empírica de que Deus pode perdoar pecadores somente por aquela liberdade que é assegurada pelo sacrifício de seu Filho – previsto na antiga ordem e realizado na nova – mas essa teologia falha totalmente em discernir os propósitos das dispensações; os variados relacionamentos de Deus com os judeus, gentios e a Igreja, com as obrigações humanas distintas e consistentes que surgem direta e inevitavelmente da natureza de cada relacionamento específico com Deus. Uma teologia que não penetra fundo na Escritura, para descobrir que em todas as dispensações Deus é imutável em sua graça para com os pecadores penitente, constrói a idéia de uma igreja universal, e continua por todas as épocas, sobre a única verdade da graça imutável, não somente desconsidera as vastas esferas da revelação, mas colhe a confusão inevitável e má orientação que a verdade parcial gera.

A produção da graça divina não é padronizada, embora a existência do pacto teológico insista nisso; e tão certo como os modos de Deus tratar os homens não são padronizados, da mesma maneira o campo total da obrigação humana correspondente na vida diária não acontece num molde do idealismo humano.

Estas insinuações introdutórias receberão um tratamento mais amplo nas páginas subseqüentes. Sem uma consideração extensa da responsabilidade humana nas épocas anteriores, este trabalho se concentrará nas quatro economias mais importantes e nas distinções a serem observadas entre elas.

I. A Economia Pré-mosaica

O período pré-mosaico, que se estende pelo menos 2.500 anos, foi assim dividido: (1) dispensação da inocência; (2) dispensação em que a consciência era o fator dominante com sua necessidade inerente de escolher entre o bem e o mal; (3) dispensação da obrigação do governo humano – três épocas que não somente se tornaram cumulativas, mas foram impostas sobre somente um grupo racial da humanidade; e (4) dispensação da promessa, na qual uma nova humanidade é apresentada com uma responsabilidade sobre si de permanecer num lugar de bênção. A presente consideração é mais abrangente, e preocupa-se com as obrigações morais e religiosas que foram divinamente exigidas dos homens no período total entre Adão e Moisés. Quaisquer que tenham sido as regras divinas existentes antes de Moisés, elas foram evidentemente preservadas em alta medida e a elas a lei mosaica foi "acrescentada" (Gl 3.19).

Este esquema de construir sobre aquilo que aconteceu antes, é exatamente o que *não* é feito na presente época, embora o sistema mosaico com todos os seus aspectos combinados seja perpetuado, com mudanças e adições apropriadas, na futura dispensação do reino vindouro (cf. Dt 30.8; Jr 31.31-33).

A revelação a respeito do governo divino, entre Adão e Moisés, fora daquilo que possa estar implícito na narrativa histórica, está restrita a três passagens da Escritura:

Gênesis 18.19: "Porque eu o tenho escolhido, a fim de que ele ordene a seus filhos e a sua casa depois dele, para que guardem o caminho do Senhor, para praticarem retidão e justiça; a fim de que o Senhor faça vir sobre Abraão o que a respeito dele tem falado".

Este texto sugere um entendimento da mente e da vontade de Deus. Fazer justiça e juízo em guardar "o caminho do Senhor" indica uma grande responsabilidade, que atinge cada departamento da vida humana. Fica evidente que houve alguma revelação a respeito do "caminho do Senhor".

Gênesis 26.5: "Porquanto Abraão obedeceu à minha voz, e guardou o meu mandado, os meus preceitos, os meus estatutos e as minhas leis".

Esta olhada para a fidelidade de Abraão revela ainda mais claramente em detalhe o entendimento que Abraão teve das exigências divinas, e diretamente revela que, quaisquer que essas exigências possam ter sido ou por mais que tenham sido reveladas aos homens, houve um conhecimento da voz de Deus, de Sua incumbência, dos Seus mandamentos, dos Seus estatutos, e das Suas leis. Esta lista de obrigações humanas não deveria ser confundida com o sistema mosaico que não foi anunciado senão 430 anos mais tarde (Êx 12.40, 41; Gl 3.17).

Romanos 5.13: "Porque antes da lei já estava o pecado no mundo, mas onde não há lei o pecado não é levado em conta"

A declaração é que não poderia haver uma transgressão da lei mosaica antes dessa lei ter sido instituída. Não há uma asserção aqui de que não havia exigências antes do sistema mosaico ter entrado em vigor. Na verdade, os homens eram considerados responsáveis por suas ações no período pré-mosaico, pois foi nessa época que o maior juízo divino, o qual o mundo já havia contemplado, aconteceu aos homens, por causa da falta de conformidade deles à justa vontade de Deus.

É provável que a autoridade divina sobre os homens antes de Moisés tenha sido da natureza da lei inerente, que exige um reconhecimento da parte do homem – conquanto revelada – da responsabilidade inerente que a criatura mantém diante de seu Criador. Que este é o universo de Deus, é uma verdade fundamental que não deve ser desprezada. O homem é a criatura vinda da mão de Deus, não um criador, nem é ele um rival potencial do Criador. Pelos direitos que são mais imparciais do que quaisquer outros poderiam ser, Deus deve exigir da criatura que ela preencha o lugar proposto por Ele na criação dela. A rebelião humana e a sua injustiça não satisfazem a intenção divina. O edito real: "Sede santos, porque eu sou santo" objetiva diretamente uma responsabilidade inerente e não um dever sob um código de ação publicado.

A obrigação inerente difere do sistema mosaico no sentido em que este último é reduzido a preceitos escritos e é um sistema que promete reconhecimento na forma de bênçãos, que de outra forma não estarão disponíveis para os que concordam com os seus termos, enquanto que a lei inerente é aquela com a qual a criatura está relacionada de um modo inseparável por criação, e torna-se essencial para a coisa específica que ela é. Ela está ligada a cada ser humano em toda dispensação. A ela o sistema mosaico foi "acrescentado", e, para o crente, ela tem tido a sua realização perfeita em Cristo, com cada necessidade que poderia ter sido imposta sobre ele.

II. A Economia Mosaica

Quando se mostrou nos capítulos I e III deste volume os aspectos essenciais de Israel em sua relação com Jeová, foi necessário algum estudo do sistema mosaico. Aquela discussão, entretanto, foi desenvolvida pelo esboçar das distinções entre dois povos, cada um deles representando um propósito divino. A presente consideração da lei mosaica deve colocar-se em contraste com as outras economias divinas, especialmente a da graça. A Lei, que veio por Moisés, é declarada ser um tratamento provisório que realizou o seu propósito durante o intervalo de 1.500 anos, que vai desde a sua promulgação até a morte de Cristo. O seu propósito é definido como o de um παιδαγωγός – um mestre de crianças – para conduzir a Cristo (Gl 3.24). O serviço imediato da lei de Moisés era proporcionar ao povo redimido, que estava sob os pactos, uma divina instrução para a sua vida civil, religiosa e moral.

Duas verdades são de importância fundamental, a saber: (1) que a lei mosaica nunca foi dirigida aos gentios, exceto aqueles que se tornaram israelitas como prosélitos; e (2) que a lei de Moisés não serviu para instituir as relações corretas entre um israelita e Deus. A lei era a instrução para o povo com relação à vontade de Deus para os que eram eleitos, redimidos, que estavam sob os pactos e, basicamente, em relação correta com Deus. No caso de falha em cumprir a lei, os sacrifícios eram aceitos como um meio de restauração. Como o cristão pode ser perdoado e purificado com base na confissão de seu pecado a Deus (1 Jo 1.9), assim os israelitas, tanto individual quanto nacionalmente, eram restaurados pelos sacrifícios. Não se pode enfatizar demasiadamente o

A ECONOMIA MOSAICA

fato de que um israelita era fisicamente nascido numa raça eleita, numa nação redimida, e que se tornava herdeiro dos pactos eternos.

Conquanto um israelita fosse iniciado por seu nascimento físico em todos os privilégios do povo escolhido, havia na lei um elemento de mérito por causa das bênçãos que acompanham pela condescendência e pelos julgamentos por falha. Este aspecto de mérito está registrado em toda a Escritura, onde quer que a lei apareça, mas em nenhum lugar mais drasticamente, além do que Moisés fez em suas últimas palavras a Israel, registradas em Deuteronômio 28.1-68. Os primeiros catorze versículos dessa extensa passagem anunciam a bênção que seria deles, por cumprirem "todos os seus mandamentos", e no restante do contexto – versículos 15 a 68 – há uma declaração absoluta sobre as maldições e juízos que vêm sobre aqueles que falham em cumprir "todos os seus mandamentos". Todavia, de importância muito maior do que as bênçãos ou maldições imediatas, está a revelação de que os privilégios futuros no reino do pacto tornaram-se condicionais à fidelidade deles ao sistema mosaico.

Foi predito por Moisés que toda a nação apostataria (Dt 4.26-28); mas esta apostasia, embora suficiente no seu próprio tempo, não envolveu outras gerações de israelitas que se ajustaram na obediência à vontade de Jeová. Entretanto, o futuro reserva para a totalidade de Israel um julgamento, como uma vez o sofreram aqueles que viveram em época passada. Os textos da Escritura que tratam deste assunto deveriam ser considerados com atenção incomum (cf. Ez 20.33, 44; Ml 3.1-6; Mt 24.37–25.30). Este julgamento condiciona aquela forma de vida que deve ser recebida no reinado do Messias (Dn 12.2; Mt 7.13, 14; Lc 10.25-28; 18.18-21). Isto é verdade na totaldiade de qualquer lei de que aquele que consente com ela seja justificado à vista dela (Rm 2.13); mas essa forma de justificação, que é assegurada com base numa perfeita justiça, estando em Cristo, não pode ser ganha por quaisquer que sejam as obras (cf. At 13.39; Rm 3.20, 28; 4.5; Gl 2.16; 3.11).

A natureza precisa da salvação, que deve ser concedida aos israelitas, quando entrarem no reino, após terem sido rejeitados e estarem sob o julgamento divino, está descrita em Romanos 11.26, 27: "...e assim todo Israel será salvo, como está escrito: Virá de Sião o Libertador, e desviará de Jacó as impiedades; e este será o meu pacto com eles, quando eu tirar os seus pecados".

A palavra *lei*, como é usada na Bíblia, nem sempre se refere ao sistema mosaico ou a parte dele. Pode ser observado (1) que o Decálogo é a lei (cf. Lc 10.25-28; Rm 7 7-14); (2) que o código total de governo para Israel registrado em Êxodo é a lei; (3) que a regra de vida ainda a ser aplicada ao vindouro reino messiânico é a lei; (4) que qualquer regra de conduta prescrita pelos homens é lei (1 Tm 1.8, 9; 2 Tm 2.5; cf. Mt 20.15; Lc 20.22); (5) que qualquer princípio de ação reconhecido é uma lei e algumas vezes equivalente ao poder (Rm 8.2; 7.21); (6) que a totalidade da vontade de Deus, que atinge cada detalhe da vida de um crente, é a lei de Deus (Rm 7.22; 8.4); e (7) que a vontade Cristo para o crente é "a lei de Cristo" (cf. Jo 13.34; 15.10; 1 Co 9.21; Gl 6.2).

ECLESIOLOGIA

A economia mosaica, que era um sistema completo em si mesmo e não exigia acréscimos com o fim de que pudesse apresentar a totalidade da vontade de Deus para um israelita ou toda a nação, é composta de três partes, a saber: (1) os mandamentos, que regulavam as questões morais (Êx 20.1-17); (2) os juízos, que regulavam as questões civis (Êx 21.1–24.11); e (3) as ordenanças, que regulavam as questões religiosas (Êx 24.12–31.18). É óbvio que ambos, os juízos e as ordenanças, cessaram com o término da era judaica. Contudo, há entendimentos errôneos a respeito do Decálogo que exigem explicação. Dois aspectos da verdade a respeito do sistema mosaico, e mais especificamente com respeito ao Decálogo, devem ser enfatizados, que são (1) a relação que a lei mosaica manteve com o tempo da sua vigência e (2) a aplicação do sistema mosaico.

1. A RELAÇÃO DA LEI MOSAICA MANTIDA ATÉ O TEMPO DO REINADO. As Escrituras ensinam que a lei entregue a Moisés, que era um pacto de obras, foi transmitida por Deus ao homem num tempo específico. A raça humana havia andado perante Deus na terra por mais de 2.500 anos, antes da imposição da lei de Moisés. Assim, havia sido demonstrado que Deus é capaz de tratar com os homens na terra, sem referência à lei de Moisés. A pergunta pertinente: "Para que, então, serve a lei?" é tanto proposta quanto respondida pelas Escrituras (Gl 3.19). Em continuação, é dito que a lei "foi acrescentada por causa das transgressões". Isto é, ela foi "acrescentada", para dar ao pecado o caráter acentuado da transgressão. O pecado sempre foi mau em si mesmo à vista de Deus; mas ele se tornou *desobediência* após os santos mandamentos terem sido revelados. O fato de a natureza ser pecaminosa não é mudado pela introdução da lei; foi o caráter do delito pessoal que foi mudado.

Foi mudado a partir do pecado que não é imputado onde não há lei, para o pecado que é rebelião contra o mandamento de Deus, e que deve colher toda a punição que acompanha a lei violada. Israel, a quem os mandamentos foram dados, por ser um povo escolhido, exaltado, pela imposição da lei, tornou-se mais responsável perante Deus, mas os israelitas não foram totalmente capazes de guardar a lei. A doação da lei a Israel não resultou num povo obediente; antes, provou a total pecaminosidade e desesperança dele. A lei se tornou um ministro de condenação a todos os que falharam em cumprir a lei. O doar da lei também não inclinou o povo a uma melhora do coração, ou a um retardamento do poder do pecado; ela provocou esse povo ao pecado. Como diz o apóstolo: "Mas o pecado, tomando ocasião pelo mandamento, operou em mim toda espécie de concupiscência" (Rm 7.8).

Não pode haver dúvida alguma a respeito do caráter justo da lei, pois está escrito: "De modo que a lei é santa, e o mandamento santo, justo e bom. Logo o bom tornou-se morte para mim? De modo nenhum; mas o pecado, para que se mostrasse pecado, operou em mim a morte por meio do bem; a fim de que pelo mandamento o pecado se manifestasse excessivamente maligno" (Rm 7.12, 13). Assim, o propósito de dar a lei está afirmado: para que "o pecado se manifestasse excessivamente maligno".

À parte do homem Cristo Jesus, havia uma falha universal no guardar da lei. Isto não é o mesmo que dizer que a lei era imperfeita em si mesma. A falha universal em guardar a lei é a revelação da debilidade do homem sob o poder do "pecado na carne". Duas passagens dão evidência relativa da falha da lei através da fraqueza da carne à qual é feito o apelo: "Porquanto o que era impossível à lei, visto que se achava fraca pela carne" (Rm 8.3); e "agora, porém, que já conheceis a Deus, ou, melhor, sendo conhecidos por Deus, como tornais outra vez a esses rudimentos fracos e pobres, aos quais de novo quereis servir?" (Gl 4.9). O apelo é forte: Por que, após ter vindo ao conhecimento do poder de Deus, através do Espírito, vocês voltam a um relacionamento com Deus que, como um meio de vitória e bênçãos sempre foi, e sempre será, "fraco" e "pobre"?

A lei nunca foi dada como um meio de salvação ou justificação, "porquanto pelas obras da lei nenhum homem será justificado diante dele; pois o que vem pela lei é o pleno conhecimento do pecado" (Rm 3.20; cf. Gl 3.11, 24). Embora dada como uma regra de conduta para Israel na terra, ela, por causa do fracasso universal de sua observância, tornou-se uma maldição (Gl 3.10), condenação (2 Co 3.9) e morte (Rm 7.10, 11). A lei foi efetiva somente quando conduziu o transgressor a Cristo. Ele se tornou um meio de levar o povo de volta para Deus por Sua misericórdia e esta é proporcionada, por causa de Cristo. A lei era um "mestre-escola" ($\pi\alpha\iota\delta\alpha\gamma\omega\gamma\acute{o}\varsigma$), ou um mestre de crianças, para trazer o ofensor a Cristo. Isto era realizado imediatamente, no momento da oferta de sacrifícios que eram oferecidos, e eram um tipo de Cristo em sua morte; porém, mais plenamente foi isto cumprido, quando a dispensação em si chegou ao seu final na morte de Cristo. "...(pois a lei nenhuma coisa aperfeiçoou), e desta sorte é introduzida uma melhor esperança, pela qual nos aproximamos de Deus" e "porque a lei tem a sombra dos bens futuros" (Hb 7.19; 10.1). A vigência da lei é limitada a um período de cerca de 1.500 anos, ou do Sinai ao Calvário – de Moisés a Cristo. Estes limites são fixados, sem sombra de dúvida, na Palavra de Deus.

A. A LEI COMEÇOU SUA VIGÊNCIA NO MONTE SINAI. A lei nunca foi imposta sobre uma pessoa ou geração, antes de ter sido dada a Israel pela mão de Moisés. "Chamou, pois, Moisés a todo o Israel, e disse-lhes: Ouve, ó Israel, os estatutos e preceitos que hoje vos falo aos ouvidos, para que os aprendais e cuideis em os cumprir. O Senhor nosso Deus fez um pacto conosco em Horebe. Não com nossos pais fez o Senhor esse pacto, mas conosco, sim, com todos nós que hoje estamos aqui vivos" (Dt 5.1-3). Quando a lei foi proposta, os filhos de Israel deliberadamente abandonaram a sua posição sob a graça de Deus que havia sido o relacionamento entre eles até aquele dia, e colocaram-se a si mesmos sob a Lei. O registro dado é este: "Então subiu Moisés a Deus, e do monte o Senhor o chamou, dizendo: Assim falarás à casa de Jacó, e anunciarás aos filhos de Israel: Vós tendes visto o que fiz aos egípcios, como vos levei sobre asas de águias, e vos trouxe a mim. Agora, pois, se atentamente ouvirdes a minha voz e guardardes o meu pacto, então sereis a minha possessão peculiar dentre todos os povos, porque minha é toda a terra; e vós sereis para mim reino sacerdotal e nação santa. São estas as palavras que falarás aos filhos de Israel. Veio, pois, Moisés e, tendo convocado os anciãos do povo, expôs diante

ECLESIOLOGIA

deles todas estas palavras, que o Senhor lhe tinha ordenado. Ao que todo o povo respondeu a uma voz: Tudo o que o Senhor tem falado, faremos. E relatou Moisés ao Senhor as palavras do povo" (Êx 19.3-8).

Conquanto seja certo que Jeová sabia da escolha que o povo faria, é igualmente certo que a escolha deles não era de algum modo *exigida* por Ele. A descrição que o Senhor faz da relação que mantinham com Ele até àquele momento, é de ternura e súplica: "Vós tendes visto o que fiz aos egípcios, como vos levei sobre asas de águias, e vos trouxe a mim". Este é o caráter de pura graça. Por ela o pecador é levado nas asas da águia e trazido para Deus. Tudo vem de Deus. Até àquela hora eles haviam sido sustentados pela fidelidade de Jeová, e a despeito da impiedade deles; o Seu plano e propósito para eles havia permanecido imutável. Ele havia tratado com eles de acordo com o pacto incondicional da graça feito com Abraão. A maravilhosa bem-aventurança daquele relacionamento da graça deveria ter apelado para eles como as riquezas inestimáveis da misericórdia infalível de Deus, que ali estava.

A rendição das bênçãos da graça deveria ter sido permitida para essas pessoas sem qualquer condição. Tivessem eles dito quando ouviram daquela lei impossível: "Nenhuma dessas coisas podemos fazer. Nós anelamos somente permanecer na misericórdia ilimitada de Deus, que nos amou, e nos buscou, e nos salvou de nossos inimigos, e que nos trará para Si mesmo", é evidente que tal apelo teria alcançado o coração de Deus. E a glória insuperável e sua graça lhes teria sido estendida ilimitadamente; porque a graça acima de tudo mais é o deleite do coração de Deus. Em lugar das asas da águia pelas quais eles eram conduzidos a Deus, eles confiantemente escolheram um pacto de obras quando disseram: "Tudo o que o Senhor tem falado, faremos". Eles foram confrontados com uma escolha concreta entre a misericórdia de Deus, que os tinha acompanhado, e um novo e impotente pacto de obras. Eles caíram da graça. A experiência da nação é verdadeira para cada indivíduo que cai da graça no presente tempo.

Toda bênção de Deus que sempre foi experimentada veio somente da misericórdia amorosa de Deus; todavia, com a mesma explosão de autoconfiança, as pessoas voltaram a depender de suas obras. É muito mais razoável e honra muito mais a Deus ficar no abandono em seus braços eternos e reconhecer que a confiança é em Sua graça somente.

Sobre uma escolha determinada da lei, a montanha onde Deus se revelou tornou-se um espetáculo terrível, a ponto das pessoas não poderem se aproximar dela, por causa do caráter santo de Deus. "Nisto todo o monte Sinai fumegava, porque o Senhor descera sobre ele em fogo; e a fumaça subiu como a fumaça de uma fornalha, e todo o monte tremia fortemente... Então disse o Senhor a Moisés: Desce, adverte ao povo, para não suceder que traspasse os limites até o Senhor, a fim de ver, e muitos deles pereçam" (Êx 19.18-21). Deus, que os havia trazido para Si mesmo sob as bênçãos incondicionais de Sua graça, adverte-os, para que não mais se aproximem por si mesmos do Senhor e pereçam. Que a montanha fumegante era um sinal da impossibilidade de se aproximar de Deus sob o novo pacto de obras, está novamente declarado em Hebreus 12.18-21.

Ao falar ali também da glória e liberdade da graça, é dito: "Pois não tendes chegado ao monte palpável, aceso em fogo, e à escuridão, e às trevas, e à tempestade, e ao sonido da trombeta, e à voz das palavras, a qual os que a ouviram rogaram que não se lhes falasse mais; porque não podiam suportar o que se lhes mandava: se até um animal tocar o monte, será apedrejado. E tão terrível era a visão, que Moisés disse: Estou todo aterrorizado e trêmulo. Mas tendes chegado ao monte Sião, e à cidade do Deus vivo, à Jerusalém celestial, a miríades de anjos; à universal assembléia e igreja dos primogênitos inscritos nos céus, e a Deus, o juiz de todos, e aos espíritos dos justos aperfeiçoados; e a Jesus, o mediador de um novo pacto, e ao sangue da aspersão, que fala melhor do que o de Abel" (Hb 12.18-24).

Por esta passagem, o grande contraste entre o relacionamento com Deus sob o pacto da lei das obras e o relacionamento com Deus sob a graça, é visto claramente. Sob as obras deles, Israel não podia vir a Deus, para que não morresse, mas sob a graça, eles eram carregados nas asas da águia para junto de Deus; e assim, sob a graça, todos vinham a Deus, e a Jesus, e às benditas associações e glórias do próprio céu.

Os filhos de Israel definitivamente escolheram o pacto de obras, que é a lei, como o relacionamento deles com Deus. De igual modo, todo indivíduo que está agora sob a lei, coloca-se a si mesmo, e essa lei sob a qual ele se coloca é auto-imposta. Em cada caso tal relacionamento está à pura graça independentemente de tal apelo. Se as mentes legalistas tivessem de entender e os corações houvessem de sentir, eles perceberiam que não há acesso a Deus por um pacto de obras e de mérito. Para aqueles que procuram vir a Ele pela lei, Deus é inabordável como o flamejante Sinai.

B. A Vigência da Lei Terminou com a Morte de Cristo. A veracidade da afirmação de que a vigência da lei terminou com a morte de Cristo, deve ser determinada pela Palavra de Deus, antes que pelas tradições e suposições dos homens. A lei, quando foi concedida, era somente uma coisa temporária, provisória, "até que viesse o descendente" (Gl 3.19), e o "descendente" é Cristo (3.16). Esta passagem conclusiva (vv. 22-25) continua: "Mas a Escritura encerrou tudo debaixo do pecado, para que a promessa pela fé em Jesus Cristo fosse dada aos que crêem. Mas, antes que viesse a fé, estávamos guardados debaixo da lei, encerrados para aquela fé que se havia de revelar". A distinção entre judeus e gentios é derrubada, e *todos* estão encerrados debaixo do pecado. Em Cristo, é providenciado e em Cristo é oferecido um novo acesso e um novo relacionamento com Deus.

É através de Cristo e *em Cristo*. Tudo se consegue pelo princípio da fé somente. Cristo é o objeto da fé. Não é menos do que a "promessa pela fé em Jesus Cristo", e é dada aos que crêem. Assim, o novo pacto da graça através da fé em Cristo é posto em contraste com o velho pacto das obras. A passagem continua a dizer: "Mas, antes que viesse a fé [o novo princípio da graça], [Paulo fala aqui como um judeu de seu próprio tempo] estávamos guardados debaixo da lei, encerrados para aquela fé que se havia de revelar-se. De modo que a lei se tornou nosso aio [mestre de crianças], para nos conduzir a Cristo, a fim de que pela fé fôssemos justificados. Mas, depois que veio a fé, já não estamos debaixo do aio" (a lei).

ECLESIOLOGIA

Como um padrão de vida santa, a lei apresentava a qualidade de vida exata que era apropriada a um povo escolhido de Deus e redimido da escravidão do Egito. Na cruz, uma nova e perfeita redenção do pecado foi realizada para os judeus e gentios igualmente. A redenção do Egito foi um tipo de redenção do pecado. Como a redenção do Egito criou uma exigência de uma vida santa correspondente, assim a redenção do pecado cria uma exigência de um andar celestial correspondente para com Deus. Um é adaptado às limitações do homem natural; o outro é adaptado aos recursos infinitos do homem espiritual. Um é o ensino da lei; o outro é o ensino da graça.

2. A APLICAÇÃO DA LEI. A lei foi dada somente aos filhos de Israel. Esta afirmação não permite discussão quando as Escrituras são levadas em conta. Umas poucas passagens das muitas que nos são dadas, dizem: "Ouve, ó Israel, o Senhor nosso Deus é o único Senhor. Amarás, pois, ao Senhor teu Deus de todo o teu coração" (Mc 12.29, 30); "E que grande nação há que tenha estatutos e preceitos tão justos como toda esta lei que hoje ponho perante vós?" (Dt 4.8); "Chamou, pois, Moisés a todo o Israel, e disse-lhes: Ouve, ó Israel, os estatutos e preceitos que hoje vos falo aos ouvidos, para que os aprendais e cuideis em os cumprir. O Senhor nosso Deus fez um pacto conosco em Horebe. Não com nossos pais fez o Senhor esse pacto, mas conosco, sim, com todos nós que hoje estamos aqui vivos" (Dt 5.1-3).

A mensagem dada no monte foi aquele grande pacto de obras da lei contido nos Dez Mandamentos, que está aqui incluído nos "estatutos e juízos" (Êx 19.5). Este pacto nunca foi feito com qualquer outra nação ou povo; porque Deus não fez pacto algum com outros povos além de Israel. "O Senhor me deu as duas tábuas de pedra, as tábuas do pacto" (Dt 9.11). Ao falar dos pactos em relação a Israel, Paulo afirma: "...os quais são israelitas, de quem é a adoção, e a glória, e os pactos, e a promulgação da lei, e o culto, e as promessas; e de quem são os patriarcas; e de quem descende o Cristo segundo a carne, o qual é sobre todas as coisas, Deus bendito eternamente. Amém" (Rm 9.4, 5). Ao falar dos gentios, Paulo diz: "Portanto, lembrai-vos que outrora vós, gentios na carne, chamados incircuncisos pelos que na carne se chamam circuncisão, feita pela mão de homens, estáveis naquele tempo sem Cristo, separados da comunidade de Israel, e estranhos aos pactos da promessa, não tendo esperança, e sem Deus no mundo" (Ef 2.11, 12).

Está expressamente declarado que os gentios não têm lei: "...(porque, quando os gentios, que não têm lei, fazem por natureza as coisas da lei, eles, embora não tendo lei, para si mesmos são lei" (Rm 2.14). Em harmonia com isto, Pôncio Pilatos, um governador gentio, negou qualquer responsabilidade com relação à lei de Israel: "Disse-lhes, então, Pilatos: Tomai-o vós, e julgai-o segundo a vossa lei" (Jo 18.31).

Pode ser concluído, então, que a lei, dada por Moisés, era um pacto de obras, que foi "acrescentado" após séculos da história humana; que a sua vigência terminou na morte de Cristo; que foi dada a Israel somente; e que, visto que ela nunca foi dada aos gentios, a única relação que os gentios mantinham com ela é, sem qualquer autoridade divina, impô-la sobre si mesmos. Provas adicionais desses fatos concernentes à lei ainda vão ser apresentadas.

CAPÍTULO IX

A Economia do Reino Futuro

COM APARENTE DESCONSIDERAÇÃO pelo vasto corpo de verdades que tratam da era futura do reino, alguns, que escrevem sobre a doutrina bíblica, têm falhado em ver o fato e a importância dessa dispensação. Tem sido suposto que os aspectos do futuro reino constituem uma fase da bênção guardada para a Igreja visível, quando ela tiver realizado a conversão do mundo. Em oposição a este idealismo, está o fato que se conforma à Palavra de Deus, de que o programa do mundo determinado por Deus é consumado na era vindoura, por ser a presente era uma intercalação – um período que está totalmente desconectado com o que vem antes e o que vem depois. A história da terra é retomada no final desta era, exatamente onde ela foi deixada, no cumprimento da expectativa do Antigo Testamento, o reino que estava "próximo" pela vinda do Messias a Israel, e os pactos e a glória terrena daquele povo ficaram suspensos.

Mesmo a tribulação que deve preceder a vinda do Rei (cf. Mt 24.29, 30) está na seqüência da realização dos 490 anos de Daniel, ou a profecia das setenta semanas, 483 anos, ou 69 semanas, que foram completadas com a morte de Cristo. O sistema de lei não é introduzido novamente no começo da dispensação do reino; ele é continuado com certas adições diretamente do sistema mosaico sem nenhuma referência à dispensação da intercalação ou às contribuições dela. O fato de toda a previsão que o Antigo Testamento faz da vinda do Messias poderia misturar, como sempre o faz, ambos os eventos em um só quadro (cf. Is 61.1-3; Ml 3.1-6), e que mesmo Gabriel, quando se dirigiu a Maria com relação ao nascimento e missão de Cristo, não deu sugestão alguma de que haveria um tempo de intervalo entre os aspectos que pertencem ao primeiro advento e os que pertencem ao segundo advento (Lc 1.31-33), e isso demonstra a verdade de que o segundo advento é uma continuação direta e ininterrupta daquilo que, com respeito ao programa terrestre, foi cumprido no primeiro advento.

Nesse ponto, a palavra de Pedro em relação à experiência dos profetas do Antigo Testamento é iluminadora. Ele fala assim da incapacidade que tinham de discernir o elemento tempo do período interveniente entre os sofrimentos de Cristo (seu primeiro advento) e a glória que se seguiria (seu segundo advento): "Desta salvação inquiriram e indagaram diligentemente os profetas que profetizaram da graça que para vós era destinada, indagando qual o tempo ou qual a ocasião que o Espírito de Cristo que estava neles indicava, ao predizer os sofrimentos que a Cristo haviam de vir, e a glória que se lhes havia de seguir" (1 Pe 1.10, 11).

Em vista do entendimento errôneo que prevalece em relação ao caráter isolado e desconectado da presente dispensação, a mais forte ênfase é exigida da verdade. Nenhum intérprete do Texto Sagrado presume que esta seja uma questão de menor importância. Sobre ela está dependurado o entendimento correto da "lei e dos profetas", assim como uma compreensão elevada da natureza exata do propósito divino para essa presente dispensação. O pós-milenismo, o amilenismo e o pós-tribulacionismo, e todos os outros sistemas do programa para o mundo que não são escriturísticos, estão diretamente relacionados a esse colossal e grave erro. Termos mais moderados poderiam ser empregados a respeito de uma falácia doutrinária que deixa menos destruição e menos desastre em seu caminho.

Àqueles que têm abraçado essas distorções da verdade se lhes apela para que enfrentem o fato de que a história do Antigo Testamento se dirige diretamente para a dispensação do reino sem o mais ligeiro reconhecimento da presente dispensação ou seu propósito, e que a presente dispensação é, portanto, totalmente dissociada do programa do Antigo Testamento e nada contribui para ele. Deveria também ser reconhecido que todos os textos da Escritura do Antigo Testamento, que declaram qualquer coisa a respeito dos eventos futuros – e estão nos lábios dos profetas do Antigo Testamento – exigem, nessa dispensação, mas que se dê o seu cumprimento no reino vindouro. Uma mistura e reconhecimentos parciais desta distinção doutrinária, aqui demonstrada, tende à dissolução, mesmo que pequena, da terrível confusão que existe.

Este tema introdutório total, com a intenção de preparar o caminho para a simples afirmação de que a Bíblia apresenta uma regra de vida, que é completa em si mesma, adaptada e peculiar à era do reino, pertence à Escatologia e, todavia, receberá um tratamento mais ordenado nos Capítulos XIII–XXVII deste volume. Contudo, a presente discussão deve continuar em alguma medida para que o caráter da economia do reino possa ser discernido.

O reconhecimento devido do caráter essencial de cada uma das três dispensações cruciais é a chave para o entendimento da maneira exata da regra divina em cada época. A regra de Deus em cada caso é adaptada às condições que atinge. Visto que as características respectivas das dispensações são amplamente diferentes, a maneira da regra divina é correspondentemente diferente. A prática de confundir essas três dispensações com relação às características e o modo da regra divina em cada uma é comum, e é, sem dúvida, o maior erro no qual os dedicados intérpretes da Bíblia incorrem. Talvez seja mais fácil confundir a presente dispensação com aquela que imediatamente a precede, ou com aquela que imediatamente a segue, do que confundi-la com as condições que são mais remotas, embora não precise haver confusão alguma dessas que aconteça imediatamente, mas períodos de tempo nitidamente separados, pois eles são divididos pelos eventos que transformam a dispensação.

A dispensação da lei está separada da presente dispensação da graça pela morte de Cristo, quando Ele suportou a maldição da lei e terminou a obra pela qual o homem pode permanecer justificado pela lei de Moisés; igualmente, pela ressurreição de Cristo; pelo advento do Espírito, e pela dispersão de Israel. A dispensação da graça está separada da dispensação do reino pela segunda vinda de Cristo à terra – o tempo quando Ele volta para remover a Igreja, reinar, amarrar Satanás, juntar Israel, acabar com os governos humanos, retirar a maldição da criação, e trazer justiça e paz, a fim de cobrir a terra como as águas revestem a face do abismo. O governo divino não poderia permanecer o mesmo na terra, após a transformação do mundo, após as vitórias espirituais da cruz, como nunca aconteceu debaixo da lei de Moisés.

Igualmente, o governo divino não pode permanecer o mesmo na terra após as vitórias temporais de transformação do mundo na segunda vinda, como tem sido sob a vigência da graça. Tudo isto é razoável, mas o que é muito mais estimulante e instigante, é exatamente o que está revelado por Deus na sua Palavra. Então, há três sistemas separados e distintos do governo divino revelados nas Escrituras, correspondentes a três dispensações distintas a serem governadas.

Os ensinos do reino serão encontrados naqueles salmos e profecias do Antigo Testamento que antecipam o reino do Messias na terra, e nas porções relacionadas ao reino nos evangelhos. Esses ensinos encontrados no Antigo e no Novo Testamento são puramente legais em essência, tanto pelo seu caráter inerente quanto pela declaração explícita da Palavra de Deus. As exigências legais dos ensinos do reino são grandemente desenvolvidas, na severidade e nos detalhes, além das exigências da lei de Moisés. Embora tenha incorporado muita coisa do sistema mosaico, o ensino do reino é um sistema completo e perfeito em si mesmo. Além disso, esta intensificação das exigências legais na revelação do reino não traz para mais perto os ensinos da lei de Moisés do coração dos ensinos da graça. Ao contrário, ele os remove ainda para mais longe, na direção oposta, visto que os ensinos do reino aumentam o fardo das obras de mérito em relação àqueles que foram exigidos pela lei de Moisés. Na lei do reino, a ira é condenada na mesma conexão onde somente o assassinato havia sido proibido na lei de Moisés, e o olhar impuro é condenado, onde somente o adultério havia sido previamente proibido.

As Escrituras do Antigo Testamento sobre o reino se ocupam basicamente com o caráter e a glória do reino do Messias, com as promessas de Israel, de restauração e glória terrestre, com a bênção universal aos gentios, e com a libertação da própria criação. Há pouca coisa revelada no Antigo Testamento a respeito da responsabilidade do indivíduo no reino; ela é antes uma mensagem para a nação como um todo. Evidentemente, os detalhes concernentes à responsabilidade individual foram, na mente do Espírito, reservadas para o ensino pessoal do Rei, no tempo em que o reino estivesse "próximo". Com relação ao Rei do reino, duas revelações importantes são feitas nas porções do reino registradas no Antigo Testamento: (1) Seu governo será um reino rígido de justiça que se iniciará a partir de Jerusalém com o imediato julgamento do pecador (Is 2.1-4; 11.1-5); e (2) de acordo com o novo pacto que Ele fará com Seu povo, e colocará suas leis nas mentes deles, e lhas escreverá nos seus corações (Jr 31.31-40; Hb 8.7-12).

O registro da lei nos corações deles é uma assistência divina para a observância daquela lei, cuja capacitação não foi de modo algum proporcionada sob a vigência da lei de Moisés. Contudo, a lei inscrita no coração, como acontecerá no reino, não deve ser comparada com o poder do Espírito que habita, a qual é a presente capacitação divina proporcionada para o crente sob a graça. Debaixo do novo pacto, Deus afastará o pecado da nação para sempre. Está revelado, que Ele está livre para fazer isso através do sangue de seu Filho que, como Cordeiro de Deus, tirou o pecado do mundo (Mt 13.44; Rm 11.26, 27).

As grandes palavras sob o sistema mosaico são "lei" e "obediência", e as grandes palavras na presente dispensação são "crer" e "graça", enquanto que as grandes palavras no reino são "justiça" e "paz". Os seguintes textos estão contidos na Escritura do Antigo Testamento sobre o reino:

Isaías 2.1-4: "A visão que teve Isaías, filho de Amoz a respeito de Judá e de Jerusalém. Acontecerá nos últimos dias que se firmará o monte da casa do Senhor, será estabelecido como o mais alto dos montes e se elevará por cima dos outeiros; e concorrerão a ele todas as nações. Irão muitos povos, e dirão: Vinde, e subamos ao monte do Senhor, à casa do Deus de Jacó, para que nos ensine os seus caminhos, e andemos nas suas veredas; porque de Sião sairá a lei, e de Jerusalém a palavra do Senhor. E ele julgará entre as nações, e repreenderá muitos povos; e estes converterão as suas espadas em relhas de arado, e as suas lanças em foices; uma nação não levantará espada contra outra nação, nem aprenderão mais a guerra".

Isaías 11.1-5: "Então brotará um rebento do tronco de Jessé, e das suas raízes um renovo frutificará. E repousará sobre ele o Espírito do Senhor, o espírito de sabedoria e de entendimento, o espírito de conselho e de fortaleza, o espírito de conhecimento e de temor do Senhor. E deleitar-se-á no temor do Senhor; e não julgará segundo a vista dos seus olhos, nem decidirá segundo o ouvir dos seus ouvidos; mas julgará com justiça os pobres, e decidirá com eqüidade em defesa dos mansos da terra; e ferirá a terra com a vara de sua boca, e com o sopro dos seus lábios matará o ímpio. A justiça será o cinto dos seus lombos, e a fidelidade o cinto dos seus rins".

Jeremias 23.3-8: "E eu mesmo recolherei o resto das minhas ovelhas de todas as terras para onde as tiver afugentado, e as farei voltar aos seus apriscos; e frutificarão, e se multiplicarão. E levantarei sobre elas pastores que as apascentem, e nunca mais temerão, nem se assombrarão, e nem uma delas faltará, diz o Senhor. Eis que vêm dias, diz o Senhor, em que levantarei a Davi um Renovo Justo; e, sendo rei, reinará e procederá sabiamente, executando o juízo e a justiça na terra. Nos seus dias Judá será salvo, e Israel habitará seguro; e este é o nome de que será chamado: O SENHOR JUSTIÇA NOSSA. Portanto, eis

A Economia do Reino Futuro

que vêm dias, diz o Senhor, em que nunca mais dirão: Vive o Senhor, que tirou os filhos de Israel da terra do Egito; mas: Vive o Senhor, que tirou e que trouxe a linhagem da casa de Israel da terra do norte, e de todas as terras para onde os tinha arrojado; e eles habitarão na sua terra".

Oséias 3.4, 5: "Pois os filhos de Israel ficarão por muitos dias sem rei, sem príncipe, sem sacrifício, sem coluna, e sem éfode ou terafins. Depois tornarão os filhos de Israel, e buscarão ao Senhor, seu Deus, e a Davi, seu rei; e com temor chegarão nos últimos dias ao Senhor, e à sua bondade" (cf. Sl 72.1-20; Is 4.2-6; 9.6, 7; 14.1-8; 35.1-10; 52.1-12; 59.20–60.22; 62.1-12; 66.1-24; Jr 31.36, 37; 33.1-26; Jl 3.17-21; Am 9.11-15; Sf 3.14-20; Zc 14.16-21).

Voltando aos textos do Novo Testamento, que tratam do reino, é importante primeiro considerar novamente o caráter duplo da obra e dos ensinos de Cristo. Ele era tanto um ministro a Israel para confirmar as promessas feitas aos pais, quanto um ministro aos gentios, para que eles pudessem glorificar a Deus por sua misericórdia (Rm 15.8, 9). Estas duas revelações amplamente diferentes não são separadas nas Escrituras por um limite bem definido de capítulos e versículos; elas estão misturadas no texto e devem ser identificadas, onde quer que sejam encontradas, pelo caráter da mensagem e pelas circunstâncias sob as quais a mensagem foi dada. Deveria ser lembrado que este é o método comum de Deus de apresentar a verdade. Ilustrando: não há um limite de capítulo e de versículo nos livros proféticos do Antigo Testamento entre aquela porção de textos que apresentam o dever *imediato* de Israel, e aquela porção de textos que apresentam a obrigação *futura* deles no reino messiânico.

As palavras dos profetas, conquanto revelam ambas as obrigações amplamente diferentes, ao juntar-se ao texto e às mensagens diferentes, são discernidas somente através da observância do caráter da verdade revelada. Igualmente, há, em algum grau, uma mistura nos evangelhos da mensagem do reino e dos ensinos da graça. Além disso, esses ensinos foram dados enquanto a lei de Moisés ainda estava em pleno vigor. Em harmonia com as exigências daquela dispensação, muitos reconhecimentos do sistema mosaico estão embutidos nos ensinos de Cristo. Os evangelhos são complexos e estão muito além de outras porções da Escritura, visto que eles são um composto dos ensinos de Moisés, da graça e do reino.

A partir de uma breve consideração dos quatro evangelhos, pode ser concluído que aqueles ensinos de Cristo, que confirmam os pactos feitos com os pais, ou Israel, será observado primariamente nos evangelhos sinóticos, e que os ensinos do reino estão cristalizados na primeira porção do primeiro evangelho. A posição dessa porção do reino no contexto das Escrituras é algo muito significativo – seguindo-se imediatamente, como ela faz, ao Antigo Testamento, que terminou com as suas grandes esperanças não realizadas e com as suas grandes profecias ainda não cumpridas. Estas esperanças estavam baseadas nos pactos de Jeová, aos quais Ele havia feito um juramento. Esses pactos garantem para a nação um reino terrestre em sua própria terra, sob o reinado duradouro do Messias, que se assentará sobre o trono de seu pai Davi.

ECLESIOLOGIA

Nenhuma dessas promessas foi cumprida no período do Antigo Testamento. O reino foi proporcionado na fidelidade de Jeová, como está revelado no Antigo Testamento somente na profecia preditiva. Não existiu situação alguma de tal reino quando Jesus nasceu. Está expressamente declarado que a grande esperança e consolação de Israel estavam ainda por acontecer na vinda de Cristo (Lc 1.31-33; 2.25). Os filhos de Israel foram então amplamente espalhados entre as nações e a terra deles esteve debaixo da autoridade de Roma. A esta altura e sob essas circunstâncias, uma nova mensagem dizia: "O reino do céu está próximo". Foi proclamado pelo precursor – João Batista (Mt 3.1, 2), por Cristo (Mt 4.17), e por seus discípulos (Mt 10.5-7). A mais forte proibição foi imposta contra a entrega desta mensagem a qualquer gentio, ou mesmo aos samaritanos (Mt 10.5, 6; cf. 15.24). A mensagem, embora breve, foi calculada para despertar todos os anelos nacionais do povo a quem ela foi dirigida.

Os mensageiros não precisavam de treino analítico para perceber o significado exato de seu tema. Com relação aos israelitas instruídos, a esperança do reino havia sido a sua expectativa e a meditação desde o nascimento deles. Mais tarde, e em contraste com isto, a total lentidão de seus corações, para entender os novos fatos e os ensinos da graça, é muito óbvia. Mesmo quando, após a ressurreição, Cristo havia dado quarenta dias de instrução nas coisas pertencentes ao reino de Deus, eles disseram: "Senhor, é neste tempo que restaurarás o reino a Israel?" (At 1.6). Eles tiveram pouca captação do significado de Sua morte e do propósito imediato da graça. Por outro lado, não há registro algum de que os mensageiros precisassem ou recebessem alguma exposição sobre o significado da mensagem relativa ao Evangelho do reino, antes deles serem enviados para pregá-la. Esta era evidentemente a esperança de Israel.

A frase, *o reino do céu*, é peculiar ao evangelho de Mateus, e se refere ao governo de Deus na terra. Nesse particular, ele deve ser distinto do reino de Deus, que é o governo de Deus por todos os recantos do universo. Em certos aspectos, um está incluído no outro, e há, portanto, muita coisa que é comum a ambos. O reino messiânico de Deus na terra foi o tema dos profetas; pois os profetas somente estenderam-se sobre os pactos que garantiram um trono, um Rei, e um reino sobre o Israel reunido, naquela terra que foi prometida a Abraão. O termo, *o reino do céu*, foi usado por Cristo para anunciar o fato de que as bênçãos do reino estavam "próximas". Essas boas novas devem ser fundidas no Evangelho da graça salvadora.

A esperança nacional estava centrada na genuinidade das reivindicações, tanto do Rei quanto de seu precursor. A evidência foi cuidadosamente pesada, e considerada inatacável; mas a impiedade do coração prevaleceu. Eles aprisionaram o precursor, que mais tarde teve a cabeça decepada por Herodes, e crucificaram o Rei. Ambos, o precursor e o Rei, cumpriram a profecia a respeito do ofício de cada um deles em detalhes. O precursor era a voz que clamava no deserto. O Rei era da descendência de Abraão, da tribo de Judá, um filho de Davi nascido de uma virgem, em Belém da Judéia. Ele saiu do Egito, e foi chamado de Nazareno. No seu nascimento, foi proclamado "Rei dos judeus". Em seu ministério público, abraçou a mensagem de um Rei. Na sua entrada triunfal em Jerusalém, foi saudado como Rei de Israel. No seu julgamento diante de Pilatos, alegou ser um Rei. E morreu sob a acusação: "ESTE É JESUS, O REI DOS JUDEUS".

A coroa de espinhos não tinha significação alguma em relação à sua morte sacrificial pelo pecado: ela foi o emblema da zombaria da nação em relação à sua reivindicação de realeza. Eles, assim, cumpriram, pelo ato da própria profecia, o que o Rei tinha feito: "Não queremos que este homem reine sobre nós". Não deve haver confusão neste ponto. Os governadores da nação que exigiram a Sua morte não rejeitavam pessoalmente o Salvador, como os pecadores fazem agora; eles rejeitavam o Rei deles. Eles não disseram: "Nós não creremos no Salvador para a salvação de nossas almas", mas disseram: "Não temos outro rei, além de César". A rejeição do Rei estava de acordo com "o determinado conselho e presciência de Deus" (At 2.23), pois a sua rejeição e humilhação foram prefiguradas em tipos, e previstas nas profecias do Antigo Testamento: Ele era o "Cordeiro morto desde a fundação do mundo".

Cada passo, no registro de sua rejeição e morte, faz parte do cumprimento das Escrituras. Está registrado dele em dezesseis passagens do Novo Testamento que Ele, por Sua rejeição e morte, cumpriu as Escrituras do Antigo Testamento. Está também registrado sobre Ele em nove passagens do Novo Testamento, que era o cumprimento das profecias do Antigo Testamento com respeito ao Rei.

O primeiro ministério de Cristo era, então, para Israel como o seu Rei. Neste, Ele aparecia, não como um Salvador pessoal, mas como o Messias longamente esperado; não como um Cordeiro, mas como um Leão; não como um sacrifício pelo qual a Igreja – a Noiva imaculada – pode ser comprada para Ele dentre todas as nações, mas como o Filho de Davi, com todo direito ao trono de Davi, sobre Israel, em Jerusalém, na terra da promissão. Nos evangelhos sinóticos, entretanto, não há registro de qualquer passo em relação à formação da Igreja, ou qualquer referência a esse grande propósito, até que ficasse evidente a rejeição de Si mesmo como Rei por toda a nação. De acordo com os evangelhos sinóticos, os ensinos mais antigos do Rei foram a respeito da nação, e em nenhum lugar eles estavam relacionados aos grandes resultados que posteriormente seriam cumpridos através de Sua morte e ressurreição, no chamamento da Igreja dentre todas as nações da terra. Com a Sua rejeição, Ele começou a falar, em previsão de sua morte, da formação de Sua Igreja, e do retorno novamente à terra. Ele igualmente relatou o cumprimento certo de cada pacto com Israel pelo tempo de Seu retorno.

O evangelho do reino, anunciado por João Batista, Cristo e pelos seus discípulos, era uma mensagem de boa fé? Ele era realmente aquilo que anunciava? Estava realmente próximo aquele reino predito desde longa data? Se é assim, e se eles tivessem recebido o Rei deles, o que teria acontecido com os propósitos divinos da redenção, se eles deveriam ser cumpridos através de sua morte? Estas perguntas são insistentemente feitas hoje, mas as respostas não são difíceis.

Muita coisa foi apresentada sobre essa importante pergunta no primeiro capítulo deste volume, que não será reafirmada aqui. Contudo, o evangelho do reino foi uma mensagem de boa fé a Israel. Tratá-lo de modo diferente é acusar Deus de trapaça e fraude. Igualmente, é uma apresentação errônea de todos os textos relacionados, aplicar a mensagem e o ensino do Rei aos presentes propósitos de Deus nessa dispensação da graça. Toda confusão a respeito da mensagem do reino em sua relação à cruz surge da falha em reconhecer a distinção importante entre o ponto de vista divino e o humano. É somente outra aplicação do truque racionalista de jogar a vontade livre do homem contra a soberania de Deus. Do lado humano, havia uma questão nítida com relação ao poder irrestrito de escolher, ou rejeitar, o Rei. Do lado divino, havia a oferta genuína do reino na pessoa, presença e ministério do Rei, mas por detrás disso estava a determinação soberana de Deus que era absoluta. A escolha deles seria apenas a realização do propósito eterno de Deus em Cristo, e por essa escolha eles seriam considerados culpados. Do lado divino, está dito: "Por isso não podiam crer" (Jo 12.39), e do lado humano, está dito: "Odiaram-me sem motivo" (Jo 15.25).

Ao voltar ao Antigo Testamento, o estudante é confrontado com o problema do ajustamento correto com respeito ao tempo do cumprimento de duas grandes linhas de profecia a respeito de Cristo. De um lado, estava profetizado que Ele viria como um monarca cujo reino seria eterno (cf. 2 Sm 7.16; Sl 72.1-20; 89.35-37; Is 9.6, 7). O pensamento de Sua morte é estranho a este grupo de profecias. Não é função do Rei morrer – "Vive o rei para sempre!" Mas, por outro lado, há uma profecia igualmente explícita a respeito da morte sacrificial e substitutiva de Cristo (Sl 22.1-21; Is 53.1-12). Manifestamente, essas duas linhas de entendimento não poderiam ser cumpridas simultaneamente. Cristo não poderia ser o Rei imortal e irresistível, e, ao mesmo tempo, submisso ao sacrifício. Este é um elemento-tempo no problema, de forma que Pedro declarou que não foi revelado aos profetas.

Além disso, está a predição de que o Rei de Israel não viria a eles com aparência visível, montado num jumentinho, cria de jumenta (Zc 9.9; cf Mt 21.1-7; Jo 12.12-16). Assim, foi claramente indicado a Israel que o Rei viria com aparência humilde, e eles não tinham desculpa. Visto que a presente dispensação da graça e os seus propósitos não foram revelados aos escritores do Antigo Testamento, o elemento-tempo relativo a essas duas linhas de profecia não poderia ser descoberto. Quando a plenitude de tempo chegou, agradou a Deus apresentar o seu Rei como cumprimento de profecia e de acordo com todos os seus pactos com Israel. Por ambos, "pelo predeterminado conselho e presciência de Deus" e pela livre escolha da nação, o Rei foi rejeitado e crucificado. Fica evidente, portanto, que as profecias concernentes ao Rei e ao seu reino terrestre permanecem não cumpridas até agora.

Elas não foram esquecidas ou abandonadas. Nem elas possuem um cumprimento *espiritual*. Elas ainda devem ser cumpridas, quando o Rei retornar à terra. De igual modo, a mesma clara luz sobre o propósito divino está revelada através de Daniel, quando ele prediz a ordem dos eventos a serem cumpridos no período entre o seu próprio tempo e o do reinado do Messias. Nessa profecia, a eliminação do Messias precede o reinado do Rei. Assim, Deus antecipou o que aconteceria, mas isto de modo algum diminui o exercício da livre escolha por parte da nação de Israel, ao rejeitar o Rei. É pueril asseverar que a cruz de Cristo tenha sido colocada em perigo, até que a escolha de Israel com relação ao Rei houvesse sido consumada. Aqueles que trafegam em tais artifícios de argumento sejam consistentes a ponto de aplicar o racionalismo deles a todas as grandes questões onde a soberania de Deus e a vontade livre do homem estão envolvidas.

O ministério de Cristo era genuíno. Ele era um ministro da circuncisão, para confirmar as promessas feitas aos pais. Ele era igualmente a porta aberta para a graça de Deus, para que os gentios pudessem glorificar a Deus por sua misericórdia. Embora seja um pecado real, a rejeição dele como Rei foi o passo necessário em toda redenção, e Deus em fidelidade ainda cumprirá cada pacto em relação ao trono, ao Rei, à nação e à terra. Isto ele fará quando o Rei retornar à terra novamente.

Foi necessário esboçar a relação do reino pactual e terrestre para o primeiro advento de Cristo, a fim de que os ensinos do reino possam ser vistos em seu verdadeiro ambiente.

Numa referência à primeira seção do Evangelho de Mateus (1–12), onde o evangelho do reino é pregado a Israel, se verificará que esta exata mensagem do reino foi primeiramente anunciada por João Batista, de quem é dito: "Porque este é o anunciado pelo profeta Isaías, que diz: Voz do que clama no deserto: Preparai o caminho do Senhor, endireitai as suas veredas" (Mt 3.1-3); foi anunciado pelo próprio Rei (Mt 4.17), e pelos discípulos (Mt 10.5-7). Incrustado neste contexto onde somente o evangelho do reino está em vista, e completamente ligado pelos registros dessas proclamações, está o Sermão do Monte, que é evidentemente o manifesto do Rei (Mt 5.1–7.29). Nesse manifesto, o Rei declara o caráter essencial do reino, a conduta que será exigida no reino, e as condições de entrada no reino. Essa regra de vida do reino é puramente legal, tanto em suas qualidades inerentes quanto por sua própria reivindicação (Mt 7.12).

Contudo, ela é muito diferente da lei dada por Moisés. Nos ensinos do reino, como já foi afirmado, os mandamentos de Moisés são desenvolvidos até chegar a exigências muito mais impossíveis com respeito aos detalhes, e isto não alivia, mas intensifica, o seu caráter como estritamente legal. Cristo não admite os princípios da lei nos desdobramentos das exigências do reino, mais do que o faz em todos os seus relacionamentos com Israel antes de Sua morte. Ele, antes, apresenta um novo grau e padrão de lei que é adaptada às condições que serão alcançadas no reino, e que Ele *contrasta* com a lei de Moisés. As grandes palavras do reino – *justiça* e *paz* – são dominantes, e nunca há uma referência à salvação ou à graça. Nem há a mais leve referência àquelas grandes realidades do relacionamento que pertence à nova criação operada por Cristo através de sua morte e ressurreição. Tal omissão completa de qualquer referência a qualquer aspecto da presente dispensação da graça, é um fato que deveria ser cuidadosamente analisado.

A exatidão da anotação das Escrituras é vista no uso que Cristo faz da frase *meus mandamentos*. Durante os dias de seu ministério à nação de Israel, Ele enfatizou os

ECLESIOLOGIA

mandamentos de Moisés, e falou dos novos princípios que deveriam ser aplicados no reino como "eu, porém, vos digo", mas em nenhuma vez Ele usou o termo *meus mandamentos*, até que o fez com os seus discípulos no cenáculo, e na hora em que revelava os novos princípios que eram a condição da vida diária daqueles que deveriam permanecer com base na ressurreição, na nova criação, e sob a graça. É também significativo que o primeiro uso do termo *mandamento* nessa mensagem da graça é quando ele diz: "Um novo mandamento vos dou" (Jo 13.34). Portanto, há uma limitação possível a ser colocada sobre a extensão da responsabilidade imposta por Cristo em sua grande comissão, onde disse: "...ensinando-os a observar todas as coisas que eu vos tenho ordenado" (Mt 28.20).

É dificilmente provável que Ele pretenda que toda a lei de Moisés, os princípios governativos do reino, e os ensinos da graça sejam combinados e aplicados àqueles que recebem a mensagem da grande comissão. Nos ensinos do reino, a frase característica é "ouvi e praticai" (Mt 7.24), enquanto que a frase característica sob a graça é "ouvi e crede" (Jo 5.24). O caráter essencial dos ensinos do reino, quando contrastados com os ensinamentos de Moisés, e os ensinos da graça, serão considerados exaustivamente no Capítulo XI deste volume.

Há um sentido em que o reino de Deus, como o governo de Deus nos corações dos indivíduos, está presente no mundo hoje. Isto não deveria ser confundido com o reino messiânico que ainda vai ser estabelecido sobre uma nação, e estendido a todas as outras nações com o Rei que governa, não no coração dos indivíduos, mas no trono de Davi, na cidade de Jerusalém. À medida que o Rei se aproximava de sua morte, e a rejeição se tornava mais evidente, Ele fez menção daquele aspecto do governo de Deus no coração do indivíduo, que devia estabelecer o caráter da graça até então não anunciado. A seguinte passagem (igual a de Mt 13.1-52), tomada dos ensinos posteriores de Cristo registrados por Lucas, é um exemplo: "Sendo Jesus interrogado pelos fariseus sobre quando viria o reino de Deus, respondeu-lhes: O reino de Deus não vem com aparência exterior; nem dirão: Ei-lo aqui! Ou: Ei-lo ali! pois o reino de Deus está dentro de vós" ("no meio de vós", Lc 17.20, 21).

Em nenhum sentido poderia ser verazmente dito que o reino de Deus estava *nos* corações daqueles fariseus que rejeitavam Cristo. Contudo, havia um sentido real em que o reino de Deus devia estar, como acontece agora, nos corações dos indivíduos crentes; mas a afirmação direta de Cristo era a de dizer que o reino estava, então, na pessoa do Rei, e no meio deles. Assim, também, a frase, *o reino de Deus não vem com aparência exterior*, antecipa o aspecto presente do governo de Deus no coração do indivíduo; mas após isso, e de acordo com toda profecia, o reino do céu virá com aparência exterior. Há muita promessa de uma terra transformada, cuja condição será realizada, não por forças e processos invisíveis, mas através do poder irresistível e da presença do Rei que retornará. Assim, também, Ele pode dizer a Israel: "É chegado a vós o reino de Deus" (Lc 10.9).

Tão certo como o Rei estava diante da nação, assim certamente o seu reino estava diante deles, e este era o apelo do evangelho do reino que foi dado aos "filhos do reino" somente. Quando o Rei foi rejeitado, o Seu reino foi desprezado também. Quando o seu reino foi rejeitado e a sua realização procrastinada até o retorno do Rei, a aplicação de toda a Escritura que condiciona a vida no reino foi postergada também, e será adiada enquanto o Rei demorar. Essa demora necessária é facilmente aceita com referência à glória terrestre e nacional, que é o tema dos ensinos do reino do Antigo Testamento; mas é igualmente verdadeiro que há uma demora necessária na aplicação dos últimos detalhes da obrigação humana relacionada ao reino terrestre, apresentados no Novo Testamento.

Os ensinos do reino são uma afirmação suficiente e completa de tudo o que é necessário para alguém conhecer a respeito dos termos de entrada no reino messiânico e na conduta dele nesta terra. Muita coisa desses ensinos do reino é similar ao que é encontrado nos ensinamentos de Moisés. Muita coisa é similar, também, aos ensinos da graça; mas esses fatos não fazem desses ensinos um todo indivisível, nem justificam uma mistura descuidada desses grandes sistemas de governo na terra. Os elementos característicos em cada um serão encontrados como aqueles princípios que são peculiarmente aplicáveis à dispensação a que pertencem, ao invés dos princípios que são similares neles. Os ensinos do reino serão mais plenamente identificados sob os contrastes que ainda vão ser esboçados no Capítulo XI.

CAPÍTULO X

A Economia da Presente Graça

A SALVAÇÃO NA GRAÇA que Deus realiza por aqueles que crêem inclui, entre outras coisas, o lugar do salvo na posição como um filho de Deus, um cidadão do céu, e um membro da família de Deus; e, visto que toda posição exige uma maneira de vida correspondente, deve ser esperado que uma regra de conduta tão exaltada como a do próprio céu seja exigida do crente. Isto é exatamente o que se vê. Porque a graça não somente provê uma salvação perfeita e uma proteção eterna para aquele que crê em Cristo, mas ela provê, também, a instrução para a vida diária daquele que é salvo, ao mesmo tempo em que ele é guardado pelo poder de Deus. Essa instrução para a vida diária, se verificará, é uma revelação particular de Deus aos cristãos somente. Como é totalmente graciosa em seu caráter, ela é inteiramente separada de qualquer outra regra de vida, e independente dela, que é encontrada na Palavra de Deus.

A Bíblia, por ser um Livro de Deus para todas as pessoas de todas as idades, contém a expressão detalhada da vontade de Deus a respeito da maneira de vida das pessoas das várias dispensações, em que elas estão relacionadas a Deus nos diferentes períodos de tempo, e sob os pactos correspondentes. Entre essas revelações, está a regra de conduta com respeito à vida diária daqueles que são salvos pela graça nessa dispensação que está em vigor no tempo entre a cruz e a segunda vinda de Cristo. Esta regra graciosa de vida é completa em si mesma e é a única nas Escrituras, dissociada de qualquer outra, e muito simples. Essas regras são o ensino da graça.

Nenhum leitor atento do Novo Testamento poderá falhar em observar o fato de que a disputa doutrinária se deu logo no começo da dispensação cristã. Esta controvérsia estava preocupada principalmente com a questão sobre se é a lei ou a graça que fornece o princípio governativo para a conduta cristã. Embora o Novo Testamento contenha advertências específicas e longas contra ambos, os legalistas e seus ensinos, e os sistemas deles que são, nesse sentido, provados como opostos às doutrinas da pura graça, assim como os sucessores deles de geração em geração até o tempo presente que têm sempre buscado desacreditar a graça de Deus. A mensagem deles, embora cheia de erros, tem exibido constantemente um grande zelo e sinceridade, mas zelo e sinceridade, coisas grandemente desejadas quando bem dirigidas, falham totalmente à vista de Deus como substitutos de uma apresentação consistente da verdade.

A única esperança de libertação das falsas doutrinas dos professores legalistas, é através de uma consideração destituída de preconceito das revelações exatas da Escritura. Este exame das Escrituras deveria ser livre de seguir os ensinos cegos dos homens, e deveria ser feita com um coração desejoso de receber "repreensão" e "correção" da Palavra de Deus, assim como "instrução na justiça" (2 Tm 3.16). Somente aquele para quem estes ensinos são claros como cristal, podem apreciar o valor transcendente do entendimento dos ensinos da graça.

Na apresentação desta consideração introdutória do extenso tema dos ensinos da graça, é necessário em alguns casos presumir conclusões de uma prova mais plena que vem de estudo subseqüente da discussão. Igualmente, no completamento das várias linhas de argumento, uma repetição em certos pontos é inevitável.

A classificação da presente época como *a dispensação da graça* não implica que a graça divina não tenha sido exercida nas gerações passadas. Esta era é assim designada por causa da verdade revelada de que Deus agora faz uma demonstração específica e suprema de Sua graça, através do chamamento da Igreja dentre gentios e judeus. Neste contexto, pode ser visto que os santos do Antigo Testamento estavam em relação correta e aceitável diante de Deus, mas não poderia ser dito que eles estavam no novo Cabeça federal do Cristo ressurrecto, nem que as vidas deles estavam "ocultas com Cristo em Deus" (Cl 3.1-3). O apóstolo escreve: "Mas, antes que viesse a fé, estávamos guardados debaixo da lei, encerrados para aquela fé que se havia de revelar" (Gl 3.23). Com relação ao estado dos judeus na antiga dispensação, pode ser observado:

(A) Eles foram nascidos numa relação de pacto com Deus onde não havia limitações impostas sobre a fé deles nEle nem sobre a comunhão deles com Ele. Este fato era em si mesmo uma demonstração da graça superabundante.

(B) Em caso de falha em satisfazer as obrigações morais e espirituais que repousavam sobre eles, por causa da posição deles no pacto, os sacrifícios foram providos como uma base justa de restauração para os privilégios pactuais deles, fato esse que é outra demonstração de graça imensurável.

(C) O judeu, poderia, assim, falhar em sua conduta e negligenciar os sacrifícios como, no final, serão rejeitados por Deus e lançados fora (Gn 17.14; Dt 28.58-61; Ez 3.18; Mt 10.32, 33; 24 50, 51; 25,11, 12, 29, 30).

(D) A salvação e o perdão nacional de Israel são ainda uma expectativa e estão prometidas para ocorrer quando o Libertador vier de Sião (Rm 11.26, 27). Quem poderia falhar em reconhecer a graça eterna de Deus, revelada em Isaías 60.1–62.12 para com Israel, em todas as dispensações vindouras? Se qualquer clareza deve ser obtida com respeito à diferença entre as vantagens de Israel sob o sistema mosaico e os privilégios presentes da Igreja, a distinção deve ser feita entre a lei como uma *regra de vida* que ninguém foi capaz de cumprir perfeitamente, e a lei como um *sistema* que não somente apresenta exigências altas e santas para a conduta pessoal, mas também proporcionou um perdão divino completo através dos sacrifícios. A posição final de qualquer judeu perante Deus não estava baseada na observância da lei somente, mas contemplava aquele judeu à luz dos sacrifícios que ele tinha apresentado em seu favor.

A principal passagem que trata da verdade de que a graça divina tem a sua manifestação suprema nesta dispensação e através da Igreja, é Efésios 2.7. Esta passagem notável, que consuma a revelação exaltada a respeito da Igreja, diz: "...para mostrar nos séculos vindouros a suprema riqueza da sua graça, pela sua bondade para conosco em Cristo Jesus". Assim, está afirmado que, por meio da Igreja, a suprema riqueza da graça divina deve ser exercida, o que não poderia ser de maneira diferente, e é exibida perante a totalidade do universo. Mais importante de tudo, entretanto, é a satisfação de Deus na realização de um dos seus maiores atributos.

No Capítulo 2 da epístola de Paulo a Tito, a partir do versículo 11, está escrito: "Porque a graça de Deus se manifestou, trazendo salvação a todos os homens, ensinando-nos, para que, renunciando à impiedade e às paixões mundanas, vivamos no presente mundo sóbria, e justa, e piamente, aguardando a bem-aventurada esperança e o aparecimento da glória do nosso grande Deus e Salvador Cristo Jesus, que se deu a si mesmo por nós para nos remir de toda iniqüidade, e purificar para si um povo todo seu, zeloso de boas obras". Dois ministérios amplamente diferentes são apresentados nesta passagem: Primeiro, a graça de Deus, que traz salvação, se manifestou a *todos* os homens. É claro que isto se refere à graça salvadora de Deus, que veio ao mundo por Jesus Cristo, e que deve ser agora proclamada a todos os homens. É uma mensagem para todos os homens, visto que as suas provisões são universais e o seu convite é para todo o que quiser.

Graça sobre graça é concedida tanto agora quanto na consumação das dispensações sobre os que crêem. Segundo, a passagem revela, também, que é a mesma graça que manifestou salvadoramente a todos os homens, que *nos* ensina (v. 12). A palavra "nos", deveria ser observado, não se refere à classe mais ampla de todos os homens, mencionada anteriormente; mas ela se refere somente ao grupo daqueles que são salvos. A importância desta distinção é evidente; pois, qualquer coisa que a graça se proponha a ensinar, os seus ensinos são dirigidos somente àqueles que são salvos pela graça. Este aspecto qualificante dos ensinos da graça não está limitado a esta única passagem, embora esta seria suficiente; ele é uma característica de todo o conjunto dos ensinos da graça, apresentados por todo o Novo Testamento. Esses ensinos, dirigidos aos cristãos somente, não devem ser impostos aos indivíduos que rejeitam Cristo, ou ao mundo que rejeita Cristo.

Este fato não pode ser enfatizado com força excessiva. A Palavra de Deus não faz apelo algum aos não-salvos para uma melhora de vida. Há apenas uma questão nessa dispensação entre Deus e os não-renegerados, que nada tem a ver com o caráter ou a conduta; é o apelo pessoal do Evangelho da graça de Deus. Até que o não-salvo receba Cristo, que é o dom gracioso de Deus, nenhuma outra questão pode ser levantada. Os homens podem moralizar-se perante si mesmos, e estabelecer os próprios princípios de governo sobre si mesmos de conduta reta; mas Deus nunca é apresentado nas revelações da graça como o que busca a *reforma* dos pecadores. Cada palavra com respeito à qualidade de vida está reservada para os que já estão relacionados com Ele nas questões mais importantes da salvação.

Os ensinos da graça, isso pode ser verificado, abrangem tudo dos ensinamentos das epístolas, de Atos, e também certas porções dos evangelhos, à parte de seus meros aspectos históricos. Retornando à passagem já citada de Tito, está revelado que somente uma porção do apelo total dos ensinos da graça é mencionada nesse texto da Escritura; mas aqui o crente é ensinado que deve negar a impiedade e as luxúrias mundanas, e a viver sóbria, justa e piedosamente, olhando para o retorno de seu Senhor que vem do céu. Isto descreve uma vida de devoção pessoal e de doçura. Assim Deus "purificaria para si um povo todo seu, zeloso de boas obras".

Em toda esta investigação, não se deveria desviar a atenção da verdade fundamental, já enfatizada, de que há três dispensações – a da lei, a da graça, e a do reino – que estão separadas uma da outra por eventos que transformaram o mundo, e que cada uma estabelece uma exigência de conduta humana que está em harmonia com o relacionamento preciso entre Deus e os homens, obtido em cada momento. Essas economias são completas em si mesmas, sem necessidade qualquer de adição, e cada uma é santa e pura em si mesma, como o Criador, que é o Autor e Designador delas. Essas disciplinas reguladoras de conduta não somente variam na dureza que cada uma delas impõe, mas elas variam igualmente no grau da capacitação divina que é concedido a cada uma.

O sistema mosaico, por ser vazio de qualquer referência à capacitação divina, fez o seu apelo aos recursos limitados do homem natural e foi circunscrito ao seu alcance. O sistema do reino, embora desenvolva as suas exigências que vão muito além das determinações do código mosaico, não faz referência alguma no seu texto à capacitação divina; todavia, em outros textos, é asseverado que a lei do reino será escrita no coração, a fim de que ela possa ser realizada, e o Espírito Santo será derramado sobre toda a carne. É então que Israel realmente *cumprirá* a lei de Moisés (Dt 30.8). A economia da graça apresenta ideais totalmente supra-humanos – aqueles que estarão de acordo com a cidadania celestial – e, com esses padrões sobrenaturais de vida, ela proporciona o poder infinito do Espírito Santo que habita, com o fim de que toda a vontade de Deus – tão exigente como é – possa ser cumprida no filho de Deus.

Provavelmente, é porque a Lei de Moisés veio primeiro na ordem temporal e porque ela ficou só, sem possíveis complicações, que os teólogos têm dado a ela mais consideração do que aos dois sistemas combinados. Na verdade, os sistemas do reino e da graça não são reconhecidos em seu caráter separado, mas o assunto que eles apresentam tem sido observado como uma extensão ou adição ao Decálogo original. A Confissão de Fé de Westminster dedica muitas páginas ao Decálogo com aplicação dele ao cristão, mas falha em reconhecer o caráter distintivo das injunções que são claramente as instruções dirigidas aos crentes sob a graça.

ECLESIOLOGIA

A própria natureza dos preceitos da graça impede-os de ser reduzidos ao Decálogo. Eles são livres em seu caráter no sentido em que não são exigidos, para que sejamos aceitos por Deus. Antes, são orientações e pedidos dirigidos a pessoas já aceitas com relação ao andar delas perante Deus. Duas vezes esses apelos são chamados *rogos* (Rm 12.1; Ef 4.1); não uma ordem para um mero servo, mas um pedido polido e ponderado a um membro da família de Deus. Eles consistem de informação e persuasão dirigidas àqueles que não poderiam de outra forma aprender a respeito daquilo que, de um ponto de vista celestial, é legitimamente esperado deles. Em tudo isto, há uma dissimilaridade fundamental entre esses ensinos do sistema mosaico que impôs uma maldição sobre os que falhavam (Dt 28.15-68) e as injunções do reino que colocam os seus súditos no perigo do inferno (Mt 5.22, 29, 30).

Nenhuma desculpa está disponível para a falha em observar a diferença entre um sistema que se propõe a amaldiçoar ou um sistema que propõe o inferno, e um sistema que declara que "agora já nenhuma condenação há" (Rm 8.1), que Deus, o qual já justificou não condenará (Rm 8.33), e que não haverá separação alguma do crente do amor de Deus (Rm 8.38, 39). Contudo, há um preço que o crente paga por sua falha em andar de modo digno de sua vocação. Esse preço não surge com Deus como uma punição a ser imposta, mas é uma perda inevitável da comunhão e companhia com Deus, e a perda do poder na vida e no serviço. A prática perniciosa de tentar amalgamar os dois sistemas legais com os ensinos da graça resulta numa lei fraca e numa graça derrotada. O problema do estudante não é o de estabelecer uma média entre a lei e a graça, mas antes o de separar estes sistemas para que cada um possa reter a sua eficiência pretendida.

Qual outra interpretação poderia ser dada a Romanos 11.6, além desses diversos sistemas que são muito distantes um do outro, assim como o Ocidente dista do Oriente? A passagem diz: "Mas se é pela graça, já não é pelas obras; de outra maneira, a graça já não é graça". Semelhantemente, qual significado poderia ser dado a Hebreus 4.9, texto em que o seu contexto declara que o crente cessou de fazer as suas próprias obras? A referência afirma: "Portanto, resta ainda um repouso sabático para o povo de Deus"; ou a Romanos 3.31, que declara que toda exigência de um Deus santo para o seu filho crente é satisfeita para sempre por Cristo e pelo princípio da fé nEle? A última metade da carta aos Gálatas é uma declaração divina de que o sistema legal não é o meio para a santificação do crente na vida diária. A ordem em ao menos três epístolas doutrinárias – Romanos, Efésios e Colossenses – é asseverar primeiro a posição exaltada do crente em Cristo através da fé somente e, então, fazer um apelo para um andar que corresponda à posição exaltada. Este arranjo sublime é uma reversão de cada aspecto num sistema legal.

Os ensinos da graça não estão, por conveniência, isolados no Texto Sagrado. As três economias aparecem nos quatro evangelhos. Os ensinos da graça devem antes ser identificados pelo seu caráter intrínseco, onde quer que sejam encontrados. Grandes porções do Novo Testamento são totalmente reveladoras da doutrina da graça. O estudante, como Timóteo, é ordenado a estudar para ser um obreiro aprovado de Deus no assunto de manejar bem a Palavra de Deus.

Uma análise geral dos ensinos da graça pode ser feita sob duas divisões: (1) três aspectos específicos e (2) os relacionamentos da graça.

I. Três Aspectos Específicos

Enquanto os detalhes daquilo que entra na composição do andar e serviço do crente são variados e extensos, três aspectos são importantes: o caráter independente e simples dos ensinos da graça, as suas exigências elevadas e a capacitação divina.

1. O CARÁTER INDEPENDENTE E SIMPLES DOS ENSINOS DA GRAÇA. Como foi indicado anteriormente, os princípios governativos que pertencem a esta dispensação devem ser distinguidos, por sua natureza, de dois sistemas legais. Eles reconhecem a verdade fundamental de que Cristo morreu, ressuscitou, subiu ao céu e o Espírito agora reside nos corações de todos os que crêem. Esses eventos transformadores da dispensação com tudo o que eles estabelecem, imediatamente criam um relacionamento inteiramente novo entre Deus e o homem e especialmente entre Deus e aqueles que são salvos. O caráter independente e simples dos ensinos da graça apresenta um desafio de identificar e organizar esse vasto conjunto de textos a todo estudante dedicado, e pela razão mais importante, porque isto foi muito negligenciado no passado. Embora bons homens não tenham dado atenção a estas distinções, as diferenças aparecem em toda injunção oferecida sob qualquer uma dessas espécies de sistemas.

O valor prático de um estudo sem preconceito desses princípios, com o isolamento acompanhante daquilo que pertence a cada um, não pode senão servir para um grande propósito aos cristãos que, na sua maior parte, têm sido conduzidos a crer que eles devem observar todos os preceitos e mandamentos encontrados na Bíblia, sejam eles legais ou graciosos.

2. AS EXIGÊNCIAS EXALTADAS DELES. Pode ser bem afirmado, além disso, que o padrão de conduta prescrito sob os ensinos da graça é imensuravelmente muito mais difícil de manter do que os prescritos pela lei de Moisés, ou pela lei do reino. Esse padrão é muito mais alto do que aqueles que afirmam que o céu é mais alto do que a terra. Semelhantemente, a capacitação divina proporcionada sob a graça não é nada menos do que o poder infinito do Espírito que habita em nós. Os ensinos da graça são dirigidos unicamente aos homens dotados sobrenaturalmente, que são nascidos do Espírito e habitados por Ele. Esses ensinos naturalmente pertencem aos cidadãos do céu. Visto que a obra salvadora de Deus coloca os crentes nas posições celestiais em Cristo, e transfere a cidadania deles da terra para o céu, é consistente que seja requerido deles andar como um cidadão do céu. É evidente que essa deve ser uma vida sobrenatural.

ECLESIOLOGIA

Voltando às Escrituras que revelam a posição e a responsabilidade do filho de Deus sob a graça, verifica-se que uma maneira *sobre-humana* de vida é proposta. Este aspecto dos ensinos da graça pode ser visto em cada ponto. Poucas passagens serão suficientes para ilustrar essa verdade: "...derribando raciocínios e todo baluarte que se ergue contra o conhecimento de Deus, e levando cativo todo pensamento à obediência a Cristo" (2 Co 10.5); "...para que anuncieis as grandezas daquele que vos chamou das trevas para a sua maravilhosa luz" (1 Pe 2.9); "...sempre dando graças por tudo a Deus, o Pai" (Ef 5.20); "Rogo-vos... que andeis como é digno da vocação com que fostes chamados" (Ef 4.1); "...andai na luz" (1 Jo 1.7); "...andai em amor" (Ef 5.2); "...andai no Espírito" (Gl 5.16); "...não apagueis o Espírito" (1 Ts 5.19).

Não há dúvida a respeito do caráter sobre-humano dessas injunções. Qual recurso humano é capaz de reproduzir as próprias virtudes de Cristo? Quem é capaz de dar graças *sempre* por todas as coisas? Quem seria capaz de viver de modo que não entristeça o Espírito, nem o apague? Esta exigência é para uma maneira *sobre-humana* de viver, e as passagens citadas são somente representativas do caráter total dos ensinos da graça. Estes ensinos vão muito além dos padrões da lei de Moisés na medida em que o infinito sobrepõe o finito. Quando revelou o elevado caráter dos ensinos da graça, Cristo disse: "Um novo mandamento vos dou; que vos ameis uns aos outros; assim como eu vos amei a vós, que também vós vos ameis uns aos outros"; "O meu mandamento é este: Que vos ameis uns aos outros, assim como eu vos amei" (Jo 13.34; 15.12).

O novo mandamento está em contraste com um antigo mandamento de Moisés: "Ama o teu próximo como a ti mesmo". Estes textos podem ser tomados como uma ilustração justa da diferença que existe entre os padrões da lei de Moisés e os padrões da graça. Sob o sistema mosaico, o amor pelos outros devia ser num grau em que uma pessoa se amava a si própria; sob a graça, esse amor devia ser no grau em que Cristo havia amado o crente e dado sua vida por ele (1 Jo 3.16). Além disso, os padrões dos ensinos da graça superam os padrões das leis do reino. O mesmo exemplo – do amor um pelo outro – produz a ilustração.

A exigência no reino nesse ponto é afirmada da seguinte maneira: "Ouvistes o que foi dito: Amarás o teu próximo, e odiarás o teu inimigo. Eu, porém, vos digo: Amai os vossos inimigos, e orai pelos que vos perseguem; para que vos torneis filhos do vosso Pai que está nos céus; porque ele faz nascer o seu sol sobre maus e bons, e faz chover sobre justos e injustos. Pois, se amardes aos que vos amam, que recompensa tereis? Não fazem os publicamos também o mesmo? E, se saudardes somente os vossos irmãos, que fazeis demais: não fazem os gentios também o mesmo? Sede vós, pois, perfeitos, como é perfeito o vosso Pai celestial" (Mt 5.43-48).

Este é um grande avanço no padrão de amor exigido sob a lei de Moisés. Ali, o amor era exigido num grau limitado; mas nada foi dito a respeito da atitude necessária para com o inimigo. O grau de amor esperado sob os ideais do reino é somente o que realmente poderia ser esperado do coração que foi inclinado a cumprir a lei do reino. Não há comparação com os padrões de amor que são propostos sob a graça. Considere, primeiramente, que o amor sob a graça é "fruto do Espírito" (Gl 5.22). Literalmente, "o amor de Deus é derramado em nossos corações pelo Espírito Santo que nos foi dado" (Rm 5.5). Isto assegura a reprodução exata do amor de Cristo no filho de Deus – "Como eu vos amei". Considere, também, que o amor, como antecipado nos ensinos da graça, é o próprio coração do Evangelho e da evangelização. Pela comunicação da compaixão divina ao perdido que trouxe Cristo do céu à terra e que o levou à cruz para morrer, sob a graça, os homens devem ser impelidos a ganhar almas.

Tal compaixão divina pelas almas tem sido a dinâmica de toda obra de ganhar almas deste o Pentecostes até agora. Esta foi a experiência do apóstolo Paulo revelada no seu testemunho: "Digo a verdade em Cristo, não minto, dando testemunho comigo a minha consciência no Espírito Santo, que tenho grande tristeza e incessante dor no meu coração. Porque eu mesmo desejaria ser separado de Cristo, por amor de meus irmãos, que são meus parentes segundo a carne" (Rm 9.1-3). Não houve uma oportunidade para o apóstolo ser amaldiçoado [separado] de Cristo, nem esperava sê-lo; mas ele *desejava* ser. Assim era o amor de Deus, que suportou o pecado de outros, e definitivamente reproduziu em um em quem o Espírito operou. A verdadeira paixão pela salvação dos homens não é uma manifestação de amor que flui da natureza humana. Ele deve ser *comunicado* da parte de Deus. Portanto, a evangelização não deve ser esperada nem exigida na lei de Moisés ou na lei do reino.

3. A Capacitação Divina. Um poder sobrenatural é providenciado para a execução exata e perfeita da regra de vida sobre-humana sob a graça. Não há aspecto algum dos ensinos da graça que seja mais vital do que este, ou que diferencie tão plenamente esses ensinos de toda outra regra de vida na Bíblia. Sob a graça, o Espírito de Deus, que é Todo-Poderoso, permanente, suficiente e que habita em nós, é dado a toda pessoa salva. Esta afirmação é abundantemente estabelecida pela revelação (Jo 7.37-39; Rm 5.5; 8.9; 1 Co 2.12; 6.19; Gl 3.2; 1 Ts 4.8; 1 Jo 3.24; 4.13 – um estudo cuidadoso vai revelar o fato de que Lc 11.13; At 5.32; 8.12-17; 19.1-7; Ef 1.13 não contradizem essa doutrina positiva da Escritura), e que está suposto em todo ensino da graça. A maneira sobre-humana de vida sob a graça não é dirigida a um grupo espiritual somente dentro da totalidade do corpo de Cristo; ela é dirigida a todos os crentes igualmente.

A imposição deste modo de vida sobre-humano sobre todos os crentes igualmente carrega consigo a revelação de que todos têm o poder sobrenatural pelo qual se pode viver de acordo com os padrões supra-humanos. Está evidente que isso está de acordo com os ensinos da Palavra de Deus.

O caráter da pura graça é destruído quando a recepção do Espírito no coração do indivíduo torna-se dependente de qualquer mérito humano, bondade, ou qualquer consagração pessoal. Em 1 Coríntios 6.19, 20, está escrito: "Ou não sabeis que o vosso corpo é santuário do Espírito Santo, que habita em vós, o qual possuís da parte de Deus, e que não sois de vós mesmos? Porque fostes comprados por preço: glorificai, pois, a Deus no vosso corpo". O elemento da lei é excluído aqui. Sob a lei, teria sido escrito: "Glorificai a Deus em vossos corpos e vos tornareis templos do Espírito Santo". Sob a graça, os crentes *são* templos do Espírito sem referência ao mérito; e isto é verdade de cada aspecto para a salvação deles. O fato de que eles *são* templos do Espírito que neles habita é a base desse apelo para uma vida santa.

Um estudo de 1 Coríntios 5.1, 2, 13; 6.1-8 dará uma abundante evidência da condição imerecida dos santos de Corinto no tempo em que o Espírito lhes dirigiu esse apelo através do apóstolo Paulo. A súplica sincera é para uma vida diária que corresponda com o fato maravilhoso de que eles *já* são templos do Espírito. Há uma distinção importante a ser observada entre o *habitar* e o *ficar cheio* do Espírito. Nenhum texto da Escritura assevera que todos os crentes são cheios do Espírito. O enchimento do Espírito, que é a exigência para uma experiência de bênção e o exercício do poder divino, é uma questão que deveria ser considerada à parte da revelação concernente à habitação do Espírito.

O fato de que o Espírito habita em cada crente é peculiar à era da graça. Na dispensação da lei, para propósitos divinos específicos, certos indivíduos foram, às vezes, cheios do Espírito, mas não há revelação alguma que afirme que *todo* israelita, por estar sob a lei, era um templo do Espírito. De igual modo, sob a lei, não há caráter algum *permanente* do relacionamento entre o Espírito e os indivíduos sobre quem Ele veio (Sl 51.11). O Espírito veio sobre eles, ou saiu deles, de acordo com o propósito soberano de Deus. Sob a graça, o Espírito não é somente dado a *cada* crente, mas Ele nunca se retira de nenhum deles. Esta segurança está baseada na oração infalível de Cristo (Jo 14.16; cf. 1 Jo 2.27). Isto está de pleno acordo com as condições incorporadas no pacto da graça. Se o mérito humano determinasse a Sua presença permanente, então, sob esse relacionamento, o princípio básico da graça seria substituído pelo princípio das obras da lei.

A entrada do Espírito no coração e sua presença permanente ali, é uma parte do poder salvador e protetor de Deus, que é pela graça somente. A revelação do Novo Testamento com respeito à habitação e permanência do Espírito em cada crente está de pleno acordo com a doutrina da pura graça.

Quando considerarmos a questão do poder capacitador do Espírito na vida de cada um dos filhos do reino, veremos dos textos da Escritura que, na abertura daquele período, ao menos, o Espírito deverá vir sobre toda a carne, e o indivíduo profetizará, terá sonhos, e terá visões (Jl 2.28-32; At 2.16-21); mas não há revelação alguma de que esta será uma presença e um ministério *permanentes*, visto que isto está relacionado a sinais e maravilhas poderosos em natureza que vão acompanhar o segundo advento do Messias. E, de igual modo, não há revelação alguma a respeito do poder capacitador do Espírito para a conduta na vida diária do indivíduo no reino. Os ensinos do reino das Escrituras não enfatizam a obra do Espírito. Qualquer provisão divina para a capacitação pessoal na vida diária, e isso é visto através de um exame cuidadoso das Escrituras, é estranha a todo aspecto da regra da lei, seja a de Moisés ou a do reino.

Tão vital é o fato de que a capacitação do Espírito é agora dada a *todo* crente, como uma parte da salvação pela graça, que ela é apresentada como uma característica fundamental desta época. Essa é a dispensação do Espírito, que habita em nós. Está registrado: "Mas agora fomos libertos da lei, havendo morrido para aquilo em que estávamos retidos, para servirmos em novidade de espírito, e não na velhice da letra" (Rm 7.6). Assim o novo poder capacitador do Espírito caracteriza esta época, como a "velhice da letra" caracterizou a era passada. Igualmente a circuncisão agora é a "do coração", no Espírito, e não na "letra" (Rm 2.29), ou como era na carne sob a lei. Além disso, "o qual também nos capacitou para sermos ministros dum novo pacto, não da letra, mas do espírito; porque a letra mata, mas o espírito vivifica" (2 Co 3.6).

A referência nesta passagem não é feita a diferentes métodos de interpretar a Escritura – um método espiritualizante ou literal; mas às duas dispensações com os seus diferentes métodos de regra divinos. "A letra mata" – este é o ministério inevitável da lei. "Mas o espírito vivifica" – a vida divina, a vitalidade divina, a energia e o poder de Deus são dados para o crente sob a graça, e para todos os crentes igualmente. Assim, está revelado que a bênção do Espírito que habita em nós é uma característica essencial dessa dispensação.

Se a maneira de vida sob a graça é sobre-humana, assim, também, a capacitação proporcionada é sobrenatural, e é tão ilimitada como o poder infinito de Deus. Visto que Deus tem proposto uma maneira de vida humanamente impossível, Ele, em plena consistência, proporcionou o Espírito que dá vida. Não se pode enfatizar demasiadamente o fato de que, visto que Deus propôs uma regra de vida impossível e que Ele proporcionou o Espírito suficiente, a responsabilidade do crente é, por meio disso, mudada de uma *luta* da carne para ser uma *confiança* no Espírito. A graça introduz um novo problema para a vida do crente, que é totalmente estranho a todo aspecto da lei. É o problema do ajuste do coração à santa presença do Espírito, e da manutenção de uma atitude contínua de dependência dele. O novo princípio de realização consiste em obter as coisas realizadas na vida diária e no serviço do crente pela confiança no poder de outro, antes do que pela confiança na energia da carne.

A revelação concernente a esse novo problema da vida sob a graça constitui-se na principal parte do ensino das epístolas. Não somente o princípio da fé é diretamente ensinado nas Escrituras, mas ele está implícito e suposto em toda injunção sob a graça. A revelação do relacionamento exato entre a personalidade do Espírito e a do crente não é omitida. Experimentalmente, o crente, quando capacitado pelo Espírito, ficará consciente somente do exercício de suas próprias faculdades. O Espírito não revela Sua presença diretamente; Seu ministério é revelar e glorificar Cristo. Sua presença será evidenciada, contudo, pela vitória que é operada, vitória essa que poderá ser revelada somente pelo Espírito.

Assim, seja pelo princípio das obras da lei ou pelo princípio da fé da graça, um deles pode ser escolhido pelo crente como um método de realização, mesmo dentro das questões mais profundas da conduta e do serviço cristão. Se essas elevadas exigências celestiais são empreendidas na energia da carne, elas se tornam puramente legais em seu caráter; se elas são empreendidas em plena confiança na energia provida pelo Espírito, elas são puramente graciosas em seu caráter. Um deles está totalmente dentro do escopo do pacto da lei, pacto esse que é baseado em obras; o outro está totalmente dentro do escopo do pacto da graça, pacto esse que é baseado na fé. Assim, os ensinos da graça, quando empreendidos na energia da carne, se tornam um código legal, as exigências do qual são impossíveis de ser satisfeitas. Quantos cristãos estão debaixo desse aspecto da lei, mesmo os que dão alguma atenção aos reais preceitos da graça!

Há duas revelações inseparáveis dadas nos ensinos da graça do Novo Testamento. Cada um deles é a contraparte, o complemento e o suplemento do outro, e é feita uma violência incalculável à totalidade do propósito revelado de Deus nessa dispensação, quando um desses temas permanece isolado. Um tema é apresentado naquele conjunto de textos da Escritura que estabelece o caráter de conduta para aquele que já é salvo e está seguro na graça de Deus; o outro tema é apresentado naquele conjunto de textos da Escritura que estabelece o fato de que a vida na graça deve ser vivida no poder capacitador do Espírito que em nós habita. Este último conjunto de textos inclui todos os detalhes e instruções a respeito da vida de fé e do andar no Espírito. É obviamente imperativo que essas duas revelações não devam ser separadas. De outra forma, por um lado, os ensinos da graça parecerão ser um código de lei impossível, ou, de outro lado, o andar no Espírito parecerá ser um procedimento desconhecido e incerto.

Os ensinos da graça do Novo Testamento, esses dois aspectos da verdade, nunca aparecem separados. Procedendo a partir do fato de que o modo sobre-humano de vida sob a graça é ensinado em todos os livros do Novo Testamento, começando com o evangelho de João, há espaço apenas para uma citação de cada um desses livros, inclusive a epístola aos Colossenses. Esse conjunto de textos revela a verdade de que a vida na graça deve ser vivida somente pelo poder capacitador do Espírito.

João 7.37-39: "Ora, no último dia, o grande dia da festa, Jesus pôs-se em pé e clamou, dizendo: Se alguém tem sede, venha a mim e beba. Quem crê em mim, como diz a Escritura, do seu interior correrão rios de água viva. Ora, isto ele disse a respeito do Espírito que haviam de receber os que nele cressem; pois o Espírito ainda não fora dado, porque Jesus ainda não tinha sido glorificado".

Atos 1.8: "Mas recebereis poder, ao descer sobre vós o Espírito Santo, e ser-me-eis testemunhas, tanto em Jerusalém, como em toda a Judéia e Samaria, e até os confins da terra".

Romanos 6.14; 8.4: "Pois o pecado não terá domínio sobre vós, porquanto não estais debaixo da lei, mas debaixo da graça". Nenhum poder capacitador foi proporcionado para cumprir a lei, mas tal poder é dado sob a graça: "Para que a justa exigência da lei se cumprisse em nós, que não andamos segundo a carne, mas segundo o Espírito". Nenhuma passagem nos ensinos da graça é mais decisiva do que esta: "a exigência da lei", a que o texto se refere; é evidentemente não menos do que a totalidade da vontade de Deus para os seus filhos sob a graça. Esta vontade divina deve ser realizada *no* crente, mas nunca *pelo* crente.

1 Coríntios 12.4-7: "Ora, há diversidade de dons, mas o Espírito é o mesmo. E há diversidade de ministérios, mas o Senhor é o mesmo. E há diversidade de operações, mas é o mesmo Deus que opera tudo em todos. A cada um, porém, é dada a manifestação do Espírito para o proveito comum". Como todo o serviço cristão acontece pelo exercício de um dom espiritual, esses dons são totalmente realizados pela força do poder de Deus.

2 Coríntios 10.3-5: "Porque, embora andando na carne, não militamos segundo a carne, pois as armas da nossa milícia não são carnais, mas poderosas em Deus, para demolição de fortalezas; derribando raciocínios e todo baluarte que se ergue contra o conhecimento de Deus, e levando todo pensamento à obediência a Cristo".

Gálatas 5.16: "Digo, porém: Andai pelo Espírito, e não haveis de cumprir a cobiça da carne". Esta promessa é tão certa como é de longo alcance.

Efésios 6.10, 11: "Finalmente, fortalecei-vos no Senhor e na força do seu poder. Revesti-vos de toda a armadura de Deus, para poderdes permanecer firmes contra as ciladas do Diabo". Essa verdadeira força vitoriosa não é outra além do "poder" de Deus que é comunicado.

Filipenses 2.13: "Porque Deus é o que opera em vós tanto o querer como o efetuar, segundo a sua boa vontade". Aqui a capacitação divina atinge a verdadeira natureza dos desejos do coração, e alcança a plena realização desses desejos.

Colossenses 2.6: "Portanto, assim como recebestes a Cristo Jesus, o Senhor, assim também nele andai". Neste texto o mesmo princípio de fé, pelo qual unicamente a alma pode ser salva, também é o princípio pelo qual a alma deve andar.

O aspecto total da graça, que proporciona uma suficiência sobrenatural para a conduta sobre-humana e celestial, e que é a vida e o serviço racionais do crente, está sumariado nas duas grandes doutrinas do Novo Testamento:

(1) O modo de vida sobre-humano é ser igual a Cristo. Cristo é o padrão: "Tende em vós aquele sentimento que houve também em Cristo Jesus" (Fp 2.5); "porque, qual ele é, somos também nós neste mundo" (1 Jo 4.17); "porquanto também Cristo padeceu por vós, deixando-vos exemplo, para que sigais as suas pisadas" (1 Pe 2.21); "para mim o viver é Cristo" (Fp 1.21). Estar debaixo da lei de Cristo (1 Co 9.21) é estar comprometido com o próprio padrão do qual Ele é o ideal. Portanto, o padrão do cristão é sobre-humano e além do poder humano de realização.

(2) É o propósito supremo do Espírito que em nós habita reproduzir a semelhança de Cristo no crente. A afirmação mais abrangente da reprodução de Cristo no crente é encontrada em Gálatas 5.22, 23: "Mas o fruto do Espírito é: o amor, o gozo, a paz, a longanimidade, a benignidade, a bondade, a fidelidade, a mansidão e o domínio próprio". Cada palavra, como está colocada aqui, representa uma qualidade supra-humana de vida. É uma descrição exata da vida de Cristo, mas a semelhança de Cristo nunca é ganha pela energia da carne. Estas virtudes não são encontradas na natureza humana; elas são o "fruto do Espírito". Sob a lei, o grau de amor exigido é aquele possível ao homem natural; sob a graça, o amor divino é operado no coração pelo Espírito Santo. Isto é verdade de todas as exigências supra-humanas sob a graça.

Elas são operadas na vida pelo Espírito. O padrão celestial requer: "Regozijai-vos sempre no Senhor; outra vez digo, regozijai-vos" (Fp 4.4). Isto é

ECLESIOLOGIA

impossível humanamente, mas o fruto do Espírito é "alegria", e o Senhor orou: "...para que eles tenham a minha alegria completa em si mesmos" (Jo 17.13). O padrão da graça exige que "a paz de Deus" reine em "vossos corações" (Cl 3.15). O homem nunca alcançou isto, mas o fruto do Espírito é "paz", e Cristo disse: "A minha paz vos dou" (Jo 14.27). O fruto que se manifesta de nove formas representa as graças do verdadeiro cristão, visto que, sob a graça, esse fruto é produzido no coração e na vida pelo Espírito (Gl 5.22, 23). Igualmente, o serviço cristão deve ser supra-humano. Ele é o fluir "dos rios de água viva", mas isto vem do Espírito Santo (Jo 7.37-39). Isto é a prova cabal de que "a vontade de Deus é boa, perfeita e agradável" (Rm 12.2), mas "é Deus quem opera em vós tanto o querer como o efetuar, segundo a sua boa vontade" (Fp 2.13).

Tudo é sobrenaturalmente operado, pois é o exercício de um dom espiritual – uma "manifestação do Espírito" (1 Co 12.7). Como o caráter cristão é o composto das graças operadas interiormente, assim o serviço do cristão é uma "graça" comunicada. "Mas a cada um de nós foi dada a graça conforme a medida do dom de Cristo" (Ef 4.7); e "a cada um, porém, é dada a manifestação do Espírito para o proveito comum" (1 Co 12.7).

A graça divina, operada interiormente e comunicada pelo Espírito, resulta numa manifestação da própria benevolência divina em e através do coração do crente. Em nenhum sentido ela é uma *imitação* da benevolência de Deus, mas é uma *reprodução* pelo Espírito daquela benevolência na vida e no serviço do crente. Esta verdade é uma das doutrinas mais extensas do Novo Testamento (cf. Rm 12.3-6; 15.15; 1 Co 1.4; 3.10; 15.10; 2 Co 1.12; 4.15; 6.1-3; 8.1, 6, 7, 9; 9.8, 14; 12.9; Gl 2.9; Ef 3.2-8; 4.7, 29; Fp 1.7; Cl 3.16; 4.6; 2 Ts 1.12; 2 Tm 2.1; Hb 4.16; 12.15; Tg 4.6; e 2 Pe 3.18).

II. Os Relacionamentos da Graça

A vida diária do cristão é um dos ajustes para certos relacionamentos particularizados, e as injunções da graça são basicamente as orientações divinas sobre como esses relacionamentos deveriam ser mantidos. Este reconhecimento dos relacionamentos é igualmente verdadeiro em cada um dos sistemas legais. Os aspectos distintivos da ordem da graça estão baseados numa verdade tríplice que o crente está designado a manter: (1) o relacionamento com as pessoas da Trindade; (2) o relacionamento com o sistema do mundo; e (3) o relacionamento com outros cristãos que são membros com ele do mesmo Corpo de Cristo. A importância relativa destes três relacionamentos separados pode ser vista no fato de que eles abrangem praticamente todas as porções relacionadas à salvação – cerca da metade – nas Epístolas do Novo Testamento. Considerando essa ênfase bíblica, não há apologia alguma oferecida, para se permanecer detalhadamente nesses aspectos da verdade. As três esferas gerais do relacionamento mencionado acima podem ser agora examinadas.

1. O Relacionamento com as Pessoas da Trindade. Supremo sobre todas as outras obrigações que recaem sobre o cristão é o relacionamento com as pessoas da Trindade. Este campo de responsabilidade abarca a esfera total da moral e daquilo que é espiritual: os laços da comunhão com essas pessoas, o exercício do louvor e da oração, e a esfera total da obediência à mente e à vontade de Deus. Visto que esse é o relacionamento principal estabelecido com o crente, uma indução de tudo isso no Novo Testamento é de caráter ilimitado.

2. O Relacionamento com o Sistema Mundial do Cosmos. Foi asseverado anteriormente que o cristão não pertence ao sistema do cosmos: o próprio Cristo declarou essa verdade reveladora duas vezes em sua oração sacerdotal (Jo 17.14, 16). Que Ele, enquanto conversava com o seu Pai, a quem a repetição não é necessária, disse uma mesma coisa duas vezes e nas mesmas palavras, constitui uma ênfase sobre a coisa afirmada, sobre o que não deveríamos fazer vista grossa. Ele disse: "Eles não são do mundo, como também eu não sou". Nenhuma separação mais completa poderia ser possível além de ser desprendido deste *mundo* como Cristo é desprendido dele. O crente é um cidadão do céu – uma pessoa que está relacionada ao cosmos como um embaixador, um estrangeiro e peregrino, e uma testemunha contra o *cosmos* e seu deus. Portanto, Ele deu instruções completas sobre o conflito que se deve travar contra Satanás e seu sistema mundano. O relacionamento do crente com o mundo é quádruplo:

A. Com Satanás e seus Emissários. Neste relacionamento, há somente inimizade e conflito, e visto que o inimigo é superior – mesmo mais exaltado do que Miguel, o arcanjo (cf. Jd 9) – a batalha deve ser travada com o princípio da fé que beneficia o combatente com o poder infinito de Deus e com os Seus recursos. A Escritura é clara neste ponto: "Finalmente, fortalecei-vos no Senhor e na força do seu poder. Revesti-vos de toda a armadura de Deus, para poderdes permanecer firmes contra as ciladas do Diabo; pois não é contra carne e sangue que temos que lutar, mas sim contra os principados, contra as potestades, contra os príncipes do mundo destas trevas, contra as hostes espirituais da iniqüidade nas regiões celestes" (Ef 6.10-12); "Filhinhos, vós sois de Deus, e já os tendes vencido; porque maior é aquele que está em vós do que aquele que está no mundo" (1 Jo 4.4).

B. Com o Sistema Mundial. Este sistema abarca a esfera total da vida humana com suas instituições, ideais e projetos. Com respeito a esse sistema do mundo o crente é, assim, advertido: "Não ameis o mundo, nem o que há no mundo. Se alguém ama o mundo, o amor do Pai não está nele. Porque tudo o que há no mundo, a concupiscência da carne, a concupiscência dos olhos e a soberba da vida, não vem do Pai, mas sim do mundo. Ora, o mundo passa, e a sua concupiscência; mas aquele que faz a vontade de Deus permanece para sempre" (1 Jo 2.15-17); "E não vos associeis às obras infrutuosas das trevas, antes, porém, condenai-as" (Ef 5.11); "Andai em sabedoria para com os que estão de fora, usando bem cada oportunidade. A vossa palavra seja sempre com graça, temperada com sal, para saberdes como deveis responder a cada um" (Cl 4.5, 6).

ECLESIOLOGIA

C. COM OS GOVERNOS HUMANOS. O que parece uma mistura estranha é, assim, apresentada: primeiramente, que o crente é colocado para travar uma batalha contra o mundo e, segundo, que ele é ao mesmo tempo orientado para prestar lealdade aos governos do mundo. É verdade que Satanás mantém os governos do mundo sob controle (cf. Mt 4.8, 9; Lc 4.5-7), e que eles são exercidos sob a autoridade dos gentios por toda essa dispensação (cf. Lc 21.24); todavia, o crente deve estar em sujeição a eles enquanto viver neste mundo. O governo humano é de Deus somente no grau em que a sua vontade permissiva quer a concretização de seu propósito; não obstante, o cidadão do céu é instruído a estar em sujeição a esses governos:

"Toda alma esteja sujeita às autoridades superiores; porque não há autoridade que não venha de Deus; e as que existem foram ordenadas por Deus. Por isso, quem resiste à autoridade resiste à ordenação de Deus; e os que resistem trarão sobre si mesmos a condenação. Porque os magistrados não são motivo de temor para os que fazem o bem, mas para os que fazem o mal. Queres tu, pois, não temer a autoridade? Faze o bem, e terás louvor dela; porquanto ela é ministro de Deus para teu bem. Mas, se fizeres o mal, teme, pois não traz debalde a espada; porque é ministro de Deus, e vingador em ira contra aquele que pratica o mal. Pelo que é necessário que lhe estejais sujeitos, não somente por causa da ira, mas também por causa da consciência. Por esta razão também pagais tributo; porque são ministros de Deus, para atenderem a isso mesmo. Dai a cada um o que lhe é devido: a quem tributo, tributo; a quem imposto, imposto; a quem temor, temor; a quem honra, honra" (Rm 13.1-7); "Sujeitai-vos a toda autoridade humana por amor do Senhor, quer ao rei, como soberano, quer aos governadores, como por ele enviados para castigo dos malfeitores, e para louvor dos que fazem o bem. Porque assim é a vontade de Deus que, fazendo o bem, façais emudecer a ignorância dos homens insensatos, como livres, e não tendo a liberdade como capa de malícia, mas como servos de Deus. Honrai a todos. Amai aos irmãos. Temei a Deus. Honrai o rei" (1 Pe 2.13-17).

D. COM OS NÃO-SALVOS COMO INDIVÍDUOS. A atitude consistente do cristão é a mesma como a que mantém o seu Senhor que morreu por homens perdidos. Como Ele é, assim somos nós, e, portanto, devemos manifestar o Seu espírito neste mundo. De sua própria atitude para com os perdidos, o apóstolo Paulo escreveu: "Pois o amor de Cristo nos constrange, porque julgamos assim; se um morreu por todos, logo todos morreram [todos morreram no Substituto]... Por isso daqui por diante a ninguém conhecemos segundo a carne; e, ainda que tenhamos conhecido Cristo segundo a carne, contudo agora já não o conhecemos desse modo" (2 Co 5.14-16). Tendo visto Cristo como o Cordeiro de Deus que tira o pecado do mundo, e Aquele que morreu por todos, e de cuja morte todos participaram, o apóstolo diz: "a ninguém conhecemos segundo a carne".

As distinções comuns entre os homens, dos judeus e gentios, ricos e pobres, escravos e livres, são submersas na avaliação irresistível do que é realizado por todos os homens através da morte de Cristo. O apóstolo agora os reconhece somente como homens por quem Cristo morreu. Esta concepção do estado do não-salvo é a normal para todos os cristãos, e isto conduz a um serviço racional para Deus no ganhar almas.

3. O RELACIONAMENTO COM O CORPO DE CRISTO. As epístolas do Novo Testamento revelam a base para uma comunhão e parentesco dentro do grupo dos redimidos que não existe em outra associação de pessoas neste mundo, e essa união exige uma maneira correspondente de conduta do cristão para com os irmãos na fé. Esse relacionamento é sétuplo:

A. O RELACIONAMENTO DO CRISTÃO COM OUTROS CRISTÃOS EM GERAL. O amor é revelado como o princípio subjacente deste relacionamento. Ele está incorporado no primeiro mandamento de Cristo nos ensinos da graça do cenáculo: "Um novo mandamento vos dou; que vos ameis uns aos outros; assim como eu vos amei a vós, que também vós vos ameis uns aos outros. Nisto conhecerão todos que sois meus discípulos, se tiverdes amor uns pelos outros" (Jo 13.34, 35). Esta mesma verdade é apresentada em muitas passagens: "Nós sabemos que já passamos da morte para a vida, porque amamos os irmãos. Quem não ama, permanece na morte" (1 Jo 3.14); "De maneira que, se um membro padece, todos os membros padecem com ele; e, se um membro é honrado, todos os membros se regozijam com ele" (1 Co 12.26); "e andai em amor, como Cristo também vos amou, e se entregou a si mesmo por nós, como oferta e sacrifício a Deus, em cheiro suave" (Ef 5.2); "Amados, amai-vos uns aos outros; pois o amor procede de Deus"; "Amados, se Deus nos amou, devemos também amar uns aos outros" (1 Jo 4.7, 11); "permaneça o amor fraternal" (Hb 13.1); "o amor seja sem hipocrisia" – esta é uma das grandes passagens sobre o amor e a preocupação de um cristão com o outro.

O contexto todo deveria ser lido (Rm 12.9-16): "...revesti-vos, pois, como eleitos de Deus, santos e amados, de coração compassivo, de benignidade, humildade, mansidão, longanimidade, suportando-vos e perdoando-vos uns aos outros; assim como o Senhor vos perdoou, assim fazei vós também" (Cl 3.12, 13); "Finalmente, sede todos de um mesmo sentimento, compassivos, cheios de amor fraternal, misericordiosos, humildes, não retribuindo mal por mal, ou injúria por injúria; antes, pelo contrário, bendizendo; porque para isso fostes chamados, para herdardes uma bênção" (1 Pe 3.8, 9); "tendo antes de tudo ardente amor uns para com os outros, porque o amor cobre uma multidão de pecados; sendo hospitaleiros uns para com os outros, sem murmuração" (1 Pe 4.8, 9).

O cristão é chamado para reconhecer a união vital na qual ele foi introduzido pelo recebimento do Espírito: "Rogo-vos, pois, eu, o prisioneiro no Senhor, que andeis como é digno da vocação com que fostes chamados, com toda a humildade e mansidão, com longanimidade, suportando-vos uns aos outros em amor, procurando diligentemente guardar a unidade do Espírito no vínculo da paz" (Ef 4.1-3).

Uma ênfase especial é dada também à amabilidade cristã: "Toda a amargura, e cólera, e ira, e gritaria, e blasfêmia sejam tiradas dentre vós, bem como toda malícia. Antes sede bondosos uns para com os outros, compassivos, perdoando-vos uns aos outros, como também Deus vos perdoou em Cristo" (Ef 4.31-32);

ECLESIOLOGIA

"Ninguém iluda ou defraude nisso a seu irmão, porque o Senhor é vingador de todas estas coisas, como também antes vo-lo dissemos e testificamos... Quanto, porém ao amor fraternal, não necessitais de que se vos escreva, visto que vós mesmos sois instruídos por Deus a vos amardes uns aos outros" (1 Ts 4.6, 9); "Pelo que exortai-vos uns aos outros e edificai-vos uns aos outros, como na verdade o estais fazendo" (1 Ts 5.11); "Irmãos, não faleis mal uns dos outros" (Tg 4.11).

Os cristãos devem se submeter uns aos outros em honra, preferindo uns aos outros: "sujeitando-vos uns aos outros no temor de Cristo" (Ef 5.21); "nada façais por contenda ou por vanglória, mas com humildade cada um considere os outros superiores a si mesmo; não olhe cada um somente para o que é seu, mas cada qual também para o que é dos outros" (Fp 2.3, 4); "Semelhantemente vós, os mais moços, sede sujeitos aos mais velhos. E cingi-vos todos de humildade uns para com os outros, porque Deus resiste aos soberbos, mas dá graça aos humildes" (1 Pe 5.5).

Os dons dos cristãos devem ser dirigidos especialmente para as necessidades dos filhos de Deus: "Então, enquanto temos oportunidade, façamos bem a todos, mas principalmente aos domésticos da fé" (Gl 6.10); "Quem, pois, tiver bens do mundo, e, vendo o seu irmão necessitado, lhe fechar o seu coração, como permanece nele o amor de Deus?" (1 Jo 3.17).

A oração deve ser feita em favor de todos os santos: "...com toda oração e súplica orando em todo tempo no Espírito e, para o mesmo fim, vigiando com toda a perseverança e súplica, por todos os santos" (Ef 6.18); "Confessai, portanto, os vossos pecados uns aos outros, e orai uns pelos outros, para serdes curados. A súplica de um justo pode muito na sua atuação" (Tg 5.16).

B. O Relacionamento do Cristão com Aqueles Que Estão em Autoridade na Assembléia dos Crentes. Sobre esta questão importante a Palavra de Deus é explícita e é desnecessário qualquer comentário: "Lembrai-vos dos vossos guias, os quais vos falaram a palavra de Deus, e, atentando para o êxito da sua carreira, imitai-lhes a fé" (Hb 13.7); "Obedecei a vossos guias, sendo-lhes submissos; porque velam por vossas almas como quem há de prestar contas delas; para que o façam com alegria e não gemendo, porque isso não vos será útil" (Hb 13.17); "Ora, rogamo-vos, irmãos, que reconheçais os que trabalham entre vós, presidem sobre vós no Senhor e vos admoestam; e que os tenhais em grande estima e amor, por causa da sua obra. Tende paz entre vós" (1 Ts 5.12, 13).

C. O Relacionamento do Marido e Esposa Cristãos. O ensino da graça sobre esse aspecto do relacionamento cristão também é explícito: "Vós mulheres, submetei-vos a vossos maridos, como ao Senhor... Vós, maridos, amai a vossas mulheres, como também Cristo amou a igreja, e a si mesmo se entregou por ela" (Ef 5.22, 25; cf Ef 5.21-33; Cl 3.18, 19; 1 Pe 3.1-7).

D. O Relacionamento de Pais e Filhos. "Vós, filhos, sede obedientes a vossos pais no Senhor, porque isto é justo... E vós, pais, não provoqueis à ira vossos filhos, mas criai-os na disciplina e admoestação do Senhor" (Ef 6.1, 4; cf. Ef 6.1-4; Cl 3.20, 21). Desse conjunto de revelação, será visto que os filhos de pais cristãos devem ser governados no temor do *Senhor*. Uma das condições que caracterizarão os últimos dias dessa dispensação será a desobediência dos filhos (2 Tm 3.2).

E. O Relacionamento de Senhores e Servos. "Vós, servos obedecei em tudo a vossos senhores segundo a carne, não servindo somente à vista como para agradar aos homens, mas em singeleza de coração, temendo ao Senhor" (Cl 3.22–4.1; cf. Ef 6.5-9).

F. A Obrigação do Cristão com o Irmão Que Erra. "Irmãos, se um homem chegar a ser surpreendido em algum delito, vós que sois espirituais corrigi o tal com espírito de mansidão; e olha por ti mesmo, para que também tu não sejas tentado" (Gl 6.1); "Exortamo-vos também, irmãos, a que admoesteis os insubordinados, consoleis os desanimados, ampareis os fracos e sejais longânimos para com todos" (1 Ts 5.14); "Mandamo-vos, irmãos, em nome do Senhor Jesus Cristo, que vos aparteis de todo irmão que anda desordenadamente, e não segundo a tradição que de nós recebestes... Porquanto ouvimos que alguns entre vós andam desordenadamente, não trabalhando, antes intrometendo-se na vida alheia... todavia não o considereis como inimigo, mas admoestai-o como irmão" (2 Ts 3.6, 11-15). Uma distinção muito clara deve ser feita neste ponto entre um irmão que anda desordenadamente, que é uma pessoa intrometida, que anda relaxando no seu trabalho honesto, e que é desinteressado em questões de conduta cristã, de um lado, e um crente sincero que pode discordar de outro em assunto de interpretação, de outro lado.

Uma confusão interminável e uma disputa infeliz têm seguido o exercício de uma liberdade desautorizada entre crentes sinceros que se separam um do outro por pequenas questões doutrinárias. Se alguém falhar em sustentar a verdadeira doutrina de Cristo (2 Jo 1.9-11), essa pessoa pode não ter o seu lugar numa comunhão cristã, mas as pessoas têm se dividido por questões secundárias e têm ido longe demais a ponto de excluir crentes sinceros de sua comunhão com quem porventura discordam numa mínima questão doutrinária. Tal separação não é escriturística, uma violação inestimável da unidade do Espírito, e estranha à ordem da graça. Há o ensino da Escritura a respeito da disciplina cristã, mas não necessariamente impõe uma penalidade de separação. O irmão que pode ter sido surpreendido numa falta, deve ser restaurado, e somente por aquele que, em si mesmo, é espiritual.

Isto ele deve fazer no espírito de mansidão, considerando sua própria fraqueza total à parte do poder capacitador de Deus. Nenhum outro pode empreender esse importante serviço. Se o irmão que erra, prova ser persistente em sua falta, é exigido que ele seja impedido da comunhão dos crentes, até que reconheça o seu erro. (Igualmente os irmãos sinceros não devem romper a comunhão, contudo, nas mínimas questões.) Daqueles que são assim dispostos, o apóstolo escreve: "Rogo-vos irmãos, que noteis os que promovem dissensões e escândalos contra a doutrina que aprendestes; desviai-vos deles. Porque os tais não servem a Cristo nosso Senhor, mas ao seu ventre; e com palavras suaves e lisonjas enganam os corações dos inocentes" (Rm 16.17, 18).

G. A Obrigação do Cristão com o Irmão Mais Fraco. A tenra consciência de um irmão fraco deve ser levada em conta. Este princípio importante se aplica a questões próprias do dia-a-dia. No tempo do apóstolo, houve uma questão grave concernente ao comer carne que havia sido oferecida a ídolos e depois era colocada à venda nos mercados públicos. Havia aqueles que se tornaram salvos recentemente e libertos do poder da adoração a ídolos. Havia outros que tinham sido profundamente prejudicados por suas experiências anteriores com os ídolos que, conquanto salvos e libertos, não desejavam jamais tocar em qualquer coisa conectada com os ídolos. Seria natural dizer que o primeiro grupo sabia melhor o que significava ser adorador novamente dos ídolos, e que o segundo grupo haveria de se desfazer de seu preconceito, mas isto não está de acordo com a "lei do amor".

Está escrito: "Ora, ao que é fraco na fé, acolhei-o, mas não para condenar-lhe os escrúpulos. Um crê que de tudo se pode comer, e outro, que é fraco, come só legumes. Quem come não despreze a quem não come; e quem não come não julgue a quem come; pois Deus o acolheu. Quem és tu, que julgas o servo alheio? Para seu próprio senhor ele está em pé ou cai; mas estará firme; porque poderoso é o Senhor para o firmar" (Rm 14.1-4). Desta passagem está claro que a instrução é também dada ao irmão mais fraco com a intenção de que ele não "julgue" o cristão que, através dos anos de treinamento e um entendimento mais profundo da liberdade na graça, está livre para fazer o que ele próprio em suas limitações pode não ser capaz ainda de fazer. Dificilmente, pode haver uma exortação mais importante para os cristãos hoje do que essa.

A cura é claramente revelada: Deus reserva para si o direito de corrigir e dirigir a vida de seus próprios filhos. Muita crítica prejudicial poderia ser evitada se os cristãos somente cressem nisso e confiassem nEle para fazer com o seu próprio filho o que Ele se propõe a fazer. Deus é o Senhor diante de quem unicamente o servo fica em pé ou cai. O texto continua: "Pois, se pela tua comida se entristece teu irmão, já não andas segundo o amor. Não faças perecer por causa da tua comida aquele por quem Cristo morreu... Não destruas por causa da comida a obra de Deus. Na verdade tudo é limpo, mas é um mal para o homem dar motivo de tropeço pelo comer. Bom é não comer carne, nem beber vinho, nem fazer outra coisa em que teu irmão tropece. A fé que tens, guarda-a contigo mesmo diante de Deus. Bem-aventurado aquele que não se condena a si mesmo naquilo que aprova. Mas aquele que tem dúvidas, se come está condenado, porque o que faz não provém da fé; e tudo o que não provém da fé é pecado" (Rm 14.15-23). "Levai as cargas uns dos outros, e assim cumprireis a lei de Cristo" (Gl 6.2).

A consideração devida para a consciência e liberdade dos outros é dupla: de um lado, o mais forte seja amoroso para com o mais fraco; por outro lado, o mais fraco desista de julgar o mais forte. O resultado será uma comunhão mútua e o exercício de todas as liberdades da graça.

Capítulo XI

Contrastes Entre a Lei e a Graça

O TEMA DA AÇÃO e responsabilidade humana que, direta ou indiretamente, ocupa a parte mais importante do Texto Sagrado, seja geralmente tratado pelos teólogos ou não, deve, quando cuidadosamente estudado, empregar muitas páginas. O presente aspecto do tema, igual ao que se segue, não pode ser admitido, mesmo com um grau de perfeição sem uma discussão extensa. É, sem dúvida, verdade que confusão, perplexidade e entendimento errôneo são gerados por um estudo parcial desse tema como são gerados pela sua negligência total.

Após considerar o fato de que Deus provê diferentes regras de vida, registradas na Escritura, para combinar com os seus sucessivos tratos dispensacionais com os homens, é importante considerar a ampla diferença que existe entre o princípio da lei e o da graça, aplicados ao governo divino com referência ao homem. Conquanto o propósito desta seção seja enfatizar o fato de que os três sistemas do governo divino estão essencialmente separados, cada um separado dos outros, e cada um, por ser totalmente completo e suficiente em si mesmo, de modo algum nenhum deles é substituído pelos outros, e não podem ser misturados – deveria ser observado que há importantes campos da instrução e interpretação bíblica, além do aspecto limitado da verdade que é sugerido pelas várias regras de conduta. A Escritura revela muitos caminhos da verdade com desenvolvimento contínuo, como é o caso: "primeiro a erva, depois a espiga, e por último o grão cheio na espiga" (Mc 4.28). Os aspectos importantes desta unidade nas Escrituras são:

A Revelação Concernente a Deus. Ele é primeiro revelado no Antigo Testamento por seus nomes e obras, e a isto o Novo Testamento acrescenta a mais plena ênfase sobre a Trindade, a relação das pessoas da Trindade com a raça humana, e os vários aspectos da graça salvadora. A continuidade do testemunho do Antigo Testamento sobre Cristo foi provada por Ele no caminho de Emaús, que está assim registrada: "E, começando por Moisés, e por todos os profetas, explicou-lhes o que dele se achava em todas as Escrituras" (Lc 24.27).

A Profecia e o seu Cumprimento. Cada caso registrado do cumprimento da profecia mostra que todo detalhe da predição foi cumprido à risca.

A União entre o Tipo e o Antítipo. Quase toda verdade importante do Novo Testamento foi tipificada e prefigurada no Antigo Testamento. Este fato prova a simetria de toda Escritura (veja 1 Co 10.1-11).

A Revelação Concernente a Satanás e ao Mal. Neste conjunto de revelação, igualmente, a história da Bíblia é sem interrupção, salvo para o novo material acrescentado no desenvolvimento da mensagem divina.

A Doutrina do Homem e seu Pecado. A maneira exata da aplicação do remédio divino para o pecado varia de dispensação a dispensação, mas não há variação em todo o registro concernente aos fatos essenciais da falha humana, e o remédio divino só é gracioso através do sangue.

A Exigência de Santidade na Conduta dos Santos. Enquanto existe uma ampla diferença entre as regras de conduta que são impostas nas várias dispensações, há unidade na revelação de que uma maneira santa de viver é a exigência divina em cada época.

A Continuidade do Propósito no Programa das Dispensações. Neste aspecto da verdade, deveria ser observado que, enquanto cada dispensação possui um caráter exclusivamente seu, o propósito divino por todas as épocas é um, e termina na consumação definitiva que Deus decretou. O fato está afirmado em Hebreus 1.2. Ao falar de Deus como revelado em Seu Filho e relacionado a Ele, está escrito: *"...e por quem também ele programou as eras"* (grego).

Esta é a unidade maravilhosa por todas as Escrituras; mas em sentido algum os vários sistemas que regulam a conduta humana são os mesmos, e a aplicação exata desses sistemas deve ser tida em mente a toda hora. Se a verdade para os filhos de Deus sob a graça deve ser sacada dos ensinos da lei de Moisés, ou do reino, deveria ser reconhecido que ela é tomada de um sistema estranho à graça, e que é apropriado somente através de uma aplicação secundária.

Esses princípios governativos ou sistemas diferem em três aspectos: (1) Eles apresentam sistemas independentes, suficientes e completos da regra divina na terra. (2) Nesses sistemas, a ordem varia com respeito à seqüência da bênção divina e a obrigação humana. (3) Esses sistemas diferem de acordo com o grau em que a capacitação divina foi proporcionada.

I. Sistemas Independentes, Suficientes e Completos da Regra Divina na Terra

Como já foi afirmado anteriormente, há três destes sistemas de governo divino: (1) os ensinos da lei de Moisés; (2) os ensinos da graça; e (3) os ensinos do reino. Naturalmente, há campo aqui para a bem ampla expansão, visto que estes três sistemas de autoridade ocupam a porção mais importante da Bíblia. Uma breve recapitulação somente do caráter essencial desses sistemas será dada aqui:

1. Os Ensinos da Lei de Moisés. Esta regra de vida foi revelada por Deus e aceita por Israel no Sinai, e em tempo algum foi endereçada às nações do mundo.

Era uma forma peculiar de governo para um povo peculiar, e cumpria um propósito peculiar na condenação da falha do homem e no conduzi-lo a Cristo. Seu pleno detalhe está revelado nos escritos de Moisés; mas a história de Israel sob a lei ocupa o restante do Antigo Testamento, e grande parte dos evangelhos, até o registro da morte de Cristo. No ensino doutrinário do Novo Testamento, muita luz adicional é dada sobre o caráter e o propósito da lei de Moisés. Ali, a lei é sustentada em contraste com os ensinos da graça. Ali também, como será visto mais plenamente em discussão posterior, a lei é apresentada como não mais estivesse em vigor através da morte de Cristo; e pode ser observado que, após a morte de Cristo, a lei em caso algum é tratada como se estivesse em vigência.

A lei de Moisés era completa em si mesma. Era suficiente para regular a conduta de um Israelita sob cada circunstância que pudesse surgir. Nenhuma outra regra de vida havia sido revelada durante os dias nos quais a lei de Moisés esteve em vigência; por isso, não havia tentação alguma para Israel complicar o princípio governativo dela com outra qualquer. Na relação dela com Deus, aquela nação permaneceu por 1.500 anos sob a pura lei. "A lei foi dada por Moisés, mas a graça e a verdade vieram por Jesus Cristo".

2. Os Ensinos da Graça. Iguais aos ensinos da lei de Moisés, os ensinos da graça não têm aplicação aos homens em todas as dispensações. Esses ensinos foram revelados por Deus através de Cristo e de seus apóstolos. Além disso, eles nunca foram endereçados ao mundo como aplicável a ele na presente era; mas são endereçados a um povo peculiar que está no mundo, mas não pertence ao mundo. Esses ensinos constituem a instrução divina para os cidadãos celestiais e revelam a maneira exata de vida que tais cidadãos devem manifestar, mesmo aqui na terra. Os plenos detalhes dessa regra de vida são encontrados nas porções dos evangelhos, em porções do livro de Atos, e nas epístolas do Novo Testamento. Como é dada luz nesses textos específicos do Novo Testamento por meio do contraste, concernente ao caráter e propósito da lei de Moisés, de igual modo os próprios fundamentos da graça e seus relacionamentos repousam nos tipos e profecias do Antigo Testamento.

Está revelado que Deus tratou graciosamente com a raça humana desde Adão até Moisés; mas está também revelado que a forma exata do governo divino, que é o presente ensino da graça, não foi revelado naquela época, nem foi aplicado aos homens, até que a vigência da lei tivesse terminado na morte de Cristo. Está igualmente revelado que a morte de Cristo foi o fundamento necessário para a manifestação presente e plena da graça superabundante. É igualmente certo da revelação que os ensinos da graça se aplicam aos filhos de Deus sob a graça enquanto eles estão no mundo, e esses princípios cessarão de vigorar, necessariamente, quando o povo a quem eles somente aplicam for reunido e retirado desta terra na vinda de Cristo.

Esse período entre a morte de Cristo e sua segunda vinda não é caracterizado nas Escrituras como um tempo quando o supremo propósito de Deus é o governo das nações na terra; dessa era é dito que é "o tempo dos gentios" em todos os assuntos do governo humano na terra. Nem é essa era o período em que Deus

ECLESIOLOGIA

realiza o cumprimento de seus pactos imutáveis com a nação de Israel; essa nação está agora espalhada, ferida, cega, quebrada e odiada por todas as nações, e eles vão permanecer assim até o fim dessa dispensação. Essa época não é o tempo da salvação da comunidade israelita; esse grande empreendimento está claramente revelado no propósito de Deus, mas está reservado para a era que ainda é futura. A presente época é caracterizada por uma ênfase singular do indivíduo. A morte de Cristo contemplou acima de tudo a necessidade do pecador, individualmente.

O Evangelho da graça, que a morte de Cristo tornou possível, é um apelo ao indivíduo somente, e a própria fé pela qual ela é recebida e exercida somente pelo indivíduo. A mensagem da graça é de uma fé pessoal, uma salvação pessoal, um revestimento pessoal do Espírito, um dom pessoal para o serviço, e uma transformação pessoal à imagem de Cristo. O grupo de indivíduos assim redimidos e transformados, deve ser nas eras vindouras a suprema manifestação das riquezas da graça de Deus. Para este propósito eterno, todo o universo foi criado e todas as eras foram programadas por Deus. A glória dessa dispensação é perdida à proporção em que a vigência da lei é colocada nessa era que se seguiu à morte de Cristo, ou quando a ordem social do reino, prometida para uma era futura, é esperada antes do retorno do Rei.

A Bíblia não possui base para a suposição de que o Senhor virá para uma ordem social aperfeiçoada. Na sua vinda, Ele juntará os salvos consigo, mas os ímpios serão julgados em justiça. A glória transcendente desta era, é que a própria graça terá sido aceita ou rejeitada pelo indivíduo.

Os ensinos da graça são perfeitos e suficientes em si mesmos. Eles proporcionam a instrução do filho de Deus em qualquer situação que possa surgir. Não há necessidade de que eles sejam suplementados, ou aumentados, pela adição de preceitos, seja da lei de Moisés ou dos ensinos do reino.

3. Os Ensinos do Reino. Os ensinos do reino não têm sido aplicados aos homens em todas as eras; mas ainda eles não foram aplicados a homem algum. Visto que eles prevêem a prisão de Satanás, uma terra purificada, a restauração de Israel, e o reinado pessoal do Rei, eles não podem ser aplicados até o tempo designado por Deus, quando essas condições que os acompanham venham a acontecer sobre a terra. As leis do reino serão endereçadas a Israel e, além de Israel, a todas as nações que entrarem no reino. Será o primeiro e único reino universal de justiça e paz na história do mundo. Uma *nação* estava em vista quando a lei de Moisés entrou em vigor na terra; o *indivíduo* é que está em vista durante essa era da graça; e toda a *ordem social* da raça estará em vista, quando o reino for estabelecido na terra.

O reinado do Rei nunca é dito que será introduzido por um processo gradual de melhora; ele será introduzido repentinamente e com grande violência. O retorno do Rei para reinar é semelhante a um golpe violento, e demolirá a estrutura dos impérios mundiais, e esmagará o poder deles ao pó, e os espalhará como a moinha que o vento espalha na eira de verão (Dn 2.31-45). Satanás e o engano satânico terão sido removidos da terra, Israel terá percebido a glória de seus pactos, e a bênção longamente predita terá vindo sobre todos os gentios, e sobre a própria criação. A Igreja não é mencionada uma só vez na relação dos ensinos do reino, nem são esses ensinos aplicáveis a ela; pois a parte dela no reino não é ser uma súdita, mas de reinar com Cristo – Seu Cabeça. A Igreja, por ser a Noiva do Rei, é seu cônjuge. Ela ainda estará sob os ensinos celestiais da graça, e seu lar será no seio do Noivo, no palácio de marfim do Rei.

O Rei reinará com um cetro de ferro. O pecado e a iniqüidade serão reprovados instantaneamente e julgados com perfeita justiça. A clara concepção da glória do reino fica perdida, se ela é confundida com a era da graça que a precede, ou com os novos céus e a nova terra sem pecado, que é o estado eterno que a segue. O reino termina com uma demonstração da falha do homem e, assim, ele acrescenta a última mensagem do testemunho convergente à impiedade do coração caído, e ao fato de que somente na sobresselente graça de Deus há salvação.

Sob a classificação divina, há somente três divisões principais da família humana – "os judeus, os gentios e a Igreja de Deus". Onde quer que eles sejam mencionados em qualquer parte da Bíblia, são reconhecidos como povos distintamente separados, e é importante seguir o registro divino a respeito de cada um, desde o seu começo até o final.

O judeu, ou Israel, que começou com Abraão, foi favorecido no relacionamento com Deus acima de todas as nações da terra por 1.500 anos na Terra Prometida, é o objeto de todos os propósitos e pactos de Jeová na terra, e está agora tão livre da lei e tão efetivamente preso ao Evangelho da graça como estão os gentios; todavia, herdará as bênçãos ilimitadas de todos os pactos do reino na terra.

O gentio, que começou com Adão, não recebeu uma instrução direta ou pacto de Jeová em todas as eras passadas; visto que Abraão é agora o objeto do apelo, com o judeu, no Evangelho da graça, ele partilhará na glória do reino vindouro, quando a bênção divina for derramada sobre todos os povos (At 15.17).

A Igreja, que começou com a morte de Cristo e a descida do Espírito Santo, é o objetivo divino nesta era, é um povo celestial tirado dentre judeus e gentios, e reinará com Cristo como sua Noiva, nas eras vindouras. Visto que há tão ampla diferença no caráter dessas eras – da lei, da graça e do reino – e nos povos da terra – os judeus, os gentios e a Igreja – como elas se relacionam com Deus em todas as eras, deve ser esperado que haja uma variação no governo divino, de acordo com o caráter essencial das diversas eras. Isto não é somente razoável, mas é o ensino exato da Bíblia. Visto que esses grandes sistemas de governo estão totalmente separados e suficientes em si mesmos, e visto que há muita coisa que eles têm em comum, uma breve comparação desses sistemas é empreendida aqui:

A. A Similaridade e Dissimilaridade entre os Ensinos da Lei de Moisés e os Ensinos da Graça. Nesta discussão, a lei de Moisés será limitada ao Decálogo; nenhum legalista propõe transportar para a graça os julgamentos que governavam a vida social de Israel, ou as ordenanças que governavam o ritual religioso de Israel na terra. Contudo, os mandamentos morais do Decálogo são os que foram universalmente impostos sobre a Igreja por esses legalistas. Na justificação dessa imposição, o apelo usualmente feito é que, à parte da aplicação direta do Decálogo, não poderia haver uma autoridade ou governo divinos na terra. Em nenhum sentido esta questão envolve as questões do governo no mundo, pois Deus nunca dirigiu os ensinos da lei ou os ensinos da graça ao mundo todo. O mundo pediu emprestado certos preceitos morais da Bíblia para o seu autogoverno, mas disto não se segue que Deus aceitou o mundo com base nos ensinos da lei ou nos ensinos da graça.

Na verdade, o mundo está preso ao único apelo do Evangelho da graça. Até este apelo deve ser cuidadoso, pois o indivíduo não está sob a lei nem sob a graça, como regra de vida; mas está "debaixo do pecado". Portanto, a questão é entre a lei e a graça como princípios governativos na vida do cristão. Devem os cristãos voltar ao Decálogo, como base do governo divino na vida diária deles? A Escritura responde esta pergunta com uma afirmação positiva: "Vós não estais debaixo da lei, mas debaixo da graça". Se isto é verdade, os grandes valores morais do Decálogo são descartados? De modo algum, pois será visto que todo preceito moral do Decálogo, exceto um, foi reafirmado com ênfase aumentada nos ensinos da graça. Esses preceitos não reaparecem sob a graça no caráter e na cor da lei, mas, antes, no caráter e na cor da pura graça. A seguinte e breve comparação demonstrará o fato de que os valores morais da Lei são reincorporados nos ensinos da graça.

PRECEITOS DO DECÁLOGO SOB A LEI	PRECEITOS DO DECÁLOGO SOB A GRAÇA
1. "Não terás outros deuses diante de mim."	1. "Vos anunciamos o evangelho para que destas práticas vãs vos convertais ao Deus vivo" (At 14.15).
2. "Não farás para ti imagem esculpida... Não te encurvarás diante delas, nem as servirás."	2. "Filhinhos, guardai-vos dos ídolos" (1 Jo 5.21).
3. "Não tomarás o nome do Senhor teu Deus em vão."	3. "Mas, sobretudo, meus irmãos, não jureis, nem pelo céu, nem pela terra, nem façais qualquer outro juramento" (Tg 5.12).
4. "Lembra-te do dia do sábado, para o santificar."	4. "Nenhum mandamento é encontrado nos ensinos da graça."
5. "Honra a teu pai e a tua mãe."	5. "Vós, filhos, sede obedientes a vossos pais no Senhor, porque isto é justo" (Ef 6.1).

6. "Não matarás."	6. "Todo o que odeia a seu irmão é homicida; e vós sabeis que nenhum homicida tem a vida eterna permanecendo nele" (1 Jo 3.15).
7. "Não adulterarás."	7. "Nem devassos, nem os idólatras, nem os adúlteros... herdarão o reino de Deus" (1 Co 6.9, 10).
8. "Não furtarás."	8. "Não furte mais" (Ef 4.28).
9. "Não dirás falso testemunho."	9. "Não mintais" (Cl 3.9).
10. "Não cobiçarás."	10. "Mas... a cobiça, nem se nomeie entre vós" (Ef 5.3).

Enquanto alguns princípios da lei mosaica são reafirmados sob a graça, aqueles aspectos da lei, que são estranhos à graça, são omitidos. A ordem para guardar o sétimo dia é omitida totalmente. Este fato e a razão dele já foram considerados longamente no Capítulo V. Assim, também, a única promessa do Decálogo é omitida. Esta promessa ocorre em conexão com o preceito concernente à obediência dos filhos. Ele diz: "Honra a teu pai e a tua mãe, para que se prolonguem os teus dias na terra que o Senhor teu Deus te dá". O fato de que a lei apresentou uma promessa para os filhos obedientes, está assinalado no Novo Testamento (Ef 6.2), sem qualquer referência que a promessa está em vigor agora, mas como um lembrete daquilo que se alcançava debaixo da lei. Seria difícil para qualquer indivíduo, ou filho, na Igreja, estabelecer uma reivindicação de uma terra dada por Deus, ou para demonstrar que a lei agora concede uma vida longa, que está garantida para aqueles que são agora obedientes aos pais.

Além disso, com respeito a Israel e a relação dele com a terra, está escrito: "Confia no Senhor e faze o bem; assim habitarás na terra, e te alimentarás em segurança" (Sl 37.3); "Os justos herdarão a terra e nela habitarão para sempre" (Sl 37.9); "Porque os retos habitarão a terra, e os íntegros permanecerão nela" (Pv 2.21). Nenhuma terra foi dada ao cristão. Ele é um "peregrino e estrangeiro" aqui, um "embaixador", um cidadão do céu. Ele aprende nas Escrituras que não procura uma vida longa aqui, mas espera pela vinda de seu Senhor. Ele não está preso a esta vida, porque "partir e estar com Cristo é incomparavelmente melhor". A maneira séria em que as pessoas aplicam uma promessa do Antigo Testamento, que é impossível sob a graça, para si mesmas, é uma revelação da medida da desatenção com que as Escrituras são freqüentemente lidas e citadas.

Visto que todo preceito adaptável da lei é reafirmado em graça, não é necessário violar as Escrituras para forçar a lei na esfera da graça. O Decálogo, em seus princípios morais, não é somente reafirmado em graça, mas os seus princípios são grandemente amplificados. Isto está ilustrado, além disso, pelo mesmo princípio concernente à obediência dos filhos. Nos ensinos da graça, a questão toda da obediência é tratada longamente, e a isto são acrescentadas instruções aos pais também. Sob os ensinos da graça, o apelo do primeiro mandamento é repetido não menos do que cinqüenta vezes; o segundo, doze vezes; o terceiro, quatro vezes; o quarto (a respeito do sábado) não é citado de modo algum; o sexto, seis vezes; o sétimo, nove vezes. Todavia, mais ainda, o que é até mais vital deveria ser observado: Os ensinos da graça não são somente graciosos no seu caráter e na natureza do próprio céu, mas eles são extensivos para cobrir o raio total das novas questões da vida e do serviço do cristão.

Os Dez Mandamentos não exigem a vida de oração, o serviço cristão, a evangelização, o esforço missionário, a pregação do Evangelho, o tipo de vida e de andar no Espírito, a Paternidade de Deus, a união com Cristo, a comunhão dos santos, a esperança da salvação e a esperança do céu. Se é asseverado que temos todas essas coisas, por termos ambos, a lei e a graça, deve ser respondido que a lei nada acrescenta à graça, além da confusão e contradição, e que existe a mais fiel advertência nas Escrituras contra essa mistura. Umas poucas vezes os ensinos da lei são referidos pelos escritores das epístolas, como ilustração. Por terem afirmado a obrigação sob a graça, eles citam o fato de que esse mesmo princípio é obtido sob a lei. Contudo, não há uma base para a mistura desses dois sistemas governativos. A lei de Moisés apresenta um pacto de obras para ser operado pela energia da carne; os ensinos da graça apresentam um pacto de fé para ser operado pela energia do Espírito.

B. A SIMILARIDADE E DISSIMILARIDADE ENTRE OS ENSINOS DA LEI DE MOISÉS E OS ENSINOS DO REINO. Como será visto de maneira mais detalhada posteriormente, estes dois sistemas de governo divino são ambos legais no seu caráter e ordem. Se isto é verdade, deve ser esperado que haja muita coisa em comum entre eles. (1) Eles são similares porque ambos são baseados num pacto de obras. (2) Eles são similares por causa dos elementos que são comuns a ambos. (3) Eles são dissimilares por causa de certos pontos em que eles se diferem.

(1) Eles São Similares porque Estão Baseados num Pacto de Obras. A natureza de um pacto, que é baseado em obras humanas, é óbvia. Qualquer coisa que Deus prometa sob tal pacto, está condicionada à fidelidade do homem. Toda bênção sob a lei de Moisés era assim condicionada, e toda bênção na relação do reino seguirá essa mesma ordem. Quando voltarmos aos ensinos do reino emitidos por Cristo, onde as questões de conduta e obrigação pessoal no reino estão em foco, será visto que todas as promessas do reino aos indivíduos são baseadas no mérito humano. As bênçãos do reino estão reservadas para os pobres de espírito, os mansos, os misericordiosos, os puros de coração e os pacificadores. É um pacto de obras somente e a palavra enfática é *fazei*. "Faze isto, e viverás" é a mais elevada promessa da lei.

Como os homens julgam, assim eles serão julgados. Uma árvore é aprovada ou rejeitada, pelos seus frutos. Nem todo o que diz Senhor, Senhor, entrará no reino do céu, mas aquele que *faz* a vontade do "meu Pai" que está nos céus. Como o indivíduo perdoa, assim ele será perdoado. E, exceto que a justiça pessoal exceda a dos escribas e fariseus, não haverá entrada no reino do céu. Interpretar essa justiça, que é exigida como uma justiça imputada de Deus, é desconsiderar o ensino do contexto e introduzir um elemento que nunca é encontrado no sistema total do governo divino. Os ensinos do reino no Sermão do Monte são concluídos com a parábola da casa construída sobre a rocha. A chave para esta mensagem é dada nas palavras: "todo aquele que ouve estas minhas palavras e as põe em prática".

Quando voltamos para a lei de Moisés, descobrimos que ela não apresenta outra relação do indivíduo com Deus, além deste mesmo pacto de obras: "Se ouvirdes atentamente a voz do Senhor teu Deus, tendo cuidado de guardar os seus mandamentos que eu hoje te ordeno, o Senhor teu Deus te exaltará sobre todas as nações da terra; e todas estas bênçãos virão sobre ti e te alcançarão, se ouvirdes a voz do Senhor teu Deus..." (Dt 28.1-14); "Se, porém, não ouvires a voz do Senhor teu Deus, se não cuidares em cumprir todos os seus mandamentos e os seus estatutos, que eu hoje te ordeno, virão sobre ti todas estas maldições, e te alcançarão..." (Dt 28.15-68); "Honra a teu pai e a tua mãe, para que se prolonguem os teus dias na terra que o Senhor teu Deus te dá" (Êx 20.12); "Tudo o que o Senhor falou faremos" (Êx 19.8); "Mestre, que farei para herdar a vida eterna? Perguntou-lhe Jesus: Que está escrito na lei? Como lês tu? Respondeu-lhe ele: Amarás ao Senhor teu Deus... e ele lhe disse: Respondeste bem; faze isso, e viverás" (Lc 10.25-28).

Por estas referências à lei de Moisés e à do reino, pode ser visto que ambos os sistemas estão baseados totalmente num pacto de obras.

(2) Eles São Similares por causa dos Elementos Que São Comuns a Ambos. Na lei do reino, a lei mosaica é transportada e intensificada. "Não penseis que vim destruir a lei ou os profetas; não vim destruir, mas cumprir. Porque em verdade vos digo que, até que o céu e a terra passem, de modo nenhum passará da lei um só *i* ou um só *til*, até que tudo seja cumprido. Qualquer, pois, que violar um destes mandamentos, por menor que seja, e assim ensinar aos homens, será chamado o menor no reino dos céus... Ouvistes que foi dito aos antigos: Não matarás; e, quem matar será réu de juízo. Eu, porém, vos digo que todo que se encolerizar contra seu irmão, será réu de juízo... Ouvistes que foi dito: Não adulterarás. Eu, porém, vos digo que todo aquele que olhar para uma mulher para a cobiçar, já em seu coração cometeu adultério com ela" (Mt 5.17-28; cf. 31 48; 6.1-18, 25-34); "Portanto, tudo o que vós quereis que os homens vos façam, fazei-lho também vós a eles; porque esta é a lei e os profetas" (Mt 7 12)

Por estas passagens ilustrativas está claro que a lei de Moisés e a do reino são similares no sentido em que elas contêm elementos que são comuns a ambos.

(3) Eles São Dissimilares por causa de Certos Pontos nos quais eles Diferem. Na lei do reino, certos aspectos são acrescentados e não são encontrados na lei de Moisés. Esses novos aspectos podem ser mencionados aqui somente em parte.

Foi revelado nos textos acima citados que a lei é intensificada nos ensinos do reino. Destes, nenhum elemento da lei de Moisés foi subtraído. Ao contrário, à

ECLESIOLOGIA

revelação mosaica são acrescentados os ensinos do reino de Cristo a respeito do casamento e do divórcio, a feitura do juramento, e a obrigação pessoal a outros. A exigência do "olho por olho, e dente por dente" é substituída pela submissão requerida. Deve-se voltar a outra face, a segunda milha deve ser andada, e ao que pede não deve ser recusado. Mesmo os inimigos devem ser amados. Essas coisas devem ser feitas "para que sejais filhos do Pai celeste", e são somente evidências adicionais de que de fato e de verdade se enfatiza um pacto de obras. Há um novo apelo para a sinceridade no dar esmolas, na oração e no jejum. Há uma nova revelação com respeito à oração; mas é a oração pelo reino, e de acordo com as condições do reino somente. Uma instrução especial é dada a respeito do uso das riquezas no reino e também sobre a ansiedade e a preocupação.

C. A SIMILARIDADE E DISSIMILARIDADE ENTRE OS ENSINOS DA GRAÇA E AS LEIS DO REINO. A importância de uma consideração sem preconceito desses textos que revelam o campo total da comparação entre os ensinos da graça e as leis do reino, não pode ser enfatizada muito demasiadamente. O tema é extenso. Conquanto esse estudo de contrastes deva ser estendido a todos os ensinos do reino nos evangelhos, o plano será o de seguir uma análise breve do Manifesto do Rei, registrado em Mateus 5-7, e comparar os vários preceitos ali revelados com os dados aos crentes sob a graça. Será necessário, também, comparar esses preceitos com os ensinos do reino do Antigo Testamento, pois se verificará que os ensinamentos do reino apresentados em Mateus 5-7 estão em exata harmonia com as predições do Antigo Testamento com relação ao reino, e estão quase em total desarmonia com os ensinos da graça.

Em Lucas 16.16 está escrito: "A lei e os profetas vigoraram até João; desde então é anunciado o evangelho do reino de Deus, e todo homem forceja por entrar nele". A mensagem de João Batista era algo novo. Em nenhum sentido era a pregação da "lei e dos profetas" como uma aplicação direta do sistema mosaico. Não obstante, a sua pregação era puramente legal em caráter. Uma importante exceção a isto é encontrada no evangelho de João. Nesse texto, as palavras características selecionadas de todos os ditos de João Batista são: "Eis o Cordeiro de Deus, que tira o pecado do mundo" (Jo 1.29). O evangelho de João é distintamente de salvação e de graça através da fé, e a seleção desta mensagem de João Batista ilustra muito bem a mente e o propósito do Espírito na escolha do material para a construção do evangelho da graça divina.

Essa palavra excepcional de João Batista, adaptada à mensagem da graça no evangelho por João, não deveria ser confundida com a sua pregação legalista registrada nos evangelhos sinóticos, onde o seu real ministério como precursor é apresentado. O que ele pregou está claramente afirmado em Lucas 3.7-14: "Produzi, pois, frutos dignos de arrependimento... Ao que lhe perguntavam as multidões: Que faremos, pois? Respondia-lhes então: Aquele que tem duas túnicas, reparta com o que não tem nenhuma, e aquele que tem alimentos, faça o mesmo. Chegaram também uns publicanos para serem batizados, e perguntaram-lhe: Mestre, que havemos nós de fazer? Respondeu-lhes ele: Não cobreis além daquilo que vos foi prescrito. Interrogaram-no também uns soldados: E nós, que faremos? Disse-lhes: A ninguém queirais extorquir coisa alguma; nem deis denúncia falsa; e contentai-vos com o vosso soldo".

A intensa ênfase do pacto de obras meritórias é óbvia nesta mensagem, mas João não pregou Moisés e os profetas. A lei e os profetas vieram *até* João. Deve ser concluído que a pregação de João Batista era totalmente nova, e que estava de acordo com sua missão de arauto do Rei; mas essa mensagem é legalista e não graciosa. É um pacto de obras e não uma aliança de fé. Mais luz nos é dada em Lucas 16.16, relativa ao caráter do reino, da pregação de João. A regra divina na terra que Mateus chama de "reino do céu" é chamada por Lucas de "reino de Deus". Isto é justificado, visto que o reino de Deus inclui o reino do céu, ou a regra terrena do Rei. Visto que Mateus e Lucas se referem evidentemente à mesma regra divina na terra, e freqüentemente falam da mesma mensagem quando empregam essas duas frases, conclui-se que o uso que Lucas faz do termo "reino de Deus", aqui e em outro lugar, é com referência à limitada regra de Deus na terra. Naquele reino, os homens que entram são referidos como "forcejam por entrar nele". "Insistir com alguém" é o sentido literal, e a palavra sugere um intenso esforço humano, e revela a necessidade de mérito que é exigido para a entrada no reino. Há ao menos três distinções principais que aparecem quando os ensinos da graça são contrastados com os do reino.

Em primeiro lugar, na mensagem do reino, a esperança está principalmente centrada no reino do céu, e em Marcos e Lucas, no reino de Deus, que corresponde ao reino do céu. Deveria ser lembrado que isto não é o céu: neste contexto, é a regra do Messias-rei na terra. Contudo, a regra mais ampla do reino de Deus é mencionada uma vez (Mt 6.33), e num ponto onde todos os interesses divinos estão em vista, e três vezes a mensagem do reino considera a previsão do céu em si mesmo diante de seus filhos (Mt 5.12; 6.20; 7.23). Nos ensinos da graça, é o céu em si mesmo que está em vista, sem qualquer referência ao reino do céu, além de que os santos reinarão com o Rei. Os cristãos, por outro lado, são freqüentemente relacionados a uma esfera mais ampla do reino de Deus (veja Jo 3.3).

Em segundo lugar, essas duas linhas de ensino podem ser identificadas, também, pelo uso das grandes palavras que elas empregam. De acordo com ambos os testamentos, *justiça* e *paz* são as grandes palavras do reino. O Sermão do Monte é a expansão do significado pleno da justiça pessoal que é exigida no reino. As grandes palavras nessa dispensação são *crer* e *graça*. Nenhuma vez estas palavras aparecem em conexão com os ensinos do reino em Mateus 5–7. A misericórdia é revelada em graça antes do que em justiça.

Em terceiro lugar, os ensinos do reino, iguais à lei de Moisés, são baseados num pacto de obras. Os ensinos da graça, por outro lado, são baseados numa aliança de fé. Num caso, a justiça é exigida; no outro ela é proporcionada; ambas, a imputada e a comunicada, ou operada interiormente. Um é de uma bênção a ser concedida, por causa de uma vida perfeita; o outro é o de uma vida a ser vivida, por causa de uma bênção perfeita já recebida.

Muito freqüentemente tem sido suposto que o reinado do Messias será um período onde não haverá pecado na terra, correspondente aos novos céus e à nova terra que se seguirão. Todo texto que trata do reino enfatiza as condições morais que serão obtidas no reino. Por causa do aprisionamento de Satanás, e do julgamento imediato do pecado, as elevadas exigências morais no reino serão possíveis; mas haverá o mal a ser julgado, o inimigo perseguirá, e muitos professos cairão, porque realmente não terão *feito* a vontade do Rei. Tão grande será o avanço moral nas condições do mundo no reino em relação à presente era, que a justiça então "reinará", enquanto no presente tempo o justo "padece perseguições" (2 Tm 3.12).

Os vários tópicos apresentados no Sermão do Monte são aqui considerados em sua ordem:

(1) As Bem-aventuranças. Esta mensagem do reino começa com o registro de nove bênçãos, que são prometidas e proporcionadas para o filho fiel do reino (Mt 5.1-12). Estas bênçãos são ganhas através do mérito. Isto está em grande contraste com as bênçãos na posição exaltada do cristão, as quais ele adquire instantaneamente através de Cristo, no momento em que crê.

(a) "Bem-aventurados os humildes de espírito, porque deles é o reino dos céus". Cristo declarou a respeito dos pequeninos, "porque dos tais é o reino dos céus." Na visão que o Antigo Testamento tem da manifestação vindoura do Rei, está dito: "Num alto e santo lugar habito, e também com o contrito e humilde de espírito, para vivificar o espírito dos humildes, e para vivificar o coração dos contritos" (Is 57.15). Ao cristão é dito: "Revesti-vos, pois, como eleitos de Deus, santos e amados, de coração compassivo, de benignidade, humildade, mansidão, longanimidade" (Cl 3.12). Estas virtudes não revestem o cristão para ele ganhar o céu, muito menos o reino do céu. Eles devem se revestir delas por causa desses elementos do caráter que pertencem àquele que já é "eleito de Deus, santo e amado". Cristo é o padrão (Fp 2.8), e Deus resiste qualquer coisa que não seja a humildade de mente (Tg 4.6). Nos ensinos da graça, "revestir-se" não significa presumir; quer dizer a manifestação da vida regenerada, através do poder do Espírito (veja Ef 4.24; 6.11; Cl 3.12).

(b) "Bem-aventurados os que choram, porque serão consolados." O choro não pertence à noiva de Cristo. Para ela, é dada uma mensagem diferente: "Regozijai-vos; outra vez vos digo, regozijai-vos". O choro é a porção de Israel até que o Rei venha, e, quando Ele vier, será para "proclamar o ano aceitável do Senhor, o dia da vingança do nosso Deus; a consolar todos os tristes; a ordenar acerca dos que choram em Sião que se lhes dê uma grinalda em vez de cinzas, óleo de gozo em vez de pranto, vestidos de louvor em vez de espírito angustiado" (Is 61.2, 3; cf. Is 51.3; 66.13; 35.10; 51.11; Zc 1.17).

(c) "Bem-aventurados os mansos, porque eles herdarão a terra." Sob a graça, a mansidão é operada no crente pelo Espírito, e nunca é recompensada; mas os julgamentos do Rei serão para o seguinte cumprimento: "...decidirá com equidade em defesa dos mansos da terra" (Is 11.4; cf. Sl 45.4; 76.9; Is 29.19; Sf 2.3). A terra deve ser herdada no reinado do Rei. A glória do Rei será na terra. Dificilmente se poderia supor que os mansos herdariam a terra agora, ou que isto seja qualquer promessa para a Igreja, a quem nenhuma promessa

SISTEMAS INDEPENDENTES, SUFICIENTES E COMPLETOS DA REGRA DIVINA NA TERRA

terrestre é feita. Aqueles que são guardados pelo poder de Deus através da fé para a salvação pronta para ser revelada no último tempo têm uma herança incorruptível e imaculada, que está reservada para eles no céu.

(d) "Bem-aventurados os que têm fome e sede de justiça, porque eles serão fartos." Um cristão pode anelar por andar mais junto de Deus, mas ele já é "feito justiça de Deus em Cristo". Distinto disto, a justiça é aquela qualidade que deve ser *alcançada* no reino (Mt 5.20). "Por amor de Sião não me calarei, e por amor de Jerusalém não descansarei, até que saia a sua justiça como um resplendor, e a sua salvação como uma tocha acesa. E as nações verão a tua justiça, e todos os reis a tu glória" (Is 62.1, 2; cf. Sl 72.1-4; 85.10, 11, 13; Is 11.4, 5).

(e) "Bem-aventurados os misericordiosos, porque eles alcançarão misericórdia." A condição exata revelada nesta promessa deveria ser considerada cuidadosamente; pois, nessa passagem, a misericórdia de Deus torna-se dependente totalmente do exercício da misericórdia para com outros. Isto é pura lei. Sob a graça, o cristão é instado a ser misericordioso, como alguém que alcançou misericórdia (Ef 2.4, 5; Tt 3.5). A misericórdia de Deus se manifestará em graça para a nação de Israel, quando Ele juntá-los na sua própria terra (Ez 39.25), mas Deus, ao mesmo tempo, tratará com eles como indivíduos pela lei: "Mas é de eternidade a eternidade a benignidade do Senhor sobre aqueles que o temem, e a sua justiça sobre os filhos dos filhos, sobre aqueles que guardam o seu pacto, e sobre os que se lembram dos seus preceitos para os cumprirem" (Sl 103.17, 18). "Pelo que o Senhor me recompensou conforme a minha justiça, conforme a pureza de minhas mãos perante os seus olhos. Para com o benigno te mostras benigno, e para com o homem perfeito te mostras perfeito. Para com o puro te mostras puro, e para com o perverso te mostras contrário" (Sl 18.24-26). Sob a graça, Ele é rico em misericórdia, mesmo quando eles estão "mortos em seus pecados".

(f) "Bem-aventurados os puros de coração, porque eles verão a Deus." Oposto a isto, e sob a graça está escrito: "Vemos, porém, aquele que foi feito um pouco menor que os anjos, Jesus" (Hb 2.9) e "Porque Deus, que disse: Das trevas brilhará a luz, é quem brilhou em nossos corações, para iluminação do conhecimento da glória de Deus na face de Cristo" (2 Co 4.6). Em Cristo, Deus é *agora* revelado ao crente, enquanto que a promessa do reino aos puros de coração é a de que eles *verão* a Deus. A promessa do reino continua: "Aquele que anda em justiça, e fala retidão... os teus olhos verão o rei na sua formosura, e verão a terra que se estende em amplidão" (Is 33.15-17). "Quem subirá ao monte do Senhor, ou quem estará no seu lugar santo? Aquele que é limpo de mãos e puro de coração" (Sl 24.3, 4).

(g) "Bem-aventurados os pacificadores, porque eles serão chamados filhos de Deus". *Paz* é uma das duas grandes palavras no reino. O Rei, que é "o Príncipe da paz", reinará de tal forma que a justiça e a paz cobrirão a terra como as águas cobrem o mar" (cf. Sl 72.3, 7). Nesse reino haverá uma distinção especial dada àquele que promove a paz. "Eles serão chamados filhos de Deus". Sob a graça, ninguém é constituído um filho de Deus por quaisquer obras que façam. "Pois vós sois todos filhos de Deus pela fé em Cristo Jesus" (Gl 3.26).

(h) "Bem-aventurados os perseguidos por causa da justiça, porque deles é o reino do céu." Novamente, a questão é a *justiça*. O cristão, ao contrário, sofre com Cristo e, por causa de seu nome, sua recompensa está no céu. "Mas tudo isto vos farão por causa do meu nome, porque não conhecem aquele que me enviou" (Jo 15.21). "E na verdade todos os que querem viver piamente em Cristo Jesus padecerão perseguições" (2 Tm 3.12).

(i) "Bem-aventurados sois vós, quando vos injuriarem e perseguirem e, mentindo, disserem todo mal contra vós por minha causa. Alegrai-vos e exultai, porque é grande o vosso galardão nos céus; porque assim perseguiram aos profetas que foram antes de vós". O crente é chamado para sofrer pelo nome de Cristo: "Pois vos foi concedido, por amor de Cristo, não somente o crer nele, mas também o padecer por ele" (Fp 1.29); "se sofrermos, com ele também reinaremos". (2 Tm 2.12). Deveria ser observado que quando os filhos do reino são comparados a qualquer classe de homens em sofrimento, eles são levados de volta aos profetas que viveram antes deles, e não aos santos que compõem o corpo de Cristo.

Concluindo estas observações a respeito das nove bem-aventuranças, deveria ser dada atenção ao fato de que, em contraste com essas nove bênçãos do reino ganhas pela própria pessoa, o crente debaixo da graça experimenta essas nove bênçãos que são produzidas *nele* pelo poder direto do Espírito Santo que nele habita. Uma comparação cuidadosa deveria ser feita dessas nove bênçãos que são prometidas sob o reino, com as nove bênçãos que estão preparadas sob a graça. Será visto que tudo o que é *exigido* sob a lei do reino como uma condição de bênção, debaixo da graça, tudo é *providenciado* divinamente. Os dois aspectos da vida que são apresentados por esses dois grupos de palavras características são muito significativos. A totalidade de todas as bênçãos no reino não é comparável com o superabundante "fruto do Espírito" – "amor, alegria, paz, longanimidade, benignidade, bondade, fé, mansidão e domínio próprio" (Gl 5.22, 23). O próprio tempo verbal usado é importante. Debaixo da graça, o fruto do Espírito *é* o que indica a presente posse da bênção através da pura graça; enquanto que sob o reino, a benção *será* merecida por sua próprias obras.

(2) As Semelhanças dos Justos no Reino. Nesta porção da Escritura (Mt 5.13-16), os filhos do reino são assemelhados ao sal da terra e à luz do mundo. O "sal", como uma figura, não é tão usado nos ensinos de Moisés ou nos ensinos da graça. Contudo, do cristão é dito ser "luz no Senhor", e é exortado a "andar" como filho da luz (Ef 5.8). Além disso, "vós sois filhos da luz, e filhos do dia" (1 Ts 5.5); mas, com respeito a Israel e sua bênção no reino vindouro, está dito: "Eu o Senhor te chamei em justiça; tomei-te pela mão, e te guardei; e te dei por pacto ao povo, e para luz das nações" (Is 42.6); "também te porei para luz das nações, para seres a minha salvação até a extremidade da terra" (Is 49.6); "Então romperá a tua luz como a alva" (Is 58.8); "E nações caminharão para a tua luz, e os reis para o resplendor da tua aurora" (Is 60.3); "Nunca mais se porá o teu sol, nem a tua luz minguará; porque o Senhor será a tua luz perpétua, e acabados serão os dias do teu luto" (Is 60.20). Ainda outro contraste aparece nesse contexto: o cristão é designado para proclamar Cristo (1 Pe 2.9), mas os filhos do reino são designados para manifestar as suas boas obras (Mt 5.16).

(3) Cristo Interpreta a Lei em sua Relação com o Reino. Este texto (Mt 5.17-48) declara que a lei não passará até que ela seja cumprida. Isto tem a ver com a observância, pois é acrescentado: "Qualquer um que violar um destes mandamentos, posto que dos menores... será considerado mínimo no reino do céu". É a lei de Moisés intensificada. Mediante essa ação, Cristo transfere a obrigação do ato exterior para a atitude do coração. Isto intensifica, ao invés de aliviar, o seu caráter legal. Isto carrega consigo a mais mordaz condenação possível à lei. O cristão não está debaixo da lei. Ele não tem outro "altar" além de Cristo (Hb 13.10). O altar está sempre relacionado ao sistema mosaico ou à vinda do reino, e é intensamente legalista no seu caráter. Com respeito ao reino, está dito: "...os seus holocaustos e os seus sacrifícios serão aceitos no meu altar" (Is 56.7; cf. 60.7; Ez 43.13-27; Zc 14.20).

O filho do reino deve concordar com o seu adversário prontamente, para que ele não seja lançado na prisão, onde não haverá um grau de misericórdia disponível (Mt 5.25, 26). Ao filho de Deus é dito: "Se possível, no que depender de vós, tende paz uns com os outros" (Rm 12.17-21). O alto padrão da submissão generosa é, nos ensinos do reino, substituído pela eqüidade exata da lei de Moisés (Mt 5.38-48). Em lugar do princípio do "olho por olho, dente por dente", a outra face deve ser oferecida, a túnica deve ser acrescida ao casaco, a segunda milha deve ser andada, nenhum bem deve ser negado ao que pede, e os inimigos devem ser amados. Isso não deve ser feito como uma expressão de uma alta posição já recebida em graça: deve ser feito *meritoriamente*, para que "possais ser filhos do Pai celeste". Tais relações entre os homens serão exigidas e praticadas no dia quando o Rei vier para reinar em justiça e Satanás for preso.

Os ensinos da graça com respeito ao assassínio, adultério, divórcio e juramento estão todos claramente afirmados nas Escrituras. Nesta porção do Sermão do Monte, a penalidade legal extrema pelo erro é imposta (5.20-22, 29, 30). Qualquer filho de Deus, sob a graça, está em perigo de julgamento ou da penalidade terrível do inferno de fogo? O argumento é desnecessário à luz das Escrituras: "Em verdade, em verdade vos digo que quem ouve a minha palavra, e crê naquele que me enviou, tem a vida eterna e não entra em juízo, mas já passou da morte para a vida" (Jo 5.24); "E eu lhes dou a vida eterna, e jamais perecerão; e ninguém as arrebatará da minha mão" (Jo 10.28); "Portanto, agora nenhuma condenação há para os que estão em Cristo Jesus" (Rm 8.1).

É totalmente verdadeiro que os crentes serão julgados por Cristo, com referência ao caráter da vida e do serviço deles, que o Pai castiga todo filho que ele recebe, e que o apóstolo Paulo sugeriu que ele pudesse visitar uma certa igreja com uma vara; mas quão diferente é isso tudo da penalidade do inferno de fogo que é incondicionalmente imposta sobre os filhos do reino por causa dos seus pecados! Quão imperfeitamente os crentes percebem, quando se desviam da graça, as terríveis penalidades da lei e o significado da condenação eterna! Quão precioso é, também, que tal ignorância da lei não altere o permanente e divino pacto da graça ao qual o crente foi trazido através da fé em Cristo!

ECLESIOLOGIA

(4) O Mero Externalismo Repreendido. No reino, um espírito de exibição como o motivo impulsionador ao dar esmolas, fazer uma oração, e profissões de devoção serão julgados instantaneamente (Mt 6.1-7, 16-18; 7.21-29). Por outro lado, estas coisas, se feitas em secreto, serão "abertamente" recompensadas. Tal recompensa não deveria ser confundida com as retribuições por serviço que são prometidas ao cristão no tribunal de Cristo. A humilde fidelidade no reino receberá o seu reconhecimento imediato do Rei.

(5) A Oração pelo Reino, e no Reino. O que é comumente chamada de "oração do Senhor", mas é na verdade a oração que o Senhor ensinou aos seus discípulos quando contemplava o reino, não deve ser uma oração ritual. Ele disse (Mt 6.8-15; 7.7-11): "Portanto, orai vós deste modo". A oração está diretamente relacionada com as questões do reino vindouro. "Venha o teu reino. Seja feita a tua vontade, assim na terra como nos céus." Destes grandes temas mencionados nesta oração modelo do reino, apenas um é tomado para um comentário e uma ênfase especial. É como se o Espírito de Deus procurasse salvar o leitor de qualquer confusão neste ponto. Este comentário especial amplifica uma petição: "...e perdoa-nos as nossas dívidas, assim como nós também temos perdoado aos nossos devedores". O comentário divino sobre isto é: "Porque se perdoardes aos homens as suas ofensas, também vosso Pai celestial vos perdoará a vós; se, porém, não perdoardes aos homens, tampouco vosso Pai perdoará vossas ofensas".

Além disso, isto é puramente legal. O perdão da parte do cristão é ordenado; mas é ordenado de acordo com o princípio elevado da graça: Antes, sede bondosos uns para com os outros, compassivos, perdoando-vos uns aos outros, como também Deus vos perdoou em Cristo" (Ef 4.32); "assim como o Senhor vos perdoou, assim fazei vós também" (Cl 3.13; cf. 1 Jo 1.9). O caráter legal desta grande oração do reino não deveria ser deixado de lado por causa das razões sentimentais que procedem da nossa educação na qual fomos formados.

Tentativas têm sido feitas para relacionar esse perdão divino, que é condicionado a uma atitude de perdão do pecador, com o presente perdão do Pai para o crente que está sob a graça. Tal interpretação é tão estranha aos relacionamentos exatos que pertencem à graça como seria se o texto tivesse ensinado o presente perdão divino dos não-salvos. O presente perdão para ambos, os salvos e os não-salvos, é uma matéria de pura graça, e as condições divinas que são impostas estão em perfeita harmonia com esse fato. Nessa dispensação, os não-salvos são perdoados como uma parte da realização total da salvação sob a condição deles *crerem* (Ef 4.32), e os salvos são perdoados sob a condição da *confissão* (1 Jo 1.9). Estas duas palavras não apresentam obras meritórias; elas revelam um simples ajustamento do coração ao que já está providenciado na graça de Deus.

A cruz mudou as coisas para todos. Um pacto puramente de obras da lei está afirmado na passagem em questão. Tal pacto é o próprio fundamento de todo ensino do reino, mas ele é totalmente estranho aos ensinos da graça. Cristo, como alguns alegam, não deve ser apresentado como um governador severo e austero. A maravilha é que Ele é sempre algo mais. A santidade de Deus não está sujeita à conveniência em relação ao pecado. À parte da cruz onde o preço da redenção foi pago, não poderia haver nada exceto o fogo consumidor de julgamento; mas, visto que Deus em amor infinito proporcionou um substituto, há uma graça ilimitada. Nessa dispensação, Deus trata com os homens com base em sua graça, que está em Cristo. Seus tratos com os homens na era vindoura estarão baseados num relacionamento muito diferente. Àquela altura, o Rei reinará com cetro de ferro. Não haverá nenhuma palavra da cruz, ou da graça, nos ensinos do reino.

Essa oração é, por sua própria expressão, uma petição do reino. A base total de apelo nessa oração, em Mateus 7.7-11, é a fidelidade do Pai aos seus filhos no reino. A base de apelo na oração durante aqueles dias antes de Cristo, ou sob Moisés, era a fidelidade de Jeová aos seus pactos. A base de apelo na oração sob a graça é a da presente união do crente com Cristo e de sua identificação com Ele. O acesso é proporcionado somente através de Cristo (Hb 10.19, 20), e o novo argumento de apelo na oração é no nome de Cristo e para a glória dele. Muito depois dele ter ensinado a seus discípulos a forma de orar do reino, e após ele se ter voltado para os ensinos da pura graça, Ele disse: "Até agora nada pedistes em meu nome; pedi, e recebereis, para que o vosso gozo seja completo" (Jo 16.24). A forma de oração do reino omite cada aspecto da nota essencial da oração que prevalece sob a graça.

(6) A Lei Governando as Riquezas no Reino. O uso correto das riquezas (Mt 6.19-24), como debaixo da graça, será recompensado no céu, e não há qualquer comprometimento: "Não podeis servir a Deus e as riquezas".

(7) O Cuidado Que o Pai Tem com os Filhos do Reino. Esta porção das Escrituras (Mt 6.25-34) é de doçura incomparável. Como Deus veste os lírios do campo, assim Ele revestirá aqueles que descansam nele pela fé; mas aqui o Seu cuidado é somente para os que buscam primeiro o reino de Deus e sua justiça, enquanto que, sob a graça, o Seu cuidado não é condicionado às obras ou ao mérito humano: "lançando sobre ele toda a vossa ansiedade, porque ele tem cuidado de vós" (1 Pe 5.7); "Não andeis ansiosos por coisa alguma" (Fp 4.6). O mesmo princípio do cuidado divino foi apresentado sob a lei de Moisés, mas na forma de pura lei: "Lança o teu fardo sobre o Senhor, e ele te susterá; nunca permitirá que o justo seja abalado" (Sl 55.22).

(8) Advertência Contra o Julgamento de Outros. Esta lei do reino é inflexível (Mt 7.1-6): "Não julgueis, para que nao sejais julgados. Porque com o juízo com que julgais, sereis julgados; e com a medida com que medis vos medirão também". Sob a graça, uma pessoa passou por todo esse julgamento, em virtude de sua aceitação em Cristo que morreu por ela (Jo 5.24). Essa pessoa pode ser castigada por seu Pai, que é uma forma de julgamento (1 Co 11.27-32), mas tal julgamento nunca é dito ser uma retribuição pelo pecado, como está prescrito nessa porção do ensino do reino.

(9) Advertência Contra os Falsos Profetas. "Guardai-vos dos falsos profetas, que vêm a vós disfarçados em ovelhas, mas interiormente são lobos devoradores. Pelos seus frutos os conhecereis" (Mt 7.15-20). A advertência aqui é contra os falsos profetas que devem ser discernidos pela qualidade de suas vidas. A advertência aos filhos de Deus sob a graça é contra os falsos mestres que devem

ser discernidos por sua doutrina com relação a Cristo (2 Pe 2.1; 2 Jo 7-11): nunca por suas vidas, porque, exteriormente, os falsos mestres se aparentam como "apóstolos de Cristo", e estão diretamente sob o poder de Satanás que a si mesmo se transforma em anjo de luz (2 Co 11.13-15). A personalidade atraente do falso mestre propicia grande vantagem para o apelo que faz em relação à sua doutrina.

(10) Três Afirmações Determinantes a Respeito do Reino.

(a) "Pois eu vos digo que, se a vossa justiça não exceder a dos escribas e fariseus, de modo nenhum entrareis no reino dos céus" (Mt 5.20). É desnecessária uma exposição deste versículo. Ele é o fundamento de todas as exigências para a entrada no reino do céu. De forma alguma deveria ser confundido com a entrada do crente no céu através da obra completa de Cristo: "...não em virtude de obras de justiça que nós houvéssemos feito, mas segundo a sua misericórdia, nos salvou mediante o lavar da regeneração e renovação pelo Espírito Santo" (Tt 3.5).

(b) "Portanto, tudo o que vós quereis que os homens vos façam, fazei-lho também vós a eles; porque esta é a lei e os profetas" (Mt 7.12). Esta passagem permanece como uma conclusão ao apelo geral desse ensino do reino. Ele é como uma chave para tudo o que vem antes. O princípio legal, reafirmado nessa passagem, não é dito ser parte dos ensinos da graça: antes, é "a lei e os profetas".

(c) "Entrai pela porta estreita; porque larga é a porta, e espaçoso o caminho que conduz à perdição, e muitos são os que entram por ela; e porque estreita é a porta, e apertado o caminho que conduz à vida, e poucos são os que a encontram" (Mt 7.13, 14). Sob as condições estabelecidas nos ensinos do reino, tem-se acesso à vida por uma fidelidade pessoal (Mt 5.29, 30; 18.8, 9; Lc 10.25-28). Quando essa mesma exortação é afirmada no evangelho de Lucas (13.24), ela começa com essas palavras: "Porfiai por entrar pela porta estreita". A palavra *porfiai* é uma tradução de ἀγωνίζομαι, que significa 'agonizar'. Ela sugere o dispêndio total da energia de um atleta na competição. Tal é a condição humana que caracteriza todas as passagens do reino que oferecem entrada na vida. Uma mudança abrupta é vista quando se muda para o evangelho de João, passagem esta que foi escrita para anunciar a nova mensagem da graça, isto é, que a vida eterna pode ser conseguida pelo *crer*. Nenhuma palavra da Bíblia expressa mais vividamente os grandes relacionamentos característicos da lei e da graça do que as duas palavras *agonizar* e *crer*. A graça é a revelação do fato de um que agonizou em nosso lugar, e a vida é "através de seu nome", e não por qualquer grau de fidelidade humana ou mérito.

Há um sentimento espalhado, o qual é perigoso e totalmente infundado, que presume que todo ensino de Cristo deve estar ligado a essa dispensação, simplesmente porque Cristo o disse. O fato esquecido é o de que Cristo, enquanto vivia sob a lei de Moisés, guardando-a e aplicando-a, também ensinava os princípios do futuro reino, e, no final de seu ministério e em relação à cruz, Ele também antecipou os ensinos da graça. Se esta tríplice divisão dos ensinos de Cristo não é reconhecida, nada pode haver senão confusão da mente e a conseqüente contradição da verdade.

Além disso, não é irrazoável reconhecer que esses ensinos do reino deveriam diretamente ser aplicados à era vindoura. A Bíblia é a única revelação de Deus

A SEQÜÊNCIA DA BÊNÇÃO DIVINA E A OBRIGAÇÃO HUMANA

a todos os povos de todas as épocas. Não é difícil entender que muita coisa da Escritura se aplica às condições que estão agora totalmente no passado; nem seria difícil entender que alguns textos da Escritura se aplicam às condições que estão ainda totalmente no futuro. Quanta coisa deveremos conhecer do futuro? Certas revelações são do período da tribulação vindoura e em nenhum sentido são aplicáveis ao tempo presente. Quem porventura orou, para que a sua fuga não seja no dia de sábado? Todavia, Cristo ordenou que essa oração fosse feita (Mt 24.20).

De igual modo, o uso da expressão 'todo aquele que', em Mateus 7.24, não sugere que todas as pessoas de todas as épocas estão em vista aqui. É mais razoável crer que se aplica ao povo que vive sob as condições do período que essa passagem descreve. A palavra envolvente *aquele* é usada por Cristo quando disse: "...mas aquele que perseverar até o fim, será salvo" (Mt 24.13); mas nada poderia ser mais contraditório aos ensinos da graça do que o princípio apresentado nessa passagem. Haverá uma salvação na tribulação para aqueles que perseverarem até o fim em suas tribulações. Sob a graça, o crente persevera, por causa dele *ser* salvo. Se a expressão *todo aquele que* em Mateus 7.24 inclui aqueles que são salvos pela graça, então eles foram empurrados de novo para o pacto de obras que essa passagem propõe, e a graça fica totalmente sacrificada.

Assim, pode ser concluído que os ensinos da lei, os da graça e os do reino são sistemas separados e completos da regra divina, que são perfeitamente adaptados às variadas condições nas três grandes dispensações. Os ensinos de Moisés e os do reino são puramente legais, enquanto que as instruções para o crente dessa dispensação estão em conformidade com a pura graça. Há muita coisa entre eles que estão de acordo dentro das regras de conduta, mas isto não é justificativa para a sua mistura. Tudo o que na lei pertence à vida sob a graça, é preservado e reafirmado pelas grandes injunções da graça. Transgredir esses limites é frustrar a graça, e complicar o indivíduo com o sistema da lei de tal modo que o torna um devedor, no sentido de ter de cumprir toda a lei. A lei não pode ser quebrada ou dividida. Ela permanece como uma unidade. Realizar qualquer parte dela é comprometer-se a realizá-la na sua totalidade.

Nada poderia ser mais irrazoável ou mais sem base bíblica do que emprestar algumas porções do sistema da lei, seja o de Moisés ou o do reino, e, ao mesmo tempo, rejeitar outras porções. Aquele que escolhe a lei deve, para ser consistente, praticar toda a lei (Rm 10.5), e se ele violar um só ponto, torna-se culpado de todos (Tg 2.10). Quão preciosas são as riquezas da graça em Jesus Cristo! Quão doces e adequados para o filho de Deus em graça são os apelos celestiais da graça!

II. A Seqüência da Bênção Divina e a Obrigação Humana

A segunda grande distinção entre os ensinos da lei e os da graça é vista na ordem variada entre a bênção divina e a obrigação humana. Esta variação é contemplada quando o princípio da graça é comparado com o princípio da lei em qualquer

ECLESIOLOGIA

que seja a forma de lei. É igualmente verdadeiro a respeito da lei de Moisés, da lei do reino, ou, quando legalmente afirmado, da concepção mais ampla da lei, que abrange a totalidade da vontade revelada de Deus. Quando a obrigação humana é apresentada primeiro, e a bênção divina é tornada dependente do cumprimento fiel daquela obrigação, ela é da lei e está de conformidade com a pura lei. Quando a bênção divina é apresentada primeiro, e a obrigação humana vem depois, ela é da pura graça e está de conformidade com ela. A variação das ordens sob a lei e a graça pode ser afirmada nas palavras "faze e viverás" ou "vivendo, farás".

No caso da lei, é *fazer* alguma coisa tendo em vista ser alguma coisa; no caso da graça, *torna-se* alguma coisa tendo em vista fazer alguma coisa. O cristão que está debaixo da graça é salvo e guardado *pelas* boas obras, ou ele é salvo e guardado *para* as boas obras? A lei disse: "Se você fizer o bem, eu te abençoarei"; a graça diz: "Eu te abençoei; agora faça o bem". Sob a lei, o homem vive bem para se *tornar* aceito por Deus; sob a graça, o homem vive bem, visto que se *torna* alguém para viver bem porque já é aceito. A lei apresenta primeiro uma obra humana para ser *feita*; a graça apresenta primeiro uma obra divina para ser *crida*. A lei começa com a pergunta sobre o que o homem deveria *fazer*; a graça começa com a pergunta sobre o que Deus já *fez*. Cada palavra da revelação da lei é assim dada para ser um pacto condicional de obras *humanas*, enquanto que cada palavra da revelação da graça é dada para ser um pacto incondicional de obras *divinas*.

As instruções dadas a Israel sob Moisés, e as instruções propostas para o governo do futuro reino na terra são puramente legais em seu caráter. A palavra de despedida de Moisés a Israel, registrada nos capítulos finais de Deuteronômio, é uma cristalização da totalidade da lei de Moisés. Uma passagem é o coração desta mensagem: "Se ouvires atentamente a voz do Senhor teu Deus, tendo cuidado de guardar todos os seus mandamentos que eu hoje te ordeno, o Senhor teu Deus te exaltará sobre todas as nações da terra; e todas estas bênçãos virão sobre ti e te alcançarão, se ouvires a voz do Senhor teu Deus. Bendito serás... Se, porém, não ouvires a voz do Senhor teu Deus, se não cuidares em cumprir todos os seus mandamentos e os seus estatutos, que eu hoje te ordeno, virão sobre ti todas estas maldições, e te alcançarão: Maldito serás..." (Dt 28.1-68). Todo ensino do reino que contempla a responsabilidade do indivíduo está, de igual modo, baseado num pacto de obras humanas, e é, portanto, puramente legal no seu caráter. Isto pode ser observado em todos os ensinos do reino no Antigo Testamento e dos ensinos do reino no Novo Testamento. A graça é estendida para a *nação* quando, à parte de todo mérito, ela é colocada em sua terra, e restaurada à bênção divina; mas a regra do Rei será na base da pura lei, e a responsabilidade do *indivíduo* para com essa regra necessariamente estará de conformidade com ela.

Além do que já foi dito anteriormente na discussão, esse fato precisará apenas de uma ilustração rápida dos ensinos do reino no Novo Testamento: "Bem-aventurados os mansos, porque eles herdarão a terra"; "Bem-aventurados os misericordiosos, porque eles alcançarão misericórdia"; "Pois eu vos digo que, se a vossa justiça não exceder a dos escribas e fariseus, de modo nenhum entrareis no reino dos céus"; "Porque, se perdoardes aos homens as suas ofensas, também vosso Pai celestial vos perdoará a vós; se, porém, não perdoardes aos homens, tampouco vosso Pai perdoará vossas ofensas"; "Não julgueis, para que não sejais julgados. Porque com o juízo com que julgais, sereis julgados; e com a medida com que medis vos medirão a vós"; "Nem todo o que me diz: Senhor, Senhor! entrará no reino dos céus, mas aquele que faz a vontade de meu Pai, que está nos céus... Todo aquele, pois, que ouve estas minhas palavras e as põe em prática, será comparado a um homem prudente..." (Mt 5.5, 7, 20; 6.14, 15; 7.1, 2, 21-24). A isto podem ser acrescentados todos os outros ensinos do reino no Novo Testamento.

Os ensinos do reino, igualmente, devem ser distintos dos ensinamentos da graça pela ordem que cada um deles apresenta entre a bênção divina e a obrigação humana. A palavra do reino é "todo aquele, pois, que ouve estas minhas palavras e as põe em prática, será abençoado" (Mt 7.24). A palavra da graça é "aquele que ouve as minhas palavras e *crê* nelas será abençoado" (Jo 5.24). Nos ensinos da graça, as bênçãos graciosas de Deus sempre vêm antes, e são seguidas da obrigação humana. Essa é a ordem mantida por todas as epístolas doutrinárias do Novo Testamento. Essas cartas estão, portanto, sujeitas a uma divisão dupla. Na primeira parte, os poderosos empreendimentos de Deus para o homem são revelados, enquanto que na segunda, o salvo é instado e exortado a viver no plano para o qual ele foi trazido pela sobreexcelente graça de Deus.

A primeira divisão da epístola aos Romanos é a revelação da graça salvadora de Deus para com os pecadores, que lhes é estendida com a condição única de que eles *creiam* (1.16; 3.22, 26; 4.5; 10.4); a segunda divisão é um apelo a um modo correspondente de vida diária, vida essa que é "racional", em vista dos resultados que Deus já realizou em sua graça soberana. Esse apelo está afirmado no primeiro versículo da segunda seção: "Rogo-vos, pois, irmãos, pela compaixão de Deus, que apresenteis os vossos corpos como um sacrifício vivo, santo e agradável a Deus, que é o vosso culto racional" (Rm 12.1). A carta aos Efésios começa com os três capítulos em que não há uma exigência para a conduta humana; é a revelação da graça maravilhosa de Deus, que traz o crente às posições celestiais exaltadas que são suas em Cristo.

O versículo de abertura da segunda seção é uma condensação de tudo o que se segue: "Rogo-vos, pois, eu, o prisioneiro no Senhor, que andeis como é digno da vocação com que fostes chamados" (Ef 4.1). De igual modo, a epístola aos Colossenses começa com uma porção que é destituída de qualquer apelo em matéria de conduta, visto que se ocupa com a revelação da glória de Cristo e do fato da posição perfeita do crente nEle. A segunda porção é um apelo, não para as obras humanas que poderiam induzir Deus a abençoar o pecador, mas a obras que são consistentes com a gloriosa e presente união com Cristo, que foi operada por Deus: "Se, pois, fostes ressuscitados juntamente com Cristo, buscai as coisas que são de cima, onde Cristo está, assentado à destra de Deus" (Cl 3.1).

A ordem da graça entre a bênção divina e a obrigação humana é preservada em toda oferta de salvação ao pecador e em todo propósito em relação à preservação dos santos. Visto que essa é a base do propósito divino nas dispensações e a única esperança do pecador, ou do santo, não deveria ser questionado sobre uma consideração superficial das Escrituras. Há uma diferença mais ampla possível entre as duas respostas de Jesus a praticamente à mesma pergunta: "Que farei para herdar a vida eterna?" Resposta: "Faze isto, e viverás". Ainda: "Que havemos de fazer, para praticarmos as obras de Deus?" Resposta: "A obra de Deus é esta: Que creiais naquele que ele enviou". Uma resposta está relacionada à lei do reino; a outra está relacionada à graça, onde Cristo é visto como "o pão vivo que desceu do céu: se qualquer homem comer deste pão, viverá eternamente".

Portanto, deve ser concluído que o pecador é salvo pela graça, à parte de qualquer exigência humana, além da de receber essa graça que lhe é dada em Cristo, e que o santo é guardado pela graça *para* as boas obras, mas não *pelas* boas obras. O Pai justo deve insistir sobre as boas obras na vida de seus filhos; mas Ele não torna essas obras a condição de Sua fidelidade. Esta é uma distinção vital, então, entre a ordem relativa à bênção divina com a obrigação humana nos dois sistemas – lei e graça. Uma é um pacto de puras obras; o outro é um pacto de pura graça. Todavia, devemos considerar o fato das recompensas, que são concedidas em adição às bênçãos da graça salvadora de Deus, que são oferecidas aos salvos sob o princípio do mérito; e, por outro lado, a graça foi oferecida às pessoas sob a lei, em adição às demandas da lei, nas provisões dos sacrifícios. Em nenhum caso essas bênçãos acrescentadas condicionam o caráter exato do pacto da graça, de um lado, ou o pacto das obras, de outro.

Visto que o pacto da graça, que é baseado na fé humana, foi estabelecido nas promessas feitas a Abraão, o pacto da lei, feito quatrocentos anos mais tarde, e acrescentado para um propósito temporário, não pode anulá-lo. A vigência da lei, com seu pacto de obras, cessou com a morte de Cristo. O seu propósito havia sido cumprido, e o seu tempo determinado havia expirado. Assim, pelo princípio da fé, que foi anunciado no pacto abraâmico, ele é trazido em vigência outra vez, através da morte de Cristo. A bênção divina é agora para aquele que "não trabalha, mas crê naquele que justifica o ímpio". "Abraão creu em Deus, e isto lhe foi imputado para justiça". "Ora, não é só por causa dele que está escrito que lhe foi imputado; mas também por causa de nós a quem há de ser imputado, a nós os que cremos naquele que dos mortos ressuscitou a Jesus nosso Senhor; o qual foi entregue por causa das nossas transgressões, e ressuscitado para a nossa justificação" (Rm 4.3, 5, 23-25).

Por este texto da Escritura, está anunciado que o princípio da fé do pacto abraâmico continuou e agora é oferecido através da morte sacrificial de Cristo. Este fato é assim reafirmado: "De modo que os que são da fé, são abençoados com o crente Abraão. Pois todos quantos são das obras da lei estão debaixo da maldição; porque escrito está: Maldito todo aquele que não permanece em todas as coisas que estão escritas no livro da lei, para fazê-las... Ora, a lei não é da fé" (Gl 3.9-12). A lei era um pacto de obras; mas as obras sempre falharam por causa da fraqueza da carne, e, então, a lei se tornou necessariamente uma condenação e uma maldição. De acordo com o mesmo texto, a santa vontade de Deus não é ignorada na graça: "Cristo nos resgatou da maldição da lei, fazendo-se maldição por nós" (Gl 3.13). Deve ser observado que isto foi operado sob um grande propósito: "para que aos gentios viesse a bênção de Abraão [aceitação da justiça imputada de Deus] em Jesus Cristo" (Gl 3.14).

Após declarar que a lei havia passado, seja como base da justificação do pecador (Gl 3.24), seja como a regra de vida para o crente (Gl 3.25), o apóstolo Paulo desafia os cristãos oprimidos pela lei, das igrejas na Galácia, a considerarem o fato e a força dos dois grandes pactos que de modo algum podem coexistir. Portanto, ele assinala que um deu lugar ao outro:

"Dizei-me, os que quereis estar debaixo da lei [e ele está escrevendo a cristãos somente, a respeito da lei como uma regra de vida deles], não ouvis vós a lei? Porque está escrito que Abraão teve dois filhos, um da escrava, e outro da livre. Todavia o que era da escrava nasceu segundo a carne, mas, o que era da livre, por promessa. O que se entende por alegoria: pois essas mulheres são dois pactos [o pacto das obras que dependeria da carne e o pacto da fé que dependeria somente de Deus]; um do monte Sinai, que dá à luz filhos para a servidão, e que é Agar. Ora, esta Agar é o monte Sinai na Arábia [onde a lei de Moisés foi dada] e corresponde à Jerusalém atual, pois é escrava com seus filhos. Mas a Jerusalém que é de cima é livre; a qual é nossa mãe [tipificada por Sara, que ilustra pelo princípio da fé que depende de Deus somente]. Pois está escrito: Alegra-te, estéril, que não dás à luz [sugerindo a fraqueza total da carne diante de Deus]; esforça-te e clama, tu que não estás de parto: porque mais são os filhos da desolada do que os da que tem marido [ou o braço da carne do qual poderia depender]. Ora vós, irmãos [cristãos], sois filhos da promessa [fomos salvos pela fé], como Isaque. Mas, como naquele tempo o que nasceu segundo a carne perseguia ao que nasceu segundo o Espírito, assim é também agora. Que diz, porém, a Escritura? Lança fora a escrava [não meramente a descendência dela, mas o princípio total das obras que ela representa] e seu filho, porque de modo algum o filho da escrava herdará com o filho da livre. Pelo que, irmãos, não somos filhos da escrava, mas da livre" (Gl 4.21-31).

Foi a respeito da promessa do nascimento sobrenatural de Isaque que Abraão creu em Deus, e essa crença foi contada como justiça. Depois disso, Abraão voltou à carne no nascimento de Ismael (Gn 16.1-4). Este fato duplo ilustra, com toda a perfeição da Palavra de Deus, os dois pactos – um da fé e outro das obras. O lapso na fé de Abraão tipificava a intrusão de uma dispensação da lei. Assim, também, o relacionamento com Agar representa o que o homem pode fazer em seu esforço de ser aceito por Deus. O relacionamento sobrenatural com Sara representa o que Deus pode fazer por aquele que vai crer. As maravilhas da graça são indicadas pela descendência numerosa de Sara: não que os descendentes físicos dela, Israel, sejam os filhos da fé, mas eles, por serem mais exaltados do que os filhos de Agar, tipificam a vitória insuperável de Deus através da graça.

Não pode haver mistura ou transigência destes dois grandes pactos. "O que diz a Escritura?" Deveria pôr fim à discussão. O testemunho é: "Lança fora a escrava e seu filho, porque de modo algum o filho da escrava herdará com o filho da livre". O princípio pelas obras da lei e o princípio pela fé da graça não podem cooperar, não podem coexistir, seja na salvação do pecador, ou na regra de vida para o crente.

O princípio pelas obras da lei não está limitado ao esforço carnal de fazer coisas específicas encontradas na lei de Moisés, ou na lei do reino. Ele é o esforço carnal de fazer *qualquer coisa* pela qual alguém procura ser aceito por Deus. Portanto, quando os ensinos da graça são experimentados com o objetivo de ser aceito por Deus, eles se tornam puramente legal em seu caráter. De igual modo, quando os elementos que estão contidos na lei e reafirmados sob a graça, são experimentados no poder do Espírito e com base no fato de que a aceitação por Deus já foi ganha através de Cristo, esses preceitos se tornam puramente graciosos em seu caráter. Esse princípio pode ser estendido a uma esfera mais ampla de qualquer e toda lei auto-imposta, independentemente das injunções bíblicas. De qualquer forma, será visto que fazer qualquer boa obra tendo em vista ser aceito por Deus, ela é puramente legal em seu caráter; de modo contrário, a prática de qualquer boa obra porque alguém crê que é aceito através de Cristo, é de caráter puramente gracioso.

O legalista pode assim entrar no campo dos ensinos da graça e supor-se a si mesmo estar sujeito a toda Bíblia, quando, na realidade, ele não tem um conceito das bênçãos e dos relacionamentos da graça. Uma pessoa escolhe aceitar Cristo na confiança de que Ele é *tudo* o que ela sempre precisou para tornar-se aceita por Deus, ou escolhe depender do melhor que pode fazer por si mesma pelas boas obras. Este último caso é a inclinação normal da mente natural. A proposição de se tornar aceitável por Deus, por ser bom, apela para o coração caído como a única coisa razoável a ser feita e, à parte daquilo que agradou a Deus revelar a respeito da graça, *é* a única coisa razoável a fazer. Portanto, torna-se uma questão de crer no registro que Deus deu a respeito de seu Filho (1 Jo 5.10).

Visto que há muito engano na falsificação, a pessoa mais difícil de se alcançar com o evangelho da graça divina é a que *tenta* fazer tudo o que um cristão deveria fazer, mas faz como um meio de se tornar aceita perante Deus. O seu reconhecimento voluntário do valor da vida cristã, a sua recepção inquestionável da comunhão dos crentes, e a sua sinceridade real em todas as atividades cristãs constituem o seu maior impedimento. Tal pessoa está mais enganada do que aquela que não reconhece um relacionamento com Deus. Ambos não crêem em Cristo como o suficiente Salvador e estão perdidos por esse pecado; mas, naturalmente, a pessoa que não tem uma esperança falsa está mais apta para se tornar cônscia do fato de que ela está perdida do que aquela que pensa ser cristã. A lei não pode salvar, e aquele que transforma os ensinos da graça num sistema legal, por tentar praticá-los, a fim de que possa estar desobrigado com Deus, e não creu em Cristo, ainda está perdido.

Voltar para as obras meritórias como uma base de salvação é tornar aquelas obras uma imitação falsa da verdadeira vida cristã, é estar debaixo de uma relação de obras com Deus, e, portanto, é estar sob condenação; porque pelas obras da lei ninguém será justificado à vista de Deus. Voltar para as obras meritórias como base para se manter como salvo, ou como uma regra de vida para o salvo, é retornar à relação de obras com Deus, da qual Ele já nos libertou. É cair da graça, e perder a liberdade para a qual Cristo nos libertou. O princípio das obras é inútil para nos guardar, como é inútil para a nossa salvação. Como Deus providenciou a Abraão uma descendência sob um pacto incondicional, assim, sob o mesmo pacto incondicional, Ele garante o futuro dessa descendência até o tempo quando o número deles excederá as estrelas do céu. Igualmente, sob o presente pacto incondicional da graça feito no sangue de Cristo, Deus pode garantir a segurança futura de cada filho seu debaixo da graça. Portanto, ele é da fé, para que pudesse ser pela graça, a fim de que a promessa seja *segura* (Rm 4.16).

Finalmente, o pacto de obras é "lançado fora", porque ele está cumprido e substituído por um pacto mais pleno e perfeito, que é o da fé. Tudo o que o pacto das obras contemplou como um resultado vitalício da luta humana, é instantaneamente realizado pelo poder de Deus, através do pacto da fé. Pela fé em Cristo, o crente *torna-se* justiça de Deus nEle, e *torna-se* aceito no Amado. Esta é uma perfeição de relacionamento com Deus que nenhuma obra humana jamais poderia atingir, e para o qual nenhuma obra humana nada pode acrescentar. Relacionado a Deus através do princípio da fé, o assunto total das obras da lei está mais do que cumprido. Assim, a lei terminou na morte de Cristo. A escrava é lançada fora. Cristo é o fim da lei para a justiça de todo aquele que *crê*.

Na verdade, espantosa é a cegueira do coração que não é instruído pela experiência trágica da frustração da parte dos incontáveis milhões que se perderam sob o pacto de obras! Todavia, os homens ainda se voltam para as suas próprias obras, tanto morais quanto religiosas, na vã esperança de que através delas eles possam ser aceitos por Deus. Para eles, Deus deve ser sempre um monte fumegante e inabordável, por causa de seus trovões, raios e terremotos; mas para aquele que se volta para a suficiência que está em Cristo, Deus se torna o Pai de todas as misericórdias, e o seu poder e graça são exercidos em favor dessa pessoa em todo o tempo e por toda a eternidade. O terrível trono dos santos juízos de Deus se torna o trono da *graça* infinita. Para aquele que é assim salvo, e cuja segurança está garantida, o princípio das obras do pacto da lei, de modo algum é adequado como regra de vida; porque aquele pacto aponta para um tempo de aceitação ainda futuro, quando a carne tiver completado a sua tarefa. Somente os ensinos da graça são consistentes para aquele que é salvo pela graça. Aqueles ensinos somente o aconselham a respeito da maneira de vida que está de acordo com a sua presente posição em graça.

A segunda distinção importante entre a regra da lei e a da graça é, então, que estes dois sistemas são opostos em referência à ordem entre a bênção divina e a obrigação humana, e isto é verdadeiro para qualquer vida ou serviço que possa ser empreendido.

III. Diferentes Graus de Dificuldade e Graus Diferentes de Capacitação Divina

Visto que muita coisa foi apresentada sobre este aspecto da graça e visto que este assunto ainda vai ser estudado detalhadamente em Pneumatologia (Vol. VI), ele não receberá um tratamento aqui além da declaração que a verdade de que esta é uma das características mais vitais do sistema total da graça e, ao mesmo tempo, aquela que é mais negligenciada. O estudante é instado a rever o que foi escrito anteriormente sobre este tema, e a se tornar consciente da revelação de que o cristão é chamado para viver uma vida sobre-humana e é esperado que ele cumpra essa finalidade através do poder capacitador sobrenatural do Espírito Santo que nele habita, que é dado para esse propósito e cujo ministério pode ser realizado no princípio da fé. A ausência total de qualquer referência ao Espírito Santo ou ao seu poder capacitador em favor do indivíduo caracteriza tanto o sistema mosaico quanto o do reino. Esta divergência entre os sistemas legais e o da graça é a evidência completa e final de que eles são distintos na sua expressão máxima e as tentativas de combiná-los serão empreendidas somente pelos que não observam as coisas mais elementares que estão envolvidas.

CAPÍTULO XII

Os Sistemas da Lei e o Judaísmo Abolido

Visto que a lei e a graça são opostas entre si em todos os pontos, é impossível para elas coexistirem, seja como base de aceitação diante de Deus ou com a regra de vida. Necessariamente, portanto, as Escrituras do Novo Testamento que apresentam os fatos e o escopo da graça, tanto assumem quanto diretamente ensinam que a lei está abolida. Conseqüentemente, ela não mais está em vigor na presente dispensação, em qualquer sentido. Esta presente anulação da lei se aplica não somente ao código legal do sistema mosaico e da lei do reino, mas a toda aplicação possível do princípio da lei. A concepção mais ampla da lei, como definida anteriormente, é tríplice: (1) as concretas instruções escritas, tanto dos ensinos de Moisés quanto dos ensinos do reino; (2) o pacto de obras da lei em todas as suas implicações, que condiciona a bênção e a aceitação por Deus com base no mérito pessoal; e (3) o princípio da lei dependente da energia da carne, em lugar do princípio da fé numa dependência do poder do Espírito. Será visto também que (4) o judaísmo está abolido.

Que a lei, no mais amplo significado tríplice do termo, é colocada de lado, está revelado como um fato fundamental na economia divina da graça. Que a lei agora cessou, mesmo no seu significado mais amplo, deveria ser considerado com uma atenção imparcial.

I. As Reais Instruções Escritas de Ambos os Ensinos da Lei de Moisés e do Reino São Abolidas

Estes mandamentos escritos, sejam de Moisés ou do reino, não são a regra de vida para o crente sob a graça, como estes sistemas não são a base da salvação dele. A completa retirada da autoridade desses dois sistemas de lei será agora considerada:

1. O TÉRMINO DA LEI DE MOISÉS É O ENSINO EXPLÍCITO DAS ESCRITURAS DO NOVO TESTAMENTO. Um aspecto importante e determinante desta verdade é encontrado na diferença que está revelada entre o caráter duradouro e eterno do pacto abraâmico e o caráter temporal e limitado do pacto da lei do Sinai. O

pacto abraâmico previu tanto a descendência terrestre, através de Israel, quanto a descendência espiritual que permaneceria ligada a Deus pelo princípio da fé. Este pacto, por ser sem qualquer condição humana, simplesmente declara o propósito imutável de Jeová. Ele será realizado em pura graça, à parte de qualquer fator humano, e suas realizações são eternas. Por outro lado, o pacto da lei mosaica era um trato temporário com Deus, que foi deliberadamente escolhido pela nação de Israel, e que se aplicava somente a eles. Ele foi claramente designado para governar aquele povo em sua terra, desde o tempo da aceitação desse pacto, até o tempo da vinda do Descendente prometido.

O Descendente é Cristo. A vinda de Cristo ao mundo era a concretização da esperança contida no pacto abraâmico, e, necessariamente, o término provisório da vigência da lei. Está escrito: "Porque não foi pela lei que veio a Abraão, ou à sua descendência, a promessa de que havia de ser herdeiro do mundo, mas pela justiça da fé. Pois, se os que são da lei são herdeiros, logo a fé é vã e a promessa [pacto abraâmico] é anulada. Porque a lei opera a ira; mas onde não há lei também não há transgressão. Portanto [a promessa através de Abraão] procede da fé o ser herdeiro, para que seja segundo a graça, a fim de que a promessa seja firme a toda a descendência, não somente à que é da lei, mas também à que é da fé [mesmo os gentios crentes] que teve Abraão, o qual é pai de todos nós... Pelo que também isso lhe foi imputado como justiça. Ora, não é só por causa dele que está escrito que lhe foi imputado; mas também por causa de nós a quem há de ser imputado, a nós os que cremos naquele que dos mortos ressuscitou a Jesus nosso Senhor" (Rm 4.13-24).

Assim, fica demonstrado que a lei não mais tem lugar no tratamento divino sob a graça. Além disso, está escrito: A lei "foi acrescentada... até que viesse o descendente" (Gl 3.19), mas quando o Descendente veio, a autoridade da lei mosaica não mais foi exigida, ou mesmo possível, como um princípio de regra divino. Foi o propósito de Deus fechar toda porta de acesso a Ele, exceto um. Este fato é a seguir afirmado no argumento do apóstolo Paulo: "Mas a Escritura encerrou tudo debaixo do pecado, para que a promessa pela fé em Jesus Cristo fosse dada aos que crêem [judeu ou gentio]" (Gl 3.22). Tem sido observado que isto é mais do que uma declaração de que os homens são pecadores por natureza e por prática, e, portanto, sujeitos ao desprazer divino; é um decreto judicial e universal que coloca toda a raça absolutamente sem mérito diante de Deus. Não há escape dessa situação, além do exercício da pura graça da parte de Deus.

A razão divina na sentença universal da raça sob o pecado é declarada ser, de acordo com o que se segue no texto: "...para que a promessa pela fé em Jesus Cristo fosse dada aos que crêem" (Gl 3.22). Assim, a vigência provisória da lei está completamente anulada, e a bênção divina está agora centrada em Cristo como o único objeto da fé, por ser prometida aos que crêem. O princípio da lei não é retido como um relacionamento opcional possível com Deus: "E em nenhum outro há salvação; porque debaixo do céu nenhum outro nome há, dado entre os homens, em que devamos ser salvos" (At 4.12).

É importante observar, contudo, que, conquanto Deus tenha abolido completamente a vigência da lei pela morte de Cristo, ao menos no que diga respeito à Sua relação com o homem, este é livre para rejeitar ou distorcer a verdade de Deus, e para impor a obrigação legal sobre si mesmo. Em tal caso, não se segue que Deus aceita, ou mesmo reconheça, qualquer legalismo auto-imposto. Ele não pode fazer isso. Segue-se, entretanto, que o legalista que se autoconstitui, para ser consistente com a sua própria escolha, aceitar qualquer parte da lei de um modo duradouro, mas deve aceitar a totalidade da lei para fazer as coisas de um modo correto. A lei era uma unidade. Aquele que violava num ponto era culpado de todos; qualquer coisa que a lei dizia, afirmava para os que estavam debaixo da lei; e ele se torna um devedor em cumprir toda a lei. Visto que a lei é abolida, estas afirmações podem se aplicar somente àquele que, sem a sanção divina ou reconhecimento divino, assumiu a obrigação da lei.

Os textos a seguir revelam o fato de que a lei nunca foi dada a alguém, a não ser para Israel: "Ouve, ó Israel" (Dt 5.1); "os quais são israelitas, de quem é a adoção, e a glória, e os pactos, e a promulgação da lei, e o culto, e as promessas" (Rm 9.4); "(porque, quando os gentios, que não têm lei, fazem por natureza as coisas da lei, eles, embora não tendo lei, para si mesmos são lei)" (Rm 2.14); "Disse-lhes, então, Pilatos: Tomai-o vós, e julgai-o segundo a vossa lei" (Jo 18.31); "E, quando Paulo estava para abrir a boca, disse Gálio aos judeus: Se de fato houvesse, ó judeus, algum agravo ou crime perverso, com razão eu vos sofreria; mas, se são questões de palavras, de nomes, e da vossa lei, disso cuidai vós mesmos; porque eu não quero ser juiz destas coisas" (At 18.14, 15). O comandante romano escreveu a respeito de Paulo: "...e achei que era acusado de questões da lei deles" (At 23.29). Paulo respondeu por si mesmo: "Nem contra a lei dos judeus, nem contra o templo, nem contra César, tenho pecado em coisa alguma" (At 25.8); "Mas isto é para que se cumpra a palavra que está escrita na sua lei: Odiaram-me sem causa" (Jo 15.25).

Não há um registro de qualquer suposição da lei da parte dos gentios antes da morte de Cristo. Na cruz, será visto, a aplicação divina da lei cessou mesmo para os judeus, e *todos* – judeus e gentios – foram encerrados sob a graça; mas os judeus, por causa da incredulidade, ainda persistem na observância da lei que lhes foi dada por Deus pela mão de Moisés, enquanto que os gentios, por causa da falha em reconhecer o significado da morte de Cristo e do caráter essencial da pura graça, assumem a obrigação da lei. Muitos fazem isto, alguns como um meio para justificação diante de Deus, e outros que são salvos pela fé em Cristo, como uma regra de vida. Estes dois erros – o dos judeus e o dos gentios – são claramente apresentados na Escritura. De Israel está dito: "Sim, até o dia de hoje, sempre que Moisés é lido, um véu está posto sobre o coração deles".

Mas no caso de um judeu que recebe Cristo é dito: "Contudo, convertendo-se um deles ao Senhor, é-lhe tirado o véu" (2 Co 3.15, 16). Voltando para os gentios, há dois aspectos da pretensão que eles têm da lei.

(1) Com referência à certeza dos juízos divinos sobre os gentios antes da cruz, ou durante o período em que a lei foi divinamente imposta a Israel, está dito: "Porque todos os que sem lei pecaram, sem lei também perecerão". Então, é acrescentado a respeito de Israel: "e todos que sob a lei pecaram, pela lei serão julgados" (Rm 2.12). É impossível crer que este texto ofereça uma opção entre a justificação

pela lei e a justificação que é pela fé somente; pois a palavra é final, relativa aos modos de Deus tratar os homens nessa dispensação: "...porquanto pelas obras da lei nenhum homem será justificado diante dele" (Rm 3.20). Sem dúvida, aqui é feita referência às condições que alcançavam, quando a lei estava em vigor.

(2) Com respeito à pretensão da lei pelos gentios, está dito: "(porque, quando os gentios, que não têm lei, fazem por natureza as coisas da lei, eles, embora não tendo lei, para si mesmos eles são lei, pois mostram a obra da lei escrita em seus corações, testificando juntamente a sua consciência e os seus pensamentos, quer acusando-os, quer defendendo-os" (Rm 2.14, 15). Assim, a previsão da pretensão da lei pelos gentios é revelada, e também o feito exato da lei sobre eles. A consciência é moldada e eles permanecem diante de uma condenação imposta por eles próprios. Para esses não há bênção. Tudo o que a consciência legal pode fazer é *acusar* ou *desculpar-se* pela falha. Nunca suponha que, por causa da legalidade auto-imposta e da consciência mal-orientada, que há qualquer reconhecimento divino dos gentios debaixo da lei.

Deus deve ser fiel ao seu propósito eterno revelado na sua Palavra, e os homens ficam em pé ou caem diante dEle agora, com a única base de sua atitude para com a Sua graça salvadora em Cristo. Aqueles que estão agora perdidos podem honestamente supor que fazem a vontade de Deus, quando perpetuam o princípio da lei com sua maldição; mas, não obstante, eles estão perdidos à parte de Cristo. É o povo da era passada que será julgado pela lei. Os gentios que agora praticam as coisas contidas na lei não são mencionados como sujeitos ao julgamento divino por quebrarem a lei; eles são, por sua própria lei auto-imposta, acusados por si próprios ou desculpados por si próprios, de acordo com a consciência que eles criaram em relação à lei. A lei produz somente o efeito de desconforto, má orientação, confusão e limitação da própria consciência deles.

Antes de voltar ao ensino positivo da Escritura, relativo ao passamento da lei, pode ser importante reafirmar os três aspectos mais importantes da lei, que ainda vão ser considerados neste contexto com mais detalhes:

Primeiro, ambos, os mandamentos e as exigências do sistema mosaico e os mandamentos e as exigências do reino são totalmente legais em seu caráter, e, juntos, abrangem a afirmação escrita da lei, lei essa que, será visto, é colocada de lado durante o presente reino da graça.

Segundo, toda obra humana, mesmo os apelos impossíveis e celestiais da graça, que é operada com uma visão de merecer a aceitação da parte de Deus, são da natureza de um pacto legal de obras, e, portanto, pertence somente à lei. Através da obra consumada de Cristo, a aceitação da parte de Deus é perfeitamente assegurada; mas essa aceitação pode ser experimentada somente através da fé que independe do mérito, e repousa em Cristo como o suficiente Salvador. De igual modo, será visto, a proposição total da aceitação legal e meritória da parte de Deus, acabou durante o reino da graça.

Terceiro, qualquer modo de vida ou serviço que é vivido na dependência da carne, antes do que na dependência do Espírito, é legal em caráter e já não funciona no presente período em que a graça reina. Está escrito: "Mas, se sois guiados pelo Espírito, não estais debaixo da lei" (Gl 5.18). A lei fazia o seu apelo somente à carne, e, portanto, voltar à carne é voltar para a esfera da lei.

A lei, embora totalmente substituída pela graça, pode agora ser auto-imposta. Isto pode ser feito por voltar para uma regra de vida legal escrita no código de Moisés, ou do reino; pode ser feito por voltar às obras pessoais feitas como base da aceitação por Deus; ou pode ser feito por depender da energia da carne para poder viver agradando a Deus. A lei auto-imposta, da espécie que for, não é aceitável diante de Deus; mas ela, igual ao pecado humano, pode ser escolhida pela vontade livre do homem, e pode ser praticada em oposição à vontade revelada de Deus. Em vista das afirmações bíblicas positivas relativas ao passamento da lei, uma questão pode ser levantada a respeito do significado de certas passagens.

Gálatas 3.23: "Mas, antes que viesse a fé, estávamos guardados debaixo da lei". Em nenhum sentido esta é a presente experiência dos não-salvos antes deles aceitarem Cristo. O apóstolo Paulo fala aqui como um judeu, e das circunstâncias que poderia ter existido somente para o judeu da Igreja Primitiva que tinha vivido debaixo da lei de Moisés e da lei da graça. Não obstante, no significado mais amplo da lei, antes afirmado, toda humanidade foi liberta pela morte de Cristo da obrigação de obras meritórias, e da necessidade de depender da carne. "Pois todos quantos são das obras da lei estão debaixo da maldição; porque escrito está: Maldito todo aquele que não permanece em todas as coisas que estão escritas no livro da lei, para fazê-las"; "Cristo nos resgatou da maldição da lei"; "Deus, enviando a seu próprio Filho... condenou na carne o pecado, para que a justa exigência da lei se cumprisse em nós" (Rm 8.3, 4; Gl 3.10, 13).

1 Coríntios 9.20. O apóstolo Paulo disse que ele havia se tornado "para os que estão debaixo da lei, como se estivesse debaixo da lei (embora debaixo da lei não esteja), para ganhar os que estão debaixo da lei". Esta é claramente uma consideração da classe total de pessoas que têm imposto a lei sobre elas mesmas em qualquer aspecto possível da lei (observe Gl 4.21).

Romanos 4.14: "Pois, se os que são da lei são herdeiros, logo a fé é vã e a promessa é anulada". Isto é igualmente verdadeiro de toda a humanidade, quando os aspectos mais amplos da lei estão em vista; mas deveria ser assinalado que a designação duradoura dos judeus como sendo "da lei", em contraste com os gentios a quem nenhuma lei jamais foi dada, ainda era encontrada na Igreja Primitiva (cf. Rm 2.23; 4.16).

Romanos 2.13: "Pois não são justos diante de Deus os que só ouvem a lei; mas serão justificados os que praticam a lei". Isto equivale a afirmar um princípio inerente da lei. Era um absoluto pacto de obras. Ninguém é agora justificado pela lei (cf. Rm 3.20; Gl 3.11). Além disso, afirma: "Porque a circuncisão é, na verdade, proveitosa, se guardares a lei; mas se tu és transgressor da lei, a tua circuncisão tem-se tornado em incircuncisão" (Rm 2.25). Igualmente, este é um princípio que pertencia à lei. A falha em guardar a lei era um descrédito para com Deus, e um insulto à sua justiça (cf. Is 52.5). O mesmo princípio é uma advertência a todos que tentam, ou mesmo contemplam, a guarda da lei (veja também Tg 2.10).

Romanos 3.31: "Anulamos, pois, a lei pela fé? De modo nenhum; antes estabelecemos a lei". A lei nunca foi guardada por aqueles que tentaram guardá-la. Ela é guardada, contudo, por aqueles que humildemente reconhecem a sua própria incapacidade de fazer alguma coisa que agrade a Deus, e que se voltam para encontrar refúgio em Cristo, que satisfez todas as demandas da lei por eles. Esse, e somente esse, vindicou a santa lei de Deus. As pessoas que tentaram guardar a lei, sempre a ultrajaram.

Romanos 7.16: "E, se faço o que não quero, consinto com a lei, que é boa". O uso da palavra *lei* por todo este contexto (7.15–8.13) é claramente a respeito da esfera mais ampla de toda vontade de Deus, antes do que os mandamentos limitados de Moisés. Nenhuma só vez Moisés é mencionado, mas "a lei de Deus" é mencionada três vezes (7.22, 25; 8.7).

O desuso completo da vigência da lei, através da morte de Cristo, mesmo por Israel, é o testemunho constante da Escritura. Umas poucas, mas importantes passagens, que declaram o fato da passagem da lei são aqui dadas:

João 1.16, 17: "Pois todos nós recebemos da sua plenitude, e graça sobre graça. Porque a lei foi dada por meio de Moisés; a graça e a verdade vieram por Jesus Cristo". De acordo com esta passagem, todo o sistema mosaico foi cumprido, substituído e concluído no primeiro advento de Cristo.

Gálatas 3.19-25: "Logo, para que é a lei? Foi acrescentada por causa das transgressões, até que viesse o descendente a quem a promessa tinha sido feita... para que a promessa pela fé em Jesus Cristo fosse dada aos que crêem. Mas, antes que viesse a fé, estávamos guardados debaixo da lei, encerrados para aquela fé que se havia de revelar. De modo que a lei se tornou nosso aio, para nos conduzir a Cristo, a fim de que pela fé fôssemos justificados. Mas, depois que veio a fé, já não estamos debaixo do aio". Nenhum comentário é necessário a respeito desta declaração incondicional relativa ao passamento do sistema mosaico.

Romanos 6.14: "Pois o pecado não terá domínio sobre vós, porquanto não estais debaixo da lei, mas debaixo da graça". Enquanto a mensagem direta desta passagem é a capacitação que é proporcionada para a vida sob a graça, que nunca foi proporcionada debaixo da lei, a afirmação positiva é feita: "porquanto não estais debaixo da lei".

Romanos 7.2-6: "Porque a mulher casada está ligada pela lei a seu marido enquanto ele viver; mas, se ele morrer, ela está livre da lei do marido. De sorte que, enquanto viver o marido, será chamada adúltera, se for de outro homem; mas, se ele morrer, ela está livre da lei, e assim não será adúltera, se for de outro marido. Assim também vós, meus irmãos, fostes mortos quanto à lei mediante o corpo de Cristo, para pertencerdes a outro, àquele que ressurgiu dentre os mortos, a fim de que demos fruto para Deus. Pois, quando estávamos na carne, as paixões dos pecados, suscitadas pela lei, operavam em nossos membros para darem fruto para a morte. Mas agora fomos libertos da lei, havendo morrido para aquilo em que estávamos retidos, para servirmos em novidade de espírito, e não na velhice da letra".

Diversas revelações importantes são dadas nesta passagem. A relação daquele que havia estado debaixo da lei (que era a verdade sobre o apóstolo Paulo), para os ensinos da graça, era aquele de uma esposa para o seu segundo esposo. A lei, ou a obrigação, da esposa para com seu marido cessa com a morte dele. Se se casasse com um segundo marido, ela estaria totalmente debaixo de uma nova obrigação. A morte sacrificial de Cristo foi o final da vigência da lei, lei essa que é assemelhada ao primeiro marido. "Assim também vós, meus irmãos, fostes mortos quanto à lei mediante o corpo de Cristo, para pertencerdes a outro, àquele que ressurgiu dentre os mortos." Nada poderia ser mais claro do que isso. O cristão está agora sob a obrigação de Cristo. Ele está *preso à lei de* Cristo. Ele tem que somente cumprir "a lei de Cristo".

Certamente não é razoável propor que uma mulher seja obrigada a ter dois maridos ao mesmo tempo. Todavia, esta é a ilustração divina do erro de misturar os ensinos da lei com os ensinos da graça. A poliandria espiritual é ofensiva a Deus. Na nova união que é formada com Cristo, deve haver a produção de fruto para Deus. Esta é uma referência ao fato de que a vida e o serviço do cristão devem ser capacitados pelo poder de Deus sendo, portanto, [uma tarefa] supra-humana. Está claramente afirmado que o cristão não está somente "morto para a lei", mas está "liberto da lei", e cada aspecto da lei, que ele deve servir em "novidade do Espírito"; porque os ensinos da graça são particularmente caracterizados pelo fato de que eles devem ser elaborados pelo poder capacitador do Espírito. O cristão não deve viver e servir "na caducidade da letra", que é a lei. É pela união vital no Corpo de Cristo como um membro vivo que o crente é tanto absolvido de qualquer outro relacionamento, quanto é feito para ser centrado somente naquilo que pertence ao Cabeça vivo. Assim, positivamente, é indicado que os princípios opostos da lei e da graça não podem coexistir como normas de conduta.

2 Coríntios 3.7-13: "Ora, se o ministério da morte, gravado com letras em pedras, veio em glória, de maneira que os filhos de Israel não podiam fixar os olhos no rosto de Moisés, por causa da glória do seu rosto, a qual se estava desvanecendo, como não será de maior glória o ministério do Espírito? Porque, se o ministério da condenação tinha glória, muito mais excede em glória o ministério da justiça. Pois na verdade, o que foi feito glorioso, muito mais glorioso é o que permanece. Tendo, pois, tal esperança, usamos de muita ousadia no falar. E não somos como Moisés, que trazia um véu sobre o rosto, para que os filhos de Israel não vissem o final da glória que se desvanecia". É a lei cristalizada nos Dez Mandamentos que está em vista, porque a lei somente foi "escrita e esculpida em pedras". No meio dos mais fortes contrastes possíveis entre a vigência dos ensinos da lei e dos ensinos da graça, está declarado que esses mandamentos foram "abolidos".

Deveria ser reconhecido que o velho foi abolido para dar lugar ao novo, que é muito mais excelente em glória. A passagem da lei não é, entretanto, uma perda; é antes um ganho inestimável. Os notáveis contrastes que são apresentados neste contexto total são aqui arranjados em paralelos:

Os Ensinos da Lei	Os Ensinos da Graça
1. Escritos com tinta	1. Escritos com o Espírito do Deus vivo
2. Em tábuas de pedra	2. Nas tábuas de carne do coração
3. A letra mata	3. O Espírito vivifica
4. A ministração da morte	4. A ministração do Espírito
5. Foi gloriosa	5. É ainda gloriosa
6. Abolidos	6. Permanece
7. Desapareceram	7. Temos tal esperança

Gálatas 5.18: "Mas, se sois guiados pelo Espírito, não estais debaixo da lei". Não há lugar deixado para a lei, e, conseqüentemente, nenhuma oportunidade para o reconhecimento dela. Ser conduzido pelo Espírito é perceber uma maneira de vida que sobrepõe e que cumpre todo ideal da lei.

Efésios 2.15: "Isto é, a lei dos mandamentos contidos em ordenanças, para criar, em si mesmo, dos dois um novo homem, assim fazendo a paz".

Colossenses 2.14: "E havendo riscado o escrito de dívida que havia contra nós nas suas ordenanças, o qual nos era contrário, removeu-o do meio de nós, cravando-o na cruz".

João 15.25: "Mas isto é para que se cumpra a palavra que está escrita na sua lei". Esta única referência no discurso do Cenáculo sobre a lei de Moisés é muito significativa. Como já foi mostrado, Cristo, neste discurso, levou os seus seguidores para além da cruz e lhes revelou os verdadeiros fundamentos dos novos ensinos da graça. Esses homens eram judeus; mas em seus ensinos Cristo não lhes fala como se a lei de Moisés fosse duradoura para eles. Ele diz "sua lei", não *vossa* lei, indicando assim que esses judeus que estavam debaixo da graça não mais estavam sob a vigência da lei de Moisés. Por esse texto não somente todo o sistema da lei está definitivamente ultrapassado sob a dispensação da graça, mas é perceptível que a lei, como lei, nenhuma vez é aplicada ao crente como o princípio regulador de sua vida sob a graça. Esta não é uma omissão acidental; é a expressão da mente e da vontade de Deus.

Assim, pode ser concluído que a lei escrita de Moisés não é pretendida ser a regra para a vida do crente debaixo da graça. Todavia, por outro lado, os princípios permanentes da lei, que são adaptáveis à graça, são transportados e reafirmados sob os ensinos da graça, não como lei, mas reformados segundo o molde da infinita graça. Esse grande fato é habilmente ilustrado pela experiência de um cidadão americano que estava na Alemanha, quando irrompeu a Primeira Guerra Mundial. Fugindo através da Holanda, ele chegou à Inglaterra com seus bolsos cheios de moedas de ouro alemãs. Estas moedas portavam o selo alemão, e não tinham valor algum como moeda corrente na Inglaterra; mas, quando foram derretidas e re-estampadas na casa da moeda inglesa, elas portavam o valor da moeda naquele país. Assim, o valor intrínseco do ouro da lei é preservado e reaparece portando o selo dos novos ensinos da graça.

A aplicação dos ensinos da graça é legítima para assinalar que um princípio semelhante se alcançou sob a lei de Moisés, demonstrando assim que o preceito em questão representa o caráter imutável de Deus; mas não é escriturístico nem razoável aplicar os ensinos do sistema mosaico diretamente aos filhos da graça. Visto que ambos, a lei de Moisés e os ensinos da graça são completos em si mesmos, nenhum requer a adição vinda de outro, e combiná-los é sacrificar tudo o que é vital em cada um deles. Grande importância deveria ser dada, entretanto, à mensagem positiva e invariável ao crente, porque está escrito: *Vós não estais debaixo da lei, mas da graça.*

2. O Erro de Misturar a Lei do Reino com os Ensinos da Graça. Se é aceito que o reino terrestre messiânico que trará a restauração da terra para Israel na realização plena de todos os seus pactos, sob o reinado de Cristo sentado no trono de Davi, não foi ainda estabelecido (e não há agora uma semelhança à luz das presentes condições do mundo desse reino sobre a terra), então segue-se que as leis e princípios que existem para vigorar no reino, e que poderiam se aplicar somente às condições dentro daquele reino, não são ainda aplicadas por Deus aos afazeres dos homens na terra. Não é uma questão, como no caso da lei de Moisés, de descontinuar aquilo que uma vez esteve em vigor sob a sanção de Deus; é antes uma questão de se as leis do reino, que tem a sua aplicação necessária no futuro reino terrestre do Messias, devam ser impostas agora sobre os filhos de Deus sob a graça.

Provas definidas são necessárias para estabelecer o fato de que há leis do reino apresentadas nas Escrituras. Essas provas já foram estabelecidas. Admitindo que as leis do reino sejam encontradas nas Escrituras, deveriam elas ser consideradas como parte da instrução divina que agora governa a vida diária do cristão? Certamente não é mais difícil crer que a Escritura revela uma norma de vida que ainda não está em vigor, porque ela pertence a uma era vindoura, do que crer que a Escritura revela uma norma de vida que não mais está em vigor agora, porque pertence a uma era que está totalmente passada. Ao considerar a questão sobre se as leis do reino devem ser aplicadas ao cristão nesta era, o fato de que há um sistema completo do reino que governa, e que esse governo é estritamente legal em seu caráter, está presumido com base nas provas já fornecidas. Certas questões vitais, embora já mencionadas, não deveriam ser esquecidas neste ponto:

A. Os Dois Sistemas Não Podem Coexistir. As leis do reino, por serem legais em seu caráter, introduzem aqueles princípios de relacionamento com Deus, que nunca podem coexistir com os relacionamentos que se obtêm sob a graça. Pela mistura de princípios opostos, tudo o que é vital em cada sistema fica sacrificado. De um lado, o corte afiado da lei, que constitui a sua única eficácia, fica cego pela mistura da suposta conveniência divina; por outro lado, a verdade concernente à gratuidade absoluta de Deus é corrompida

ECLESIOLOGIA

por ser comercializada, condicionada ao mérito do homem e tornada sujeita à persuasão do homem. O princípio da pura graça exige que Deus de modo algum reconheça o mérito humano, e que Ele invariavelmente esteja graciosamente disposto em relação ao homem, e, portanto, jamais precisa ser persuadido pelo homem.

Deus nunca é relutante no exercício de Sua graça; ao contrário, Ele busca, atrai e apela aos homens. Os princípios da lei e da graça são mutuamente excluintes, e a confusão doutrinária surge da intrusão de qualquer princípio legal no reino da graça. Quando a lei é assim intrusa, não somente fica clara a responsabilidade do crente sob a graça obscurecida, mas a atitude inestimável de Deus em graça, que Ele comprou ao custo infinito da morte de Seu Filho, é apresentada erroneamente. Visto que a norma do reino é puramente legal, e dito que o crente não está debaixo da lei, segue-se que ele não está debaixo das injunções do reino.

B. NÃO É NECESSÁRIO COMBINAR OS DOIS SISTEMAS. Não se requer que as leis do reino sejam combinadas com os ensinos da graça, visto que cada item dentro daquelas leis, que poderiam ter qualquer presente aplicação, está exata e amplamente afirmado nos ensinos da graça. Não é necessário, então, para o crente assumir qualquer obrigação legal. Quando é mostrado pela exposição da Escritura que as leis do reino não são aplicáveis ao cristão sob a graça, algumas vezes surge uma oposição que é baseada num treinamento pessoal errado, em hábitos errôneos de interpretação, e em preconceito. O custo dessa indocilidade deveria ser pesado com muito cuidado; pois o sacrifício da liberdade e das bênçãos que pertencem à simples graça é uma perda muito grande para ser calculada. Pelo manuseio correto das Escrituras, a verdade será claramente vista de que a graça reina tranqüilamente e não é diminuída pela lei. A lei do reino é um sistema completo e indivisível em si mesmo. Não é, portanto, escriturístico, nem lógico, nem razoável se apropriar de porções convenientes e agradáveis dessa lei, e negligenciar o restante.

Deveria ser considerado que, como no sistema mosaico, adotar as mesmas porções da lei é estar comprometido logicamente com todos os ensinos dela: "Porque Moisés escreve que o homem que pratica a justiça que vem da lei viverá por ela" (Rm 10.5); "Maldito todo aquele que não permanece em todas as coisas que estão escritas no livro da lei, para fazê-las" (Gl 3.10); "Ora, a lei não é da fé, mas: O que fizer estas coisas, por elas viverá" (Gl 3.12; cf. Lv 18.5); "Ora, nós sabemos que tudo o que a lei diz, aos que estão debaixo da lei o diz, para que se cale toda boca e todo o mundo fique sujeito ao juízo de Deus" (Rm 3.19); "E de novo testifico a todo homem que se deixa circuncidar, que está obrigado a guardar toda a lei" (Gl 5.3). Não somente são alguns aspectos da lei do reino que nunca foram experimentados pelos cristãos (cf. Mt 5.40-42), mas o seu caráter total, por ser legal, é oposto à graça.

A lei de Moisés está inter-relacionada e totalmente dependente dos sacrifícios e rituais proporcionados para Israel na terra. As leis do reino são somente relacionadas com as condições do futuro reino que existirá na terra sob o poder e presença do Rei, quando Satanás estiver preso, a criação livre e todos conhecerem o Senhor desde o menor até o maior. Toda a harmonia da verdade será abalada quando houver a mais

II. A Lei do Pacto de Obras é Abolida

Sob esta concepção da lei, o seu escopo é estendido para além dos escritos do sistema mosaico e da lei do reino, e inclui, também, qualquer ação humana, seja de conformidade com um preceito da Escritura ou não, que é experimentado com a idéia de assegurar o favor de Deus. A fórmula da lei é: "Se fizerdes o bem eu vos abençoarei". Não é importante o que é empreendido como uma obrigação. Pode ser o mais alto ideal da conduta celestial pertencente aos ensinos da graça, ou pode ser a mais simples escolha da ação moral na vida diária; mas se é experimentado com a idéia de assegurar o favor de Deus, tal relacionamento com Deus é auto-imposto, visto que ignora a Sua atitude de graça, e tal tentativa é puramente legal no seu caráter e resultado. Reafirmamos que o princípio básico da graça é o fato de que todas as bênçãos se originam com Deus, e são oferecidas ao homem gratuitamente.

A fórmula da graça é: "Eu vos abençoei; portanto, sede bondosos". Assim está revelado que o motivo para a conduta correta debaixo da graça não é a de assegurar o favor de Deus, que já existe para o salvo e para o não-salvo num grau infinito através de Cristo; é antes uma questão de ação consistente em vista dessa graça divina. Os não-salvos não são instados a assegurar a salvação pela conduta meritória, ou mesmo a influenciar Deus em favor deles por lhe pedir salvação. Visto que Deus é revelado como o que permanece com os braços estendidos, a fim de oferecer as suas maiores bênçãos possíveis em graça, e é movido a fazer isso pelo seu amor infinito e imutável, não convém ao pecador cair diante dEle numa atitude de lisonja e de apelo, como se esperasse mover Deus a ser misericordioso e bom.

A mensagem da graça é: "Mas, a todos quantos o receberam, aos que crêem no seu nome, deu-lhes o poder de se tornarem filhos de Deus" (Jo 1.12). A eterna graça salvadora de Deus é oferecida a todos os que crerem. Além do mais, os salvos não retornam à divina comunhão após recaída em pecado porque eles suplicam pelo perdão divino; a restauração deles está condicionada à confissão. Eles não permanecem na comunhão divina porque eles procuram, ou merecem a luz; eles são instruídos a "andar na luz" que lhes pertence através das riquezas da graça. Em nenhum caso as bênçãos divinas devem ser asseguradas pelo mérito humano, ou pelos rogos; elas aguardam a fé que se apropriará delas. Cada dom do amor divino é proporcionado e concedido em pura graça, e não necessariamente, nem como um pagamento, nem como um reconhecimento do mérito humano. Essas profusões da graça criam uma obrigação e uma posição sobre-humana que a graça concede; mas a bênção e as posições celestiais nunca são conseguidas, mesmo por uma maneira de vida sobre-humana.

O caráter determinante da pura lei é visto no fato de que é um pacto de obras onde a bênção divina está condicionada ao mérito humano. Nenhuma semelhança desse princípio deve ser encontrada sob a graça, exceto aquelas recompensas que devem ser concedidas pelo serviço fiel sobre aqueles que já entraram na posse e na posição proporcionadas pela graça. Segue-se, portanto, que não somente as regras escritas da lei, mas o próprio princípio do pacto de obras da lei foi abolido nessa dispensação da graça.

III. O Princípio da Lei e Dependência da Energia da Carne é Abolido

A terceira importante distinção entre a lei e a graça é vista na atitude da dependência do coração que é mantida em vista de qualquer e de toda obrigação para com Deus. A lei, por ser um pacto de obras e não proporciona uma capacitação, dirige-se às limitações do homem natural. Nada poderia ser esperado ou assegurado como retorno de suas ordens, além daquilo que o homem natural em seu ambiente pode produzir. As exigências sob a lei estão, portanto, no plano da capacidade limitada da carne. Por outro lado, a graça, por ser um pacto de fé, e proporciona uma capacitação ilimitada do poder do Espírito que habita em nós, dirige-se aos recursos ilimitados do homem sobrenatural. As exigências a serem satisfeitas sob a graça estão, portanto, no plano da capacidade ilimitada do Espírito. Não há uma injunção divina dirigida ao não-regenerado a respeito da vida diária dele. Somente o evangelho da graça salvadora de Deus lhe é oferecido. As únicas injunções divinas agora em vigor no mundo são dirigidas àqueles que *são* salvos, e esses altos padrões celestiais devem ser realizados no princípio da fé na suficiência do Espírito que habita no crente, e nunca na dependência da energia da carne.

Assim, pode ser visto que qualquer aspecto da vida ou da conduta que é empreendida na dependência da energia da carne e na capacidade da carne é, nesse grau, puramente legal em seu caráter, seja a totalidade da vontade de Deus revelada, os mandamentos escritos contidos na lei, as exortações da graça, ou qualquer atividade em que o crente possa estar envolvido. A dependência da carne é consistente somente com a pura lei; a dependência do poder de Deus é exigida sob a pura graça. Visto que não há uma provisão para a carne no plano de Deus para uma vida que está sob a graça, a lei está abolida.

IV. O Judaísmo é Abolido

Visto que praticamente todos os aspectos que conjuntamente compõem a relação judaica com Deus já foram considerados separadamente em discussões anteriores, há pouca necessidade de uma reafirmação extensa dessas questões. Deveria ser asseverado, contudo, que o sistema total conhecido como judaísmo, com todos os seus componentes, no propósito de Deus, está suspenso por toda esta presente era, mas com a segurança definida de que o sistema judaico total, assim interrompido, será completado no estabelecimento do reino, na nova terra, e na eternidade vindoura. Como o judeu foi removido do lugar de privilégio especial, que foi seu na era passada e nivelado ao mesmo padrão dos gentios – sob o pecado – assim o judaísmo experimentou uma cessação de todos os seus aspectos até aquela hora, quando o programa para os judeus começar novamente; contudo, o judaísmo deve ser restaurado, para completar o seu curso originalmente designado. Por qual nome poderiam aqueles futuros tratamentos divinos com Israel, após a Igreja ser removida, ser designados se não como a continuação do judaísmo? Especialmente tudo está evidente no fato de que as predições do judaísmo não são cumpridas nesta era da Igreja, mas são cumpridas na era vindoura.

O judaísmo tem seu campo de teologia com suas soteriologia e escatologia próprias. O fato de que estes fatores de um sistema que ocupa três quartas partes do Texto Sagrado não são reconhecidos e são ignorados pelos teólogos, não demonstra a inexistência deles, nem prova a insignificância deles. Uma teologia do pacto gera a noção de que há apenas uma soteriologia e uma escatologia, e que a eclesiologia, tal como é concebida, se estende desde o Jardim do Éden até o grande trono branco. Os problemas insuperáveis de exegese que tais suposições fantasiosas geram são facilmente descartados quando ignoramos. Por outro lado, a Escritura é harmonizada e sua mensagem clareada quando dois sistemas divinamente designados – judaísmo e cristianismo – são reconhecidos e as suas completas e distintivas características são observadas. Não importa quão ortodoxos eles possam ser em assuntos da inspiração, da divindade de Cristo, do seu nascimento virginal e da eficácia de sua morte, os teólogos do pacto não têm se inclinado a uma exposição bíblica. Esse grande serviço tem estado ocupado por aqueles que distinguem essas coisas, as quais são diferentes; embora concedam atenção a tudo o que tem sido escrito, não estão amarrados a uma tradição teológica.

O judaísmo não é um botão que floresceu no cristianismo. Estes sistemas de fato têm aspectos que são comuns a ambos – Deus, santidade, Satanás, homem, pecado, redenção, responsabilidade humana e as questões da eternidade – todavia, eles introduzem diferenças tão grandes que não podem se misturar. Cada um estabelece a sua base de relacionamento entre Deus e o homem – o judeu pelo nascimento físico, e o cristão pelo nascimento espiritual; cada um provê suas instruções sobre a vida de seus aderentes – a lei para Israel, os ensinos da graça para a Igreja; cada um tem a sua própria esfera de existência – Israel na terra pelas eras vindouras, a Igreja no céu. A fim de que a Igreja possa ser chamada dentre os judeus e gentios, uma era peculiar, uma era sem relação com as outras foi colocada numa consistente continuação do programa divino para a terra. É neste sentido que o judaísmo, a porção permanente da nação de

Conclusão

No final desta discussão a respeito do campo total da Eclesiologia, pode ser reafirmado que um verdadeiro desenvolvimento deste grande tema bíblico deve ser construído na segunda revelação de Paulo. Como foi asseverado no começo deste tratado sobre Eclesiologia, a Reforma reconquistou a verdade da primeira revelação paulina, a saber, a justificação pela fé somente, mas não restaurou a verdade contida na segunda revelação. É totalmente possível que os problemas ligados à restauração da primeira revelação, por serem de grande alcance e revolucionários como uma reação às perversões da verdade feitas pela Igreja de Roma, foram todas aquelas que puderam ser empreendidas de uma só vez ou por uma geração. Estudos posteriores do Novo Testamento desenvolveram os temas quase ilimitados da segunda revelação. Infelizmente, contudo, os teólogos não estavam preparados para receber qualquer verdade acrescida além daquelas obtidas pela Reforma, e a teologia protestante, por uma lealdade mal-orientada à ortodoxia, nunca recebeu a verdade contida na segunda revelação.

Tem sido suposto que essa verdade acrescentada, é perigosa, porque não estava inclusa nas realizações da Reforma e que, portanto, deve estar em conflito com aquelas realizações. Bem cedo na história do protestantismo houve teólogos que obtiveram os primeiros vislumbres das verdades contidas na segunda revelação, e uma luz sempre crescente veio sobre esse conjunto de verdades, e até hoje há um grande grupo de estudantes da doutrina que sustentam e ensinam, com a primeira revelação, as revelações divinas e claras a respeito da Igreja, que é o Corpo de Cristo. Não obstante, a teologia reformada ortodoxa persiste em seu reconhecimento original, isolado e exclusivo da primeira revelação, e continua a rejeitar e a condenar como intrusa e disruptiva os grandes achados concretos daqueles teólogos que têm utilizado seus anos de estudo dedicados à segunda revelação.

É tão persistente essa lealdade auto-imposta à uma limitada teologia da Reforma que um rompimento completo das forças ortodoxas já está em processo. Esta não é uma controvérsia entre combatentes heterodoxos e ortodoxos; ela está totalmente dentro dos círculos ortodoxos e é propriamente analisada como uma dissensão entre os que sem uma investigação adequada de tudo o que está envolvido na teologia deles em relação à primeira revelação de Paulo e aqueles que, pugnando muito honestamente pela primeira revelação, têm, com grande estudo e pesquisa, chegado ao entendimento da segunda revelação. A segunda revelação a respeito da Igreja, se buscada de modo adequado, conduz com lógica inexorável às distinções bíblicas gerais e dispensacionais, como aquelas que foram apresentadas neste tratado.

Um ataque a essas distinções não pode ser mantido por um apelo às crenças dos reformadores e aos teólogos antigos; tal coisa é uma suposição em que não há um progresso a ser feito no conhecimento da verdade, que a própria luz que veio sobre os reformadores, pela qual eles emergiram da escuridão da Igreja de Roma, poderia não cair sobre quaisquer outros em anos subseqüentes para conduzi-los aos campos mais amplos do entendimento da revelação inexaurível de Deus. Há uma fraqueza inerente mostrada nessa atitude. Ela tende a esquivar-se de toda responsabilidade em direção ao avanço na verdade e a divinizar os escritos dos reformadores ou os escritos dos fundadores de uma seita, e esquecem-se aparentemente, por um momento, de que esses dignos eruditos não fizeram uma reivindicação da inspiração nem pretenderam estabelecer uma barreira, para que nenhuma posterior investigação na verdade pudesse avançar. Não é nenhum desrespeito aos reformadores ou aos Pais da Igreja sustentar uma atitude de abertura de mente no sentido de um novo entendimento da verdade que não estivesse de acordo com homens das gerações passadas. Nenhuma ciência seria beneficiada por tais afirmações a mestres supostamente implacáveis do passado.

À parte de todos os entendimentos errôneos e das fraquezas dos homens, das quais todos compartilham no mesmo grau, ainda permanece verdadeiro que no propósito eterno de Deus, foram realidades: a morte, a ressurreição, a ascensão de Cristo e, pelo advento do Espírito, um povo celestial é chamado para uma glória celestial específica; e que em nenhum sentido esse propósito divino é a realização das promessas e pactos feitos com Israel, que toda promessa feita a Israel será ainda cumprida, e que à parte dessas distinções e previsões não pode haver uma harmonização da revelação divina. O próprio fato de que tem havido tal negligência no campo total abrangido pela segunda revelação de Paulo, se torna um desafio para o estudante desenvolver com o maior cuidado nessa esfera ilimitada da verdade.

O fato de que a Igreja é um mistério – com respeito à era de sua vocação, à verdade de que ela é o Corpo de Cristo, à verdade que ela será a Noiva de Cristo, e à maneira de seu arrebatamento deste mundo – indica o seu caráter distintivo como separado de tudo o que aconteceu antes e de tudo o que se seguirá. O apóstolo Paulo escreve: "Ora, àquele que é poderoso para vos confirmar, segundo o meu evangelho e a pregação de Jesus Cristo, conforme a revelação do mistério guardado em silêncio desde os tempos eternos, mas agora manifesto e, por meio das Escrituras proféticas, segundo o mandamento de Deus, eterno, dado a conhecer a todas as nações para obediência da fé; ao único Deus sábio seja dada glória por Jesus Cristo para todo o sempre. Amém" (Rm 16.25-27).

ESCATOLOGIA

ESCATOLOGIA

ESCATOLOGIA

CAPÍTULO XIII

Introdução à Escatologia

ESTA ÚLTIMA DIVISÃO da Teologia Sistemática preocupa-se com as coisas vindouras e não deveria ficar limitada às coisas que são futuras em algum tempo particular na história humana; mas deveria contemplar tudo que estivesse no futuro em seu caráter no tempo em que a revelação foi dada. A palavra temporal *agora* sempre muda e as coisas ainda futuras em relação ao tempo presente logo serão coisas passadas na história. Uma escatologia apropriada deve abarcar toda predição, seja cumprida ou não-cumprida, num determinado tempo. Em outras palavras, uma verdadeira escatologia tenta explicar toda profecia apresentada na Bíblia.

A negligência das Escrituras proféticas por parte de teólogos é total, pois apresenta um panorama limitado do estado intermediário, a ressurreição do corpo, uma passagem ligeira pelo segundo advento e o estado eterno. Os escritores de teologia, em alguns casos, têm confessado a falta de preparo para tratar com a predição bíblica. No começo do seu tratado sobre o segundo advento, o Dr. Charles Hodge afirma: "Este tema não pode ser discutido adequadamente, sem que se examinem todos os ensinamentos proféticos das Escrituras, tanto do Antigo quanto do Novo Testamento. Essa área não pode ser levada a bom efeito por parte de alguém que não se tenha especializado nos estudos das profecias. O autor, ciente que não está qualificado para esta tarefa, propõe limitar-se, em grande medida, a um exame histórico dos diferentes sistemas de interpretação das profecias das Escrituras acerca dessa questão".[99]

Com a mesma finalidade, o Dr. B. B. Warfield constrói o seu argumento sobre a idéia insustentável de que não há uma referência a tal época em lugar algum, exceto em "porção tão obscura" como Apocalipse 20,[100] sem o mais ligeiro reconhecimento de um reino pactual para Israel, com o cumprimento de toda promessa terrestre. Quando, como e onde esses pactos serão experimentados? Para o Dr. Warfield, a presente bênção dos santos no céu é o milênio. Ele escreve: "Os mil anos, assim, são a totalidade desta presente dispensação, que novamente é colocada diante de nós em sua inteireza, mas vista agora relativamente não para o que acontece na terra, mas para o que é desfrutado 'no Paraíso'".[101] Para ele, também, Satanás preso e então solto novamente é uma

ESCATOLOGIA

experiência presente concorrentemente em progresso: "Mas enquanto os santos permanecem em sua segurança, Satanás, embora preso relativamente para eles, está solto relativamente para o mundo – e é este o significado da afirmação do versículo 3c de que 'ele deve ser solto por um pouco de tempo'".[102]

De acordo com esta idéia, Satanás, por estar preso em relação aos crentes, não pode atingi-los; todavia, o apóstolo declara: "Finalmente, fortalecei-vos no Senhor e na força do seu poder. Revesti-vos de toda a armadura de Deus, para poderdes permanecer firmes contra as ciladas do Diabo; pois não é contra carne e sangue que temos que lutar, mas sim contra os principados, contra as potestades, contra os príncipes do mundo destas trevas, contra as hostes espirituais da iniqüidade nas regiões celestes" (Ef 6.10-12). Assim, uma das maiores autoridades em certos aspectos da teologia evidencia uma desatenção incompreensível às revelações proféticas mais elementares. Semelhantemente, o Dr. R. L. Dabney, honrado teólogo norte-americano, quando questionado por um ex-aluno se determinadas interpretações das profecias estavam corretas, replicou: "Provavelmente estejam certas. Eu nunca dei uma olhada nesse assunto".

É desnecessário assinalar que a atitude destes e de muitos outros teólogos tem sido uma barreira insuperável ao chamado *ministério erudito*, que evita qualquer tentativa da parte deles de investigar o campo da profecia bíblica. É natural concluir que uma verdade é de pouca importância, se os grandes mestres da Igreja a ignoram. Entretanto, mesmo o próprio mestre reflete a sua própria formação com sua determinação de desconsiderar tudo que está além do que é peculiar à Reforma. Em oposição a isto está a afirmação do Dr. I. A. Dorner: "Não pode haver dúvida de que a Santa Escritura contém uma abundância de verdades e idéias, que ainda não foram expostas e não se tornaram a posse comum da Igreja...".[103]

Essa indiferença ou resistência é dificilmente justificada à luz do fato de que uma quarta parte dos livros da Bíblia é reconhecidamente profética, e, no próprio texto da totalidade das Escrituras, ao menos uma quinta parte era de predição ao tempo em que foi escrita. Uma porção da profecia bíblica está agora cumprida, e deveria ser dada atenção à distinção entre a profecia cumprida e a não-cumprida.

No seu discurso do Cenáculo, o Salvador, por ter anunciado o ministério particular de ensino do Espírito Santo na presente dispensação, continua a declarar quais as verdades precisas que o Espírito haveria de ensinar em João 16.12-15, e coloca as "coisas por vir" como primeiras nas listas dos temas. É seguro dizer que nenhum mestre moderno da Bíblia, mesmo que fosse ele um extremista em sua ênfase desproporcional sobre profecia, assumiria colocar "as coisas vindouras" como primeiras entre aqueles temas importantes, e muitos teólogos não incluiriam essa matéria de forma alguma. A ênfase suprema que Cristo dá a esse aspecto da verdade não deveria ser deixada de lado. Incidentalmente, Cristo sugeriu nessa afirmação que ninguém compreenderia a profecia, se não fosse ensinado pelo Espírito Santo.

Isto parece ser muitíssimo verdadeiro na experiência cristã. Está revelado, semelhantemente, que o apóstolo Paulo ensinou os aspectos mais profundos e intrincados da predição aos seus recém-convertidos. Isto está demonstrado em seu ministério em Tessalônica, onde lhe foi permitido permanecer apenas três ou quatro semanas, um lugar para o qual ele nunca mais retornou. Naquele tempo limitado de sua permanência naquela cidade, ele foi confrontado pelo paganismo, mas foi capaz de fazer contatos com indivíduos e não somente os conduziu a Cristo, mas lhes ensinou a verdade suficiente que ele pôde posteriormente escrever as duas epístolas a essa igreja com a expectativa de que eles pudessem entendê-las.

Na segunda epístola, onde é feita referência à "apostasia", o homem do pecado que se assentará no templo restaurado dos judeus declara-se a si mesmo ser Deus, e a destruição do homem do pecado pelo aparecimento glorioso de Cristo, Paulo declara: "Não vos lembrais de que eu vos dizia estas coisas quando ainda estava convosco?" (2 Ts 2.5). Certamente nenhuma evidência mais clara poderia ser desejada para estabelecer a verdade de que ambos, Cristo e Paulo, deram uma importância primária para o entendimento correto da profecia. Não há uma autorização concedida aqui para um mestre ser um aventureiro na verdade profética, nem há qualquer permissão concedida aos homens para ignorarem o campo da revelação profética.

É prática comum de alguns teólogos estigmatizar o milenismo como uma teoria moderna, pois se esquecem de que, em sua forma restaurada, mesmo a justificação pela fé é comparativamente uma verdade moderna. Tanto a justificação pela fé quanto o milenismo são ensinados no Novo Testamento e foram, portanto, crença na Igreja Primitiva. Essas doutrinas, igual a outras verdades essenciais, estiveram na obscuridade durante a Idade das Trevas. Os reformadores não restauraram todos os aspectos da doutrina e com a justificação pela fé eles retiveram a noção do romanismo de que a Igreja é o reino, em cumprimento do pacto davídico, e designada para conquistar o mundo, por trazê-lo sob a autoridade da Igreja. Esta idéia tem prevalecido, a despeito do testemunho claro e simples do Novo Testamento de que esta era deve terminar em impiedade sem precedentes.

Exatamente o que está envolvido na profecia selada até o tempo do fim foi anunciado pelo profeta Daniel. O texto: "Vai-te Daniel, porque estas palavras estão cerradas e seladas até o tempo do fim" (Dn 12.9), pode não ser totalmente entendido. Contudo, é significativo que o conhecimento da profecia aumentou na última metade do século.

O argumento de que as porções proféticas da Bíblia apresentam problemas sobre os quais os homens discordam, não é uma desobrigação adequada de suas alegações. Não há mais problemas na Escatologia do que na Soteriologia. Acontece que, devido ao lugar central que a Soteriologia tem recebido dos reformadores e dos escritos teológicos subseqüentes, é que não foi dada a devida consideração à verdade profética. As grandes desavenças entre o calvinismo e o arminianismo nunca foram usadas como razão para a negligência da Soteriologia; mas a desunião no mais leve grau entre os mestres a respeito da Escatologia tem sido tomada como uma razão para a sua negligência.

ESCATOLOGIA

No campo da profecia, como em toda a Palavra de Deus, há a necessidade de estudar aquilo que pode ser aprovado por Deus e do que não se deve envergonhar (2 Tm 2.15). O que está declarado nas Escrituras a respeito da profecia é tão crível como aquelas porções que são históricas. A linguagem não é mais complexa, nem é a verdade mais escondida. É reconhecido que ela é a maior força posta sobre a débil fé para crer e receber aquilo que é mera predição – especialmente quando eventos sem precedentes são antecipados – do que crer e receber como verdadeiro aquilo que certamente aconteceu. É esta fé necessária e inevitável em Deus, de que Ele fará exatamente o que prometeu fazer, que provavelmente falte em muitos.

Na introdução de sua monumental obra sobre o reino teocrático, George N. H. Peters afirma: "A história da raça humana é, como os teólogos capazes têm observado, a história dos tratados de Deus com o homem. Ela é um cumprimento da revelação; sim, e mais: ela é a revelação dos caminhos de Deus, uma confirmação abrangente da interpretação, e uma ajuda designada na interpretação do plano da redenção. Conseqüentemente, o próprio Deus apela para ela, não meramente como a evidência da verdade declarada, mas como o modo pelo qual nós somente podemos obter uma visão plena e completa do propósito divino com relação à salvação. Contudo, para fazer isso, devemos considerar a história *passada, presente* e *futura*. Esta última deve ser recebida como predita, pois podemos descansar seguros, desde o cumprimento passado e presente da Palavra de Deus, transformado em realidade histórica, que as predições e promessas relativas ao futuro também, por sua vez, se tornarão verdadeiras histórias. É *esta fé*, que capta o futuro como já presente, que pode formar uma unidade resoluta e inconfundível".[104]

É exatamente essa unidade do propósito divino apresentada nas Escrituras que foi perdida por aqueles que apagam o campo todo da profecia. A própria diversidade na exegese antagônica não é somente deplorável por causa do seu testemunho infeliz ao mundo, mas é evidência de que alguma coisa está fundamentalmente errada. Rothe é citado da seguinte forma: "Nossa chave não abre – *a chave certa foi perdida*; e agora fomos colocados na posse dela novamente, e nossa exposição nunca terá sucesso. O sistema das idéias bíblicas *não é* o das nossas escolas...".[105] Esta é uma confissão franca e mais de uma pessoa se aventuraria a afirmar que até que a totalidade da Bíblia seja considerada em sua unidade, não haverá remédio para essa falha. Não se trata de barreiras intransponíveis; é simples e unicamente um assunto de dar atenção às coisas que Deus disse, e as disse em termos inteligíveis. A terminologia bíblica é sempre o mais simples de qualquer literatura. Onde o simbolismo é empregado no texto, quase sem exceção, ele será indicado.

Qualquer que possa ser a mensagem profética, ela é dependente da linguagem – termos simples conhecidos de todos – para a sua comunicação, e aquele que falsifica ou distorce esses termos, não pode senão colher confusão. O plano de Deus a respeito das coisas futuras irrompeu sobre as mentes de muitos eruditos, quando eles determinaram deixar que a própria e simples terminologia profética portasse a mensagem que ela naturalmente comunica. Imediatamente, a história total do futuro se torna clara e livre de complicações. Não está sugerido com isto que não haja situações difíceis a serem confrontadas; mas está afirmado que a humilde aceitação das declarações no significado natural delas revelará um entendimento correto da totalidade da mensagem profética.

Ao falar da importância da interpretação bíblica, de dar à linguagem o seu significado razoável e gramatical, George N. H. Peters declara:

Sobre a proposição que tem produzido muitos volumes em sua discussão, desejamos simplesmente anunciar a nossa posição, e atribuir-lhe umas poucas razões em seu favor. Sua importância é de grande peso; as conseqüências de sua adoção são de muita significação; a tendência que ela possui de conduzir à verdade e da Escritura vindicada, é de tal valor, que não podemos passar por ela sem algumas explicações e reflexões. Sem qualquer hesitação, nós nos firmamos numa famosa máxima (*Eccl. Polity*, B. 2.) do hábil Hooker: "Eu sustento uma norma mais infalível na exposição das Escrituras Sagradas, de que onde uma construção literal vigora, o mais distante da letra é comumente o pior. Nada há mais perigoso do que essa arte licenciosa e enganosa, que muda o significado das palavras, como faz a alquimia, que muda a substância dos metais, fazendo de algo o que agrada a ela, e trazendo ao fim toda verdade ao nada". A Igreja Primitiva ocupou esta posição, e Irineu (*Adv. Haer.* 2, C. 27) nos dá o sentimento geral quando (na linguagem de Neander, *Hist. Dogmas*, 77) "ele diz das Santas Escrituras: aquilo de que o entendimento pode fazer uso diário, aquilo que pode ser facilmente conhecido, é o que está diante de nossos olhos, sem ambigüidade, literal e claramente na Escritura Sagrada". Contudo, muita coisa deste princípio de interpretação foi subvertida, como a história atesta, por séculos sucessivos (não sem protesto); todavia, na Reforma, foi novamente revivido. Assim, Lutero (*Table Talk*, "On God´s Word", 11) observa: "Eu tenho baseado a minha pregação na palavra literal; aquele que se agrada disso pode seguir-me, e aquele que não se agrada pode permanecer onde está". Na confirmação de tal curso, pode ser dito: Se Deus realmente pretendeu tornar conhecida a sua vontade ao homem, segue-se que para assegurar conhecimento de nossa parte, Ele deve comunicar sua verdade a nós *de acordo* com as regras bem conhecidas da linguagem. Se Suas palavras foram dadas para ser entendidas, segue-se que Ele deve ter empregado uma linguagem para comunicar o sentido pretendido, de acordo com as leis expressas gramaticalmente, controlando toda a linguagem; e que, ao invés de procurar um sentido que as palavras em si mesmas não contêm, devemos primariamente obter o sentido que as palavras obviamente admitem, dando a devida permissão para a existência de figuras de linguagem quando indicadas pelo contexto, pelo escopo ou pela construção da passagem. Por "literal", queremos dizer a interpretação gramatical da Escritura.[106]

ESCATOLOGIA

Visto que a predição está incorporada no Texto Sagrado em tal grau e visto que o pregador está designado para declarar todo o conselho de Deus, não há fuga da responsabilidade de conhecer e expor as Escrituras proféticas. Aquele que evita este grande tema nas ministrações do seu púlpito pergunta-se a si mesmo qual é a sua relação com o Espírito Santo, em vista da verdade asseverada por Cristo de que o ensino principal do Espírito é "vos anunciar as cousas vindouras" (Jo 16.13). O pastor e mestre é um especialista no conhecimento da Palavra de Deus e não há sugestão de que a declaração da profecia seja excetuada de sua responsabilidade. Timóteo devia ser reconhecido como "um bom ministro de Cristo Jesus", contanto que ele lembrasse os irmãos de certas predições (cf. 1 Tm 4.1-6).

Não há uma abordagem própria aos evangelhos sinóticos, além de ver neles o cumprimento da predição do Antigo Testamento a respeito do Messias. Semelhantemente, o livro de Apocalipse é o terminal onde, igual as linhas de trem que se dirigem para uma estação central, as linhas da profecia bíblica chegam ao seu fim. A Bíblia pressupõe que o leitor, quando alcança o último livro bíblico, terá em mente tudo o que aconteceu antes; e, no mesmo grau, essas linhas de profecia são incompletas até que sejam traçadas ao seu final naquele livro profético incomparável. Isto serve para enfatizar a verdade de que a Bíblia em todas as suas partes é uma mensagem inter-relacionada e interdependente, e que o estudante que não tem uma visão clara de profecia como tem de outros aspectos da revelação, fica desqualificado para interpretar a Palavra de Deus.

O conhecimento da profecia bíblica qualifica todo serviço e vida do cristão. Por ela, o crente vem a conhecer a fidelidade de Deus à sua Palavra. É certamente o desejo de Deus que os seus que estão no mundo conheçam o que ele está para fazer. Ele disse: "Ocultarei eu a Abraão o que faço?" (Gn 18.17). Esta afirmação é uma apresentação justa de sua atitude para com os que são salvos. Abraão, embora amigo de Deus, não está tão perto do coração de Deus como aqueles que são da família de Deus e que são membros no Corpo do seu Filho (cf. 2 Cr 20.7; Is 41.8; Tg 2.23). Muitas tarefas que os cristãos empreendem não seriam assumidas, se o programa de Deus e os seus aspectos futuros fossem melhor conhecidos. Ele não deu uma ordem para converter o mundo e as tarefas baseadas naquela espécie de idealismo que existem sem a sua autoridade. Igualmente, o conhecimento da profecia confere equilíbrio ao crente nos tempos de crise, assim como conforta no tempo de tristeza. Após declarar a verdade de que Cristo retornará, o apóstolo continua a dizer: "Portanto, consolai-vos uns aos outros com estas palavras" (1 Ts 4.18); Todas as partes da Bíblia têm um efeito santificante (Jo 17.17), mas nenhuma mais do que a percepção do fato de que Cristo, como prometeu, pode retornar a qualquer hora. Tal expectativa se torna uma esperança purificadora. O apóstolo João escreve: "Todo o que nele tem esta esperança, purifica-se a si mesmo, assim como ele é puro" (1 Jo 3.3).

Por último, as Escrituras apresentam apenas um sistema de verdade. Os homens podem até não compreendê-lo, e daqueles que discordam a respeito da interpretação que um ou ambos os lados da controvérsia podem

INTRODUÇÃO À ESCATOLOGIA

estar errados; mas ambos não podem estar certos. A Palavra de Deus não se empresta a si mesma como suporte para os esquemas pós-milenista, amilenista ou pré-milenista de interpretação, ao mesmo tempo. O estudante deve ponderar as suas alegações e ficar convencido sobre qual deles é bíblico. Esta obra de teologia é definitivamente pré-milenista e as provas irrefutáveis serão apresentadas, para dar suporte a esta posição, à medida que desenvolvemos o estudo da Escatologia.

O futuro é apenas uma parte do plano de Deus, e Ele somente conhece o que está abrangido nele. Aquela porção do Seu conhecimento que Ele deseja que os homens possuam é apresentada no Texto Sagrado e em mais nenhum outro lugar. As opiniões dos homens são de valor quando elas se conformam com as Escrituras. O cânon hermenêutico dos reformadores era "interpretar e ilustrar a Escritura com a Escritura".[107] Nenhuma influência é mais extensiva do que a dos credos; todavia, esses credos não têm a pretensão de substituir a Palavra de Deus.

No lugar dos credos, Peters declara: "Os credos etc., valiosos como são em muitos aspectos, quando muito, podem somente dar o testemunho deles como testemunhas da verdade; e eles podem somente *testificar tanto dela* quanto os elaboradores dela viram e experimentaram. Professar para dar evidência em favor da Bíblia, ou afirmar o que a Bíblia ensina, essa evidência ou afirmação é somente própria, consistente e disponível, na medida em que ela *coincide* com as Santas Escrituras. Portanto, o conhecimento do caráter satisfatório das afirmações confessionais é somente sustentável por colocá-las diante do teste, a Palavra de Deus. É uma péssima indicação quando, em qualquer período, os homens virem a exaltar as suas confissões, a ponto de colocar as Escrituras numa posição de importância secundária, como está ilustrado numa determinada época". Tulloch (*Leaders of the Reformation*, 87) observa: "A Escritura, como uma testemunha, desapareceu por detrás da Confissão de Augsburgo".[108]

Peters também cita Albert Barnes em seu comentário sobre Efésios 2.20, dizendo: "Aprendemos 'que as tradições dos homens não têm nenhuma autoridade na igreja, e não constituem parte alguma do fundamento; que nada deve ser considerado como uma parte fundamental do sistema cristão, ou tão preso à consciência, que não possa ser encontrado nos 'profetas e apóstolos'; a saber, como significa aqui, nas Santas Escrituras. Nenhum decreto de concílios; nenhuma ordenança de sínodos; nenhum 'padrão' de doutrinas; nenhum credo ou confissão deve ser colocado como autoridade na formação da opinião dos homens. Eles podem ser valiosos para alguns propósitos, mas não para isto; eles podem ser referidos como partes interessantes da história, mas não para formar a fé dos cristãos; eles podem ser usados na igreja *para expressar* sua crença, não *para formá-la*. O que está baseado na autoridade dos apóstolos e profetas é verdadeiro, e sempre verdadeiro, e somente verdadeiro; o que pode ser encontrado em outro lugar pode ser valioso e verdadeiro, ou não, mas, de qualquer forma, não deve ser usado para controlar a fé dos homens".[109]

Melanchthon, em sua *Apologia* à Universidade de Paris, afirma: "Aqui está, como penso, o sumário da controvérsia. E agora eu lhes pergunto, meus

ESCATOLOGIA

senhores: Tem a Escritura sido ministrada de tal forma que o *seu significado indubitável* possa ser obtido sem a exposição dos concílios, dos Pais da Igreja, e das escolas, ou não? Se vocês negarem que o significado é certo por si mesmo, sem os comentários, não vejo *por que* a Escritura tenha sido dada, se o Espírito Santo não desejava definir com certeza o que Ele teria para que crêssemos. Por que os apóstolos nos convidam ao estudo das Escrituras, se o seu significado é incerto? Para que os Pais da Igreja desejam que creiamos neles, não mais do que eles fortificam suas afirmações pelos testemunhos da Escritura? Por que, também, os antigos concílios nada decretaram sem a Escritura, e deste modo distinguimos entre os concílios falsos e verdadeiros, que os anteriores concordam com as claras Escrituras, e os últimos são contrários às Escrituras?... Visto que a Palavra de Deus deve ser a rocha sobre a qual a alma repousa, eu oro para que a alma apreenda dela, se não é certo qual é a mente do Espírito de Deus?"[110]

Para tudo isto, haverá algum acordo geral pelas mentes devotas; todavia, aí permanece a disposição escrava da parte de muitos de ficarem angustiados pelas incertezas, quando deixados sós com a Palavra de Deus.

A Escatologia em seu escopo geral será estudada agora sob as seguintes divisões: (1) aspectos gerais; (2) os sete principais caminhos da profecia; (3) os principais temas da profecia do Antigo Testamento; (4) os principais temas da profecia do Novo Testamento; (5) os eventos preditos em sua ordem; (6) os julgamentos; e (7) o estado eterno.

ASPECTOS GERAIS DA ESCATOLOGIA

CAPÍTULO XIV

Um Breve Panorama da História do Milenismo

CERTAS CONSIDERAÇÕES, mais ou menos não-relacionadas, fazem parte da preparação para o estudo da Escatologia e estas devem ser mencionadas sob o título acima deste capítulo e do seguinte, intitulado *O Conceito Bíblico de Profecia.*

O *quiliasma* (ou *milenismo*), que vem de χίλιοι – que significa 'um mil' – se refere em sentido geral à doutrina do milênio, ou à era do reino que ainda virá à existência, e, como está afirmado na *Enciclopédia Britânica* (14ª. edição), é "a crença de que Cristo retornará para reinar por mil anos...". O aspecto distintivo dessa doutrina, é que Ele retornará *antes* dos mil anos e, portanto, caracterizará aqueles anos por sua presença pessoal e pelo exercício da Sua autoridade legítima, a fim de assegurar e sustentar todas as bênçãos para a terra que estão destinadas para aquele período. O termo *quiliasma* tem sido substituído pela designação *pré-milenismo*; e, naturalmente, visto que o pré-milenismo é agora confrontado tanto pelo pós-milenismo (somente em sua literatura) quanto pelo amilenismo – nenhum desses sistemas opostos poderia ser caracterizado pelo uso do termo *quiliasma* – mais coisas estão implícitas nesse termo do que uma mera referência a mil anos.

É dito que um período de mil anos se interpõe entre o primeiro e o segundo adventos das ressurreições da humanidade (Ap 20.4 6), ressurreições que estão listadas em 1 Coríntios 15.23-26 como "aqueles que são de Cristo, na sua vinda" e "o fim" (ressurreição). Na passagem de Coríntios, como em Apocalipse 20.4-6, essas ressurreições são separadas pela vigência do reino quando Cristo, de acordo com o texto da carta aos Coríntios, antes de Cristo entregar o reino ao Pai, derrubará toda autoridade, e poder, e colocará todos os inimigos debaixo de seus pés: mesmo a morte, "o último inimigo", será destruída e isto, evidentemente, pela ressurreição de todos os que viveram e morreram (Jo 5.25-29; Ap 20.12-15). Nesses mil anos, não somente essas transformações são completadas, o que evidentemente atinge as esferas angelicais, mas todo pacto terrestre com Israel será cumprido – tudo, na verdade, que pertence ao reino messiânico.

ESCATOLOGIA

Tem sido a prática dos oponentes do quiliasma afirmar que ele está baseado em Apocalipse 20.4-6 e que, se esta passagem pode ser assim interpretada, a fim de designá-la ao passado, ou como cumprida agora, a estrutura total do quiliasma é dissolvida. Na verdade, grande é a apreensão errônea da verdade que tal noção revela; e, se eles empreendessem uma exposição suficiente para confrontar o problema, eles perceberiam o fardo que impõem sobre si mesmos. Toda a esperança do Antigo Testamento está envolvida: com seu reino terrestre, com a glória de Israel, e com o Messias prometido assentado sobre o trono de Davi em Jerusalém. Quando estas coisas são aplicadas à Igreja, como freqüentemente tem acontecido, não há sequer uma similaridade acidental em que podem basear essa aplicação.

Pode bem ser reafirmado que tal incongruência em doutrina, como é desenvolvida por se confundir o judaísmo com o cristianismo, pode existir somente por causa da falha em considerar as questões envolvidas. Isto não significa acusar os oponentes de desonestidade; é antes chamar a atenção para a falha deles, como já foi assinalado antes, para estudar estes grandes temas. Essa falha está claramente exposta no fato de que tais escolas de interpretação nunca produziram uma literatura construtiva, que tratasse de profecia. A história do quiliasma pode ser abordada sob sete períodos gerais de tempo:

I. O Período Representado pelo Antigo Testamento

No Capítulo III deste volume, um extenso contraste foi feito entre Israel e a Igreja. Naquela discussão, ficou claro que Israel e seu reino, com o seu Messias no trono de Davi, em Jerusalém, é a esperança que caracteriza o Antigo Testamento. Uma mera referência a tudo o que foi apresentado deve ser suficiente a esta altura; mas o estudante não deveria, por desatenção, ficar sem a convicção da verdade de que um reino literal e terrestre é a esperança justificável de Israel como uma nação. Por ser uma palavra grega, a palavra *quiliasma* não é um termo do Antigo Testamento. Os aspectos do tempo presente com respeito ao reino vindouro não foram revelados, até que a revelação do Novo Testamento fosse dada.

II. O Reino Messiânico Oferecido a Israel no Primeiro Advento

Outra vez, por falta de espaço e por querer evitar repetição, o estudante é levado de volta à consideração anterior deste tema em Eclesiologia. Termos mais exatos não poderiam ser empregados, além dos que já foram usados para relatar o ministério terreno de Cristo, que foi dirigido a Israel exclusivamente e a respeito do reino deles como "próximo". A evidência é completa, a respeito do fato de o reino de Israel ter sido oferecido à nação por Cristo em seu primeiro advento.

602

III. O Reino Rejeitado e Posposto

Este conjunto de verdades, igual ao conjunto citado, teve uma demonstração exaustiva de sua veracidade na mesma seção anterior mencionada. É uma falha reconhecer a rejeição e a posposição do reino messiânico que alterou o curso de muitas dissertações teológicas, que as levou à confusão. Por causa da falha deles nesse ponto, os teólogos têm relacionado o reino ao primeiro advento, antes do que ao segundo; e à dispersão de Israel, antes do que à sua volta. Os erros doutrinários que são gerados por esse engano permanecem incontáveis, erros que não somente distorcem o real objetivo do primeiro advento – o chamamento da Igreja – mas erros que supõem substituir um reino detalhadamente descrito na Palavra de Deus por um reino humano, idealista e espiritual, desconhecido de ambos os testamentos.

Esse suposto reino espiritual presume que os judeus, e de necessidade os seus profetas inspirados, estavam enganados na previsão de um reino literal; por isso, Cristo os repreendeu por sua ambição inadequada. A idéia de que havia tal erro da parte dos judeus, ou porque Cristo os repreendeu, não tem suporte bíblico. Ao contrário, após sua morte e ressurreição e o ministério de quarenta dias no ensino de seus discípulos com respeito ao reino de Deus (At 1.3), quando Cristo em sua resposta à pergunta: "Senhor, é neste tempo que restaurarás o reino a Israel?" disse-lhes: "A vós não vos compete saber os tempos ou as épocas, que o Pai reservou à sua própria autoridade" (At 1.6, 7; cf. 1 Ts 5.1, 2), não há uma repreensão aqui para esses discípulos judeus, porque eles queriam novamente dar atenção à esperança nacional de Israel.

Essa esperança será cumprida nos "tempos" de Deus ou suas "épocas". Contudo, esses discípulos tinham ainda que aprender que um novo empreendimento havia sido introduzido e desse novo empreendimento Cristo disse: "Mas recebereis poder, ao descer sobre vós, o Espírito Santo, e ser-me-eis testemunhas, tanto em Jerusalém, como em toda a Judéia e Samaria, e até os confins da terra" (At 1.8). Este programa de testemunho seria eventualmente concluído com o retorno de Cristo, pois está acrescentado, "Tendo ele dito estas coisas, foi levado para cima, enquanto eles olhavam, e uma nuvem o recebeu, ocultando-o a seus olhos. Estando eles com os olhos fitos no céu, enquanto ele subia, eis que junto deles apareceram dois varões vestidos de branco, os quais lhe disseram: Varões galileus, por que ficais aí olhando para o céu? Esse Jesus, que dentre vós foi elevado para o céu, há de vir, assim como para o céu o viste ir" (At 1.9-11).

Parece irrazoável que os sistemas de teologia, os comentários, as histórias da doutrina, as obras sobre a vida de Cristo e alguns empreendimentos exegéticos perpetuem as teorias de Roma e de Whitby sobre o reino, e isto a despeito dos problemas insuperáveis que tais teorias criam. Somente o poder obrigatório da tradição e da tendência humana de se agarrar a uma idéia religiosa – boa em seu próprio lugar – pode explicar essas tendências. Um método de interpretação que é livre para espiritualizar ou deixar de lado importantes revelações sobre doutrina tem apontado o caminho para outros negarem a autoridade das

Escrituras. É apenas um curto passo desde a perversão da verdade, conquanto sincera, para a negação dela. Parece não ser uma questão de erudição. É o problema de romper com o idealismo da ordem da Igreja de Roma, transmitido de geração a geração, e não a disposição de transmitir somente aquele que os apóstolos e os antigos pais declararam. O fato de que a maioria tem seguido este curso, embora impressivo até onde pode ser, nada prova definitivamente.

IV. As Crenças Milenistas Sustentadas pela Igreja Primitiva

Ao menos, duas linhas de prova sustêm a alegação de que as crenças milenistas foram sustentadas pela Igreja Primitiva. Primeira, o fato de que a Bíblia toda é harmonizada somente pela interpretação milenista. (Esta afirmação dogmática já foi confirmada em porções anteriores desta obra, e será justificada em todo o estudo de Escatologia.) Segue-se que a Igreja Primitiva era milenista, visto que eles criam na Bíblia e sustentavam a sua interpretação correta – correta, porque a doutrina deles foi-lhes dada pelos próprios apóstolos que, debaixo de Deus, escreveram o Novo Testamento. Segunda, o fato de que em muitas passagens a crença da Igreja Primitiva é direta ou indiretamente revelada como milenista. Duas passagens notáveis podem ser citadas a esta altura:

Atos 15.1-29. Este texto registra a ocasião da convocação do primeiro concílio da Igreja e o seu veredicto. O problema apresentado perante a assembléia, que era composta totalmente de judeus, foi criado pelo fato de que essa nova mensagem do Evangelho havia saltado todos os limites e alcançado os gentios com o mesmo poder e bênção que havia sido concedido aos crentes judeus. Tal movimento alastrou-se para fora dos limites do judaísmo. À luz da separação de Israel dos gentios – um fato determinado pelo próprio Deus com respeito à sua nação eleita – tinha de haver uma solução encontrada para esse estranho abandono, por evidente autoridade de Deus, de um dos aspectos mais fundamentais do judaísmo. A questão a ser respondida era esta: O que havia acontecido aos pactos divinos imutáveis, a respeito da nação sagrada? Seguindo o testemunho de Pedro, Barnabé e Paulo, em que eles asseveraram que com o mesmo poder do Pentecostes o poder do Evangelho havia alcançado os gentios como alcançara os judeus, Tiago declara qual era evidentemente a resposta ao problema e que foi aceita mais tarde por toda a Igreja.

Ele disse: "Depois que se calaram, Tiago, tomando a palavra, disse; Irmãos, ouvi-me: Simão relatou como primeiramente Deus visitou os gentios para tomar dentre eles um povo para o seu Nome. E com isto concordam as palavras dos profetas, como está escrito: Depois disto voltarei, e reedificarei o tabernáculo de Davi, que está caído; reedificarei as suas ruínas, e tornarei a levantá-lo; para que o resto dos homens busque ao Senhor, sim, todos os gentios, sobre os quais é invocado o meu nome, diz o Senhor que faz estas coisas, que são conhecidas desde a antigüidade" (At 15.13-18).

A ordem da verdade que esta afirmação apresenta não deve ser ignorada. Um novo empreendimento divino havia sido inaugurado. Deus visita os gentios para formar um povo para o Seu Nome. Que isto não inclui todos os gentios está revelado; também que os judeus terão a sua parte nele, está suposto com base nas bênçãos que Deus já lhes havia estendido primeiro e, de fato, Ele já tinha feito isso. O novo propósito divino é o chamamento de judeus e gentios para formar um grupo especialmente escolhido para a glória da Pessoa divina (cf. Ef 3.6). "Depois disto", Tiago assevera, "o Senhor voltará para reedificar o tabernáculo de Davi" – a linhagem real de Davi – e de acordo com o pacto feito com Davi (cf. 2 Sm 7.1-17). As bênçãos do reino, então, serão cumpridas para Israel e aqueles dentre os gentios, entre os quais o nome divino é invocado. Muitas predições declaram a parte que os gentios terão no reino terrestre.

Tudo isto, longe de ser acidental, era conhecido de Deus – embora não revelado aos homens – desde a fundação do mundo. Acontece simplesmente que a Igreja Primitiva (de judeus) descobre o novo propósito divino e reconhece a posposição do reino terrestre. Esse contexto continua a revelar o fato de que os gentios dentro da Igreja não estão debaixo da lei mosaica. O registro do veredicto desse concílio está exposto no Texto Sagrado, não para encobrir supostos erros daqueles que concorreram ao concílio, mas para servir como uma revelação construtiva do plano de Deus. Disto pode ser visto que uma crença milenista, de que Cristo volta antes do reino de mil anos, foi adotada pela Igreja no seu primeiro concílio.

Romanos 9–11. Os três capítulos, Romanos 9–11, são necessários no argumento que é apresentado nesta epístola, para definir o escopo total da presente salvação sob a graça, que alcança igualmente judeus e gentios (cf. 3.9; 10.12). A mesma pergunta – grande de fato para a mente judaica ou qualquer um que reconheceu os limites do judaísmo apresentados no Antigo Testamento – está aqui: O que aconteceu com os pactos israelitas sustentados por juramentos? Essa epístola deve responder a essa pergunta, com a finalidade de que o presente propósito de Deus não seja confundido com o propósito terrestre que está expresso em todos os tratos de Deus com Israel. Uma coisa é clara, a saber, que os pactos judaicos não se cumprem no tempo presente. O que, então, aconteceu com esses pactos?

Os homens que não possuem uma Bíblia e que não têm algum conhecimento das Escrituras nas quais os propósitos e as promessas de Jeová concernentes a Israel estão registrados, poderiam, assim, estar duplamente cegos, ao arriscar a suposição de que Deus havia mudado a Sua mente e retirado as promessas de um reino terrestre para o seu povo escolhido daqui da terra, ou que Israel realmente não teve tais promessas, visto que tudo havia sido afirmado sobre esse assunto, para ser interpretado espiritualmente, que deveria ser cumprido agora neste mundo. Tais conjecturas não somente ignoram as Escrituras, mas desonram Deus.

A análise de Romanos 9–11 não pode ser feita aqui. A conclusão do apóstolo pode ser citada, e ela seria final para qualquer pessoa devota e receptiva. O Capítulo 11 começa com uma pergunta: "Acaso rejeitou Deus ao seu povo?"

ESCATOLOGIA

A resposta inspirada é: "De modo nenhum". Isto não indica que Israel é abandonado ou que está enganado a respeito de seus pactos ou que esses pactos são realizados de um modo espiritual pela Igreja. Tais idéias, quando desenvolvidas, não evidenciam o entendimento desses capítulos determinantes ou da relação deles com a totalidade da epístola. No final do capítulo, que é o final do argumento, o apóstolo assevera que a cegueira foi imposta sobre Israel como uma nação que serve como um julgamento sobre eles, julgamento esse que continua *até* que a Igreja – "a plenitude dos gentios" – se realize (11.25; cf. Ef 1.22, 23). É então aí que o Libertador virá de Sião, e afastará a impiedade de Jacó.

Tudo isto está de acordo com os pactos feitos com Israel e ocorre quando Jeová "tirar os seus pecados" (11.26, 27). É assim que "todo Israel" será salvo. Não precisa ser identificado que "plenitude dos gentios" e "todo Israel" são referências a povos muito diferentes, ou que há tempos e estações para cada um deles. Uma afirmação positiva é feita no versículo 29, o qual diz que os dons e a vocação de Deus com respeito a Israel são irrevogáveis.

Assim, novamente, fica demonstrado em harmonia com todo o Texto Sagrado, que a Igreja Primitiva sustentava visão milenista. Aquele que desafia esta argumentação fica obrigado a abrir mão deste importante texto da Escritura e a fazer mais um arranjo de toda a Escritura, para conformá-la ao seu esquema. A Igreja moderna dificilmente toma uma posição – mesmo por causa da "grande erudição" – de repudiar aquilo que a Igreja Primitiva creu, que foi recebido dos apóstolos, de quem devemos depender em todas as revelações sobre estas questões, e que é tão evidentemente, para o que toda Bíblia dá o seu completo suporte.

V. A Expectativa Milenista Continuada até a Apostasia da Igreja de Roma

Com a justificação pela fé e quase todas as outras doutrinas vitais, a expectativa milenista foi perdida na Idade das Trevas. Que ela foi sustentada pelos pais da Igreja Primitiva, é evidente e além de qualquer dúvida. De um grande número de testemunhos, apenas um precisa ser citado aqui, e é o de Justino Mártir. Esse testemunho, igual a muitos outros, por ser direto e de grande alcance, tem sido atacado pelos oponentes do milenismo, como os infiéis têm atacado a própria Palavra de Deus. A apresentação de George N. H. Peters, sobre a declaração de Justino, é reproduzida plenamente aqui:

A nossa doutrina [a do reino] é traçada continuamente desde os próprios apóstolos, vendo que (Prop. 72, Obs. 3.; nota 1) os primeiros pais, que apresentaram pontos de vista milenistas, viram e se familiarizaram com os apóstolos ou os presbíteros que os antecederam. Isso foi de modo tão extensivo que geralmente o milenismo foi perpetuado, Justino

606

Mártir assevera positivamente que todos os ortodoxos o adotaram e o sustentaram. A linguagem de Justino é explícita (Dial. with Trypho, séc. 2); pois, após afirmar a doutrina milenista, ele assevera: "...para ser completamente provada que ela acontecerá. Mas eu tenho querido dizer-te, por outro lado, que muitos – mesmo aqueles daquela classe de cristãos que não seguem piamente a pura doutrina – não a reconhecem. Pois eu te tenho demonstrado que esses são de fato chamados cristãos; mas são ateus e heréticos ímpios, porque em todas as coisas eles ensinam o que é blasfemo, ímpio e o que não é sadio etc." Ele acrescenta: "Mas eu e quaisquer outros cristãos que são ortodoxos em todas as coisas sabemos que haverá uma ressurreição da carne, e mil anos na cidade de Jerusalém, edificada, adornada e aumentada, de acordo com Ezequiel, Isaías e outros profetas o tem revelado. Porque Isaías diz dos mil anos: "Pois eis que crio novos céus e nova terra; e não haverá lembrança das coisas passadas, nem mais se recordarão. Mas alegrai-vos e regozijai-vos perpetuamente no que eu crio; porque crio para Jerusalém motivo de exultação e para o seu povo motivo de gozo..." (Is 65.17, 18). Além disso, certo homem entre nós, cujo nome é João, por ser um dos doze apóstolos de Cristo, em que uma revelação lhe foi mostrada, profetizava que aqueles que crêem em nosso Cristo, acreditam que será cumprido os mil anos em Jerusalém; e após isso, numa palavra, a ressurreição eterna geral, o julgamento final de todas as coisas juntas. Nosso Senhor também falou a respeito disso, quando disse que eles nem se casarão, nem se darão em casamento, mas que seriam iguais aos anjos, feitos filhos da ressurreição de Deus."[111]

Sempre tem sido aqueles, como Justino Mártir testifica no seu tempo, que se opõem ao ensino claro da Bíblia sobre a questão milenista. Os que modernamente a negam se inclinam para uma das três direções. Eles depreciam os textos das Escrituras que tratam do tema; eles depreciam o próprio assunto; ou eles depreciam a erudição daqueles que defendem o milenismo. Alguns escritores modernos parecem perceber um pouco que o milenismo ou pré-milenismo era a crença universal da Igreja Primitiva, ou a amplitude dessa convicção em todos os séculos, quando qualquer verdade é recebida. É dificilmente digno de qualquer erudito asseverar que isto é um afastamento moderno, ou, se sustentado nos primeiros séculos, olhado como se fosse uma heresia. Tem sido admitido que ela foi "perdida", com outras doutrinas vitais, no final do terceiro século, e que permaneceu escondida até a Reforma. Ela, igual a outras verdades, precisa ser redescoberta e reafirmada, como tudo aquilo que exige muito tempo e estudo, Em vista da grande importância da atitude da Igreja Primitiva sobre esse tema, parece melhor citar novamente, de forma total, a obra de Peters relativa às crenças conhecidas dos Pais da Igreja.

Obs.: 13. Visto que muitos de nossos oponentes, a fim de causar uma impressão errônea naqueles que não estão familiarizados com a História Eclesiástica, *propositadamente misturam os pais posteriores* com os *pais primitivos* (como se eles fossem contemporâneos), será próprio dar aos Pais da Igreja uma

ESCATOLOGIA

ordem *cronológica*, de modo que o leitor comum possa ver, *por si mesmo*, quando eles viveram, e formar o *seu próprio julgamento* a respeito da posição deles na história. Isto decide a questão de *prioridade*, e também a da introdução posterior das influências dos opositores. Portanto, mencionaremos aqueles que são expressamente citados tanto pelos antigos como pelos modernos estudiosos.

1. ADVOGADOS DO PRÉ-MILENISMO DO PRIMEIRO SÉCULO:

A. (1) André, (2) Pedro, (3) Filipe, (4) Tomé, (5) Tiago, (6) João, (7) Mateus, (8) Arístio, (9) João, o presbítero – estes viveram entre 1 e 100 d.C.; João, é suposto – assim Mosheim etc. – morreu por volta do ano 100. (Todos estes são citados por Papias, que, segundo Irineu, foi um dos que ouviram João, e era muito ligado a Policarpo. João é também expressamente mencionado por Justino. Agora, essa referência aos apóstolos concorda com os fatos que temos provado: (a) que os discípulos de Jesus sustentaram as idéias judaicas do reino messiânico na primeira parte desse século; e (b) que, ao invés de descartá-los, eles os ligaram com o segundo advento. A seguir, (10) Clemente de Roma (Fp 4.3), que viveu por volta de 40-100 d.C. (O seu milenismo, nos poucos remanescentes que existem, é evidente de três detalhes: (a) "pregação da vinda de Cristo"; (b) repreensão dos zombadores no atraso alegado dessa vinda, e expressão da esperança de que "ele virá rapidamente e não tardará"; (c) e a ocupação da postura milenista de "cada hora esperar pelo reino de Deus". Tais sentimentos somente concordam com a então visão milenista dominante; se fossem opostas a ela, como alguns muito ansiosamente afirmam, porque nenhuma expressão detalhada das opiniões escatológicas nos alcançaram, como poderia ele, quando as idéias judaicas estavam todas ao redor, assim empregar uma linguagem pré-eminentemente adaptada para confirmar o milenismo, a menos que estivesse em simpatia com ele?) (11) Barnabé, por volta de 40-100 d.C. (Se a epístola é daquele Barnabé que estava com Paulo, ou de algum outro, não faz diferença material, visto que tudo o recomenda a nós, e admite-se que ela foi escrita muito cedo, e deve ser indicativo de noções então sustentadas.) (12) Hermas, de 40 a 150 d.C. (Damos esta data alongada para acomodar a disputa a respeito de Hermas, que é o autor de o Pastor. Alguns que não aceitam o milenismo colocam-no num período anterior a Romanos 16.14; outros, a um Hermas posterior, que escreveu por volta de 150 d.C. Todos concordam que é um milenista, e a sua localização no tempo é, provavelmente, decidida por suas preferências doutrinárias.) (13) Inácio, bispo de Antioquia, morreu sob Trajano, por volta de 50-115 d.C. (Alguns datam a sua morte em 107 d.C.) (14) Policarpo, bispo de Esmirna, um discípulo do apóstolo João, que viveu cerca de 70-167 d.C. (Em vista de sua associação com o milenismo, e, nas poucas linhas que se têm dele, localizando o reino dos santos após a vinda de Jesus e da ressurreição dos santos, levou o Dr. Bennet e outros a declará-lo um milenarista.) (15) Papias, bispo de Hierápolis, viveu entre 80-163 d.C. (Seus escritos nos chegam principalmente através de um seu adversário – Eusébio – mas tudo o reconhece como o milenista, e declara que era um discípulo do apóstolo João, e um companheiro de Policarpo.) Este é o registro dos nomes em favor do milenarismo – nomes esses que são sustentados em estima honrável, por causa de sua fé e obras no Cristo, que foi levado à morte.

B. Agora, de outro lado, nem sequer um simples nome pode ser apresentado, que (1) possa ser citado como positivamente contra nós, ou (2) que possa ser citado como ensinador, em qualquer forma ou sentido, da doutrina de nossos oponentes.

2. ADVOGADOS DO PRÉ-MILENISMO DO SEGUNDO SÉCULO:

A. (1) Plotino, mártir, morreu com 99 anos (177 d.C., Mosheim, vol. 1, p. 120), conseqüentemente 87-177 d.C. (Seu milenismo é evidente nas igrejas de Lion e Viena, que ele presidiu, por ser milenista, através de seu auxiliar e sucessor, Irineu, que descreve a uniformidade da fé, *Adv. Haeres*, 50, 1.10). (2) Justino, mártir, cerca de 100-168 d.C. (embora outros, como Shimeall, adotem a data de 89-165 d.C., Semisch [Herzog´s *Cyclop.*] observa sobre [o disputado texto da palavra de Justino sobre o quiliasma]). "O quiliasma constituído no segundo século na verdade um artigo de fé que Justino o sustentou como um critério de ortodoxia perfeita." (3) Melito, bispo de Sardis, por volta de 100-170 d.C., de quem poucos fragmentos estão preservados. (Shimeall, em sua *Reply*, diz: "Jerônimo e Genádio afirmaram que ele era um decidido milenista".) (4) Hegéxipo, entre 130-190 d.C. (Neander, *Genl. Ch. His.*, vol. 2, 430, 432, designa-o "um mestre da Igreja de origem judaica e de boas posses", e um advogado do "quiliasma sensual".) (5) Taciano, entre 130-190 d.C. (Ele foi convertido sob Justino, e é designado por Neander como "seu discípulo".) (6) Irineu, mártir (Mosheim, *Ch. His.* vol. 1, American Edition, nota, p. 120: "nascido e educado na Ásia Menor, sob Policarpo e Papias", deve portanto ter nascido por volta de 140-202 d.C. Nós freqüente e basicamente o citamos.) (7) As Igrejas de Viena e Lion, numa carta de 177 d.C. (que alguns atribuem a Irineu e outros a um cristão de Lion – autor desconhecido), a qual tem traços distintivos do milenismo na alusão a uma primeira ressurreição ou uma ressurreição anterior. (8) Tertuliano, por volta de 150-220 d.C. (Freqüentemente damos suas posições.) (9) Hipólito, entre 160-240 d.C. (Ele era um discípulo de Irineu, e – de acordo com Fócio – ele basicamente adotou Irineu em sua obra contra as heresias, e em seu comentário sobre Daniel, fixou o fim da dispensação cinco séculos após o nascimento de Jesus.) (10) Apolinário, bispo de Hierápolis, entre 150-200 d.C. (Ele é reivindicado por nós, e admitido por Hagenbach, *Hist. Of Doctrine*, Séc. 139.) Por quase todas testemunhas, é considerado um mártir.

B. Por outro lado, nem sequer um escritor pode ser apresentado, nem mesmo um único nome pode ser mencionado de qualquer um dos citados, que se opôs ao milenismo nesse século, a menos que excetuemos Clemente de Alexandria (veja item 3,b,2); muito menos de qualquer um que ensinou a idéia de Whitbyan. Que o estudante reflita: aqui estão dois séculos (a menos que façamos a exceção afirmada no final do segundo século), nos quais positivamente não há uma oposição direta que surja contra a nossa doutrina, mas é sustentado pelos próprios homens, líderes e eminentes, através de quem nós investigamos a Igreja. O que devemos concluir? (1) Que a fé comum na Igreja era milenista, e (2) que essa generalidade e unidade da crença poderiam

ESCATOLOGIA

somente ter sido introduzidas – como o nosso argumento mostra por passos lógicos – pelos fundadores da Igreja e os presbitérios designados por eles.

3. Os Advogados do Pré-milenismo do Terceiro Século:

a. (1) Cipriano, por volta de 200-258 d.C. (Ele admirava e imitava muito a Tertuliano. Nós o citamos sobre a proximidade do Advento, Sabatismo, etc. Shedd, em sua *History of Doctrine*, vol. 2, p. 394, diz que "Cipriano sustenta a teoria milenista com a sua costumeira moderação e integridade".) (2) Comodiano, entre 200-270 d.C. (Era um milenista convicto. Compare, por exemplo, a *Sac. Lit.* de Clarke, a *General Church History*, de Neander, vol. 2, 448 – que o censura da seguinte maneira: "O espírito cristão, portanto, nessas admoestações, que de outra maneira evidencia tão vividamente um zelo pela boa moral, é perturbado um elemento judaico sensório, um quiliasma grosseiro; por exemplo, quando é afirmado que os senhores do mundo deveriam, no milênio, fazer o serviço humilde para os santos". Neander omite sobre quão cedo a piedade pueril pôde contemplar o Salmo 149.5-9; Isaías 60.6-10; Miquéias 7.16, 17, e passagens afins.) (3) Nepos, bispo de Arsinoe, por volta 230-280 d.C. (Jerônimo, Whitby, Shedd, etc. tornam-no um pronunciado milenista.) (4) Coracion, por volta de 230-280 d.C.. (Ele sempre está ligado a Nepos por vários escritores, veja *History of Doctrine* de Hagenbach.) (5) Vitorino, por volta de 240-303 d.C. (Ele é expressamente chamado um favorecedor de Nepos e dos quiliastas por Jerônimo, de Viris Ill., c. 74.) (6) Metódio, bispo de Olimpo, por volta de 250-311 d.C. (de quem Neander – *General Church History*, vol. 2., 496 – diz, que ele tinha "uma decidida inclinação para o quiliasma". Concedido a nós por Whitby, Hagenbach, e outros.) (7) Lactâncio (embora suas obras fossem principalmente compostas no século seguinte, todavia, por ser contemporâneo dos milenistas nesse século, nós o incluímos entre 240-330 d.C. Nós o citamos, embora Jerônimo ridicularize o seu milenarismo. O Prof. Stuart o chama de "um zeloso quiliasta".) Outros, a quem nós fortemente nos inclinamos a considerá-los milenaristas, devido às suas constantes associações com os quiliastas etc., omitimos, porque os vestígios e as afirmações que temos são muito pequenas, que torna impossível dar uma expressão categórica da opinião.

b. Neste século, pela primeira vez, nós, a menos que excetuemos Clemente de Alexandria, chegamos aos opositores de nossa doutrina. Cada escritor, desde o período mais antigo até o presente, que entrou na lista contra nós, não foi capaz sequer de encontrar estes antagonistas, e nós os apresentamos em sua ordem cronológica, quando eles se revelaram como adversários. Eles são em número de quatro, mas três deles tornaram-se poderosos pela injúria, e rapidamente ganharam adeptos (compare Prop. 76). O primeiro na ordem é (1) Caio (ou Gáio), que é suposto por Kurtz (*Church History*), ter escrito por volta de 210 d.C., ou como Shedd (*History of Doctrine*), no começo do terceiro século. (Muito do que é alegado que ele disse nos vem através das amargas fontes antiquiliastas, e devem ser correspondentemente recebidas com alguma reserva.) (2) Clemente de Alexandria, que sucedeu Pantenos (morto em 202 d.C., segundo Kurts) como preceptor na Escola Catequética de Alexandria, e exerceu uma influência poderosa (sobre Orígenes e outros) como um mestre desde 193-220 d.C. (Ele se tornou um cristão sob Pantenos, após ter-se devotado à filosofia pagã, e somente durante a última parte de sua vida fez discípulos, que muito basicamente moldaram a interpretação subseqüente da Igreja.) (3) Orígenes, por volta de 185-254 d.C. "Orígenes a atacou [a doutrina milenista] violentamente; pois ela era repugnante para a sua filosofia; e pelo sistema de interpretação bíblica que descobriu, ele deu uma virada diferente naqueles textos da Escritura sobre os quais os patronos dessa doutrina mais confiaram" (Mosheim, *Commentary on the First Three Centuries*, vol. 2, séc. 38.) (4) Dionísio, por volta de 190-265 d.C. Não há dúvida de que outros foram basicamente levados a aceitar o ensino antiquiliástico (ver que oposição surgiu no século quarto), mas estes são os campeões mencionados como diretamente hostis ao quiliasma. Que o estudante considere cuidadosamente este registro histórico, e ele veja que a história da Igreja indubitavelmente sela a nossa fé como uma crença geral e dominante, pois o mais que possivelmente pode ser dito a respeito da oposição é que nos anos finais do segundo século os homens começaram um antagonismo distintivamente apresentado, que evidenciou no terceiro século e culminou no quarto e nos séculos subseqüentes. Por isso, a nossa proposição fica abundantemente confirmada pelo *status* doutrinário da Igreja Primitiva; na verdade, – se a nossa linha de argumento a respeito da crença apostólica permanece inalterada a respeito do reino e é conclusiva – ela é a real posição que a Igreja em sua introdução deve ocupar. Quão ilógico e sem base bíblica, portanto, é para os homens lutar para enfraquecer o testemunho daqueles Pais da Igreja, e a pugnar em favor deles, tornando-os ignorantes, supersticiosos, sensuais etc., delineando assim a Igreja, estabelecida por homens inspirados e seus sucessores escolhidos, embora ignorantes, supersticiosos, e crentes sensuais, até que os espirituais, eruditos e iluminados Clemente, Caio, Orígenes e Dionísio surgissem e trouxessem luz que "a consciência da Igreja".[112]

Em acréscimo a isso está a admissão de Daniel Whitby (1638-1726), um teólogo inglês que, quase mais do que qualquer outro, se opôs à visão milenista. Peters cita-o em seu tratado *Treatise on Tradition*, que se segue:

"A doutrina do milênio, ou o reino dos santos na terra por mil anos, é agora rejeitada por todos os católicos romanos, e pela maior parte dos protestantes; e, todavia, ela é passada entre os melhores cristãos, por 250 anos, como uma tradição apostólica; e, como tal, é entregue por muitos pais da Igreja do segundo e terceiro séculos, que falam dela como a tradição de nosso Senhor e seus apóstolos, e de todos os antigos que viveram antes deles; que nos dizem as próprias palavras em que ela foi entregue, as Escrituras que foram então assim interpretadas; e dizem que ela foi sustentada por todos os cristãos que eram exatamente ortodoxos."

ESCATOLOGIA

"Ela foi recebida não somente nas partes orientais da Igreja, por Papias (na Frigia), por Justino (na Palestina), mas por Irineu (na Gália), por Nepos (no Egito), por Apolinário, Metódio (no Oeste e no Sul), por Cipriano, Vitorino (na Alemanha), por Tertuliano (na África), por Lactâncio (na Itália), e Severo, e pelo Concílio de Nice (por volta de 323 d.C.). Mesmo em seu *Treatise on the Millenium*, em que ele se esforça para colocar de lado a antiga fé, substituindo-a por "uma nova hipótese", ele reconhece, de acordo com Justino e Irineu, que (cap. 1, p. 61) há "três espécies de homens: (1) os hereges, que negam a ressurreição da carne e o milênio; (2) os propriamente ortodoxos, que asseveram tanto a ressurreição quanto o reino de Cristo sobre a terra; (3) os crentes, que consentiram com os justos, e todavia, se esforçaram para alegorizar e tornar numa metáfora todos aqueles textos produzidos para o devido reino de Cristo, e que tinham sentimentos mais de acordo com aqueles hereges que negavam do que com aqueles propriamente ortodoxos que mantiveram esse reino de Cristo sobre a terra".[113]

Quando o fato de que a Bíblia em suas predições universalmente antecipa o retorno de Cristo antes da vinda do reino, e é acrescentado a esse testemunho esmagador dos Pais da Igreja, pode haver apenas uma conclusão a respeito da prioridade, honra e dignidade que pertencem ao quiliasma. Os pós-milenistas e os amilenistas certamente se gloriariam em sua história primitiva, no fato dela proporcionar uma porção de tal evidência, dando suporte às afirmações deles.

Em vista do testemunho dos Pais da Igreja – Barnabé, Clemente, Hermas, Policarpo, Inácio, Papias, Justino Mártir, Irineu, Tertuliano, Cipriano, Lactâncio e 318 bispos de todas as partes da terra que se colocaram no rol do Concílio de Nicéia – e que deram um apoio direto à crença milenista, pode ser bom observar também o reconhecimento dos historiadores dignos em colocar o milenismo sustentado na Igreja Primitiva. A seguinte lista com suas declarações é tomada do panfleto *The History of the Doctrine of Our Lord´s Return* (A História da Doutrina do Retorno de Nosso Senhor), escrito pelo Dr. I.M. Haldeman:

Eusébio, o historiador da Igreja Primitiva, admite que a maioria dos eclesiásticos de seu tempo era milenista. Isto é – eles criam na vinda de Cristo antes do Milênio. Gieseler, *Church History*, vol. I, 166, diz: "O milenismo se tornou a crença geral do tempo e quase não encontrou oposição além da que veio pelos gnósticos". O Dr. Horatius Bonar diz, em sua "Prophetic Landmarks": "O milenismo prevaleceu universalmente durante os primeiros três séculos. Isto é agora um fato histórico e pressupõe que o milenismo era um artigo do credo apostólico". München diz, em sua *History of Christian Doctrine*, Vol. II, p. 415: "Quão amplamente a doutrina do milenismo prevaleceu nos três primeiros séculos resulta disto, que ele era universalmente recebido por quase todos os mestres". W. Chillingworth diz: "Qualquer que tenha sido a doutrina crida ou ensinada pelos Pais mais eminentes de qualquer época da Igreja, e condenada ou oposta por qualquer dos contemporâneos deles, deve ser avaliada pela doutrina católica da Igreja daqueles tempos. Mas a doutrina dos milenistas era crida, e ensinada pelos Pais mais eminentes da época seguinte aos apóstolos, e por ninguém daquela época foi condenada ou oposta; portanto, foi a doutrina católica ou universal daqueles tempos". Stackhouse, no seu "Complete Body of Divinity", diz: "A doutrina foi uma vez a opinião de todos os cristãos ortodoxos". O bispo Thomas Newton diz: "A doutrina foi geralmente criada nos três primeiros séculos, as eras mais puras". O bispo Russell, *Discourse on the Millennium*, diz: "No declinar do século quarto, a crença era universal e indiscutível". Mosheim, Vol. I, 185, de sua "Ecclesiastical History", diz: "Que o Salvador deve reinar mil anos entre os homens, antes do fim do mundo, havia sido crido por muitos no século precedente (que é o segundo), sem ofensa a ninguém"... Neander, o eminente historiador da Igreja, diz em sua *Church History*, 650, Vol. I: "Muitos cristãos se apoderaram de uma imagem que tinham passado para eles, vinda dos judeus, e que parecia adaptar-se à sua própria presente situação. A idéia de um reino milenar que o Messias devia estabelecer na terra, no fim de todo o curso terreno desta era – quando todos os justos de todos os tempos viverão juntos em santa comunhão...". Gibbon, o autor de uma imensa obra, "The Decline and Fall of the Roman Empire", não pode ser acusado de simpatia pelo cristianismo... No primeiro volume de sua obra, p. 532, ele escreve: "Era universalmente crido que o fim do mundo estava próximo. A abordagem da proximidade desse evento maravilhoso havia sido predita pelos apóstolos. A tradição dela foi preservada pelos seus discípulos mais antigos, e aqueles que entenderam o sentido literal deles nos discursos do próprio Cristo foram obrigados a esperar a segunda vinda gloriosa do Filho do homem antes que aquela geração fosse totalmente extinta". E agora, observe o que ele diz: "Contanto que para propósitos sábios este erro foi permitido existir na Igreja, ele foi produtivo dos efeitos mais salutares sobre a fé e prática dos cristãos que viviam na terrível expectativa daquele momento". "A antiga e popular" – observe, "eu lhes peço –, a antiga e popular doutrina do Milênio estava intimamente conectada com a segunda vinda de Cristo: Como as obras da criação haviam sido terminadas em seis dias, a duração delas em seu estado presente, de acordo com a tradição, foi fixada em seis mil anos. Pela mesma analogia, foi inferido que este longo período de trabalho e luta, que foi agora quase decorrido, teria tido sucesso num alegre sábado de mil anos, e que Cristo com o seu grupo triunfante de santos e eleitos que haviam escapado da morte, ou que haviam sido miraculosamente revividos, reinariam sobre a terra até o tempo designado para a ressurreição final

ESCATOLOGIA

e geral". "A segurança de tal milênio... era cuidadosamente inculcada por uma sucessão de Pais desde Justino e Irineu, que se relacionaram com os discípulos imediatos dos apóstolos, até Lactâncio, que foi o preceptor do filho de Constantino. Parece ter sido o sentimento reinante dos crentes ortodoxos, e... parece bem adaptado aos desejos e apreensões da raça que deve ter contribuído num grau muito considerável da fé cristã"... "Mas quando o edifício da Igreja estava quase completo, o suporte temporário foi colocado de lado. A doutrina do reino de Cristo sobre a terra foi primeiro anunciada como uma profunda alegoria, foi considerada em graus como uma opinião duvidosa e inútil, e foi finalmente rejeitada como a invenção absurda da heresia e do fanatismo". Kitto, em sua enciclopédia de "Biblical Literature", sob o artigo "Milenium", afirma que a doutrina milenista era geralmente dominante no segundo século, e que ela recebeu de Orígenes seu primeiro golpe, que a fez cambalear, além dos golpes de Agostinho, Jerônimo e outros, no quarto século. Na Encyclopaedia Britannica, sob o artigo "Millenium", o escritor, um não menos distinto erudito, Adolf Harnack, D.D., professor de História do cristianismo na Universidade de Giessen, na Alemanha, diz: "Esta doutrina do segundo advento de Cristo, e do reino, aparecem tão cedo que poderia ser questionado se elas não deveriam ser questionadas como uma parte essencial da religião cristã". Sheldon, Church History, Vol. I, 145, Capítulo 6, testifica que "o pré-milenismo foi a doutrina dos cristãos no primeiro e segundo séculos. Os Pais da Igreja esperavam que o anticristo surgisse, reinasse e encontrasse a sua destruição na vinda pessoal do Senhor. Após isso, o reino de Cristo por mil anos seria estabelecido sobre a terra". Crippen, na "History of Doctrine, p. 231, seção 12, diz que "os Pais da Igreja viveram na expectativa do rápido retorno do Senhor; na página 232, ele observa: "Eles distinguem entre a primeira ressurreição dos santos de uma segunda ressurreição ou ressurreição geral. Estas eles supõem ser separadas por um período de mil anos, durante o qual Cristo deveria reinar sobre os santos em Jerusalém"... "Enquanto a Igreja era alternativamente perseguida e tolerada com desdém pelo império romano, a crença no rápido retorno de Cristo e em seu reino milenário era amplamente nutrida"... "Quando a Igreja foi reconhecida e padronizada pelo Estado, a nova ordem das coisas parecia tão desejável que o final da dispensação cessou de ser esperado ou desejado". Smith, New Testament History, p. 273, diz: "Imediatamente após o triunfo de Constantino, o cristianismo, por ter se tornado dominante e próspero, os cristãos começaram a perder a sua expectativa vívida do rápido advento do Senhor, e ansiaram a supremacia temporal do cristianismo como o cumprimento do reino prometido de Cristo sobre a terra".[114]

VI. O Milenismo Começou a Ser Restaurado na Reforma

O caráter total do testemunho bíblico foi mudado pelas influências gnósticas e da escola de Alexandria, e, com toda verdade vital, a Igreja perdeu a sua concepção da esperança purificadora do retorno de Cristo, e, eventualmente, sob Constantino, mudou o programa divino do retorno do Senhor para a conquista do mundo. Disto, o Dr. James H. Brookes cita Bengel, ao afirmar: "Quando o cristianismo se tornou um poder mundano através de Constantino, a esperança do futuro foi enfraquecida pela alegria do presente sucesso".[115] Semelhantemente, Auberlen (*Daniel*, 375) diz: "O quiliasma desapareceu *na proporção* em que o catolicismo papal avançou. O papado tomou para si, *como um roubo*, aquela glória que é um objeto de esperança, e pode somente ser alcançada pela obediência e humildade da cruz. Quando a Igreja se tornou uma prostituta, ela cessou de ser uma noiva que sai para encontrar o seu noivo; *e assim o quiliasma desapareceu*. Esta é a verdade profunda que repousa do fundo da interpretação protestante e antipapista do Apocalipse".[116]

Nenhuma revisão da era das trevas de Roma nem da própria Reforma é exigida aqui. É suficiente dizer que, por ser repentinamente livre da escravidão mental e da escravidão espiritual e em perigo de martírio, os reformadores andavam às apalpadelas nos assuntos de doutrina com a total revelação divina para redescobrir e organizá-la num sistema. O maravilhoso progresso e a realização dos reformadores são mostrados em seus escritos teológicos, e nos escritos das gerações seguintes. Alguns desses líderes abarcaram a interpretação milenista e alguns não. Qualquer que tenha sido a crença dos reformadores, eles não aceitaram a idéia de Whitby. Eles eram agostinianos em sua doutrina e não deram apoio à idéia de um milênio anterior ao segundo advento. Lutero escreveu: "*Isto não é verdadeiro e é realmente um truque do demônio*, que as pessoas são conduzidas a crer que o mundo inteiro se tornará cristão. Isto é um feito do demônio, a fim de obscurecer a sã doutrina e para evitar que ela seja entendida... Portanto, *não deve ser admitido*, que o mundo todo, e que toda a raça venha crer em Cristo; pois devemos continuamente portar a sagrada cruz, que eles são a *maioria* que persegue os santos".[117]

Num outro lugar, Lutero escreveu: "Eu creio que todos os sinais que devem preceder os últimos dias já têm aparecido. Não pensemos que a vinda de Cristo está longe; olhemos com as cabeças erguidas; esperemos a vinda de nosso Redentor com anelo e mente alegre".[118] Calvino também disse: "*Não há razão, portanto, pela qual qualquer pessoa deva esperar a conversão do mundo*, pois finalmente – quando for tarde demais, e quando não tiverem vantagem alguma, eles olharão para Cristo a quem traspassaram".[119] Calvino também declara no terceiro livro das *Institutas da Religião Cristã*, Capítulo 25, que "a Escritura uniformemente nos ordena a olhar com esperança para o advento de Cristo". A isto pode ser acrescentado o testemunho de João Knox: "O Senhor Jesus retornará, e isso com urgência. O que é isto senão para reformar a face de toda terra, o que não aconteceu nem acontecerá até que o justo Rei e Juiz apareça para a restauração de todas as coisas".

ESCATOLOGIA

Semelhantemente, as palavras de Latimer afirmam: "Todos aqueles homens excelentes e eruditos a quem, sem dúvida, Deus enviou nestes últimos dias para dar ao mundo advertência, para obter das Escrituras a idéia de que os últimos dias não podem estar longe. Possivelmente, Ele pode vir no meu tempo, velho como sou, ou nos dias de meus filhos".[120] A atitude dos reformadores é refletida na Confissão de Augsburgo. Como uma condenação das crenças anabatistas, esta confissão em seu artigo sétimo, afirma: "Condenar aqueles que espalham as opiniões judaicas, que, *antes da ressurreição dos mortos*, os piedosos ocuparão o reino do mundo, os ímpios serão suprimidos em toda parte".[121]

Uma investigação da verdade profética não foi empreendida senão recentemente, e, por estar amplamente ausente dos escritos teológicos dos reformadores – com outros ensinos importantes, notadamente a Eclesiologia Paulina – igual aos outros achados recentes, ela não tem recebido a devida consideração nos sistemas de teologia que estão baseados na Reforma, que a sua importância vital exige.

O estudante é exortado a ter em mente os fatos relacionados à Reforma e à tarefa enorme colocada sobre os reformadores, e a lembrar que os homens da época, como agora, por várias razões dificilmente possuem uma só mente no grau mais elevado. O estudo profético tinha os seus adeptos e os seus inimigos na época, como agora. Tudo isto, contudo, não muda uma palavra da revelação; e embora tenha sido verdadeiro que nenhum homem compreendeu plenamente a Sagrada Escritura, esse texto permanece em sua pureza e é um desafio para a alma devota.

VII. O Milenismo desde a Reforma

O registro da história do milenismo desde a Reforma é uma tarefa para os historiadores. Infelizmente, os livros de história eclesiástica são, no seu principal, escritos por homens treinados na interpretação de Whitby e os fatos essenciais do milenismo têm sido omitidos ou afirmados erroneamente; isto é especialmente verdadeiro da avaliação que estes historiadores têm feito das crenças da Igreja nos primeiros dois séculos. Ao avaliar as idéias dos teólogos protestantes próximos à época da Reforma, seria bom observar ao menos um destacado americano, a saber, Cotton Mather (1663-1728), filho de Increase Mather (1639-1723) que, por sua vez, era filho de Richard Mather (1596-1669). Todos esses três homens eram ministros congregacionais da Nova Inglaterra. Ambos, Increase Mather (sexto presidente da Universidade de Harvard) e Cotton Mather, poderiam ser citados minuciosamente como milenistas bem informados. Uma citação de Cotton Mather pode ser suficiente:

É bem sabido que bem no começo dos tempos primitivos os cristãos, num sentido literal, creram na "segunda vinda" do Senhor Jesus Cristo, e na ressurreição e no reinado dos santos com ele, mil anos antes do restante dos mortos ressuscitarem, uma doutrina que, contudo, alguns anos mais tarde foi considerada herética; todavia, nos dias de Irineu, não foi questionada por alguém exceto por aqueles considerados heréticos. É evidente desde Justino que a doutrina do milenismo foi, em seus dias, abraçada por todos os cristãos ortodoxos; nem este reino de nosso Senhor começou a ser questionado até que o reino do anticristo começou a avançar numa figura considerável, e então ele caiu principalmente sob as reprimendas de tais homens que se alegravam em negar a autoridade divina do livro de Apocalipse, e da segunda epístola de Pedro. Ele é um estranho para a antigüidade que não encontra nem reconhece os antigos geralmente da [mesma] persuasão. Não obstante, finalmente os homens vieram, não somente para colocar de lado a modéstia expressa por um dos primeiros anti-milenaristas, a saber, Jerônimo, mas também com violência, a ponto de perseguir a verdade milenista como uma depravação herética. Assim, o mistério do "aparecimento de nosso Senhor e do seu reino" ficou sepultado na escuridão papal, até que a luz dela tivesse uma nova aurora. Visto que o anticristo entrará na última metade do período concedido para ele, e agora dentro dos últimos sete anos, como as coisas se aproximam de sua realização, homens eruditos e piedosos, em grande número, em toda parte vêm para receber, explicar e sustentar a antiga fé a respeito disto.[122]

É significativo que Cotton Mather testifique que "homens eruditos e piedosos, em grande número, em toda parte vieram para receber, explicar e sustentar a antiga fé a respeito disto" – a fim de dizer com isso que a doutrina era sustentada pela Igreja Primitiva. Tais declarações servem, ao menos, para silenciar aquela forma de falta de erudição que afirma que as interpretações pré-milenistas são de desenvolvimento recente.

Desde a Reforma, o pensamento teológico se dividiu em três idéias a respeito do Milênio.

1. A TEORIA DE WHITBY. Este conceito foi originado por Daniel Whitby (1638-1725), um teólogo inglês cuja crença nunca foi recuperada depois da acusação de ser sociniana. Whitby afirmava que o Milênio era ainda futuro, mas que seria estabelecido na terra pelas presentes agências do Evangelho. Assim, ele se tornou o originador daquilo que é conhecido como pós-milenismo – isto é, a crença de que o segundo advento deve se seguir ao milênio realizado pelo homem. Essa teoria apelou para os teólogos e até dias bem recentes foi promulgada nas teologias e em sermões. Que essa teoria de Whitby está morta, não pode ser negado. Ela existe somente na literatura limitada que criou e sem nenhuma voz viva para defendê-la. Sem dúvida, a ênfase no estudo bíblico do presente século tem servido para revelar o caráter não-bíblico desse sistema. Seus advogados não têm sido capazes de satisfazer o desafio feito a eles de produzir um texto que ensine um milênio antes do advento de Cristo, ou que ensine um advento de Cristo após o milênio. Tem sido característico daqueles teólogos, que seguem Whitby, denunciar o pré-milenismo com grande zelo e, todavia, confessar que eles nunca deram ao assunto o estudo crítico que ele exige.

ESCATOLOGIA

2. O ANTIMILENISMO. Esta estranha teoria, que se originou na noção romana de que a Igreja é o reino, afirma que, qualquer que seja o milênio, ele é experimentado nesta presente era. Seus advogados interpretam o livro de Apocalipse como uma descrição, ou descrições variadas, desta era da Igreja. No começo de sua sétima divisão principal, foi feita referência ao fato de que o Dr. B. B. Warfield abraçou a idéia romana, comum a todos que defendem a teoria amilenista. Sua grande erudição em outros campos da verdade lhe deu uma influência sobre muitos que nada investigam além do que o Dr. Warfiel evidentemente fez.[123] Na tentativa não invejável deles de adaptar todos os eventos antecipados no Apocalipse, na história desta era, os amilenistas favorecem uma forma de especulação quase insuperável.

O abandono que eles fazem da razão e da interpretação sadia tem apenas um objetivo em mente, a saber, colocar os χίλιοι ('mil') anos – repetidos seis vezes em Apocalipse 20 – de volta ao passado e, portanto, como alguma coisa que não mais precisa ser antecipada como futura. A violência que essa interpretação impõe sobre a totalidade da revelação profética é tal que ninguém a proporia, exceto aqueles que, por falta de atenção, parecem não perceber o que fazem. Por outro lado, o quiliasma, ou pré-milenismo, não deve ser citado como o que cede em coisas fantasiosas, quando ele declara as coisas futuras apresentadas na Bíblia no sentido exato e literal em que as Escrituras as descrevem. Não há uma comparação aqui com a noção de Roma – amilenismo – que propõe colocar todas as coisas do Apocalipse dos Capítulos 6-20, na presente era da Igreja.

Com imaginação totalmente fantástica, esse método supera o russelismo, a ciência cristã, o adventismo do sétimo dia, visto que o significado claro e gramatical da linguagem é abandonado, e os termos simples são desviados de seu curso e terminam em qualquer coisa que o intérprete deseje. Para sustentar que o principal conjunto do Apocalipse é cumprido na presente era, deve ser afirmado que Satanás está agora preso. O Dr. Warfield assevera tal coisa, como o fazem outros amilenistas. A primeira ressurreição já aconteceu. A besta é Nero, visto que o valor numérico das letras hebraicas que compõem Nero-César (em hebraico Nero tem um *n* final) totaliza 666. Mas Satanás não está preso, visto que ele agora é como leão que ruge e procura quem possa tragar e visto que todos os crentes lutam contra os principados e potestades (Ef 6.10-12).

A primeira ressurreição não aconteceu no passado, pois ela deve ser acompanhada da transformação dos santos vivos (1 Ts 4.16, 17). Nem é Nero a besta, o homem do pecado, visto que esse indivíduo será destruído no aparecimento glorioso de Cristo (2 Ts 2.8-10). Além disto, está o fato de que a besta com o falso profeta devem ser lançados no lago de fogo. Nero não foi destruído pelo aparecimento glorioso de Cristo nem foi ele, por qualquer autoridade do texto das Escrituras, lançado no lago de fogo. Ele, e todos os ímpios mortos, serão lançados no lago no julgamento final (Ap 20.12-15). Além do mais, o que pode ser dito a respeito dos selos, trombetas, taças, sete condenações, quatro cavaleiros, guerra no céu, Satanás e seus anjos com suas atividades confinadas à terra, as 144.000 testemunhas, as duas testemunhas, a destruição da Babilônia eclesiástica e a destruição da Babilônia política?

Igualmente, se todas as coisas de Apocalipse 6.20 são cumpridas na presente era, quando a predição de Cristo de uma tribulação insuperável (Mt 24.9-29), a tribulação de Daniel (Dn 12.1) e a de Jeremias (Jr 30.5-7) serão cumpridas? A conjectura de uma pessoa é tão boa quanto a de outra a respeito dessas grandes questões e todas seriam boas para serem ponderadas pela Escritura antes de opiniões serem emitidas. Como foi afirmado anteriormente, o único objetivo de toda essa tortura do livro final da Bíblia é livrar-se da prospectiva de mil anos do reinado de Cristo glorioso e justo aqui na terra. Os poucos escritores amilenistas, sem exceção, tentam dispor a referência sêxtupla aos mil anos com esse único propósito em vista, e entre eles um, professor de Novo Testamento num seminário respeitável, fecha o seu argumento supondo que sua tarefa está bem feita e "agradece a Deus" por livrar-se dessas coisas.

3. O PRÉ-MILENISMO. Os pré-milenistas nunca se organizaram ou tentaram exibir a sua influência. Eles não formam uma denominação sectária, mas estão espalhados em todas as igrejas protestantes. Eles não praticam separação de seus irmãos, nem têm eles sustentado escolas separadas. Contudo, cerca de cinqüenta institutos bíblicos nos Estados Unidos são todos pré-milenistas, sem exceção; e, recentemente, diversos seminários teológicos plenamente qualificados e estabelecidos, ensinam teologia a partir de uma interpretação pré-milenista da Escritura. Além disso, há inúmeras igrejas, tanto independentes quanto denominacionais, que sustentam somente o testemunho pré-milenista. Conferências bíblicas e cursos de estudo bíblico multiplicam-se em toda parte, e estes basicamente operam em linhas pré-milenistas.

As grandes missões de fé são pré-milenistas como o são os milhares de missionários que elas têm enviado. Grandes periódicos religiosos – grandes do ponto de vista de sua circulação e influência – são claramente pré-milenistas como todos os evangelistas são e têm sido quase que sem exceção. Aparentemente, a próxima divisão nos círculos ortodoxos de crentes não surgirá sobre aquelas diferenças teológicas que têm separado as denominações, mas antes sobre a questão da interpretação pré-milenista e dispensacionalista da Bíblia. Após a primeira conferência profética e bíblica americana, que se deu na cidade de Nova York, em 1878, o Dr. C. A. Briggs, do Seminário Union, Nova York, dirigiu uma advertência aos pré-milenistas, que se quisessem preservar a posição eclesiástica deles, deveriam parar essas conferências de estudos bíblicos.

Ele escreveu: "Depende inteiramente deles próprios o que o futuro vai produzir. Se *abandonarem* a organização deles, *dispensarem* o seu comitê, *pararem* o estudo de conferências bíblicas e proféticas, não duvidaremos que logo estejam calmos novamente, e que permaneçam imperturbáveis em suas relações eclesiásticas; *mas* se estiverem determinados a continuar em seu movimento agressivo, terão de culpar a si mesmos *se a tempestade se tornar um furacão que os constrangerá a abandonar as igrejas ortodoxas, e a formar outra seita herética*".[124] Assim, também, no tempo presente, há um sentimento semelhante difundido, de fato finamente escondido, em que todos os liberais unidos, que se propõem a livrar as denominações de todos que persistem em ensinar o segundo advento e suas doutrinas relacionadas.

ESCATOLOGIA

Contido na proposição 78 da sua obra colossal, *The Theocratic Kingdom* – publicada em 1884 e insuperável por sua perfeição e por sua erudição – George N. H. Peters listou pelo nome os clérigos destacados do mundo do seu tempo com referência ao país e à denominação, que são pré-milenistas. Nos Estados Unidos, dentro de onze denominações, ele listou 360, um número considerável de bispos, ou doutores em teologia. Muitos dos honrados expositores, editores e pregadores dos Estados Unidos são colocados nessa lista. Semelhantemente, ao menos 470 ministros e escritores amplamente conhecidos da Europa são também nominalmente listados. Esse registro inclui o que parece ser os pregadores e escritores cujos nomes têm permanecido por causa de suas realizações. Seria uma satisfação reproduzir essas listas se o espaço permitisse.

Quinze homens que empreenderam comentar a totalidade do Texto Sagrado (Antigo e Novo Testamentos) são também listados. Dentre estes, estão inclusos os nomes das maiores autoridades – Bengel, Olshausen, Gill, Stier, Alford, Lange, Meyer, Starke, Fausset in the Jamieson, Fausset e o comentário de Brown, Jones e Nast. Ao menos 59 escritores são listados, que produziram exposições de porções menores das Escrituras. Este grupo inclui Keach, Bonar, Tait, Ryle, Seiss, Cumming, Fry, MacIntosh, Wells, Demarest, Delitzsch, Ebrard, Mede, Goodwin, Elliott, Cunningham, Darby e seus associados.

Escritores e professores que não estão cônscios da história ou da literatura do pré-milenismo – e certamente há muitos – estão acostumados a descartar o milenismo com desdém, e asseverar que ele é uma idéia moderna, e a estigmatizá-lo como uma heresia, enquanto que alguns daqueles que não seguem a interpretação milenista estão suficientemente informados para reconhecer que "homens devotadamente piedosos, que são eruditos altamente respeitáveis", pertencem à fé pré-milenista. À luz desta verdade óbvia de que o milenismo tem produzido grandes missionários, os grandes evangelistas, e um número incontável de expositores honrados, a acusação de heresia deve surgir da ignorância ou por causa da maldade. É de grande importância que, embora alguns tenham ido ao extremo, os pré-milenistas instruídos não são somente sadios na doutrina, mas são despertados para a tarefa designada por Deus de serem testemunhas. É igualmente importante saber que todo incrédulo e todo herege através de toda a história da Igreja foram antimilenistas.

Será observado que as listas citadas representam as condições que existiram sessenta anos atrás e que a concepção pré-milenista das Escrituras fez o seu maior progresso visto que marcou e desenvolveu seus maiores pregadores e mestres, produziu sua melhor literatura, e multiplicou os seus muitos seguidores. O que o pré-milenismo ensina será o tema das páginas seguintes.

CAPÍTULO XV

O Conceito Bíblico de Profecia

NA ESFERA DA PROFECIA, a capacidade divina é claramente vista como alguma coisa que transcende as limitações humanas. Deus parece ter prazer em seu poder de predizer o futuro; ao menos, esse poder é evidentemente usado, a fim de despertar a mente humana para as maravilhas do seu Ser. À parte da revelação divina, o homem nada sabe do que vai acontecer. Para Deus, o fim é conhecido desde o princípio. "Diz o Senhor que faz estas coisas, que são conhecidas desde a antiguidade" (At 15.18). Através da revelação divina, a limitação humana pode ser aliviada. É uma vantagem imensurável para o ser humano ser informado sobre o futuro. Parece que os homens se agarrariam em cada palavra da predição divina e não somente estudariam o significado dela, mas também se gloriariam na luz acrescida que ela produz.

Todavia, as Escrituras proféticas têm sido mais negligenciadas do que qualquer outra porção do Texto Sagrado, e este estímulo – entre as maiores das influências bíblicas – pretendido para os crentes, tem sido retirado deles por aqueles que foram designados para pregar e ensinar a totalidade do conselho de Deus. O pregador que persistente e consistentemente evita os temas proféticos, comete um erro que somente o céu pode avaliar. O mesmo é verdadeiro das obras sobre teologia que não fazem a tentativa digna de explicar uma vasta porção da Palavra de Deus, e, assim, influenciam o estudante a seguir o mesmo curso.

A concepção bíblica de profecia pode ser abordada sob seis assuntos gerais: (1) o profeta; (2) a mensagem do profeta; (3) o poder do profeta; (4) a seleção dos profetas; (5) o cumprimento da profecia; e (6) a história da profecia.

I. O Profeta

Em geral, o profeta era aquele que falava por Deus. Ele era a voz de Deus ao povo. Em oposição a isto, o sacerdote representava o povo em seu relacionamento com Deus. Os dois juntos definem em tipo os dois aspectos da mediação de Cristo; porque Ele era tanto profeta quanto sacerdote no

ESCATOLOGIA

sentido final dos termos. No sentido bíblico da palavra, a profecia pode se referir tanto à proclamação quanto à predição. Muitas das elocuções do tal profeta não eram preditivas em sua natureza; todavia, ele declarava a verdade que Deus lhe dava. Sua mensagem era sustentada pela frase do Antigo Testamento: "Assim diz o Senhor". Do profeta do Antigo Testamento pode ser observado que ele era familiarmente identificado como "o homem de Deus". Uma vez que era conhecido como "o vidente", acabava finalmente conhecido como "o profeta" (cf. 1 Sm 9.8, 9). Ele era um patriota e um reformador, um reavivalista no meio do povo escolhido. Seu ministério era exigido em tempos de declínio espiritual, e as suas reais advertências inevitavelmente assumiam o caráter de predições.

Há base para o profundo interesse no ministério do profeta e também na maneira em que ele recebia sua mensagem de Deus. Os profetas do Antigo Testamento escreveram sobre a recepção de sua mensagem. Havia, como sempre, grande variedade no método divino de revelar a mente e a vontade de Deus ao profeta. Havia um poder de supervisão e superaudição concedido a esses homens por Deus. Eles diziam palavras (cf. Is 2.1). A mensagem não pertencia a eles próprios (cf. Jr 23.16; Ez 13.2). Havia um ardor dentro deles (cf. Jr 20.9; Ez 3.1-27). Não obstante, o elemento pessoal não era sacrificado (cf. Jr 15.16; 20.7; Ez 3.3).

O profeta do Novo Testamento deve ser distinguido do profeta do Antigo Testamento tanto na situação de dispensação diferente quanto no comprometimento maior de proclamar e predizer. O ministério do profeta do Antigo Testamento é definido assim: "Mas o que profetiza fala aos homens para edificação, exortação e consolação" (1 Co 14.3). O serviço atribuído ao profeta do Novo Testamento é de grande importância. Ele aparece entre os dons ministeriais de Efésios 4.11, e, com Cristo e os apóstolos, forma o fundamento sobre o qual a Igreja é edificada (Ef 2.20). É claro que, após a morte de Cristo, a referência ao profeta não é a da ordem do Antigo Testamento, mas da ordem do Novo Testamento, que é chamado de Deus e deve ser altamente estimado como o profeta antigo.

II. A Mensagem do Profeta

Como sugerido acima, o profeta do Antigo Testamento falava à medida que era "movido" por Deus (cf. 2 Pe 1.21). Da mensagem do profeta do Antigo Testamento, o Dr. C. I. Scofield escreve:

Falando de uma maneira mais ampla, a profecia preditiva se ocupa com o cumprimento dos pactos palestínico e davídico; o pacto abraâmico tem também o seu lugar. Os poderes dos gentios são mencionados, quando conectados com Israel, mas a profecia, exceto em Daniel, Obadias, Jonas e Naum, não se ocupa com a história mundial dos gentios. Daniel, como se verá, tem um caráter distintivo. As predições da restauração do cativeiro babilônico, no fim dos setenta anos, devem ser distintas daquelas da restauração da presente dispersão mundial. O contexto é sempre claro. O pacto palestínico (Dt 28.1–30.9) é o molde da profecia preditiva em seu sentido mais amplo – desobediência nacional, dispersão mundial, arrependimento, o retorno do Senhor, a reunião de Israel e o estabelecimento do reino, a conversão e a bênção de Israel, e o julgamento dos opressores de Israel... As chaves que destravam os significados das profecias são: os dois adventos do Messias: o para sofrer (Gn 3.15; At 1.9), e o para reinar (Dt 30.3; At 1.9-11); a doutrina do Remanescente (Is 10.20), a doutrina do dia do Senhor (Is 2.10-22; Ap 19.11-21), e a doutrina do reino (AT., Gn 1.26-28; Zc 12.8, nota; NT., Lc 1.31-33; 1 Co 15.28, nota). Os capítulos centrais, que tomam a profecia como um todo, são: Deuteronômio 28.29, 30; Salmo 2; Daniel 2.7. O escopo total da profecia deve ser levado em conta na determinação do significado de qualquer passagem específica (2 Pe 1.20).[125]

III. O Poder dos Profetas

Enquanto aos reis foi dado, ou por eles assumido, o poder da vida e da morte, e conquanto eles pudessem destruir qualquer homem se quisessem, o profeta, não obstante, dava ordens aos reis, mas não abria mão de sua posição como voz de Deus, mesmo diante do rei que estava no trono. O poder divino repousava sobre o profeta, cujo poder era reconhecido pelos homens e protegido por Deus. Sobre este aspecto, um estudo pode ser feito no livro de Números 11.25, 29; 24.2; 2 Reis 2.15; 3.15; 1 Crônicas 12.18; 2 Crônicas 24.20; Isaías 11.2; 42.1; 61.1; Ezequiel 1.3; 3.14, 22; 11.5; Joel 2.28, 29.

IV. A Escolha dos Profetas

Com um completo exercício da soberania e eleição, Deus escolheu a quem quis para o ofício profético. Às vezes, os profetas não caíam na simpatia do povo, por causa de sua mensagem (cf. Saul – 1 Sm 10.11; 19.24; Balaão – Nm 23.5-10; Caifás – Jo 11.51). Embora tomados de vários estilos de vida, os profetas do Antigo Testamento foram divinamente sustentados para a declaração daquilo que Deus propôs fazer. De acordo com os registros, os profetas eram mensageiros de Deus no tempo da totalidade de sua vida. Os dons e as vocações de Deus são irrevogáveis.

V. O Cumprimento da Profecia

Como um teste de sua origem divina e do seu caráter, o cumprimento da profecia era o seu teste razoável. Jeová declarou: "E, se disseres no teu coração: Como conheceremos qual seja a palavra que o Senhor não falou? Quando o profeta falar em nome do Senhor e tal palavra não se cumprir, nem suceder assim, esta é palavra que o Senhor não falou; com presunção a falou o profeta; não o temerás" (Dt 18.21, 22). O Novo Testamento constantemente assevera que os eventos transpiravam "o que poderia ser cumprido o que era falado pelo Senhor através do profeta", e toda referência serve para enfatizar a confiabilidade das palavras de um verdadeiro profeta.

Um estudo digno de profecia e de seu cumprimento deixa pouco espaço para a incredulidade. Em vão, o cético assevera que as predições foram somente conjecturas felizes. Se fosse conjectura, o profeta estava livre do erro e isto seria sobrenatural em si mesmo. A Deus seja a glória tanto pela profecia quanto pelo seu cumprimento!

VI. A História da Profecia

A história profética é basicamente o cumprimento dos pactos abraâmico, palestino e davídico. Ela inclui, também, a realização de dois propósitos divinos – o propósito terrestre, centrado em Israel e consumado de acordo com o Salmo 2.6; e o propósito celestial, centrado na Igreja e consumado de acordo com Hebreus 2.10. Está aqui declarado com segurança total que, como as profecias que são agora executadas foram cumpridas em seu significado natural, literal e gramatical, de igual modo tudo o que resta – e atinge as eras eternas – será cumprido em seu modo natural, literal e gramatical que as predições sugerem. Ninguém questionaria com justeza que a profecia agora cumprida seguiu o método literal aos seus mínimos detalhes. É, portanto, irrazoável e incredulidade supor que, para aliviar alguma incredulidade, as predições ainda não-cumpridas serão realizadas de algum modo espiritualizado. Certas divisões gerais da história profética devem ser observadas.

1. Quatro Profetas Que Servem como Marcos. Com a vinda do reino messiânico terrestre em vista como o objetivo terrestre supremo, quatro profetas medem o tempo interposto desde o começo da nação judaica até sua consumação. Esses profetas são:

A. Abraão. Deus não retirou de Abraão aquilo que Ele estava para fazer (Gn 18.17). O futuro da posteridade de Abraão até o tempo de Moisés, ou até a libertação do Egito, lhe foi revelado. Está escrito: "Então disse o Senhor a Abrão: Sabe com certeza que a tua descendência será peregrina em terra alheia, e será reduzida à escravidão, e será afligida por quatrocentos anos; sabe também que eu julgarei a nação à qual ela tem de servir; e depois sairá com muitos bens" (Gn 15.13, 14). Tudo isto Abraão deve ter relatado à sua posteridade. Acrescentado a isso estão as certezas dentro do pacto abraâmico das bênçãos terrestres finais para os descendentes de Abraão; isto é, Abraão viu e relatou a outros o período desde o seu próprio tempo até o de Moisés, e então perdeu de vista o fio da meada dos eventos até o tempo do estabelecimento das bênçãos do reino sobre a terra.

B. Moisés. Como um dos maiores de todos os profetas humanos (cf. Dt 34.10-12), Moisés viu desde o seu tempo até o período que Israel continuaria na terra – mil anos – e até o tempo do cativeiro. Além disto, ele viu somente as bênçãos do reino vindouro. Moisés, portanto, viu os dias de Daniel.

C. Daniel. A Daniel foi dada a visão dos domínios gentílicos. O tempo medido desde o final do edito para a reconstrução de Jerusalém, até o reino de justiça que ele declarou ser as setenta semanas, ou os 490 anos. Sessenta e nove semanas, ou 483 anos, mediriam o tempo desde o edito até a "eliminação" do Messias, e faltam assim uma semana, ou sete anos, para ser experimentada na história terrestre de Israel, antes do reino de justiça ser estabelecido na terra (Dn 9.24-27). Como um segredo sagrado, portanto não revelado aos homens, Deus, através da "eliminação" do Messias, ou a morte de Cristo, começou a realização de seu propósito celestial durante esse tempo – como agora – toda a história distintiva de Israel está em compasso de espera até que judeus e gentios, encerrados na posição de "debaixo do pecado" (Rm 3.9), estejam igualmente sujeitos à mesma mensagem da graça salvadora (Rm 10.12).

Muitos textos que tratam desse programa de eventos – seja direta ou indiretamente – antecipam que os sete anos remanescentes, que são distintamente o complemento do programa de 490 anos de Israel que o profeta Daniel viu, seguirão o seu curso com a Grande Tribulação, que se dará imediatamente após o complemento do chamamento da Igreja, e no momento de sua remoção desta terra. É o tempo "da angústia de Jacó" (Jr 30.7). Daniel viu desde o seu próprio tempo até o primeiro advento do Messias, mas perdeu de vista naquela altura, e somente adquiriu de novo a visão na antecipação daquele reino que será introduzido no segundo advento (Dn 2.44, 45; 7.13, 14; 9.27). Seria de grande valia, se o espaço permitisse, citar a esta altura o comentário feito por Robert Anderson, *The Coming Prince*. Uma leitura cuidadosa desse tratado é sugerida para todo estudante de profecia.

D. Cristo. Através da visão anterior de Daniel que terminava na "eliminação" do Messias, o Senhor Jesus Cristo – o maior e o último dos profetas – predisse a respeito de uma era inesperada que se interporia entre o seu primeiro e o seu segundo adventos (Mt 13.1-50; 24.3-8). Ele também deu o fio da meada continuado dos eventos vindouros que conduzem ao reino terrestre – o Arrebatamento da Igreja (Jo 14.1-3), uma tribulação sem precedentes (Mt 24.21, 22), a pregação do Evangelho do reino (Mt 24.14), a vinda do abominável da desolação (Mt 24.15), o aparecimento glorioso do Messias (Mt 24.27), o reajuntamento de Israel (Mt 24.31), o julgamento de Israel (Mt 24.37–25.30), e o julgamento das nações (Mt 25.31-46). Assim, como o último dos profetas do Antigo Testamento, Cristo completa a história conectada previamente e sustentada por Abraão, Moisés e Daniel, e a traz à sua consumação que foi vista por esses três homens de Deus.

ESCATOLOGIA

O período entre Adão e Abraão apresenta apenas um profeta, a saber, Enoque, o sétimo depois de Adão, e a sua predição não está registrada senão no livro da profecia de Judas. Ali está escrito: "Para estes também profetizou Enoque, o sétimo depois de Adão, dizendo: Eis que vem o Senhor com os seus milhares de santos, para executar juízo sobre todos e convencer a todos os ímpios de todas as obras de impiedade, que impiamente cometeram, e de todas as duras palavras que ímpios pecadores contra ele proferiram" (Jd 4, 15). Semelhantemente, o período do reino na terra será caracterizado pela profecia (cf. Jl 2.28, 29; At 2.16-18).

2. JOÃO BATISTA. De todos os profetas, nenhum deles declarou a vinda do reino messiânico com mais insistência do que João Batista. Isto devia ser esperado, porque ele cumpriu a previsão de Isaías 40.3-5, que diz: "Eis a voz do que clama: Preparai no deserto o caminho do Senhor; endireitai no ermo uma estrada para o nosso Deus. Todo vale será levantado, e será abatido todo monte e todo outeiro; e o terreno acidentado será nivelado, e o que é escabroso, aplanado. A glória do Senhor se revelará; e toda a carne juntamente a verá; pois a boca do Senhor o disse". Esta passagem está relacionada aos dois versículos precedentes, que restringem a aplicação a Israel e à esperança messiânica deles. Os termos *meu povo* e *Jerusalém*, como usados no Antigo Testamento, dificilmente são uma palavra direta à Igreja.

Estes versículos afirmam: "Consolai, consolai o meu povo, diz o vosso Deus. Falai benignamente a Jerusalém, e bradai-lhe que já a sua malícia é acabada, que a sua iniqüidade está expiada e que já recebeu em dobro da mão do Senhor, por todos os seus pecados" (vv.1, 2). É a batalha de Israel que deve ser realizada e são as suas iniqüidades que devem ser perdoadas. Os pecados daqueles que compõem a Igreja já foram tratados e cada membro da Igreja já está justificado (Rm 8.30), sem qualquer condenação (Rm 8.1), e tem paz com Deus (Rm 5.1). O arauto anuncia o aparecimento breve do Messias, vindo a Israel, e Ele é declarado ser ninguém além do próprio Jeová, cujo caminho deve ser preparado e cuja estrada endireitada. O Ocupante do trono de Davi é uma pessoa teantrópica. Seu é o reino teocrático que é ambos, literal e glorioso. A antecipação do Antigo Testamento é muito freqüentemente desconsiderada, mesmo pelos milenistas.

A profecia é que Deus está para sentar no trono de Davi e a execução da norma do reino será exaltada num grau inefável. Foi como arauto do próprio Deus que João veio. Nenhum serviço ou honra maior poderia ser dada a um homem. Todo texto da Escritura que ensina sobre a união hipostática das duas naturezas em Cristo está em evidência aqui; porque foi a segunda pessoa da Trindade que tomou sobre Si a forma humana, através da encarnação. Foi essa mesma pessoa que ascendeu ao céu, e levou consigo a sua gloriosa humanidade. É essa mesma pessoa que, quando retornar, aparecerá como o Deus e homem que Ele é. É essa mesma Segunda Pessoa que, como Deus e homem – herdeiro legítimo de Davi e Deus, o Filho – se assentará sobre o trono de Davi para sempre. Embora seja igualmente verdadeiro que essa Pessoa teantrópica é o

A História da Profecia

Cabeça e Noivo da Igreja, a ênfase cai a essa altura sobre a sua ocupação do trono de Davi como Filho de Deus e como Filho de Davi, e sobre a verdade de que o ministério de João foi caracterizado por tal dignidade e responsabilidade imensuráveis.

Na mensagem de João, estão convergidos o propósito terrestre do Criador e o anúncio da execução dos pactos que o próprio Jeová confirmou com seu juramento. Que ninguém trate esse juramento como algo sem importância. Alguns pecados são mais fundamentais que outros, e seria uma tarefa fácil demonstrar que grande crime é cometido com o Deus soberano, quando o seu juramento de colocar seu Filho no trono de Davi é rejeitado como se fosse um absurdo. A própria expectativa de Davi é revelada em 2 Samuel 7.18-29; Salmo 89.20-37; Atos 2.30. Este último texto diz: "Sendo, pois, ele profeta, e sabendo que Deus lhe havia prometido com juramento que faria sentar sobre o seu trono um dos seus descendentes". Este conjunto de textos é muitíssimo impressionante e uma pessoa devota fará uma pausa, para considerar a verdade de que o trono davídico de modo algum degradará a divindade, mas, antes, a divindade exaltará esse trono às alturas das glórias celestiais. Então, e somente então, será respondida a oração que Jesus ensinou: "Venha o teu reino. Seja feita a tua vontade, assim na terra como no céu" (Mt 6.10).

Imediatamente, João Batista se torna um problema para aqueles que se opõem ao milenismo. Debaixo de uma visão errônea do reino – à qual o ministério de João é estranho – os advogados de um reino espiritual ou daqueles que não crêem em reino algum, são forçados a descontar a importância do serviço de João. Alguns vão até a ponto de afirmar que João estava enganado, que ele não possuía uma revelação de Deus, e que ele era guiado pelo seu próprio entendimento. É evidente que se João tinha uma revelação e falava com autoridade divina, aqueles que se opõem a um reino messiânico literal, que João anunciou, estão fatalmente em erro. Nesta controvérsia, eles devem diminuir o testemunho de João ou eles próprios serão encontrados distorcendo a verdade de Deus. Somente uma reflexão momentânea é exigida para se reconhecer a importância desse grande profeta – sim, "mais do que um profeta" (Mt 11.9).

Ele era cheio do Espírito desde o ventre de sua mãe (Lc 1.15). Ele foi gerado por um ato extraordinário de Deus (Lc 1.18, 36, 37). Ele era uma testemunha da luz, enviada por Deus, "para que todos os homens pudessem crer através dele" (Jo 1.6, 7). Ele era o mensageiro enviado como o arauto do Rei eterno. Contudo, não há outro curso aberto para aqueles teólogos que estão apegados à idéia de Whitby ou àqueles que estão comprometidos com as ambições imperiais de Roma, ao invés de desacreditá-la como tal.

Cristo contrastou o seu precursor com todos os homens que vieram antes e com aqueles que se seguiriam. Ele disse: "Este é aquele de quem está escrito: Eis aí envio eu ante a tua face o meu mensageiro, que há de preparar adiante de ti o teu caminho. Em verdade vos digo que, entre os nascidos de mulher, não surgiu outro maior do que João, o Batista; mas aquele que é o menor no reino dos céus é maior do que ele" (Mt 11.10, 11). Em todas as gerações precedentes ninguém surgiu maior do que João, e ainda no reino, aquele que é o menor no reino é maior do que ele. É verdade que na Igreja o menor é, pela maravilha de uma salvação completa pela graça, exaltado acima da posição concedida a João. Esta verdade, debilmente apreendida por muitos, se torna imediatamente num encorajamento para alguns suporem que a Igreja é o reino ao qual Cristo se referiu.

Contudo, sem levar em conta o que incidentalmente pode ser verdadeiro a respeito da posição mais elevada do crente, que está em Cristo, ainda permanece verdadeiro que Cristo não está aqui, ou em outro lugar, confundindo a Igreja – ainda não anunciada – com o reino terreno. Aquele que é menor no reino – tão grande é essa espécie de posição – é maior do que João. Se, contudo, a interpretação for permitida de que "qualquer pregador na Igreja conhece mais do reino do que João conhecia", a questão pode ser levantada é: por que os teólogos com esse conhecimento superior descobrem várias espécies de reinos? E por que há tanta falta de uniformidade entre eles? João, ao menos, estava livre de uma confusão de idéias. Sua mensagem clara, portanto, permanece; até as teorias inventadas são mais recomendáveis do que as oferecidas pelos advogados antimilenistas.

Com respeito à declaração de Cristo no versículo seguinte sobre aqueles que agem com violência durante o breve período entre o ministério de João e o momento em que Cristo falou, o Dr. C. I. Scofield observa: "Tem sido muito discutido se a 'violência' aqui é externa, como *contra* o reino nas pessoas de João Batista e Jesus; ou que, quando se considera a oposição dos escribas e fariseus, somente os violentamente resolutos entrariam à força. Ambas as coisas são verdadeiras. O Rei e o seu arauto sofreram violência, e este é o significado principal e maior, mas também, alguns resolutamente tornaram-se discípulos" (cf. Lc 16.16).[126]

Todavia ainda resta ser visto que o ministério de João Batista serviu como a consumação da ordem do Antigo Testamento. Cristo disse: "Pois todos os profetas e a lei profetizaram até João" (Mt 11.13), e isto está em harmonia com o fato evidente de que João viu o reino, que era o assunto da pregação de João, de Cristo, e dos discípulos até que o Messias foi rejeitado e o seu reino posposto. O reino era a esperança nacional e nenhum outro objetivo havia sido introduzido. Portanto, era muito improvável que algum novo programa divino não-anunciado fosse o tema da pregação a essa nação. O confinamento do precursor na prisão (cf. Mt 11.2), que teve a sua cabeça decepada (Mt 14.10), e a crucificação do próprio Rei, serviram como evidência final de que o reino havia sido rejeitado. Nenhuma violência maior poderia ter sido feita a essa bênção oferecida.

João, contudo, não teve o mesmo conhecimento ilimitado que Cristo teve da verdade não-revelada de que um novo propósito era introduzido através da rejeição, que seria construído um novo fundamento, e então, quando esse novo propósito estivesse completo, o reino seria estabelecido para sempre. Ele, na prisão, pergunta: "És tu aquele que havia de vir, ou havemos de esperar outro?" (Mt 11.3). Esta pode ter sido não mais do que uma pergunta, porque aquilo para o que ele próprio havia sido enviado para anunciar não se materializou. Esta é uma reação muito natural naquele que tinha feito o que lhe havia sido exigido na plenitude de sua devoção e sinceridade. A essa altura, é fácil supor que o programa total de João tinha sido uma aventura desautorizada, isto é, se os fatos são ignorados; mas quando os fatos são devidamente considerados, deve ser visto que João tinha feito exatamente como Deus havia designado, a saber, o anúncio genuíno da presença do Rei e de seu reino, e que ele não poderia saber que o reino seria posposto e isto através da mesma autoridade divina pela qual ele havia sido designado.

À parte da única declaração de João Batista – registrada em João 1.29 (cf. também vv.16, 17) e que tem o seu lugar peculiar naquele evangelho – a pregação do precursor é expressa nas seguintes palavras: "Naqueles dias apareceu João, o Batista, pregando no deserto da Judéia, dizendo: Arrependei-vos, porque é chegado o reino dos céus" (Mt 3.1, 2). Esta também era a mensagem primeira de Cristo (Mt 4.17; cf. Rm 15.8), e a dos seus discípulos (Mt 10.6, 7). A mensagem anunciava o que então era um novo projeto; na verdade, previsto para toda a nação, mas sem precedente nos tempos anteriores. Um arrependimento é predito que a nação ainda haveria de experimentar (cf. Dt 4.29, 30; 30.1-3; Is 61.2, 3; Os 3.4, 5; 14.7; Zc 12.10–13.1; Ml 3.7; Mt 24.30). De acordo com as exigências do reino, a mensagem do precursor era a de obras humanas, um retorno da parte do povo do pacto a uma vida de retidão perante Deus.

O estudante deveria ler Lucas 3.1-18 com atenção, pois essa passagem é a substância da mensagem de João e vindica a asserção de que a mensagem de João não era um chamamento para a fé no Salvador crucificado, mas antes, para uma correção da vida diária da parte daqueles que deveriam estar preparados para o seu Rei. Lucas 3.1-18 não registra as palavras de um zelote enganado, mas é a comunicação da voz que clama no deserto: *Preparai o caminho do Senhor.*

3. FALSOS PROFETAS. Em adição ao registro com relação aos falsos profetas no Antigo Testamento, está previsto no Novo Testamento que os falsos profetas aparecerão nos últimos dias da Igreja e na Tribulação. As passagens seguintes deveriam ser observadas neste contexto: Mateus 7.15; 24.11, 24; Marcos 13.22; Atos 16.16; 1 Coríntios 14.29; 2 Pedro 2.1; 1 João 4.1; Apocalipse 16.13; 19.20; 20.10. Os espíritos malignos têm sempre procurado imitar a obra do verdadeiro profeta. Essas imitações têm sempre encontrado expressão através de adivinhadores e médiuns (cf. Lv 19.26; 20.6, 27; Dt 18.10, 11; 1 Sm 28.9; Is 8.19).

4. A CLASSIFICAÇÃO DAS PROFECIAS ESCRITAS DO ANTIGO TESTAMENTO

A. PROFECIAS ANTES DO EXÍLIO
(1) A Nínive
Jonas – 862 a.C.
(2) Às Dez Tribos
Amós – 787 a.C.
Oséias – 785-725 a.C.
Obadias – 887 a.C.

ESCATOLOGIA

Joel – 800 a.C.
(3) A Judá
Isaías – 760-698 a.C.
Miquéias – 750-710 a.C.
Naum – 713 a.C.
Habacuque – 626 a.C.
Sofonias – 630 a.C.
Jeremias – 629-588 a.C.

B. PROFETAS DO EXÍLIO
Ezequiel – 595-574 a.C.
Daniel – 607-534 a.C.

C. PROFETAS PÓS-EXÍLIO
Ageu – 520 a.C.
Zacarias – 520-487 a.C.
Malaquias – 397 a.C.

630

Os Principais Caminhos Da Profecia

Capítulo XVI

Profecias a Respeito do
Senhor Jesus Cristo

A IMPORTÂNCIA DO ÚLTIMO LIVRO DA BÍBLIA – o Apocalipse – em sua relação com toda profecia bíblica não pode ser avaliada em demasia. Este livro consistentemente pressupõe o estudo de tudo o que já havia acontecido antes. À parte desta preparação para o estudo dele, o livro ficará selado, não por Deus, mas pela ignorância humana. Uma deplorável conjectura em sua interpretação é usualmente defendida pelos escritores e professores, na suposição de que esse livro está velado, visto que ele é uma *revelação*. Ele não está selado (cf. 22.10; Dn 12.9), pois, como no caso de nenhum outro livro da Bíblia, uma bênção está pronunciada sobre aquele que lê, e sobre aqueles que ouvem – naturalmente para entendê-lo. É uma revelação dada por Jesus Cristo – não primeiramente a João – que devia ser mostrada aos seus "servos".

Os crentes, aqui chamados *servos*, se permitido for pelo Espírito Santo, são ensinados pelo Espírito a respeito das "coisas por vir" (Jo 16.13). João é designado para "ver" e "ouvir", para que possa escrever aos servos. De centenas de exposições escritas, é provável que nem duas delas concordem em todos os detalhes. Isto é basicamente devido ao escopo ilimitado do livro que se relaciona à totalidade da profecia. Contudo, essas obras de alguns autores caem em duas classificações gerais – a dos *preteristas* que crêem que os Capítulos 4–20 já foram ou são cumpridos na presente era, e a dos *futuristas* que crêem que esses capítulos ainda serão cumpridos. A última metade do séc. XIX tem visto um aumento notável de tentativas de exposição do livro de Apocalipse e praticamente todas elas têm dado uma interpretação futurista a ele.

O livro é "revelado" (1.1) e os símbolos usados devem ser considerados à luz do uso deles em outro lugar na Bíblia. Os sinais e símbolos são claramente designados e somente o que é assim designado pode ser empregado figuradamente. As tentativas dos pós-milenistas e dos amilenistas de encaixar essas descrições dos eventos que transformam o mundo, registrados nos Capítulos 4–20, na história da presente era, são dificilmente dignas de homens que, com relação a outras porções da Bíblia e no interesse da exatidão, exigem que cada palavra da Escritura

ESCATOLOGIA

tenha o seu significado pleno, razoável e gramatical. As invenções e imaginações humanas são forçadas além dos limites, quando a tarefa suposta é encaixar os selos, trombetas, taças, a prisão de Satanás, a primeira e a segunda ressurreição, a Besta e o falso profeta na história desta era.

Quando, contudo, às palavras da profecia bíblica, e especificamente do Apocalipse, é dado o seu significado razoável e gramatical, a totalidade da mensagem do livro se torna uma predição do julgamento vindouro de Deus na terra e sobre o mundo que rejeita Cristo. A interpretação dos futuristas reconhece três conjuntos de "coisas" (1.19) – "coisas que tens visto" (1.1-18), "coisas que são" (2 e 3), e "coisas que acontecerão depois" (4–22). Semelhantemente, esta interpretação reconhece quatro períodos de tempo, a saber, (1) a presente era da Igreja (2 e 3); (2) a Grande Tribulação (6.1–19.6); (3) o reino de Cristo com sua Noiva (19.7–20.15); e (4) o Estado Eterno (21.1–22.7). Assim também diversas divisões estruturais são indicadas: (1) introdução, saudação e visão (1.1-20); (2) a Igreja na terra (2.1–3.22); (3) a Igreja no céu com mensageiros de Israel selados sobre a terra (4.1–5.14); (4) a Grande Tribulação (6.1–19.6); (5) o Rei vindouro, sua Noiva, e seu reino (19.7–20.15); (6) os novos céus e a nova terra (21.1–22.7); e (7) o apelo final e a promessa (22.8-21).

De acordo com sua própria alegação, o Apocalipse é uma profecia (1.3). Para ele, então, a lei fundamental da interpretação da profecia deve ser aplicada. Esta lei está afirmada em 2 Pedro 1.20: "Sabendo primeiramente isto: que nenhuma profecia da Escritura é de particular interpretação". Nenhum texto da Escritura deve ser interpretado sozinho ou em si mesmo, mas, antes, em harmonia com todos os outros textos da Escritura. Muitas obras sobre o Apocalipse têm falhado neste ponto. Nelas, nenhum esforço é feito, mesmo para harmonizar determinado texto com um livro em que ele é encontrado, e é interpretado sem a totalidade da Bíblia. O livro do Apocalipse é o término de *todos* os grandes caminhos da profecia que correm por toda a Escritura. Tão certamente como Gênesis é o livro das fontes e dos começos, o Apocalipse é o livro dos términos e dos finais.

Um começa com a bem-aventurança eterna que é depois perdida; o outro termina com a bênção eterna que é reconquistada. Um começa com a árvore da vida. O outro termina com a árvore da vida. Um vê a primeira criação arruinada; o outro fecha com uma nova criação em seu esplendor e glória. Um introduz o homem, Satanás e o pecado; o outro dispõe do homem rebelado, de Satanás e do pecado. Um antecipa e profetiza; o outro realiza e apresenta o cumprimento das profecias do Gênesis: realiza e apresenta a consumação de todas as profecias da Palavra de Deus. Não somente o Apocalipse precisa dessas profecias para o seu entendimento correto, mas estas profecias precisam do Apocalipse para a sua consumação. Tentar interpretar o livro do Apocalipse em si mesmo, portanto, conduz a um grande erro duplo que seria causado pelo esquecimento de tal necessidade.

Há uma vantagem peculiar, especialmente para o leigo, no método do estudo profético que busca um assunto de predição desde o seu começo até o seu final. Somente aqueles experientes no vasto campo da profecia terão sucesso em manter todos os caminhos em mente, ao mesmo tempo em que delineiam a revelação do maravilhoso programa de Deus. A primeira abordagem, portanto, ao estudo da profecia será traçar brevemente em seu caráter separado alguns caminhos principais da profecia, e neste capítulo será dada consideração ao caminho da profecia com respeito ao Senhor Jesus Cristo.

Este é o maior tema da Bíblia é também o tema central da profecia. "O testemunho de Jesus é o espírito de profecia" (Ap 19.10; cf. Ef 1.9, 10; 1 Pe 1.10-12). Estas são as palavras faladas a João por uma voz celestial; e com elas uma repreensão está inclusa com a finalidade de que João não adorasse aquele que falava, pois esse, à semelhança de João, tinha a mesma designação divina para dar testemunho a respeito de Jesus. Não é o próprio testemunho de Cristo a si mesmo que está em vista; é o testemunho objetivo a respeito de Jesus do qual os seres celestiais podem compartilhar como "conservos" e "irmãos". A declaração de que "o testemunho de Jesus é o espírito de profecia" não sugere que toda predição diz respeito diretamente à segunda pessoa da Trindade; mas afirma, contudo, que o programa total de Deus movimenta-se numa direção – a de trazer à sua plenitude a exaltação determinada e a glória de Cristo.

Um estudo mais amplo de cristologia está reservado para o volume seguinte. Somente um esboço de tão extenso conjunto de textos preditivos pode ser introduzido aqui. Cristo em todas essas predições é apresentado em seu caráter teantrópico peculiar. O filho humano de uma mulher, não obstante, o Emanuel – "o Deus conosco". Um menino nos nasceu, um filho se nos deu. Seu reino será como o de um filho de Davi; todavia, Ele é o Governador teocrático do universo.

Visto que o último livro da Bíblia é uma *revelação* dada por Jesus Cristo, para ser mostrada a seus servos, é razoável esperar que cada tema da predição a respeito de Cristo esteja ainda futuro com relação ao tempo em que o livro foi escrito, coisas essas que serão consumadas desse livro. É assim que as coisas serão.

Como uma saudação no capítulo de abertura do Apocalipse, há uma referência a Cristo como "aquele que é, que era, e que há de vir". Como Profeta, Ele *era*; como Sacerdote, ele *é*; e como Rei, Ele *ainda virá*. Tal interpretação destes aspectos do ministério de Cristo será reconhecida como exata por todos aqueles que penetraram no estudo da cristologia bíblica.

Muitas predições, embora nem todas, relacionadas a Cristo podem ser reunidas sob três títulos – os três ofícios que Ele mantém, a saber: o de Profeta, Sacerdote, e Rei – e em todos estes, será observado, o seu caráter teantrópico é contemplado. A isto será acrescentado que as duas linhas mais gerais de predição – a da descendência e a dos seus dois adventos.

I. Profeta

Por causa de sua repetição em citações dadas em textos subseqüentes, a única passagem sublime a respeito de Cristo como profeta deve ser a encontrada em Deuteronômio 18.15, 18, 19, que diz: "O Senhor teu Deus te

ESCATOLOGIA

suscitará do meio de ti, dentre teus irmãos, um profeta semelhante a mim; a ele ouvirás; ...Do meio de seus irmãos lhes suscitarei um profeta semelhante a ti; e porei as minhas palavras na sua boca, e ele lhes falará tudo o que eu lhe ordenar. E de qualquer que não ouvir as minhas palavras, que ele falar em meu nome, eu exigirei contas". É a esta expectativa que Filipe se refere, como está registrado em João 1.45: "Acabamos de achar aquele de quem escreveram Moisés, na lei, e os profetas: Jesus de Nazaré, filho de José". Pedro cita esta profecia em seu segundo sermão, que foi registrado em Atos 3.22, 23, e Estêvão declara em seu último discurso, antes do seu martírio: "Este é o Moisés que disse aos filhos de Israel: Deus vos suscitará dentre vossos irmãos um profeta como eu" (At 7.37).

De modo semelhante, fica igualmente claro que Cristo assumiu o relacionamento mediatorial, que pertence a um profeta. Ele falou pelo Pai, antes do que de Si mesmo. Está escrito: "Respondeu-lhes Jesus: A minha doutrina não é minha, mas daquele que me enviou" (Jo 7.16); "Porque eu não falei por mim mesmo; mas o Pai, que me enviou, esse me deu mandamento quanto ao que dizer e como falar. E sei que o seu mandamento é vida eterna. Aquilo, pois, que eu falo, falo-o exatamente como o Pai me ordenou" (Jo 12.49, 50); "Quem não me ama, não guarda as minhas palavras; ora, a palavra que estais ouvindo não é minha, mas do Pai que me enviou" (Jo 14.24); "Porque eu lhes dei as palavras que tu me deste" (Jo 17.8).

No exercício de seu ministério profético, Cristo tanto *proclamava* quanto*predizia*. Sua pregação como um proclamador está relatada nos quatro evangelhos – notadamente nos discursos mais importantes. Suas predições foram (1) de sua própria morte, sepultamento, ressurreição, ascensão, do advento do Espírito e de sua segunda vinda; (2) o começo, o caráter, o curso e o fim da presente era; (3) a Igreja, sua emergência, caráter, segurança, arrebatamento e destino; (4) a Grande Tribulação, o homem do pecado, a vinda dos falsos cristos e os julgamentos futuros; (5) o reino messiânico; e (6) o Estado Eterno de todos os homens.

II. Sacerdote

Uma apresentação prévia do ministério sacerdotal de Cristo é feita mais em tipos do que em profecia. Dois tipos devem ser reconhecidos especialmente – o de Arão (Êx 28.1) e o de Melquisedeque (Gn 14.18). No tipo aaraônico, Cristo seguiu somente em relação à oferta do sacrifício. Ele se ofereceu a si mesmo sem mancha a Deus (Hb 9.14). No tipo que Melquisedeque propiciou, Cristo é apresentado como Rei-sacerdote, que permanece para sempre. A profecia com respeito ao sacerdócio de Cristo está em relação com o tipo que é previsto em Melquisedeque.

No Salmo 110 – uma predição do Messias – está dito: "Disse o Senhor ao meu Senhor: Assenta-te à minha direita, até que eu ponha os teus inimigos por escabelo dos teus pés. O Senhor enviará de Sião o cetro do teu poder. Domina no meio dos teus inimigos. O teu povo apresentar-se-á voluntariamente no dia do teu poder, em trajes santos; como vindo do próprio seio da alma, será o orvalho da tua mocidade. Jurou o Senhor, e não se arrependerá: Tu és sacerdote para sempre, segundo a ordem de Melquisedeque" (Sl 110.1-4; cf. Hb 5.6). Como um sacerdote oferece sacrifício, assim Cristo ofereceu-se a si mesmo a Deus *uma vez por todas* (Hb 9.26). Um sacerdote faz intercessões e orações; assim Cristo não cessa de fazer intercessão (Jo 17.1-26; Rm 8.34; Hb 7.25).

III. Rei

Este caminho de predição começa com o pacto que Jeová fez com Davi (2 Sm 7.1-17), e, por ser isto uma grande parte da expectativa total do reino, é uma das profecias mais extensas da Bíblia. A falha da parte de bons homens em considerar o significado, o escopo e a finalidade do pacto davídico, é responsável em grande escala pela presente confusão de idéias a respeito do plano total e do propósito de Deus. Homens têm feito algumas tentativas de espiritualizar o pacto abraâmico, mas não há tal liberdade possível com o pacto davídico. Ele diz respeito ao trono de Davi, sobre a terra, em Jerusalém, com o Messias sentado sobre ele e reinando sobre Israel e o mundo todo para sempre. Há apenas um modo de tratar com uma predição que é tão literal e clara, quando as afirmações claras não são aceitáveis – que é ignorá-la totalmente. Este é o tratamento que a maioria dos teólogos dá a esse grande pacto.

Entre as seis referências em Apocalipse 20, ao período de mil anos, está a declaração de que aqueles que participam da primeira ressurreição (a Igreja) são os que vivem e reinam com Cristo durante mil anos. Esta afirmação relaciona o período de mil anos com o reinado de Cristo. Este contexto total a respeito dos mil anos, em que os santos compartilham do reino de Cristo, é precedido pela descrição de seu segundo advento, em cuja descrição Ele retorna em poder e grande glória, e como um Conquistador das nações da terra. Ele porta quatro títulos em seu retorno e um deles – o último mencionado – é "REI DOS REIS, E SENHOR DOS SENHORES". O amilenista, com suas distorções do período de mil anos, supõe que trata aqui com um aspecto insignificante da revelação, que é livre para descartá-lo totalmente, e justifica-se, agradecendo a Deus, por se ver livre dele.

Mas o programa total do reino está ligado ao retorno do Rei, o cumprimento do pacto davídico, a glória de Israel, e as bênçãos aos gentios e a toda a terra. Isto explica a grande quantidade de material sobre o assunto na predição do Antigo Testamento. O capítulo 20 de Apocalipse, longe de permanecer isolado como uma declaração obscura, que pode ser desarmonizada e distorcida à

ESCATOLOGIA

vontade, é apenas uma passagem dentre muitas, quando se revela que os santos compartilharão do reino de Cristo e o reino em si é por mil anos. É pertinente inquirir sobre que linguagem Deus poderia empregar, além daquela que Ele já empregou, se, como num caso hipotético, Ele desejasse dizer que seu Filho, o Filho de Davi, se assentaria no trono de Davi e reinaria sobre a casa de Jacó para sempre (Is 9.7; Lc 1.33; At 2.29-31), com um caráter mediatorial específico para esse reino por mil anos (1 Co 15.24-28; Ap 20.6).

Isto não é sinceridade suficiente para evitar essa questão. Se mesmo fosse provado que certo edifício antigo não tem, como se supõe, mil anos de idade, esta descoberta não erradicaria o edifício; e embora o amilenista possa demonstrar – o que ele não poder fazer – que não há uma referência a um reino em Apocalipse 20.1-8, ele não disporia, por meio disso, do testemunho divino que assevera que o Rei reinará para sempre, assentado sobre o trono de Davi. Em outras palavras, no Milênio, o aspecto mediatorial do reino de Cristo é em si mesmo apenas um detalhe da imensurável verdade de que Ele reinará sobre o trono de Davi para sempre (2 Sm 7.16; Sl 89.35, 36; Is 9.6, 7; Lc 1.31-33; 1 Tm 1.17; Ap 11.15). Além disso, a questão pode ser levantada sobre por que foi necessário para Cristo ter nascido na casa de Davi. A esta pergunta o amilenismo não tem resposta.

Visto que a linha davídica em sua relação com o reino terrestre constitui-se num dos caminhos da profecia ainda a ser esboçado, ele não será apresentado, além do que já foi dito aqui.

IV. Semente

Está registrado em Gênesis 3.15 a respeito da semente da mulher. Conquanto esta predição poderia ter sido cumprida logo na primeira geração, a sua consumação estava, no plano de Deus, para ser realizada somente após ao menos quatro mil anos da história humana. Assim, a linhagem da descendência foi prevista e esboçada fielmente através das genealogias registradas na Bíblia. Especial importância é dada a cinco homens nessa linhagem: (1) Abraão, a quem a promessa de uma descendência gloriosa foi feita; (2) Isaque, um tipo de Cristo e uma remoção direta da linhagem de Ismael; (3) Jacó, o progenitor das doze tribos, em quem a linhagem da descendência foi removida de Esaú; (4) Judá, o escolhido dos doze filhos de Jacó, através de quem o Messias deveria vir – em sua predição. Jacó disse de Judá: "O cetro não se arredará de Judá, nem o bastão de autoridade dentre seus pés, até que venha aquele a quem pertence; e a ele obedecerão os povos" (Gn 49.10); e (5) Davi, com Deus entrou em pacto com juramento de um reino eterno, um trono eterno, e uma linhagem real eterna (2 Sm 7.16; Sl 89.20-37; Jr 33.17). Cada previsão de Jeová a respeito da descendência tem sido cumprida tanto literalmente quanto em seu complemento. "O zelo do Senhor dos exércitos fará isso" (Is 9.7), e "diz o Senhor que faz estas coisas, que são conhecidas desde a antiguidade" (At 15.18).

V. Os Dois Adventos

Desde o começo até o final, o Antigo Testamento está centrado nAquele que haveria de vir. Em algumas predições, Ele é visto como um Cordeiro submisso e sacrificial, enquanto que em outras profecias, Ele é apresentado como um leão conquistador. O primeiro exemplo da previsão do Antigo Testamento é o do Cordeiro sofredor (Gn 3.15), enquanto que o segundo é aquele em que Ele é visto como o Leão da tribo de Judá. A profecia nos lábios de Jacó, já citada, prevê o cetro real ininterrupto que continua na linhagem de Judá até que Silo viesse, no qual, vindo o povo, seria reunido a Ele, os que não estiveram no Seu primeiro advento. Não obstante, um dos fatores mais determinantes na correta apreensão da profecia do Antigo Testamento, é o reconhecimento da verdade de que a nenhum indivíduo nesse vasto período, desde Adão até Cristo, houve qualquer sugestão revelada a respeito do fato de que haveria dois adventos de Cristo.

Moisés disse com respeito à futura reunião de Israel, que seria no tempo do retorno de Jeová – "O Senhor teu Deus te fará voltar do teu cativeiro, e se compadecerá de ti, e tornará a ajuntar-te dentre todos os povos entre os quais te houve espalhado o Senhor teu Deus" (Dt 30.3); mas nenhuma atenção parece ter sido centrada nesta promessa, tão clara como parece agora à luz de revelações subseqüentes.

Observação foi feita anteriormente ao fato de que, como está revelado em 1 Pedro 1.10, 11, os profetas antigos não poderiam descobrir o elemento tempo que se interporia entre os sofrimentos de Cristo e a glória que se seguiria. Inevitavelmente, isto foi devido à verdade de que a presente dispensação era um segredo divino, ou mistério (Mt 13.11; Ef 3.1-6), não revelado no Antigo Testamento. Evidência clara de que o propósito divino nessa dispensação foi retirado, é encontrada em muitos textos. Três deles podem ser observados:

Isaías 61.1-3: "O Espírito do Senhor Deus está sobre mim, porque o Senhor me ungiu para pregar boas novas aos mansos; enviou-me a restaurar os contritos de coração, a proclamar liberdade aos cativos, e a abertura de prisão aos presos; e apregoar o ano aceitável do Senhor e o dia da vingança do nosso Deus; a consolar todos os tristes; a ordenar acerca dos que choram em Sião que se lhes dê uma grinalda em vez de cinzas, óleo de gozo em vez de pranto, vestidos de louvor em vez de espírito angustiado; a fim de que se chamem árvores de justiça, plantação do Senhor, para que ele seja glorificado".

Esta passagem, deverá ser lembrado, é o texto selecionado por Cristo para a leitura pública que Ele fez na sinagoga de Nazaré (Lc 4.18, 19), e Ele somente leu o texto, incluindo as palavras "para proclamar o ano aceitável do Senhor". O restante do contexto, contudo, evidentemente pertence ao segundo advento.

Ele poderia dizer daquilo que Ele leu: "Hoje se cumpriu esta escritura aos vossos ouvidos" (Lc 4.21); mas em nenhum sentido esta porção da predição de Isaías que Ele não leu, jamais foi cumprida.

Malaquias 3.1: "Eis que eu envio o meu mensageiro, e ele há de preparar o caminho diante de mim, e de repente virá ao seu templo o Senhor, a quem vós buscais, e o anjo do pacto, a quem vós desejais; eis que ele vem, diz o Senhor dos exércitos".

As primeiras cláusulas desta passagem dizem claramente da vinda de João Batista e, portanto, relacionadas ao primeiro advento (cf. Mt 11.10; Mc 1.2; Lc 7.27), mas o restante – que continua no versículo 6 – diz respeito ao segundo advento.

Lucas 1.30-33: "Disse-lhe, então, o anjo: Não temas, Maria; pois achaste graça diante de Deus. Eis que conceberás e darás à luz um filho, ao qual porás o nome de JESUS. Este será grande e será chamado filho do Altíssimo; o Senhor Deus lhe dará o trono de Davi, seu pai; e reinará eternamente sobre a casa de Jacó, e o seu reino não terá fim".

Mesmo ao anjo Gabriel foi permitido – e mesmo no tempo do nascimento do Cristo – revelar a Maria o fato dos dois adventos; todavia, esses adventos são claramente discernidos agora. O Salvador foi chamado *Jesus*, Ele era grande, e foi chamado de Filho do Altíssimo; mas a tomada do trono de seu pai Davi e o seu reinado sobre a casa de Jacó para sempre, espera por seu retorno. Os dois adventos deveriam ser considerados separadamente como cada um apresenta um caminho específico e extenso da profecia.

1. O PRIMEIRO ADVENTO. Naqueles textos que antecipam o seu nascimento físico, o primeiro advento de Cristo é visto. Uma virgem conceberia um Filho que seria Emanuel (Is 7.14); um menino seria nascido, que é o Deus Forte, e sobre quem o governo repousaria (Is 9.6, 7); essa criança seria nascida em Belém (Mq 5.2); e a linhagem total da descendência de Adão a Cristo era uma expectativa do nascimento físico e do primeiro advento do Redentor. Cada sacrifício do Antigo Testamento anuncia em tipo o primeiro advento e seu propósito específico, como algo a ser realizado na morte e ressurreição do Filho de Deus. As grandes predições foram demonstradas em sua morte (Gn 3.15; Sl 22.1-21; Is 52.13–53.12), igualmente em sua ressurreição (Sl 16.1-11; 22.22-31; 118.22-24), e falam do seu primeiro advento.

A predição que aponta para o primeiro advento não é difícil de identificar, visto que ela se articula perfeitamente com a história. Mais de trezentas profecias separadas foram identificadas, que pertencem ao primeiro advento, e estas, sem exceção, seguem o plano de um cumprimento literal. Portanto, é razoável esperar que o programa do segundo advento ainda futuro – muito maior em extensão – será cumprido da mesma maneira. Isto é especialmente uma conclusão natural, visto que, como previsto no Antigo Testamento, os aspectos que compõem os dois adventos são combinados em uma só história. Introduzir um cumprimento literal para esses itens que prevêem o primeiro advento – e tal interpretação não pode ser evitada – com um conceito espiritualizante dos aspectos que anunciam antecipadamente o segundo advento, não é nada além de fazer violência ao Texto Sagrado.

O caminho do primeiro advento pode ser traçado assim: Gênesis 3.15; 12.3; 17.19; 24.60; 28.14; 49.10; 2 Samuel 7.16; Salmos 2.2; 16.10; 22.1-18; Isaías 7.13, 14; 9.6; 28.16; 42.1-7; 49.1-6; 50.4-7; 52.13–53.12; 61.1; Daniel 9.25, 26; Oséias 2.23; Miquéias 5.2; Ageu 2.7; Zacarias 9.9; 11.11-13; 13.7; Malaquias 3.1, 2; Mateus 1.1-23; 2.1-6; 4.15, 16; 12.18-21; 21.1-5, 42; 26.31; 27.9, 10, 34, 35, 50; 28.5, 6; Atos 1.9.

2. O SEGUNDO ADVENTO. Além disso, aqui é importante observar que, como já foi indicado antes, não há um tratamento separado de cada advento no Antigo Testamento, embora os eventos relacionados a cada um deles nunca se confundem. Não há uma identificação de um deles em termos de um tempo em relação ao outro. Como no Salmo 2, o Messias é visto primeiro diante das nações e seus reis como Aquele a ser rejeitado, atitude que pertence ao primeiro advento e aqueles relacionamentos que surgiram disso. Mais tarde, como está indicado nos versículos 6-9, Ele toma o seu trono e torna-se o Monarca vencedor de toda a terra. O restante do Salmo reverte para o relacionamento do primeiro advento, onde os reis e governadores são admoestados a estabelecer paz com o Filho, *antes* que a Sua ira comece a arder. Desde a primeira profecia messiânica de Gênesis sobre o tempo de sua rejeição oficial por Israel, rejeição essa que deu oportunidade à sua crucificação, os dois adventos devem ser distinguidos totalmente pelo caráter dos adventos atribuídos a cada um deles.

Esta distinção, a despeito de quão perplexa ela era para os profetas antigos, para quem ambos os eventos eram ainda futuros, não é difícil, mesmo quando os eventos dos dois adventos andam juntos em um contexto, visto que o primeiro é aquele que tem sido cumprido e o segundo é ainda futuro. A luz lançada pelo Novo Testamento é de tal modo que os homens são, sem exceção, indesculpáveis nessa era, se eles não distinguem essas duas grandes divisões da profecia.

Os dois adventos estão implícitos em cada um dos dois grandes pactos – o abraâmico e o davídico. Em ambos, há a promessa de uma linhagem e do nascimento de um filho. No caso de Abraão, o nascimento de um filho é com o fim de haver uma descendência tanto física (Gn 13.16) quanto espiritual (Gn 15.5) – esta última é em virtude da morte de Cristo em seu primeiro advento. A Davi, o nascimento de um filho era com o fim de que não pudesse haver falha de alguém não sentar no trono de Davi para sempre (Jr 33.17).

A Bíblia ensina que o Senhor Jesus Cristo retornará a esta terra (Zc 14.4), pessoalmente (Ap 19.11-16; Mt 25.31), e nas nuvens do céu (Mt 24.30; At 1.11; Ap 1.7). Não deveria ser difícil crer no testemunho destes textos, visto que Deus prometeu essas coisas e visto que Ele foi elevado nas nuvens do céu, após haver permanecido 40 dias sobre a terra em seu corpo imortalizado.

O tema geral a respeito do retorno de Cristo tem a sua distinção singular de ser a primeira profecia proferida pelo homem (Jd 14, 15) e a última mensagem do Cristo que ascendeu ao céu, assim como foi a última palavra da Bíblia (Ap 22.20, 21). Igualmente, o tema da segunda vinda de Cristo é singular, por causa do fato dele ocupar uma parte maior do texto das Escrituras, mais até do que qualquer uma das outras doutrinas, e é o tema da profecia, o de maior projeção

ESCATOLOGIA

em ambos os testamentos. Na verdade, todas as outras profecias contribuem basicamente para um grande final do estabelecimento completo desse evento coroador – a segunda vinda de Cristo. O caminho da profecia com respeito ao segundo advento segue uma linha de ao menos 44 principais predições, que começam com a primeira menção direta dela em Deuteronômio 30.3 e continuam até sua última palavra, que é a última promessa da Bíblia.

Essa lista de textos, que aparece a seguir, não inclui aqueles que apresentam a vinda de Cristo, para arrebatar a Igreja, sua Noiva, a Si mesmo, textos esse que não são parte qualquer de seu aparecimento glorioso, ou sua segunda vinda.

De acordo com aquilo que está predito nesse grande conjunto de predição, ao menos sete realizações distintas são consumadas no segundo advento:

A. O próprio Cristo retorna da mesma maneira que Ele subiu, nas nuvens do céu e com poder e grande glória.

B. Cristo assume o trono de seu pai Davi, que é o trono de sua glória, e reina para sempre.

C. Cristo vem, não para um mundo convertido, mas para a terra em rebelião contra Jeová e o seu Messias, e o conquista pela força de seu próprio poder infinito.

D. Na vinda de Cristo, o julgamento virá sobre Israel, as nações, Satanás e o homem do pecado.

E. A vinda de Cristo é seguida de uma convulsão da natureza e realiza a soltura da maldição.

F. A vinda de Cristo provoca o arrependimento longamente predito de Israel e o traz à salvação.

G. Na sua vinda, Cristo estabelece seu reino de justiça e paz, com o Israel convertido, reunido em sua própria terra, unido e abençoado sob "o rei deles", e gentios, como um povo subordinado, que compartilha desse reino.

Seja qual for o andamento que o leitor fortuito possa buscar, o estudante é ordenado a estudar esse conjunto total de textos com atenção. Inúmeras referências secundárias a esse evento estupendo não estão incluídas nesta lista. As principais passagens são: Deuteronômio 30.3; Salmo 2.1-9; 24.1-10; 50.1-5; 96.10-13; 110.1; Isaías 9.7; 11.10-12; 63.1-6; Jeremias 23.5, 6; Ezequiel 37.21, 22; Daniel 2.44, 45; 7.13, 14; Oséias 3.4, 5; Miquéias 4.7; Zacarias 2.10-12; 6.12, 13; 12.10; 13.6; Mateus 19.28; 23.39; 24.27-31; 25.6, 31-46; Marcos 13.24-27; Lucas 12.35-40; 17.24-36; 18.8; 21.25-28; 24.25, 26; Atos 1.10, 11; 15.16-18; Romanos 11.25, 26; 2 Tessalonicenses 2.8; 1 Timóteo 6.14, 15; Tiago 5.7, 8; 2 Pedro 3.3, 4; Judas 14, 15; Apocalipse 1.7, 8; 2.25-28; 16.15; 19.11-21; 20.4-6; 22.20.

Um estudo proveitoso e quase interminável, é sugerido quando os detalhes dos dois adventos são postos em oposição um ao outro. Como uma mera sugestão em relação a essa investigação, pode ser observado que (1) em Seu primeiro advento, Cristo veio como um Redentor do pecado, cujo propósito exigiu sua morte, sua ressurreição e o seu presente ministério no céu; em seu segundo advento, Ele vem "à parte do pecado" para a consumação da salvação da Igreja (1 Pe 1.5) e para a inauguração da salvação de Israel (Rm 11.26, 27). (2) Em Seu primeiro advento, Cristo veio "mansa e humildemente", com respeito ao nascimento, vida e morte; em Seu segundo advento, Ele vem com poder e grande glória. (3) Em seu primeiro advento, foi rejeitado pelos homens; mas no seu segundo advento, virá como Rei dos reis e Senhor dos senhores, e Juiz e Governador dos homens. (4) Em seu primeiro advento, Cristo proporcionou salvação para judeus e gentios individuais; no seu segundo advento, ele vem para julgar ambos, judeus e gentios. (5) Em seu primeiro advento, Cristo meramente julgou (Cl 2.15) e resistiu a Satanás; mas no seu segundo advento, Ele amarra Satanás e vence as forças do mal (cf. 1 Co 15.25-28).

Num artigo feito para *The Sunday School Times*, em 6 de dezembro de 1941, Frederick G. Taylor escreve convincentemente sobre os dois adventos. Uma porção de sua tese é introduzida aqui:

Em Apocalipse 19.10, lemos: "O testemunho de Jesus é o espírito de profecia", e tomamos isto como significando que dá testemunho a Ele e a respeito dele; esta era a função especial e a missão de todos os profetas e de todas as profecias. Num cuidadoso exame das Escrituras do Antigo Testamento, nós nos vemos confrontados com duas linhas de profecia distintas, separadas e contrastantes. Na primeira linha, os profetas predisseram um Messias que faria o seu aparecimento no mundo como o "descendente" da mulher. De acordo com Isaías, Ele deveria nascer de uma virgem (Is 7.14). O profeta Miquéias escreveu que o seu lugar de nascimento seria Belém da Judéia (Mq 5.2). Foi predito que Ele cresceria como uma "planta tenra", não tendo "beleza nem formosura", coisas que atrairiam os homens a Ele, mas que Ele seria "desprezado e rejeitado pelos homens; um homem de dores e que sabe o que é padecer"; que Ele seria "ferido pelas nossas transgressões", que Ele seria "moído pelas iniqüidades de todos nós" (Is 53.2-6). Homens santos de Deus, que escreveram como eles foram levados pelo Espírito Santo, declararam que seria prazer de Jeová "moê-lo" e "afligi-lo" e "dar a sua alma como oferta pelo pecado" (v. 10). Os profetas predisseram que Ele seria traído pelo "seu mais íntimo amigo" (Sl 41.9) e vendido por "trinta moedas de prata" (Zc 11.12, 13); que Ele estaria sujeito à afronta e que cuspiriam nele (Is 50.6); que suas vestes seriam repartidas entre os seus inimigos, e que sobre sua túnica lançariam sortes (Sl 22.18). De acordo com os profetas, suas mãos e pés seriam atravessados (Sl 22.16), enquanto que a morte por crucifixão está claramente predita no Salmo 22. Ele deveria sofrer nas mãos dos malfeitores, mas "sua sepultura" deveria ser "com o rico na sua morte" (Is 53.9). Os profetas enfatizaram o fato de que sua alma não deveria ser deixada na morte, nem que o seu corpo experimentasse corrupção (Sl 16.10). Ao contrário, Ele ressuscitou dentre os mortos, e, finalmente, a profecia declara que, quando ressuscitado, ascenderia às alturas, onde receberia os homens como dons (Sl 68.18).

ESCATOLOGIA

Em oposição a esta primeira linha de profecias, a Bíblia estabelece um segundo e mais amplo grupo de profecias, escrito pelos mesmos "homens santos de Deus" e a respeito da mesma bendita pessoa. Nesse segundo grupo, Cristo é descrito em seu caráter real como "o Leão da tribo de Judá"; como o poderoso Rei que um dia regerá as nações com "cetro de ferro" e "as despedaçará como a um vaso de oleiro" (Sl 2.9). A respeito de sua vinda lemos: "...e eis que vinha com as nuvens do céu um como filho de homem... e foi-lhe dado domínio, e glória, e um reino, para que todos os povos, nações e línguas o servissem" (Dn 7.13, 14; veja também Atos 1.9, 11). O tempo específico do seu aparecimento é caracterizado pelos profetas como "um dia de indignação, dia de tribulação, e de angústia, dia de alvoroço e de assolação, dia de trevas e de escuridão, dia de nuvens e de densas trevas" (Sf 1.15; veja também Mt 24.21, 22).

Em tempo como esse, haverá dez reinos governados por dez reis que darão o seu poder para um super-homem que, por um tempo, exercerá um governo ditatorial sobre o mundo (Dn 7): "Pois eis que naqueles dias, e naquele tempo... congregarei todas as nações, e as farei descer ao vale de Jeosafá; e ali com elas entrarei em juízo, por causa do meu povo, e da minha herança, Israel, a quem elas espalharam por entre as nações; repartiram a minha terra" (Jl 3.1, 2). Então, soará o desafio de Deus: "Proclamai isto entre as nações: preparai a guerra, suscitai os valentes. Cheguem-se todos os homens de guerra, subam eles todos. Forjai espadas das relhas dos vossos arados, e lanças das vossas podadeiras; diga o fraco: Eu sou forte. Apressai-vos, e vinde, todos os povos em redor, e ajuntai-vos; para ali, ó Senhor, faze descer os teus valentes" (Jl 3.9-11). Esta é a hora quando "Jeová é o refúgio do seu povo, e a fortaleza dos filhos de Israel" (Jl 3.16). "Os olhos altivos dos homens serão abatidos, e a altivez dos varões será humilhada, e só o Senhor será exaltado naquele dia" (Is 2.11). Quando esse poderoso Conquistador descer através das nuvens à terra, "naquele dia estarão os seus pés sobre o monte das Oliveiras, que está defronte de Jerusalém para o Oriente" (Zc 14.4). Os sinais dos cravos ainda estarão em suas mãos e eles, os judeus, "olharão para aquele a quem traspassaram, e o pranteação como quem pranteia por seu filho único, e chorarão amargamente por ele, como se chora pelo primogênito" (Zc 12.10). Após isso, "o Senhor será rei sobre toda a terra; naquele dia um será o Senhor, e um será o seu nome" (Zc 14.9).

Então eles "converterão as suas espadas em relhas de arado, e as suas lanças em foices; uma nação não levantará espada contra outra nação, nem aprenderão mais a guerra" (Is 2.4). "Mas assentar-se-á cada um debaixo da sua videira, e debaixo da sua figueira, e não haverá quem os espante, porque a boca do Senhor dos exércitos o disse" (Mq 4.4). "Em lugar do espinheiro crescerá a faia, e em lugar da sarça crescerá a murta; o que será para o Senhor por nome, por sinal eterno, que nunca se apagará" (Is 55.13); "Não se fará mal nem dano algum em todo o meu santo monte; porque a terra se encherá do conhecimento do Senhor, como as águas cobrem o mar" (Is 11.9); "mas julgará com justiça os pobres" (Is 11.4). "Então todos os que restarem de todas as nações que vieram contra Jerusalém, subirão de ano em ano para adorarem o Rei, o Senhor dos exércitos" (Zc 14.16).

Mas como podem ser reconciliadas essas linhas contrastantes e aparentemente opostas da profecia do Antigo Testamento? A resposta é simples. As profecias do primeiro grupo foram literalmente e uma a uma cumpridas no primeiro advento de Cristo, há mais de dois mil anos. As profecias do segundo grupo terão a mesma seqüência e o mesmo cumprimento literal no seu segundo advento. Aqui, então, está o verdadeiro bálsamo para os corações doridos hoje. Antes dos acontecimentos do terrível juízo conectado com o aparecimento visível em seu segundo advento, a "noiva" de Cristo (que significa todos os verdadeiros crentes) será "arrebatada" e levada para estar para sempre com o Senhor (1 Ts 4.17). "Portanto, consolai-vos uns aos outros com estas palavras" (1 Ts 4.18). "Portanto, irmãos, sede pacientes até a vinda do Senhor... fortalecei os vossos corações, porque a vinda do Senhor está próxima" (Tg 5.7-8). E o próprio Senhor diz: "Certamente venho sem demora", enquanto o coração de João ecoa: "Amém. Vem, Senhor Jesus" (Ap 22.20).[127]

Capítulo XVII

Profecias a Respeito dos
Pactos com Israel

A INCAPACIDADE DOS CRENTES de compreender as Escrituras proféticas pode ser vista sem exceção em alguns entendimentos errôneos de uma verdade essencial ou na falha em perceber a sua força e o seu valor prático. A este respeito, a maioria, que é incapaz de seguir as grandes predições divinas, é impedida principalmente por sua negligência em dar à nação de Israel o lugar e a importância que Deus, em sua soberania, lhe atribuiu como nação. Essa negligência é a causa da maioria das confusões de mente relativas aos temas proféticos. A eleição soberana de Israel – algumas vezes chamado de "seus eleitos" (cf. Mt 24.22, 24, 31) – é um fato revelado que as nações gentílicas parecem incapazes de perceber. Contudo, é a atitude das nações gentílicas para com a nação eleita de Israel que forma a base sobre a qual o destino das nações é determinado (Mt 25.31-46).

A eleição de Israel é continuamente enfatizada nas Escrituras. Moisés disse: "Porque tu és povo santo ao Senhor teu Deus; o Senhor teu Deus te escolheu, a fim de lhes seres o seu próprio povo, acima de todos os povos que há sobre a terra. O Senhor não tomou prazer em vós nem vos escolheu porque fôsseis mais numerosos do que todos os outros povos, pois éreis menos em número do que qualquer povo; mas, porque o Senhor vos amou, e porque quis guardar o juramento que fizera a vossos pais, foi que vos tirou com mão forte e vos resgatou da casa da servidão, da mão de Faraó, rei do Egito" (Dt 7.6-8); "Porque és povo santo ao Senhor teu Deus, e o Senhor te escolheu para lhe seres o seu próprio povo, acima de todos os povos que há sobre a face da terra" (Dt 14.2).

Jeová amou Israel com amor eterno (Jr 31.3), e a respeito desse povo Seus dons e vocação são irrevogáveis (Rm 11.29). De acordo com este propósito eterno, eles devem ser reunidos, restaurados e preservados para sempre (cf. Is 66.22; Jr 31.36, 37; Mt 24.34). Quando é imediatamente compreendido que Deus tem uma nação eleita com quem fez pactos irrevogáveis, pactos esses que são eternos no seu caráter, haverá uma prontidão para seguir o plano divino para o seu povo, através do tempo e na eternidade. Outro meio de esclarecimento é encontrado na separação na mente das pessoas dos judeus, dos gentios e da Igreja de Deus (1 Co 10.32; cf. Ef 2.11 e Cl 2.11). Estas três classes devem ter os seus princípios traçados e a sua definição através do tempo e na eternidade. À parte do chamamento dos judeus, pessoalmente, e dos gentios, do seu estado original para formar a Igreja, esses grupos nunca perdem a sua identidade, nem devem ser juntados em alguma outra formação.

Israel nunca foi, não é, e nunca será a Igreja. Uma forma de teologia do pacto que alinhava todos os propósitos e empreendimentos de Jeová no Seu único atributo da graça, dificilmente evita confusão de mente em assuntos relacionados aos seus variados objetivos. A teologia do pacto, em consistência com a sua premissa feita pelos homens, assevera suas invenções a respeito da Igreja do Antigo Testamento, que é alegada ser uma parte integral da Igreja do Novo Testamento e, com base nisso, visto que a graça de Deus é um atributo imutável, suas realizações devem ser a concretização de um ideal padronizado. A teoria do pacto retém Israel como tal, até o tempo da morte de Cristo. A Igreja é crida ser um remanescente espiritual dentro de Israel, a quem todas as bênçãos do Antigo Testamento são concedidas, e a nação como tal é permitida herdar as maldições.

Com relação à identidade de Israel, o Dr. C. I. Scofield declara:

Gênesis 11 e 12 marcam um ponto decisivo nos negócios de Deus. Antigamente, a história dizia respeito a toda raça adâmica. Não havia nem judeu nem gentio; todos haviam sido um "no primeiro homem, Adão". Doravante, no registro bíblico, a humanidade deve ser vista como uma vasta corrente da qual Deus, na chamada de Abrão e na criação da nação de Israel, esvaziou um estreito riacho, através do qual pôde finalmente purificar o grande rio em si mesmo. Israel foi chamado para ser uma testemunha da unidade de Deus, no meio da idolatria universal (Dt 6.4; Is 43.10-12); para ilustrar a bem-aventurança de servir o verdadeiro Deus (Dt 33.26-29); para receber e preservar as revelações divinas (Dt 4.5-8; Rm 3.1, 2); e para produzir o Messias (Gn 3.15; 21.12; 28.10, 14; 49.10; 2 Sm 7.16, 17; Is 4.3, 4; Mt 1.1). O leitor da Escritura deveria ter firme na mente: (1) que de Gênesis 12 a Mateus 12.45 as Escrituras tem principalmente Israel em vista, o pequeno riacho, não o grande rio gentílico, embora continuamente a universalidade do intento final de Deus apareça (Gn 12.3; Is 2.2, 4; 5.26; 9.1, 2; 11.10-12; 42.1-6; 49.6, 12; 52.15; 54.3; 55.5; 60.3, 5, 11 16; 61.6, 9; 62 2; 66.12, 18, 19; Jr 16.19; Jl 3.9-10; Ml 1.11; Rm 9.10, 11; Gl 3.8-14); (2) que a raça humana, daí por diante, chamada gentios em distinção de Israel, caminha sob os pactos adâmico e de Noé; e que para a raça (fora de Israel) as dispensações da consciência e do governo humano continuam. A história moral do grande mundo gentílico está dita em Romanos 1.21-32, e a sua responsabilidade moral em Romanos 2.1-16. A consciência nunca absolve: ela acusa ou se desculpa. Onde a lei é conhecida dos gentios, ela é para eles, como para Israel, "uma ministração de morte", uma "maldição" (Rm 3.19, 20; 7.9, 10; 2 Co 3.7; Gl 3.10). Uma responsabilidade totalmente nova surge tanto para o judeu quanto para o gentio que conhece o Evangelho (Jo 3.18, 19, 36; 15.22-24; 16.9; 1 Jo 5.9-12).[128]

ESCATOLOGIA

Essas pessoas são algumas vezes chamadas *judeus*, que diz respeito ao ancestral deles, Judá; e algumas vezes *Jacó*, título pelo qual eles são vistos como a posteridade total de seu ancestral comum, Jacó; e algumas vezes *Israel*. Este último cognome é sempre empregado, quando um grupo espiritual dentro da totalidade da nação deve ser indicado (cf. Is 9.8); contudo, esse nome pode ser usado para a totalidade da descendência de Jacó. Algumas vezes ele é empregado como um reconhecimento das dez tribos que estiveram sob Jeroboão – o reino do norte, Efraim com Samaria, sua capital. As dez tribos foram levadas ao cativeiro em 722 a.C., e desse exílio a maioria não retornou. Eles são também conhecidos como "os exilados de Israel", que são assim distintos dos "dispersos de Judá". As dez tribos ainda vão prestar contas e toda a nação será reunida (Is 11.11-13; Jr 23.5-8; Ez 37.11-24).

É evidente que o povo virá ao julgamento divino e muitos serão purificados (Ez 20.37, 38), e "assim, todo Israel [aquela porção aceita por Deus] será salvo" (Rm 11.26, 27). O fato de que a Bíblia reconhece um Israel dentro da própria nação – algumas vezes chamado de "o remanescente" – tem sido entendido pelos teólogos do pacto como uma base para a argumentação deles de que a Igreja é o verdadeiro Israel do Antigo Testamento. O Texto Sagrado dificilmente apóia essa idéia. É verdade que os gentios se tornam filhos de Abraão, no sentido em que são nascidos de Deus sob o princípio da fé abraâmica (Gn 15.6; Rm 4.12); mas a salvação pela fé não introduz um gentio na nação judaica, embora, nesta era, ela introduza um judeu ou um gentio na Igreja.

A distinção essencial entre a nação e um Israel verdadeiro dentro daquela nação foi declarado por Cristo, quando disse aos judeus: "Bem sei que sois descendência de Abraão; contudo, procurais matar-me, porque a minha palavra não encontra lugar em vós. Eu falo do que vi junto de meu Pai; e vós fazeis o que também ouvistes de vosso pai. Responderam-lhe: Nosso pai é Abraão. Disselhes Jesus: Se sois filhos de Abraão, fazei as obras de Abraão" (Jo 8.37-39). Nesta declaração, Cristo admite que os judeus são da descendência de Abraão, mas, por outro lado, disse "se sois filhos de Abraão, fazei as obras de Abraão". O apóstolo Paulo evidentemente se refere a alguns judeus, que são salvos como os gentios são resgatados, quando disse: "E a todos quantos andarem conforme esta norma, paz e misericórdia sejam sobre eles e sobre o Israel de Deus" (Gl 6.16).

A nação judaica é o centro da atenção de todas as coisas relacionadas à terra. A Igreja é estranha à terra e relacionada a ela somente como um povo que testemunha. Ela é estrangeira e peregrina, embaixadora, cuja cidadania está no céu. Moisés declarou: "Quando o Altíssimo dava às nações a sua herança, quando separava os filhos dos homens, estabeleceu os termos dos povos conforme o número dos filhos de Israel" (Dt 32.8). Esta grande afirmação coloca Israel como o centro de todos os propósitos divinos para a terra. Jeová pode castigar seu povo e mesmo usar as nações para esse fim, mas invariavelmente o julgamento vem sobre aqueles que afligem Israel e simplesmente porque eles, não obstante, agem malignamente. A expressão "Eu amaldiçoarei aqueles que te amaldiçoarem" (Gn 12.3) nunca falhou em seu cumprimento, nem falhará até o final da história humana na terra.

O caminho dos pactos de Israel será traçado em duas linhas: (1) os quatro principais pactos envolvidos e (2) os sete aspectos.

I. Os Quatro Principais Pactos

Os principais pactos de Jeová com a sua nação eleita são quatro: (1) o abraâmico, (2) o mosaico, (3) o davídico e (4) o que será feito no Milênio.

1. O PACTO FEITO COM ABRAÃO. Em sua inteireza, o pacto abraâmico (cf. Gn 12.1-3; 13.14-17; 15.4-21; 17.1-8; 22.17, 18) inclui vários aspectos e com certeza é incondicional em cada parte dele, por ser o único em que Jeová declara o que fará por Abraão e através dele. Por ser incondicional, não pode ser quebrado pelo homem. O pacto é reafirmado a Isaque (Gn 26.3-5), e a Jacó (Gn 35.10-12), mas é sempre dito ser cumprido, por causa de Abraão. Esse pacto chega à eternidade, por ser eterno em sua duração. Os aspectos desse pacto são:

A. "Eu farei de ti uma grande nação", aspecto esse que é cumprido na posteridade de Israel, de Isaque e na semente espiritual de Abraão.

B. "Eu te abençoarei", aspecto que é cumprido nas riquezas terrenas e celestiais.

C. "Eu tornarei grande o teu nome." Nenhum nome é mais honrado, além do de Cristo, do que o nome de Abraão.

D. "Tu serás uma bênção." Esta bênção se estende à descendência física de Abraão, através de Isaque e Jacó, e aos gentios (Gl 3.13, 14).

E. "Eu abençoarei os que te abençoarem, e amaldiçoarei o que te amaldiçoar", que, como já foi observado, é o princípio divino permanente em conexão com Israel sobre o que Deus trata com as nações gentílicas como tal (Dt 30.7; Is 14.1, 2; Zc 14.1-3; Mt 25.31-46).

F "Em ti serão benditas todas as famílias da terra", promessa essa que aponta para o Descendente, Cristo, e contempla tudo o que Ele é ou sempre será para toda a terra.

G. "Eu te darei a ti a terra...", cujo território em muito excede a terra ocupada por Israel, quando eles saíram do Egito. A extensão da terra é "desde o rio do Egito até o grande rio Eufrates" (Gn 15.18).

2. O PACTO DADO ATRAVÉS DE MOISÉS. O pacto da lei veio por Moisés (Êx 20.1–31.18; Jo 1.17), e foi dado por Jeová como uma benção condicional àqueles que guardam a lei de Moisés. Ele foi feito no Sinai onde Jeová disse: "Agora, pois, se atentamente ouvirdes a minha voz e guardardes o meu pacto, então sereis a minha possessão peculiar dentre todos os povos, porque minha é toda a terra; e vós sereis para mim reino sacerdotal e nação santa" (Êx 19.5, 6). Ambas, as bênçãos e as maldições, relacionadas a este pacto, são afirmadas em detalhe em Deuteronômio 28.1-68. Esse pacto é uma norma de vida dirigida ao povo que está em relação de pacto com Deus pelo nascimento físico. Esse pacto que governava a vida toda, por ser condicional, foi quebrado pelos homens e substituído por um novo pacto – que ainda será considerado.

3. O Pacto Feito com Davi. O pacto feito com Davi (2 Sm 7.11-16), igual ao realizado com Abraão, é incondicional e eterno em sua duração. Ele garante (1) uma casa firme ou linhagem dos filhos de Davi – um rei sem cessação para se assentar no trono de Davi (a necessidade de castigo pode causar a desocupação do trono; mas nunca faltará aquele cujo direito é se assentar nesse trono – 2 Sm 7.14, 15; Sl 89.30-33; Jr 33.17. O pacto nunca pode – sob juramento de Jeová – ser anulado); (2) um trono terrestre de Davi que continua para sempre; e (3) um reino para sempre.

4. O Novo Pacto Ainda a Ser Feito no Reino Messiânico. O pacto perene para governar a vida, feito quando Jeová tirou Israel pela mão do Egito, foi quebrado, embora Jeová tenha sido um marido para aquela nação. Após entrar no reino deles, Jeová fará um novo pacto com a nação que governará a vida deles no reino (Jr 31.31-34).

Estes quatro pactos receberam esta breve análise a esta altura, em vista do fato de que os aspectos que eles encerram devem ser considerados mais detidamente sob sete divisões gerais da profecia, a saber: (1) uma nação para sempre, (2) uma terra para sempre, (3) um Rei para sempre, (4) um trono para sempre, (5) um reino para sempre, (6) um novo pacto e (7) bênçãos permanentes.

II. Sete Aspectos

A divisão dos benefícios múltiplos e variados em sete divisões gerais servirá como um meio pelo qual esses benefícios podem ser geralmente classificados. Um apelo é dirigido aos estudantes, para que observem o caráter literal e físico dessas predições, e quão impossível é, dentro dos limites da razão, dar a essas profecias uma interpretação espiritual. O primeiro erro no caminho que delineia as glórias vindouras de Israel é a disposição de interpretar erroneamente o significado das palavras empregadas, e além desse erro está o método mais pernicioso de ignorar esses textos totalmente. O campo total de complexidade desaparece quando os termos são vistos em seu significado normal, gramatical e natural – Israel não é a Igreja agora, nem a Igreja é o reino; Sião é Jerusalém e não o céu; e o trono de Davi é exatamente o que Davi acreditava ser, uma instituição terrena que foi e nunca será do céu.

1. Uma Nação para Sempre. Sem referência neste ponto ao modo de Deus tratar com os indivíduos dentro da nação israelita, uma doutrina positiva será vista para conseguir na Palavra de Deus, a qual assevera, que sem as condições humanas para modificá-la, que a nação eleita e santa será preservada como tal para sempre. Assim, eles são projetados para muito além de um reino de mil anos, para a eternidade vindoura. Como os pactos deles a respeito da terra são eternos, segue-se, também, que esse povo como uma nação deve herdar e habitar a nova terra que existirá (Is 65.17; 66.22; Hb 1.10-12; 2 Pe 3.4-14; Ap 20.11; 21.1).

SETE ASPECTOS

O caráter permanente dessa nação está declarado em certas passagens: "Estabelecerei o meu pacto contigo e com a tua descendência depois de ti em suas gerações, como pacto perpétuo, para te ser por Deus e de tua descendência depois de ti. Dar-te-ei a ti e à tua descendência depois de ti a terra de tuas peregrinações, toda a terra de Canaã, em perpétua possessão; e serei o teu Deus" (Gn 17.7, 8); "Pois, como os novos céus e a nova terra, que hei de fazer, durarão diante de mim, diz o Senhor, assim durará a vossa posteridade e o vosso nome" (Is 66.22); "Assim diz o Senhor, que dá o sol para a luz do dia, e a ordem estabelecida da lua e das estrelas para a luz da noite, que agita o mar, de modo que bramem as suas ondas; o Senhor dos exércitos é o seu nome; Se esta ordem estabelecida falhar diante de mim, diz o Senhor, deixará também a linhagem de Israel de ser uma nação diante de mim para sempre. Assim diz o Senhor: Se puderem ser medidos os céus lá em cima, e sondados os fundamentos da terra cá em baixo, também eu rejeitarei toda a linhagem de Israel, por tudo quanto eles têm feito, diz o Senhor" (Jr 31.35-37).

Uma preservação dessa nação por essa era de sua dispersão foi prometida por Cristo, e está registrada em Mateus 24.34: "Em verdade vos digo que não passará esta geração sem que todas essas coisas se cumpram". Aqui, à palavra γενεά, traduzida como *geração* – visto que nenhum dos eventos listados nessa profecia sequer transpirou – deve ser dado o significado de *raça, espécie, família, linhagem, gênero*. A nação será preservada para sempre; do contrário, a linguagem falha em expressar o pensamento. Não importa se os judeus e os pregadores asseverem que Deus tenha rejeitado o seu povo terrestre. A resposta à pergunta em Romanos 11.1: "Porventura rejeitou Deus o seu povo?" é dogmaticamente respondida pela inspiração – "De modo nenhum!" Romanos 11 é dedicado às provas de que Israel nunca será rejeitado, mas, antes, será restaurado às bênçãos do pacto.

O Dr. C. I. Scofield esboçou este capítulo da seguinte maneira:

"Que Israel não foi para sempre deixado de lado é o tema desse capítulo. (1) A salvação de Paulo prova que ainda há um remanescente (v. 1). (2) A doutrina do remanescente o prova (vv. 2-6). (3) A presente incredulidade nacional foi prevista (vv. 7-10). (4) A incredulidade de Israel é a oportunidade dos gentios (vv. 11-25). (5) Israel está judicialmente cortado da boa oliveira, Cristo (vv. 17-22). (6) Eles devem ser enxertados novamente (vv. 23, 24). (7) O Libertador prometido virá de Sião e a nação será salva (vv. 25-29). Que o cristão agora herda as promessas distintivas dos judeus, não é ensinado nas Escrituras. O cristão é a descendência celestial de Abraão (Gn 15.5, 6; Gl 3.29), e participa das bênçãos espirituais do pacto abraâmico (Gn 15.18, *nota*); mas Israel como uma nação sempre tem o seu próprio lugar, e ainda terá a sua maior exaltação como o povo terrestre de Deus".[129]

A revelação total da verdade da escolha eletiva de Deus de uma nação e o amor eterno que o inclinou, estão envolvidos neste tema. As palavras de Moisés declaram claramente esses fatos estupendos – uma eleição de uma nação que é baseada em nada, além do amor de Jeová por esse povo. Moisés escreveu: "Porque tu és povo santo ao Senhor teu Deus; o Senhor teu Deus te escolheu, a fim de lhe seres o seu próprio povo, acima de todos os povos que há sobre a terra. O Senhor não tomou prazer em vós nem vos escolheu porque fôsseis mais numerosos do que todos os outros povos, pois éreis menos em número do que qualquer povo; mas, porque o Senhor vos amou, e porque quis guardar o juramento que fizera a vossos pais, foi que vos tirou com mão forte e vos resgatou da casa da servidão, da mão de Faraó, rei do Egito" (Dt 7.6-8). Que Jeová ama Israel com "um amor eterno" está assegurado em Jeremias 31.3.

Um amor eterno inclui um amor desde toda a eternidade passada e se estende à eternidade vindoura. Essa nação é assim amada a despeito do seu mal e das suas múltiplas rejeições a Jeová. O amor eterno ainda prevalecerá e esse povo indigno herdará tudo o que Jeová determinou. Como em toda eleição divina, não pode haver uma instrução básica das ações de Deus sobre uma suposta dignidade do homem. O que Deus faz na consecução do seu propósito eletivo, é devido ao seu amor. Isto O satisfaz em Si mesmo. Um amor eterno exige uma realidade eterna que satisfaça todas as suas alegações.

2. Uma Terra para Sempre. O que é usualmente chamado o *pacto palestino* é uma declaração repetida por Jeová, totalmente incondicional, de que a terra que foi prometida a Abraão – "À tua descendência tenho dado esta terra, desde o rio do Egito até o grande rio Eufrates" (Gn 15.18) – seria a possessão de Abraão para sempre. E assim dada a Abraão pessoalmente, torna-se uma herança legal de sua posteridade. Em que outra base poderia ela ser chamada "Terra Prometida"?

Em Deuteronômio, capítulos 28—30, Jeová registra o que é corretamente chamado de Pacto palestino. Isto, como já visto, está preanunciado no Pacto abraâmico. O Pacto palestino se divide em diversas partes:

A. A Nação "Arrancada" da Terra por sua Infidelidade. A profecia a respeito da posse da terra antecipa três desocupações distintas da terra (cf. Gn 15.13, 14, 16 com Jr 25.11, 12; Dt 28.63-68 com 30.1-3), e três restaurações (cf. Gn 15.14 com Js 1.2-7; Dn 9.2 com Jr 25.11, 12; Dt 30.30; Jr 23.5-8; Ez 37.21-25; At 15.14-17). As três desocupações foram cumpridas, assim como a primeira e a segunda restaurações. A restauração final pela qual a nação espera é ainda futura.

B. O Arrependimento Futuro de Israel. O arrependimento final de Israel é previsto por toda a Bíblia. Isto deveria ser distinguido dos seus sofrimentos que são duradouros e que não os conduzem ao arrependimento. Deuteronômio 28.63-68 prevê os sofrimentos de Israel, enquanto 30.1-3 registra o seu arrependimento. Eles são descritos como um povo que chora, os quais serão consolados, quando reconhecerem o seu verdadeiro Messias, no tempo de Seu retorno (cf. Is 61.2, 3; Zc 12.10; Mt 5.4; 24.30). A chamada para o arrependimento nacional era a própria essência da mensagem do Precursor, e o mesmo tema: "Arrependei-vos, pois está próximo o reino dos céus" – foi apresentado por Cristo e seus discípulos. Em sua atitude de rejeição, eles não se arrependeram nem receberam o seu Rei. Contudo, a predição antecipa uma volta nacional do Messias e uma alegre recepção dele, predição essa que em breve será cumprida.

C. O RETORNO DO MESSIAS. Especificamente, a posse final da terra, na Escritura, é datada para ocorrer na vinda de Cristo. Ao descrever o retorno final de Israel à sua terra, Moisés escreveu: "O Senhor teu Deus te fará voltar do teu cativeiro, e se compadecerá de ti, e tornará a ajuntar-te dentre todos os povos entre os quais te houver espalhado o Senhor teu Deus. Ainda que o teu desterro tenha sido para a extremidade do céu, desde ali te ajuntará o Senhor teu Deus, e dali te tomará; e o Senhor teu Deus te trará à terra que teus pais possuíram, e a possuirás; e te fará bem, e te multiplicará mais do que a teus pais. Também o Senhor teu Deus circuncidará o teu coração, e o coração de tua descendência, a fim de que ames ao Senhor teu Deus de todo o teu coração e de toda a tua alma, para que vivas" (Dt 30.3-6).

Assim, está asseverado que o próprio Jeová colocará Israel na sua terra e no tempo do Seu "retorno". Naturalmente, um retorno sugere uma presença prévia. A mesma referência ao retorno de Cristo e aos eventos que o acompanham está registrada em Atos 15.16-18: "Depois disto voltarei, e reedificarei o tabernáculo de Davi, que está caído; reedificarei as suas ruínas, e tornarei a levantá-lo; para que o resto dos homens busque ao Senhor, sim, todos os gentios, sobre os quais é invocado o meu nome, diz o Senhor que faz estas coisas, que são conhecidas desde a antiguidade". A isto pode ser acrescentado o testemunho da extensa passagem de Amós 9.9-15.

D. A RESTAURAÇÃO DE ISRAEL À TERRA. Na verdade, muitas vezes o Espírito Santo declarou a verdade de que Israel retornaria à sua própria terra. Esse evento assim se torna num dos maiores temas da profecia. Em Deuteronômio 30.5, citado acima, há uma declaração de que essa nação será trazida à terra que seus pais possuíram; mas, de acordo com esse contexto, isto ocorrerá, após eles terem sido "espalhados" entre todos os povos da terra, como estão agora, e serão restaurados, como já foi observado, quando do retorno do Senhor. Isaías profetiza: "Naquele dia o Senhor tornará a estender a sua mão para adquirir outra vez o resto do seu povo, que for deixado, da Assíria, do Egito, de Patros, da Etiópia, de Elão, de Sinar, de Hamate, e das ilhas do mar. Levantará um pendão entre as nações e ajuntará os desterrados de Israel, e os dispersos de Judá congregará desde os quatro confins da terra" (Is 11.11, 12).

Essa segunda reunião de Israel, descrita por Isaías, está em contraste com a remoção (e a sua sucessão) daquele povo do Egito, quando eles entraram na terra sob Josue. A manifestação do poder divino demonstrada na colocação de Israel na sua terra na última vez será muitíssimo maior do que a demonstração de poder que se seguiu à remoção deles do Egito, e que os colocou na terra sob Josué. Desse contraste, Jeremias escreve: "Eis que vêm dias, diz o Senhor, em que levantarei a Davi um Renovo justo; e, sendo rei, reinará e procederá sabiamente, executando o juízo e a justiça na terra. Nos seus dias Judá será salvo, e Israel habitará seguro; e este é o nome de que será chamado: O SENHOR, JUSTIÇA NOSSA. Portanto, eis que vêm dias, diz o Senhor, em que nunca mais dirão: Vive o Senhor, que tirou os filhos de Israel da terra do Egito; mas Vive o Senhor, que tirou e que trouxe a linhagem da casa de Israel da terra do norte, e de todas as terras para onde os tinha arrojado; e eles habitarão na sua terra" (Jr 23.5-8).

ESCATOLOGIA

Aqui, novamente, será observado esse evento, quando Israel restaurado estará em conexão com o segundo advento e ao tempo do retorno de Cristo para reinar. De interesse insuperável é a própria descrição que Cristo faz do reajuntamento de Israel. Ele afirma que será acompanhado por ministração angelical e em relação à sua segunda vinda. Ele disse: "Logo depois da tribulação daqueles dias, escurecerá o sol, e a lua não dará a sua luz; as estrelas do céu e os poderes dos céus serão abalados. Então aparecerá no céu o sinal do Filho do homem, e todas as tribos da terra se lamentarão, e verão vir o Filho do homem sobre as nuvens do céu, com poder e grande glória. E ele enviará os seus anjos com grande clangor de trombeta, os quais lhe ajuntarão os escolhidos desde os quatro ventos, de uma à outra extremidade dos céus" (Mt 24.29-31).

Aqui, como em todo o discurso do monte das Oliveiras, o "eleito" é Israel. A falha em reconhecer que há duas eleições – a de Israel como nação e a da Igreja como indivíduos – tem encorajado alguns a crerem que, visto que – como em Mateus 24.21, 22 – há um grupo eleito contemplado na tribulação, a Igreja estará na tribulação. As palavras de Moisés, encontradas em Deuteronômio 4.25-40, são claras a respeito do pecado de Israel, do espalhamento dele, do término do seu centro nacional, da tribulação, do arrependimento dele, e da bênção final na consecução dos seus pactos, através da fidelidade de Jeová (cf. Ez 37.21-28).

Nenhum documento feito por mão humana poderia ser mais explícito do que a promessa de Jeová a Abraão a respeito da terra. Está escrito de modo adequado: "Desde o rio do Egito até o grande rio, o rio Eufrates"; "dar-te-ei a ti e a tua descendência depois de ti a terra de tuas peregrinações por toda a terra de Canaã" (Gn 17.8); "Deus Todo-poderoso te abençoe, te faça frutificar e te multiplique, para que venhas a ser uma multidão de povos; e te dê a bênção de Abraão, a ti e a tua descendência contigo, para que herdes a terra de tuas peregrinações, que Deus deu a Abraão" (Gn 28.3, 4). A linguagem não poderia servir em qualquer transferência, se esse pacto não permanecesse.

Uma objeção levantada contra a posse literal da terra é que, visto que ela foi dada a Abraão, Isaque e Jacó, assim como à sua descendência, estes devem ser ressuscitados e, através da ressurreição, virem à realização desse pacto. Assim, são introduzidos o tema da ressurreição de Israel e do lugar que ele ocupará após a ressurreição. A este problema daremos atenção posteriormente.

E. A CONVERSÃO DE ISRAEL COMO UMA NAÇÃO. De todas as múltiplas referências nas Escrituras ao reajuntamento final de Israel, dificilmente uma delas omite a verdade acrescentada de que, naquele tempo, toda a nação será trazida novamente ao convívio com Jeová. Como um pano-de-fundo para isso, deveria ser lembrado que essa nação é redimida e está na relação de pacto com Jeová. Para eles, Deus não somente determinou sua Palavra, mas também os sacrifícios pelos quais podiam ser restaurados constantemente às relações corretas com Ele. O pecado deles e a rejeição de Deus são de tal natureza que somente a graça infinita pode trazê-los de volta à comunhão inquebrável com o seu Deus. Aqui outra distinção surge entre as duas eleições divinas. Da eleição da Igreja, que é individual, ninguém pode se perder. Por outro lado, a eleição nacional será purgada, e deles será removido tudo que ofende.

Zacarias fala (13.8, 9) apenas de um terço, os que serão trazidos como que pelo fogo e refinado, enquanto que os outros dois terços serão cortados e morrerão. As principais passagens que definem os juízos de Israel são: Ezequiel 20.33-44; Malaquias 3.1-6; e Mateus 24.37–25.30. O Messias é o próprio juiz deles, e isso se dará no seu retorno. A porção de Israel que será refinada e purificada será salva, e esse grupo restrito constitui "todo Israel" como designado em Romanos 11.26, 27. Esta passagem diz: "E assim todo o Israel será salvo, como está escrito: Virá de Sião o Libertador, e desviará de Jacó as impiedades; e este será o meu pacto com eles, quando eu tirar os seus pecados". É significativo que os Israelitas da antiga ordem olharão para a vida eterna como uma *herança*, antes do que uma possessão presente (cf. Mt 7.13, 14; Lc 18.18-22; 19.25-28).

E mesmo uma distinção importante deve ser observada, a saber, que a presente era é uma grande exceção a todas as outras eras tanto para os judeus quanto para os gentios. Para eles, igualmente o Evangelho deve ser pregado e, sem referência a qualquer estado anterior ou promessas, esses povos são confrontados com a glória das realidades celestiais. Todas as vantagens dos judeus e as desvantagens dos gentios são colocadas à parte, a fim de que o propósito celestial possa ser realizado. A situação do mundo, que se obterá na tribulação vindoura, não é uma concatenação, ou seqüência, ou desenvolvimento crescente da presente era; é antes ligada diretamente à era mosaica que terminou com a morte de Cristo. Aparentemente, isto é em razão do império romano – o reino de ferro – que deve ser revivido e que deverá completar o que está predito a respeito dele (cf. Dn 2.40-45; 7.7-14).

O que a história da era cristã possa registrar para o benefício de uma era futura, de um ponto de vista religioso, político ou racial, será como se a presente era nunca tivesse existido. Quando essa era estiver completamente registrada na história da terra, será visto que a tribulação segue-se diretamente à morte de Cristo. Israel recebe imediatamente a sua recompensa: "...caia o seu sangue sobre nós, e sobre os nossos filhos". O Rei retorna, os gentios são julgados, e a ira de Deus cai sobre o mundo que rejeita Cristo. Certamente, sob esta consideração da história do mundo em sua continuidade, a Igreja não estará aqui, para entrar na tribulação. Ela é como estranha ao que se segue na história sobre a terra, como ela é estranha a tudo que a precedeu. Há uma grande força acrescida ao programa total do reajuntamento de Israel, ao seu arrependimento, restauração, salvação e a consecução de seus pactos, quando, pela devida eliminação da presente era, essas coisas são vistas como conseqüência direta à rejeição do Rei deles. A presente era tem sido um teste da nação de Israel e uma demonstração do poder e do propósito de Jeová, de preservá-los para a glória vindoura deles; mas nada foi acrescentado ou cumprido nessa era, de tudo o que pertence à relação do próprio Israel com Deus.

A passagem central que trata da conversão futura de Israel está em Romanos 11.26, 27. A esta pode ser acrescentado Deuteronômio 30.4-8; Salmo 80.3, 7, 17-19; Isaías 66.8; Jeremias 23.5, 6; Ezequiel 11.19, 20. A maneira de vida que

Israel viverá em seu reino fala definitivamente de uma mudança de coração para todos eles, "desde o menor até o maior deles". Esta maneira de vida é descrita em Deuteronômio 30.4-8; Jeremias 31.31-34; Mateus 5.1–7.29.

F. O Julgamento Sobre os Opressores de Israel. A predição dos julgamentos que deverão vir sobre os opressores de Israel começou com um anúncio bem no começo da história daquele povo. Deus disse a Abraão: "...eu amaldiçoarei os que te amaldiçoarem" (Gn 12.3). A história verifica isto no tempo presente, seja ela retirada daquilo que é chamado *sagrado* ou *profano*. Contudo, a declaração a respeito dos julgamentos sobre os inimigos de Israel encontra a sua expressão plena, somente quando as nações um dia permanecerem diante do trono glorioso de Cristo e Ele declare às que estiverem à sua esquerda: "Apartai-vos de mim, malditos, para o fogo eterno, preparado para o diabo e seus anjos" (Mt 25.41). Esta questão fala a respeito do tratamento dado a Israel, a quem Cristo identifica como "meus irmãos".

A questão é: Quem dentre os gentios é contado digno de entrar no reino de Israel? Para os gentios, que, nesta era peculiar dos relacionamentos divinos, construíram uma noção de superioridade e pelos que têm ignorado a Palavra de Deus, essa predição não é agradável. Não obstante, está escrito: "E os povos os receberão, e os levarão aos seus lugares, e a casa de Israel os possuirá por servos e por servas, na terra do Senhor e cativarão aqueles que os cativaram, e dominarão os seus opressores. No dia em que Deus vier a dar-te descanso do teu trabalho, e do teu tremor, e da dura servidão com que te fizeram servir..." (Is 14.2, 3). "E estrangeiros edificarão os teus muros, e os seus reis te servirão; porque na minha ira te feri, mas na minha benignidade tive misericórdia de ti. As tuas portas estarão abertas de contínuo; nem de dia nem de noite se fecharão; para que te sejam trazidas as riquezas das nações, e conduzidos com elas os seus reis. Porque a nação e o reino que não te servirem perecerão; sim, essas nações serão de todo assoladas" (Is 60.10-12).

G. A Nação Será, Então, Abençoada. Muita verdade a respeito das bênçãos futuras de Israel já foi analisada anteriormente. O ponto particular em vista aqui é o fato de todas as suas bênçãos, suas riquezas, tanto temporais quanto espirituais, se tornarão sua porção, quando Israel entrar na terra. Este é o coração da predição do Antigo Testamento. Nunca Israel pode ser abençoado, separado de sua terra (cf. Sl 72.1-20; Is 60.1-22; 62.1-12; 65.17-25; 66.10-14; Ez 37.21-28).

3. Um Rei para Sempre. Além do que já foi escrito sobre este tema, é suficiente dizer que o pacto com Davi proporcionou uma ocupação interminável do trono de Davi. Seu trono é estabelecido para sempre (2 Sm 7.16), sua descendência durará para sempre (Sl 89.36), e a Davi nunca faltará alguém que se assente no seu trono. A linhagem de reis foi continuada por quinhentos anos; após o que houve em toda geração um denominado para se assentar naquele trono. Em Seu dia, Cristo era o herdeiro legítimo para aquele trono e Ele, daquele tempo em diante e para sempre, cumpre a promessa feita a Davi.

4. Um Trono para Sempre. Em acréscimo ao pacto inicial com Davi, três outras passagens anunciam o caráter eterno do trono de Davi: "A sua descendência subsistirá para sempre, e o seu trono será como o sol diante de mim;

será estabelecido para sempre como a lua; e ficará firme enquanto o céu durar" (Sl 89.36, 37); "Porque um menino nos nasceu, um filho se nos deu; e o governo estará sobre os seus ombros; e o seu nome será: Maravilhoso Conselheiro, Deus Forte, Pai Eterno, e Príncipe da Paz. Do aumento do seu governo e da paz não haverá fim, sobre o trono de Davi e no seu reino, para o estabelecer e o fortificar em retidão e em justiça, desde agora e para sempre; o zelo do Senhor dos exércitos fará isso" (Is 9.6, 7); "Eis que conceberás e darás à luz um filho, ao qual porás o nome de Jesus. Este será grande e será chamado filho do Altíssimo; o Senhor Deus lhe dará o trono de Davi, seu pai" (Lc 1.31, 32).

Aqui, a observação pode ser feita de que o próprio Davi creu que esta promessa era a de um trono terrestre, que não estaria localizado no céu naquela época ou em outra parte qualquer. Seria difícil começar, como alguém tão inclinado deveria fazê-lo, com o próprio entendimento ou interpretação que Davi teve do pacto de Jeová com ele, e então, traçar as relações subseqüentes entre Jeová e a linhagem de Davi, para encontrar um ponto onde o trono literal e terreno prometido a Davi se tornasse um trono espiritual no céu. A Davi não foi prometido um trono celestial ou espiritual, e aquele que afirma que o trono de Davi é agora um trono celestial, está obrigado a nomear o tempo e as circunstâncias, quando e onde tão grande mudança foi introduzida.

5. Um Reino para Sempre. No uso da Escritura, o Rei, seu trono e seu reino são inseparáveis. O reinado do Rei, contudo, é sobre um reino teocrático. Seu governante será Emanuel – "Deus conosco" (Is 7.14). Ele será nascido de uma virgem, o Filho encarnado de Deus (Mq 5.2). Ele será o herdeiro legítimo do trono de Davi (Is 11.1-5; Jr 23.5; Ez 34.23; Os 3.4, 5). O reino será celestial em seu caráter, visto que Ele manifesta o governo do céu sobre a terra e as exigências celestiais (Is 2.4; 11.4, 5; Jr 33.14-17; Os 2.18). Esse reino será na terra (Sl 2.8; Is 11.9; 42.4; Jr 23.5; Zc 14.9). Será estabelecido em Jerusalém (Is 2.1-3; 62.1-7; Zc 8.20-23; Lc 21.24). Esse reino será sobre o Israel rejuntado e convertido (Dt 30.3-6; Is 11.11, 12; 14.1-3; 60.1-22; Jr 23.6-8; Mq 4.6-8). O reino do Messias incluirá gentios (Sl 72.11, 17; 86.9; Is 45.6; Dn 7.13, 14; Am 9.12; Mq 4.2; Zc 8.22). Esse reino será estabelecido, em virtude do Rei que retornará (Dt 30.3; Sl 50.3-5; 96.13; Zc 2.10-12; Ml 3.1-4).

Visto que estes três aspectos – o Rei, seu trono e o seu reino – fazem parte do pacto com Davi, e esses são tão evidentemente não somente literais em seu caráter, mas também eternos, é bom observar a impiedade daqueles que ignoram esse pacto. Sobre isto, George N. H. Peters observa:

Vemos o erro fatal daqueles sistemas de Teologia Bíblica ou Sistemática, que ignoram inteiramente o pacto davídico. O pacto abraâmico, provavelmente, alcança a mais simples menção; o davídico não é observado, embora confirmado tão fortemente como a linguagem pode fazê-lo; e ambos estão praticamente descartados para as teorias mais elaboradas, a respeito dos pactos da graça (exatamente como se não houvesse tais pactos feitos algum tempo nas eras da eternidade etc.). O resultado que se segue, é que esses pactos, por serem mais ou menos (especialmente o davídico) não-essenciais, obscurecidos para o desenvolvimento da doutrina, surge um sistema unilateral e defeituoso, carente de unidade; e, além disso, uma grande porção da Escritura relacionada a esses pactos, particularmente profecias, é passada por alto ou não é incorporada, ou ainda é tão espiritualizada que pode de algum modo se adaptar à hipótese. A quem somos devedores de tão amplo abandono do padrão das Escrituras? Não precisamos nos espantar, quando o testemunho da Bíblia é tão ignorado, que homens hoje estão temerosos de adotar sua linguagem pactual; que a primitiva teologia patrística é deixada de lado, por ser demasiadamente "carnal"; e que a doutrina do reino é coberta com um montão de coisas sem valor, a obra acumulada dos filósofos alexandrinos, monges, escolásticos do papa, místicos etc., que não puderam misturar esses pactos com os seus sistemas? Não é verdade, que se um homem estivesse presente no pacto davídico e as Escrituras o relacionassem a ele, e a esperança para o mundo contida nele, e por quase toda congregação pelo mundo ele seria considerado, tal é a ignorância sobre o assunto, quão tolo em sua crença e quão fraco em seu intelecto? O que causou essa mudança, e quem são os responsáveis por ela? Repitamos: é um defeito fundamental em qualquer sistema professo de verdade bíblica, quando ela se esforça para exibir as doutrinas de Deus e de Cristo, sem incorporar como raízes vivas aqueles pactos e promessas abençoados e preciosos. Ao invés de levantar novos fundamentos e construir sobre eles, nós já assentamos sobre a Palavra e construímos sobre ela.[130]

6. Um Novo Pacto. A referência neste ponto é ao novo pacto ainda a ser feito com Israel e nada tem a ver com o novo pacto agora em vigor na Igreja. Todos os pactos incondicionais – o abraâmico, o palestino, o davídico – visto que repousam na fidelidade de Deus e não na infidelidade dos homens, são inquebráveis pelos homens. Eles duram para sempre. Contudo, Jeová fez um pacto condicional com Israel, quando Ele os tirou com mão poderosa da terra do Egito (Êx 19.5; Dt 29.1). Esse pacto estava relacionado à vida diária e à conduta de Israel. Quando Jeová tirar Israel de entre as nações e levá-lo para o seu reino glorioso, fará com eles um novo pacto – não para substituir qualquer pacto incondicional, mas para substituir a lei do pacto que eles haviam quebrado.

O novo pacto é assim descrito: "Eis que os dias vêm, diz o Senhor, em que farei um pacto novo com a casa de Israel e com a casa de Judá, não conforme o pacto que fiz com seus pais, no dia em que os tomei pela mão, para os tirar da terra do Egito, esse meu pacto que eles invalidaram, apesar de eu os haver desposado, diz o Senhor. Mas este é o pacto que farei com a casa de Israel depois daqueles dias, diz o Senhor: Porei a minha lei no seu interior, e a escreverei no seu coração; e eu serei o seu Deus e eles serão o meu povo. E não ensinarão mais cada um a seu próximo, nem cada um a seu irmão, dizendo: Conhecei

SETE ASPECTOS

ao Senhor, porque todos me conhecerão, desde o menor deles até o maior, diz o Senhor; pois lhes perdoarei a sua iniqüidade, e não me lembrarei mais dos seus pecados" (Jr 31.31-34). Se são observadas as quatro bênçãos que esse pacto promete, será visto que estas – e muito mais – são as presentes possessões daqueles que compõem a Igreja.

7. Bênçãos Duradouras. Todas promessas encontradas nos pactos de Jeová, inclusive aquelas acima mencionadas no novo pacto, constituirão as bênçãos de Israel para sempre. Isaías declara: "Então os olhos dos cegos serão abertos, e os ouvidos dos surdos se desimpedirão. Então o coxo saltará como o cervo, e a língua do mudo cantará de alegria; porque águas arrebentarão no deserto e ribeiros no ermo. E a miragem tornar-se-á em lago, e a terra sedenta em mananciais de águas; e nas habitações em que jaziam os chacais haverá erva com canas e juncos. E ali haverá uma estrada, um caminho que se chamará o caminho santo; o imundo não passará por ele, mas será para os remidos. Os caminhantes, até mesmo os loucos, nele não errarão. Ali não haverá leão, nem animal feroz subirá por ele, nem se achará nele; mas os redimidos andarão por ele. E os resgatados do Senhor voltarão; e virão a Sião com júbilo, e alegria eterna haverá sobre as suas cabeças; gozo e alegria alcançarão, e deles fugirá a tristeza e o gemido" (Is 35.5-10).

Mas nenhuma bênção é de tão longo alcance ou mais completa do que a certeza freqüentemente repetida de Jeová: "Eu serei o seu Deus" (Jr 31.33; Ez 37.27; Zc 8.8; Ap 21.3), e eles serão o seu povo. Esta promessa sugere que no reino messiânico a relação de Israel com Jeová será a de um relacionamento inquebrável, tal como foi acordado com Adão no Éden, antes da queda.

Como foi anteriormente declarado, quando a referência é feita ao reino do céu, a norma de Deus na terra é contemplada. Isto está em claro contraste com o reino de Deus que inclui o seu governo por todo o universo e sobre todos os seres que estão em sujeição a Ele. Necessariamente, há muita coisa em comum entre essas esferas de autoridade, fato esse que explica o intercâmbio desses termos; o que em Mateus é predito sobre o reino do céu, e ele somente emprega esse termo, em Marcos e Lucas são previstos no reino de Deus. Essa permuta de termos tem se tornado a base da suposição de que esses termos são idênticos em sua representação. A diferença entre essas esferas de autoridade não será descoberta dentro do alcance de suas similaridades, mas, antes, na esfera daqueles exemplos onde elas se diferem.

O reino do céu, visto que abarca o governo de Deus na terra, está sujeito aos vários modos de manifestação na história de Israel e da história do mundo:

(1) A teocracia do Antigo Testamento era uma forma de governo divino na terra, e conseqüentemente um aspecto do reino do céu.

(2) O pacto com Davi é o reino do céu em forma de pacto.

(3) A profecia com respeito ao escopo e caráter do reino do céu é aquele governo em forma profética.

ESCATOLOGIA

(4) O anúncio desse reino por João Batista (Mt 3.1, 2), por Cristo (Mt 4.17), e pelos seus discípulos (Mt 10.5-7) era o reino do céu oferecido.

(5) A rejeição subseqüente e a posposição do reino do céu se tornaram uma fase daquele reino.

(6) A presente era, embora totalmente sem comparação com o que aconteceu antes ou com o que se segue depois, não obstante, inclui uma forma de governo divino na terra. O propósito da presente era é a realização daqueles aspectos, que são chamados *mistérios*, isto é, até então propósitos divinos não revelados. Deus agora governa na terra ao grau em que Ele cumpre tudo o que está incluso nesses mistérios. Esta era assim se torna o reino do céu em sua forma de mistério (cf. Mt 13.11). Certas outras verdades ao mesmo tempo dizem que o governo está entregue aos gentios, até que o tempo deles seja cumprido (Lc 21.24), que Satanás exerça uma grande autoridade sobre os reinos deste mundo (Mt 4.8, 9; Lc 4.5-7), que os poderes vigentes são ordenados por Deus (Rm 13.1). Na análise final, nada há na esfera da autoridade que esteja fora da vontade permissiva de Deus.

(7) A forma final do reino do céu é a que ainda será estabelecida em sua manifestação plena na terra e em submissão a tudo o que Deus falou. Qual é a forma final a ser revelada nas predições, pactos e promessas de Deus e tudo isto, ainda vai ser estudado.

Ninguém afirmaria que o reino do céu em sua forma presente e passada está livre de elementos maus que nunca são uma parte do reino de Deus. Mesmo os filhos do reino devem ser lançados fora (cf. Mt 8.12; 24.50, 51; 25.28-30), e todas as coisas que ofendem serão dispensadas, que digam respeito à forma presente do reino do céu. Igualmente, a forma final desse reino não será livre das coisas que são más. Exatamente aqui, as condições que se obtêm no reino do céu são freqüentemente confundidas com as condições ainda a serem obtidas no Estado Eterno. Com o Rei sobre o trono haverá ocasião para julgar o mal (Is 11.3, 4). Haverá aqueles que ultrajam e perseguem (Mt 5.11). No reino milenar, Cristo destruirá os seus inimigos (cf. 1 Co 15.24, 25). No final dessa era, sob a influência de Satanás solto por um pouco de tempo, haverá uma revolta da parte daqueles que antigamente haviam estado em sujeição ao Rei (Ap 20.1-9). Mas nenhum desses aspectos poderia jamais encontrar lugar no reino de Deus. A presença de imperfeições na forma final do reino do céu não deveria obscurecer a verdade gloriosa de que, devido à entronização de Cristo e da prisão de Satanás, a justiça e a paz então cobrirão a terra como as águas cobrem o mar.

Tem havido uma constante disposição da parte de certos escritores investir os santos do Antigo Testamento das mesmas posições e qualidades como aquelas que pertencem aos crentes que compõem a Igreja; e há mais recentemente uma disposição de atribuir as mesmas realidades que pertencem aos salvos desta era para a era do reino e para os judeus e gentios igualmente. Todas essas tentativas são resultado do mero raciocínio humano. Tais suposições são evitadas que se reconheça que à Igreja somente são dadas a posição celestial e a glória. Dela somente

SETE ASPECTOS

está declarado que cada um de seus membros que compõem o corpo de Cristo é que é um participante da herança dos santos em luz. O que entra no propósito terreno, embora de um caráter que supera o entendimento, é ser exatamente o que as Escrituras, que tratam das eras passadas e futuras, declaram.

É admitido que a autoridade de Deus sobre a terra nas eras passadas não seja chamada o *reino do céu*. Na verdade, não até a presente era, este termo é usado a respeito da autoridade divina na terra. Os contrastes entre a forma presente do reino do céu e a que é futura são numerosos. Ficará evidente a todos que a presente forma abrange uma vasta esfera de profissão, assim como a mais alta de todas as realidades, que pode ser encontrada na verdadeira Igreja. É da presente forma do reino do céu que o joio será juntado (Mt 13.30), que o peixe ruim será lançado fora (Mt 13.48), e alguns dos próprios filhos do reino serão lançados fora (Mt 8.12; 24.50, 51; 25.12, 28-30). No reino de Deus, se entra pelo novo nascimento (Jo 3.5), e dele ninguém jamais será separado (Rm 8.38, 39).

Capítulo XVIII
Profecias a Respeito dos Gentios

EMBORA NEGLIGENCIADO mais do que qualquer outro, o caminho da profecia sobre os gentios é um dos mais extensivos de todos; é essencial para um entendimento correto das escrituras proféticas como qualquer outro, e vem antes na história humana com respeito ao seu começo. Igual aos outros caminhos que dizem respeito às criaturas de Deus, o caminho sobre os gentios se estende para a eternidade vindoura. Somente o caminho da história e da profecia sobre os anjos excede o relacionado aos gentios em sua enorme amplitude.

A predição gentílica começou com a previsão que Noé fez do caráter e do destino de seus três filhos. O registro declara: "Despertado que foi Noé do seu vinho, soube o que seu filho mais moço lhe fizera; e disse: Maldito seja Canaã; servo dos servos será de seus irmãos. Disse mais: Bendito seja o Senhor, o Deus de Sem; e seja-lhe Canaã por servo. Alargue Deus a Jafé, e habite Jafé nas tendas de Sem; e seja-lhe Canaã por servo" (Gn 9.24-27). Esta predição quase ilimitada com a sua tríplice divisão da humanidade – Cão, pai de um povo servil e inferior, Sem com sua relação especial com Deus, e Jafé que junta o que resta – pertence a outra ciência que não teologia. É suficiente dizer que a predição tem sido cumprida, embora a família humana seja multiplicada e o tempo se estenda por milênios.

Das três divisões da humanidade, que são dadas pelo apóstolo, a saber, os judeus, os gentios e a Igreja de Deus (1 Co 10.32), a primeira e a terceira representam os dois principais propósitos de Deus – o propósito terreno centrado no judeu e o propósito celestial, na Igreja. Embora eles estivessem em evidência desde o princípio da história humana, e privilegiados como indivíduos para responderem à mensagem da graça salvadora e serem incluídos na Igreja, e embora alguns deles devam compartilhar com Israel a glória do reino infindável, os gentios não representam um propósito divino específico ou independente; todavia, a identidade distintiva deles como gentios é preservada e o futuro deles pode ser traçado na eternidade. Essas numerosas predições a respeito dos gentios estão espalhadas por toda a Bíblia; mas a Daniel é dada uma previsão completa da história dos gentios, que começa com o cativeiro dos judeus e continua até a era do reino.

O período entre o cativeiro e o segundo advento de Cristo é chamado por Ele de "o tempo dos gentios", e a sua identificação peculiar é o fato de que, através de toda a sua duração, Jerusalém seria pisada pelos gentios. A passagem diz: "E cairão ao fio da espada, e para todas as nações serão levados cativos; e Jerusalém será pisada pelos gentios, até que os tempos destes se completem" (Lc 21.24). Nenhuma mera seleção fortuita de Jerusalém como o lugar desse sinal profético é feita por Cristo – tal como uma poderosa queda vir sobre qualquer cidade. A importância não deve ser vista no caráter peculiar de Jerusalém, que a escolhe acima de todas as cidades da terra. Ela é o centro nacional do povo escolhido e eterno. É a cidade do grande Rei, o tema de predições maravilhosas, o local do trono eterno de Davi, e o centro do governo divino no reino milenar vindouro.

Toda a terra será governada a partir de Jerusalém (Is 2.1-3). A revelação é feita por Cristo, de que contanto que o propósito de Deus com Israel esteja em suspenso, a Jerusalém será permitida ser pisada pelos gentios; mas quando Jeová novamente reivindicar Jerusalém, os gentios não somente serão afastados daquela cidade, mas todo o período gentílico terá chegado ao seu final. Os gentios nunca contemplaram Jerusalém como o centro dos governos mundiais deles. Aquela cidade significa para eles não mais do que qualquer outra cidade do passado. Os impérios do mundo tiveram o seu centro no Egito, Assíria, Babilônia, Pérsia, Grécia e Roma; e Roma ainda será restaurada no domínio do mundo – a continuação daquilo que estava em vigor quando a presente era estava para começar. Estritamente falando, esta era da Igreja não é uma parte ou o desenvolvimento dos tempos dos gentios, mas falaremos disto depois.

Embora os tempos dos gentios tivessem realmente começado, a Daniel, no período de sua vida, foi dado experimentar três visões de longo alcance daqueles dias. À parte de certas advertências que haviam sido dadas, o futuro para o judeu instruído consistia no progresso continuado dos eventos que conduziam à percepção de toda a sua glória terrena como havia sido antecipada nos seus pactos e promessas; portanto, à parte de uma revelação divina distinta, a intrusão de um período gentílico poderia somente criar perplexidade. Nos tempos gentílicos a questão deve ser respondida sobre o que aconteceu com o programa divino a respeito de Israel e de todo o mundo, através desse povo. A questão não é respondida pela sugestão de que Deus alterou a sua mente com respeito a Israel. Seus pactos, por serem incondicionais e eternos, são imutáveis. Contudo, o direito divino de retardar o cumprimento deles nos interesses do castigo foi mantido (2 Sm 7.14; Sl 89.30-37).

Daniel, que foi pela providência divina elevado a um alto lugar no domínio gentílico, manteve-se no cargo por mais de setenta anos, e foi adaptado especialmente para receber e transmitir a Palavra de Deus a respeito do curso e do fim daqueles dias gentílicos que começaram com o seu cativeiro na Babilônia. Para ele, foi dado ver, no seu próprio tempo, a morte do Messias e o tempo quando o Messias tomaria o seu trono eterno (2.44, 45; 7.13, 14), e cada pacto seria cumprido. Assim Daniel explica os tempos dos gentios que foram inseridos como uma intercalação no programa predito para Israel. Quando, mais tarde seguiu-se a morte de Cristo, a intercalação da Igreja é acrescentada a esses tempos gentílicos; o anúncio dela é sugerido por Cristo, mas é confiada a revelação plena ao apóstolo Paulo. Entretanto, nem na primeira vez em que Israel é colocada de lado no programa, para dar lugar aos tempos gentílicos, nem na segunda, quando os gentios dão lugar à era da Igreja, qualquer sombra é lançada sobre a certeza de que Deus ainda em sua fidelidade cumprirá cada promessa do pacto ao seu povo escolhido.

Pelas três visões principais, que foram amplificadas por visões menores, Daniel previu os tempos dos gentios, que já havia começado e que, à parte da revelação, deve ter deixado perplexos os judeus que tinham diante de seus olhos os pactos e as promessas a Israel. Naturalmente a pergunta surge, em vista do programa para Israel ser colocado de lado e pela intrusão do domínio gentílico: "O que aconteceu com o favor divino, imutável e eterno sobre Israel? Em todas as três visões principais, Daniel viu os tempos dos gentios através da consumação deles e da realização final do reino do Messias e do cumprimento de toda promessa a Israel. Contudo, não pode ser enfatizado demasiadamente que Daniel não tenha visto o período de intercalação da Igreja que seria colocado entre os dois adventos de Cristo — um período que, como já foi indicado, é uma intrusão nos tempos gentílicos, mas que não é enfatizado como uma extensão dos tempos gentílicos; antes, é visto como um atraso acrescentado na realização do principal propósito divino para Israel.

Assim, quando a era da Igreja com os seus aspectos sem precedentes é introduzida posteriormente, ela é explicada tanto pelo concílio de Jerusalém (At 15.13-18) quanto pelo apóstolo Paulo em Romanos 9–11 (cf. 11.25-27), como um atraso no programa de Israel. Aqui, deveria ser assinalado, como o será mais plenamente, quando considerarmos a terceira visão importante de Daniel, que a era da Igreja, embora sem relação com os tempos dos gentios, não é o fim dos tempos dos gentios. Aqueles tempos começaram seiscentos anos antes da era da Igreja e devem ser renovados e tomados novamente por um período de sete anos após aquela era. Não pode se tornar muito enfático que o propósito terrestre de Deus se concentra no judeu, e que, à parte da interrupção de um período gentílico que é em si mesmo interrompido pela era da Igreja, haveria somente a fortificação direta e o desenvolvimento para o cumprimento de cada pacto com Israel.

Essas interrupções, ou intercalações, de modo algum prejudicam o propósito principal e terrestre em Israel. Um atraso, que é cuidadosamente explicado e justificado na Escritura, não deveria ser interpretado como uma anulação do propósito principal. É bom lembrarmos aqui que nenhuma promessa divina à nação eleita poderá falhar (Rm 11.29). Em resumo: (1) o programa terrestre principal é o de Israel, programa esse que nunca pode ser abandonado; (2) há, num período que também serve para o castigo de Israel, a intercalação do tempo dos gentios; e (3) há uma intercalação da era da Igreja no tempo dos gentios, e, portanto, igualmente nos tempos e nas estações dos judeus. Daniel é escolhido de Deus para explicar a intrusão dos tempos gentílicos no calendário de Israel, e Cristo e Paulo explicam a intrusão da era da Igreja nos tempos dos gentios e dos judeus. A explicação de Paulo

PROFECIAS A RESPEITO DOS GENTIOS

é encontrada em Romanos, capítulos 9–11; e o primeiro Concílio da Igreja foi reunido em Jerusalém, para determinar esse mesmo fato (At 15.13-18). As três revelações dadas a Daniel podem agora ser consideradas separadamente e em sua ordem de ocorrência.

Daniel 2. Esta revelação, que é dada na forma de interpretação do sonho de Nabucodonosor, prevê o curso total dos tempos dos gentios e é uma apresentação daquele período, a partir do aspecto humano dele. O sonho do rei contemplava uma grande imagem com cabeça de ouro, ombros de prata, coxas de bronze e pernas de ferro que terminam em pés e dedos de ferro e barro. Que estas seções dessa imagem representam fases do domínio gentílico, não é assunto de especulação humana. Daniel interpreta o sonho da seguinte maneira:

Este é o sonho; agora diremos ao rei a sua interpretação. Tu, ó rei, és rei de reis, a quem o Deus do céu tem dado o reino, o poder, a força e a glória; e em cuja mão ele entregou os filhos dos homens, onde quer que habitem, os animais do campo e as aves do céu, e te fez reinar sobre todos eles; tu és a cabeça de ouro. Depois de ti se levantará outro reino, inferior ao teu; e um terceiro reino, de bronze, o qual terá domínio sobre toda a terra. E haverá um quarto reino, forte como ferro, porquanto o ferro esmiúça e quebra tudo; como o ferro quebra todas as coisas, assim ele quebrantará e esmiuçará. Quanto ao que viste dos pés e dos dedos, em parte de barro de oleiro, e em parte de ferro, isso será um reino dividido; contudo haverá nele alguma coisa da firmeza do ferro, pois que viste o ferro misturado com barro de lodo. E como os dedos dos pés eram em parte de ferro e em parte de barro, assim por uma parte o reino será forte, e por outra será frágil. Quanto ao que viste do ferro misturado com barro de lodo, misturar-se-ão pelo casamento; mas não se ligarão um ao outro, assim como o ferro não se mistura com o barro" (Dn 2.36-43).

Esse vasto programa, ainda será observado, é concluído pelo Deus do céu no estabelecimento de um reino que nunca será destruído – um reino que será estabelecido pelo impacto irresistível do retorno glorioso de Cristo, que é igualado em sua vinda a uma vara de ferro (cf. Sl 2.7-9; Is 63.1-6; Ap 19.11-16). Disto o profeta declara: "Mas, nos dias desses reis, o Deus do céu suscitará um reino que não será jamais destruído; nem passará a soberania deste reino a outro povo; mas esmiuçará e consumirá todos esses reinos, e subsistirá para sempre. Porquanto, viste que do monte foi cortada uma pedra, sem auxílio de mãos, e ela esmiuçou o ferro, o bronze, o barro, a prata e o ouro, o grande Deus faz saber ao rei o que há de suceder no futuro. Certo é o sonho, e fiel a sua interpretação" (Dn 2.44, 45).

A realização histórica daquilo que foi pura predição no tempo de Daniel, dificilmente poderia ser questionada. Cinco domínios mundiais em sucessão são previstos – quatro destes são apresentados pelas porções de imagem e o quinto que fará a sua aparição na destruição dos quatro, quando os juízos de Deus se manifestam. O quinto é distintivo, como aquele que é estabelecido pelo Deus do céu, e é eterno em sua duração. O primeiro, a Babilônia como a cabeça de ouro, já estava no zênite de seu poder, quando Daniel deu a sua interpretação. O segundo

663

ESCATOLOGIA

era o império medo-persa, reino em que também Daniel viveu para compartilhar. O terceiro domínio foi o da Grécia, sob Alexandre, e o quarto foi o de Roma, que teve o seu pleno desenvolvimento nos dias de Cristo aqui na terra. É este reino de ferro que termina em sua forma final nos pés de ferro e de barro.

É no tempo dos pés de ferro e de barro que a Pedra que golpeia irrompe. Como todo metal na figura representa uma fase da autoridade humana e o ferro representa Roma, assim o vaso do oleiro fala da introdução, em sua última forma de governo gentílico, de um elemento que é sem força inerente. Este é propriamente reconhecido como o elemento da democracia. Que os dois elementos, ferro e barro, não podem se misturar, é verdadeiro das duas formas de governo – autocracia e democracia – mas mesmo agora o mundo olha para as chamadas democracias sob um domínio contraditório de ditadores. Quando a última forma do domínio de ferro entrar em cena, será uma tentativa de misturar o barro com o ferro. Tudo isto é a interpretação inspirada do profeta Daniel.

Será observado que, no projeto dos domínios gentílicos que a figura proporciona, em vista do fato de que a forma final de Roma não ter sido ainda alcançada, há um período muito extenso de tempo entre Roma como ela era nos dias de Cristo e o estado de mistura futura que ela assumirá. Todos os domínios anteriores juntos ocuparam apenas pouco mais de seiscentos anos. A explicação é encontrada na verdade de que, ao começar com a morte do Messias, uma era não prevista por profeta algum foi introduzida no calendário gentílico. Visto que essa era de intercalação não tem qualquer relação com a precedente ou com qualquer coisa que a sucede – uma verdade de importância transcendente no entendimento da profecia da Bíblia – ela é o tempo tomado do programa gentílico. O que estava determinado para Roma, que foi interrompido por essa era da Igreja, ainda será consumado, quando a vocação da Igreja estiver consumada e ela for removida da terra.

O aspecto dos pés e dos dedos de Roma será de duração breve e a fortificação total do domínio do ferro não será mais do que os domínios que a precederam. É como se os pés da imagem fossem rompidos e removidos para uma grande distância das pernas de ferro; todavia, quando o caráter de intercalação dessa era é considerado, é visto que a história do domínio de ferro é consumada tão perfeitamente como se nenhuma era da Igreja tivesse sido introduzida. Assim, como foi previsto no programa gentílico, não há uma extensão desproporcional das pernas de ferro, para cobrir um período de dois mil anos, mas as pernas de ferro terminam direta e naturalmente nos pés de ferro e barro. A despeito da intrusão da era da Igreja, não há mais desarmonia do domínio romano predito do que houve da Babilônia, Média, Pérsia e Grécia.

Indiferentemente aos sonhos de homens ambiciosos, não pode haver um domínio mundial estabelecido dentro daquele período representado pelo poderio de ferro. Do ponto de vista dos gentios, Roma está ainda no processo de desenvolvimento, e será despedaçada no segundo advento de Cristo e sucedida pelo reino de Cristo.

O segundo capítulo de Daniel, um dos mais importantes em toda predição bíblica, deve ser abordado do ponto de vista do tempo em que ele foi escrito. Então, o domínio babilônico estava em evidência; os domínios medo-persa, grego e romano eram ainda predições. No presente momento, tudo isto já se tornou história – exceto o aspecto de ferro e de barro de Roma, que ainda não começou a existir, nem o poderia, até o Arrebatamento da Igreja. Assim, o curso dos tempos dos gentios, considerado em suas próprias limitações, foi percorrido em grande parte. Ele é um programa unificado e interdependente ou acumulativo em seu caráter; pois quando a pedra golpear os pés da imagem, ela reduzirá ao pó toda a imagem.

Disto o profeta assevera: "Estavas vendo isto, quando uma pedra foi cortada, sem auxílio de mãos, a qual feriu a estátua nos pés de ferro e de barro, e os esmiuçou. Então foi juntamente esmiuçado o ferro, o barro, o bronze, a prata e o ouro, os quais se fizeram como a pragana das eiras no estio, e o vento os levou, e não se podia achar nenhum vestígio deles; a pedra, porém, que feriu a estátua se tornou uma grande montanha, e encheu toda a terra" (Dn 2.34, 35; cf. vv. 44, 45). Este reino, deve ser lembrado, é unicamente o período do milênio, seguido pelo governo eterno do Messias, que constitui o retorno do propósito primeiro de Jeová em Israel e o cumprimento de todos os pactos com Israel.

Daniel 7. Há muita razão para uma reafirmação, com vários detalhes, da mesma sucessão de poderes gentílicos mundiais. O capítulo 7 reafirma a ordem do capítulo 2; mas do ponto de vista divino e num programa que é estupendo em si mesmo e uma intrusão reconhecida nas provisões pactuais de Israel. O acréscimo da ênfase divina é mais revelador e adequado. Um período de cerca de cinqüenta anos houve desde a visão registrada no capítulo 2. O profeta está agora avançado em anos e amadurecido por meio século de serviço como uma espécie de primeiro ministro. Ele recebeu esta segunda revelação como um sonho, que é interpretado pelo mensageiro angelical (cf. 7.16). Essa visão dos quatro ventos do céu vieram sobre o grande mar. Sem dúvida, isto se refere ao mar Mediterrâneo, o mar no qual esses grandes reinos se localizavam; porém, mais especificamente, há referência aqui às nações simbolizadas pelo mar (cf. Ap 13.1).

Desse mar surgem quatro bestas. A avaliação humana desses reinos sucessivos foi representada no esplendor deslumbrante e na autoridade que a grande imagem descrevia; a avaliação divina é a das bestas vorazes, centradas em si mesmas, que governam com força cruel. Deve ser observado que as nações gentílicas têm sempre escolhido bestas e aves de rapina para a sua insígnia heráldica. Não obstante, seja descrita por uma caracterização ou outra, a ordem é a mesma e o fim está determinado desde o princípio.

Dessa sucessão de animais, o Dr. H. A. Ironside escreve:

Nas visões de Daniel, ele pode ver o curso de cada um dos impérios que essas bestas selvagens descrevem. Isto é, cada besta selvagem é de tal caráter que descreve os aspectos principais da história total do império que ela representa. Por exemplo, o curso total da Babilônia é apresentado no leão alado, que após ter as suas asas arrancadas, o coração de um homem lhe foi dado, e ele ficou ereto sobre os seus próprios pés. Então o curso total do império medo-persa é descrito na visão do urso com três costelas em sua boca, que ficou levantada de um dos lados. A história total do império grego em sua divisão quádrupla é apresentada no leopardo alado com

ESCATOLOGIA

quatro cabeças. E o curso do império romano designado para o tempo do fim (uma condição que ainda não foi atingida) é descrito na besta, temível e terrível, com grandes dentes de ferro e dez chifres. É importante ver isto. Alguns tomam como certo que, como o império romano saiu fora de cena, tudo o que está conectado com essa besta romana acabou também, e assim não há mais um interesse adicional para nós, os que vivemos na dispensação do Evangelho; porém, o contrário é a verdade. Mas agora, por um momento, olhe para o versículo 17. Ali, é dito das quatro bestas serem "quatro reis, que se levantarão da terra". O contexto deixa claro, contudo, que o anjo não falava de quatro reis individuais, mas na Escritura profética o termo "rei" é muito freqüentemente usado, para significar "reino". No versículo 23 lemos: "O quarto animal será um quarto reino na terra". Necessariamente, o princípio se aplica a todos os outros; por outro lado, embora eu queria que você observasse que em conexão com cada um deles, um rei aparece proeminentemente – em cada caso apenas o último, aquele sob quem o reino primeiro alcança a dignidade de um grande poder mundial. Assim, Nabucodonosor aparece diante de nós como aquele que permanece distintivamente para a Babilônia; exatamente como foi dito no capítulo 2: 'Tu és esta cabeça de ouro". Mas o leão alado representa tanto a glória quanto a depravação do império caldeu. Suas asas são arrancadas, ele perde o seu coração de leão, e lhe é dado o coração fraco de um homem. Ciro, o grande, é a figura principal quando pensamos no império medo-persa. Ele foi quem destruiu as principais cidades da Babilônia, às quais as três costelas na boca do urso parecem se referir. O leopardo claramente sugere Alexandre, o Grande, e as quatro asas falam da rapidez incrível de suas conquistas. Mas as quatro cabeças representam a quádrupla distribuição de seus domínios feita aos principais generais após a sua morte. Mas nenhum grande potentado no passado epitomiza em si mesmo a autoridade romana. Olhamos para o futuro, para aquele que ainda vai surgir, e que fará isto – mesmo "a besta" descrita em Apocalipse 13, que obterá controle sobre a Europa exatamente antes do estabelecimento do reino do Filho do homem, quando toda autoridade, poder e glória serão encabeçados por nosso Senhor Jesus Cristo.[131]

Após o registro de tudo o que faz parte desta visão (7.1-14), a interpretação pelo mensageiro angelical é dada (vv. 17-28). Nenhuma alma reverente faria outra coisa, além de estudar estes versos com total atenção e profundo respeito. Essa revelação não é a opinião de homens, mas da sabedoria infalível de Deus.

Esses animais são quatro reinos (cf. v. 17) no sentido bíblico em que um reino é personificado em seu rei. Daniel disse a Nabucodonosor: "Tu és esta cabeça de ouro" (2.38). A Dario, ele pode ter dito: *Tu és aqueles ombros de prata*. Para Alexandre, ele poderia ter dito: *Tu és estas coxas de bronze*. A César, como rei sobre Roma, antes da morte de Cristo, ele poderia ter dito: *Tu és estas pernas de ferro*; e ao homem do pecado, todavia ainda por ser o governador supremo na forma final do império romano, Daniel poderia ter dito: *Tu és esses pés de ferro e de barro*.

Como havia dez dedos do pé naquela imagem, assim há dez chifres ou reis que juntos manifestam a última forma da quarta besta. Entre estes um "pequeno chifre" – a ser considerado no próximo capítulo – ou o homem do pecado, aparece. Ele é o que faz guerra aos santos (Israel) e prevalece contra eles até a chegada do Antigo de Dias. Então, com aquela certeza que pertence ao infinito, os santos (Israel) tomarão o reino e o possuirão para sempre. Uma referência de passagem deveria ser feita a esta altura às várias descrições dadas na Bíblia dessa mesma consumação da impiedade que é encabeçada pelo homem do pecado, e a destruição desse rei e da estrutura total dos gentios por Cristo, em seu segundo advento. Considere o Salmo 2.1-12; Isaías 63.1-6; Mateus 25.31-46; 2 Tessalonicenses 2.1-12; Apocalipse 13.1-18; 17.1–18.24; 19.11-21. Cada uma destas passagens faz a sua própria contribuição vital para a plena revelação bíblica daquelas coisas que certamente vão acontecer na terra.

Daniel 9. Como no capítulo 2, Daniel torna conhecido de antemão a verdade a respeito do poder imposto e o esplendor dos domínios gentílicos que ainda estavam por acontecer, desde a Babilônia até o retorno glorioso de Cristo, com detalhes específicos a respeito do modo em que esta vasta porção da história deste mundo vai terminar, e como o capítulo 7 enfatiza o caráter ímpio e desumano desses domínios e com renovados detalhes a respeito do fim, quando o Messias estabelece o seu reino eterno, assim o capítulo 9, que registra a terceira visão principal, que trata do programa gentílico, entra em detalhes a respeito de ambos, o primeiro e o segundo adventos, e ensaia medir o tempo em que esta dominação gentílica se consumará. Novamente a interpretação é angelical e, portanto, não sujeita a dúvidas.

A partir da leitura de Jeremias – escrita no tempo do cativeiro – Daniel aprendeu que Jeová cumpriria sete anos de desolação em Jerusalém (Dn 9.2; cf. Jr 25.11, 12) – a desolação então é por causa do cativeiro que trouxe o próprio Daniel à escravidão. Ao observar que os setenta anos preditos já estavam para ser cumpridos, ele fez uma oração específica, e confessou os seus próprios pecados e os de seu povo. Enquanto ele estava em oração, o anjo Gabriel apareceu com a informação que constitui a visão do capítulo 9. Nesta visão, as afirmações são diretas; não há simbolismos de uma imagem ou de animais e, assim, nenhuma interpretação se torna necessária, embora essa visão deva se harmonizar com as visões dos capítulos 2 e 7. As palavras, iguais a toda predição clara, devem ser tomadas em seu significado natural, exatamente como Daniel aceitou a profecia de Jeremias dos setenta anos como reais setenta anos.

A tradução do termo hebraico por *heptad*, que significa não mais do que um grupo de sete de alguma coisa, pela palavra *semanas* é um engano. Neste caso, a história proporciona a interpretação, e, como será visto, estes são anos antes do que semanas. Setenta anos de cativeiro haviam sido preditos e realizados pelos conquistadores. Esse período deve testemunhar no seu final a soltura dos escravos e o retorno deles a Jerusalém; mas o anjo assevera que, ao começar por essa soltura, um novo período profético começa, que é o de 70 setes de anos, ou 490 ao todo. Neste tempo, toda profecia concernente a Israel deve ser cumprida, mesmo a do término da transgressão

ESCATOLOGIA

de Israel (cf. Rm 11.26, 27) e a unção do Santíssimo. Esta predição diz: "Setenta semanas estão decretadas sobre o teu povo, e sobre a tua santa cidade, para fazer cessar a transgressão, para dar fim aos pecados, e para expiar a iniqüidade, e trazer a justiça eterna, e selar a visão e a profecia, e para ungir o santíssimo" (Dn 9.24).

Sobre a medida exata do tempo indicado por Daniel, o Dr. Henry C. Thiessen escreve:

Robert Anderson prova que o lunar/solar era a forma do ano em uso nos tempos bíblicos, tanto na Babilônia quanto em Jerusalém. Ele mostra isto a partir das Escrituras e das autoridades em astronomia (*Daniel in the Critic's Den*, 117-23). Com base na informação fornecida por ele, o astrônomo da realeza inglesa, Sir Robert atribui o dia 1º. de Nisan, 445 a.C., o tempo quando o decreto foi promulgado para reconstruir Jerusalém, a 14 de março. Com base nos dados cronológicos supridos pelos evangelhos, ele atribui a 10 de Nisã, o dia em que Cristo entrou em Jerusalém nos lombos de um jumento, a 6 de abril, 32 d.C. Este é o domingo precedente ao da Páscoa daquele ano. "O intervalo [entre essas duas linhas divisórias]", diz Sir Robert, "contido exatamente e para o próprio dia, 173.880 dias, ou sete vezes os sessenta e nove anos proféticos de 360 dias, as primeiras 69 semanas da mensagem de Gabriel" (*The Coming Prince*, 123-29). Ao computar o tempo a partir de 14 de março de 445 a.C., a 6 de abril do ano 32 d.C., ele usa a seguinte linguagem: "O período interveniente foi de 476 anos e 24 dias (os dias contados inclusivamente, como exigido pela linguagem da profecia, e de acordo com a prática judaica). 476 vezes 365 é igual a 173.740 dias; acrescente-se (14 de março a 6 de abril, ambos inclusivos) 24 dias; acrescente-se por anos soltos 116 dias; e temos 173.880 dias. E 69 semanas de anos proféticos de 360 dias (ou 69 vezes 7 vezes 360) igual a 173.880 dias". Cf. Lucas 19.42. Esta computação cuidadosa do tempo coberto por essas semanas tem toda a evidência de exatidão e, portanto, se recomenda como verdadeira. Isto faz a 69ª semana terminar no domingo de Ramos, e assim está em harmonia com a afirmação de Daniel de que o Messias seria morto após essas semanas.[132]

Fica assim revelado que os tempos gentílicos duram 560 anos – 70 de cativeiro, e mais 490 do retorno à plena realização de todas as promessas judaicas.

O período de 490 anos, que se estende desde o fim do cativeiro até o cumprimento total da predição judaica e ao fim dos tempos dos gentios, é dividido em três subdivisões, a saber: (1) desde o edito que completa os setenta anos preditos por Jeremias, até a restauração e reconstrução de Jerusalém, que é dito ser de 7 setes, ou 49 anos; (2) um período de 62 semanas, ou 434 anos, que é marcado a respeito do seu fim pela morte do Messias, ou a crucificação de Cristo; e (3) um período de 1 semana, ou 7 anos, que deve seguir-se à crucificação. Nestes sete anos significativos, tudo o que resta para ser cumprido dos 490 anos, tanto com respeito ao fim dos tempos gentílicos quanto as bênçãos que serão trazidas a Israel, deve ser cumprido – as transgressões de Israel, então, serão terminadas, o fim do pecado é assegurado, a reconciliação pela morte de Cristo terá sido trazida, toda visão e predição será selada pelo cumprimento, e o

Santíssimo será ungido. O último período de sete anos é propriamente chamado de *a septuagésima semana de Daniel,* e está ainda por ser cumprido.

Reconhecendo o ponto do tempo quando esse período de sete anos – muito importante em si mesmo – se tornará parte da história, é necessário observar novamente o caráter que não foi relacionado da era da Igreja, que é como uma intercalação introduzida entre a morte de Cristo e o arrebatamento dela desta terra. Essa era da Igreja, deve ser reafirmado, está tão perfeitamente isolada do restante da história humana que nada atrai para si mesma daquilo que aconteceu antes, nem contribui com algo para o que se segue. Se esse caráter destacado, desassociado e segregado dessa era não é reconhecido, não pode haver um traço dos períodos de tempo de Deus que são revelados; pois, como está claramente indicado na concretização dos 490 anos de Daniel para os judeus e 560 anos para os gentios, a contagem divina não dá lugar para essa era da graça que não estava prevista nem foi predita, que é manifesta na Igreja.

A septuagésima semana dos tempos gentílicos é, de acordo com toda predição que trata dela, um período de importância vital e cheia de eventos estupendos. Do ponto de vista dos gentios e da predição judaica, há continuidade ou uma seqüência inquebrável entre os 483 anos que foram concluídos pela morte de Cristo e os 7 anos ainda por acontecer. Essa continuidade será basicamente governamental e política. Em muitos assuntos – sociais, econômicos, educacionais e materiais – o mundo terá feito o seu progresso durante a era da Igreja; mas, como nos 483 anos, a contagem divina estará nos últimos sete anos com as autoridades gentílicas e não com a chamada da Igreja. Na continuidade da contagem divina, os pés de ferro e de barro são ligados e sua apresentação segue o período da perna de ferro sem interrupção.

Igualmente, a septuagésima semana de Daniel está numa seqüência de 60 que aconteceu antes e se completa aquela que pertence às 69. Embora 2.000 anos estejam no meio, a continuidade profética vê somente as realidades gentílicas apresentadas por uma imagem não-amputada, e a história judaica de 490 anos não interrompida por qualquer era imprevista e não-relacionada. Como foi indicado anteriormente, embora os pés da imagem estejam num ponto de tempo distante 2.000 anos das pernas de ferro e um novo empreendimento divino traça o seu curso nesse meio tempo, uma pedra que golpeia é dito destruir aquilo que a imagem representa – o domínio gentílico – e não serve de propósito algum como um julgamento sobre a Igreja ou sobre as condições do mundo na era dela. Semelhantemente, o que constituía o caráter de 483 anos será revivido e consumado nos últimos 7 dos 490. Se a Igreja estava nos 483 anos, ela deve ser esperada como presente nos últimos sete; mas visto que não estava nos 483 anos, ela não poderia estar nos sete finais, e nenhum texto jamais relaciona a Igreja aos sete anos de tribulação. Somente quando os estudantes ignoram o caráter distintivo e não-relacionado da era da Igreja e quando falham em compreender a perfeição essencial da Igreja em Cristo, é que eles presumem asseverar que a Igreja entra em qualquer momento da Grande Tribulação.

O aspecto do tempo entre o fim dos 70 anos de cativeiro, descritos por Jeremias e a morte do Messias, é afirmado em Daniel 9.25, 26: "Sabe e entende: desde a

ESCATOLOGIA

saída da ordem para restaurar e para edificar Jerusalém até o ungido, o príncipe, haverá sete semanas, e sessenta e duas semanas; com praças e tranqueiras se reedificará, mas em tempos angustiosos. E depois de sessenta e duas semanas será cortado o ungido, e nada lhe subsistirá; e o povo do príncipe que há de vir destruirá a cidade e o santuário, e o seu fim será com uma inundação; e até o fim haverá guerra; estão determinadas assolações". O período de 490 anos é distintivo nas medidas de Deus. Tinha havido um período similar antes dos 70 anos do cativeiro preditos por Jeremias, espaço esse que estava relacionado ao reinado dos filhos de Davi e que terminaram com o cativeiro. Contudo, os 490 anos que deviam se seguir ao cativeiro, são de um caráter diferente.

Nesse tempo, Jerusalém deveria ser reconstruída; o Messias oferecido em sacrifício; a cidade e o santuário seriam destruídos, como o foram no ano 70 d.C.; e o povo do príncipe (cf. 1 Rs 9.8; Sl 79.1; Is 64.11; Mt 24.2; Lc 19.44; 21.20-24) deveria fazer esta obra de destruição – os romanos. O próprio príncipe não aparece, senão após a experiência definida como 'o seu fim será com uma inundação; e até o fim haverá guerra; estão determinadas desolações" (Daniel 9.26), que evidentemente se refere à presente era e pode ser considerado o aspecto mais próximo que qualquer profeta antigo chegou em termos de previsão desta era (cf. 1 Pe 1.10, 11). É então, no final, que o próprio príncipe virá, e a sua impiedade é vista no fato de que, após ter feito um pacto com Israel nesses sete anos significativos, ele o quebra, quando está cumprido pela metade, ou no final dos três anos e meio.

Então, ele entra no lugar santo (cf. Mt 24.15; 2 Ts 2.3, 4), e há uma difusão das abominações. Fica evidente que o "pequeno chifre" de Daniel 8.9 é Antíoco Epifânio, da Síria, que era um dos quatro reis a quem o domínio da Grécia foi distribuído na quádrupla divisão. Ele é um tipo peculiarmente claro do "pequeno chifre" – o homem do pecado – dos últimos dias. Como Antíoco Epifânio profanou o templo, assim acontecerá com o último "pequeno chifre". Esta porção da profecia conclui com estas palavras: "...e o povo do príncipe que há de vir destruirá a cidade e o santuário, e o seu fim será com uma inundação; e até o fim haverá guerra; estão determinadas assolações. E ele fará um pacto firme com muitos por uma semana; e na metade da semana fará cessar o sacrifício e a oblação; e sobre a asa das abominações virá o assolador; e até a destruição determinada, a qual será derramada sobre o assolador" (Dn 9.26, 27).

Enquanto as visões secundárias de Daniel 8-11 têm a ver com o desenvolvimento e os conflitos do segundo e terceiro domínios do mundo – tudo o que era predição no tempo de Daniel – as três visões mais importantes dos tempos gentílicos estão carregadas de aspectos importantes da revelação e incluem muitos detalhes. Os muitos livros dignos que têm sido escritos como exposições dessas visões podem ser estudados com proveito. O programa gentílico ocupa um grande espaço nas escrituras proféticas. É observável, contudo, que as revelações múltiplas não dizem muita coisa da primeira parte dos tempos gentílicos como fazem com a parte final; nem elas enfatizam os eventos relacionados ao primeiro advento, visto que este tem pouca coisa a ver com os gentios, como tal. O primeiro advento era

670

para Israel. "Ele veio para os seus, mas os seus não o receberam" (Jo 1.11). Os julgamentos dos gentios estão relacionados com o segundo advento, e a história deles é trazida à luz no final do programa relativo a eles.

Pouco entendimento de profecia será adquirido até que seja reconhecido que o propósito divino para a terra está centrado em Israel. Qualquer coisa que possa se interpor, este programa começa e termina com Israel. Duas intercalações são experimentadas. A primeira é a dos tempos dos gentios, que começou com o cativeiro da Babilônia e serve como um castigo sobre Israel, assim como um arranjo definido divino com os gentios do qual eles devem ser julgados como nações. Os tempos gentios são medidos precisamente no que respeita ao tempo – 560 anos – mas estes tempos gentílicos são interrompidos por uma segunda intercalação, que é a era da Igreja e que se estende desde a morte de Cristo até o Arrebatamento da Igreja deste mundo, era essa que contribui para o aspecto total de indefinição para tudo o que se segue, olhado do ponto de vista do tempo em que começa.

Todavia, haverá sete anos dos tempos dos gentios que acontecerão depois do Arrebatamento da Igreja. Contudo, visto que o programa de Israel é que está incompleto, ambas, a intercalação dos tempos dos gentios e a da Igreja dentro do tempo dos gentios, são sempre vistas como um atraso no propósito divino, todo essencial e final para Israel (At 15.13-18; Rm 9.1–11.36). Na verdade, tão definida é a maneira em que os tempos gentílicos terminarão, que certas passagens deveriam ser consideradas especialmente.

Salmo 2.1-12. Este texto descreve um tempo quando as nações estarão iradas e o povo imaginará coisas vãs, os reis se estabelecerão e os governadores tomarão conselho contra Jeová e contra o seu Ungido, à procura de lançar fora todo reconhecimento e restringência divinos; e ainda no meio de tão aberta resistência, Jeová coloca o seu Rei, o Messias, sobre o trono de Davi em Jerusalém (v. 6). É então que o Messias declara: "Falarei do decreto do Senhor; ele me disse: Tu és meu Filho: hoje te gerei. Pede-me, e eu te darei as nações por herança e as extremidades da terra por possessão. Tu os quebrarás com uma vara de ferro; tu os despedaçarás como a um vaso de oleiro" (vv. 7-9). Tal será a derrota esmagadora da autoridade gentílica.

Isaías 63.1-6. Nesta predição dos julgamentos do Messias sobre os gentios, Ele é assemelhado a um que comercia a sua vinha; suas roupas são manchadas com o sangue de seus inimigos e ele os faz beber em Sua fúria. Ele derruba a força deles na terra. Isto é declarado ser "o dia da vingança". É a resposta de Deus ao mundo que rejeita Cristo.

Apocalipse 19.15: "Da sua boca saía uma espada afiada, para ferir com ela as nações; ele as regerá com vara de ferro; e ele mesmo é o que pisa o lagar do vinho do furor da ira do Deus Todo-poderoso".

Nesta declaração consumadora sobre o segundo advento, ambos, o cetro de ferro do Salmo 2.9 e o lagar da vinha de Jeová de Isaías 63.3-6, são reafirmados. Tudo o que está aqui afirmado – que tão evidentemente se relaciona ao segundo advento – confirma a conclusão de que ambos, Salmo 2 e Isaías 63, são descrições desse advento.

ESCATOLOGIA

Apocalipse 6.1–19.21. Este longo texto dificilmente seria entendido, além dos detalhes do tratamento final que Deus tem com as nações gentílicas. Embora o julgamento deva vir sobre Israel, esses julgamentos não são enfatizados aqui. Aquelas pessoas são vistas como abrigadas e protegidas, como está prometido a favor deles (cf. Jr 30.7); e não há uma referência à Igreja na terra em qualquer dessas cenas, visto que ela será salva – não enquanto passar pela tribulação, como é a porção de Israel, mas – *livre de ser atribulada*, por não ter uma parte nela (cf. Ap 3.10). João experimenta o que a Igreja comprova. Em toda sua descrição, ele não está na tribulação em si mesmo, mas é uma testemunha das coisas que acontecem no céu e na terra. Assim, a Igreja será livre da tribulação e, todavia, testemunhará exatamente o que João viu, e ouvirá o que João ouviu. Os selos, as trombetas, as taças e os ais são aspectos progressivos dos julgamentos divinos vindos sobre os povos gentílicos como punição – mas não sobre os judeus ou cristãos.

Mateus 25.31-46. A conclusão dos tempos dos gentios, da responsabilidade gentílica, e do julgamento dos gentios está registrada em Mateus 25.31-46, e como foi declarado pelo próprio Rei, a quem este e todos os outros julgamentos estão confiados. Seguindo a subjugação completa das nações, como está nas passagens anteriormente citadas, esta é a cena do aparecimento deles diante do trono da glória de Cristo – o trono de Davi na terra. Eles serão ali julgados de acordo com o tratamento que deram a Israel, a quem Cristo designa como "meus irmãos". Será lembrado, contudo, não somente que Israel é o escolhido de Jeová a quem Ele ama com amor eterno, mas que esta cena se dá no término da tribulação, quando Israel terá sofrido a sua última e mais devastadora provação nas mãos dos gentios. É então que a questão judaica terá dividido as nações da terra, a saber, após o evangelho do reino ter sido pregado em toda terra habitada pelos 144.000 missionários judeus (cf. Mt 24.14; Ap 7).

Esta grande questão nacional foi prevista e preanunciada por Jeová a Abraão, quando declarou: "Abençoarei os que te abençoarem, e amaldiçoarei aquele que te amaldiçoar" (Gn 12.3). Em ponto algum o gentio suporá e presumirá afirmar por si mesmo mais positivamente do que o ressentimento deles a respeito do propósito de Deus revelado a Israel. Esse ódio e orgulho dos gentios são desafiados pelo apóstolo em Romanos 11.13-24. Os gentios, em graça, como ramos da oliveira brava, foram enxertados na oliveira verdadeira, de modo contrário à natureza. Desse lugar de privilégio, eles podem ser cortados. O reenxerto de Israel como ramos naturais é não somente livre de dificuldade, mas é o propósito assegurado de Deus.

Assim, os tempos dos gentios são medidos, os seus domínios sucessivos são previstos, e os julgamentos finais de Deus que vêm sobre eles são decretados. Com a certeza da infinidade, Jeová retorna a Israel e todos os seus pactos são cumpridos, quando a hora do castigo deles passar. Nenhum outro domínio mundial pode acontecer a despeito dos sonhos dos homens. No julgamento das nações, o futuro daqueles que estão à esquerda não é investigado, porque nada há para investigar; mas o futuro daqueles que estão à direita é investigado, através do reino de Cristo, e eles aparecem em relação à cidade de Deus (cf. Ap 21.24-26).

CAPÍTULO XIX

Profecias a Respeito de Satanás, do Mal e do Homem do Pecado

A DOUTRINA TOTAL DO PECADO está vitalmente ligada à pessoa de Satanás como o seu originador e ao homem do pecado como a manifestação final do pecado. Em extensas discussões prévias a respeito do pecado, foi afirmado que o mal começou, não no jardim do Éden, mas no céu, e como um repúdio direto de Deus por parte do mais elevado dos anjos. Semelhantemente, a noção que o mal poderia ser terminado em qualquer tempo, contanto que os pecadores combinem com respeito a esse fim, é sem qualquer base bíblica. A revelação bíblica não somente remonta a origem do mal às eras passadas e ao céu, mas ela declara a própria maneira em que o pecado deverá terminar nas eras vindouras. Ele não se acabará por qualquer esforço humano, mas, antes, pelo poder direto de Deus e acompanhado dos seus justos juízos sobre o pecado.

O pecado continua até o tempo divinamente designado por Deus e vai terminar do modo designado por Ele. Se a pergunta é levantada: Por que Deus não acaba essa coisa imediatamente, pois ela é tão aborrecedora para Ele? é igualmente pertinente perguntar: Por que Ele sempre o permitiu? Ao permitir o mal, por razões dignas que estão em harmonia com o Seu santo caráter e livre de toda responsabilidade a respeito das manifestações do mal, a medida plena do seu desenvolvimento é exigida, a fim de que ele possa ser julgado por tudo o que está na avaliação divina do pecado. Jeová disse a Abraão: "...a medida da iniqüidade dos amorreus não está ainda cheia" (Gn 15.16); de igual modo Ele poderia dizer do sistema do *cosmos:* "a iniqüidade do *cosmos* não está ainda cheia". A importância para o estudante, do conhecimento do futuro de Satanás, do mal, e do homem do pecado é autoevidente.

I. Satanás

A revelação divina a respeito da carreira de Satanás, inclusive o seu futuro, foi dada num tratamento extensivo, quando estudamos Angelologia. Somente a mais breve referência à profecia concernente a Satanás precisa ser dada aqui. Essa linha de predição começou com a declaração de Gênesis 3.15. Nessa predição, foi asseverado que quando Cristo esmagasse a cabeça da serpente, Satanás também feriria o calcanhar de Cristo. Esta predição relativa ao esmagamento da cabeça de Satanás é uma predição do julgamento que Cristo assegurou contra Satanás, através de sua morte na cruz (cf. Jo 16.11; Cl 2.14, 15), e a execução final desse julgamento, que está determinado desde o princípio. Há uma ordem revelada:

1. Satanás seria, assim, julgado na cruz.

2. Ele seria lançado do céu, quando derrotado na guerra dos anjos que ainda acontecerá (Ap 12.7-12).

3. Ele seria lançado no abismo e selado por mil anos (Ap 20.1-3).

4. Ele seria solto por um pouco de tempo, para a consumação de sua impiedade (Ap 20.3, 7-9).

5. Ele seria lançado no lago de fogo (Ap 20.10).

Esta ordem de eventos não está sujeita a possíveis mudanças. Quando Deus declara que a cabeça de Satanás seria esmagada, essa predição foi cumprida perfeitamente. Igualmente, quando Deus prediz, como fará, que Satanás será lançado no lago de fogo, não é com uma cláusula de que alguma outra influência não surja para derrotar esse propósito. Nada poderia ser mais certo do que o fato de que Satanás irá para a condenação eterna prescrita para ele.

II. O Mal

O mal também segue um programa predeterminado. Ele não é gradualmente vencido pela reforma do homem. Os aspectos essenciais do seu desenvolvimento são:

1. Para os judeus, suas transgressões serão concluídas, quando o seu Messias retornar e Israel entrar no seu reino (Dn 9.24; Rm 11.26, 27).

2. Qualquer mal público que houver no reino será julgado imediatamente pelo Rei (Is 11.3, 4).

3. O mal será banido para sempre do novo céu e da nova terra, porque neles a justiça habitará (2 Pe 3.13; Ap 21.27).

III. O Homem do Pecado

A Escritura prediz a vinda de um super-homem que servirá como o falsário de Satanás, do Rei dos reis e Senhor dos Senhores. A profecia prediz a vinda de um notável falso Cristo dentre os muitos que foram preditos. De Daniel 7.1-8, pode ser aprendido que essa pessoa será um governador de nações combinadas, e de Apocalipse 13.2, pode ser aprendido que ele receberá o seu poder e

O Homem do Pecado

autoridade diretamente de Satanás (cf. Lc 4.5-7). Diversas identificações claras deste governante nos são dadas:

1. no meio da Grande Tribulação, ele ocupará o santo lugar, de acordo com a profecia citada de Daniel por Cristo (Mt 24.15, observe o contexto), e se sentará no santuário (sem dúvida, o templo restaurado dos judeus) como está predito por Paulo (2 Ts 2.1-12).

2. Ele tem uma ferida mortal e, todavia, vive (Ap 13.3).

3. Ele é acompanhado por um operador de milagres, "o falso profeta" (Ap 13.11-18; 19.20).

4. E ele é principalmente identificado pela Escritura por suas presunções blasfemas de divindade, a fim de dar expressão assim à paixão de seu senhor, Satanás, que está revelado nas próprias palavras de Satanás, "Serei semelhante ao Altíssimo" (Is 14.14).

Esse poderoso governante figura basicamente em Apocalipse 13–19. Ezequiel o vê como "o príncipe de Tiro" (Ez 28.1-10; cf. Satanás como é mostrado em 28.11-18). Daniel o vê como "o pequeno chifre", o "príncipe" ímpio, o "rei" voluntarioso, e o consumador dos "tempos dos gentios" (Dn 7.8; 9.24-27; 11.36-45). Cristo o vê como "a abominação da desolação, falada por Daniel, o profeta", e aquele que vem "em seu próprio nome" (Mt 24.15; Jo 5.43). Paulo o vê como "o homem do pecado" (2 Ts 2.1-12). João o vê como o primeiro cavaleiro num cavalo branco, e como "a besta que surgiu do mar" (Ap 6.2; 13.1-8).

Este grande conjunto de predições coloca esse homem futuro, com referência ao seu aparecimento no tempo do segundo advento de Cristo. Essa pessoa sinistra será destruída pela vinda de Cristo (2 Ts 2.8), e então será lançada viva no lago de fogo (Ap 19.20). A importância que Deus atribui a essa pessoa é manifesta em todo lugar em sua Palavra. Quatro passagens importantes se juntam para dar uma descrição dessa pessoa:

Ezequiel 28.1-10: "De novo veio a mim a palavra do Senhor, dizendo: Filho do homem, dize ao príncipe de Tiro: Assim diz o Senhor Deus: Visto como se elevou o teu coração, e disseste: Eu sou um deus, na cadeira dos deuses me assento, no meio dos mares; todavia tu és homem, e não deus, embora consideres o teu coração como se fora o coração de um deus – com efeito, és mais sábio que Daniel; não há segredo algum que se possa esconder de ti. Pela tua sabedoria e pelo teu entendimento alcançaste para ti riquezas, e adquiriste ouro e prata nos teus tesouros. Pela tua grande sabedoria no comércio aumentaste as tuas riquezas, e por causa das tuas riquezas eleva-se o teu coração; portanto, assim diz o Senhor Deus: Pois que consideras o teu coração como se fora o coração de um deus, por isso eis que eu trarei sobre ti estrangeiros, os mais terríveis dentre as nações, os quais desembainharão as suas espadas contra a formosura da tua sabedoria, e mancharão o teu resplendor. Eles te farão descer à cova; e morrerás da morte dos traspassados, no meio dos mares. Acaso dirás ainda diante daquele que te matar: Eu sou um deus? mas tu és um homem, e não um deus, na mão do que te traspassa. Da morte dos incircuncisos morrerás, por mão de estrangeiros; pois eu o falei, diz o Senhor Deus".

ESCATOLOGIA

O título pelo qual o homem do pecado é reconhecido neste texto é o de "príncipe de Tiro". Sozinha, esta passagem poderia ser atribuída a um rei pagão que, como muitos outros reis fizeram, assumiu ser Deus; mas, quando relacionado ao título "o rei de Tiro", dos versículos 11-18 – cuja identidade a Satanás já foi completamente demonstrada – este personagem é visto como relacionado a Satanás, assim como um príncipe está relacionado a um rei. Em nenhum outro lugar do Texto Sagrado a importância desse indivíduo é mais enfatizada do que nessa passagem. Não somente ele aparece assim num registro que, no que respeita a Satanás, remonta a um passado sem data, quando Lúcifer foi criado como um sublime anjo e o guarda do próprio trono de Deus, mas o registro relativo ao homem do pecado precede no contexto o registro da pessoa de Satanás. Uma identificação posterior é propiciada pela reivindicação dessa pessoa de ser Deus. Esta é a sua marca principal, pela qual ele é caracterizado em toda parte. Embora ele presuma ser Deus, ele é, segundo a Escritura, somente um homem. E a prova deste fato aparece quando ele é trazido à condenação.

Daniel 9.27: "E ele fará um pacto firme com muitos por uma semana; e na metade da semana fará cessar o sacrifício e a oblação; e sobre a asa das abominações virá o assolador; e até a destruição determinada, a qual será derramada sobre o assolador".

Dessa passagem e a respeito do antecedente do pronome *ele,* usado nesse texto, o Dr. H. C. Thiessen escreve:

Se as 69 nos levam à cruz de Cristo, então a 70ª semana deve nos levar para depois da cruz. Mas aqui observamos primeiro de tudo que há um intervalo entre a 69ª e a 70ª semanas. Tregelles diz: "Na morte do Messias, o reconhecimento termina; então vem o intervalo, e o tempo é novamente tomado por uma semana no final" (*Remarks on the Book of Daniel,* 110). Durante esse intervalo, "as pessoas do príncipe que virá destruirão a cidade e o santuário; e o fim disso será como uma inundação, e mesmo até o fim haverá guerra; desolações estão determinadas" (Dn 9.26). Isto aponta definitivamente para a vinda dos romanos sob Tito e a destruição causada por eles a Jerusalém e o templo, que ocorreu no ano 70 d.C. Com respeito às palavras "e o fim disso será com uma inundação, e mesmo até o fim haverá guerra; desolações estão determinadas", Ironside diz: "Estas palavras descrevem brevemente a história da Palestina, desde a vinda dos exércitos romanos sob Tito, até o tempo presente. Jerusalém e a Palestina, como um todo, têm sido pisadas por todas as nações, e será 'até os tempos dos gentios serem completados'" (*Lectures on the Book of Daniel,* 167). Então observamos que a cidade e o santuário serão destruídos pelo povo de um príncipe que virá, não pelo próprio príncipe. Como vimos, este povo é composto de romanos, que cumpriram esta profecia no ano 70 d.C. O príncipe vem a campo no versículo 27. O versículo diz o seguinte: "E ele fará um pacto firme com muitos por uma semana; e na metade da semana fará cessar o sacrifício e a oblação; e sobre a asa das abominações virá o assolador; e até a destruição determinada, a qual será derramada sobre o assolador".

O Homem do Pecado

Há, contudo, uma diferença considerável de opinião com relação ao que é antecedente do pronome "ele". A maioria dos comentadores pensa que é "o Ungido", na primeira parte do v. 26; alguns, tomando o pronome como um "neutro", igual a "it" no inglês, pensam que se refere à "semana", como se a "semana" confirmasse o pacto com os muitos. Mas como, perguntaríamos, pode a referência ser a Cristo, quando já fomos apresentados ao príncipe romano? Parece necessário fazer o pronome referir-se a ele. Além do mais, quando Cristo fez um pacto firme com muitos judeus por uma semana; e como pode ser dito dEle que "no meio da semana" Ele fez cessar os sacrifícios, quando os sacrifícios do templo continuaram por cerca de quarenta anos após a morte de Cristo na cruz? Pareceria absurdo referir o pronome à "semana". Como pode uma "semana" fazer um pacto firme e então quebrá-lo no meio de si mesma? É mais natural entender o pronome "ele" ao príncipe mencionado na última parte do versículo 26, a saber, o príncipe romano; contudo, não a Vespasiano, imperador romano de 69-79 d.C., nem a seu sucessor, Tito, que governou de 79 a 81 d.C. Nenhum destes fez pacto com os judeus e o quebrou; e Tito viveu somente dois anos após sua ascensão ao trono. A referência é a um príncipe romano que virá após um longo intervalo da metade do versículo 26, que já durou mais de 1.900 anos; e a última semana é ainda futura. Tregelles toma o pronome "ele" do versículo 27 para referir-se ao "príncipe que virá" do versículo 26, e diz: "O príncipe que virá é o último cabeça do poder de Roma, a pessoa a respeito de quem Daniel havia recebido uma instrução anterior" (*op.cit.*, 105).[133]

Quando os discípulos pediram a Cristo um sinal do fim da era (Mt 24.3), fazia-se uma referência à era em curso, a saber, a que foi prevista por Daniel, a era gentílica de 560 anos. Não poderia haver uma alusão à presente era da Igreja, a respeito da qual nada ainda havia sido revelado. O sinal, então, é necessário para indicar o fim dos tempos gentílicos, ou, mais especificamente, os sete anos restantes ainda a serem experimentados no final da era da Igreja. O sinal que Cristo revelou é o da "abominação da desolação, de que falou o profeta Daniel", que permanece no lugar santo (Mt 24.15). Este é o reconhecimento do próprio Cristo e a interpretação que Ele dá de Daniel 9.26, 27, passagem que está em consideração aqui. Esta sugestão da parte de Cristo a respeito do homem do pecado serve como uma introdução à sua própria descrição da Grande Tribulação (cf. Mt 24.21, 22), que, como foi visto, é a 70ª semana de Daniel – os últimos sete anos dos tempos gentios. Assim, outra vez, esse personagem sinistro é colocado, em relação ao tempo de seu aparecimento, dentro daquela hora de provação ainda futura que está para vir sobre a terra.

2 Tessalonicenses 2.4-10: "Aquele que se opõe e se levanta contra tudo o que se chama Deus ou é objeto de adoração, de sorte que se assenta no santuário de Deus, apresentando-se como Deus. Não vos lembrais de que eu vos dizia estas coisas quando ainda estava convosco? E agora vós sabeis o que o detém para que a seu próprio tempo seja revelado. Pois o mistério da iniqüidade já opera; somente há um que agora o detém até que seja posto fora; e então será

revelado esse iníquo, a quem o Senhor Jesus matará com o sopro de sua boca e destruirá com a manifestação da sua vinda; e esse iníquo cuja vinda é segundo a eficácia de Satanás com todo o poder e sinais e prodígios de mentira, e com todo o engano da injustiça para os que perecem, porque não receberam o amor da verdade para serem salvos".

Esta passagem especialmente reveladora é escrita pelo apóstolo Paulo e nela revelações importantes são feitas: (1) O Dia do Senhor, não "o dia de Cristo", como erroneamente aparece na *Authorized Version*, no versículo 2, não pode vir antes do homem do pecado ser revelado (v. 3). A referência ao Dia do Senhor, será lembrado, é àquele período extenso de tempo de mil anos predito desde há muito. (2) O homem do pecado declara-se ser Deus. (3) Ele se assenta no templo (v. 4) – evidentemente o templo judeu restaurado. (4) Ele pode ser revelado somente no tempo designado por Deus (v. 6). (5) Ele é destruído por Cristo em seu aparecimento glorioso. (6) Ele exerce o poder de Satanás (v. 9). (7) Ele engana todos que "não recebem o amor da verdade". Sobre tais, o próprio Deus impõe um grande "engano" com a finalidade de ele poder trazer uma manifestação exterior daquilo que está escondido e latente no coração maligno.

Apocalipse 13.1-8: "Então vi subir do mar uma besta que tinha dez chifres e sete cabeças, e sobre os seus chifres dez diademas, e sobre as suas cabeças nomes de blasfêmia. E a besta que vi era semelhante ao leopardo, e os seus pés como os de urso, e a sua boca como a de leão; e o dragão deu-lhe o seu poder e o seu trono e grande autoridade. Também vi uma de suas cabeças como se fora ferida de morte, mas a sua ferida mortal foi curada. Toda a terra se maravilhou, seguindo a besta, e adoraram o dragão, porque deu à besta a sua autoridade; e adoraram a besta, dizendo: Quem é semelhante à besta? Quem poderá batalhar contra ela? Foi-lhe dada uma boca que proferia arrogâncias e blasfêmias; e deu-se-lhe autoridade para atuar por quarenta e dois meses. E abriu a boca em blasfêmias contra Deus, para blasfemar do seu nome e do seu tabernáculo e dos que habitam no céu. Também lhe foi permitido fazer guerra aos santos, e vencê-los; e deu-se-lhe autoridade sobre toda tribo, e povo, e língua, e nação. E adorá-la-ão todos os que habitam sobre a terra, esses cujos nomes não estão escritos no livro da vida do Cordeiro que foi morto desde a fundação do mundo".

Esta passagem deveria ser estendida, para incluir todo o restante de Apocalipse até 20.10, visto que é a partir de 13.1 a 20.10 que a carreira do homem do pecado deve ser vista. Ele é aqui identificado como a primeira besta ou a besta do mar. Uma análise extensa desse contexto total não pode ser introduzida aqui. Ela fica como um desafio para o estudante de profecia.

Aqui, como em Daniel 2.38, o rei e o reino são tratados como idênticos. O império romano desapareceu com relação ao seu imperador; mas quando revivido, como acontecerá no fim dos tempos dos gentios, esse império reunirá em si, como aconteceu na primeira vez de sua existência, os aspectos essenciais dos três impérios que o precederam – o babilônio, o medo-persa e o grego. Isto é o que é simbolizado pela descrição do império romano, revivido nesta passagem do Apocalipse. Aqui Apocalipse 13.2, 3 deveria ser comparado com Daniel 7.1-8. O último imperador – a besta – mantém um domínio universal sobre todos, exceto sobre aqueles cujos nomes estão escritos no livro da vida do Cordeiro. Ele é novamente identificado por suas blasfêmias. Ele continua por 42 meses, que é a última metade dos sete anos. Ele persegue os santos – Israel (cf. Dn 7.21, 22). Ele é acompanhado por uma segunda besta que vem da terra (Ap 13.11-18), um falso profeta, o anticristo que deve ser distinto dos "muitos anticristos" (1 Jo 2.18) e do "espírito do anticristo" (1 Jo 4.3).

Essa segunda besta é evidentemente o último cabeça eclesiástico sobre a Igreja apóstata. A segunda besta faz com que a primeira besta seja adorada. Ela constrói uma imagem da primeira besta, e faz com que a imagem viva e fale. A penalidade por não adorar a primeira besta é a morte. Assim, os tempos gentílicos começaram com uma imagem e terminarão com outra. Ambas as bestas são, no retorno de Cristo, lançadas vivas no lago de fogo (cf. Ap 19.20), onde Satanás deve ser lançado no final da era do reino (Ap 20.10).

Concluindo, pode ser reafirmado que um governante mundial poderoso ainda surgirá, cujo domínio universal será sobre o império romano revivido e nos sete anos que ainda permanecem dos tempos dos gentios. Ele recebe o poder de Satanás (cf. Lc 4.5, 6), tem o apoio do falso profeta e é promovido por ele, e estes três – Satanás e as duas bestas – formam uma trindade do mal que parece ser uma falsificação satânica da Trindade dentro da divindade. A destruição das duas bestas no segundo advento de Cristo e o lançamento final de Satanás no mesmo lago de fogo são a consumação do mal na terra. Na nova terra e no novo céu, que existirão, a justiça reinará.

Um estudo diligente dessas passagens reveladoras está ordenado a todos os que querem conhecer as Escrituras proféticas.

Capítulo XX

Profecias a Respeito do Curso e do Fim da Cristandade Apóstata

A PRESENTE ERA INTERCALADA nos tempos dos gentios começa na morte de Cristo, evento esse que se encaixou exatamente na profecia e cumpriu-se na história 553 anos após o começo do cativeiro babilônico, e termina sete anos antes dos tempos dos gentios serem terminados. Ele é totalmente sem qualquer relação com o que aconteceu antes ou com o que se segue depois. A presente era tem um caráter distinto e serve a um propósito singular, cujo caráter e propósito não estão presentes, de forma alguma, nas eras anteriores ou nas eras que se seguem. Como foi enfaticamente afirmado antes, o reconhecimento dos aspectos essenciais dessa era, é um passo inicial para o entendimento correto de toda profecia bíblica. Nessa era, quando os programas para os judeus e gentios são suspensos, o Evangelho da graça divina deve ser pregado a toda criatura. Uma cidadania celestial está em processo de criação.

A Noiva de Cristo está assegurada. Aqueles textos que revelam o propósito divino para os judeus e gentios não incluem uma sugestão de judeus ou gentios, nacionalmente considerados, que estejam destinados para a glória do céu. Como o Evangelho foi pregado para as multidões – a vasta maioria não o recebeu – e os altos padrões celestiais de vida dirigidos somente aos crentes foram enfatizados, um subproduto foi criado que incorpora um grupo inumerável que se alegrou em adotar certos ideais cristãos, mas que nunca recebeu Cristo como o seu Salvador pessoal. Muitos desse número se juntaram a igrejas protestantes, ou foram criados sob a profissão de Roma, ou têm meramente subscrito concepções cristãs elementares. Esse grande grupo, inclusive a verdadeira Igreja, é chamado de *cristandade*. Igual a uma "multidão misturada" que seguiu o acampamento de Israel, assim a Igreja é acompanhada por muitos que meramente respeitam um ideal, mas não conhecem o poder transformador de Deus na salvação.

A profecia preditiva reconhece e antecipa o futuro desse grupo que fracassa em possuir a natureza divina. Essa era toda, com as suas características essenciais, é prevista por Cristo e registrada em Mateus 13. Assim, também, a história da Igreja na terra é traçada em sete estágios, ou aspectos, por meio de sete cartas escritas às sete igrejas da Ásia (Ap 2 e 3). De acordo com a palavra de Cristo em Mateus 13, três aspectos particulares são proeminentes por toda esta presente era, a saber: (1) aquilo que é bom, representado pelo trigo, o cereal, a pérola de grande preço, e os peixes bons; (2) Israel, representado pelo tesouro escondido no campo, ou o *cosmos*; (3) aquilo que é mau, representado pelo joio, as aves (más), o fermento, e os peixes maus que são lançados fora. A atividade divina é vista no plantar da semente do Evangelho. Essa atividade resulta em apenas uma porção quádrupla que se torna trigo.

As três porções restantes representam uma mera profissão que foi superficialmente tocada, mas não salva. Outros textos indicam que esse grupo professante aumenta quanto mais o fim se aproxima. A chamada Era das Trevas é explicada pelas cartas às igrejas de Pérgamo e Tiatira, enquanto que a apostasia final dentro da cristandade é antecipada na carta a Laodicéia. Para esse grupo, listado por último, o Senhor glorificado diz: "Assim, porque és morno, e não és quente nem frio, vomitar-te-ei da minha boca" (Ap 3.16).

Tudo o que Deus se compromete a fazer para os homens, parece seguir um curso descendente. Isto foi verdade a respeito de Israel, e está declarado, mesmo a respeito da autoridade gentílica, que começou como ouro e terminou como ferro e barro, e é verdadeiro igualmente sobre a Igreja professante. O fermento que atua no cereal simboliza o poder penetrante de certas formas de mal dentro da própria Igreja verdadeira. O fermento é universalmente o emblema da obra corrupta feita sutilmente. Ele significa mera *formalidade* (cf. Mt 23.14, 16, 23-28); *incredulidade* (cf. Mt 22.23-29); e *mundanidade* (cf. Mt 22.16-21; Mc 3.6; 1 Co 5.6-8). O grupo eleito de verdadeiros crentes jamais é assaltado pelas tendências da formalidade, incredulidade ou mundanidade. Esta condição, como predita, continuou por toda esta era. Em 2 Tessalonicenses 2.3, está afirmado: "Ninguém de modo algum vos engane; porque isto [o dia do Senhor] não sucederá sem que venha primeiro a apostasia e seja revelado o homem do pecado, o filho da perdição".

Aqui, o artigo definido isola essa apostasia de outra qualquer. Ele precede o dia de Jeová, e é evidentemente aquela forma final de união e profissão religiosa, que se obterá na tribulação após a verdadeira Igreja ter sido removida da terra. Várias outras passagens prevêem o mal que existirá nos últimos dias da Igreja e antes que ela seja arrebatada – 1 Timóteo 4.1; 2 Timóteo 3.1-5, 13; 4.3, 4; 2 Pedro 3.3, 4.

A cristandade expande sua influência até os governos, governos esses que devem ainda ser julgados por suas profissões enganosas. Embora inexplicáveis para a mente finita, não obstante é certo que Deus traz toda suposição impura, que Ele permitiu que suas criaturas desenvolvessem, num teste experimental e a fim de que todos possam ser julgados em sua realidade. Mesmo o propósito da Igreja de Roma, de ganhar ascendência política, é permitido acontecer por um breve período precedente ao julgamento que virá sobre ela.

No retorno de Cristo, em poder e grande glória, os governos e as autoridades políticas dos gentios cairão no pó e se dissiparão como a "pragana nas eiras de estio" (Dn 2.35); mas, antes disso, como está revelado em Apocalipse 17, a

ESCATOLOGIA

Igreja professante será destruída pela autoridade política dos gentios. É provável que, com a remoção da verdadeira Igreja, toda a cristandade professante se una à autoridade de Roma. Isto não é difícil de crer, à luz das tendências presentes de união da Igreja e dos desvios para as formas de Roma. Uma Igreja exclusivamente composta de pessoas não-regeneradas, como deve acontecer com a Igreja que permanece aqui, não somente perderá suas convicções doutrinárias, mas cairá como vítima fácil da noção de que a Igreja pode governar melhor o mundo. Apocalipse 17 descreve a ascendência final ao poder governamental, por parte da Igreja de Roma, e os julgamentos que virão sobre ela. Sobre este capítulo uma citação extensa do Dr. Ford C. Ottman é apresentada aqui:

A mulher desse capítulo é, além de toda possibilidade de contradição cheia de sucesso, um sistema eclesiástico apóstata. Se ela representa a Igreja papal – como muitos afirmam – ou a massa total da cristandade professante, após a verdadeira Igreja ter sido arrebatada da terra, é uma questão aberta. Mas que ela significa uma ou outra dessas duas, é uma certeza absoluta. Não há possibilidade dela ser identificada com a mulher do capítulo 12; pois aquela mulher, como já foi mostrado, representa Israel, a mãe de Cristo segundo a carne, e não pode representar outro. A mulher desse capítulo, conquanto falsa, está numa relação de noiva com Cristo, e não uma relação de mãe. Reivindicando ser Sua noiva, ela caiu de sua condição pura e se tornou uma prostituta. Tal condição certamente será revelada na Igreja apóstata, exatamente antes do retorno de nosso Senhor com a verdadeira Igreja. As indicações são de tal caráter que marcam mais particularmente o sistema eclesiástico agora conhecido como a Igreja papal. O romanismo estará em existência àquela altura, mas mais temerosamente apóstata do que já foi. As marcas definidas dadas aqui são tais que de um modo geral têm caracterizado o romanismo em todo tempo de sua história. A mulher cavalga numa "besta escarlate". Inquestionavelmente essa besta é a primeira do Apocalipse, e a sua identidade é completamente clara. A escarlate é o símbolo da glória do mundo. Ela caracteriza a única glória possuída pela besta. O fato de que a mulher cavalga a besta mostra clara e suficientemente que ela está no controle. Se ela representa a Igreja papal – e isto parece mais consistente do começo ao fim – então o longo sonho do papado é visto aqui como plenamente realizado. Ela não possui somente a autoridade eclesiástica, mas também a temporal. A púrpura e a escarlate das quais ela se veste, são os símbolos da realeza e da glória terrena. Ela é também adornada, [literalmente dourada] "com ouro e pedras preciosas e pérolas". Estes são os símbolos da verdade divina: mas aqui eles são somente vistos como adorno externo para os quais não há uma correspondente realidade interior. Ela segura em sua mão uma taça dourada cheia de coisas impuras e abominações de sua fornicação. Basta apenas olhar para as páginas da história, para se ver como a introdução dessas abominações marcou a Igreja de Roma em cada estágio de sua história. Na verdade, as doutrinas fundamentais da Igreja de Roma não devem somente ser opostas ao cristianismo evangélico, mas elas são abominações do pior caráter, e correspondem exatamente às práticas pagãs e idólatras das quais elas sempre se derivaram. A mulher é posteriormente caracterizada como tendo na sua fronte um nome escrito: "Mistério, a grande Babilônia, a mãe das prostitutas e abominações da terra". A palavra Babilônia significa "confusão" e, portanto, a grande Babilônia não é nada senão "a grande confusão". O romanismo é caracterizado não somente pelas abominações, mas pelo mistério. Todo o sistema é escondido em confusão inextricável. Mistério e a abominação, são manifestos em tal ensino como a mediação de sacerdotes humanos entre Deus e o homem; regeneração batismal, aparições de divindades e santos, a adoração destes e da virgem mãe, confissão auricular e absolvição sacerdotal. O nome dela é mistério, mas está escrito na sua fronte, de modo que todos podem ver. Pelo mistério de suas realizações, ela tem mantido o supersticioso em cativeiro. Uma pequena mágica do poder sacerdotal, e o pão e o vinho da eucaristia são transubstanciados em corpo e sangue de Cristo. Misteriosos e sem significado são tais caprichos como o sinal constante da cruz e a adoração que é prestada a ela; o sacerdote se volta para o oriente na adoração; a colocação das luzes de cada lado do altar, mas não no centro; e o uso de incenso. Estes são mistérios suficientes e todos eles podem ser facilmente remontados em sua fonte pagã de origem. O uso da água benta, a exibição dos jogos de mistério, e o carregar das imagens nas procissões, se originam igualmente no paganismo; e eles são todos de desígnio sacerdotal para atrair os olhos, enquanto o coração permanece sem ser alcançado. A grande doutrina central do romanismo é a salvação pelas próprias obras de uma pessoa e pelo seu sofrimento. Alcançar o céu através de uma torre construída por suas próprias mãos foi uma tentativa feita pelo grupo que primeiro apareceu nas planícies de Sinear. Deus em juízo tornou em confusão a linguagem deles, e a palavra "babel", ou "babilônia" define o julgamento que vem sobre cada esforço para alcançar o céu pelas obras, sejam elas praticadas por homens da Igreja de Roma ou por qualquer outro sistema eclesiástico. A Igreja romana é a ilustração mais conspícua do esforço de reconstruir a antiga torre de Babel, e a confusão em toda parte manifesta em seu sistema são o resultado de tal tentativa. Assim, o mistério do romanismo é aqui registrado como Babilonia. Contudo, ela é "Babilônia, mistério". O antigo mal, mas não tão declarado e direto. O que caracteriza posteriormente a mulher é tão claro, que mesmo os romanistas são forçados a aceitar a aplicação dessas coisas a eles próprios: "E vi que a mulher estava embriagada com o sangue dos santos e com o sangue dos mártires de Jesus. Quando a vi, maravilhei-me com grande admiração". Certamente ninguém, com o registro longo e sangrento da história romana diante dele, pode fracassar em ver a força da expressão: "embriagada com o sangue dos santos e com o sangue dos mártires de Jesus". Isto sempre caracterizou Roma, quando não debaixo da restrição da autoridade temporal, como ela agora tem, mas deixe ser dado a Roma operar na prática o que ela ensina em suas doutrinas, e ela decretará

ESCATOLOGIA

uma vez mais as mesmas perseguições violentas e fanáticas como nos tempos mais antigos. Roma é necessariamente intolerante. Ela alega ser a noiva de Cristo e, portanto, a amante do mundo. Como se inconsciente de sua infidelidade a Cristo, ela tem crescido para constituir um enorme sistema de poder sempre crescente e de influência mundial, e, quando a verdadeira Igreja de Cristo é chamada do mundo, este sistema misterioso, talvez juntando em si mesmo todo o restante da massa apóstata da cristandade, será vista no pleno controle do poder imperial dos últimos dias. Dirigido por Satanás, e sob o seu poder, o romanismo ganhará controle temporal por um breve período, e então, como está predito aqui, será destruído. O apóstolo interpreta para nós o mistério da mulher e da besta que a carrega. A besta é identificada pelas sete cabeças e dez chifres. Por todo o Apocalipse, há apenas uma besta política. Essa besta política é o império romano total ou o cabeça imperial daquele império, e o contexto deve determinar qual dessas duas bestas está em vista aqui. Por exemplo, é óbvio que o cabeça imperial é aquele que é lançado vivo no lago de fogo. Em cada caso, o contexto é suficientemente claro para livrar-nos do erro. Não é difícil entender a expressão: "A besta que viste era e já não é; todavia está para subir do abismo, e vai-se para a perdição". Esta afirmação é igualmente aplicável à totalidade do império romano, ou ao cabeça imperial dele. O mando da mulher, como já foi muito bem dito, necessariamente destrói o caráter da besta que resta. Esta explicação foi dada, e aceita por muitos, como suficientemente satisfatória. A Roma pagã, em sua forma revivida, é bestial em seu caráter; enquanto a Roma papal, o que quer que possa ser na realidade, retém por toda parte a forma humana. Quando, entretanto, a mulher cavalga a besta, ela, durante o período de seu governo, cessará de ser bestial na aparência. O ponto de João na visão, estando no tempo do governo da mulher, é ainda futuro. O governo eclesiástico, com autoridade temporal sujeita a ela, daí por diante despojará a besta do seu poder, e isto justifica a expressão: "A besta que viste, era, e já não é". A sua existência bestial em forma continua, enquanto ela vem sob o controle eclesiástico da mulher, e assim durante o tempo do governo dela, é falado que a besta "não é". A destruição da mulher é seguida pelo ressurgimento do império em sua forma bestial, e disto é falado como o surgimento do abismo e da ida para a destruição. Contudo, há outra visão, que pode ser tomada, que é igualmente satisfatória, se não mais ainda. A besta, que se lembre, é o império romano, ou o seu cabeça pessoal. Naturalmente sabemos que houve um tempo quando esse império teve uma existência. No tempo presente esse império não existe, mas, após a remoção da Igreja, ele será restaurado sob o poder satânico, e, portanto, dele pode ser dito como surgindo do abismo, e subseqüentemente caminhando para a destruição. Esta representação pode se aplicar tanto ao império em si mesmo quanto ao cabeça imperial dele. É geralmente aceito que as sete cabeças representam as sete colinas de Roma, e esta idéia é apoiada pela afirmação de que "as sete cabeças são sete montanhas sobre as quais a mulher se assenta".

Elas são também interpretadas como "sete reis", dos quais cinco haviam caído, um estando em existência no tempo em que o apóstolo escreveu, e outro viria nalgum período futuro. A besta, além disso, é aqui identificada como uma de suas cabeças. Este é um fato importante a ser considerado. As cabeças não são introduzidas na descrição, a fim de comunicar a idéia de que a besta tinha sete cabeças ao mesmo tempo. Como matéria, de fato, ela nunca teve sete cabeças de uma vez. Embora se fale dela como tendo sete cabeças, ela é, não obstante, uma besta com uma cabeça, e as cabeças aqui mencionadas com o propósito de interpretação que é divinamente dado por João, quando ele declara que essas cabeças são sete colinas, ou sete reis. As sete cabeças não são simultâneas, mas consecutivas. Elas são reis, e um vem depois do outro. Cinco deles haviam caído antes do tempo de João. Um outro ainda existia quando ele escreveu, e o sétimo era ainda futuro. A besta, a seguir, é declarada ser uma oitava cabeça e, todavia, uma das sete. Esta explicação já foi dada. Roma declinou e caiu sob a sexta forma do império. Ela reviverá sob uma sétima forma. O cabeça imperial será, naturalmente, a sétima cabeça. Recebendo um golpe mortal que é posteriormente curado, ela retomará o poder como a oitava cabeça. Assim, é facilmente visto como "a besta que viste, era, e já não é, é também o oitavo rei, e é dos sete..." "E a mulher que viste é a grande cidade que reina sobre os reis da terra". A grande cidade é Roma. Não meramente a Roma pagã, mas a Roma papal, que ainda da posição literal de Roma exercerá a supremacia aqui referida sobre os reis da terra.[134]

"Depois destas coisas" é a terminologia com que o oitavo capítulo de Apocalipse começa, e indica assim que a destruição da Babilônia eclesiástica, descrita no capítulo 17, é seguida imediatamente pela destruição da Babilônia política. Em suas notas sobre Isaías, capítulo 13, o Dr. C. I. Scofield escreve:

A cidade, Babilônia, não está em foco aqui, como mostra o contexto imediato. É importante observar a significância do nome quando usado simbolicamente. "Babilônia" é a forma grega: invariavelmente no hebraico do Antigo Testamento a palavra é simplesmente Babel, cujo significado é confusão, e neste sentido a palavra é usada simbolicamente. Nos profetas, quando a própria cidade não está em vista, a referência é à "confusão" na qual toda a ordem social do mundo caiu sob a dominação mundial dos gentios. Isaías 13.4 apresenta a visão divina do colossal poder de guerra dos gentios. A ordem divina é dada em Isaías 11. Israel, em sua própria terra, o centro do governo divino do mundo e o canal da bênção divina; e os gentios, abençoados em associação com Israel. Qualquer coisa mais é, politicamente, mera "Babel". Em Apocalipse 14.8-11; 16.19 o sistema mundial dos gentios está em vista em conexão com o Armagedom (Ap 16.14; 19.21), enquanto que em Apocalipse 17 a referência é ao cristianismo apóstata, destruído pelas nações (Ap 17.16), encabeçadas pela besta (Dn 7.8; Ap 19.20) e pelo falso profeta. Em Isaías, a Babilônia política está em vista, literalmente como a cidade existente, e simbolicamente com

ESCATOLOGIA

relação aos tempos dos gentios. No Apocalipse, tanto a Babilônia política simbólica quanto a religiosa simbólica estão em vista, porque estão sob a tirania da besta. A Babilônia religiosa é destruída pela Babilônia política (Ap 17.16); a Babilônia política é destruída pelo aparecimento do Senhor (Ap 19.19-21). Que a Babilônia, a cidade, não deve ser reconstruída, está claro em Isaías 13.19-22; Jeremias 51.24-26, 62-64. Por Babilônia política, queremos dizer o sistema mundial gentílico. Pode ser acrescentado que, no simbolismo da Escritura, o Egito significa o mundo como tal; a Babilônia significa o poder corrupto e a religião corrupta; Nínive significa o orgulho, a glória arrogante do mundo.[135]

Em sua análise deste capítulo de Isaías, o Dr. Scofield também afirma: "Os versículos 12-16 dirigem os seus olhos para os julgamentos apocalípticos (Ap 6–13). Os versículos 17-22 têm uma visão próxima e remota. Eles predizem a destruição da Babilônia literal que então existia; com a afirmação posterior de que, uma vez destruída, Babilônia nunca mais seria reconstruída (cf. Jr 51.61-64). Tudo isso foi literalmente cumprido. Mas o lugar dessa predição num grande estilo profético que olha para a destruição de ambas as babilônias, a Babilônia política e a eclesiológica, no tempo da Besta, mostra que a destruição da real Babilônia tipifica a maior destruição ainda por vir sobre as babilônias místicas".[136]

Semelhantemente, em referência a Apocalipse 17 e 18, o Dr. Scofield afirma: "Babilônia, 'confusão', é repetidamente usada pelos profetas num sentido simbólico. Duas 'babilônias' devem ser distintas no Apocalipse: a Babilônia eclesiástica, que é a cristandade apóstata, liderada pelo papado; e a Babilônia política, que é o império confederado da Besta, a última forma do domínio mundial dos gentios. A Babilônia eclesiástica é "a grande meretriz' (Ap 17.1), e é destruída pela Babilônia política (Ap 17.15-18), aquela besta que é sozinha o objeto de adoração (2 Ts 2.3, 4; Ap 13.15). O poder da Babilônia política é destruído no retorno do Senhor em glória. A noção de uma Babilônia literal a ser reconstruída no lugar da antiga Babilônia está em conflito com Isaías 13.19-22. Mas a linguagem de Apocalipse 18 (e.g., vv. 10, 16, 18) parece, sem dúvida identificar 'Babilônia', a 'cidade' da luxúria e do tráfico, com a 'Babilônia' centro eclesiástico, ou seja, Roma. Os próprios reis que odeiam a Babilônia eclesiástica deploram a destruição da Babilônia comercial".[137]

Nada é mais fundamental a respeito da vontade de Deus para esta terra do que Israel, sua nação eleita, estar em sua terra em paz. Os gentios estão ligados a esta situação somente como aqueles que derivam uma vantagem secundária dos benefícios divinos para Israel. Através da apostasia de Israel, que foi predita e está totalmente dentro do plano de Deus (cf. Dt 4.26-28; 30.18, 19; Is 1.2) e através do castigo que veio sobre aquela nação, um período dos tempos dos gentios foi introduzido, e estes tempos – um tema de muita predição – deve manter o seu curso determinado, e receber aqueles julgamentos de Deus que pertencem a um mundo que rejeita Cristo. O julgamento divino completo sobre Israel, sobre as nações, e sobre os anjos – para que o mal possa ser banido completamente – terá um tratamento maior no Capítulo XXVI.

A destruição das duas babilônias, a religiosa e a política – aquela que inevitavelmente se alcança quando Israel está fora de sua terra e esvaziada da bênção – é, como já foi afirmado, descrita em muitos textos e em cada descrição dos julgamentos dos gentios, termina no estabelecimento do reino de Israel com seu governo divino final sobre a terra. A revelação a respeito da destruição vindoura da Babilônia religiosa tem tido pouca discordância por parte dos expositores; mas igualmente professores sinceros têm discordado a respeito da destruição da Babilônia política. Alguns afirmam que a antiga cidade da Babilônia deve ser reconstruída, a fim de que ela possa ser destruída como um cumprimento literal de certas profecias. Para esta afirmação, pode ser replicado que o texto de Apocalipse 18 usa a figura da cidade, que era, ambos com respeito à corrupção e sobre o juízo divino, um tipo da Babilônia mundial.

Sem levar em conta quão imposta a suposta Babilônia restaurada possa ser, a destruição de qualquer simples cidade não satisfaria as exigências que surgem para a destruição da totalidade do sistema mundial. O tema dos julgamentos dos gentios é de interesse imediato, pois os cidadãos da terra vivem naquelas condições que antevêem as destruições iminentes.

CAPÍTULO XXI

Profecias a Respeito da Grande Tribulação

I. A Doutrina em Geral

INEVITAVELMENTE, muita coisa foi escrita nas páginas precedentes a respeito do período da Grande Tribulação. Foi observado que ela é a 70ª semana de anos que foi predita por Daniel; que ela completa os tempos dos gentios e nela os julgamentos dos gentios são concluídos; que ela é caracterizada pelo reinado da besta, o homem do pecado; que ela é o tempo da tribulação de Jacó; que ela não está relacionada à Igreja; e que ela terminará com o aparecimento glorioso de Cristo. Tal gama de aspectos aliados não pode senão estabelecer a verdade de que esse breve período é incomparável em sua importância e em suas realidades. A transição dos tempos gentílicos, que envolve a completa destruição de suas instituições, seus governos, a realização dos seus juízos, e o estabelecimento do reino de justiça e paz do Messias, é o clímax de toda história humana anterior.

É a consumação do propósito divino na terra. É a derrota e a destruição de todas as forças do mal nesta esfera, cuja derrota deve ser seguida imediatamente pela destruição de todas as forças do mal nas esferas angelicais (1 Co 15.25, 26). Que muita coisa será cumprida num período de sete anos e esse período é encurtado um pouco (cf. Mt 24.21, 22), enfatiza a importância desse período como o mais significativo do que qualquer outro conhecido da história ou da profecia. O estudante é encorajado a fazer um cuidadoso estudo dos textos que revelam: (1) o fato desse período (observe Dt 4.29, 30; Sl 2.1-10; Jr 30.4-7; Dn 9.27; 12.1; Mt 24.9-28; 2 Ts 2.8-12; Ap 3.10; 7.13, 14; 11.1–19.6), (2) os julgamentos que devem vir sobre as nações de então (observe Sl 2.1-10; Is 63.1-6; Mt 25.31-46), (3) os julgamentos ou os sofrimentos, ou a salvação sobre Israel (observe Is 63.1; Ez 20.33, 44; Ml 3.1-6; Mt 24.32–25.30).

Como foi anteriormente indicado, o livro do Apocalipse é a consumação de toda profecia bíblica e é de importância total que quase metade desse livro é dedicada à descrição da última metade da 70ª semana ou do período da Grande Tribulação, e que quase dois terços desse livro são devotados aos eventos que acontecem dentro da totalidade dos sete anos de duração desse período. O mais fantasioso esforço de imaginação é exigido, quando os julgamentos que transformam o mundo do Apocalipse, capítulos 6–19, são aplicados à história

PROFECIAS A RESPEITO DA GRANDE TRIBULAÇÃO

passada. Uns poucos escritores têm tentado fazer esse ajustamento em detalhes. A maioria deles prefere permanecer na esfera das generalidades indefinidas, e a justificar a sua própria incerteza pela afirmação de que o Apocalipse é escondido e obscuro, na melhor das hipóteses. Todos os escritores sobre este livro que desejam lidar com passatempo favorito, ou desejam forçar uma interpretação, valem-se de latitude suficiente para suas teorias, ao afirmar um suposto mistério que esconde sua mensagem. O livro, contudo, é uma *revelação*.

Por causa de sua exatidão e clareza, a seguinte citação extensa de um artigo do Dr. Henry C. Thiessen é incorporada aqui:

Pelo "período de tribulação" queremos dizer mais do que uma simples tribulação. As Escrituras nos dizem que "por muitas tribulações nos é necessário entrar no reino de Deus" (At 14.22), e que no mundo nós temos "tribulações" (Jo 16.33). Estas tribulações podem ser devidas a calamidades nacionais (At 11.27-30), à perseguição de homens ímpios (Mt 13.12; 2 Tm 3.12), a pecado pessoal do crente (1 Tm 5.23-25; 2 Sm 12.10), à manifestação da vida interior (Jó 42.1-6; Jo 15.2; 2 Co 12.7; Hb 12.10), ou ao propósito soberano de Deus para se glorificar por meio disso (Jo 9.1-3). Em oposição a tais aflições pessoais, o período da Grande Tribulação é um tempo definido durante o qual o mundo experimentará uma tribulação sem precedentes. Como veremos, esse período está diretamente relacionado à segunda vinda de Cristo.

1. O FATO DE TAL PERÍODO. Um exame cuidadoso das Escrituras revela o fato de que deve haver um período definido de tribulação. Tais referências como Romanos 2.9; 2 Tessalonicenses 1.6; Apocalipse 2.22, falam da tribulação vindoura como uma punição pelo pecado, mas eles não se referem definitivamente ao período da tribulação. Somente algumas das evidências podem ser apresentadas. Em Daniel 12.1 lemos: "Naquele tempo se levantará Miguel, o grande príncipe, que se levanta a favor dos filhos do teu povo; e haverá um tempo de tribulação, qual nunca houve, desde que existiu nação até aquele tempo; mas naquele tempo livrar-se-á o teu povo, todo aquele que for achado escrito no livro". Observe a expressão "tempo de tribulação". Em Jeremias 30.7-9 lemos: "Ah! Porque aquele dia é tão grande, que não houve outro semelhante! É tempo de angústia para Jacó; todavia, há de ser livre dela. E será naquele dia, diz o Senhor dos exércitos, que eu quebrarei o jugo de sobre o seu pescoço... Nunca mais se servirão dele os estrangeiros, mas ele servirá ao Senhor, seu Deus, como também a Davi, seu rei, que lhe levantarei". No versículo 7 temos as mesmas palavras hebraicas para "tempo de tribulação", como em Daniel 12.1. Igualmente, o Novo Testamento ensina a vinda de um tempo de tribulação. Jesus disse: "Porque haverá então uma tribulação tão grande, como nunca houve desde o princípio do mundo até agora, nem jamais haverá... Logo depois da tribulação daqueles dias, escurecerá o sol, e a luz não dará a sua luz; as estrelas cairão do céu e os poderes dos céus serão abalados. Então aparecerá no céu o sinal do Filho do homem, e todas as tribos da terra se lamentarão, e verão vir o Filho do homem sobre as nuvens do céu, com poder e grande glória" (Mt 24.21, 29, 30). Se combinarmos a afirmação no versículo 29, "logo depois da tribulação daqueles dias", com as palavras em Marcos 13.24, "mas naqueles

ESCATOLOGIA

dias, depois daquela tribulação", veremos que o nosso Senhor fala de um período de tribulação. Em Mateus 24.22, Ele diz que "aqueles dias" serão abreviados. O Cristo que ascendeu ao céu diz à Igreja em Filadélfia: "Porquanto guardaste a palavra da minha perseverança, também eu te guardarei da hora da provação que há de vir sobre o mundo inteiro, para pôr à prova os que habitam sobre a terra" (Ap 3.10). A palavra "hora" indica que o Senhor fala de um período de provação. Moffatt corretamente se refere a este versículo no futuro. Ele diz: "O período iminente, τοῦ πειρασμοῦ, refere-se aos dias de humilhação que, nos esquemas escatológicos, existem para anunciar o retorno do Messias. Mais tarde, esse período é especificamente definido como um tempo de sedução à adoração imperial (cf. 13.14-17; 7.2 com Daniel 12.1, LXX)".[138] Alford usa uma linguagem semelhante, quando diz: "O tempo designado para essa prova tão dolorida, τοῦ πειρασμοῦ, do sinal bem conhecido da tentação... O tempo introduzido é aquele profetizado em Mateus 24.21 e versículos seguintes, o grande tempo de lutas que acontecerá antes da segunda vida do Senhor. Como tal, está imediatamente conectado com ἔρχομαι ταχύ seguinte".[139] Esse mesmo período é referido em Apocalipse 7.14, onde a tradução correta é assim: "Estes... vêm da grande tribulação" (lit., tribulação, a grande). O grego tem o artigo, e deveria ser traduzido. Moffatt diz sobre esta frase: "A grande aflição é claramente o período de perseguição e martírio" (6.11) predito (e.g., Dn 12.1; Mt 24.21), para anunciar a catástrofe final. Ele é ainda esperado por Hermas (vis. ii, 2.7, iv. 2.5, 3.6) (*op.cit. in loc.*). Charles diz que essa tribulação específica "é a tribulação final e última que a presente geração vai experimentar. Cf. Daniel 12.1 e Marcos 13.19... É totalmente errado tomá-la como o significado da tribulação que o fiel deve encontrar no mundo. Essa grande tribulação está ainda no futuro. Ela consiste primeiro e principalmente na real manifestação dos poderes satânicos sobre a terra, e somente num grau secundário, nos males sociais e cósmicos".[140] Alford estranhamente vê neste versículo "a soma total das provações dos santos de Deus, visto pelo presbítero como agora completas, e designadas por este nome enfático e geral: 'toda esta tribulação'".[141] Mas ele admite que outros têm "explicado as palavras deste último grande tempo de provação, que é para provar os santos antes da vinda do Senhor."[142] A linguagem é tão clara que não parece necessário refutar a interpretação de Alford. Nem parece necessário multiplicar as referências, a fim de mostrar que tal período está predito nas Escrituras.

2. A NATUREZA DO PERÍODO. Novamente, não podemos apresentar toda evidência. Tudo o que podemos fazer é mostrar um esboço amplo do caráter desse período. Em termos gerais, é um período durante o qual Deus fala às nações da terra "em sua ira, e no seu furor os confundirá" (Sl 2.5). Eles têm tomado conselho contra Jeová e o seu ungido; eles mataram o Filho de Deus (Sl 2.1-4; At 4.25-28). Ele os visitará em juízo e, todavia, estabelecerá o seu Rei sobre o seu santo monte Sião (Sl 2.6-12). Isaías 24 dá uma descrição vívida dessa catástrofe mundial, que está por vir. É a hora da provação que virá sobre o mundo todo, para provar aqueles que habitam sobre a terra (Ap 3.10). Os intérpretes futuristas sustentam que Apocalipse 6–19 trata desse período. Ao assumirmos esta posição como verdadeira, encontramos nestes capítulos uma descrição sombria do período da tribulação. Aprendemos que haverá um mundo federado, i.e., o antigo império romano será restaurado, com um governante energizado por Satanás, como cabeça. Dez reis reinarão sob ele. Será uma forma despótica de governo (Ap 13.1-10; 17.1-18; 19.17-21; cf. Dn 2.40-45; 7.23-27). No começo, esse governo será fortemente influenciado pela Igreja federada, a falsa noiva de Cristo, a mãe das meretrizes; mas, após um tempo, o imperador proibirá toda forma de culto, colocando-se a si mesmo como deus, e exigirá que o mundo o adore. Os dez reis sob o imperador se colocarão contra o sistema religioso federado e o destruirá, e a besta da terra então induzirá o mundo a adorar o imperador. Os opositores serão perseguidos e mortos, por meio de um boicote absoluto, ou serão forçados a fugir, para poderem viver (Ap 17.1-17; 13.11-18; 2 Ts 2.3-12). Com isto, Israel terá retornado em grande número à Palestina, reconstruído o templo em Jerusalém e, por um tratado com o imperador do mundo, obtido permissão para restaurar sua adoração no templo, inclusive, com o oferecimento de sacrifícios e oblações (Ez 37.7-14; Dn 9.27). Mas o período provará ser o "dia da tribulação de Jacó" (Jr 30.7; Dn 12.1, 9-13). O imperador quebrará o seu pacto com Israel, impedirá os sacrifícios e as oblações, e colocará a sua própria imagem no templo (Dn 9.27; 11.31; 12.11; Mt 24.15-31; 2 Ts 2.4; Ap 13.14, 15). Um remanescente será selado, antes que esses tempos tumultuosos alcancem o seu clímax e será preservado no meio deles (Ap 7.1-8; 14.1-9). O próprio Satanás instigará a mais violenta perseguição contra a mulher e o restante da descendência dela, isto é, Israel, mas Deus providencialmente intervirá em favor de seu povo (Ap 12.13-17). As nações do Norte, representadas por Gogue e Magogue, se reunirão contra Jerusalém (Ez 38–39); e quando o conflito estiver no seu máximo, Cristo repentinamente aparecerá, derrotará a besta e o falso profeta com seus exércitos, e libertará o seu povo (Zc 14.1-9; Ap 19.17-21). O espírito de graça e de súplicas será derramado sobre Israel, e eles reconhecerão e lamentarão o seu Messias (Zc 12.8-14). As condições econômicas exercerão uma parte importante durante esse período. A riqueza será grandemente aumentada nos últimos dias, mas também a injustiça e a conseqüente pobreza (Tg 5.1-6). A submissão ao imperador mundial e adoração dele serão uma condição para poder comprar e vender (Ap 13.16-18). Uma grande cidade comercial (?) será construída no Eufrates, e justamente naquela época, quando ela começa a desfrutar sua riqueza, Deus repentinamente a destruirá (Ap 18.1-24). Em conexão com a abertura dos selos, do soar das trombetas, e do derramamento das taças de ira, Deus visitará com julgamento sobre o mundo que rejeita Cristo e Deus. Mas a despeito da situação terrível daqueles dias, haverá um remanescente de israelitas como testemunhas (Is 66.19; Zc 8.13; Mt 24.14; Ap 7.1-8), e multidões serão convertidas (Ap 7.9-17).[143]

II. A Igreja e a Tribulação

Atenção deve ser dada neste ponto a uma discordância que se vê entre os pré-milenistas, de igual sinceridade sobre se a Igreja entrará ou passará pela Grande Tribulação. Uma extensa literatura gradativamente foi estabelecida, à

ESCATOLOGIA

medida que o problema foi surgindo, que o estudante faria bem em ler com atenção. É afirmado nesta obra que a Igreja nunca entra ou passa pela tribulação e por certas razões, a saber, por causa da:

1. A NATUREZA DA TRIBULAÇÃO. Provas foram apresentadas anteriormente, as quais demonstram que o período da tribulação, ainda a ser experimentado no mundo, é o complemento de uma seqüência de anos preditos, todos que deveriam ser interpostos entre a retirada de Israel da terra, que ocorreu no exílio babilônico, e o retorno final daquele povo à sua terra, na realização total de suas bênçãos pactuadas sob o reinado do Messias. Mas por causa da era intercalada da Igreja, esse período é medido exatamente como de 560 anos consecutivos, tempo esse que é dividido em intervalos, a saber, 70 anos do cativeiro babilônico, como foi predito por Jeremias (Jr 25.11, 12), 49 anos, nos quais Jerusalém seria reconstruída (Dn 9.25), 434 anos até à morte do Messias (Dn 9.26), e 7 anos, nos quais o pacto entre o príncipe e muitos será confirmado.

Esta é a medida exata dos tempos dos gentios, embora esses anos sejam igualmente carregados de eventos que são judaicos. O último imperador romano – a besta – surge no final dos sete anos, e os tempos dos gentios são terminados pelo aparecimento glorioso do Messias. O que quer que pertença aos tempos gentílicos começou com o exílio babilônico e, à parte da era de intercalação da Igreja, é revivido e consumado nos sete anos ainda futuros. Segue-se, portanto, que a Igreja estará corretamente presente nos últimos sete anos, se ela é vista como parte dos tempos gentílicos antes da morte do Messias. Somente a mais cega forma de teologia do pacto ignoraria a espantosa evidência nas Escrituras de que a Igreja não está nos 483 anos de Daniel, ou em qualquer período da história do Antigo Testamento.

Aqueles que colocam a Igreja nos últimos sete anos dos tempos dos gentios, são culpados de introduzir um elemento naquele período que não tem lugar algum nele, visto que ela não deverá estar na terra durante os anos importantes que esse período encerra. Como uma confirmação destas distinções, pode ser asseverado com toda a certeza que nenhum texto do Novo Testamento precisa colocar a Igreja nesse período, nem qualquer texto do Novo Testamento adverte a Igreja com respeito à tribulação, como se ela corresse o perigo de passar por ela.

Além disso, o propósito da Grande Tribulação é totalmente estranho à Igreja. Esse período é declarado ser para os juízos finais de Deus sobre um mundo que rejeita Cristo e Deus. É o final do sistema do *cosmos*. Em oposição a isto, a Igreja não é uma parte do *cosmos* (cf. Jo 15.18, 19; 17.14, 16; 1 Jo 5.19), nem é ela jamais trazida a um julgamento de condenação (Jo 5.24; Rm 8.1). Ela será julgada com relação às recompensas que pertencem aos indivíduos fiéis, julgamento esse que não é sobre a terra, mas no céu, e certamente não é um aspecto da tribulação terrena. Exigir que os crentes devam experimentar o terrível julgamento e a destruição que devem vir sobre eles, é fazer violência a todo aspecto da graça salvadora de Deus.

2. A NATUREZA DA IGREJA. Muito mais conclusivo do que tudo mais na determinação do assunto em questão, é um entendimento correto da natureza da Igreja. Que ela não poderá compartilhar da Grande Tribulação, está estabelecido de uma forma final por todos que compreendem a verdade essencial da relação de cada crente com Deus. Não somente a Igreja é um produto dessa era específica, sem qualquer relação com outra era, mas cada crente é perfeitamente aceito agora e para sempre diante de Deus, com base em sua posição em Cristo; a justiça de Deus é imputada a ele, e, salvo deste *cosmos*, ele não mais é deste mundo, como Cristo não é deste mundo (Jo 15.18, 19; 17.14, 16). A tribulação vindoura é um julgamento deste mundo. Israel tem sua parte nele, visto que, por ainda não ser salvo (Rm 11.26), é deste mundo (cf. Mt 13.44).

O crente, por ser o que ele é em Cristo, não tem mais um lugar legítimo nos julgamentos deste *cosmos*, como o próprio Cristo ou qualquer anjo não-caído. De volta às teorias de que a Igreja entrará pela tribulação: a heresia arminiana diz que o crente contribui com alguma coisa para a sua própria aceitação perante Deus, e se fracassar em algum grau nesta responsabilidade, será purgado e purificado pelos sofrimentos que a tribulação propicia. Há uma linha de verdade que diz respeito à fidelidade pessoal do crente; mas isto, como já foi visto, é consumado antes de Cristo se assentar no céu para o julgamento. Com relação a qualquer condenação, ou outro julgamento, o cristão está totalmente livre para sempre com a base mais justa de que o Substituto suportou a condenação e o julgamento e providenciou uma posição perfeita diante de Deus.

Está estabelecido por textos absolutos que o crente está livre de todos os julgamentos condenatórios (Jo 3.18; 5.24; Rm 5.1; 8.1, 33, 34; 1 Co 11.31, 32). Em geral, aqueles que afirmam que a Igreja passará pela experiência da tribulação, asseveram que todos os crentes – espirituais e imaturos – entrarão naquele período de sofrimento, embora haja aqueles que crêem num arrebatamento parcial, os quais asseveram que a Igreja será dividida e o elemento espiritual, que sempre inclui aqueles que crescem nesta noção, os quais irão diretamente para o céu, enquanto que os imaturos sofrerão por seus pecados na tribulação. Isto se constitui num purgatório protestante. A resposta a tais conceitos é o reconhecimento da verdade que, quando os membros desta raça pecaminosa vão para o céu, não é com base de seu próprio mérito, mas somente através dos méritos de Cristo.

Deve ser lembrado que cada crente já está perfeitamente justificado para sempre (Rm 5.1; 8.30, 33, 34) e isto totalmente dentro da esfera da justiça divina (Rm 3.26). Assim, a argumentação de que a Igreja passará pela tribulação se torna um insulto à graça imensurável de Deus em Cristo, assim como uma descrença nela. Supor, como alguns asseveram, que a Grande Tribulação é grandemente superestimada com respeito aos seus sofrimentos, se torna não menos do que uma contradição direta das palavras de Cristo. Ele disse: "...porque haverá então uma tribulação tão grande, como nunca houve desde o princípio do mundo até agora, nem jamais haverá. E se aqueles dias não fossem abreviados, ninguém se salvaria; mas por causa dos escolhidos serão abreviados aqueles dias" (Mt 24.21, 22). O que Cristo declara ser supremo e incomparável não é uma superestimação dos fatos (cf. Dn 12.1).

Deixe que os que ensinam isso à Igreja – ou qualquer parte dela – entrem na Grande Tribulação, por afirmarem quantos salvos estão vestidos com a justiça de Deus, justificados para sempre, e totalmente resgatados deste cosmos, e possam, de acordo com a razão e a revelação, ser impelidos para aqueles juízos finais que vêm sobre o mundo e os que rejeitam Cristo, devido ao fato de serem governados por Satanás.

3. Deve a Última Geração da Igreja Sofrer de um Modo Especial? Aqueles que acalentam a idéia de que a Igreja experimentará a Grande Tribulação devem contar com o fato de que dentre mais de 75 gerações que compreendem esse grande grupo, todas, exceto a presente geração, entraram na glória sem os supostos benefícios daquela experiência purificadora. Por que, então deveria a última geração sofrer algo que todas as outras gerações foram poupadas? Sobre este ponto, um argumento especial tem sido desenvolvido, a saber, que como a Igreja sofreu o martírio em certos períodos de sua história, pode ser esperado que ela sofra novamente no final desta era; mas por detrás dessa alegação está a falha em reconhecer que os sofrimentos passados foram devidos aos ataques de homens ímpios sobre a Igreja, enquanto que a Grande Tribulação é o julgamento de Deus sobre os homens ímpios. Totalmente justificados, os crentes não têm lugar entre os homens maus, que estão destinados à condenação eterna.

4. O Testemunho das Escrituras. A Bíblia está longe de silenciar sobre este tema importante; contudo, não mais há oportunidade para a Palavra de Deus afirmar especificamente que a Igreja não está na Grande Tribulação, além de declarar que a Igreja não está no cativeiro da Babilônia, embora em um texto esteja diretamente declarado que a Igreja não deve ser testada nessa provação. A evidência das Escrituras é obtida daquilo que pode ser deduzido. Como já foi afirmado, nenhum texto sugere que a Igreja está na tribulação, nem é a Igreja advertida, como se estivesse em perigo de tão grande prova. Certos aspectos desta fase do assunto deveriam ser considerados separadamente.

A. O Retorno Iminente de Cristo. Seja a vinda de Cristo à terra em glória quando Israel converter-se, ou esse acontecimento seja no ar, para receber a Sua Noiva, a sua vinda é iminente. O texto da Escritura que dirige Israel na tribulação, cujo tempo termina no retorno glorioso de Cristo como o seu Juiz e Libertador, adverte-a a *vigiar*, pois Ele virá como o ladrão da noite (cf. Mt 24.32–25.13; 1 Ts 5.1-8; 2 Pe 3.8, 10). Em oposição a isto, a Igreja é instruída a *esperar* e *ansiar* pelo seu retorno (1 Ts 1.9, 10; Tt 2.13; Hb 9.28). Nos dois casos, o retorno de Cristo não é anunciado e, portanto, iminente, dentro do período a que cada evento pertence. O retorno de Cristo para a sua Igreja não era iminente nos dias do Antigo Testamento; nem é o aparecimento glorioso iminente até a tribulação (2 Ts 2.3).

O retorno iminente de Cristo para receber Sua Igreja é considerado por todos os crentes como "uma bendita esperança". Está escrito: "Não se turbe o vosso coração; credes em Deus, crede também em mim. Na casa de meu Pai há muitas moradas; se não fosse assim, eu vo-lo teria dito: vou preparar-vos lugar. E, se eu for e vos preparar lugar, virei outra vez, e vos tomarei para mim mesmo, para que onde eu estiver estejais vós também" (Jo 14.1-3). A própria ausência de uma data nesta passagem, dirigida aos discípulos no cenáculo, estende essa promessa a todas as gerações subseqüentes, até que Ele venha. Além disso, está registrado: "Porque a graça de Deus se manifestou, trazendo salvação a todos os homens, ensinando-nos, para que, renunciando à impiedade e às paixões mundanas, vivamos no presente mundo sóbria, e justa, e piamente, aguardando a bem-aventurada esperança e o aparecimento da glória do nosso grande Deus e Salvador Cristo Jesus" (Tt 2.11-13).

Aqui, como acima, a promessa se estende a todas as gerações, até que Ele venha. De um modo semelhante, está declarado: "Porque eles mesmos anunciam de nós qual a entrada que tivemos entre vós, e como vos convertestes dos ídolos a Deus, para servirdes ao Deus vivo e verdadeiro, e esperardes dos céus a seu Filho, a quem ele ressuscitou dentre os mortos, a saber, Jesus, que nos livra da ira vindoura" (1 Ts 1.9, 10). Neste texto, o fato importante é revelado de que foi no propósito divino que a primeira geração de cristãos foi designada, não para contemplar a tribulação ou a morte, mas para a iminente vinda de Cristo. Assim, também está escrito: "Amados, agora somos filhos de Deus, e ainda não é manifesto o que havemos de ser. Mas sabemos que, quando ele se manifestar, seremos semelhantes a ele; porque assim como é, o veremos. E todo que nele tem esta esperança, purifica-se a si mesmo, assim como ele é puro" (1 Jo 3.2, 3).

Esta esperança purificadora era uma realidade para aqueles dos dias mais antigos da Igreja como tem sido para as outras gerações subseqüentes. Da força desse argumento não se pode escapar. A tribulação não é a esperança da vinda do Senhor; ela não está *próxima*, mas o Senhor está próximo (Fp 4.5). O apóstolo Paulo, através de um uso quíntuplo, se coloca entre os que são movidos pela esperança do retorno de Cristo, quando usa o pronome *nós* (cf. 1 Co 15.51, 52; 1 Ts 4.15-17).

B. A ANTECIPAÇÃO DO ELEMENTO DE TEMPO. Será reconhecido que nenhuma predição poderia ser feita de eventos dentro desta era, sem uma sugestão escondida de que o elemento de tempo se interporia. O problema não é gerado pelo homem; ele é totalmente de Deus. Portanto, como outros problemas de igual natureza, ele é resolvido somente na mente de Deus. Ambas as coisas são verdadeiras – o Senhor sempre esteve próximo; todavia, certos tempos e eventos são preditos. Pedro ficaria velho e morreria (Jo 21.18). O nobre se atrasaria um longo tempo num país distante (Lc 19.11) – cuja parábola ensina mais a exigência além do serviço deve continuar, do que o tempo que se interpõe. O Evangelho deve ser pregado em todo mundo; mas se tivesse sido ordenado para converter todas as nações, o caso teria sido diferente.

Cada nova geração estende o esforço da evangelização que, de si mesmo, não tem fim. Esse esforço terminará quando do retorno do Senhor, e, visto que não há uma meta revelada a ser alcançada, o término pelo seu retorno poderia ser a qualquer hora e é, portanto, iminente. O aspecto conclusivo deste argumento particular, é a verdade de que os próprios homens a quem foi revelado que haveria tempos e eventos relacionados a esta era, estes mesmos declaram em seus escritos que o retorno de Cristo é iminente.

C. O ASPECTO DISPENSACIONAL. A interpretação das Escrituras desenvolvida por aqueles que ensinam que a Igreja passará pela tribulação, está sujeita a erros que são verificáveis na falha em discernir as distinções dispensacionais, assim como em discernir a verdadeira natureza da Igreja ou da tribulação. Um escritor

ESCATOLOGIA

constrói o seu argumento sobre a afirmação de que, por causa dos eleitos, os dias da tribulação são abreviados (Mt 24.22). Não ocorre a esse indivíduo que há dois grupos de eleitos – Israel e a Igreja – e que o contexto de Mateus, onde a declaração ocorre, trata somente com Israel. A evidência disto é vista na verdade de que a Igreja nunca é "odiada de todas as nações" (Mt 24.9), nem seus membros – os membros do corpo de Cristo – "odiarão uns aos outros" (v. 10), nem serão relacionados ao "dia de sábado", nem orarão, para que a "fuga deles não seja no inverno" (v. 20).

D. O TEXTO PRINCIPAL. A passagem determinante é Apocalipse 3.10, que é um discurso feito pelo Cristo glorificado à igreja em Filadélfia. O Senhor declara: "Porquanto guardaste a palavra da minha perseverança, também eu te guardarei da hora da provação que há de vir sobre o mundo inteiro, para pôr à prova os que habitam sobre a terra". É geralmente concorde que Filadélfia representa a verdadeira Igreja, que tem continuado desde o princípio e continuará até que seja removida pelo arrebatamento. É também admitido que "a hora da provação" é uma referência à Grande Tribulação. Aqueles que relacionam a Igreja à tribulação interpretam essa passagem como uma garantia de que a Igreja será preservada, enquanto passa pela tribulação. Aqueles que se opõem a essa visão, asseveram que a garantia é que a Igreja será guardada daquela hora. Isto deve se tornar um estudo das palavras gregas originais. Sobre esta passagem, o Dr. Henry C. Thiessen, cujo conhecimento avançado da língua grega é estabelecido, escreve:

Supondo, então, que a Igreja em Filadélfia representa a Igreja Missionária e que a "hora da provação" se refere à tribulação futura, precisamos examinar as palavras: "também eu te guardarei da hora da provação". Mais especificamente queremos conhecer qual é o significado do verbo "guardarei" ($\tau\eta\rho\eta\sigma\omega$) e da preposição "da" ($\dot{\epsilon}\kappa$). Alford diz sobre a proposição $\dot{\epsilon}\kappa$, que ela significa "do meio de: mas seja por imunidade de, por ser trazido seguro de, a preposição não define claramente". Ele continua a dizer que a distinção que Duesterdieck tenta estabelecer entre $\tau\eta\rho\epsilon\hat{\imath}\nu$ $\dot{\epsilon}\kappa$ e τ. $\dot{\alpha}\pi\dot{o}$ não pode ser mantida com segurança, pois, como ele bem diz, não é fácil ver que em João 17.15 ("mas que os guardes do Maligno"), onde temos o primeiro, e em Tiago 1.27 ("e guardar-se incontaminado do mundo"), onde temos o último, "o primeiro sugere uma passagem incólume pelo mal, enquanto que a última importa em perfeita imunidade dela". Ele acrescenta: "Este último podemos admitir: mas não é igualmente verdadeiro no outro caso?" Assim, ele assinala que gramaticalmente os dois termos podem ter o mesmo significado, de modo que Apocalipse 3.10 pode significar: não "passando incólume através do mal", mas "perfeita imunidade dele". A própria preferência de Alford pela primeira destas alternativas nada tem a ver com a gramática da afirmação.[144] Moffatt semelhantemente explica os termos. Ele diz: "É impossível a partir da gramática e difícil a partir do sentido, decidir se $\tau\eta\rho\epsilon\hat{\imath}\nu$ $\dot{\epsilon}\kappa$ significa suportar com sucesso (sentido profundo como em João 17.15) ou imunidade absoluta (cf. 2 Pe 2.9), emergência segura da provação ou escape dela totalmente (graças ao advento oportuno de Cristo, v. 11)." Novamente podemos dizer que a aceitação que Moffatt tem da primeira interpretação não vicia sua afirmação de que a gramática do texto permite o último sentido.[145] Outros eruditos dizem a mesma coisa com respeito ao uso da preposição ἐκ. Buttmann-Thayer dizem que ἐκ e ἀπό "freqüentemente servem para denotar uma e a mesma relação". Eles citam João 17.15; Atos 15.29 e Apocalipse 3.10 como exemplos deste uso."[146] Abbott duvida "se na LXX e João ἐκ sempre implica em existência prévia nos males dos quais um é liberado quando usado com σώζω e τηρέω."[147] Westcott diz sobre a primeira destas duas frases que ela "não necessariamente implica aquilo que é realmente realizado da qual a liberação é admitida (compare 2 Co 1.10), embora ela faça assim comumente (Jo 12.27)".[148] Semelhantemente, lemos em 1 Tessalonicenses 1.10 que Jesus livra-nos "da (ἐκ) ira vindoura". Dificilmente, isto pode significar proteção nela; deve significar isenção dela.

Parece, então, ter sido abundantemente mostrado que a linguagem de Apocalipse 3.10 permite a interpretação de que à Igreja é prometida uma isenção completa dessa hora de provação; na verdade, parece favorecê-la. A explicação do Dr. Moorehead é insatisfatória. Ele diz: "O significado natural e óbvio é a segurança deles no meio da provação do mundo, não a isenção dela por ser levada ao céu. A preposição ἐκ significa exatamente isto, e não arrebatamento antes da tribulação começar".[149] Ele diz sobre João 17.15: "Ninguém pode se enganar com respeito ao que o Senhor quis dizer em sua oração: Seus discípulos deveriam permanecer no mundo, mas Ele pede que sejam guardados do mal, ou do maligno que é o deus deste século. Assim exatamente em Apocalipse 3.10, os santos de Filadélfia devem passar pela provação, mas salvaguardados nessa posição" (*Ibid*). Mas Plummer mais satisfatoriamente explica João 17.15 do que os outros, Moorehead ou Moffatt (acima). Ele diz: "Exatamente como Cristo é aquele em que os seus discípulos vivem e se movem, assim o maligno é aquele do qual (ἐκ) Ele ora para que sejam guardados".[150] Além disso, deveríamos observar que a promessa não é meramente ser guardado da provação, mas da hora da provação, i.e., manter isenção do período da provação, não somente da provação durante aquele período. E, finalmente, quando poderia ter sido fácil escrever ἐν τῇ ὥρα, se o escrito tivesse desejado a preservação naquela hora, por que deveria ele escrever ἐν τῇ ὥρας, como Ele fez: Certamente, isto não é um acidente.

Concluímos, portanto, que temos nesse texto uma promessa que a Igreja toda será retirada antes da hora da tentação começar, e não meramente uma segurança de proteção nela. É estranho dizer, que os intérpretes, os quais num fôlego explicam Apocalipse 3.10, a fim de afirmar que a Igreja passará incólume através da tribulação, no fôlego seguinte explicam as perseguições e martírios no Apocalipse como sofridos pela Igreja! A consistência diria que eles procuram outra solução do problema.[151]

ESCATOLOGIA

E. Os Vinte e Quatro Anciãos. Em seu desejo de informar os santos a respeito do futuro (cf. Gn 18.17; Jo 16.13), que é motivo divino para providenciar todas as Escrituras proféticas, Deus chama João ao céu (Ap 4.1) e faz-lhe ver e ouvir o que haverá de ser experimentado pela Igreja no céu e o que ocorrerá na terra durante o período dos últimos sete anos proféticos. O propósito desta revelação a João, é que ele pôde escrever estas coisas, com o fim delas poderem ser transmitidas como informação a todos os crentes (Ap 1.1, 2, 19). João vê 24 anciãos no céu – mesmo antes da tribulação começar. É pertinente inquirir sobre a identidade dos anciãos.

Seguindo a interpretação futurista de Apocalipse 4.1 até o fim do livro – aquela interpretação, que é a única sustentável ou que está em harmonia com toda a profecia bíblica – é concluído que as palavras μετὰ ταῦτα, usadas duas vezes em Apocalipse 4.1, marcam uma volta na mensagem deste livro da história da igreja sobre a terra, como está revelado nos capítulos 2 e 3, para aquilo que imediatamente se seguirá nessa história da terra. Esses anciãos devem ser distinguidos dos "quatro seres viventes", dos anjos, e da "grande multidão" que, é declarado, vieram da Grande Tribulação. Ford C. Ottman escreve: "Deve haver muito poucas perguntas com respeito à identificação desses anciãos coroados. Eles constituem o sacerdócio real unido, predito igualmente a respeito de Israel e da Igreja. Eles são visto aqui num grupo *redimido* e glorificado. O profeta Daniel tem uma visão do tempo, quando o Filho do homem vem para tomar o seu reino, e nessa visão tronos são colocados, mas eles estão sem ocupantes. Como matéria de fato, nos dias de Daniel, os tronos, embora estabelecidos, estavam vagos. Agora, chegamos ao tempo da realização da profecia de Daniel, e os tronos são ocupados".[152]

Na verdade, essa é a identificação desses anciãos pela maioria dos escritores ilustres. Portanto, fica concluído que os 24 anciãos representam os santos da terra que estão no céu. O louvor deles é tanto identificador quanto revelador, quando cantam: "E cantavam um cântico novo, dizendo: Digno é de tomar o livro, e de abrir os seus selos; porque foste morto, e com o teu sangue compraste para Deus homens de toda tribo, e língua, e povo e nação; e para o nosso Deus os fizeste reino, e sacerdotes; e eles reinarão sobre a terra" (Ap 5.9, 10). A própria declaração deles indica que representam uma vasta multidão e que estão no céu somente através da virtude do sangue redentor de Cristo. A presença desse grupo no céu antes da tribulação aponta claramente para a verdade de que foram levados para o céu antes da hora da provação começar.

F. A Remoção Daquele Que Restringe. Outro texto determinante é encontrado em 2 Tessalonicenses 2.6, 7: "E agora vós sabeis o que o detém para que a seu próprio tempo seja revelado. Pois o mistério da iniqüidade já opera; somente há um que agora o detém até que seja posto fora". O contexto trata do homem do pecado, do mal que ele promove, e de sua destruição pelo sopro de Cristo, no seu retorno. A verdade central da passagem sob discussão é que, embora Satanás tenha consumado muito tempo atrás o seu programa maligno para o *cosmos*, e tenha trazido o seu último governante humano, há o Restringidor que restringe, com o fim de que o programa de Satanás seja desenvolvido e completado somente no tempo designado por Deus.

O propósito desta era não é o desenvolvimento do mal; é antes o chamamento à Igreja; e o empreendimento de Satanás será com tempo determinado, para terminar no momento em que Deus conclui o seu principal propósito da era. O programa de Satanás é somente permitido por Deus, e ele deve estar sujeito às coisas que Deus realiza. Com o devido reconhecimento de várias opiniões em circulação, o Restringidor é o Espírito Santo. Para realizar tudo o que deve ser realizado, o Restringidor deve ser alguém da Trindade divina. Mesmo um estudo fortuito do poder exigido convencerá a mente aberta dessa necessidade; e, visto que o Espírito Santo é o Executor ativo da Trindade, no mundo, durante esta era, é razoável concluir que Ele é o que restringe. Sem dúvida, a sua obra de restrição opera diretamente e também através da Igreja na qual Ele habita.

Quando a Sua obra de reunir a Igreja for completada – aquela pela qual Ele veio ao mundo – Ele, o Espírito, o Restringidor, será removido do mundo como residente aqui, e reassumirá a sua posição como Onipresente somente, que o torna presente em toda parte. O entendimento correto deste texto importante depende do reconhecimento da distinção a ser observada entre a relação do Espírito com o mundo, como residente aqui ou como onipresente. Ele, que esteve sempre onipresente, tornou-se residente no dia de Pentecostes; Ele, que está agora residente, se tornará meramente onipresente no complemento daquilo que veio realizar no dia de Pentecostes. Está afirmado muito claramente que o crente nunca pode estar separado do Espírito Santo. A oração de Cristo, que não pode ficar sem resposta, era que o Espírito deveria permanecer com os crentes para sempre (Jo 14.16); portanto, quando o Espírito, o Restringidor, é tirado do caminho, a Igreja necessariamente tem de ser removida com Ele.

E não pode ser de outra forma, mas o aparecimento do homem do pecado, que é o caráter essencial da Grande Tribulação, segue-se à remoção do Restringidor e da Igreja. A Igreja não é privada do Espírito Santo e deixada para sofrer no mundo.

Intimamente relacionado a esta consideração da remoção da Igreja do mundo está o fato que o tempo é exigido entre o arrebatamento e o retorno com Cristo em glória, de forma que os eventos designados possam ser realizados. Todos os expositores da Bíblia, que entram em todas essas questões, concordam que a Igreja deve ser retirada, para se encontrar com Cristo, antes que ela possa retornar com Ele em glória (cf. Ap 19.11-16). Aqueles que ensinam que a Igreja passa pela tribulação concordam que a Igreja deva ser transladada; mas para salvar uma teoria, eles declaram que a Igreja é arrebatada, para se encontrar com o Senhor e, então, retorna imediatamente com Ele à terra. Mas, antes dela retornar, como será ainda indicado, ela deve passar pelo julgamento, para suas recompensas, após casar-se com o Cordeiro, e participar da ceia de seu casamento (Ap 19.1-10). A teoria do arrebatamento pós-tribulação é forçada, por omitir estes grandes eventos ou dizer que eles são realizados instantaneamente.

Deve ser concluído, então, que, de toda linha de evidência disponível à Igreja, ela não pode, não entrará ou passará pela Grande Tribulação.

CAPÍTULO XXII
Profecias a Respeito da Igreja

A PROFECIA CONCERNENTE à verdadeira Igreja deve ser distinguida daquela a respeito da Igreja apóstata no final – a que já foi considerada. A primeira predição relativa à verdadeira Igreja foi feita por Cristo, registrada em Mateus 16.18. Ele disse: "Pois também eu te digo que tu és Pedro, e sobre esta pedra edificarei a minha igreja, e as portas do inferno não prevalecerão contra ela". Nesta declaração, Cristo não somente sugere que Sua Igreja ainda não existia, mas que Ele, por seu próprio poder, a edificaria e que as portas do inferno não prevaleceriam contra ela. Nenhum recurso humano poderia proteger esse grupo contra a injúria que Satanás pode impingir; todavia, de acordo com essa predição, ela permanecerá em sua perfeição diante de Deus para sempre. Isto é assegurado por sua posição em Cristo.

O curso da Igreja sobre a terra deve ser traçado através dos atos dos apóstolos e das cartas, e o registro de sua peregrinação terrena termina com Apocalipse 3.22. De Apocalipse 4.1, como foi afirmado anteriormente, ela é vista no céu; e, após o julgamento dela, com referência às recompensas e o casamento do Cordeiro, ela é vista no retorno à terra com Cristo (cf. 1 Ts 3.13; Jd 14; Ap 19.11-16), para reinar com Ele sobre a terra (Ap 20.4-6). Ela é então identificada como a Noiva, a esposa do Cordeiro. À Igreja é dado um dia para celebrar – *o Dia do Senhor*, o primeiro dia da semana – e um dia de triunfo – o Dia de Cristo.

Dos sete aspectos principais que formam o tema da profecia concernente às experiências futuras da Igreja, quatro delas (números dois a cinco aqui relacionados) acontecem dentro do Dia de Cristo. Estes sete eventos são: (1) os últimos dias da Igreja, (2) a ressurreição dos corpos dos santos, (3) a transformação dos santos vivos, (4) o tribunal de Cristo, (5) o casamento do Cordeiro, (6) o retorno da Igreja com Cristo, e (7) o reinado da Igreja com Cristo.

I. Os Últimos Dias para a Igreja

Novamente, uma distinção deve ser feita entre os "últimos dias" para Israel – os dias do seu reino glorioso na terra (cf. Is 2.1-5) – e os "últimos dias" para a Igreja, que são os dias de mal e apostasia (cf. 2 Tm 3.1-5). Igualmente, uma discriminação é exigida entre os "últimos dias" para Israel e a Igreja e "o último dia", que, quando relacionado à Igreja, é o dia da ressurreição daqueles que morreram em Cristo (cf. Jo 6.39, 40, 44, 54). Um conjunto muito extenso de textos sustenta os últimos dias para a Igreja. A referência é a um tempo restrito bem no final da presente era, mas totalmente dentro dela. Embora esse breve período preceda imediatamente à Grande Tribulação e em alguma medida é uma preparação para ela, esses dois tempos, de apostasia e confusão – embora incomparáveis na história – são totalmente separados um do outro. Aqueles textos que estabelecem os últimos dias para a Igreja não dão uma atenção às condições políticas do mundo, mas estão confinados à própria Igreja.

Estes textos descrevem os homens como distantes da fé (1 Tm 4.1, 2). Haverá uma manifestação de características que pertencem aos homens não-regenerados, embora isto esteja sob a profissão de "uma forma de piedade" (cf. 2 Tm 3.1-5). A indicação é que, por ter negado o poder do sangue de Cristo (cf. 2 Tm 3.5 com Rm 1.16; 1 Co 1.23, 24; 2 Tm 4.2-4), os líderes nessas formas de justiça serão homens não-regenerados, de quem nada mais espiritual poderia proceder (cf. 1 Co 2.14). A lista de textos a seguir, que apresenta a verdade a respeito dos últimos dias da Igreja, é parcial: 1 Timóteo 4.1-3; 2 Timóteo 3.1-5; 4.3, 4; Tiago 5.1-8; 2 Pedro 2.1-22; 3.3-6; Judas 1-25.

II. A Ressurreição dos Corpos dos Santos

O programa total da ressurreição, apresentado na Bíblia, é um tema importante da profecia e a respeito dele a teologia tem permanecido espantosamente silente. Tem havido um ligeiro reconhecimento da ressurreição dos corpos dos santos, mas os teólogos geralmente têm ignorado quase que totalmente a ressurreição de Cristo. Tem sido ensinado também por aqueles homens notáveis que há uma ressurreição geral ao mesmo tempo. João 5.25-29 registra que Cristo afirmou ser a ressurreição universal. Ele não indica que haverá um tempo interveniente entre a ressurreição de duas classes que nomeia, nem sugere que não haverá um tempo interveniente. A *hora* que Ele declarou "que está chegando, e agora é" já se estendeu por mais de dezenove séculos, e nada há para impedi-la de se estender mais mil anos, se Ele quiser assim. Os ensinos germinais de Cristo são usualmente expandidos nas epístolas e no Apocalipse.

Adequadamente, em 1 Coríntios 15.20-26, o caráter universal da ressurreição é novamente asseverado, mas com uma verdade acrescentada de que há grupos na ressurreição com intervalos entre eles. Cristo é ressuscitado primeiro como as primícias; então, aqueles que são de Cristo na sua vinda, o que significa que ao menos 2.000 anos estão interpostos; e finalmente o fim do programa da ressurreição, com um milênio no meio, em que toda a autoridade em oposição é derrotada para sempre (cf. Ap 20.1-6, 12-15).

ESCATOLOGIA

A respeito da ressurreição dos corpos dos crentes, não há texto tão revelador como 1 Coríntios 15.42-50 e 1 Tessalonicenses 4.13-18, em cujo contexto a trombeta de Deus é para ressuscitar os corpos dos santos e convocar os santos vivos para o encontro com Cristo nos ares. Essa trombeta de Deus é chamada em 1 Coríntios 15.52 de a *última trombeta*. Será observado que não há uma conexão entre a sétima e a última trombeta do Apocalipse e a última trombeta para a Igreja, como se Deus fosse restrito a uma série de trombetas. Aqueles que conectam a última trombeta para os crentes com a trombeta clímax da tribulação, não somente forçam a Igreja para a tribulação, onde nenhum texto da Escritura a coloca, mas sobrecarregam a sétima trombeta da tribulação com uma missão que nem mesmo é remotamente relacionada a ela no texto de Apocalipse.

III. A Transformação dos Santos Vivos

Embora não haja acordo sobre *quando* os santos vivos serão transformados, há concordância entre os expositores devotos a respeito da verdade de que os santos vivos serão transladados para o céu sem a experiência da morte e ressurreição. Cristo sugere exatamente isto quando disse: "...e todo aquele que vive, e crê em mim, jamais morrerá" (Jo 11.26). Esta afirmação está em contraste com a declaração do versículo precedente, a saber: "Eu sou a ressurreição e a vida, quem crê em mim, ainda que morra, viverá". Contudo, as duas revelações mais diretas são encontradas nas duas passagens citadas acima – 1 Coríntios 15.51 e 1 Tessalonicenses 4.13-18. Na primeira, é dito que um segredo de Deus é revelado quando o apóstolo escreve: "Nem todos dormiremos", e no último está dito: "Depois nós, os que ficarmos vivos, seremos arrebatados juntamente com eles, nas nuvens, ao encontro do Senhor nos ares".

Um caminho da profecia concernente à ressurreição e trasladação dos santos começa com João 5.25-29 e termina com várias passagens no Apocalipse (cf. Jo 5.25-29; 14.1-3; Rm 8.19-23; 1 Co 1.8; 15.20-28, 51-57; 2 Co 5.1-9; Fp 3.11, 20, 21; 1 Ts 4.13-18; 2 Ts 2.1; Hb 9.28 e passagens do Apocalipse).

IV. O Tribunal de Cristo

Entre todos os julgamentos – ainda a serem considerados – está um de importância específica para os crentes, quando, diante do tribunal de Cristo, eles serão julgados com relação ao serviço que prestaram. Sobre a passagem central – 2 Coríntios 5.10 – o Dr. C. I. Scofield escreve: "O julgamento das obras do crente, não seus pecados, está em vista aqui. Estes últimos já foram expiados, e não mais serão lembrados para sempre (Hb 10.17); mas toda *obra* deve vir a julgamento (Mt 12.36; Rm 14.10; Gl 6.7; Ef 6.8; Cl 3.24, 25).

O resultado é a 'recompensa' ou 'perda' (da recompensa), 'mas ele será salvo' (1 Co 3.11-15). Este julgamento ocorre no retorno de Cristo (Mt 16.27; Lc 14.14; 1 Co 4.5; 2 Tm 4.8; Ap 22.12)".[153]

V. O Casamento do Cordeiro

A verdade de que a Igreja é a Noiva de Cristo, já foi estabelecida no estudo da Eclesiologia. É verdade que ela será casada com Cristo e que haverá uma ceia de casamento, quando a Igreja for recebida no céu. Uma declaração disto é dada em Apocalipse 19.7, 8: "Regozijemo-nos, e exultemos, e demos-lhe a glória; porque são chegadas as bodas do Cordeiro, e já a sua noiva se preparou, e foi-lhe permitido vestir-se de linho fino, resplandecente e puro; pois o linho fino são as obras justas dos santos". Duas verdades devem ser reconhecidas nesta passagem, além do fato central de que haverá um casamento no céu: primeira, este casamento precede o retorno glorioso de Cristo, como está descrito nos versículos 11-16; e, segunda, a Noiva se preparou. Isto parece ser um reconhecimento do complemento do ministério do Evangelho que foi entregue aos crentes (2 Co 5.19, 20). Os esforços deles de ganhar almas terão sido operados na reunião do grupo dos eleitos.

VI. O Retorno da Igreja com Cristo

Das estupendas bravuras futuras da Igreja, nada poderia ser conhecido à parte da revelação. O retorno predito da Igreja com Cristo está registrado com singela certeza em várias passagens: "Quando Cristo, que é a nossa vida, se manifestar, então também vós vos manifestareis com ele em glória" (Cl 3.4); "...para vos confirmar os corações, de sorte que sejam irrepreensíveis em santidade diante de nosso Deus e Pai, na vinda de nosso Senhor Jesus com todos os seus santos" (1 Ts 3.13); "Para estes também profetizou Enoque, o sétimo depois de Adão, dizendo: Eis que vem o Senhor com os seus milhares de santos" (Jd 14); "E foi-lhe permitido vestir-se de linho fino, resplandecente e puro; pois o linho fino são as obras justas dos santos... Seguiam-no os exércitos que estão no céu, em cavalos brancos, e vestidos de linho fino, branco e puro" (Ap 19.8, 14).

VII. O Reinado da Igreja com Cristo

A atividade futura da Igreja, após ter retornado com Cristo à terra, é também um assunto de revelação divina. Como a noiva de um rei não é súdita do reino, mas uma consorte com o rei em seu reino, assim a Igreja partilhará do

ESCATOLOGIA

reino de Cristo. Os ofícios de rei e sacerdote combinados pertencem a Cristo e à sua Igreja somente. Ao antigo Israel foi dada a oportunidade dessa posição (Êx 19.5, 6), mas Israel falhou. Este elevado chamado é estendido à Igreja e através da perfeição, que a graça infinita assegura, não pode haver uma falha desse propósito divino. Está escrito: "...e nos fez reino, sacerdotes para Deus, seu Pai, a ele seja glória e domínio pelos séculos dos séculos. Amém" (Ap 1.6); "os vinte e quatro anciãos prostravam-se diante do que estava assentado sobre o trono, e adoravam ao que vive pelos séculos dos séculos; e lançavam as suas coroas diante do trono" (Ap 4.10); "e reviveram, e reinaram com Cristo durante mil anos" (Ap 20.4).

Não há uma sugestão nestes textos de que a Igreja não possui nem desfrute o seu lar no céu. Ela vai aonde quer que o Cordeiro vá, e não há razão para crer que Ele nesse tempo de seus julgamentos angelicais (cf. 1 Co 15.25, 26) esteja confinado à terra. Semelhantemente, como Cristo continuará a reinar para sempre, deve também ser aceito que a Igreja, sua Noiva, continue a reinar com Ele para sempre.

Conclusão

Os grandes caminhos da profecia, como foram traçados nesta seção de Escatologia, explicam muita coisa dos temas proféticos da Bíblia. Inevitavelmente, esses temas devem aparecer ainda outras vezes, em algum grau, nas outras considerações da profecia que devem se seguir. A repetição não será em vão se, por meio dela, o estudante se familiarizar com essas linhas da verdade.

Capítulo XXIII

Temas Principais das Profecias do Antigo Testamento

O ANTIGO TESTAMENTO é um livro caracterizado por predições de longo alcance, a maior parte das quais não tinha sido ainda cumprida, quando os registros contidos no livro foram concluídos. Enquanto o escopo da profecia do Antigo Testamento atinge os seus múltiplos detalhes, o assunto apresentado pode ser pesquisado sob sete temas principais, a saber, (1) profecia a respeito dos gentios; (2) profecia a respeito da antiga história de Israel; (3) profecia a respeito da nação de Israel; (4) profecia a respeito das dispersões e dos reajuntamentos de Israel; (5) profecia a respeito do advento do Messias; (6) profecia a respeito da Grande Tribulação e (7) profecia a respeito do Dia de Jeová e do reino messiânico. Na tentativa do estudo destes temas, alguma repetição das verdades proféticas já apresentadas é inevitável.

I. Profecias a Respeito dos Gentios

O tema geral da predição relativa aos gentios é em si mesmo sujeito a uma divisão sétupla.

1. A PRIMEIRA PREDIÇÃO SOBRE OS GENTIOS. Uma profecia de longo alcance foi dada por Noé, com referência ao caráter que seria exibido de cada um de seus três filhos como progenitores das raças, para repovoarem a terra (Gn 9.25-27), cuja previsão tem sido cumprida até o tempo presente.

2. OS JUÍZOS SOBRE AS NAÇÕES ADJACENTES A ISRAEL. Muita coisa deste conjunto de verdade tem sido cumprida. Estas predições são apresentadas em várias porções do Antigo Testamento, e.g.: Babilônia e Caldéia (Is 13.1-22; 14.18-27; Jr 50.1–51.64), Moabe (Is 15.1-9; 16.1-14; Jr 48.1-47), Damasco (Is 17.1-14; Jr 49.23-27), Egito (Is 19.1-25; Jr 46.2-28), Filístia e Tiro (Is 23.1-18; Jr 47.1-7), Edom (Jr 49.7-22), Amom (Jr 49.1-6), Elam (Jr 49.34-39).

ESCATOLOGIA

3. Os Tempos dos Gentios. Em contraste a *tempos* e *estações*, expressão essa que se refere aos tratos divinos com Israel (cf. At 1.7; 1 Ts 5.1), está a frase *os tempos dos gentios*, que diz respeito aos tratos divinos com os gentios. Esta última expressão foi introduzida por Cristo (Lc 21.24) e mede o período em que Jerusalém estará sob a dominação dos gentios. Foi observado anteriormente que os tempos dos gentios são medidos e duram aproximadamente 560 anos. Os eventos pertencentes a esse período ocupam muitas profecias, e cobrem tanto o seu curso quanto o seu fim. Esse período, contudo – é interrompido pela era intercalada da Igreja, por ser essa era indefinida com respeito à duração – serve para introduzir um elemento de indefinição no período quando os tempos dos gentios terminam. Não obstante, está claro que os tempos dos gentios cumprem-se agora, exceto os sete anos que serão experimentados imediatamente após a remoção da Igreja, evento esse que fecha essa era de intercalação.

4. A Sucessão das Monarquias. Além disso, somente uma referência de passagem será necessária sobre um assunto que já foi considerado longamente. Quatro poderes mundiais foram previstos por Daniel – babilônico, medo-persa, grego e romano. Estes, como previstos pelo profeta, existiram para dominar os tempos dos gentios e terminar com a vinda gloriosa de Cristo, quando o reino messiânico substituirá todo governo e autoridade dos homens. No propósito de Deus esta autoridade romana devia ser interrompida pela introdução da presente era. Sem dúvida, os elementos do governo romano estão espalhados por toda parte da terra nessa era; todavia, o império em si mesmo voltará à existência e ao poder ativo, e completará o curso prescrito para ele nos sete anos que restam. Como a presente era não foi prevista, as predições do Antigo Testamento sobre a última das quatro monarquias devem ser interpretadas à luz da última revelação.

5. O Julgamento das Nações Gentílicas. Enquanto este estupendo evento é traçado em sua imensurável importância no Novo Testamento, ele é plenamente antecipado no Antigo Testamento (cf. Sl 2.1-10; Is 63.1-6; Jl 3.2-16; Sf 3.8; Zc 14.1-3).

6. As Nações Gentílicas e o Lago de Fogo. A destruição das nações gentílicas inimigas é também antecipada no Antigo Testamento; mas o próprio Cristo – juiz delas – declarou o real destino delas (Mt 25.41). Por serem pessoas não-regeneradas, elas estão sujeitas à condenação eterna (Jo 3.18); mas em relação a Israel, como uma questão imediata, as nações inimigas são, no tempo do julgamento delas, lançadas no lago de fogo.

7. As Nações Gentílicas e o Reino. Muitas profecias no Antigo Testamento prevêem o compartilhamento que os gentios terão no reino de Israel (cf. Is 11.10; 42.1, 6; 49.6, 22; caps. 60, 62 e 63). Já foi afirmado que os gentios serão um povo subserviente, para servir Israel (cf. Is 14.1, 2; 60.12; 61.5). Uma revelação posterior (Mt 25.31-40) assevera a entrada dos gentios no reino pela autoridade do Rei e conforme predeterminado pelo Pai, desde a fundação do mundo.

II. Profecias a Respeito da História Primitiva de Israel

A história antiga de Israel, tanto em seu território quanto na terra da escravidão, apresenta um grupo de eventos que serão vistos como sujeitos de predição. Praticamente tudo desses eventos tem sido cumprido e de uma maneira literal. Esses aspectos estão registrados no Pentateuco e nos livros históricos do Antigo Testamento. A lista extensa inclui: A escravidão de Israel no Egito e a sua libertação (Gn 15.13, 14), o caráter e o destino dos filhos de Jacó (Gn 49.1-28), Israel na terra após a libertação do Egito (Dt 28.1-62, 63-67; vejatambém Sl 106.1-48; Dt 30.1-3; Lv 26.3-46; Ne 1.8; Jr 9.16; 18.15-17; Ez 12.14, 15; 20.23; 22.15; Tg 1.1).

III. Profecias a Respeito da Nação de Israel

Começando com o pacto abraâmico (Gn 12.1-3; 13.14-17; 15.1-7; 17.1-8) e continuando através de todo o Antigo Testamento, há predições concernentes ao povo terrestre escolhido de Deus. Para ele, tem sido prometido: uma entidade nacional (Jr 31.36), uma terra (Gn 13.15), um trono (2 Sm 7.16; Sl 89.36), um rei (Jr 33.21), e um reino (Dn 7.14). Todas essas bênçãos divinas são infindáveis em sua duração; todavia, reserva deve ser feita por meio da qual essas bênçãos podem ser interrompidas como um castigo sobre a nação, embora nunca possam ser anuladas. A importância do povo escolhido na conta de Deus e o conteúdo das Escrituras que tratam do passado, presente e futuro está revelado, quando é visto que toda Escritura desde Gênesis 12.1 até o final de Malaquias diz respeito direta ou indiretamente a eles. Com relação ao futuro deles, esse povo, de acordo com a profecia, tomará a liderança entre os povos da terra, plantados para sempre em sua própria terra sob o reinado gracioso do maior Filho de Davi assentado sobre o trono de Davi.

IV. Profecias a Respeito das Dispersões e dos Reajuntamentos de Israel

Como foi indicado anteriormente, houve as dispersões de Israel e seus retornos à terra. Essa nação está agora na terceira dispersão e espera o terceiro retorno.[154] No cativeiro assírio do reino do Norte, as dez tribos de Israel estavam, como a profecia antecipou, fora da terra como uma punição por seus pecados e espalhadas por todas as nações da terra, seguidas mais tarde pelo reino do sul também. As profecias que tratam dessa dispersão final são extensas (cf. Lv 26.32-39; Dt 28.63-68; Sl 44.11; Ne 1.8; Jr 9.16; 18.15-17; Ez 12.14, 15; 20.23; 22.15; Tg 1.1).

Em nenhum caso a entidade nacional de Israel está perdida, mesmo depois de séculos de dispersão (Jr 31.36; Mt 24.34). Eles recusaram a oferta divina e a provisão para o reajuntamento deles e para o reino de glória que foram feitas pelo Messias no seu primeiro advento (Mt 23.37-39); e, como em Cades-Barnéia, onde a experiência do deserto foi estendida (Nm 14.1-45), o castigo deles tem continuado, e continuará até que Ele venha novamente. Naquele tempo, o Messias reajuntará o seu povo em sua própria terra e fará com que os judeus entrem na glória e na bem-aventurança de cada promessa pactual de Jeová a respeito deles (Dt 30.1-10; Is 11.11, 12; Jr 23.3-8; Ez 37.21-25; Mt 24.31).

V. Profecias a Respeito do Advento do Messias

Em 1 Pedro 1.10, 11 está claro que os profetas do Antigo Testamento foram incapazes de distinguir os dois adventos do Messias. A presente dispensação era um segredo tão perfeito nos conselhos de Deus que, para os profetas, esses eventos, que foram cumpridos na primeira vinda e aqueles que devem ser realizados na sua segunda vinda, de modo algum eram separados com respeito ao tempo do cumprimento deles. Isaías 61.1, 2 é uma ilustração disto. Quando lia esta passagem na sinagoga de Nazaré, Cristo parou abruptamente a leitura, quando concluiu o registro daqueles aspectos que foram preditos para o seu primeiro advento (Lc 4.18-21), e não fez menção dos aspectos remanescentes que vão ser cumpridos no Seu retorno. De igual modo, o anjo Gabriel, quando predizia o ministério de Cristo, combinou como se fosse um empreendimento que pertence aos dois adventos (Lc 1.31-33).

De acordo com a profecia do Antigo Testamento, Cristo estava para vir como um Cordeiro sacrificial e irresistível (Is 53.1-12) e como o Leão conquistador e glorioso da tribo de Judá (Is 11.1-12; Jr 23.5, 6). Considerando essas duas linhas divergentes de predição, há pouca necessidade de espanto, ao constatar a perplexidade nas mentes dos profetas do Antigo Testamento a respeito da "maneira de tempo" quando tudo isso haveria de ser cumprido.

A profecia estipulava que o Messias deveria ser da tribo de Judá (Gn 49.10), da casa de Davi (Is 11.1; Jr 33.21), nascido de uma virgem (Is 7.14), em Belém da Judéia (Mq 5.2); que Ele devia morrer uma morte sacrificial (Is 53.1-12), por crucificação (Sl 22.1-21), ressurgir dos mortos (Sl 16.8-11), e vir à terra uma segunda vez (Dt 30.3) com as nuvens do céu (Dn 7.13). Jesus de Nazaré cumpriu e cumprirá cada exigência da profecia com respeito ao Messias.

VI. Profecias a Respeito da Grande Tribulação

A profecia do Antigo Testamento prediz um tempo de tribulação sem precedentes na terra (Dt 4.29, 30; Sl 2.5; Is 26.16-20; Jr 30.4-7; Dn 12.1).

Com a remoção da Igreja antes desse período começar, a representação humana sobre a terra é novamente reduzida simplesmente aos judeus e gentios. Esse período é o complemento dos tempos dos gentios, em que há o desenvolvimento da última forma do governo imperial, indicada pelos pés e dedos da imagem de Nabucodonosor. É o tempo da dissolução de todas as instituições gentílicas (Ap 17–18), julgamento e disposição dos gentios (Mt 25.31-46). Semelhantemente, é a consumação das aflições de Israel, a hora dos seus julgamentos (Ez 20.33-44; Mt 24.37–25.30), e é concluído pelo retorno do seu Messias.

VII. Profecias a Respeito do Dia de Jeová e do Reino Messiânico

Esse período extenso que começa com o retorno do Senhor como "o ladrão da noite" e termina com o passamento dos presentes céus e terra (cf. 2 Pe 3.8-10), inclui nele o reino glorioso de Cristo sobre a terra, quando todos os pactos são cumpridos para Israel, e quando Cristo, após destruir toda autoridade, também derrotará toda rebelião angelical contra Deus (1 Co 15.25, 26).

Com respeito à quantia de textos envolvida, não há um tema da profecia do Antigo Testamento comparável ao do reino messiânico. Por trás de todos os castigos preditos, que devem vir sobre Israel, está a glória que será deles quando reajuntados em sua própria terra, com bênçãos espirituais imensuráveis sob o reino glorioso do Messias deles. Esta visão foi dada a todos os profetas, certa e literalmente como Israel, no cumprimento da profecia, foi removido da terra e sofre durante esses muitos séculos, assim certa e literalmente Israel será restaurado às bênçãos maravilhosas na terra redimida e glorificada (Is 11.1-16; 12.1-6; 24.22–27.13; 35.1-10; 52.1-12; 54.1–55.13; 59.20–66.24; Jr 23.3-8; 31.1-40; 32.37-41; 33.1-26; Ez 34.11-31; 36.32-38; 37.1-28; 40.1 – 48.35; Dn 2.44, 45; 7.14; Os 3.4, 5; 13.9 – 14.9; Jl 2.28 – 3.21; Am 9.11-15; Sf 3.14-20; Zc 8.1-23; 14.9-21).

Conolusão

Enquanto os temas mais importantes da profecia podem ser indicados num livro-texto, nada há, quando se trata do progresso do estudante, que possa tomar o lugar da leitura e do estudo incansável do próprio texto da Bíblia.

Capítulo XXIV

Temas Principais da Profecia do
Novo Testamento

Havendo o Antigo Testamento fechado sem a concretização da presença do Messias ou o reino de Israel, o Novo Testamento inicia-se com o aparecimento do Rei e a oferta a Israel de seu reinado predito (cf. Mt 1.1; 2.1, 2; 4.17; Rm 15.8). Os mesmos registros continuam a declarar a rejeição do Rei e de seu reino (Mt 23.37, 38), e indicam que todos esses propósitos divinos serão cumpridos sem falha no retorno do Rei. Novos temas da profecia são introduzidos no Novo Testamento, além da continuação e consumação dos temas do Antigo Pacto. Os temas principais do Novo Testamento são: (1) a nova dispensação, (2) o novo propósito divino, (3) a nação de Israel, (4) os gentios, (5) a Grande Tribulação, (6) Satanás e as forças do mal, (7) a segunda vinda de Cristo, (8) o reino messiânico e (9) o Estado Eterno.

I. A Nova Dispensação

Como foi afirmado anteriormente, a presente dispensação, que já se estendeu por quase dois mil anos e está entre os dois adventos de Cristo, nunca foi prevista em qualquer profecia do Antigo Testamento. Também, em virtude de ser mencionada como um "mistério" (Mt 13.11), ela é declarada ser um dos segredos escondidos nos conselhos de Deus até o tempo designado de sua revelação; por "mistério", no uso que o Novo Testamento faz da palavra, entendemos ser alguma coisa até então não revelada (cf. Rm 11.25; 1 Co 15.51; Cl 1.27; Ef 3.1-6; 5.25-32; 2 Ts 2.7). A frase "o reino do céu" refere-se a qualquer governo que Deus pode exercer em qualquer tempo na terra. Por ser limitado à terra, deve ser distinto de "reino de Deus", reino esse que abrange não somente aquilo que é bom dentro da esfera do reino do céu, mas tudo no céu e o universo, todo que está sujeito a Deus.

Enquanto o reino milenar de Cristo na terra, predito desde há muito, é a forma final do reino do céu, e que foi previsto por todos os profetas e anunciado por Cristo em seu ministério terreno, a presente dispensação, por ser aquela forma do governo divino na terra, em que Deus governa ao grau em que Ele concretiza as coisas que são chamadas "mistérios", estas são corretamente chamadas de "os mistérios do reino do céu" (Mt 13.11), ou o reino em forma de mistério. Os primeiros doze capítulos do evangelho de Mateus apresentam Cristo como o Messias de Israel e registram a primeira indicação de sua rejeição por essa nação. Seguindo as indicações de sua rejeição, Ele, como está registrado no capítulo 13, anuncia por sete parábolas, os aspectos da nova dispensação e indica o seu caráter desde o seu começo, durante o seu curso, e em seu final. No começo do capítulo 13, a esfera do propósito divino é mudada desde o seu foco sobre a nação de Israel, para incluir o mundo todo, e Israel é visto somente como um "tesouro" escondido num campo (13.44).

A semente do Evangelho é semeada no mundo e a colheita é a chamada daqueles que crêem. Estes serão recebidos e preservados como os filhos de Deus, enquanto aqueles que não crêem devem ser rejeitados e julgados. Essa nova era em seu começo foi dita ser má (Gl 1.4), e o seu curso é caracterizado pelo desenvolvimento paralelo tanto do bem quanto do mal (Mt 13.24-30, 36-43). Seus "últimos dias" e o caráter mau deles são demonstrados em um dos conjuntos de textos mais extensos da Escritura do Novo Testamento (2 Ts 2.1-12; 1 Tm 4.1-3; 2 Tm 3.1-5; Tg 5.1-10; 2 Pe 2.1–3.8; Jd 1-23; Ap 3.14-22). Em nenhum sentido da palavra, a Bíblia prediz uma terra convertida nessa dispensação (Mt 13.1-50; 24.38, 39; 2 Tm 3.13), mas determina a concretização perfeita dos propósitos de Deus.

II. O Novo Propósito Divino

O Novo Testamento introduz a Igreja como uma nova classificação da humanidade, em adição aos judeus e gentios que foram vistos através de todo o Antigo Testamento (1 Co 10.32). Pela palavra *Igreja* (observe o seu primeiro uso em Mateus 16.18), a referência é feita àqueles de todas as raças, tribos que nesta era são nascidos de novo, e assim, por receberem a nova vida ressurrecta de Cristo e por terem recebido o Espírito Santo, estão em Cristo, e formam com Ele a nova criação. Neste grupo, ambos, judeus e gentios, são reunidos (Ef 3.1-6) através da pregação do Evangelho da graça divina. Este grupo redimido está agora relacionado a Cristo como suas ovelhas (Jo 10.6-16), como os ramos na videira (Jo 15.1-6), como as pedras num edifício (Ef 2.19-22), como um reino de sacerdotes (1 Pe 2.5; Hb 8.1), uma nova criação (2 Co 5.17), o Corpo (Ef 1.22, 23; 3.6), e estarão relacionados a Ele como Sua Noiva no céu (Ap 19.7, 8; 21.9).

Quando o propósito divino na chamada da Igreja foi concluído, Cristo virá receber os seus (Jo 14.1-3; 1 Ts 4.13-17). Os que morreram salvos, ressuscitarão primeiro (1 Co 15.23; 1 Ts 4.13-17), e os que estiverem vivos, preparados, serão transformados (1 Co 15.51; 1 Ts 4.13-17), e todos, seja pela ressureição ou transformação, receberão um corpo glorioso, igual ao de Cristo (Fp 3.21).

A profecia do Novo Testamento conduz a Igreja através de todas as experiências de peregrinação sobre a terra (Ap 2.1–3.22), a vê recebida no céu na vinda do Senhor, e a vê retornando com Cristo para reinar com Ele sobre a terra (Ap 19.14; 20.6).

III. A Nação de Israel

O Novo Testamento resume a história de Israel, onde o Antigo Testamento a deixa – um povo parcialmente espalhado e desorganizado, uma porção de quem está morando na terra, mas sem direito a ela, integralmente. Nacionalmente, são, nessa dispensação, colocados de lado; mas, como indivíduos, estão no mesmo nível dos gentios, perante Deus (Rm 3.9; 10.12) – embora anteriormente tão diferentes (cf. Rm 9.4, 5 com Ef 2.11, 12) – e estão sujeitos à mesma oferta de salvação pela graça somente. No seu começo, foi predito que, através de toda essa dispensação, a nação de Israel estaria *escondida* (Mt 13.44); *cega* (Rm 11.25); *separada da raiz* (Rm 11.17); *sem o seu centro nacional* (Lc 21.24); e *espalhada* (Mt 10.6; Tg 1.1); que na tribulação, eles devem ser *odiados* (Mt 24.9); e, no reino, eles devem ser *reajuntados* (Mt 24.31); e *salvos* (Rm 11.26).

Cristo predisse que a ira de Deus viria sobre eles e a cidade de Jerusalém seria destruída (Lc 21.20-24), profecia essa que foi cumprida pelo cerco sob Tito no ano 70 d.C. Igualmente, Ele predisse as tristezas da tribulação (Mt 24.9-26); os juízos preparatórios para a entrada no reino da glória (Mt 24.37–25.30; observe também Ez 20.38), e a Sua própria ocupação do trono de Davi (Mt 25.31; observe também Lucas 1.31-33; At 15.16, 17), quando as bênçãos deles sob o pacto davídico serão realizadas. O apóstolo Paulo profetizou a respeito da conversão nacional de Israel (Rm 11.26, 27), e o apóstolo João profetizou a respeito do lugar deles na tribulação (Ap 7.4-17; 12.13-17) e do reino vindouro deles na terra (Ap 20.4-6).

IV. Os Gentios

Muita coisa já foi apresentada anteriormente a respeito da história dos gentios e da profecia. Foi observado que a predição relativa aos gentios cai dentro de um período que Cristo designou como "os tempos dos gentios" (Lc 21.24). Esse período começou com a dispersão babilônica e continua com os seus impérios mundiais sucessivos e os julgamentos concludentes, até que termine com o retorno glorioso de Cristo (Dn 2.44, 45). Os tempos dos gentios são interrompidos pela era intercalada da Igreja e continuam por sete anos após o término da dispensação da Igreja ter terminado. As nações gentílicas serão julgadas, quando algumas entrarão no reino e outras serão lançadas no lago de fogo (Mt 25.31-46).

V. A Grande Tribulação

Continuando com maiores detalhes as predições do Antigo Testamento concernentes à Grande Tribulação, o Novo Testamento é tanto explícito quanto extensivo aqui. Cristo falou daquele tempo em relação a Israel (Mt 24.9-26), o apóstolo Paulo escreve a respeito desta nação em sua relação às forças do mal (2 Ts 2.1-12), enquanto que o apóstolo João registra em detalhes o tremendo programa divino que será desempenhado naqueles dias (Ap 3.10; 6.1–19.6). Nesse breve período que, provavelmente, dura no máximo sete anos (Dn 9.27; e é um tempo abreviado, Mt 24.22), os julgamentos são realizados na terra, as forças do mal são primeiro liberadas e então vencidas, enquanto as babilônias eclesiástica e política são destruídas.

VI. Satanás e as Forças do Mal

A profecia com respeito a Satanás começa no Antigo Testamento (Ez 28.11-19; Is 14.12-17) e conclui com sua expulsão do céu e restrição à terra (Ap 12.7-12), seu aprisionamento e confinamento ao abismo (Ap 20.1-3), e, após ter sido solto do abismo por um pouco de tempo e ter conduzido uma revolta contra a autoridade de Deus (Ap 20.7-9), vem a sua condenação final no lago de fogo (Ap 20.10). Intimamente relacionada à profecia concernente a Satanás está a do homem do pecado, cuja profecia também começa no Antigo Testamento (Ez 28.1-10; Dn 7.8; 9.24-27; 11.36-45) e inclui a profecia feita por Cristo na qual a vinda do iníquo é assinalada como um sinal a Israel do fim da era (Mt 24.15). Igualmente, o apóstolo Paulo o prediz profanando o templo restaurado, declarando ser o próprio Deus, e então destruído pelo aparecimento glorioso de Cristo (2 Ts 2.1-12), enquanto o apóstolo João o vê tanto no poder governamental quanto em sua condenação final (Ap 13.1-10; 19.20; 20.10).

VII. A Segunda Vinda de Cristo

Este é o maior tema de toda a profecia e foi o objeto da primeira predição por um homem (Jd 14, 15), e é a última mensagem da Bíblia (Ap 22.20). Ela é o aspecto dominante de toda profecia do Antigo Testamento a respeito do Dia de Jeová e, igualmente, é o tema principal da profecia do Novo Testamento. Começando em conexão com a primeira evidência da rejeição de Israel de Suas alegações messiânicas, esse grande evento esteve continuamente nos lábios de Cristo (Mt 23.37–25.46; Mc 13.1-37; Lc 21.5-38). Além disso, ele é enfatizado pelo apóstolo Paulo (Rm 11.26; 1 Ts 3.13; 5.1-4; 2 Ts 1.7–2.12), por Tiago (5.1-8), por Pedro (1 Pe 2.1–3.18), por Judas (1.14, 15), e por João, no Apocalipse.

ESCATOLOGIA

VIII. O Reino Messiânico

Continuando este tema importante da profecia do Antigo Testamento, o Novo Testamento novamente acrescenta muitos detalhes. Os ensinos de Cristo sobre o reino, dirigidos a Israel, que estão registrados nos sinóticos, retratam o caráter e a glória daquela época vindoura, enquanto o apóstolo João revela sua duração como um período de mil anos (Ap 20.4, 6).

IX. O Estado Eterno

Como o Antigo Testamento entra na eternidade passada e revela a origem de todas as coisas, assim o Novo Testamento atinge o futuro e revela a consumação das coisas presentes com a revelação a respeito do que acontecerá na eternidade vindoura. O destino dos homens, dos salvos e dos não-salvos, o destino dos anjos, tanto caídos quanto não-caídos, e da realização de todo pacto que Deus fez com a sua nação eleita — tudo isto está declarado no Novo Testamento.

Conclusão

Os detalhes da profecia do Novo Testamento aparecem através de todo o estudo da Escatologia.

Capítulo XXV

Eventos Preditos em sua Ordem

MUITA COISA É GANHA a partir de uma compreensão clara da ordem certa daqueles eventos, que são os assuntos principais da profecia. É verificado como muito vantajoso para o estudante memorizar a seguinte lista de 45 eventos e que ele se familiarize com os textos citados em cada um deles. Esses eventos em sua ordem cronológica são:

I. A Predição de Noé a Respeito de seus Filhos

Esta profecia de longo alcance (Gn 9.25-27) é sobrenatural em cada aspecto, visto que Noé não poderia ter um conhecimento do futuro do qual ele falou. A declaração total tem sido verificada e cumprida em toda a história subseqüente.

II. A Escravidão de Israel no Egito

A Abraão foi dada a revelação a respeito da escravidão no Egito (Gn 15.13, 14). Isto foi relatado por Abraão e, por causa disso, ele se tornou um profeta. Essa foi, como em toda profecia, uma mensagem sobrenatural tanto com respeito à sua recepção por Abraão quantocomo a previsão de seu cumprimento literal.

III. O Futuro dos Filhos de Jacó

Um campo ilimitado de estudo está condensado na predição de Jacó a respeito de cada um de seus filhos; e, enquanto tudo isso tem sido verificado, a profecia terá uma confirmação posterior na realização do propósito de Deus para Israel. De importância especial são as palavras relativas a Judá e a José. No primeiro caso, a predição messiânica é anunciada pelas palavras: "O cetro não se arredará de Judá, nem o bastão de autoridade dentre seus pés, até que venha aquele a quem pertence; e a ele obedecerão os povos" (Gn 49.10). No outro caso, a predição a respeito de José, a mesma predição relativa ao Salvador (v. 24) é remontada a Jacó como o progenitor patriarcal.

IV. Israel na Terra

Que Israel entraria na terra foi previsto por Moisés (Dt 4.14-30; 31.14-23), como também por Abraão (Gn 15.13, 14). Os livros históricos do Antigo Testamento registram o cumprimento dessa profecia.

V. Os Cativeiros de Israel

Três vezes Israel foi removido da terra e tudo isso foi predito, e também três restaurações – (a) o cativeiro do Egito (Gn 15.13, 14), (b) os cativeiros assírio e babilônico (Jr 25.11, 12), e (c) a dispersão final entre todas as nações, onde muitos judeus ficariam dispersos até o final da presente era (Dt 28.63-68; cf. Lv 26.3-46; Dt 30.1-3; Ne 1.8; Sl 106.1-48; Jr 9.16; 18.15-17; Ez 12.14, 15; 20.23; 22.15; Tg 1.1).

VI. Os Julgamentos Sobre as Nações Vizinhas

Desde a chamada de Abraão até a morte de Cristo, as nações gentílicas estão em evidência no registro divino, somente quando elas entram em contato direta ou indiretamente com Israel. A inimizade das nações contra Israel tem sempre atraído os juízos de Deus. Muitos desses julgamentos já foram cumpridos. As nações mencionadas nessa linha de profecia são: (a) Babilônia (cf. Is 13.1-22; 14.18-27; Jr 50.1–51.64); (b) Moabe (cf. Is 15.1-9; 16.1-14; Jr 48.1-47); (c) Damasco (cf. Is 17.1-14; Jr 49.23-27); (d) Egito (cf. Is 19.1-25; Jr 46.2-28); (e) Tiro (cf. Is 23.1-18; Jr 47.1-7); (f) Amom (cf. Jr 49.1-6); (g) Edom (cf. Jr 49.7-22); (h) Elam (cf. Jr 49.34-39).

VII. Uma Restauração Parcial

Uma distinção clara deveria ser feita entre a restauração parcial de Israel à terra sob Esdras e Neemias e a restauração final e completa que acontecerá no retorno do Messias. A restauração parcial é prevista em Isaías 44.28, Jeremias 25.11, 12 e Daniel 9.2.

VIII. A Vinda e o Ministério de João Batista

Como foi indicado anteriormente, grande importância deve ser dada à vinda e ao ministério de João Batista. A sua mensagem e ministério eram para a preparação do Messias. Com a rejeição do Rei e a posposição de seu reino, o ministério de João falhou, embora um ministério semelhante a ele ainda será retomado antes do segundo advento. Com relação ao ministério de João, os profetas falaram dele com certeza (cf. Is 40.3-5; Ml 4.5, 6; observe Lc 1.5-25).

IX. O Nascimento de Cristo

Um extenso número de textos prediz a vida de Cristo sobre a terra. Somente uma porção muito restrita pode ser citada aqui. A primeira destas é a do seu nascimento (cf. Gn 3.15; Is 7.14; 9.6; Lc 1.31-35).

X. Os Ofícios de Cristo

Entre os aspectos mais conseqüenciais da revelação concernente a Cristo estão as dos seus ofícios – Profeta, Sacerdote e Rei – e estas se avolumam basicamente nas profecias.

1. PROFETA. Deuteronômio 18.15-19 prediz o ministério profético de Cristo – um ministério que deve ser reconhecido em seu escopo mais amplo, pois ele era tanto um preditor quanto um proclamador (cf. Jo 1.1, 2, 45; 7.16; 8.28; 12.49, 50; 14.10, 24; 17.8; At 3.22, 23; 7.37).

2. SACERDOTE. É em conexão com o ofício de sacerdote mantido por Cristo que os tipos servem como predições. Ambos, Arão e Melquisedeque, são as prefigurações do Sumo Sacerdote – Cristo (cf. Sl 110.4; Zc 6.12, 13; e muita coisa de Hebreus).

3. REI. Na esfera do seu ofício real, a predição relativa a Cristo é multiplicada. Porções anteriores desta obra já enfatizaram esse fato (cf. 2 Sm 7.16; Sl 2.6-10; 72.1-19; Is 9.6, 7; Zc 9.9; Mt 21.1-9; 27.11; Lc 1.32, 33).

ESCATOLOGIA

XI. Os Ministérios de Cristo

Em adição aos ofícios de Cristo, a predição prevê os ministérios de Cristo (cf. Is 49.1-7; 61.1-3).

XII. A Morte de Cristo

Tanto por tipo como por profecia a morte de Cristo é prevista abundantemente nas Escrituras. Ela é diretamente predita (cf. Sl 22.1-21; Is 52.13–53.12). Ela foi profetizada pelo próprio Cristo (cf. Mt 16.21; Mc 8.31; Lc 9.22; 18.31-34; Jo 12.32, 33).

XIII. O Sepultamento de Cristo

Como o sepultamento de Cristo toma um lugar de importância na afirmação do Evangelho (cf. 1 Co 15.1-4) e na santificação do crente (cf. Rm 6.1-10), de igual modo ele é prefigurado no tipo do bode expiatório e diretamente predito em Isaías 53.9 (cf. Mt 27.57-60).

XIV. A Ressurreição de Cristo

Além disso, múltiplos tipos e predições antecipam a ressurreição de Cristo (cf. Lv 14.4 ss; Sl 16.8-11 com At 2.25-31; Sl 22.22 com Hb 2.12; Sl 118.22-24 com Atos 4.10, 11). A própria expectativa de Cristo é também registrada (cf. Mt 12.38-40; 16.21; 17.9, 23; 27.63; Mc 8.31; 9.9, 31; 10.34; 14.58; Lc 9.22; 18.33; Jo 2.19-22).

XV. A Ascensão de Cristo

A única profecia direta da ascensão é feita pelo próprio Cristo, que está registrada em João 20.17 – "Disse-lhe Jesus: Deixa de me tocar, porque ainda não subi ao Pai; mas vai a meus irmãos e dize-lhes que eu subo para meu Pai e vosso Pai, meu Deus e vosso Deus" (cf. Sl 24). Nos tipos, a ascensão é vista no "molho movido" (Lv 23.9-12). O Cristo ressurrecto e que ascendeu ao céu é as primícias de todos os crentes a serem ressuscitados e, iguais a Ele, a aparecerem no céu em corpos glorificados. O movimento do molho representativo era "na manhã após o sábado", isto é, o dia da ressurreição, ou o primeiro dia da semana.

XVI. A Presente Dispensação

Uma ênfase anterior em que a verdade não será analisada novamente. A era foi preanunciada por Cristo em Mateus 13, e o seu caráter é visto nas várias declarações que antecipam seu curso e o seu final (Mt 24.4-8; Gl 1.4; 2 Tm 4.10). A era tem um significado especial para os judeus (cf. Mt 23.37-39; Rm 11.20; Tg 1.1), para os gentios (cf. Lc 21.24), e para a Igreja (cf. Mt 16.18; At 15.13, 14; Rm 11.25).

XVII. O Dia de Pentecostes

O Pentecostes é previsto tipicamente nos pães movidos de Levítico 23.15-21. Deveria ser observado que os pães movidos eram apresentados exatamente cinqüenta dias após os molhos movidos, que marca o período exato entre a primeira ascensão de Cristo (Jo 20.17) e o Pentecostes. Assim, por tipo, a Igreja – representada pelos pães – é vista como nascida no Pentecostes e não no Antigo Testamento ou no final do período coberto por Atos. Uma predição direta relativa ao Pentecostes foi feita por Cristo (Jo 14.16, 17, 26; 15.26; 16.7-15). Naturalmente, nenhum fermento – o símbolo do mal – é encontrado no molho movido que prevê Cristo em sua ascensão; mas o fermento é encontrado nos pães, pois, na melhor das hipóteses, os crentes são imperfeitos em si mesmos.

XVIII. A Igreja

Muitos detalhes da Igreja a respeito de seu começo, caráter, curso, e final na terra, são encontrados no Novo Testamento; mas a profecia específica por Cristo está registrada em Mateus 16.18: "Pois também eu te digo que tu és Pedro, e sobre esta pedra edificarei a minha igreja, e as portas do hades não prevalecerão contra ela".

XIX. A Destruição de Jerusalém

Igualmente, uma afirmação importante de Cristo prevê a destruição de Jerusalém. Essa declaração está registrada em Lucas 21.20-24, e foi cumprida no ano 70 d.C. (cf. Mt 24.2; Mc 13.1, 2).

ESCATOLOGIA

XX. Os Últimos Dias para a Igreja

Sobre este período específico, já foi feito um comentário em páginas anteriores. O caráter geral desses dias – sempre devem ser dissociados dos últimos dias para Israel (cf. At 2.17) – é descrito num conjunto de textos da Escritura bem definido (cf. 1 Tm 4.1-3; 2 Tm 3.1-5; Tg 5.1-10; 2 Pe 2.1 ss; Jd 1-5; Ap 3.14-22).

XXI. A Primeira Ressurreição

Três ressurreições diferentes são listadas em 1 Coríntios 15.20-24, e duas em João 5.25-29 e em Apocalipse 20.4-6. As três indicadas, se referem à ressurreição de Cristo, dos crentes e dos incrédulos. Entre a ressurreição de Cristo e a dos crentes, há obviamente a intercalação da presente era. Entre a ressurreição dos crentes e a ressurreição final, que é a dos não-salvos, está o reino de Cristo (cf. 1 Co 15.24-26). As duas ressurreições da humanidade são chamadas de primeira e segunda ressurreições (cf. Ap 20.4-6; Fp 3.11; 1 Ts 4.13-18).

XXII. O Arrebatamento dos Santos Vivos

Intimamente ligados com relação ao tempo e às circunstâncias com a ressurreição dos corpos dos crentes está o arrebatamento, à parte dos mortos, dos santos vivos. Havendo descrito em detalhes a ressurreição dos corpos dos salvos que morreram (1 Co 15.35-50), o apóstolo continua a declarar um mistério, ou segredo sagrado até então não revelado (1 Co 15.51-57), a saber, "nem todos dormiremos", mas com mudanças essenciais instantaneamente operadas, o filho de Deus vai neste corpo se encontrar com o Senhor nos ares (cf. Jo 14.1-3; 1 Co 15.51, 52; 1 Ts 4.13-18; 2 Ts 2.1; Hb 9.28).

XXIII. A Igreja no Céu

Como o livro do Apocalipse é quase totalmente preditivo e como ele prevê não somente a Igreja em sua total história na terra (caps. 2 e 3), mas também aquilo que se segue (4.1ss), deve ser esperado que a identificação da Igreja no céu seja claramente demonstrada no assunto que se segue à descrição da vida dela aqui na terra. A experiência de João como precursor ou representante da Igreja é basicamente aquela que a Igreja ainda experimentará; portanto, quando ele foi elevado por uma porta ao céu (4.1), de igual modo pode ser entendido que a Igreja será elevada quando os seus dias de peregrinação sobre a terra forem concluídos. É significativo, também, que os 24 anciãos apareçam no céu imediatamente após a remoção da igreja da terra. Estes, tem sido indicados, são aqueles que, de acordo com o cântico deles (5.9, 10), são da terra, de toda tribo, língua, povo e nação, que foram redimidos para Deus pelo sangue do Cordeiro.

Nenhuma identificação para este grupo pode ser encontrada além de que eles são símbolos da Igreja no céu. Por pertencer a cada nação, não poderia ser a nação de Israel, nem a tribulação dos santos havia começado ainda (cf. 7.14). Aqueles que afirmam que a Igreja passa pela Grande Tribulação têm dificuldade de identificar os vinte e quatro anciãos, e também em descobrir uma sugestão no Apocalipse da remoção da Igreja desta terra após 4.1. Como está indicado em 19.7-9, a Igreja está no céu para a festa de casamento e, de lá, perante o Senhor, retorna com poder e glória; mas nenhuma sugestão é dada em qualquer passagem subseqüente a 4.1 relativa à remoção da Igreja desta terra.

XXIV. As Recompensas dos Crentes

Muitos textos sustentam a verdade de que as recompensas devem ser dadas aos crentes fiéis por seu serviço enquanto neste mundo (1 Co 3.12-15; 9.16-27; 2 Co 5.9-11; Ap 3.11; 22.12). Essas recompensas devem ser concedidas por Cristo, a partir do tribunal no céu e após os crentes terem sido recebidos no céu.

XXV. O Casamento do Cordeiro

Igual a um interlúdio entre o registro dos julgamentos que são relatados em Apocalipse 17 e 18 e a descrição da vinda gloriosa de Cristo apresentada no capítulo 19, está a afirmação de que o casamento do Cordeiro chegou, evento esse que é acompanhado pela ceia das bodas (19.7-9). Há uma ordem cronológica observada, visto que o casamento e a ceia ocorrem no céu antes do retorno do Rei. Neste contexto, é lançada alguma luz por Cristo sobre a ordem dos eventos através de uma palavra falada a Israel em Lucas 12.35, 36: "Estejam cingidos os vossos lombos e acesas as vossas candeias; e sede semelhantes a homens que esperam o seu senhor, quando houver de voltar das bodas, para que, quando vier e bater, logo possam abrir-lhe". Israel está sempre sobre a

ESCATOLOGIA

terra, e o retorno de Cristo é para o seu povo terrestre, acompanhado de Sua noiva. Uma distinção é exigida nesse ponto entre a ceia de casamento que é no céu e celebrada *antes* do retorno de Cristo, e a festa de casamento (Mt 25.10; Lc 12.37), que acontece sobre a terra *após* o Seu retorno.

XXVI. A Grande Tribulação

Há vários aspectos que são uma parte da Grande Tribulação que está entre os eventos proféticos mais importantes nesta lista. Muita coisa já foi escrita a respeito desse breve período de sete anos. Sua duração está determinada pela profecia da 70ª semana de anos de Daniel. O seu caráter está descrito por muitos textos (cf. Dt 4.29, 30; Sl 2.5; Jr 30.4-7; Dn 12.1; Mt 24.9-28; 2 Ts 2.8-12; Ap 3.10; 7.13, 14; 11.1–19.6). Além de toda avaliação humana, está um grande número de realizações divinas a serem consumadas nesse breve período. É o tempo dos sofrimentos mais severos e da hora do término dos tempos dos gentios e das instituições gentílicas. Nesse período, será feita uma demonstração da impiedade irrestrita dos seres humanos. Será uma manifestação completa da natureza inverossímil de todas as pretensões sobre o suposto caráter e qualidade dos seres humanos à parte de Deus.

XXVII. O Aparecimento do Homem do Pecado

Através de uma extensa discussão deste tema, o estudante é novamente levado às páginas anteriores desta obra. O aparecimento dessa pessoa, sua carreira, e o seu fim estão bem demonstrados nas porções proféticas da Bíblia (cf. Ez 28.1-10; Dn 7.8; 9.27; 11.36-45; Mt 24.15; Jo 5.43; 2 Ts 2.1-12; Ap 6.2; 13.1-9; 19.19, 20; 20.10).

XXVIII. Os Sofrimentos Finais de Israel

Embora o período total da ausência deles da terra – que se estende desde os cativeiros até o segundo advento de Cristo – seja caracterizado pelo sofrimento, Israel entra na sua última e mais amarga provação quando da Grande Tribulação. Cristo disse que nenhuma carne poderia suportar a duração plena daquele tempo; mas por causa dos eleitos que Ele escolheu aqueles dias seriam abreviados (cf. Dt 28.63-68; Jr 30.4-7; Mt 24.21-27).

XXIX. A Destruição da Babilônia Eclesiástica

A Igreja federada que estará sob a liderança de Roma, após obtido repentinamente um grande poder na terra, será destruída pelas autoridades políticas e comerciais do mundo. Essa destruição está predita em Apocalipse 17.

XXX. A Batalha do Armagedom

A respeito deste evento particular, o Dr. C. I. Scofield escreve: "Armagedom (a antiga colina e vale do Megido, a oeste do Jordão na planície de Jezreel) é o lugar designado para o começo da grande batalha em que o Senhor, em sua vinda em glória, libertará o remanescente judeu da destruição efetuada pelos poderes mundiais gentílicos sob o mando da Besta e do Falso Profeta (Ap 16.13-16; Zc 12.1-9). Evidentemente, os exércitos que sitiam, cuja abordagem de Jerusalém é descrita em Isaías 10.28-32, alarmados pelos sinais que precedem a vinda do Senhor (Mt 24.29, 30), recuam para o Megido, após os eventos de Zacarias 14.2, onde a destruição deles começa; uma destruição consumada em Moabe e nas planícies da Iduméia (Is 63.1-6). Esta batalha é o primeiro evento no "dia de Jeová" (Is 2.12), e é o cumprimento da pedra que golpeia da profecia de Daniel 2.35".[155]

XXXI. A Destruição da Babilônia Política e Comercial

A destruição da Babilônia política e comercial é o término do sistema mundial total. Ele é evidentemente trazido ao seu final pelo poder divino e na execução daqueles juízos que foram determinados. Esse grande evento está intimamente ligado ao segundo advento de Cristo e é o primeiro julgamento no Dia de Jeová. O caráter estupendo desse julgamento consumador está além da compreensão humana. O registro é dado em Apocalipse 18 19.

XXXII. O Dia do Senhor

Este período alongado de mil anos começa, geralmente falando, com o segundo advento de Cristo e os julgamentos conectados com ele, e termina com o fim dos presentes céus e terra. A segunda vinda de Cristo

ESCATOLOGIA

é, para Israel, como "um ladrão da noite" (cf. Mt 24.42-44; 1 Ts 5.4; 2 Pe 3.10). Portanto, é digno de nota especial que Pedro, após se referir à verdade de que um dia para o Senhor é como mil anos e mil anos como um dia, continua a afirmar: "...virá como o ladrão, pois, o dia do Senhor", e dentro do mesmo dia prolongado e como um término dele, "no qual os céus passarão com grande estrondo, e os elementos, ardendo, se dissolverão, e a terra, e as obras que nela há, serão descobertas" (2 Pe 3.10). O Dia do Senhor é caracterizado pelo reino de Cristo sobre Israel e o mundo, no trono de Davi na nova Jerusalém, acompanhado de sua noiva – a Igreja. Naquele tempo os crentes não somente partilharão do reino de Cristo e dos julgamentos da humanidade (1 Co 6.2), mas também nos julgamentos que Cristo fará dos anjos (1 Co 6.3). O julgamento dos anjos continua pelos mil anos (1 Co 15.25, 26).

XXXIII. A Segunda Vinda de Cristo

Em seu segundo advento, Cristo, acompanhado pela Igreja (Ap 19.11-16), é para Israel, o seu Juiz (Ez 20.33-44), o seu Libertador, o Cumpridor de seus pactos, e o seu Salvador (Is 63.1, 4; Rm 11.26, 27); e, para os gentios, a Pedra que golpeia e o Finalizador de toda sua autoridade e das suas instituições, e também o seu Juiz (Sl 2.7-9; 96.13; 98.9; Is 63.1-6; Dn 2.44, 45; Mt 24.29, 30; 2 Ts 1.7-10; Ap 19.11-16).

XXXIV. Satanás Preso e Confinado

Uma predição clara é dada em Apocalipse 20 a respeito do aprisionamento e confinamento de Satanás no abismo. Parcialmente, por causa do banimento de Satanás, as guerras cessam sobre a terra; porém, mais diretamente, a justiça e a paz cobrem a terra por causa do reinado do Messias como Rei sobre todas as nações.

XXXV. O Reajuntamento e o Julgamento do Israel Afligido

O choro é a expressão normal de arrependimento e com o futuro arrependimento de Israel está o seu pranto (Is 61.2, 3; Mt 5.4; 24.30). Israel será reajuntado de todas as nações e para a sua própria terra (cf. Dt 30.1-8; Is 11.11, 12; Jr 23.7, 8; Ez 37.21-28; Mt 23.37; 24.31). Assim, também, deve Israel ser julgado. Duas passagens importantes declaram o futuro julgamento de Israel, a saber: Ezequiel 20.33-44 e Mateus 24.37–25.30. Semelhantemente, uma ressurreição está guardada para Israel (cf. Ez 37.1-14; Dn 12.1-3), mas parece não haver uma revelação do tempo preciso quando isto vai acontecer. A passagem em Daniel relata essa ressurreição para a Grande Tribulação. A passagem em Ezequiel, se interpretada como uma ressurreição corporal, é definitivamente, de acordo com o contexto total, uma parte da restauração de Israel à sua própria terra.

É digno de nota especial que nem todos os de Israel entrarão no reino. Como cinco das dez virgens foram recusadas na festa de casamento sobre a terra (cf. Mt 25.10), assim uma porção de Israel será rejeitada. A esperança do reino existiu nessa nação por todas as suas gerações, e é razoável supor que os julgamentos de Israel incluam aqueles ressuscitados dentre os mortos e destes muitos herdarão a vida eterna no reino. A promessa de Daniel é significativa: "Tu, porém, vai-te, até que chegue o fim; pois descansarás, e estarás no teu quinhão ao fim dos dias" (Dn 12.13).

XXXVI. O Julgamento das Nações

Seguindo o julgamento de Israel (ao menos isto se segue no contexto de Mateus 24.37–25.46) está o julgamento das nações. Esse julgamento, como foi visto, põe um fim em toda autoridade gentílica e sua base é o tratamento conferido a Israel pelas nações (cf. Mt 25.31-46 com Gn 12.1-3; note também Jl 3.2-16; Sl 96.13; 98.9).

XXXVII. A Vida Humana no Reino Terrestre

Um extenso conjunto de predições fala sobre a vida humana no reino. A vida eterna terá sido herdada e o Espírito terá sido derramado sobre toda a carne. Isto acontecerá no tempo da glória de Israel e, com Israel, alguns dos gentios serão abençoados (cf. Is 11.10; Mt 25.34); mas os gentios devem servir a Israel (cf. Is 14.1, 2; 60.12; 61.5). A nação dividida retornará a ser uma (Ez 37.22). A vida será tranqüila (cf. Is 11.6-9; 65.18-25; Jr 31.31-33. O Rei reinará com justiça (cf. Is 11.1-5; Sl 72.1-19; Mt 5.1 7.29). A criação também será restaurada à bem-aventurança edênica (Rm 8.18-23).

XXXVIII. A Soltura de Satanás e a Última Revolta

Num só capítulo (Ap 20), está a revelação dada, a qual assevera que Satanás deve ser solto por um pouco de tempo de sua prisão que durou mil anos. Mera especulação sobre a razão dessa soltura não é necessária. Evidentemente, isto completa a base sobre a qual o julgamento divino contra esse grande anjo pode ser imposto. Deve ser visto, entretanto, que as guerras que haviam cessado, quando ele foi preso, recomeçarão, e aqueles que viviam em paz e glória no reino serão enganados, como as pessoas desta era; e a guerra prosseguirá somente até ser terminada pela destruição sobrenatural daqueles exércitos.

XXXIX. A Condenação de Satanás

Como uma consumação da carreira de Satanás, ele é lançado no lago de fogo, para permanecer ali eternamente (Ap 20.10). Ele foi julgado na cruz (Jo 16.11), e deve ser banido do céu (Ap 12.7-12) e lançado no abismo (Ap 20.1-3), antes da condenação final. O julgamento de Satanás não será revogado. Ele não está sujeito à redenção.

XL. O Término do Presente Céu e da Presente Terra

Sobre este tema estupendo certas passagens devem ser observadas – Isaías 65.17; 66.22; Hebreus 1.10-12; 2 Pedro 3.3-13; Apocalipse 20.11; 21.1.

XLI. O Julgamento do Grande Trono Branco

Um julgamento final espera aqueles de todas as eras que não foram salvos. Para este fim, eles devem ser ressuscitados dentre os mortos, após o período do Milênio. Eles devem ser julgados de acordo com as suas obras e são, então, entregues ao lago de fogo, que é a segunda morte (cf. Ap 20.12-15; 21.8; 22.10-15).

XLII. O Destino dos Ímpios

O terrível destino dos não-salvos não pode ser minimizado (Ap 20.14, 15). O próprio Cristo disse mais com respeito a ele do que sobre qualquer outro. Embora nenhuma mente possa compreendê-lo, a revelação permanece inalterada para sempre. Quando a terribilidade é contemplada, o convite do Evangelho pelo qual alguém pode ser salvo disto germina mais doce e definido. Os homens não têm de se perder. Cristo morreu por eles.

XLIII. A Criação do Novo Céu e da Nova Terra

De todas as obras finais de Deus, nenhuma pode superar a criação do novo céu e da nova terra. A Escritura ensina sobre esse maravilhoso evento que já foi citado anteriormente em relação ao fim destes presentes céus e terra. Embora somente os anjos possam ter testemunhado a criação da presente ordem, todas as criaturas vivas observarão o ato final da criação.

XLIV. O Destino dos Salvos

Entre aqueles que permanecem no favor eterno com Deus, estão os cidadãos terrestres, cujo destino é ir para a eternidade como habitantes da terra (cf. Ap 21.3, 4; Is 66.22), e os cidadãos celestiais, cujo destino é ocupar o novo céu (cf. Jo 14.1-3; Hb 12.22-24; Ap 21.9–22.7).

XLV. O Dia de Deus

Em distinção do Dia do Senhor que acaba no final dos mil anos e com o fim dos presentes céus e terra (2 Pe 3.10), é a eternidade por vir chamada de *o Dia do Senhor* (cf. 2 Pe 3.12 com 1 Co 15.28).

Conclusão

Somente os eventos principais foram incluídos nesta lista. Eventos menores são inumeráveis – todos eles temas de predição – deveriam ter a sua consideração digna e plena.

Capítulo XXVI

Os Julgamentos

DOS OITO JUÍZOS ANUNCIADOS na Bíblia, um já é totalmente passado, dois pertencem ao presente, e cinco são totalmente futuros. Por serem futuros, os cinco são temas de profecias ainda não cumpridas. Com a finalidade de que o campo total do julgamento possa ser avaliado sob esta divisão geral, esses julgamentos, que não são preditivos em caráter, serão incluídos neste trabalho; e os dois pertencentes ao presente, por causa de sua inter-relação, serão considerados juntos. Pelo reconhecimento que se tem deles todos serem chamados um *juízo final*, os teólogos em geral têm se colocado a si mesmos abertos à suspeição de que eles não têm sido bons estudantes do Texto Sagrado. Está aqui afirmado que há vários julgamentos que estão sabiamente separados com respeito ao tempo, ao tema e circunstâncias. Este conjunto de verdade que tratam desses julgamentos, não é somente abrangente, mas livre de complicações. Estes julgamentos são:

I. Os Julgamentos Divinos Através da Cruz

Três aspectos do julgamento divino, já indicados sob Soteriologia, foram realizados pela morte de Cristo na cruz. Eles são: (1) o julgamento do pecado do mundo; (2) o julgamento da natureza pecaminosa do crente; e (3) o julgamento de Satanás. Estes, será visto, foram perfeitamente satisfeitos por Cristo, quando Ele morreu.

1. O JULGAMENTO DO PECADO DO MUNDO. Sem levar em consideração as objeções levantadas por alguns teólogos, que têm uma teoria para defender, o Novo Testamento assevera com segurança absoluta que Cristo morreu pelo pecado do mundo (cf. Jo 1.29; 3.16; Hb 2.9; 1 Jo 2.2). É verdade que ao menos em 14 objetivos de Sua morte Cristo tinha um desígnio específico com relação aos pecados dos eleitos, ou daqueles que creriam nEle (cf. Jo 10.11; Ef 5.25-27; 1 Jo 2.2); mas a inclusão dos pecados dos eleitos como uma classe particular

não exclui a verdade essencial de que Ele também tinha um propósito mundial em Sua morte. Embora possa não ser compreendida totalmente por mentes finitas, a mensagem deve ser recebida, como declarada na Palavra de Deus, a qual assevera que o perdão pleno e a libertação da penalidade do pecado foram perfeitamente assegurados para todos aqueles que crêem. Sem discutir novamente as implicações teológicas desta declaração, pode ser assinalado que este é um julgamento divino do pecado que cai sobre outro, que o suporta como um substituto. Neste julgamento irrestrito, exigências são impostas e estas são suportadas numa perfeição infinita.

2. O JULGAMENTO DA NATUREZA PECAMINOSA DO CRENTE. A evidência de que este importante julgamento não é estendido aos não-regenerados é conclusiva, visto que nenhum texto o relaciona a eles. O valor para o crente da realização de um julgamento divino da natureza pecaminosa que seja suficiente e final (cf. Rm 6.1-10), é de longo alcance. Esse valor não efetua qualquer mudança na força presente e vital dessa natureza. Esse julgamento consiste antes de um parecer divino que dispõe de toda objeção moral que a natureza pecaminosa de outra forma imporia sobre o Espírito Santo, de modo a impedir o Seu controle dessa natureza. Assim, a possibilidade total do poder conquistador do Espírito na vida diária do cristão está envolvida. Visto que não há uma intenção divina de que o não-salvo seja fortalecido para um viver santo em seu estado de não-salvo – por não possuir o Espírito (cf. Jd 19) – não há provisão nem promessa que estenda o valor desse julgamento, além dos limites daqueles que são salvos. Não poderia ser questionado que a morte de Cristo pela natureza pecaminosa do crente seja uma forma de julgamento divino (cf. Rm 6.1-10; Gl 5.24; Ef 4.22-24; Cl 3.9, 10).

3. O JULGAMENTO DE SATANÁS ATRAVÉS DA CRUZ. Visto que esse julgamento é apenas parcialmente revelado, para as mentes humanas o relacionamento entre Deus e os anjos é incompreensível. A relação particular entre Cristo e Satanás é igualmente escondida. Embora vasto em seu escopo, alguma luz se vê nas relações existentes entre Cristo e os anjos, a partir do proto-evangelho de Gênesis 3.15, da tentação no deserto (Lc 4.1-13), da guerra no céu (Ap 12.7-12), do reino de mil anos em que os poderes angelicais são subjugados (1 Co 15.25, 26); porém, mais especificamente do julgamento de Satanás por Cristo em conexão com a cruz (Jo 12.31; 14.30, 16.11; Cl 2.14, 15). Assim, está revelado que a cruz de Cristo em seu alcance tríplice é um dos maiores, senão o maior, de todos os julgamentos divinos.

II. O Autojulgamento do Crente e os Castigos de Deus

Dois julgamentos distintos estão em vista sob este título geral e, como foi afirmado anteriormente, por causa da independência deles. O filho na família do Pai deve entender que Deus é um perfeito disciplinador. A desobediência deve, em

ESCATOLOGIA

Seu próprio tempo e modo, resultar em castigo. A passagem central da disciplina do Pai está em Hebreus 12.3-15. Neste contexto, está declarado que todo filho na casa do Pai está sujeito ao castigo, quando a ocasião exige. O versículo 6 faz referência aos dois: ao castigo e ao açoite. Estes devem ser distintos. O açoite visa à conquista da vontade humana de uma vez por todas, e quando a vontade cede, não há mais necessidade de açoite. Por outro lado, o castigo pode ser repetido muitas vezes e pode ser administrado com a finalidade de que o crente possa ser fortalecido por ele, ou para evitar que o crente trilhe os caminhos maus.

Um bom homem pode, por disciplina, se tornar melhor. Cristo disse: "Toda vara em mim que não dá fruto, ele a corta; e toda vara que dá fruto, ele a limpa, para que dê mais fruto" (Jo 15.2). Com relação ao castigo, que é uma correção pelo erro, está escrito daqueles que participam da comunhão indignamente: "Por causa disto há entre vós muitos fracos e enfermos, e muitos que dormem" (1 Co 11.30). Imediatamente, seguindo esta declaração e intimamente ligada a ela, está acrescentada a verdade de que o cristão pode evitar o castigo pelo mal praticado, quando faz uma confissão dele a Deus, confissão essa que é um autojulgamento. Quando não há confissão, então deve haver castigo. A passagem diz: "Mas, se nós nos julgássemos a nós mesmos, não seríamos julgados; quando, porém, somos julgados pelo Senhor, somos corrigidos, para não sermos condenados com o mundo" (1 Co 11.31, 32).

É nesta passagem que dois aspectos do julgamento aparecem como um dependendo do outro. Primeiro, o crente deve confessar a Deus cada pecado conhecido, e, segundo, o Pai pode julgar seu filho pelo castigo, quando a confissão é recusada (cf. 1 Jo 1.9). A provisão divina é graciosa no grau máximo. Quando o cristão peca, Deus espera a confissão desse pecado. Quando a confissão não é feita, Deus, em seu próprio tempo e modo, deve corrigir seu filho.

III. O Julgamento das Obras do Crente

Embora em fidelidade infinita – que está baseada em provisões infinitas – o crente não pode vir a juízo a respeito dos pecados que Cristo suportou (cf. Jo 3.18; 5.24; Rm 8.1); todavia, permanece verdadeiro que o crente será trazido a julgamento a respeito do seu serviço para Deus – o uso que ele fez dos seus poderes resgatados após ter sido salvo. Esse julgamento é com a finalidade de que recompensas adequadas possam ser concedidas àqueles que serviram com fidelidade. Essa forma de julgamento, no que respeita aos crentes que não têm sido fiéis, faz com que as obras feitas por eles sejam queimadas, mas com a certeza de que, a despeito da queima das obras, o crente será salvo. Ele deve permanecer salvo, visto que a sua salvação repousa não em suas próprias obras, mas sobre a dignidade de Cristo que nunca muda. Ele que é o mesmo ontem, hoje e eternamente (Hb 13.8).

A doutrina das recompensas – tratada em detalhes num outro lugar nesta obra de teologia – deve ser considerada um ensino essencial que acompanha a doutrina

O JULGAMENTO DAS OBRAS DO CRENTE

da graça salvadora. Visto que ao salvo, de modo algum é permitido contribuir para a base de sua aceitação, torna-se certo que o seu serviço não é creditado para a sua salvação; portanto, o seu serviço está sujeito antes às recompensas, que são o reconhecimento divino do sacrifício e serviço prestado. Esse julgamento é operado no βῆμα, que é "o tribunal de Cristo" (2 Co 5.10). Os textos que ensinam sobre essa forma de julgamento podem ser considerados, em parte.

1 Coríntios 3.9-15 afirma: "Porque se somos cooperadores de Deus; vós sois lavoura de Deus e edifício de Deus. Segundo a graça de Deus que me foi dada, lancei eu, como sábio construtor, o fundamento, e outro edifica sobre ele; mas veja cada um como edifica sobre ele. Porque ninguém pode lançar outro fundamento, além do que já está posto, o qual é Jesus Cristo. E, se alguém sobre este fundamento levanta um edifício de ouro, prata, pedras preciosas, madeira, feno, palha, a obra de cada um se manifestará; pois aquele dia a demonstrará, porque será revelada no fogo; e o fogo provará qual seja a obra de cada um. Se permanecer a obra que alguém sobre ele edificou, esse receberá galardão. Se a obra de alguém se queimar, sofrerá ele prejuízo; mas o tal será salvo; todavia, como que pelo fogo".

Nesta passagem, o crente, que é de uma vez por todas estabelecido na Rocha, Jesus Cristo, é dito que ele constrói sobre aquela Rocha, com materiais que estão sujeitos a ser queimados pelo fogo ou com materiais que são purificados pelo fogo. Não há uma referência aqui à "construção de caráter", visto que o caráter do cristão, debaixo da economia da graça, é produzido no filho de Deus como um fruto da habitação do Espírito (Gl 5.22, 23). As obras ou o serviço do crente, o que ele constrói, é que está em vista aqui. Estas são as obras preordenadas, para que andássemos nelas (Ef 2.10).

1 Coríntios 9.27 declara: "Antes subjugo o meu corpo, e o reduzo à submissão, para que, depois de pregar a outros, eu mesmo não venha a ficar reprovado".

Após ter discorrido longamente sobre a verdade de que as recompensas estão guardadas para os crentes que são fiéis e ter dado testemunho do seu serviço por Cristo (vv. 16-26), o apóstolo expressa temor de que o seu serviço não seja ἀδόκιμος – *reprovado.* O significado exato de ἀδόκιμος é *reprovado, desqualificado.* É a forma negativa e a sua forma positiva é corretamente traduzida em 2 Timóteo 2.15: "Procura apresentar-te diante de Deus [δόκιμος] aprovado". A reprovação que o apóstolo receava não é outra senão a queima das obras de serviço indignas (cf. 2 Co 5.11).

2 Coríntios 5.9, 10 declara: "Pelo que também nos esforçamos para ser-lhe agradáveis, quer presentes, quer ausentes. Porque é necessário que todos nós sejamos manifestos diante do tribunal de Cristo, para que cada um receba o que fez por meio do corpo, segundo o que praticou, o bem ou o mal".

Aqui, como antes foi sugerido, a palavra βῆμα é traduzida como "tribunal" e é definidamente declarado que todos os crentes devem comparecer perante o tribunal de Cristo (cf. Rm 14.10). O julgamento se dá no céu e não surge questão alguma, se o crente entrará no céu nem se ele permanecerá no céu.

ESCATOLOGIA

Não pode ser muito fortemente enfatizado que esse julgamento não esteja relacionado ao problema do pecado, que seja mais para a recompensa do que para a rejeição de fracasso; e está claramente asseverado em 1 Coríntios 4.5 que, a despeito de toda falha, todo homem (cristão) receberá o louvor de Deus. Passagens adicionais que tratam desse julgamento específico são Romanos 14.10; Efésios 6.8; 2 Timóteo 4.8; Apocalipse 22.12.

IV. O Julgamento de Israel

Na ordem em que os julgamentos futuros ocorrem, o julgamento de Israel é o seguinte. Ele ocorre em conexão com o segundo advento de Cristo. Que esse julgamento de Israel precede o julgamento das nações, é indicado pelo fato de que esses julgamentos são registrados naquela ordem do discurso do Monte das Oliveiras (Mt 24.1–25.46); contudo, esses dois julgamentos estão relacionados ao segundo advento e ocorrem no final da tribulação. Totalmente em contraste com a experiência concedida à Igreja (cf. Jo 5.24), a nação de Israel deve ser julgada, e é razoável crer que esse julgamento incluirá tudo dessa nação que nas dispensações passadas esteve debaixo dos pactos e promessas. Portanto, a ressurreição daquelas gerações de Israel é exigida e deve preceder o julgamento delas. O reino messiânico glorioso foi a esperança dos santos do Antigo Testamento e, de conformidade com essa esperança, eles ordenaram suas vidas.

No mesmo contexto imediato em que uma ressurreição é prometida ao povo de Daniel, é dito ao próprio Daniel que ele "descansasse" até o fim de seus dias. Daqueles que serão ressuscitados ele declara: "E muitos dos que dormem no pó da terra ressuscitarão, uns para a vida eterna, e outros para vergonha e desprezo eterno. Os que forem sábios, pois, resplandecerão como o fulgor do firmamento; e os que a muitos converterem para a justiça, como as estrelas sempre e eternamente" (Dn 12.2, 3). Alguns no tempo de Daniel, como em todas as gerações de Israel, estão escritos no livro. Malaquias declara sobre Israel de seu tempo aquilo que igualmente era verdadeiro de todas as gerações de Israel: "Então aqueles que temiam ao Senhor falaram uns aos outros; e o Senhor atentou e ouviu, e um memorial foi escrito diante dele, para os que temiam ao Senhor, e para os que se lembravam do seu nome. E eles serão meus, diz o Senhor dos exércitos, minha possessão particular naquele dia que prepararei; poupá-los-ei, como um homem poupa a seu filho, que o serve. Então vereis outra vez a diferença entre o justo e o ímpio; entre o que serve a Deus, e o que o não serve" (Ml 3.16-18; cf. Dn 12.1). Haverá recompensa para eles, quando "retornarem", termo esse que prevê o dia do reajuntamento de Israel.

Três passagens importantes apresentam o futuro juízo de Israel, e deve ser dada atenção a elas:

Ezequiel 20.33-44. Esta porção da Escritura deveria ser lida a esta altura. Somente uma parte desta predição é citada aqui: "Vivo eu, diz o Senhor Deus, certamente com mão forte, e com braço estendido, e com indignação derramada, hei de reinar sobre vós. E vos tirarei dentre os povos, e vos congregarei dos países nos quais fostes espalhados, com mão forte, e com braço estendido, e com indignação derramada; e vos levarei ao deserto dos povos; e ali face a face entrarei em juízo convosco; como entrei em juízo com vossos pais, no deserto da terra do Egito, assim entrarei em juízo convosco, diz o Senhor Deus. Também vos farei passar debaixo da vara, e vos farei entrar no vínculo do pacto; e separarei dentre vós os rebeldes, e os que transgridem contra mim; da terra das suas peregrinações os tirarei, mas à terra de Israel não voltarão; e sabereis que eu sou o Senhor" (vv. 33-38).

Neste texto está revelado que esse julgamento ocorrerá "no deserto dos povos" – evidentemente, o próprio lugar onde Jeová contestou os pais deles, quando saíram do Egito. Esta contestação será "face a face" e o julgamento resultará numa separação de rebeldes e daqueles que transgridem do restante da congregação de Israel. Estes, é dito, não entrarão na terra de Israel. Esse anúncio de um julgamento vindouro não é somente uma predição que deve ser cumprida no tempo do retorno de Israel à sua terra, mas diz respeito àquela geração a quem Ezequiel escreveu e a todas as gerações de pessoas. Portanto, pode ser concluído que esse julgamento não é restrito à última geração somente, a que estiver na terra no tempo desse julgamento.

Malaquias 3.2-6: "Mas quem suportará o dia da sua vinda? E quem subsistirá, quando ele aparecer? Pois ele será como o fogo de fundidor e como o sabão de lavandeiros; assentar-se-á como fundidor e purificador da prata; e purificará os filhos de Levi, e os refinará como ouro e como prata, até que tragam ao Senhor ofertas em justiça. Então a oferta de Judá e de Jerusalém será agradável ao Senhor, como nos dias antigos, e como nos primeiros anos. E chegar-me-eis a vós para juízo; e serei uma testemunha veloz contra os feiticeiros, contra os adúlteros, contra os que juram falsamente, contra os que defraudam o trabalhador em seu salário, a viúva, e o órfão, e que pervertem o direito do estrangeiro, e não me temem, diz o Senhor dos exércitos. Pois, o Senhor, não muda; por isso vós, ó filhos de Jacó, não sois consumidos".

Em Malaquias 3.1, há uma distinção entre "meu mensageiro", que é João Batista, e "o anjo do pacto", que é Cristo, o Messias. A questão sobre "quem suportará o dia da sua vinda?" não é a respeito de João, portanto, mas de Cristo, e, enquanto o profeta não via uma distinção entre o primeiro e o segundo adventos, a passagem descreve o juízo final de Israel, que ocorrerá quando do retorno do Rei.

Mateus 24.37–25.30. Este contexto total, muito extenso para ser citado, deveria ser lido neste ponto, tendo em mente (1) que é um discurso a Israel; (2) que, até 25.13, é uma advertência para aquela nação do caráter inesperado do retorno do Messias deles – uma passagem que, igual a muitas outras, virá a ter a sua aplicação principal no tempo da grande tribulação. Está declarado em 24.33 que Israel pode ficar em expectativa, "quando virdes todas estas coisas". Certos textos da Escritura estão relacionados aos eventos que são totalmente passados, enquanto outros – e este é um deles – estão totalmente relacionados ao que é ainda futuro. No dia em que essas coisas começarem

ESCATOLOGIA

a acontecer (cf. Mc 13.28, 29; Lc 21.29-31), Israel dará boas-vindas a estas palavras diretas de instrução e será responsável por atendê-las.

A parábola do bom servo e do mau (Mt 24.45-51) assevera que os servos serão julgados de acordo com a sua fidelidade, e o infiel, longe de ser admitido na graça e na presença do seu Senhor, será cortado e destinado com a porção dos hipócritas. Haverá ali "choro e ranger de dentes".

Semelhantemente, a parábola das virgens (Mt 25.1-13) ensina sobre a importância da preparação, assim como a imprevisão do retorno do Rei. Israel é ordenado a *vigiar*. Certos aspectos dessa passagem foram indicados em páginas anteriores. As virgens são Israel (cf. Sl 45.8-15); de acordo com certos manuscritos gregos de valor inquestionável, essas virgens saem para encontrar o Noivo e a Noiva (cf. Lc 12.35, 36). O evento é o retorno do Messias para a terra, e é a porção de Israel dar boas-vindas a Ele e entrar com ele e sua Noiva na festa de casamento aqui na terra (cf. 25.10). Está claramente declarado que a uma grande porção de virgens será recusada a entrada na festa, o que é equivalente ao fracasso de entrar no reino. Conseqüentemente, é-lhes dito para vigiar (25.13).

Além disso, e finalmente, a entrada para Israel no seu reino depende do uso correto dos talentos (Mt 25.14-30). Nessa parábola o veredicto é certo. Está escrito que Cristo disse: "Por que a todo o que tem, dar-se-lhe-á, e terá em abundância; mas ao que não tem, até aquilo que tem ser-lhe-á tirado. E lançai o servo inútil nas trevas exteriores; ali haverá choro e ranger de dentes" (Mt 25.29, 30).

Se nenhuma outra referência estivesse presente para demonstrar que Mateus 24.37–25.30 se refere a Israel, poderia ser mostrado no duplo fato de que a Igreja não será julgada, e que as nações são julgadas (não com Israel mas) separadamente, de acordo com o contexto que se segue imediatamente (cf. Mt 25.31-46). Se a Igreja nunca é julgada, as nações não são julgadas até após o julgamento registrado em Mateus 24.37–25.30, fica evidente que esse julgamento anterior deve ser o de Israel (cf. Sl 50.1-7). Pode ser acrescentado que a porção de Israel apresentada pelas cinco virgens prudentes – aquelas que passam por esse julgamento nacional – se tornam a representação final daquela nação – aqueles que são designados para entrar no reino. Estes são mencionados em Romanos 11.26-27: "E assim todo o Israel será salvo, como está escrito: Virá de Sião o Libertador, e desviará de Jacó as impiedades; e este será o meu pacto com eles, quando eu tirar os seus pecados".

V. O Julgamento das Nações

O período designado como "tempos dos gentios", tempo esse que, exceto pelo período de intercalação da Igreja, se estende desde o cativeiro babilônico até o término da Grande Tribulação, e termina no julgamento das nações. Diferentemente de outros julgamentos que incluem um retrocesso relativo às gerações passadas, esse julgamento vem somente sobre a geração existente de gentios sobre a terra. Este é um arranjo imparcial visto que aqueles envolvidos

O JULGAMENTO DOS ANJOS

devem ser julgados pelo tratamento que derem a Israel durante os sete anos de tribulação. Portanto, apenas uma geração está assim envolvida. Deus julgou algumas nações no passado, por causa do tratamento que deram a Israel e sempre foi verdadeiro que uma maldição vem sobre aquelas nações que amaldiçoam Israel, e uma bênção vem sobre aquelas que abençoam Israel (cf. Gn 12.3); mas uma maldição específica e uma bênção específica aguardam as nações que na Grande Tribulação amaldiçoarem ou abençoarem Israel.

De igual modo, o julgamento de uma geração de gentios não toma o lugar do julgamento final no grande trono branco de todas as nações e povos de todas as eras que rejeitaram os conselhos de Deus. Assim, igualmente, quando do julgamento das nações, alguns forem lançados no lago de fogo (cf. Mt 25.41), não precisa estar implícito que eles são assim condenados unicamente por causa do seu tratamento a Israel na tribulação; igual a todos os povos que rejeitam Cristo, eles são lançados no lago de fogo. O tempo desse envio ao lago de fogo é provavelmente no final do Milênio e entre todos os outros condenados no Trono Branco (cf. Mt 13.30; Ap 20.11-15).

A base do julgamento das nações será reconhecida somente quando for visto que a nação de Israel é a escolhida de Deus acima de todas as nações da terra. Para esse povo eleito Deus tem um propósito e um amor não perecível e imutável. Nenhuma abordagem correta será feita para o entendimento do programa divino para a terra a menos que o favor soberano e divino para com Israel seja reconhecido. Se esse favor soberano for reconhecido, surgirá pouca dificuldade a respeito da questão sobre a qual as nações serão julgadas no final da tribulação.

O julgamento das nações inclui não somente o comparecimento delas diante do Rei no seu trono (Mt 25.31, 32), mas também a derrota daquelas nações quando elas se levantarem em oposição a Deus. A subjugação total de todas as nações no retorno do Messias está predita em vários textos (cf. Sl 2.1-10; Is 63.1-6; 2 Ts 1.7-10; Ap 19.11-21). Quando essas nações forem assim subjugadas no retorno de Cristo, é que elas permanecerão num silêncio terrível diante do trono da sua glória e ali receberão a sentença a respeito de seu destino divinamente designado. Duas passagens extensas descrevem o tempo incomparável, quando essas nações serão julgadas – Joel 3.9-16 e Mateus 25.31-46. Joel descreve Jeová como ambos, juiz das nações e a esperança de Israel naquela hora. Mateus registra a propria predição do Rei em que descreve a reunião das nações perante Ele; a base do julgamento delas – o tratamento que elas deram a Seus irmãos, Israel – e o veredicto que convida alguns para entrar no reino preparado para eles pelo Pai, e o lançamento de outros no lago de fogo.

VI. O Julgamento dos Anjos

Após vencer as nações no tempo de seu retorno à terra, Cristo então empreenderá a tarefa estupenda de subjugar os poderes angelicais, e isto será estendido por todo o seu reino no Milênio. Está predito que, antes do fim ou da ressurreição final dos ímpios mortos, Cristo deve derrubar todo governo e autoridade. A passagem diz: "Então virá o fim quando ele entregar o reino a Deus o Pai, quando houver destruído todo domínio, e toda autoridade e todo poder. Pois é necessário que ele reine até que haja posto todos os inimigos debaixo de seus pés. Ora, o último inimigo a ser destruído é a morte" (1 Co 15.24-26). Satanás, o principal dos anjos caídos, será lançado no lago de fogo com todos os seus anjos, e isto após os mil anos no abismo, e depois a última revolta (Mt 25.41; Ap 20.7-10). Assim, as atividades de Cristo em subjugar os anjos, que foi estendida por mil anos, será consumada antes da criação dos novos céus e da nova terra.

Pedro e Judas se referem ao julgamento dos anjos e especialmente daqueles que foram reservados às cadeias de trevas até o dia do julgamento deles: "Porque se Deus não poupou a anjos quando pecaram, mas lançou-os no inferno, e os entregou aos abismos da escuridão, reservando-os para o juízo" (2 Pe 2.4); "aos anjos que não guardaram o seu principado, mas deixaram a sua própria habitação, ele os tem reservado em prisões eternas na escuridão para o juízo do grande dia" (Jd 6).

VII. O Julgamento do Grande Trono Branco

Este, o julgamento final, que conclui o da cruz e o de todos os que não são redimidos, ocorre no final do Milênio. As pessoas ressuscitarão para esse julgamento e serão julgadas de acordo com suas obras. Essas obras são uma matéria de registro divino nos livros que são abertos nesse juízo. O livro da vida está também em evidência, mas provavelmente com a idéia de demonstrar que não houve erro e que os que estão reunidos diante do Trono Branco não possuem o dom de Deus, que é a vida eterna. A condenação que os espera é terrível e além da compreensão; mas é a última palavra de um Deus santo a respeito do pecado e de toda injustiça.

Em razão da tendência geral de confundir o julgamento das nações com o do Trono Branco, as distinções entre eles deveriam ser observadas. No julgamento das nações, três classes estão presentes: 'ovelhas', 'bodes' e os 'irmãos' de Cristo, enquanto no julgamento do Trono Branco há apenas uma classe – os ímpios mortos. No primeiro, a cena é sobre a terra, enquanto que no último a cena é no espaço. No primeiro, a questão é o tratamento do judeu, enquanto que no último são as más obras daqueles que são julgados. No primeiro, alguns entram no reino em seu início e alguns vão para o lago de fogo; no último, todos vão para o lago de fogo.

Conclusão

Do que foi visto antes, é dito que a asserção teológica de que há apenas um julgamento geral é um grande erro; e será reconhecido também que o tema total do julgamento divino não é somente de longo alcance, mas vital para o entendimento correto de toda profecia.

Capítulo XXVII

O Estado Eterno

Aquele aspecto da profecia que revela o estado futuro dos homens pode ser estudado sob várias divisões gerais, a saber: (1) o estado intermediário, (2) as criaturas de Deus que entram no estado eterno, (3) várias esferas de existência, (4) teorias relativas ao estado futuro, (5) a nova terra, (6) o inferno e (7) o céu.

I. O Estado Intermediário

No uso teológico, o termo *estado intermediário* refere-se ao modo de existência da alma e do espírito humanos no intervalo entre a morte e a ressurreição. Mas, com relação à transformação de alguns dos santos, a morte e a ressurreição são universais; e, visto que a morte nunca é apresentada como uma condição de inconsciência, as almas e os espíritos de todos os homens, por causa deles permanecerem cônscios, estão sujeitos a ambos: o local e condições. Nisto, como em todos os problemas de uma existência futura, a especulação humana é inútil. Somente a Palavra de Deus pode fornecer um ensino normativo. Três divisões deste tema são evidentes: (a) duas palavras importantes sobre o local, (b) a doutrina do sono, e (c) o corpo intermediário.

1. Duas Palavras Importantes sobre este Local. As palavras *Sheol* do Antigo Testamento e *Hades,* do Novo Testamento, são idênticas, e referem-se ao lugar para onde vão os que morrem. Estes termos são freqüentemente usados como equivalentes à sepultura, algumas vezes ao lugar de espera pela ressurreição do corpo, e algumas vezes ao destino eterno dos homens. Para o homem natural, que não recebe uma revelação de Deus, o *Sheol* e *Hades* não são mais do que a sepultura onde, segundo a observação humana, a vida termina; mas *Sheol* é um lugar de tristeza (cf. 2 Sm 22.6; Sl 18.5; 116.3). É um lugar para o qual os ímpios são levados (Sl 9.17) e onde eles estão conscientes (Is 14.9-11; Ez 32.21; Jn 2.2). Assim, também, o homem rico estava no *Hades* e totalmente cônscio em todas as suas faculdades (Lc 16.23). Sobre o *Hades,* antes e após a ascensão de Cristo, o Dr. C. I. Scofield escreve:

ESCATOLOGIA

Hades antes da ascensão de Cristo. As passagens nas quais a palavra ocorre deixa claro que *Hades* era composto anteriormente de duas divisões: as moradas dos salvos e dos perdidos respectivamente. A dos primeiros era chamada "paraíso" e "seio de Abraão". Ambas as designações são talmúdicas, mas adotadas por Cristo em Lucas 16.22 e 23.43. Os mortos benditos estavam com Abraão, eram conscientes e "confortados" (Lc 16.25). O ladrão que creu naquele dia foi estar com Cristo no "paraíso". Os perdidos eram separados dos salvos por um "grande abismo" (Lc 16.26). O homem representativo dos perdidos que estão agora no *Hades* é o homem rico de Lucas 16.19-31. Ele estava vivo, consciente, no pleno exercício de suas faculdades, sua memória etc., e em tormentos. *Hades* desde a ascensão de Cristo. No que respeita aos salvos, nenhuma mudança do lugar ou da condição deles é revelada na Escritura. No julgamento do Trono Branco, serão tirados do Hades, julgados e passarão para o lago de fogo (Ap 20.13, 14). Mas uma mudança aconteceu que afeta o paraíso. Paulo "foi levado ao terceiro céu... ao paraíso" (2 Co 12.1-4). O paraíso, portanto, é agora a presença imediata de Deus. É crido que Efésios 4.8-10 indica o tempo dessa mudança. "Subindo ao alto, levou cativo o cativeiro". É imediatamente acrescentado que Ele tinha anteriormente "descido às partes mais baixas da terra", i.e., à divisão do *Hades* chamada paraíso. Durante a presente era da Igreja, os salvos que morreram estão "ausentes do corpo, no lar com o Senhor". Os ímpios mortos no *Hades*, e os justos mortos "no lar com o Senhor", igualmente esperam a ressurreição (Jó 19.25; 1 Co 15.52).[156]

2. A DOUTRINA DO SONO. No Novo Testamento, a palavra *sono* é o termo suavizado para a morte do crente. Cristo a empregou no caso de Lázaro (Jo 11.1-13), e o apóstolo Paulo a usou igualmente (cf. 1 Co 15.51). Alguns têm confundido o fato de que o corpo dorme com uma noção de que a alma também dorme. Não há base alguma na Palavra de Deus para um suposto sono da alma. Por outro lado, através de vocábulos que não podem ser confundidos, está declarado que aqueles que morrem ficam num estado de consciência, e, no caso dos crentes, entram na presença imediata do Senhor. Para o ladrão da cruz, Cristo disse: "...hoje mesmo estarás comigo no Paraíso" (Lc 23.43), e o apóstolo, ao falar da morte dos crentes, disse: "...partir, e estar com Cristo, o que é incomparavelmente melhor" (Fp 1.23); "Temos, portanto, sempre bom ânimo, sabendo que, enquanto estamos presentes no corpo, estamos ausentes do Senhor (porque andamos por fé, e não por vista); temos bom ânimo, mas desejamos antes estar ausentes deste corpo, para estarmos presentes com o Senhor" (2 Co 5.6-8).

3. O CORPO INTERMEDIÁRIO. Em 2 Coríntios 5.1-5, é feita uma declaração de que esta "nossa casa terrestre deste tabernáculo" deveria ser desfeita, porque "temos de Deus um edifício, uma casa não feita por mãos, eterna, nos céus", e que o espírito humano sinceramente deseja não ser desvestido ou desincorporado, mas ser revestido; e para esse fim um corpo "do céu", eterno – com respeito às suas qualidades como qualquer corpo do céu deve ser – aguarda o crente que morre.

Assim, ele não ficará desvestido ou sem corpo entre a morte e a ressurreição daquele corpo original que se levantará da sepultura. O corpo "do céu" não poderia ser o corpo que está agora na sepultura, nem poderia o corpo da sepultura servir como um corpo intermediário antes da ressurreição. À parte da provisão divina de um corpo intermediário, o desejo do crente de não ser desvestido não pode ser satisfeito.

II. As Criaturas de Deus Que Entram no Estado Eterno

As criaturas de Deus estão sujeitas a uma classificação quádrupla – os anjos, os gentios, os judeus e os cristãos – e há certas distinções bem definidas que devem ser reconhecidas entre os anjos, os gentios e os judeus. Visto que nenhuma criatura racional de Deus jamais pode cessar de existir, embora algumas delas venham experimentar a segunda morte, que é o lago de fogo, todas essas criaturas de Deus vão para a eternidade vindoura. Há ao menos doze divisões ou classes de seres a serem consideradas aqui, a saber: (1) anjos não-caídos, (2) anjos caídos, (3) gentios salvos, (4) gentios não-salvos, (5) gentios do reino, (6) gentios impedidos de entrar no reino, (7) judeus no reino, (8) judeus excluídos do reino, (9) judeus salvos por entrarem na Igreja, (10) judeus condenados por rejeitarem o Evangelho, (11) os não-salvos como um todo, e (12) os cristãos. Visto que há distinções importantes a serem feitas entre esses vários grupos de criaturas de Deus, elas podem ser consideradas separadamente.

1. Anjos Não-caídos. Os anjos não-caídos são aqueles que guardaram o seu estado original. Eles são tão santos como eram quando foram criados e nesse estado, é evidente, eles serão guardados por toda a eternidade vindoura. Esse grupo inclui vastos impérios de seres que estão envolvidos na adoração incessante e no culto do seu Criador. Que eles permanecem para sempre é certo por causa de sua natureza imperecível e também por causa do fato de que são indicados como presentes naquelas cenas que caracterizam a eternidade vindoura. Os anjos permanecem anjos para sempre.

2. Anjos Caídos. Este grupo de seres é mais comumente conhecido como "Satanás e seus anjos" (Ap 12.9). Sob o estudo de Angelologia muita coisa já foi dita relativa a esse grupo. Eles podem compor um terço de todos os seres angelicais (cf. Ap 12.14). Eles são identificados com Satanás em suas atividades presentes e partilham com ele da condenação que o espera. Este destino está selado. Eles com Satanás para sempre estarão no lago de fogo (Ap 20.10), e o fato de que serão atormentados para sempre indica que não cessarão de estar numa existência consciente (Mt 25.41).

3. Gentios Salvos. Qualquer que possa ser o estado eterno de patriarcas como Adão, Enoque, Noé, Jó, e Melquisedeque, que são classificados como pertencentes ao grupo original que perpetua os gentios, um grupo muito distinto de gentios é chamado e salvo pela graça de Deus para uma semelhança eterna de Cristo e destinado para compartilhar de sua glória para sempre.

ESCATOLOGIA

4. GENTIOS NÃO-SALVOS. Um grupo inumerável de gentios de todas as eras passadas pela morte foi para um estado de separação perpétua de Deus, e espera o dia da ressurreição de seus corpos (cf. Jo 5.25-29) e o julgamento do Trono Branco, a partir do qual passam para o lago de fogo, que é a segunda morte (Ap 20.14, 15) – um estado de consciência que jamais termina.

5. GENTIOS DO REINO. Um grupo peculiar e distinto de gentios é aquele da última geração, que aparece perante o trono da glória de Cristo no final da Grande Tribulação, e com base no ministério deles a Israel, eles são recebidos no reino terrestre. Esse reino, é dito pelo Rei, está preparado para esses gentios desde a fundação do mundo. Um propósito que se origina na eternidade passada pode bem ser esperado que continue na eternidade vindoura. Ele é dado evidentemente a esses gentios, para que continuem com Israel na nova terra sob o reino eterno do Messias. Está escrito sobre os gentios em relação à cidade eterna que haverá: "As nações andarão à sua luz; e os reis da terra trarão para ela a sua glória. As suas portas não se fecharão de dia, e noite ali não haverá; e a ela trarão a glória e a honra das nações" (Ap 21.24-26). A mesma distribuição de gentios deve ser vista em sua relação com o reino eterno em Atos 15.17, onde são descritos como "todos [isto é, todos aqueles particularmente] os gentios, sobre os quais é invocado o meu nome". Aqueles gentios que são daquela geração e que entram no reino de Israel e continuam com Israel para sempre, serão distintos daqueles gentios que por toda esta era têm sido chamados e salvos para a glória celestial.

6. GENTIOS EXCLUÍDOS DO REINO. Enquanto muitos gentios de todas as gerações foram para a condenação eterna, há um curso especial imposto sobre aqueles da última geração que na Grande Tribulação falharem em ministrar a Israel. Estes são os das nações que ficarão à esquerda do Rei e serão mandados para o lago de fogo (cf. Mt 25.41-46).

7. JUDEUS DO REINO. Como já foi indicado anteriormente, Israel em todas as suas gerações – menos aqueles que entraram no elevado privilégio da presente era da graça – virão para o julgamento, alguns para a vida eterna e outros para vergonha eterna (cf. Dn 12.2; Ez 20.33-44; Mt 24.37–25.30). A porção desse povo que está destinado a entrar no reino se torna "o todo Israel" que será salvo (cf. Is 63.1) quando o Libertador vier de Sião, de acordo com o pacto inalterável de Deus (Rm 11.26, 27, 29). Estes, igual a todas as outras criaturas de Deus, vão trilhar a eternidade vindoura; pois o reino é "um domínio eterno" (Dn 7.13, 14). Grande graça de Deus estará sobre aqueles que entram na terra (cf. Ez 20.44; Rm 11.27).

8. JUDEUS EXCLUÍDOS DO REINO. O julgamento de Israel, já mencionado, resulta numa porção de Israel, denotada pelas cinco virgens imprudentes, rejeitadas (cf. Ez 20.33-44; Mt 25.1-13). Sobre o destino desse grupo, poderá ser julgado a partir de certos textos da Escritura. Ezequiel diz: "...mas à terra de Israel não voltarão" (Ez 20.38). Mateus registra Cristo dizendo: "...virá o Senhor daquele servo, num dia em que não o espera, e numa hora de que não sabe, e o cortará pelo meio, e lhe dará a sua parte com os hipócritas; ali haverá choro e ranger de dentes... E, tendo elas ido comprá-lo, chegou o noivo; e as que estavam preparadas entraram com ele para as bodas, e fechou-se a porta. Depois vieram também as outras virgens, e disseram: Senhor, Senhor, abre-nos a porta. Ele, porém, respondeu: Em verdade vos digo que não vos conheço" (Mt 24.50, 51; 25.10-12); "Porque a todo o que tem, dar-se-lhe-á, e terá em abundância; mas ao que não tem, até aquilo que tem ser-lhe-á tirado. E lançai o servo inútil nas trevas exteriores; ali haverá choro e ranger de dentes" (Mt 25.29, 30). Qualquer que possa ser esse estado assim descrito, ele dura para sempre.

9. JUDEUS SALVOS PELA ENTRADA NA IGREJA. Dentro da presente era não há diferença entre judeus e gentios, seja com respeito ao estado de perdição deles – todos estão *debaixo do pecado* (cf. Rm 3.9) – ou os termos sobre os quais podem ser salvos (cf. Rm 10.12) ou a perfeição da salvação daqueles que crêem, visto que todos são, com os gentios, um só Corpo em Cristo Jesus (cf. Ef 2.14-17). Na presente era, a totalidade da raça humana – judeus e gentios igualmente – são colocados sobre uma única base, quando vistos como objetos da graça divina. Porque o propósito divino supremo nesta era é a chamada da Igreja; há apenas uma mensagem a ser pregada a todos os homens, a saber, a salvação para a glória celestial através da fé em cristo. Em todas as gerações desta era, os judeus têm crido em Cristo em alguma medida. A proporção da população de um judeu para cada 99 gentios pode ter a sua representação na Igreja. Até o Pentecostes a Igreja era exclusivamente composta de judeus. Como é verdade a respeito dos gentios, aqueles dentre Israel que creram foram totalmente mudados com respeito ao seu estado. Eles, como filhos de Deus, vieram numa nova base onde não há judeu nem gentio, mas onde Cristo é tudo em todos (cf. Gl 3.26-28; Cl 3.11). Os judeus salvos nesta era não estão destinados para o reino terrestre, mas irão para a mais alta glória com Cristo e serão semelhantes a Cristo.

10. JUDEUS CONDENADOS POR REJEITAREM O EVANGELHO. Tão certamente quanto os judeus estão presos nesta era ao Evangelho e salvos através da simples fé em Cristo, assim certamente os judeus desta era que rejeitam o Evangelho estão sujeitos à condenação que vem sobre os que rejeitam a Cristo. A eles não é dada a opção de serem salvos e de irem para a glória celestial ou o reino terrestre. O julgamento que vem sobre os que recusam a graça divina nunca é restrito aos gentios, mas vem sobre todos os homens igualmente (cf. Jo 3.18; 8.24)

11. OS NÃO-SALVOS COMO UM TODO. Muitos textos do Novo Testamento contemplam todos os não-salvos em uma categoria e sem reconhecimento de várias classes mencionadas acima. Esses são os perdidos por quem Cristo morreu, e, todavia, estão excluídos da glória dos redimidos. O estado deles é de estar na perdição para sempre. Esse tema, ainda por ser examinado, é a contraparte necessária da graça salvadora de Deus.

12. OS CRISTÃOS. Este grupo – composto de judeus e gentios que são salvos e seguros em Cristo – nunca é dividido no propósito divino. Eles são um Corpo. Cada instrumento de Satanás é distribuído para distorcer a manifestação externa ao mundo a respeito dessa unidade. Todas as divisões sectárias da igreja, semelhante à teoria de um arrebatamento parcial, são violências contra

ESCATOLOGIA

essa unidade e são estigmatizadas pelo apóstolo como o pecado fundamental que causa carnalidade (cf. 1 Co 3.1-4; Jo 17.21-23; Ef 4.1-4). Cada crente dentro da Igreja é aperfeiçoado por sua presente posição em Cristo; desse modo ele é aceito (Ef 1.6), e assim e somente assim ele entra no céu. A noção total de que alguns crentes são, através do seu suposto mérito, melhores do que outros, é um insulto à graça que salva perfeitamente o perdido sobre a condição da fé em Cristo, à parte de todas as obras.

III. Várias Esferas de Existência

Trabalhando numa porção de textos que reconhecem apenas duas classes na humanidade – os salvos e os não-salvos – tem sido concluído por muitos que há apenas duas esferas de existência na eternidade, a saber: o inferno e o céu. Contudo, em muitas passagens da Bíblia (cf. Is 65.17; 66.22; Hb 1.10-12; 2 Pe 3.10-14; Ap 20.11; 21.1-4) está declarado que haverá uma nova terra e um novo céu, e que o povo terrestre, Israel, continuará para sempre na terra glorificada, que virá a existir (cf. Is 66.22; Jr 31.36, 37), e que o reino davídico, que é terreno será centrado em Jerusalém e continuará para sempre (cf. Is 9.6, 7; Dn 7.14; Lc 1.31-33; Ap 11.15). A glória eterna da terra é descrita, evidentemente, nestas palavras: "E ouvi uma grande voz, vinda do trono, que dizia: Eis que o tabernáculo de Deus está com os homens, pois com eles habitará, e eles serão o seu povo, e Deus mesmo estará com eles. Ele enxugará de seus olhos toda lágrima; e não haverá mais morte, nem haverá mais pranto, nem lamento, nem dor; porque já as primeiras coisas são passadas" (Ap 21.3, 4). O entendimento humano, acostumado como está à corrupção que se vê na terra, dificilmente pode compreender a idéia de uma nova terra "onde habita a justiça" (cf. 2 Pe 3.13) – uma terra tão pura e santa e tão apropriada para a habitação de Deus como o céu sempre foi.

Em adição a estas duas esferas de habitação – o novo céu e a nova terra – há uma cidade que três vezes é dita descer de Deus, do céu (cf. Ap 3.12; 21.2, 10). A conclusão natural é que, de algum modo, essa cidade é separada do novo céu do qual ela desce. A descrição dessa cidade, identificada como "a noiva, a esposa do Cordeiro", é dada em Apocalipse 21.10–22.7. Nenhuma glória poderia ser mais exaltada, e esta pode ser a glória do próprio céu. Hebreus 12.22-24 registra aqueles que têm direito a essa cidade. A passagem diz: "Mas tendes chegado ao Monte Sião, e à cidade do Deus vivo, à Jerusalém celestial, a miríades de anjos, à universal assembléia e igreja dos primogênitos inscritos nos céus, e a Deus, o juiz de todos, e aos espíritos dos justos aperfeiçoados; e a Jesus, o mediador de um novo pacto, e ao sangue da aspersão, que fala melhor do que o de Abel". Será visto que esta descrição articula com a descrição da cidade mencionada em Apocalipse 21.10–22.7. Deus estará lá, Cristo ali também estará, os anjos estarão ali, a Igreja estará ali, e os "espíritos dos justos aperfeiçoados" – de acordo com

Hebreus – e as doze tribos de Israel – de acordo com Apocalipse – estarão ali. A referência a estes "espíritos dos justos aperfeiçoados" pode designar os santos de outras dispensações ou eras, ao invés da presente dispensação.

Todavia, permanece uma habitação eterna que o apóstolo João chama "fora" ou "lago de fogo" (cf. Ap 20.15; 22.15; Mt 25.41, 46; Ap 21.8, 27; 22.11).

IV. Teorias Relativas a um Estado Futuro

A especulação humana sobre o estado do homem após a morte é natural e tão antiga quanto a raça. Sobre este assunto, entretanto, há mais disposição em se ignorar a revelação divina do que qualquer outro. Com respeito ao estado futuro dos perdidos, diferentemente, os homens submissos à Palavra de Deus freqüentemente, por falta de um entendimento correto da doutrina, se apartam dela, e atrevidamente introduzem opiniões inúteis. Certas teorias foram desenvolvidas e exigem refutação.

1. A MORTE COMO CESSAÇÃO DA EXISTÊNCIA. Este aspecto de animalismo tem sido sustentado por ateus a despeito do desejo natural pela existência continuada da parte de todos os homens. A Bíblia consistente e universalmente assevera a existência infindável de todos os seres racionais criados.

2. A TRANSMIGRAÇÃO DA ALMA. A idéia de que a alma passa de uma encarnação para outra tem sido sustentada por homens em todas as gerações. Que não há base para tal crença, seja na Bíblia ou em outro lugar, é algo que não precisa ser argumentado. Embora crida por nativos da Índia, Max Müller afirma que não há um vestígio dela (uma *metempsicose*) nos Vedas: "Não há nos Vedas um vestígio de metempsicose, ou da transmigração de almas dos corpos humanos para os animais, que é geralmente suposto ser um aspecto distinto da religião indiana".[157]

3. A IMORTALIDADE CONDICIONAL. Retirada de alguma forma da Bíblia, em que a imortalidade é reconhecida, esta teoria, que abrange a noção ateísta da cessação da existência na morte para o não-regenerado, origina-se na mera razão humana. A teoria afirma que, à parte do dom de Deus, que é a vida eterna, os homens não são mais elevados do que os animais e, igual aos animais, cessam sua existência na morte. Ela nega a Palavra de Deus com respeito à subsistência interminável de todos os seres racionais, e algumas vezes inclui em seu campo de erro o sono da alma na sepultura no período entre a morte e a ressurreição. Em face do ensino claro da Escritura de que os não-regenerados ressuscitarão (cf. Dn 12.2; Jo 5.25-29; Ap 20.12-15), alguns modificam a sua idéia a ponto de afirmarem que os não-salvos, quando ressuscitados, são aniquilados e este é o significado da segunda morte (cf. Ap 20.14, 15; 21.8). Mas a segunda morte é somente uma continuação da morte espiritual – a separação da alma de Deus. Que é uma consciência continuada pode ser visto quando se compara Apocalipse 19.20 com 20.10, e se observa a verdade de que os termos *segunda*

morte e *lago de fogo* são idênticos (cf. Ap 20.14, 15). O Dr. B. B. Warfield escreve o seguinte:

Definição e Classificação de Teorias

Aniquilacionismo é "um termo que designa amplamente um grande conjunto de teorias que se unem na defesa de que os seres humanos passam, ou são colocados fora da existência totalmente". Essas teorias caem logicamente em três classes, de acordo como elas sustentam *que* todas as almas, por serem mortais, realmente cessam de existir na morte; ou que, as almas, por serem naturalmente mortais, persistem na vida somente aquelas a quem a imortalidade é dada por Deus; ou que, embora as almas sejam naturalmente imortais e persistem na existência, a menos que sejam destruídas por uma força de fora que opera sobre elas, almas ímpias são assim realmente destruídas. Estas três classes de teorias podem ser convenientemente chamadas respectivamente de (1) puro mortalismo, (2) imortalidade condicional e (3) o aniquilacionismo.

1. Puro Mortalismo

A afirmação comum das teorias que formam a primeira dessas classes é que a vida humana está presa a um organismo, e que, portanto, o homem perde a consciência de existência com a dissolução do organismo. A base usual dessa afirmação é materialista ou panteísta ou, ao menos, panteizante (e.g. realista); a alma, por ser concebida no primeiro caso como apenas uma função da matéria organizada, necessariamente cessa de existir com a dissolução do organismo; no último caso como apenas a manifestação individualizada de uma entidade muito mais extensa, na qual ela desaparece com a dissolução do organismo em conexão com a qual a individualização acontece. Contudo, raramente a afirmação em questão está baseada na noção de que a alma, embora uma entidade espiritual distinta do corpo material, seja incapaz de manter sua existência separada do corpo. A promessa da vida eterna é um elemento essencial do cristianismo para as teorias iguais a estas terem sucesso numa atmosfera cristã.

2. Imortalidade Condicional

A classe de teorias às quais a designação "imortalidade condicional" é mais propriamente aplicável, concorda com as teorias do puro mortalismo ao ensinar que a mortalidade natural do homem em sua inteireza, apenas se separa deles em manter que esse mortal pode (e em muitos casos faz) vestir-se de imortalidade. A imortalidade na visão deles é um dom de Deus, conferido àqueles que entraram e viveram em comunhão com Ele. Muitos teóricos dessa classe adoram francamente a doutrina materialista da alma, e negam que ela seja uma entidade distinta; eles, portanto, ensinam que a alma necessariamente morre com o corpo, e identificam a vida além da morte com a ressurreição, concebida como essencialmente uma recriação do homem total. Se todos os homens estão sujeitos a essa ressurreição recriadora é uma questão debatível entre eles próprios. Alguns a negam, e afirmam, portanto, que o ímpio finalmente perecerá na morte, somente os filhos de Deus chegam à ressurreição. A maior parte, contudo, ensina a ressurreição para todos, e uma "segunda morte", que é a aniquilação, para o ímpio...

3. Aniquilacionismo

Entretanto, quando falamos da extinção, já passamos para além dos limites do "condicionalismo" puro e simples e entramos na região do aniquilacionismo propriamente. Se pensarmos nessa extinção como o resultado da punição ou uma morte gradual da personalidade sob os efeitos debilitadores do pecado, não mais olharemos para a alma como naturalmente mortal, mas exigindo um novo dom da graça para mantê-la em existência, porém, como naturalmente imortal e sofrendo a destruição nas mãos de um poder adverso. E isto torna até mais evidente quando o mortalismo assumido da alma não é baseado em sua natureza, mas em sua pecaminosidade; assim como a teoria não trata com as almas como tal, mas com as almas pecaminosas, e é uma questão de salvação por um dom da graça para a vida eterna ou do ser deixado aos efeitos desintegradores do pecado. O ponto de distinção entre as teorias dessa classe e "condicionalismo", é que essas teorias com mais ou menos consistência ou vigor reconhecem o que é chamado de "imortalidade natural da alma", e não são tentados, portanto, a pensar da alma como por natureza perde a consciência de existência na morte (ou qualquer outro tempo), e ainda ensinam que a real punição impingida sobre o ímpio resulta na extinção da existência.[158]

4. O Universalismo. Os universalistas afirmam que todos os homens estavam perdidos pelo pecado, mas que a morte de Cristo beneficiou todos os homens e todos os salvos estão libertos, independentemente do elemento da fé pessoal. Uma tentativa de opor-se a este erro tem sido feita pelos que crêem na redenção limitada, a qual declaram que Cristo morreu somente pelos eleitos ou os que devem ser salvos. A correção mais óbvia do erro, contudo, é a verdade de que a salvação não é aplicada a alguém à parte da aceitação pessoal dela. De qualquer modo, a Palavra de Deus não pode ser ignorada, quando ela tão claramente ensina que uma vasta multidão ficará eternamente perdida.

Um princípio fundamental do universalismo é o único atributo divino do amor. A crença deles é afirmada em seus três artigos originais de fé, a saber:

"Artigo I. – Cremos que as Santas Escrituras do Antigo e Novo Testamento contêm a revelação do caráter de Deus e do dever, do interesse e do destino final da raça.

Artigo II. – Cremos que há um Deus, cuja Natureza é Amor, revelada no Senhor Jesus Cristo, pelo único Espírito da Graça, que finalmente restaurará toda a família da raça à santidade e alegria.

Artigo III. – Cremos que a santidade e a verdadeira alegria estão conectadas inseparavelmente, e que os crentes devem ser cuidadosos em manter ordem e praticar boas obras; pois estas coisas são boas e proveitosas para os homens."[159]

Em sua convenção geral em Boston, em 1899, o seguinte credo de cinco pontos foi adotado: "1. A Paternidade Universal de Deus; 2. A Autoridade Espiritual e liderança de Seu Filho, Jesus Cristo; 3. A Confiabilidade da Bíblia como possuidora de uma revelação de Deus; 4. A certeza da justa retribuição pelo pecado; 5. A harmonia final de todas as almas com Deus".[160]

Deve ser observada uma distinção entre universalistas e universalismo. Os primeiros designam uma seita moderna e o último a crença de certos indivíduos;

ESCATOLOGIA

e tem havido muitos desde os dias de Orígenes até agora que crêem que todos eventualmente serão salvos.

5. O RESTITUCIONISMO OU RECONCILIACIONISMO. Esta teoria, igual ao universalismo, sugere que todos os homens estão perdidos pelo pecado, mas que, em algum tempo, em algum lugar, todos os homens serão reconciliados com Deus – mesmo os anjos caídos e Satanás. De nenhum texto da Bíblia podemos depender mais do que o de Filipenses 2.10, 11: "...para que ao nome de Jesus se dobre todo joelho dos que estão nos céus, e na terra, e debaixo da terra, e toda língua confesse que Jesus Cristo é Senhor, para glória de Deus Pai". A passagem ensina que a *autoridade* de Cristo será reconhecida por todos os seres, mas de nenhum modo indica que todos os homens que reconhecem sua autoridade, serão salvos. De igual modo, Colossenses 1.20 é oferecido como prova. A frase, "reconcilia todas as coisas", significativamente se refere a uma classificação mais ampla de *coisas* e, na medida em que ela pode envolver as coisas criadas – anjos caídos e os homens não-regenerados – elas são, como em Filipenses 2.10, 11, retornadas à autoridade divina.

Essa restauração da autoridade divina por Cristo é apresentada em 1 Coríntios 15.25-28. A rebelião e a anarquia do universo serão derrotadas tanto pelo julgamento das nações (cf. Sl 2.8, 9; Mt 25.31-46), quanto pelo reino milenar de Cristo (1 Co 15.25-28). A passagem em Atos 3.21, "ao qual convém que o céu receba até os tempos da restauração de todas as coisas, das quais Deus falou pela boca dos seus santos profetas, desde o princípio", deve ser limitada às coisas faladas pelos profetas, coisas essas que têm a ver com o futuro de Israel. Contudo, se esses textos que asseveram uma autoridade divina restaurada fossem interpretados como se assegurasse a salvação de todos os seres no céu e na terra, a imensa porção da Palavra de Deus que declara tão positivamente o eterno caráter do estado de perdição do homem, seria contraditada.

Uma afirmação justa da doutrina do restitucionismo é feita por Van Oosterzee em sua *Christian Dogmatics*, uma porção da qual está citada a seguir:

> Na distância mais remota, contemplamos a nova Jerusalém, povoada de cidadãos redimidos, e ouçamos a palavra daquele que se assenta no trono: "Eis que faço novas todas as coisas" (Ap 21.5). Mas, entretanto, podemos buscar uma restauração de todas as coisas, no sentido de que mesmo o reino das trevas é determinado no reino de bem-aventurança de Deus? Pouca coisa como esta pergunta pode ser colocada de lado, e pouca coisa igualmente pode nos surpreender que ela tenha sido, em quase toda era, respondida por um ou outro num sentido afirmativo. Desde Orígenes, até muitos outros cristãos distintos de nossa era, vemos a doutrina da *apokatastasis* confessada com uma convicção interior e aquecida, e dentro de seu próprio coração muitos a uma ouvem a voz que suplica em favor da expectativa da eventual bem-aventurança geral de todos. A idéia de uma perdição absolutamente interminável, por causa de nosso sentimento natural, tem em si alguma coisa indescritivelmente severa, e parece, de fato, absolutamente irreconciliável com tudo aquilo

que cremos a respeito do amor redentor de Deus. Se cremos, de um lado, que Deus realmente deseja a salvação de todos, e por outro lado, que a sua graça é perfeitamente capaz de triunfar sobre a resistência do pecado, torna-se quase inconcebível para nós que um dualismo melancólico deva ser o fim da história do mundo. No domínio também da teologia do reino a mente ponderada esforça-se pela unidade, que parece ser atingível somente quando eventualmente a ampla e extensa criação de Deus não contém outra coisa além de criaturas bem-aventuradas. Além disso, não pode ser negado que as Escrituras do Novo Testamento, especialmente as de Paulo e João (Rm 5.18; 11.32; 1 Co 15.21, 22, 28; Fp 2.10, 11; Ap 5.13, 14), contêm ao menos algumas sugestões solitárias pelas quais uma expectativa silente sobre este ponto seja despertada e acariciada. Pode-se até perguntar se não é o único término em conexão com o qual o plano divino para o mundo e a salvação seriam realizados totalmente; e, sobre todas essas bases, uma pessoa quase se sentiria justificada em cancelar, da porta do lugar dos *ais*, a terrível inscrição: "Abandonai toda a esperança, vós que entrais aqui"; e a substituiria pela voz jubilosa da alegria sensual: "Allen Sünden soll vergeben, und die Hölle nicht mehr sein". Que esta última visão do mundo seja ao menos a mais atraente e a mais estética, e raramente possa admitir contradição. Se, contudo, ela pode ser considerada a mais moral, e, portanto, deve ser a última palavra da teologia cristã, é outra questão. Ela é, em si mesma, quando nos voltamos para o outro lado, um fato em nossa avaliação de grande importância, que a Igreja de todas as eras decididamente rejeitou a doutrina da *Apokatastasis*, mesmo quando isto se apresentou a ela nas suas cores mais atraentes. Foi como se a Igreja instintivamente sentisse que, por meio disso muito pouco, em princípio, é feito da justiça santa e inflexível de Deus, da solenidade mais profunda da proclamação do Evangelho, sim, de todo modo escriturístico, de considerar a conexão entre a vida presente e a futura; e na realidade – seu caráter perigoso nem mesmo é levado em conta – há alguma coisa na tranqüilidade aparente dessa solução do problema do mundo que desperta uma suspeita involuntária. De modo algum, é aberto para nós aqui vincular a mais alta autoridade, seja à nossa razão ou ao nosso sentimento. Sobre o ponto de se tornar árbitro em nossa própria causa a respeito deste assunto, corremos o risco de nos tornarmos exatamente tão imparciais como, sem a Palavra de Deus, nós somos suficientemente iluminados em nosso julgamento. Em contraste com as únicas indicações na Palavra que parece ser em favor da *Apokatastasis*, permanecem, como já foi observado anteriormente, outras, e aquelas mais numerosas, que conduzem a uma conclusão oposta; enquanto a primeira mencionada, com um exame mais acurado, e vista em conexão delas com a totalidade da doutrina salvadora, perdem, ao menos em parte, a força que se lhes tem sido atribuída. Contanto que a Escritura tenha direito à voz na

ESCATOLOGIA

decisão, as elocuções como Mateus 25.10, 41, 46; Marcos 9.44-48; Lucas 16.26; Apocalipse 14.11, e outras, colocam um peso muito grande na balança; enquanto os princípios da hermenêutica ensinam que os lugares obscuros e ambíguos devem ser explicados à luz de tais lugares claros e sem ambigüidade, e não o contrário. Ainda que tivéssemos somente as palavras de Jesus a respeito do pecado contra o Espírito Santo (Mt 12.32, e lugares paralelos), a eternidade da punição seria por meio disso já, em princípio, decidida; a menos que, sem razão, fosse asseverado que esse pecado nunca foi cometido, e também que nunca venha a ser cometido. Mas mesmo considerado em relação à natureza do caso, é raramente possível pensar a respeito da conversão – e sem isto é evidente que nenhuma salvação é concebível – em conexão com um oponente como está descrito em 2 Tessalonicenses 2 ou Apocalipse 13; e assim também para ele uma exceção deve ser feita para um governo desejado; a menos que alguém escolhesse supor um *aniquilacionismo*, no sentido próprio do termo, desse poder hostil. Tal aniquilação do mal incurável, prontamente confessamos, pareceria mais aceitável para *nós*, se dedicássemos os nossos mais altos pensamentos à mais alta autoridade nesse domínio. Porque é muito difícil conceber uma existência infindável em conexão com uma que é totalmente separada de Deus, a fonte da vida, sobre cuja conta a Escritura adequadamente tem descrito essa condição como "segunda morte" (Ap 20.14). Por outro lado, contudo, sentimos que tal aniquilação não seria um alívio suave dos sofrimentos, dos quais exatamente esse prospecto é mais positivamente cortado (Ap 6.16; 14.11). Assim, chegamos a um ponto no qual a questão do princípio fica determinada, que deve dar o último peso de decisão para a balança de nossas considerações; e então podemos e devemos – ainda que a questão seja contra nós próprios – somente nos curvar diante da palavra escrita dEle que não pode mentir, e dar-lhe a plena honra da obediência da fé. Deste ponto de vista, em nossa avaliação a única coisa digna de confiança, não podemos, com respeito a esse assunto, após ter mencionado tudo o que é a favor e contra – seguindo os passos de um predecessor capaz (Martensen) – fechar o assunto da dogmática com uma pergunta, visto que os prós e os contra estão, ao menos, de acordo com a palavra da Escritura, não *igual* a ela. Nós até consideramos perigoso desejar ser mais sábios, mais justos, ou mais misericordiosos do que o Deus infinito, que tem uma eternidade diante de Si para a Sua justificação. A concepção de um abismo eterno é difícil; mas quem tem uma salvação absolutamente universal, que se transforma de causa da história do reino de Deus em um fim, numa espécie de processo natural, é em si mesma não menos perigosa, ao menos para aquele que realmente crê nos mistério da liberdade conferido pelo Criador à criatura. Essa liberdade envolve em si mesma a terrível possibilidade de uma resistência infindável, que igualmente pune interminavelmente a si mesma; e aquele que está na verdade *totalmente*, penetrou com um sentido da glória sobrepujante da revelação da salvação em Cristo, e da culpabilidade absoluta de sua rejeição obstinada, ao menos considerará o assunto novamente e antes de falar da idéia de uma retribuição interminável como sendo absolutamente irreconciliável com aquela de um Amor eternamente santo. "O pensamento de perdição eterna é de tal modo necessário, visto que não pode haver na eternidade uma santificação forçada do ser pessoal, e na eternidade não pode haver uma abençoada impureza" (Nitzch). Se ainda permanece para nós o problema de como Deus poderia trazer à existência uma criatura que se tornaria para sempre miserável, isto é somente outra forma de pergunta já tratada de como sob o governo de um Todo-poderoso e santo Deus, o pecado e a morte, com todas as suas conseqüências inevitáveis, poderiam reinar neste mundo. A única questão justa, tão insignificante como as outras, admite uma solução perfeita; mas a nossa ciência é somente de fé, plenamente consciente, não somente da base sobre a qual ela repousa, mas também dos limites que são impostos sobre ela. Ainda que ela possa não reprimir o desejo *mais interior*, a esperança latente que um dia, finalmente, na terra da retribuição eterna, uma estrela de esperança possa surgir; todavia, ela não seria capaz de conferir a alguém o certo, em oposição à Escritura, para proclamar tal esperança como certa; sim, para fazê-la o ponto de partida e o fundamento de um sistema teológico inteiro, que possa ser destinado no evento de ser cessado o alento de uma realidade terrível. Nós desconfiamos de todo modo de considerar a doutrina da salvação, que em seu fundamento e tendência falha em fazer justiça à seriedade da concepção de um eterno *tarde demais*, e da santidade de uma graça que não pode, na verdade, ser exaurida, mas pode ser zombada. A dogmática cristã nada tem a ver com outro pensamento de Deus, além daqueles revelados por Ele próprio; e, com respeito a toda obscuridade que ainda permanece, devemos nos consolar com a esperança do apóstolo João: "...Ali não haverá mais noite" (Ap 22.5).[161]

Com todos os outros desta crença, o restitucionista constrói sobre o sentimento e a razão humanos mais do que sobre a Palavra de Deus.

6. O PURGATÓRIO. A Igreja de Roma tem concebido a idéia e a desenvolve no sentido de que a morte de Cristo é uma satisfação aos pecados cometidos antes do batismo, mas que aqueles batizados, se pecarem, devem ter esses pecados expiados no purgatório, antes que possam ser admitidos na presença de Deus. Esta teoria encoraja tanto orações pelos mortos quanto grandes contribuições para a Igreja, a fim de que as preces sejam feitas nas missas. A doutrina de que Cristo é a propiciação pelos pecados do crente (1 Jo 2.2) e por ela o crente é perdoado e purificado com base na confissão do pecado a Deus (cf. 1 Jo 1.9), é negada por Roma.

7. O NIRVANA. Este termo que significa ser extinto da mesma forma que uma lâmpada é apagada, reflete a crença do bramanismo e budismo igualmente, que é aquela parte imaterial do homem que é absorvida pela divina e que pode começar nesta vida pela renúncia de todos os desejos pessoais.

ESCATOLOGIA

Como uma conclusão desta discussão de teorias a respeito do estado futuro, pode ser visto que a verdadeira doutrina bíblica tem sido buscada, encontrada e defendida pelos teólogos conservadores das gerações passadas. Eles ensinaram que, com respeito à classificação geral dos perdidos e dos salvos, os perdidos estão selados em sua condenação, se morreram sem Cristo, e que os salvos estão seguros sob as provisões divinas, desde o momento em que creram.

V. A Nova Terra

Que deve haver uma nova terra, já foi previsto pelo Espírito Santo, quando Ele escreveu através de Isaías: "Pois que eu crio novos céus e nova terra; e não haverá lembrança das coisas passadas, nem mais se recordarão" (Is 65.17); "Pois, como os novos céus e a nova terra, que hei de fazer, durarão diante de mim, diz o Senhor, assim durará a vossa posteridade e o vosso nome" (Is 66.22); e está reafirmado em 2 Pedro 3.7, 8: "...mas os céus e a terra de agora, pela mesma palavra, têm sido guardados para o fogo, sendo reservados para o dia do juízo e da perdição dos homens ímpios. Mas vós, amados, não ignoreis uma coisa: que um dia para o Senhor é como mil anos, e mil anos como um dia". Também em Apocalipse 21.1-3: "E vi um novo céu e uma nova terra. Porque já se foram o primeiro céu e a primeira terra, e o mar já não existe. E vi a santa cidade, a nova Jerusalém, que descia do céu da parte de Deus, adereçada como uma noiva ataviada para o seu noivo. E ouvi uma grande voz, vinda do trono, que dizia: Eis que o tabernáculo de Deus está com os homens, pois com eles habitará, e eles serão o seu povo, e Deus mesmo estará com eles". No versículo 4 desta última passagem está declarado que Deus "enxugará dos seus olhos toda lágrima; e não haverá mais morte, nem haverá mais pranto, nem lamento, nem dor; porque as primeiras coisas são passadas". Tristeza, choro e dor nunca pertenceram ao céu; portanto, a referência é à terra e à nova terra. A mesma passagem declara que Deus tabernaculará com os homens. Isto não é novo a respeito do céu, porque Deus sempre teve a sua habitação no céu. A nova terra será tão apropriada para a presença permanente de Deus, como o céu sempre foi.

Deve haver uma nova terra eterna, porque Deus concedeu a Israel a promessa de uma posse eterna na terra (Dt 30.1-10).

Está, além disso, declarado por Isaías que a nova terra e o novo céu superarão tanto o presente que as coisas de agora nunca mais serão lembradas (Is 65.17).

VI. A Doutrina do Inferno

As mentes sem instrução se revoltam diante da doutrina da perdição eterna e quanto mais simpáticos esses homens são por natureza, mais eles se revoltam; contudo, a doutrina não se origina na razão humana nem é influenciada pela simpatia

750

A DOUTRINA DO INFERNO

humana. O teólogo aqui, como sempre, é designado para descobrir e defender aquilo que Deus revelou. O que está afirmado na Bíblia está de acordo com a mais elevada razão divina. A raiz do problema de toda especulação humana é o fato de que o homem não conhece o significado do pecado nem da santidade, e estes dois fatores englobam tudo o que está envolvido nesta discussão. A resposta da santidade infinita ao pecado é a perdição e a retribuição. Aqui está envolto um mistério insolúvel. Sobre isto muita coisa já foi escrita. Uma vez que a distinção que se consegue entre o que é infinito e o que é finito, Deuteronômio 29.29 se aplicará: "As coisas encobertas pertencem ao Senhor nosso Deus, mas as reveladas nos pertencem a nós e a nossos filhos para sempre, para que observemos todas as palavras desta lei".

De modo algum o homem revela a sua pequenez mais efetivamente do que quando ele se surpreende diante do fato de que há realidades no universo que ele jamais pode entender. A permissão do pecado no universo por um Deus soberano e santo que odeia a transgressão num grau infinito, o dano que o pecado traz a multidões incontáveis de seres – anjos e homens – a quem Ele ama com um amor de Criador, e o fato de que o pecado deve exigir de Deus o maior sacrifício que ele poderia fazer, tudo isto somente tende a aumentar o mistério envolvido. O problema – se é que existe isso na mente de Deus – foi totalmente resolvido antes da criação de qualquer coisa, e o homem faria bem em confiar nisso implicitamente. Foi uma rara característica em Jó que, embora pudesse não entender os caminhos de Deus, ele não acusou Deus levianamente (Jó 1.22).

Após ter pronunciado o clamor mais absoluto de sua humanidade – "Deus meu, Deus meu, por que me desamparaste?" – Cristo acrescentou as palavras: "Mas tu és santo" (Sl 22.1-3). Para se conhecer em qualquer medida a perfeição do mistério do mal no universo de Deus, é necessário entender (1) exatamente o que o mal significava para Ele no passado em data antes de qualquer coisa ter sido criada. A essa altura, o mal era apenas uma potencialidade, uma realidade estupenda que requeria a sua plena manifestação, para que ele pudesse ser julgado e condenado para sempre? A condenação de multidões de homens e anjos vai provar um aspecto essencial na solução final do problema? Igualmente, é necessário conhecer (2) que a presente realização desse problema é a melhor solução que a infinidade pode planejar – que a presente solução é operada por Deus e é totalmente livre de incidentes ou acidentes perniciosos. Da mesma maneira, se deve saber (3) que o fim justificará os meios.

Deus terá feito o certo e será justificado e glorificado para sempre. Que nenhum ser finito pode abordar tal conhecimento é patente, na verdade. Quando a criatura conhece o caráter maligno do pecado como Deus o conhece e a perfeição da santidade que o pecado ultraja, então pode sentar-se no julgamento da questão sobre se a retribuição eterna dos homens e anjos é consoante com o caráter de Deus. Fica claro que nenhuma criatura está na posição de negar a justiça da perdição eterna ou de protestar contra o Criador, por causa do que Ele faz.

Na tentativa de escrever uma afirmação abrangente da doutrina mais solene da Bíblia, o termo *retribuição* é escolhido em lugar da palavra mais familiar

751

ESCATOLOGIA

punição, visto que esta última também implica em disciplina e aperfeiçoamento, idéia essa que está totalmente ausente do conjunto de verdades que revelam o trato divino final com os que estão eternamente perdidos. É reconhecido que, em seu significado mais antigo e amplo, o termo *retribuir* foi usado para a consideração tanto do bem quanto do mal. A palavra é usada neste estudo da doutrina do inferno somente quando a referência é feita à perdição eterna dos seres racionais. Na medida em que a linguagem pode servir para expressar a verdade, o esforço é feito para declarar o que as Escrituras asseveram, a saber, que para aqueles que desfaleceram nesta vida – cuja vida é probatória em seu caráter – não há base para a esperança de que qualquer graça divina lhes seja estendida numa existência futura. Tal caso não deveria ser considerado como sem precedente.

Legiões incontáveis de anjos pecaram e para eles não há a mais leve sugestão a ser encontrada na Bíblia, que lhes estenda sequer um raio de esperança. Pelo decreto divino, esses anjos já estão designados ao lago de fogo, não sob uma possível condição de sua condenação ser evitada se, nesse meio tempo, eles se arrependerem; mas eles estão arbitrária e irrevogavelmente destinados à retribuição, sem que haja qualquer remédio para eles. Visto que Deus disse que os anjos caídos serão lançados no lago de fogo, Ele seria visto como mentiroso se o destino dos anjos fosse diferente. Igualmente, há o caso dos gentios desde Adão até Moisés que, em sua maior parte, estão bem descritos em Romanos 1.18-32 como aqueles que deliberadamente rejeitaram Deus e que, três vezes nesse único contexto, eles são vistos como abandonados de Deus para ficarem em seus caminhos pecaminosos.

O estado de perdição deles é descrito em Efésios 2.12, que declara: "...estáveis naquele tempo sem Cristo, separados da comunidade de Israel, e estranhos aos pactos da promessa, não tendo esperança, e sem Deus no mundo". Termos mais decisivos não poderiam ser empregados do que estes que descrevem os homens como *sem Cristo, sem promessa, sem Deus, e sem esperança*. Será observado que, enquanto a passagem tinha uma aplicação ao estado dos gentios a quem Paulo escrevia e, naquele tempo, eles haviam sido salvos, é também uma descrição exata dos gentios nas eras passadas. Os judeus permaneceram em virtude dos pactos e das promessas divinas, com os remédios dos sacrifícios de animais que lhes eram disponíveis. Está claro que durante o período, desde Adão a Moisés, a raça humana, em alguns casos, reteve uma abordagem a Deus pelos sacrifícios, mas neste sentido eles estavam, como um todo, sem desejo de manter Deus em seus pensamentos e isto trouxe o julgamento do dilúvio e foram entregues à sua própria iniquidade. Este, novamente, é o registro de Romanos 1.

O resultado de qualquer investigação isenta de preconceitos da verdade revelada de Deus a respeito dos anjos caídos e dos gentios das gerações passadas que rejeitaram a Deus será uma convicção de que a maravilha disso tudo não é que os pecadores estão perdidos, mas que eles nunca serão salvos;

e neste contexto deveria ser observado que a morte de Cristo pelo mundo não serve como um remédio parcial e como base de uma esperança remota de que todas as almas perdidas venham a ser salvas: mas essa morte, ao contrário, é a base de uma condenação maior daqueles que rejeitam o Salvador. A injustiça inerente deles é aumentada pelo pecado imensurável da rejeição do remédio que o amor infinito providenciou. Nada senão a graça infinita tornou possível através de um sacrifício infinito a possibilidade de salvar os perdidos; todavia, a opinião humana é sempre introduzida nas esferas onde ela nada sabe, insistindo que os perdidos poderiam ser salvos através de qualquer um dos vários modos disponíveis.

Forte ênfase é necessária sobre a verdade de que a retribuição eterna não é somente uma doutrina plenamente afirmada na Bíblia, mas que ela não toma uma colaboração de outras fontes. Ela não toma um conselho com a razão humana, e, em todos os seus detalhes, está tão claramente demonstrado nas Escrituras quanto é possível que a linguagem é útil na expressão das idéias. Nada se aproveita quando os homens negam aquilo que Deus claramente declarou. Seria a melhor parte para eles, se conformassem suas mentes e ajustassem suas ações à revelação que Deus lhes deu.

Como o céu é um *lugar* e não um mero estado de mente, de igual modo os reprovados vão para um *lugar*. Esta verdade é indicada pelas palavras *Hades* (Mt 11.23; 16.18; Lc 10.15; 16.23; Ap 1.18; 20.13, 14) e *Gehenna* (Mt 5.22, 29, 30; 10.28; Tg 3.6) – um lugar de "tormento" (Lc 16.28). Esta é uma condição de miséria indizível e é indicada por termos figurativos usados para descrever os seus sofrimentos – "fogo eterno" (Mt 25.41); "onde o seu verme nunca morre, e o fogo nunca se apaga" (Mc 9.44); "lago ardente de fogo e enxofre" (Ap 21.8); "poço do abismo" (Ap 9.2); "trevas exteriores", um lugar de "choro e ranger de dentes" (Mt 8.12); "fogo inextinguível" (Lc 3.17); "fornalha de fogo" (Mt 13.42); "escuridão de trevas" (Jd 13), e "a fumaça do seu tormento sobe para todo sempre; e não têm repouso nem de dia nem de noite" (Ap 14.11).

Nestes exemplos, uma figura de linguagem não dá licença para se modificar o pensamento que a figura expressa; deve antes ser reconhecido que uma figura de linguagem, nessas passagens, é uma débil tentativa de declarar através da linguagem o que está além do poder que as palavras têm de descrever. É verdade que uma figura de linguagem não é uma demonstração completa da verdade (*theologia symbolica non est demonstrativa*); mas a idéia da retribuição eterna não pode ser comunicada à mente de nenhum outro modo. É bom observar, também, que quase todas essas expressões vêm dos lábios de Cristo. Ele somente revelou quase tudo o que diz respeito ao lugar da retribuição. É como se nenhum autor humano fosse capaz de proclamar *tudo* a respeito dessa terrível verdade.

A segunda reação da mente humana sincera – após reconhecer a verdade indiscutível de que a retribuição acontece num lugar real de sofrimento – é nutrir a esperança de que essa angústia do perdido não seja eterna. É natural

ESCATOLOGIA

para a mente ficar dependurada em tal esperança e alguns homens têm chegado a ponto em suas tentativas de expor as Escrituras de que a idéia da retribuição eterna será excluída. Traduções inadequadas, quando não insinceras, são publicadas que nenhum erudito em grego pode tolerar, com o único propósito de apagar da Palavra de Deus o caráter eterno desses terríveis sofrimentos. O fato de que muitos são sem instrução explicará a pronta recepção dada a tais interpretações das Escrituras. Somente os desinformados ouvirão a voz de um homem que não tem erudição e ignora o fato de que os maiores eruditos em grego de todas as gerações – que têm dado à Igreja a verdadeira tradução e interpretação do texto grego original – não modificaram o aspecto eterno da retribuição.

Ser ignorante do texto grego, é irrepreensível; mas desconsiderar a voz de todos os notáveis tradutores, é repreensível. É relatado que na Inglaterra, na manhã em que a *Revised Version* das Escrituras foi colocada à venda, um homem perguntou numa livraria por que "a nova Bíblia não tinha inferno nela". Ficou desapontado, pois os revisores – e possivelmente outros eruditos melhores não poderiam ser encontrados – não haviam removido a idéia da retribuição nem o seu caráter eterno da versão que haviam preparado. A controvérsia centra-se sobre as duas palavras gregas — αἰών e αἰώνιος. Nenhum estudo longo sobre palavras pode ser introduzido aqui. É suficiente ser dito que se é assinalado que estas palavras em alguns casos comunicam a idéia de tempo e suas limitações; mas na maioria dos casos, onde a duração está envolvida, elas comunicam a idéia de eternidade. Αἰών é usada a respeito de Cristo (observe 1 Tm 1.17; Ap 1.18).

Αἰώνιος é igualmente usada para as pessoas da Trindade (Hb 9.14), e é o termo empregado para descrever a vida eterna que o crente recebeu (veja todos os textos sobre este tema) e a bem-aventurança infindável dos redimidos. Se a palavra é restrita com referência ao tempo relativo ao estado futuro dos perdidos, ela também deve ser restrita com respeito ao estado futuro dos salvos. Uma passagem somente – "e estes irão para a punição eterna; mas os justos para a vida eterna" – demonstra a verdade de que a palavra αἰώνιος significa condição infindável tanto para uma classe quanto para outra. A verdade de que os sofrimentos são infindáveis é atestada pelas palavras de Cristo: "...o fogo que nunca se apaga". Do estado dos perdidos é dito que eles ficam sob a ira de Deus que *permanece* sobre eles (Jo 3.36).

Assim está escrito daqueles que adoram a besta: "A fumaça do seu tormento sobe para todo o sempre" (Ap 14.11). É verdade que a ira pode ser retirada nesta vida pela fé em Cristo; mas essa promessa não será encontrada como dirigida aos perdidos, após a morte deles. O estado deles é descrito como a *segunda morte*, e nenhum alívio é oferecido para essa situação. Os que constroem uma esperança de que o caminho de salvação estará disponível após a morte, o fazem sem uma palavra sequer de autoridade da Bíblia e em contradição direta com o que Deus escreveu.

Contudo, o erro mais enganoso a respeito da retribuição é o que diz respeito à cega dependência de um atributo de Deus, a saber: Seu amor, e ignora os atributos da santidade, retidão e justiça, e o controle supremo que esses atributos exercem sobre o amor de Deus. Se um termo pode ser cunhado a esta altura, aqueles que restringem assim a sua visão do amor de Deus podem ser chamados de *misericordistas*. Assim, os misericordistas podem ser classificados como aqueles de todos os credos (e os sem credo) que crêem que a retribuição eterna é impossível, visto que Deus é amor. Na verdade, eles não entendem o evangelho pelo qual os pecadores são salvos. A suposição é de que Deus é generoso e que Ele perdoa pecado como um ato de clemência ou tolerância, que Deus, por ser Soberano, pode perdoar aqueles a quem quer e quando quer.

Esta falácia subjaz quase todo o pensamento contrário à doutrina da retribuição eterna. É suposto que, visto que Deus é amor, Sua afeição por suas criaturas o inclinará a resgatá-las do sofrimento. Se a Bíblia declara que Ele não vai resgatar os reprovados e que o estado deles é eterno, então a Bíblia deve ser rejeitada e o próprio Deus classificado como Alguém que não pode ser defendido. Muitas são as tentativas feitas por aqueles que nada entendem do real caráter de Deus de poupá-lo da reputação indesejável que Ele deve adquirir se Ele, em compaixão, não resgata todos os seres da retribuição eterna. Tal é a confusão doutrinária que surge, quando uma verdade é enfatizada sem levar em conta outras verdades que a qualificam. Deus é santidade e justiça, assim como Ele é amor. É a santidade de sua Pessoa e a justiça de seu governo que evitam que Ele seja meramente generoso, a ponto de não levar a sério o pecado.

Na verdade, o pecado é suficientemente mau para exigir a retribuição eterna como a penalidade divina para ele. Não há campo para argumento neste ponto. A Palavra de Deus deve prevalecer e o homem deve ser lembrado que das duas questões envolvidas – pecado e santidade – ele nada sabe a respeito do significado profundo delas. Por ser *absoluta*, a santidade divina não pode ser mudada ou alterada no menor grau. Esta verdade é a chave para o problema total que a idéia da retribuição gera. Se Deus pudesse ter perdoado o pecado de uma pessoa como um ato de mera bondade, Ele teria comprometido Sua própria santidade, que exige o julgamento do pecado. Por ter, assim, comprometido a Si mesmo com o pecado, Ele próprio precisaria ser salvo, por causa da coisa injusta que Ele fez. Por tal suposta bondade, Ele teria estabelecido um princípio pelo qual Ele poderia perdoar todo pecado humano como um ato da clemência divina, e, assim, a morte de Cristo torna-se desnecessária.

Esta verdade não pode ser deixada de lado, se a doutrina da retribuição eterna deve ser entendida. Deixe-me reafirmar que, se Deus pudesse salvar uma alma de um pecado por mera generosidade, Ele poderia salvar todas as almas do pecado pela generosidade, e a morte de Cristo, dessa forma, se torna a maior estupidez divina possível. É o fato da santidade divina inflexível que exige tanto a retribuição ao pecador quanto a morte de Cristo em seu lugar e em seu favor. Deus é amor, e esse amor é demonstrado pelo dom do Filho para que os homens pudessem ser salvos; mas o amor e a misericórdia não evitam as exigências da santidade na salvação do pecador: eles pagaram toda a exigência. A conclusão do assunto é que Deus, por causa de sua santidade, não pode salvar os perdidos, a menos que as suas santas exigências sejam satisfeitas pelo pecador, como elas são satisfeitas na morte de Cristo; e aos não-salvos, ou os que estão fora da graça de Deus que está em Cristo, a retribuição eterna lhes está destinada.

Deus não pode fazer mais do que proporcionar uma salvação perfeita, que é proporcionada a um custo infinito. Como só o amor pode pagar tal preço, para que um pecador possa ser salvo e a santidade permaneça imaculada, homens finitos não podem manipular essas realidades imutáveis. Aqueles que se ofendem com a idéia da retribuição eterna estão, na verdade, ressentidos com a santidade divina. Contudo, a mensagem da graça de Deus aos pecadores não é meramente uma proclamação da condenação eterna; é antes que o principal dos pecadores pode ser salvo, através do Salvador que o amor infinito providenciou.

VII. A Doutrina do Céu

Na abordagem do assunto geral sobre o céu, é bom observar que a Bíblia emprega o termo de vários modos. (1) O *reino do céu* é um título peculiar ao evangelho de Mateus e, como já foi demonstrado, refere-se ao governo de Deus na terra; e enquanto ele aparece em vários aspectos relativos à sua preparação e previsão, se refere especificamente ao reino messiânico que foi oferecido, rejeitado, e posposto no primeiro advento de Cristo e será ainda restabelecido sobre toda a terra no Seu segundo advento. (2) Os *lugares celestiais* é uma designação peculiar à carta aos Efésios e se refere à presente esfera de associação que o crente desfruta com Cristo. (3) *Céu* é um termo que no geral denota a habitação da Trindade, dos anjos, e dos redimidos que estão e estarão para sempre com o Senhor. (4) Três céus distintos devem ser identificados. O primeiro céu é o da atmosfera ao redor da terra, no qual estão os pássaros do céu e as nuvens do céu; o segundo céu é o espaço estelar, que é a habitação dos anjos; e o terceiro céu é a esfera celestial onde a glória domina além da compreensão. Mesmo este último céu, igual a terra e tudo o que pertence a ela, será substituído por um novo céu de glória insuperável (cf. Is 65.17).

Nenhum vestígio de informação confiável a respeito do céu deve ser obtido que não seja derivado da Palavra de Deus; assim, incidentalmente, fica demonstrada a influência da Bíblia sobre as pessoas civilizadas, porque a idéia do céu e uma crença nela são universais. Em oposição a isto, está o fato de que há uma grande dúvida a respeito do inferno; todavia, uma idéia não é menos sustentada na Bíblia do que a outra. A solução desta situação é que uma é atraente, enquanto que a outra não. Assim, também, a falha da grande porção da raça humana em não ser submissa à Bíblia também fica provada; mas os desejos e as opiniões humanas nunca determinaram a existência, seja do céu ou do inferno.

A revelação com respeito ao céu pode ser dividida ou classificada da seguinte maneira:

1. Testemunhas Instruídas. O duradouro desafio da descrença tem sido o de que nenhum conhecimento do céu está disponível, visto que ninguém retornou daquele lugar para dar um testemunho confiável com respeito a ele; todavia, há três testemunhas capazes de falar com conhecimento de causa a respeito do céu. Elas são:

A. Cristo. Aquele que veio do céu e que havia residido no céu pode falar não somente a partir de uma onisciência inexaurível, mas Ele, por ser o verdadeiro Deus, não poderia estar enganado ou sujeito a erro. Cristo, mais do que qualquer outro, falou do estado futuro tanto dos perdidos quanto dos salvos. Pode ser concluído que o lugar do qual Ele veio era mais real para Ele – se quaisquer realidades não fossem Suas próprias realidades como o Criador delas – do que a terra para a qual Ele veio. Cristo asseverou que Ele retornaria para o céu, a fim de preparar um *lugar* e não como um mero estado de existência. Para o Filho de Deus, o céu é um lugar e tão real como qualquer lugar poderia ser.

B. Paulo. Em 2 Coríntios 12.1-9, o apóstolo relata uma experiência que ocorreu em sua própria vida "catorze anos atrás". O fato que ele se refere a si mesmo, embora no começo seja usada a terceira pessoa do singular, é estabelecido por sua última aplicação da experiência a si próprio. Incerteza é expressa sobre se ele estava "no corpo ou fora do corpo"; mas nenhuma incerteza é nutrida sobre se era a sua própria experiência ou se ele havia sido levado ou não ao Paraíso, que é o terceiro céu. Que para ele foi dada a percepção de uma real entrada no terceiro céu, ou paraíso, está claramente afirmado. De igual modo, a experiência do apedrejamento em Listra – à qual ele provavelmente faz referência – produz a evidência de que o apóstolo morreu como qualquer mártir morre, que foi para o céu, e que retornou novamente ao seu corpo e para o serviço que lhe havia sido entregue.

O apedrejamento em Listra aconteceu pela ira dos judeus, que não alimentavam outro propósito além do de matar suas vítimas. A ação foi cometida de uma maneira totalmente satisfatória para aqueles judeus e eles, após arrastar aquele corpo inerte para fora da cidade, estavam confiantes de que Paulo estava morto. Que ele foi morto, é certo, visto que a execução por apedrejamento – uma coisa comum entre os judeus e, sob certas condições, ordenado por Deus – provavelmente deixava todo osso quebrado no corpo e todo órgão vital mutilado. A evidência era convincente de que o apóstolo havia morrido e, como qualquer outro crente, havia passado para a presença do Senhor. Evidentemente, ele foi recebido lá, mas lhe foi requerido o retorno ao seu corpo e ao seu ministério terreno. Que sacrifício tal retorno poderia ter significado sob aquelas circunstâncias, nenhuma mente pode compreender! Pois sua alma, que havia partido para retornar ao seu corpo, envolvia um milagre estupendo de cura; porque a narrativa assevera que "ele se levantou e entrou na cidade. No dia seguinte partiu com Barnabé para Derbe" (At 14.20).

Estranhamente, o apóstolo é proibido de relatar o que havia visto e ouvido no céu; e para assegurar a sua aderência a essa ordem, lhe é dado um espinho na carne sem esperança de sua remoção, embora a suficiente graça tenha sido concedida, para que pudesse suportar aquele tormento. É após essa experiência de entrada no céu que ele escreve: "Temos, portanto, sempre bom ânimo, sabendo que, enquanto estamos presentes no corpo, estamos ausentes do Senhor (porque andamos por fé, e não por vista); temos bom ânimo, mas desejamos antes estar ausentes deste corpo, para estarmos presentes com o Senhor" (2 Co 5.6-8); "Mas de ambos os lados estou em aperto, tendo desejo de partir e estar com Cristo, porque isto é ainda muito melhor" (Fp 1.23). Estas são as palavras de uma testemunha experimentada.

C. João. Para o apóstolo João, foi dada uma ordem divina para entrar no céu, e para ver e ouvir tudo o que a Igreja verá e ouvirá, quando ela for transladada para o céu. Esta revelação a João inclui todos os eventos da Grande Tribulação, do casamento do Cordeiro, os julgamentos de Deus, e o extenso Dia do Senhor como o Estado Eterno. A visão é dada a João com uma ordem definida para ele escrever essas revelações, para o encorajamento dos santos. Assim João também se tornou uma testemunha experimentada a respeito do céu; e dificilmente poderia ser dito de fato que, à luz do testemunho de Cristo, de Paulo, e de João, que nenhum deles retornou para declarar a verdade a respeito do céu.

O fato de que uma proibição foi imposta sobre Paulo, para que ele não revelasse o que havia visto e ouvido e uma ordem foi dada ao apóstolo João de publicar essa revelação, pode ser explicado com base em que a experiência conferida a Paulo foi a de um crente que passou desta esfera pela morte, e que a experiência do apóstolo João é a de toda a Igreja no arrebatamento e muito mais. Esse última bem pode ser publicada para o encorajamento dos santos, mas a primeira bem pode ser guardada em segredo, a fim de que a tentação de deixar este mundo de provações pela morte auto-imposta não seja forte demais para suportar.

2. O Estado Futuro dos Redimidos. Está claramente asseverado que o céu é "incomparavelmente melhor" do que a terra (Fp 1.23). É no céu que o filho de Deus será conformado à imagem de Cristo (Rm 8.29; Fp 3.20, 21; 1 Jo 3.1-3),e ele conhecerá então como Deus conhece agora, e os crentes estarão juntos com o Senhor (1 Ts 4.16, 17). Na verdade, Deus agora cria uma nova ordem de seres humanos, através dos judeus e gentios. Esses compreendem que a nova criação reterá apenas uma pequena lembrança daquilo que eles foram. A cidadania deles terá sido mudada, seus corpos terão sido transformados, o ser total deles terá sido conformado à imagem de Cristo; aqueles que agora estão unidos a Cristo, então, estarão para sempre com Cristo em glória. Por estarem agora em Cristo, eles partilham daquilo que Ele é, e, por estarem casados com Cristo, compartilharão com Ele em todas as coisas como uma noiva entra na posição e estado do seu noivo.

3. O Céu, a Habitação Adequada de Deus para o Seu Povo. O céu é também o lugar apropriado de Cristo, do Espírito Santo, da Igreja dos primogênitos, e dos "espíritos dos justos aperfeiçoados" (cf. Hb 12.22-24).

4. Alguns Aspectos Essenciais do Céu. Certos aspectos são revelados a respeito do céu e estes podem ser melhor afirmados nas palavras da Escritura:

A. Uma Vida Abundante. "Pois o exercício corporal para pouco aproveita, mas a piedade para tudo é proveitosa, visto que tem a promessa da vida presente e da que há de vir" (1 Tm 4.8).

B. Repouso. "Então ouvi uma voz do céu, que dizia: Escreve: Bem-aventurados os mortos que desde agora morrem no Senhor. Sim, diz o Espírito, para que descansem dos seus trabalhos, pois as suas obras os acompanham" (Ap 14.13).

C. Conhecimento. "O amor jamais acaba; mas havendo profecias, serão aniquiladas; havendo línguas, cessarão; havendo ciência, desaparecerá; porque, em parte conhecemos, e em parte profetizamos; mas, quando vier o que é perfeito, então o que é em parte será aniquilado" (1 Co 13.8-10).

D. Santidade. "E não entrará nela coisa alguma impura, nem o que pratica abominação ou mentira; mas somente os que estão inscritos no livro da vida do Cordeiro" (Ap 21.27).

E. Serviço. "Ali não haverá jamais maldição. Nela estará o trono de Deus e do Cordeiro, e os seus servos o servirão" (Ap 22.3).

F. Adoração. "Depois destas coisas, ouvi no céu como que uma grande voz de uma imensa multidão, que dizia: Aleluia! A salvação e a glória e o poder pertencem ao nosso Deus" (Ap 19.1).

G. Glória. "Porque a nossa leve e momentânea tribulação produz para nós cada vez mais abundantemente um eterno peso de glória" (2 Co 4.17); "Quando Cristo, que é a nossa vida, se manifestar, então também vós vos manifestareis com ele em glória" (Cl 3.4).

A verdade que sempre deveria estar na mente é a de que o céu e o inferno não são obtidos por mero acidente. Eles são apresentados na Escritura – com uma visão da responsabilidade humana – como dependendo da determinação humana. Esta verdade é asseverada em passagens como: "Vem. E quem ouve, diga: Vem. E quem tem sede, venha; e quem quiser, receba de graça a água da vida" e "vós não quereis vir a mim para terdes vida". Que tão grande variação no destino é possível para os seres humanos, está demonstrada na conformidade com o ponto de vista do homem e apresenta a maior das responsabilidades humanas.

5. O Terceiro Céu. As Escrituras indicam que há três céus. Não há referência ao primeiro ou ao segundo céu como tais, mas há uma referência ao terceiro céu (2 Co 12.2), e não pode haver um terceiro céu sem um primeiro e um segundo. O primeiro céu é evidentemente a atmosfera que circunda a terra, pois a referência é feita "aos pássaros do céu" (Mt 8.20; 13.32), e às "nuvens do céu" (Mt 24.30; 26.64).

ESCATOLOGIA

O segundo céu é evidentemente o céu estelar, pois a Escritura se refere às "estrelas do céu" (Gn 26.4; Ap 6.13).

Pela criação de um homem e uma mulher com as instruções de que se multiplicassem e enchessem a terra, Deus tem povoado a terra, que está conectada com o primeiro céu. Pelo ato criador no qual os anjos foram trazidos à existência, Deus povoou o segundo céu. Poderia parecer que as estrelas do céu são a habitação deles. Ao deixar o terceiro céu, que é a Sua moradia, Cristo tornou-se menor do que os anjos (Sl 8.5) e, ao retornar desta esfera para o céu, Ele passou através da esfera dos principados e potestades (Ef 1.21). Assim, poderia parecer que os anjos ocupam uma habitação entre a terra e o terceiro céu.

O lugar do terceiro céu nunca foi revelado, mas é o lar do Pai, do Filho, e do Espírito Santo, e nunca foi habitado por qualquer outro ser criado, até o início desta presente era. Quando um crente morre, ele vai imediatamente estar com Cristo (2 Co 5.8; Fp 1.23) e, portanto, assume a sua morada naquela esfera. Assim, todos os crentes serão levados para aquele lugar de glória na vinda do Senhor, onde já é povoado no presente tempo. A salvação consiste em adaptar indivíduos para aquela esfera celestial. O apóstolo escreve em Colossenses 1.12: "...dando graças ao Pai que vos fez idôneos para participar da herança dos santos na luz", e todos os crentes têm se tornado filhos legítimos de Deus: "Porque os que dantes conheceu, também os predestinou para serem conformes à imagem de seu Filho, a fim de que ele seja o primogênito entre muitos irmãos" (Rm 8.29).

Conclusão

Com certas restrições nos detalhes, o campo geral da verdade, que é corretamente abrangido na Escatologia, foi coberto. Ao proceder com a convicção de que tudo na Bíblia, que era predição no tempo em que foi escrito, pertence a este trabalho, uma tentativa foi feita para arranjar e sistematizar esse extenso conjunto de verdades. Ainda permanece verdadeiro que, ao considerar que as mentes humanas sem ajuda podem compreender a história, somente aqueles que são pessoalmente ensinados por Deus podem dar uma resposta inteligente à revelação profética (cf. Jo 16.13); e este princípio se alcança através de todo raio de toda verdade espiritual e seu entendimento (cf. 1 Co 2.14).

Com esta conclusão do Volume IV, as sete principais divisões da Teologia Sistemática estão concluídas. Uma referência usual foi feita à pessoa e obra de Cristo e à pessoa e obra do Espírito Santo. Contudo, essas duas pessoas da Trindade, visto que elas cobrem uma grande parte no plano e no propósito de Deus e estão muito além de toda avaliação de fonte e recurso, o alfa e o ômega da posição, do serviço e da vida e do destino do cristão, deveriam ser consideradas pelo estudante separadamente cada pessoa e Sua obra – um estudo que deve ser acumulado de forma sistemática e conectada, de forma que o vasto conjunto de textos revele em sua plenitude a realidade incompreensível do Filho e do Espírito Santo. Conseqüentemente, o Volume V será dedicado à Cristologia e o Volume VI à Pneumatologia. Embora o campo da verdade usualmente incluído num sistema de teologia tenha sido apresentado, permanecem mais de sessenta doutrinas vitais que não estão direta ou indiretamente incluídas num tratado teológico; todavia, estas com outras importantes doutrinas – 180 ao todo – serão estudadas no volume restante.

Notas
Volume 3

Soteriologia

O Salvador

Cap. II   [1] *The International Standard Bible Encyclopaedia*, III, 1911-12.

[2] W. Lindsay Alexander, *System of Biblical Theology*, I, 360-63.

[3] *Scofield Reference Bible*, 1313-14.

[4] *Ibid.*, 1006.

[5] *Ibid.*, 841-42.

Cap. III   [6] Não há nenhuma referência aqui à cura física. De acordo com o Antigo Testamento, a cura poderia ser física ou espiritual. A referência é evidentemente feita no Salmo 103.3 à cura física e no Salmo 147.3 à cura espiritual. Em Isaías 53.5 e o seu paralelo no Novo Testamento — 1Pedro 2.24 — as palavras que acompanham e que são empregadas, estão todas relacionadas às coisas espirituais, a saber, transgressão, iniqüidade, paz, morte dos pecados, e cura. A última, para estar em harmonia com o contexto, deve se relacionar à cura da alma. Cristo não portou doença como portou o pecado; nem foi Ele feito doença da forma em que foi feito pecado. Ele se fez pobre para que outros pudessem ser ricos (2Co 8.9), mas ninguém asseveraria que, por causa dessa verdade, os homens têm riquezas temporais proporcionadas para eles na morte de Cristo, riquezas essas que somente esperam a fé que as reivindique. A referência às riquezas contempla as riquezas espirituais que esperam a fé que as reivindique. Da mesma maneira, a cura pelas pisaduras que Cristo recebeu é espiritual, ou aquela da alma, e não física, ou aquela do corpo.

[7] C. H. Mackintosh, *Notes on Leviticus*, 2a. edição, 64-65.

[8] George Smeaton, *The Doctrine of the Atonement*, 99.

[9] James W. Dale, *Christic and Patristic Baptism*, 27-28.

[10] Citado por R.W. Dale, *The Atonement*, 4a. edição, 3.

[11] Citado por Henry C. Mabie, *The Meaning and Message of the Cross*, 23.

[12] *Ibid.*, 21-22.

[13] Henry C. Mabie, *Ibid*, 25-30.

Cap. IV   [14] R. C. Trench, *New Testament Synonyms*, 9a. edição, 290-91.

[15] *Trinity*, IV. xiv. 19 (citado por Shedd, *Systematic*, II, 400).

[16] Henry C. Mabie, *Under the Redeeming Aegis*, 89-92.

[17] William Ellery Channing, *Complete Works* (citado por John Stock, *Revealed Theology*, 149-50).

[18] Citado por Stock, op. cit., 156.

NOTAS

[19] Strong, *Systematic Theology*, 422.

[20] Calvino, *Institutas* da Religião Cristã, II, 17.4, 3.

[21] *Formula. Consensus. Helvetica.*, art. 13.

[22] Witsius, *Oecon. Foed.* II. c.9, Par. 6.

[23] John Owen, Death of Christ, Works, vol. x, 269.

[24] John Owen, *Ibid.*, 285.

[25] John Owen, *Death of Christ*, Works, vol. I. C. ii. p. 438.

[26] John Owen, *Ibid*, 447.

[27] W. Lindsay Alexander, System of Biblical Theology, II, 102-106.

[28] Nota do Tradutor: É bom lembrar ao leitor que quando escreveu esta obra, a medicina cirúrgica não havia ainda desenvolvido esta capacidade de juntar membros ao corpo humano, coisa que hoje já é possível. Portanto, a ilustração que a Escritura usa é muitíssimo pertinente!

[29] Scofield, *The Scofield Reference Bible*, 126.

[30] *Ibid.*, 127.

[31] *Ibid.*, 128.

[32] Outras palavras além de *gā'al* que são encontradas no Antigo Testamento e que comunicam o pensamento de redenção são: *pādhāh* (cf. Lv 19.20; 27.29; Nm 3.46, 48-49, 51; 18.16; Dt 7.8; 13.5; Sl 49.7, 8, 15; 111.9; 130.7; Mq 6.4); *kānāh* (cf. Ne 5.8); *pāraķ* (cf. Sl 136.24); *gᵉ'ullāh* (cf. Lv 25.26, 29. 32; Rt 4.7; Jr 32.7, 8).

[33] C. I. Scofield, *Bible Correspondence Course*, III, 482-85.

[34] Quando Chafer escreveu esta obra, não havia ainda sido organizado o Estado de Israel, o que se deu em 1948.

[35] *New Testament for English Readers*, new edition, in loc.

Cap. V [36] C. H. Mackintosh, *Notes on Exodus*, 3a. edição, 270-72.

[37] C. H. Mackintosh, *Ibid.*, 137-38, 149-50.

[38] C. I. Scofield, *The Scofield Reference Bible*, 147-48.

[39] J. N. Darby, *Synopsis of the Books of the Bible*, nova edição, I, 264-65.

Cap. VII [40] R. W. Dale. *The Atonement*, 4a. edição, 299-300, 309-10.

[41] Capítulo ix, de ambos os Pais da Igreja, citados por R. W. Dale, *Ibid*, 271-72.

[42] Opera, Cologne, 1680. I, 691-92 (Citado por Dale, *Ibid.*, 273-74).

[43] C. xiv, tudo citado por Dale, *ibid.*, 280-81.

[44] Citado por Dale, *ibid.*, 289.

[45] New *Schaff-Herzog Encyclopaedia of Religious Knowledge*, I, 349-56.

[46] Citado por Miley, *Theology*, II, 161.

[47] Miley, *Ibid.*, II, 176-81.

[48] R. W. Dale, *op. cit.*, 432-34.

[49] Bispo Foster, "Philosophy of Christian Experience", 1891, 113.

[50] B. B. Warfield, "Modern Theories of the Atonement", Princeton Review, 1903 (*Studies in Theology*, 283-97).

ELEIÇÃO DIVINA

Cap. IX [51] Charles Hodge, *Teologia Sistemática* (Sao Paulo: Hagnos, 2001), 723.

[52] W. G. T. Shedd, *Dogmatic Theology*, I, 442-43.

NOTAS

[53] Charles Hodge, *Teologia Sistemática*, (São Paulo, Hagnos, 2001), 722.

[54] W. G. T. Shedd, *Dogmatic Theology*, I, 449.

Cap. X [55] W. Lindsay, *A System of Biblical Theology*, II, 111.

[56] Citado por W. L. Alexander, *ibid.*, II, 109-10.

[57] Sumarizado por Alexander, *ibid.*, 108.

[58] W. G. T. Shedd, *Dogmatic Theology*, II, 479.

A Obra Salvadora do Deus Tríuno

Cap. XII [59] A. A. Hodge, *Outlines of Theology*, 340-41.

[60] W. Lindsay Alexander, *System of Biblical Theology*, I, 324.

Cap. XIII [61] *New Testament for English Readers*, nova edição, *in loc.*

[62] *Scofield Reference Bible*, 1139.

A Segurança Eterna do Crente

Cap. XIV [63] Ralph Wardlaw, *System of Theology*, II, 550.

[64] Cunningham, *op. cit.*, 490.

[65] Ibid., 490-91.

Cap. XV [66] Cunningham, *Historical Theology*, II, 3ª ed. 404-5.

[67] Cunningham, *Historical Theology*, II, 413-14.

[68] Wardlaw, *System of Theology*, II, 570.

[69] John Dick, *Lectures on Theology*, 190.

[70] Scofield, *Reference Bible*.

[71] James H. Brookes, The Truth, XIII, 27.

Cap. XVI [72] Dean Alford, *N.T. for English Readers*, new edition, Romans 8.34.

[73] Alford, *loc.cit.*

[74] Hodge, *Systematic Theology*, III, 241.

Os Termos da Salvação

Cap. XX [75] James W. Dale, *Christic and Patristic Baptism*, 392-94.

Volume 4

Eclesiologia

Cap. I [76] Scofield, The Scofield Reference Bible, p. 1252.

[77] Nota do Tradutor: essa expressão "as nações deles que são salvas" não aparece em nossas versões em português, mas sim em versões americanas. Portanto, o comentário que se segue não faz sentido para quem lê a Escritura em nossas versões.

A Igreja como um Organismo

Cap. II [78] *Scofield, Scofield Reference Bible*, 1304.

NOTAS

79 Trench, *New Testament Synonyms*, 9ª edição, 1-7.

80 Marvin Vincent, *Word Studies in the New Testament*, I, 93.

Cap. IV 81 H. A. Ironside, *Lectures on the Book of Revelation*, 35-36.

82 A. C. Gaebelein, *The Annotated Bible: Matthew–Acts*, 213-15.

83 F. W. Grant, *Numerical Bible – The Gospels*, 548-49.

84 *Scofield Reference Bible*, 1136-37.

Cap. V 85 W. H. Griffith Thomas, *International Standard Bible Encyclopaedia*, 1915, IV, 2567-68.

86 Moule, *Cambridge Bible* – "Romans", 98.

87 F. Godet, *Romans*, I, 312 (citado por Griffith Thomas, *Romans*, I, 187).

88 Moule, *Cambridge Bible for Schools and Colleges – Colossians and Philemon*, 124.

89 Por causa de Levítico 23.37, 38, tem sido alegado por alguns que estes Sábados fixos foram Sábados extras que foram acrescentados aos sábados regulares, Esta alegação, contudo, não tem o suporte de Números 28.9, 10. A comparação destes textos importantes revela o fato de que a palavra além de Levítico 23.37, 38, não indica mais Sábados, mas antes refere-se a ofertas adicionais a serem feitas sobre e além das ofertas dos sábados regulares.

90 Tradução do mesmo texto encontrada no livro de H. Bettenson, Documentos da Igreja Cristã (São Paulo: ASTE, 1998),124-125.

Cap. VI 91 Marvin Vicent, *Word Studies in the New Testament*, II, 105-6).

92 C. I. Scofield, *Reference Bible*, 1255.

93 Denham Smith, *The Brides of Scripture*, 3a. edição, 12-13.

94 J. Denham, *The Brides of Scripture*, 36-38.

95 Tradução do Hino do original em inglês, veja Hinário Novo Cântico, (São Paulo: Cultura Cristã), n° 298.

A IGREJA ORGANIZADA

Cap. VII 96 Scofield, *Bible Correspondence Course*, III, 431.

97 Scofield, Bible *Correspondence Course*, III, 428-30.

A REGRA DE VIDA DO CRENTE

Cap. VIII 98 *Encyclopaedia Britannica*, 14a edição, V, 938.

ESCATOLOGIA

Cap. XIII 99 Charles Hodge, *Teologia Sistemática* (São Paulo: Hagnos, 2001), 1602.

100 B. B. Warfield, em seu artigo sobre o milênio no *Princeton Theological Review*, 1904, II, 599-617.

101 Warfield, *Biblical Doctrines*, 649.

102 *Ibid.*, 656.

103 I. A. Dorner, *History of Protestant Theology*, II, 4.

104 George N. H. Peters, *The Theocratic Kingdom*, I, 13.

105 Citado por Peters, *ibid.*, 21.

106 George N. H. Peters, *Ibid.*, 47.

107 Hagenbach, *History of Doctrine*, Vol. 2, sec. 240 (citado por Peters, *ibid.*, 112).

NOTAS

[108] Peters, *ibid.*, 124.

[109] Peters, *ibid.*, 126.

[110] Citado por Peters, *ibid.*, 125.

ASPECTOS GERAIS DA ESCATOLOGIA

Cap. XIV [111] Peters, *The Theocratic Kingdom*, I, 480.

[112] Peters, *Theocratic Kingdom*, I, 480, 494-97, 500.

[113] *Ibid.*, 482-83.

[114] I. M. Haldeman, *History of the Doctrine of Our Lord´s Return*, 14-20, 24.

Cap. XV [115] Brookes, *Maranatha*, 536.

[116] Ambas as citações são feitas por Peters, Theocratic Kingdom. I, 499.

[117] Walch's *Luther*, vol. 2, 1082-83 (citado por Peters, *ibid.*, III, 175).

[118] Citado por Haldeman, *op. cit.*, 27.

[119] Calvin, Commentary, Matthew 24.30 (citado por Peters, *loc. cit.*).

[120] As três referências acima foram feitas por Haldeman, *loc. cit.*.

[121] Muller, Symbolic Books, 43 (citado por Peters, *loc. cit.*).

[122] Citado por Peters, *ibid.*, I, 541-42.

[123] Veja o artigo "The Millenium and the Apocalypse", *The Princeton Theological Review*, 1904, II, 599-617).

[124] Citado por Peters, *op. cit.*, I, 481.

[125] Scofield, *Reference Bible*, 711-12.

[126] Scofield, *ibid.*, 1010.

OS PRINCIPAIS CAMINHOS DA PROFECIA

Cap. XVI [127] Frederick G. Taylor, The Sunday School Times (Dezembro de 1941), 990.

Cap. XVII [128] *Scofield Reference Bible*, 19.

[129] *Scofield, Reference Bible*, 1204.

[130] Peters, *Theocratic Kingdom*, I, 338.

Cap. XVIII [131] H. A. Ironside, *Lectures on Daniel*, 118-120.

[132] Thiessen, *Bibliotheca Sacra*, XCII, 1935, 47-48.

Cap. XIX [133] H. C. Thiessen, *Bibliotheca Sacra*, 1935, XCII, 48-50.

Cap. XX [134] Ford C. Ottman, *Unfolding of the Ages*, 378-84.

[135] C. I. Scofield, *Reference Bible*, 724-25.

[136] *Ibid.*, 725.

[137] *Ibid.*, 1346-47.

Cap. XXI [138] Moffatt, *Expositor's Greek Testament, in loc.*

[139] Alford, *Greek Testament, in loc.*

[140] Charles, *The Revelation of St. John*, na série do *International Critical Commentary., in loc.*

[141] *Greek Testament., in loc.*

[142] *Ibid*

[143] Henry C. Thiessen, *Bibliotheca Sacra*, 1935, XCII, 40-45.

[144] Alford, *Greek Testament, in loc.*

[145] Moffatt, *Expositor's Greek Testament, in loc.*

NOTAS

[146] Buttmann-Thayer, *Grammar of the New Testament Greek*, 326 s.

[147] Abbott, *Johannine Grammar*, 251 s. (Eu devo esta nota ao Dr. A. T. Robertson).

[148] Westcott, *Epistle to the Hebrews*, 128.

[149] Moorehead, *Studies in the Book of Revelation*, 55.

[150] Plummer, *Cambridge Greek Testament, Gospel of John, in loc.*

[151] Henry C. Thiessen, *Ibid.*, 201-3.

[152] Ford C. Ottman, *Unfolding of the Ages*, 109.

Cap. XXII [153] Scofield, *Reference Bible*, 1233.

Cap. XXIII [154] Nota do Tradutor: Convém lembrar que Chafer escreveu este livro antes da década de quarenta, quando oficialmente foi criado o estado de Israel, pelas Nações Unidas, em 1948. Formalmente, o terceiro retorno já aconteceu, queiramos ou não.

Cap. XXV [155] *Scofield Reference Bible*, 1348-49.

Cap. XXVII [156] Scofield Reference Bible, 1098-99.

[157] Max Müller, *Chips*, I, 44 (citado pelo *New Standard Dictionary*, edição 1913, verbete "transmigration".

[158] B. B. Warfield, *The New Schaff-Herzog Encyclopedia of Religious Knowledge*, I, 183 ss.

[159] *Encyclopaedia Britannica*, 14a. edição, XXII, 861.

[160] *Ibid.*

[161] Van Oosterzee, *Christian Dogmatics*, II, 807-9.

Sua opinião é importante para nós. Por gentileza envie seus comentários pelo e-mail editorial@hagnos.com.br

Visite nosso site: www.hagnos.com.br

Esta obra foi impressa na Imprensa da Fé. São Paulo, Brasil. Inverno de 2020.